MA VIE

BILL CLINTON

MA VIE

Traduit de l'anglais (États-Unis) par

Michel Bessières, Agnès Botz, Jean-Luc Fidel, Michèle Garène,
Jacqueline Henry, Patrick Hersant, Barbara Hochstedt,
Claude-Christine Farny, Sylvie Kleiman-Lafon

Odile Jacob

Remerciements pour leurs autorisations de reproduire des textes publiés à :

Harcourt, Inc. : extrait de *The People, Yes* de Carl Sandburg. © Harcourt Brace & Company, 1936. © Carl Sandburg, 1964. Reproduit avec l'autorisation de Harcourt, Inc.

Random House, Inc. : extrait de *On The Pulse of Morning* de Maya Angelou. © Maya Angelou, 1993. Reproduit avec l'autorisation de Random House, Inc.

The Washington Post : extrait de « Opinion Roundup GOP Distorts History » de Edwin Yoder, tiré de *The Atlanta Journal and Constitution* (9 mars 1994). © The Washington Post Writers Group, 1994. Reproduit avec l'autorisation du *Washington Post*.

This translation published by arrangement with Alfred A. Knopf, a division of Random House, Inc.

Titre original : MY LIFE

© William Jefferson Clinton, 2004

Pour la traduction française :
© Odile Jacob, juin 2004
15, rue Soufflot, 75005 Paris

ISBN 2-7381-1553-5

www.odilejacob.fr

À ma mère, qui m'a donné l'amour de la vie,

À Hillary, qui m'a donné une vie d'amour,

À Chelsea, pour la joie et le sens qu'elle a donné à tout cela,

Et à la mémoire de mon grand-père, qui m'a appris
à considérer ceux que les autres ne considèrent pas,
parce que, finalement, nous ne sommes pas si différents.

PROLOGUE

J'étais encore jeune homme, je venais de finir mes études de droit et j'étais pressé de vivre ma vie d'adulte. Sans doute est-ce pour cette raison que j'ai un jour brièvement mis de côté mon goût pour la littérature et l'histoire pour m'acheter un de ces guides supposés donner les clefs de la réussite : *Comment contrôler votre temps et votre vie*, par Alan Lakein. L'auteur conseillait de dresser l'inventaire des buts que l'on s'était fixés à court, moyen et long termes, puis de les classer par ordre d'importance. Les projets les plus importants allaient dans le groupe A, puis par ordre décroissant, dans le groupe B et enfin dans le groupe C. Il fallait ensuite établir la liste des différents moyens de les mettre en œuvre. J'ai encore ce livre de poche, qui a maintenant presque trente ans ; et je suis certain d'avoir gardé ce vieil inventaire quelque part dans mes papiers, même si je n'ai pu remettre la main dessus. Je me souviens cependant très bien de ce que j'avais inscrit dans le groupe A. Je voulais devenir quelqu'un de bien, faire un mariage heureux, avoir des enfants et de vrais amis, faire une brillante carrière politique et écrire un grand livre.

Quant à savoir si je suis quelqu'un de bien, seul Dieu peut en juger. Je sais seulement que je ne suis pas aussi bon que ce que croient mes plus fervents alliés, ni aussi bon que j'espère l'être un jour, mais que je ne suis pas aussi mauvais que veulent bien le dire mes plus ardents détracteurs. J'ai l'immense chance d'être très heureux en famille avec Hillary et Chelsea. Comme toutes les vies de famille, la nôtre n'est pas parfaite, mais nous avons connu de nombreux moments merveilleux. Ses échecs, comme le monde entier le sait, sont surtout de mon fait, et son avenir est en tout cas solidement porté par l'amour de ma femme et de ma fille. Je ne connais personne qui ait eu plus d'amis que moi, ni de meilleurs. On a même avancé très souvent que je m'étais hissé jusqu'à la présidence en prenant appui sur mes amis proches, les désormais légendaires FOB (*friends of Bill* : les amis de Bill).

Ma vie politique a toujours été une grande source de joie. J'ai beaucoup aimé faire campagne et j'ai aussi aimé gouverner. J'ai toujours essayé de faire avancer les choses dans la bonne direction, de donner au plus grand nombre une chance de vivre leurs rêves, de redonner espoir aux gens et de les rapprocher les uns des autres. C'est ainsi que j'ai toujours marqué des points.

Ai-je écrit un grand livre ? Qui sait ? Je suis certain, en tout cas, qu'il s'agit d'une bonne histoire.

CHAPITRE PREMIER

Je suis né aux premières heures de la matinée, le 19 août 1946, sous le ciel clément qui succède toujours aux plus violents orages. C'était à la maternité du Julia Chester Hospital de Hope, une petite ville d'environ six mille âmes dans le sud-ouest de l'Arkansas, à une quinzaine de kilomètres de Texarkana et de la frontière texane. Ma mère, jeune veuve, me nomma William Jefferson Blythe III, en souvenir de mon père, William Jefferson Blythe Jr., l'un des neuf enfants d'un fermier pauvre de Sherman, au Texas, mort quand mon père avait 17 ans. D'après ses sœurs, mon père a toujours fait son possible pour s'occuper de ses frères et sœurs, et, à l'âge adulte, il est devenu un bel homme, travailleur et qui aimait la vie. Il rencontra ma mère au Tri-State Hospital de Shreveport (Louisiane), en 1943, alors qu'elle y apprenait le métier d'infirmière. Tout au long de mon enfance et de mon adolescence, j'ai toujours demandé à ma mère de me raconter l'histoire de leur rencontre, de leur amour naissant et de leur mariage. Il avait accompagné sa petite amie d'alors pour un soin d'urgence dans le service où travaillait ma mère, et ils se sont mis à bavarder pendant que l'autre jeune fille se faisait soigner. En sortant de l'hôpital, il tapota le doigt auquel ma mère portait la bague de son petit ami et lui demanda si elle était mariée. Elle balbutia que non, elle était célibataire. Le lendemain, il envoya un énorme bouquet de fleurs à l'autre jeune femme, et il lui brisa le cœur. Puis il téléphona à ma mère pour lui proposer de venir la voir, expliquant qu'il envoyait toujours des fleurs lorsqu'il mettait fin à une relation amoureuse.

Deux mois plus tard, ils se sont mariés et il est parti à la guerre. Il réparait les Jeep et les tanks dans une division motorisée qui venait de débarquer sur les côtes italiennes. À la fin des hostilités, il est revenu chercher ma mère à Hope et ils ont déménagé à Chicago, où il a repris son ancien travail de représentant pour la Manbee Equipment Company. Ils ont acheté une petite maison en banlieue, à Forest Park, mais ils n'ont pu s'y installer tout de suite. Comme ma mère était enceinte de moi, ils ont décidé qu'il valait mieux qu'elle rentre à Hope jusqu'à ce qu'ils puissent emménager dans leur nouvelle maison. Et le 17 mai 1946, après avoir déménagé leurs meubles à Forest Park, mon père est parti en voiture chercher sa femme à Hope. Au beau milieu de la nuit, sur l'autoroute 60, à la sortie de Sikeston, dans le Missouri, il a perdu le contrôle de sa Buick modèle 1942. Le pneu avant droit venait d'éclater sur la route mouillée. Il a été éjecté de la voiture, mais il a atterri ou bien s'est traîné dans un fossé destiné à recueillir les eaux stagnantes. Il contenait environ un mètre d'eau. Lorsqu'on l'a retrouvé, après deux heures de recherches, sa main agrippait encore une branche au-dessus de l'eau. Il avait essayé en vain de se hisser hors du fossé. Il s'est noyé, à peine âgé de 28 ans. Il était marié depuis deux ans et huit mois, et il n'avait passé que sept mois avec ma mère.

Ces quelques événements sont tout ce que j'ai jamais vraiment su de mon père. Toute ma vie, je n'ai eu de cesse de combler les blancs, m'accrochant, plein d'espoir, à la moindre photo, à la moindre anecdote, au moindre morceau de papier qui pouvaient m'en dire plus sur celui qui m'avait donné la vie.

Un jour, lorsque j'avais 12 ans, j'étais assis devant la maison de mon oncle Buddy, à Hope, lorsqu'un homme a monté les marches. Il m'a regardé et il m'a dit : « Toi, tu es le fils de Bill Blythe, tu es son portrait tout craché. » J'ai rayonné de bonheur pendant des jours.

En 1974, j'étais candidat aux élections législatives. C'était ma première campagne électorale, et le journal local a publié un article sur ma mère. Un matin, très tôt, elle était à son coffee-shop habituel et discutait de cet article avec un ami avocat, lorsqu'un des habitués de l'endroit, qu'elle connaissait de vue, est venu lui dire : « J'y étais, je suis arrivé en premier sur les lieux de l'accident cette nuit-là. » Il lui a alors raconté ce qu'il avait vu, notamment que mon père était encore suffisamment conscient ou attaché à la vie pour tenter de se sortir de l'eau avant de mourir. Ma mère l'a remercié, elle a marché jusqu'à sa voiture et s'est mise à pleurer, puis elle a séché ses larmes et elle est partie travailler.

En 1993, le jour de la fête des pères, ma première fête des pères à la présidence, le *Washington Post* a publié un long reportage sur mon père, suivi pendant deux mois par une série d'enquêtes complémentaires menées par l'Associated Press et par un certain nombre de petits articles. Toutes ces histoires confirmaient ce que nous savions déjà, ma mère et moi. Elles nous ont également appris beaucoup de choses que nous ne savions pas, notamment que mon père avait sans doute été marié trois fois avant de la rencontrer et qu'il avait apparemment au moins deux autres enfants.

L'autre fils de mon père était un certain Leon Ritzenthaler, propriétaire à la retraite d'une entreprise de concierges et de portiers dans le nord de la Californie. Dans l'article, il disait m'avoir écrit pendant la campagne de 1992 sans jamais recevoir de réponse. Je ne me souviens pas avoir pris connaissance de cette lettre ; si l'on songe à tous les mauvais coups que nous tentions d'esquiver à l'époque, il est fort possible que mon équipe ait jugé préférable de ne rien me dire. Il est également possible que cette lettre ait été égarée dans la montagne de courrier que nous recevions. Quoi qu'il en soit, lorsque j'ai lu l'article consacré à Leon, je me suis mis en contact avec lui et, par la suite, je l'ai rencontré, ainsi que sa femme Judy, lors d'une de mes étapes de campagne dans le nord de la Californie. Ce fut une très agréable rencontre, et depuis, nous n'avons jamais cessé de nous écrire au moment des fêtes. Nous nous ressemblons beaucoup. Son acte de naissance dit que mon père était aussi le sien, et je regrette sincèrement de ne pas l'avoir connu plus tôt.

À peu près à la même époque, j'ai également reçu des informations confirmant l'existence d'une fille : Sharon Pettijohn, née Sharon Lee Blythe, à Kansas City, en 1941, et dont la mère a ensuite divorcé de mon père. Elle a envoyé à Betsey Wright, mon ancienne secrétaire générale lorsque j'étais gouverneur, son acte de naissance, l'acte de mariage de ses parents, une photo de mon père, et une lettre de sa mère à mon père dans laquelle elle parle de « notre bébé ». Je dois dire, à mon grand regret, que je ne l'ai jamais rencontrée.

Cette nouvelle, qui nous est parvenue en 1993, a profondément marqué ma mère. Elle luttait depuis quelque temps déjà contre un cancer. Mais elle a pris tout cela sans se laisser abattre. Elle m'a dit que pendant la Dépression et la guerre, les jeunes faisaient beaucoup de choses que désapprouveraient certainement tous ceux qui n'avaient pas vécu cette période. Ce qui comptait pour elle, c'était que mon père avait été l'amour de sa vie et qu'elle n'avait jamais douté de son amour pour elle. Quels que soient les faits, c'était là tout ce qu'elle avait besoin de savoir alors qu'elle s'en allait doucement. Quant à moi, je ne savais trop que faire de tout cela, mais, étant donné ce qu'avait été ma vie, je n'étais pas surpris de me découvrir un père bien plus compliqué que les images idéalisées avec lesquelles j'avais vécu pendant près d'un demi-siècle.

En 1994, alors que nous nous apprêtions à célébrer le cinquantième anniversaire du Débarquement, plusieurs journaux ont publié des articles sur le passé militaire de mon père, accompagnés d'un cliché de lui en uniforme. Peu de temps après, j'ai reçu une lettre d'Umberto Baron de Netcong, dans le New Jersey, racontant sa vie pendant et après la guerre. Il disait qu'il était encore tout jeune quand les Américains étaient arrivés en Italie et qu'il aimait beaucoup aller sur la base américaine. Il s'était particulièrement lié d'amitié avec un soldat qui lui donnait des bonbons et lui montrait comment fonctionnaient les moteurs et comment les réparer. Il ne lui avait jamais connu d'autre nom que Bill. Après la guerre, Umberto Baron est venu s'installer aux États-Unis. Inspiré par ce qu'il avait appris auprès de ce soldat qui l'avait surnommé « petit GI Joe », il a ouvert son propre garage et fondé une famille. Il m'a raconté comment il avait concrétisé son rêve américain, en développant un commerce florissant et en ayant trois beaux enfants. Il m'a dit qu'il devait beaucoup de son succès dans la vie à ce jeune soldat, qu'il n'avait pu lui dire au revoir à l'époque et qu'il s'était toujours demandé ce qu'il était devenu. Et puis il a ajouté : « Le Jour du Souvenir, cette année, je parcourais un exemplaire du *Daily News* de New York en prenant mon café du matin lorsque j'ai eu l'impression d'être littéralement frappé par la foudre. Là, en bas de la page, à gauche, il y avait la photo de Bill. J'ai été ému d'apprendre qu'il n'était autre que le père du président des États-Unis. »

En 1996, pour notre dîner de Noël en famille à la Maison Blanche, les enfants de l'une des sœurs de mon père sont venus nous rendre visite pour la première fois. Ils m'ont apporté un cadeau : la lettre de condoléances que ma tante avait reçue de son député, le grand Sam Rayburn, après la mort de mon père. Il ne s'agit que de quelques lignes et la signature n'est vraisemblablement qu'un coup de tampon, mais j'ai serré cette lettre sur mon cœur avec autant de bonheur qu'un enfant de 6 ans à qui le Père Noël vient d'apporter son premier train électrique. Je l'avais accrochée dans mon bureau personnel, au deuxième étage de la Maison Blanche, et je venais la regarder chaque soir.

Peu de temps après mon départ de la Maison Blanche, je montais à bord de la navette aérienne qui relie Washington à New York, lorsqu'un employé de la compagnie aérienne m'a arrêté pour me dire que son beau-père venait de lui apprendre qu'il avait fait la guerre dans le même régiment que mon père et qu'il l'appréciait beaucoup. Je lui ai demandé l'adresse et le numéro de téléphone de ce vénérable vétéran ; l'homme m'a répondu qu'il ne les avait pas sur lui, mais qu'il me les ferait parvenir. J'attends toujours, dans l'espoir de rencontrer un jour une autre personne ayant connu mon père.

À la fin de mon second mandat, j'ai choisi quelques villes où je voulais remercier le peuple américain et lui dire au revoir. J'ai entre autres choisi Chicago, la ville natale de Hillary, où j'ai obtenu l'investiture démocrate en 1992, le jour de la Saint-Patrick ; la ville où résident bon nombre de mes plus ardents supporters et où beaucoup de mes plus importantes mesures concernant la criminalité, l'aide sociale et l'éducation se sont révélées payantes ; et, bien sûr, la ville où mes parents sont venus s'installer après la guerre. J'ai souvent dit en plaisantant à Hillary que si mon père n'était pas mort sur une route mouillée du Missouri, j'aurais grandi à quelques kilomètres de chez elle et que nous ne nous serions sans doute jamais rencontrés. Le dernier événement de ma visite à Chicago a eu lieu au *Palmer House Hotel*, où a été prise la seule photo que j'aie de mes parents ensemble, juste avant que ma mère ne rentre à Hope en 1946. Après avoir fait mon discours et mes adieux, je me suis rendu dans une petite pièce où j'ai rencontré une femme, Mary Etta Rees, et ses deux filles. Elle avait grandi avec ma mère et avait été sa camarade au lycée avant de partir dans l'Indiana pour travailler dans l'armement. Elle s'y était mariée, s'y était installée et y avait élevé ses enfants. Elle m'a fait cadeau d'un autre objet précieux : la lettre que ma mère, alors âgée de 23 ans, lui avait écrite pour son anniversaire, trois semaines à peine après la mort de mon père, cinquante-quatre ans auparavant. J'y retrouvais bien ma mère. De sa belle écriture, elle lui parlait du malheur qui venait de la frapper, mais aussi de sa détermination à aller de l'avant : « Cela m'a paru tout à fait impossible sur le coup, mais, tu vois, je suis enceinte de six mois, et quand je pense à notre bébé, je me sens assez forte pour aller de l'avant, j'ai le sentiment que le monde entier me tend les bras. »

Ma mère m'a transmis l'alliance qu'elle avait donnée à mon père, elle m'a aussi légué quelques histoires émouvantes, et la certitude qu'elle m'aimait pour lui aussi.

Mon père, lui, m'a laissé le sentiment que je devais vivre pour deux. Si je me débrouillais bien, je pourrais d'une façon ou d'une autre compenser la vie qu'il aurait dû avoir et qu'il n'a pas eue. Son souvenir m'a donné très tôt à comprendre que j'étais aussi mortel. Cette certitude que je pouvais, moi aussi, mourir jeune m'a poussé à toujours tirer tout ce que je pouvais de chaque instant de ma vie et à me tenir prêt à affronter chaque nouveau défi. Même lorsque je ne savais pas vraiment où j'allais, j'y allais toujours avec empressement.

CHAPITRE DEUX

Je suis né le jour de l'anniversaire de mon grand-père, deux semaines avant terme. Avec 2 kilos 95 pour 53 cm, mes mensurations étaient tout à fait honorables. Après cet événement, ma mère s'est installée chez ses parents, qui habitaient sur Hervey Street, à Hope. J'ai passé là les quatre premières années de ma vie. À mes yeux, la vieille maison était imposante et mystérieuse, et aujourd'hui encore, elle garde une place importante dans mes souvenirs. Les habitants de la ville ont rassemblé les fonds nécessaires à sa restauration ; ils y ont installé photos, objets et mobilier d'époque, et ils l'appellent désormais la « maison natale du président Clinton ». J'associe à cet endroit, il est vrai, mon éveil à la vie et mes premières sensations : odeurs de cuisine campagnarde ; baratte à beurre, sorbetière, planche à laver et cordes à linge ; premier manuel de lecture avec les personnages de Dick et Jane ; premiers jouets, dont une simple chaîne que je considérais comme un trésor ; voix étrangères dans le récepteur de notre téléphone, branché sur une ligne collective ; premiers copains et observation des activités de mes grands-parents.

Après une année environ, ma mère a jugé nécessaire de retourner au Charity Hospital, à La Nouvelle-Orléans. Elle y avait suivi une partie de sa formation d'infirmière et elle voulait obtenir le diplôme d'infirmière anesthé-siste. Auparavant, les médecins pratiquaient eux-mêmes les anesthésies. Ils appréciaient d'être déchargés de cette responsabilité. La spécialité, relativement nouvelle, était assez demandée. Elle pouvait apporter du prestige à ma mère et de l'argent à la famille. Mais je suis sûr qu'elle a vécu comme une épreuve la décision de me quitter. D'un autre côté, La Nouvelle-Orléans de l'après-guerre était en pleine effervescence. C'était une ville jeune, un haut lieu du jazz qui abritait des clubs légendaires, comme le *My-Oh-My*, connu pour son spectacle de travestis. Un tel environnement pouvait aider une belle et jeune veuve à surmonter son deuil.

À deux reprises, j'ai pris le train de La Nouvelle-Orléans, avec ma grand-mère, pour lui rendre visite. J'avais 3 ans, mais quelques souvenirs restent très vifs dans ma mémoire. En particulier, notre séjour au *Jung Hotel*, sur Canal Street, qui borde le Quartier français. Notre chambre se trouvait à l'un des étages les plus élevés. C'était la première fois que je pénétrais dans un bâtiment de plus de deux étages, la première fois aussi que je découvrais une vraie ville. La vue nocturne sur les lumières de la ville, à mes pieds, m'avait fasciné. Je ne me souviens pas des journées passées avec ma mère, mais je n'oublierai jamais le moment des adieux, à l'issue d'un de ces deux voyages. Comme le train démarrait pour quitter la gare, ma mère tomba à genoux à côté des rails et éclata en sanglots en nous lançant ses adieux. Je revois la scène comme si c'était hier.

Plus de cinquante ans après cette expédition, La Nouvelle-Orléans reste chère à mon cœur. J'aime l'esprit de la ville, sa musique, sa cuisine et ses habitants. Au cours de ma quinzième année, la famille s'est offert un séjour de vacances à La Nouvelle-Orléans et sur le golfe du Mexique. J'ai eu la chance d'entendre le trompettiste Al Hirt dans son propre club. On nous a d'abord refusé l'entrée, à cause de mon âge. Au moment où nous nous apprêtions à rebrousser chemin, ma mère et moi, le portier nous a informés qu'Al Hirt lisait dans sa voiture, stationnée au coin de la rue, et que je pourrais entrer s'il me donnait son feu vert. Je m'approchai de sa superbe Bentley, tapai à la vitre et plaidai ma cause. Il s'extirpa de sa voiture, nous accompagna tous les deux jusque dans son club et nous installa à une table proche de la scène. Il joua un set magnifique avec ses musiciens, ce soir-là. C'était la première fois que j'assistais à un concert de jazz. Al Hirt est décédé pendant ma présidence. J'ai écrit à son épouse pour lui raconter cette histoire et exprimer ma gratitude. La gentillesse du grand homme à l'égard d'un adolescent valait bien cela.

Pendant mes années de lycée, j'ai joué, au saxophone ténor, la partie solo d'un morceau intitulé *Suite pour Crescent City*, qui évoquait La Nouvelle-Orléans. Je reste convaincu que mes souvenirs d'enfance liés à ma première découverte de la ville ont enrichi mon interprétation. À 21 ans, j'ai décroché une bourse Rhodes, à La Nouvelle-Orléans. L'entretien s'est déroulé dans de bonnes conditions parce que je me sentais un peu chez moi, me semble-t-il. Lorsque j'étais un tout jeune professeur de droit, à deux ou trois reprises, Hillary et moi avons assisté à des colloques à La Nouvelle-Orléans. Nous descendions au *Cornstalk*, un charmant petit hôtel, situé dans le Quartier français. C'est aussi dans cette ville que, pendant mon mandat de gouverneur, l'équipe de football américain de l'Arkansas a rencontré celle de l'Alabama, à l'occasion de la compétition régionale du Sugar Bowl. Nous avons essuyé une défaite face aux joueurs entraînés par le légendaire Bear Bryant, qui était alors en fin de carrière. Seule consolation : ce rude adversaire était un enfant de l'Arkansas ! Lors des deux scrutins présidentiels auxquels j'ai participé, les habitants de La Nouvelle-Orléans m'ont accordé une avance confortable, offrant ainsi l'État de Louisiane à notre camp.

J'ai vu, depuis lors, la plupart des grandes villes de la planète, mais La Nouvelle-Orléans gardera à jamais une place particulière – pour le café et les beignets du *Morning Call* sur le Mississippi, pour la musique de Charmaine et Aaron Neville, pour les vieux musiciens de Preservation Hall et pour le souvenir d'Al Hirt ; pour les séances de jogging à l'aube dans le Quartier français ; pour les repas inoubliables dans divers restaurants de la place en compagnie de John Breaux, du shérif Harry Lee et d'autres amis et, plus que tout, pour les toutes premières images que je garde de ma mère. Tous ces éléments continuent à m'attirer, tel le cours du Mississippi, vers La Nouvelle-Orléans.

Ma mère installée là-bas, j'étais à la charge de mes grands-parents. Ils s'occupaient de moi avec une attention remarquable. Leurs réserves d'amour à mon égard étaient inépuisables. Ils n'en avaient pas autant, hélas, l'un pour l'autre, et ma grand-mère en avait encore moins pour ma mère. Bien entendu, dans ma candeur, je n'avais aucune conscience de cette situation. Je saisis toutefois que j'étais entouré d'amour. Plus tard, lorsque j'ai commencé à m'intéresser aux enfants élevés dans des circonstances difficiles et que les travaux de Hillary au Centre d'études sur l'enfance, à l'Université Yale, m'ont éclairé sur le développement infantile, j'ai compris la chance que j'avais eue. Malgré les démons qui les hantaient, mes grands-parents et ma mère m'ont toujours fait sentir que j'étais la personne la plus importante au monde à leurs yeux. La plupart des enfants surmontent les difficultés pour peu qu'une seule personne crée un tel climat de confiance. Dans mon cas, elles étaient trois.

Ma grand-mère, Edith Grisham Cassidy, mesurait tout juste 1 m 65 et pesait 80 kilos. Grand-maman était intelligente, vive et déterminée. Elle avait été une jolie femme et il lui en restait quelque chose. Son rire était très chaleureux, mais elle gardait en elle toutes sortes de colères, de déceptions et d'obsessions qu'elle comprenait à peine. Quand elle les extériorisait, avant comme après ma naissance, c'était sous forme de tirades enragées qui visaient mon grand-père ou ma mère. Elle parvenait à se contenir en ma présence. Elle avait été bonne élève toutefois et ne manquait pas d'ambition, si bien qu'à l'issue du lycée, elle s'était inscrite aux cours par correspondance de l'école d'infirmières de Chicago. Lorsque j'étais tout petit, elle soignait un homme qui habitait non loin de la maison, sur Hervey Street. Je me souviens encore que je me ruais vers elle lorsqu'elle revenait vers la maison.

Grand-maman avait des objectifs très précis pour moi. Je devais manger beaucoup, apprendre tout autant et rester propre et net en toutes circonstances. Nous prenions les repas dans la cuisine, autour d'une table proche de la fenêtre. Ma chaise haute faisait face à celle-ci et grand-maman coinçait des cartes à jouer dans l'encadrement de bois de façon que j'apprenne à compter. Elle me gavait aussi sans répit : un beau bébé était un gros bébé, selon les convictions de ce temps-là. Et il devait prendre un bain chaque jour. Une fois par jour, au moins, jusqu'à ce que j'aie appris à lire, elle me lisait un passage de *Dick and Jane*, un célèbre manuel d'apprentissage de la lecture, ou d'un des volumes de la *World Book Encyclopaedia*, que des représentants vendaient au porte-à-porte et qui étaient souvent les seuls ouvrages disponibles dans les foyers populaires. Ses principes ont eu de nombreuses conséquences · aujourd'hui encore, je lis beaucoup, j'aime les jeux de cartes, je prends garde à mon poids et je n'oublie jamais de me laver les mains ni de me brosser les dents !

J'adorais mon grand-père. Il a été la première influence masculine dans ma vie et j'ai éprouvé une certaine fierté d'être né le jour de son anniversaire. James Eldridge Cassidy était mince, il mesurait 1 m 72 et, dans ces années-là, il était encore costaud et plein de prestance. Je lui trouvais une forte ressemblance avec l'acteur Randolph Scott.

Quand mes grands-parents ont quitté Bodcaw, un village d'une centaine d'habitants, pour la métropole de Hope, grand-papa a travaillé pour un fabricant de glace qui livrait sa production avec une charrette à cheval. À l'époque, des glacières tenaient lieu de réfrigérateurs, et on les alimentait en pains de glace, dont la taille variait selon les dimensions du contenant. Mon grand-père pesait dans les 70 kilos, mais il halait des pains de glace de plus de 45 kilos, qu'il manipulait à l'aide d'une paire de crochets pour les faire glisser jusque sur son dos, protégé par une grande pièce de cuir.

Mon grand-père était bon et généreux. Pendant la Dépression, quand tout le monde courait après l'argent, il proposait aux jeunes du coin de l'accompagner dans ses livraisons, pour qu'ils ne traînent pas dans les rues, et il leur donnait vingt-cinq cents par jour. En 1976, alors que ma campagne au poste de procureur m'avait mené à Hope, un de ses anciens assistants m'a rendu visite. John Wilson était devenu un juge respecté, mais il gardait un souvenir ému de cette époque. Il me raconta comment, un soir, au moment de recevoir sa rétribution, il avait expliqué à mon grand-père qu'il se sentirait plus riche s'il pouvait avoir deux pièces de dix cents et une de cinq. Rentrant à pied chez lui, tout en faisant tinter les trois pièces dans sa poche, il en laissa tomber une. Il se mit à la chercher sous chaque brin d'herbe pendant des heures. Sans succès. Quarante ans plus tard, m'avoua-t-il, il continuait à ouvrir l'œil, chaque fois qu'il arpentait cette portion de trottoir, espérant encore remettre la main sur ces fameux dix cents.

Il est difficile de faire comprendre aux nouvelles générations l'impact qu'a pu avoir la Dépression sur celles de mes parents et de mes grands-parents. L'atmosphère dans laquelle j'ai grandi en était tout imprégnée. Ma mère m'a souvent raconté ce mémorable Jeudi saint où son père avait éclaté en larmes, peu après son retour à la maison. Il n'avait pas même un dollar à dépenser pour renouveler la garde-robe de sa fille, comme la tradition voulait qu'on le fît pour Pâques. Elle n'avait jamais oublié cet épisode. Pendant toute mon enfance, j'ai eu droit, que je le souhaite ou non, à une nouvelle tenue pour Pâques. Je me souviens, en particulier, d'un jour de Pâques des années 1950, où j'avais pris beaucoup de poids, ce qui me complexait. J'ai dû me rendre à l'église dans une chemise à manches courtes de couleur claire, un pantalon de lin blanc, une paire de chaussures Hush Puppies bicolores noir et rose, assorties à une ceinture de daim rose. Ce fut une véritable épreuve, mais ma mère avait la satisfaction de perpétuer le rituel pascal de son père.

À l'époque où je vivais avec lui, mon grand-père avait deux activités que j'adorais. Il gérait une petite épicerie et arrondissait ses fins de mois en occupant un emploi de veilleur de nuit dans une scierie où j'aimais l'accompagner. Nous emportions nos sandwichs dans un sac en papier kraft et je dormais sur le siège arrière de la voiture. Par les nuits étoilées, je grimpais au sommet des monticules de sciure et de copeaux, d'où émanaient les odeurs magiques de bois fraîchement coupé. Mon grand-père aimait beaucoup cet emploi, lui aussi : il lui permettait de quitter la maison et lui rappelait sa jeunesse ; à l'époque de la naissance de ma mère, il avait en effet travaillé dans une scierie. Hormis cette fois où, dans l'obscurité, grand-papa avait malencontreusement refermé la portière de la voiture sur mes doigts, ces nuits avaient un goût succulent d'aventure.

L'épicerie offrait de l'aventure sous d'autres formes. Tout d'abord, il m'arrivait d'entreprendre des raids voraces sur l'immense bocal de cookies Jackson qui trônait au milieu du comptoir. Ensuite, la présence de clients inconnus m'obligeait à entrer en relation avec des adultes extérieurs au cercle familial. Enfin, la clientèle de mon grand-père comptait de nombreux Noirs. Si la ségrégation était alors sans faille dans tout le Sud, un certain niveau d'interaction entre les races était néanmoins inévitable dans les petites villes, comme cela avait toujours été le cas en milieu rural. En règle générale, toutefois, les petits Blancs sans éducation étaient imprégnés de préjugés raciaux. Les exceptions étaient rarissimes. Mon grand-père en était une. Je voyais bien que les Noirs ne nous ressemblaient pas, mais, puisqu'il les traitait à l'égal de ses autres clients, les questionnant sur leurs enfants ou sur leur travail, ils étaient, à mes yeux, comme tout le monde. Quand des enfants noirs entraient dans la boutique, nous jouions ensemble. Il m'a fallu des années pour prendre la mesure de la ségrégation et des préjugés raciaux, pour saisir ce que signifiait la pauvreté, des années pour comprendre à quel point l'opinion de la plupart des Blancs différait de celle de mon grand-père et de ma grand-mère, qui, sur cette question, au moins, n'avaient pas de divergences. Comme ma mère me l'a raconté, elle a reçu une de ses corrections les plus mémorables quand, à l'âge de 3 ou 4 ans, elle a traité une femme noire de « négresse ». Le moins que l'on puisse dire, c'est qu'il s'agissait d'une attitude tout à fait inhabituelle pour une famille blanche et pauvre des années 1920.

Après la mort de grand-papa, ma mère a feuilleté plusieurs vieux livres de comptes de l'épicerie, qui gardaient la trace de nombreuses « ardoises » impayées, parmi les clients noirs en particulier. Elle m'a rappelé que son père lui disait parfois que les gens honnêtes, ceux qui triment pour joindre les deux bouts, méritaient bien de pouvoir nourrir leur famille. Et tant pis si lui-même avait du mal à s'en sortir, il ne leur refusait jamais un crédit. C'est peut-être pour cette raison que j'ai toujours voulu maintenir le système des bons d'alimentation pour les plus démunis.

Après mon accession à la présidence, une autre anecdote concernant l'épicerie de mon grand-père est parvenue jusqu'à moi. En 1997, Ernestine Campbell, une Noire américaine a été interviewée par son journal local, à Toledo, dans l'Ohio. Elle a raconté comment elle accompagnait son grand-père quand il venait se ravitailler « à crédit » dans l'épicerie de grand-papa. Elle se souvenait que nous jouions ensemble et que j'étais « le seul Blanc du coin qui jouait avec les enfants noirs ». Grâce à mon grand-père, je n'avais aucune idée, à l'époque, du caractère exceptionnel de cette attitude.

Hormis sa boutique, mes contacts avec les gens extérieurs à la famille se limitaient à notre quartier. Sur cet étroit territoire, j'ai accumulé une riche expérience. J'ai vu un incendie réduire une maison en cendres de l'autre côté de la rue, ce qui m'a permis de comprendre que je n'étais pas le seul que le malheur pouvait frapper. Je me suis lié avec un garçon qui collectionnait les créatures les plus étranges et qui m'a invité à venir voir le serpent qu'il élevait. Quand j'arrivai chez lui, il me dit que le serpent avait élu domicile dans le placard. Il en ouvrit la porte, me poussa violemment à l'intérieur et referma la porte en m'assurant que je partageais ce local obscur avec le reptile. Il n'en était rien, heureusement, mais je mourus d'effroi. J'ai découvert qu'un mauvais tour qui ravit les forts peut être cruel et humiliant pour les faibles.

Nous habitions à proximité d'un pont de chemin de fer, monté sur des piles de bois passées à la créosote. J'aimais grimper le long de ces piles et attendre le fracas d'un train. Je rêvais en m'interrogeant sur sa destination et je me demandais si je voyagerais un jour, moi aussi.

Je jouais derrière la maison avec un garçon dont le jardin était mitoyen du nôtre. Il vivait, avec ses deux très jolies sœurs, dans une maison plus grande et plus belle que la nôtre. Nous passions des heures entières, assis dans l'herbe, à lancer son couteau en essayant de le planter en terre. Il s'appelait Vincent Foster. D'une grande gentillesse, il n'essayait jamais d'imposer son autorité, à la différence de la plupart des garçons quand ils partagent leurs jeux avec des camarades plus jeunes. À l'âge adulte, il devait devenir un grand et bel homme, avisé et honnête. Juriste de grand talent, il m'a soutenu dès mes premiers pas dans la carrière politique et il est devenu l'ami le plus proche de Hillary au sein du cabinet d'avocats Rose. Nos deux familles se voyaient souvent à Little Rock. Chelsea a appris à nager dans la piscine des Foster, grâce aux leçons de Lisa, l'épouse de Vincent. À la Maison Blanche, où il est entré avec nous, son calme et sa pondération ont accompli des prodiges au cours des premiers mois tumultueux de ma présidence.

Une autre personne extérieure à la famille a exercé une influence déterminante sur moi au cours de mon enfance. Odessa s'occupait du ménage, de la cuisine et me surveillait quand mes grands-parents travaillaient. Cette femme noire avait de grandes dents saillantes qui rendaient son sourire encore plus lumineux et plus beau à mes yeux. J'ai continué à la voir pendant très longtemps après avoir quitté Hope. En 1966, je suis allé lui rendre visite, après être allé sur les tombes de mon père et de mon grand-père. À Hope, les Noirs vivaient, en grande majorité, à proximité du cimetière, en face de l'épicerie qu'avait tenue mon grand-père. Je me souviens du long moment que nous avons passé à bavarder sur la véranda de sa maison. En la quittant, nous avons regagné ma voiture et emprunté les rues non goudronnées. Les seuls chemins de terre que j'aie vus à Hope, ou, plus tard, à Hot Springs quand je m'y installai, se trouvaient dans les quartiers noirs, là où vivait une population laborieuse qui élevait des enfants si semblables à celui que j'avais été moi-même et qui payaient des impôts. Odessa méritait mieux.

Les autres figures importantes de mon enfance appartenaient toutes à la famille : mes arrière-grands-parents maternels, ma grand-tante Otie, mon grand-oncle Carl Russell et, par-dessus tout, mon grand-oncle Oren – que tout le monde appelait Buddy et qui fut un des rayons de soleil de ma vie –, ainsi que ma grand-tante Ollie, son épouse.

Mes arrière-grands-parents Grisham vivaient à la campagne, dans une petite maison de bois dépourvue de fondations. L'Arkansas essuie plus de tornades que tous les autres États du pays, et les gens qui vivent dans des habitations sommaires creusent un simple trou dans le sol qui leur sert d'abri en cas de violentes intempéries. Leur abri se trouvait devant la maison ; il contenait un lit étroit et une petite table sur laquelle était posée une lanterne à huile et charbon. Comme je jetais, un jour, un coup d'œil dans cet antre, mon grand-père m'annonça : « Eh oui, les serpents trouvent refuge dans notre abri de temps à autre, mais ils ne te mordront pas si la lanterne est allumée ! » Je n'ai jamais su s'il disait vrai. Le seul autre souvenir que je conserve de mon arrière-grand-père remonte à la visite qu'il me rendit à l'hôpital. J'avais 5 ans et je m'étais cassé la jambe. Il me tint la main et nous posâmes pour le photographe. Sur le cliché, il porte une veste noire très simple et une chemise blanche boutonnée jusqu'au col. Ainsi vêtu, avec son teint buriné comme la terre des collines, il évoque le fermier à la fourche de la célèbre toile de Grant Wood, *American Gothic*.

La sœur de ma grand-mère, Opal – nous l'appelions Otie –, était une belle femme. Elle avait le rire splendide des Grisham et un mari placide – Carl Russell – qui m'a initié à la culture des pastèques. Le sol d'alluvions sédimentaires et de sable, autour de Hope, est idéal pour cette culture et les pastèques géantes sont même devenues l'emblème de la ville, au début des années 1950, quand les planteurs du cru ont expédié au président Truman un spécimen de 90 kilos, le plus gros alors jamais récolté. Les plus goûteuses pèsent toutefois au plus 25 kilos, telles celles que cultivait mon grand-oncle Carl. Je l'observais quand il les arrosait ; l'eau, puisée dans une baignoire installée dans son champ, disparaissait à toute allure au pied des plantes, comme aspirée par les racines. Lorsque je suis devenu président, Carter Russell, le cousin de l'oncle Carl, tenait encore un étal à Hope, où l'on trouvait ces pastèques rouges ainsi que la variété jaune, plus sucrée.

Hillary raconte que la première fois qu'elle m'a aperçu, je me tenais au centre d'un groupe d'étudiants sceptiques, dans le foyer de la faculté de droit, à Yale, où je m'efforçais de les convaincre de la taille extraordinaire des pastèques de Hope. Pendant mon mandat présidentiel, mes vieux amis de Hope ont planté un carré de pastèques sur la pelouse sud de la Maison Blanche, ce qui m'a souvent donné l'occasion de déployer mes connaissances maraîchères devant un auditoire de tout jeunes gens, contraints de montrer un intérêt soutenu pour un sujet que j'ai commencé à maîtriser voilà déjà si longtemps, grâce à la tante Otie et à l'oncle Carl.

Le frère de ma grand-mère, l'oncle Buddy et sa femme, Ollie, occupaient une place prééminente dans la constellation familiale. Trois de leurs quatre enfants avaient déjà quitté Hope à l'époque de ma naissance. Dwayne avait une belle situation à la direction d'une fabrique de chaussures, dans le New Hampshire. Conrad et Falba vivaient à Dallas. Ils revenaient souvent à Hope, où tous deux habitent aujourd'hui. Myra, la cadette, était une reine de rodéo. Elle montait comme un professionnel. Elle s'enfuit, plus tard, avec un cow-boy, eut deux garçons, divorça et regagna sa ville natale où elle devint responsable des services du logement. Myra et Falba sont deux femmes remarquables, capables de conserver leur bonne humeur en toutes circonstances, et sur lesquelles tout le monde – famille comme amis – peut toujours s'appuyer. Je me réjouis de les compter encore au nombre de mes proches. J'ai passé beaucoup de temps dans la maison de Buddy et Ollie, non seulement au cours des six premières années de ma vie, mais aussi tout au long des quarante années suivantes, jusqu'à la mort d'Ollie, quand Buddy se résolut à vendre la maison et alla s'installer chez Falba.

Comme c'est presque toujours le cas dans les milieux modestes, à la campagne, toute la vie de la famille élargie tournait autour des repas, de la conversation et des souvenirs. Personne n'avait les moyens de s'offrir des vacances ; on allait peu, sinon pas du tout, au cinéma, et la télévision ne s'introduisit dans les foyers qu'au milieu des années 1950. Au cours de l'année, les sorties se comptaient sur les doigts de la main : la fête du comté, le festival de la pastèque, un bal occasionnel ou une chorale de gospel. Les hommes chassaient et pêchaient, ils entretenaient un jardin potager ou un carré de pastèques dans les campagnes, qu'ils conservaient même quand ils trouvaient un emploi en ville.

Même si on n'avait guère d'argent, personne ne se considérait comme pauvre, tant qu'on habitait une maison bien tenue, portait des habits propres et pouvait inviter à sa table quiconque passait devant la porte. Les gens travaillaient pour vivre ; agir dans l'autre sens ne leur aurait pas convenu.

Les repas chez Buddy et Ollie avaient ma préférence. Nous mangions autour d'une grande table dans leur petite cuisine. Un déjeuner typique du week-end (qu'on appelait le dîner, le repas du soir étant le souper) comprenait un jambon ou un rôti, du pain à la farine de maïs, des épinards ou des feuilles de moutarde, de la purée ou des patates douces, des haricots verts ou blancs, de la tarte aux fruits et des litres de thé glacé, servi dans de grands verres. J'avais droit à l'un de ces verres, moi aussi, et j'appréciais que l'on me traite en adulte. Dans les grandes occasions, une glace maison accompagnait la tarte aux fruits. Si j'arrivais assez tôt, j'aidais à la cuisine : j'écossais les haricots ou je tournais la manivelle de la sorbetière. Les conversations engagées dès l'arrivée des invités se poursuivaient sans répit après le repas : on évoquait les derniers potins de la ville, les événements familiaux et on racontait des histoires. Les membres de la famille étaient tous des conteurs nés : l'événement le plus anodin, une simple rencontre, une péripétie quotidienne prenaient la dimension d'une tragédie ou le relief d'une scène comique.

Sur ce terrain, Buddy était imbattable. Comme ses deux sœurs, il possédait une grande intelligence. Je me suis souvent demandé quel parcours ils auraient suivi s'ils avaient eu mon âge ou celui de ma fille. Leur situation était commune à cette époque. Le pompiste de la station-service pouvait avoir un QI aussi élevé que le chirurgien qui vous retirait les amygdales. On trouve encore beaucoup de gens comme les Grisham en Amérique aujourd'hui, en particulier chez les immigrés de fraîche date. C'est pourquoi j'ai essayé, pendant mes deux mandats, d'ouvrir l'université à tous les nouveaux venus.

En dépit d'une scolarité limitée, Buddy avait l'esprit alerte et le niveau d'un bon doctorat pour tout ce qui concernait la nature humaine. C'était un fin observateur, il s'efforçait de juguler ses démons, comme ceux de la famille. Dans les premières années de son mariage, il buvait beaucoup. Un soir, en rentrant chez lui, il s'en ouvrit à sa femme : il comprenait à quel point cette question était cause de soucis, pour elle et pour sa famille, et il s'engagea à ne plus jamais toucher une bouteille. Il tint sa promesse pendant les cinquante années qui suivirent.

Âgé de plus de 80 ans, Buddy n'avait rien perdu de ses dons de conteur. Ses histoires mettaient en scène la personnalité des chiens qui avaient été ses compagnons cinq ou six décennies plus tôt. Il se rappelait leur nom, leur physionomie, leurs traits de caractère, comment il se les était procurés, comment chacun d'entre eux se comportait à la chasse. De nombreuses connaissances de passage entamaient une conversation qui se poursuivait longtemps sur la véranda. Après leur départ, il avait toujours en réserve une anecdote les concernant, eux ou leurs descendants ; le ton pouvait être amusant ou triste ; il était le plus souvent aimable et toujours plein de compréhension.

J'ai tiré des conclusions précieuses des histoires que racontaient mon oncle, mes tantes et mes grands-parents : personne n'est parfait, mais la grande majorité des gens ne sont pas mauvais ; on ne doit pas juger ses semblables sur leurs pires moments ni sur leurs plus grandes faiblesses ; les jugements sans appel cachent une bonne dose d'hypocrisie ; la vie consiste souvent à sauver les apparences et à s'y accrocher ; le rire est, dans bien des cas, la meilleure et parfois la seule réponse à la souffrance. Peut-être plus important encore, j'ai appris que chacun a une histoire – tissée de rêves et de cauchemars, d'espoirs et de déceptions, d'amour et de deuil, de courage et de peur, de sacrifice et d'égoïsme. Toute ma vie, les histoires des autres m'ont intéressé. J'ai toujours voulu les connaître, les comprendre, les ressentir. Depuis mes débuts dans cette voie, je considère que la politique doit d'abord viser à donner aux gens la possibilité d'améliorer leur histoire.

Celle de l'oncle Buddy est restée bonne jusqu'à la fin. Les médecins ont diagnostiqué un cancer en 1974 et ils lui ont retiré un poumon. Après cela, il a vécu jusqu'à 91 ans. Il m'a conseillé dans ma carrière politique. Si j'avais suivi son avis et repoussé un projet très impopulaire d'augmentation de la vignette automobile, j'aurais sans doute évité un échec lors de la campagne pour ma première réélection au poste de gouverneur, en 1980. Il a vécu assez longtemps pour suivre mon accession à la présidence qui l'a enthousiasmé. Après le décès d'Ollie, il a gardé une vie active. Chaque jour, il se rendait à la boutique de *donuts*, tenue par sa fille Falba, où il régalait une nouvelle génération d'enfants de ses histoires et de ses remarques pertinentes sur la condition humaine. Il n'a jamais perdu son sens de l'humour. À 87 ans, il conduisait toujours. Toutes les semaines, il emmenait en promenade chacune de ses deux amies, âgées de 91 et 93 ans. Quand il évoquait ses « copines », je lui demandais : « Alors, tu aimes les femmes mûres, maintenant ? » Il pouffait en répondant : « On dirait bien, oui. Elles ont plus de plomb dans la tête, à ce qu'il me semble ! »

J'ai vu mon oncle pleurer une seule fois. Ollie souffrait de la maladie d'Alzheimer, et il fallut lui trouver une place dans une maison de retraite. Au cours des semaines qui suivirent, elle retrouvait sa lucidité quelques minutes chaque jour. Elle téléphonait alors à Buddy : « Oren, comment as-tu pu me placer dans un tel endroit, après cinquante-six ans de mariage ? Viens me chercher immédiatement. » Il sautait dans sa voiture, mais le temps qu'il parvienne à destination, elle avait replongé dans le brouillard de la maladie et ne le reconnaissait pas.

Par une fin d'après-midi, au cours de cette période, je m'arrêtai chez lui. Ce fut ma dernière visite à la grande maison. Je comptais bien lui communiquer un peu d'optimisme. Mais, de fait, c'est lui qui réussit à me faire rire en enchaînant blagues salées et commentaires loufoques sur les événements du moment. Quand la nuit tomba, je lui dis que je devais rentrer à Little Rock. Il me suivit jusqu'à la porte et, comme je m'apprêtais à sortir, il m'agrippa le bras. Je me retournai et je vis des larmes dans ses yeux pour la première fois en cinquante ans d'affection et d'amitié. Je lui dis : « C'est dur, hein ? » Je n'oublierai jamais sa réponse. Il sourit et lança : « Ça, c'est vrai. Mais j'ai signé pour toute la vie et, dans l'ensemble, ça valait le coup ! » Mon oncle Buddy m'a enseigné que chacun d'entre nous a une histoire. De cette seule phrase, il résumait bien la sienne.

CHAPITRE TROIS

Après son année à La Nouvelle-Orléans, ma mère est rentrée à Hope, impatiente de mettre en pratique sa formation d'anesthésiste, ravie de me retrouver, et de nouveau la joie de vivre incarnée. Elle s'était bien amusée à La Nouvelle-Orléans, où elle avait eu plusieurs soupirants, si l'on en croit ses souvenirs, *Leading with My Heart*, qui serait devenu un best-seller si la vie lui avait laissé le temps d'en faire la promotion.

Toutefois, avant, pendant et après son séjour à La Nouvelle-Orléans, la belle veuve pleine d'entrain a surtout fréquenté un homme, le propriétaire du garage Buick de Hope, Roger Clinton. Bel homme, deux fois divorcé, menant une vie de patachon, il était originaire de Hot Springs, Arkansas, « la ville du péché » qui, pendant plusieurs années, avait abrité la plus grande opération de jeux illégale des États-Unis. Raymond, son frère, possédait la concession Buick à Hot Springs et Roger, le petit dernier et le « mauvais élément » d'une famille de cinq enfants, était venu à Hope pour profiter de l'activité de guerre créée par le terrain d'essai de Southwestern, et peut-être aussi dans l'espoir de sortir de l'ombre de son frère.

Roger adorait picoler et faire la fête avec ses deux meilleurs copains à Hot Springs, Van Hampton Lyell, propriétaire de l'usine d'embouteillage de Coca-Cola située en face du magasin Buick Clinton, et Gabe Crawford, propriétaire de plusieurs drugstores à Hot Springs et d'un autre à Hope. Il construirait plus tard le premier centre commercial de Hot Springs et était alors marié avec la superbe nièce de Roger, Virginia, une femme que j'ai toujours aimée et qui a été la toute première Miss Hot Springs. Pour eux, prendre du bon temps consistait à jouer, s'enivrer et faire les casse-cou en voiture, en avion ou à moto. C'est un miracle qu'ils ne soient pas tous morts jeunes.

Ma mère aimait bien Roger parce qu'il était drôle, attentif à moi et généreux. Il lui paya plusieurs fois le voyage de La Nouvelle-Orléans pour qu'elle puisse venir me voir et probablement aussi les trajets en train de grand-maman et moi quand nous allions lui rendre visite.

Grand-papa appréciait Roger parce qu'il était gentil avec moi et avec lui. Un temps, après avoir quitté la glacière à cause de graves problèmes bronchiques, mon grand-père a dirigé un magasin de spiritueux. Vers la fin de la guerre, Hempstead County, dont Hope était la capitale, vota l'interdiction de la vente d'alcool. C'est à ce moment-là que mon grand-père a ouvert son épicerie. J'apprendrais plus tard qu'il vendait de l'alcool sous le manteau aux médecins, avocats et autres habitants respectables qui se refusaient à parcourir les cinquante kilomètres qui les séparaient du débit le plus proche, situé à Texarkana. Roger était son fournisseur.

Grand-maman détestait cordialement Roger qui, selon elle, n'était pas digne de sa fille et de son petit-fils. Il y avait une part d'ombre en elle qui lui permettait de repérer le même travers chez les autres, ce dont son mari et sa fille étaient incapables. Elle pensait que Roger Clinton ne représentait rien d'autre que des ennuis en perspective. Elle avait raison pour les ennuis, mais pas pour le « rien d'autre ». Il était davantage que cela, ce qui rend son histoire encore plus triste.

Pour ma part, je savais seulement qu'il était bon pour moi et qu'il m'amenait son grand berger allemand marron et noir, Susie, pour que je m'amuse avec Susie a joué un rôle important dans mon enfance et elle reste à l'origine de mon affection indéfectible pour l'espèce canine.

Roger et ma mère se sont mariés en juin 1950, peu après son vingt-septième anniversaire, à Hot Springs. Seuls Gabe et Virginia Crawford assistaient à la cérémonie. Puis ma mère et moi avons quitté la maison de ses parents pour nous installer avec mon nouveau beau-père – que je n'ai pas tardé à appeler papa – dans une petite maison de bardeaux blancs au sud de la ville, au 321 de la 13ᵉ Rue, à l'angle de Walker Street. Peu après, j'ai commencé à me faire appeler Billy Clinton.

Mon nouvel univers me passionnait. Nous avions pour voisins Ned et Alice Williams. Mr Ned était un employé des chemins de fer à la retraite qui avait construit derrière sa maison un atelier pour abriter un circuit compliqué de trains électriques. À l'époque, tous les gamins rêvaient de posséder un train de marque Lionel. Papa m'en avait acheté un et nous y jouions beaucoup ensemble, mais cela ne valait pas le dédale de circuits et les magnifiques rapides de Mr Ned. Je passais des heures chez lui. C'était mon Disneyworld à moi.

Mon quartier était une publicité vivante pour le baby-boom d'après la Seconde Guerre mondiale. On y croisait nombre de jeunes couples avec enfants. En face de chez moi vivait la gamine la plus singulière, Mitzi Polk, la fille de Minor et Margaret Polk. Mitzi avait un gros rire tonitruant. Elle se balançait si haut que les montants du portique sortaient du sol, et elle hurlait à pleins poumons : « Billy boit au biberon ! Billy boit au biberon ! » Elle me rendait dingue. Je commençais à être un grand garçon et je ne faisais rien de tel, quand même !

J'ai appris par la suite que Mitzi était handicapée mentale. L'expression n'aurait pas eu grande signification pour moi à l'époque, mais quand je me suis battu en tant que gouverneur et président pour offrir de meilleures chances aux handicapés, j'ai souvent songé à elle.

Il m'est arrivé des tonnes de choses quand j'habitais la 13e Rue. J'ai commencé à aller à l'école au jardin d'enfants de Miss Marie Purkins, que j'ai adoré jusqu'à ce que je me casse la jambe en sautant au-dessus d'une corde. Et cette corde ne bougeait même pas. Elle était tendue entre un tronc d'arbre et un portique. On faisait la queue d'un côté et on sautait par-dessus chacun son tour. Tous mes copains ont réussi sans problème.

L'un d'eux était Mack MacLarty, fils du concessionnaire Ford local, qui deviendrait gouverneur de Boys State, *quarterback* vedette, parlementaire, homme d'affaires prospère, puis mon premier secrétaire général à la Maison Blanche. Aucun obstacle ne résistait jamais à Mack. Heureusement pour moi, il m'accordait toujours le temps de le rattraper.

Je ne suis pas passé au-dessus de la corde. J'étais un peu enveloppé et lent, si lent qu'une fois, j'ai été le seul à Pâques à ne pas ramasser un seul œuf, non parce que je ne les trouvais pas, mais parce que j'arrivais toujours bon dernier. Le jour de l'incident de la corde, je portais des bottes de cow-boy. Comme un idiot, je ne les ai pas retirées pour sauter. Mon talon s'est pris dedans, je suis tombé, et j'ai entendu ma jambe craquer. J'ai souffert le martyre par terre pendant de longues minutes en attendant l'arrivée de papa, qui avait quitté le garage en hâte pour venir me chercher.

Je m'étais cassé la jambe au-dessus du genou et comme je grandissais très vite, le médecin a hésité à me mettre dans le plâtre jusqu'à la hanche. Il a préféré faire un trou dans ma cheville, passer une tige en acier inoxydable dedans, l'attacher à un fer à cheval également en acier inoxydable et m'installer jambe en l'air dans mon lit d'hôpital. Je suis resté ainsi pendant deux mois, couché sur le dos, me sentant à la fois idiot et ravi d'échapper à l'école et de recevoir autant de visites. Il m'a fallu longtemps pour me remettre de cette fracture. À ma sortie de l'hôpital, mes parents m'ont offert un vélo, mais je n'ai jamais surmonté ma peur de me passer des stabilisateurs. De ce fait, je me suis toujours cru maladroit et dénué d'un sens normal de l'équilibre jusqu'à l'âge de 22 ans, quand je me suis enfin mis au vélo à Oxford. Il m'est arrivé de tomber mais, à ce moment-là, je considérais ces chutes comme un bon moyen de renforcer mon seuil de tolérance à la douleur.

J'étais reconnaissant à papa d'être venu à ma rescousse lorsque je me suis cassé la jambe. Il est également rentré du travail une fois ou deux pour convaincre ma mère de ne pas me donner de fessée quand j'avais fait une bêtise. Au début de leur mariage, il s'est vraiment efforcé d'être là pour moi. Je me souviens qu'un jour il m'a emmené à Saint Louis pour voir jouer les Cardinals, l'équipe de base-ball de première division la plus proche de chez nous à l'époque. Nous y avons passé la nuit et nous sommes rentrés le lendemain. J'ai adoré. Malheureusement, c'est le seul voyage que nous ayons jamais fait tous les deux. De même, nous ne sommes allés qu'une fois à la pêche ensemble. Qu'une fois couper notre sapin de Noël dans la forêt. Et la famille n'a pris qu'une fois des vacances en dehors de l'État. Je ne compte plus les événements essentiels à mes yeux qui n'ont eu lieu qu'une fois avec papa. Roger Clinton m'aimait vraiment et il aimait ma mère, mais il n'a jamais réussi à se libérer de ses doutes, de la fausse sécurité que procurent les beuveries et les sorties entre copains, pas plus que de son éloignement progressif vis-à-vis de ma mère et de sa violence verbale à son égard, bref de tout ce qui l'a empêché de devenir l'homme qu'il aurait pu être.

Un soir, son autodestruction d'ivrogne a atteint son paroxysme au cours d'une bagarre avec ma mère que je n'oublierai jamais. Elle voulait m'emmener à l'hôpital rendre visite à mon arrière-grand-mère, qui n'en avait plus pour très longtemps à vivre. Papa a décrété que c'était hors de question. Ils se hurlaient des horreurs dans leur chambre à l'arrière de la maison. Je suis venu me planter sur le seuil. À cet instant, papa a sorti une arme et il a tiré sur maman. La balle s'est fichée dans le mur entre elle et moi. J'étais hébété et terrifié. Je n'avais encore jamais entendu ni vu personne tirer de coups de feu. Ma mère m'a attrapé par la main et a couru se réfugier chez les voisins d'en face. Nous avons appelé la police. Je la vois encore embarquant papa, menottes aux poignets, qui a dû passer la nuit en prison.

Je suis sûr qu'il ne voulait pas lui faire de mal et qu'il ne s'en serait jamais remis si la balle avait accidentellement touché l'un de nous. Mais c'est un poison plus fort que l'alcool qui l'a mené à ce degré de déchéance. J'ai mis longtemps à comprendre ce genre de force chez les autres ou en moi. À sa sortie de prison, il avait retrouvé ses esprits et il était tellement honteux qu'aucun incident fâcheux ne s'est produit pendant un certain temps.

Je devais rester encore un an à Hope. Je suis entré en classe élémentaire à la Brookwood School. Mon institutrice s'appelait Miss Mary Wilson. Bien que manchote, elle maniait allégrement la baguette ou plus exactement la raquette, dans laquelle elle avait foré des trous pour diminuer sa résistance à l'air. J'ai été plus d'une fois l'objet de son attention.

En plus de mes voisins et de Mack McLarty, je suis devenu ami avec d'autres garçons qui me sont toujours restés proches. L'un d'eux, Joe Pruvis, avait une enfance à côté de laquelle la mienne semblait idyllique. Il est devenu un bon juriste, et quand j'ai été élu ministre de la Justice, je l'ai pris dans mon équipe. Quand l'Arkansas a eu une affaire importante qui passait devant la Cour suprême fédérale, j'y suis allé, mais c'est Joe qui a préparé le dossier – le juge Byrer « Whizza » White m'a fait passer un mot disant que Joe avait fait du bon boulot. Par la suite, il est devenu le premier président de ma Birthplace Foundation.

Outre mes amis et ma famille, ma vie dans la 13ᵉ Rue a été marquée par ma découverte du cinéma. En 1951 et 1952, je pouvais y aller pour dix cents : cinq cents l'entrée, cinq autres le Coca. Je m'y rendais environ tous les quinze jours. À l'époque, on avait droit à un film, un dessin animé, une série et les actualités. C'est ainsi que j'ai entendu parler de la guerre de Corée. Flash Gordon et Rocket Man étaient les grands héros des séries. En matière de dessins animés, je préférais Bugs Bunny, Casper le gentil fantôme et Baby Huey, à qui je devais m'identifier. J'ai vu une multitude de films, mais j'avais un faible pour les westerns. Mon préféré était *Le Train sifflera trois fois* – j'ai dû le voir une demi-douzaine de fois tant qu'il est resté à l'affiche à Hope et à plus d'une dizaine de reprises depuis. Il me plaît parce qu'il n'a rien du western macho typique. Et du début à la fin, malgré sa trouille au ventre, Gary Cooper fait ce qu'il faut.

Quand j'ai été élu à la présidence, j'ai confié cette préférence à un journaliste. À l'époque, Fred Zinneman, le metteur en scène de ce film, vivait à Londres, et il avait près de 90 ans. Il m'a envoyé une lettre géniale avec une copie de son scénario annotée, ainsi qu'une photo dédicacée de lui en compagnie de Gary Cooper et de Grace Kelly en vêtements de ville sur le plateau en 1951. Depuis ma découverte du *Train sifflera trois fois,* devant une épreuve, j'ai souvent songé au regard de Gary Cooper lorsque, confronté à une défaite presque certaine, il surmontait sa peur pour faire son devoir. C'est un truc qui marche assez bien dans la vie réelle aussi.

CHAPITRE QUATRE

À la fin de ma première année d'école primaire, pendant l'été, papa a décidé qu'il voulait rentrer à Hot Springs. Il a donc vendu la concession Buick, et nous nous sommes installés dans une ferme de cent soixante hectares sur Wildcat Road, à quelques kilomètres à l'ouest de la ville. Il y avait du bétail, des moutons et des chèvres. Ce qui manquait, c'étaient des toilettes intérieures. Pendant les quelques années que nous avons passées là-bas, au plus fort des chaleurs estivales ou dans le froid glacial des nuits d'hiver, il nous fallait sortir de la maison pour aller nous soulager dans un petit cabanon de planches. L'expérience ne manquait pas de piment, surtout quand la tête du long serpent roi non venimeux qui avait l'habitude de rôder dans la cour de notre maison apparaissait sur le rebord des toilettes au moment où je m'apprêtais à m'en servir. Plus tard, à mes débuts dans la vie politique, j'ai pu constater que le fait d'avoir vécu dans une ferme où les cabinets étaient à l'extérieur faisait une excellente anecdote. C'était presque aussi bien que d'être né dans un authentique chalet en rondins.

La vie à la ferme me plaisait, j'aimais m'occuper des animaux et être à leur contact. Jusqu'à un certain dimanche funeste. Ce jour-là, papa avait invité plusieurs membres de sa famille à déjeuner, notamment son frère Raymond et ses enfants. J'ai entraîné une des filles de Raymond, Karla, jusqu'à la prairie où paissaient les moutons. Dans le troupeau, il y avait un bélier particulièrement vicieux, et je savais qu'il valait mieux éviter de s'en approcher. Malgré tout, nous avons décidé de courir le risque. Ce fut une grave erreur. Nous étions environ à une centaine de mètres de la clôture du pré quand le bélier nous a repérés et a commencé à charger. Aussitôt, nous nous sommes mis à courir vers la clôture. Karla était plus grande et elle est parvenue à sortir à temps. Quant à moi, j'ai trébuché sur une grosse pierre et je suis tombé. Comprenant que je ne réussirais pas à atteindre la clôture avant que le bélier ne me rejoigne, je me suis réfugié près d'un petit arbre quelques mètres plus loin, dans l'espoir de lui échapper en tournant autour, jusqu'à ce qu'on vienne me porter secours. Nouvelle erreur. Il m'a rattrapé très vite et m'a fauché d'un coup de cornes dans les jambes. Avant que j'aie pu me relever, il m'a asséné un coup à la tête. J'étais étourdi, j'avais mal et je n'arrivais pas à me remettre debout. Voyant cela, il a reculé, pris son élan et est revenu me frapper de toutes ses forces. Il s'y est repris à plusieurs fois, visant tantôt ma tête, tantôt mon ventre. Très vite, le sang s'est mis à couler et la douleur est devenue cuisante. Au bout d'un temps qui m'a semblé une éternité, mon oncle est arrivé. Il a ramassé une grosse pierre, l'a lancée de toutes ses forces et l'a envoyée exactement entre les deux yeux du bélier. Ce dernier s'est contenté de secouer la tête, puis il s'est éloigné, apparemment à peine incommodé par le coup. Je me suis rétabli assez vite, gardant pour seul souvenir de cette aventure une cicatrice sur le front, qui a fini par se résorber dans le cuir chevelu. J'avais également appris que j'étais capable d'encaisser des coups violents et d'y faire face. C'est une leçon dont je devais refaire l'expérience deux ou trois fois dans mon enfance et après dans ma vie.

Quelques mois après notre installation à la ferme, mes parents ont pris un travail en ville. Renonçant à la profession de fermier, mon père est devenu responsable de la gestion des pièces détachées à la concession Buick d'oncle Raymond. Quant à ma mère, les occasions d'exercer son métier d'anesthésiste à Hot Springs ne manquaient pas. Un jour, alors qu'elle se rendait à son travail, elle a pris une passagère qui descendait en ville à pied. Après avoir fait connaissance avec elle, ma mère lui a demandé si elle connaissait quelqu'un qui pouvait venir s'occuper de moi pendant qu'elle et mon père travaillaient. Elle se proposa elle-même, ce qui fut l'un des hasards les plus heureux de mon existence. Elle s'appelait Cora Walters. C'était une vieille dame parée de toutes les qualités d'une grand-mère de la campagne à l'ancienne mode. Elle était pleine de sagesse, douce, droite, consciencieuse, et profondément chrétienne. Pendant onze années, elle a fait partie de la famille. Les membres de la sienne étaient tous de braves gens, et après que Cora nous eut quittés, sa fille Maye Hightower est venue travailler pour ma mère. Elle est restée avec elle trente ans, jusqu'à la mort de ma mère. En d'autres temps, Cora Walters aurait fait un excellent ministre. Son exemple m'a rendu meilleur, et si quelqu'un est responsable des péchés que j'ai commis, à l'époque ou plus tard, ce n'est certainement pas elle. De plus, elle ne manquait pas de cran. Un jour, elle m'a aidé à tuer un énorme rat qui rôdait autour de la maison. En fait, pour être exact, c'est moi qui l'ai trouvé, mais je me suis contenté de l'encourager tandis qu'elle l'achevait.

Lorsque nous sommes partis nous installer à la campagne, ma mère n'étant pas tranquille à l'idée de me voir suivre les cours d'une petite école rurale, elle a décidé de m'inscrire à l'école catholique St John, en ville. C'est là que j'ai fait ma deuxième et ma troisième année d'école primaire. Mon institutrice était sœur Mary Amata McGee, une excellente enseignante, très bienveillante avec ses élèves, mais qui savait se faire respecter. Sur mon bulletin de notes, établi toutes les six semaines, j'avais souvent un « A » dans toutes les matières et un « C » en « citoyenneté », appellation qui désignait de manière détournée le comportement en classe. J'adorais lire et participer à des concours d'orthographe, mais j'étais trop bavard. C'est un problème qui m'a poursuivi pendant toute ma scolarité. Certains de mes détracteurs et la plupart de mes amis diraient sans doute que je ne m'en suis jamais vraiment débarrassé. J'ai également eu des ennuis le jour où j'avais demandé à sortir pour aller aux toilettes et que je m'étais absenté trop longtemps pendant la récitation quotidienne du rosaire. J'étais fasciné par l'Église catholique, par ses rituels et la dévotion des sœurs, mais le petit garçon exubérant que j'étais alors, dont la seule expérience de l'Église se résumait aux cours de catéchisme et aux stages d'été organisés par la Première Église baptiste de Hope, avait bien du mal à s'agenouiller sur le siège de son bureau, dos tourné au dossier, pour égrener sagement son rosaire.

Après un peu plus d'un an passé à la ferme, papa a décidé de déménager à Hot Springs. Nous nous sommes installés dans une grande maison située au 1011, Park Avenue, à l'est de la ville. Papa l'avait louée à oncle Raymond, mais il avait fait croire à ma mère qu'il avait fait une bonne affaire et qu'il avait pu l'acheter avec son salaire et le sien. Cependant, même avec leurs deux salaires, à une époque où les frais de logement représentaient encore une part bien moins importante du budget moyen d'un ménage qu'aujourd'hui, je ne vois pas comment nous aurions pu nous le permettre. Située au sommet d'une colline, la maison avait un étage, comportait cinq chambres à coucher, et tout en haut, une magnifique petite salle de bal avec un bar sur lequel était posé un grand présentoir pivotant qui contenait deux énormes dés. Selon toute vraisemblance, le premier propriétaire devait être dans le commerce des jeux de hasard. J'ai connu beaucoup de moments de bonheur dans cette pièce, durant des fêtes ou simplement en m'amusant avec mes amis.

L'extérieur de la maison était peint en blanc et les finitions en vert. Le toit descendait en pente douce au-dessus de l'entrée principale et des deux côtés de la maison. Le terrain à l'avant de la maison était aménagé en terrasse à trois niveaux et traversé par une allée centrale. Un mur de pierre séparait le niveau moyen du niveau inférieur. Il n'y avait pas beaucoup de terrain de part et d'autre de la maison, mais l'espace était suffisant pour permettre à ma mère de se consacrer à son loisir favori, le jardinage. Elle aimait tout particulièrement cultiver les roses et elle en a planté dans chacune des maisons où elle a vécu, jusqu'à sa mort. Ma mère bronzait facilement, et son hâle intense lui venait surtout du temps qu'elle passait à nettoyer ses plates-bandes de fleurs, vêtue d'un tee-shirt sans manche et d'un short. À l'arrière de la maison, il y avait une allée de graviers menant à un garage pouvant accueillir quatre voitures et un joli carré de pelouse avec une balançoire. De part et d'autre de l'allée, des pelouses descendaient en pente douce vers la rue, Circle Drive.

À notre arrivée dans cette maison, j'avais 7 ou 8 ans, et nous y avons vécu jusqu'à l'époque de mes 15 ans. Je trouvais l'endroit passionnant. Le jardin regorgeait de buissons, d'arbustes et de fourrés. Il était couvert de fleurs et bordé de grandes haies entrelacées de chèvrefeuille. Il y avait aussi un figuier, un poirier, deux pommiers sauvages et un grand chêne centenaire devant la maison.

J'aidais papa à entretenir la propriété. Cette activité faisait partie des choses que nous faisions ensemble, même si, en grandissant, il arrivait de plus en plus souvent que je m'en occupe seul. La maison était située à proximité d'une forêt, ce qui me valait de croiser régulièrement le chemin d'araignées, de tarentules, de mille-pattes, de scorpions, de guêpes, de frelons, d'abeilles ou de serpents, mais aussi de créatures plus inoffensives telles que des écureuils, des tamias rayés, des geais bleus, des rouges-gorges et des piverts. Un jour, en tondant la pelouse, je me suis aperçu qu'un serpent à sonnette, apparemment captivé par les vibrations du moteur, ondulait juste à côté de la tondeuse et suivait tous mes déplacements. Loin d'être aussi enchanté par sa compagnie qu'il semblait l'être par la mienne, j'ai pris mes jambes à mon cou et j'ai réussi à m'échapper indemne.

Cependant, je n'ai pas toujours eu autant de chance. Au bout de l'allée à l'arrière de la maison, papa avait construit une grande volière à trois étages pour les hirondelles, qui nichent en groupe. Un jour que je tondais la pelouse à proximité, je me suis rendu compte que l'endroit n'abritait plus des nids d'hirondelles, mais un essaim de bourdons. Ils se sont aussitôt jetés sur moi, se posant sur tout mon corps, mes bras, mon visage. À ma grande surprise, aucun ne m'a piqué. M'étant réfugié à l'abri pour reprendre mes esprits et réfléchir à ce que je devais faire, j'ai conclu à tort qu'ils avaient compris que je ne leur voulais aucun mal, et j'ai repris ma besogne un instant plus tard. Je n'avais pas parcouru quelques mètres qu'ils se jetaient de nouveau sur moi, couvrant cette fois-ci tout mon corps de piqûres. L'un d'eux est resté coincé entre mon ventre et la ceinture de mon pantalon, où il m'a piqué à de nombreuses reprises, comme les bourdons, à la différence des abeilles, sont capables de le faire. Le venin m'avait fait délirer et j'ai dû être transporté d'urgence chez un médecin. Malgré tout, je fus sur pied très vite, avec en prime une autre leçon précieuse : lorsqu'un essaim de bourdons est dérangé par un intrus, il lui adresse un avertissement, mais pas deux. Plus de trente-cinq ans après cet incident, Kate Ross, la fille de mes amis Michael Ross et Markie Post, âgée de 5 ans, m'a envoyé une lettre qui ne contenait qu'une seule phrase : « Les abeilles peuvent piquer. Sois sur tes gardes. » J'ai immédiatement compris de quoi elle parlait.

Notre déménagement à Hot Springs a amené beaucoup de nouvelles expériences dans ma vie : une nouvelle ville, plus grande et plus intéressante, de nouveaux voisins, une nouvelle école et de nouveaux amis, la découverte de la musique, ma première expérience religieuse sérieuse au sein d'une nouvelle église, et bien sûr, une nouvelle famille plus étendue du côté du clan Clinton.

Les sources d'eau chaude, riche en soufre, auxquelles la ville doit son nom, jaillissent du sous-sol d'une faille étroite des monts Ouachita, située un peu plus de quatre-vingts kilomètres à l'ouest et légèrement au sud de Little Rock. Le premier Européen à les découvrir fut Hernando de Soto. Passant dans la vallée en 1541, il vit les Indiens se baigner dans ces sources fumantes et, comme le prétend la légende, il estima qu'il avait découvert la fontaine de jouvence.

En 1832, le président Andrew Jackson signa une loi qui conféra à quatre zones aux environs de Hot Springs le statut de réserve fédérale. C'était la première fois que le Congrès votait une loi de ce type, bien avant la création du National Park Service et bien avant que Yellowstone devienne le premier parc national des États-Unis. Très vite, les hôtels se sont multipliés pour accueillir les visiteurs. Dans les années 1880, d'élégants établissements thermaux sont apparus le long de Central Avenue, l'artère principale qui s'étend sur environ un kilomètre et passe en serpentant à travers la faille montagneuse d'où jaillissent les sources. Plus de cent mille curistes par an venaient y prendre les eaux pour soigner toutes sortes de maux, du rhumatisme à la paralysie, en passant par le paludisme et les maladies vénériennes, ou simplement pour s'y reposer. C'est au premier quart du XXe siècle qu'ont été construits les établissements thermaux les plus luxueux. La ville accueillait alors plus d'un million de curistes par an et sa réputation s'étendait au monde entier. Lorsque la zone a changé de statut, passant de celui de réserve naturelle fédérale à celui de parc national, Hot Springs est devenue la première ville d'Amérique à se trouver à l'intérieur d'un de nos parcs naturels.

L'attrait de la ville a été renforcé par la construction de grands hôtels, d'un opéra et, à partir du milieu du XIXe siècle, par l'apparition d'établissements de jeu. Dès 1880, Hot Springs comptait plusieurs établissements de jeu, et sa réputation de ville d'eaux était en passe de se doubler d'une renommée moins recommandable. Pendant plusieurs décennies avant et pendant la Seconde Guerre mondiale, c'est un chef digne des plus grandes villes qui fut à la tête du milieu du jeu, le maire Leo McLaughlin. Il avait pour bras droit un truand venu de New York, Owen Vincent Madden, dit « Owney » Madden.

Après la guerre, une liste de réformateurs conduite par d'anciens GI, avec à sa tête Sid McMath, a mis fin au règne de McLaughlin. Peu après, à l'âge de 35 ans, Sid McMath est devenu le plus jeune gouverneur du pays. Malgré tout, les maisons de jeu ont continué de fonctionner pendant une bonne partie des années 1960, alimentées par des pots-de-vin versés aux politiciens locaux et nationaux, ainsi qu'à la police. Owney Madden est resté à Hot Springs, où il a vécu en citoyen « respectable » jusqu'à la fin de ses jours. Ma mère l'a même endormi un jour qu'il devait subir une opération. En rentrant à la maison après l'intervention, elle m'a raconté en riant que l'examen de ses radios équivalait à une visite au planétarium : les douze balles qui étaient restées dans son corps lui avaient fait penser à des étoiles filantes.

Ironie de l'histoire, la mafia n'a jamais pris le contrôle du réseau d'établissements de jeu à Hot Springs, précisément parce qu'il s'agissait d'une activité illégale. Nous avions nos caïds locaux. Parfois, des conflits éclataient entre des factions rivales, mais, à mon époque, la violence n'a jamais dépassé certaines limites. Ainsi, des bombes avaient été posées dans les garages de deux maisons, mais elles ont explosé à un moment où les habitants étaient sortis.

Pendant les trente dernières années du XIXe siècle et jusqu'à la moitié du XXe siècle, le jeu a attiré en ville toute une ribambelle de personnages pittoresques : hors-la-loi, truands, héros militaires, acteurs, ainsi qu'une poignée de stars du base-ball. Minnesota Fats, le légendaire as du billard, venait souvent à Hot Springs. En 1977, en tant que ministre de la Justice de l'Arkansas, j'ai joué une partie avec lui à l'occasion d'un événement caritatif à Hot Springs. Il m'a littéralement massacré, mais il s'est rattrapé en me régalant d'anecdotes sur ses séjours dans le Hot Springs d'autrefois, du temps où il passait ses journées à parier aux courses et ses nuits à manger et à écumer les casinos de Central Avenue, arrondissant son portefeuille et sa célèbre silhouette.

Hot Springs attirait également les hommes politiques. William Jennings Bryan a fait plusieurs séjours dans la ville. Teddy Roosevelt s'y est arrêté en 1910, Herbert Hoover en 1927, et Franklin et Eleanor Roosevelt sont venus y célébrer le centenaire de l'État en 1936. Huey Long y a passé une deuxième lune de miel avec sa femme. John F. Kennedy et Lyndon Johnson y sont venus avant d'être élus présidents, de même que Harry Truman, le seul joueur de toute la troupe – ou du moins le seul qui ne s'en cachait pas.

À côté des casinos et des sources d'eau chaude, principales attractions touristiques de Hot Springs, la ville comptait de nombreux atouts supplémentaires. En face des établissements thermaux de Central Avenue, de grandes salles des ventes richement illuminées alternaient avec les établissements de jeu et les restaurants. Il y avait également le champ de courses d'Oaklawn où, pendant trente jours au printemps, on pouvait voir courir de magnifiques pur-sang. C'était le seul endroit de la ville où il était possible de parier en toute légalité. De nombreux restaurants avaient des machines à sous, dont certaines étaient même accessibles aux enfants à condition qu'ils soient assis sur les genoux de leurs parents. Il y avait trois lacs à proximité de la ville, et le plus grand était le lac Hamilton. Les personnalités locales, notamment oncle Raymond, y possédaient de grandes maisons. En été, des milliers de vacanciers affluaient dans les motels édifiés sur les rives. Il y avait aussi une ferme d'alligators, dont le plus grand pensionnaire mesurait cinq mètres et demi, un élevage d'autruches, que l'on voyait parfois défiler dans Central Avenue en se pavanant. L'endroit regorgeait de toutes sortes d'animaux, et l'on pouvait même y admirer le prétendu squelette d'une sirène. Enfin, la ville comportait une maison close tristement célèbre dirigée par Maxine Harris (qui, par la suite, a pris le nom de Maxine Temple Jones), personnage haut en couleur qui déposait ses pots-de-vin directement sur les comptes en banque des notables locaux. Elle a publié en 1983 une autobiographie fort intéressante intitulée *Appelez-moi Madame*. Lorsque j'avais environ 11 ans, mes amis et moi nous sommes amusés deux ou trois fois à téléphoner chez Maxine en boucle, prenant sa ligne en otage et bloquant les appels des clients. Cela la rendait furieuse et elle nous injuriait dans un langage fleuri que nous n'avions jamais entendu dans la bouche d'une femme, ou même d'un homme en l'occurrence. Cela nous amusait au plus haut point. Peut-être trouvait-elle aussi notre manège amusant, en tout cas pendant les quinze premières minutes.

Pour une ville de l'Arkansas, État composé en majeure partie de Blancs baptistes du Sud et de Noirs, la population de Hot Springs était étonnamment diverse, d'autant qu'elle ne comptait que trente-cinq mille habitants. La communauté noire était assez importante. Un hôtel, le *Knights of the Pythias*, était réservé aux clients noirs. La ville avait deux églises catholiques et deux synagogues. Les membres de la communauté juive possédaient quelques-uns des meilleurs magasins de la ville, et certains dirigeaient les salles des ventes. La meilleure boutique de jouets de la ville appartenait aux Silverman, qui l'avaient appelée *Ricky's*, du nom de leur fils qui jouait avec moi dans l'orchestre de l'école. *Laury's*, la bijouterie où j'achetais de petits cadeaux pour ma mère, appartenait à Marty et Laura Fleishner. Il y avait aussi l'hôpital Leo N. Levi du Bnaï-Brith, qui utilisait les sources d'eau chaude pour soigner l'arthrite. C'est à Hot Springs que j'ai rencontré mes premiers amis d'origine arabe, les Zorub et les Hassin. Les parents de David Zorub avaient été tués au Liban, et David avait été adopté par son oncle. Lorsqu'il était arrivé aux États-Unis, il avait 9 ans et ne parlait pas un mot d'anglais. Plus tard, il est devenu premier de sa classe et a été élu gouverneur au sein du Boy's State, l'association de jeunes dont nous faisions partie et qui avait pour mission de nous initier à la politique. Aujourd'hui, il est neurochirurgien et vit en Pennsylvanie. Guido Hassin et ses sœurs sont les fruits d'une histoire d'amour née durant la Seconde Guerre mondiale, entre un Américain d'origine syrienne et une Italienne. Nous étions voisins lorsque j'étais au lycée. J'avais aussi un ami d'origine japonaise, Albert Hahm, et un camarade de classe tchèque, René Duchac, dont les parents immigrés étaient propriétaires d'un restaurant, le *Little Bohemia*. La ville abritait également une grande communauté grecque, ce qui lui valait la présence d'une église grecque orthodoxe et d'*Angelo's*, un restaurant situé à quelques pas de la concession Buick Clinton. C'était un endroit merveilleusement désuet, avec un long bar à sodas et des tables couvertes de nappes à carreaux rouges et blancs. La maison avait trois spécialités : le chili, les haricots et les spaghettis.

Mes meilleurs amis issus de la communauté grecque étaient de loin la famille Leopoulos. George tenait un petit café dans Bridge Street, une rue située entre Central Avenue et Broadway, qui ne faisait même pas le tiers d'un pâté de maisons. Nous étions convaincus qu'il s'agissait de la plus petite rue de toute l'Amérique. L'épouse de George, Evelyn, était une femme fluette qui croyait à la réincarnation, faisait collection d'antiquités, et adorait Liberace, qui la mit au comble du bonheur en venant dîner chez elle un jour qu'il se produisait à Hot Springs. Le plus jeune fils des Leopoulos, Paul David, est devenu mon meilleur ami à l'école primaire et, depuis ce jour, il a toujours été comme un frère pour moi.

J'aimais beaucoup aller au café de son père avec lui quand nous étions enfants, tout particulièrement aux époques de fête foraine, car tous les forains venaient y prendre leur repas. Un jour, ils nous ont donné des tickets gratuits pour tous les manèges. Nous les avons utilisés jusqu'au dernier, ce qui a rendu David fou de joie et moi malade comme un chien. Après cette expérience, je me suis limité aux autotamponneuses et aux grandes roues. David et moi avons connu tous les hauts et les bas de l'existence, et assez de fous rires pour remplir trois vies.

De nos jours, on trouvera peut-être normal que j'aie eu des amis et des connaissances issus de milieux si divers, mais, dans l'Arkansas des années 1950, une telle chose n'était possible qu'à Hot Springs. Quoi qu'il en soit, mes amis et moi-même menions des existences plutôt normales, si l'on excepte les appels occasionnels à la maison close de Maxine et la tentation de faire l'école buissonnière à la saison des courses. Je n'y ai jamais cédé, mais elle s'est bien souvent avérée irrésistible pour quelques-uns de mes camarades de lycée.

De ma quatrième à ma sixième année de scolarité, ma vie entière s'est déroulée entre le premier et le dernier numéro de Park Avenue. Nos voisins étaient intéressants. Une enfilade de belles maisons s'égrenait à l'est de la nôtre jusqu'à la lisière de la forêt, une autre rangée de maisons était située derrière la nôtre sur Circle Drive. David Leopoulos vivait à quelques pas de chez nous. Mes amis les plus proches parmi notre voisinage immédiat étaient la famille Crane. Ils vivaient dans une grande maison en bois d'aspect mystérieux, juste en face de notre cour arrière. La tante d'Edie Crane, Dan, avait coutume d'emmener les enfants de la famille partout et, bien souvent, je les accompagnais. Nous allions au cinéma, ou bien au parc de Snow Springs nager dans une piscine remplie d'eau de source très froide et au parc Whittington pour jouer au minigolf. Rose, l'aînée, avait mon âge. Larry, le cadet, avait quelques années de moins. Nous nous sommes toujours entendus à merveille, hormis le jour où j'ai expérimenté sur lui un nouveau mot. Nous jouions avec Rose dans la cour arrière de notre maison quand je lui ai dit que son épiderme se voyait. Cela l'a mis en colère. Alors je lui ai dit que l'épiderme de son père et de sa mère se voyait aussi. Cela l'a poussé à bout. Il est retourné chez lui, a attrapé un couteau, est revenu et l'a lancé sur moi. Il a beau m'avoir manqué, depuis ce jour, je me méfie instinctivement des mots pompeux. Mary Dan, la benjamine, m'avait demandé d'attendre qu'elle grandisse pour que nous puissions nous marier.

De l'autre côté de la rue, juste en face de chez nous, il y avait une série de petites entreprises. Parmi ces dernières, on trouvait un garage dont les murs étaient en tôle. Embusqués derrière le chêne, David et moi lancions des glands contre les parois pour les faire résonner et assourdir les garagistes. Parfois, nous nous risquions à bombarder des voitures qui passaient. Lorsque nous faisions mouche, un grand bruit métallique signalait notre victoire. Un jour, l'une de nos cibles s'est brusquement arrêtée, le conducteur est descendu, nous a vus nous cacher derrière un buisson, et s'est lancé à notre poursuite dans l'allée. Après cet incident, j'ai lancé un peu moins de glands sur les voitures, même si nous nous amusions beaucoup en le faisant.

À côté du garage, un groupe de bâtiments en brique abritait une épicerie, un lavomatique, et *Stubby's*, un petit restaurant-grill familial, où il m'arrivait souvent d'apprécier un repas en solitaire. Installé à la fenêtre, je regardais passer les gens dans leur voiture et j'essayais d'imaginer leurs vies. C'est l'épicerie qui, à l'âge de 13 ans, m'a donné mon premier travail. Le propriétaire, Dick Sanders, avait environ 70 ans, et comme beaucoup de gens de son âge en ce temps-là, il pensait qu'il était mauvais d'être gaucher. Il a donc entrepris de me changer en droitier, moi, un gaucher de la plus pure espèce. Un jour qu'il m'a forcé à empiler des pots de mayonnaise de la main droite, de grands bocaux de mayonnaise Hellman's, qui coûtaient quatre-vingt-neuf cents pièce, j'en ai posé un de travers et je l'ai fait tomber. J'ai commencé par nettoyer la mayonnaise et les bouts de verre qui s'étalaient par terre. Puis, Dick m'a dit qu'il allait devoir retenir le prix du bocal sur mon salaire. Je gagnais un dollar de l'heure. Rassemblant mon courage, je lui ai rétorqué : « Écoutez, Dick, vous pouvez avoir un bon garçon d'épicerie gaucher pour un dollar de l'heure, mais vous ne pouvez pas avoir un garçon d'épicerie droitier et maladroit pour rien. »

À ma grande surprise, il a éclaté de rire et m'a donné raison. Il m'a même laissé ouvrir mon premier commerce, un stand de bandes dessinées d'occasion, devant l'épicerie. Je possédais deux pleines malles de bandes dessinées que j'avais soigneusement conservées. Elles étaient en très bon état et se sont très bien vendues. À l'époque, j'étais fier d'avoir réussi à les vendre. Aujourd'hui, je sais que si je les avais gardées, il s'agirait de pièces de collection d'une grande valeur.

À l'ouest de notre maison, en allant vers la ville, on rencontrait le *Perry Plaza Motel*. J'appréciais les Perry et leur fille Tavia, qui avait un ou deux ans de plus que moi. Un jour, je lui ai rendu visite alors qu'elle venait d'acheter une carabine à air comprimé. J'avais peut-être 9 ou 10 ans. Elle a jeté une ceinture par terre et a déclaré que si je franchissais cette ligne, elle me tirerait dessus. Évidemment, je l'ai franchie. Et elle m'a tiré dessus. Elle m'a touché à la jambe, et je m'en suis donc sorti à relativement bon compte. Suite à cet événement, j'ai pris la résolution d'y réfléchir à deux fois avant de décider que quelqu'un bluffait.

Je me souviens d'un autre événement lié au motel des Perry. C'était un bâtiment de brique jaune de deux étages, de la largeur d'une seule pièce, qui faisait la jonction entre Park Avenue et Circle Drive. Parfois, comme dans d'autres motels ou dans des meublés de la ville, certains clients louaient une chambre pour des semaines, voire des mois. C'était le cas d'un homme d'une cinquantaine d'années, qui avait loué la chambre du fond au deuxième étage du motel des Perry. Un jour, la police est venue et l'a emmené. On avait découvert qu'il y pratiquait des avortements Jusqu'à ce jour-là, je ne crois pas que je savais ce qu'était un avortement.

Un peu plus bas sur Park Avenue, il y avait la petite boutique d'un barbier, où Mr Brizendine me coupait les cheveux. À une centaine de mètres plus loin, Park Avenue coupe Ramble Street qui, à l'époque, obliquait vers le sud et montait le long d'une colline jusqu'à ma nouvelle école, Ramble Elementary. En quatrième année d'école primaire, je suis entré dans l'orchestre scolaire. Il était constitué d'écoliers venus de toutes les écoles primaires de la ville. Son directeur, George Gray, était merveilleux avec les jeunes enfants et il ne manquait jamais d'encourager chaleureusement notre tintamarre. J'ai joué de la clarinette pendant environ un an puis, l'orchestre ayant besoin d'un saxophone ténor, j'ai entamé l'étude de cet instrument, changement que je n'ai jamais regretté par la suite. Mon souvenir le plus vif de ma cinquième année est un débat portant sur la mémoire, durant lequel l'un de mes camarades, Tommy O'Neal, a déclaré à notre maîtresse, Miss Caristianos, qu'il pensait pouvoir se souvenir de sa naissance. J'avais beau hésiter entre lui attribuer une imagination débordante et décider qu'il était fou, je l'appréciais. J'avais fini par rencontrer quelqu'un qui avait une mémoire encore meilleure que la mienne.

J'aimais beaucoup ma maîtresse de sixième année, Kathleen Schaer. Comme de nombreuses enseignantes de sa génération, elle ne s'est jamais mariée et a consacré sa vie aux enfants. Elle a vécu jusqu'à l'âge de 80 ans, avec sa cousine qui avait fait les mêmes choix de vie qu'elle. Miss Schaer avait beau être douce et gentille, elle pensait que la véritable affection consistait à dire la vérité sans détours. La veille de notre petite cérémonie de clôture du cycle primaire, avant la remise des diplômes, elle m'a demandé de rester après les cours. Elle m'a dit que j'aurais dû terminer premier de ma classe, à égalité avec Donna Standiford et qu'au lieu de cela, à cause de mes notes si mauvaises en éducation civique – discipline qui, à cette époque, portait probablement encore le nom de « maintien » –, je n'avais qu'une place de troisième, à égalité avec un autre élève. « Billy, me dit Miss Schaer, quand tu seras grand, soit tu deviendras gouverneur, soit tu auras de gros ennuis. Tout cela ne dépend que d'une chose : tu dois apprendre à savoir quand il faut parler et quand il faut se taire. » Il s'avère qu'elle avait raison sur les deux points.

Lors de ma scolarité à Ramble, mon intérêt pour la lecture s'est développé et j'ai découvert la bibliothèque municipale Garland, qui se trouvait dans le centre-ville, près du palais de justice et non loin de la concession Buick Clinton. J'y ai passé des heures entières à feuilleter des livres et à lire. J'étais extrêmement intéressé par les livres sur les Indiens et j'ai dévoré les biographies pour enfants de grands chefs indiens : Geronimo, le grand Apache, Crazy Horse, le Sioux Lakota qui tua le général Custer et conduisit les troupes indiennes à la bataille de Little Big Horn, Chef Joseph de la tribu des Nez Percés, qui amena la paix avec cette phrase frappante : « À partir de ce jour, de l'endroit où se tient le soleil, je ne combattrai plus jamais ! », et le grand chef séminole Osceola, qui conçut un alphabet écrit pour son peuple. Cet intérêt pour les Indiens ne m'a jamais quitté depuis, pas davantage que le sentiment qu'ils avaient été victimes de terribles injustices.

Dernière étape sur Park Avenue : ma première véritable église, l'église baptiste de Park Place. Quoique papa et ma mère ne la fréquentaient pas, hormis à Pâques et parfois à Noël, ma mère m'encourageait à assister aux offices, ce que je faisais presque chaque dimanche. J'aimais beaucoup m'habiller pour l'occasion et m'y rendre à pied. Depuis l'époque de mes 11 ans jusqu'à la fin de ma scolarité au lycée, mon professeur de catéchisme a été A. B. Jeffries, dit Sonny. Son fils Bert était dans ma classe, et nous sommes devenus de proches amis. Tous les dimanches, pendant des années, nous sommes allés au catéchisme et à l'église ensemble. Nous nous installions toujours au fond, pour nous enfermer tranquillement dans notre petit monde. En 1955, j'avais assimilé suffisamment de connaissances pour savoir que j'étais un pécheur et pour vouloir chercher mon salut auprès de Jésus. C'est pourquoi, à la fin de la messe dominicale, je me suis avancé vers l'autel pour professer ma foi dans le Christ et demander à être baptisé. Suite à cette demande, le révérend Fitzgerald est venu chez nous pour s'entretenir avec ma mère et moi. Chez les baptistes, la profession de foi pour le baptême doit être informée. Contrairement au rituel méthodiste d'aspersion du nouveau-né, qui a permis à Hillary et à ses frères d'échapper au chemin de l'enfer, le rituel baptiste exige que les candidats au baptême sachent ce qu'ils font.

Bert Jeffries et moi-même avons été baptisés ensemble, un dimanche soir, en même temps qu'un groupe de fidèles. Les fonts baptismaux se trouvaient juste au-dessus de la stalle du chœur afin de permettre à la congrégation, lorsque les rideaux s'ouvraient, de voir le pasteur plonger les âmes sauvées dans l'eau. Dans la file, juste avant Bert et moi, il y avait une dame qui avait manifestement peur de l'eau. Son tour venu, elle a descendu les marches qui menaient au bassin en tremblant. Quand le pasteur lui a pincé les narines et l'a immergée, tout son corps s'est raidi. Saisie d'un spasme, sa jambe droite a été projetée en l'air et est venue se poser sur l'étroite bordure de verre qui protégeait le chœur des aspersions. Son talon y est resté coincé. Elle ne parvenait pas à le décoincer, si bien que lorsque le pasteur a voulu la sortir de l'eau, il n'a pas réussi à la bouger d'un pouce. Comme il gardait les yeux fixés sur sa tête immergée, il n'avait pas pu voir ce qui s'était passé et s'obstinait à la tirer à toute force vers le haut. Enfin, il a tourné la tête, compris d'où venait le problème et dégagé la jambe de la pauvre femme avant qu'elle se noie. Bert et moi nous tenions les côtes de rire. Je n'ai pas pu m'empêcher de penser que si Jésus avait autant d'humour, il n'allait pas être difficile d'être chrétien.

En plus des nouveaux amis et voisins, de la nouvelle école et de la nouvelle église que j'ai trouvés à Hot Springs, ma famille s'y est également enrichie de nouveaux membres du côté des Clinton. Mes grands-parents par alliance s'appelaient Al et Eula Mae Cornwell Clinton. Papy Al, ainsi que nous l'appelions, venait de Dardanelle, dans le comté de Yell, un endroit magnifique et riche en forêts, situé à une centaine de kilomètres à l'ouest de Little Rock, en amont de l'Arkansas River. C'est là qu'il a rencontré et épousé sa femme, dont la famille avait quitté le Mississippi pour venir s'installer à Dardanelle dans les années 1890. Nous appelions ma nouvelle grand-mère mamy Clinton. Elle faisait partie d'une grande famille éparpillée un peu partout dans l'Arkansas. Avec la famille des Clinton et celle de ma mère réunies, j'avais des proches dans quinze des soixante-quinze comtés de l'Arkansas, ce qui a constitué un atout de taille lorsque je me suis lancé dans la politique, car, à cette époque, les contacts personnels étaient plus importants que les références ou les positions politiques.

Papy Al était un homme plutôt menu. Il était plus petit et moins vigoureux que papa, et il avait un tempérament bienveillant et doux. La première fois que je l'ai rencontré, nous vivions encore à Hope. Il était venu voir son fils et faire connaissance de sa nouvelle famille. Il était accompagné. À l'époque, il travaillait encore comme contrôleur judiciaire pour l'État, et il ramenait en prison l'un des détenus dont il avait la charge, qui avait probablement bénéficié d'une permission. Lorsqu'il est descendu de la voiture en arrivant chez nous, nous avons remarqué que le poignet de l'homme était attaché à celui de papy Al par des menottes. Le spectacle de ces deux hommes était très comique car le détenu était immense, presque deux fois plus grand que papy Al. Cependant, papy Al lui parlait avec douceur et respectueusement, et l'homme semblait lui rendre la pareille. Tout ce que je sais, c'est que papy Al l'a ramené en prison sans encombre et à l'heure.

Papy Al et mamy Clinton vivaient dans une petite maison ancienne perchée au sommet d'une colline. À l'arrière de la maison, papy Al avait aménagé un jardin dont il était très fier. Il a vécu jusqu'à 84 ans. Alors qu'il avait déjà plus de 80 ans, son jardin a produit une tomate qui pesait plus d'un kilo. On ne pouvait la tenir qu'avec les deux mains.

C'était mamy Clinton qui dirigeait la maison. Elle était bonne avec moi, mais elle s'y entendait à manipuler les hommes qui l'entouraient. Elle a toujours traité papa comme le bébé de la famille, celui qui ne pouvait rien faire de mal, ce qui explique probablement pourquoi il n'est jamais devenu adulte. Elle appréciait ma mère qui, mieux que quiconque dans la famille, savait l'écouter quand elle parlait de ses maladies imaginaires, compatir à ses malheurs et lui donner des conseils pleins de bon sens. Elle a vécu jusqu'à 93 ans.

Papy Al et mamy Clinton ont eu cinq enfants, une fille et quatre garçons. Leur fille, tante Ilaree, était la cadette. Sa fille Virginia, surnommée Sister, était, à l'époque, mariée à Gabe Crawford. C'était une bonne amie de ma mère. En vieillissant, Ilaree est devenue un personnage un peu excentrique. Un jour, lors d'une visite de ma mère, Ilaree s'est plainte d'avoir des difficultés à marcher. Elle a relevé sa jupe, révélant une immense excroissance sur la face interne de sa jambe. Peu de temps après, lorsqu'elle a rencontré Hillary pour la première fois, elle a refait le même geste et lui a montré sa tumeur. C'était plutôt de bon augure. Ilaree a été le premier membre de la famille Clinton à apprécier sincèrement Hillary. Ma mère ayant fini par réussir à la convaincre de se faire enlever sa tumeur, Ilaree a pris l'avion pour la première fois de sa vie pour se rendre à la clinique Mayo. Au moment de l'intervention, la tumeur pesait quatre kilos et demi. Par miracle, les cellules cancéreuses ne s'étaient pas propagées au reste de sa jambe. J'ai appris par la suite que la clinique avait conservé cette prodigieuse tumeur pendant quelque temps pour l'étudier. Lorsqu'elle est revenue, nous avons compris que la vieille dame pétulante avait été bien plus effrayée par son premier voyage en avion que par la tumeur ou l'intervention.

Le plus âgé des fils d'Ilaree et Al s'appelait Robert. Lui et sa femme, Evelyn, étaient des gens paisibles qui vivaient au Texas et à Hot Springs. Ils avaient la sagesse de ne fréquenter la famille Clinton que modérément, et ils semblaient fort bien s'en porter.

Le deuxième de leurs fils, oncle Roy, était propriétaire d'un magasin d'aliments pour animaux. Sa femme Janet et ma mère étaient les deux plus fortes personnalités de la branche par alliance de la famille Clinton, et elles sont devenues d'excellentes amies. Au début des années 1950, Roy s'est présenté aux élections législatives de l'État et il a gagné. J'ai distribué des bulletins à son nom le jour des élections, aussi près du bureau de vote que la loi l'autorisait. Ce fut ma première expérience politique. Oncle Roy n'a accompli qu'un seul mandat. En dépit du fait qu'il était très apprécié, il ne s'est pas présenté une deuxième fois. Je pense que c'était parce que Janet détestait la politique. Pratiquement pendant un an, Roy et Janet ont fait des parties de dominos hebdomadaires avec mes parents, alternativement chez eux et chez nous.

Raymond, le quatrième enfant de papy Al et de mamy Clinton, était le seul Clinton qui possédait un peu d'argent et qui était durablement engagé dans la politique. Bien qu'il n'ait pas combattu lui-même, il avait participé au mouvement visant à intégrer les anciens GI après la Seconde Guerre mondiale. Raymond Jr., dit Corky, était le seul à être plus jeune que moi. Il était également plus intelligent. Il est devenu un scientifique de haut niveau et a fait une brillante carrière à la NASA.

Les relations de ma mère avec Raymond ont toujours été ambiguës. Il aimait avoir le contrôle sur tout, et à cause du problème de papa avec l'alcool, nous avions besoin de son aide plus souvent que ma mère ne l'aurait voulu. À notre arrivée à Hot Springs, nous avons même commencé par fréquenter son Église, la Première Église presbytérienne, alors même que ma mère, du moins sur le papier, était baptiste. Le pasteur chargé de l'église à l'époque, le révérend Overholser, était un homme remarquable, qui a eu deux filles tout aussi remarquables : Nan Keohane, qui a tout d'abord été présidente de l'Université de Wellesley, l'*alma mater* de Hillary, puis est devenue la première femme à être à la tête de Duke University ; et Geneva Overholser, qui est devenue rédactrice en chef du *Des Moines Register* et a appuyé ma candidature lors des élections présidentielles. Plus tard, elle a été nommée médiatrice auprès du *Washington Post*, fonction dans laquelle elle a donné largement écho aux plaintes légitimes du grand public, mais pas à celles du président.

En dépit des réserves de ma mère, j'appréciais Raymond. Sa force et l'influence dont il jouissait dans la ville m'impressionnaient, et j'aimais son intérêt sincère pour les enfants, en particulier pour moi. Ses travers égocentriques ne me dérangeaient pas outre mesure, même si nous étions aussi différents que le jour et la nuit. En 1968, alors que je militais pour la défense des droits civiques, Raymond appuyait la candidature de George Wallace pour les présidentielles. Malgré tout, en 1974, quand je me suis lancé dans une campagne improbable pour le Congrès, Raymond et Gabe Crawford ont cosigné un chèque de dix mille dollars pour me mettre sur les rails. Cette somme représentait énormément d'argent pour moi à l'époque. À la mort de sa femme, âgée d'un peu plus de 45 ans, Raymond a repris contact avec une veuve qu'il avait fréquentée au lycée. Ils se sont mariés, ce qui lui a apporté beaucoup de bonheur durant les dernières années de sa vie. Pour une raison dont je ne parviens même pas à me souvenir aujourd'hui, Raymond s'est fâché contre moi vers la fin de sa vie. Avant que nous ayons pu nous réconcilier, Raymond a été frappé par la maladie d'Alzheimer. Je suis allé le voir deux fois, la première fois à l'hôpital St Joseph et la seconde dans une maison de repos. Lors de ma première visite, je lui ai dit que je l'aimais, que je regrettais notre brouille et que je lui serais toujours reconnaissant pour tout ce qu'il avait fait pour moi. Je ne suis pas sûr qu'il m'ait reconnu, peut-être pendant un bref instant. Mais à ma seconde visite, je suis sûr qu'il ne savait pas qui j'étais. C'était sans importance, d'ailleurs, je tenais juste à le voir encore une fois. Lorsqu'il est mort à 84 ans, au même âge que ma tante Ollie, il avait perdu ses facultés intellectuelles depuis bien longtemps.

Raymond et sa famille vivaient dans une grande maison sur les rives du lac Hamilton, où nous allions pique-niquer et faire des balades en bateau dans son grand Chris-Craft en bois. Nous fêtions chaque 4 Juillet chez lui, avec force feux d'artifice. Après la mort de Raymond, ses enfants ont décidé à contre-cœur de se séparer de la vieille demeure. Par chance, ma bibliothèque et ma fondation avaient besoin de locaux. Nous avons donc acheté la propriété et nous sommes en train de la rénover. Les enfants et petits-enfants de Raymond pourront encore l'utiliser. Aujourd'hui, j'espère que, de là où il est, Raymond me contemple avec un sourire bienveillant.

Peu de temps après notre déménagement à Park Avenue, en 1955, me semble-t-il, les parents de ma mère sont venus s'installer à Hot Springs. Ils ont emménagé dans un petit appartement situé dans une grande maison ancienne qui se trouvait dans la même rue que la nôtre, à environ un kilomètre et demi de chez nous en allant vers la ville. Leur déménagement était avant tout motivé par des raisons de santé. La bronchite chronique de grand-papa progressait et grand-maman avait eu une attaque. Grand-papa a pris un travail dans une boutique de vins et spiritueux qui se trouvait juste en face de la boutique de Mr Brizendine. Je crois que papa en était en partie propriétaire. Il avait beaucoup de temps libre, car même à Hot Springs la plupart des gens étaient trop soucieux des conventions pour entrer dans un magasin d'alcool en plein jour. Je passais donc souvent lui rendre visite. Il jouait beaucoup à la patience et m'en a appris les règles. Aujourd'hui encore, j'en connais trois types différents, que je pratique souvent lorsque je réfléchis à un problème et que j'ai besoin d'un exutoire nerveux.

L'attaque de grand-maman avait été violente, et les séquelles se sont manifestées sous la forme de crises de hurlements. Pour la soulager, le médecin qui la suivait a commis l'erreur impardonnable de lui prescrire des doses massives de morphine. C'est lorsqu'elle s'est retrouvée dépendante que ma mère l'a fait venir à Hot Springs avec grand-papa. Son comportement devenait de plus en plus irrationnel et, en désespoir de cause, ma mère l'a confiée avec réticence à l'hôpital psychiatrique de l'État, à une cinquantaine de kilomètres de chez nous. Je ne crois pas qu'il existait de centres de désintoxication à cette époque.

Évidemment, je ne connaissais pas toute la vérité à propos de son état, je savais juste qu'elle était malade. Et puis un jour, ma mère m'a emmené à l'hôpital psychiatrique pour la voir. C'était atroce. Un véritable enfer. Nous sommes entrés dans une grande pièce sans cloisons, rafraîchie par des ventilateurs électriques protégés par du grillage pour empêcher les patients d'y mettre les mains. Des gens à l'air hagard, vêtus de blouses amples en coton ou de pyjamas déambulaient sans but, marmonnant dans leur barbe ou hurlant dans le vide. Malgré tout, l'état de grand-maman semblait normal, et elle était heureuse de nous voir. Nous avons parlé longtemps. Quelques mois plus tard, son état s'était suffisamment amélioré pour lui permettre de rentrer chez elle Elle n'a plus jamais repris de morphine. Le problème de ma grand-mère m'a permis de prendre conscience de l'état dans lequel se trouvait alors le système de soins psychiatriques, qui était pratiquement le même dans tout le pays. Lorsqu'il est devenu gouverneur, Orval Faubus a entrepris de moderniser notre système hospitalier et lui a alloué beaucoup plus de crédits. En dépit du mal qu'il a fait dans d'autres domaines, je lui ai toujours été reconnaissant de cela.

CHAPITRE CINQ

En 1956, enfin, j'ai eu un frère, et nous avons aussi enfin eu une télévision. Mon frère, Roger Cassidy Clinton, est né le 25 juillet, le même jour que son père. J'étais ravi. Cela faisait un moment que papa et ma mère essayaient d'avoir un enfant (deux ans plus tôt, elle avait fait une fausse couche). Je crois qu'elle pensait, et lui aussi sans doute, que cela pourrait sauver leur mariage. Mais les choses ont mal commencé du côté de papa. J'étais avec mamy et papy quand ma mère a accouché, par césarienne. Il est passé me prendre pour aller la voir, puis il m'a ramené à la maison et est parti. Depuis quelques mois, il buvait, et au lieu de le rendre heureux et responsable, la naissance de son enfant unique l'a poussé à se précipiter de nouveau vers la bouteille.

Mais la présence d'un bébé à la maison n'était pas notre seule cause d'excitation : pour la première fois, nous avions un poste de télévision. Il y avait plein d'émissions et de distractions pour les enfants : des dessins animés, comme *Captain Kangaroo* et *Howdy Doody* avec Buffalo Bob Smith, que j'aimais tout particulièrement. Et on pouvait regarder des matchs de base-ball : Mickey Mantle et les Yankees, Stan Musial et les Cardinals et, surtout, mon préféré de toujours, Willie Mays et les bons vieux Giants de New York.

Mais aussi étrange que cela puisse paraître pour un gamin de 10 ans, ce que j'ai le plus regardé à la télévision cet été-là a été les conventions républicaine et démocrate. Je m'asseyais par terre devant le poste et je regardais les candidats, comme scotché. Cela peut paraître incroyable, mais je me sentais très à l'aise dans l'univers de la politique et des hommes politiques. J'aimais le président Eisenhower et j'ai été heureux qu'il soit de nouveau candidat, mais comme nous étions démocrates, je me suis davantage investi dans la convention démocrate. Le gouverneur du Tennessee, Frank Clement, prononça un discours-programme enthousiasmant. La compétition fut passionnante pour la candidature à la vice-présidence, entre le jeune sénateur John F. Kennedy et le futur vainqueur, le sénateur Estes Kefauver, élu du Tennessee au Sénat avec le père d'Al Gore. Quand Adlai Stevenson, le candidat désigné en 1952, accepta de se présenter de nouveau comme son parti le lui demandait, il déclara avoir prié pour que « cette coupe passe entre les mains d'un autre ». J'admirais l'intelligence et l'éloquence de Stevenson, mais, même à l'époque, je ne comprenais pas comment on pouvait ne pas souhaiter être président. Je pense maintenant que ce qu'il ne voulait pas, c'était se dépenser de nouveau et, au bout du compte, perdre. Je le comprends très bien. J'ai moi-même perdu deux fois des élections, même si je n'ai jamais mené un combat que je n'aie cru pouvoir gagner.

Je ne passais cependant pas tout mon temps devant la télévision. Je continuais d'aller voir autant de films que je le pouvais. Il y avait deux cinémas à l'ancienne à Hot Springs, le *Paramount* et le *Malco*, dotés de grandes scènes sur lesquelles des stars de l'Ouest en tournée se produisaient le week-end. J'ai ainsi vu Lash LaRue, dans sa tenue noire de cow-boy, faire ses tours avec un fouet et Gail Davis, qui jouait Annie Oakley à la télévision, faire une démonstration de tir.

À la fin des années 1950, Elvis Presley a commencé à jouer dans des films. Je l'adorais. Je connaissais toutes ses chansons, de même que les accompagnements des Jordanaires. Je l'ai admiré de partir au service militaire et j'ai été fasciné par son mariage avec sa belle jeune femme, Priscilla. Contrairement à la plupart des parents, qui trouvaient ses déhanchements obscènes, ma mère aussi aimait Elvis, peut-être même plus que moi. Ensemble, nous avons vu sa légendaire apparition dans l'*Ed Sullivan Show*, et nous avons bien ri quand les caméras ont caché les mouvements du bas de son corps pour nous protéger de son indécence. Par-delà la musique, je me sentais lié à lui par son enracinement à une petite ville du Sud. Et je pensais que c'était un homme de cœur. Ainsi, un jour, Steve Clark, un ami à moi qui a été ministre de la Justice de l'Arkansas quand j'en étais gouverneur, a emmené sa petite sœur, atteinte d'un cancer, voir Elvis chanter à Memphis. Quand il a entendu parler de cette petite fille, il l'a fait installer au premier rang avec son frère et, après le concert, il l'a fait monter sur la scène et lui a parlé un long moment. Je ne l'ai jamais oublié.

Le premier film d'Elvis, *Love Me Tender*, était mon préféré et il l'est encore, mais j'ai aussi aimé *Loving You, Jailhouse Rock, King Creole* et *Blue Hawaii*. Ensuite, ses films sont devenus plus sirupeux et trop prévisibles à mon goût. Ce que je trouvais intéressant, dans *Love Me Tender,* ce western de l'après-guerre de Sécession, c'est que Clint, le garçon joué par Elvis, qui était déjà devenu un sex-symbol national, séduisait la fille, interprétée par Debra Paget, mais seulement parce qu'elle croyait que son frère à lui, dont elle était amoureuse, avait été tué durant la guerre. À la fin du film, Elvis meurt dans une fusillade, laissant son frère avec son épouse.

Je n'ai jamais tout à fait échappé à Elvis. Lors de la campagne de 1992, certains membres de mon équipe m'ont surnommé Elvis. Et quelques années plus tard, quand j'ai nommé Kim Wardlaw, de Los Angeles, au poste de juge fédéral, elle a eu l'idée de m'envoyer un foulard qu'il avait porté et lui avait dédicacé lors d'un de ses concerts, dans les années 1970, alors qu'elle avait 19 ans. Il se trouve encore dans mon studio de musique. Et je l'avoue · je suis toujours un fan d'Elvis.

Mes films préférés, à l'époque, étaient les péplums : *The Robe* et sa suite, *Demetrius et les Gladiateurs, Samson et Dalila, Ben Hur* et plus particulièrement *Les Dix Commandements,* le premier film pour lequel j'ai payé plus de dix cents. Je l'ai vu en une occasion où papa et ma mère étaient partis quelques jours à Las Vegas. J'avais emporté de quoi déjeuner et je l'ai vu deux fois de suite avec un seul ticket. Des années plus tard, quand j'ai accueilli Charlton Heston à la Maison Blanche comme membre d'honneur du Kennedy Center, il était président de la National Rifle Association et critiquait violemment mes efforts auprès du Congrès pour empêcher délinquants et enfants de pouvoir acheter des armes. J'ai plaisanté à son intention et celle du public en disant que je l'aimais mieux en Moïse que dans son rôle d'alors. Et je dois reconnaître qu'il l'a pris avec le sourire.

En 1957, les poumons de mon grand-père ont fini par lâcher. Il est mort, à 56 ans seulement, au Ouachita Hospital, l'établissement assez récent où ma mère travaillait. Sa vie avait été fort accaparée par des difficultés financières, des problèmes de santé et des conflits maritaux, mais, face à l'adversité, il avait toujours trouvé de quoi être heureux. Et il nous aimait, ma mère et moi, plus que sa propre vie. Son amour et ce qu'il m'a enseigné, avant tout par l'exemple, comme d'apprécier les cadeaux qu'apporte chaque jour et d'être sensible aux problèmes des autres, m'ont rendu meilleur que je n'aurais pu l'être sans lui.

1967 a aussi été l'année de l'affaire de Little Rock Central. En septembre, neuf enfants noirs, soutenus par Daisy Bates, le rédacteur en chef de l'*Arkansas State Press,* le journal noir de Little Rock, devaient entrer à Little Rock Central, le lycée de la ville. Le gouverneur Faubus, désireux de briser la tradition de l'Arkansas selon laquelle les gouverneurs ne faisaient que deux mandats, renia la tendance progressiste de sa famille (son père avait voté pour Eugene Debs, l'éternel candidat socialiste à la présidence) et fit appel à la garde nationale pour empêcher les enfants noirs d'entrer dans l'établissement. Par la suite, le président Eisenhower recourut à l'armée pour les protéger, et ils durent traverser des foules hostiles leur lançant des insultes racistes pour rejoindre leur lycée. La plupart de mes amis étaient contre la mixité raciale ou semblaient indifférents à cette question. Pour ma part, je ne me prononçai guère sur ce sujet, sans doute parce que ma famille était bien peu engagée politiquement, mais j'étais horrifié par ce que Faubus avait fait. Bien qu'il ait durablement nui à l'image de l'État, il s'était assuré non seulement un troisième mandat de deux ans, mais même de trois de plus. Plus tard, il a fait des tentatives de retour contre Dale Bumpers, David Pryor et moi-même, mais l'État était devenu moins réactionnaire.

Les Neuf de Little Rock sont devenus un symbole de courage dans la quête de l'égalité. En 1987, devenu gouverneur, je les ai invités pour le trentième anniversaire de l'affaire. J'ai organisé une réception en leur honneur à la résidence du gouverneur et je leur ai montré la salle dans laquelle le gouverneur Faubus avait orchestré la campagne visant à les exclure du lycée. Et, en 1997, nous avons organisé une grande cérémonie sur la pelouse du lycée pour le quarantième anniversaire de l'événement. À la fin de celle-ci, le gouverneur Mike Huckabee et moi-même avons ouvert les portes du lycée tandis que les Neuf y entraient. Elizabeth Eckford, qui, à 15 ans, avait été profondément blessée par les injures lancées contre elle tandis qu'elle fendait seule une foule agressive, se réconcilia avec Hazel Massery, qui s'était trouvée au nombre des persifleurs quarante ans plus tôt. En 2000, lors d'une cérémonie qui a eu lieu sur la pelouse sud de la Maison Blanche, j'ai remis la médaille d'or du Congrès aux Neuf de Little Rock, décoration créée par le sénateur Dale Bumpers. En cette fin d'été 1957, ils nous ont tous aidés, Blancs et Noirs, à nous défaire des sinistres chaînes de la ségrégation et de la discrimination. Et, ce faisant, ils ont fait davantage pour moi que je ne pourrai jamais faire pour eux. Mais j'espère que ce que j'ai pu faire pour eux, et pour les droits civiques, au cours des années suivantes, a été à la hauteur des leçons que j'ai apprises il y a plus de cinquante ans dans la boutique de mon grand-père.

Durant l'été 1957 et de nouveau après la Noël de cette année, j'ai quitté l'Arkansas pour la première fois depuis que j'étais allé voir ma mère à La Nouvelle-Orléans. Les deux fois, j'ai pris un car Trailways pour aller voir ma tante Otie à Dallas. Pour l'époque, c'étaient des cars luxueux, avec un employé qui servait des canapés. J'en ai avalé des quantités.

Dallas a été la troisième véritable ville où je suis allé. Je suis allé à Little Rock en dernière année d'école primaire, à l'occasion d'une sortie au Congrès de l'État dont le clou a été la visite du bureau du gouverneur, où nous avons pu nous asseoir dans le fauteuil du gouverneur absent. Cela m'a tellement marqué que des années plus tard, j'ai souvent pris des photos d'enfants assis sur mon fauteuil à la résidence du gouverneur et dans le Bureau ovale.

Pour moi, les visites à Dallas étaient particulières à trois titres – et je ne parle pas de la merveilleuse cuisine mexicaine, du zoo et du plus beau golf miniature que j'aie jamais vu. Premièrement, j'y rencontrais des parents de mon véritable père. Son frère cadet, Glenn Blythe, était agent de police à Irving, dans la banlieue de Dallas. C'était un bel homme corpulent et, quand j'étais avec lui, je me sentais en liaison avec mon père. Malheureusement, lui aussi est mort jeune, à 48 ans, d'une attaque. La nièce de mon père, Ann Grigsby, était l'amie de ma mère depuis que celle-ci avait épousé mon père. Lors de ces rencontres, elle est devenue une amie à jamais, me racontant des histoires sur mon père et sur ma mère à l'époque où elle était jeune mariée. Ann demeure mon lien le plus étroit avec la famille Blythe.

Deuxièmement, le jour de l'An 1958, je suis allé au Cotton Bowl Stadium voir mon premier match de football universitaire. Sous la houlette du *quarterback* King Hill, les Rice jouaient contre les Navy, dont le grand *running back* Joe Bellino a gagné le trophée Heisman deux ans plus tard. J'étais assis du côté de la zone d'en-but, mais c'était comme si j'avais été sur un trône. Les Navy l'ont emporté par 20 à 7.

Troisièmement, juste après Noël, je suis allé au cinéma tout seul, un après-midi où Otie devait travailler. Je crois que l'on passait *Le Pont de la rivière Kwaï*. J'ai adoré ce film, mais j'ai moins aimé payer le tarif adulte alors que je n'avais pas encore 12 ans. J'étais tellement grand que le caissier n'a pas voulu me croire à propos de mon âge. C'était la première fois de ma vie que l'on me prenait pour un menteur. J'ai été blessé, mais cela m'a aussi appris une différence importante entre les grandes métropoles impersonnelles et les petites villes, ce qui a marqué le début de ma préparation à la vie à Washington, où nul n'attache de crédit à votre parole.

En 1958-1959, je suis entré au collège. Il se trouvait juste en face du Ouachita Hospital, à côté du lycée de Hot Springs. Les deux établissements étaient en brique rouge sombre. Le lycée était un établissement de trois étages avec un grand amphithéâtre à l'ancienne. Ses lignes classiques trahissaient l'époque de sa construction : 1917. Le collège était plus petit et plus ordinaire, mais il a néanmoins représenté une nouvelle phase majeure de ma vie. Pourtant, le plus grand événement de cette année, pour moi, n'a rien eu à voir avec l'école. Un des professeurs de catéchisme proposa d'emmener quelques-uns des garçons de notre école à Little Rock pour y écouter le révérend Billy Graham, dans le cadre de sa croisade au War Memorial Stadium, où jouaient les Razorbacks. Les tensions raciales étaient encore fortes en 1958. Les écoles de Little Rock avaient été fermées, dans un effort désespéré pour résister à l'intégration, et les enfants de la ville étaient répartis dans les agglomérations voisines. Des ségrégationnistes du Conseil des citoyens blancs et de divers autres groupes suggérèrent que, compte tenu de la tension ambiante, le révérend Graham ne prêche que devant des Blancs. Il répondit que Jésus aimait tous les pécheurs, que tout le monde avait droit à une chance d'entendre sa parole et qu'il annulerait sa croisade plutôt que de prêcher devant un public non mixte. À l'époque, Billy Graham était le symbole suprême des baptistes du Sud et la plus grande figure religieuse du Sud, voire de tout le pays. À la suite de cette réponse, j'eus encore plus envie de l'entendre. Les ségrégationnistes firent marche arrière et il émit un puissant message dans ses vingt minutes habituelles. Lorsqu'il invita les gens à venir sur le terrain de foot pour devenir chrétiens et vouer leur vie au Christ, des centaines de Noirs et de Blancs descendirent ensemble des gradins, se rassemblèrent et prièrent ensemble. Ce fut un vibrant contrepoint aux politiques racistes qui sévissaient dans le Sud. J'ai adoré Billy Graham d'avoir fait cela. Des mois durant, par la suite, j'ai régulièrement donné une partie de ma maigre bourse à son organisation, pour soutenir son ministère.

Trente ans plus tard, Billy est revenu au War Memorial Stadium de Little Rock. En tant que gouverneur, j'ai eu l'honneur de m'asseoir sur scène avec lui, un soir, et plus encore d'aller voir, avec mon ami Mike Coulson et lui, le pasteur W. O. Vaught, un vieil ami de Billy qui mourait d'un cancer. C'était incroyable d'écouter ces deux hommes de Dieu débattre de la mort, de leurs craintes et de leur foi. Quand Billy s'est levé pour partir, il a pris la main du Dr Vaught et lui a dit : « W. O., nous n'en avons plus pour longtemps, tous les deux. Je te reverrai bientôt, de l'autre côté de la Porte Est », l'entrée de la Ville sainte de Jérusalem.

Lorsque j'ai été élu président, Billy et Ruth Graham sont venus nous voir, Hillary et moi, à la Maison Blanche. Billy a prié avec moi dans le Bureau ovale et, à l'époque de mon procès, il a écrit des lettres de recommandation et d'encouragement. Dans toutes ses relations avec moi, tout comme lors de cette croisade primordiale de 1958, Billy Graham vivait sa foi.

Le collège m'a apporté son lot de nouvelles expériences et de nouveaux défis. J'ai commencé à mieux connaître mon esprit, mon corps, mon âme et l'univers dans lequel j'évoluais. Dans l'ensemble, j'ai bien aimé ce que j'ai appris de moi-même, mais pas tout. Et il est arrivé que ce qui traversait ma tête et ma vie m'effraie terriblement, comme ma colère contre papa, mes premiers émois sexuels et des doutes au sujet de mes convictions religieuses, sans doute dus au fait que je ne comprenais pas comment un Dieu dont je ne pouvais prouver l'existence avait pu créer un monde dans lequel se produisaient tant de malheurs.

C'est à cette époque que mon intérêt pour la musique a grandi. J'allais désormais jouer tous les jours dans l'orchestre du collège, n'aspirant qu'à défiler à la mi-temps des matchs de foot et à Noël, ou à participer aux concerts et aux festivals régionaux et de l'État, lors desquels des juges notaient les formations ainsi que les interprétations en solo et en groupe. J'ai gagné un certain nombre de médailles au cours de ces années et, quand je n'ai pas très bien joué, c'était toujours parce que j'avais essayé d'interpréter une partition au-dessus de mes capacités. J'ai encore certaines des feuilles d'évaluation des juges sur mes premiers solos ; ils y relevaient mon manque de contrôle dans les graves, un mauvais phrasé et mes joues trop gonflées. Mes notes se sont améliorées avec l'âge, mais je n'ai jamais vraiment réussi à ne pas gonfler les joues. Mon solo préféré à cette époque était un arrangement de *Rhapsody in Blue* auquel j'adorais m'essayer et que j'ai joué un jour pour des invités du vieux *Majestic Hotel*. J'étais horriblement nerveux, mais résolu à faire bonne impression avec ma veste blanche toute neuve, mon nœud papillon écossais rouge et ma large ceinture.

Mes chefs d'orchestre du collège me poussant à m'améliorer, j'ai décidé de faire des efforts. Il y avait alors, pour les amateurs de musique, de nombreux camps d'été sur les campus universitaires, et j'ai eu envie d'y aller. J'ai décidé de m'inscrire à celui du campus principal de l'Université de l'Arkansas, à Fayetteville, parce qu'il rassemblait beaucoup de bons enseignants, mais aussi parce que j'avais envie de passer quelques semaines sur le campus où je pensais aller à la fac un jour. En fait, j'y suis retourné tous les étés pendant six ans, jusqu'à ma sortie du lycée. Cela a été une des plus grandes expériences de mon adolescence. Pour commencer, j'ai énormément joué. Et j'ai fait des progrès. Certains jours, je jouais pendant douze heures, jusqu'à ce que mes lèvres me fassent si mal que c'est à peine si je pouvais encore les bouger. Et puis, j'ai écouté de meilleurs musiciens, plus âgés que moi, qui m'ont beaucoup apporté.

Ce camp a également été un lieu idéal pour développer mes talents d'homme politique et de dirigeant. Durant toute ma formation, il a été le seul endroit où faire de la musique mais pas du foot n'était pas un handicap. Ce fut aussi le seul endroit où faire de la musique n'empêchait pas un adolescent de trouver de jolies filles. C'était formidable, de la minute où nous nous levions pour prendre le petit déjeuner dans le réfectoire de l'université jusqu'à l'heure où nous allions nous coucher dans une des résidences. Et toute la journée durant, nous nous sentions extrêmement importants.

Qui plus est, j'aimais beaucoup ce campus. L'Université de l'Arkansas est, à l'ouest du Mississippi, la plus ancienne faculté créée par donation foncière de l'État fédéral. J'ai écrit une dissertation à son propos quand j'étais au collège et lorsque j'ai été gouverneur, j'ai plaidé en faveur d'une dotation pour restaurer l'Old Main, le plus vieux bâtiment du campus. Construit en 1871, c'est un rappel unique de la guerre de Sécession, avec ses deux tours dont celle du nord était plus élevée que celle du sud.

La musique m'a également apporté mon meilleur ami de ces années-là, Joe Newman. Il était batteur, et bon batteur même. Sa mère, Rae, enseignait dans notre collège, et son mari et elle m'accueillaient toujours chaleureusement dans leur grande maison blanche à charpente en bois, sur Ouachita Avenue, non loin de chez mon oncle Roy et ma tante Janet. Joe était intelligent, incrédule, lunatique, drôle et loyal. J'aimais aussi jouer avec lui, ou simplement parler. C'est toujours vrai – car nous sommes restés proches au fil des ans.

La matière qui m'intéressait le plus au collège, c'étaient les maths. J'ai eu la chance de faire partie du premier groupe de la ville à faire de l'algèbre en quatrième, et non en troisième, ce qui veut dire que j'ai pu faire de la géométrie, de l'algèbre de niveau 2, de la trigonométrie et du calcul avant de passer au lycée. Ce qui me plaisait dans les maths, c'était de résoudre des problèmes, ce que j'ai toujours trouvé stimulant. Même si je n'ai jamais suivi de cours de maths à l'université, j'ai toujours pensé que j'étais plutôt bon dans cette discipline, jusqu'au jour où je n'ai plus pu aider ma fille Chelsea à faire ses devoirs alors qu'elle était en quatrième. Une autre illusion s'est envolée...

Mary Matassarin nous enseignait l'algèbre et la géométrie. Sa sœur, Verna Dokey, était professeur d'histoire tandis que Vernon, le mari de Verna, ancien précepteur, donnait les cours de sciences en quatrième. Je les aimais tous bien, mais même si je n'étais pas particulièrement bon en sciences, c'est d'un des cours de Mr Dokey dont je me souviens le plus vivement. Alors que son épouse et sa sœur étaient de belles femmes, Vernon Dokey n'était – à tout le moins – pas vraiment séduisant. Il était grand, un peu enrobé à la taille, portait de grosses lunettes et fumait des cigares bon marché avec un fume-cigare dont le petit embout creusait curieusement ses joues quand il tirait dessus. Il affectait en général des manières bourrues, mais il avait un large sourire, de l'humour et un sens aigu de la nature humaine. Un jour, il leva les yeux vers nous et déclara : « Les enfants, dans quelques années, vous n'aurez peut-être plus aucun souvenir de ce que vous aurez appris à ce cours concernant les sciences. C'est pourquoi je vais vous enseigner quelque chose que vous devriez vous rappeler au sujet de la nature humaine. Chaque matin, quand je me réveille, je vais dans la salle de bains, je me mouille le visage, je me rase, j'essuie les traces de crème à raser, puis je me regarde dans la glace et je dis : "Vernon, tu es beau." Retenez cela, les petits. Tout le monde veut se sentir beau. » Et je l'ai retenu depuis plus de quarante ans. Bien des choses m'auraient échappé si Vernon Dokey ne m'avait pas dit qu'il était beau et si je ne m'étais pas rendu compte qu'en effet, il l'était.

Et, au collège, j'avais bien besoin d'aide pour comprendre les gens. C'est à cette époque que j'ai dû accepter le fait qu'inévitablement, tout le monde ne m'aimerait pas, le plus souvent pour des raisons que je ne pouvais pas imaginer. Un jour, alors que je n'étais plus qu'à quelques centaines de mètres du collège, un grand, une petite frappe locale qui se cachait entre deux immeubles pour fumer une cigarette, me jeta dessus son mégot allumé, qui me retomba sur le nez et faillit me brûler à l'œil. Je n'ai jamais bien compris pourquoi il avait fait cela, mais je n'étais qu'un gros musicos qui ne portait pas des jeans cools (des Levi's, de préférence avec les coutures défaites sur les poches arrière).

À peu près à la même période, je m'étais fâché – Dieu seul sait pourquoi – avec Clifton Bryant, un garçon plus âgé que moi d'un an, mais plus petit. Un jour, mes amis et moi avons décidé de rentrer à pied, ce qui nous faisait une marche d'à peu près cinq kilomètres. Clifton, qui vivait dans le même quartier que nous, m'a suivi jusqu'au bout en se moquant de moi et en me tapant régulièrement dans le dos et sur les épaules. Nous avons continué ainsi tout au long de Central Avenue, jusqu'à la fontaine, où nous avons tourné à droite dans Park Avenue. Pendant près de deux kilomètres, j'ai essayé de l'ignorer. Pour finir, j'ai craqué. Je me suis retourné, j'ai pris mon élan, et j'ai cogné. C'était un bon coup, mais le temps que mon poing l'atteigne, il s'était déjà retourné pour prendre ses jambes à son cou, ce qui fait que je ne l'ai touché que dans le dos. J'étais lent, comme je l'ai déjà dit. Lorsque Clifton s'est mis à courir vers chez lui, je lui ai crié de revenir et de se battre comme un homme. Mais il a poursuivi sa route. Quand je suis arrivé à la maison, je m'étais calmé et les cris d'encouragement de mes copains s'étaient dissipés. Comme je craignais de l'avoir blessé, j'ai demandé à ma mère d'appeler chez lui pour vérifier qu'il allait bien. Après cela, nous n'avons plus jamais eu de problèmes. J'avais appris que je pouvais me défendre, mais je n'avais pas pris plaisir à lui faire mal et j'étais quelque peu perturbé par ma colère, dont les accès allaient croître au cours des années suivantes. Je sais maintenant que ce jour-là, ma colère était une réaction normale et saine à ce qu'il m'avait fait. Mais à cause du comportement de papa quand il était saoul et en rage, j'associais la colère avec la perte de contrôle, et je refusais de le perdre. Cela risquait de libérer la colère permanente que je tenais profondément enfouie en moi parce que j'en ignorais l'origine.

Même quand j'étais fâché, j'étais assez sensé pour ne pas relever tous les défis. Par deux fois, au cours de ces années, je me suis retenu ou, en termes moins positifs, je me suis défilé. Un jour, j'étais allé me baigner avec les enfants Crane dans le Caddo River, à l'ouest de Hot Springs, près d'une petite ville appelée Caddo Gap. Un garçon du coin est venu au bord de la rivière près de l'endroit où je nageais et m'a lancé une insulte. J'ai répliqué. Il a alors ramassé une pierre et me l'a lancée dessus. Il était à peu près à quinze mètres de moi mais il m'a atteint à la tête, près de la tempe, et je me suis mis à saigner. J'avais envie de sortir de l'eau et de me battre, mais je me rendais compte qu'il était plus grand, plus fort et plus robuste que moi. Alors, je me suis contenté de m'éloigner. Considérant mes expériences avec le bélier, la carabine à air comprimé de Tavia Perry et quelques erreurs du même genre que je n'avais pas encore commises, je pense que j'ai fait le bon choix.

La deuxième fois que je me suis retenu, pendant mes années de collège, je suis absolument certain d'avoir eu raison. Il y avait toujours une soirée dansante, le vendredi soir, dans le gymnase du YMCA local. J'adorais le rock, la musique comme la danse, et dès la quatrième ou la troisième, j'y suis souvent allé, même si j'étais trop gros, pas cool et que je n'avais pas beaucoup de succès avec les filles. Qui plus est, je portais toujours les mauvais jeans.

Un soir, au YMCA, je suis nonchalamment entré dans la salle de billard, à côté du gymnase, où se trouvait le distributeur de Coca, pour acheter à boire. Quelques lycéens jouaient au billard ou regardaient les joueurs. Parmi eux, il y avait Henry Hill, dont la famille était propriétaire du vieux bowling de la ville, le *Lucky Strike Lanes*. Henry a commencé à m'attaquer au sujet de mon jean qui, ce soir-là, était particulièrement déplacé. C'était un pantalon de menuisier, avec une patte sur la jambe droite pour y accrocher un marteau. Comme je me sentais déjà bien assez mal à l'aise sans que Henry ne m'agresse, j'ai répondu, pour faire le malin. Il m'a frappé de toutes ses forces à la mâchoire. Certes, j'étais costaud pour mon âge, puisque je mesurais 1 m 75 et pesais 84 kilos. Mais Henry faisait 1 m 98 et avait une allonge terrible. Je n'avais aucune chance de le toucher. Et puis, à ma grande surprise, je n'avais pas si mal que cela. Je me suis donc borné à rester où j'étais et à le fixer. Je crois que Henry a été surpris que je ne me sois pas écroulé ou enfui, et il a ri, m'a donné une tape dans le dos et a dit que je n'étais pas si mal que ça. Après cela, nous avons toujours eu des rapports amicaux. J'avais une nouvelle fois appris que je pouvais encaisser un coup et qu'il y a plus d'une façon de résister à l'agression.

Quand je suis entré en troisième, en septembre 1960, nous étions en pleine campagne présidentielle. Mon professeur principal, Ruth Atkins, qui nous enseignait l'anglais, était elle aussi de Hope et, comme moi, démocrate fervente. Elle nous faisait lire et commenter *Les Grandes Espérances,* de Dickens, mais nous accordait beaucoup de temps pour discuter de politique. À l'époque, il y avait plus de Républicains à Hot Springs que presque partout ailleurs dans l'Arkansas, mais leurs convictions étaient bien moins conservatrices que chez les Républicains d'aujourd'hui. Certaines des plus vieilles familles étaient là depuis la guerre de Sécession et avaient opté pour ce parti parce qu'elles étaient contre la sécession et l'esclavage. Certaines familles plongeaient leurs racines républicaines dans le progressisme de Teddy Roosevelt. Et d'autres soutenaient le conservatisme modéré d'Eisenhower.

Les Démocrates de l'Arkansas constituaient un ensemble encore plus disparate. Ceux qui remontaient à la guerre de Sécession étaient démocrates parce que leurs ancêtres avaient penché en faveur de la sécession et de l'esclavage. Un plus grand groupe était venu gonfler les rangs du Parti lors de la Dépression, période où de nombreux ouvriers au chômage et paysans dans la misère avaient vu en Roosevelt un sauveur avant de tomber en adoration devant notre voisin du Missouri, Harry Truman. Un groupe plus restreint se composait d'immigrés, venus pour la plupart d'Europe. Les Noirs étaient surtout démocrates à cause de Roosevelt, de la position de Truman en faveur des droits civiques et parce qu'ils pensaient que Kennedy serait plus actif que Nixon sur le sujet. Et un petit groupe de Blancs le pensait aussi. J'étais de ceux-là.

Dans la classe de Miss Atkins, la majorité des enfants étaient pour Nixon. Je me rappelle David Leopoulos, qui l'avait défendu en disant qu'il avait bien plus d'expérience que Kennedy, notamment dans le domaine de la politique étrangère, et que son bilan en matière de droits civiques était plutôt positif, ce qui était vrai. À ce moment-là, je n'avais pas grand-chose contre Nixon. Je n'étais pas encore au courant des campagnes anticommunistes qu'il avait menées afin d'être élu à la Chambre des représentants et au Sénat de Californie contre Jerry Voorhis, pour la première, et Helen Gahagan Douglas, pour le second. Et j'appréciais sa façon d'affronter Khrouchtchev. Mais si, en 1956, Eisenhower et Stevenson m'avaient tous les deux plu, en 1960, j'avais choisi mon camp. Lors des primaires, j'avais soutenu Lyndon Johnson, en raison de ses actions au Sénat, notamment lorsqu'il avait fait voter un projet de loi en faveur des droits civiques, en 1957, et parce qu'il était issu d'une famille pauvre du Sud. J'aimais aussi Hubert Humphrey, qui était le plus ardent défenseur des droits civiques, et Kennedy, pour sa jeunesse, son allant et son engagement à relancer le pays. Une fois que Kennedy a été désigné comme candidat, je l'ai soutenu de mon mieux devant mes camarades.

Je voulais absolument qu'il gagne, surtout après qu'il eut permis à Mrs Luther King de s'exprimer pendant que son mari était en prison et après son allocution aux baptistes du Sud, à Houston, dans laquelle il a défendu sa foi et le droit des Américains catholiques à être candidats à la présidence. La plupart de mes camarades et de leurs parents étaient contre lui. Je commençais à me faire à ce rapport de forces. Quelques mois plus tôt, j'avais été battu – à l'élection comme président des délégués de classe – par Mike Thomas, un gentil gars, un de mes quatre camarades d'école à avoir été tués au Viêt-nam. C'est Nixon qui l'a emporté dans le comté, mais Kennedy est passé de justesse au niveau de l'État, avec 50,2 % des voix, en dépit des efforts déployés par les fondamentalistes protestants pour convaincre les démocrates baptistes qu'il prendrait ses ordres auprès du pape.

Bien entendu, le fait qu'il ait été catholique était une des raisons pour lesquelles je souhaitais que Kennedy soit président. Après les expériences que j'avais vécues à St John's School et mes rencontres avec les sœurs qui travaillaient avec ma mère à l'hôpital St Joseph, j'aimais et j'admirais les catholiques, leurs valeurs, leur piété et leur conscience sociale. En outre, j'étais fier que le premier citoyen de l'Arkansas qui ait jamais brigué un poste national, le sénateur Joe T. Robinson, ait été aux côtés du premier candidat catholique à la présidence, le gouverneur Al Smith, de l'État de New York, en 1928. Et tout comme Kennedy, Smith l'avait emporté dans l'Arkansas, grâce à Robinson.

Vu mon attirance pour les catholiques, il est curieux qu'en dehors de la musique, mon plus grand intérêt extrascolaire, à partir de la troisième, ait été l'ordre de DeMolay, une organisation pour garçons parrainée par les francs-maçons. J'ai longtemps cru que les maçons et les membres de DeMolay étaient anticatholiques, et je n'en comprenais pas la raison. Après tout, DeMolay avait été, avant la Réforme, un martyr mort en croyant entre les mains de l'Inquisition espagnole. Ce n'est qu'en faisant des recherches pour ce livre que j'ai appris que l'Église catholique condamnait la franc-maçonnerie depuis le début du XVIIIe siècle, la tenant pour un groupement dangereux qui menaçait les institutions, alors que les maçons ne proscrivent aucun culte et ont d'ailleurs compté quelques catholiques dans leurs rangs.

L'objectif de DeMolay était de promouvoir les vertus personnelles et civiques ainsi que l'amitié entre ses membres. J'appréciais la camaraderie ambiante et j'ai mémorisé les rituels dans tous leurs détails, gravissant les échelons de la hiérarchie jusqu'à devenir maître de mon chapitre. J'allais aux conventions de l'État, niveau très politique où l'on faisait aussi la fête avec les Rainbow Girls, l'organisation féminine jumelle. J'en ai beaucoup appris sur la politique en participant aux élections à DeMolay dans l'Arkansas, bien que je ne me sois jamais présenté moi-même. L'homme le plus intelligent que j'aie soutenu, comme candidat à la tête de l'État, a été Bill Ebbert, de Jonesboro. Il aurait fait un grand maire ou un bon président de commission au Congrès à l'époque où la règle de l'ancienneté était encore en vigueur. Il était drôle, malin, dur, et aussi bon négociateur que Lyndon Johnson. Un jour qu'il avait foncé à 150 km/h sur une route de l'Arkansas, il avait été pris en chasse par une voiture de la police de l'État, toute sirène hurlante. Mais Ebbert, qui avait une CB à bord, avait appelé la police pour signaler un grave accident de voitures à cinq kilomètres derrière lui. Dans la voiture de police, les agents avaient reçu le message et rapidement fait demi-tour, laissant Ebbert filer chez lui en toute tranquillité. Je me demande s'ils ont jamais su le fin mot de l'histoire.

Même si j'aimais bien DeMolay, je ne mordais pas à l'idée que les rituels secrets étaient une grande affaire qui donnait de l'importance à nos vies. Quand j'en suis sorti, je n'ai pas suivi la longue lignée d'éminents Américains qui, depuis George Washington, Benjamin Franklin et Paul Revere, ont rejoint la franc-maçonnerie, sans doute parce que, autour de mes 20 ans, j'étais dans une phase antiadhésion. En outre, je n'appréciais ni ce que je prenais à tort pour de l'anti-catholicisme latent chez les maçons, ni la séparation des Noirs et des Blancs en branches distinctes. (Je dois néanmoins dire que quand j'ai assisté à des conventions maçonniques noires en tant que gouverneur, leurs participants m'ont paru s'amuser bien plus entre eux que les autres maçons que j'avais connus.)

Et puis, je n'avais pas besoin de faire partie d'une association secrète pour avoir des secrets. J'avais mes propres vrais secrets, ancrés dans l'alcoolisme et la violence de papa qui ont empiré quand j'avais 14 ans et mon petit frère 4. Un soir, il a fermé la porte de sa chambre, commencé à hurler contre ma mère et s'est mis à la frapper. Roger avait peur, tout comme moi neuf ans plus tôt le soir de la fusillade. Au bout d'un moment, je n'ai plus supporté l'idée que ma mère se fasse blesser et que Roger connaisse de telles frayeurs. J'ai sorti un club de golf de mon sac et brutalement ouvert leur porte. Ma mère était par terre et lui debout au-dessus d'elle en train de la taper. Je lui ai crié d'arrêter, sans quoi j'allais lui démonter la tête avec mon club de golf. Il s'est dégonflé, s'asseyant sur une chaise à côté du lit, la tête baissée. Ça m'a écœuré. Dans son journal, ma mère a écrit qu'elle avait appelé la police et qu'elle l'avait fait enfermer au poste pour la nuit. Je ne m'en souviens pas, mais, ce que je sais, c'est que pendant un bon moment après cet événement, ça a été mieux. J'ai sans doute été fier d'avoir défendu ma mère, mais, par la suite, j'en ai été triste aussi. Je n'acceptais pas le fait que quelqu'un de fondamentalement bon essaie d'évacuer sa douleur en blessant autrui. J'aurais voulu avoir quelqu'un à qui en parler, mais comme ce n'était pas le cas, j'ai dû essayer de le comprendre tout seul.

J'en suis venu à considérer les secrets familiaux comme un aspect normal de ma vie. Je n'en ai jamais parlé à personne – pas même à un ami, un voisin, un professeur ou un pasteur. Bien des années plus tard, quand j'ai été candidat à la présidence, plusieurs de mes amis ont déclaré à des journalistes qu'ils n'avaient jamais rien su. Bien entendu, comme c'est le cas avec la plupart des secrets, quelques personnes étaient au courant. Papa ne pouvait se conduire parfaitement avec tout le monde, sauf avec nous, même s'il essayait de le faire. Mais les rares personnes qui savaient – des membres de la famille, de proches amis de ma mère ou un couple de policiers – ne m'en ont pas touché mot, ce qui fait que je croyais détenir un véritable secret, sur lequel je suis resté discret. Le principe de la famille était : « Ne pose pas de questions et ne dis rien. »

Mon seul autre secret, quand j'ai été en primaire et au collège, a été qu'après sa croisade à Little Rock, j'ai régulièrement envoyé une partie de ma bourse à Billy Graham. Je n'en ai pas non plus parlé à mes parents ou amis. Une seule fois, alors que je voulais aller à la boîte aux lettres proche de chez nous, sur Circle Drive, avec l'argent pour Billy, j'ai vu papa qui bricolait dans le jardin. Pour éviter qu'il ne me voie, je suis sorti par le devant pour gagner Park Avenue, j'ai tourné à droite et je suis revenu par l'allée du *Perry Plaza Motel* derrière la maison. Notre maison se trouvait sur une hauteur, alors que le *Perry Plaza* était en contrebas. Alors que j'étais à mi-chemin dans l'allée, papa a regardé en bas et m'a vu la lettre à la main. J'ai continué jusqu'à la boîte aux lettres, j'y ai glissé mon enveloppe et je suis rentré. Il a dû se demander ce que je faisais, mais il n'a pas posé de question. Il n'en posait jamais. Il devait déjà avoir bien assez de secrets à garder.

Les secrets sont un sujet auquel j'ai beaucoup pensé au fil des ans. Nous en avons tous et je pense vraiment que nous avons le droit d'en avoir. Ils rendent notre vie plus intéressante et, le jour où nous décidons de les partager, nous donnons plus de sens à nos relations avec les autres. De plus, l'endroit où nous gardons ces secrets peut aussi constituer un abri, une retraite par rapport au reste du monde où l'on peut se forger et affirmer son identité, où la solitude peut apporter sécurité et paix. Mais les secrets peuvent aussi être un terrible fardeau à porter, notamment s'il s'y attache un sentiment de honte, même si l'origine de cette honte ne tient pas au détenteur des secrets. Et leur attrait peut devenir puissant au point que l'on a l'impression de ne plus pouvoir vivre sans eux, de ne pas pouvoir être qui l'on est sans eux.

Bien sûr, ce n'est pas à l'époque où j'ai commencé à avoir des secrets que je me suis mis à comprendre tout cela. Je n'y pensais même pas tellement. Je me souviens bien d'une grande partie de mon enfance, mais je ne me fie pas à ma mémoire s'agissant de me rappeler exactement ce que je savais sur tout cela et quand je l'ai su. Je sais seulement qu'il est devenu très difficile pour moi de trouver le juste équilibre entre les secrets qui font la richesse intérieure et les craintes et les hontes que l'on cache, et que j'ai toujours hésité à parler à qui que ce soit des aspects les plus pénibles de ma vie privée, y compris à 13 ans quand j'ai traversé une grave crise spirituelle et que ma foi était trop faible pour que je demeure certain de l'existence de Dieu face à ce dont j'étais témoin et à ce que je vivais. Je sais maintenant que cette lutte résulte en partie du fait que j'ai grandi dans la maison d'un alcoolique et des mécanismes que j'ai mis en place pour faire face à cette situation. Il m'a fallu longtemps pour m'en rendre compte. Et il a été encore plus dur d'apprendre quels secrets garder, lesquels abandonner et lesquels éviter, pour commencer. Je ne suis d'ailleurs toujours pas sûr de le savoir vraiment. Il me faudra sans doute toute la vie pour cela.

CHAPITRE SIX

Je ne sais pas comment ma mère a fait pour s'en sortir comme elle l'a fait. Chaque matin, nonobstant ce qui avait bien pu se passer pendant la nuit, tout sur son visage montrait son air décidé. Et quel visage ! Depuis le jour où elle est revenue de La Nouvelle-Orléans, lorsque je pouvais me lever suffisamment tôt, j'ai toujours adoré m'asseoir par terre, dans la salle de bains, pour la regarder se maquiller.

Il lui fallait un bon moment, en partie parce qu'elle n'avait pas de sourcils. Elle disait souvent pour plaisanter qu'elle aurait préféré en avoir de gros, très fournis, qu'il aurait fallu épiler, comme ceux d'Akim Tamiroff, un célèbre acteur de l'époque. En fait, elle se dessinait des sourcils avec un crayon. Ensuite, elle se maquillait et mettait du rouge à lèvres, généralement rouge vif pour aller avec son vernis à ongles.

Jusqu'à ce que j'aie 11 ou 12 ans, elle avait de longs cheveux bruns ondulés. Ils étaient épais et magnifiques, et j'aimais beaucoup la regarder se coiffer, brossant jusqu'à obtenir le résultat escompté. Je n'oublierai jamais le jour où elle est rentrée de chez le coiffeur avec les cheveux courts ; elle n'avait gardé aucune de ses magnifiques boucles. Peu de temps auparavant, nous avions dû faire piquer ma première chienne, Susie, qui avait 9 ans : j'ai eu presque autant de peine. Cela convenait mieux à une femme de presque 40 ans, m'a-t-elle confié. Je n'ai jamais accepté ses arguments et je n'ai jamais cessé de regretter ses cheveux longs, même si j'ai trouvé bien, quelques mois plus tard, qu'elle décide de ne plus teindre la mèche de cheveux blancs qui barrait sa chevelure depuis qu'elle avait une vingtaine d'années.

Lorsqu'elle avait fini de se maquiller, ma mère avait généralement déjà fumé une cigarette ou deux et avalé le même nombre de cafés. Lorsque Mrs Walters arrivait, elle partait travailler, non sans m'avoir déposé à l'école, lorsque je commençais suffisamment tôt. Quand je rentrais, je jouais avec mes amis ou avec Roger. J'étais content d'avoir un petit frère, et tous mes copains aimaient bien qu'il vienne avec nous, jusqu'au jour où il a été suffisamment grand pour avoir ses propres amis.

Ma mère rentrait généralement vers quatre ou cinq heures de l'après-midi, sauf lorsqu'il y avait des courses à l'hippodrome. Elle adorait les courses de chevaux. Même s'il lui arrivait très rarement de parier plus de deux dollars en tout et pour tout, elle prenait la chose très au sérieux, étudiant chaque course, toujours à l'affût d'un tuyau, écoutant les jockeys, les entraîneurs et les propriétaires qu'elle avait fini par connaître, ou discutant de ses choix avec ses amis turfistes. C'est là qu'elle a rencontré certains de ses meilleurs amis : Louise Crain et son mari, Joe, un agent de police devenu commandant et qui prenait papa avec lui dans sa voiture de patrouille lorsqu'il avait bu et qu'il fallait que sa colère retombe ; Dixie Seba et son mari, Mike, un entraîneur ; et Marge Mitchell, une infirmière qui était chargée par la clinique de suivre les patients qui avaient contracté des maladies au cours de leur séjour. Comme Dixie Seba et plus tard Nancy Crawford, la seconde femme de Gabe, elle est devenue véritablement la confidente de ma mère. Marge et elle se considéraient comme sœurs.

Peu de temps après avoir terminé mes études de droit, j'ai eu l'occasion de remercier Marge pour tout ce qu'elle avait fait pour ma mère et pour moi. Lorsqu'elle a perdu son emploi au centre local d'aide psychiatrique, elle a décidé de porter plainte aux prud'hommes et m'a demandé de la représenter à l'audience. Malgré mon manque d'expérience, j'ai pu montrer qu'à l'évidence la rupture de son contrat découlait du conflit personnel qui l'opposait à son chef de service. J'ai réduit à néant les arguments de la partie adverse, et quand j'ai su que nous avions gagné, j'ai explosé de joie Elle méritait vraiment de retrouver son emploi.

Avant que je n'entraîne ma mère dans la politique, la plupart de ses autres amis − et ils étaient nombreux − étaient liés à son travail : médecins, infirmiè-res ou autres membres du personnel hospitalier. Elle n'a jamais rencontré d'autres gens, s'est toujours efforcée de réconforter ses patients avant leur entrée au bloc opératoire et a toujours sincèrement apprécié la compagnie de ses col-lègues de travail. Bien sûr, elle ne faisait pas l'unanimité. Elle pouvait se mon-trer cassante avec les gens qui, à ses yeux, cherchaient à profiter d'elle, ou qui, forts de leur position dominante, étaient injustes envers les autres. Contraire-ment à moi, elle aimait beaucoup se mettre à dos ces gens-là. J'avais tendance à me faire des ennemis sans l'avoir cherché, en étant moi-même, et par la suite, quand je suis entré en politique, je me suis fait des ennemis en raison de mes prises de position ou des réformes que j'ai essayé de mettre en place. Lorsque ma mère détestait vraiment quelqu'un, elle faisait tout ce qu'elle pouvait pour mettre cette personne en colère. Plus tard dans sa vie professionnelle, ça lui a coûté cher, notamment lorsque, après s'être battue des années pour ne pas tra-vailler avec l'un des anesthésistes, elle a eu quelques problèmes lors de deux opérations. Mais la plupart des gens l'aimaient, parce qu'elle les aimait aussi, les respectait et qu'elle aimait la vie.

Je n'ai jamais su comment elle faisait pour être toujours aussi énergique et optimiste, pour toujours remplir ses journées de travail et d'amusements, tout en étant très présente pour mon frère et moi, ne ratant jamais une fête d'école, consacrant aussi du temps à nos amis ; et je n'ai jamais su comment elle faisait pour garder tous ses problèmes pour elle.

J'adorais aller lui rendre visite à l'hôpital, rencontrer les médecins et les infirmières, les regarder s'occuper de leurs patients. J'ai même assisté à une opération lorsque j'étais au collège, mais je n'en ai retenu que trois choses : on y coupait beaucoup, on y saignait beaucoup aussi, et je n'ai pas tourné de l'œil. J'étais fasciné par le travail des chirurgiens, et à l'époque, je pensais en faire un jour mon métier.

Ma mère était très dévouée pour ses patients, qu'ils soient ou non en mesure de payer pour les soins qu'ils recevaient. Avant la création de Medicare et de Medicaid, beaucoup de gens n'avaient pas les moyens de se soigner. Je me souviens d'un homme, pauvre mais fier, qui était venu sonner chez nous un jour pour payer ce qu'il devait à ma mère. Il était ouvrier agricole et travaillait dans un verger. Il lui a donné six cageots de pêches, et nous en avons mangé pendant longtemps, avec des céréales, en tartes ou en sorbets. J'aurais bien aimé que ma mère n'ait que des patients comme lui !

Je pense que ma mère a trouvé un grand réconfort dans son travail, ses amis et ses courses de chevaux ; ils lui ont permis d'oublier un instant les difficultés de son mariage. Certains jours, elle devait pleurer intérieurement, peut-être même souffrait-elle physiquement, mais personne ne s'en est jamais douté. L'exemple qu'elle a toujours été pour moi m'a aidé à tenir le choc lorsque je suis devenu président. Elle ne m'a presque jamais parlé de ses problèmes. Je pense qu'elle se disait que je savais déjà tout ce que je devais savoir, que j'étais assez intelligent pour deviner le reste et que je méritais d'avoir une enfance aussi normale que possible étant donné les circonstances.

Lorsque j'ai eu 15 ans, les événements ont été soudain plus éloquents que son silence. Papa a recommencé à boire et à être violent ; alors, ma mère nous a emmenés loin de lui, mon frère et moi. C'était déjà arrivé une fois, deux ans auparavant ; à l'époque, nous étions allés nous installer quelques semaines dans une résidence située au sud de Central Avenue, presque sur la voie ferrée. Cette fois, en avril 1962, nous sommes restés environ trois semaines dans un motel en attendant que ma mère trouve une maison. Nous en avons visité plusieurs, tous les trois, toutes plus petites que celle dans laquelle nous avions vécu jusqu'alors, certaines encore au-dessus de ses moyens. Elle a fini par choisir une maison pourvue de trois chambres et de deux salles de bains dans Scully Street, une petite rue au sud de Hot Springs, à environ un kilomètre à l'ouest de Central Avenue. C'était une maison Gold Medallion : c'est-à-dire qu'elle faisait partie de ces maisons neuves entièrement équipées du tout électrique, avec chauffage central et système d'air conditionné général – dans notre maison de Park Avenue nous n'avions qu'un appareil pour chaque pièce. Je pense qu'à l'époque elle coûtait trente mille dollars. Il y avait un beau salon et une salle à manger juste à droite de la porte d'entrée. À l'arrière, il y avait une grande pièce qui reliait la salle à manger à la cuisine et qui donnait sur une buanderie située derrière le garage. Un vaste porche longeait cette pièce ; plus tard, nous l'avons transformé en véranda et nous y avons installé une table de billard. Deux des chambres étaient situées à droite de l'entrée. À gauche se trouvait une grande salle de bains, et derrière elle, une chambre avec sa propre salle d'eau équipée d'une douche. Ma mère m'a donné la grande chambre avec la douche ; je suppose qu'elle voulait pour elle la grande salle de bains, avec son immense miroir, pour avoir toute la place pour se maquiller. Elle a pris l'autre chambre, qui donnait sur l'arrière, et Roger a hérité de la plus petite.

Même si j'aimais beaucoup notre maison de Park Avenue, où je pouvais faire du jardinage, où j'avais mes amis, mes endroits familiers et des voisins que je connaissais bien, j'étais bien content de me retrouver en sécurité dans un foyer normal, sans doute plus pour ma mère et mon frère que pour moi-même. À l'époque, même si je ne connaissais rien à la psychologie enfantine, je craignais que l'alcoolisme et la violence de papa ne meurtrissent mon frère bien plus que moi, parce qu'il aurait à vivre avec cela toute sa vie et que Roger Clinton était son père biologique. Le fait de savoir que mon vrai père était un autre, quelqu'un que j'imaginais fort, digne de confiance et sur qui on pouvait compter, m'a toujours donné une plus grande sécurité émotionnelle et m'a permis de considérer ces événements avec une certaine distance, voire avec compassion. Je n'ai jamais cessé d'aimer Roger Clinton, je n'ai jamais cessé de le pousser à changer, je n'ai jamais cessé d'apprécier sa compagnie lorsqu'il était sobre et qu'il avait retrouvé sa volonté. Et j'avais peur que le petit Roger, mon frère, n'en vienne à haïr son père. C'est malheureusement ce qui a fini par arriver, et il l'a d'ailleurs chèrement payé.

Alors que je raconte ces événements si lointains, je me rends compte qu'il est très facile de tomber dans le piège dont parle le Marc Antoine de Shakespeare dans son éloge de Jules César : permettre à ce qu'il y a de mauvais en l'homme de survivre après sa mort, tandis que le bon part avec lui dans la tombe. Comme la plupart des alcooliques et des drogués que j'ai connus, Roger Clinton était, au fond, quelqu'un de bien. Il nous aimait, ma mère, le petit Roger et moi. Il avait aidé ma mère à me voir lorsqu'elle préparait ses examens à La Nouvelle-Orléans ; il était généreux envers sa famille et ses amis ; il était intelligent et drôle. Mais il renfermait aussi ce mélange hautement inflammable de peurs, d'insécurité, de vulnérabilité et d'angoisse qui détruit tant de personnes comme lui. Pour autant que je sache, il n'a jamais cherché d'aide auprès de ceux qui auraient pu lui en fournir.

Ce qu'il y a de plus perturbant pour quelqu'un qui vit avec un alcoolique, c'est qu'il n'est pas toujours mauvais. Il pouvait se passer des semaines, voire des mois entiers sans que rien ne vienne gâcher le plaisir que nous avions d'être en famille et de goûter aux joies simples du quotidien. Je suis heureux de ne jamais avoir oublié ces moments-là, et, lorsqu'il m'arrive de les oublier, les quelques cartes postales et les quelques lettres que papa m'a envoyées et certaines de celles que je lui ai envoyées sont là pour me les remettre en mémoire.

J'ai également tendance à oublier les mauvais moments. J'ai récemment relu la déposition que j'avais faite pour la procédure de divorce de ma mère, et j'ai vu que j'y racontais un incident survenu trois ans plus tôt, le jour où j'avais appelé son avocat afin que la police vienne arrêter papa après une de ses crises de violence. Je racontais qu'il m'avait menacé physiquement la dernière fois que je l'avais empêché de frapper ma mère. Cette menace était ridicule car, à l'époque, j'étais plus grand et plus fort qu'il n'était sobre. J'avais oublié ces deux événements ; sans doute le déni dont parlent les psychologues à propos de ces familles qui continuent, contre vents et marées, de vivre avec un alcoolique. Ces souvenirs très précis étaient restés tapis dans un recoin de ma mémoire et n'en étaient pas sortis pendant plus de quarante ans.

Cinq jours après notre départ, le 14 avril 1962, ma mère a demandé le divorce. Les divorces peuvent être prononcés assez rapidement en Arkansas, et elle ne manquait pas d'arguments. Mais l'histoire ne s'est pas arrêtée là. Papa souhaitait désespérément notre retour. Il s'est laissé aller, perdant beaucoup de poids. Parfois, il restait garé devant la maison pendant des heures, allant même jusqu'à dormir une ou deux fois sur l'allée en ciment qui menait à la porte d'entrée. Un jour, il m'a demandé de monter dans sa voiture. Nous sommes allés derrière notre ancienne maison, vers Circle Drive. Il s'est arrêté à l'arrière de la maison. Il était dans un triste état ; il ne s'était pas rasé depuis trois ou quatre jours, mais je ne crois pas qu'il avait bu. Il m'a dit qu'il ne pouvait pas vivre sans nous, qu'il n'avait rien d'autre que nous dans la vie. Puis il s'est mis à pleurer, me suppliant de parler à ma mère et de la convaincre de le reprendre. Il m'a assuré qu'il allait revenir dans le droit chemin, qu'il ne la frapperait plus jamais et ne crierait plus jamais après elle. Je suis sûr qu'il croyait ce qu'il disait, qu'il était sincère, mais moi, je ne le croyais pas. Il n'a jamais compris ni accepté la cause de son problème. Il n'a jamais voulu admettre son impuissance face à l'alcool, ni reconnaître qu'il ne pouvait s'en sortir seul.

Peu à peu, ses supplices ont commencé à faire leur effet sur ma mère. Je pense aussi qu'elle n'était pas vraiment sûre de pouvoir nous prendre financièrement en charge ; elle ne gagnait pas beaucoup d'argent jusqu'à la création de Medicare et Medicaid, deux ans plus tard. Je dirais surtout qu'elle avait une vision un peu conservatrice du divorce, surtout avec des enfants ; elle pensait qu'on ne divorçait qu'en cas de violences graves. Elle devait aussi se dire qu'elle était en partie fautive. Peut-être qu'elle avait été effectivement à l'origine de certaines de ses angoisses ; après tout, elle était jolie, intelligente, aimait la compagnie des hommes et travaillait dans un milieu très masculin, où beaucoup de ses collègues étaient séduisants et avaient mieux réussi que son mari. Pour autant que je sache, elle n'a jamais eu d'aventures, mais, si tel avait été le cas, je ne lui en voudrais pas. Lorsqu'elle et papa se sont séparés, elle a eu une relation avec un beau brun qui m'a offert des clubs de golf que j'ai toujours.

Après quelques mois passés à Scully Street, au moment où le divorce a été prononcé, ma mère nous a annoncé que nous devions nous retrouver tous les trois pour parler de papa. Elle nous a dit qu'il voulait revenir, s'installer avec nous dans notre nouvelle maison, qu'elle pensait que cette fois-ci ce serait différent, et qu'elle voulait savoir ce que mon frère et moi en pensions. Je ne me souviens plus de ce qu'a répondu Roger ; il n'avait que 5 ans et il ne comprenait sans doute pas toute la situation. Je lui ai dit que j'étais contre, parce que pour moi il ne pouvait pas changer, mais que je la soutiendrais, quelle que soit sa décision. Elle a répondu qu'il nous fallait un homme à la maison et qu'elle se sentirait toujours coupable de ne pas lui avoir donné une seconde chance. Elle la lui a donc donnée, et ils se sont même remariés, ce qui, si l'on pense à la direction qu'avait prise la vie de papa, était sans doute une meilleure chose pour lui que pour nous. Je ne sais trop quelles conséquences cela a eu sur ma vie ; tout ce que je sais, c'est que plus tard, lorsqu'il est tombé malade, j'étais très content de pouvoir être à ses côtés dans les derniers mois de sa vie.

Même si je n'étais pas d'accord avec la décision que ma mère avait prise, je comprenais ses sentiments. Peu de temps avant que papa ne revienne chez nous, je suis allé au tribunal pour faire changer mon nom de famille et prendre officiellement le nom de Clinton, que j'avais utilisé pendant des années. Je ne sais pas vraiment pourquoi j'ai voulu le faire, je sais seulement que je pensais que c'était de mon devoir, en partie parce que Roger allait entrer à l'école et que je ne voulais pas que notre différence de patronyme devienne une source de problèmes pour lui ; en partie aussi parce que je voulais tout simplement porter le même nom que le reste de la famille. Sans doute voulais-je même faire plaisir à papa, même si j'étais content que ma mère et lui aient divorcé. Je ne lui en ai pas parlé avant, mais il fallait qu'elle donne son consentement. Lorsque le tribunal lui a téléphoné, elle a donné son accord, même si elle a dû se dire que j'avais perdu la tête. Ce n'était pas la dernière fois que mes décisions allaient être remises en question.

La détérioration du mariage de mes parents, le divorce et la réconciliation avaient affecté mon équilibre émotionnel. Ma dernière année de collège s'en ressentit, ainsi que ma première année au lycée, dans le vieil établissement situé au sommet de la colline.

De même que ma mère s'était investie dans son travail, je m'absorbai dans l'univers du lycée et je me familiarisai avec mon nouvel environnement de Scully Street. Pour l'essentiel, le quartier se composait de maisons modestes, de construction récente. En face de chez nous se trouvait un grand espace vierge bordé par quatre rues : c'était le dernier vestige de la ferme Wheatley, qui s'étendait auparavant sur tout le quartier. Chaque année, Mr Wheatley plantait ce champ en pivoines. Elles illuminaient le printemps et attiraient les visiteurs de toute la région. Ils attendaient le moment où Mr Wheatley couperait ses fleurs pour les distribuer.

Nous habitions la deuxième maison de la rue. La première, à l'angle des rues Scully et Wheatley, appartenait au révérend Walter Yeldell. Il y vivait avec sa femme, Kay, et leurs trois enfants, Carolyn, Lynda et Walter. Il exerçait son ministère à la Seconde Église baptiste et est plus tard devenu président de la convention baptiste de l'Arkansas. Lui et Kay ont beaucoup fait pour nous, dès notre arrivée. Je me demande souvent ce que frère Yeldell, comme nous l'appelions, qui mourut en 1987, aurait pensé de la réorientation de la convention baptiste du Sud, dans les années 1990, quand elle fut saisie de rigorisme moral, entreprit de purger ses séminaires de tous les mal-pensants « libéraux » qui s'y trouvaient et opéra un virage à droite sur toutes les questions sociales, hormis sur la question raciale. (Elle demanda aussi le pardon pour ses péchés passés.) L'imposant frère Yeldell pesait dans les 110 kilos. Sous ses allures timides, il possédait un grand sens de l'humour et ses éclats de rire m'enchantaient. Son épouse avait le même caractère. Ils ne se départissaient jamais de leur simplicité. Il prêchait ses fidèles par l'exemple, sans jamais recourir à la condamnation ou à la stigmatisation. Il n'aurait pas eu les faveurs de la plupart des hiérarques actuels de l'Église baptiste, ni des télévangélistes conservateurs, mais j'adorais, quant à moi, dialoguer avec lui.

Carolyn, l'aînée des enfants Yeldell, avait mon âge. Elle aimait la musique, avait une voix magnifique et jouait du piano en virtuose. Nous passions des heures à chanter devant son piano. Elle m'accompagnait parfois quand je jouais du saxophone. Je ne suis sans doute pas le seul soliste à avoir bénéficié de l'accompagnement d'un musicien plus doué. Elle devait vite devenir une de mes amies les plus proches, membre attitré de la bande que nous formions avec David Leopoulos, Joe Newman et Ronnie Cecil. Ensemble, nous allions au cinéma, aux différentes manifestations organisées par l'école ou bien nous restions entre nous, le plus souvent chez moi, à jouer aux cartes et à d'autres jeux, ou à inventer des tours pendables. En 1963, l'année où ma participation à l'American Legion Boys Nation fut l'occasion de la photographie, désormais célèbre, où je serre la main du président Kennedy, Carolyn fut élue dans l'organisation sœur. Aucune autre fille du voisinage n'avait bénéficié d'un tel honneur. Plus tard, Carolyn étudia le chant à l'Université de l'Indiana. Elle voulait devenir chanteuse d'opéra, mais elle n'appréciait guère le mode de vie inhérent à ce métier. Elle épousa Jerry Staley, un photographe de talent, avec lequel elle eut trois enfants et elle se spécialisa dans la lutte contre l'illettrisme. Quand je fus élu gouverneur, je lui confiai la responsabilité de la lutte contre l'illettrisme et elle s'installa alors, avec sa famille, dans une grande maison ancienne, non loin de la résidence du gouverneur. Nous y avons souvent passé des soirées à jouer ou à chanter, comme pendant notre adolescence. Après mon élection à la présidence, la famille rejoignit Washington, et Carolyn entra à l'Institut national de lutte contre l'illettrisme, dont elle allait prendre la direction. Elle conserva sa fonction quelque temps après mon départ de la Maison Blanche, puis elle devint pasteur, comme son père l'avait été. Les Staley comptent toujours beaucoup dans ma vie. Avec eux, tout a commencé à l'époque de Scully Street.

De l'autre côté de notre maison se trouvait celle de Jim et Edith Clark. Ils n'avaient pas d'enfants et me traitaient comme leur fils. Les Fraser habitaient un peu plus loin. Ce couple âgé m'a apporté son soutien dès mes premières années en politique, mais leur contribution la plus décisive à ma carrière résulte du hasard. Pendant la période des fêtes de fin d'année en 1974, alors que je remâchais l'échec douloureux de ma candidature au Congrès, je rencontrai la petite-fille des Fraser, qui devait avoir 5 ou 6 ans. Elle souffrait d'une grave affection qui fragilisait ses os et son bassin et était appareillée d'une prothèse qui maintenait aussi ses jambes afin d'alléger la pression sur sa colonne vertébrale. Elle se déplaçait avec peine sur ses béquilles, mais c'était une petite fille déterminée et sûre d'elle, sans une once de timidité. Quand je la vis, je lui demandai si elle savait qui j'étais. Elle répondit : « Bien sûr, tu es toujours Bill Clinton. » J'avais sacrément besoin qu'on me le rappelle à ce moment.

Les six membres de la famille Hassin, les Italo-Syriens que j'ai évoqués précédemment, habitaient une maison minuscule au bout de la rue. Tout leur argent devait passer en nourriture. À Noël et en de nombreuses autres occasions au cours de l'année, ils offraient à toute la rue une abondance de plats italiens. J'entends encore Mama Gina lancer ses « Biiill, Biiill, reprends-en encore un peu ! »

Il y avait encore Jon et Toni Karber, qui dévoraient les livres et qui étaient les gens les plus cultivés de mon entourage. J'allais en classe avec leur fils Mike. Et Charley Housley, avec son aura masculine – il chassait, pêchait, bricolait, bref savait faire tout ce qui compte aux yeux des petits garçons –, prit Roger sous son aile. Notre nouvelle maison, comme le jardin qui l'entourait, était plus petite que celle que nous avions quittée et le quartier moins beau.

Néanmoins, je m'habituai très vite à mon nouvel environnement. Mes années de lycée allaient se dérouler dans ce décor.

CHAPITRE SEPT

Le secondaire m'a laissé un excellent souvenir. J'ai aimé les cours, mes amis, l'orchestre, DeMolay, une organisation de jeunes dont je faisais partie, et mes autres activités, mais cela me dérangeait qu'on ne pratique pas l'intégration à Hot Springs. Les gamins noirs fréquentaient toujours Langston High School, qui comptait parmi ses anciens élèves les plus célèbres Bobby Mitchell, le légendaire arrière des Washington Redskins. J'ai suivi aux informations du soir et dans notre quotidien, le *Sentinel Record*, le mouvement de défense des droits civiques ainsi que les événements de la guerre froide comme l'incident du U2 avec Francis Gary Powers et la baie des Cochons. Je vois encore Castro entrer dans La Havane à la tête de son armée disparate, mais victorieuse. Toutefois, comme pour la plupart des gamins, ma vie quotidienne prenait le pas sur la politique. Et si l'on excepte les rechutes occasionnelles de papa, ma vie était loin d'être désagréable.

C'est au lycée que je suis tombé amoureux de la musique. La musique classique, le jazz et les fanfares n'ont pas tardé à me donner autant de plaisir que le rock and roll, le swing et le gospel. Pour je ne sais quelle raison, je n'ai commencé à me passionner pour la country qu'à l'âge de 20 ans, quand Hank Williams et Patsy Cline m'ont fait signe de leur place au paradis.

Outre les fanfares et les orchestres de concert, je suis entré dans notre orchestre de danse, les Stardusters. J'ai partagé pendant un an le premier pupitre au sax ténor avec Larry McDougal, qui n'aurait pas déparé le groupe de Buddy Holly, le rocker mort tragiquement dans un accident d'avion en 1959 avec deux autres grandes célébrités, The Big Popper et Richie Valens. Quand j'étais président, j'ai prononcé un discours devant des étudiants de Mason City, Iowa, où Holly et ses copains avaient donné leur dernier concert. Ensuite, je me suis rendu à l'adresse du *Surf Ballroom*, près de Clear Lake, Iowa. Il est toujours debout : on devrait le transformer en mausolée pour ceux d'entre nous que ces types ont aidés à grandir.

Quoi qu'il en soit, au physique comme dans son jeu, McDougal aurait eu sa place auprès d'eux. Il avait les cheveux coupés en brosse au sommet du crâne avec de longues mèches gominées et lissées en arrière sur les côtés. Lorsqu'il se levait pour un solo, il tournoyait sur lui-même et faisait beugler son instrument, plus dans le style hard-rock que jazz ou swing. En 1961, je n'étais pas aussi bon que lui, mais j'étais bien décidé à m'améliorer. Cette année-là, nous avons participé à un concours avec d'autres formations de jazz à Camden dans le sud de l'Arkansas. J'avais un petit solo dans un morceau lent, plutôt joli. À la fin, à ma stupéfaction, j'ai remporté le prix du « meilleur soliste de ballade ». L'année suivante, j'avais fait suffisamment de progrès pour tenir le premier pupitre dans le All-State Band, poste que j'ai décroché de nouveau quand Joe Newman était à la batterie.

Pendant mes deux dernières années, j'ai joué du jazz dans un trio, The Three Kings, avec Randy Goodrum, un pianiste d'un an mon cadet et doté d'un talent à des années-lumière du mien. Notre premier batteur s'appelait Mike Hardgraves. Mike était élevé par une mère célibataire qui nous invitait souvent avec d'autres copains de son fils à jouer aux cartes chez elle. Ensuite, Joe Newman est devenu notre batteur. Nous nous faisions un peu d'argent en jouant dans des soirées dansantes et nous participions aux manifestations du lycée, dont l'annuel Band Variety Show. Notre morceau fétiche était le thème du *Cid*. Si j'en crois la cassette que j'ai conservée, cela tient encore bien la route après toutes ces années, à part le canard que j'ai fait dans mon dernier riff. Je n'ai jamais été à l'aise en clé de *fa*.

Le chef de mon orchestre, Virgil Spurlin, était un homme grand et corpulent avec des cheveux bruns ondulés et des manières douces et engageantes. Il dirigeait très bien et, sur le plan humain, il était incomparable. Mr Spurlin réorganisa le State Band Festival qui avait lieu chaque année pendant plusieurs jours à Hot Springs. Il était chargé de la programmation de tous les spectacles, orchestres, solos et ensembles, dans des salles des bâtiments du collège et du lycée. Il inscrivait les dates et les heures des différentes manifestations sur de vastes panneaux d'affichage. Les volontaires parmi nous restaient après les cours et travaillaient plusieurs nuits de suite chaque année pour l'aider à mener sa tâche à bien. C'est la première entreprise importante d'organisation à laquelle j'ai jamais participé et j'en ai tiré de grands enseignements.

Aux festivals de l'État, j'ai gagné plusieurs médailles pour des solos et des participations à des ensembles, ainsi qu'une ou deux pour la direction d'orchestre, ce dont j'étais particulièrement fier. J'adorais lire les partitions et m'efforcer d'amener l'orchestre à jouer exactement ce que je voulais entendre. Pendant mon second mandat à la Maison Blanche, Leonard Slatkin, le chef d'orchestre du Washington National Symphony, m'a proposé de diriger le *Stars and Stripes Forever* de Sousa au Kennedy Center. Selon lui, il me suffisait d'agiter la baguette plus ou moins en rythme et les musiciens se chargeraient du reste. Il m'a même proposé de m'apporter une baguette pour me montrer comment la tenir. Quand je lui ai répondu que je serais ravi d'accepter, mais que je désirais qu'il m'envoie la partition de la marche afin que je puisse l'étudier, il a failli en lâcher son téléphone. Il m'a toutefois apporté la partition et la baguette. Une fois devant l'orchestre, j'étais nerveux, mais nous nous sommes jetés à l'eau et tout s'est bien passé. J'espère que cela aurait plu à Mr Sousa.

Ma seule autre incursion artistique au lycée fut la pièce que nous avons montée, *Arsenic et vieilles dentelles*, une farce hilarante mettant en scène deux vieilles filles qui empoisonnent des gens et les cachent ensuite dans la maison qu'elles partagent avec leur neveu, lequel ne se doute de rien. On m'a confié le rôle du neveu, joué par Cary Grant dans le film. Ma petite amie était interprétée par une grande et jolie fille, Cindy Arnold. La pièce a remporté un énorme succès en grande partie grâce à deux incidents qui ne figuraient pas dans le texte. Dans une scène, j'étais censé ouvrir un coffre sous une fenêtre, découvrir une des victimes de mes tantes et feindre l'horreur. J'ai beaucoup répété et je tenais le bon bout. Mais le soir de la représentation, quand j'ai ouvert le coffre, mon copain Ronnie Cecil qui s'était fourré dedans m'a salué de sa plus belle intonation de vampire. J'ai craqué. Heureusement, les autres aussi. Un truc encore plus drôle s'est produit dans la salle. Quand j'ai embrassé Cindy dans notre unique scène d'amour, son petit ami – un footballeur de terminale du nom d'Allen Broyles qui était assis au premier rang – a lâché un grognement comique qui a provoqué un éclat de rire général. Cela ne m'a pas empêché d'apprécier le baiser.

Mon lycée proposait des cours de calcul et de trigonométrie, de chimie et de physique, d'espagnol, de français et quatre ans de latin, un éventail dont ne disposaient pas de nombreuses écoles plus modestes de l'Arkansas. Nous avions la chance d'avoir des professeurs intelligents et efficaces et une directrice remarquable, Johnnie Mae Mackey, une grande femme imposante aux épais cheveux noirs qui souriait aussi facilement qu'elle affichait un air revêche, selon les circonstances. Johnnie Mae menait son monde à la baguette mais n'en réussissait pas moins à galvaniser notre école, ce qui n'était pas une mince affaire, quand on sait que notre équipe de football américain détenait le record des défaites dans l'Arkansas, à l'époque où ce sport était une religion et où l'on attendait de chaque entraîneur qu'il soit aussi doué que Knute Rockne. Comment oublier Johnnie Mae s'employant à dynamiser les supporters avant le match, poing brandi, toute dignité oubliée, rugissant le cri de ralliement de notre équipe qui disait en substance : « À l'attaque. Vaincre ou mourir ! » Heureusement que ce n'était qu'un cri, sinon le taux de mortalité dans nos rangs aurait été plutôt élevé.

Pendant quatre ans, Mrs Elizabeth Buck, une femme délicieuse et raffinée de Philadelphie, nous a enseigné le latin en nous faisant apprendre par cœur de nombreux passages de *La Guerre des Gaules* de César. Après que les Russes nous ont supplantés dans l'espace, le président Eisenhower, puis le président Kennedy ont décidé qu'il fallait que les Américains fassent des progrès en sciences et en maths : j'ai donc suivi tous les cours possibles. Je ne brillais pas dans la classe de chimie de Dick Duncan, mais je m'en sortais mieux en biologie, bien que je ne me rappelle que d'un seul cours, pendant lequel le professeur, Nathan McCauley, nous a expliqué que nous mourons plus tôt que nous ne le devrions parce que la capacité de notre corps à transformer la nourriture en énergie et à traiter les déchets s'épuise. En 2002, une importante étude médicale a conclu que les gens d'un certain âge pourraient allonger leur durée de vie de manière spectaculaire en diminuant radicalement leur consommation alimentaire. McCauley nous l'avait révélé quarante ans avant. Maintenant que je fais partie de cette tranche d'âge, j'essaie de suivre son conseil.

Mon professeur d'histoire mondiale, Paul Root, était un homme petit et trapu issu de l'Arkansas rural qui associait un bel esprit, des manières simples et un sens de l'humour redoutable. Quand j'ai été élu gouverneur, il a quitté son poste à l'Université de Ouachita pour venir travailler avec moi. Un jour de 1987, je l'ai trouvé au Capitole en grande conversation avec trois parlementaires. Ils discutaient de la chute récente de Gary Hart après le scandale de la photo avec Donna Rice à bord du *Monkey Business*. Les parlementaires réglaient son compte à Gary de leur ton le plus moralisateur. Paul, baptiste fervent, chef du chœur de son église et l'honnêteté personnifiée, écouta patiemment leurs radotages. Lorsqu'ils s'interrompirent pour reprendre leur souffle, il lâcha l'air impassible : « Vous avez parfaitement raison. Ce qu'il a fait est affreux. Mais vous savez, c'est incroyable ce qu'être petit, gros et moche a fait pour ma moralité. » Là-dessus, Paul a planté ses interlocuteurs muets pour partir avec moi. J'adore ce type.

J'ai apprécié tous mes cours d'anglais. John Wilson a rendu le *Jules César* de Shakespeare vivant aux yeux des gamins de 15 ans que nous étions en nous invitant à traduire en langage ordinaire le sens de la pièce et en ne cessant de nous demander si la vision de la nature et du comportement humains de Shakespeare nous paraissait fondée. Je crois que Mr Wilson pensait que le vieux Will avait raison : la vie est un mélange de comédie et de tragédie.

Au collège, nous avons dû rédiger un texte autobiographique en cours d'anglais. Le mien était empreint d'un doute que je ne comprenais pas et que je ne m'étais jamais avoué En voici quelques extraits :

> Je suis un être mû et influencé par tant de forces différentes que je doute parfois de la rationalité de mon existence. Je suis un paradoxe vivant – profondément religieux, mais pas aussi convaincu de mes croyances que je devrais l'être ; recherchant les responsabilités tout en m'y dérobant ; aimant la vérité mais cédant souvent au mensonge [...]. Je déteste l'égoïsme, mais je le vois dans la glace chaque matin [...]. Je connais des êtres, dont certains me sont très chers, qui n'ont jamais appris à vivre. Je désire et je m'efforce d'être différent d'eux, mais n'en suis souvent que la réplique parfaite [...]. Quel mot barbant que ce Je. Je, moi, mon, mes [...]. Les seules choses qui permettent des usages valables de ces mots sont les valeurs universelles auxquelles nous sommes rarement capables de les associer – foi, confiance, amour, responsabilité, regret, connaissance. On n'y peut échapper. Je m'efforcerai donc de ne pas être l'hypocrite que je hais, sans nier la force maléfique de ce moi chez le jeune homme que je suis. Je tâcherai de devenir un homme.

Mon professeur, Lonnie Warneke, m'a donné la meilleure note possible en disant que mon texte était une belle et louable tentative pour « creuser en soi » afin de remplir l'injonction classique de « se connaître soi-même ». Je m'en suis réjoui, mais cela n'a pas dissipé mes doutes quant aux conclusions à tirer de mes découvertes. Je ne faisais rien de mal, je ne buvais pas, ne fumais pas, ne dépassais pas le stade des câlins chastes avec les filles, même si j'en ai embrassé pas mal. La plupart du temps j'étais heureux, mais je n'étais jamais sûr d'être aussi bien que je le souhaitais.

Miss Warneke a emmené notre petite classe en excursion dans le comté de Newton, mon premier voyage au cœur des monts Ozark, au nord de l'Arkansas, nos Appalaches. À l'époque, c'était un endroit d'une beauté à couper le souffle, où régnait une pauvreté crasse. On y comptait environ six mille habitants éparpillés sur 250 km² de collines et de vallées. Avec une population d'un peu plus de trois cents habitants, Jasper, le siège du comté, pouvait se targuer de posséder un tribunal construit grâce à la politique de grands travaux datant du New Deal de Roosevelt, deux coffee-shops, un bazar et un cinéma minuscule, où nous sommes allés voir un soir un vieux western avec Audie Murphy. Après mon entrée en politique, je connaissais comme ma poche chacun des cantons de ce comté, mais j'en suis tombé amoureux à l'âge de 16 ans quand nous avons parcouru les routes de montagne en nous initiant à l'histoire, à la géologie, à la flore et à la faune des monts Ozark. Un jour, nous avons visité la cabane d'un montagnard qui possédait une collection de fusils et de pistolets datant de la guerre de Sécession, avant d'explorer une grotte que les confédérés avaient utilisée comme arsenal. Les armes tiraient encore et la grotte contenait des vestiges de l'époque, signe tangible de la réalité d'un conflit datant d'un siècle, dans un lieu où le temps s'écoulait lentement, où les rancunes étaient tenaces et où perduraient des souvenirs transmis d'une génération à la suivante. Au milieu des années 1970, alors que j'étais ministre de la Justice de l'Arkansas, j'ai été invité à prononcer le discours de la remise des diplômes au lycée de Jasper. J'ai exhorté les lycéens à faire preuve de courage devant l'adversité, en citant Abraham Lincoln et toutes les épreuves qu'il avait surmontées. Ensuite, le leader démocrate du coin m'a entraîné dehors sous le beau ciel étoilé des monts Ozark pour me déclarer : « Bill, c'était un excellent discours. Vous pouvez le prononcer à Little Rock quand vous voudrez. Mais ne vous avisez pas de revenir ici vanter les mérites de ce président républicain. S'il avait été si bon que ça, nous n'aurions pas eu la guerre civile ! » J'en suis resté sans voix.

Au cours d'anglais de Ruth Sweeney, nous avons étudié *Macbeth*, dont nous avons appris par cœur des passages entiers. J'ai mémorisé une centaine de vers, dont le fameux monologue qui commence par « Demain, puis demain, puis demain, rampe à petits pas, de jour en jour, jusqu'à la dernière syllabe du souvenir » et se termine par « la vie n'est qu'une ombre qui passe, un pauvre histrion qui se pavane et s'échauffe une heure sur la scène et puis qu'on n'entend plus… une histoire contée par un idiot, pleine de fureur et de bruit et qui ne veut rien dire ». Près de trente ans plus tard, quand j'étais gouverneur, je me suis rendu dans une classe de Vilonia, dans l'Arkansas, un jour que les lycéens étudiaient *Macbeth* et je leur ai récité cette tirade, dont les mots conservaient toute leur puissance à mes yeux, un message effrayant dont je m'étais toujours promis qu'il ne caractériserait pas ma vie.

L'été, après le collège, j'ai participé au Boys State, programme annuel organisé par l'American Legion pendant une semaine au Camp Robinson, un camp désaffecté de l'armée comptant suffisamment de baraquements pour accueillir un millier de garçons de 16 ans. Organisés en villes et comtés, divisés également en deux partis politiques, nous avons bénéficié d'une initiation à la politique locale, régionale et fédérale en tant que candidats et électeurs. Nous avons également rédigé des programmes et voté sur certains problèmes. Nous avons entendu des discours d'importantes figures de la politique du plus haut placé au plus modeste, et nous avons fini par passer une journée au Capitole de l'État, pendant laquelle le gouverneur du Boys State, les autres élus, leurs « équipes » et les législateurs ont réellement occupé les bureaux et les hémicycles.

À la fin de la semaine, les deux partis désignaient deux candidats pour le programme Boys Nation qui se tiendrait vers la fin juillet à l'Université du Maryland à College Park, près de la capitale de la nation. À la suite d'élections, les deux candidats qui recueilleraient le plus de voix participeraient, au titre de sénateurs de l'Arkansas, au programme Boys Nation. Je devais être l'un d'eux.

Je suis parti pour le Camp Robinson avec l'espoir de me présenter au sénat des Boys Nation. Bien que le poste le plus prestigieux fût celui de gouverneur, il ne m'intéressait pas le moins du monde à l'époque. À mes yeux, c'était à Washington que tout se jouait, que l'on défendait les droits civiques, qu'on luttait contre la pauvreté et que l'on déterminait les orientations de l'éducation et de la politique étrangère. De toute façon, je n'aurais pu remporter l'élection au poste de gouverneur qui était « gagnée d'avance ». En effet, pour mon vieil ami de Hope, Mack McLarty, l'affaire était dans le sac. Président du conseil des lycéens, élève brillantissime et *quarterback* vedette, il avait commencé à rallier des suffrages dans tout l'État plusieurs semaines auparavant. Notre parti a désigné Larry Taunton, un présentateur de radio doté d'une merveilleuse voix douce empreinte de sincérité et d'assurance, mais McLarty avait les suffrages et il gagna haut la main. Nous étions tous sûrs qu'il serait le premier de notre génération à devenir gouverneur, une impression renforcée quatre ans plus tard lorsqu'il fut élu président du conseil des étudiants à l'Université d'Arkansas et de nouveau l'année suivante quand, à 22 ans, il devint le plus jeune parlementaire de l'État. Peu de temps après, Mack, qui travaillait dans la concession Ford avec son père, inventa un système de *leasing* pour les camions Ford qui rapporta une fortune à la société Ford et à lui-même. Il abandonna la politique pour se lancer dans les affaires qui l'ont mené jusqu'à la présidence de l'Arkansas-Louisiana Gas Company, notre plus grosse entreprise de gaz naturel. Mais il est resté actif en politique, offrant ses talents de leader et de collecteur de fonds à de nombreux démocrates de l'Arkansas, dont David Pryor et moi-même. Il est resté avec moi jusqu'à la Maison Blanche, d'abord comme secrétaire général, puis comme ministre plénipotentiaire aux Amériques. À l'heure actuelle, il est associé avec Henry Kissinger dans un cabinet de conseil et possède entre autres douze concessions de voitures à São Paulo au Brésil.

S'il a perdu l'élection de gouverneur, Larry Taunton a eu droit à un gros prix de consolation : le seul en dehors de McLarty à être connu de tous, il lui suffisait de se présenter pour être élu sénateur au programme Boys Nation.

Mais il y avait un hic. Larry était l'une des deux « stars » de la délégation de sa ville. L'autre était Bill Rainer, un sportif accompli, beau et brillant. Ils s'étaient mis d'accord pour que Taunton se présente au poste de gouverneur et Rainer à celui de sénateur pour Boys Nation. Si les deux pouvaient se présenter à Boys Nation, il était impossible que deux garçons d'une même ville soient élus. En outre, ils appartenaient tous les deux à mon parti, et je venais de mener campagne sans relâche pendant une semaine. D'après une lettre que j'ai envoyée à ma mère à l'époque, j'avais déjà remporté des élections de percepteur, de secrétaire de parti et de juge municipal, et je me présentais au poste de juge de comté, poste important dans la vie politique réelle de l'Arkansas.

À la dernière minute, peu avant que le parti ne se réunisse pour écouter nos discours, Taunton s'est porté candidat. Cela a causé un tel choc à Bill Rainer qu'il a eu du mal à terminer son discours. J'ai encore un exemplaire de mon propre discours, qui n'a rien de remarquable sinon une référence au scandale de Little Rock Central High : « Nous avons grandi dans un État marqué par la honte d'une crise qu'il n'a jamais demandée. » Je n'approuvais pas ce que Faubus avait fait et je voulais que les habitants des autres États aient une meilleure opinion de l'Arkansas. Au décompte des votes, Larry Taunton a terminé premier avec une marge confortable. J'étais deuxième avec une bonne avance. Rainer arrivait loin derrière. J'en étais venu à vraiment apprécier Bill et je n'ai jamais oublié sa dignité dans la défaite.

En 1992, Bill vivait dans le Connecticut lorsqu'il a pris contact avec mon équipe de campagne pour offrir son aide. Notre amitié, forgée dans la douleur d'une déception de jeunesse, a repris de plus belle.

Larry Taunton et moi avons battu nos adversaires de l'autre parti après une nouvelle journée de campagne. Je suis arrivé à College Park le 19 juillet 1963, impatient de rencontrer les autres délégués, de voter pour des problèmes importants, d'écouter des membres du cabinet et autres figures du gouvernement et de visiter la Maison Blanche, où nous espérions voir le président.

La semaine est vite passée, remplie qu'elle était d'événements divers et de séances législatives. Je me rappelle avoir été notamment impressionné par le ministre du Travail, Willard Wirtz, et complètement absorbé par nos débats sur les droits civiques. Nombre des autres participants, des Républicains, soutenaient Barry Goldwater dont ils espéraient qu'il battrait le président Kennedy en 1964, mais il y avait suffisamment de progressistes en matière de droits civiques, dont notre groupe de quatre du Sud, pour que nos propositions législatives l'emportent.

Du fait de mon amitié avec Bill Rainer et de mes idées plus libérales sur les droits civiques, j'ai eu des rapports tendus avec Larry Taunton toute la semaine qu'a duré Boys Nation. Fort heureusement, après mon élection à la présidence, j'ai eu l'occasion de le rencontrer avec ses enfants. Il semble être un homme bien qui a mené une vie respectable.

Le lundi 22 juillet, nous avons visité le Capitole, pris des photos sur les marches et rencontré les sénateurs de notre État. Larry et moi avons déjeuné avec J. William Fulbright, président de la Commission des affaires étrangères, et John McClellan, président de la Commission des finances. Le système d'ancienneté marchait très bien à l'époque et aucun État n'en tirait plus de pouvoir que l'Arkansas. En outre, nos quatre représentants occupaient des fonctions importantes : Wilbur Mills était président de la Commission du budget ; Oren Harris, président de la Commission du commerce ; « Took » Gathings, membre émérite de la Commission de l'agriculture et Jim Trimble, qui n'était au Congrès *que* depuis 1945, appartenait à la puissante Commission des lois et règlements, qui contrôle le flux législatif soumis à l'assemblée. J'étais loin de me douter que trois ans plus tard, je travaillerais pour Fulbright, dans la Commission des affaires étrangères. Quelques jours après le déjeuner, ma mère a reçu une lettre du sénateur Fulbright, où il lui disait qu'il avait apprécié notre déjeuner et qu'elle devait être fière de moi. J'ai toujours cette lettre, ma première rencontre avec la qualité du travail de suivi des équipes.

Le mercredi 24 juillet, nous nous sommes rendus à la Maison Blanche pour rencontrer le président dans la roseraie. Le président Kennedy est sorti du Bureau ovale sous un soleil éclatant, a fait quelques remarques, loué notre travail, notamment notre soutien des droits civiques, en nous accordant de meilleures notes qu'aux gouverneurs qui n'avaient pas été aussi audacieux pendant leur session estivale annuelle. Après avoir reçu un tee-shirt de Boys Nation, Kennedy s'est approché pour nous saluer. Je m'étais placé au premier rang et, fort de ma grande taille et de ma ferveur pour le Président, j'entendais bien qu'il me serre la main même s'il ne devait en serrer que deux ou trois. Rencontrer le Président, que j'avais soutenu dans mes débats au collège et dont j'étais encore plus un partisan inconditionnel au bout de deux ans et demi de pouvoir, fut un moment inoubliable pour moi. Un ami a fixé l'événement sur la pellicule et, par la suite, nous avons trouvé une séquence filmée de la scène à la Bibliothèque Kennedy.

On a beaucoup glosé sur cette rencontre et son retentissement sur ma vie. Ma mère prétendait qu'elle avait su dès mon retour à la maison que j'étais déterminé à faire de la politique et, après que j'ai été choisi comme candidat démocrate en 1992, on a raconté que le film était à l'origine de mes aspirations présidentielles. Je n'en suis pas sûr. J'ai un exemplaire du discours que j'ai prononcé devant l'American Legion à Hot Springs après mon retour et je n'y fais pas grand cas de cette fameuse poignée de main. Je pensais à l'époque devenir sénateur, mais au fond je devais me sentir comme Abraham Lincoln lorsqu'il écrivait jeune homme : « Je vais étudier et me préparer et peut-être que mon tour viendra. »

Au lycée, j'ai rencontré un certain succès en matière de politique intérieure puisque j'ai été élu président du collège. Je désirais aussi me présenter à la présidence du conseil des élèves, mais le groupe d'accréditation qui supervisait notre école a décidé que les étudiants de Hot Springs ne pouvaient être impliqués dans de trop nombreuses activités et a imposé des restrictions. Selon les nouvelles règles, comme j'étais le chef de la fanfare, je ne pouvais me présenter ni au conseil des élèves ni à la présidence de classe. Il en fut de même pour Phil Jamison, capitaine de l'équipe de football et favori dans cette course.

Ne pas nous présenter à la présidence du conseil des élèves ne nous a pas causé trop de tort à Phil Jamison et moi. Il est ensuite entré à l'École navale et, après sa carrière dans la marine, il a accompli un travail important au Pentagone en matière de contrôle des armements. Quand j'étais président, il a participé à tous nos échanges avec la Russie et, grâce à notre amitié, j'ai pu être tenu au courant du retentissement de nos efforts au niveau opérationnel.

L'une des décisions politiques les plus bêtes de ma vie a été d'autoriser un ami furieux des nouvelles restrictions à présenter ma candidature au poste de délégué de classe. Ma voisine Carolyn Yeldell m'a battu à plates coutures, ce qui était dans l'ordre des choses. J'avais pris là une décision stupide et égoïste, preuve par neuf du bien-fondé de l'une de mes règles en politique : ne jamais se présenter à une fonction dont on ne veut pas vraiment et qu'on n'a pas de bonnes raisons de remplir.

Malgré ces revers, c'est l'année de mes 16 ans que j'ai décidé que je voulais participer à la vie publique en tant qu'élu. J'aimais la musique, domaine dans lequel je me jugeais loin d'être mauvais, mais je savais que je ne serais jamais ni John Coltrane ni Stan Getz. De même pour la médecine. En revanche, je savais que je pourrais faire des prodiges dans le service public. J'étais fasciné par les gens et la politique, et je pensais pouvoir réussir sans fortune familiale ni relations, et sans partager les opinions de l'establishment du Sud en matière de race et autres sujets. Bien sûr, c'était improbable, mais n'est-ce pas là le sel de l'Amérique ?

CHAPITRE HUIT

Un autre événement mémorable a marqué mon été 1963. Le 28 août, neuf jours après mon dix-septième anniversaire, seul dans une chaise longue blanche devant la télévision, j'ai assisté au plus grand discours de ma vie. Martin Luther King, debout devant le mémorial Lincoln, racontait l'Amérique dont il avait rêvé. Sur un rythme qui rappelait la cadence d'anciens negro spi-rituals, d'une voix à la fois tonitruante et tremblante d'émotion, il s'adressait à la foule immense massée à ses pieds et à des millions d'Américains, hypnotisés comme moi devant leur téléviseur. Il disait qu'il avait « rêvé qu'un jour, sur les collines de terre rouge de Géorgie, les fils des anciens esclaves et les fils des anciens propriétaires d'esclaves pourront s'asseoir ensemble à la table de la fra-ternité » et que ses « quatre enfants habiteront un jour un pays où ils ne seront pas jugés sur la couleur de leur peau, mais sur leur caractère ».

Plus de quarante ans plus tard, il est difficile de décrire l'émotion et l'espoir que le discours de King a éveillés en moi, d'expliquer ce qu'il signifiait dans un pays qui n'avait pas encore établi l'égalité des droits civiques et le droit de vote des Noirs, qui n'avait pas encore de législation sur l'égalité du droit au logement, qui n'avait pas encore nommé Thurgood Marshall à la Cour suprême. Dans le Sud, la plupart des écoles pratiquaient encore la ségrégation, l'impôt de capitation servait à empêcher les Noirs d'accéder aux urnes ou à les faire voter en bloc pour les candidats qui défendaient le maintien du *statu quo*, et le mot « nègre » continuait d'être utilisé ouvertement par ceux qui pensaient détenir la vérité.

Je n'ai pas pu retenir mes larmes pendant le discours, et le Dr King avait fini de parler depuis un bon moment qu'elles coulaient encore. Il avait exprimé tout ce en quoi je croyais, bien mieux que je n'ai jamais réussi à le faire. Plus que n'importe quelle autre expérience au cours de mon existence, hormis peut-être l'influence profonde de mon grand-père, ce discours a renforcé ma détermination à faire tout ce qui était en mon pouvoir jusqu'à la fin de mes jours pour transformer le rêve de Martin Luther King en réalité.

Quelques semaines plus tard, j'ai entamé ma dernière année de lycée, encore pénétré de l'enthousiasme que m'avait laissé mon expérience avec Boys Nation et déterminé à profiter pleinement des derniers temps de mon enfance.

La matière la plus difficile parmi celles que j'ai étudiées au lycée était le calcul intégral et différentiel. Nous n'étions que sept à suivre ce cours, qui n'avait jamais été proposé auparavant. Deux événements ont particulièrement marqué ma mémoire. Un jour, le professeur, Mr Coe, nous a rendu un devoir dans lequel toutes mes réponses étaient correctes, mais dont la note semblait signifier que l'une d'entre elles était fausse. Lorsque j'ai demandé des explications à Mr Coe, il m'a répondu que comme je n'avais pas abordé le problème correctement, il supposait que j'avais trouvé la bonne réponse par hasard et il ne pouvait donc pas me comptabiliser les points correspondants. Dans le manuel, la résolution du problème nécessitait un certain nombre d'étapes que j'avais omises. Il y avait dans notre classe un génie authentique, Jim McDougal (non, il ne s'agit pas de celui de l'affaire Whitewater), qui a demandé à voir ma copie. Après l'avoir examinée, il a déclaré à Mr Coe que je méritais les points pour cette réponse car la solution que je proposais était tout aussi recevable que celle du manuel, voire meilleure, car plus courte. Puis, il a offert de démontrer la validité de son opinion. Mr Coe étant tout aussi admiratif devant les facultés intellectuelles de Jim que le reste de la classe, il l'a invité à s'exécuter. Jim s'est alors mis en devoir d'analyser le problème et de démontrer que j'avais amélioré la solution proposée par le manuel, couvrant pour cela deux tableaux entiers de symboles et de formules mathématiques. J'avais beau être féru d'énigmes, comme je le suis d'ailleurs toujours, j'avais le sentiment de marcher à l'aveuglette dans un labyrinthe. Je n'avais pas la plus petite idée de ce que Jim racontait, et je ne suis pas certain que Mr Coe pouvait en dire davantage. Quoi qu'il en soit, son morceau de bravoure terminé, ma note a été changée. J'ai tiré deux leçons de cet incident. La première est que l'instinct peut parfois compenser les erreurs de raisonnement, et la seconde, qu'il était plus sage pour moi de ne pas pousser plus avant l'étude des mathématiques.

Le cours de calcul différentiel et intégral avait lieu en quatrième heure, juste après le déjeuner. Lors du cours du 22 novembre, Mr Coe a été convoqué au bureau du directeur. Lorsqu'il a réapparu dans la salle, il était blanc comme un linge et pouvait à peine parler. Il nous a informés que le président Kennedy avait été victime d'un attentat et qu'il était probablement mort. J'étais effondré. À peine quatre mois plus tôt, je l'avais vu dans la roseraie de la Maison Blanche, respirant la vie et la force. Son discours d'investiture, l'Alliance pour le progrès en Amérique latine, la fermeté dont il a fait preuve durant la crise des missiles de Cuba, la création du Peace Corps, cette phrase étonnante prononcée lors du discours historique de Berlin : « La liberté comporte de nombreuses difficultés, et la démocratie n'est pas parfaite, mais nous n'avons jamais eu à ériger un mur pour maîtriser notre peuple », par nombre de ses paroles et de ses actes, il représentait à mes yeux un espoir pour mon pays et me donnait foi en la politique.

À la fin de l'heure, tous les élèves qui avaient cours dans l'annexe ont regagné le bâtiment principal. Tous étaient profondément affectés, à l'exception d'une seule. J'ai entendu une jolie jeune fille qui était dans l'orchestre avec moi dire que c'était peut-être une bonne chose pour le pays qu'il ne soit plus là. Je savais que, dans sa famille, on était plus conservateur que dans la mienne, mais j'étais frappé et en colère que quelqu'un que je considérais comme une amie puisse dire une chose pareille. C'était la première fois, si l'on excepte le racisme grossier, que j'étais confronté à un type de haine que je devais côtoyer bien souvent au cours de ma carrière politique et qui s'est constitué en mouvement politique durant le dernier quart du XXe siècle. Je suis heureux que cette amie ait fini par changer d'attitude. En 1992, elle est venue assister à une manifestation organisée dans le cadre de ma campagne électorale à Las Vegas. Elle était devenue assistante sociale et adhérait au Parti démocrate. Ces retrouvailles ont été très importantes pour moi et elles m'ont permis de guérir une ancienne blessure.

Après que j'ai suivi les funérailles du président Kennedy à la télévision et été rassuré par les paroles sobres par lesquelles Lyndon Johnson a accueilli ses nouvelles fonctions : « J'aurais été heureux de donner tout ce que je possède pour ne pas me trouver devant vous aujourd'hui », la vie normale a repris son cours tant bien que mal. Le reste de ma dernière année de lycée est passé comme l'éclair, rythmé par mes activités au sein de DeMolay, deux voyages avec l'orchestre scolaire et par beaucoup de bons moments partagés avec mes amis avec lesquels j'allais au *Club Café*, où j'ai dégusté les meilleures tartes aux pommes de mon existence, au cinéma, danser au *Y*, manger des glaces chez *Cook's Dairy*, et des grillades chez *McClard's*, un restaurant familial vieux de soixante-quinze ans qui proposait probablement les meilleures grillades de la ville et incontestablement les meilleurs haricots de tout le pays pour les accompagner.

Pendant quelques mois cette année-là, Susan Smithers était ma petite amie. Elle vivait à Benton, ville située à une cinquantaine de kilomètres à l'est de Hot Springs sur la route de Little Rock. Souvent, le dimanche, je me rendais à Benton pour aller à l'église avec sa famille et déjeuner chez elle ensuite. À la fin du repas, Mary, la mère de Susan, nous apportait une montagne de gâteaux à la pêche et aux pommes que Reese, le père de Susan, et moi-même nous chargions d'engloutir, en quantité telle en ce qui me concerne que mon estomac n'était pas loin d'éclater. Un dimanche, après le déjeuner, Susan et moi sommes partis pour une promenade en voiture à Bauxite, ville voisine de Benton, dont le nom vient du minerai utilisé pour fabriquer de l'aluminium qui y était alors extrait de mines à ciel ouvert. En arrivant à proximité de la ville, nous avons décidé de faire un crochet pour visiter les mines et nous avons quitté la route pour nous engager sur une piste de terre que je croyais solide et qui menait jusqu'au bord d'un grand puits ouvert. Après avoir visité les lieux, nous sommes revenus à la voiture, où notre humeur n'a pas tardé à changer. Les roues s'étaient profondément enfoncées dans le sol mou et humide. J'avais beau les faire tourner à plein régime, la voiture n'avançait pas d'un pouce. Ayant déniché de vieilles planches, j'ai creusé la terre derrière les roues et les ai placées dans les trous dans l'espoir que les pneus s'y accrocheraient.

En vain. Après deux heures de tentatives infructueuses, la semelle des pneus était complètement usée par le frottement, la nuit commençait à tomber, et nous étions toujours coincés. J'ai fini par abandonner et par rejoindre la ville à pied pour chercher du secours et appeler les parents de Susan. Lorsqu'on nous a finalement tractés hors des énormes ornières, mes pneus étaient aussi lisses que les fesses d'un nouveau-né. La nuit était tombée depuis longtemps quand j'ai ramené Susan chez elle. Je pense que sa famille m'a cru quand j'ai expliqué ce qui était arrivé, mais son père a tout de même jeté un coup d'œil discret sur mes pneus pour s'assurer que je disais la vérité. En ces temps plus innocents qu'aujourd'hui, son geste m'a fait mourir de honte.

Tandis que la fin de ma dernière année de lycée approchait, la question de mes études supérieures me préoccupait de plus en plus. Je n'ai jamais ne serait-ce qu'envisagé de présenter mon dossier à l'une des grandes universités de l'Ivy League, comme Harvard, Yale, Pennsylvania, Princeton, Columbia, Brown, Darthmouth ou encore Cornell. Je savais exactement où je voulais aller, et c'est uniquement là que j'ai posé ma candidature : le département des relations internationales de l'Université de Georgetown. Je ne voulais pas faire carrière dans la diplomatie et je n'avais même pas visité le campus de Georgetown durant mon séjour à Washington avec Boys Nation, mais je voulais retourner dans cette ville. Georgetown avait la réputation d'être la meilleure université de Washington, et j'étais attiré par la rigueur intellectuelle légendaire des jésuites. En outre, j'éprouvais le besoin d'accumuler autant de connaissances que possible en matière de relations internationales, et j'étais convaincu que le simple fait de vivre à Washington au milieu des années 1960 me permettrait d'assimiler tout ce qu'il était possible de savoir sur les questions de politique intérieure. Je pensais avoir toutes les chances d'être accepté : j'étais classé quatrième dans une promotion de trois cent vingt-sept élèves, mes notes finales étaient plutôt bonnes, et l'Université de Georgetown faisait en sorte d'accepter au moins un élève issu de chaque État du pays (un programme de discrimination positive avant l'heure !). J'étais inquiet malgré tout.

J'avais décidé que, si j'étais refusé à Georgetown, j'entrerais à l'Université de l'Arkansas, qui pratiquait une politique d'admission ouverte pour les élèves diplômés dans l'Arkansas et qui, d'après les milieux informés, était la voie royale pour ceux qui voulaient faire carrière dans la politique. La deuxième semaine du mois d'avril, j'ai reçu mon formulaire d'admission à Georgetown. J'étais heureux, mais entre-temps, j'avais déjà commencé à me demander si ce choix était raisonnable. Je n'avais pas obtenu de bourse et le coût des études était très élevé : mille deux cents dollars pour les frais de scolarité, sept cents dollars pour le logement et les charges, sans compter les livres, la nourriture et autres dépenses. Par rapport au niveau de vie de l'époque en Arkansas, notre famille faisait partie de la frange aisée des classes moyennes, mais, en dépit de cela, j'avais peur que mes parents ne puissent se permettre de financer mes études. Par ailleurs, l'idée de partir aussi loin et de laisser ma mère et Roger seuls avec papa me préoccupait, même si ce dernier était devenu moins difficile en vieillissant. Edith Irons, ma conseillère d'éducation, me poussait à partir ; elle soutenait que cette dépense était un investissement pour mon avenir que mes parents devaient faire. Ma mère et mon père partageaient son opinion. De plus, ma mère était convaincue que je trouverais un mode de financement dès que j'aurais fait mes preuves là-bas. C'est ainsi que j'ai décidé de me lancer.

J'ai reçu mon diplôme de fin d'études secondaires le soir du 29 mai 1964. La cérémonie a eu lieu à Rix Field, sur le terrain où se déroulaient nos matchs de football. Comme j'avais été classé quatrième, j'ai été autorisé à prononcer la bénédiction. Les jugements prononcés ultérieurement par les tribunaux sur la présence de la religion dans les écoles auraient-ils déjà eu force de loi à l'époque que ces pratiques n'auraient sans doute pas été possibles. Je partage la position selon laquelle l'argent du contribuable ne doit pas être utilisé pour promouvoir des causes purement religieuses ; cependant, j'étais honoré de pouvoir prononcer le mot de la fin au terme de mes années de lycée.

Ma bénédiction exprimait mes convictions religieuses profondes et aussi certaines positions plus politiques. J'y priais Dieu de « faire perdurer en nous l'idéalisme juvénile et le sens moral qui ont fait la force de notre peuple. Nous remplir de révolte devant l'apathie, l'ignorance et le refus, afin que notre génération puisse effacer la complaisance, l'indigence et le préjugé du cœur des hommes [...]. Faire de nous des êtres responsables, que la misère et la confusion de la vie ne frapperont jamais sans but et qui à l'heure de leur mort laisseront un pays dans lequel les autres pourront vivre libres ». Ce discours paraîtra peut-être choquant ou naïf aux yeux de ceux qui ne sont pas religieux ; cependant, je suis heureux d'avoir été aussi idéaliste à cette époque, et je continue de croire en chacun des mots de cette prière.

Après la cérémonie de remise des diplômes, je suis allé au bal avec Mauria Jackson. Il avait lieu au vieux *Club Belvedere*, non loin de notre maison de Park Avenue. Mauria et moi-même étions libres tous les deux à l'époque, et nous avions été dans la même classe à St John. Aller au bal ensemble semblait donc une bonne idée, et nous avons d'ailleurs passé une excellente soirée.

Le lendemain matin, j'ai entamé mon dernier été d'adolescent. C'était un été très chaud, comme il se doit en Arkansas, et il est passé très vite. J'ai fait un sixième et dernier séjour au camp de vacances des orchestres universitaires, et j'ai de nouveau participé au Boys State en tant que conseiller. Cet été-là, j'ai passé deux semaines à aider papa à faire l'inventaire annuel à la concession Buick Clinton, comme je l'avais déjà fait plusieurs fois par le passé. Aujourd'hui, à l'heure où les archives sont informatisées et où il est facile de commander des pièces détachées à des centres de distribution efficaces, j'ai du mal à me souvenir qu'à cette époque, nous conservions des pièces détachées vieilles de plus de dix ans et que nous les comptions toutes à la main chaque année. Les pièces les plus petites étaient rangées dans de petits cagibis, sur de hautes étagères alignées en rangs serrés. Cet aménagement rendait le fond du comptoir des pièces détachées extrêmement sombre, ce qui créait un fort contraste avec l'espace d'exposition très lumineux situé à l'avant de la concession, qui était à peine assez grand pour contenir un seul des nouveaux modèles Buick.

C'était un travail fastidieux, mais j'y prenais goût, surtout parce que c'était la seule activité que je pratiquais avec papa. J'aimais aussi aller à la centrale Buick avec oncle Raymond, observer les vendeurs sur le parking rempli de voitures neuves et d'occasion, et les mécaniciens à l'arrière. Parmi les employés, il y avait trois hommes que j'appréciais beaucoup. Deux d'entre eux étaient noirs. Early Arnold ressemblait à Ray Charles et avait le rire le plus magnifique qu'il m'ait jamais été donné d'entendre. Il a toujours été formidable avec moi. James White était d'une nature plus détachée. D'ailleurs, cela valait mieux pour lui : il avait huit enfants à élever avec le salaire que lui payait oncle Raymond et celui de sa femme, Earlene, que ma mère avait engagée pour l'aider à la maison après le départ de Mrs Walters. James avait une philosophie de l'existence simple qui me ravissait. Un jour, alors que je lui faisais remarquer à quelle vitesse mes années de lycée avaient passé, il m'a répondu : « Oui, c'est fou ce que le temps passe vite ; j'ai à peine le temps de me faire à mon âge. » À l'époque, j'ai cru qu'il blaguait. Aujourd'hui, je ne trouve plus sa remarque aussi drôle.

L'employé blanc, Ed Foshee, était un véritable génie de la mécanique, il a plus tard monté sa propre affaire. À mon départ pour l'université, nous lui avons vendu ma voiture. M'en séparer m'a brisé le cœur, malgré ses freins hydrauliques qui fuyaient et quantité d'autres défauts. Je donnerais n'importe quoi pour pouvoir la récupérer aujourd'hui. Mes amis et moi-même avons passé beaucoup de bons moments grâce à elle. À l'exception d'un seul, peut-être. Un soir, nous sortions de Hot Springs par l'autoroute n° 7. La chaussée était glissante et j'étais juste derrière une voiture noire. Au moment où nous passions à côté de *Jessie Howe's Drive-In*, la voiture noire s'est brusquement immobilisée, sans doute pour voir les images qui défilaient sur le grand écran du drive-in. L'un de ses stops ne fonctionnait pas, et lorsque j'ai compris qu'elle s'arrêtait, il était déjà trop tard. Inattention, mauvais réflexes et freins douteux m'ont projeté tout droit sur l'arrière de la voiture noire. Ma mâchoire est venue frapper le volant, qui s'est brisé net en deux morceaux. Par chance, personne n'était blessé, et mon assurance pouvait payer les dégâts de l'autre voiture. Les mécaniciens de Buick Clinton ont réparé la mienne, qui m'est revenue comme neuve. J'étais heureux que ce soit le volant, et non ma mâchoire, qui ait été brisé. Je n'ai pas souffert beaucoup plus qu'après ma bagarre avec Henry Hill quelques années plus tôt, et bien moins que lorsque le bélier a failli me tuer à coups de cornes. À l'époque, j'acceptais ce genre de choses avec philosophie, conformément à cette maxime pleine de sagesse : « Avoir quelques poux de temps à autre fait du bien à un chien. Ça l'empêche de se poser trop de questions sur son sort de chien. »

CHAPITRE NEUF

L'été est passé trop rapidement, comme tous les étés de l'enfance, et le 12 septembre, ma mère et moi avons pris l'avion pour Washington, où nous devions passer une semaine à visiter la ville avant que je me présente à l'université. Je ne savais pas très bien où j'allais, mais j'avais beaucoup d'attentes.

Ce voyage a été plus éprouvant pour ma mère que pour moi. Nous avions toujours été proches et je savais que, quand elle me regardait, elle voyait bien souvent autant mon père que moi. Elle devait se demander comment elle allait élever le petit Roger et s'en sortir avec le grand sans que je sois là pour l'aider sur les deux fronts. Et nous allions nous manquer l'un à l'autre. Nous étions juste assez semblables et assez différents pour apprécier d'être ensemble. Mes amis aussi l'aimaient beaucoup, et elle aimait qu'ils viennent chez nous. Cela arriverait encore, mais en général seulement quand je rentrerais à Noël ou en été.

Je ne pouvais pas savoir à l'époque comme maintenant à quel point elle se faisait du souci pour moi. J'ai récemment trouvé une lettre qu'elle a écrite en décembre 1963 pour ma demande réussie de bourse Elks, qui était attribuée à un ou deux élèves de terminale chaque année dans des villes comportant un Elks Club. Elle y disait : [cette lettre] « me soulage un peu de la culpabilité que j'éprouve à l'égard de Bill. Je suis anesthésiste et mon métier m'a toujours pris un temps qui, me semblait-il, aurait dû lui être consacré. C'est pourquoi le mérite de ce qu'il est et de ce qu'il a fait de sa vie lui revient. Quand je le regarde, c'est un *self-made man* que je vois ». Comme elle se trompait ! C'est elle qui m'a appris à me lever chaque jour et à y aller ; à rechercher le meilleur des autres même lorsqu'ils voyaient le pire en moi ; à être reconnaissant pour chaque jour nouveau et à le prendre avec le sourire ; à croire que je pouvais faire ou être tout ce que je voulais si j'étais prêt à fournir l'effort nécessaire ; à estimer qu'au bout du compte l'amour et la gentillesse l'emporteraient sur la cruauté et l'égoïsme. À ce moment-là, ma mère n'était pas tellement pratiquante, même si elle l'est devenue en vieillissant. Elle a vu mourir tant de gens qu'elle a eu du mal à croire à une vie après la mort. Mais si Dieu est amour, alors elle était profondément religieuse. Je regrette terriblement de ne pas lui avoir dit plus souvent que j'étais tout sauf un *self-made man*.

En dépit de l'appréhension que nous éprouvions face aux grands changements qui nous attendaient, nous étions excités comme des puces quand nous sommes arrivés à l'Université de Georgetown. À quelques rues du campus principal se trouvait ce que l'on appelait le Campus Est, qui comprenait l'école de relations internationales et d'autres facultés qui admettaient des jeunes filles et étaient plus diversifiées d'un point de vue religieux et racial. Cette université a été fondée en 1789, première année de la présidence de George Washington, par l'archevêque John Carroll. Sa statue trône sur l'esplanade qui donne accès au campus principal. En 1815, le président James Madison a signé un acte dotant Georgetown d'une charte qui l'autorisait à délivrer des diplômes. Bien que, depuis le début, notre université ait été ouverte à des personnes de toutes confessions et qu'un des plus grands présidents de Georgetown, le père Patrick Healy, ait été de 1874 à 1887 le premier président afro-américain d'une université majoritairement blanche, le Yard était exclusivement masculin, presque entièrement catholique et totalement blanc. L'école de relations internationales a été fondée en 1919 par le père Edmund A. Walsh, un anticommuniste à tous crins, et quand j'y suis entré, il y avait encore parmi les professeurs de nombreux enseignants qui avaient fui ou subi les régimes communistes d'Europe et de Chine, et qui étaient favorables à toute activité anticommuniste menée par le gouvernement américain, y compris au Viêt-nam.

Le conservatisme n'était pas limité aux idées politiques. Le programme aussi était d'une rigueur qui reflétait la philosophie de l'enseignement des jésuites, le *Ratio Studiorum*, élaborée à la fin du XVIe siècle. Durant les deux premières années, il fallait suivre six cours par semestre, ce qui représentait dix-huit ou dix-neuf heures de cours par semaine, et il n'y avait de cours facultatifs qu'à partir du second semestre de la troisième année. Et puis, il y avait le code vestimentaire. Lorsque j'étais en première année, les garçons devaient encore porter une chemise, une veste et une cravate pour aller en cours. Il existait bien des chemises synthétiques qui ne se repassaient pas, mais elles étaient très désagréables à porter. Je suis donc entré à Georgetown décidé à faire tenir les cinq dollars par semaine de nettoyage à sec pour cinq chemises dans ma bourse hebdomadaire de vingt-cinq dollars, destinée à couvrir ma nourriture et mes autres dépenses. N'oublions pas non plus les règles de la résidence universitaire : « Les soirs de semaine, les étudiants de première année doivent rester dans leur chambre pour étudier et les lumières doivent être éteintes au plus tard à minuit. Les vendredis et samedis soir, ils doivent rentrer pour minuit et demi [...]. Les visiteurs de sexe opposé, les boissons alcoolisées, les animaux ou les armes à feu sont strictement interdits dans l'enceinte de la résidence universitaire. » Je sais que les choses ont légèrement changé depuis, mais quand Hillary et moi avons amené Chelsea à Stanford University, en 1997, la vision de jeunes femmes et de jeunes hommes vivant dans les mêmes résidences mettait encore un peu mal à l'aise. Et la NRA ne semble pas avoir réussi à faire sauter l'interdiction des armes à feu.

Une des premières personnes que j'ai rencontrées quand ma mère et moi avons passé l'entrée a été le prêtre chargé de recevoir les nouveaux étudiants. Le père Dinneen m'a accueilli en me disant que l'université ne comprenait pas comment un baptiste du Sud ne parlant d'autre langue étrangère que le latin pouvait vouloir faire l'école de relations internationales. Son ton laissait entendre qu'il ne voyait pas bien non plus pourquoi on m'avait admis. Je me suis contenté de rire et j'ai répondu qu'on le saurait peut-être dans un an ou deux. Comme il était évident que ma mère était inquiète, je lui ai dit que dans quelque temps ils sauraient tous ce que je faisais là. Je bluffais sans doute, mais j'avais l'air d'y croire.

Au terme des démarches initiales, nous sommes allés voir ma résidence et faire la connaissance de mon camarade de chambre. Loyola Hall se trouve au coin de la 35ᵉ et de N Street, juste derrière le Walsh Building, qui héberge l'école de relations internationales, et est relié à celle-ci. J'avais la chambre 225, qui se trouvait juste au-dessus de l'entrée sur la 35ᵉ Rue et donnait sur la maison et le beau jardin de l'éminent sénateur de Rhode Island, Claiborne Pell, qui était encore au Sénat quand je suis devenu président. Sa femme, Nuala, et lui-même sont devenus nos amis, à Hillary et moi, et trente ans après avoir contemplé l'extérieur de leur magnifique vieille maison, j'en ai enfin vu l'intérieur.

Quand ma mère et moi sommes arrivés devant la porte de ma chambre, j'ai eu un choc. La campagne présidentielle de 1964 battait son plein et là, collé sur ma porte, il y avait un autocollant de soutien à Goldwater. Et moi qui croyais avoir laissé tous les Républicains derrière nous dans l'Arkansas ! Il avait été posé là par mon camarade de chambre, Tom Campbell, un catholique irlandais de Huntington, à Long Island. Il était issu d'une famille républicaine extrêmement conservatrice et avait joué au football à la Xavier Jesuit High School, à New York. Son père, juriste, avait obtenu un poste de juge en défendant la ligne du Parti conservateur. Tom a sans doute été plus surpris que moi par le compagnon qui lui avait été alloué. J'étais le premier baptiste du sud de l'Arkansas qu'il ait jamais rencontré et, comme si cela n'avait pas suffi, j'étais un fervent Démocrate, partisan de Lyndon Johnson.

Ma mère n'était pas du genre à laisser un petit différend politique gâcher une cohabitation. Elle a commencé à parler à Tom comme si elle l'avait connu de longue date, comme elle le faisait avec tout le monde, et peu après, elle l'avait mis dans sa poche. Il me plaisait assez et je me suis dit que ça valait le coup d'essayer Et ça a marché, tout au long de nos quatre ans de cohabitation à Georgetown et durant près de quarante années d'amitié.

Ma mère n'a pas tardé à me souhaiter un au revoir courageusement enjoué, et j'ai entrepris de faire le tour du propriétaire, en commençant par les autres occupants de l'étage. Dans le couloir, j'ai entendu de la musique – c'était le « Thème de Tara », dans *Autant en emporte le vent* – et je l'ai suivie, m'attendant à trouver un autre émigré du Sud, voire un autre Démocrate. Mais quand je suis arrivé à la chambre d'où venait la musique, j'y ai trouvé un personnage qui échappait à toute catégorie, Tommy Caplan. Il était assis sur une chaise à bascule, la seule à notre étage. J'ai appris que c'était un enfant unique de Baltimore, que son père était dans la bijouterie et qu'il avait connu le président Kennedy. Parlant d'un ton sec qui me paraissait aristocratique, il m'a dit qu'il voulait être écrivain et m'a régalé d'anecdotes sur Kennedy. J'ai tout de suite su qu'il me plaisait, mais je ne pouvais pas savoir à ce moment-là que je venais de rencontrer une autre des personnes qui deviendraient mes meilleurs amis de toujours. Au cours des quatre années qui ont suivi, Tom allait me faire connaître Baltimore ; sa maison sur la côte est du Maryland ; l'Église épiscopale et sa liturgie ; à New York, le *Pierre Hotel* et sa grande cuisine au curry, le *Carlyle Hotel*, où j'ai vécu ma première expérience de room-service ruineux, et le club *21*, où plusieurs d'entre nous ont fêté son vingt et unième anniversaire ; le Massachusetts et Cape Cod, où j'ai failli me noyer, n'ayant pas réussi à m'accrocher à un rocher couvert de balanes qui m'ont arraché les mains, les bras, la poitrine et les jambes. Alors que j'essayais désespérément de regagner la plage, j'ai été sauvé par une barre de sable providentielle et par la main secourable d'un vieux camarade de classe de Tommy, Fife Symington, qui, plus tard, est devenu gouverneur républicain de l'Arizona. (S'il avait pu prévoir l'avenir, il y aurait peut-être réfléchi à deux fois !) En retour, grâce à moi, Tom a pu connaître l'Arkansas, la vie dans le Sud et la politique de terrain. Je pense que notre échange a été positif.

Au cours des jours suivants, j'ai rencontré d'autres étudiants et les cours ont commencé. J'ai également découvert comment je pouvais vivre avec vingt-cinq dollars par semaine. Cinq dollars partaient pour les cinq chemises de soirée exigées, et j'ai décidé de manger pour un dollar par jour du lundi au vendredi, en consacrant un autre dollar aux repas du week-end, ce qui me laissait quatorze dollars pour sortir le samedi soir. En 1964, je pouvais effectivement emmener une fille dîner pour quatorze dollars, parfois même aller au cinéma avec elle, à condition cependant de la laisser commander en premier afin d'être certain que l'ensemble de la commande plus le service n'excéderaient pas mon budget. À l'époque, il y avait beaucoup de bons restaurants à Georgetown, où on pouvait s'en tirer pour quatorze dollars. En outre, comme au cours des premiers mois, je n'avais pas de compagne tous les samedis, j'ai pu mettre un peu d'argent de côté.

Le reste du temps, il ne m'était pas trop difficile de m'en sortir avec un dollar par jour – j'ai toujours eu l'impression d'avoir plein d'argent, même assez pour me payer, en supplément, une soirée dansante ou quelque autre événement particulier au *Wisemiller's Deli*, dans la 36ᵉ Rue, juste en face du Walsh Building, que beaucoup de mes camarades fréquentaient. Tous les matins, j'y prenais du café et deux beignets pour vingt cents. (C'était la première fois de ma vie que je buvais du café, habitude dont j'essaie maintenant périodiquement de me débarrasser, sans grand succès.) Le midi, il m'arrivait de dépenser jusqu'à trente cents. Quinze cents passaient dans une tartelette Hostess aux pommes ou aux cerises, et les quinze autres dans un demi-litre de Cola Royal Crown. J'adorais ce soda et j'ai été très triste quand il a cessé d'être produit. Le dîner était plus cher ; j'atteignais les cinquante cents. En général, je mangeais à l'*Hoya Carry Out*, à deux rues au nord de Loyola Hall. Comme son nom ne l'indique pas, il y avait un comptoir auquel on pouvait s'installer pour consommer. La moitié seulement du plaisir consistait à manger. Pour quinze cents, j'avais un autre grand soda et pour trente-cinq, un gros sandwich au thon dans du pain de seigle, tellement gros que l'on réussissait à peine à mordre dedans. Pour quatre-vingt-cinq cents, on pouvait avoir un sandwich au rosbif tout aussi énorme. De temps en temps, quand je n'avais pas dépensé la totalité de mes quatorze dollars le samedi précédent, je m'en offrais un.

Mais les véritables attractions de l'*Hoya Carry Out*, c'étaient les propriétaires, Don et Rose. Don était un grand gaillard orné d'un tatouage au biceps – à l'époque, les tatouages étaient une excentricité plutôt rare. Rose, elle, avait une choucroute sur la tête, un joli visage et une fort belle silhouette qu'elle savait mettre en valeur avec des pulls moulants, des pantalons encore plus serrés et des talons aiguilles. Elle attirait beaucoup les garçons qui avaient peu d'argent et beaucoup d'imagination, et la présence sympathique mais vigilante de Don garantissait que nous nous bornions à manger. Et quand Rose œuvrait, nous mangions bien lentement pour nous assurer une bonne digestion.

Au cours de mes deux premières années, je me suis rarement aventuré au-delà de l'université et du voisinage immédiat, dans un petit périmètre délimité par M Street et le Potomac au sud, Q Street au nord, Wisconsin Avenue à l'est, et l'université à l'ouest. Mes repaires favoris, à Georgetown, étaient le *Tombs*, un bar à bière situé dans une cave en dessous du *1789 Restaurant*, où la plupart des étudiants se rendaient pour boire de la bière et manger des hamburgers ; le restaurant de Billy Martin, où la nourriture et l'atmosphère étaient bonnes tout en restant dans mes moyens ; et le *Cellar Door*, en bas de la colline, dans M Street. La musique y était géniale. J'y ai entendu Glenn Yarborough, un chanteur de folk bien connu dans les années 1960 ; le grand organiste de jazz Jimmy Smith ; et un groupe aujourd'hui oublié, les Mugwumps, qui s'est dissous peu après mon arrivée à Georgetown. Deux des membres ont formé un nouveau groupe plus connu, The Lovin' Spoonful, et le leader, Cass Elliot est devenu Mama Cass des Mamas and the Papas. Le *Cellar Door* était parfois ouvert le dimanche après-midi, et on pouvait alors siroter un Coca et écouter les Mugwumps pendant des heures pour seulement un dollar.

S'il m'est quelquefois arrivé de me sentir cloîtré à Georgetown, la plupart du temps, j'étais parfaitement heureux entre mes cours et mes amis. Mais j'ai aussi apprécié mes quelques échappées hors de mon cocon. Quelques semaines après le début de mon premier semestre, je suis allé au *Lisner Auditorium* écouter Judy Collins. Je la vois encore, seule sur la scène avec ses longs cheveux blonds, sa grande robe de coton et sa guitare. À compter de ce jour, j'ai été un grand fan de Judy Collins. En décembre 1978, Hillary et moi avons passé de courtes vacances à Londres après ma première élection au poste de gouverneur. Un jour, tandis que nous faisions du lèche-vitrines dans King's Road, à Chelsea, la sono d'un magasin a hurlé *Chelsea Morning* de Joni Mitchell, interprétée par Judy. Nous avons instantanément décidé que si nous avions une fille, elle s'appellerait Chelsea.

Si je n'ai pas souvent quitté les environs de Georgetown, j'ai cependant réussi à me rendre deux fois dans l'État de New York au cours de mon premier semestre. Je suis allé chez Tom Campbell, à Long Island, pour Thanksgiving.

Johnson avait remporté les élections, ce qui m'a permis de croiser agréablement le fer politique avec le père de Tom. Je l'ai asticoté, un soir, en lui demandant si le sympathique quartier dans lequel ils vivaient avait souscrit un contrat de « protection » engageant les propriétaires des habitations à ne pas les vendre à des membres de groupes proscrits, en général noirs. Les contrats de ce genre ont été courants jusqu'au jour où la Cour suprême les a jugés anticonstitutionnels. Mr Campbell a répondu par l'affirmative, ajoutant que le quartier était bien couvert par un contrat, mais dirigé contre les Juifs et non contre les Noirs. Je venais d'une ville du Sud dotée de deux synagogues et d'un certain nombre d'antisémites qui parlaient des Juifs comme des « assassins du Christ », mais j'ai été surpris de découvrir que l'antisémitisme faisait aussi recette dans l'État de New York. J'aurais sans doute dû être rassuré d'apprendre que le Sud n'avait pas le monopole du racisme ou de l'antisémitisme, mais ça n'a pas marché.

Quelques semaines avant cette virée de Thanksgiving, j'ai mordu pour la première fois dans la Grosse Pomme : je suis allé à New York avec l'orchestre de Georgetown, un groupe plutôt hétéroclite. Nous ne jouions qu'une ou deux fois par semaine, mais nous étions suffisamment bons pour être invités à un concert dans une petite école catholique, St Joseph's College for Women, à Brooklyn. Le concert s'est bien passé et, lors du pot qui a suivi, j'ai fait la connaissance d'une étudiante qui m'a invité à l'accompagner chez elle et à boire un Coca avec sa mère et elle. C'était la première fois que je m'aventurais dans un des gigantesques immeubles dans lesquels habitent la grande majorité des New-Yorkais, pauvres ou riches. Comme il n'y avait pas d'ascenseur, il nous a fallu monter plusieurs étages à pied pour atteindre son appartement. Il m'a paru tout petit, à moi qui étais habitué aux maisons de plain-pied avec jardin de l'Arkansas, même pour des gens modestes. Je me souviens seulement que cette fille et sa mère m'avaient semblé incroyablement gentilles et que j'avais été stupéfait que l'on puisse avoir l'esprit ouvert en vivant dans un espace aussi confiné.

Après les avoir quittées, je me suis retrouvé seul dans New York. J'ai hélé un taxi et me suis fait conduire à Times Square. Je n'avais jamais vu briller tant de néons. L'endroit était bruyant, plein d'énergie et de vie, pas toujours reluisante. C'est là que j'ai vu ma première prostituée aborder un malheureux type à l'air pathétique, portant un attaché-case, un costume sombre, des cheveux en brosse et des lunettes à grosse monture noire. Il était à la fois tenté et terrifié. Et c'est la terreur qui l'a emporté. Il a poursuivi son chemin. Elle a souri, haussé les épaules, et s'est remise au boulot. J'ai jeté un coup d'œil aux théâtres et aux vitrines, et une enseigne lumineuse a capté mon regard : *Tad's Steaks*, qui proposait de gros steaks à 1,59 dollar.

Je ne pouvais pas rater ça. Je suis donc entré, j'ai choisi mon steak et trouvé une table. J'avais pour voisins un garçon énervé et sa mère navrée. Il la tançait en lui disant : « C'est de la camelote, maman. De la camelote. » De son côté, elle répétait sans cesse que le vendeur lui avait dit que c'était de la bonne qualité. Dans les minutes qui ont suivi, j'ai réussi à reconstituer l'histoire. Elle avait mis de côté ce qu'il fallait pour acheter un tourne-disque à son fils, ce dont il avait très envie. Le problème, c'était qu'il s'agissait d'un appareil haute-fidélité normal, alors que lui voulait un des nouveaux systèmes stéréo qui produisaient un meilleur son et étaient apparemment plus cotés parmi les jeunes branchés. Or, en dépit de tous ses efforts pour économiser, sa mère ne pouvait lui en payer un. Au lieu de la remercier de son geste, le gamin lui criait dessus en public : « C'est que de la camelote. J'en voulais un bien. » J'étais écœuré. J'avais envie de lui flanquer mon poing dans la figure, de lui crier au visage qu'il avait de la chance d'avoir une mère qui l'aimait si fort, qui le nourrissait et l'habillait grâce à ce qui devait être un travail mortellement ennuyeux lui rapportant trois fois rien. Je me suis levé et suis parti dégoûté, sans même finir mon steak en promotion. Cet incident m'a beaucoup marqué, sans doute à cause de ce que ma propre mère avait fait et supporté. Il m'a rendu plus sensible aux luttes quotidiennes des hommes et des femmes qui font des choses que nous ne voulons pas faire nous-même mais que nous ne voulons pas non plus payer cher. Il m'a incité à détester plus encore l'ingratitude et à décider de faire moi-même preuve de davantage de gratitude. Et il m'a rendu plus déterminé à profiter des périodes de chance sans les prendre trop au sérieux, en sachant qu'à tout moment le destin pouvait me ramener à la case départ, si ce n'est pire.

Peu après mon retour de New York, j'ai laissé tomber la musique pour me concentrer sur mes études et la politique étudiante. J'ai remporté l'élection de représentant des premières années au terme d'une de mes meilleures campagnes, destinée à un électorat dominé par des catholiques de la côte est d'origines irlandaise et italienne. Je ne me rappelle pas comment il m'est venu à l'idée de me présenter, mais je me souviens d'avoir été beaucoup aidé et d'avoir trouvé cela très excitant. En fait, il n'y avait aucune cause majeure à défendre et nous n'avions guère d'appuis ; la compétition s'est donc résumée à de la petite politique et à un discours. Un des membres de mon état-major m'avait écrit un mot révélateur de la profondeur de nos démarches : « Bill : problèmes chez New Men ; Hanover a plein de partisans. Des possibilités au 2ᵉ étage de Loyola (celui de Pallen) – au bout, près du téléphone. Merci à Dick Hayes. À demain. Dormez bien, les gars. King. » King, c'était John King, un gars énergique de 1 m 65, qui est devenu le barreur de l'équipe d'aviron de Georgetown et le partenaire d'études de notre camarade Luci Johnson, la fille du président, laquelle l'a invité un jour à dîner à la Maison Blanche. Nous l'avons à la fois admiré et envié d'avoir une telle occasion.

Le mardi précédant le vote, la classe s'est réunie pour écouter nos discours électoraux. J'étais soutenu par Bob Billingsley, un New-Yorkais des plus sociable dont l'oncle Sherman possédait le fameux *Stork Club* et qui m'a raconté des histoires fantastiques sur toutes les célébrités qui y étaient venues depuis les années 1920. Bob déclara que j'avais déjà un passé de leader et que j'étais « quelqu'un qui agira, et agira bien ». Puis ce fut mon tour. Je ne soulevai aucun problème particulier et promis seulement d'intervenir « n'importe quand comme cela pourra être nécessaire », que je gagne ou que je perde, et de donner à l'élection « un esprit qui rendra notre promotion un peu plus forte et un peu plus fière quand la bataille sera finie ». C'était un projet plutôt modeste, mais j'avais toutes les raisons d'être modeste. Le plus farouche de mes deux adversaires essaya de donner un peu de gravité à un moment intrinsèquement sans grande importance en nous disant qu'il se présentait parce qu'il voulait éviter que notre promotion ne sombre « dans l'abîme insondable de la perdition ». Je ne voyais pas trop ce que c'était – ça faisait penser à un lieu où l'on aurait pu être envoyé pour collaboration avec les communistes. Cette remarque insondable, qui dépassait la mesure, fut ma première grande chance. Au terme d'un travail de titan, je fus élu. Après le dépouillement, mes amis récoltèrent plein de monnaie pour que je puisse appeler chez moi du plus proche téléphone public et informer ma famille que j'avais gagné. Ce fut une conversation pleine d'allégresse. Je sentis que tout allait bien à l'autre bout du fil, et ma mère trouva que je commençais à surmonter le mal du pays.

Si j'aimais représenter mes camarades, aller à New York ou simplement me balader à Georgetown, mes cours ont cependant été au cœur de ma première année. C'était la première fois que je devais travailler pour apprendre. J'avais néanmoins un gros avantage : mes six cours étaient dispensés par des personnes compétentes et intéressantes. Comme nous devions tous étudier une langue étrangère, j'ai choisi l'allemand parce que l'Allemagne m'intéressait et que j'étais impressionné par la clarté et la précision de cette langue. Le Dr von Ihering, notre professeur, était un homme aimable qui s'était caché dans le grenier d'une ferme pour échapper aux nazis quand ils s'étaient mis à brûler des livres, dont les livres pour enfants qu'il écrivait. Après la guerre, il a doublé des films de propagande américaine en Allemagne avant de venir aux États-Unis. Arthur Cozzens, le professeur de géographie, avait un petit bouc blanc et un style professionnel original. Ses cours me rasaient, jusqu'au jour où il nous a dit que, d'un point de vue géologique, l'Arkansas était l'un des endroits les plus intéressants de la Terre à cause de ses gisements de diamants, de quartz, de bauxite et de diverses autres formations minérales.

La logique nous était enseignée par Otto Hentz, un jésuite qui n'avait pas encore été ordonné prêtre. Il était brillant, énergique et s'intéressait à ses étudiants. Un jour, il m'a demandé si j'aimerais manger un hamburger avec lui le soir. Flatté, j'ai accepté, et nous nous sommes rendus en voiture, jusqu'à un *Howard Johnson* situé sur Wisconsin Avenue. Nous avons commencé par bavarder de choses et d'autres, puis Otto est devenu sérieux. Il m'a demandé si j'avais jamais envisagé de devenir jésuite. J'ai éclaté de rire et répondu : « Ne faudrait-il pas d'abord que je devienne catholique ? » Quand je lui ai dit que j'étais baptiste et ai ajouté, en ne plaisantant qu'à moitié, que je ne me croyais pas capable de respecter le vœu de chasteté même si j'étais catholique, il a secoué la tête et m'a répondu : « Je ne peux pas le croire. J'ai lu vos travaux et vos épreuves d'examen. Vous écrivez comme un catholique. Vous pensez comme un catholique. » J'ai longtemps raconté cette anecdote aux groupes catholiques que j'ai rencontrés durant ma tournée de campagne dans l'Arkansas, leur assurant que j'étais ce qu'ils pouvaient trouver de plus proche d'un gouverneur catholique.

Un autre professeur jésuite, Joseph Sebes, était un des hommes les plus remarquables que j'aie jamais connus. Cet homme maigre et voûté était un linguiste émérite passionné par l'Asie. Il avait travaillé en Chine sous le régime communiste et passé un certain temps en captivité, la plupart du temps dans un petit trou creusé dans le sol. Ce traitement lui avait abîmé l'estomac, lui avait coûté un rein et l'avait rendu fragile pour le restant de ses jours. Il donnait un cours intitulé « Cultures comparées ». Il aurait plutôt dû s'appeler « Religions du monde » puisqu'il nous présenta le judaïsme, l'islam, le bouddhisme, le shintoïsme, le confucianisme, le taoïsme, l'hindouisme, le jaïnisme, le zoroastrisme et d'autres cultes encore. J'adorais Sebes et j'ai beaucoup appris de lui sur la manière dont, aux quatre coins du monde, on définit Dieu, la vérité et le bien. Et sachant que beaucoup d'étudiants venaient de l'étranger, il offrait à chacun d'eux la possibilité de passer l'examen final à l'oral – en neuf langues au choix. Au second semestre, j'eus un A, un des quatre seuls qu'il mît, un des résultats universitaires dont j'ai été le plus fier.

Mes deux autres enseignants étaient de sacrés personnages. Robert Irving enseignait l'anglais à des première année peu préparés à affronter ses cinglantes annotations dans les marges de nos copies, traitant par exemple un de ses étudiants de « capricieuse petite pompe à idioties », réagissant à l'expression de dépit d'un autre par un : « Alors, on végète ? » Pour ma part, j'ai eu droit à des annotations plus classiques : dans les marges ou à la fin du travail, le Dr Irving écrivait « mdt » pour maladroit, ou encore « berk », « plutôt rasoir, lamentable ». Sur une copie que j'ai conservée, il a quand même fini par marquer « intelligent et réfléchi », suivi de la requête : « La prochaine fois, soyez sympa », pour que je remette mes travaux sur du « papier de meilleure qualité » ! Un jour, le Dr Irving lut à voix haute la dissertation qu'un de ses anciens étudiants avait écrite sur Andrew Marvell afin de montrer combien il est important d'utiliser le langage avec soin. L'étudiant avait écrit que Marvell aimait sa femme même après sa mort et avait malencontreusement ajouté la phrase : « Bien sûr, l'amour physique prend fin, dans l'ensemble, après la mort. » Irving avait rugi : « Dans l'ensemble ! Dans l'ensemble ! Je suppose que, pour certains, rien ne vaut un joli cadavre bien froid les jours de chaleur ! » C'était un peu limite pour un groupe d'étudiants catholiques et un baptiste du Sud âgé de 18 ans. Je crains, où qu'il se trouve aujourd'hui, que le Dr Irving ne lise ce livre, et je n'ose imaginer les remarques décapantes qu'il inscrira en marge.

Le cours le plus légendaire de Georgetown était celui du professeur Carroll Quigley sur l'évolution des civilisations. Il était obligatoire pour tous les étudiants de première année et rassemblait donc plus de deux cents personnes à chaque séance. Quoique difficile, il était extrêmement prisé en raison du niveau intellectuel, des opinions et des bouffonneries de Quigley. Elles comprenaient un discours sur la réalité des phénomènes paranormaux dans lequel il prétendait avoir vu une table tourner et une femme se soulever lors d'une séance de spiritisme, et la diatribe durant laquelle il condamnait Platon pour avoir placé la rationalité absolue au-dessus de l'expérience empirique, qu'il prononçait chaque année au dernier cours. Il finissait toujours en déchirant un exemplaire de poche de *La République* de Platon, qu'il lançait dans la salle en criant : « Platon est un fasciste ! »

Aux examens, il donnait fréquemment des sujets délirants du genre : « Écrire une histoire brève mais bien construite de la péninsule des Balkans, de la formation du glacier Würm jusqu'à l'époque d'Homère », ou : « Quel rapport y a-t-il entre le processus d'évolution cosmique et la dimension de l'abstraction ? »

Deux des idées de Quigley ont eu sur moi une influence particulièrement durable. Premièrement, il disait que, pour parvenir à leurs objectifs militaires, politiques, économiques, sociaux, religieux et intellectuels, les sociétés doivent mettre en place des instruments organisés (telle était sa hiérarchie : il plaçait la religion, « le besoin de certitude psychologique », en dessous de la quête intellectuelle, qu'il appelait « le besoin de comprendre »). Le problème, selon Quigley, est que tous les instruments finissent par être « institutionnalisés » – c'est-à-dire par être pris en main par des groupes de défense d'intérêts catégoriels plus tournés vers la préservation de leurs acquis que vers la satisfaction des besoins pour lesquels ils ont été créés. Une fois que c'est le cas, la situation ne peut changer qu'en réformant ou en contournant les institutions. Et en cas d'échec, la réaction et le déclin s'installent.

La seconde grande idée marquante de Quigley concernait la clef de la grandeur de la civilisation occidentale et sa perpétuelle capacité à se réformer et à se renouveler. Il disait que la réussite de notre civilisation tient à ses convictions religieuses et philosophiques uniques, selon lesquelles l'homme est fondamentalement bon ; la vérité existe, mais aucun mortel fini ne la détient ; nous ne pouvons approcher de la vérité qu'en œuvrant ensemble ; et la foi et de bonnes actions peuvent nous valoir une vie meilleure en ce monde et une récompense dans le prochain. Selon Quigley, ce sont ces idées qui ont donné à notre civilisation son caractère pragmatique et optimiste, et son inébranlable croyance en la possibilité d'un changement positif. Il résumait notre idéologie à travers l'expression de « préférence pour l'avenir », notion selon laquelle « l'avenir peut être meilleur que le passé et chaque individu a une obligation morale personnelle de faire en sorte qu'il en soit ainsi ». De ma campagne de 1992 jusqu'à mon second mandat présidentiel, j'ai souvent cité le professeur Quigley, espérant que cela incite mes concitoyens et moi-même à mettre en pratique ce qu'il prônait.

À la fin de la première année, j'avais depuis quelques mois ma première petite amie durable, Denise Hyland. C'était une grande fille d'origine irlandaise, au visage grêlé de taches de rousseur, aux beaux yeux doux et au sourire contagieux. Elle venait d'Upper Montclair, dans le New Jersey, et était la deuxième des six enfants d'un médecin qui se destinait à la prêtrise avant de rencontrer sa mère. Denise et moi avons rompu à la fin de notre troisième année, mais notre amitié a survécu.

J'étais heureux de rentrer à la maison où, au moins, je retrouvais de vieux amis et la chaleur estivale que j'aime tant. Un travail m'attendait à Camp Yorktown Bay, un camp de la Navy League pour les enfants déshérités, pour la plupart du Texas et de l'Arkansas. Il se tenait au bord du lac Ouachita, le plus grand des trois lacs de Hot Springs et l'un des plus purs des États-Unis. On voyait clairement le fond à près de dix mètres de profondeur. Comme ce lac artificiel se trouvait dans la Ouachita National Forest, la construction aux alentours était limitée, et par là même la pollution qui va inévitablement de pair.

Pendant plusieurs semaines, je me suis levé tôt chaque matin pour me rendre au camp, à une trentaine de kilomètres. J'y encadrais la natation, le basket et diverses autres activités. Beaucoup de ces enfants avaient bien besoin de passer une semaine loin de leur cadre de vie. L'un d'eux était d'une famille de six enfants élevés par leur mère seule et n'avait pas un sou en poche à son arrivée. Ils déménageaient pendant la durée du camp et le gamin ne savait pas où il habiterait à son retour. J'ai aussi bavardé avec un garçon qui n'arrivait pas à nager et m'est apparu en bien mauvais état quand on l'a sorti de l'eau. Ce n'était rien, nous a-t-il dit : durant sa courte vie, il avait déjà avalé sa langue et été empoisonné, il avait survécu à un grave accident de voiture et perdu son père trois mois plus tôt.

Cet été a passé très vite et a été riche en bons moments passés avec mes amis et en lettres passionnées de Denise, qui était en France. Il a cependant été marqué par un dernier épisode terrible avec papa. Un jour, il est rentré en avance du travail sous l'empire de l'alcool et de la colère. J'étais chez les Yeldell mais, fort heureusement, Roger était là. Papa a poursuivi ma mère avec une paire de ciseaux et l'a acculée dans la buanderie. Roger s'est précipité au dehors pour venir me chercher chez les Yeldell en criant : « Au secours, Bouba, papa est en train de tuer papau ! » Quand Roger était bébé, il a dit papa avant de pouvoir dire maman et avait donc créé le terme de « papau » pour la désigner. Et il a continué longtemps à l'utiliser. J'ai foncé à la maison, écarté papa de ma mère et attrapé les ciseaux. J'ai emmené ma mère et Roger dans le salon, puis je suis retourné régler les choses avec papa. Quand j'ai plongé mes yeux dans les siens, j'y ai vu davantage de crainte que de rage. Peu avant, il avait appris qu'il avait un cancer de la bouche et de la gorge. Les médecins préconisaient une intervention chirurgicale radicale et défigurante, mais il n'en voulait pas. Ils l'ont donc traité du mieux qu'ils ont pu. Cet incident s'est produit au début des deux années qui ont abouti à sa mort, et je crois que c'est la honte qu'il éprouvait à propos de la vie qu'il avait menée et sa peur de mourir qui avaient provoqué ce qui devait être sa dernière grosse crise. Après cela, il a continué de boire, mais il est devenu plus renfermé et plus passif.

Cet événement a eu un effet particulièrement dévastateur sur mon petit frère. Près de quarante années plus tard, il m'a avoué à quel point il avait été humilié d'aller chercher de l'aide, à quel point il s'était senti nul de ne pouvoir arrêter son père et à quel point sa haine avait ensuite été profondément ancrée en lui. Je me suis alors rendu compte que j'avais été vraiment idiot, tout de suite après cet épisode, de renouer avec la politique familiale habituelle consistant à faire semblant de rien et de revenir à la « normale ». Au lieu de cela, j'aurais dû dire à Roger que j'étais très fier de lui ; que c'étaient sa vigilance, son amour et son courage qui avaient sauvé notre mère ; que ce qu'il avait fait était plus dur que ce que j'avais fait, moi ; et qu'il fallait qu'il évacue sa haine, parce que son père était malade et que haïr son père ne ferait que le rendre malade lui aussi. Certes, j'ai beaucoup écrit à Roger et je l'ai souvent appelé quand je n'étais plus là, je l'ai encouragé dans ses études et ses activités, et je lui ai dit que je l'aimais. Mais je suis passé à côté de sa blessure profonde et des problèmes qu'elle ne pouvait manquer d'engendrer. Il a fallu longtemps à Roger et beaucoup de douleurs infligées à lui-même pour qu'il parvienne enfin à découvrir la source de la souffrance au fond de son cœur.

Bien que je me sois encore fait du souci pour la sécurité de ma mère et de Roger, j'ai cru papa quand il a promis qu'il ne serait plus violent. Qui plus est, il était de moins en moins capable de l'être. J'étais donc prêt quand l'heure est venue de retourner à Georgetown pour ma deuxième année. Au mois de juin, on m'avait accordé une bourse de cinq cents dollars, et l'obligation de porter la cravate et la chemise habillée en cours avait été levée, ce qui me laissait espérer une vie plus aisée avec mes vingt-cinq dollars par semaine. Par ailleurs, j'avais été réélu représentant des étudiants, cette fois sur la base d'un véritable programme, centré sur des questions intéressant la vie sur le campus, dont les offices religieux non confessionnels et une initiative d'action sociale que nous avons reprise aux licenciés sortants : le GUCAP, Georgetown University Community Action Program, dans le cadre duquel des étudiants bénévoles se rendaient dans les quartiers pauvres pour aider des enfants à faire leurs devoirs. Nous avons également assisté des adultes préparant un certificat d'études secondaires en formation continue et agi de notre mieux pour aider des familles en difficulté à s'en sortir. Je suis allé plusieurs fois sur le terrain, mais pas aussi souvent que j'aurais dû. Compte tenu de ce que j'avais appris en grandissant dans l'Arkansas, j'en ai assez vu des quartiers déshérités de Washington pour me convaincre que le bénévolat ne suffirait jamais à vaincre la terrible combinaison de pauvreté, de discrimination et d'inégalité des chances qui maintenait tant de mes concitoyens dans l'arriération. Mon soutien aux initiatives du président Johnson en matière de droits civiques, de droit de vote et de lutte contre la pauvreté n'en a été que plus vigoureux.

Tout comme la première, ma deuxième année a été essentiellement consacrée à mes études – pour la dernière fois. Par la suite, tout au long de mes deux dernières années à Georgetown, de mon séjour à Oxford et de mes années à la faculté de droit, mes études ont de plus en plus été battues en brèche par la politique, des expériences personnelles et des découvertes d'ordre privé.

Pour le moment, il y avait largement de quoi retenir mon attention en cours, à commencer par ma deuxième année d'allemand, par le passionnant cours de Mary Bond sur les grands auteurs britanniques et par celui d'histoire de la pensée politique, dispensé par Ulrich Allers. Allers était un Allemand bourru dont il me reste cette annotation sur un travail que j'avais rendu à propos du système juridique de la Grèce antique : « Laborieux, mais très convenable. » À l'époque, j'avais horreur des compliments aussi peu chaleureux. Au bout de quelques années à la présidence, j'aurais pu tuer pour qu'on m'en fasse un de ce genre.

Au cours du premier semestre de microéconomie, dispensé par Joe White, j'ai eu un C ; en revanche, au second, où il enseignait la macroéconomie, j'ai décroché un A. Je suppose que ces deux notes étaient des présages, puisque, en tant que président, je m'en suis bien sorti avec l'économie du pays et moins bien avec ma situation financière personnelle, tout du moins jusqu'à mon départ de la Maison Blanche.

J'ai étudié l'histoire européenne avec Luis Aguilar, un expatrié cubain qui avait été au nombre des dirigeants de l'opposition démocratique à Batista avant son renversement par Fidel Castro. Un jour, Aguilar m'a demandé ce que j'avais l'intention de faire de ma vie. Je lui ai répondu que je voulais rentrer chez moi et faire de la politique, mais que je commençais à m'intéresser à plein d'autres choses aussi. Il a répliqué avec humour : « Choisir une carrière, c'est comme choisir une femme parmi dix petites amies. Même si l'on choisit la plus belle, la plus intelligente et la plus gentille, on regrette toujours d'avoir perdu les neuf autres. » Le professeur Aguilar aimait beaucoup enseigner et le faisait bien, mais j'ai eu l'impression que, pour lui, Cuba représentait ces neuf femmes réunies en une.

Mon cours le plus mémorable, en deuxième année, a été celui du professeur Walter Giles sur la Constitution et le gouvernement des États-Unis, qu'il fondait en grande partie sur des décisions de la Cour suprême. Giles était un célibataire endurci aux cheveux roux et coupés en brosse. Sa vie était comblée par ses étudiants, son amour de la Constitution et de la justice sociale, et sa passion inconditionnelle pour le football américain et les Washington Redskins. Il lui arrivait d'inviter des étudiants chez lui à dîner, et quelques privilégiés ont même pu aller voir jouer les Redskins avec lui. C'était un Démocrate libéral de l'Oklahoma, ce qui n'était pas courant à l'époque et ce qui est suffisamment rare de nos jours pour qu'on le classe parmi les créatures en voie de disparition à protéger.

Je pense que s'il s'est intéressé à moi, c'est en partie parce que je venais d'un État voisin du sien, même s'il aimait bien me taquiner à ce sujet. Quand je l'ai eu comme professeur, j'avais déjà pris l'habitude de dormir peu, ce qui fait qu'il m'arrivait, à ma grande honte, de m'endormir cinq ou dix minutes en cours, après quoi tout allait bien. Or j'étais au premier rang de l'amphi, offrant à Giles un parfait repoussoir à son esprit mordant. Un jour que je faisais un somme, il lança d'une voix tonnante qu'une certaine décision de la Cour suprême était tellement limpide que tout le monde pouvait la comprendre, « à moins, bien entendu, que vous ne veniez de quelque trou perdu de l'Arkansas ». Je me suis réveillé en sursaut au milieu des rires de mes camarades, et jamais plus je ne me suis endormi à son cours.

CHAPITRE DIX

Après ma deuxième année d'études, je suis rentré chez moi sans travail, mais avec une idée très précise de ce que je voulais faire. En Arkansas, on assistait à la fin d'une époque. Après six mandats, Orval Faubus avait décidé de ne pas se représenter au poste de gouverneur. Notre État allait enfin avoir l'occasion d'oublier les cicatrices de Little Rock et les relents de clientélisme qui avaient entaché ses dernières années au pouvoir. Je voulais travailler pour l'élection du gouverneur, à la fois pour apprendre la politique et, par ma modeste contribution, pour permettre à l'Arkansas de s'ouvrir aux idées du progrès.

Les ambitions de certains, contrariées pendant les années Faubus, ont ainsi propulsé plusieurs candidats dans la course électorale : sept Démocrates et un Républicain important, Winthrop Rockefeller, le cinquième des six enfants de John D. Rockefeller Jr. Il avait quitté l'empire paternel pour veiller sur les activités caritatives de la fondation Rockefeller, puis s'était désolidarisé des idées politiques conservatrices de son père, sous l'influence de son épouse Abby et du célèbre homme politique libéral canadien Mackenzie King ; il avait également tourné le dos aux préférences religieuses conservatrices de son père pour fonder, avec Harry Emerson Fosdick, l'Église interconfessionnelle de Riverside, à New York.

Winthrop semblait destiné à être le mouton noir de la famille Rockefeller. Il s'était fait virer de Yale, à la suite de quoi il était parti travailler dans les puits de pétrole texans. Après s'être distingué comme soldat pendant la Seconde Guerre mondiale, il avait épousé une figure de la bonne société new-yorkaise, ce qui lui avait valu de retrouver sa réputation de fêtard et de dilettante. En 1953, il est venu s'installer en Arkansas, en partie parce qu'un ancien camarade de régiment, qui en était originaire, lui avait fait entrevoir la possibilité de monter une affaire d'élevage, en partie aussi parce que cet État disposait d'une loi autorisant de divorcer en trente jours, et qu'il était pressé de mettre un terme rapide à son premier mariage. Rockefeller était assez massif, avec son 1 m 90 et ses 120 kilos. Il s'est bien adapté à l'Arkansas, où tout le monde l'appelait Win, ce qui n'est pas un mauvais surnom pour un homme politique. Il portait toujours des bottes de cow-boy et un stetson blanc qui ont fini par devenir ses signes distinctifs. Il a acheté un immense terrain sur la montagne Petit Jean, à environ vingt-cinq kilomètres de Little Rock, et est devenu un éleveur de vaches prospère avant d'épouser sa seconde femme, Jeannette.

Lorsqu'il s'est installé dans son État d'adoption, Rockefeller s'est appliqué à faire oublier l'image de play-boy qui lui collait à la peau lorsqu'il vivait à New York. Il a ainsi mis sur pied le petit Parti républicain d'Arkansas et s'est efforcé d'industrialiser cet État pauvre et rural. Le gouverneur Faubus l'a nommé président de la Commission sur le développement industriel et il a permis la création de très nombreux emplois. En 1964, irrité par l'image d'État arriéré qu'avait l'Arkansas, il a décidé de se présenter contre Faubus au poste de gouverneur. Tout le monde appréciait ce qu'il avait accompli, mais Faubus avait des têtes de pont dans chaque comté ; la plupart des gens, surtout dans les régions rurales, préféraient soutenir ses positions ségrégationnistes contre celles de Rockefeller en faveur des droits civiques, et l'Arkansas était encore un État démocrate. Il faut ajouter que Rockefeller, maladivement timide, était un piètre orateur et que son penchant légendaire pour la boisson n'a nullement contribué à résoudre ce problème, qui était par ailleurs la cause de ses retards systématiques, au point qu'il m'aurait presque fait passer pour quelqu'un de ponctuel. Il arriva un jour fin saoul et avec une bonne heure de retard alors qu'il devait prononcer un discours au banquet de la chambre de commerce de Wynne, chef-lieu du comté de Cross, dans l'est de l'Arkansas. Lorsqu'il s'est levé pour prendre la parole, il a déclaré : « Je suis très heureux d'être ici, à… » Se rendant compte qu'il ne savait même pas où il se trouvait, il murmura à l'oreille de l'organisateur : « Où suis-je ? » Et celui-ci lui répondit : « Wynne. » Il posa à nouveau la même question et, obtenant la même réponse, il explosa : « Mais bon sang ! je sais tout de même comment je m'appelle ! Je veux juste savoir où je suis ! » Cette histoire a immédiatement fait le tour de l'État, sans qu'on lui en tienne rigueur pour autant, car tout le monde savait que Rockefeller était venu en Arkansas par choix et que les intérêts de l'État lui tenaient authentiquement à cœur. En 1966, il s'est présenté de nouveau, mais même une fois Faubus parti, je ne pense pas qu'il aurait eu une chance de réussir.

Pour ma part, je voulais soutenir un Démocrate progressiste. J'avais une tendresse particulière pour Brooks Hays, qui avait perdu son siège de représentant au Congrès en 1958 pour avoir soutenu l'intégration des Noirs au lycée central de Little Rock. Il avait été battu par le Dr Dale Alford, un opticien ségrégationniste, qui avait fait campagne sans être sur aucune liste. Il avait gagné en partie parce qu'il avait distribué des autocollants à son nom qui pouvaient être apposés sur les bulletins de vote par les électeurs ne sachant pas écrire mais assez « intelligents » pour savoir que les Blancs et les Noirs ne devaient pas aller à l'école ensemble. Hays était un chrétien fervent qui avait été président de la Convention des baptistes du Sud avant que la majorité de mes coreligionnaires baptistes ne décident que seuls les conservateurs pouvaient les diriger eux ou le pays. C'était un homme merveilleux, intelligent, humble, drôle, indulgent, même envers les jeunes militants qui faisaient campagne pour son adversaire.

Ironie du sort, le Dr Alford faisait également campagne et il n'avait pas plus de chances de gagner, car les racistes avaient déjà un candidat de choix en la personne du juge Jim Johnson. Né dans une famille pauvre de Crossett, dans le sud-est de l'Arkansas, il s'était retrouvé à la Cour suprême de l'État en s'appuyant sur une rhétorique qui lui avait valu le soutien du Ku Klux Klan lors des élections au siège de gouverneur. Il jugeait Faubus trop faible sur la question des droits civiques. Après tout, n'avait-il pas nommé quelques Noirs à divers conseils et commissions de l'État ? Pour Faubus, qui avait des tendances réellement populaires, le racisme était un impératif purement politicien. Plutôt que d'attiser les haines raciales, il préférait améliorer les écoles ou les hospices, construire des routes ou réformer l'hôpital psychiatrique. Le racisme n'était pour lui qu'un argument destiné à le maintenir en place. Pour Johnson, en revanche, c'était une théologie : il se nourrissait de haine. Avec ses traits fins et ses yeux de bête sauvage, il avait cet air « décharné et affamé » que n'aurait sans doute pas renié le Cassius de Shakespeare. Il était habile politicien et connaissait bien son électorat. Au lieu de se lancer dans des débats sans fin avec les autres candidats à l'investiture démocrate, il voyageait seul aux quatre coins de l'État, accompagné d'un groupe de musiciens country chargés de chauffer la salle. Il haranguait alors la foule avec des tirades bien senties contre les Noirs et contre les Blancs qui sympathisaient traîtreusement avec eux.

À l'époque, je ne me rendais pas compte qu'il touchait une frange de l'électorat que les autres candidats ne pouvaient pas atteindre : ceux qui avaient peur de l'activisme fédéral en faveur des droits civiques, ceux qui avaient été effrayés par les émeutes de Watts et les autres conflits raciaux, ceux qui étaient convaincus que la lutte contre la pauvreté consistait avant tout en un projet socialiste d'aide aux Noirs, ceux qui étaient frustrés par leur propre niveau de vie. D'un point de vue psychologique, nous sommes tous faits d'un mélange complexe de craintes et d'espoirs. Chaque jour, nous voyons la balance pencher un peu plus d'un côté ou de l'autre. Si elle penche un peu trop vers l'optimisme et l'espérance, nous courons le risque de devenir naïfs ou idéalistes. Dans le cas contraire, nous courons le risque de sombrer dans la paranoïa et la haine. Dans le Sud, la balance a toujours penché du mauvais côté et, en 1966, Jim Johnson a grandement contribué à amplifier la tendance.

Un des meilleurs candidats susceptibles de gagner était Frank Holt, autre juge de la Cour suprême d'Arkansas et ancien procureur général. Il avait le soutien de tous les gens du milieu judiciaire et du monde de la finance, mais, sur la question raciale, il était plus progressiste que Faubus. Il était de surcroît parfaitement honnête. Frank Holt suscitait l'admiration de tous ceux qui le connaissaient (à l'exception de ceux qui le trouvaient trop accommodant pour incarner le changement). Toute sa vie, il avait rêvé de devenir gouverneur, et il avait également à cœur d'effacer un échec familial. Quelques années auparavant, son frère Jack, un populiste du Sud à l'ancienne mode, avait perdu une élection sénatoriale très serrée face à notre vieux sénateur conservateur John McClellan.

Mon oncle, Raymond Clinton, qui était un fervent partisan de Holt, m'a dit qu'il pouvait me faire participer à sa campagne. Holt s'était déjà assuré le soutien d'un grand nombre de leaders étudiants des universités de l'Arkansas, qui s'étaient surnommés la « génération Holt ». Il ne m'a pas fallu longtemps pour être engagé à cinquante dollars par semaine. Je pense que l'oncle Raymond a bel et bien payé pour me faire entrer. Comme à Georgetown j'avais vécu avec vingt-cinq dollars par semaine, je me suis soudain senti riche.

Les autres étudiants étaient un peu plus âgés que moi, et ils avaient aussi beaucoup plus de relations. Mac Glover avait été président des étudiants de l'Université de l'Arkansas, Dick King était président des étudiants de l'Arkansas State Teachers College, Paul Fray était président des Jeunes Démocrates à Ouachita Baptist, Bill Allen s'était retrouvé à la tête des lycéens d'Arkansas Boys State, puis leader étudiant à l'Université d'État de Memphis, de l'autre côté du Mississippi ; quant à Leslie Smith, une belle fille intelligente qui venait d'une puissante famille de politiciens, elle avait été Miss Arkansas Junior.

Au début de la campagne, je faisais vraiment figure de second couteau au sein de la « génération Holt ». Mon travail consistait à accrocher aux arbres des affichettes sur lesquelles on pouvait lire « Holt Gouverneur », à convaincre les gens de poser ses autocollants sur leur voiture et à distribuer des tracts à l'occasion des meetings qui avaient lieu un peu partout dans l'État. Le Mount Nebo Chicken Fry était l'un des meetings les plus importants à l'époque, et c'était même encore le cas lorsque je suis moi-même devenu candidat. Le mont Nebo est un endroit magnifique qui surplombe la rivière Arkansas dans le comté de Yell, dans l'ouest de l'État. À l'origine, c'est là que les Clinton s'étaient installés. Les gens venaient là pour la nourriture, pour la musique et aussi pour entendre la succession de discours prononcés par les divers candidats, en commençant par ceux qui se présentaient à des postes de responsabilités locales, et en finissant par le discours de ceux qui entendaient se présenter au poste de gouverneur.

À peine étais-je arrivé là-bas et avais-je commencé à faire mon travail que nos adversaires ont commencé à arriver. Le juge Holt était en retard ; lorsque ses adversaires ont commencé à parler, il n'était toujours pas là, et je m'inquiétais. Ce n'était vraiment pas le genre d'événement que l'on pouvait se permettre de rater. Je suis allé dans une cabine téléphonique et j'ai réussi à le joindre par miracle ; à l'époque, les téléphones portables n'existaient pas. Il a dit qu'il lui était absolument impossible d'arriver avant la fin de tous les autres discours, et que j'allais devoir parler à sa place. J'ai été très surpris et je lui ai demandé s'il était sûr de ce qu'il venait de dire. Il m'a répondu que je connaissais bien ses idées, et que c'était tout ce que j'avais besoin de dire aux gens. Lorsque j'ai annoncé aux organisateurs que le juge Holt ne pouvait pas venir et qu'il m'avait demandé de parler à sa place, j'ai soudain eu très peur : c'était bien pire que de devoir parler en mon propre nom. À la fin de mon discours, les personnes présentes ont applaudi poliment. Je ne sais plus exactement ce que j'ai dit, mais j'avais dû m'en tirer plutôt bien car, par la suite, en plus des affichettes et des autocollants, on m'a demandé de représenter le juge Holt dans

les petits meetings auxquels il n'avait pas le temps d'assister. Il y en avait tellement qu'aucun candidat ne pouvait humainement prendre part à tous.
L'Arkansas comprend en effet soixante-quinze comtés et plusieurs d'entre eux
organisaient plus d'un meeting électoral.

Au bout de quelques semaines, les responsables de la campagne ont
décidé que la femme du juge, Mary, et ses deux filles, Lyda et Melissa, devaient
aller là où il ne pouvait se rendre. Mary Holt était une grande femme intelligente et indépendante qui tenait une boutique de vêtements à la mode à
Little Rock ; Lyda était étudiante au Mary Baldwin College, à Staunton, en
Virginie, la ville natale de Woodrow Wilson ; Melissa était encore lycéenne.
Elles étaient toutes les trois jolies et assez sûres d'elles, adoraient le juge Holt
et prenaient une part active à sa campagne. Elles avaient juste besoin d'un
chauffeur et, pour une raison qui m'échappe, c'est moi qui ai été choisi.

Nous avons quadrillé tout l'État, partant une semaine entière chaque fois
et revenant entre deux tournées pour prendre des vêtements propres et nous
reposer un peu. Je me suis bien amusé. J'ai appris à vraiment bien connaître
l'Arkansas et j'ai aussi retiré beaucoup de choses des heures de conversations
que j'ai eues avec Mary et ses filles. Un soir, nous sommes allés à Hope pour
un meeting qui devait se tenir sur le parvis du tribunal. Parce que ma grand-
mère était dans le public, Mary m'a gentiment invité à prendre la parole
devant mes concitoyens à la place de Lyda. Je crois qu'elles savaient bien que
je voulais montrer que j'étais devenu adulte. Le public m'a écouté attenti-
vement et j'ai même eu droit à un bon article dans le *Hope Star*, le journal
local. Papa a trouvé ça un peu fort parce que du temps où il était concessionnaire Buick à Hope, le rédacteur en chef le détestait au point d'avoir donné le
nom de Roger à son chien, un horrible bâtard qu'il lâchait près du magasin
pour pouvoir ensuite lui courir après en hurlant : « Ici Roger ! Au pied ! »

Ce soir-là, j'ai emmené Lyda voir la maison où j'avais passé les quatre
premières années de ma vie et le pont de bois au-dessus de la voie ferrée, sur
lequel je jouais. Le lendemain, nous nous sommes rendus au cimetière pour
nous recueillir sur les tombes de la famille de Mary Holt ainsi que sur celles de
mon père et de mon grand-père.

J'aime me souvenir de ces voyages sur la route. J'avais l'habitude que les
femmes me donnent des ordres, ce qui fait que nous nous entendions bien ; je
pense aussi que ma présence était objectivement assez utile. J'ai changé des
pneus crevés, j'ai aidé une famille à sortir d'une maison en feu, et je me suis
fait piquer par des moustiques si gros que je pouvais sentir leur dard percer ma
peau. Nous passions nos heures de voyage à discuter politique, à parler de gens
ou de livres. De plus, nous avons réussi à convaincre des électeurs.

Peu de temps avant le meeting de Hope, l'équipe de campagne a décidé
de mettre en place un programme télévisuel de quinze minutes montrant des
étudiants qui travaillaient pour le juge Holt. Les responsables de la campagne
pensaient que Holt pourrait ainsi donner l'image du candidat de l'avenir. Nous
avons donc expliqué en deux minutes les raisons pour lesquelles nous soutenions le candidat Holt. Je ne sais pas si ce petit film a eu l'impact escompté,
mais j'ai bien aimé parler devant la caméra, même si je n'ai jamais eu l'occasion
de voir les images. J'ai dû parler à un autre meeting, à Alread, une petite

bourgade perdue au fin fond du comté de Van Buren, dans les montagnes du cœur de l'Arkansas. Généralement, les candidats qui prenaient la peine de se déplacer jusque-là s'assuraient le soutien des électeurs et je commençais à me rendre compte que nous avions besoin de tous les votes que nous pouvions prendre.

Au fur et à mesure que passaient les longues et chaudes semaines estivales, je comprenais de plus en plus clairement que le Vieux Sud n'en avait pas fini avec ses démons et que le Nouveau Sud n'était pas encore assez puissant pour lutter. La plupart de nos écoles étaient encore ségrégationnistes et la résistance au progrès restait forte. Un des tribunaux de comté dans le delta du Mississippi avait encore des panneaux « Blancs » et « Noirs » sur les portes des toilettes publiques. Dans une autre ville, j'ai demandé un jour à une vieille dame noire de voter pour le juge Holt ; elle m'a répondu qu'elle ne pouvait pas le faire parce qu'elle n'avait pas payé sa taxe de scrutin. Je lui ai dit que le Congrès avait aboli la taxe de scrutin deux ans plus tôt et qu'elle n'avait rien à faire de plus que s'inscrire. Je n'ai jamais su si elle l'avait fait.

On pouvait pourtant voir quelques signes de changement. Alors que nous étions en campagne à Arkadelphia, à quinze kilomètres au sud de Hot Springs, j'ai fait la connaissance de David Pryor, le candidat favori au siège de représentant au Congrès pour le sud de l'Arkansas. Il était clairement progressiste et convaincu que s'il parvenait à rencontrer suffisamment d'électeurs il pourrait facilement les convaincre de voter pour lui. C'est ce qu'il fit en 1966, renouvelant l'exploit lors des élections gouvernatoriales de 1974, puis aux élections sénatoriales de 1978. Lorsqu'il a quitté le Sénat en 1996 – à mon grand dam –, David Pryor était devenu l'homme politique le plus populaire d'Arkansas et laissait derrière lui de belles années de progrès. Tout le monde, moi le premier, le considérait comme un ami.

Le type de politique de terrain qui avait fait le succès de Pryor comptait beaucoup dans un État rural comme l'Arkansas, où plus de la moitié de la population vivait dans des villes de moins de cinq mille habitants et où des dizaines de milliers de personnes vivaient tout simplement à la campagne. En ce temps-là, il n'y avait pas encore de publicité politique à la télévision, et surtout pas de ces campagnes de dénigrement qui tiennent une si large place dans les campagnes électorales actuelles. Les candidats se contentaient d'acheter du temps de parole pour s'adresser aux électeurs *via* la caméra. Ils se devaient également de visiter les tribunaux et les principales entreprises de tous les chefs-lieux, de se rendre dans les cuisines de chaque bistro ou encore de faire campagne sur les marchés aux bestiaux. Les foires de comté et leurs banquets en plein air étaient des terrains fertiles pour les candidats. Il va sans dire que tous les journaux hebdomadaires et toutes les stations de radio attendaient qu'on leur rende visite ou qu'on leur confie quelques publicités. C'est comme ça que j'ai appris à faire de la politique, et je suis persuadé que cette méthode est bien plus efficace que la guerre télévisuelle à laquelle nous assistons désormais. À l'époque, on pouvait parler, mais il fallait avant tout savoir écouter. Il fallait répondre face à face aux questions difficiles des électeurs. On pouvait aussi être dénigré par ses adversaires, mais, pour parvenir à leurs fins, ceux-ci devaient faire beaucoup d'efforts et déployer une grande énergie. Et quand vous tiriez à boulets rouges sur un candidat adverse, il fallait aller jusqu'au bout ; vous ne pouviez pas vous retrancher derrière je ne sais quelle commission bidon cherchant par tous les moyens à détruire l'adversaire pour ensuite tirer d'énormes bénéfices de votre arrivée au pouvoir.

Même si ces campagnes étaient plus personnelles, elles étaient bien loin de n'être que des querelles de personnes. Quand les enjeux étaient importants, il fallait bien les prendre à bras-le-corps. Si une grande partie de l'opinion publique allait dans un sens et qu'il vous était impossible de suivre cette opinion en toute bonne conscience, il fallait être fort, inflexible et réactif pour ne pas se retrouver éliminé.

En 1966, Jim Johnson – qui préférait se faire appeler Jim-la-Justice – avait réussi à tenir le haut du pavé en utilisant des méthodes pour le moins nauséabondes. Il avait attaqué Frank Holt en le qualifiant de « sympathique légume » et il avait laissé entendre que Rockefeller avait eu des relations homosexuelles avec des Noirs, attaque d'autant plus ridicule que ce dernier s'était taillé la réputation – bien méritée – d'être un homme à femmes. Le message de Jim-la-Justice n'était guère que la version actualisée d'une vieille antienne du Sud, serinée aux électeurs blancs dans les périodes d'incertitude économique et sociale : vous êtes tous de braves gens, respectueux de Dieu ; ce sont eux qui menacent votre mode de vie ; ce n'est pas à vous de changer ; tout est de leur faute à eux ; élisez-moi et je me battrai pour que vous restiez tels que vous êtes et pour les remettre à leur véritable place. C'était l'éternel fossé politique entre les États-Unis et « eux ». Ce discours agressif et indigne finissait toujours par se retourner contre ceux qui y adhéraient ; mais nous savons bien qu'aujourd'hui encore, lorsque les gens sont mécontents ou inquiets pour leur avenir, ils sont enclins à y croire. Parce que Johnson usait d'une rhétorique aussi extrême et parce qu'on ne le rencontrait jamais dans les étapes traditionnelles de campagne, la plupart des observateurs politiques pensaient qu'il n'avait, cette fois, aucune chance. Alors que le jour des primaires approchait, Frank Holt a refusé de répondre à ses attaques ou à celles des autres candidats, qui, le croyant largement en tête, s'étaient mis à lui reprocher d'être une locomotive de la vieille garde. À l'époque, nous ne disposions pas de sondages fréquents et la plupart des gens n'accordaient que peu de crédit aux quelques enquêtes d'opinion qui circulaient ici ou là.

Les jeunes idéalistes dans mon genre, qui gravitaient autour de Holt, pensaient que sa stratégie était la bonne. Il se contentait de répliquer à toute attaque en affirmant sa complète indépendance, déclarant ne pas vouloir réagir aux attaques infondées en contre-attaquant à son tour et affirmant vouloir gagner grâce à ses mérites et à ses qualités, faute de quoi il préférait « ne pas gagner du tout ». J'ai fini par apprendre que des expressions définitives de ce genre sont l'apanage des candidats qui oublient que la politique est un sport de contact. C'est une stratégie qui peut donner de bons résultats lorsque l'opinion publique est optimiste et sûre d'elle, et que la plate-forme politique du candidat repose sur un ensemble de propositions aussi précises que sérieuses. En cet été 1966, l'opinion était au mieux mitigée, et la plate-forme de Holt était bien trop générale pour entraîner une adhésion pleine et entière. D'autre part, ceux d'entre les électeurs qui voulaient avant tout un candidat démocrate susceptible de personnifier l'opposition à la ségrégation pouvaient toujours voter pour Brooks Hays.

En dépit des attaques dont il était l'objet, la plupart des gens pensaient que Frank Holt allait mener le scrutin, mais que, faute d'obtenir la majorité, il remporterait le second tour deux semaines plus tard. Le 26 juillet, quatre cent vingt mille électeurs ont tranché. Les résultats ont surpris les gros candidats. Johnson menait avec 25 % des suffrages, Holt arrivait en deuxième position avec 23 %, Hays était troisième avec 15 %, Alford obtenait 13 %, tandis que les trois derniers candidats se partageaient le restant des votes.

Nous étions assez atterrés, mais la situation était loin d'être désespérée. Le juge Holt et Brooks Hays totalisaient à eux deux un peu plus de voix que les ségrégationnistes Johnson et Alford. De plus, lors d'une très intéressante élection législative, Paul Van Dalsem, un député de la vieille garde en place depuis des années, avait été défait par Herb Rule, jeune avocat progressiste et ancien étudiant de Harvard, qui deviendra plus tard l'associé de Hillary au cabinet Rose. Deux ans plus tôt, Van Dalsem avait profondément irrité les partisans du Mouvement de libération de la femme – alors naissant – en affirmant que les femmes devaient rester à la maison, « nu-pieds et enceintes ». Une véritable armée de militantes, qui s'étaient surnommées « les va-nu-pieds de Rule », a ainsi rejoint Herb et son camp.

Le résultat du second tour était pour le moins incertain. Les seconds tours d'élections primaires dépendent surtout du nombre de votants. C'est au candidat qui saura le mieux convaincre ses électeurs de retourner aux urnes et qui saura le mieux convaincre les abstentionnistes ou ceux qui ont voté pour les candidats éliminés de voter pour lui. Le juge Holt a fait ce qu'il a pu pour présenter ce second tour comme l'occasion de choisir entre le Vieux Sud et le Nouveau Sud. Johnson n'a d'ailleurs rien fait pour le contredire lorsqu'il est passé à la télévision pour dire aux électeurs qu'en s'opposant à l'intégration athée, il se tenait « aux côtés de Daniel dans la tanière du lion » et « avec saint Jean-Baptiste dans le palais du roi Hérode ». Je crois bien qu'il est même allé jusqu'à dire qu'il était monté sur le cheval de Paul Revere, le fameux messager de Samuel Adams.

Même si Holt avait opté pour une stratégie intelligente et que Johnson s'apprêtait à faire de cette primaire le combat du Vieux Sud contre le Nouveau, l'approche choisie par Holt posait deux problèmes. Tout d'abord, les électeurs du Vieux Sud étaient très mobilisés et convaincus que Johnson était le candidat qui saurait défendre leurs intérêts, tandis que les partisans d'un Sud nouveau ne voyaient pas forcément en Holt leur candidat. Son refus d'en découdre pendant la majeure partie de la campagne n'avait fait que renforcer leurs doutes et conforter, chez certains, l'idée qu'il était inutile de retourner voter. Ensuite, un nombre indéterminé de partisans républicains de Rockefeller entendaient voter Johnson parce qu'ils pensaient que leur candidat aurait moins de mal à le battre que Holt. Tous les électeurs, républicains ou démocrates, pouvaient voter pour le second tour de la primaire démocrate dans la mesure où ils n'avaient pas voté pour les primaires du Parti républicain. Seules 19 646 personnes avaient voté pour ces primaires, puisque Rockefeller n'avait personne en face de lui. Lors du second tour, cinq mille personnes de moins qu'au premier tour sont allées voter. Chaque candidat a doublé ses résultats par rapport au tour précédent et Johnson l'a emporté avec un écart de quinze mille voix, 52 % contre 48.

Ce résultat m'a rendu malade. Je m'étais beaucoup attaché au juge Holt et à sa famille, et j'étais persuadé qu'il aurait été meilleur comme gouverneur que comme candidat. Je n'en détestais que plus les valeurs que défendait Jim-la-Justice. Le seul point positif était la présence de Rockefeller, qui avait une chance de l'emporter. Comme candidat, il était bien mieux organisé. Il dépensait sans compter, comme si l'argent était soudain passé de mode, allant jusqu'à acheter des centaines de bicyclettes aux enfants noirs des quartiers pauvres. À l'automne, il a remporté les élections avec 54,5 % des voix. J'étais très fier de mon État. À ce moment-là, j'étais déjà retourné à Georgetown et je n'ai pas pu assister au déroulement de la campagne, mais beaucoup de gens m'ont dit que Johnson avait montré moins d'énergie pour l'élection générale. Sans doute ses finances étaient-elles limitées, mais la rumeur voulait que Rockefeller l'ait fortement « encouragé » à se mettre en retrait. Je ne sais pas du tout si cette rumeur était vraie ou pas.

À l'exception d'un bref interrègne sous la présidence de Carter – alors que j'étais le relais du président en Arkansas –, au cours duquel il avait cherché à obtenir des responsabilités fédérales pour son fils, Jim Johnson est toujours resté très à droite, se montrant d'ailleurs de plus en plus hostile envers moi. Dans les années 1980, comme beaucoup de conservateurs du Sud, il est devenu Républicain. Il s'est présenté une fois encore à la Cour suprême et il n'a pas été élu ; après quoi, il a décidé d'agir dans l'ombre. Lorsque je me suis présenté aux élections présidentielles, il a fait courir d'habiles rumeurs, directement ou indirectement, auprès de tous ceux qui étaient assez crédules pour le croire. Il est assez surprenant de constater – notamment avec l'histoire de Whitewater – qu'il a réussi à convaincre les médias libéraux de la côte est qu'il se plaisait pourtant à dénigrer publiquement. C'était un vieux gredin rusé, et il a dû bien rire de les rouler ainsi dans la farine ; sans compter que si les Républicains en poste à Washington avaient réussi à me faire quitter la ville, il aurait pu se vanter d'avoir ri le dernier.

Après la campagne, je me suis détendu en partant pour la première fois en voyage sur la côte ouest. Un bon client de l'oncle Raymond voulait une nouvelle Buick qu'il n'avait pas en stock. Oncle Raymond en avait trouvé une chez un concessionnaire de Los Angeles où elle servait de modèle de démonstration. Les concessionnaires s'échangeaient souvent ces voitures ou se les revendaient à bas prix. Mon oncle m'a donc demandé de prendre l'avion jusqu'à Los Angeles et de rentrer par la route avec la voiture en compagnie de Pat Brady – dont la mère était sa secrétaire – qui avait été dans ma classe au lycée. Si nous y allions tous les deux, nous pouvions revenir d'une seule traite. Nous étions très impatients de partir et, à l'époque, les tarifs étudiants étaient si bas que l'oncle Raymond pouvait payer nos deux billets d'avion sans compromettre les bénéfices qu'il ferait en vendant la voiture.

Arrivés à l'aéroport de Los Angeles, nous sommes allés chercher la voiture et nous avons pris le chemin du retour. Mais au lieu de rentrer en ligne droite, nous avons fait un petit détour par Las Vegas, car nous savions que nous n'aurions pas d'autre occasion de voir cette ville. Je me vois encore, traversant la longue étendue de désert plat, la nuit, toutes fenêtres ouvertes pour sentir la caresse de l'air sec et chaud ; et je revois encore les lumières éclatantes de Las Vegas briller au loin comme un phare.

Le Las Vegas de l'époque ne ressemblait pas à celui d'aujourd'hui. Il n'y avait pas de grands hôtels à thème comme le *Paris* ou le *Venitian* ; il n'y avait que le Strip, la longue avenue centrale, avec ses casinos et ses salles de spectacle. Nous n'avions pas beaucoup d'argent, mais nous voulions tenter notre chance aux machines à sous. Après nous être munis d'un rouleau de pièces de cinq cents chacun, nous avons donc choisi une machine et nous nous sommes mis à l'ouvrage. En quinze minutes, j'ai obtenu un jackpot et Pat en a touché deux. Cela nous a valu de nous faire remarquer par les otages réguliers du bandit manchot. Ils ont vite été persuadés que nous portions chance, ce qui fait que lorsque nous avons quitté une machine sans avoir gagné, ils se sont rués dessus, se battant presque pour avoir le droit de toucher le jackpot que nous leur avions forcément laissé. Pour nous, ce spectacle était incompréhensible. Nous étions convaincus d'avoir déjà utilisé prématurément des années de chance en quelques minutes, et nous ne voulions pas dilapider le capital restant. Nous avons repris la route, nos poches encore déformées par l'argent que nous avions gagné. Je pense qu'aujourd'hui plus personne ne se promène avec autant de menue monnaie.

Après avoir livré la voiture à l'oncle Raymond – qui n'a pas semblé s'offusquer de notre petit détour –, il a fallu que je me prépare à retourner à Georgetown. À la fin de la campagne, j'avais dit à Jack Holt que je souhaitais travailler pour le sénateur Fulbright, mais je ne savais pas trop ce qui pouvait ressortir de cette conversation. J'avais écrit à Fulbright afin d'obtenir un travail au printemps précédent et j'avais reçu une lettre dans laquelle il me répondait qu'il n'avait rien à me proposer, mais que ses services garderaient ma lettre à toutes fins utiles. Je pensais que la situation n'avait pas changé, mais quelques jours après mon retour de Hot Springs, Lee Williams, l'assistant de direction de Fulbright, m'a téléphoné très tôt dans la matinée. Il m'a dit que Jack Holt m'avait recommandé et qu'il pouvait me proposer un poste de secrétaire assistant à la Commission des affaires étrangères. Il a ajouté qu'il me proposait un temps partiel pour trois mille cinq cents dollars ou un temps plein pour cinq mille dollars. Même si j'étais encore un peu endormi, je lui ai répondu du tac au tac : « Et pourquoi pas deux services à temps partiel ? » Il s'est mis à rire et m'a répondu que j'étais exactement le genre de personne qu'il cherchait et que je n'avais qu'à me présenter à mon poste le lundi suivant. J'étais si content que j'aurais pu m'évanouir. Sous la direction de Fulbright, la Commission des affaires étrangères était devenue le centre du débat national sur la politique étrangère, surtout au moment où les affrontements au Viêt-nam devenaient de plus en plus violents. J'allais donc avoir l'occasion de suivre directement cette tragédie, même si je n'étais qu'un sous-fifre. C'était aussi un moyen pour moi de payer mes études sans avoir à compter sur l'aide de mes parents ; ils n'auraient plus à faire cet effort financier et je n'aurais plus besoin de m'en sentir coupable. Je m'étais toujours demandé avec inquiétude comment ils pouvaient financièrement faire face aux traitements médicaux que devait suivre papa tout en payant mes frais de scolarité universitaire. Même si je ne m'en suis jamais ouvert à qui que ce soit à l'époque, j'avais toujours peur de devoir quitter Georgetown et de rentrer poursuivre mes études en Arkansas, où l'université était beaucoup moins coûteuse. Et voilà que, par un hasard miraculeux, j'avais à la fois la chance de pouvoir rester à Georgetown et l'occasion de travailler à la Commission des affaires étrangères. Ma vie n'aurait certainement pas été la même si Jack Holt ne m'avait pas recommandé et si Lee Williams ne m'avait pas proposé ce poste.

CHAPITRE ONZE

Quelques jours après l'appel de Lee Williams, j'étais fin prêt. Un cadeau a facilité mon retour à Washington. Comme mon nouveau poste exigeait que je me rende tous les jours au Congrès, sur Capitol Hill, ma mère et papa m'avaient fait don de leur « vieille » voiture, une Buick LeSabre décapotable qui avait trois ans d'âge. Elle était blanche, équipée d'une sellerie de cuir rouge. Papa changeait de voiture tous les trois ans environ, le garagiste lui fournissant le dernier modèle en échange de l'ancien qu'il revendait d'occasion. Cette fois, je fus inclus dans la transaction. Ma nouvelle acquisition me remplissait de joie. Cette superbe voiture consommait bien trente litres aux cent kilomètres, mais l'essence était bon marché. Le prix descendait sous les huit cents le litre quand les marques se lançaient dans une guerre des prix.

Le lundi qui suivit mon retour à Washington, je me présentai, selon les instructions que j'avais reçues, dans les locaux du sénateur Fulbright, le premier bureau à gauche dans le nouveau bâtiment administratif du Sénat, rebaptisé depuis le Dirksen Building. Comme son équivalent – l'ancien bâtiment administratif du Sénat – situé de l'autre côté de la rue, c'était un vaste édifice tout en marbre, quoique beaucoup plus lumineux. J'eus une longue conversation avec Lee, puis on me conduisit au troisième étage, où se trouvaient les bureaux et la salle d'audience de la Commission des affaires étrangères. Celle-ci disposait, en outre, d'un espace beaucoup plus vaste au Capitole, où travaillaient le secrétaire général de la Maison Blanche et une poignée de hauts fonctionnaires. Là, la commission pouvait aussi se réunir à huis clos dans une très belle salle de conférence.

Dans les bureaux de la Commission, je fis connaissance d'une partie de l'équipe : Buddy Kendricks, le documentaliste, mon responsable direct, qui allait m'initier aux arcanes du Congrès et devenir mon interlocuteur privilégié au cours des deux années suivantes ; Bertie Bowman, son assistant, un Afro-Américain au grand cœur qui arrondissait ses fins de mois au volant d'un taxi de nuit et servait parfois de chauffeur au sénateur Fulbright ; enfin, mes deux homologues étudiants, Phil Dozier, de l'Arkansas, et Charlie Parks, qui sortait de la faculté de droit d'Aniston, dans l'Alabama.

On m'expliqua mes attributions : je devais assurer la circulation des dossiers entre le Capitole et le bureau du sénateur, y compris les documents confidentiels, responsabilité qui exigeait que j'obtienne une accréditation administrative. D'autres tâches m'incombaient au coup par coup : lecture des journaux et archivage d'articles significatifs destinés au personnel de la Commission et aux sénateurs concernés, réponses aux sollicitations concernant les discours ou d'autres textes, actualisation de la liste de diffusion de la Commission. Bien entendu, on n'était pas encore entré dans l'ère des ordinateurs personnels et du courrier électronique, même les photocopieurs modernes étaient inconnus. La plupart des articles que j'archivais n'étaient pas photocopiés. Je les insérais chaque jour dans un grand dossier muni d'une liste de destinataires, qui allait du sénateur aux divers employés. Chaque personne compulsait le dossier, signait la liste en face de son nom et transmettait. On conservait les listes de diffusion les plus importantes au sous-sol. Chaque nom et chaque adresse étaient gravés sur une petite plaque métallique, laquelle était apposée aux dossiers rangés par ordre alphabétique dans nos classeurs suspendus. Lorsque nous envoyions une circulaire, les plaques étaient insérées dans une machine encreuse puis tamponnées sur les enveloppes qui défilaient.

J'aimais aller au sous-sol, taper les nouveaux noms et les adresses avant de les classer dans nos tiroirs. Comme j'étais constamment exténué, j'en profitais pour m'offrir une courte sieste, parfois simplement appuyé aux meubles de rangement. J'adorais aussi lire et dépouiller la presse pour les membres de l'équipe. Chaque jour, pendant presque deux ans, j'ai lu le *New York Times*, le *Washington Post*, le défunt *Washington Star*, le *Wall Street Journal*, le *Baltimore Sun* et le *Saint Louis Post Dispatch*, qui avait rejoint notre échantillon, afin que le comité ait sous les yeux un bon quotidien issu de « l'Amérique profonde ». Quand il était conseiller spécial pour la sécurité du président Kennedy, McGeorge Bundy avait déclaré que tout citoyen lisant six bons quotidiens chaque jour en connaissait autant que lui sur les affaires du monde. Je ne sais pas si je le suivais jusque-là, mais après avoir appliqué cette recommandation pendant six mois, j'en savais assez pour passer avec succès l'entretien dont dépendait ma bourse Rhodes. Et si le jeu Trivial Pursuit avait existé à l'époque, j'aurais été en bonne position pour remporter le championnat national.

Nous nous occupions aussi des demandes de documentation. La Commission en produisait quantité : rapports de voyages à l'étranger, témoignages d'experts entendus lors des auditions et transcriptions de séances. Plus s'intensifiait notre présence au Viêt-nam et plus le sénateur Fulbright et ses alliés s'efforçaient de donner un écho aux auditions de la Commission afin d'éduquer le public américain aux réalités complexes des deux Viêt-nams de l'Asie du Sud-Est et de la Chine.

La salle de documentation était notre lieu de travail habituel. La première année, j'y passais les après-midi, de 13 à 17 heures. Les auditions et les autres affaires courantes se poursuivaient souvent au-delà de 17 heures et je devais alors rester à mon poste. Je n'y trouvais rien à redire : j'appréciais l'équipe et je soutenais les orientations que le sénateur Fulbright s'efforçait de donner à la Commission.

Je combinais sans problème cette activité avec le reste de mon emploi du temps, d'abord parce que le cursus de troisième année ne m'imposait que cinq enseignements et non six, mais aussi parce que certains de ceux-ci commençaient le matin à 7 heures. Trois de mes cours obligatoires – histoire et diplomatie des États-Unis, institutions modernes des pays étrangers, théorie et pratique du communisme – complétaient ma nouvelle fonction. En outre, je ne me représentai pas à la présidence de la promotion, ce qui épargnait mon temps.

Chaque jour, j'attendais avec impatience la fin des cours pour rejoindre le Congrès. Trouver une place de stationnement ne posait alors guère de problème. Et c'était une période passionnante sur Capitol Hill. La majorité écrasante qui avait assuré une large victoire à Lyndon Johnson, en 1964, commençait à se déliter. Quelques mois plus tard, lors des élections de la mi-mandat de 1966, les Démocrates allaient voir leur majorité à la Chambre des représentants et au Sénat se réduire comme une peau de chagrin, l'électorat entamant un virage à droite en réaction aux émeutes, aux troubles sociaux et à l'inflation galopante, alors que le Président accroissait les dépenses intérieures et notre engagement au Viêt-nam. Il affirmait que le pays pouvait s'offrir « les canons et le beurre », mais l'électorat commençait à en douter. Dans les trente premiers mois de son mandat, Johnson avait enregistré une série de succès législatifs sans précédent depuis Franklin D. Roosevelt : loi sur les droits civiques en 1964 ; loi sur le droit de vote en 1965 ; dispositif législatif contre la pauvreté ; mise en place d'un système d'assurance médicale couvrant les soins aux personnes âgées, appelé Medicare et, aux plus démunis, Medicaid.

Mais, de plus en plus, le Viêt-nam accaparait l'attention du Président, du Congrès et de l'ensemble du pays. Alors que les pertes dans les rangs de l'armée augmentaient sans qu'aucune victoire décisive ne se profile à l'horizon, l'opposition à la guerre s'affirmait sous des formes multiples, des manifestations sur les campus aux sermons en chaire, des échanges d'arguments dans les cafés aux discours dans l'enceinte du Congrès. Quand j'ai commencé à travailler pour la Commission des affaires étrangères, je ne connaissais pas assez la situation au Viêt-nam pour défendre une position arrêtée, mais en partisan convaincu du président Johnson, je lui accordais le bénéfice du doute. Il était déjà clair, cependant, que l'état de grâce, qui avait suivi le raz-de-marée électoral et inspiré de grandes avancées, touchait à son terme, sous la pression des événements.

La question du Viêt-nam n'était pas la seule à polariser les opinions. Les émeutes du ghetto de Watts, à Los Angeles, en 1965, et l'émergence d'une génération militante noire divisaient la population : une partie de celle-ci soutenait ces mouvements nouveaux et penchait à gauche, une autre s'y opposait et basculait vers la droite. La loi sur le droit de vote, dont Lyndon Johnson était, à juste titre, particulièrement fier, eut un effet similaire, surtout après son entrée en vigueur. Johnson était un politicien clairvoyant. Paraphant le texte de loi, il déclara qu'il venait de signer l'acte de décès du Parti démocrate dans le Sud pour une génération. De fait, les fissures travaillaient depuis longtemps déjà le prétendu « Sud homogène » des Démocrates. Les Démocrates conservateurs étaient sur le déclin depuis 1948, année où le discours enflammé de Hubert Humphrey en faveur des droits civiques les avait scandalisés ; année, encore, où Strom Thurmond avait quitté le Parti pour présenter sa candidature à la présidentielle au nom du Vieux Sud. En 1960, Johnson avait aidé Kennedy à conquérir la majorité dans un nombre suffisant d'États du Sud pour emporter la présidentielle, mais l'appui de Kennedy aux décisions de justice qui contraignaient les écoles et les universités du Sud à mettre en œuvre l'intégration poussait de plus en plus de conservateurs blancs vers le Parti républicain. En 1964, malgré une défaite cinglante, le candidat républicain Barry Goldwater l'avait emporté dans cinq États du Sud.

En 1966, toutefois, on comptait encore de nombreux partisans de la ségrégation dans les rangs des Démocrates du Sud, tels Orval Faubus, Jim Johnson ou George Wallace, le gouverneur de l'Alabama. Ils occupaient de nombreux sièges au Sénat, qu'il s'agisse de forts caractères, comme Richard Russell de la Géorgie et John Stennis du Mississippi, ou de personnalités dépourvues de toute grandeur mais attachées à leur pouvoir. Le président Johnson ne se trompait pas en jugeant l'impact qu'auraient la loi sur le droit de vote et les autres initiatives favorables aux droits civiques. En 1968, Richard Nixon et George Wallace, qui se présentait à nouveau comme candidat indépendant, allaient chacun obtenir de meilleurs résultats que Hubert Humphrey à la présidentielle dans les États du Sud. Depuis lors, seuls deux Démocrates ont accédé à la Maison Blanche, deux ressortissants du Sud : Jimmy Carter et moi-même. Nous l'avons emporté dans un nombre suffisant d'États du Sud, grâce à un large soutien de la population noire et à une fraction du vote blanc légèrement supérieure à celle qu'aurait pu mobiliser un candidat du Nord. Les années Reagan ont consolidé la mainmise républicaine sur les conservateurs blancs du Sud, accueillis avec chaleur par leur nouveau parti.

Le président Reagan poussa même la compréhension jusqu'à consacrer l'un de ses discours de campagne à la défense du droit des États, encourageant, par conséquent, la résistance à l'ingérence fédérale sur la question des droits civiques. Il choisit, pour son intervention, la ville de Philadelphie, dans l'État du Mississippi, où Andrew Goodman, Michael Schwerner et James Chaney, deux Blancs et un Noir, étaient tombés pour la cause des droits civiques, en 1964. Je regrette d'autant plus cette initiative que j'ai toujours eu de l'affection pour le président Reagan. En 2002, au scrutin de mi-mandat, malgré la présence de Colin Powell, de Condoleezza Rice et d'autres représentants des minorités à des postes éminents de l'administration Bush, les Républicains ont continué à remporter les élections sur la question raciale. En Géorgie et en Caroline-du-Sud, par exemple, ils ont recueilli le vote blanc après que les gouverneurs démocrates de ces deux États eurent retiré le drapeau confédéré, le premier du drapeau de l'État de Géorgie, le second du Capitole de la Caroline-du-Sud. Deux ans auparavant, au cours de sa campagne, le président George W. Bush avait fait étape, en Caroline-du-Sud, à l'Université Bob

Jones, qui ne fait pas mystère de ses sympathies pour la droite. À cette occasion, il avait refusé de prendre position sur la question du drapeau, affirmant que la décision était du ressort de l'État. Confronté au cas d'une école texane où le drapeau confédéré était hissé chaque matin, le même George W. Bush, alors gouverneur de l'État, avait déclaré que la question était du ressort des autorités locales, non de l'État. Et ils prétendent que je suis retors ! En prononçant son diagnostic, en 1965, le président Johnson envisageait déjà ces évolutions, mais il a pris les bonnes décisions et je lui en suis reconnaissant.

Pendant l'été 1966, et plus encore après les élections de l'automne, tous les conflits intérieurs et internationaux transparaissaient dans les délibérations du Sénat américain. Dans ces lieux que je découvrais, de fortes personnalités donnaient du relief aux débats. Je m'efforçais de m'imprégner de la situation. Carl Hayden, de l'Arizona, président du Sénat par intérim, était membre du Congrès depuis l'entrée de son État dans l'Union, en 1912, et sénateur depuis quarante ans. Il était chauve, hâve, presque squelettique. Parlant de lui, Seth Tillman, le brillant rédacteur des discours du sénateur Fulbright, dit un jour : « C'est le seul nonagénaire au monde qui paraisse deux fois son âge. » Le chef de la majorité sénatoriale, Mike Mansfield, du Montana, s'était enrôlé à 15 ans, pendant la Première Guerre mondiale, avant de devenir professeur d'université, spécialiste des affaires asiatiques. Il occupa la fonction de chef de la majorité pendant seize ans, jusqu'en 1977, année où le président Jimmy Carter le nomma ambassadeur au Japon. Fanatique de l'exercice physique, Mansfield couvrait ses huit kilomètres par jour de marche à pied, exercice qu'il poursuivit bien au-delà de ses 90 ans. C'était un libéral convaincu qui, sous ses airs taciturnes, ne manquait pas d'humour. Il était né en 1903, deux ans avant le sénateur Fulbright, et il vécut jusqu'à 98 ans. Peu après mon accession à la présidence, lors d'un déjeuner, Mansfield interrogea Fulbright sur son âge. Celui-ci répondit qu'il avait 87 ans. Mansfield répliqua : « Quatre-vingt-sept ans ! Ah, connaître encore cet âge béni ! »

Le chef de la minorité républicaine, Everett Dirksen, de l'Illinois, avait joué un rôle crucial lors du vote de plusieurs projets de loi présidentiels, en ralliant suffisamment de voix parmi les Républicains libéraux pour contrebalancer l'opposition des Démocrates ségrégationnistes du Sud. Son visage ridé à la bouche énorme était étonnant, sa voix l'était plus encore. Grave et résonnante, elle alignait avec rythme des périodes concises et vigoureuses. Il épingla le penchant à la dépense des Démocrates d'une petite phrase : « Un milliard par-ci, un milliard par-là. Très vite, on réalise qu'il s'agit vraiment d'argent. » Quand il parlait, on pouvait avoir le sentiment qu'on écoutait la voix de Dieu ou bien celle d'un habile charlatan, vantant sa médecine miracle, selon le point de vue qu'on adoptait.

La configuration politique du Sénat ne ressemblait guère à celle qu'on connaît aujourd'hui. En janvier 1967, après que les Démocrates avaient perdu quatre sièges aux élections de la mi-mandat, ils avaient encore une majorité de soixante-quatre contre trente-six : le déséquilibre des forces était alors beaucoup plus marqué qu'aujourd'hui. Il existait néanmoins de profondes divergences qui ne recoupaient pas nécessairement les affiliations politiques. Sur certains points, rien n'a changé : Robert Byrd, de la Virginie-Occidentale, poursuit ses activités de sénateur. En 1966, il faisait déjà autorité sur toutes les questions relatives à l'histoire et au règlement de l'institution.

Huit États du Vieux Sud étaient encore représentés par deux sénateurs démocrates chacun, contre dix lors de la précédente législature. Dans leur majorité, ils étaient de tendance conservatrice et partisans de la ségrégation. Aujourd'hui, seuls l'Arkansas, la Floride et la Louisiane sont représentés par deux Démocrates. L'Oklahoma avait alors deux représentants démocrates et la Californie, deux républicains. C'est aujourd'hui l'inverse. Dans la région des Rocheuses, devenue un bastion républicain, l'Utah, l'Idaho et le Wyoming envoyaient chacun au Sénat un élu démocrate réformateur. L'Indiana, État conservateur, avait deux sénateurs démocrates libéraux, dont Birch Bayh, père de l'actuel sénateur Evan Bayh, brillant politicien qui a l'étoffe d'un futur président, mais défend des positions bien moins libérales que son père. Le Minnesota était représenté par Gene McCarthy, dont le manque d'assurance masquait les grandes capacités intellectuelles, et par le futur vice-président Walter Mondale, qui succéda à Hubert Humphrey quand celui-ci devint vice-président. Pour attribuer cette fonction, Lyndon Johnson avait d'abord hésité entre Humphrey et Tom Dodd, le sénateur du Connecticut, l'un des procureurs en chef au procès de Nuremberg. Chris Dodd, son fils, représente aujourd'hui le Connecticut au Sénat. Le père d'Al Gore remplissait son dernier mandat. Les jeunes du Sud, dont j'étais, le considéraient comme un héros depuis que, seul avec son collègue du Tennessee, Estes Kefauver, il avait refusé de signer le « manifeste du Sud », en 1956, qui appelait à la résistance contre les décisions des tribunaux visant à faire respecter l'intégration scolaire. Le populiste flamboyant Ralph Yarborough représentait encore le Texas. Le virage à droite de l'État commençait, toutefois, à être perceptible après l'élection, en 1961, du sénateur républicain John Tower et d'un jeune représentant républicain de Houston, George Herbert Walker Bush. L'une des personnalités les plus marquantes, Wayne Morse, de l'Oregon, avait commencé sa carrière sous la bannière républicaine, avant de siéger comme indépendant, puis, à partir de 1966, dans les rangs des Démocrates. Wayne Morse, discoureur impénitent, mais intelligent et déterminé, avait été l'un des deux seuls sénateurs, avec le Démocrate Ernest Gruening, de l'Alaska, à voter contre la résolution sur le golfe du Tonkin, en 1964. En soumettant ce texte, Lyndon Johnson voulait obtenir l'aval du Sénat pour l'engagement américain au Viêt-nam. La seule élue était une Républicaine, qui plus est, fumeuse de pipe, Margareth Chase-Smith, du Maine. On compte aujourd'hui quatorze femmes dans l'enceinte du Sénat, neuf Démocrates et cinq Républicaines. Le noyau influent que constituaient alors les Républicains libéraux a, hélas, virtuellement disparu. Il regroupait Edward Brooke du Massachusetts, unique sénateur noir ; Mark Hatfield, de l'Oregon ; Jacobs Javits, de New York, ainsi que George Aitken, du Vermont, vieux politicien tanné de la Nouvelle-Angleterre qui jugeait absurde notre politique vietnamienne et proposait tout bonnement que l'armée américaine « se déclare victorieuse et s'en aille ».

Parmi les jeunes sénateurs qui exerçaient leur premier mandat, le plus notable était, sans conteste, Robert Kennedy, élu de New York. Il venait de rejoindre son frère Ted au Congrès, en 1965, après avoir battu le sénateur

Kenneth Keating. Son siège est celui qu'occupe aujourd'hui Hillary. Sa personnalité était fascinante. Il irradiait l'énergie. Même quand il se déplaçait le dos courbé et la tête basse, il donnait encore l'impression d'un ressort bandé, prêt à se détendre jusqu'au ciel. Ce n'était pas un grand orateur, selon les canons habituels, mais il mettait une telle intensité et une telle passion dans ses discours qu'il captivait son auditoire. Enfin, pour ceux dont il n'aurait pas attiré l'attention grâce à son nom, son allure ou ses discours, il disposait d'une dernière arme : Brumus. Je n'ai jamais vu chien plus imposant que cet énorme terre-neuve aux longs poils. Brumus accompagnait souvent le sénateur dans ses fonctions. Quand Bobby quittait son bureau, situé dans le nouveau bâtiment du Sénat, pour se rendre au Capitole, à l'occasion d'un vote, Brumus marchait à son côté, gagnait le haut des marches en quelques bonds et s'asseyait à proximité de la porte à tambour qui donnait sur la rotonde, où il attendait son maître jusqu'à son retour. Quiconque pouvait inspirer le respect à ce chien gagnait aussitôt le mien.

John McClellan, le vieux sénateur de l'Arkansas, n'était pas seulement un ardent conservateur. Il était, en outre, dur comme l'acier, plus rancunier qu'un éléphant, dur à la tâche, déterminé à accroître son pouvoir et à en tirer avantage, que ce fût pour drainer les fonds fédéraux vers l'Arkansas ou pour contrer des adversaires qu'il jugeait malfaisants. L'ambition et l'anxiété l'ont hanté sa vie durant, elles expliquent sa volonté de fer et la profondeur de ses ressentiments. Fils d'un avocat propriétaire terrien, il devint, à 17 ans, le plus jeune juriste en exercice dans toute l'histoire de l'Arkansas, à l'issue d'un examen oral qui lui valut les félicitations du jury. Il s'y était préparé en empruntant les manuels de droit de la bibliothèque itinérante que faisait circuler la faculté de droit de Cumberland. Engagé dans la Première Guerre mondiale, il découvrit, de retour au pays, que sa femme avait une aventure avec un autre homme et il prit l'initiative – alors exceptionnelle en Arkansas – de divorcer. Sa deuxième femme mourut d'une méningite cérébro-spinale en 1935, époque où il siégeait à la Chambre des représentants. Deux ans plus tard, il se maria avec Norma. Elle était toujours sa compagne lorsqu'il décéda, quarante ans plus tard. Il connut d'autres épreuves. Entre 1943 et 1958, il perdit ses trois fils, le premier mourut d'une méningite, le deuxième dans un accident de voiture, le dernier lors de l'accident d'un petit avion.

La vie de McClellan fut riche mais difficile. Sans doute, est-ce la raison pour laquelle il noyait – le terme n'est, hélas, pas trop fort – ses malheurs dans le whisky. Après plusieurs années, toutefois, il décida que l'alcoolisme était en contradiction avec ses valeurs comme avec son image. À force de volonté, il combla la seule faille qu'il eût laissée s'ouvrir dans son armure et reconquit la sobriété.

Lorsque j'arrivai à Washington, McClellan présidait la puissante Commission des finances. Grâce à cette position, il drainait beaucoup de subsides vers les services de notre État, tels que le système de navigation fluviale de l'Arkansas. Il occupa son siège douze ans encore, remplissant au total six mandats, et mourut en 1977, après avoir annoncé qu'il n'envisageait pas de se représenter. Pendant la période que je passai au Congrès, McClellan donnait l'image d'un personnage distant, presque inquiétant, statut qui lui convenait fort bien.

Quand je devins ministre de la Justice, en 1977, j'eus l'occasion de passer beaucoup de temps en sa compagnie. Son affabilité, l'intérêt qu'il marquait pour ma carrière me touchèrent et je regrettai que cet aspect de sa personnalité n'ait pas transparu plus souvent en public ou dans son action parlementaire.

Du point de vue de leur personnalité, Fulbright et McClellan étaient comme le jour et la nuit. L'enfance du premier avait été plus insouciante et plus protégée, sa formation plus approfondie, son esprit était moins dogmatique. Il était né en 1905, à Fayetteville, une très belle ville du massif des Ozark, dans le nord de l'État, où se trouve l'Université de l'Arkansas. Sa mère, Roberta, éditorialiste du quotidien local, le *Northwest Arkansas Times*, affichait avec vigueur ses convictions progressistes. Inscrit à l'université locale, il y suivit des études brillantes et fut membre de son équipe de football, les Arkansas Razorbacks. À 20 ans, il rejoignit Oxford, grâce à une bourse Rhodes. De retour chez lui, deux ans plus tard, il défendait des positions anti-isolationnistes. Après un doctorat en droit et un court passage par Washington, où il servit dans la haute administration, il choisit une carrière universitaire, à Fayetteville. Sa femme l'accompagna : élégante et raffinée, Betty avait incontestablement plus de prédispositions que lui pour une carrière politique sur le terrain. Elle l'aida à juguler les aspects les plus moroses de sa personnalité pendant plus de cinquante ans de vie commune. Elle s'éteignit en 1985. Je n'oublierai jamais cette nuit de 1967, ou peut-être 1968, quand j'aperçus le couple qui sortait d'un dîner très en vue, à Georgetown. Je marchais seul et ils ne me virent pas. La porte s'était refermée derrière eux, ils avaient déjà atteint la rue quand le mari prit son épouse dans ses bras et esquissa quelques pas de danse. Je compris à cet instant à quel point elle mettait de la lumière dans sa vie. Nommé président de l'Université de l'Arkansas, à 34 ans, Fulbright avait été le plus jeune professeur à occuper une telle charge dans une université de cette importance aux États-Unis. La vie du couple paraissait alors devoir suivre une trajectoire rectiligne dans cette région idyllique. Mais après quelques années, ce parcours sans faute subit une interruption brutale : le nouveau gouverneur, Homer Adkins, obtint sa démission. Par cette manœuvre, il se vengeait des éditoriaux incendiaires que publiait sa mère.

En 1942, alors qu'un siège au Congrès était à pourvoir dans le nord-ouest de l'Arkansas, Fulbright, à défaut d'autre perspective, se présenta et fut élu. Au cours de son unique mandat à la Chambre des représentants, il élabora la résolution Fulbright : préfigurant les Nations unies, elle défendait le principe d'une participation américaine à l'organisation internationale susceptible d'être établie en défense de la paix, à l'issue de la Seconde Guerre mondiale. En 1944, Fulbright présenta sa candidature au Sénat américain. L'occasion était trop belle : son principal opposant se trouvait être le gouverneur Adkins. Celui-ci avait un don pour se faire des ennemis, trait de caractère nuisible en politique. Outre le limogeage de Fulbright, il avait commis une autre erreur en s'opposant à McClellan, deux ans plus tôt, allant jusqu'à commissionner un audit sur les allégements d'impôts dont bénéficiaient les principaux soutiens de celui-ci. Je l'ai dit : McClellan n'oubliait ni ne pardonnait jamais un affront. Il s'investit sans réserve dans la campagne de Fulbright. Sa victoire fut leur revanche commune.

Malgré les trente ans qu'ils passèrent ensemble au Sénat, Fulbright et McClellan n'entretinrent jamais de liens étroits. Ni l'un ni l'autre ne cultivaient de relations au sein du personnel politique. Ils s'entendirent chaque fois que la promotion des intérêts économiques de l'Arkansas était en jeu et votaient avec le bloc du Sud contre les droits civiques. Au-delà, ils avaient peu de choses en commun.

McClellan était un conservateur promilitaire et anticommuniste. À ses yeux, les dépenses publiques se justifiaient aussi longtemps qu'elles étaient affectées à la défense, aux travaux publics et à la sécurité. Intelligent, mais peu enclin à la subtilité, il voyait tout en noir et blanc. Il ne prenait pas de gants pour exposer son point de vue et s'il doutait parfois, il n'en laissait rien paraître, par peur de passer pour faible. Pour lui, la politique était une affaire d'argent et de pouvoir.

Fulbright était plus libéral. Loyal envers son parti, il appréciait le président Johnson et lui apporta son soutien, jusqu'à ce qu'éclatent leurs divergences sur la question de Saint-Domingue et sur celle du Viêt-nam. Il était partisan de l'impôt progressif, des programmes sociaux destinés à réduire la pauvreté et les inégalités et des aides fédérales au système éducatif : il souhaitait, en outre, que l'Amérique se montre généreuse dans ses contributions aux institutions internationales engagées dans la lutte contre la pauvreté. En 1946, il avait été à l'origine de la loi créant le programme Fulbright pour les échanges éducatifs internationaux qui a depuis financé les études de centaines de milliers de boursiers Fulbright, originaires des États-Unis et de soixante autres pays. Pour lui, la politique était une affaire d'idées, elle consistait à convaincre.

Sur les droits civiques, Fulbright ne se montra jamais trop enclin à motiver ses votes. Pour expliquer ses positions, il invoquait le respect qu'il devait à la majorité de son électorat, dans la mesure où celui-ci en savait autant que lui-même dans ce domaine. Traduite en termes simples, cette argumentation contournée signifiait qu'il voulait être réélu. Il signa le manifeste du Sud, après l'avoir adouci par quelques amendements et ne vota aucun projet de loi concernant les droits civiques avant 1970, sous la présidence de Nixon. Il joua alors un rôle crucial dans le rejet du candidat présenté par le Président à la Cour suprême, G. Harrold Carswell, adversaire déterminé des droits civiques.

Fulbright ne manquait cependant pas de courage. Il haïssait les démagogues pleins d'onction qui posaient en patriotes. Quand il terrorisa des innocents, accusés sans fondement de liens avec le communisme, l'intimidant sénateur Joseph McCarthy réduisit au silence la plupart des hommes politiques, y compris ceux qui le détestaient. Fulbright fut le seul sénateur à voter contre l'allocation de fonds complémentaires à la sous-commission d'enquête spéciale de McCarthy. De plus, il corédigea la résolution de censure contre McCarthy que le Sénat finit par voter après que Joseph Welch eut révélé au pays les impostures des enquêtes en cours. McCarthy apparut trop tôt. S'il avait accompagné la vague qui déferla sur le Sénat en 1995, il aurait été comme un poisson dans l'eau. Au début des années 1950, l'hystérie anticommuniste était telle qu'il avait cru pouvoir agir au mépris de toutes les règles. Fulbright l'avait épinglé le premier, d'autres auraient bien fini par calmer ses ardeurs.

Sur un autre terrain, encore, Fulbright ne fuyait pas les controverses. À la différence de ce qui valait pour les droits civiques, il admettait en savoir plus long que ses électeurs sur les questions internationales. Il adoptait des positions conformes à ses principes et s'efforçait ensuite d'emporter l'adhésion de son électorat. Il préférait la coopération multilatérale à l'action unilatérale ; le dialogue avec l'Union soviétique et les nations du pacte de Varsovie à leur isolement ; l'assistance généreuse aux interventions militaires. Pour convertir les cœurs aux valeurs et aux intérêts de l'Amérique, il se fiait à la force de l'exemple et des idées plus qu'à celle des armes.

Je l'appréciais pour une autre raison encore : ses centres d'intérêt ne se limitaient pas à sa carrière. À ses yeux, la politique devait permettre aux gens de développer leurs facultés et, la vie n'ayant qu'un temps, de tirer le meilleur parti des circonstances. Qu'on puisse considérer le pouvoir comme une fin en soi, et non comme un moyen d'améliorer les conditions de vie, la sécurité, de multiplier les possibilités d'atteindre au bien-être, lui paraissait une entreprise insensée et vouée à l'échec. Fulbright aimait consacrer du temps à sa famille et à ses amis, s'offrir des vacances deux ou trois fois par an pour recharger ses batteries. Il lisait énormément, aimait la chasse aux canards et adorait le golf. Il possédait l'art de la conversation et s'exprimait avec un accent élégant qui lui était propre. Lorsqu'il était détendu, il faisait preuve d'éloquence et se montrait persuasif. Quand il s'énervait, le ton de sa voix et son emphase pouvaient lui donner l'air arrogant et autoritaire.

En août 1964, Fulbright avait soutenu la résolution du golfe du Tonkin, qui donnait au président Johnson toute autorité pour choisir la meilleure riposte, après d'apparentes attaques contre les navires américains dans la région. Mais, dès l'été 1966, il avait révisé son jugement : à ses yeux, notre politique au Viêt-nam ne menait nulle part, sinon à l'échec. Surtout, elle n'était que l'aspect le plus saillant d'orientations erronées qui, si on ne se ressaisissait pas, auraient des conséquences désastreuses pour l'Amérique comme pour le monde. Cette même année, il exposa ses vues sur le Viêt-nam et développa sa critique de la politique américaine dans son livre le plus important, *L'Arrogance du pouvoir*. Quelques mois après que j'eus intégré le personnel de la Commission, il m'en offrit un exemplaire dédicacé.

Selon la thèse qu'il développe, les grandes nations courent au-devant des problèmes et peuvent même amorcer un déclin à long terme lorsqu'elles utilisent leur puissance de manière « arrogante », s'efforçant de remplir des objectifs qu'elles ne devraient pas même envisager sur des théâtres où elles n'ont pas leur place. Il se défiait du zèle missionnaire en politique étrangère et du danger de dérive, lié à des engagements qui « bien que généreux et bienveillants dans leurs intentions, visent des objectifs si ambitieux qu'ils excèdent même les immenses capacités de l'Amérique ». Il pensait, en outre, que lorsque nous mettons notre puissance au service d'un concept aussi abstrait que l'anticommunisme, sans comprendre les circonstances historiques, culturelles et politiques locales, tout concourt à une issue fâcheuse. L'exemple de la République dominicaine illustrait son propos : en 1965, nous étions intervenus dans la guerre civile, de peur que le président de gauche, Juan Bosch, ne mette en place un régime communiste à la cubaine, ce qui nous avait amenés à soutenir les alliés du général Rafael Trujillo et de sa dictature meurtrière, répressive et rétrograde, restée en place pendant trente ans, jusqu'à l'assassinat du général en 1961.

Fulbright estimait que nous commettions la même erreur au Viêt-nam, sur une échelle bien plus grande. L'administration Johnson et ses alliés tenaient le Viêt-cong pour les instruments de l'expansionnisme chinois en Asie du Sud-Est, qu'il fallait arrêter avant que tous les « dominos » de la région ne tombent dans le camp communiste. Leur position justifiait le soutien américain au gouvernement sud-vietnamien, certes anticommuniste, mais bien peu démocratique. Le Sud-Viêt-nam se révélant incapable de venir à bout du Viêt-cong, notre soutien s'est d'abord élargi aux conseillers militaires avant de se traduire par une présence militaire massive, destinée à défendre un gouvernement qualifié par Fulbright de « faible, dictatorial et qui n'a pas gagné la loyauté des habitants du pays ». Selon lui, Ho Chi Minh, qui avait été un admirateur de Roosevelt pour son opposition au colonialisme, se préoccupait avant tout de l'indépendance du Viêt-nam vis-à-vis de toutes les puissances étrangères. Le sénateur était persuadé que, loin d'être une marionnette des Chinois, Ho Chi Minh partageait l'antipathie et la défiance des Vietnamiens à l'égard du puissant voisin du Nord. En conséquence, il estimait que l'intérêt national ne justifiait pas le sacrifice de tant de vies. Pour autant, il ne se déclarait pas partisan d'un retrait unilatéral, mais défendait la perspective d'une « neutralisation » de l'Asie du Sud-Est et conditionnait le retrait américain à un accord de toutes les parties concernant l'autodétermination du Sud-Viêt-nam et l'organisation d'un référendum sur la réunification avec le Nord. Hélas, en 1968, quand les négociations se sont ouvertes à Paris, cette démarche, pourtant sensée, n'était déjà plus possible.

Je me suis très vite rendu compte que tous les membres de l'équipe, au sein de la Commission, partageaient les vues de Fulbright sur le Viêt-nam. En outre, ils accordaient de moins en moins de crédit aux déclarations des principales personnalités – politiques et militaires – de l'administration Johnson, jugeant qu'elles exagéraient considérablement les progrès militaires américains. Dans l'enceinte du Congrès, dans le dialogue avec le gouvernement, face à l'opinion, ils saisissaient toutes les occasions pour défendre l'idée qu'il fallait changer d'orientation. Avec le recul, une telle attitude paraît logique et légitime. Dans le contexte de l'époque, Fulbright, les autres membres de la Commission et l'ensemble de son personnel étaient engagés dans un exercice d'équilibrisme sans filet au-dessus d'un précipice vertigineux. Les faucons des deux partis accusaient la Commission – et Fulbright en particulier – d'apporter « aide et réconfort » à nos ennemis, de diviser le pays et de saper sa détermination à combattre jusqu'à la victoire. Fulbright ne cédait pas pour autant. Malgré les assauts qu'il a essuyés, les audiences de la Commission ont aidé à catalyser le sentiment antiguerre, chez les jeunes, en particulier, de plus en plus nombreux à se mobiliser à l'occasion de manifestations ou de *teach-in*.

Durant la période où j'y travaillais, la Commission a tenu des auditions sur des sujets divers : l'attitude des Américains à l'égard de la politique étrangère, les relations sino-américaines, les conflits d'intérêts entre politique intérieure et politique étrangère, les conséquences potentielles des tensions sino-soviétiques sur le conflit vietnamien ou encore les aspects psychologiques des relations internationales. Plusieurs éminents spécialistes de la politique étrangère américaine ont été invités à intervenir, comme Harrison Salisbury, du *New York Times* ; George Kennan, ancien ambassadeur en URSS, père du concept de *containment* de l'Union soviétique ; Edwin Reischauer, ancien ambassadeur au Japon ; le grand historien Henry Steele Commager ; le général de réserve James Gavin ou le professeur Crane Brinton, spécialiste des mouvements révolutionnaires. Comme il va de soi, l'administration dépêchait, de son côté, ses propres témoins. L'un des plus actifs fut le sous-secrétaire d'État Nick Katzenbach, pour lequel j'avais beaucoup de respect, en raison de son investissement dans la question des droits civiques quand il était au ministère de la Justice, sous l'administration Kennedy. Fulbright rencontrait aussi le secrétaire d'État Dean Rusk, à qui il donnait habituellement rendez-vous dans son bureau pour un café matinal.

J'observais avec beaucoup d'attention la relation entre les deux hommes. Fulbright avait été pressenti pour le poste de secrétaire d'État. Kennedy avait fini par l'éliminer de sa liste, en raison, pense-t-on, de ses positions sur la question des droits civiques et, plus particulièrement, du soutien qu'il avait apporté au manifeste du Sud. Originaire de Georgie, et donc sudiste lui aussi, Dean Rusk était un partisan actif des droits civiques. Haut fonctionnaire, il ne subissait pas, à la différence de Fulbright, la pression de l'électorat. Rusk analysait le conflit vietnamien en termes simples, voire rigides : la liberté et le communisme s'affrontaient dans l'arène asiatique. Si nous perdions le Viêt-nam, le communisme s'emparerait de toute l'Asie du Sud-Est et les conséquences seraient catastrophiques.

J'ai toujours estimé que les profondes divergences de vue entre les deux hommes sur le Viêt-nam s'expliquaient, pour une bonne part, par le contexte qu'ils avaient connu, lors de leurs séjours respectifs à Oxford, tous deux munis de leur bourse Rhodes. Quand Fulbright arriva en Grande-Bretagne, en 1925, le traité de Versailles, qui avait conclu la Première Guerre mondiale, était en cours d'application. Il imposait un lourd fardeau politique et financier à l'Allemagne et bouleversait la carte de l'Europe et du Moyen-Orient, après l'effondrement des deux empires, autrichien et ottoman. L'humiliation de l'Allemagne par les puissances européennes victorieuses et la forte inclination isolationniste et protectionniste des États-Unis, illustrée par le refus du Sénat d'adhérer à la Société des Nations, comme par l'adoption de la loi Smoot-Hawley sur les barrières douanières, allaient nourrir la dynamique ultranationaliste en Allemagne, favoriser l'ascension de Hitler et conduire à la Seconde Guerre mondiale. Pour rien au monde, Fulbright n'aurait voulu réitérer une telle erreur. Il voyait rarement les conflits en noir et blanc, s'efforçait de ne pas diaboliser l'adversaire et accordait la priorité aux solutions négociées, si possible dans un contexte multilatéral.

Rusk, lui, avait connu Oxford au début des années 1930, quand, en Allemagne, les nazis accédaient au pouvoir. Il avait été le témoin des vaines tentatives de conciliation du Premier ministre britannique Neville Chamberlain avec Hitler, que l'histoire a depuis stigmatisées sous une appellation infamante : l'apaisement. Rusk mettait sur le même plan le totalitarisme nazi et le totalitarisme

soviétique, et il leur vouait un même mépris. Les manœuvres de l'Union soviétique pour contrôler et intégrer l'Europe centrale et orientale, à l'issue de la
Seconde Guerre mondiale, l'avaient convaincu de la nature pathologique du
communisme, ce mal qui infectait les nations d'une agressivité insatiable et d'une
hostilité radicale aux libertés individuelles. De son point de vue, rien n'aurait été
pire que de jouer l'apaisement. Ainsi, les deux hommes se penchaient sur la
question du Viêt-nam depuis les bords opposés d'une faille intellectuelle et
psychologique surgie plusieurs décennies avant que le Viêt-nam n'apparaisse sur
les écrans radar de l'Amérique.

Cette fracture psychologique était encore aggravée par la tendance naturelle à diaboliser l'adversaire en période de guerre ainsi que par l'acharnement
dont faisaient preuve Johnson, Rusk et bien d'autres, afin de ne pas « perdre »
le Viêt-nam, fût-ce au prix d'une atteinte au prestige de l'Amérique et au leur.
Pendant ma présidence, en temps de paix donc, j'ai été confronté à une dynamique du même ordre, due à l'affrontement idéologique avec le Congrès
républicain et ses alliés. Quand la compréhension, le respect et la confiance ont
disparu, la moindre esquisse de compromis, sans parler du fait de reconnaître
ses erreurs, est interprétée comme une faiblesse et une trahison. Une telle logique
mène inévitablement à la défaite.

Aux yeux des faucons de la fin des années 1960, Fulbright incarnait le
personnage de victime crédule. La crédulité est un problème dont les gens bien
intentionnés doivent à juste titre se méfier. Mais la défiance systématique
pousse vers d'autres périls. En politique, quiconque s'aperçoit qu'il s'enfonce
doit, en priorité, cesser de creuser. Quand on exclut la possibilité même de
l'erreur, on combat l'adversité en empoignant une pelle encore plus grosse.
Plus nous rencontrions de difficultés au Viêt-nam, plus les protestations se
multipliaient dans le pays et plus nous engagions de troupes dans le conflit. Les
effectifs atteignirent un maximum de cinq cent quarante mille, en 1969, avant
que la dure réalité des faits ne nous contraigne à changer de politique.

J'observais ce processus, qui se développait alors, avec un étonnement
fasciné. Je lisais tout ce qui me passait sous les yeux, y compris les documents
marqués du tampon « confidentiel » ou « secret », que je devais parfois transmettre et dont le contenu montrait clairement que les discours officiels sur nos
progrès dans la guerre, tels qu'ils étaient adressés au pays, ne reflétaient pas la
réalité. Je voyais le nombre des victimes augmenter chaque jour. Le matin,
Fulbright recevait la liste des soldats originaires de l'Arkansas qui avaient été
tués au Viêt-nam. Je pris l'habitude de passer dans son bureau pour examiner
la liste. Un jour, je tombai sur le nom de mon copain d'école Tommy Young.
Sa Jeep avait roulé sur une mine quelques jours à peine avant la date prévue
de son retour au pays. C'était un grand type intelligent, peu séduisant, mais
sensible, qui semblait parti pour mener une vie agréable. Quand je lus son
nom sur cette liste, et ceux de tous les autres auxquels la vie aurait eu mieux
à offrir, je subis les premiers assauts de la culpabilité, en raison de mon statut
d'étudiant qui me protégeait de la guerre et de ses dangers. J'en vins même à
caresser l'idée d'abandonner l'université et de m'engager. Après tout, j'adhérais
à la philosophie démocrate, pas seulement au Parti, et je ne me sentais pas
autorisé à échapper à mes responsabilités de citoyen, même dans cette guerre à

laquelle je m'opposais. J'abordai le sujet avec Lee Williams, qui trouva insensé que j'envisage d'arrêter les études et m'assura que je ne prouverais rien à personne en endossant l'uniforme d'un soldat anonyme, ni même en mourant au combat. Ses arguments se tenaient et je me remis à l'ouvrage. Toutefois, je ne me sentis jamais tout à fait à l'aise sur cette question. Je respectais l'armée, même si j'estimais que de nombreux responsables ne savaient pas où ils allaient et raisonnaient avec leurs tripes plutôt qu'avec leur cerveau. Ainsi débuta ma période de conflit personnel, un affrontement avec la culpabilité que nous fûmes des milliers à expérimenter, déchirés entre l'amour pour notre pays et la haine que nous inspirait cette guerre.

L'atmosphère de ces jours déjà lointains est difficile à restituer pour ceux qui ne les ont pas vécus. Les autres savent de quoi je parle. La guerre affectait tout le monde aux États-Unis, même ses adversaires les plus déterminés. Fulbright appréciait et respectait le président Johnson. Il était fier d'appartenir à cette équipe, grâce à laquelle, estimait-il, l'Amérique allait de l'avant, y compris sur la question des droits civiques, qui ne pouvait guère bénéficier de sa contribution. Dans ses fonctions, il faisait toujours bonne figure, mais il souffrait de l'isolement dans lequel les partisans de la guerre l'avaient confiné. Un jour que j'arrivais de très bonne heure, je l'aperçus qui arpentait le couloir en direction de son bureau. Son air absent, perdu dans ses pensées, trahissait sa frustration. Il heurta même un mur de l'épaule et poursuivit son chemin pour remplir ces fonctions qui lui valaient tant de haine.

La Commission des affaires étrangères traitait de nombreux dossiers. Toutefois, le Viêt-nam était la préoccupation prioritaire de tous ses membres, comme de moi-même. Au cours de mes deux premières années à Georgetown, j'avais archivé toutes mes notes de cours, mes travaux personnels et mes copies d'examen. De ma troisième année, je conserve, en tout et pour tout, deux dissertations rédigées pour un cours sur la monnaie et la banque. Pendant le second semestre, je cessai même d'assister au cours « Théorie et pratique du communisme », seul abandon que je puisse me reprocher, pendant mes années à Georgetown. J'avais une bonne raison, sans relation avec le Viêt-nam.

Au printemps 1967, le cancer de papa avait réapparu. Il suivit un traitement de plusieurs semaines au centre médical de Duke, à Durham, en Caroline-du-Nord. Tous les vendredis après-midi, je quittais Georgetown pour lui rendre visite. Après un trajet de plus de quatre cents kilomètres, je restais en sa compagnie jusqu'au dimanche soir. Je ne pouvais pas concilier cette obligation avec le cours sur le communisme, que je laissai tomber. Cet épisode a été l'un des plus épuisants et des plus importants de mes jeunes années.

Le dimanche de Pâques, c'était le 26 mars 1967, nous avons assisté à l'office dans la chapelle de l'hôpital, une grande église gothique. Papa n'avait jamais été très pratiquant. Mais il me parut ravi de participer à cette cérémonie. Le message était que Jésus était mort pour ses péchés. Peut-être y avait-il trouvé un apaisement. Peut-être avait-il retrouvé la foi en entonnant *Chante avec tous les fils de gloire*, un hymne traditionnel et splendide dont les paroles disent : « Chante avec tous les fils de gloire, chante la Résurrection ! La mort et la douleur, sombre histoire de la Terre, appartiennent à des jours révolus.

Autour de nous, les nuées se déchirent, bientôt la tourmente prendra fin. Quand l'homme se découvre à l'image de Dieu, il s'éveille à la paix éternelle. » Après l'office, nous nous sommes rendus à l'Université de Caroline-du-Nord, sur Chapel Hill. Le campus chatoyait de cornouillers et d'arbres de Judée en fleurs. Le printemps est souvent superbe dans le Sud, celui-ci était spectaculaire, il demeure mon plus vif souvenir de fête pascale.

Au cours de ces week-ends, papa me parlait avec une facilité dont il n'avait jamais été coutumier. Pour l'essentiel, la conversation portait sur des sujets anodins qui concernaient nos proches : ma mère ou Roger, la famille, les amis et moi-même. Parfois, il devenait plus sérieux et tirait les enseignements d'une vie dont il sentait approcher la fin. Mais même quand il parlait de tout et de rien, il montrait une franchise, une profondeur et une absence de réserve que je ne lui connaissais pas. Ces longs week-ends d'une triste langueur furent notre terrain de réconciliation. Il accepta mon amour filial et mon pardon. S'il avait affronté la vie avec le courage et le sens de l'honneur qu'il montra face à la mort, il aurait été le meilleur des hommes.

CHAPITRE DOUZE

La fin de ma troisième année approchait quand les élections universitaires furent organisées. J'avais décidé, l'année précédente, que je me présenterais à la présidence du conseil des étudiants. Malgré ma présence épisodique sur le campus, j'y conservais mes activités et mes relations. De plus, mes succès antérieurs me portaient à envisager une possible victoire. J'avais mal pris la mesure de mon éloignement. Mon adversaire, Terry Modglin, était vice-président de la promotion. Préparant l'échéance tout au long de l'année, il avait multiplié ses soutiens et élaboré sa stratégie. Je me présentai sur un programme bien défini, mais assez banal. Modglin exploitait le mécontentement croissant des étudiants, qui était perceptible sur l'ensemble des campus américains. Plus spécifiquement, il relayait le rejet des programmes trop rigides de Georgetown et des règles strictes du campus que beaucoup d'étudiants contestaient. Il baptisa sa campagne « la rébellion Modg », en écho au slogan publicitaire « la rébellion Dodge », que venait de lancer la marque automobile. Lui et son équipe se dépeignaient en chevaliers blancs, dressés contre l'administration des jésuites et contre moi. Mes bonnes relations avec l'administration, ma voiture, mon emploi, le ton plutôt orthodoxe de ma campagne et ma facilité à serrer des mains avaient suffi à dresser de moi le portrait d'un candidat au service du pouvoir en place. J'étais, comme mes amis, très investi dans la campagne, mais à voir la mobilisation intense de Modglin et des siens je me jugeais en mauvaise posture. À peine posées, nos affiches disparaissaient. Un soir, en représailles, plusieurs copains de mon équipe déchirèrent les affiches de Modglin, les fourrèrent dans le coffre d'une voiture avant d'aller les jeter un peu plus loin. Ils furent surpris en pleine action et réprimandés.

Ce fut le coup de grâce. Modglin me battit à plates coutures : 717 contre 570. Il méritait sa victoire. Il avait mieux conçu, mieux mis en œuvre, mieux organisé sa campagne. Avec le recul, je me dis que j'aurais dû m'abstenir de me présenter. La majorité de mes camarades souhaitaient des programmes moins exigeants, et je ne partageais pas leur opinion. J'étais satisfait de l'enseignement proposé. En outre, je n'accordais plus à la vie sur le campus l'attention exclusive grâce à laquelle j'avais trouvé l'énergie nécessaire pour l'emporter lors des précédentes élections. Et ma présence en pointillés facilitait la tâche de mes adversaires : ils avaient pu me présenter sous les traits d'un affidé de l'administration, d'un carriériste poursuivant ses ambitions, en dépit des urgences de l'époque. Je ne me laissai pas affecter par la défaite et, la fin de l'année universitaire approchant, je cherchai le meilleur biais pour passer l'été à Washington, continuer mon travail au sein de la commission et suivre quelques cours. Je ne savais pas encore que l'été 1967 devait être le dernier répit avant la tempête, pour moi comme pour l'Amérique.

Pendant l'été, Washington vit au ralenti, le Congrès interrompt même ses travaux pour la durée du mois d'août. C'est une bonne période pour s'immerger dans la ville, à condition d'être jeune, de s'intéresser à la politique et de ne pas redouter la chaleur. Kit Ashby et un autre camarade de l'université, Jim Moore, louaient une vieille maison au 4513, Potomac Avenue, au coin de McArthur Boulevard et à moins de deux kilomètres du campus de Georgetown. Ils me proposèrent de partager les lieux et d'y demeurer ensuite pendant ma quatrième année à l'université, avec Tom Campbell et Tom Caplan qui devaient nous rejoindre à la rentrée. La maison surplombait le fleuve Potomac. Elle avait cinq chambres, un salon de taille réduite et une cuisine convenable. Les chambres du premier étage ouvraient sur deux terrasses : nous pouvions nous y dorer au soleil et y dormir, parfois, dans la tiédeur de l'air nocturne. La maison avait appartenu au juriste qui avait rédigé le code national de la plomberie au début des années 1950. Lors de notre installation, une collection de ces respectables volumes était encore alignée dans le salon, incongrument retenue par un serre-livres qui représentait Beethoven installé au piano. C'était le seul objet digne d'intérêt de toute la maison. Mes colocataires me le léguèrent, et je le possède encore.

Kit Ashby était le fils d'un médecin de Dallas. Pendant que je travaillais pour le sénateur Fulbright, il était entré au service du sénateur Henry « Scoop » Jackson, de l'État de Washington, un libéral dans les affaires intérieures et un faucon sur la question vietnamienne. Kit partageait son point de vue et nous avions de fréquentes controverses à ce sujet. Le père de Jim Moore était militaire, il avait donc passé son enfance à déménager. C'était un historien aux vastes connaissances et un authentique intellectuel dont la position sur le Viêtnam se situait à mi-chemin de celle de Kit et de la mienne. Au cours de cet été, puis pendant l'année qui suivit, je nouai une amitié durable avec eux. Après l'université, Kit s'engagea dans les marines puis devint banquier international. Pendant ma présidence, je le nommai ambassadeur en Uruguay. Jim Moore marcha sur les traces de son père : il rejoignit l'armée avant d'entamer une brillante carrière dans la gestion des fonds de pension d'État. De nombreux États affrontèrent des difficultés dans ce domaine, pendant les années 1980 ; il m'offrit volontiers ses conseils quand je le consultai sur la conduite que nous devrions adopter en Arkansas.

L'été fut réjouissant pour nous tous. Le 24 juin, j'assistai à un concert de Ray Charles, à Constitution Hall, une des grandes salles de concerts de Washington. Carlene Jann m'accompagnait. J'avais rencontré cette superbe jeune fille lors d'un bal organisé par les étudiantes de la région à l'intention des garçons de Georgetown. Carlene avait à peu près ma taille et de longs cheveux blonds. Depuis nos sièges, dans les derniers rangs du balcon, nous distinguions quelques Blancs dans l'assistance en grande partie noire. J'adorais Ray Charles depuis *What'd I say* et ces paroles qui m'allaient droit au cœur : « Tell your mama, tell your paw, I'm gonna send you back to Arkansas. » (Dis-le à ta mère, dis-le à ton père, je vais te renvoyer en Arkansas.) Avant la fin du concert, tout le public dansait dans les travées. Quand je rentrai à la maison, ce soir-là, j'étais beaucoup trop excité pour trouver le sommeil. À 5 heures du matin, je renonçai et j'enfilai un short pour cinq kilomètres de course à pied. Le ticket d'entrée au concert a trouvé une place de choix dans mon portefeuille pendant les dix années suivantes.

Constitution Hall avait bien changé depuis les années 1930, quand l'association des Filles de la Révolution américaine avait refusé à la chanteuse noire Marian Anderson l'autorisation de s'y produire en raison de sa couleur de peau. Mais la jeunesse noire n'en était plus à revendiquer le libre accès aux salles de concerts. Le mécontentement croissant, nourri par la pauvreté, la poursuite des discriminations, les épisodes de violence contre les militants des droits civiques et le fait qu'un nombre disproportionné de Noirs combattaient et mouraient au Viêt-nam étaient à l'origine d'une nouvelle forme d'activisme, dans les grandes villes, en premier lieu, là où Martin Luther King Jr. disputait aux partisans beaucoup plus radicaux du Black Power l'ascendant sur les esprits et les cœurs de l'Amérique noire.

Au milieu des années 1960, des émeutes raciales d'une importance et d'une intensité variables avaient agité les ghettos des villes du Nord. Avant 1964, Malcolm X, le dirigeant des Black Muslims, avait rejeté l'intégration, prôné la lutte autonome contre la pauvreté et les problèmes urbains et prédit « plus de violence raciale que les Américains blancs n'en ont jamais rencontrée ».

Pendant que je goûtais aux plaisirs de Washington, de graves émeutes se déroulaient à Newark et à Detroit. À la fin de l'été 1967, on recensait plus de cent soixante émeutes dans l'ensemble du pays. Le président Johnson nomma une commission de réflexion nationale sur les désordres civiques. Présidée par Otto Kerner, le gouverneur de l'Illinois, elle établit que les émeutes résultaient des brutalités et du racisme de la police, ainsi que de l'absence de perspectives économiques et des difficultés d'accès aux études pour les Noirs. Une phrase, souvent citée, résumait ses sombres conclusions : « Notre nation évolue vers deux sociétés, l'une blanche, l'autre noire – séparées et inégales. »

Washington allait jouir d'un calme relatif pendant cet été chaud. Nous eûmes toutefois un aperçu de la mobilisation du Black Power, quand, chaque nuit, pendant plusieurs semaines, les militants du mouvement occupèrent Dupont Circle, carrefour peu éloigné de la Maison Blanche, à l'intersection des avenues Connecticut et Massachusetts. Un de mes amis entra en contact avec certains d'entre eux, ce qui me permit de les rencontrer un soir. J'étais curieux d'entendre ce qu'ils avaient à dire. Ils étaient arrogants, prêts à en découdre et parfois incohérents, mais sûrement pas stupides et, si les solutions qu'ils préconisaient ne m'agréaient pas, les problèmes qui motivaient leur mobilisation étaient bien réels.

La convergence s'affirmait entre le mouvement des droits civiques et le mouvement antiguerre. Ce dernier s'était développé à la faveur d'une contestation qui concernait d'abord la classe moyenne blanche et les étudiants issus de milieux favorisés, et avait gagné de nombreux soutiens parmi les intellectuels ou les artistes, comme au sein du clergé. Toutefois, ses principaux dirigeants avaient acquis une première expérience militante dans le mouvement pour les droits civiques. Au printemps 1966, le mouvement antiguerre avait débordé son cadre initial, dans le sillage des manifestations massives dont l'ensemble du pays avait été témoin. Les auditions de la commission Fulbright et leur écho dans l'opinion n'étaient pas étrangers à cette mobilisation. À New York, au printemps 1967, trois cent mille manifestants avaient choisi Central Park pour affirmer leur opposition à la guerre.

Je rencontrai pour la première fois de véritables militants du mouvement antiguerre au cours de cet été, quand l'association étudiante de gauche, la National Student Association (NSA) tint son congrès à l'Université du Maryland. Sur ce même campus, j'avais participé à la rencontre des jeunes – le Boys Nation – de l'American Legion, quatre ans auparavant. La NSA défendait des positions moins radicales que l'autre association étudiante de gauche, le SDS (Students for a Democratic Society). Toutefois, elle s'opposait fermement à la guerre. Sa crédibilité avait été entamée, au printemps précédent, par des révélations concernant son financement : depuis des années, la NSA acceptait l'argent de la CIA pour développer ses activités internationales. Elle gardait malgré cela une audience significative sur tous les campus américains.

Curieux de l'événement, je décidai d'assister à une session du congrès. Je tombai, ce soir-là, sur Bruce Lindsey, de Little Rock. J'avais fait sa connaissance pendant la campagne pour le siège de gouverneur, en 1966, alors qu'il travaillait pour Brooks Hays. Il accompagnait un délégué de la branche Sud-Ouest de la NSA, Debbie Sale, originaire, elle aussi, de l'Arkansas. Bruce devint un ami proche, mon conseiller et confident quand je fus gouverneur puis président – un ami comme tout le monde en a besoin et dont un président ne saurait se passer. Plus tard, Debbie m'aida à prendre pied à New York. Mais, pendant ce congrès de la NSA, en 1967, nous avions juste l'air de trois jeunes de l'Arkansas, sans autres signes particuliers que notre opposition à la guerre et notre goût pour les contacts.

De nombreux étudiants présents ce soir-là partageaient mes vues : le radicalisme du SDS les rebutait mais tout les inclinait à rejoindre les rangs de ceux qui travaillaient à mettre fin à la guerre. Le discours le plus remarquable du congrès fut prononcé par Allard Lowenstein qui exhortait les étudiants à organiser un mouvement national capable d'assurer la défaite de Johnson à la présidentielle de 1968. Dans sa grande majorité, l'auditoire jugeait la proposition échevelée, mais les événements allaient se succéder à un rythme tel que les propos de l'orateur relevaient plutôt de la prophétie. Trois mois plus tard, le mouvement antiguerre devait rassembler cent mille manifestants au Lincoln

Memorial, à Washington. Trois cents d'entre eux se déferaient de leur convocation au service militaire que William Sloane, aumônier de l'Université de Yale, et le docteur Benjamin Spock, pédiatre rendu célèbre par ses livres, iraient déposer au ministère de la Justice.

Impliquée depuis longtemps dans la lutte contre le totalitarisme, la NSA avait aussi invité des représentants des pays baltes, « prisonniers » de l'URSS. Incidemment, j'eus une longue conversation avec une déléguée lettonne. Elle était un peu plus âgée que moi et semblait être une véritable professionnelle des tribunes, spécialisée dans ce type d'interventions. Elle expliquait avec conviction que le communisme était voué à l'effondrement et que la Lettonie recouvrerait sa liberté. Une telle certitude paraissait alors friser la folie pure. À elle aussi, l'avenir allait donner raison.

Au milieu de mes diverses activités, je trouvai le temps de suivre trois cours dans le cadre de la session d'été de l'université : philosophie, morale et diplomatie américaine en Extrême-Orient. Pour la première fois, j'abordai Kant et Kierkegaard, Hegel et Nietzsche. Au cours de morale je prenais des notes minutieuses. Pendant le mois d'août, alors que l'examen final approchait, un de mes pairs – étudiant brillant mais peu assidu – me demanda de bien vouloir consacrer quelques heures à une relecture commune de ces notes. J'acceptai et le 19 du mois, jour de mon vingt et unième anniversaire, je passai environ quatre heures à lui transmettre mon savoir, ce qui lui valut un B à l'examen. Vingt-cinq ans plus tard, quand j'accédai à la présidence, mon camarade de révisions, Turki al-Fayçal, fils du défunt roi d'Arabie Saoudite, dirigeait les services de renseignement de son pays, situation qu'il occupa pendant vingt-quatre ans. Je doute que ses résultats en philosophie aient joué un rôle décisif dans son parcours, mais nous aimions plaisanter à ce sujet.

Le cours sur la diplomatie américaine était professé par Jules Davids, universitaire éminent qui aida plus tard Averell Harriman à rédiger ses mémoires. L'essai que j'écrivis portait sur « le Congrès et la résolution pour l'Asie du Sud-Est ». Ladite résolution, plus connue sous son appellation de résolution sur le golfe du Tonkin, avait été votée le 7 juillet 1964, sur proposition du président Johnson. Quelques jours plus tôt, les 2 et 4 août, deux destroyers américains, le *Maddox* et le *C. Turner Joy* auraient été attaqués dans le golfe du Tonkin par des navires nord-vietnamiens. L'agression avait donné lieu, en guise de représailles, au bombardement de bases navales et de dépôts d'essence par les États-Unis. La résolution autorisait le Président à « prendre toutes les mesures nécessaires pour repousser d'éventuelles attaques contre les forces des États-Unis et pour prévenir d'autres agressions » et à « envisager toutes les possibilités, y compris l'emploi de la force armée » pour venir en aide à tout pays membre de l'OTASE (Organisation du traité de l'Asie du Sud-Est) « en défense de sa liberté ».

Dans le cours de mon argumentation, j'expliquai que personne, à l'exception du sénateur Wayne Morse, n'avait examiné de façon sérieuse la légitimité constitutionnelle, voire le simple bien-fondé de la résolution. Le pays et le Congrès, humiliés par cet affront, avaient tenu à riposter sans délai : on ne pouvait pas nous provoquer en Asie du Sud-Est, encore moins nous chasser de la région. Le professeur Davids apprécia mon essai et se proposa de le publier. J'hésitai. Trop de questions que je soulevais restaient sans réponse. Au-delà des aspects constitutionnels, un certain nombre de journalistes avaient déjà émis des doutes quant à la réalité de ces attaques, et au moment même où je rendais mon essai, Fulbright sollicitait le Pentagone, afin d'avoir accès aux informations concernant ces incidents. L'enquête de la commission se poursuivit jusqu'en 1968 et les éléments qu'elle rassembla paraissaient établir que, le 4 août, au moins, les destroyers américains n'avaient pas essuyé d'attaques. Rarement, dans l'Histoire, un non-événement devait déclencher une telle avalanche de conséquences.

La plus fracassante de celles-ci allait être, quelques mois plus tard, la chute précipitée de Lyndon Johnson. L'adoption trop rapide et quasi unanime de la résolution sur le golfe du Tonkin illustrait un vieux proverbe : « Il n'est pire malédiction qu'une prière exaucée. »

CHAPITRE TREIZE

Mon année de licence fut un étrange mélange de cours passionnants et d'événements politiques et personnels cataclysmiques. Avec le recul, j'ai du mal à croire qu'on puisse être absorbé à la fois par des détails et des choses d'importance et, dans les circonstances les plus bizarres, rechercher les plaisirs alors même qu'on doit affronter les souffrances de la vie de tous les jours.

J'ai suivi deux cours particulièrement intéressants, un séminaire de droit international et un autre d'histoire européenne. Le Dr William O'Brien, chargé du cours de droit international, m'a autorisé à écrire un mémoire sur l'objection de conscience sélective à la conscription, dans lequel je voulais étudier les systèmes de conscription des autres nations et explorer les racines légales et philosophiques des droits à l'objection de conscience. J'ai soutenu qu'on ne devait pas réserver l'objection de conscience à ceux qui s'opposaient à toutes les guerres par conviction religieuse, parce que l'exception reposait non sur la doctrine théologique mais sur une opposition morale personnelle au service militaire. Par conséquent, si juger des cas individuels présentait des difficultés, le gouvernement devait autoriser l'objection de conscience sélective s'il était déterminé que son affirmation était authentique. La fin de la conscription dans les années 1970 a rendu ce point discutable.

Le cours d'histoire européenne se résumait à une vue d'ensemble de l'histoire intellectuelle européenne. Notre professeur s'appelait Hisham Sharabi, un Libanais brillant et érudit, défenseur passionné de la cause palestinienne. Nous étions quatorze étudiants à participer à ce cours de deux heures hebdomadaires pendant quatorze semaines par semestre. Il nous avait donné une liste d'ouvrages à lire et, chaque semaine, un étudiant lançait le débat par une présentation de dix minutes d'un de ces livres. On pouvait les utiliser comme on l'entendait – résumer le livre, évoquer son thème central ou discuter d'un aspect particulier –, mais il fallait impérativement ne pas déborder. Sharabi estimait que si c'était impossible, on n'avait rien compris au sujet, et il appliquait rigoureusement cette limite. Il fit une exception pour un étudiant spécialisé en philosophie, la première personne que j'aie jamais entendue utiliser le mot « ontologique » – je pensais qu'il s'agissait d'une spécialité médicale. Ce dernier a largement dépassé les dix minutes et lorsqu'il a fini par tomber en panne d'inspiration, Sharabi l'a fixé de ses grands yeux expressifs et lui a lâché : « Si j'avais un flingue, je vous descendrais. » Aïe ! J'ai fait mon exposé sur *Capitalisme, socialisme et démocratie* de Joseph Schumpeter. Je ne sais pas s'il était très bon, mais j'ai utilisé un langage simple et, croyez-le ou non, je l'ai bouclé en juste un peu plus de neuf minutes.

J'ai passé la plus grande partie de l'automne 1967 à préparer la Conférence sur la Communauté atlantique (CONTAC) de novembre. En tant que responsable des neufs séminaires de la CONTAC, mon travail consistait à placer les délégués, répartir les sujets et recruter des experts pour les quatre-vingt-une séances. Georgetown attirait des étudiants d'Europe, du Canada et des États-Unis, qui venaient assister à une série de séminaires et de conférences traitant des problèmes auxquels était confrontée la communauté atlantique. J'avais participé à cette conférence deux ans plus tôt et l'étudiant le plus impressionnant que j'avais rencontré était un cadet de West Point venu de l'Arkansas qui était premier de sa classe et avait obtenu une bourse Rhodes, Wesley Clark. Nos relations avec certains pays européens étaient marquées par l'opposition à la guerre du Viêt-nam en Europe, mais l'importance de l'OTAN et de la sécurité de l'Europe au sein de la guerre froide rendait toute rupture sérieuse hors de question. La conférence fut un grand succès, surtout du fait de la qualité des étudiants.

Plus tard, pendant l'automne, papa avait été victime d'une rechute. Le cancer avait gagné du terrain et il était clair que poursuivre le traitement ne servirait à rien. Il a fait un séjour à l'hôpital, mais il voulait rentrer chez lui pour mourir. Comme il a précisé à ma mère qu'il n'était pas question que je rate trop de cours, on ne m'a pas prévenu tout de suite. Jusqu'au jour où il a dit : « Ça y est. » Ma mère m'a appelé et j'ai pris l'avion. Je savais que la fin approchait et j'espérais simplement qu'il me reconnaîtrait encore à mon arrivée pour que je puisse lui dire que je l'aimais.

Le temps que je rentre, papa était alité et ne se levait plus que pour aller aux toilettes et, ce, jamais sans aide. Il avait perdu beaucoup de poids et était faible. Chaque fois qu'il essayait de se lever, ses genoux se dérobaient sous lui, comme une marionnette à laquelle on imprime des mouvements saccadés. Il paraissait apprécier notre aide à Roger et moi. Je crois que l'emmener aux toilettes fut la dernière chose que j'aie faite pour lui. Il prenait cela avec bonne humeur, faisant remarquer en riant que c'était une vraie plaie et qu'heureusement ça ne durerait plus longtemps. Lorsqu'il fut sans ressort au point de ne plus pouvoir marcher même avec de l'aide, il dut renoncer aux toilettes et utiliser un bassin, ce qu'il détestait faire devant les infirmières – des amies de ma mère venues donner un coup de main.

S'il perdait rapidement la maîtrise de son corps, son esprit et sa voix sont restés clairs pendant environ trois jours après mon retour et nous avons beaucoup parlé. Il m'a dit que tout se passerait bien pour nous après son départ et qu'il était sûr que je décrocherais une bourse Rhodes, dont les entretiens commençaient environ un mois plus tard. Au bout d'une semaine, il n'était plus guère qu'à moitié conscient, malgré des pics d'activité mentale presque jusqu'à la fin. Il s'est réveillé deux fois pour nous dire à ma mère et à moi-même qu'il était toujours là. Par deux fois encore, alors qu'il aurait dû être trop malade ou trop drogué pour réfléchir ou parler (le cancer avait envahi sa poitrine et il ne servait à rien de le laisser souffrir avec de l'aspirine, qui était la seule chose qu'il ait accepté de prendre jusqu'alors), il nous a tous stupéfiés en me demandant si j'étais sûr de pouvoir rater tous ces cours, qu'il n'était pas nécessaire que je reste, puisque, à présent, il ne se passerait plus grand-chose et que nous avions eu l'occasion de nous parler. Quand il devint incapable de s'exprimer, il se réveillait encore, fixait l'un de nous et émettait des sons pour nous faire comprendre que, par exemple, il voulait qu'on le tourne dans son lit. J'en étais réduit à m'interroger sur les pensées qui lui traversaient l'esprit.

Après son ultime tentative pour communiquer, il survécut encore une journée et demie. Ce fut horrible d'entendre ses râles et de voir son corps gonfler au point d'être déformé, phénomène dont je n'avais jamais été témoin. Vers la fin, ma mère est entrée dans la chambre, a fondu en larmes en le voyant et lui a dit qu'elle l'aimait. Après tout ce qu'il lui avait fait subir, j'espérais qu'elle était sincère, plus pour elle que pour lui.

Les derniers jours de papa, nous avons eu droit à une veillée dans la plus pure tradition à la maison. Des membres de la famille et des amis vinrent en masse nous assurer de leur sympathie. La plupart d'entre eux apportaient des plats pour nous éviter de faire la cuisine et nous permettre de nourrir nos autres visiteurs. Comme je fermais à peine l'œil et que je grignotais avec tous ceux qui passaient, j'ai pris six kilos pendant mes deux semaines à la maison. Mais c'était réconfortant d'avoir toute cette nourriture et tous ces amis quand il n'y avait plus rien d'autre à faire que d'attendre que la mort fasse son œuvre.

Le jour de l'enterrement, il pleuvait. Souvent, quand j'étais gosse, j'ai entendu papa s'exclamer devant un orage : « Ne m'enterrez pas sous la pluie. » C'était un de ces vieux dictons qui émaillent les conversations du Sud et je n'y avais jamais vraiment prêté attention. Mais j'avais compris que, pour lui, c'était important et qu'il redoutait d'être inhumé sous la pluie. Et cela allait se produire, après tous les efforts qu'il avait déployés pendant sa longue maladie pour mériter mieux.

La pluie nous a obsédés jusqu'à la chapelle et pendant les funérailles, alors que, de sa voix monocorde, le pasteur disait de lui des choses gentilles complètement fausses qui l'auraient fait ricaner s'il avait pu les entendre. Contrairement à moi, papa n'était pas très amateur d'enterrements et il n'aurait pas apprécié le sien, à l'exception des cantiques qu'il avait choisis. À la fin de la cérémonie, nous avons failli nous ruer dehors pour voir s'il pleuvait toujours. C'était le cas, et pendant le lent trajet jusqu'au cimetière, nous n'avons pas pleuré, inquiets que nous étions au sujet du temps.

Nous nous engagions dans l'étroite allée du cimetière pour nous approcher de la tombe fraîchement creusée quand Roger a presque crié que la pluie avait cessé. Cela peut paraître fou, mais nous étions ravis et soulagés. Mais nous avons gardé ça pour nous, ne nous autorisant que quelques petits sourires entendus, comme celui que nous avions si souvent vu s'afficher sur le visage de papa du jour où il s'était accepté tel qu'il était. Lors de ce long et dernier voyage qui nous attend tous, il avait trouvé un Dieu indulgent. Il ne fut pas enterré sous la pluie.

Un mois après l'inhumation de papa, je suis de nouveau rentré pour l'entretien de la bourse Rhodes – qui m'intéressait depuis le lycée. Chaque année, trente-deux boursiers Rhodes américains sont envoyés à Oxford pour deux années d'études financées par la fondation créée en 1903 selon les dernières volontés de Cecil Rhodes. Rhodes, qui avait fait fortune dans les mines de diamant d'Afrique du Sud, accordait des bourses à des jeunes gens issus de toutes les colonies britanniques présentes et anciennes qui avaient fait preuve de qualités exceptionnelles sur le plan intellectuel et sportif, et montré des talents de meneurs. Il voulait offrir Oxford à des gens qui avaient de l'intérêt et des dons pour autre chose que les matières universitaires parce qu'il pensait qu'ils seraient plus à même de servir le bien public que des objectifs purement privés. Avec le temps, les commissions de sélection avaient fini par ne plus tenir compte de piètres qualités sportives si le candidat avait excellé dans un autre domaine extra-universitaire. Quelques années après, on modifierait les règles pour ouvrir ce concours aux femmes. Un étudiant pouvait se présenter dans l'État où il résidait, ou bien dans celui où il fréquentait l'université. Tous les ans en décembre, chaque État désignait deux candidats qui participaient alors à l'une des huit compétitions régionales au cours desquelles les boursiers étaient choisis pour l'année universitaire suivante. Le processus de sélection exigeait du candidat qu'il fournisse entre cinq et huit lettres de recommandation, qu'il rédige un essai sur ses raisons de vouloir étudier à Oxford et qu'il participe à des entretiens à l'échelle des régions et de l'État devant des jurys composés d'anciens boursiers Rhodes, avec un président qui lui ne l'était pas. J'ai demandé au père Sebes, au Dr Giles, au Dr Davids et à mon professeur d'anglais de deuxième année, Mary Bond, d'écrire des lettres, de même qu'au Dr Bennett et à Frank Holt, ainsi qu'à Seth Tillman, celui qui rédigeait les discours du sénateur Fulbright enseignait à Johns Hopkins et était devenu mon ami et mon mentor. Sur la suggestion de Lee Williams, j'ai également sollicité le sénateur Fulbright. Le sachant de plus en plus soucieux à cause de la guerre, je n'avais pas voulu ennuyer le sénateur, mais Lee m'a affirmé qu'il tenait à le faire et il m'a donné une généreuse lettre.

La commission Rhodes priait les auteurs des lettres de recommandation de dresser la liste des points faibles comme des atouts des candidats. Les gens de Georgetown ont écrit, charitablement, que je n'étais pas un grand sportif. Seth a dit que, si j'étais très qualifié pour la bourse, je n'étais pas très qualifié pour le travail de routine que j'accomplissais à la Commission ; ce boulot était, disait-il, en dessous de mes capacités intellectuelles et il semblait souvent que j'avais autre chose en tête. Première nouvelle pour moi ! Je pensais faire du bon

boulot à la Commission, mais comme il le soulignait, j'avais effectivement
d'autres préoccupations en tête. Peut-être est-ce pour cette raison que j'ai eu du
mal à me concentrer sur mon essai. Finalement, j'ai abandonné l'idée de le
rédiger chez moi et j'ai loué une chambre d'hôtel dans Capitol Hill à une rue
du nouveau bâtiment du Sénat, pour avoir la paix. Il était plus difficile que je
ne le croyais de raconter ma courte vie et d'expliquer pourquoi la commission
avait de bonnes raisons de m'envoyer à Oxford.

J'ai commencé par dire que j'étais allé à Washington pour me préparer à
la vie politique ; je demandais à la commission de m'envoyer à Oxford afin
que je puisse étudier à fond les sujets que j'avais commencé à aborder dans
l'espoir de me façonner un esprit capable d'affronter les pressions de la vie
politique. À l'époque, je trouvais mon essai plutôt bien tourné. Avec le recul,
il me paraît forcé et ampoulé, comme si je m'étais efforcé d'adopter le ton
qu'emploierait un boursier Rhodes cultivé. Peut-être était-ce juste la gravité
d'un jeune vivant une époque où l'excès régnait en maître.

Se présenter dans l'Arkansas représentait un gros avantage. Du fait de la
taille de notre État et de la modestie de sa population étudiante, les concurrents étaient plus rares. Je n'aurais probablement pas franchi le cap des régionales si je m'étais présenté à New York, en Californie ou dans un autre grand
État, face à des étudiants issus des universités de l'Ivy League, qui avaient des
systèmes bien rodés pour recruter et former leurs meilleurs éléments au concours
Rhodes. Des trente-deux boursiers choisis en 1968, Yale et Harvard en présentaient six chacune, Dartmouth trois, Princeton et l'École navale, deux.
Aujourd'hui, les lauréats viennent d'horizons plus différents, comme il se doit
dans un pays comptant des centaines de bonnes universités. Mais les universités
d'élite et les écoles militaires tirent encore très bien leur épingle du jeu.

La commission de l'Arkansas était dirigée par Bill Nash, un grand homme
sec, franc-maçon et associé principal du cabinet Rose, à Little Rock, le plus
ancien à l'ouest du Mississippi, puisque sa création date de 1820. Mr Nash était
un homme à l'ancienne, avec des principes, qui parcourait à pied plusieurs
kilomètres par jour et par tous les temps. La commission comprenait un autre
associé du cabinet Rose, Gaston Williamson, qui était également le représentant de l'Arkansas à la commission régionale. Gaston était un homme brillant
de grande taille, de forte carrure, avec une voix de basse et une allure impé-
rieuse. Il s'était opposé à l'initiative prise par Faubus à Central High et avait
fait son possible pour combattre les forces de la réaction. Il m'a beaucoup aidé
et soutenu pendant tout le processus de sélection et il est resté pour moi une
source de bons conseils quand je suis devenu ministre de la Justice et
gouverneur. Après que Hillary a été engagée chez Rose en 1977, il s'est lié
d'amitié avec elle et l'a aussi conseillée. Gaston adorait Hillary. Il m'a soutenu
politiquement et il m'appréciait aussi, mais je crois qu'il a toujours pensé que
je n'étais pas assez bien pour elle.

Après avoir réussi les entretiens de l'Arkansas, je suis allé à La Nouvelle-
Orléans pour subir l'ultime épreuve. Nous étions descendus dans le Quartier
français au *Royal Orleans Hotel*, où avaient lieu les entretiens pour les finalistes
de l'Arkansas, de l'Oklahoma, du Texas, de la Louisiane, du Mississippi et de
l'Alabama. La veille au soir, en guise de révision, je me suis contenté de relire

mon essai et de dévorer *Time*, *Newsweek* et *US News & World Report* de la première à la dernière page avant de me coucher de bonne heure. Je savais qu'on me poserait des questions inattendues et je voulais être en forme. Et j'entendais bien ne pas me laisser submerger par l'émotion. La Nouvelle-Orléans ravivait des souvenirs de précédents voyages : ma mère s'agenouillant sur le quai de la gare et fondant en larmes lorsque avait démarré le train qui nous emportait grand-maman et moi ; notre visite de La Nouvelle-Orléans et de la côte du golfe du Mississippi lors des seules vacances en dehors de l'État que notre famille ait prises ensemble. Je n'arrivais pas à chasser non plus de mon esprit papa et le fait qu'il ait prédit sur son lit de mort que je gagnerais. Je le voulais pour lui aussi.

Le président de la commission était Dean McGee de l'Oklahoma. Il dirigeait la compagnie pétrolière Kerr-McGee et était une puissante figure du monde des affaires et de la vie politique de son État. Le membre qui m'impressionna le plus était Barney Monaghan, le président de Vulcan, une aciérie de Birmingham en Alabama. Il ressemblait plus à un professeur d'université qu'à un homme d'affaires du Sud, tiré à quatre épingles dans son costume trois-pièces.

La question la plus difficile qu'on me posa concernait le commerce. On me demanda si j'étais partisan du libre-échange, du protectionnisme ou d'un compromis entre les deux. Quand j'ai répondu que j'étais partisan du libre-échange, notamment pour les économies de pointe, Monaghan a répliqué : « Alors, comment vous justifiez les tentatives du sénateur Fulbright pour protéger les poulets d'Arkansas ? » C'était une question délicate, destinée à me donner l'impression qu'il me fallait choisir, sans réfléchir, entre une incohérence en matière de commerce ou un manque de loyauté à l'égard de Fulbright. J'ai avoué que j'ignorais tout des poulets, mais que je n'étais pas obligé d'être d'accord sur tous les points avec le sénateur pour être fier de travailler pour lui. Gaston Williamson est intervenu et m'a sauvé la mise en expliquant que le problème n'était pas aussi simple que le sous-entendait la question ; en fait, Fulbright avait essayé d'ouvrir des marchés étrangers à nos poulets. Il ne m'était jamais venu à l'esprit que je puisse rater l'entretien pour une histoire de volailles. Cela ne s'est jamais reproduit. Quand j'étais gouverneur et président, les gens n'en revenaient pas que j'en sache aussi long sur l'élevage et la vente des poulets aux États-Unis et à l'étranger.

À la fin des douze entretiens, et après les délibérations du jury, on nous a ramenés dans la salle de réception. La commission avait choisi un type de La Nouvelle-Orléans, deux du Mississippi et moi. Après un bref échange avec la presse, j'ai téléphoné à ma mère qui attendait de mes nouvelles dans l'angoisse pour lui demander si, à son avis, le tweed m'irait bien. Seigneur, j'étais heureux – heureux pour ma mère après tout ce qu'elle avait enduré pour me permettre de vivre cette journée, heureux que l'ultime prédiction de papa se réalise, heureux de l'honneur qui m'était fait et des promesses des deux années suivantes. Un instant, la Terre s'est arrêtée de tourner. Plus de Viêt-nam, plus d'émeutes raciales, plus de problèmes à la maison, plus d'inquiétudes à propos de mon avenir. Et j'ai utilisé les quelques heures qu'il me restait à passer à La Nouvelle-Orléans pour explorer la ville.

À mon retour à la maison, après m'être recueilli sur la tombe de papa, j'ai profité de cette période de fêtes. J'ai eu droit à un gentil entrefilet dans le journal et même à un éditorial plein de louanges. J'ai prononcé un discours devant un club civique local, pris du bon temps avec mes amis et reçu une flopée de lettres et de coups de téléphone de félicitations. Noël fut agréable, mais doux-amer ; pour la première fois depuis la naissance de mon frère, nous n'étions que trois.

Après mon retour à Georgetown, j'ai appris une autre triste nouvelle. Le 17 janvier, ma grand-mère est morte. Quelques années plus tôt, après une deuxième attaque, elle avait demandé à rentrer à Hope pour s'installer dans la maison de retraite aménagée dans l'ancien hôpital Julia Chester. Elle avait réclamé et obtenu la chambre qu'occupait ma mère à ma naissance. Sa mort, comme celle de papa, a dû susciter des sentiments contradictoires chez ma mère. Grand-maman n'était pas tendre avec elle. Peut-être par jalousie pour l'amour débordant que portait son mari à sa fille unique, elle avait très souvent fait de ma mère la cible de ses crises de rage. Ses colères s'étaient espacées après la mort de grand-papa, lorsqu'elle avait été engagée comme infirmière par une dame délicieuse qui l'a emmenée en voyage dans le Wisconsin et l'Arizona, satisfaisant ainsi son besoin de repousser les limites de sa vie étriquée et trop prévisible. Et elle avait été merveilleuse avec moi pendant mes quatre premières années, quand elle m'apprenait à lire et à compter, à finir mon assiette et à me laver les mains. Après notre emménagement à Hot Springs, chaque fois que je décrochais des A à l'école, elle m'envoyait cinq dollars. Et l'année de mes 21 ans, elle voulait encore savoir si « son bébé avait bien son mouchoir ». Je regrettais qu'elle n'ait pas été mieux comprise et qu'elle ne se soit pas mieux occupée de sa famille et d'elle-même. Mais elle m'aimait et elle a fait son possible pour m'offrir un bon départ dans la vie.

Je pensais avoir pris un bon départ, mais rien n'aurait pu me préparer à ce qui était sur le point de se produire. 1968 fut une des années les plus agitées et déchirantes de l'histoire américaine. Lyndon Johnson a commencé l'année en pensant pouvoir garder la même ligne politique au Viêt-nam, poursuivre son programme pour édifier la Grande Société visant à combattre le chômage, la pauvreté et la faim, et se présenter à un second mandat. Mais le pays s'écartait de lui. Si j'avais de la sympathie pour l'esprit de l'époque, je n'ai pas adopté le style de la rhétorique radicale. J'avais les cheveux courts, je ne buvais même pas et la musique était souvent trop bruyante et trop stridente à mon goût. Je ne détestais pas Johnson, je voulais juste que la guerre se termine, et je craignais que les chocs de culture ne sapent la cause au lieu de la faire avancer. En réaction contre les manifestations des jeunes et leur style de vie « contre-culturel », les Républicains et de nombreux Démocrates issus de la classe ouvrière ont viré à droite, se déplaçant en masse pour écouter des conservateurs comme le revenant Richard Nixon et le nouveau gouverneur de Californie, Ronald Reagan, un ancien Démocrate favorable à Roosevelt.

Les Démocrates s'éloignaient aussi de Johnson. À droite, le gouverneur George Wallace annonça qu'il se présenterait en indépendant à la présidence. À gauche, de jeunes militants comme Allard Lowenstein pressaient les Démocrates opposés à la guerre de se présenter aux primaires contre le président Johnson. Leur premier choix se portait sur le sénateur Robert Kennedy, qui avait milité pour un accord négocié au Viêt-nam. Il déclina l'offre, de peur qu'en se présentant, vu sa haine bien connue vis-à-vis du Président, il ne donne l'impression de se lancer dans une impitoyable vendetta au lieu d'une croisade inspirée par des principes. Le sénateur George McGovern, du Dakota-du-Sud, qui se présentait à sa réélection dans son État conservateur, refusa aussi. Le sénateur Eugene McCarthy, du Minnesota, accepta. En tant qu'héritier présomptif du libéralisme intellectuel d'Adlai Stevenson, McCarthy pouvait être exaspérant, voire peu sincère dans sa volonté d'afficher un manque d'ambition digne d'un saint. Mais il eut le cran de s'attaquer à Johnson et, au début de l'année, il était le seul cheval sur lequel pouvaient miser les anti-guerre. En janvier, il annonça qu'il se présenterait aux premières primaires du New Hampshire.

En février, deux événements survenus au Viêt-nam durcirent encore l'opposition à la guerre. Le premier fut l'exécution improvisée d'un homme soupçonné d'être un Viêt-cong par le chef de la police nationale sud-vietnamienne, le général Loan. Loan abattit l'homme d'une balle dans la tête en plein jour dans une rue de Saigon. L'exécution fut fixée sur la pellicule par le grand photographe Eddie Adams, dont le cliché incita encore plus d'Américains à se demander qui valait le mieux : nos alliés ou nos ennemis, dont le caractère impitoyable n'était plus à prouver.

Le second événement et le plus significatif fut l'offensive du Têt, ainsi dénommée parce qu'elle eut lieu pendant le congé du Nouvel An vietnamien. Des forces nord-vietnamiennes et viêt-cong lancèrent une série d'attaques coordonnées contre des positions américaines partout au Sud-Viêt-nam, y compris contre nos bastions comme Saigon, où même l'ambassade américaine essuya des tirs. Ces assauts furent repoussés, les Nord-Vietnamiens et le Viêt-cong subirent de lourdes pertes, et le président Johnson et nos chefs militaires crièrent victoire. En réalité, le Têt fut une énorme défaite politique et psychologique pour l'Amérique, parce que les Américains virent de leurs propres yeux, au cours de ce qui fut notre première « guerre en direct à la télévision », que leurs forces étaient vulnérables jusque dans les endroits qu'elles contrôlaient. De plus en plus d'Américains commencèrent à douter que nous puissions remporter une guerre que les Sud-Vietnamiens n'étaient pas capables de gagner tout seuls et qu'il vaille la peine d'envoyer plus de soldats au Viêt-nam quand la réponse à la première question paraissait être non.

À l'arrière, le chef de la majorité au Sénat, Mike Mansfield, appela à un arrêt des bombardements. Le secrétaire à la Défense du président Johnson, Robert McNamara, et son proche conseiller Clark Clifford, avec l'ancien secrétaire d'État Dean Acheson dirent au Président qu'il était temps d'arrêter sa politique d'escalade visant à obtenir une victoire militaire. Dean Rusk continua à la soutenir, pendant que les militaires réclamaient deux cent mille soldats de plus pour la poursuivre. Des incidents raciaux, certains violents, déchiraient toujours le pays. Richard Nixon et George Wallace annoncèrent officiellement leur candidature à la présidence. Dans le New Hampshire, la campagne de McCarthy prenait de l'ampleur avec des centaines d'étudiants antiguerre débarquant dans l'État pour faire du porte-à-porte en son nom. Ceux qui refusaient de se couper les cheveux et de se raser collaient des enveloppes dans l'arrière-salle de son QG de campagne. Pendant ce temps-là, Bobby Kennedy continuait à se demander s'il devait ou non se lancer dans la course lui aussi.

Le 12 mars, dans le New Hampshire, McCarthy remporta 42 % des voix contre 49 pour Johnson. Bien que Johnson fût un candidat inscrit qui n'avait jamais fait le déplacement du New Hampshire, ce fut une grande victoire psychologique pour McCarthy et le mouvement antiguerre. Quatre jours plus tard, Kennedy se lançait dans la course, en annonçant sa candidature dans la salle du Sénat où son frère John avait commencé sa campagne en 1960. Il chercha à dissiper les accusations qui le présentaient comme mû par une ambition personnelle dévorante en expliquant que la campagne de McCarthy avait déjà exposé au grand jour les profondes divisions au sein du Parti démocrate et qu'il voulait donner une nouvelle direction au pays. Bien entendu, il se retrouvait maintenant avec un autre problème : il venait gâcher la fête de McCarthy qui avait défié le Président quand lui s'y refusait encore.

J'assistais à tout cela d'une position privilégiée. Comme mon colocataire Tom Caplan travaillait dans le bureau de Kennedy, je savais ce qui s'y passait. Et j'avais commencé à sortir avec une copine de fac qui jouait les bénévoles au QG national de McCarthy à Washington. Ann Markusen était une brillante étudiante en économie, capitaine de l'équipe de voile féminine de Georgetown, libérale, antiguerre passionnée, originaire du Minnesota. Elle admirait McCarthy et, à l'instar des nombreux jeunes qui l'aidaient, méprisait Kennedy de tenter d'être investi à sa place. Nous eûmes plusieurs disputes « sanglantes », parce que je me réjouissais que Kennedy se présente. Je l'avais observé dans ses fonctions de ministre de la Justice et de sénateur, et je pensais qu'il se souciait davantage des problèmes intérieurs que McCarthy et j'étais convaincu qu'il ferait un président bien plus efficace. Fascinant, grand, grisonnant et bel homme, McCarthy était un intellectuel irlandais et catholique doté d'un bel esprit et d'un humour féroce. Mais je l'avais vu à l'œuvre à la Commission des affaires étrangères et je le trouvais trop détaché à mon goût. Avant de se lancer dans la primaire du New Hampshire, il paraissait curieusement passif, se contentant de bien voter et de dire ce qu'il fallait.

Par contraste, juste avant que Bobby Kennedy n'annonce sa candidature, il se démenait pour faire adopter une résolution soutenue par Fulbright demandant que le Sénat ait son mot à dire avant que Johnson n'envoie deux cent mille soldats de plus au Viêt-nam. Il s'était également rendu dans les Appalaches pour dénoncer la pauvreté dans l'Amérique rurale et avait effectué un étonnant voyage en Afrique du Sud, où il avait incité la jeunesse du pays à lutter contre l'apartheid. McCarthy, même si je l'aimais bien, me donnait l'impression qu'il préférait rester chez lui à lire saint Thomas d'Aquin plutôt que de se rendre dans une cabane en papier goudronné afin de voir comment vivent les pauvres ou de filer à l'autre bout du monde pour s'élever contre le racisme. Chaque fois que j'essayais de présenter ces arguments à Ann, elle ripostait que si Bobby Kennedy avait été davantage un homme de principe qu'un animal politique, il aurait suivi l'exemple de McCarthy. Le message sous-jacent était que, moi aussi, j'avais des réactions d'animal politique. J'étais vraiment fou d'elle à l'époque et je détestais nos divergences, mais je voulais gagner et élire un homme bien qui ferait aussi un bon président.

Le 20 mars, quatre jours après son annonce, j'ai commencé à porter un intérêt plus personnel à la candidature de Kennedy quand le président Johnson annula les sursis des étudiants de deuxième et troisième cycles, à l'exception des étudiants en médecine, mettant ainsi en danger mon avenir à Oxford. La décision de Johnson déclencha une autre poussée de culpabilité à propos du Viêt-nam : comme Johnson, je ne voyais pas pourquoi les étudiants bénéficieraient de passe-droits, mais je ne croyais pas non plus à notre politique au Viêt-nam.

Le dimanche 31 mars au soir, il était prévu que le Président s'adresse à la nation à propos du Viêt-nam. On se demandait s'il poursuivrait l'escalade ou la ralentirait un peu dans l'espoir d'entamer des négociations, mais personne ne se doutait de ce qu'il se préparait à annoncer. Je longeais Massachusetts Avenue en écoutant le discours sur mon autoradio. Johnson déclara qu'il avait décidé de radicalement réduire les bombardements du Nord-Viêt-nam dans l'espoir de trouver une solution au conflit. Je passais devant le *Cosmos Club*, au nord-ouest de Dupont Circle, quand le Président lâcha sa bombe : « Avec les fils de l'Amérique sur des champs de bataille lointains et nos espoirs de paix pour le monde bafoués chaque jour, je ne pense pas devoir consacrer une autre heure ou une autre journée à des causes partisanes personnelles… Par conséquent, je ne réclamerai pas et je n'accepterai pas d'être désigné par mon parti pour un nouveau mandat de président. » Incrédule, je me suis aussitôt garé, triste pour Johnson qui avait tant fait pour l'Amérique au plan national, mais heureux pour mon pays et ravi par la perspective d'un nouveau départ.

Cette sensation ne dura pas longtemps. Quatre jours plus tard, le soir du 4 avril, Martin Luther King Jr. était assassiné sur le balcon de sa chambre au *Lorraine Motel* de Memphis, où il se trouvait pour soutenir des éboueurs en grève. Pendant les deux dernières années de sa vie, outre sa défense des droits civiques, il luttait contre la pauvreté urbaine et s'opposait ouvertement à la guerre. Si cet élargissement de son programme était aussi une tactique politique pour parer la puissance montante de jeunes Noirs plus militants, il n'en demeurait pas moins évident que le Dr King était sincère, lorsqu'il affirmait ne pas pouvoir faire progresser les droits civiques pour les Noirs sans s'opposer à la pauvreté et à la guerre du Viêt-nam.

La veille de sa mort, il prononça un sermon étrangement prophétique devant une salle bondée au Mason Temple Church. Se référant aux nombreuses menaces contre sa vie, il déclara : « Comme tout le monde, j'aimerais vivre longtemps. La longévité n'est pas négligeable. Mais je ne m'en soucie pas en ce moment. Je veux juste me conformer à la volonté de Dieu. Il m'a autorisé à monter au sommet de la montagne. Et de là-haut, j'ai vu la Terre promise. Je n'y parviendrai peut-être pas avec vous, mais je veux que vous sachiez ce soir que notre peuple l'atteindra. Je suis donc heureux ce soir. Je n'ai pas d'inquiétude. Je ne crains personne. Mes yeux ont vu la gloire de la venue du Seigneur ! » Le lendemain soir à 6 heures, il se faisait tuer par James Earl Ray, un voleur à main armée déjà condamné, rebelle chronique, qui s'était enfui de prison un an plus tôt.

La mort de Martin Luther King Jr. secoua la nation comme aucun autre événement depuis l'assassinat du président Kennedy. En campagne en Indiana ce soir-là, Robert Kennedy tenta d'apaiser les craintes de l'Amérique en prononçant peut-être le plus grand discours de sa vie. Il demanda aux Noirs de ne pas haïr les Blancs et leur rappela que son frère avait lui aussi été tué par un Blanc. Il cita les vers d'Eschyle disant que la douleur apporte la sagesse, contre notre volonté. Il déclara à la foule qui se tenait devant lui et au pays tout entier qui l'écoutait que nous réussirions cette fois parce que la grande majorité des Noirs et des Blancs voulait vivre ensemble, améliorer leur vie, et voulait la justice.

La mort du Dr King a suscité plus que des prières ; comme certains le craignaient et d'autres l'espéraient, elle a aussi sonné la fin de la non-violence. Stokely Carmichael a proclamé que l'Amérique blanche venait de déclarer la guerre à l'Amérique noire et qu'il n'y avait pas d'autre solution que la vengeance. Des émeutes éclatèrent à New York, Boston, Chicago, Detroit, Memphis et dans plus d'une centaine d'autres villes. Elles firent plus de quarante morts et des centaines de blessés. À Washington notamment, les commerces à majorité noirs de la 14e Rue et de H Street furent gravement touchés. Le président Johnson fit appel à la garde nationale pour restaurer l'ordre, mais l'atmosphère resta tendue.

Georgetown était à bonne distance de la violence, mais nous en avons eu un aperçu quand plusieurs centaines de gardes sont venus camper dans le gymnase McDonough où jouait notre équipe de base-ball. De nombreuses familles noires chassées de leur maison par des incendies trouvèrent refuge dans des églises. Je me suis engagé dans la Croix-Rouge pour leur distribuer de la nourriture, des couvertures et autres produits de première nécessité. Ma décapotable Buick blanche de 1963, avec ses plaques de l'Arkansas et le logo de la Croix-Rouge collé sur ses vitres, détonnait un peu dans les rues pratiquement désertes, où des bâtiments fumaient encore et dont les trottoirs étaient constellés des bris des vitrines cassées par les pilleurs. J'y suis allé un soir, puis de nouveau le dimanche matin, en emmenant avec moi Carolyn Yeldell, qui était venue pour le week-end. Comme en plein jour, on se sentait en sécurité, nous sommes descendus de voiture pour marcher un peu et regarder les dégâts causés par l'émeute. C'est peut-être la seule fois de ma vie que je ne me suis pas senti en sécurité dans un quartier noir. Et je me suis dit, ni pour la première ni pour la dernière fois, qu'il était triste et ironique que les premières victimes de la colère noire soient elles-mêmes noires.

La mort du Dr King a laissé un vide dans une nation qui avait désespérément besoin de son engagement pour la non-violence et de sa foi en l'Amérique, et qui courait le danger de perdre les deux. Le Congrès réagit en votant la loi du président Johnson visant à interdire toute discrimination dans la vente ou la location de logements. Robert Kennedy tenta aussi de combler ce vide. Il remporta la primaire de l'Indiana, le 7 mai. Il avait prêché la réconciliation raciale tout en séduisant les électeurs plus conservateurs en condamnant la délinquance et en défendant l'idée qu'il valait mieux offrir du travail plutôt que de distribuer des aides sociales. Certains libéraux attaquèrent son message de maintien de l'ordre public, mais il était politiquement nécessaire. Et il y croyait, comme il croyait au besoin d'annuler les sursis.

En Indiana, Bobby Kennedy devint le premier Nouveau Démocrate, avant Jimmy Carter, avant le Conseil de la direction démocrate que j'ai contribué à lancer en 1985 et avant ma campagne de 1992. Il croyait aux droits civiques pour tous et à l'abolition des privilèges, au fait d'aider les pauvres à s'en sortir et à la préférence pour le travail par rapport à l'assistance. Il comprenait de manière viscérale que le souci du progrès exige que l'on défende à la fois une politique nouvelle et des valeurs fondamentales, un changement considérable et une stabilité sociale. S'il était devenu président, le périple de l'Amérique à travers le reste du XXᵉ siècle aurait été très différent.

Le 10 mai, des pourparlers de paix entre les États-Unis et le Nord-Viêt-nam s'ouvrirent à Paris, donnant un regain d'espoir aux Américains impatients de voir cesser la guerre et apportant un soulagement au vice-président Hubert Humphrey. Il s'était lancé dans la course fin avril et avait besoin d'un coup de pouce du destin pour avoir une chance de remporter la nomination ou l'élection. En attendant, le désordre social continuait de plus belle. À New York, l'Université Columbia fut fermée par des manifestants pour le reste de l'année universitaire. Deux prêtres catholiques, les frères Daniel et Philip Berrigan, furent arrêtés pour avoir volé et brûlé des rôles de conscription. Et à Washington, un mois à peine après les émeutes, des militants des droits civiques mirent en œuvre le projet qu'avait Martin Luther King Jr. de mener une campagne pour les pauvres en installant un camp de toile sur le Mall, baptisé Resurrection City, destiné à souligner les problèmes de la pauvreté. Il plut à torrents, ce qui transforma le Mall en un véritable champ de boue. Un jour de juin, Ann Markusen et moi y sommes allés pour manifester notre soutien. On avait disposé des planches entre les tentes pour réduire les risques d'embourbement, mais au bout de deux heures de visite et de discussions, nous étions tout de même couverts de boue. Bonne métaphore pour cette période troublée.

Mai se termina dans l'incertitude quant à la désignation du candidat démocrate. Humphrey commença à rallier des délégués chez des membres fidèles du Parti dans des États n'organisant pas de primaires et McCarthy battit Kennedy dans la primaire de l'Oregon. Les espoirs de désignation de Kennedy dépendaient de celle de Californie le 4 juin. Ma dernière semaine à l'université a été marquée par l'attente du résultat, qui devait sortir quatre jours avant la remise des diplômes.

Le mardi soir, Robert Kennedy remporta la Californie, grâce à une importante participation des électeurs issus des minorités dans le comté de Los Angeles. Tom Caplan et moi étions ravis. Nous avons écouté le discours de victoire de Kennedy, puis nous sommes allés nous coucher : il était près de 3 heures du matin à Washington. Quelques heures plus tard, Tom me réveilla en criant : « On a tiré sur Bobby ! On a tiré sur Bobby ! » Quelques minutes après que nous avions éteint la télévision, le sénateur Kennedy traversait les cuisines de l'*Ambassador Hotel* quand un jeune Arabo-Américain, Sirhan Sirhan, qui lui reprochait son soutien à Israël, avait tiré une volée de balles sur lui et son entourage. Il y eut cinq autres blessés qui s'en sont sortis. Bobby Kennedy fut opéré d'une grave blessure à la tête. Il mourut le lendemain 6 juin, à 42 ans, le jour du quarante-cinquième anniversaire de ma mère, deux mois et deux jours après l'assassinat de Martin Luther King Jr.

Le 8 juin, Caplan se rendit à New York pour assister aux funérailles, qui avaient lieu à la cathédrale St Patrick. Les admirateurs du sénateur Kennedy, célèbres et anonymes, ont défilé devant son cercueil toute la journée et toute la nuit précédant la cérémonie. Le président Johnson, le vice-président Humphrey et le sénateur McCarthy étaient présents. Comme le sénateur Fulbright. Ted Kennedy prononça un magnifique éloge funèbre de son frère, concluant avec des mots d'une puissance et d'une élégance que je n'oublierai jamais : « Mon frère n'a pas besoin d'être idéalisé, ni d'être grandi dans la mort au-delà de ce qu'il était dans la vie. Gardons de lui le souvenir d'un homme bon et droit qui savait repérer l'injustice et s'efforçait de la réparer. Ceux d'entre nous qui l'aimaient et qui le conduisent dans sa dernière demeure aujourd'hui, prions pour que ce qu'il a représenté pour nous et ce qu'il souhaitait pour d'autres finisse par illuminer le monde entier. »

C'était ce que je souhaitais aussi, mais cela paraissait plus inaccessible que jamais. Nous avons vécu ces derniers jours d'université dans un brouillard. Tom prit le train funèbre de New York à Washington et rentra juste à temps pour la remise des diplômes. Tous les autres événements avaient été annulés, mais la cérémonie elle-même devait se passer comme prévu. À l'instant où l'orateur, le maire Walter Washington, se leva pour prendre la parole, un énorme nuage d'orage apparut. Il parla pendant environ trente secondes, nous félicita, nous souhaita le meilleur et conclut en disant que si nous ne courions pas nous mettre à l'abri tout de suite, nous finirions tous noyés. La pluie s'est mise à tomber et ce fut la débandade. Nous aurions élu le maire Washington à la présidence ! Ce soir-là, les parents de Tom Caplan invitèrent Tom, ma mère, Roger, moi et quelques autres à dîner dans un restaurant italien. Tom mena la conversation et à un moment donné fit remarquer que pour bien comprendre un sujet, il faut avoir de la maturité. Aussitôt mon frère de 11 ans se leva et s'exclama : « Tom, j'en ai de la maturité ? » Ce fut bien agréable de terminer une journée agitée et une année déchirante dans un éclat de rire.

Après quelques jours passés à boucler mes bagages et à faire mes adieux, je suis rentré en Arkansas avec mon colocataire Jim Moore afin de participer à la campagne de réélection du sénateur Fulbright. Ce dernier paraissait vulnérable sur deux plans : tout d'abord, sa franche opposition à la guerre du Viêtnam dans un État conservateur et promilitaire, déjà bouleversé par l'agitation en Amérique, et ensuite, son refus de s'adapter aux contraintes de la politique parlementaire moderne, qui exige des sénateurs et des élus de rentrer presque tous les week-ends dans leur circonscription pour s'occuper de leurs administrés. Fulbright avait été élu dans les années 1940, quand les attentes étaient très différentes. À l'époque, les membres du Congrès étaient censés rentrer pendant les vacances et la longue interruption estivale, afin de répondre à leur courrier et aux coups de téléphone. Ils ne rencontraient leurs administrés que lorsque ces derniers faisaient le déplacement à Washington. Les week-ends où le

Congrès siégeait, ils étaient libres de rester en ville, de se détendre et de réfléchir comme la plupart des autres salariés américains. Lorsqu'ils rentraient pour de longues vacances, on leur demandait seulement de faire quelques heures de permanence à leur bureau et d'effectuer quelques déplacements dans l'État. Les échanges intensifs avec les administrés étaient réservés aux campagnes.

À la fin des années 1960, la banalisation du voyage en avion et l'augmentation de la couverture médiatique des événements locaux ont rapidement changé la donne. De plus en plus, les sénateurs et les représentants rentraient chez eux la plupart des week-ends, se déplaçaient davantage dans leurs circonscriptions et s'exprimaient dans les médias locaux dès qu'ils en avaient l'occasion.

La campagne de Fulbright rencontra pas mal de résistance de la part de gens qui ne partageaient pas ses idées sur la guerre ou pensaient qu'il n'était plus dans le coup, voire les deux. Il estimait que rentrer dans sa circonscription tous les week-ends était une stupidité et il m'a dit un jour en parlant de ses confrères qui n'y manquaient pas : « Mais quand trouvent-ils donc le temps de lire ou de réfléchir ? » Malheureusement, on faisait de plus en plus pression sur les parlementaires pour qu'ils voyagent constamment. Les coûts croissants de la publicité à la télévision, à la radio et autres médias, et la soif insatiable de nouvelles poussaient de nombreux parlementaires à sauter dans un avion chaque week-end et les incitaient souvent à assister pendant la semaine à des soirées de collectes de fonds dans la région de Washington. Quand j'étais président, j'ai souvent fait remarquer à Hillary et à mon équipe que si le débat parlementaire était devenu aussi agressif, cela s'expliquait par l'état d'épuisement des élus.

L'été 1968, l'épuisement n'était pas le problème de Fulbright, bien qu'il fût las de se battre contre le Viêt-nam. Ce dont il avait besoin, ce n'était pas de repos, mais d'un moyen pour rétablir le contact avec les électeurs qui se sentaient coupés de lui. Par chance, ses adversaires étaient plutôt faibles. Son principal opposant dans la primaire n'était autre que le juge Jim Johnson qui, reprenant ses vieilles habitudes, se rendait partout accompagné d'un orchestre country et accusait Fulbright de faire preuve de laxisme vis-à-vis du communisme. L'épouse de Johnson, Virginia, tentait d'imiter celle de George Wallace, qui lui avait succédé au poste de gouverneur de l'Alabama. Le candidat républicain était un modeste homme d'affaires inconnu originaire de l'est de l'Arkansas, Charles Bernard, qui affirmait que Fulbright était trop libéral pour notre État.

Lee Williams était venu diriger la campagne, aidé par le politicien jeune mais expérimenté qui veillait sur le bureau du sénateur Fulbright à Little Rock, Jim McDougal (celui de Whitewater), un populiste à l'ancienne qui avait toujours une bonne histoire à raconter dans un langage coloré et travaillait sans compter pour Fulbright, qu'il vénérait.

Jim et Lee avaient décidé de changer l'image du sénateur en le présentant comme un « brave type » de l'Arkansas en chemise à carreaux rouge. Tous les tracts de la campagne et la plupart des publicités télévisées le montraient sous ce jour, bien que je doute qu'il ait apprécié, puisque pratiquement tous les jours il arborait un costume. Pour rendre plus réelle cette image d'homme simple, le sénateur décida de mener campagne dans les petites villes de l'État, accompagné d'un seul chauffeur et muni d'un carnet noir rempli des noms de ses partisans, rassemblés par Parker Westbrook, un membre de l'équipe qui semblait connaître en Arkansas tous ceux qui portaient le moindre intérêt à la politique. Comme le sénateur Fulbright ne faisait campagne que tous les six ans, nous espérions que tous les gens cités dans le carnet noir de Parker étaient encore vivants.

Quand Lee Williams m'a proposé de conduire le sénateur pendant plusieurs jours dans le sud-ouest de l'État, j'ai sauté sur l'occasion. J'étais fasciné par Fulbright, reconnaissant de sa lettre de recommandation pour la bourse Rhodes et impatient d'en apprendre plus long sur les pensées qui agitaient les habitants des petites villes de l'Arkansas. Ils étaient à des lieues de la violence urbaine et des manifestations contre la guerre, mais nombre d'entre eux avaient des fils au Viêt-nam.

Un jour que Fulbright était suivi par l'équipe d'une télévision nationale, nous nous sommes arrêtés dans une petite ville et nous sommes entrés dans un magasin où les fermiers se ravitaillaient en grain pour leurs animaux. Sous l'œil des caméras, Fulbright serra la main d'un vieil homme en bleu de travail et lui demanda de voter pour lui. L'homme lui répondit qu'il ne pouvait pas parce que Fulbright refusait de s'opposer aux « cocos » et qu'il allait les laisser s'emparer de notre pays. Fulbright s'assit sur un tas de sacs de grain et conversa avec lui. Il lui dit qu'il s'opposerait aux communistes s'il en trouvait. « Y en a partout », riposta l'autre. « Vraiment ? répondit Fulbright. Et ici, vous en voyez, vous ? J'ai regardé partout, et moi, je n'en ai pas vu un seul. » C'était vraiment drôle de voir Fulbright faire son numéro. Le type pensait qu'ils discutaient sérieusement. Je suis sûr que le public de la télé a bien rigolé, mais ce que j'ai vu m'a gêné. L'homme s'était fermé. Peu importait qu'il ne puisse pas trouver un « coco ». Il n'écoutait plus Fulbright et aucun discours n'y changerait plus rien. J'espérais seulement qu'il y avait suffisamment d'autres électeurs dans cette ville et dans les centaines d'autres pareilles qu'on pouvait encore atteindre.

Malgré l'incident de la graineterie, Fulbright était convaincu que les électeurs des petites villes étaient sages, pragmatiques et justes. Selon lui, ils avaient davantage le temps de réfléchir et ne seraient pas des proies si faciles que ça pour ses critiques de droite. Au bout de deux jours passés à visiter des villes où tous les électeurs blancs semblaient soutenir George Wallace, je n'en étais plus si sûr. Puis, nous sommes arrivés à Center Point, où j'ai fait l'une des rencontres les plus mémorables de ma vie politique. Center Point est une petite ville qui compte moins de deux cents habitants. Le carnet noir indiquait que l'homme à voir s'appelait Bo Reece, un partisan de longue date qui vivait dans la meilleure maison de la ville. Avant l'ère des publicités à la télévision, on trouvait un Bo Reece dans la plupart des bourgs de l'Arkansas. Deux semaines avant l'élection, l'équipe disait : « Pour qui est Bo ? » On faisait connaître son choix et on raflait environ deux tiers des votes, parfois plus.

Quand nous nous sommes garés devant chez lui, Bo était assis sur sa terrasse. Il nous a serré la main, nous a dit qu'il nous attendait et nous a invités à entrer. Il habitait une vieille maison avec une cheminée et des fauteuils confortables. À peine étions-nous installés que Reece s'adressa à Fulbright :

« Sénateur, le pays a plein de problèmes. Beaucoup de choses vont mal. » Fulbright acquiesça sans savoir où Bo voulait en venir et moi non plus – peut-être directement à Wallace. Puis Bo raconta une histoire dont je me souviendrai toute ma vie : « L'autre jour, je discutais avec un de mes amis planteurs qui cultive du coton dans l'Est. Il a un groupe de métayers qui travaillent pour lui. [Lesdits métayers étaient des ouvriers, généralement noirs, dont le salaire se résumait à une petite partie de la récolte. Ils vivaient souvent dans des cabanes délabrées et étaient invariablement pauvres.] Je lui ai demandé : "Comment ça va, les gars ?" Et il a répondu : "Si l'année est mauvaise, ils s'y retrouvent." Puis il a ri et il a ajouté : "Si l'année est bonne, ils s'y retrouvent." » Et Bo a enchaîné : « Sénateur, ça va mal, et vous le savez bien. C'est pour ça qu'il y a autant de pauvreté et autant de problèmes partout. Si vous êtes réélu, vous devez faire quelque chose. Les Noirs méritent mieux que ça. » Après tous les discours racistes que nous venions d'entendre, Fulbright faillit en tomber à la renverse. Il assura à Bo qu'il s'efforcerait d'agir s'il était réélu, et Bo lui promit de le soutenir.

De retour dans la voiture, Fulbright s'exclama : « Je l'avais bien dit. Il y a beaucoup de sagesse dans les petites villes. Bo s'assied sur sa terrasse, et il réfléchit. » Bo Reece eut une grande influence sur Fulbright. Quelques semaines plus tard, lors d'une réunion à El Dorado, ville pétrolière du sud de l'Arkansas, qui est un nid de racistes partisans de Wallace, on demanda à Fulbright quel était le plus gros problème de l'Amérique. Sans hésitation, il répondit : « La pauvreté. » Je fus fier de lui et reconnaissant à Bo Reece.

Quand nous voyagions de ville et ville sur ces petites routes écrasées de chaleur, j'essayais d'amener Fulbright à parler. Ces conversations m'ont laissé de grands souvenirs, mais elles ont écourté brutalement ma carrière de chauffeur. Un jour, nous avons évoqué la Cour Warren. J'étais très favorable à la plupart de ses décisions, surtout en matière de droits civiques. Fulbright n'était pas d'accord. « Il va y avoir un terrible effet de retour de manivelle contre cette Cour suprême. On ne peut pas changer la société à coups de décrets. La plus grande partie du changement doit être l'œuvre du système politique. Même si cela prend plus de temps, cela a plus de chances de durer. » Je pense toujours que l'Amérique a bien progressé sous la Cour Warren, mais il est indéniable que cela fait plus de trente ans maintenant que nous vivons une puissante réaction contre elle.

Au bout de quatre ou cinq jours de voyage, j'ai lancé une de ces discussions politiques alors que nous sortions d'une petite ville. Au bout de cinq minutes, Fulbright m'a demandé où j'allais. Je le lui ai dit. « Alors, vous feriez mieux de tourner. Vous allez dans l'autre direction. » Et alors que je m'exécutais, penaud, il ajouta : « Vous allez donner mauvaise réputation aux boursiers Rhodes. Vous êtes en train de devenir un de ces forts en thème qui ne savent pas où ils vont. »

J'ai compris que mes jours de chauffeur étaient comptés. Mais quelle importance, j'approchais de mon vingt-deuxième anniversaire et je venais de vivre quelques jours d'expériences et de conversations qui nourriraient ma vie entière. Fulbright avait besoin d'un chauffeur capable de le conduire à l'heure à sa prochaine étape et j'étais content de retrouver le travail du QG, les meetings, les pique-niques et les longs dîners pendant lesquels Lee Williams, Jim McDougal et les autres vieux de la vieille nous régalaient d'anecdotes politiques sur l'Arkansas.

Peu de temps avant la primaire, Tom Campbell qui se rendait au Texas pour sa formation d'officier dans les Marines passa nous voir. Comme Jim Johnson organisait un de ses meetings au son d'un orchestre country à Batesville, à environ une heure et demie au nord de Little Rock, j'ai décidé de montrer à Tom un aspect de l'Arkansas dont il avait juste entendu parler. Johnson était en forme. Après avoir chauffé la foule, il a brandi une chaussure et crié : « Vous voyez cette chaussure. Elle a été fabriquée en Roumanie communiste. Et Bill Fulbright a voté pour qu'on laisse entrer ces chaussures communistes en Amérique et pour qu'on pique le boulot des braves gens de l'Arkansas qui travaillent dans nos usines de chaussures. » Ces ouvriers étaient nombreux à l'époque et Johnson leur a promis que, s'il était élu au Sénat, plus aucune chaussure communiste ne viendrait envahir l'Amérique. J'ignorais si nous importions des chaussures de Roumanie, si Fulbright avait voté en faveur d'une tentative avortée pour leur ouvrir nos frontières ou si Johnson avait tout inventé, mais c'était une bonne histoire. Après son discours, Johnson a serré des mains sur les marches du tribunal. J'ai attendu patiemment mon tour. Lorsqu'il est venu, je lui ai dit qu'il me donnait honte d'être originaire de l'Arkansas. Je crois que ma franchise l'a amusé. Il s'est contenté de sourire, de m'inviter à lui faire part de mes sentiments par écrit et est passé à la poignée de main suivante.

Le 30 juillet, Fulbright battait Jim Johnson et deux candidats moins connus. La femme du juge, Virginia, décrocha tout juste la candidature au poste de gouverneur, battant un jeune réformateur du nom de Ted Boswell de 409 voix sur plus de quatre cent mille suffrages exprimés, à qui les équipes de Fulbright avaient prêté main forte dans les derniers jours de la campagne et pendant les six jours suivants, quand tout le monde s'agitait pour éviter de ne pas être pris en compte ou pour obtenir des voix supplémentaires. Mrs Johnson perdit ensuite la bataille face à Marion Crank, un parlementaire de Foreman, dans le sud-ouest de l'Arkansas, qui avait derrière lui la foule des palais de justice et la machine électorale Faubus. L'Arkansas en avait soupé des Johnson. Nous n'étions pas encore dans le Nouveau Sud des années 1970, mais nous étions tout de même suffisamment sensés pour ne pas régresser.

En août, alors que je commençais à moins participer à la campagne Fulbright pour me préparer à partir pour Oxford, j'ai passé plusieurs soirées chez les amis de ma mère, Bill et Marge Mitchell, sur le lac Hamilton, où j'étais toujours le bienvenu. Cet été-là, j'ai rencontré des gens intéressants chez eux. Comme ma mère, ils aimaient les courses de chevaux et ils avaient fini par connaître beaucoup de gens dans le monde hippique, dont deux frères originaires de l'Illinois, W. Hal et « Donkey » Bishop, propriétaires et éleveurs. Si W. Hal Bishop était celui qui réussissait le mieux, Donkey est l'une des personnalités les plus mémorables que j'aie jamais rencontrées. Il venait fréquemment chez Marge et Bill. Un soir, près du lac, nous discutions de l'expérience de la drogue, du sexe et des femmes pour ma génération quand

Donkey a lâché qu'il buvait beaucoup dans le temps et qu'il avait été marié dix fois. J'ai ouvert des yeux grands comme des soucoupes. « Ne me regardez pas comme ça, dit-il. Quand j'avais votre âge, ce n'était pas comme maintenant. Si vous vouliez leur faire l'amour, ça ne suffisait pas de leur dire que vous les aimiez, il fallait les épouser ! » J'ai ri et je lui ai demandé s'il se rappelait tous leurs noms. « Tous sauf deux. » Et son mariage le plus court ? « Une nuit. Je me suis réveillé dans un motel avec une gueule de bois carabinée à côté d'une inconnue. Je lui ai dit : "Qui diable es-tu ?" Elle a répondu : "Ta femme, fils de pute !" Alors, je me suis levé, j'ai remis mon pantalon et j'ai foutu le camp. » Dans les années 1950, Donkey rencontra une femme différente des autres. Il ne lui cacha rien de son passé et lui promit que si elle l'épousait, il cesserait de boire et de faire la noce. Elle a tenté le pari et il a tenu parole pendant vingt-cinq ans jusqu'à sa mort.

Marge Mitchell m'a aussi présenté deux jeunes gens, Danny Thomason et Jan Biggers, enseignants depuis peu à Hot Springs. Danny venait de Hampton, siège du plus petit comté de l'Arkansas et il avait plein d'anecdotes pour le prouver. Quand j'étais gouverneur, nous étions tous deux ténors dans le chœur de l'Église baptiste de l'Emmanuel, tous les dimanches. Son frère et sa belle-sœur, Harry et Linda, sont devenus deux de nos meilleurs amis à Hillary et moi-même, et ils ont joué un grand rôle dans la campagne présidentielle de 1992 et pendant nos années à la Maison Blanche.

Jan Biggers était une grande et jolie fille bavarde de Tuckerman, dans le nord-est de l'Arkansas. Je l'aimais bien, mais elle avait des idées ségrégationnistes que je déplorais. Avant mon départ pour Oxford, je lui ai donné un carton rempli de livres de poche à lire sur les droits civiques. Quelques mois plus tard, elle s'enfuyait avec un autre professeur, John Paschal, le président du NAACP local. Ils s'installèrent dans le New Hampshire où il devint entrepreneur et où elle continua d'enseigner ; et ils eurent trois enfants. Quand je me suis présenté à la présidence, j'ai eu l'agréable surprise de découvrir que Jan était la présidente démocrate d'un des dix comtés du New Hampshire.

Je me préparais à partir pour Oxford, mais le mois d'août fut l'un des plus fous de 1968, ce qui a rendu difficile de penser à l'avenir. Il a commencé par la convention républicaine à Miami Beach, où le pari du gouverneur de New York, Nelson Rockefeller, de battre le revenant Richard Nixon était une preuve de l'affaiblissement de l'aile modérée du parti et où le gouverneur Ronald Reagan de Californie fit pour la première fois figure de président potentiel avec son appel aux conservateurs. Nixon l'emporta au premier tour par 692 voix contre 277 pour Rockefeller et 182 pour Reagan. Le message de Nixon était simple : il était pour l'ordre public dans le pays et pour une paix honorable au Viêt-nam. Si le vrai chaos politique était encore à venir quand les Démocrates se réuniraient à Chicago, les Républicains eurent leur part de turbulences, aggravées par le choix de Nixon pour la vice-présidence, le gouverneur Spiro Agnew du Maryland, seulement connu au plan national pour sa position sans appel contre la désobéissance civique. Jackie Robinson, le premier Noir à jouer dans les grandes ligues de base-ball, démissionna de ses fonctions d'aide de camp de Rockefeller parce qu'il ne pouvait pas soutenir un vice-président qu'il jugeait « raciste ». Le successeur de Martin Luther King Jr., le révérend Ralph Abernathy, transporta la campagne des pauvres de Washington à Miami Beach dans l'espoir d'influencer la convention républicaine. Ils furent déçus par le programme, les discours et les appels de Nixon aux ultra-conservateurs. Après l'annonce de la nomination d'Agnew, ce qui avait été une réunion pacifique contre la pauvreté tourna à l'émeute. On appela la garde nationale et on eut droit au scénario qui devenait habituel : gaz lacrymogènes, bagarres, pillages, incendies. À la fin, trois Noirs avaient été tués, un couvre-feu de trois jours était imposé et deux cent cinquante personnes étaient arrêtées puis relâchées pour faire taire les accusations de brutalités policières. Mais tous ces troubles ne firent que renforcer la carte de l'ordre public que jouait Nixon face à la majorité réputée silencieuse des Américains qui étaient effarés par ce qu'ils considéraient comme la destruction des bases du mode de vie américain.

Les dissensions de Miami ne furent qu'une répétition de ce que les Démocrates affronteraient lorsqu'ils se réuniraient à Chicago à la fin de ce même mois. Début août, Al Lowenstein et d'autres cherchaient encore une alternative à Humphrey. McCarthy était toujours dans la course, sans véritable espoir de gagner. Le 10 août, le sénateur George McGovern annonça sa candidature, espérant manifestement bénéficier du soutien des partisans de Robert Kennedy. En attendant, des jeunes gens opposés à la guerre affluaient à Chicago. Une poignée d'entre eux avait l'intention de semer le trouble, mais les autres étaient venus organiser diverses formes de manifestations pacifiques, dont des hippies qui projetaient de faire un sit-in et des participants défoncés à la marijuana, et la Commission de mobilisation nationale qui avait en tête un mode de contestation plus conventionnel. Mais le maire, Richard Daley, ne voulait courir aucun risque : il mit toutes les forces de police en alerte, demanda au gouverneur d'envoyer la garde nationale et se prépara au pire.

Le 22 août, la convention déplora sa première victime, un Noir de 17 ans abattu par la police, qui prétendit qu'il avait ouvert le feu sur elle près de Lincoln Park, où tout le monde se rassemblait quotidiennement. Deux jours plus tard, un millier de manifestants refusèrent de quitter le parc comme l'ordre leur en était donné. Des centaines de policiers attaquèrent la foule à coups de matraque pendant que leurs cibles lançaient des pierres, hurlaient des insultes ou fuyaient. La télévision retransmit l'ensemble.

Voilà mon souvenir de Chicago. Surréaliste. J'étais à Shreveport en Louisiane avec Jeff Dwire, l'homme que ma mère ne tarderait pas à épouser. Il sortait de l'ordinaire : ancien combattant de la Seconde Guerre mondiale dans le Pacifique qui avait définitivement perdu ses muscles abdominaux en sautant en parachute de son avion endommagé pour atterrir sur un banc de corail ; charpentier accompli, séducteur de Louisiane plein de bagout et proprié-taire du salon de coiffure que fréquentait ma mère (il avait payé ses études en travaillant comme coiffeur). Il avait aussi été joueur de football, professeur de judo, constructeur, vendeur d'équipement pour puits de pétrole et vendeur de titres. Marié mais séparé, il avait trois filles. Il avait également fait neuf mois de prison en 1962 pour fraude. En 1956, il avait rassemblé vingt-quatre mille dollars pour monter une société censée tourner des films sur des person-nalités originales de l'Oklahoma, dont le gangster Pretty Boy Floyd. Le procureur conclut que la société avait dépensé l'argent dès sa réception et n'avait jamais eu l'intention de tourner le moindre film. Jeff affirma avoir claqué la porte dès qu'il avait compris qu'il s'agissait d'une escroquerie, mais il était trop tard. Je le respectais de m'avoir confié tout cela peu après notre rencontre et ma mère tenait à lui et voulait qu'on passe un peu de temps ensemble, si bien que j'ai accepté de l'accompagner en Louisiane où il avait un contrat avec une entreprise de maisons préfabriquées. Shreveport était une ville conservatrice du nord-ouest de la Louisiane, non loin de la frontière de l'Arkansas, qui possédait un journal d'extrême droite dans lequel je lisais des commentaires sans aménité sur ce que j'avais vu à la télévision la veille au soir. Les circonstances étaient étranges, mais je suis resté scotché devant la télévision pendant des heures, ne sortant que pour me restaurer avec Jeff. Je me sentais terriblement isolé. Je ne m'identifiais pas aux gamins qui semaient le trouble, ni au maire de Chicago et à ses méthodes dures, ni à ses partisans, qui comprenaient la plupart des gens au milieu desquels j'avais grandi. Et j'en étais malade de voir mon parti et ses mots d'ordre progressistes se désintégrer sous mes yeux.

Tout espoir que la convention puisse permettre de rassembler le Parti fut détruit par le président Johnson. Dans sa première déclaration depuis l'enterrement de son frère, le sénateur Edward Kennedy réclama l'arrêt unilatéral des bombardements et le retrait des forces américaines et nord-vietnamiennes du Sud-Viêt-nam. Sa proposition servit de base à un projet de compromis soutenu par Humphrey, Kennedy et McCarthy. Quand le général Creighton Abrams, commandant en chef américain au Viêt-nam, dit à Johnson que l'arrêt des bombardements mettrait en danger les troupes américaines, le Président exigea que Humphrey abandonne le projet de compromis, et ce dernier céda. Plus tard, dans son autobiographie, Humphrey écrirait : « J'aurais dû tenir bon. Je n'aurais pas dû céder. » Mais c'est bien ce qu'il a fait et ce fut le début de la fin.

La convention commença le 26 août. L'orateur du discours d'ouverture fut le sénateur Dan Inouye de Hawaï, un courageux ancien combattant nippo-américain de la Seconde Guerre mondiale, à qui j'ai attribué la médaille d'honneur du Congrès en 2000, en reconnaissance tardive de l'héroïsme qui lui avait coûté un bras et presque sa vie pendant qu'on enfermait ses pareils dans des camps de détention au pays. Inouye exprima sa sympathie pour les manifestants et leurs objectifs, mais il les pressa de ne pas renoncer à utiliser des moyens pacifiques. Il s'éleva contre « la violence et l'anarchie », mais condamna également l'apathie et les préjugés, ce qui était une attaque directe contre Nixon et peut-être aussi contre les méthodes de la police de Chicago. Inouye avait trouvé un juste milieu, mais la situation était trop mal partie pour que ses paroles puissent avoir de l'effet.

Le problème du Viêt-nam ne fut pas le seul à diviser la convention. Certaines délégations du Sud résistaient encore au règlement du Parti voulant que la sélection des délégués soit ouverte aux Noirs. La Commission des mandats, dont le parlementaire de l'Arkansas, David Pryor, accepta par vote la délégation dissidente du Mississippi menée par le militant des droits civiques Aaron Henry. Les autres délégations du Sud furent élues, à l'exception de celle de Géorgie, divisée. La moitié de ses sièges revint à une liste de candidats dissidents dirigée par le jeune représentant Julian Bond, aujourd'hui président du NAACP ; et à celle de l'Alabama, vit seize de ses délégués disqualifiés car ils refusaient de s'engager à soutenir le candidat nommé par le Parti, probablement parce que le gouverneur de l'Alabama Wallace se présentait en indépendant.

Malgré ces différends, le principal sujet de dispute restait la guerre. McCarthy avait l'air malheureux, de nouveau en proie à sa vieille timidité, résigné à la défaite et détaché des gamins qui se faisaient harceler ou taper dessus chaque nuit à Lincoln Park ou Grant Park lorsqu'ils refusaient de dégager. Dans une tentative de dernière minute pour trouver un candidat jugé éligible et acceptable pour la plupart des Démocrates, un groupe de personnalités, allant d'Al Lowenstein au maire Daley, sonda Ted Kennedy. Une fois qu'il eut fermement refusé, la nomination de Humphrey était assurée. De même que le projet Viêt-nam voulu par Johnson. Environ 60 % des délégués votèrent pour.

Le soir où la convention devait désigner son candidat, quinze mille personnes se rassemblèrent à Grant Park pour manifester contre la guerre et la rudesse des méthodes du maire Daley. Quand l'un d'eux entreprit de descendre le drapeau américain, la police fonça dans la foule, jouant de la matraque et procédant à des arrestations. Lorsque les manifestants marchèrent vers le *Hilton*, la police envoya les gaz lacrymogènes et les repoussa dans Michigan Avenue. Tous les événements étaient retransmis par la télévision dans la salle de la convention. Les deux camps étaient très remontés. McCarthy finit par s'adresser à ses partisans à Grant Park, pour leur dire qu'il ne les abandonnerait pas et ne soutiendrait ni Humphrey ni Nixon. Le sénateur Abe Ribicoff du Connecticut, en soutenant McGovern, condamna « des méthodes dignes de la Gestapo dans les rues de Chicago ». Daley se leva d'un bond et, sous l'œil des caméras de télévision, lui lança une épithète désagréable. À la fin des discours, le vote commença. Humphrey l'emporta haut la main, vers minuit. Le vice-président qu'il avait choisi, le sénateur Edmund Muskie du Maine, fut élu aussi aisément peu après. Pendant ce temps, les manifestations continuaient à l'extérieur, menées par Tom Hayden et le comique noir Dick Gregory. Outre le discours d'ouverture d'Inouye, la seule note réconfortante dans la salle fut la projection d'un film en hommage à Robert Kennedy qui bouleversa les délégués. Sagement, le président Johnson avait donné l'ordre qu'on attende la nomination de Humphrey pour le diffuser.

Dans un dernier sursaut d'indignité, après la convention, la police entra en force au *Hilton* pour malmener et arrêter des bénévoles de McCarthy qui organisaient une fête d'adieu. Selon la police, en noyant leur chagrin, les jeunes gens l'avaient bombardée d'objets des fenêtres de la salle de l'équipe McCarthy, située au quinzième étage. Le lendemain, Humphrey soutint fermement la façon dont Daley avait affronté la violence et nia que le maire se fût mal comporté.

Les Démocrates quittèrent Chicago clopin-clopant, divisés et découragés, dernières victimes en date d'un conflit culturel qui dépassait les différends autour du Viêt-nam. Cela refaçonnerait et réalignerait la politique américaine jusqu'à la fin du siècle et au-delà, et cela contrarierait la plupart des tentatives pour amener l'électorat à s'intéresser aux problèmes qui touchent le plus sa vie et son gagne-pain au lieu de se focaliser sur sa psyché. Les jeunes et leurs partisans considéraient le maire et les flics comme des sectaires violents, ignorants et autoritaires. Aux yeux du maire et de sa police, composée de minorités ethniques à majorité ouvrière, les jeunes étaient des gosses de riches, grossiers, immoraux, peu patriotes, trop gâtés pour respecter l'autorité, trop égoïstes pour admettre les concessions nécessaires pour cimenter la société, trop lâches pour se battre au Viêt-nam.

Devant mon poste de télévision dans ma petite chambre d'hôtel de Shreveport, je comprenais ce que ressentaient les deux camps. J'étais contre la guerre et la brutalité policière, mais le fait d'avoir grandi dans l'Arkansas m'avait appris à comprendre les luttes des gens ordinaires qui font leur devoir chaque jour et m'avait amené à rester très sceptique devant le côté moralisateur suffisant de la droite comme de la gauche. Le fanatisme éphémère de la gauche n'avait pas encore fait son temps, mais il avait déjà déclenché une réaction radicale de la droite, laquelle se révélerait plus durable, mieux financée, plus structurée, plus habile, plus avide de pouvoir et bien plus douée pour l'obtenir et le conserver.

J'ai consacré la plus grande partie de ma vie d'élu à m'efforcer de combler le fossé culturel et psychologique qui s'était mué en gouffre à Chicago. J'ai remporté beaucoup d'élections et je pense avoir réussi nombre de bonnes choses, mais plus j'essayais de rassembler, plus j'énervais les fanatiques de droite. Contrairement aux gamins de Chicago, ils ne voulaient pas d'une Amérique unie. Ils avaient un ennemi et ils entendaient bien le garder.

CHAPITRE QUATORZE

J'ai passé le mois de septembre à préparer mon départ à Oxford, à faire mes adieux à mes amis et à suivre les événements de la campagne présidentielle. Comme je remplissais les conditions requises pour faire mon service militaire, je suis allé me présenter au chef du bureau de conscription local, Bill Armstrong, afin d'avoir une idée du moment auquel je devais m'attendre à être appelé. Depuis le printemps précédent, les étudiants ne pouvaient plus bénéficier de reports d'incorporation. Néanmoins, ils étaient autorisés à terminer la session d'études qu'ils avaient entamée. L'année universitaire à Oxford était divisée en trois sessions de huit semaines, entrecoupées par deux périodes de vacances de cinq semaines. Au bureau de conscription, j'ai appris que je ne ferais pas partie de la vague du mois d'octobre et que je pourrais peut-être rester à Oxford plus d'un trimestre si le nombre de recrues que le bureau devait fournir au contingent le permettait. Je mourais d'envie d'aller à Oxford, même si ce n'était que pour y rester un mois ou deux. Les lauréats d'une bourse Rhodes étaient autorisés à accomplir leur service avant de commencer leurs études à Oxford, mais comme j'avais de toute façon décidé de faire partie des conscrits et que le conflit au Viêt-nam ne semblait pas près de se terminer, former des projets d'avenir était pour le moins hasardeux.

Sur le front politique, même si je pensais que les événements de Chicago risquaient de nous avoir envoyés au tapis pour de bon et que Humphrey persistait à soutenir la politique de Johnson au Viêt-nam, j'avais toujours envie qu'il gagne. Sa défense des droits civiques était en soi une raison suffisante. La question raciale continuait de diviser le Sud et, depuis que les tribunaux multipliaient les ordres de transferts d'écoliers hors de leurs établissements d'origine afin de créer un équilibre entre les différentes circonscriptions scolaires, cette division était en train de s'étendre à l'ensemble du pays. De manière ironique, la candidature de Wallace a accru les chances de Humphrey, car la plupart de ses électeurs étaient des partisans de l'ordre public et de la ségrégation qui, dans une course électorale à deux candidats, auraient voté pour Nixon.

Les conflits culturels qui couvaient dans le pays continuaient d'exploser. Les manifestants antiguerre s'en prenaient à Humphrey davantage qu'à Nixon ou à Wallace. Le vice-président était également la cible de critiques incessantes à propos des mesures sécuritaires prises par le maire Richard Daley pendant la convention. Même si, selon un sondage Gallup, 56 % des Américains approuvaient le comportement de la police envers les manifestants, la plupart d'entre eux ne faisaient pas partie de la base démocrate, tout particulièrement dans le cadre d'une course à trois candidats incluant Wallace. Comme si tout cela n'était pas suffisant, l'ordre établi avait subi de nouvelles attaques au cours de l'élection de Miss Amérique à Atlantic City. Un groupe de manifestants noirs était venu protester contre l'absence de concurrentes noires, ainsi qu'un groupe de féministes hostiles au concours lui-même, qu'elles jugeaient dégradant pour la femme. Pour faire bonne mesure, certaines d'entre elles avaient brûlé leur soutien-gorge. Aux yeux de nombreux Américains traditionnels, c'était là le signe incontestable qu'il y avait quelque chose qui clochait sérieusement.

Durant la campagne présidentielle, Nixon semblait appliquer une stratégie de la victoire à tout prix, multipliant les attaques contre Humphrey, qu'il présentait comme faible et inefficace, et distillant aussi peu d'informations que possible sur ce qu'il comptait faire une fois président, hormis celles qui lui servaient à flatter les partisans de la ségrégation (et à courtiser par la même occasion les électeurs de Wallace). C'est ainsi qu'il promettait de renverser la politique de blocage des crédits fédéraux à l'égard des circonscriptions scolaires qui refusaient d'appliquer les décisions des tribunaux fédéraux concernant l'introduction de la mixité raciale dans les écoles. Le candidat à la vice-présidence derrière Nixon, Spiro Agnew, jouait le rôle de bulldog, assisté dans cette tâche par Pat Buchanan, qui rédigeait ses discours. Sa virulence et ses écarts de langage n'ont pas tardé à devenir légendaires. Partout où il allait, Humphrey était accueilli par des groupes de manifestants furieux. À la fin du mois, Nixon se maintenait à un score de 43 % dans les sondages, tandis que Humphrey avait perdu douze points pour tomber à 28 %, ce qui lui donnait tout juste sept points d'avance sur Wallace, lequel totalisait 21 % des intentions de vote. Le dernier jour du mois de septembre, en désespoir de cause, Humphrey s'est désolidarisé publiquement du président Johnson sur la question du Viêt-nam et a déclaré qu'il cesserait les bombardements sur le Nord-Viêt-nam. Il considérait cette mesure comme un « risque acceptable » pour obtenir « la paix ». Il s'était enfin décidé à voler de ses propres ailes. Malheureusement, il ne restait plus que cinq semaines avant le scrutin.

Au moment où Humphrey proclamait enfin sa liberté, je me trouvais à New York et je me préparais à partir pour Oxford. Denise Hyland et moi avons passé un moment formidable à déjeuner en compagnie de Willie Morris, alors jeune rédacteur en chef de *Harper's Magazine*. Au cours de ma dernière année à Georgetown, j'avais lu ses merveilleuses mémoires, *North Toward Home*, où il évoque son enfance dans le Sud, la ségrégation et la montée de

Lyndon Johnson, et j'étais devenu un inconditionnel. Après avoir obtenu ma bourse Rhodes, j'ai écrit à Willie pour lui demander si je pouvais venir le voir quand je serais à New York. Au printemps, il m'a reçu dans son bureau de Park Avenue. J'ai trouvé notre entrevue tellement agréable que j'ai demandé si je pouvais le revoir avant mon départ, faveur que, peut-être grâce à de la politesse légendaire des gens du Sud, il a pris le temps de m'accorder.

Le 4 octobre, Denise m'a accompagné jusqu'au quai 86 sur l'Hudson, où je devais embarquer pour l'Angleterre à bord du *United States*. J'avais beau connaître la destination du grand paquebot, je n'avais aucune idée de ce qui m'attendait là-bas.

Le *United States* était le paquebot le plus rapide du monde à l'époque. Le voyage a tout de même duré près d'une semaine. Une tradition de longue date voulait que les lauréats d'une bourse Rhodes voyagent ensemble pour pouvoir faire connaissance. L'allure confortable du bateau et les dîners en groupe, après les inévitables manœuvres d'approche passées à nous tourner autour en nous regardant d'un air méfiant comme une meute de chiens de chasse de bonne race, nous ont donné le temps de nous connaître mieux, de rencontrer d'autres passagers et de décompresser un peu, loin de l'atmosphère explosive de la vie politique américaine. La plupart d'entre nous étaient d'humeur si grave que nous nous sentions presque coupables de profiter du voyage. Beaucoup étaient surpris de rencontrer des gens moins obnubilés que nous par le Viêt-nam et les questions de politique intérieure.

Ma rencontre la plus étonnante à bord a été celle de Bobby Baker, le fameux protégé politique de Lyndon Johnson. Il avait été secrétaire du Sénat au moment où le Président y était le chef de la majorité. Un an plus tôt, Bobby Baker avait été reconnu coupable de fraude fiscale et de toute une série d'autres infractions, mais son procès étant en appel, il était encore en liberté. Il semblait plutôt insouciant. Par ailleurs, il était passionné de politique et curieux de passer du temps en compagnie de boursiers Rhodes. On ne peut pas dire que ce sentiment était entièrement réciproque. Si certains étudiants de notre groupe ne savaient pas qui il était, pour la plupart des autres, il était l'incarnation même du copinage et de la corruption qui régnaient dans l'establishment politique. Je n'approuvais pas les crimes qu'il avait apparemment commis, mais j'étais fasciné par ses anecdotes et par ses idées, qu'il adorait exposer en détail. Il suffisait d'une question ou deux pour le lancer.

Hormis Bobby Baker et son entourage, mon temps s'est passé en compagnie des boursiers Rhodes et d'autres jeunes qui s'étaient joints au groupe. J'appréciais surtout Martha Saxton. C'était une jeune femme délicieuse et brillante, qui voulait devenir écrivain. Elle passait le plus clair de son temps à bord avec un autre boursier Rhodes. Cependant, j'ai fini par avoir ma chance. Au terme de notre idylle, nous sommes devenus amis pour la vie. Il y a peu, elle m'a offert un exemplaire de son dernier livre, *Being Good : Women's Moral Values in Early America*.

Un jour, un passager a invité quelques-uns des membres de notre petit groupe à boire un cocktail dans sa suite. Jusqu'à ce jour, je n'avais jamais bu d'alcool, et je n'avais jamais eu envie d'en boire. Ce que la boisson avait fait à Roger Clinton me révoltait et je redoutais que l'alcool n'ait les mêmes effets sur moi. J'ai décidé qu'il était temps de surmonter cette peur qui m'avait poursuivi toute ma vie. Quand notre hôte nous a demandé ce que nous voulions boire, j'ai choisi un whisky-soda. C'est un cocktail que j'avais déjà préparé pour d'autres lorsque j'avais travaillé comme barman dans certaines soirées privées à Georgetown. Je n'avais aucune idée du goût qu'il pouvait avoir, et quand j'ai essayé, je n'ai pas tellement aimé. Le lendemain, j'ai tenté un bourbon à l'eau, que j'ai trouvé un peu meilleur. À Oxford, je buvais essentiellement de la bière, du vin et du sherry. Quand je rentrais à la maison, j'aimais bien boire un gin tonic de temps en temps ou prendre une bière en été. Entre mes 20 ans et le début de la trentaine, il m'est arrivé quelques fois de trop boire. Avec Hillary, nous buvions du champagne pour les grandes occasions, mais fort heureusement, l'alcool ne m'a jamais valu grand-chose. De plus, à la fin des années 1970, j'ai contracté une allergie à toutes les boissons alcoolisées à l'exception de la vodka. En résumé, je suis heureux de m'être libéré de la peur que m'inspirait l'alcool sur le bateau et soulagé de ne jamais y avoir pris goût au point de ne pouvoir m'en passer. J'ai eu suffisamment de problèmes pour pouvoir me passer de celui-là.

Les meilleurs moments du voyage ont été ceux que j'ai vécus avec les autres boursiers Rhodes. J'ai essayé de passer un peu de temps avec chacun d'entre eux, d'écouter leur histoire et d'apprendre des choses à leur contact. La plupart avaient un parcours universitaire bien plus impressionnant que le mien, et certains avaient été activement engagés dans des mouvements contre la guerre, dans leurs universités ou durant les campagnes d'Eugene McCarthy et de Robert Kennedy. Parmi ceux que j'appréciais le plus, plusieurs sont devenus des amis pour la vie et un nombre étonnant d'entre eux a joué un rôle important durant mes mandats présidentiels : Tom Williamson, un joueur de football noir de Harvard, qui fut conseiller auprès du département du Travail durant mon premier mandat ; Rick Stearns, diplômé de Stanford, qui m'a introduit dans la campagne McGovern et que j'ai nommé juge fédéral à Boston ; Strobe Talbott, rédacteur en chef du *Yale Daily News,* qui est devenu mon conseiller spécial pour la Russie et mon secrétaire d'État adjoint après avoir fait une brillante carrière au magazine *Time* ; Doug Eakeley qui est devenu plus tard mon colocataire à la faculté de droit, et que j'ai nommé président de la Legal Services Corporation, agence gouvernementale créée par le Congrès en 1972, destinée à financer des programmes d'assistance juridique ; Alan Bersin, autre joueur de football de Harvard, originaire de Brooklyn, que j'ai nommé procureur à San Diego, où il est aujourd'hui superintendant des écoles ; Willie Fletcher, de Seattle, que j'ai nommé à la cour d'appel du Neuvième Circuit, et Bob Reich, qui était déjà le meneur de notre groupe à l'époque et qui, par la suite, a été secrétaire au Travail sous mon premier mandat. Dennis Blair, diplômé de l'École navale, était amiral au Pentagone lorsque je suis devenu président. Plus tard, il a pris le commandement de nos forces dans le Pacifique, mais il n'a pas eu besoin de mon aide pour arriver à ce poste.

Durant les deux années qui ont suivi, nous avons tous vécu des expériences différentes à Oxford, mais nous avons partagé les mêmes doutes et les mêmes angoisses à propos de la situation dans notre pays, adorant être à Oxford, tout en nous demandant ce que nous fichions si loin de chez nous. La plupart d'entre nous ont préféré se plonger dans leur nouvelle vie plutôt que dans les tutorats ou les cours. Nos conversations, nos lectures et nos voyages personnels nous semblaient plus importants, particulièrement pour ceux d'entre nous qui avaient le sentiment que nous vivions en sursis. Deux ans plus tard, le pourcentage d'Américains qui ont obtenu leur diplôme n'avait jamais été aussi bas dans un groupe de boursiers Rhodes. Cependant, à notre manière, avec nos angoisses existentielles, nous avons probablement appris davantage sur nous-mêmes et sur les choses qui comptent dans la vie que la plupart de nos prédécesseurs à Oxford.

Cinq jours après nous être embarqués et après une brève escale au Havre, nous sommes arrivés à Southampton, où nous avons eu notre premier aperçu d'Oxford en la personne de Sir Edgar Williams, dit « Bill », le responsable de la résidence des boursiers Rhodes à Oxford. Il nous attendait sur le quai, vêtu d'un chapeau melon et d'un imperméable, et armé d'un parapluie, ressemblant davantage à un dandy anglais qu'à l'homme qui, durant la Seconde Guerre mondiale, avait dirigé les services secrets sous le maréchal Montgomery.

Bill Williams a fait monter notre petite troupe dans le bus qui devait nous conduire jusqu'à Oxford. Il faisait noir et il pleuvait, si bien que nous n'avons pas pu voir grand-chose durant le trajet. Lorsque nous sommes arrivés à Oxford, il était environ 11 heures du soir et toute la ville était déjà barricadée, si l'on excepte un petit camion éclairé qui vendait des hot dogs et du mauvais café sur High Street, juste devant University College, l'établissement dans lequel j'avais été affecté. Après être descendus du bus, nous avons franchi le porche qui menait au « quadrangle », la cour principale du bâtiment, construite au XVIIe siècle. Nous y avons fait la connaissance de Douglas Millin, le chef portier, qui contrôlait les allées et venues à l'entrée. Ce drôle de vieux bonhomme un peu bourru, ancien membre de la marine, avait pris ce travail après son départ à la retraite. Il était très intelligent et se donnait toutes les peines du monde pour le cacher derrière un chapelet de railleries bon enfant. Sa cible préférée était les Américains. Les premiers mots que je l'ai entendu prononcer étaient dirigés contre Bob Reich, qui mesurait moins de 1 m 55. En le voyant arriver, Millin le regarda et déclara qu'on lui avait annoncé la venue de quatre Yankees, mais qu'on ne lui en avait envoyé que trois et demi. Il se moquait constamment de nous, mais, derrière cette façade, c'était un homme très sage et habile à percevoir la véritable nature des gens.

Pendant les deux années qui ont suivi, j'ai passé beaucoup de temps à parler avec lui. Entre les *bloody hell* et autres interjections typiquement anglaises qui émaillaient son discours, il m'apprenait les ficelles du fonctionnement de l'université, me racontait beaucoup d'anecdotes sur les principaux professeurs et le personnel, et me donnait son point de vue sur l'actualité, notamment sur la différence entre la guerre du Viêt-nam et la Seconde Guerre mondiale. Au cours des vingt-cinq années qui ont suivi, lorsque j'ai eu l'occasion de revenir en Angleterre, je suis passé voir Douglas, histoire de ne pas perdre le contact avec la réalité. Fin 1978, après ma première élection au poste de gouverneur de l'Arkansas, j'ai emmené Hillary en Angleterre pour des vacances amplement méritées. Quand nous sommes arrivés à Oxford, je me sentais plutôt fier de moi en franchissant l'entrée de l'université. Et puis, je suis tombé sur Douglas.

Pas impressionné pour deux sous, il m'a dit : « Clinton, on m'apprend que vous venez d'être élu roi d'une cambrousse peuplée de trois hommes et d'un chien. » Décidément, j'adorais Douglas Millin.

Ma chambre était située à l'arrière du bâtiment, derrière la bibliothèque, dans Helen's Court, un petit espace désuet qui devait son nom à la femme d'un des anciens directeurs de University College. Deux bâtiments se faisaient face, séparés par une petite cour bordée d'un mur. Le bâtiment de gauche, le plus ancien, avait deux portes qui menaient à deux séries de chambres d'étudiants au rez-de-chaussée et au deuxième étage. J'avais hérité de la chambre située du côté gauche du premier étage, à laquelle on accédait par la porte du fond. J'avais une petite chambre à coucher et un petit bureau qui, en fait, ne constituaient qu'une seule grande pièce. Les toilettes étaient au premier étage, ce qui nous a valu bien des trajets dans le froid pour les rejoindre. La douche était à mon étage, et parfois, elle avait même de l'eau chaude. Le bâtiment moderne sur la droite était réservé aux étudiants de deuxième cycle, qui avaient des appartements en duplex. En octobre 2001, j'ai aidé Chelsea à déballer ses affaires dans son appartement, dont la chambre à coucher se trouvait juste en face des quartiers que j'avais occupés trente-trois ans plus tôt. Ce fut un de ces moments inestimables où le bonheur efface tous les nuages de l'existence.

En ouvrant les yeux le matin de mon premier jour à Oxford, je suis tombé nez à nez avec un personnage qui fait partie des curiosités d'Oxford, mon *scout*, Archie, qui s'occupait de l'entretien des chambres de Helen's Court. J'avais l'habitude de faire mon lit et de m'occuper de mes affaires moi-même, mais petit à petit, j'ai laissé Archie faire le travail qu'il accomplissait depuis près de cinquante ans. C'était un homme discret et bon, envers lequel moi-même et les autres étudiants avons développé une affection et un respect sincères. À Noël, ainsi qu'à d'autres occasions particulières, les étudiants étaient supposés offrir un modeste cadeau à leur *scout*. La modestie était d'ailleurs tout ce que la plupart d'entre nous pouvions nous permettre avec la bourse Rhodes annuelle de mille sept cents dollars. Archie nous avait fait savoir que ce qui lui aurait fait vraiment plaisir, c'étaient quelques bouteilles de Guinness. Je lui en ai offert beaucoup durant l'année que j'ai passée à Helen's Court, et à l'occasion, j'en buvais un verre avec lui. Archie raffolait littéralement de cette mixture, et grâce à lui, je me suis même mis à l'apprécier moi-même.

La vie de l'Université d'Oxford s'organise autour de ses vingt-neuf établissements, ou collèges, qui à l'époque n'étaient pas encore mixtes. Ceux qui étaient réservés aux femmes étaient beaucoup moins nombreux. La fonction principale de l'université dans la vie des étudiants est de leur dispenser des cours, auxquels ils ne sont pas tenus d'assister et d'organiser les examens à la fin de chaque cycle d'études. L'obtention du diplôme et sa qualité dépendent entièrement des performances durant la semaine d'examens. Dans l'intervalle, les principaux moyens d'assimiler les connaissances sont les tutorats hebdomadaires, qui exigent en principe que l'on rédige un court essai sur le sujet qui doit être abordé. Chaque collège possède sa propre chapelle, son réfectoire et sa bibliothèque. La plupart de ces édifices ont des particularités architecturales remarquables : certains sont dotés de jardins étonnants, voire de parcs ou de lacs, ou alors touchent la rivière Cherwell, qui borde la vieille ville à l'est. Juste au sud d'Oxford, le Cherwell se jette dans l'Isis, un affluent de la Tamise.

J'ai passé la majeure partie des deux premières semaines de mon séjour à me promener dans Oxford, ville ancienne et très belle. J'ai exploré ses rivières, ses parcs, ses allées bordées d'arbres, ses églises, le marché couvert, et bien sûr, ses collèges.

University College n'est pas très grand, et son plus ancien bâtiment ne remonte qu'au XVIIe siècle, mais il me convenait parfaitement. Au XIVe siècle, les membres de University College ont falsifié des documents pour faire croire qu'il s'agissait du plus vieux bâtiment d'Oxford et que ses origines remontaient au IXe siècle, à l'époque du règne d'Alfred le Grand. Toutefois, il est incontestable qu'*Univ*, comme tout le monde l'appelle, est l'un des trois plus anciens établissements d'Oxford. Il a été fondé en même temps que Merton et Balliol College au XIIIe siècle. Les statuts de 1292 comportaient une série de règles très strictes, notamment une disposition qui interdisait aux membres de l'établissement de chanter des ballades et de parler anglais. Je dois avouer qu'au cours de quelques nuits plutôt animées, je n'étais pas loin de souhaiter que mes contemporains se contentent de chuchoter en latin.

L'étudiant le plus célèbre de l'Université d'Oxford, Percy Bysshe Shelley, y est entré en 1810 en tant qu'étudiant en chimie. Il y est resté environ un an, puis il a été exclu, non parce qu'il avait utilisé ses connaissances pour aménager une petite distillerie dans sa chambre, mais du fait d'un article intitulé « Sur la nécessité de l'athéisme ». *Univ* a réintégré Shelley en 1894, sous la forme d'un magnifique gisant en marbre du poète, qui mourut noyé au large des côtes italiennes alors qu'il n'avait pas 30 ans. Il suffit aux visiteurs, même s'ils n'ont jamais lu sa poésie, de contempler sa posture gracieuse dans la mort pour comprendre pourquoi il avait une telle emprise sur les jeunes gens de son époque. Au XXe siècle, *Univ* a compté trois écrivains célèbres parmi ses étudiants : Stephen Spender, C. S. Lewis et V. S. Naipaul, mais aussi le grand physicien Stephen Hawking, deux Premiers ministres britanniques, Clement Attlee et Harold Wilson, le Premier ministre australien Bob Hawke, qui détient toujours le titre du plus rapide buveur de bière de l'établissement, l'acteur Michael York, et l'homme qui tua Raspoutine, le prince Ioussoupov.

Tout en me familiarisant avec Oxford et l'Angleterre, j'essayais de suivre de loin la campagne électorale et j'attendais avec impatience le bulletin de vote par correspondance qui allait me permettre de participer aux présidentielles. Les violences urbaines et les manifestations étudiantes continuaient, mais la situation de Humphrey s'était améliorée. Suite à sa quasi-déclaration d'indépendance vis-à-vis de Johnson et à ses prises de position sur le Viêt-nam, il s'attirait moins de critiques et avait gagné le soutien de certains d'entre eux. Eugene McCarthy avait fini par lui accorder officiellement son soutien, avec la tiédeur qui le caractérisait. Il avait également déclaré qu'il ne se porterait pas candidat à une réélection au Sénat en 1970 et qu'il ne se présenterait pas aux présidentielles de 1972. Par ailleurs, Wallace avait commis une lourde erreur en désignant l'ex-chef d'état-major des forces aériennes Curtis LeMay comme candidat à la vice-présidence. LeMay, qui avait incité le président Kennedy à bombarder Cuba durant la crise des missiles cinq ans plus tôt, a fait ses débuts de candidat à la vice-présidence en déclarant que les bombes nucléaires n'étaient qu'« une arme de plus dans l'arsenal » et qu'il y avait « de nombreuses situations où leur utilisation serait très efficace ». Suite à cette déclaration, Wallace a dû se répandre en démentis et il ne s'en est jamais remis.

Pendant ce temps, Nixon maintenait sa stratégie de victoire à tout prix, refusant de nombreuses invitations à des débats avec Humphrey, avec pour seule ombre au tableau la comparaison universelle et peu flatteuse de Spiro Agnew avec le candidat à la vice-présidence de Humphrey, le sénateur Muskie, et par la peur que Lyndon Johnson effectue une remontée de dernière minute au mois d'octobre, à l'occasion des pourparlers de paix à Paris, en annonçant l'interruption des bombardements. Nous savons aujourd'hui que le bureau de campagne de Nixon a eu accès à des informations confidentielles sur les pourparlers de paix et qu'il les tenait de Henry Kissinger qui, en tant que consultant d'Averell Harriman, était suffisamment impliqué dans les négociations pour savoir ce qui se passait. Nous savons aussi que le directeur de campagne de Nixon, John Mitchell, par l'intermédiaire d'une amie de Nixon, Anna Chennault, a exercé des pressions sur le président du Sud-Viêt-nam afin qu'il refuse la participation aux pourparlers de paix de l'opposition au gouvernement sud-vietnamien, le Front national de libération, que Johnson tentait de lui faire accepter. Celui-ci était au courant des tentatives de l'équipe de Nixon car, avec l'autorisation du département de la Justice, Anna Chennault et l'ambassadeur du Sud-Viêt-nam à Washington avaient été placés sur écoute. Finalement, le 31 octobre, le président Johnson a annoncé la cessation complète des bombardements, l'accord de Hanoi à la participation du Sud-Viêt-nam aux pourparlers et l'accord des États-Unis pour y accorder une place au Front national de libération.

Novembre a vu fleurir de grands espoirs pour Humphrey et ses partisans. Il progressait rapidement dans les sondages et, à l'évidence, il pensait que son initiative en faveur de la paix avait mis la victoire à sa portée. Le 2 novembre, c'est-à-dire le samedi qui précédait les élections, le président Thiêu annonça qu'il ne se rendrait pas à Paris si le FNL était présent, que la participation de ce dernier aux pourparlers le forcerait à mettre en place un gouvernement de coalition avec les communistes et qu'il négocierait uniquement avec le Nord-Viêt-nam. Le camp Nixon n'a pas perdu de temps pour suggérer que la précipitation de Johnson avait fait capoter son initiative pour la paix, et qu'il avait voulu aider Humphrey sans avoir pris soin de placer correctement tous ses pions diplomatiques sur l'échiquier avant d'agir.

C'est alors que Johnson, furieux, a décidé d'informer Humphrey des tentatives d'Anna Chennault pour saboter les pourparlers de paix afin de favoriser le camp Nixon. Dissimuler cette information au public afin d'éviter de fragiliser la position du président Thiêu était devenu inutile, mais étonnamment, Humphrey refusa de l'utiliser. Comme les sondages semblaient quasiment le placer *ex aequo* avec Nixon, il pensait qu'il pouvait gagner sans y avoir recours. De plus, il semble qu'il ait redouté que l'utilisation de cette information puisse se retourner contre lui, car les faits ne permettaient pas de prouver que Nixon lui-même était au courant de ce que d'autres, notamment John Mitchell, trafiquaient en son nom. Malgré tout, il y avait de fortes présomptions de la participation de Nixon à des activités qui relevaient potentiellement de la trahison. Johnson était furieux contre Humphrey. Je crois que, s'il avait fait partie de la course, le Président aurait fait éclater la vérité et, si les rôles avaient été inversés, Nixon n'aurait pas hésité une seconde à l'utiliser.

Humphrey a payé le prix de ses scrupules ou peut-être devrait-on dire de sa pusillanimité. Il a perdu l'élection avec un écart de cinq cent mille voix. Nixon l'a emporté avec 43,4 %, contre 42,7 % pour Humphrey et 13,5 % pour Wallace. Nixon a remporté les voix de trois cent un grands électeurs, trente et une de plus que la majorité, et il l'a emporté de peu dans l'Illinois et l'Ohio. Dans l'immédiat, il n'a pas été inquiété pour la manœuvre Kissinger-Mitchell-Chennault, mais selon l'hypothèse de Jules Witcover dans son livre sur 1968, *The Year the Dream Died*, cette impunité lui a peut-être coûté plus cher qu'il n'y paraissait. Le succès de cette opération a peut-être contribué à faire croire à l'équipe de Nixon qu'elle pouvait tout se permettre sans être inquiétée, y compris toutes les menées qui ont été mises au jour dans le cadre du Watergate.

Le 1er novembre, j'ai commencé à tenir un journal, dans l'un des deux volumes recouverts de cuir que Denise Hyland m'avait offerts lorsque j'ai quitté les États-Unis. Le jour où Archie m'a réveillé en m'annonçant la bonne nouvelle de l'arrêt des bombardements, j'ai écrit : « J'aurais aimé pouvoir voir le sénateur Fulbright aujourd'hui – c'est un élément de plus qui lui donne raison dans sa lutte acharnée. » Le lendemain, j'ai émis l'hypothèse que le cessez-le-feu mènerait peut-être à une réduction des troupes, et donc à un report de mon incorporation ou du moins, qu'il permettrait à « beaucoup de mes amis qui étaient déjà dans l'armée d'échapper au Viêt-nam » et à ceux qui étaient « prisonniers de ces jungles d'échapper à la mort ». Je ne soupçonnais pas que nous n'avions encore perdu que la moitié de nos victimes. Les deux premières pages de mon journal se terminaient par une célébration de « la même vertu : l'espoir, la sève de mon être, qui m'accompagne même les soirs comme celui-ci, quand j'ai perdu toute faculté d'analyse et de structuration de mes pensées ». Oui, j'étais jeune et mélodramatique, mais je croyais déjà en cette « contrée que l'on appelle espoir », que je devais évoquer dans mon discours à la convention démocrate de 1992. C'est l'espoir qui a été le moteur de toute mon existence.

Le 3 novembre, un déjeuner avec le doyen des étudiants de deuxième cycle d'*Univ*, George Cawkwell, m'a permis d'oublier un moment les élections. C'était un homme imposant, qui n'avait rien perdu des attributs du grand joueur de rugby qu'il avait été autrefois, à l'époque où une bourse Rhodes l'avait amené de Nouvelle-Zélande à Oxford. Lors de notre première entrevue, le professeur Cawkwell m'avait passé un sérieux savon à propos de ma décision de changer de filière. Peu après mon arrivée à Oxford, j'avais quitté le programme de premier cycle en politique, philosophie et économie, appelé PPE, pour préparer une maîtrise de sciences politiques, qui exigeait la rédaction d'un mémoire de cinquante mille mots. J'avais déjà étudié pratiquement tout le programme de première année à Georgetown. De plus, à cause de la conscription, je ne m'attendais pas à pouvoir faire une deuxième année à Oxford. Selon Cawkwell, cette décision était une terrible erreur, car elle me privait de ce qui faisait l'essence même des études à Oxford : les tutorats hebdomadaires pendant lesquels l'étudiant doit lire son essai et répondre aux critiques qui lui sont adressées. Peu après, en grande partie à cause des arguments de Cawkwell, j'ai de nouveau changé de cursus, pour entamer un diplôme de sciences politiques, qui comprenait des tutorats, des essais, des examens et un mémoire un peu plus court.

Le jour des élections aux États-Unis, le 5 novembre, est aussi celui où on célèbre Guy Fawkes Day en Angleterre, qui commémore la tentative de ce célèbre participant à la « conspiration des poudres » pour mettre le feu au Parlement. Mon journal porte la notation suivante : « Tout le monde fête cette journée en Angleterre ; certains parce que Fawkes a échoué, d'autres parce qu'il a essayé. » Cette nuit-là, notre groupe d'Américains a organisé une soirée électorale dans la résidence Rhodes. La majorité des participants étaient pro-Humphrey. Nous sommes allés nous coucher sans savoir ce qui s'était passé, mais nous savions que Fulbright l'avait emporté haut la main, ce qui était un soulagement, car, pendant les primaires, il ne l'avait emporté sur Jim Johnson et deux autres concurrents mineurs qu'avec 52 % des votes. Un grand cri de joie a retenti dans la résidence Rhodes à l'annonce de sa victoire.

Le 6 novembre, nous apprenions que Nixon avait gagné et que, comme je l'ai écrit dans mon journal : « Oncle Raymond et ses acolytes avaient mené l'Arkansas dans les bras de Wallace, premier écart par rapport au candidat national (démocrate) depuis que l'Arkansas a acquis le statut d'État en 1836 [...]. Il faut que j'envoie ses six dollars à oncle Raymond, car en novembre dernier, j'ai parié avec lui que l'Arkansas, le plus "libéral" des États du Sud, ne soutiendrait jamais Wallace. Ce qui démontre à quel point les pseudo-intellectuels peuvent se tromper ! » (« Pseudo-intellectuel » était l'une des invectives favorites de Wallace, dont il gratifiait quiconque était titulaire d'un diplôme universitaire ou n'était pas de son avis.) J'ai également noté que, contrairement au gouvernement du Sud-Viêt-nam, j'étais « terriblement déçu qu'après tout ce qui s'est passé, après la reprise remarquable de Humphrey, les choses se soient quand même terminées comme je l'avais pressenti en janvier dernier : Nixon à la Maison Blanche.

Pour couronner le tout, mon bulletin de vote par correspondance n'est jamais arrivé, et j'ai raté ma première occasion de voter à une élection présidentielle. Le fonctionnaire du comté l'avait envoyé par voie de terre, et non par avion. C'était moins cher, mais cela a pris trois semaines, et le bulletin est arrivé longtemps après le scrutin.

Le lendemain, j'ai repris le cours normal de ma vie. J'ai appelé ma mère qui, entre-temps, avait décidé d'épouser Jeff Dwire. Elle était si parfaitement heureuse que l'entendre m'a rendu heureux aussi. J'ai également posté un chèque de dix dollars à oncle Raymond, en ajoutant un petit mot où je suggérais que les États-Unis créent une « journée nationale George Wallace », comparable au Guy Fawkes Day des Anglais. Tout le monde pourrait faire la fête : certains parce qu'il avait posé sa candidature à l'élection présidentielle, et les autres parce qu'il avait obtenu un score si déplorable.

Le reste du mois, j'ai été happé par un tourbillon d'activités qui ont mis la politique et le Viêt-nam un peu plus à l'arrière-plan de mes préoccupations.

Un vendredi, Rick Stearns et moi avons pris le bus et fait du stop pour aller au pays de Galles. Pendant le trajet, Rick m'a lu des poèmes de Dylan Thomas. C'était la première fois que j'entendais « N'entre pas doucement dans cette bonne nuit ». Je l'ai beaucoup aimé quand Rick me l'a lu, et j'aime toujours beaucoup ces âmes courageuses qui « enrage[nt] contre la lumière qui s'éteint ».

J'ai également fait quelques petits voyages avec Tom Williamson. Un jour, nous avons décidé de faire un jeu de rôles et de renverser les stéréotypes sudistes du Noir servile et de son maître raciste. Quand le charmant chauffeur anglais s'est arrêté pour nous laisser monter, Tom a dit : « Va t'asseoir au fond, mon garçon. » J'ai répondu : « Bien, *missié.* » Le chauffeur nous a probablement pris pour des détraqués.

Deux semaines après les élections, j'ai marqué mon premier essai pour l'équipe de rugby d'*Univ.* Pour quelqu'un qui n'avait guère fait que de la musique, c'était une sacrée performance. Je ne suis jamais parvenu à saisir toutes les subtilités du rugby, mais j'aimais ce sport. J'étais plus grand que la plupart des garçons anglais et, en règle générale, je m'en tirais en courant pour m'emparer du ballon et en barrant la route aux adversaires, ou alors en poussant de toutes mes forces comme deuxième ligne en mêlée. Un jour, nous somme allés disputer un match à Cambridge. Quoique la ville de Cambridge soit plus paisible que celle d'Oxford, qui est plus grande et plus industrialisée, l'équipe adverse avait un jeu assez musclé et brutal. J'ai pris un coup sur la tête et je crois que j'ai dû subir une légère commotion. Quand j'ai dit à l'entraîneur que j'avais la tête qui tournait, il m'a rappelé que nous n'avions pas de remplaçants et qu'il y aurait un joueur en moins dans l'équipe si je quittais le terrain. « Retourne sur le terrain et contente-toi de bloquer la route de quelqu'un. » Nous avons perdu, mais j'étais heureux de ne pas être sorti. Tant qu'on n'abandonne pas la partie, on a toujours une chance.

Fin novembre, j'ai rédigé mon premier essai pour mon tuteur, le professeur Zbigniew Pelczynski, qui avait émigré de Pologne en Angleterre. Le sujet était le rôle de la terreur dans le totalitarisme soviétique. J'ai aussi assisté à mon premier tutorat et à mon premier séminaire au sein du programme. Hormis ces maigres efforts, j'ai pour ainsi dire passé le reste du mois à flâner dans les environs. Je suis allé deux fois à Stratford-upon-Avon, où vivait Shakespeare, pour assister à des représentations de ses pièces, deux fois à Londres, pour rendre visite à Dru Bachman et Ellen McPeake, les anciennes colocataires d'Ann Markusen à Georgetown, qui vivaient et travaillaient là-bas, à Birmingham pour (mal) jouer au basket-ball, et à Derby pour rencontrer des lycéens et répondre à leurs questions sur l'Amérique, à l'occasion du cinquième anniversaire de la mort du président Kennedy.

Début décembre, j'ai commencé à préparer mon retour-surprise à la maison à l'occasion du mariage de ma mère, tout en étant tourmenté à propos de mon avenir et du sien. Beaucoup d'amis de ma mère étaient catégoriquement opposés à son mariage avec Jeff Dwire, parce qu'il avait fait de la prison et qu'ils pensaient qu'il n'était toujours pas digne de confiance. Pour ne rien arranger, il n'avait pas été en mesure de finaliser son divorce d'avec sa femme, dont il était séparé depuis longtemps

Entre-temps, les doutes qui me rongeaient à propos de ma propre existence ont été renforcés lorsque mon ami Frank Aller, un boursier Rhodes qui étudiait à Queen's College, juste en face d'*Univ*, de l'autre côté de High Street, a reçu son ordre d'incorporation en provenance du bureau de conscription de sa ville d'origine, Spokane, dans l'État de Washington. Il m'a annoncé qu'il rentrait chez lui pour préparer ses grands-parents et sa petite amie à sa décision de refuser son incorporation et de rester en Angleterre pour une durée indéterminée afin d'éviter la prison. Frank avait étudié la Chine et comprenait bien le Viêt-nam. Il pensait que notre politique était à la fois mauvaise et immorale. C'était aussi un honnête garçon des classes moyennes, très attaché à son pays. Les affres de son cas de conscience le rendaient très malheureux. Strobe Talbott, qui vivait juste au bout de la rue, à Magdalen College, et moi-même avons fait de notre mieux pour le consoler et le soutenir. Comme Frank avait bon cœur et savait que nous étions tout aussi opposés à la guerre que lui, il a essayé de nous consoler nous aussi. Il s'est montré particulièrement convaincu à mon égard, me soutenant que, contrairement à lui, j'avais le désir et les capacités de changer les choses en politique et que j'aurais tort de gâcher mes possibilités en résistant à la conscription. Sa générosité n'a fait que renforcer mon sentiment de culpabilité, comme en témoignent les pages torturées de mon journal. Il me rendait les choses bien plus faciles que je ne pouvais m'autoriser à le faire moi-même.

Le 19 décembre, j'arrivai à Minneapolis, où la neige tombait à gros flocons, pour voir Ann Markusen. Elle était rentrée de Michigan State University où elle faisait un doctorat. Elle se posait autant de questions que moi à propos de son avenir et de celui de notre pays. Je l'aimais. Mais j'avais trop de doutes sur moi-même à cette époque de ma vie pour m'engager avec qui que ce soit.

Le 23 décembre, j'ai pris l'avion pour rentrer à la maison. La surprise a fonctionné au-delà de mes espérances. Ma mère ne pouvait plus s'arrêter de pleurer. Elle, Jeff et Roger semblaient tout heureux du mariage qui s'annonçait, tellement heureux qu'ils ne m'ont pas fait trop d'histoires à propos de mes cheveux, que je portais désormais longs. La fête de Noël a été joyeuse, en dépit des ultimes tentatives de deux amies de ma mère pour me pousser à la dissuader d'épouser Jeff. J'ai posé cinq roses jaunes sur la tombe de papa et j'ai prié pour que sa famille soutienne ma mère et Roger dans leurs nouveaux projets. J'appréciais Jeff Dwire. Il était intelligent, travailleur, bon avec Roger et manifestement amoureux de ma mère. J'étais favorable à leur mariage car, comme je l'ai écrit à l'époque : « Si tous les amis vaguement sceptiques et tous les oiseaux de mauvais augure franchement perfides ont raison à propos de Jeff et de ma mère, leur union pourra difficilement être un plus grand échec que les précédents mariages de ma mère, ou que ceux de Jeff. » Pour un temps, j'ai pu oublier le tumulte de 1968, l'année qui a déchiré la nation et fait éclater le Parti démocrate, l'année où le populisme conservateur a remplacé le populisme progressiste pour devenir la force politique dominante dans notre pays, où la loi, l'ordre et la fermeté sont devenus le domaine réservé des Républicains, où l'on s'est mis à identifier les Démocrates au chaos, à la faiblesse, aux élites complaisantes et déconnectées des réalités, l'année qui a mené à Nixon, puis à Reagan, puis à Gingrich, et enfin à George W. Bush. Le réveil brutal des classes moyennes allait déterminer et dénaturer la politique américaine jusqu'à la fin du siècle. Le Watergate allait ébranler le nouveau conservatisme, mais pas le détruire. Menacé par ses propres débordements, le mouvement conservateur promettait de faire preuve de plus de « douceur et de tolérance », ou de davantage de « compassion », tout en tirant à boulets rouges sur la « lâcheté » des Démocrates, dénonçant la faiblesse de leurs valeurs, de leur caractère et de leur volonté. Cela devait s'avérer suffisant pour déclencher la réaction douloureusement prévisible et quasi pavlovienne d'assez d'électeurs des classes moyennes blanches pour que leur lit soit fait. Évidemment, les choses étaient un peu plus compliquées que cela. Parfois, les critiques qu'ils adressaient aux Démocrates étaient en partie justifiées, et il y a toujours eu des Républicains modérés et des conservateurs de bonne volonté qui travaillaient avec les Démocrates pour réaliser des changements positifs.

Néanmoins, les cauchemars profondément ancrés de 1968 ont constitué le terrain sur lequel moi-même et d'autres hommes politiques progressistes avons dû nous battre durant toute la durée de notre carrière. Si Martin Luther King Jr. et Robert Kennedy avaient vécu, les choses auraient peut-être été différentes. Si Humphrey avait révélé l'ingérence de Nixon dans les pourparlers de paix à Paris, les choses auraient peut-être été différentes. Mais peut-être pas. Quoi qu'il en soit, ceux d'entre nous qui pensaient que le bilan des années 1960 était malgré tout plus positif que négatif allaient continuer le combat, inspirés par les héros et les rêves ardents de notre jeunesse.

CHAPITRE QUINZE

Jour de l'An 1969. L'année commençait sur une note optimiste. Frank Holt venait d'être réélu à la Cour suprême, deux ans seulement après sa défaite dans la course au poste de gouverneur. Je suis allé à la cérémonie de prestation de serment, à Little Rock. Bien qu'il nous ait conjurés de ne pas consacrer notre premier de l'An à ce rituel dépourvu d'importance, plus de cinquante obstinés sont quand même venus. J'ai noté dans mon journal : « Je lui ai dit que je n'allais tout de même pas lui faire faux bond juste parce qu'il avait gagné ! » Curieusement, en tant que « nouveau » juge, on lui allouait les anciens bureaux du juge Jim Johnson.

Le 2 janvier, Joe Newman et moi avons emmené ma mère à Hope pour annoncer à ce qui restait de sa famille qu'elle épousait Jeff le lendemain. Quand nous sommes arrivés à la maison, Joe et moi avons enlevé le panneau « Les Roger Clinton » de la boîte aux lettres. Avec son ironie coutumière, Joe a commenté : « C'est un peu triste qu'il s'enlève aussi facilement. » En dépit des mauvais présages, je pensais que ce mariage marcherait. Comme je l'écrivais dans mon journal : « Si Jeff n'est qu'un faux-jeton, comme certains le prétendent encore, alors, je me suis fait rouler. »

Le lendemain soir, la cérémonie a été brève et simple. C'est notre ami le révérend John Miles qui a recueilli leurs vœux. Roger a allumé les cierges, et moi, j'ai fait le garçon d'honneur. Après, il y a eu une fête au cours de laquelle Carolyn Yeldell et moi avons chanté pour les invités. Certains ecclésiastiques auraient refusé de sanctifier ce mariage, puisque Jeff était divorcé, qui plus est depuis peu. Mais pas John Miles. C'était un méthodiste libéral pugnace et dur, qui croyait que Jésus avait été envoyé par Dieu le père pour nous donner à tous une deuxième chance. Vingt-cinq années plus tard, presque jour pour jour, John rendrait un émouvant hommage à ma mère lors de son enterrement.

Le 4 janvier, grâce à mon amie Sharon Evans, qui connaissait le gouverneur Rockefeller, j'ai été invité à déjeuner avec lui à son ranch de Petit Jean Mountain. J'ai trouvé Rockefeller sympathique et disert. Nous avons bavardé d'Oxford, où son fils Winthrop Paul ambitionnait d'aller. Le gouverneur voulait que je reste en contact avec lui, qui avait passé une bonne partie de son enfance en Europe, quand il commencerait ses études à Pembroke College, à l'automne. Après le déjeuner, j'ai discuté avec Win Paul, et ensuite nous sommes allés retrouver Tom Campbell, qui arrivait du Mississippi en voiture, où il suivait un entraînement pour être pilote des Marines. Tous trois avons rejoint la résidence du gouverneur, que Win Paul nous avait invité à aller voir. Nous avons tous été impressionnés. En partant, je me suis dit que je venais de visiter un haut lieu de l'histoire de l'Arkansas, mais j'étais loin de penser que quelques années plus tard, cela deviendrait ma maison pour douze ans.

Le 11 janvier, je suis reparti en Angleterre à bord du même vol que Tom Williamson, qui m'éclairait sur ce que c'était qu'être noir aux États-Unis, et que Frank Aller, qui nous a raconté les pénibles vacances qu'il avait passées. Comme condition préalable à sa venue à la maison pour Noël, son père, plutôt conservateur, avait exigé qu'il passe chez le coiffeur sans même attendre sa mobilisation. Quand je suis arrivé à Oxford, j'ai trouvé dans le courrier qui m'attendait une lettre remarquable de mon vieil ami et partenaire de baptême, le Marine Bert Jeffries. J'ai noté quelques extraits de son formidable mais triste message :

[...] Bill, j'ai déjà vu bien des choses et vécu de nombreux événements qu'aucun homme sensé ne voudrait voir ou vivre. Ici, c'est pas du bidon. On gagne ou on crève. Ce n'est pas terrible quand un pote avec qui tu vis et à qui tu t'attaches meurt à côté de toi, et que tu sais qu'aucune bonne raison ne le justifie. Et tu te rends compte que ça aurait facilement pu être toi.
Je suis au service d'un lieutenant-colonel. Je suis son garde du corps [...]. Le 21 novembre, nous sommes arrivés à un endroit appelé Winchester. Notre hélicoptère nous a débarqués et le colonel, moi-même et deux autres gars avons commencé à examiner le coin [...]. Dans un bunker, il y avait deux soldats nord-vietnamiens qui ont ouvert le feu sur nous [...]. Le colonel a été touché et les deux autres aussi. Bill, ce jour-là, j'ai prié. Heureusement, je les ai eus tous les deux avant qu'ils ne m'aient. Ce jour-là, j'ai tué un homme pour la première fois. Et c'est horrible, Bill, de savoir que tu as pris la vie d'un autre homme. C'est un sentiment répugnant. Tu te rends compte que ça aurait très facilement pu être toi.

Le lendemain, 13 janvier, je suis allé à Londres pour passer ma visite médicale. D'après les notes fantaisistes que j'ai prises dans mon journal, le médecin a déclaré que j'étais « un des spécimens les plus sains du monde occidental, digne d'être exhibé dans des écoles de médecine, des expositions, des zoos, des carnavals et des camps d'entraînement ». Le 15, j'ai vu le film *A Delicate Balance*, d'Edward Albee, qui a été « ma deuxième expérience surréaliste depuis très longtemps ». Les personnages d'Albee obligeaient les spectateurs « à se demander si un jour, à l'approche de la fin, ils ne s'éveilleront pas en se trouvant vains et effrayés ». Je me posais déjà cette question.

Le président Nixon fut investi dans ses fonctions le 20 janvier. Son discours fut une tentative de réconciliation, mais il me laissa « plutôt froid ; il prêche la religion et les vertus de la bonne vieille classe moyenne. Elles sont censées résoudre nos problèmes avec les Asiatiques, qui ne sont pas issus de la tradition judéo-chrétienne ; avec les communistes, qui ne croient même pas en Dieu ; avec les Noirs, qui ont si souvent été maltraités par des Blancs bigots qu'il n'y a presque plus aucun terrain d'entente entre eux ; et avec les enfants, à qui l'on a raconté tant de fois le même baratin qu'ils en viennent parfois à préférer la drogue au lâche aveuglement de leurs aînés ». L'ironie, c'est que moi aussi je croyais dans le christianisme et les vertus de la bourgeoisie ; mais ils ne m'amenaient pas aux mêmes conclusions. Je pensais que le respect de nos véritables principes religieux et politiques demandait que l'on aille plus loin et plus au fond des choses que Mr Nixon n'était prêt à le faire.

J'ai décidé de me consacrer de nouveau à ma vie en Angleterre pour le temps qui me restait. J'ai assisté pour la première fois à l'un des fameux débats organisés par l'Oxford Union. Conclusion : que l'homme a créé Dieu à son image est un « sujet potentiellement fécond mais mal exploré ». Je me suis rendu à Manchester et me suis émerveillé de la beauté de la campagne anglaise transformée en « mosaïque par ces anciens murs de pierre montés sans mortier ni boue ni ciment ». Il y avait un séminaire sur « le pluralisme en tant que concept de la théorie démocratique », que j'ai trouvé barbant. Ce n'était qu'une tentative parmi tant d'autres « pour expliquer en termes plus compliqués (et donc plus riches de sens, bien entendu) ce qui se passe sous nos yeux [...]. Pour moi, ce n'est que de la foutaise parce qu'à la base, je ne suis pas un intellectuel, je ne conceptualise pas le réel et ne suis simplement pas assez fin, je crois, pour rivaliser avec les meilleurs ».

Le 27 janvier, le réel releva la tête : quelques-uns d'entre nous avions organisé une fête en l'honneur de Frank Aller, qui devenait officiellement insoumis. En dépit de la vodka, des toasts et de quelques tentatives pour faire rire, ce fut un flop. Même Bob Reich, qui était de loin le plus drôle d'entre nous, n'arriva pas à détendre l'atmosphère. Nous n'arrivions tout simplement pas à alléger le poids qui reposait sur les épaules de Frank « en ce jour où il avait joint le geste à sa parole ». Le lendemain, Strobe Talbott, qui risquait déjà assez peu d'être mobilisé à cause d'une ancienne blessure contractée au foot, devint totalement inapte au service quand ses lunettes heurtèrent la raquette de squash de John Isaacson sur le court de l'université. Le médecin passa deux heures à extraire des éclats de verre de sa cornée. Il s'en est remis et a passé les trente-cinq années suivantes à voir des choses qui échappent à la plupart d'entre nous.

Pendant longtemps, j'ai trouvé le mois de février pénible et ai lutté entre le cafard et l'attente du printemps. Mon premier mois de février à Oxford a été mortel. Pour résister, j'ai beaucoup lu, comme je l'ai fait dans l'ensemble à Oxford, sans aucune ligne directrice particulière si ce n'est celle que dictaient mes études. J'ai dévoré des centaines de livres. Ce mois-là, j'ai lu *Lune noire,* de Steinbeck, en partie parce qu'il venait de mourir et que je voulais repenser à lui grâce à un ouvrage que je n'avais pas déjà lu. J'ai relu *North Toward Home*, de l'écrivain du Sud Willie Morris, qui m'a aidé à comprendre mes racines et le « meilleur de moi-même ». Et j'ai également lu *Soul on Ice*, les souvenirs de prison d'Eldridge Cleaver, leader des Panthères noires, qui m'a fait réfléchir à ce qu'est l'âme. « J'utilise suffisamment le mot "âme" pour être noir, mais bien entendu – et quelquefois, je me dis, malheureusement – je ne le suis pas [...]. L'âme : je sais ce que c'est – c'est là que je ressens les choses ; c'est ce qui me fait éprouver des émotions ; c'est ce qui fait de moi un homme, et quand je la mets hors service, je me rends vite compte que je vais mourir si je ne redresse pas la situation. » À cette époque, je craignais d'être en train de la perdre.

Mes conflits intérieurs au sujet de la mobilisation ont fait resurgir les doutes qui m'habitaient depuis longtemps à propos de ma nature et de ma capacité à devenir quelqu'un de vraiment bien. Il semble que, souvent, les personnes qui ont grandi dans des conditions difficiles se sentent inconsciemment coupables et indignes de connaître une vie meilleure. Ce problème naît, selon moi, du fait de mener des vies parallèles : une vie extérieure qui suit son cours naturel et une vie intérieure au sein de laquelle on dissimule des secrets. Quand j'étais petit, ma vie extérieure était riche d'amis et de plaisirs, de découvertes et d'activités, alors que ma vie intérieure était faite d'incertitudes, de colère et de la terrible crainte d'une violence toujours latente. Or nul ne peut mener de front deux vies parfaitement parallèles ; inévitablement, elles se recoupent. À Georgetown, au fur et à mesure que la menace que représentait la violence de papa s'était éloignée, jusqu'à disparaître, j'avais pu vivre une vie plus cohérente. Mais voilà que le dilemme de la mobilisation réveillait ma vie intérieure. Sous la surface de ma nouvelle vie extérieure si passionnante, les anciens démons du doute et de l'autodestruction relevaient la tête.

En fait, j'ai toujours lutté pour que mes vies parallèles se rejoignent, pour que mon esprit, mon corps et mon âme forment un tout. Pendant tout ce temps, je me suis efforcé de réussir au mieux ma vie extérieure tout en survivant aux dangers et en apaisant la douleur de ma vie intérieure. C'est sans doute ce qui explique la grande admiration que j'éprouve pour le courage individuel des soldats ou des autres personnes qui mettent leur vie en danger pour des causes honorables et la haine viscérale que je ressens pour la violence et l'abus de pouvoir ; ma passion pour l'intérêt général et ma profonde compassion pour les problèmes des autres ; le réconfort que j'ai trouvé dans la compagnie des hommes et le mal que j'ai eu à laisser quiconque pénétrer les recoins les plus reculés de ma vie intérieure. Il y faisait bien sombre.

Il m'était déjà arrivé de douter de moi, mais jamais aussi longtemps. Comme je l'ai déjà raconté, c'est quand j'étais au collège, donc plus de cinq ans avant de venir à Oxford, que j'ai pris pour la première fois suffisamment conscience de moi-même pour découvrir que ces sentiments grondaient sous mon côté souriant et mon allure optimiste. C'est à cette époque que j'avais écrit, pour le cours d'anglais de Mrs Warneke, une dissertation autobiographique dans laquelle je parlais du « dégoût » qui « agite ma tête ».

En février 1969, la tempête faisait vraiment rage sous mon crâne, et j'ai essayé de la calmer en lisant, en voyageant et en passant beaucoup de temps avec des gens intéressants. J'en rencontrais beaucoup au 9, Bolton Gardens, à Londres, dans un spacieux appartement qui est devenu mon chez-moi lors des nombreux week-ends où j'ai quitté Oxford. Son occupant permanent était David Edwards, qui était apparu à Helen's Court, un soir, avec Dru Bachman – le colocataire d'Ann Markusen à Georgetown – vêtu d'une tenue zazou, avec une longue veste pleine de boutons et de poches et un pantalon flottant. Avant cela, je n'en avais vu que dans de vieux films. L'appartement de David à Bolton Gardens est devenu un refuge pour un groupe très divers de jeunes Américains, Anglais ou autres qui allaient et venaient à Londres. Beaucoup de repas et de fêtes y ont eu lieu, le plus souvent largement financés par David, qui avait plus d'argent que le reste d'entre nous et était extrêmement généreux.

J'ai aussi passé beaucoup de temps tout seul, à Oxford. J'ai apprécié la solitude de la lecture et été tout particulièrement ému par un passage de *The People, Yes,* de Carl Sandburg :

Dis-lui de rester souvent seul et de se découvrir
et surtout qu'il ne se dise pas de mensonge sur lui-même.
[...]
Dis-lui que la solitude est créatrice s'il est fort
et que les décisions finales se prennent dans des
chambres silencieuses.
[...]
Il sera assez seul
pour avoir du temps à consacrer à la tâche
qu'il sait devoir accomplir.

Sandburg m'a fait penser que quelque chose de bon pouvait résulter de mes interrogations et de mes angoisses. J'avais déjà passé beaucoup de temps tout seul, puisque j'avais été enfant unique jusqu'à l'âge de 10 ans alors que mes deux parents travaillaient. Un des mythes les plus amusants qui ont été propagés, par des gens qui ne me connaissaient pas, une fois que j'ai été engagé dans la politique au niveau national, a été que je détesterais être seul, sans doute parce que j'apprécie beaucoup la compagnie des autres, depuis de vastes assemblées jusqu'aux dîners en petit comité en passant par les parties de cartes avec des amis. Or, quand j'étais président, je me donnais beaucoup de mal pour garder une ou deux heures par jour à penser, réfléchir, planifier ou ne rien faire, seul. Bien souvent, je réduisais mon temps de sommeil juste pour me ménager ce moment de solitude. À Oxford, je suis beaucoup resté seul, et j'ai consacré ce temps à la recherche dont Sandburg disait qu'elle est indispensable pour réussir sa vie.

En mars, le printemps approchant, mon moral a remonté avec la température. Au cours de nos cinq semaines de vacances, je me suis rendu pour la première fois sur le continent. J'ai pris le train jusqu'à Douvres pour en voir les falaises blanches, puis le ferry jusqu'en Belgique, où j'ai à nouveau pris un train pour Cologne, en Allemagne. À 9 h 30, en sortant de la gare, je me suis retrouvé dans l'ombre de la magnifique cathédrale médiévale qui surplombe la ville, et j'ai compris pourquoi, durant la Seconde Guerre mondiale, les pilotes alliés avaient risqué leur vie pour éviter de la détruire en volant trop bas alors qu'ils tentaient de bombarder un pont ferroviaire, non loin de là, sur le Rhin. Dans cette cathédrale, je me suis senti proche de Dieu, comme chaque fois que j'y suis retourné. Le lendemain matin, j'ai retrouvé Rick Stearns, Ann Markusen et mon ami allemand Rudy Lowe, que j'avais rencontré en 1967 à la CONTAC, à Washington, DC, et avec qui nous devions visiter la Bavière. Quand nous sommes allés à Bamberg, la ville millénaire d'où venait Rudy, il m'a emmené à la frontière est-allemande toute proche et j'ai vu, à la lisière de la forêt bavaroise, un soldat est-allemand qui montait la garde dans un mirador derrière des fils barbelés.

C'est pendant que je faisais ce périple que le président Eisenhower est mort, « l'un des derniers fragments qui restaient du rêve américain ». Cela a également été la fin de ma relation avec Ann Markusen, victime du temps et de mon incapacité à m'engager. Il allait nous falloir longtemps pour redevenir amis.

À mon retour à Oxford, l'analyste politique George Kennan vint nous parler. Il avait émis de graves réserves à propos de la politique américaine au Viêt-nam, et mes amis et moi-même avions très envie de l'entendre. Malheureusement, il n'aborda pas la politique étrangère, et se lança au contraire dans une diatribe contre les manifestations étudiantes et toute la « contre-culture » antiguerre. Quelques-uns de mes camarades, notamment Tom Williamson, discutèrent quelques minutes avec lui, et les choses s'arrêtèrent là. Notre réaction unanime fut bien résumée par l'amusant commentaire d'Alan Bersin : « Le livre était meilleur que le film. »

Quelques jours plus tard, je vécus un dîner et une discussion stupéfiants avec Rick Stearns, qui était sans doute le plus mûr et le plus calé de notre groupe sur le plan politique. J'ai noté dans mon journal que Rick « m'a volé dans les plumes au sujet de mon opposition à la mobilisation », au motif que les pauvres devaient supporter une part encore plus grande du fardeau militaire. Il préconisait « un service national, offrant différentes voies aux militaires, mais avec des incitations comme un temps de service plus court et une solde plus élevée afin que l'on maintienne les forces armées à des niveaux acceptables ». Il pensait que « tout le monde, et pas seulement les pauvres, devait accomplir un service civil ». Ainsi fut plantée une graine qui, plus de vingt ans plus tard, lors de ma première campagne présidentielle, deviendrait ma proposition de programme national de service civil pour les jeunes.

À l'été 1969, le seul service national existant était de type militaire, et les effectifs étaient froidement estimés par « comptage des corps ». À la mi-avril, ceux-ci avaient inclus mon ami d'enfance Bert Jeffries. Dans les semaines d'agonie qui avaient suivi, sa femme a mis au monde, avec un mois d'avance, un enfant qui, comme moi, allait grandir avec des souvenirs rapportés de son père. Quand Bert est mort, il servait dans les Marines avec deux de ses plus proches amis de Hot Springs, Ira Stone et Duke Watts. Sa famille devait choisir la personne qui rapporterait le corps au pays, choix relativement important puisque, aux termes de la réglementation militaire, ladite personne n'avait pas à repartir. Elle a choisi Ira, parce qu'il avait déjà été blessé trois fois et en partie parce que Duke, qui avait lui aussi échappé plusieurs fois de peu à la mort, devait rentrer un mois plus tard. J'ai pleuré pour mon ami et je me suis à nouveau demandé si ma décision de partir à Oxford n'avait pas été motivée davantage par le désir de vivre que par mon opposition à la guerre. J'ai noté dans mon journal que « le privilège de vivre en sursis [...] est impossible à justifier mais, et c'est peut-être malheureux, très difficile à supporter ».

Après mon retour, les manifestations contre la guerre continuaient sans relâche. En 1969, quatre cent quarante-huit universités se sont mises en grève ou ont dû fermer. Le 22 avril, je fus surpris de lire dans le journal anglais *The Guardian* qu'Ed Whitfield, de Little Rock, avait conduit un groupe armé de Noirs qui avaient occupé un bâtiment de la Cornell University à Ithaca, dans l'État de New York. En effet, l'été précédent, Ed avait été critiqué par de jeunes militants noirs de Little Rock quand, ensemble, nous avions œuvré à la réélection de Fulbright au Sénat.

Une semaine plus tard, le 30 avril, la guerre m'a enfin touché directement, par le biais d'un curieux événement qui illustre bien la singularité de l'époque. J'ai reçu ma convocation : je devais me présenter le 21 avril. Elle avait clairement été postée le 1er avril, mais tout comme mon vote par correspondance quelques mois plus tôt, elle avait été envoyée par bateau. J'ai téléphoné pour m'assurer que la commission d'aptitude ne me considérait pas comme un insoumis depuis neuf jours et j'ai demandé ce que je devais faire. On m'a répondu que l'erreur venait d'eux et que, de toute façon, d'après le règlement, je devais finir le semestre commencé. Je devais donc rentrer et répondre à l'appel quand mon année universitaire serait terminée.

J'ai alors décidé de profiter au maximum de ce qui semblait devoir être la fin de mon séjour à Oxford, savourant chaque instant des longues journées estivales anglaises. Je suis allé au petit village de Stoke Poges pour voir le joli cimetière où est enterré le poète Thomas Gray, et y ai lu son *Élégie écrite dans un cimetière de campagne*, puis à Londres pour un concert et une visite au cimetière de Highgate, où Karl Marx est enterré sous un buste qui le représente avec force. J'ai passé autant de temps que j'ai pu avec les autres titulaires de bourse Rhodes, et notamment avec Strobe Talbott et Rick Stearns, qui avaient encore beaucoup à m'apprendre. Au petit déjeuner chez *George*, un coffee-shop de style ancien au premier étage du marché couvert d'Oxford, Paul Parish et moi avons discuté de sa demande d'octroi du statut d'objecteur de conscience, que j'ai soutenue en adressant une lettre à sa commission d'aptitude.

Fin mai, avec Paul et son amie, Sara Maitland, une merveilleuse Écossaise pleine d'esprit qui est par la suite devenue un bon écrivain, je suis allé au Royal Albert Hall de Londres pour y entendre la grande chanteuse de gospel Mahalia Jackson. Elle était somptueuse, avec sa voix retentissante et sa foi en même temps puissante et innocente. À la fin du concert, le public, majoritairement jeune, s'est massé autour de la scène, l'acclamant et mendiant un bis. Tous voulaient pouvoir croire encore en quelque chose de plus grand qu'eux-mêmes.

Le 28, j'ai donné une fête d'adieu pour mes amis : des copains avec qui j'avais joué au rugby et mangé de temps à autre, Douglas et les autres appariteurs, mon *scout* Archie, le directeur de la résidence et Mrs Williams, George Cawkwell et divers étudiants américains, indiens, antillais et sud-africains dont j'avais fait la connaissance. Je voulais simplement les remercier d'avoir beaucoup compté au cours de cette année. Ils m'ont offert un certain nombre de cadeaux d'adieu : une canne, un bonnet anglais et un exemplaire de *Madame Bovary* en livre de poche, que j'ai encore.

J'ai passé la première partie du mois de juin à Paris. Je ne voulais pas rentrer sans y être allé. Je me suis pris une chambre au Quartier latin, j'ai fini de lire *Dans la dèche à Paris et à Londres,* de George Orwell et j'ai vu tout ce qu'il y a à voir, y compris l'étonnant petit Mémorial des martyrs de la déportation, juste derrière Notre-Dame. On peut facilement le manquer, mais il vaut le déplacement. Il faut descendre quelques marches à l'extrémité de l'île de la Cité, et l'on se retrouve sur un petit parvis ; là, lorsqu'on se retourne, on a le regard happé vers une lueur au bout d'un tunnel.

Au cours de ce voyage, j'ai été guidé et accompagné par Alice Chamberlin, que j'avais rencontrée grâce à des amis communs à Londres. Nous nous sommes promenés aux Tuileries, nous arrêtant au bord des bassins pour regarder les enfants qui faisaient naviguer leur bateau. Nous avons mangé vietnamien, algérien, éthiopien et antillais. Nous avons grimpé tout en haut de Montmartre et visité le Sacré-Cœur – où j'ai allumé un cierge, à la fois pour rire et en hommage à mon ami le Dr Victor Bennett, qui était mort quelques jours plus tôt et qui, malgré tout son génie, était d'un anticatholicisme irrationnel. J'essayais de lui donner le maximum de chances. C'était le moins que je pouvais faire après tout ce que lui avait fait pour ma mère, papa et moi.

Quand je suis rentré à Oxford, il faisait jour jusqu'à une heure avancée. Un matin, aux premières lueurs de l'aube, un ami anglais m'a emmené sur le toit de l'un des bâtiments pour voir le soleil se lever au-dessus d'Oxford. Nous étions tellement surexcités que nous avons déboulé dans la cuisine de l'association des étudiants, y avons fauché du pain, des saucisses, des tomates et du fromage, et sommes revenus déjeuner dans ma chambre, avant de nous endormir, enfin.

Le 24, je suis allé dire au revoir à Bill Williams. Il m'a souhaité bonne chance et m'a dit qu'il espérait que je deviendrais un « ancien élève abominablement enthousiaste et imbu de lui-même ». Ce soir-là, j'ai pris mon dernier repas à Oxford avec Tom Williamson et ses amis. Le 25, j'ai fait mes adieux à Oxford – pour toujours, croyais-je. Je suis parti pour Londres, où j'ai revu Frank, Mary et Lyda Holt. Nous avons assisté à une session parlementaire de nuit, puis le juge et son épouse sont rentrés chez eux alors que Lyda et moi sommes allés retrouver quelques amis pour mon dernier repas en Angleterre. J'ai ensuite dormi deux petites heures chez David Edward avant de me lever aux aurores pour me rendre à l'aéroport avec six amis qui m'accompagnaient. Nous ne savions pas si nous nous reverrions jamais, et quand. Je les ai serrés dans mes bras et je me suis dirigé en toute hâte vers la salle d'embarquement.

CHAPITRE SEIZE

Je suis arrivé à New York à 21 h 45, avec neuf heures de retard dues à des contretemps au départ comme à l'arrivée. Lorsque je suis arrivé à Manhattan, il était plus de minuit et j'ai donc décidé de ne pas dormir et de partir le lendemain matin, par le premier vol. J'ai réveillé Martha Saxton et nous avons discuté pendant deux heures, assis sur les marches de sa maison de l'Upper West Side ; puis, nous sommes allés dîner et j'ai pu déguster mon premier bon hamburger depuis des mois. J'ai fait la conversation à deux chauffeurs de taxi, j'ai lu *Qu'est-ce que l'histoire ?* d'E. H. Carr, et j'ai réfléchi à l'année extraordinaire que je venais de vivre et à tout ce qui m'attendait. J'ai longuement regardé le plus beau de mes cadeaux de départ : deux petites cartes-souvenirs portant des mots français : « Amitié » et « Sympathie ». Elles m'avaient été données par Anik Alexis, une belle Antillaise qui vivait à Paris et sortait avec Tom Williamson. Nikki avait conservé ces deux cartes pendant huit ans, depuis ses années d'école. J'y tenais beaucoup parce qu'elles reflétaient tout ce que j'avais essayé de donner aux autres ou de partager avec eux. Je les ai fait encadrer et je les ai accrochées aux murs de tous les endroits où j'ai vécu pendant les trente-cinq années qui ont suivi.

Après mon dîner, il ne me restait plus que vingt dollars pour rentrer chez moi en Arkansas. Pourtant, sur la dernière page de mon journal, j'ai écrit que je me sentais « riche, en effet, aimé de la fortune et riche en amitié, en espérances et en convictions un peu plus précises et un peu plus réfléchies que celles qui étaient les miennes lorsque j'ai commencé ce livre en novembre dernier ». À ce moment-là, j'avais le moral en dents de scie. Sans trop savoir s'il en sortirait du bon ou du mauvais, Denise Hyland m'avait envoyé un deuxième journal au printemps pour que j'y tienne la chronique de tout ce qui pourrait m'arriver par la suite.

Lorsque je suis rentré chez moi, à la fin du mois de juin, il me restait environ un mois avant mon incorporation, période pendant laquelle j'étais libre de choisir d'autres orientations militaires. Il n'y avait plus de place dans la garde nationale ou dans les écoles de réservistes. J'ai cherché à entrer dans l'aviation, mais j'ai appris que je ne pouvais pas devenir pilote de chasse parce que j'avais des problèmes de vue : mon œil gauche était plus faible que le droit et, quand j'étais enfant, je me souviens qu'il avait tendance à diverger. Ce problème s'était corrigé de lui-même, mais je ne parvenais pas à accommoder complètement. Une fois en vol, les conséquences pouvaient être dramatiques. J'ai également subi un examen médical pour devenir officier dans la marine, mais, là encore, j'ai été recalé. Cette fois, il s'agissait d'un défaut d'audition dont je ne m'étais jamais rendu compte et qui ne m'a affecté que dix ans plus tard, lorsque je suis entré en politique et que j'ai remarqué que je n'entendais pas ou ne comprenais pas les personnes qui me parlaient au milieu d'une foule. Il ne me restait plus qu'à m'inscrire à l'école du barreau et à l'Army Reserve Officers Training Corps, le centre de formation des officiers de réserve de l'Université de l'Arkansas.

Le 17 juillet, je suis allé à Fayetteville et, deux heures plus tard, j'étais accepté à l'école du barreau comme au ROTC. L'officier chargé du programme de formation, le colonel Eugene Holmes, m'a dit qu'il m'avait pris parce que je serais bien plus utile à mon pays comme officier que comme simple soldat. Son second, le lieutenant-colonel Clint Jones, semblait plus sceptique et plus réticent à mon sujet, mais nous avons agréablement discuté, notamment de sa fille, que j'avais rencontrée à Washington. Le fait de faire partie du ROTC signifiait que je pourrais entrer dans l'armée après avoir fini mes études d'avocat. Ils ne pouvaient m'inscrire officiellement avant l'été suivant parce qu'il fallait obligatoirement que j'aille dans un camp d'été avant de pouvoir suivre le programme du ROTC, mais il suffisait que je signe une lettre de motivation pour que les autorités militaires reportent la date de mon incorporation et me classent dans les réservistes. Je ne savais trop que penser. Je savais que je pouvais éviter d'aller au Viêt-nam, mais quelqu'un d'autre allait monter dans ce bus dix jours plus tard. Peut-être devais-je y monter moi aussi.

Dix jours plus tard, je ne suis pas monté dans le bus. Je suis monté dans ma voiture et je suis allé au Texas retrouver mes anciens colocataires de Georgetown qui étaient déjà dans l'armée : Tom Campbell, Jim Moore et Kit Ashby. En chemin, à l'aller comme au retour, je cherchais tout ce qui pouvait me rattacher à l'Amérique. Houston et Dallas avaient vu les grands projets immobiliers pousser comme des champignons ; j'imaginais qu'il s'agissait d'une vision de l'avenir et je ne savais pas si je voulais de cet avenir-là. Pour moi, tout était empreint de sens : des autocollants aux plaques d'immatriculation personnalisées. Sur mon autocollant préféré, on pouvait lire : « Si vous allez en enfer, ne rejetez pas la faute sur Jésus. » La plus belle plaque personnalisée avait été apposée sur un corbillard. Elle portait ces mots à peine croyables : « Pop Box » [boîte à surprise]. Il apparaissait donc que leurs lecteurs devaient craindre l'enfer mais se moquer de la mort.

Je n'arrivais pas encore à en rire, mais j'avais toujours été conscient de ma propre mortalité, sans que cela me pose d'ailleurs le moindre problème. Sans doute parce que mon père est mort avant ma naissance, j'ai commencé à penser à la mort à un très jeune âge. J'ai toujours été fasciné par les cimetières et j'aime m'y promener. En rentrant du Texas, je me suis arrêté à Hope pour voir Buddy et Ollie, et me recueillir sur la tombe de mon père et de mes grands-parents. Alors que j'arrachais les mauvaises herbes qui avaient poussé autour des tombes, j'ai été frappé par le peu de temps qu'ils avaient passé sur terre : vingt-huit ans pour mon père, cinquante-huit ans pour mon grand-père et soixante-six ans pour ma grand-mère (et à Hot Springs, cinquante-sept ans pour mon beau-père). Je savais que je ne vivrais sans doute pas très vieux, et je voulais faire quelque chose de ma vie. Mon attitude vis-à-vis de la mort, je la retrouvais dans la chute d'une vieille blague sur Mrs Jones, la femme la plus dévote de sa paroisse. Un dimanche, le pasteur, d'ordinaire assez soporifique, fait le sermon le plus poignant de sa carrière. À la fin, il crie : « Que tous ceux qui veulent aller au Paradis se lèvent ! » Tous les fidèles se lèvent, sauf Mrs Jones. Le pasteur, tout déconfit, lui dit : « Mrs Jones, vous ne voulez donc pas aller au Paradis à votre mort ? » Elle se lève d'un bond et répond : « Bien sûr que si ! Mais je suis désolée, pasteur, je pensais que vous vouliez convaincre un certain nombre de gens d'y aller tout de suite ! »

Les six semaines suivantes à Hot Springs se sont révélées plus intéressantes que ce que j'aurais pu imaginer. Pendant une semaine, j'ai aidé un homme de 67 ans à construire une maison préfabriquée dans le petit lotissement de Story, à l'ouest de la ville. Le vieil homme m'épuisait chaque jour et me faisait partager sa sagesse populaire et son scepticisme campagnard. À peine un mois plus tôt, Buzz Aldrin et Neil Armstrong, les astronautes d'*Apollo 11*, laissant leur collègue Michael Collins à bord de la fusée *Columbia*, avaient marché sur la Lune, faisant mieux que la promesse du président Kennedy de faire marcher un homme sur la Lune moins de cinq mois après la fin de la décennie. Le vieux charpentier m'a demandé si je pensais que tout cela était vrai. J'ai répondu que j'en étais certain et que j'avais d'ailleurs vu les images à la télévision. Il m'a répondu qu'il n'y avait pas cru une seule seconde, que tous ces « gars de la télé » savaient faire passer n'importe quel mensonge pour la vérité. À l'époque, je le prenais pour un original un peu bougon. Au cours des huit années que j'ai passées à Washington, j'ai vu des choses à la télévision qui m'ont fait me demander s'il n'avait pas raison avant tout le monde.

Je passais l'essentiel de mes soirées et un grand nombre de mes journées en compagnie de Betsey Reader, qui avait fréquenté la même école que moi et travaillait maintenant à Hot Springs. Intelligente, un peu pensive et pleine de gentillesse, elle agissait comme un merveilleux antidote à toutes mes angoisses. On nous a demandé d'aller à l'auberge de jeunesse pour encadrer certains des événements qui y étaient organisés pour les lycéens et nous avons presque fini par adopter trois d'entre eux. Jeff Rosensweig, le fils de mon pédiatre, s'intéressait beaucoup à la politique. Jan Dierks était calme, intelligente et se passionnait pour la question des droits civiques. Glenn Mahone, un grand Noir branché avec une immense coupe afro, s'exprimait particulièrement bien et portait toujours des « dashikis », ces longues chemises très colorées qui se portent au-dessus du pantalon. Nous étions inséparables et nous nous amusions beaucoup.

Cet été-là, Hot Springs avait été le théâtre de deux incidents raciaux, et la tension était plus que palpable. Glenn et moi pensions pouvoir apaiser ces tensions en créant un groupe de rock interracial et en organisant une soirée gratuite sur le parking de l'hypermarché. Il devait chanter et je devais jouer du saxophone. Une gigantesque foule est venue assister à cette soirée ; nous jouions sur la plate-forme d'un camion, et les jeunes dansaient tous ensemble sur le parking goudronné. Pendant la première heure, tout s'est bien passé ; mais, à un moment, un jeune Noir, très beau, est venu inviter une jolie blonde à danser. Ils allaient très bien ensemble, trop bien même. Une bagarre a éclaté, puis une autre et encore une autre. En un instant, nous nous sommes retrouvés avec une échauffourée générale sur les bras et des voitures de police partout sur le parking. C'est ainsi que s'est terminée ma première tentative de réconciliation entre les races.

Un jour, Mack McLarty, qui avait été élu député à sa sortie de l'université, est venu à Hot Springs pour un congrès de concessionnaires Ford. Il était déjà marié et bien installé dans le monde des affaires comme dans celui de la politique. Je voulais le voir et j'avais décidé de lui faire une petite blague devant tous ses collègues un peu coincés. Je me suis arrangé pour lui donner rendez-vous sur l'esplanade du centre où se tenait le congrès. Il ne savait pas que j'avais les cheveux longs et que je m'étais laissé pousser la barbe. Pour couronner le tout, je suis venu au rendez-vous avec trois autres personnes : deux Anglaises qui avaient fait étape à Hot Springs alors qu'elles traversaient le pays en car – elles avaient effectivement l'air d'avoir passé trois jours dans un car – et Glenn Mahone, avec sa coupe afro et sa grande chemise multicolore. Nous avions l'air de rescapés de Woodstock, ce grand rassemblement *peace and love* de quatre cent mille personnes qui venait d'avoir lieu à New York. Lorsque Mack est sorti sur l'esplanade avec deux de ses amis, il a dû en avoir des brûlures d'estomac. Il n'en a cependant rien laissé paraître, m'a salué et nous a présentés à ses amis. Malgré sa chemise amidonnée et ses cheveux coupés court, il était de tête et de cœur avec les partisans de la paix et des droits civiques. Notre amitié durera jusqu'à la mort, dans les bons comme dans les mauvais moments, mais je dois avouer que je ne lui ai jamais fait subir plus rude épreuve.

Alors que l'été touchait à sa fin, j'étais de moins en moins sûr que j'avais bien fait de m'inscrire au ROTC et à l'école du barreau de l'Arkansas. J'avais du mal à trouver le sommeil et je passais la plupart de mes nuits dans la véranda dans la chaise longue blanche dans laquelle j'avais regardé le fameux discours de Martin Luther King Jr. six ans auparavant. Je lisais jusqu'à ce que je finisse par m'assoupir quelques heures. Parce que je m'étais inscrit tard, je ne pouvais me rendre au camp d'été obligatoire avant l'été suivant, de sorte que le colonel Holmes avait accepté de me laisser retourner à Oxford pour y suivre une deuxième année d'études, ce qui signifiait que je n'entrerais dans l'armée qu'après avoir achevé ma formation d'avocat, c'est-à-dire au bout de quatre années au lieu de trois. Je repensais sans cesse à ma décision.

Une discussion avec le frère du révérend Miles n'avait fait qu'accentuer mes doutes. Warren Miles avait quitté l'école à 18 ans pour s'enrôler dans les Marines et partir en Corée, où il a été blessé au combat. Il est rentré au pays et a poursuivi des études universitaires au Hendrix College, où il a obtenu une prestigieuse bourse d'études. Il m'a conseillé de refuser la sécurité que représentait le plan que j'avais choisi, de m'engager dans les Marines et d'aller au Viêt-nam, où j'apprendrais vraiment quelque chose. Il avait balayé d'un revers de la main mon opposition à la guerre, en me disant que cette guerre était bien là et que je n'y pouvais rien, mais que, tant qu'elle durerait, les honnêtes gens devaient la faire, en tirer les leçons et y réfléchir. Le raisonnement était implacable, mais j'avais déjà matière à méditer. Je me souvenais de ce que j'avais appris en travaillant à la Commission des relations étrangères ; je me souvenais notamment avoir eu des preuves confidentielles de ce que l'on mentait au peuple américain à propos de cette guerre. Je me rappelais aussi la lettre de Bert Jeffries, me disant de rester à distance. J'étais déchiré. Fils d'un vétéran de la Seconde Guerre mondiale, j'avais passé mon enfance à regarder les films de John Wayne et j'avais toujours admiré les militaires. Voilà qu'à présent je sondais mon cœur afin de savoir si mon aversion pour la guerre était le reflet de mes convictions ou de ma lâcheté. Étant donné la suite des événements, je crois bien que je n'ai jamais vraiment pu répondre à la question.

Vers la fin du mois de septembre, alors que je me préparais tant bien que mal à retourner à Oxford, j'ai pris l'avion jusqu'à Martha's Vineyard pour assister à une réunion de militants pacifistes qui avaient travaillé pour Eugene McCarthy. Ce n'était pas mon cas, mais je pense que Rick Stearns m'avait invité parce qu'il savait que je voulais y assister et qu'il leur fallait quelqu'un du Sud. Le seul autre militant originaire du Sud était Taylor Branch, qui venait de terminer ses études à l'Université de Caroline-du-Nord et qui rentrait de Géorgie, où il était allé inscrire des Noirs sur les listes électorales. Par la suite, Taylor a fait une belle carrière dans le journalisme avant d'aider John Dean – rendu célèbre par l'affaire du Watergate – et le champion de basket-ball Bill Russell à rédiger leur autobiographie, pour ensuite écrire le magnifique livre qui lui a valu le prix Pulitzer, *Le Partage des eaux*, premier volume d'une trilogie sur Martin Luther King Jr. et le mouvement des droits civiques. L'amitié que nous avons liée Taylor et moi-même nous a tous deux menés à rejoindre la campagne de McGovern au Texas en 1972 et, plus tard, en 1993, nous avons commencé à nous voir chaque mois pour faire oralement l'historique de mes années à la présidence. Sans lui, beaucoup de souvenirs de ces années-là seraient perdus à jamais.

En dehors de Rick et Taylor, il y avait à cette réunion quatre autres personnes avec lesquelles je suis resté en contact au fil des années : Sam Brown, l'un des plus importants leaders du mouvement pacifiste étudiant, a ensuite fait de la politique dans le Colorado et, lorsque j'étais président, il a servi les États-Unis au sein de l'organisation sur la sécurité et la coopération en Europe ; David Mixner, dès l'âge de 14 ans, avait fédéré les travailleurs itinérants et est venu me voir plusieurs fois en Angleterre ; il s'est ensuite installé en Californie, où il a activement participé à la lutte contre le sida ou en faveur des droits des homosexuels, et où il m'a soutenu en 1992 ; Mike Driver est devenu un ami très cher ; et Eli Segal, que j'ai rencontré lors de la campagne de McGovern, est devenu directeur de la campagne Clinton-Gore.

En venant assister à cette réunion, au début de l'automne 1969, nous étions loin de nous douter de tout ce que la vie nous réservait. À ce moment-là, nous voulions simplement mettre un terme à la guerre. Le groupe préparait la prochaine grande manifestation, connue par la suite sous le nom de *Vietnam Moratorium* [moratoire sur le Viêt-nam], et j'ai contribué de mon mieux à ses délibérations. Mais je ne cessais de penser à la mobilisation, et j'étais de moins en moins sûr d'avoir agi comme il le fallait. Juste avant que je ne quitte l'Arkansas pour me rendre à Martha's Vineyard, j'ai écrit une lettre à Bill Armstrong, le directeur du bureau de conscription local, pour lui dire que je n'étais pas certain de vouloir suivre le programme du ROTC et lui demander d'annuler mon report d'incorporation pour me reclasser dans le groupe des mobilisables. Strobe Talbott est alors venu nous rendre visite et nous avons longuement parlé de cette lettre ; je ne savais pas si je devais l'envoyer ou non. Finalement, je ne l'ai pas envoyée.

Le jour où j'ai pris l'avion, le journal local a rapporté en première page que le lieutenant Mike Thomas, qui m'avait battu lors de l'élection du président du conseil des élèves du collège, venait d'être tué au Viêt-nam. Son unité avait été attaquée et s'était mise à couvert ; il est mort en retournant sous le feu ennemi pour secourir l'un de ses hommes resté coincé dans un véhicule ; un obus de mortier les a emportés tous les deux. Après sa mort, l'armée lui a décerné la Silver Star, la Bronze Star, le Purple Heart. Trente-neuf mille Américains étaient déjà morts au Viêt-nam, et dix-neuf mille devaient encore y périr.

Les 25 et 26 septembre, j'ai écrit dans mon journal : « Lu *L'Odyssée inachevée de Robert Kennedy* (de David Halberstam). Ça m'a rappelé que je ne crois pas aux reports d'incorporation... Je ne peux pas aller au ROTC. » Dans les quelques jours qui ont suivi, j'ai appelé Jeff Dwire et je lui ai dit que je voulais reprendre ma place dans le groupe des mobilisables et que je voulais qu'il le dise à Bill Armstrong. Le 30 octobre, le bureau de conscription m'a donc déclaré prêt pour le service. Le 1er octobre, le président Nixon a ordonné que l'on modifie la politique de mobilisation afin de permettre aux étudiants de terminer toute leur année universitaire et pas seulement le semestre en cours, ce qui voulait dire que je ne pouvais plus être appelé sous les drapeaux avant le mois de juillet. Je ne me souviens pas si j'ai demandé à Jeff de parler au bureau local avant ou après avoir appris ce changement de disposition, et je ne trouve aucune indication dans mon journal. Je me rappelle avoir été soulagé de pouvoir retourner à Oxford, tout en voyant que cette question de la mobilisation était enfin résolue : je m'étais désormais fait à l'idée d'être appelé à la fin de mon année en Angleterre.

J'ai aussi demandé à Jeff de parler au colonel Holmes. Je lui étais redevable de m'avoir permis d'échapper à mon incorporation le 28 juillet. Même si je pouvais à nouveau être appelé, je me disais que s'il maintenait mon engagement vis-à-vis du ROTC, dont le programme commençait l'été suivant, je serais obligé d'y entrer. Jeff m'a dit que le colonel acceptait ma décision, même s'il pensait que c'était une erreur.

Le 1er décembre, en vertu d'un décret signé par le président Nixon cinq jours auparavant, les États-Unis ont institué un système de mobilisation par tirage au sort. Lors du tirage, tous les jours de l'année étaient sortis d'un grand saladier, les uns après les autres ; l'ordre de tirage de votre date anniversaire déterminait votre ordre d'incorporation. Le 19 août a été tiré en 311e position. Même si, d'une certaine manière, j'avais eu de la chance, pendant les mois qui ont suivi je n'ai pas arrêté de me dire que je pouvais finalement être appelé à tout moment. Le 21 mars 1970, j'ai reçu une lettre de Lee Williams, dans laquelle il me disait qu'il avait parlé au colonel Lefty Hawkins, le chef du centre de conscription de l'Arkansas, qui lui avait dit que nous allions tous être appelés.

Quand ma date de naissance a été tirée au sort, j'ai rappelé Jeff et je lui ai demandé de dire à Holmes que je n'avais pas décidé de réintégrer le groupe des mobilisables en sachant que les règles allaient changer et que je comprenais bien qu'il pouvait toujours me rappeler mon engagement envers le ROTC. Le 3 décembre, j'ai décidé d'écrire directement au colonel Holmes. Je l'ai remercié de m'avoir soustrait à la mobilisation l'été précédent, je lui ai dit combien je l'admirais et que je doutais fort qu'il ait pensé tant de bien de moi s'il avait été au courant de mes idées et de mes activités politiques : « Vous auriez sans doute considéré que j'étais davantage fait pour le service actif que pour le ROTC. » Je lui ai décrit mon travail à la Commission des relations étrangères, « en cette période, peu de gens avaient plus d'informations que moi sur la guerre du Viêt-nam ». Je lui ai dit qu'après avoir quitté l'Arkansas l'été précédent, j'avais travaillé pour le moratoire sur le Viêt-nam à Washington et en Angleterre. Je lui ai aussi confié que j'avais étudié notre système de mobilisation à Georgetown et que j'en avais conclu, à l'époque, qu'un tel système n'était justifié que si la nation et la culture américaines étaient en jeu, comme ce fut le cas lors de la Seconde Guerre mondiale. J'ai ajouté que je comprenais les objecteurs de conscience et tous ceux qui résistaient à l'incorporation. Je lui ai dit que Frank Aller, auquel je n'ai fait allusion que comme ancien camarade, était « l'un des hommes les plus courageux et les plus généreux que je connaisse. Que le pays avait besoin d'hommes comme lui bien plus qu'il n'en avait conscience et qu'il était obscène de le considérer comme un criminel ». J'ai reconnu avoir envisagé de résister. Si j'avais accepté l'idée de ma mobilisation en dépit de mes convictions, c'était pour une seule raison : « assurer mon avenir politique au sein du système ». J'ai aussi reconnu que j'avais demandé à être accepté au ROTC parce que c'était le seul moyen de pouvoir « éventuellement, mais sans en avoir la certitude, éviter d'aller au Viêt-nam tout en évitant de résister à l'ordre de mobilisation ». J'ai avoué au colonel qu'après avoir signé la lettre de motivation, « je me suis demandé si ce compromis avec moi-même n'était pas plus blâmable que la mobilisation, parce qu'en lui-même le programme du ROTC ne m'intéressait pas et qu'on aurait pu dire que je n'avais fait que me protéger contre une menace physique […]. Après notre accord, et après la transmission de mon report d'incorporation au bureau de la mobilisation, j'ai commencé à éprouver un sentiment d'angoisse, et à perdre pour de bon mon amour-propre et ma confiance en moi ». J'ai alors dit au colonel que j'avais écrit au bureau de la conscription le 12 septembre en demandant que mon report soit annulé, mais que je n'avais jamais posté cette lettre. Je n'ai pas dit que j'avais demandé à Jeff Dwire de faire annuler la décision et que le bureau local l'avait fait en octobre, parce que je savais que Jeff en avait déjà informé le colonel. J'ai dit que j'espérais qu'en lui racontant mon histoire, je lui permettrais de mieux comprendre comment tant de gens bien en étaient arrivés à détester l'armée tout en continuant d'aimer leur pays, tandis que lui et d'autres gens bien avaient consacré des années, voire une vie entière au service de la nation. Cette lettre exprimait véritablement ce que je ressentais à l'époque : j'étais profondément troublé et déchiré par la guerre. Quoi qu'il en soit, je me sentais encore lié par mon engagement vis-à-vis du ROTC et j'étais suspendu à la décision du colonel. Il n'a pas répondu à ma lettre et pendant des mois, je me suis demandé ce qu'il allait faire.

En mars 1970, à peu près au moment où j'ai entendu dire par Lee Williams que tous les tirés au sort allaient être appelés, j'ai reçu deux cassettes vidéo filmées par les membres de ma famille lorsque David Edwards était venu leur rendre visite à Hot Springs. Sur la première, on pouvait voir des scènes de chahut bon enfant autour de la table de billard, et, à la fin, on voyait Roger jouer du saxophone pour moi tandis que King, notre berger allemand, hurlait à fendre l'âme. Sur la seconde cassette, il y avait un message personnel de ma mère et de Jeff. Ma mère me disait combien elle m'aimait et m'enjoignait de me reposer davantage. Jeff me donnait des nouvelles de la famille, mais il me disait aussi ces mots :

> J'ai pris la liberté d'appeler le colonel il y a quelques jours et de lui rendre visite. Il te salue et il espère que tu trouveras le temps de venir lui dire bonjour à ton retour. En ce qui concerne le ROTC, tu n'as pas à t'inquiéter car il m'a semblé comprendre la situation dans laquelle se trouve notre jeunesse ; il la comprend bien mieux, en tout cas, qu'on veut bien le croire.

C'est ainsi qu'à la mi-mars 1970, j'ai su que j'étais délié de mon engagement envers le ROTC, mais que je n'échapperais pas à l'armée.

Il se trouve que Lee Williams s'était trompé. L'apaisement du conflit a réduit les besoins en hommes et le numéro 311 n'a jamais été appelé. Je me suis toujours senti coupable d'avoir échappé au risque d'être tué comme tant de jeunes gens de ma génération qui avaient tous, eux aussi, un avenir. Au fil des ans – lorsque, gouverneur, je suis devenu responsable de la garde nationale de l'Arkansas et surtout lorsque je suis devenu président –, plus j'ai appris à connaître l'armée de mon pays et plus j'ai regretté de ne pas y être entré dans ma jeunesse, même si je n'ai jamais changé d'avis sur le Viêt-nam.

Si je n'étais pas allé étudier à Georgetown et si je n'avais pas travaillé à la Commission des affaires étrangères, je n'aurais sans doute pas pris les mêmes décisions vis-à-vis de mes obligations militaires. Pendant toute la période du Viêt-nam, 16 millions d'hommes ont échappé à l'armée par des moyens légaux ; 8,7 millions se sont enrôlés ; 2,2 millions ont été mobilisés et seulement 209 000 personnes, dont 8 750 ont été condamnées, ont visiblement contourné la mobilisation ou résisté d'une manière ou d'une autre.

Ceux d'entre nous qui auraient pu aller au Viêt-nam, mais y ont échappé, ont malgré tout été marqués par cette guerre, surtout ceux qui avaient des amis morts au combat. J'ai toujours trouvé assez intéressant de voir comment certains de ceux qui s'étaient arrangés pour ne pas aller à la guerre se sont ensuite retrouvés à traiter des questions militaires ou de l'objection politique. Certains d'entre eux sont devenus ultrapatriotes, affirmant que seules des considérations d'ordre personnel expliquaient qu'ils n'avaient pas fait leur devoir militaire et persistant à condamner ceux qui s'étaient opposés à une guerre à laquelle eux aussi avaient échappé. En 2002, le Viêt-nam était à ce point enfoui dans la conscience et la mémoire de l'Amérique qu'en Géorgie le député républicain Saxby Chambliss, qui avait bénéficié d'un report d'incorporation, a pu battre le sénateur Max Cleland – qui avait perdu un bras et deux de ses jambes au combat – en mettant en cause son patriotisme et son engagement dans la sécurité du pays, parce qu'il avait appuyé des modifications mineures dans le projet de loi sur la sécurité de la patrie.

Contrastant violemment avec les agissements de ces ultrapatriotes qui n'avaient jamais combattu, les efforts déployés par l'Amérique afin de se réconcilier avec le Viêt-nam et de normaliser les relations entre les deux pays étaient dirigés au Congrès par de valeureux vétérans du Viêt-nam tels que Chuck Robb, John McCain, John Kerry, Bob Kerrey, Chuck Hagel et Pete Peterson ; des hommes qui avaient plus que payé leur tribut à la nation et n'avaient plus rien à cacher, ni à prouver.

Lorsque je suis arrivé à Oxford, au début du mois d'octobre, pour cette seconde année pour le moins inattendue, ma vie était presque aussi compliquée qu'elle l'avait été en Arkansas. Je n'avais aucun endroit où vivre puisque, jusqu'à la fin de l'été, je n'avais pas cru pouvoir revenir. Nous n'avions une chambre réservée qu'en première année. J'ai logé chez Rick Stearns pendant deux semaines au cours desquelles nous avons travaillé pour la manifestation liée au moratoire sur le Viêt-nam. Nous avons donc manifesté le 15 octobre devant l'ambassade des États-Unis à Londres, en soutien au rassemblement principal qui avait lieu le même jour chez nous. J'ai aussi participé à l'organisation d'un colloque à la London School of Economics.

J'ai fini par trouver une chambre au 46, Leckford Road, dans une petite maison que j'ai partagée, pour le restant de mon séjour, avec Strobe Talbott et Frank Aller. La personne qui devait à l'origine partager leur logement étant partie, ils avaient besoin de moi pour payer une partie du loyer. Celui-ci était d'environ trente-six livres par mois, soit 86,40 dollars au taux de 2,40 dollars pour une livre. L'endroit était assez délabré, mais il nous convenait tout à fait. Au rez-de-chaussée, se trouvaient un petit salon, une cuisine, ma chambre et une salle de bains située en face de l'entrée. La porte de la salle de bains comportait une partie vitrée qui avait été recouverte d'un portrait de femme dans le style préraphaélite ; le dessin était suffisamment transparent pour que, de loin, on puisse croire à un vitrail. C'était certainement l'élément le plus élégant de la maison. Les chambres et le bureau de Strobe et de Frank se trouvaient au premier et au deuxième étage. Nous disposions aussi, sur l'arrière, d'une petite courette caillouteuse entourée d'un mur.

Contrairement à moi, Strobe et Frank travaillaient vraiment. Frank rédigeait une thèse sur l'épopée de la Longue Marche pendant la guerre civile chinoise. Il avait été en Suisse voir Edgar Snow, dont le célèbre livre *Une étoile rouge sur la Chine* retrace son expérience unique aux côtés de Mao et de ses révolutionnaires. Snow avait permis à Frank d'utiliser certaines des notes qu'il n'avait pas publiées, et il ne faisait aucun doute qu'il s'apprêtait à produire un travail universitaire de tout premier ordre.

Strobe était sur un projet encore plus important : les mémoires de Nikita Khrouchtchev. Khrouchtchev était connu aux États-Unis pour son opposition à Kennedy et à Nixon, mais, comparé aux autres Soviétiques de la guerre froide, c'était un réformateur et un fascinant personnage. C'est lui qui a construit le magnifique métro de Moscou et dénoncé les excès meurtriers du stalinisme. Lorsque des forces plus orthodoxes et plus conservatrices l'ont remplacé par Brejnev et Kossyguine, Khrouchtchev a secrètement enregistré ses mémoires sur cassette et s'est arrangé, par l'intermédiaire, je pense, d'amis qu'il avait au KGB, pour les faire parvenir à Jerry Schecter, qui dirigeait alors le bureau moscovite du magazine *Time*. Strobe parlait couramment le russe et avait travaillé pour *Time* à Moscou, l'été précédent. Il s'est envolé pour Copenhague afin de rencontrer Schecter et récupérer les cassettes. De retour à Oxford, il a entrepris de taper le texte de Khrouchtchev en russe avant de le traduire et de faire le travail d'édition.

Le matin, je préparais fréquemment le petit déjeuner pour Frank et Strobe alors qu'ils se mettaient au travail. J'étais assez efficace lorsqu'il s'agissait de cuisiner quelque chose à la dernière minute. Je leur apportais les produits de « la cuisine rustique de la mère Clinton » et ils me parlaient de l'avancée de leurs travaux. C'est avec un intérêt particulier que j'écoutais Strobe raconter les intrigues du Kremlin vues par Khrouchtchev. L'excellent ouvrage de Strobe, *Khrouchtchev se souvient*, a largement permis à l'Ouest de comprendre le fonctionnement et les tensions internes de l'Union soviétique, tout en laissant entrevoir la possibilité qu'un jour, une réforme interne puisse apporter la paix et l'ouverture.

Le 15 novembre, s'est tenue la seconde manifestation pour le moratoire sur le Viêt-nam ; plus de cinq cents personnes ont défilé autour de Grosvenor Square jusque sous les fenêtres de l'ambassade américaine. Nous avons été rejoints par le père Richard McSorley, un jésuite de l'Université de Georgetown qui avait longtemps été très actif dans les rangs pacifistes. Lorsqu'il était aumônier pendant la Seconde Guerre mondiale, McSorley est sorti indemne de la bataille de Bataan, aux Philippines, et, par la suite, il est devenu assez proche de Robert Kennedy et de sa famille. Après la manifestation, nous avons assisté à un service religieux à St Mark's Church, non loin de l'ambassade. Le père McSorley a récité la prière pour la paix de saint François d'Assise et Rick Stearns a lu le célèbre poème de John Donne qui s'achève ainsi : « Jamais ne cherche à savoir pour qui sonne le glas ; il sonne pour toi. »

Après Thanksgiving, Tom Williamson et moi-même avons pris l'avion pour Dublin afin d'y rencontrer Hillary Hart et Martha Saxton, que je voyais de temps à autre depuis plusieurs mois. Plus de trente ans plus tard, Martha m'a rappelé que, lors de ce voyage, je lui avais dit qu'elle était trop triste pour moi. En fait, à l'époque, avec toutes mes angoisses à propos du Viêt-nam, c'est plutôt moi qui étais trop triste pour elle, ou pour qui que ce soit d'ailleurs. Même triste, j'aimais l'Irlande et je m'y sentais chez moi. Je n'aimais pas l'idée de devoir en partir après un week-end.

Le samedi 6 décembre, trois jours après avoir écrit la lettre au colonel Holmes, je me trouvais à Londres dans l'appartement de David Edwards pour assister à un événement de taille : la finale de football américain opposant le Texas à l'Arkansas. Les deux équipes étaient invaincues ; le Texas était donné premier et l'Arkansas second dans les sondages nationaux. Elles jouaient pour le championnat national, dans le dernier match de l'année du centenaire du football universitaire. J'ai loué une radio à ondes courtes. Ça ne coûtait pas grand-chose, mais il fallait verser une caution de cinquante livres, ce qui représentait beaucoup d'argent pour moi. David a préparé une grosse marmite de son excellent chili con carne et quelques amis sont venus se joindre à nous. Ils ont sans doute cru que nous avions perdu la tête lorsqu'ils nous ont vus hurler et sauter sur place pendant tout le match, qui était si palpitant que les chroniqueurs sportifs l'on décrit comme le match du siècle. Pendant quelques heures, nous étions redevenus innocents comme des enfants, tout à fait absorbés par le jeu.

Ce match ainsi que le contexte culturel et politique dans lequel il a eu lieu ont été magnifiquement décrits par Terry Frei dans son livre *Les Horns, les Hogs et l'avènement de Nixon*. Frei a sous-titré son livre *Le Texas contre l'Arkansas dans le dernier match de Dixieland*, parce que c'est le dernier événement sportif majeur qui a vu s'affronter deux équipes entièrement composées de joueurs blancs.

Quelques jours plus tôt, la Maison Blanche avait annoncé que le président Nixon, un inconditionnel de football américain, allait assister au match et qu'il remettrait la coupe au vainqueur. Neuf membres du Congrès devaient l'accompagner, au rang desquels le sénateur Fulbright, qui avait joué dans l'équipe des Razorbacks plus de quarante ans plus tôt, et un jeune député texan, George H. W. Bush. Devaient également assister au match, les conseillers de la Maison Blanche Henry Kissinger et H. R. Haldeman, ainsi que Ron Ziegler, l'attaché de presse.

Après un match mouvementé, le Texas a battu l'Arkansas par 15 à 14. J'étais triste mais fier ; le match avait été magnifique. Certains joueurs de l'équipe texane ont même dit qu'aucune des deux équipes n'aurait dû perdre. En revanche, j'en voulais au président Nixon d'avoir déclaré à la mi-temps que le Texas allait remporter la victoire dans le dernier quart du match. Des années après, je pense que je lui en ai voulu presque autant que pour le Watergate.

Que David Edwards et moi eussions pris la peine de louer une radio à ondes courtes pour suivre un match de football américain ne surprendra guère ceux qui, comme nous, ont grandi dans une culture aussi férue de sport que la culture américaine. Soutenir et encourager l'équipe des Razorbacks était indispensable à qui se sentait vraiment de l'Arkansas. Avant que mes parents n'achètent notre premier poste de télévision, je suivais tous les matchs à la radio. Au lycée, je transportais du matériel pour les musiciens qui accompagnaient les

Razorbacks afin de pouvoir assister aux matchs. À Georgetown, je n'ai jamais raté un seul des matchs qui passaient à la télévision. Quand je suis revenu chez moi, en Arkansas, d'abord comme professeur de droit, puis comme ministre de la Justice et comme gouverneur, je n'ai presque jamais raté un seul match joué à domicile. Lorsque Eddie Sutton est devenu entraîneur de basket-ball tandis que sa femme Patsy participait activement à ma campagne de 1980, j'ai aussi commencé à assister à tous les matchs de basket auxquels je pouvais me rendre. Et lorsque l'équipe d'Arkansas, entraînée par Nolan Richardson, a remporté le championnat de la NCAA contre l'équipe de Duke en 1994, j'étais dans la salle.

Mais de tous les plus beaux matchs de football américain auxquels j'ai pu assister, seul ce fameux « match du siècle » a eu un impact sur ma carrière politique. La télévision ne montrait jamais les manifestants pacifistes, mais ils étaient bien présents ce jour-là. L'un d'entre eux était même perché dans un arbre, au sommet de la colline qui surplombait le stade. Le lendemain, sa photo était dans la plupart des quotidiens et des hebdomadaires d'Arkansas. Cinq ans plus tard, en 1974, peu de temps avant ma première élection au Congrès, l'équipe de campagne de mon adversaire a contacté les journaux de toute la circonscription électorale pour leur demander s'ils avaient conservé un exemplaire de « cette photo de Bill Clinton dans un arbre en train de manifester contre Nixon lors du match contre le Texas ». La rumeur s'est propagée à la vitesse d'un feu de broussailles et m'a coûté de nombreuses voix. En 1978, lorsque je me suis présenté pour la première fois au poste de gouverneur, un membre de la police montée du sud de l'État a juré à plusieurs personnes que c'était lui qui m'avait décroché de mon arbre. En 1979, durant ma première année comme gouverneur, soit dix ans après ce fameux match, alors que je répondais aux questions des lycéens de Berryville, non loin de Fayetteville, un élève m'a demandé si c'était vraiment moi qui étais grimpé dans l'arbre. Lorsque j'ai demandé qui avait eu vent de cette rumeur, la moitié des élèves et les trois quarts des enseignants ont levé la main. En 1983, quatorze ans après le match, je me suis rendu à Tontitown, une petite bourgade située au nord de Fayetteville, pour remettre sa couronne à la reine de la fête annuelle du raisin. À la fin de la cérémonie, la jeune reine de 16 ans s'est tournée vers moi et m'a dit : « C'est vrai que vous êtes monté tout nu dans un arbre pour manifester contre le président Nixon et la guerre du Viêt-nam ? » Comme j'ai répondu par la négative, elle a dit : « Zut alors ! C'est une des raisons pour lesquelles j'ai toujours été pour vous ! » Si, au fur et à mesure que l'histoire circulait, j'avais été jusqu'à perdre mes vêtements, même les meilleures plaisanteries ont une fin. Peu de temps après, un hebdomadaire satirique et libéral de Fayetteville, *The Grapevine* [Le Bouche-à-oreille] finalement mit un terme à cette histoire loufoque en racontant celle du vrai manifestant et en publiant la photo où on le voyait perché sur son arbre. L'auteur de l'article a ajouté que lorsque le gouverneur Clinton était jeune, il était bien trop BCBG pour se lancer dans une action de ce genre.

Suivre ce match à la radio avait été pour moi l'occasion d'apprécier un sport que j'adorais et de me sentir presque chez moi. Je venais de commencer la lecture de *Tu ne peux plus rentrer chez toi* de Thomas Wolfe, et j'avais peur qu'il m'arrive la même chose. Je m'apprêtais d'ailleurs, à plus d'un titre, à m'éloigner bien plus de chez moi que je ne l'avais jamais fait.

À la fin de la première semaine de décembre, pendant les longues vacances d'hiver, j'ai entrepris un périple de quarante jours qui devait me mener à Amsterdam et en Russie, en passant par les pays scandinaves, puis de nouveau à Oxford avec une étape à Prague et une autre à Munich. C'est encore à ce jour le plus long voyage que j'aie accompli.

À Amsterdam, j'ai rendu visite à mon amie l'artiste Aimée Gautier. Les rues étaient couvertes d'illuminations de Noël et bordées de boutiques charmantes. Dans le fameux quartier chaud, on pouvait voir des prostituées assises le plus légalement du monde derrière leur vitrine. Aimée m'a demandé en plaisantant si je voulais me rendre dans l'un de ces endroits, mais j'ai décliné l'offre.

Nous avons visité les principales églises, nous sommes allés voir les Van Gogh au musée municipal, les Vermeer et les Rembrandt au Rijksmuseum, dont nous ne sommes partis qu'à la fermeture. Je suis allé au vestiaire récupérer nos manteaux et quelqu'un d'autre était déjà devant le comptoir. Lorsque l'homme s'est retourné, je me suis rendu compte qu'il s'agissait de Rudolf Noureïev. Nous avons échangé quelques mots et il m'a demandé si je voulais aller prendre un thé. Je savais qu'Aimée serait enchantée, mais devant l'entrée du musée, un beau jeune homme faisait les cent pas l'air inquiet ; il attendait visiblement Noureïev ; je me suis donc esquivé. Des années plus tard, lorsque j'étais gouverneur, je me suis retrouvé dans le même hôtel que le danseur étoile à Taipei. Nous avons enfin pris le thé ensemble tard dans la nuit, après avoir rempli nos obligations respectives. Il ne gardait visiblement aucun souvenir de notre première rencontre.

À Amsterdam, j'ai dit au revoir à Aimée qui rentrait aux États-Unis, et j'ai pris le train pour Copenhague, Oslo et Stockholm. À la frontière entre la Norvège et la Suède, je suis descendu du train pour me retrouver perdu au beau milieu de nulle part. Le train s'est arrêté dans une minuscule gare, et des douaniers, à la recherche de drogue, sont venus inspecter les bagages de tous les jeunes gens. Dans mon sac, ils ont trouvé un grand nombre de comprimés de Contac – un décongestionnant contre le rhume – que j'apportais à un ami vivant à Moscou. Le Contac était un médicament relativement récent et il n'avait pas encore reçu l'agrément du gouvernement suédois. J'ai essayé d'expliquer qu'il ne s'agissait que d'un banal médicament contre le rhume, qu'on le trouvait sans ordonnance dans toutes les pharmacies américaines et qu'il n'entraînait aucune espèce d'accoutumance. Le douanier a confisqué toutes mes boîtes de Contac, mais j'ai eu la chance de ne pas devoir descendre du train en pleine forêt enneigée pour cause de trafic de stupéfiants. Je me serais sans doute changé en une intéressante statue de glace, et j'aurais été parfaitement conservé sous cette forme jusqu'au dégel de printemps.

Après quelques jours passés à Stockholm, j'ai pris le ferry de nuit pour Helsinki. Au beau milieu du trajet, alors que j'étais assis tout seul à une table du restaurant en train de boire un café et de lire un livre, une bagarre a éclaté au bar. Deux hommes totalement ivres se disputaient la seule fille présente. Ils étaient dans un tel état d'ébriété qu'ils ne pouvaient se défendre ni l'un ni l'autre, mais ils pouvaient, en revanche, se taper dessus avec assez de force. Ils se sont rapidement retrouvés couverts de sang. L'un d'eux était matelot sur le ferry, et deux ou trois de ses camarades étaient venus le regarder se battre. N'y tenant plus, je me suis levé pour aller mettre un terme à la bagarre avant qu'ils ne se blessent sérieusement. Lorsque je suis arrivé à environ trois mètres des deux hommes, l'un des matelots m'a empêché d'aller plus loin en me disant : « Te mêle pas de ça. Si tu essaies d'intervenir, ils se retourneront tous les deux contre toi, et on les aidera. » Quand je lui ai demandé pourquoi, il m'a répondu en souriant : « Parce qu'on est finlandais. » J'ai haussé les épaules, j'ai pris mon livre et je suis allé me coucher. Je venais de recevoir une bonne leçon de diversité culturelle et je suis prêt à parier qu'aucun des deux n'a eu la fille.

Je suis descendu dans un petit hôtel et j'ai commencé à visiter la ville en compagnie de Richard Shullaw, un de mes condisciples de Georgetown dont le père était chargé de mission à l'ambassade américaine.

Le jour de Noël, le premier que je passais loin de chez moi, je suis allé me promener sur la baie d'Helsinki. La glace était suffisamment épaisse et enneigée pour qu'on puisse y marcher. Au milieu des beautés de la nature, j'ai aperçu une petite maison de bois à quelques mètres de la rive, et un petit trou rond qui avait été pratiqué dans la glace un peu plus loin. Cette maisonnette était un sauna, et un homme en est bientôt sorti, vêtu d'un minuscule maillot de bain. Il a marché sur la glace et s'est laissé descendre par le trou jusque dans l'eau glacée. Au bout de quelques minutes, il en est ressorti, est retourné dans son sauna, et la même scène s'est répétée plusieurs fois. Je me suis dit qu'il était encore plus fou que les deux hommes qui se battaient sur le ferry. Avec le temps, j'ai appris à apprécier la vapeur brûlante des saunas, mais en dépit de mon amour grandissant pour la Finlande et malgré les nombreux voyages que j'y ai effectués depuis, je n'ai jamais réussi à descendre dans l'eau glacée.

La veille du Nouvel An, j'ai pris le train en direction de Moscou avec une halte à la gare de Finlande, à Leningrad. C'est cette même route qu'avait empruntée Lénine en 1917, quand il est rentré en Russie pour y faire la révolution. J'y ai pensé alors parce que j'avais lu le merveilleux livre d'Edmund Wilson intitulé *À la gare de Finlande*. Lorsque nous avons atteint la frontière russe, dans un autre de ces endroits coupés du monde, j'ai rencontré mon premier vrai communiste, un soldat rondouillard à la figure d'ange. Lorsqu'il a commencé à regarder mon sac avec suspicion, j'ai cru qu'il cherchait lui aussi de la drogue. En fait, il m'a demandé en anglais, mais avec un fort accent russe : « Livres cochons ? Livres cochons ? Tu as livres cochons ? » J'ai ouvert mon sac en riant et j'ai sorti mes romans de Tolstoï, Dostoïevski et Tourgueniev. Il a été très déçu ; j'imagine qu'il avait très envie de mettre la main sur des articles de contrebande susceptibles d'égayer les longues soirées d'hiver qu'il passait dans la solitude de son poste frontière.

Le train soviétique était constitué de compartiments spacieux. Chaque voiture disposait d'un immense samovar rempli de thé chaud que l'on se faisait servir avec du pain noir par une vieille femme. Je partageais ma banquette avec un homme intéressant qui avait été entraîneur de l'équipe estonienne de boxe aux Jeux olympiques de 1936, trois ans avant que l'Union soviétique n'absorbe les États baltes. Nous parlions tous deux suffisamment l'allemand pour pouvoir communiquer. C'était un homme enjoué qui m'a assuré d'un air très confiant que l'Estonie retrouverait un jour sa liberté. En 2002, lorsque je me suis rendu à Tallinn, la splendide capitale du pays, j'ai raconté cette histoire aux personnes qui étaient venues m'écouter. Mon ami, l'ancien président Lennart Meri, assistait à mon discours et s'est offert d'effectuer une rapide recherche. L'homme s'appelait Peter Mostos et était décédé en 1980. Je repense souvent à lui et à notre voyage en train de la Saint-Sylvestre. Je regrette qu'il n'ait pas vécu dix ans de plus pour voir son rêve enfin réalisé.

Il était presque minuit et la nouvelle décennie allait commencer lorsque nous nous sommes arrêtés à Leningrad. Je suis sorti me dégourdir les jambes quelques minutes, mais je n'ai vu que des policiers en train de ramasser des fêtards ivres dans la rue, où une tempête de neige faisait rage. Il me faudrait presque trente ans pour admirer enfin les splendeurs de la ville ; ce jour-là, les communistes étaient partis et la ville avait repris son ancien nom de Saint-Pétersbourg.

Le matin du 1ᵉʳ janvier 1970 marquait le début de cinq jours incroyables. Je m'étais préparé à mon voyage à Moscou en achetant un guide et un plan en anglais, car je ne pouvais pas lire l'alphabet cyrillique.

Je suis descendu à l'*Hôtel National*, tout près de la place Rouge. Le hall de l'hôtel était immense et très haut de plafond, les chambres étaient confortables et il y avait un bon restaurant et un bar.

Nikki Alexis était la seule personne que je connaissais à Moscou. C'était elle qui m'avait donné les deux cartes-souvenirs en français lorsque j'avais quitté Oxford l'été précédent. C'était une femme incroyable. Née à la Martinique, elle vivait à Paris, où son père était diplomate. En Russie, Nikki était étudiante à l'Université Lumumba, du nom du leader congolais assassiné en 1961, semble-t-il avec la complicité de la CIA. La plupart des étudiants de cette université étaient pauvres et venaient de pays pauvres. Les Soviétiques espéraient visiblement qu'en leur permettant de faire des études supérieures, ils en feraient des militants convaincus qui, une fois rentrés chez eux, convertiraient leurs concitoyens aux idéaux du communisme.

Un soir, j'ai pris un bus jusqu'à l'Université Lumumba pour dîner avec Nikki et des amis à elle. Il y avait une Haïtienne prénommée Hélène, dont le mari faisait ses études à Paris. Ils avaient une fille qui vivait avec lui, mais comme ils n'avaient pas d'argent pour voyager, ils ne s'étaient pas vus depuis presque deux ans. Lorsque j'ai quitté la Russie quelques jours plus tard, Hélène m'a fait cadeau d'une de ces chapkas en fourrure si typiques. Elle n'avait pas coûté cher, mais Hélène n'avait pas d'argent. Je lui ai demandé si elle était certaine de vouloir me la donner. Elle m'a répondu : « Oui. Tu as été gentil avec moi et tu m'as redonné espoir. » En 1994, lorsque, en tant que président, j'ai pris la décision de déposer le dictateur au pouvoir dans son pays – le général Raoul Cedras – et permis le retour de Jean-Bertrand Aristide, le président élu démocratiquement, j'ai repensé, pour la première fois depuis des années, à cette femme généreuse, et je me suis demandé si elle était retournée en Haïti.

Vers minuit, dans le bus qui me ramenait à mon hôtel, j'ai discuté avec un passager, il s'appelait Oleg Rakito et je dois avouer que son anglais était meilleur que le mien. Il m'a posé tout un tas de questions et m'a dit qu'il travaillait pour le gouvernement, reconnaissant à demi-mot qu'il était chargé de me surveiller. Il m'a dit qu'il voulait continuer cette conversation le lendemain matin, au petit déjeuner. Entre deux bouchées d'œufs au bacon, il m'a appris qu'il lisait *Time* et *Newsweek* toutes les semaines, et qu'il adorait Tom Jones, le chanteur pop anglais, dont il écoutait les chansons sur des cassettes pirates. Si Oleg essayait d'obtenir des informations de ma part parce que j'avais eu accès à des dossiers confidentiels lorsque je travaillais pour le sénateur Fulbright, il est reparti bredouille. Grâce à lui, toutefois, j'ai pu voir à quel point les jeunes qui avaient grandi derrière le Rideau de fer avaient soif d'informations véridiques sur le monde extérieur. Je ne l'ai jamais oublié, même à la Maison Blanche.

J'ai rencontré d'autres Russes aussi sympathiques qu'Oleg. La politique de détente menée par le président Nixon donnait des résultats tangibles. Quelques mois plus tôt, la télévision russe avait montré des images des astronautes américains marchant sur la Lune. Les gens avaient visiblement été marqués par cet événement et semblaient fascinés par tout ce qui était américain. Ils nous enviaient notre liberté et s'imaginaient que nous étions tous très riches. Par rapport à la plupart d'entre eux, je suppose que nous étions, effectivement, assez aisés. Chaque fois que j'ai pris le métro, les gens venaient vers moi et me disaient fièrement : « Je parle anglais ! Bienvenue à Moscou ! » Un soir, j'ai dîné en compagnie de quelques clients de l'hôtel, d'un chauffeur de taxi et de sa sœur. Cette dernière, ayant un peu trop bu, avait décidé qu'elle voulait rester avec moi. Son frère a dû la traîner hors de l'hôtel et jusque dans la neige pour la faire monter dans son taxi. Je n'ai jamais su s'il avait peur qu'en restant avec moi elle se fasse ensuite interroger par le KGB ou s'il pensait tout simplement que je n'étais pas digne de sa sœur.

La plus intéressante de mes aventures moscovites a débuté par une rencontre fortuite dans l'ascenseur de l'hôtel. Lorsque j'y suis entré, il y avait déjà quatre hommes, dont l'un portait l'insigne du Lions Club de Virginie. Avec mes cheveux longs, ma barbe, mes bottes de cuir et ma veste de la marine britannique, il devait me prendre pour un étranger. D'une voix traînante, il m'a demandé d'où j'étais. J'ai répondu en souriant que je venais de l'Arkansas, et il s'est écrié : « Mince alors ! J'aurais juré que vous étiez danois ou quelque chose dans le genre ! » L'homme s'appelait Charlie Daniels et venait de Norton, en Virginie, la ville natale de Francis Gary Powers, ce pilote de U2 abattu et capturé en Russie en 1960. Il était accompagné de Carl McAfee, un avocat de Norton qui avait contribué à la libération de Powers, et de Henry Fors, un éleveur de poulets de l'État de Washington dont le fils avait été abattu dans son avion au Viêt-nam. Ils avaient fait tout le chemin jusqu'à Moscou pour voir si les Nord-Vietnamiens qui s'y trouvaient pourraient dire au fermier si son fils était encore en vie. Le quatrième homme venait de Paris, et il était, comme les autres, membre du Lions Club. Il les avait rejoints parce que les Nord-Vietnamiens parlaient français. Ils venaient d'arriver à Moscou sans même avoir l'assurance que les Russes leur permettraient de parler aux Vietnamiens, et sans même savoir si ces derniers leur donneraient les informations souhaitées. Aucun d'entre eux ne parlait russe. Ils m'ont demandé si je connaissais quelqu'un qui soit susceptible de les aider. Ma vieille amie Nikki Alexis étudiait l'anglais, le français et le russe à l'Université Patrice Lumumba, je la leur ai donc présentée et elle a passé deux jours avec eux à faire toutes les démarches nécessaires auprès de l'ambassade américaine et des Russes pour enfin pouvoir rencontrer les Nord-Vietnamiens. Ils ont visiblement été assez impressionnés que Mr Fors et ses amis aient fait tant d'efforts pour savoir ce qu'il était advenu de son fils et de quelques autres soldats disparus au combat. Ils ont répondu qu'ils allaient vérifier et qu'ils reviendraient vers eux. Quelques semaines plus tard, Henry Fors a appris que son fils avait été tué lorsque son avion avait été abattu. Au moins, il avait l'esprit en paix à présent. J'ai repensé à Henry Fors lorsqu'une fois président j'ai cherché à résoudre le problème des prisonniers de guerre ou des soldats disparus au combat, ou encore à aider les Vietnamiens à savoir ce qu'il était advenu de plus de trois cent mille de leurs disparus.

Le 6 janvier, Nikki et Hélène, son amie haïtienne, m'ont accompagné jusqu'à mon train pour Prague, l'une des plus belles anciennes cités d'Europe, mais qui portait encore les marques de la répression soviétique du Printemps de Prague, le mouvement réformateur d'Alexander Dubček, en 1968. J'avais été invité à séjourner chez les parents de Jan Kopold, qui jouait au basket avec moi à Oxford. Les Kopold étaient des gens charmants, dont l'histoire familiale était étroitement liée à celle de la Tchécoslovaquie moderne. Le père de Mme Kopold avait été rédacteur en chef du journal communiste *Rude Pravo* avant de mourir en combattant les nazis au cours de la Seconde Guerre mondiale. En son honneur, on avait même donné son nom à un pont. Les Kopold étaient tous deux des universitaires et avaient activement soutenu Dubček. La mère de Mme Kopold vivait chez eux ; c'est elle qui m'a fait faire le tour de la ville, pendant que les Kopold étaient au travail. Ils vivaient dans un bel appartement, dans une tour moderne, avec une magnifique vue sur toute la ville. Je dormais dans la chambre de Jan, et j'étais tellement content d'être là que je me suis réveillé au moins trois ou quatre fois dans la nuit pour admirer la ville illuminée.

Comme tous les Tchèques que j'ai rencontrés, les Kopold étaient profondément convaincus que leur pays retrouverait un jour sa liberté. Et ils la méritaient bien cette liberté ! Ils étaient intelligents, fiers et déterminés. Les jeunes surtout, notamment ceux que j'ai rencontrés, m'ont semblé particulièrement proaméricains. Ils soutenaient notre gouvernement dans la guerre du Viêt-nam parce que, contrairement aux Soviétiques, nous étions pour la liberté. M. Kopold m'a dit un jour : « Même les Russes ne peuvent défier éternellement les lois de l'histoire. » Et c'est l'histoire elle-même qui lui a donné raison. Vingt ans plus tard, la pacifique « révolution de velours » de Vaclav Havel allait enfin tenir les promesses du Printemps de Prague.

Dix mois après mon retour à Oxford, j'ai reçu une lettre des Kopold ; une simple feuille blanche bordée de noir et portant ces mots : « C'est avec une douleur immense que nous annonçons à ses amis que Jan Kopold est décédé le 29 juillet, à l'hôpital universitaire de Smyrne, à l'âge de 23 ans... Il souhaitait depuis très longtemps pouvoir admirer les vestiges de la culture hellénique. Il a fait une chute non loin de Troie et a succombé à ses blessures. » J'aimais beaucoup Jan ; il était d'une grande générosité et ne se départissait jamais de son sourire. Je l'ai toujours connu déchiré entre son amour de la Tchécoslovaquie et son amour de la liberté ; j'aurais tellement aimé qu'il vive suffisamment longtemps pour voir ses deux amours enfin réconciliés.

Après six jours passés à Prague, je me suis arrêté à Munich pour célébrer la Faschingsfest avec Rüdy Lowe, qui était reparti en Angleterre avec une foi encore plus forte en la démocratie et en l'Amérique. Malgré tous les défauts de mon pays, je me rendais compte qu'il représentait l'espoir pour tous ceux qui souffraient et s'épuisaient sous le communisme. Par une curieuse ironie, lorsque je me suis présenté aux élections présidentielles en 1992, les Républicains ont essayé d'utiliser ce voyage contre moi, en affirmant que j'avais fréquenté des communistes à Moscou. Après mon succès aux élections, ils ont certainement regretté que rien de tout cela ne fût vrai.

Un nouveau trimestre commençait. Je suis donc retourné à mes cours de politique. Je m'intéressais tout particulièrement aux liens entre les théories scientifiques et l'organisation stratégique, aux difficultés liées à la transformation d'une armée de conscription en une armée patriotique, de Napoléon à la guerre du Viêt-nam, ainsi qu'aux problèmes que posaient la Chine et la Russie à la politique américaine. J'ai lu les travaux de Herman Kahn sur les probabilités d'une guerre nucléaire, sur les différents niveaux de destruction et sur la conduite à tenir après une attaque nucléaire. Ce livre, qui était tout sauf convaincant, aurait pu être écrit par le Docteur Folamour. J'ai noté dans mon journal que « ce qui est censé se passer après le début du grand feu d'artifice pourrait fort bien ne pas suivre les modèles et les systèmes mis au point par les spécialistes et les scientifiques ».

Tandis que je survivais tant bien que mal à un nouvel hiver anglais sans soleil, les lettres et les cartes postales du pays affluaient sur mon bureau. Mes amis trouvaient du travail, se mariaient, vivaient leur vie. Toute cette normalité me faisait du bien, après les semaines d'angoisse que j'avais vécues à cause du Viêt-nam.

Au mois de mars, l'arrivée du printemps a quelque peu enjolivé les choses. J'ai lu Hemingway, assisté studieusement à mes cours, discuté avec mes amis, notamment avec une toute nouvelle connaissance assez fascinante. Mandy Merck venait de Reed College, dans l'Oregon. Elle était brillante et très active. De toutes les Américaines que j'ai rencontrées à Oxford, elle était la seule à faire preuve d'autant d'agilité et de rapidité dans la conversation que ses homologues britanniques. Elle était aussi la première femme ouvertement lesbienne que je rencontrais. Mars a marqué une grande étape dans ma prise de conscience de l'homosexualité. Paul Parish est aussi venu m'avouer la sienne ; il avait très peur d'être mis au banc de la société et il en a longtemps souffert. À présent, il vit à San Francisco, « en toute légalité et en toute sécurité », selon ses propres termes. Mandy Merck s'est installée en Angleterre, où elle est devenue journaliste et a défendu les droits des homosexuels. À l'époque, son brillant bavardage avait illuminé mon printemps.

Un soir, Rick Stearns m'a plongé dans l'angoisse en m'annonçant que je n'étais pas fait pour la politique. Il m'a dit que Huey Long et moi avions tous deux un vrai style politique à la mode du Sud, mais que, contrairement à moi, Long était un vrai génie politique qui avait parfaitement compris comment accéder au pouvoir et en faire usage. Il a ajouté que mes talents étaient plus littéraires et que je devrais devenir écrivain car j'écrivais bien mieux que je ne parlais et que, par ailleurs, je n'étais pas assez endurci pour faire de la politique. Il s'est toujours trouvé beaucoup de gens pour partager son opinion. Cependant, Rick n'avait pas tout à fait tort. Je n'ai jamais aimé le pouvoir pour le pouvoir ; en revanche, chaque fois que je me suis retrouvé attaqué par mes adversaires, j'ai trouvé en moi suffisamment de force et de dureté pour survivre. Je dois ajouter que je ne voyais pas ce que je pouvais faire de mieux.

Au début de 1970, j'avais reçu la cassette sur laquelle Jeff me faisait part de la conversation qu'il avait eue avec le colonel Holmes, je savais que je n'avais plus d'obligations envers le ROTC et que je ne serais pas appelé sous les drapeaux avant la fin de l'année. Si je n'étais pas mobilisé, je pouvais revenir faire une troisième année à Oxford – car ma bourse d'études en couvrait les frais – ou bien étudier à l'école d'avocats de Yale, si mon dossier était accepté. J'étais déchiré.

J'aimais beaucoup Oxford, beaucoup trop peut-être. En revenant y passer une troisième année, j'avais peur de m'enliser dans une vie universitaire sans doute confortable, mais qui, faute de me mener quelque part, finirait probablement par me décevoir. Étant donné mes sentiments sur la guerre, je n'étais absolument pas certain de pouvoir faire carrière dans la politique, mais je voulais rentrer au pays et tenter ma chance.

En avril, au moment des vacances qui séparent le deuxième et le troisième trimestre, j'ai effectué un dernier voyage, en Espagne, avec Rick Stearns. J'avais beaucoup lu sur l'Espagne – *L'Espoir* d'André Malraux, *Hommage à la Catalogne* de George Orwell et *La Guerre civile espagnole*, le chef-d'œuvre de Hugh Thomas –, et ce pays me fascinait. Malraux explore le dilemme que la guerre représentait pour les intellectuels qui se sont engagés, nombreux, dans la lutte contre Franco. Selon lui, les intellectuels veulent toujours bien distinguer chaque chose, savoir précisément ce pour quoi ils se battent et comment se battre, attitude antimanichéenne par définition, alors que tout combattant est, par définition, manichéen. Pour tuer et rester en vie, il doit voir les choses en noir et blanc, bien et mal. J'ai retrouvé la même chose en politique des années plus tard, lorsque les politiciens d'extrême droite ont conquis le Parti républicain et le Congrès. Pour eux, la politique n'était guère plus qu'une autre façon de faire la guerre. Ils avaient besoin d'un ennemi et j'étais le démon qu'ils voyaient de l'autre côté du gouffre manichéen.

Je ne me suis jamais libéré de l'attraction romantique que l'Espagne exerçait sur moi ; le rythme brut de la terre, l'esprit accueillant et rude des habitants, les souvenirs fantomatiques de la guerre civile, le Prado, les beautés de l'Alhambra. Lorsque j'étais président, Hillary et moi sommes devenus très amis avec le roi Juan Carlos et la reine Sophie. Lors de mon dernier voyage présidentiel en Espagne, se souvenant que je lui avais fait part de ma nostalgie pour Grenade, Juan Carlos nous y a emmenés. Trente ans plus tard, j'ai à nouveau parcouru les jardins de l'Alhambra, dans une Espagne désormais démocratique et libérée du franquisme, en grande partie grâce à lui.

À la fin du mois d'avril, lorsque je suis rentré à Oxford, ma mère m'a appelé pour me dire qu'Evelyn, la mère de David Leopoulos, venait d'être assassinée dans sa boutique d'antiquités, de quatre coups de couteau portés au cœur. Ce crime n'a jamais été élucidé. À ce moment-là, je lisais le *Léviathan* de Thomas Hobbes, et je me souviens m'être dit qu'il avait sans doute raison d'écrire que la vie est « pauvre, méchante, brutale et courte ». David est venu me voir quelques semaines plus tard alors qu'il partait retrouver son régiment en Italie, et j'ai fait de mon mieux pour lui redonner goût à la vie. Ce qui venait de lui arriver m'a poussé à terminer une nouvelle sur les dix-huit derniers mois et la mort de papa. Mes amis en ont plutôt apprécié la lecture, ce qui m'a encouragé à écrire dans mon journal : « Quand ma carrière politique aura définitivement volé en éclats, je pourrai peut-être devenir écrivain au lieu de devenir portier. » De temps à autre, je m'étais imaginé en portier de l'hôtel *Plaza* à New York, au sud de Central Park. Les portiers du *Plaza* avaient un bel uniforme et rencontraient des gens passionnants venus des quatre coins du monde. Je m'imaginais recevant de généreux pourboires de la part de clients qui goûtaient ma conversation en dépit de mon fort accent du Sud.

Fin mai, j'ai été accepté à Yale et j'ai donc décidé d'y aller. J'ai fini de suivre mes derniers cours sur le concept d'opposition, sur le Premier ministre britannique et sur la théorie politique. Je préférais nettement Locke à Hobbes. Le 5 juin, j'ai fait mon dernier discours à des lycéens qui venaient de terminer leurs études dans un lycée militaire. Je partageais l'estrade avec des généraux et des colonels, et, dans mon discours, j'ai expliqué pourquoi j'aimais l'Amérique, pourquoi je respectais l'armée et m'opposais néanmoins à la guerre du Viêt-nam. Les lycéens ont apprécié et je pense que les officiers ont respecté ma façon de présenter mon point de vue.

Le 26 juin, j'ai pris l'avion pour New York, après une série d'adieux émouvants, notamment à Frank Aller, Paul Parish et David Edwards, cette fois pour de bon. Voilà que deux des plus extraordinaires années de ma vie prenaient fin tout à coup. Elles avaient commencé la veille de l'élection de Richard Nixon et s'achevaient avec l'annonce de la rupture des Beatles, qui sortaient leur dernier film en guise de cadeau d'adieu à leurs fans endeuillés. J'avais voyagé, et j'avais aimé ça. Je m'étais aventuré dans les recoins les plus sombres de mon esprit et de mon cœur ; j'avais dû affronter la menace de ma mobilisation, mes sentiments contrastés concernant mes ambitions et mon incapacité chronique à entretenir autre chose que de brèves relations avec des femmes. Je n'avais obtenu aucun diplôme, mais j'avais beaucoup appris. Ma « longue et sinueuse route » me ramenait chez moi et, comme le chantaient les Beatles dans *Hey Jude*, j'espérais pouvoir au moins « prendre une chanson triste et la rendre meilleure ».

CHAPITRE DIX-SEPT

En juillet, j'ai gagné Washington où je devais travailler pour le Project Pursestrings [projet Cordons de la bourse]. Cette association venait de se constituer afin de mener une campagne d'opinion soutenant le projet d'amendement McGovern-Hatfield. Celui-ci réclamait l'arrêt du financement de la guerre au Viêt-nam avant la fin de 1971. Il n'avait aucune chance d'être adopté, mais la campagne de l'association devait fédérer l'opposition croissante à la guerre qui dépassait désormais les clivages politiques.

Dick et Helen Dudman m'ont proposé une chambre dans leur grande maison à un étage, située dans le quartier nord-ouest de Washington. Dick était un journaliste du sérail. Tous deux s'opposaient à la guerre et soutenaient les jeunes militants. Ce furent des hôtes parfaits. Un matin, ils m'invitèrent à partager leur petit déjeuner sur la véranda en compagnie du sénateur Eugene McCarthy, leur ami, qui vivait à proximité. Il avait annoncé, dès 1968, qu'il ne se représenterait pas ; c'était donc la dernière année de son mandat. Il se montra ouvert et expansif, ce matin-là. Il nous livra une analyse détaillée des événements du moment et évoqua sa carrière parlementaire avec une certaine nostalgie. Il me plut beaucoup, plus encore quand il me prêta une paire de souliers pour assister à un dîner très formel, organisé par une association de femmes journalistes, auquel je fus invité, me semble-t-il, par l'entremise de mes hôtes. Le président Nixon y fit une apparition et serra beaucoup de mains mais pas la mienne. Je dînai à la table de Clark Clifford, qui avait quitté le Missouri pour Washington à l'époque du président Truman et avait ensuite collaboré au gouvernement de Johnson comme conseiller, puis comme secrétaire à la Défense, pendant la dernière année de sa présidence. À propos du Viêt-nam, Clifford remarqua sèchement : « C'est vraiment l'un des pires endroits où nous trouver impliqués ! » Cette prestigieuse soirée m'enchanta, mais je gardai les pieds sur terre. Mes pieds chaussés, avec prestige eux aussi, par le sénateur McCarthy.

Peu de temps après mon arrivée au Pursestrings, je me suis offert un long week-end à Springfield, dans le Massachusetts, où j'ai assisté au mariage de mon colocataire de Georgetown, le lieutenant des Marines Kit Ashby.

Sur le chemin du retour, je me suis arrêté à Cape Cod, où j'ai rendu visite à Tommy Caplan et à Jim Moore, lequel avait aussi assisté au mariage de Kit. Ce soir-là, nous sommes allés écouter Carolyn Yeldell : elle avait un contrat pour tout l'été à Cape Cod, où elle chantait avec un groupe de jeunes musiciens. Tout le monde a passé une bonne soirée, mais je suis resté trop longtemps. Quand j'ai repris la route, j'étais mort de fatigue. Alors que je roulais encore dans le Massachusetts, une voiture, quittant une aire de repos, a rejoint l'autoroute juste devant moi. Le conducteur ne m'a pas vu ; quant à moi, je l'ai aperçu trop tard. J'ai donné un coup de volant pour l'éviter, mais j'ai percuté l'arrière gauche du véhicule. Un couple en est sorti, un peu sonné, mais indemne. En revanche, la carrosserie de la petite Coccinelle Volkswagen que Jeff Dwire m'avait prêtée pour l'été avait souffert du choc. L'arrivée de la police a créé un nouveau problème. Depuis mon retour d'Angleterre, j'avais égaré mon permis et je n'avais aucun document à présenter justifiant ma qualité de conducteur. Bien entendu, les fichiers informatisés n'existaient pas à l'époque et aucune vérification ne pouvait avoir lieu avant le matin. Le policier m'a informé que j'allais passer la nuit en cellule. Le temps que nous arrivions au poste, il devait être 5 heures du matin. J'ai dû vider mes poches et confier ma ceinture aux autorités. Elle aurait pu me servir à mettre fin à mes jours. On m'a donné une tasse de café avant de m'enfermer dans une cellule, équipée d'un lit métallique, d'une couverture, de toilettes bouchées aux effluves nauséabonds et d'une ampoule allumée en permanence. Après deux heures d'un sommeil inconfortable, j'ai téléphoné à Tom Caplan. Il m'a rejoint au tribunal, accompagné de Jim Moore, et il a payé ma caution. Le juge m'a reproché mon défaut de permis de conduire sans se départir, à aucun moment, de son ton bienveillant. Il a obtenu le résultat escompté : depuis cet incident, je ne me déplace jamais sans ce précieux document.

Deux semaines plus tard, j'étais de retour en Nouvelle-Angleterre ; dans le Connecticut où, huit jours durant, je devais travailler pour Joe Duffey. Il s'alignait à la primaire démocrate qui précédait l'élection sénatoriale. Joe se présentait sur un programme antiguerre avec le soutien de tous ceux qui s'étaient mobilisés, deux ans plus tôt, pour Eugene McCarthy Le sénateur sortant, Tom Dodd, du Parti démocrate, bénéficiait d'une implantation solide et ancienne dans l'État. Il avait été l'un des procureurs du procès des dirigeants nazis à Nuremberg et avait voté avec la gauche du Sénat en de nombreuses occasions. Mais il entrait dans la course avec deux handicaps. Tout d'abord, le Sénat avait voté une sanction disciplinaire à son encontre, pour usage personnel de fonds destinés à ses activités politiques. Ensuite, il avait soutenu le président Johnson sur le Viêt-nam. Or, selon toute probabilité, la sensibilité pacifiste serait surreprésentée parmi les électeurs participant aux primaires. Blessé par la sanction adoptée au Sénat, Dodd n'était pas prêt à abandonner son siège sans se battre. Mais il ne tenait pas à essuyer l'hostilité de l'électorat démocrate lors de la primaire, aussi avait-il décidé de présenter une candidature indépendante aux élections générales de novembre. Joe Duffey enseignait l'éthique à la fondation du séminaire de Hartford et présidait une association de gauche, les Américains pour l'action démocratique. Il était le fils d'un mineur de charbon de Virginie-Occidentale ; sa base la plus solide était pourtant constituée par les milieux de la gauche diplômée, prospère et antiguerre qui habitait les banlieues riches, ainsi que par la jeunesse qui se reconnaissait dans son militantisme pour les droits civiques et pour la paix. Paul Newman, qui coprésidait sa campagne, était très investi sur le terrain. Le comité de soutien comprenait Margaret Bourke-White, l'artiste Alexandre Calder, le dessinateur du *New Yorker* Dana Fradon et une extraordinaire brochette d'écrivains et d'historiens tels que Francine du Plessix Gray, John Hersey, Arthur Miller, Vance Packard, William Shirer, William Styron, Barbara Tuchman et Thornton Wilder. Leurs noms pesaient lourd sur le papier à en-tête de la campagne, beaucoup moins dans l'électorat ouvrier des minorités ethniques.

On me chargea d'organiser la campagne, entre le 29 juillet et le 5 août, dans deux cantons de la cinquième circonscription électorale, Bethel et Trumbull. C'était, dans les deux cas, le domaine de vastes maisons peintes en blanc, agrémentées de grandes vérandas et patinées par une longue histoire, conservée avec orgueil par la chronique locale. À Bethel, le premier jour se passa à réceptionner nos installations téléphoniques et à mettre au point notre réseau pour les appels, que nous faisions suivre d'une livraison de brochures à domicile pour les électeurs indécis. L'équipe de bénévoles assurait une permanence ininterrompue et j'étais convaincu, grâce à cette logistique, d'assurer un résultat optimal à notre candidat. À Trumbull, le local de campagne n'avait pas d'installations aussi efficaces, mais les volontaires se démenaient entre le téléphone et les visites à domicile. Je réussis à les convaincre de maintenir la permanence de 10 heures à 19 heures, du lundi au samedi, et d'assurer le même quadrillage téléphonique qu'à Bethel, de façon à établir deux contacts successifs avec tous nos électeurs potentiels. Je supervisai encore les opérations de deux autres cantons qui ne bénéficiaient pas d'une aussi bonne organisation et je persuadai la direction de campagne de s'assurer que les permanences disposaient de listes électorales complètes, accompagnées des numéros de téléphone.

Cette activité me plaisait. Elle m'a donné l'occasion de nouer des liens qui allaient compter dans ma vie, avec John Podesta, par exemple, qui allait s'acquitter brillamment de sa fonction de secrétaire général de la Maison Blanche ou encore avec Susan Thomases qui, lors de mes séjours à New York, m'a logé dans son appartement de Park Avenue où elle habite encore et qui est devenue l'une de mes plus proches conseillères et une amie très chère de Hillary et de moi-même.

Après la victoire de Joe Duffey aux primaires, on me demanda d'assurer la coordination de la troisième circonscription électorale en vue des élections générales. La plus grande ville de la circonscription était New Haven, siège de l'Université Yale, où je venais de m'inscrire en faculté de droit. Elle incluait aussi Milford, ville où j'allais résider. En acceptant cette responsabilité, je me mettais en retrait de la vie étudiante jusqu'en novembre, mais je jugeais pouvoir combler mes lacunes en empruntant les notes de cours des uns et des autres, et en travaillant intensément.

J'adorais New Haven avec le militantisme de ses étudiants et les mœurs politiques à l'ancienne de ses minorités ethniques. East Haven, la municipalité mitoyenne, était surtout italienne, alors qu'à Orange, sa voisine, les Irlandais prédominaient. À mesure qu'on s'éloignait de New Haven, on atteignait des banlieues plus prospères, aux identités ethniques moins définies. Les deux cantons les plus à l'est de la circonscription électorale, Milford et Madison, étaient les plus anciens et les plus beaux. Je sillonnais ma circonscription pour m'assurer que tous les responsables de la campagne commençaient à mettre en œuvre leurs plans d'action, obtenaient le matériel voulu et le soutien nécessaire de notre quartier général. Mon accident de l'été avait réduit ma Volkswagen à l'état d'épave. Je conduisais donc désormais un break Opel de couleur rouille, mieux adapté au transport de matériel électoral et quadrillais ma circonscription sans le ménager.

Quand mon engagement dans la campagne m'en laissait le temps, j'assistais aux cours auxquels je m'étais inscrit : procédure, contrats, dommages et préjudices, droit constitutionnel. Ce dernier était, de loin, le plus intéressant. Il était assuré par Robert Bork, qui devait poursuivre sa carrière de juriste à la cour d'appel du District de Columbia avant d'être nommé, en 1987, à la Cour suprême par le président Reagan. Robert Bork abordait le droit selon des principes extrêmement conservateurs, ce dont il ne se cachait pas, mais il ne refusait jamais la contradiction. Lors de ma seule intervention notable, je me suis permis de relever qu'il employait un raisonnement circulaire pour traiter le sujet abordé ce jour-là. Il m'a répondu : « Vous avez raison. D'ailleurs, les bonnes démonstrations sont toujours circulaires. »

Après la primaire, je me suis efforcé de convaincre les partisans du candidat démocrate battu de s'investir dans la campagne de Joe Duffey, ce qui n'allait pas sans mal. J'avais beau peaufiner mon argumentaire, mes interlocuteurs des quartiers ouvriers s'y montraient peu sensibles. Pour beaucoup de Démocrates appartenant aux communautés blanches minoritaires – italienne, irlandaise ou autre –, Joe Duffey, que le vice-président Spiro Agnew avait qualifié de « marxiste révolutionnaire », passait pour un extrémiste, le candidat des hippies fumeurs de joints et pacifistes. Les sentiments des quartiers populaires évoluaient rapidement à l'égard de la guerre. Pour autant, on y appréciait peu ceux qui s'y étaient opposés les premiers. Nos efforts pour gagner leur adhésion étaient encore compliqués par le fait que le sénateur Dodd se présentait sous une étiquette indépendante, susceptible de séduire les électeurs démocrates mécontents. Investi corps et âme dans sa campagne, Joe Duffey a gagné la sympathie de toute la jeunesse du pays, mais il a néanmoins été battu par son adversaire républicain. Lowell Weicker, candidat atypique, a quitté plus tard le Parti républicain et accédé au poste de gouverneur du Connecticut sous une étiquette indépendante. Contre Joe Duffey, il a rassemblé moins de 42 % de l'électorat, mais ce score lui a suffi pour l'emporter. Duffey a obtenu moins de 34 %, devant le sénateur Dodd, à 25 %. Nous réalisions nos plus mauvais scores au sein des communautés minoritaires, comme à West Haven et East Haven.

L'absence de Dodd aurait-elle suffi à assurer la victoire de Duffey ? Je n'aurais su le dire, mais j'étais convaincu que le Parti se condamnait à demeurer minoritaire s'il ne parvenait pas à convaincre la fraction de l'électorat qui se reconnaissait dans tous les Dodd du pays. Après la défaite, j'ai eu de longues conversations à ce sujet avec Anne Wexler, qui avait fait preuve d'un remarquable savoir-faire à la direction de la campagne. Elle avait de grandes capacités pour réussir en politique et pouvait défendre son point de vue face à n'importe quel interlocuteur. Hélas, en 1970, de nombreux électeurs ne se souciaient ni du message ni du messager. Anne allait devenir une amie et une conseillère précieuse. Elle a épousé Joe Duffey, que j'ai nommé, après mon installation à la Maison Blanche, à la direction de l'Agence d'information des États-Unis, qui chapeautait la radio *Voix de l'Amérique*. Sa fonction était de diffuser le message de l'Amérique dans le monde. L'audience à laquelle il s'adressait alors était plus réceptive que les électeurs du Connecticut ne l'avaient été en 1970. C'était, à mes yeux, une nouvelle campagne que je lui confiais. Cette fois, il allait la gagner.

La bonne nouvelle aux élections générales de 1970 a été l'élection du jeune gouverneur démocrate de l'Arkansas. Dale Bumpers a pris l'avantage sur le gouverneur Faubus lors de la primaire, puis il a battu le gouverneur Rockefeller au scrutin de novembre avec une avance spectaculaire. Le nouvel élu était un ancien Marine et un avocat pénaliste réputé. Il avait un sens de l'humour ravageur et un grand pouvoir de conviction. C'était surtout un authentique réformateur : à Charleston, sa ville, dans l'ouest conservateur de l'Arkansas, il avait réussi à mettre en œuvre son programme de mixité raciale dans les écoles de manière consensuelle, alors que les tentatives du même ordre à Little Rock suscitaient une agitation interminable. Deux ans plus tard, il a conservé une marge confortable lors de sa réélection et, deux ans plus tard encore, il a été élu sénateur. Son exemple montrait qu'un dirigeant politique capable de rassembler l'opinion et d'impulser des changements pouvait surmonter les vieilles divisions claniques, sur lesquelles fonctionnait la politique dans le sud du pays. C'était la voie que je voulais suivre. Soutenir des candidats dont la défaite était à peu près assurée ne me gênait pas tant que nous nous battions sur la question des droits civiques ou contre la guerre. Tôt ou tard, cependant, il faut bien l'emporter pour changer le cours des choses. J'avais choisi la faculté de droit de Yale pour me former à l'administration publique. Si je ne parvenais pas à satisfaire mes ambitions politiques, mes diplômes me permettraient de me faire une situation. Au moins, mon avenir ne dépendrait-il pas du vote des électeurs.

La campagne achevée, je me suis rabattu sur le campus où j'ai rattrapé mon retard et noué des relations, tout en prenant le temps d'apprécier mon nouveau domicile et mes colocataires. Doug Eakeley, qui bénéficiait, tout comme moi, d'une bourse Rhodes, avait trouvé une superbe maison, assez ancienne, face au détroit de Long Island, à Milford. Elle se composait de quatre chambres, d'une cuisine assez spacieuse et d'une grande véranda, protégée par des moustiquaires, qui donnait directement sur la plage. Laquelle nous servait souvent de cuisine et de salle à manger et même, à marée basse, de terrain de football américain. Seul inconvénient, la bâtisse, conçue comme résidence d'été, était dépourvue d'isolation. Mais nous étions jeunes et nous supportions les vents violents de la mauvaise saison. Je me souviens encore d'un après-midi glacial, peu après l'élection, que j'ai passé assis dans la véranda, enroulé dans une couverture, à lire *Le Bruit et la Fureur* de William Faulkner.

Les autres habitants du 889, East Broadway s'appelaient Don Pogue et Bill Coleman. Don était le plus à gauche de la bande, bien qu'il eût l'air d'un ouvrier. Il était taillé comme une armoire à glace et fort comme un bœuf. Il enfourchait sa moto pour se rendre à la faculté où il n'engageait jamais une conversation sans lui donner le tour d'un débat politique interminable. Heureusement pour nous, il avait d'autres cordes à son arc : à la maison, en particulier, c'était un bon cuisinier. En outre, il avait adopté un mode de vie équilibré, grâce à sa petite amie anglaise Susan Bucknell, dont les opinions, quoique radicales, étaient un peu plus nuancées. À Yale, l'effectif des étudiants noirs commençait à s'étoffer. Bill était l'un d'entre eux. Son père était un juriste républicain libéral – il en existait encore, à cette époque – qui avait travaillé pour Felix Frankfurter, juge à la Cour suprême et il allait être nommé ministre des Transports par le président Ford. En apparence, du moins, Bill était le plus décontracté d'entre nous.

Hormis mes colocataires, je ne connaissais qu'une poignée d'étudiants, lors de mon arrivée à Yale, après la campagne de Joe Duffey, dont Fred Kammer, de Louisiane, qui avait participé à l'épisode de l'American Legion, et Bob Reich. Secrétaire de notre promotion de boursiers Rhodes, Bob entretenait un vaste réseau de relations et me tenait au courant des aventures – dans tous les domaines – que vivaient les membres de notre groupe.

Bob partageait une maison proche du campus avec trois autres étudiants, dont l'une, Nancy Bekavac, est devenue mon amie de cœur. C'était une libérale enflammée qu'un stage de journaliste, l'été précédent, au Viêt-nam, avait confortée dans son opposition à la guerre. Elle écrivait de beaux poèmes, des lettres pleines de conviction et tenait des notes minutieuses de chaque cours qu'elle suivait, lesquelles m'ont été fort utiles pour combler mon retard.

Grâce à Bill Coleman, je me suis lié avec de nombreux étudiants noirs. Leur parcours m'intéressait : j'étais curieux de savoir comment ils étaient arrivés à Yale et ce qu'ils comptaient faire en sortant de la fac, munis d'un diplôme qui, à cette époque, était encore une rareté dans la communauté noire. Je suis devenu l'ami d'Eric Clay, de Detroit, que je nommerai plus tard à la cour d'appel fédérale ; de Nancy Gist, qui avait étudié à Wellesley avec Hillary et devait travailler au département de la Justice quand j'étais président ; de Lila Coleburn, qui abandonnerait le droit pour devenir psychothérapeute ; de Rufus Cormier, un grand athlète discret, ancienne vedette de l'équipe de football de l'Université méthodiste du Sud et de Lani Guinier, que je proposerai comme vice-ministre de la Justice pour les droits civiques. Je reviendrai en détail sur cette triste histoire. Clarence Thomas, aujourd'hui juge à la Cour suprême, étudiait alors à Yale, mais je n'eus jamais l'occasion de faire sa connaissance.

Alors que la fin du semestre approchait, nous avons eu vent du retour de Frank Aller sur le sol américain. Il s'était d'abord installé dans la région de

Boston, avant de retourner chez lui, à Spokane, où il devait affronter les consé-quences de son choix vis-à-vis de l'armée. Arrêté, mis en examen, il avait été placé en liberté surveillée en attendant son procès. Frank assumait son geste et l'écho que celui-ci avait eu. Mais il ne se voyait pas passer le reste de ses jours en exil, dans une université britannique ou canadienne, où il mènerait une existence froide et amère, à jamais définie par le Viêt-nam. Un soir de décem-bre, Bob m'a dit qu'il trouvait la situation de Frank absurde : pourquoi prendre le risque d'une peine de prison quand tant de possibilités s'offraient à lui, en dehors des États-Unis. J'ai consigné ma réponse dans mon journal per-sonnel : « Chaque personne est plus que la somme de ses actions. » L'attitude de Frank s'expliquait par ce qu'il était, non par ce qu'il pouvait faire. À mes yeux, son choix était le bon. Peu après son retour, Frank a subi un examen psychiatrique, le médecin l'a déclaré dépressif et inapte au service militaire. Les médecins militaires ont étudié son dossier et, comme Strobe, ils l'ont classé 1-Y : mobilisable en cas d'état d'urgence.

J'ai passé Noël chez les miens, à Hot Springs, bien loin de la baie d'Helsinki gelée où je m'étais promené l'année précédente à la même date. Je me suis rendu, cette fois-ci, dans mon ancienne école primaire. Je me suis aussi livré à un petit examen de conscience, plutôt satisfaisant, et j'ai pris note des changements dans mon entourage. Plusieurs de mes amis proches se marniè-rent. Je leur souhaitai tous mes vœux de bonheur et je m'interrogeai sur mon sort : allais-je me marier un jour, moi aussi ?

Le passé et mes racines occupaient mes pensées. Le jour de l'An, j'ai achevé la lecture de *The Burden of Southern History* [Le Fardeau de l'histoire sudiste], de C. Vann Woodward, qui souligne la « conscience historique particulière des Sudistes », ce qu'Eudora Welty nomme le « sens de la place ». C'est en Arkansas que j'avais ma place. À la différence de Thomas Wolfe, dont j'admirais la prose riche et rythmée, je pouvais toujours rentrer chez moi. Mieux, je devais m'y résoudre et je le savais. Mais d'abord, je devais achever mes études.

J'ai entamé mon deuxième semestre à Yale bien décidé à consacrer tout mon temps aux études. Mon professeur de droit des affaires était John Baker, le premier Noir membre du corps enseignant à la faculté de droit de Yale. Bienveillant à mon égard, il m'a confié quelques travaux de recherches rému-nérés pour étoffer mes modestes revenus et m'a invité à dîner chez lui. John et sa femme avaient fait leurs études à Fisk, une université noire de Nashville, dans le Tennessee, au début des années 1960, quand le mouvement pour les droits civiques atteignait son apogée. Les nombreuses anecdotes qu'il m'a racontées laissaient transparaître le plaisir qu'il trouvait, comme tous ses cama-rades étudiants, à s'investir dans le mouvement et le sentiment de peur qui ne leur laissait jamais de répit.

J'ai suivi les cours de droit constitutionnel de Charles Reich, aussi ouver-tement libéral que Bork était conservateur et qui allait écrire un des livres-phares de la « contre-culture », *The Greening of America*. Mon professeur de droit criminel, Steve Duke, était un esprit caustique et un grand pédagogue, avec lequel je devais organiser plus tard un séminaire sur le crime en col blanc.

Je prenais beaucoup de plaisir à suivre le cours sur les droits civiques et politiques, délivré par Tom Emerson, auteur d'un livre de référence sur la question que nous utilisions. De petite taille, toujours tiré à quatre épingles, il avait longtemps travaillé au sein de l'administration Roosevelt. En outre, je suivais l'enseignement du professeur William Leon McBride intitulé « Loi nationale et philosophie », je collaborais avec les services d'aide judiciaire et je trouvai un emploi à temps partiel. Pendant quelques mois, je me suis rendu à Hartford quatre fois par semaine où j'assistais Dick Suisman dans ses fonctions au conseil municipal. J'avais fait la connaissance de ce chef d'entreprise démocrate au cours de la campagne de Joe Duffey. Il savait que j'avais besoin de travailler et mes services lui étaient, je crois, utiles.

Fin février, j'ai pris l'avion pour la Californie où je devais passer quelques jours en compagnie de Frank Aller, de Strobe Talbott et de sa compagne Brooke Shearer. Nous nous sommes retrouvés chez les parents de Brooke, Marva et Lloyd, hôtes chaleureux et pleins d'attention. Journalistes, ils tenaient ensemble la rubrique de potins mondains la plus lue du pays : *Walter Scott's Personality Parade*. En mars, je me suis rendu à Boston, où Frank s'était installé et voulait se lancer dans le journalisme. À nouveau, Strobe était de la partie. Chaque jour, nous nous sommes promenés dans la forêt qui commençait derrière la maison de Frank ou, plus loin, le long de la côte du New Hampshire. Frank paraissait soulagé d'être rentré au pays, mais il était encore d'humeur sombre. Il avait échappé au service militaire et à la prison ; pourtant, il semblait lutter contre cette forme de dépression que, selon Tourgueniev, « seuls les très jeunes gens connaissent et qui n'a aucune raison apparente ». Je pensais qu'il surmonterait son état.

Comme chaque année, le retour du printemps réveilla mon enthousiasme. Sur le front politique, les nouvelles étaient contrastées. La Cour suprême avait voté, à l'unanimité, le maintien du *busing* [l'acheminement des élèves] destiné à assurer le panachage racial des écoles. La Chine venait de répondre favorablement à la sollicitation des États-Unis : après la tournée chinoise de notre équipe de tennis de table, Pékin acceptait de nous envoyer la sienne. Les manifestations contre la guerre se poursuivaient. Le 16 mai, le sénateur McGovern vint à New Haven. Son intention de présenter sa candidature à la présidentielle de 1972 était évidente. J'appréciais sa personnalité et j'estimais qu'il avait de bonnes chances de succès, autant en raison de son passé héroïque de pilote de bombardier et de son rôle dans l'administration Kennedy, où il avait lancé le programme « Nourriture pour la paix », que des avantages offerts par les nouvelles règles de sélection des délégués à la prochaine convention démocrate. McGovern présidait la commission qui élaborait ces règles. Elles visaient à mieux représenter la diversité du Parti, en termes d'âge, de race et de sexe. Les nouvelles règles d'une part et le poids de la gauche antiguerre de l'autre modifiaient l'équilibre dans le processus de désignation du candidat : les vieux cadres du Parti perdaient de leur influence au profit des militants. Rick Stearns avait travaillé au sein de la commission. Avec sa détermination et son habileté, j'étais convaincu qu'il avait contribué à établir une procédure favorable à McGovern.

Ma vie personnelle était beaucoup moins réjouissante. Après ma rupture avec une jeune fille qui retourna dans sa ville d'origine pour épouser son ancien petit ami, je venais à nouveau de me séparer, d'une étudiante en droit, cette fois, dont j'étais très amoureux, mais avec laquelle je ne voulais pas m'engager plus sérieusement. Je commençais à me résoudre à vivre seul et j'étais bien décidé à ne pas m'embarquer dans une nouvelle histoire. Un jour, pourtant, pendant le cours de droit politique et civique du professeur Emerson, je remarquai une jeune femme que je n'avais jamais vue auparavant. De toute évidence, elle était encore moins assidue que moi-même. Je notai la lourde chevelure blonde, les lunettes, l'absence de maquillage et, par-dessus tout, un air volontaire et une maîtrise de soi que j'avais rarement vus chez quiconque, homme ou femme. Après le cours, je lui emboîtai le pas avec la ferme intention de me présenter. Arrivé derrière elle, je tendis le bras, mais avant même de toucher son épaule, je retirai ma main. Ma réaction était à peine contrôlée. Mon intuition m'avertissait que cette simple tape sur l'épaule pouvait enclencher une succession d'événements que je n'arrêterais plus.

Les jours suivants, je l'ai aperçue sur le campus à plusieurs reprises, mais j'ai gardé mes distances. Enfin, un soir, je discutais avec un camarade à l'une des extrémités de la salle de lecture, dans la bibliothèque de la faculté de droit. Jeff Gleckel voulait me convaincre de collaborer au *Yale Law Journal*. Grâce aux contacts que me procurerait la revue, selon lui, j'étais assuré de trouver un emploi en vue au service d'un juge fédéral ou d'être recruté par un cabinet d'avocats prestigieux. Ses arguments se tenaient, mais je n'étais pas intéressé : j'envisageais déjà mon retour dans l'Arkansas et, entre-temps, je préférais consacrer mon temps à la politique plutôt qu'à une revue de droit. Après un moment, je n'ai plus prêté attention à sa supplique : j'avais aperçu la jeune fille, à l'autre extrémité de la salle longue et étroite. Cette fois-ci, elle aussi me fixait. Elle a fermé son livre, traversé la salle silencieuse et m'a adressé la parole sans me quitter des yeux : « Si tu dois continuer à me regarder comme ça et m'obliger à soutenir ton regard, autant que je sache à qui j'ai affaire. Je m'appelle Hillary Rodham. Et toi ? » Hillary, bien entendu, n'a rien oublié de cet épisode, quoiqu'elle le rappellerait sans doute en des termes un peu différents. Je suis resté interloqué pendant quelques secondes. Finalement, j'ai bredouillé mon nom. Nous avons échangé quelques mots, puis elle s'est éloignée. Ce pauvre Jeff Gleckel n'avait pas la moindre idée de ce qui se passait. Toutefois, il ne me reparla jamais de sa revue de droit.

Quelques jours plus tard, je croisai Hillary au pied de l'escalier de la faculté de droit. Elle portait une jupe longue et colorée, à motifs à fleurs. Cette fois-ci, j'étais bien décidé à passer un moment en sa compagnie. Elle m'a expliqué qu'elle se rendait au service des inscriptions, afin de choisir ses cours pour le prochain semestre. Je lui ai dit que je devais en faire autant. Dans la file, nous avons commencé à discuter. Je trouvais que je m'en sortais très bien jusqu'au moment où nous avons atteint le guichet. Le secrétaire m'a alors lancé : « Mais, Bill, qu'est-ce que tu fais ici ? Tu t'es déjà inscrit ce matin ! » Mon visage a pris une teinte rouge brique et Hillary a éclaté de son grand rire. Puisque j'étais démasqué, je lui ai proposé de m'accompagner à la galerie de peinture du campus qui exposait des toiles de Mark Rothko. Dans l'état où j'étais, j'avais oublié que le personnel de l'université était en grève et la galerie fermée. Un gardien se tenait à la porte. Pour plaider notre cause, je suis allé jusqu'à lui proposer de nettoyer le jardin du musée s'il nous laissait entrer.

Il nous a longtemps examinés, a réfléchi et nous a finalement ouvert la porte. Ce fut un grand moment et je garde depuis un penchant tout particulier pour les toiles de Rothko. La visite terminée, nous avons rejoint le jardin où j'ai glané branches mortes et papiers gras. Je me comportais comme un briseur de grève pour la première et dernière fois de ma vie, mais, après tout, le syndicat n'avait pas posté de piquet de grève à l'entrée. En outre, la politique était le cadet de mes soucis en cet instant. Cette tâche accomplie, nous sommes restés dans le jardin, pendant plus d'une heure. Il s'ornait d'une grande et belle sculpture de Henry Moore, qui représentait une femme assise. Hillary s'est juchée sur ses genoux et je me suis installé près d'elle, tout en poursuivant notre conversation. Un peu plus tard, je me suis penché et j'ai posé ma tête sur son épaule. Voilà comment notre histoire a commencé.

Les jours suivants, nous avons passé tout notre temps ensemble. On se promenait, on profitait du soleil, on parlait de tout et de rien. Le vendredi, elle partait pour le Vermont. Le week-end avec son ancien petit ami était prévu depuis longtemps. Je n'en dormis pas de deux jours. Je ne voulais pas la perdre. Dès son retour, le dimanche soir, je l'appelai. Elle était malade. Je me rendis chez elle muni de jus d'orange et de bouillon de poulet. Nous sommes devenus, dès lors, inséparables. Elle passait beaucoup de temps chez moi et conquit très vite Doug, Don et Bill.

Pourtant, tout ne commença pas aussi bien avec ma mère, qui nous rendit visite, quelques semaines plus tard. Juste avant son arrivée, Hillary avait tenté de se couper les cheveux. Un fiasco ! Sa nouvelle coupe préfigurait le style punk. Sans maquillage, vêtue d'un jean et d'un bleu de chauffe, les pieds nus maculés de goudron, après une promenade sur la plage de Milford, elle avait tout l'air d'une extraterrestre en panne de soucoupe volante. Et pour tout arranger auprès de ma mère, notre histoire n'avait pas l'air d'une simple passade. Dans son livre, elle a qualifié notre relation d'« épreuve de passage à l'âge adulte ». Elle la décrit « sans maquillage, le nez chaussé de lunettes en culs-de-bouteille, une chevelure châtain informe », tout le contraire d'une femme à la peau bronzée, maquillée de rouge à lèvres rose intense, les cheveux retenus par un bandeau argenté. La façon dont elles s'observaient l'une l'autre m'amusait intensément. Avec le temps, la relation s'est réchauffée, ma mère s'est moins souciée de l'allure de Hillary, qui, elle-même, s'en est davantage préoccupée. Malgré leurs styles opposés, toutes deux avaient les mêmes qualités : elles étaient intelligentes, déterminées, inébranlables et enthousiastes. Quand elles s'alliaient, je n'avais pas l'ombre d'une chance.

À la mi-mai, je voulais passer tout mon temps avec Hillary. Je fis ainsi la connaissance de plusieurs de ses amis : Susan Graber, une proche depuis l'Université de Wellesley, que je nommerai plus tard juge fédéral dans l'Oregon ; Carolyn Ellis, du Mississippi, femme brillante et très drôle, originaire du Liban et qui pouvait paraître encore plus imprégnée de culture sudiste que moi-même. Elle est aujourd'hui présidente de l'Université du Mississippi.

Enfin, Neil Steinman, l'étudiant le plus brillant de Yale, à ma connaissance. Il s'est occupé du financement de ma campagne, en Pennsylvanie, en 1992.

Hillary me raconta son enfance à Park Ridge, dans l'Illinois, ses quatre années à Wellesley, au cours desquelles se déclencha sa désaffection du Parti républicain et sa conversion au Parti démocrate, conséquence du mouvement pour les droits civiques et de la guerre ; son voyage en Alaska, après sa maîtrise, où elle avait gagné sa vie en vidant des poissons dans une conserverie industrielle, son intérêt pour l'aide juridique aux plus démunis et pour la protection de l'enfance. J'eus aussi vent de l'allocution qu'elle avait prononcée devant sa promotion, lors de la remise des diplômes, sur le campus de Wellesley et dans laquelle elle exposait les sentiments ambivalents de notre génération, qui ne se reconnaissait guère dans le système politique, mais voulait agir pour rendre l'Amérique meilleure. Son discours avait eu beaucoup d'écho à l'échelon national et lui avait valu une reconnaissance qui dépassait le cercle de ses proches. Pour la première fois, elle avait été placée sous les projecteurs. À l'égard de la politique, elle adoptait une attitude à la fois idéaliste et pragmatique dans laquelle je me reconnaissais. Elle voulait changer les choses et comprenait que, pour y parvenir, des efforts constants étaient indispensables. Pas plus que moi, elle ne se satisfaisait des défaites que notre camp accumulait et dans lesquelles beaucoup voyaient une preuve de vertu et de supériorité morale. Hillary était une forte personnalité à Yale, un gros poisson dans cette petite mare où la lutte pour la vie faisait rage. Quant à moi, je me laissais plutôt flotter sans efforts.

Hillary en intimidait plus d'un. Quand nos connaissances communes parlaient d'elle, ce sentiment transparaissait. Je n'avais pas de telles inhibitions. Je voulais être avec elle. Pourtant, les circonstances ne jouaient pas en notre faveur. Hillary avait accepté un emploi pour l'été dans le cabinet d'avocats Treuhaft, Walker et Burnstein, à Oakland, en Californie. De mon côté, j'avais été sollicité pour coordonner la campagne de McGovern dans les États du Sud. Avant ma rencontre avec Hillary, cette perspective m'enthousiasmait. Je devais m'installer à Miami et, de là, rayonner dans les États du Sud pour aider à mettre en place les structures de la campagne. Je ne doutais pas de mes compétences pour remplir cette tâche. Dans le Sud, les pronostics concernant l'élection de novembre étaient peu favorables à McGovern, mais l'enjeu était de rassembler sur son nom les délégués à la convention démocrate qui désignerait le candidat. On m'offrait là une responsabilité politique cruciale, c'était une chance inespérée pour un jeune homme de 25 ans. Je la devais à mes bonnes relations avec Rick Stearns, qui jouait un rôle important à la direction de la campagne. Je la devais aussi à la discrimination positive : il était impératif d'attribuer au moins un poste de responsabilité à un Sudiste !

Mais désormais, je ne voulais plus de cette responsabilité. Aller en Floride, c'était mettre entre Hillary et moi une distance qui serait sans doute fatale à notre relation. Si les perspectives de la campagne me passionnaient encore, je redoutais, comme je le notai alors dans mon journal d'« entériner, de cette façon, ma solitude ». Je me serais battu pour une bonne cause, mais en restant dans ma coquille. Or je l'avais brisée, grâce à Hillary.

Je pris mon courage à deux mains et je lui proposai de passer l'été avec elle, en Californie. Elle eut d'abord toutes les peines du monde à me prendre au sérieux : elle savait combien la politique me motivait, combien la mobilisation contre la guerre comptait à mes yeux. Je lui déclarai que j'avais la vie entière pour me préoccuper de ma carrière et satisfaire mes ambitions. En attendant, je l'aimais et je voulais tenter de poursuivre notre relation. Elle respira profondément et accepta ma proposition. Notre couple avait moins d'un mois d'existence.

Une brève étape à Park Ridge fournit l'occasion de rencontrer ses parents. Je m'entendis tout de suite avec sa mère, Dorothy, une femme sympathique et séduisante. En revanche, j'eus autant de mal avec son père que Hillary en avait eu avec ma mère. Hugh Rodham, Républicain revêche et cassant, était, à tout le moins, suspicieux à mon égard. Le dialogue aida toutefois à détendre l'atmosphère. À l'issue de ce premier contact, je résolus de poursuivre mes efforts, gardant l'espoir de l'amadouer un jour. Nous reprîmes bientôt la route jusqu'à Berkeley, en Californie, où Hillary allait habiter une petite maison qui appartenait à la demi-sœur de sa mère, Adeline. Deux jours plus tard, je repris seul le volant en direction de Washington, où je devais annoncer à Rick Stearns et Gary Hart, le directeur de campagne de McGovern, que je déclinais leur offre. Aux yeux de Gary, il fallait que je sois devenu fou pour laisser passer la chance de ma vie. Rick aussi, je crois. Ma conduite pouvait paraître absurde, il n'empêche : les chances qu'on laisse passer jouent souvent un rôle aussi décisif dans nos vies que celles qu'on saisit.

J'étais toutefois très embarrassé par ma défection. J'ai alors offert de consacrer deux semaines à la mise en place des structures de campagne dans le Connecticut. J'ai passé ce temps à recruter des volontaires en nombre suffisant dans chaque district électoral, puis j'ai repris la route à destination de la Californie. En empruntant, cette fois, la route du Sud, afin de m'arrêter chez moi.

La traversée de l'Ouest me ravit. Je visitai le Grand Canyon en fin d'après-midi, où un rocher en surplomb du précipice me servit d'observatoire. Le spectacle en valait la peine : les teintes des couches géologiques, vieilles de plusieurs millions d'années et bien distinctes, variaient à mesure que le soleil déclinait et que l'obscurité montait de la vallée.

Après cette étape, j'ai affronté la fournaise de la vallée de la Mort, le point le plus chaud des États-Unis, puis j'ai obliqué vers le nord pour rejoindre Hillary. Elle m'a accueilli avec mon dessert favori : une tarte aux pêches encore chaude, qu'elle avait préparée de ses mains. La pâtisserie succulente a été très vite engloutie jusqu'à la dernière miette. Pendant que Hillary travaillait, je découvrais San Francisco, arpentant la ville et m'offrant de longues pauses de lecture dans les parcs publics et les cafés. Nous passions nos soirées ensemble à découvrir les restaurants de la ville et les nouveaux films à l'affiche ou bien nous restions à la maison. Le 24 juillet, Joan Baez a donné un concert à Stanford, dans un amphithéâtre en plein air. Il n'était pas question de rater cette occasion. La chanteuse ne voulait pas que le prix d'entrée dissuade ses fans les plus modestes, aussi toutes les places coûtaient-elles deux dollars et demi. Un tarif bien éloigné de ceux pratiqués lors des grands concerts aujourd'hui !

Joan Baez reprit la plupart de ses succès d'alors et chanta, pour l'une des premières fois en public, *The Night They Drove Old Dixie Down*.

Pendant tout le séjour, nous avons beaucoup échangé, sur tous les sujets. À la fin de l'été, nous n'avions pas épuisé les sujets de conversation. Nous avons décidé de vivre ensemble, dès notre retour à New Haven, initiative qui a suscité quelques froncements de sourcils dans nos familles respectives. Un appartement, au rez-de-chaussée d'une vieille maison, 21, Edgewood Avenue, à proximité de la faculté de droit, a été notre premier domicile commun.

La porte d'entrée ouvrait sur un étroit salon, derrière lequel se trouvaient une salle à manger étriquée et une chambre minuscule, puis une vieille cuisine et une salle de bains de dimensions si réduites que la lunette des toilettes frottait contre la baignoire quand on la soulevait. La maison était ancienne, les parquets s'affaissaient vers le centre. La pente était si prononcée que j'ai dû caler les pieds de la table sur laquelle nous prenions nos repas. Mais le loyer était convenable pour des étudiants sans le sou. La cheminée du salon constituait l'atout majeur des lieux. Je me souviens d'un après-midi d'hiver, où, face à un feu ronflant, nous avons lu ensemble la biographie de Napoléon par Vincent Cronin.

Heureux et démunis comme nous l'étions, notre foyer nous inspirait un seul sentiment : la fierté. Nous adorions inviter les copains à dîner. Rufus et Yvonne Cormier comptaient parmi nos hôtes favoris. Leurs pères étaient deux pasteurs de Beaumont, au Texas. Ils avaient grandi dans le même quartier et s'étaient fréquentés plusieurs années avant de se marier. Rufus étudiait le droit, Yvonne préparait un doctorat de biochimie. Après avoir obtenu son diplôme, elle est devenue la première associée noire au sein d'un grand cabinet d'avocats de Houston : Baker and Botts. Un soir, pendant le dîner, Rufus, un des étudiants les plus brillants de notre promotion, déplora le temps consacré à l'étude : « Vous voyez, commenta-t-il avec son accent traînant, la vie est organisée en dépit du bon sens. On passe ses meilleures années à étudier, puis on entre dans la vie active. Quand on prend sa retraite, à 65 ans, on est trop vieux pour en profiter. On devrait jouir de la retraite entre 21 et 35 ans, puis suer sang et eau jusqu'à la mort. » Bien sûr, les choses ne se passent pas comme ça. Nous approchons tous de 65 ans et poursuivons notre vie active.

Je m'absorbai dans les études pendant ce troisième semestre à Yale. Je suivis les cours de gestion financière, procédure criminelle, droit des impôts, successions, ainsi qu'un séminaire portant sur la responsabilité sociale des entreprises. Celui-ci était animé par deux personnalités remarquables : Burke Marshall, figure légendaire depuis qu'il avait été chargé des droits civiques au département de la Justice, sous Robert Kennedy, et Jan Deutsch, seul ancien de la faculté de droit, à Yale, qui eût obtenu la mention maximale à tous ses examens. Nerveux et de petite taille, Burke Marshall se distinguait surtout par ses yeux brillants, en perpétuel mouvement. Sa voix était à peine plus qu'un chuchotement, pourtant, elle était pleine de vigueur, comme toute sa personne. Jan Deutsch, lui, s'exprimait en multipliant les coq-à-l'âne, il suivait le cours de ses pensées et enchaînait les phrases sans les achever. C'était, disait-on, la conséquence d'un grave traumatisme crânien. Heurté par une voiture, il avait été projeté à bonne distance avant de s'écraser sur le bitume. Il était resté dans le coma pendant plusieurs semaines, les médecins avaient fixé une plaque de métal dans sa tête. Il restait néanmoins passionnant. Je parvenais à suivre son propos et je le traduisais pour ceux de mes camarades qui se perdaient en route. Jan Deutsch était en outre la seule personne, à ma connaissance, qui mangeait les pommes dans leur intégralité, queue et pépins compris. Là où se trouvaient tous les minéraux bénéfiques, selon lui. Il était plus intelligent que moi : c'était une bonne raison pour suivre son exemple. Il m'arrive encore de croquer une pomme de cette manière, avec, chaque fois, une pensée affectueuse pour le professeur Deutsch.

Marvin Chirelstein enseignait la gestion et le droit fiscal, matière dans laquelle j'étais très mauvais. Le code des impôts multiplie les cas d'espèce que je jugeais spécieux et sans fondement. Il me paraissait avoir été rédigé en vue d'offrir aux spécialistes d'innombrables issues pour éviter à leurs clients de contribuer au développement de l'Amérique, bien plus que pour aider à la promotion d'objectifs sociaux souhaitables. Je me souviens un jour, au lieu de prêter attention au cours, avoir lu *Cent ans de solitude* de Gabriel García Márquez. Alors qu'il levait la séance, Mr Chirelstein me demanda ce qui avait concurrencé son cours avec autant de succès. Je tins le livre à bout de bras et affirmai que c'était le meilleur roman, dans n'importe quelle langue, depuis Faulkner. Je n'ai pas changé d'opinion depuis.

Je me rachetais en gestion, discipline dans laquelle j'obtins la note maximale à l'examen final. Le professeur Chirelstein me demanda comment j'expliquais cette combinaison de facilité et de médiocrité dans les deux matières qu'il enseignait. Je lui répondis que la gestion me paraissait comparable à la politique : j'y voyais un combat incessant pour le pouvoir, obéissant à un ensemble de règles, chaque camp s'efforçant de toucher la cible adverse tout en évitant les coups.

Outre les cours à la faculté, j'occupais deux emplois. Malgré ma bourse et deux prêts étudiants, ces revenus complémentaires n'étaient pas de trop. Chaque semaine, pour Ben Moss, un avocat de la ville, je faisais des recherches dans la jurisprudence et je servais de saute-ruisseau. La jurisprudence n'avait rien d'exaltant, mais mes déplacements ne manquaient pas d'intérêt. Un jour, il m'envoya porter un dossier dans une HLM du ghetto. Comme je montais l'escalier pour atteindre le troisième ou le quatrième étage, je dépassai un homme au regard éteint, une seringue plantée dans le bras. À l'évidence, il venait de s'administrer une dose d'héroïne. Je m'empressai de trouver le destinataire des documents que j'apportais et quittai les lieux sans demander mon reste.

Quoique moins aventureux, mon autre emploi était plus intéressant. J'enseignais le droit criminel à des policiers qui suivaient un programme de sécurité publique, dans le cadre d'un premier cycle à l'Université de New Haven. Mon poste était financé par un programme fédéral d'aide aux forces de l'ordre, lancé par l'administration Nixon. La formation devait leur permettre d'opérer arrestations, fouilles et saisies en respectant les dispositions légales et constitutionnelles. Je préparais souvent mes cours tard le soir, la veille même de mes prestations. Pour rester d'attaque, je m'installais dans un petit restau de notre quartier, le *Elm Street Diner*, havre de toutes les figures locales de la vie nocturne, où l'on servait un bon café et de la tarte aux fruits. Tony, neveu du propriétaire et grec, tenait les rênes de l'établissement jusqu'au petit matin. Il ne laissait jamais ma tasse de café vide pendant que je m'acharnais à l'ouvrage.

La rue dans laquelle était situé le restau marquait la frontière entre les territoires de deux groupes de prostituées. Une rafle de police interrompait parfois leur commerce, mais elles réapparaissaient sans délai. Elles trouvaient souvent refuge dans le restau, le temps de se réchauffer ou de prendre une boisson chaude. Quand elles eurent appris que j'étais étudiant en droit, il arrivait que l'une ou l'autre s'assoie en face de moi et sollicite mes lumières juridiques. Je m'efforçais de satisfaire leurs requêtes. Toutefois, aucune ne suivit le plus précieux de mes conseils : trouver un autre boulot ! Une nuit, un grand transsexuel noir vint prendre place à ma table. Il m'expliqua qu'un club privé de son quartier voulait organiser une tombola dont le gros lot serait un téléviseur. Il voulait savoir si cette initiative violait la loi sur les jeux. J'appris plus tard la véritable cause de ses soucis : le téléviseur était le produit d'un larcin. Le club l'avait reçu en « donation » d'un receleur. Ignorant alors ce détail, j'entrepris de le rassurer : toutes sortes d'associations organisaient des tombolas, il paraissait donc improbable que la police vienne fourrer son nez dans leurs opérations. En remerciement de mes services, il m'offrit un ticket de tombola, seul semblant d'honoraires que m'aient jamais valu mes permanences juridiques au *Elm Street Diner*. Je ne remportai pas le gros lot, mais la possession de ce ticket valait à elle seule rétribution, avec le nom du club imprimé en caractères gras : *Les Noirs d'exception*.

Le 14 septembre, j'allais entrer au *Blue Bell Café* en compagnie de Hillary quand quelqu'un est venu à ma rencontre et m'a informé que je devais rappeler Strobe Talbott, de toute urgence. Il se trouvait chez ses parents, avec Brooke, à Cleveland. L'estomac noué, j'ai introduit mes pièces dans le taxiphone, sur le trottoir du café. Brooke a pris la communication et elle m'a appris que Frank s'était suicidé. Il venait juste de décrocher un emploi de correspondant pour le *Los Angeles Times*, qui s'apprêtait à l'envoyer à Saigon. Pour préparer son départ, il était retourné chez lui, à Spokane, dans les meilleures dispositions, semblait-il. Il devait être satisfait d'aller sur le terrain pour rendre compte de cette guerre à laquelle il s'opposait. Peut-être souhaitait-il affronter des difficultés afin de démontrer que ses choix n'étaient pas motivés par la peur. Au moment où, en apparence, les circonstances lui souriaient enfin, d'autres impératifs, que lui seul connaissait, l'avaient poussé à en finir.

Tout le monde était abasourdi. Peut-être fallait-il s'y attendre. Six semaines plus tôt, j'avais noté dans mon journal que Frank était au trente-sixième dessous, après l'échec de ses tentatives pour obtenir un poste de correspondant au Viêt-nam ou en Chine. J'avais écrit : « Il a cédé sous le poids des tensions, des difficultés et des épreuves qu'il a endurées, presque toujours seul, ces dernières années. » Ses amis les plus proches – et les plus sensés – étaient persuadés qu'il surmonterait ses tourments en avançant dans ses projets, professionnels ou autres. Mais, comme je l'ai appris en ce jour terrible, la dépression est un poison violent qui paralyse les capacités de raisonnement. À un stade avancé, la maladie domine sa proie et la rend sourde aux objurgations de quiconque, époux, enfants, amant ou ami. Je crois ne l'avoir pas vraiment compris avant d'avoir lu le livre de mon ami Bill Styron sur son combat contre la dépression et les pulsions suicidaires, *Face aux ténèbres*. *Chronique d'une folie*. Lorsque Frank a mis fin à ses jours, j'ai éprouvé de la peine et beaucoup de colère – contre lui et l'acte qu'il avait commis, et contre moi-même, pour ne pas avoir pressenti la gravité du mal et ne pas avoir poussé mon ami à consulter un spécialiste. L'expérience acquise depuis m'aurait peut-être été utile, mais il est bien difficile d'en avoir la certitude.

La mort de Frank balaya mon optimisme habituel. Je perdis tout intérêt pour les études, la politique et mon entourage. Je ne sais pas ce que j'aurais fait en l'absence de Hillary. Dans les premiers temps de notre relation, elle avait traversé une courte phase de crise, au cours de laquelle elle avait terriblement douté d'elle-même. Elle savait se montrer si assurée en public que même ses meilleurs amis ont sans doute tout ignoré de ce passage à vide. La confiance qu'elle m'avait alors accordée en s'ouvrant à moi de ses interrogations avait renforcé mes sentiments à son égard. À mon tour, j'avais besoin de son soutien. Et elle ne me l'a pas ménagé, m'assurant que tout ce que j'apprenais, entreprenais ou pensais comptait à ses yeux.

Durant ce printemps, l'assistance aux cours m'a rempli d'ennui. Exception faite du cours consacré aux preuves, donné par Geoffrey Hazard. Les règles qui définissent les éléments qu'un tribunal peut ou non accepter, dans le cadre d'un procès équitable, ainsi que le processus par lequel on élabore une argumentation fondée sur les seuls faits disponibles m'ont passionné. J'en ai souvent médité les conclusions. C'est pourquoi je m'efforce d'asseoir mes arguments sur des preuves, en politique autant que dans la sphère juridique.

Cet enseignement avait une importance décisive pour atteindre l'objectif principal que je m'étais fixé au cours de ce semestre : le concours annuel de l'Union des avocats. Le 28 mars, Hillary et moi-même avons accédé aux demi-finales, à l'issue desquelles, quatre étudiants plus deux suppléants étaient invités à participer à un procès dans son intégralité, sur un scénario écrit par un étudiant de troisième année. Nous avons, tous deux, été sélectionnés pour cette dernière phase.

Un mois durant, nous nous sommes préparés au procès retenu pour le prix : l'État contre Porter. Le policier Porter était censément accusé d'avoir battu à mort un adolescent chevelu. Le 29 avril, Hillary et moi-même avons partagé le rôle de procureur, avec l'aide de notre suppléant, Bob Alsdorf. Mike Conway et Tony Rood, assistés de leur suppléant, Doug Eakeley, assuraient la défense du prévenu. Abe Fortas, un ancien juge de la Cour suprême, avait accepté d'occuper la présidence du tribunal. Il a pris son rôle très au sérieux, le jouant sans aucun recul, multipliant les rappels au règlement à l'adresse des deux parties, faisant des objections, tout en évaluant les qualités des candidats afin de désigner le vainqueur. Ma prestation lors des demi-finales avait sans doute été la meilleure de ma carrière d'étudiant ; celle-ci a été la pire. Je n'étais pas dans un bon jour et je ne méritais pas de gagner. Hillary, en revanche, s'en est sortie avec brio. Tout comme Mike Conway, qui a conclu sa plaidoirie avec une batterie d'arguments efficaces et beaucoup d'émotion. Abe Fortas lui a attribué le prix. Sur le coup, j'ai estimé que Hillary ne l'avait pas emporté parce que sa tenue très peu conforme aux usages des tribunaux avait pu choquer le très austère juge Fortas. Elle avait choisi, pour l'occasion, une veste en daim bleu, un pantalon en daim orange éclatant – c'est le qualificatif le plus juste pour les décrire – et une chemise bleue, orange et blanche. Cet échec ne l'a pas empêchée de devenir une grande avocate pénaliste, mais elle ne s'est plus jamais présentée dans l'enceinte d'un tribunal en pantalon orange.

Hormis mes prestations pour le concours, je disposais d'un autre canal pour exercer mon instinct de compétition. Au début de l'année, j'ai vidé mon compte en banque et ouvert un local de campagne pour le candidat McGovern. Mes deux cents dollars m'assuraient le paiement d'un mois de loyer et le branchement du téléphone. Trois semaines après mon initiative, huit cents volontaires s'étaient présentés et les contributions rassemblées ont suffi à me rembourser et à maintenir les lieux ouverts.

La présence des volontaires était décisive. Il m'apparaissait évident que la campagne des primaires se jouerait contre l'organisation locale du Parti démocrate et contre son puissant responsable, Arthur Barbieri. Quatre ans plus tôt, Eugene McCarthy avait obtenu de bons résultats à New Haven, lors des primaires, avant tout parce que les caciques locaux, persuadés de la victoire facile du vice-président Humphrey, n'avaient pas vu venir le coup. Barbieri ne commettrait pas deux fois la même erreur. Mieux valait prendre les devants : je décidai d'aller le trouver pour le convaincre d'apporter son soutien à McGovern. Quand je franchis la porte de son bureau et que je me présentai, Barbieri se montra poli, mais sans chaleur excessive. Il s'étendit dans son fauteuil et croisa les mains sur sa poitrine. Deux bagues couvertes de diamants ornaient ses doigts : une chevalière portait ses initiales – AB – dessinées par des pierres serties, l'autre était ronde et brillait de mille feux. En souriant, il répliqua à mes arguments que le scénario de 1968 ne se répéterait pas cette fois-ci, qu'il avait déjà préparé ses scrutateurs et suffisamment de chauffeurs pour amener tout son monde jusqu'aux bureaux de vote. L'effort, me confia-t-il, lui coûtait cinquante mille dollars, une somme considérable à cette époque, pour une ville de la taille de New Haven. Je répondis que je n'avais pas beaucoup d'argent, mais que je disposais de huit cents volontaires, prêts à taper à toutes les portes de son fief et à expliquer aux mères italiennes qu'Arthur Barbieri voulait qu'on continue à envoyer leurs fils se battre au Viêt-nam et y mourir. « Vous n'avez pas besoin de tous ces deuils, dis-je. Que vous importe le nom du gagnant des primaires ? Soutenez McGovern. C'est un héros de la Seconde Guerre mondiale. Il est capable de nous apporter la paix et vous, vous contrôlerez toujours New Haven. » Barbieri m'écoutait. Enfin, il répondit : « Tu sais quoi, fiston ? C'est pas idiot. Je vais voir ce qu'on peut faire. Reviens me voir dans une dizaine de jours. » Quand je retournai le voir, Barbieri me dit : « J'ai bien réfléchi. Je pense que le sénateur McGovern est un type bien et on doit se sortir du bourbier vietnamien. Je vais dire à mes gars ce qu'on va faire et je veux que tu sois là pour leur présenter le coup. »

Quelques jours plus tard, Hillary m'a accompagné lors de cette rencontre au sommet avec les hommes de Barbieri, qui avait lieu dans un club italien local, le *Melebus*, au sous-sol d'un vieux bâtiment du centre-ville. Toute la décoration se résumait à deux couleurs : rouge et noir. L'endroit était très sombre, très ethnique. Tout le contraire de McGovern. Quand Barbieri a expliqué à ses gars qu'ils allaient soutenir McGovern, afin que les jeunes de New Haven ne meurent plus au Viêt-nam, des grognements et des hoquets d'indignation ont parcouru l'assemblée. « Arthur, c'est quasiment un bolcho », a éructé l'un. « Arthur, il parle comme une tapette », a lancé un autre, en référence à l'accent des Hautes Plaines que conservait le sénateur. Barbieri n'a pas flanché. Il m'a présenté, a insisté sur mes huit cents volontaires et m'a laissé exposer mes vues, qui soulignaient d'abord le passé d'ancien combattant de mon candidat et son action dans l'administration Kennedy. À la fin de la soirée, l'opinion était retournée.

J'étais aux anges. Durant tout le processus des primaires, Arthur Barbieri et Matty Troy, du Queens, à New York, ont été les deux seuls chefs de la vieille garde démocrate à soutenir McGovern. L'enthousiasme n'était pas unanime parmi nos troupes. Quand la position de Barbieri a été rendue publique, j'ai reçu un coup de fil nocturne de deux militants efficaces de Trumbull, avec lesquels j'avais travaillé pendant la campagne de Joe Duffey. Ils n'arrivaient pas à croire que je puisse brader l'esprit de la campagne au bénéfice d'un compromis aussi infâme. J'ai hurlé ma réponse dans le combiné : « Désolé, les gars. Je croyais que notre objectif était de gagner. » Et j'ai raccroché. Barbieri s'est montré loyal et efficace. Lors de la convention démocrate, le sénateur McGovern a obtenu cinq de nos six circonscriptions dès le premier vote. Le jour de l'élection présidentielle, en novembre, New Haven a été la seule ville du Connecticut à lui offrir la majorité. Barbieri avait tenu parole. Quand je devins président, j'entrepris de retrouver sa trace. Il était très âgé, sa santé était défaillante et il n'était plus impliqué dans la vie politique locale. Je l'invitai à la Maison Blanche et nous passâmes un moment chaleureux dans le Bureau ovale, peu de temps avant son décès. Barbieri était, selon le qualificatif de James Carville, un « inoxydable ». En politique, il n'y a rien de mieux.

Mon activité dans le Connecticut m'avait racheté aux yeux des lieutenants de McGovern. On m'intégra dans l'équipe nationale de campagne peu avant la convention démocrate nationale, qui allait se tenir à Miami. Je devais y assurer la promotion de notre candidat, en me préoccupant tout particulièrement des délégations de l'Arkansas et de la Caroline-du-Sud.

Entre-temps, Hillary avait rejoint Washington où elle allait travailler avec Marian Wright Edelman au Washington Research Project, un groupe pour la protection de l'enfance qui allait devenir le Children's Defense Fund, quelque temps plus tard. Elle devait enquêter sur les écoles privées exclusivement blanches créées en réaction à la mixité raciale obligatoire dans les écoles publiques. Dans le Nord, les parents mécontents que la carte scolaire envoie leurs enfants dans les écoles des ghettos avaient la possibilité d'aller vivre en banlieue. Un tel choix n'existait pas dans les petites villes du Sud, entourées, pour toute banlieue, d'une ceinture de champs de soja et de pâtures à bétail. Le problème posé était d'ordre juridique : l'administration Nixon accordait à ces écoles privées une exemption d'impôts que leur statut ne leur permettait pas de revendiquer et incitait ainsi la population blanche à déserter les écoles publiques du Sud.

En rejoignant l'équipe de McGovern, j'ai commencé par prendre la température de la campagne. Lee Williams et d'autres proches, anciens collaborateurs du sénateur Fulbright, m'ont dressé un tableau détaillé de la situation. J'ai ensuite rencontré Wilbur Mills, le tout-puissant président de la Commission du budget à la Chambre des représentants. Figure légendaire de Washington, réputé pour sa connaissance sans faille du code des impôts autant que pour ses aptitudes à diriger la commission, il venait de déclarer ses ambitions : il soumettrait sa candidature au vote, lors de la convention de Miami, comme « fils préféré » de l'Arkansas. On appelle ainsi les candidats de dernière minute, dont l'objectif prioritaire est d'éviter que la délégation d'un État vote pour – ou contre – le favori de la course. À cette époque, en outre, un « fils préféré » pouvait parfois espérer, au gré d'un coup de théâtre, voir son nom figurer sur le ticket à l'issue de la convention, fût-ce au rang de vice-président. Wilbur Mills jouait les deux cartes. Dans l'Arkansas, l'appareil du Parti estimait que McGovern, malgré la forte majorité dont il jouissait au sein de la délégation, serait battu à plates coutures lors de l'élection générale et, de son côté, Wilbur Mills ne doutait pas qu'il ferait un meilleur président. Il se montra cordial lors de notre entrevue. Je souhaitais que les délégués se montrent loyaux à son égard, lui dis-je, mais je comptais bien m'évertuer à obtenir leur soutien sur les votes de procédures comme sur l'organisation d'un second scrutin, si le sénateur McGovern en avait besoin.

Après cette rencontre, je me suis envolé pour Columbia, en Caroline-du-Sud, où je voulais rencontrer autant de délégués que possible. McGovern avait les faveurs de la plupart d'entre eux et je calculais que nous pourrions compter sur eux lors des principaux votes. La légitimité de la délégation était toutefois sujette à caution. En effet, elle ne reflétait pas la diversité, en termes de race, de sexe et d'âge, qu'exigeaient les nouvelles règles, formulées par la commission McGovern.

En route pour Miami, j'ai aussi fait étape à Hot Springs, où se tenait la convention démocrate de l'Arkansas et j'ai commencé à courtiser les délégués de mon État. Je savais que le gouverneur Bumpers, qui présiderait la délégation, à Miami, pensait que la candidature de McGovern serait nuisible aux Démocrates de l'Arkansas, mais, comme en Caroline-du-Sud, de nombreux délégués étaient opposés à la guerre et partisans de McGovern. J'ai rejoint Miami dans les meilleures dispositions, la prise de contact avec mes deux délégations m'incitait à l'optimisme.

À la convention de la mi-juillet, les principaux candidats avaient établi leurs quartiers généraux dans les grands hôtels de la ville ou de Miami Beach, mais les véritables centres d'opérations étaient abrités par des caravanes, installées à l'extérieur du centre des congrès. La nôtre était sous la responsabilité de Gary Hart, directeur national de la campagne et de ses deux adjoints : Frank Mankiewicz, directeur politique national et porte-parole, et mon ami Rick Stearns, directeur des études et des opérations des caucus d'États. Nul ne maîtrisait les procédures aussi bien que lui. Les représentants de la campagne McGovern auprès des délégations, comme je l'étais, suivaient les débats dans l'enceinte de la convention et recevaient leurs instructions depuis la caravane. Les qualités de ses lieutenants étaient pour beaucoup dans la percée qu'avait réussie McGovern, avec Gary Hart comme animateur, Frank Mankiewicz, qui entretenait de bonnes relations avec la presse, et Rick Stearns pour la stratégie. Grâce à eux, le sénateur avait d'ores et déjà pris l'avantage sur des personnalités politiques plus consensuelles, plus charismatiques ou parfois les deux : Hubert Humphrey ; Ed Muskie ; John Lindsay, le maire de New York, qui avait changé d'affiliation politique pour entrer dans la course ; le sénateur Henry Jackson de l'État de Washington et George Wallace, paralysé depuis qu'il avait reçu un coup de pistolet pendant cette campagne. Enfin, la New-Yorkaise Shirley Chisholm, élue à la Chambre des représentants, présentait la première candidature noire à une présidentielle.

Nous estimions que McGovern rassemblait assez de voix pour l'emporter dès le premier tour, si nous pouvions régler à notre avantage le problème posé par la délégation californienne. Les nouvelles règles de la commission McGovern exigeaient que chaque État dans lequel le système des primaires existait constitue une délégation aussi représentative que possible de la répartition des voix en pourcentage. Toutefois, la Californie appliquait toujours ses propres règles, qui attribuaient l'ensemble des voix au candidat arrivé en tête des primaires. La délégation revendiquait le maintien de ce mode de désignation, dans la mesure où les instances parlementaires de l'État n'avaient pas encore modifié la loi électorale. Ironie du sort, l'ancien système favorisait McGovern : il était arrivé en tête de la primaire californienne avec 44 % des voix et pouvait escompter un vote bloqué des 271 délégués. L'occasion était trop belle pour ses adversaires : ils crurent pouvoir dénoncer sa duplicité et exigèrent que la convention accueille 120 délégués californiens en sa faveur, soit ses 44 %, et répartisse les mandats en proportion des votes enregistrés lors de la primaire californienne aux 151 délégués restants. La Commission des mandats de la convention était peu favorable à McGovern et vota en faveur du litige californien.

Toutefois, les décisions de la commission pouvaient être invalidées par une majorité de délégués à la convention – les partisans de McGovern voulaient le faire pour la Californie. Et c'est ce que fit la délégation de Caroline-du-Sud, qui était menacée de perdre ses votes parce qu'elle ne respectait pas les règles ; seuls 25 % des délégués étaient des femmes, alors qu'elles auraient dû représenter la moitié. McGovern était ouvertement hostile à la position de la Caroline-du-Sud du fait de cette sous-représentation féminine.

La suite fut compliquée et les détails importent peu. Rick Stearns décida que nous devions accepter de perdre la Caroline-du-Sud et enfermer nos adversaires dans une procédure dont nous allions tirer profit ; nous gagnerions ainsi le vote californien. Et cela a marché. La délégation de Caroline-du-Sud siégea et nos adversaires croyaient remporter la victoire. Mais, lorsqu'ils comprirent le piège, il était trop tard. Nous avons rassemblé les 271 délégués et obtenu la nomination de McGovern. Le litige californien est sans doute le plus bel exemple de judo électoral dans une convention, depuis que les primaires sont devenues le mode prédominant de sélection des délégués. Je l'ai dit : Rick Stearns était un génie de la procédure. J'étais exténué. Mais nous avions réuni les conditions les plus favorables pour arracher une victoire de McGovern dès le premier tour de scrutin. En outre, les délégués de Caroline-du-Sud, que j'avais appris à apprécier, pouvaient participer à la convention.

Hélas, rien ne se déroula comme prévu après ce premier succès. Les sondages d'opinion plaçaient encore McGovern loin derrière Nixon, à la veille de la convention, mais l'écart pouvait être comblé et nous comptions bien gagner cinq ou six points au cours de la semaine, grâce à la couverture médiatique intense de l'événement. Opérer un tel rétablissement exigeait une discipline sans faille pour contrôler les événements. Avec l'affaire des litiges, nous avions démontré nos capacités. Mais elles s'érodèrent à toute allure. Tout d'abord, un groupe défendant les droits des homosexuels organisa un sit-in dans le hall de l'hôtel où résidait McGovern et refusa de quitter les lieux aussi longtemps que nous n'accepterions pas le dialogue. Quand McGovern se résolut à les rencontrer, les médias et le Parti républicain le présentèrent comme un faible, trop libéral et prêt à céder à toutes les sollicitations. Le jeudi après-midi, le choix de son colistier était annoncé : il s'agissait de Tom Eagleton, sénateur du Missouri. McGovern admit pourtant que les noms d'autres candidats à la vice-présidence figuraient lors du vote qui devait prendre place le soir. Six nouveaux aspirants entrèrent dans la course et chacun d'entre eux prononça un discours. Un vote interminable se déroula ensuite, avec appel du nom de chaque délégué. La victoire d'Eagleton était acquise d'avance. Néanmoins, les six candidats de dernière minute recueillirent, tous, quelques suffrages. Des voix se portèrent même sur des noms saugrenus : Roger Mudd, journaliste de CBS, Archie Bunker, personnage d'une série télévisée, Mao Tsé Toung... Cette procédure inutile se déroulait aux heures de plus forte audience télévisée, quand dix-huit millions de foyers étaient installés devant leur écran. Les moments clés de la convention – le discours du sénateur Ted Kennedy entérinant le choix des délégués, le discours de McGovern acceptant sa nomination – furent repoussés aux petites heures de la nuit. Le sénateur Kennedy s'était pourtant surpassé, et McGovern fut convaincant lui aussi. Il appela l'Amérique « à retrouver ses bases [...] loin des tromperies fomentées aux plus hauts sommets du pays, [...] loin des préjugés [...], pour occuper à nouveau les mains inemployées, [...] pour réaffirmer notre rêve, [...] réaffirmer que nous croyons encore en un nouveau monde ». Seul problème : quand McGovern monta à la tribune, il était 2 h 48, « l'heure de la plus forte audience télévisée aux îles Samoa », railla l'humoriste Mark Shields ; 80 % des téléspectateurs américains avaient rejoint leur lit.

Comme si tout cela ne suffisait pas, des révélations concernant l'état de santé de Tom Eagleton percèrent très vite. Le candidat à la vice-présidence avait suivi plusieurs traitements, y compris des électrochocs, destinés à combattre des phases de dépression. En ces jours, la nature et l'étendue des problèmes mentaux étaient très mal comprises. On ignorait, en outre, que plusieurs présidents, parmi lesquels Lincoln et Wilson, avaient, eux aussi, connu des épisodes dépressifs. Si McGovern était élu, le sénateur Eagleton serait le président de remplacement : cette perspective créait un malaise dans une bonne partie de l'électorat, d'autant qu'Eagleton avait dissimulé son état à McGovern. L'aurait-il su, aurait-il choisi le sénateur en connaissance de cause, qu'il aurait pu contribuer à un véritable pas en avant de l'opinion sur la question des maladies mentales, mais dans les circonstances où les faits avaient été révélés, le discernement de McGovern, ses compétences mêmes devenaient sujets à caution. Pendant la convention, à l'heure où il aurait dû examiner à la loupe le choix d'Eagleton, l'état-major de campagne savourait sa victoire. Une entrevue avec le gouverneur démocrate du Missouri aurait pourtant suffi. Warren Hearnes connaissait les problèmes de santé du postulant.

Une semaine après Miami, nous étions dans une situation pire que celle qu'avaient connue les Démocrates en quittant la convention de Chicago, quatre ans plus tôt. On nous jugeait trop à gauche et nous frôlions le ridicule. Quand l'affaire Eagleton fit la une des journaux, McGovern déclara qu'il soutenait son colistier « à 1 000 % », mais quelques jours plus tard, sous la pression écrasante de sa propre base, il se sépara de lui. La recherche d'un remplaçant se prolongea ensuite jusqu'à la deuxième semaine du mois d'août. Sargent Shriver, le beau-frère du président Kennedy, donna enfin son assentiment, après que Ted Kennedy, Abe Ribicoff, sénateur du Connecticut, Reubin Askew, gouverneur de la Floride, Hubert Humphrey et le sénateur Ed Muskie eurent, l'un après l'autre, décliné l'offre. Un candidat de la paix, partisan des réformes, mais pas trop marqué à gauche pouvait emporter les suffrages d'une grande majorité d'Américains. De cela, j'étais convaincu et, avant Miami, j'estimais que McGovern avait le profil requis. Nous nous retrouvions maintenant à la case départ. Quand la convention s'acheva, je retrouvai Hillary à Washington. J'étais si fatigué que je dormis plus de vingt-quatre heures d'affilée.

Quelques jours plus tard, j'ai préparé mes bagages pour me rendre au Texas. Je devais y coordonner la campagne pour l'élection présidentielle. J'ai pris la mesure des difficultés que j'allais affronter dès le vol qui m'emmenait de Washington en Arkansas, d'où je devais poursuivre ma route en voiture. Dans l'avion, mon voisin de siège, un jeune homme de Jackson, dans le Mississippi, a engagé la conversation. Quand je lui ai expliqué le but de mon voyage, il s'est écrié : « C'est bien la première fois que je rencontre un Blanc qui soutient McGovern ! » Par la suite, alors que je regardais, à la télévision, la retransmission du témoignage de John Dean devant la commission du Watergate, que présidait le sénateur Sam Ervin, le téléphone a sonné. Le jeune homme de l'avion était au bout du fil. « J'appelle juste pour t'entendre dire : "Je t'avais prévenu !" » Je n'ai plus jamais eu de nouvelles de mon compagnon de voyage, mais j'avais apprécié son appel. Avec les développements de l'affaire du Watergate, l'opinion publique évoluait, depuis deux ans, à une vitesse surprenante.

Pendant cet été 1972, descendre dans le Texas revenait à combattre les moulins à vent. Une entreprise désespérée, mais passionnante. Depuis la campagne présidentielle de John Kennedy, en 1960, les Démocrates avaient pris l'habitude de dépêcher, dans la plupart des États, des responsables extérieurs pour superviser les grandes campagnes, au prétexte qu'ils pouvaient amener les factions rivales à surmonter leurs divisions et leurs intérêts de chapelle au bénéfice du candidat. Cohérente sur le papier, la démarche se heurtait à toutes sortes d'obstacles. Le parachuté tendait à polariser sur lui tous les mécontentements. Avec une campagne aussi mal engagée que celle-ci, dans le contexte de

AUTORISATION SPÉCIALE

Le : 24 / 01 / 2004 **À :** 11h00

L'élève : Gabriella Fomme

Classe de : 5°B

est autorisé(e) à rentrer en classe
Condition particulière :
- ☐ intempérie
- ☐ circulation
- ☐ infirmerie
- ☐ autre (précisez) :

merci S.V.P
accep en cette élève
chumments élève
pour

conflits et de divisions qui prévalait au Texas, les conditions les moins propices étaient réunies.

L'état-major de campagne estimait qu'un seul homme ne suffirait pas à la tâche et m'avait associé Taylor Branch, que j'avais déjà rencontré à Martha's Vineyard en 1969, comme je l'ai raconté plus haut. Garantie supplémentaire, un jeune et brillant avocat de Houston, Julius Glickman, complétait notre triumvirat. L'initiative me convenait : Taylor et moi-même étions tous deux originaires du Sud et enclins à travailler ensemble, atouts prometteurs pour obtenir des résultats au Texas. Dès notre arrivée, nous avons installé notre quartier général sur West Sixth Street, à Austin, à proximité du Capitole de l'État. Nous partagions un appartement sur les hauteurs de la ville, de l'autre côté du fleuve Colorado. Taylor avait la responsabilité des opérations centrales et contrôlait notre maigre budget. Économe par nature, il était l'homme de la situation. En outre, il savait dire non à ses interlocuteurs, beaucoup mieux que moi. Je devais organiser la campagne dans les différents comtés, Julius s'efforçait de trouver des soutiens parmi les notables et une remarquable équipe de jeunes Texans enthousiastes nous assistait dans nos tâches. Trois d'entre eux allaient devenir des amis proches de Hillary et de moi-même : Garry Mauro, futur commissaire à l'aménagement du territoire de l'État et homme clé de ma campagne présidentielle, ou encore Roy Spence et Judy Trabulsi, qui allaient créer une agence de publicité devenue la plus grosse d'Amérique en dehors de New York. Tous les trois nous ont soutenus dans toutes nos campagnes.

Une Texane, rencontrée à cette époque, a joué un rôle plus décisif encore dans ma carrière. Betsey Wright, fille d'un médecin d'Alpine, petite ville de l'ouest du Texas, était de deux ans mon aînée mais possédait une expérience bien plus riche du terrain, grâce à ses activités au sein du Parti démocrate et de l'association Common Cause. Elle était brillante, passionnée, loyale et consciencieuse presque jusqu'à l'obsession. Pour la première fois de ma vie, je rencontrais une personne plus investie encore dans la politique que je l'étais moi-même. À la différence de nombreux membres de l'équipe, moins rompus aux réalités, elle savait que nous allions être réduits en bouillie, ce qui ne l'empêchait pas de consacrer chaque jour dix-huit heures d'affilée à la campagne. Après l'échec de ma candidature au poste de gouverneur, en 1980, Hillary a demandé à Betsey de nous rejoindre à Little Rock. Elle s'est d'abord occupée de classer mes dossiers dans l'attente d'une prochaine échéance, puis elle a dirigé ma campagne de 1982. Après la victoire, elle est devenue secrétaire d'État, dans mon cabinet de l'Arkansas. En 1992, elle a assumé une fonction cruciale dans ma campagne présidentielle. C'est elle qui a défendu mon bilan et ma conduite face au tir de barrage ininterrompu de mes adversaires contre ma carrière et ma personne. Elle s'est démenée avec un talent et un entêtement incomparables. Sans elle, je ne serais jamais devenu président.

J'étais au Texas depuis quelques semaines quand Hillary m'a rejoint. Elle aussi travaillait désormais pour la campagne : Anne Wexler l'avait recrutée pour encourager l'inscription sur les listes électorales de nos soutiens potentiels. Elle a vite trouvé sa place dans l'équipe et, pour moi, sa présence était un réel bonheur.

La campagne peinait à décoller. Le désastre Eagleton jouait un rôle dans nos difficultés. En outre, de nombreux Démocrates locaux refusaient d'être associés à McGovern. Le sénateur Lloyd Bentsen, qui avait ravi son siège de sénateur à l'ardent libéral Ralph Yarborough, deux ans plus tôt, ne voulait pas prendre la tête de la campagne. Candidat démocrate au poste de gouverneur, Dolph Briscoe, un éleveur de bétail du sud de l'État qui allait devenir un soutien et un ami beaucoup plus tard, excluait même d'apparaître en public aux côtés de notre candidat. L'ex-gouverneur John Connally, qui occupait la même voiture que le président Kennedy le jour de son assassinat, neuf ans plus tôt, et qui était un fidèle allié du président Johnson, avait pris la tête d'un groupe récemment formé : les Démocrates pour Nixon.

Malgré ces déconvenues, l'État était un gros morceau, il n'était pas question de se résigner. Quatre ans plus tôt, Hubert Humphrey y avait obtenu la majorité, avec une faible marge de 38 000 voix, il est vrai. Enfin, deux élus ont accepté de coprésider la campagne : John White, commissaire à l'Agriculture, et Bob Armstrong, commissaire à l'Aménagement du territoire. Le premier, Démocrate texan à l'ancienne, n'avait aucune illusion sur l'issue de l'élection. Il tenait cependant à assurer le meilleur résultat possible au ticket démocrate dans son État. John White fut nommé plus tard au comité national du Parti démocrate. Bob Armstrong, environnementaliste convaincu, aimait jouer de la guitare ou passer ses soirées en notre compagnie au *Scholtz's Beer Garden*, la salle de bowling locale. Habitué de l'*Armadillo Music Hall*, la salle de concerts d'Austin, il m'y emmena, avec Hillary, lors du passage de Jerry Jeff Walker, puis de Willie Nelson.

J'ai espéré une embellie à la fin du mois d'août quand le sénateur McGovern et Sargent Shriver devaient aller voir le président Johnson. Affable et plein d'entrain, le candidat à la vice-présidence instillait de l'énergie et du sérieux dans la campagne : fondateur des Legal Services Corporation, le service d'aide judiciaire aux pauvres, il avait aussi été le premier directeur des Peace Corps lors de leur fondation par le président Kennedy, avant d'être nommé à la tête de la campagne « Guerre à la pauvreté » par le président Johnson.

Le rendez-vous des colistiers avec le président Johnson se déroula dans de bonnes conditions, mais n'eut guère de retombées politiques. À la demande de Johnson, la presse n'avait pas été invitée à couvrir l'événement. L'ancien président s'était contenté, dans les jours précédents, d'affirmer un soutien sans enthousiasme à la candidature de McGovern. En ce qui me concerne, la retombée la plus concrète de l'événement a été une photographie dédicacée, signée par le président lorsque Taylor l'a rencontré dans son ranch, pour mettre au point le déroulement du rendez-vous. Taylor et moi, tous deux Sudistes et partisans des droits civiques, trouvions plus de mérite à l'ancien président que la plupart de nos camarades investis dans la campagne.

Après la rencontre, McGovern a regagné son hôtel à Austin, où il a reçu, dans sa suite, ses principaux supporters et l'équipe de volontaires. Au cours de la discussion, le manque d'organisation de la campagne a fait l'objet de nombreuses critiques. Elles étaient justifiées. Taylor et moi-même n'avions guère eu le temps de nous poser, encore moins de mettre en place une organisation efficace. La base, marquée à gauche, avait mal encaissé l'échec de Sissy

Farenthold, sa candidate, contre Dolph Briscoe, lors d'une primaire tumultueuse pour le siège de gouverneur. En outre, Bob Bullock, secrétaire d'État du Texas et plus haut responsable politique parmi les soutiens de McGovern, n'avait pas été invité à participer au débat. McGovern lui adressa une lettre d'excuses, mais l'impair était significatif du désordre qui régnait alors.

Peu après le départ de McGovern, la direction de campagne a estimé que nous avions besoin de la supervision d'un cadre expérimenté. On nous envoya, de Sioux, dans l'Iowa, un vieil Irlando-Américain, aux cheveux grisonnants. Don O'Brien avait eu des responsabilités dans la campagne de Kennedy et avait occupé un poste important au ministère de la Justice, du temps de Robert Kennedy. Je m'entendais bien avec lui, mais son machisme d'une autre époque portait sur les nerfs de nos jeunes et très indépendantes militantes. Néanmoins, il se montrait efficace. J'en éprouvais du soulagement, son arrivée me permettant de passer plus de temps sur les routes. Les jours les plus fructueux de mon séjour ont alors commencé.

Je suis allé à Waco, dans le nord de l'État, où j'ai rencontré Bernard Rapoport, un magnat des assurances plutôt de gauche qui me soutiendrait par la suite ; Jess Hay, un chef d'entreprise loyal au Parti démocrate et de tendance modérée, qui est resté un ami et un fidèle soutien et Eddie Bernice Johnson, élu noir du Sénat, qui allait devenir un de mes alliés les plus sûrs au Congrès après mon élection à la présidence. J'ai ensuite voyagé jusqu'à Houston, où je suis tombé amoureux de la marraine de la gauche radicale texane, Billie Carr, imposante femme à la voix rauque qui me rappelait un peu ma mère. Après m'avoir pris sous son aile, elle ne m'a plus jamais ménagé son soutien, jusqu'à son décès, même si je l'ai souvent déçue en adoptant des positions moins radicales que les siennes. Mais tout le monde, ou presque, avait un point de vue bien tiède comparé au sien.

Au cours de cette période, j'ai noué mes premiers contacts suivis avec des Américains d'origine mexicaine, que tout le monde appelait alors *chicanos*. J'ai très vite apprécié leur mentalité, leur culture et leur nourriture. Après avoir découvert le restaurant *Mario's et Mi Tierra*, à San Antonio, il m'est arrivé, une fois, d'y prendre trois repas en dix-huit heures.

Pour organiser la campagne dans le sud de l'État, j'ai été épaulé par Franklin Garcia, permanent syndical, vrai dur au cœur tendre, et par son ami Pat Robards. Un soir, Franklin et Pat nous ont emmenés, Hillary et moi, de l'autre côté du Rio Grande, à Matamoros, au Mexique. Nous avons fini la soirée dans un bar louche, avec orchestre de mariachis et strip-teaseuse lascive. Le menu affichait du *cabrito* – de la tête de chèvre au barbecue. J'étais si fatigué que je me suis endormi pendant la prestation de l'effeuilleuse, alors que la chèvre, dans mon assiette, me fixait de ses orbites vides.

Un jour, en pleine zone rurale du Texas, je m'étais arrêté pour faire le plein dans une station-service. J'ai engagé la conversation avec le pompiste, un jeune Américain d'origine mexicaine, que j'ai voulu convaincre de voter pour McGovern. « Pas possible ! » m'a-t-il répondu. Quand je lui ai demandé pourquoi, il m'a expliqué : « À cause d'Eagleton. Il n'aurait pas dû le laisser tomber. Beaucoup de gens ont des problèmes de santé. Les amis, c'est sacré. Il faut leur rester fidèle. » Je n'ai jamais oublié ses sages conseils. Pendant ma présidence, les Hispano-Américains ont su que je m'efforçais d'être leur allié et ils m'ont soutenu.

Je conserve deux souvenirs marquants des dernières semaines de la campagne, période au cours de laquelle nos derniers espoirs se sont bel et bien envolés. Henry B. Gonzales, un élu à la Chambre des représentants, organisait un dîner démocrate pour le comté de Bexar, à l'hôtel *Menger* de San Antonio, proche de Fort Alamo, où plus de deux cents Texans, commandés par Jim Bowie et Davy Crockett étaient morts pour arracher au Mexique l'indépendance du Texas. Plus de soixante ans après cet événement, Teddy Roosevelt avait résidé à l'hôtel *Menger* quand il entraînait ses Rough Riders avant la bataille de la colline de San Juan, à Cuba. Pour cette page d'épopée, la médaille d'honneur du Congrès lui serait attribuée sous ma présidence. L'hôtel *Menger* sert une glace à la mangue fantastique dont je ne saurais me passer. En 1992, à la veille de l'élection, lors d'une étape à San Antonio, mon équipe en a acheté pour quatre cents dollars. La nuit même, à bord de l'avion de la campagne, tout le monde a pu s'en repaître.

L'orateur convié au dîner démocrate était Hale Boggs, chef de la majorité démocrate à la Chambre des représentants. Le discours qu'il prononça en faveur de McGovern et du Parti démocrate nous galvanisa. Le lendemain matin, j'avais la responsabilité de le réveiller tôt : il s'envolait pour l'Alaska où il allait soutenir la campagne de Nick Begich, candidat à la Chambre des représentants. Le jour suivant, son avion s'écrasait en survolant les montagnes. On ne retrouva jamais l'épave. J'aurais voulu ne pas entendre le réveil ce matin-là. J'admirais Hale Boggs, il laissait derrière lui une famille remarquable. Son épouse, Lindy, personnalité adorable et elle-même femme politique chevronnée, fut élue au siège qu'il occupait. Elle devint l'un de mes plus fermes soutiens en Louisiane. Je la nommai plus tard ambassadeur au Vatican.

L'autre événement notable eut lieu lors de l'ultime passage de Sargent Shriver au Texas. Le programme de la soirée commençait par un grand rassemblement à McAllen, dans le sud profond de l'État. De là, nous devions regagner à toute allure l'aéroport pour rejoindre Texarkana, où Wright Patman, élu à la Chambre des représentants, avait réuni plusieurs milliers de supporters sur State Line, le boulevard qui marque la frontière entre le Texas et l'Arkansas. Installés dans l'avion, nous avons attendu le décollage. Après un court délai, on nous a informés qu'un monomoteur, désorienté par le brouillard nocturne, tournait au-dessus de l'aéroport de McAllen, attendant un guidage radio pour atterrir. Et le pilote ne parlait qu'espagnol. Le personnel au sol devait se mettre en quête d'un expert capable de naviguer aux instruments et parlant espagnol, tout en gardant le contact avec le monomoteur pour calmer le pilote. Au milieu de ces péripéties, j'étais assis avec Sargent Shriver, chacun d'un côté du couloir central, et je lui donnais toutes les informations nécessaires concernant l'étape de Texarkana. La campagne s'achevait en débâcle. L'incident suffisait à convaincre quiconque en aurait encore douté. Mais Shriver ne se laissait pas abattre : il demanda au personnel de cabine s'il était possible de servir les repas et, en peu de temps, nos deux avions furent transformés en locaux de campagne. Au milieu du va-et-vient de militants affairés, toute la presse se nourrissait de steaks sur la piste. Quand nous avons fini par rejoindre Texarkana, avec trois heures de retard, le rassemblement s'était dispersé. Deux cents supporters inébranlables entouraient encore leur parlementaire, Wright Patman, venu nous accueillir à l'aéroport. Sargent Shriver descendit les marches de la passerelle quatre à quatre et serra toutes les mains qui se tendaient, agissant comme un vrai professionnel au premier jour d'une campagne encore prometteuse.

McGovern rassembla 37 % des suffrages au Texas, à peine mieux que dans l'Arkansas, où il en obtint 31. Après l'élection, Taylor et moi-même allions rester quelques jours à Austin, le temps de remercier tous nos soutiens et de régler les derniers détails administratifs. Avant de retourner à Yale, avec Hillary, nous nous offrîmes quelques jours de vacances à Zihuatanejo, sur la côte Pacifique du Mexique. Aujourd'hui, les constructions se succèdent le long du front de mer, mais c'était alors un véritable village mexicain, aux rues de terre cahoteuses, bordées par les terrasses des bars et des arbres où nichaient des oiseaux tropicaux.

Après notre longue absence, nous sommes arrivés à Yale en pleine forme, prêts à nous replonger dans le bain pour les examens finaux. J'ai dû travailler d'arrache-pied pour m'imprégner des principes obscurs du droit maritime, discipline que j'avais choisie pour la seule raison qu'elle était enseignée par Charles Black, un Texan affable aux grands talents de pédagogue, que tous les étudiants appréciaient et respectaient, et qui avait beaucoup d'affection pour Hillary. Pendant mes révisions, j'ai découvert, à ma grande surprise, que les règles du droit maritime s'appliquaient à toutes les voies navigables du pays, pour peu qu'elles ne le soient pas devenues à la suite d'aménagements. Les lacs artificiels proches de ma ville natale étaient donc soumis à ces règles.

Pendant le semestre de printemps de 1973, je m'inscrivis à un grand nombre de cours. Toutefois, j'étais d'abord préoccupé par la perspective de mon retour en Arkansas : quelles conséquences allait-il avoir sur notre couple ? Cette année-là, nous avons pris beaucoup de plaisir à concourir, une nouvelle fois, pour le prix de l'Union des avocats. Le procès que nous avons monté reprenait les personnages du film *Casablanca* : après le meurtre du mari d'Ingrid Bergman, Humphrey Bogart était mis en accusation. John Doar, l'ami de Burke Marshall et son ancien collègue au département de la Justice, a accepté de présider les audiences. Nous l'avons hébergé à New Haven, où l'accompagnait son jeune fils. Il nous a fait forte impression : nous arrivions à comprendre l'efficacité dont il avait fait preuve dans le Sud, quand il avait mis en œuvre les décisions judiciaires regardant les droits civiques. Il était calme, direct, intelligent et inébranlable. Il tenait son rôle de juge à la perfection : Bogie fut acquitté.

Un jour, alors que je quittais le cours sur l'imposition des sociétés, le professeur Chirelstein me questionna sur mes projets professionnels, à l'issue de mes études. Je lui expliquai que j'envisageais de retourner en Arkansas et que, à défaut d'autres perspectives, je comptais ouvrir mon propre cabinet d'avocat et exercer en libéral. Il m'informa qu'un poste d'enseignant venait de se libérer, de manière inattendue, à la faculté de droit de l'Université de l'Arkansas, à Fayetteville. L'idée d'enseigner ne m'avait jamais traversé l'esprit. Il m'apparut soudain qu'elle méritait réflexion. Quelques jours plus tard, fin mars, je retournai dans l'Arkansas pour les vacances de printemps. À la hauteur de Little Rock, je quittai l'autoroute, trouvai une cabine téléphonique, et j'appelai le doyen de la faculté de droit, Wylie Davis. Je lui expliquai que j'avais eu vent du poste libre et que je souhaitais proposer mes services. Il me trouva trop jeune et dépourvu d'expérience. Je lui répondis en riant qu'on m'opposait ce même argument depuis des années. Dans tous les cas, s'il ne trouvait aucun candidat satisfaisant, je serais son homme. Et tout le bénéfice serait pour lui : je travaillerais sans répit et je donnerais autant de cours qu'il voudrait. En outre, je ne serais pas titulaire, il aurait donc tout loisir de se débarrasser de moi à la première anicroche. Étouffant un rire, il me proposa une entrevue. Début mai, je pris l'avion pour le rencontrer, muni des lettres de recommandation qu'avaient bien voulu rédiger à mon intention le professeur Chiresltein, Burke Marshall, Steve Duke, John Baker et Caroline Dinegar, présidente du département des sciences politiques de l'Université de New Haven, où j'avais enseigné le droit constitutionnel et le droit criminel aux étudiants de première année. Les entretiens se déroulèrent à merveille et, le 12 mai, je reçus une lettre du doyen Davis, qui m'offrait le poste de professeur assistant, au salaire de 14 076 dollars. Hillary trouvait que c'était un choix judicieux, aussi. Dix jours plus tard, j'acceptai donc l'offre. Le salaire n'était pas très élevé, mais enseigner m'évitait de rembourser le prêt obtenu auprès du National Defense Education. Mon second prêt, consenti par la faculté de droit de Yale prévoyait – pour moi comme pour mes camarades – un remboursement échelonné, correspondant à un pourcentage minime de nos revenus annuels jusqu'à expiration de la dette totale de la promotion. Bien entendu, ceux qui bénéficieraient des revenus les plus élevés contribueraient plus au remboursement, mais tout le monde avait signé en connaissance de cause. Cette expérience personnelle m'incita à réformer le programme fédéral des prêts universitaires quand j'accédai à la présidence : je souhaitais offrir aux étudiants la possibilité de prolonger les délais de remboursement en les indexant sur leurs revenus. Je voyais un double enjeu à cette réforme : tout d'abord, éviter que certains étudiants n'abandonnent leur cursus, par crainte de ne pas pouvoir rembourser leur emprunt, mais aussi, faciliter leur investissement dans des activités professionnelles à forte utilité sociale, mais à moindres revenus. Dès que l'État leur a offert cette option, de nombreux étudiants l'ont choisie.

Je n'y avais pas été l'étudiant le plus appliqué. Le bilan était toutefois satisfaisant. J'avais beaucoup appris auprès de professeurs brillants et dévoués et auprès de mes camarades. Plus tard, je nommerai plus de vingt d'entre eux à des postes divers de mon gouvernement ou dans l'appareil judiciaire. J'avais acquis une bien meilleure perception du rôle que joue la loi, que ce soit pour favoriser le sens de l'équité et de l'ordre, nécessaires au bon fonctionnement de notre société, ou comme outil indispensable au progrès social. Vivre à New Haven m'avait confronté aux réalités de la vie dans l'Amérique urbaine et à sa diversité ethnique. Mieux encore, c'est à New Haven que j'avais rencontré Hillary.

Grâce à mon investissement politique, dans la campagne de Joe Duffey puis dans celle de McGovern, j'avais noué des relations avec de nouvelles connaissances aussi passionnées que moi par la vie politique et j'avais beaucoup appris sur le fonctionnement de la mécanique électorale. J'avais encore découvert une autre vérité : quiconque veut remporter les élections sur un programme de réformes doit apporter la plus grande rigueur dans la définition de son message, s'il veut gagner la confiance de l'électorat et le convaincre qu'il est possible de modifier l'ordre des choses. Chaque fois que nous nous engageons dans des mutations, il est indispensable que celles-ci réaffirment nos convictions quant aux chances offertes et à la responsabilité, au travail et à la famille, à la volonté et à la compassion : ces valeurs sont le socle sur lequel l'Amérique a bâti ses succès. La vie de millions d'Américains est absorbée par l'éducation des enfants, les soucis professionnels, les factures à payer. Ils ne consacrent pas toute leur réflexion aux orientations politiques, à la manière des libéraux ; ils n'ont pas pour le pouvoir, l'obsession des conservateurs de la Nouvelle Droite. Ils sont doués de bons sens, ils veulent comprendre les grandes tendances qui façonnent leur existence, mais ils ne souhaitent à aucun prix renier les valeurs dont ils se sentent fiers, ni abandonner les acquis qui leur permettent de survivre. Depuis 1968, les conservateurs ont réussi avec brio à convaincre l'Amérique profonde que les idées, les programmes et les candidats progressistes sont étrangers à leurs valeurs et menacent la sécurité dont ils bénéficient. Ils ont dressé de Joe Duffey, le fils de mineur, le portrait d'un porte-parole de l'élite ultraradicale et d'un faible. George McGovern, authentique héros de la Seconde Guerre mondiale, envoyé au Sénat par les conservateurs ruraux du Dakota-du-Sud, a été dépeint comme un gauchiste aux yeux fous, dénué de volonté, incapable de défendre l'Amérique, mais avide d'actionner la pompe à finances des impôts et de la dépense publique. L'un et l'autre ont commis, au cours de leur campagne, des erreurs susceptibles de confirmer ces caricatures que leurs adversaires se sont efforcés d'imposer. L'expérience m'avait appris à quel point il est difficile de pousser le rocher des droits civiques, celui de la paix ou des programmes de lutte contre la pauvreté le long de la pente politique. Je savais donc que l'on ne peut pas espérer l'emporter à tous les coups. Mais je voulais que nous cessions d'aider nos adversaires à gagner sans combattre. Plus tard, dans mes fonctions de gouverneur, puis de président, j'allais parfois retomber dans les mêmes ornières, mais pas aussi souvent que ce serait arrivé si je n'avais pas eu la chance de collaborer avec ces deux hommes de qualité, Joe Duffey et George McGovern.

J'étais heureux de rentrer chez moi et d'aborder cette expérience nouvelle, mais je ne savais toujours pas quel choix je devais faire avec Hillary, ni quel parti était le meilleur pour elle. J'avais toujours considéré qu'elle disposait d'un potentiel équivalent ou supérieur au mien pour entreprendre une carrière politique et je ne voulais pas qu'elle néglige cette possibilité. À l'époque, mes convictions à son sujet étaient plus fermes que les siennes et je craignais qu'en m'accompagnant dans l'Arkansas, elle ne se condamne à abandonner à tout jamais cette perspective. Je ne voulais pas envisager cette hypothèse, pas plus que je ne voulais perdre Hillary. De son côté, elle avait déjà décidé de ne pas rejoindre un grand cabinet d'avocats ni de travailler dans le bureau d'un juge. Elle avait préféré accepter le poste que lui proposait Marian Edelman, du

Fonds de défense de l'enfance, pour sa nouvelle antenne de Cambridge, dans le Massachusetts. Une distance considérable allait nous séparer.

Nous en étions là en quittant la faculté de droit. J'ai alors emmené Hillary en Grande-Bretagne, pour son premier voyage hors du continent américain. Elle a découvert Londres et Oxford à mon bras. Puis nous avons visité le pays de Galles avant de remonter vers la région des lacs, en Angleterre, région que je ne connaissais pas et qui était superbe et romantique, en cette fin de printemps. Un soir, au coucher du soleil, sur la rive du lac Ennerdale, je lui ai demandé sa main. J'avais franchi le pas, je n'arrivais pas à y croire. Elle non plus. Elle m'a dit qu'elle m'aimait, mais qu'elle ne pouvait pas dire oui. Je n'allais pas lui reprocher sa réponse, mais je ne voulais pas la perdre. Je lui ai donc demandé de m'accompagner dans l'Arkansas, à titre d'essai. Et de passer l'examen qui lui permettrait d'exercer la profession d'avocat dans l'État. Au cas où...

CHAPITRE DIX-HUIT

En juin, Hillary est venue à Little Rock. Je l'ai ramenée de l'aéroport par le chemin des écoliers pour lui montrer une partie de l'État qui m'était cher. Nous avons longé l'Arkansas River sur une centaine de kilomètres jusqu'à Russellville, avant d'emprunter la route 7, qui traverse les monts Ouachita et la National Forest, en nous arrêtant de temps à autre pour admirer le paysage. Nous avons passé deux jours à Hot Springs avec ma mère, Jeff et Roger avant de rentrer à Little Rock pour un stage intensif de préparation à l'examen du barreau de l'Arkansas qui s'est révélé utile puisque nous l'avons réussi tous les deux.

Après son inscription au barreau, Hillary est rentrée dans le Massachusetts afin de prendre ses fonctions au sein du Fonds de défense de l'enfance et j'ai rejoint Fayetteville, où m'attendait ma nouvelle vie de professeur de droit. J'ai trouvé l'endroit idéal où m'installer, une ravissante petite maison dessinée par Fay Jones, le célèbre architecte de l'Arkansas, dont la fantastique Thorncrown Chapel, dans la ville voisine d'Eureka Springs, a récolté de nombreuses récompenses internationales. Située à une dizaine de kilomètres à l'est de Fayetteville, sur la nationale 16, la maison était entourée d'un terrain de plus de quarante hectares. À l'est, il était bordé par la White River. Plusieurs dizaines de vaches paissaient dans le pré. La maison, construite au milieu des années 1950, était de plain-pied, tout en longueur, avec la salle de bains posée comme un bloc en son centre. Les baies vitrées coulissantes sur la façade et à l'arrière, en plus des lucarnes de la chambre et de la salle de bains, rendaient l'endroit très lumineux. La pièce à vivre se doublait d'une véranda qui dominait le terrain descendant en pente jusqu'à la route. La maison s'est révélée un miracle de tranquillité et de silence, surtout après le début de ma première campagne.

J'adorais m'installer dans la véranda ou devant la cheminée et marcher jusqu'à la rivière au milieu des vaches.

Cette perfection cachait un ou deux défauts. Des souris me rendaient visite toutes les nuits. Quand j'ai compris que je ne pourrais pas m'en débarrasser et qu'elles se cantonnaient dans la cuisine, je leur ai laissé des miettes de pain. L'extérieur grouillait d'araignées, de tiques et autres menaces. Cela ne m'a pas trop dérangé jusqu'au jour où une araignée a piqué Hillary, dont la jambe a triplé de volume et a mis du temps à guérir. Et la maison était impossible à protéger convenablement. Dans le coin, nous avons eu droit à une série de cambriolages, cet été-là. Le coupable s'attaquait surtout aux maisons isolées. Un soir en rentrant, j'ai eu l'impression que quelqu'un était venu, mais rien ne manquait. Peut-être avais-je fait peur au cambrioleur. Sur une impulsion, je lui ai écrit une lettre, au cas où il reviendrait :

Cher cambrioleur,

Tout avait l'air tellement en ordre hier que j'aurais été incapable de dire si vous êtes entré ou non. Si tel n'est pas le cas, voici ce que vous trouverez chez moi — un poste de télévision qui a coûté neuf dollars quatre-vingts à l'achat il y a un an et demi ; une radio que j'ai achetée neuve il y a trois ans pour quarante dollars ; un minuscule tourne-disque d'une valeur de quarante dollars acheté aussi il y a trois ans ; et des tas de souvenirs, des petits trucs, dont peu valent plus de dix dollars. Pratiquement tous les vêtements datent de deux ou trois ans. Pas vraiment de quoi risquer la prison.

William J. Clinton

J'ai scotché la lettre sur la cheminée. Malheureusement, mon plan n'a pas marché. Le lendemain, pendant mon absence, le voleur a embarqué la télé, la radio, le tourne-disque et un objet que je m'étais gardé de citer dans ma liste : un superbe sabre militaire allemand gravé datant de la Première Guerre mondiale. Cette perte m'a rendu malade, non seulement parce que c'était un cadeau de papa, mais aussi parce qu'un an plus tôt, on m'avait volé dans ma voiture à Washington le seul autre objet de valeur que je possédais, le sax ténor Mark VI Selmer que ma mère et papa m'avaient offert en 1963. J'ai fini par racheter un modèle Selmer de 1935, mais le sabre s'est révélé irremplaçable.

J'ai consacré les dernières semaines d'un mois d'août caniculaire à préparer mes cours et à courir sur la piste de l'université aux heures les plus chaudes de la journée, retrouvant mon poids de 92 kilos pour la première (et dernière) fois depuis l'année de mes 13 ans. En septembre, j'ai commencé à donner mes premiers cours : les lois antitrust que j'avais étudiées à Yale et qui m'avaient passionné, ainsi qu'un cours sur les relations contractuelles et les responsabilités juridiques qui en découlent. J'avais seize étudiants en antitrust et cinquante-six dans l'autre. Les lois antitrust s'enracinent dans l'idée que le gouvernement se doit d'empêcher la formation de monopoles ainsi que le recours à d'autres pratiques non concurrentielles afin de préserver une économie de libre-échange équitable. Sachant que tous les étudiants ne possédaient pas de bonnes bases en économie, je me suis efforcé de rendre le contenu limpide et les principes compréhensibles. En revanche, l'autre sujet paraissait plutôt simple. Craignant que les étudiants ne s'ennuient et ne ratent l'importance et la difficulté de déterminer la nature exacte des rapports entre différentes parties dans une même entreprise, j'ai multiplié les exemples intéressants pour favoriser le débat en cours. Par exemple, les auditions du Watergate et la réaction de la Maison Blanche devant le flot de révélations ont soulevé de nombreuses interrogations sur les auteurs de l'effraction. Étaient-ils des agents du Président et, sinon, pour qui et sur les ordres de qui agissaient-ils ? Dans tous mes cours, j'ai cherché à faire participer le plus d'étudiants possible aux discussions et à me rendre disponible pour eux dans mon bureau et à la faculté.

J'ai pris plaisir à mettre au point des examens dont j'espérais qu'ils seraient intéressants, exaltants et justes. Dans les comptes rendus que j'ai pu lire sur mes années d'enseignement, on critiquait mon système de notation, sous-entendant que j'étais trop généreux, parce que j'étais trop gentil ou trop soucieux de ne pas heurter des partisans potentiels le jour où je me présenterais à une élection. À Yale, les seules notes étaient mention honorable, mention passable ou l'échec. Dans de nombreuses autres facultés de droit, notamment celles dont les normes d'admission étaient plus laxistes, la notation avait tendance à être plus sévère, puisque le but était d'éliminer 20 à 30 % des étudiants. Je n'étais pas d'accord avec ce système. Si un étudiant écopait d'une mauvaise note, j'avais aussi l'impression d'avoir échoué, parce que je n'avais pas su l'intéresser ni l'inciter à mieux travailler. Presque tous les étudiants avaient les capacités intellectuelles nécessaires pour décrocher un C. En revanche, j'estimais qu'une bonne note devait avoir un sens. Dans mes cours qui rassemblaient entre cinquante et quatre-vingt-dix étudiants, j'ai accordé deux ou trois A et donné environ le même nombre de D. Dans un cours de soixante-dix-sept étudiants, je n'ai donné qu'un A et il ne m'est arrivé qu'une fois de coller quelqu'un. Généralement ceux qui allaient être collés abandonnaient plutôt que de risquer un F. Dans deux autres cours plus modestes, j'ai distribué davantage de A parce que les étudiants travaillaient plus dur, apprenaient davantage et le méritaient.

Si les premiers étudiants noirs de la faculté de droit de l'Université de l'Arkansas étaient arrivés vingt-cinq ans plus tôt, il a fallu attendre le début des années 1970 pour qu'un nombre important d'entre eux soit admis dans les facultés de droit du Sud. Beaucoup d'entre eux n'étaient pas bien préparés, notamment ceux qui avaient dû fréquenter les établissements pauvres qui leur étaient réservés. Une vingtaine d'étudiants noirs ont suivi mes cours entre 1973 et 1976, et j'ai fini par connaître les autres. En général, ils ne ménageaient pas leurs efforts. Ils voulaient réussir et plusieurs vivaient dans un stress énorme parce qu'ils craignaient de ne pas y parvenir. Parfois, leurs craintes étaient justifiées. Je n'oublierai jamais mon mélange d'incrédulité et de colère à la lecture de la copie d'un étudiant noir. Je savais qu'il avait travaillé comme un fou et qu'il comprenait le sujet, mais sa copie ne le montrait pas. Les bonnes réponses s'y trouvaient, mais les découvrir exigeait de fouiller à travers un amas de mots mal orthographiés, de fautes de grammaire et de syntaxe. Des connaissances dignes d'un A disparaissaient derrière une présentation valant un F, à cause des lacunes que cet étudiant traînait depuis l'école élémentaire. Je lui ai donné un

B-, j'ai corrigé sa grammaire et son orthographe, et j'ai décidé d'organiser des séances de soutien pour que le travail et les compétences des étudiants noirs se traduisent par de meilleurs résultats. Je pense que ces séances n'ont pas été inutiles, tant par leur contenu que par leur impact psychologique, bien que plusieurs étudiants aient continué à rencontrer des difficultés en rédaction et aient souffert de la tension émotionnelle que représente le fait de voir s'ouvrir des portes devant soi alors qu'on reste handicapé par le poids de la ségrégation passée. Lorsque ces étudiants ont fini par embrasser des carrières d'avocat et de juge, les clients qu'ils représentaient et les parties qu'ils jugeaient n'avaient probablement aucune idée des sommets qu'ils avaient dû gravir pour pouvoir s'inscrire au barreau ou entrer dans la magistrature. Quand la Cour suprême a défendu le principe de la discrimination positive en 2003, j'ai songé à mes étudiants noirs, à leurs efforts et à tout ce qu'ils avaient dû surmonter. Il me suffisait d'y penser pour soutenir la décision de la Cour.

Outre mes rapports avec mes étudiants, j'appréciais et admirais beaucoup les membres du corps professoral dont je faisais partie. Mes meilleurs amis parmi les enseignants étaient deux personnes de mon âge, Elizabeth Osenbaugh et Dick Atkinson. Elizabeth était une brillante jeune fille de l'Iowa, une vraie Démocrate et une enseignante dévouée qui est aussi devenue très amie avec Hillary. Elle est retournée en Iowa travailler au ministère de la Justice. Quand j'ai été élu président, je l'ai convaincue de rejoindre le département de la Justice, mais, au bout de quelques années, elle est rentrée chez elle, surtout parce qu'elle estimait que ce serait mieux pour sa petite fille Bessy. Elle est morte d'un cancer en 1998 et sa fille est allée vivre avec son oncle. Je me suis efforcé de rester en relation avec Betsy. Sa mère était vraiment quelqu'un de bien. Dick Atkinson était un ami de la faculté de droit qui ne voulait plus exercer en libéral. Je lui ai suggéré d'enseigner et l'ai poussé à venir à Fayetteville pour passer un entretien d'embauche à l'université. On lui a offert un poste, qu'il a accepté. Les étudiants l'adoraient et il adorait enseigner. En 2003, il est devenu doyen de la faculté de droit de l'Arkansas. Notre professeur le plus célèbre et le plus fascinant était Robert Leflar, le juriste le plus éminent qu'ait jamais formé notre État, une autorité reconnue en matière de délits, conflits de droit et jugements en appel. En 1973, il avait déjà dépassé 70 ans, l'âge obligatoire de la retraite, et il enseignait sans compter contre un dollar par an. Il faisait partie du corps enseignant depuis l'âge de 26 ans. Pendant plusieurs années, Bob avait fait chaque semaine l'aller-retour entre Fayetteville et New York, où il enseignait le jugement en appel à des juges fédéraux et d'État à la faculté de droit de New York, cours qu'avait suivi plus de la moitié des juges de la Cour suprême. Et il n'arrivait jamais en retard nulle part.

Petit et sec avec d'immenses yeux perçants, Bob Leflar était fort comme un bœuf. Il ne devait pas peser plus de 70 kilos tout mouillé mais, dans son jardin, il trimballait d'énormes dalles en pierre que j'aurais été incapable de soulever. Chaque année, à l'occasion de la fête donnée en l'honneur de l'équipe de football des Razorbacks, Bob et sa femme recevaient chez eux. Il arrivait que des invités tapent dans le ballon dans la cour. Je me rappelle une partie où Bob, un autre jeune avocat et moi avons joué contre deux jeunes assez grands et un gamin de 9 ans. La partie étant serrée, nous avons décidé que l'équipe

qui marquerait le point suivant gagnerait. Nous avions le ballon. J'ai demandé
à Bob s'il voulait vraiment gagner. « Et comment ! » fut sa réponse. Il avait la
rage de vaincre d'un Michael Jordan. J'ai donc dit au troisième élément de
notre équipe d'envoyer le ballon au centre, de laisser l'attaquant me courir
après et de bloquer le grand qui défendait l'arrière à droite. Le gamin de 9 ans
couvrait Bob, pensant que j'enverrais le ballon à mon coéquipier jeune et
grand ou que, si Bob recevait le ballon, il pourrait aisément le lui prendre. J'ai
dit à Bob de bloquer le gamin à droite, puis de courir à toute allure vers la
gauche, où je lui passerais le ballon avant que l'attaquant ne me tombe dessus.
À l'engagement, Bob était si excité qu'il a flanqué le gamin par terre et a
couru vers la gauche. Il était seul en piste quand notre coéquipier a bloqué sa
cible. Je lui ai envoyé le ballon et il a traversé la ligne de but au pas de course.
C'était l'homme de 75 ans le plus heureux d'Amérique. Bob Leflar avait un
esprit bien fait, un cœur de lion, une volonté inflexible et un amour enfantin
de la vie. Une sorte de version démocrate de Strom Thurmond. Si nous avions
davantage d'hommes comme lui dans nos rangs, nous gagnerions plus souvent.
Quand Bob est mort à 93 ans, j'ai pensé qu'il était encore trop jeune pour partir.

Les règles de la faculté de droit étaient fixées par le corps enseignant lors
de réunions régulières. Je trouvais ces réunions trop longues et trop encom-
brées de détails qu'on aurait mieux fait de laisser au doyen et aux autres administrateurs, mais j'y ai appris beaucoup en matière de politique universitaire.
Généralement, je m'en remettais à mes collègues en cas de consensus parce
qu'ils avaient davantage d'expérience que moi. En revanche, je les ai incités à
multiplier les activités à titre gratuit et à assouplir l'impératif du *publish or perish*
[publier ou périr] pour leur permettre de mieux se consacrer à l'enseignement
et au suivi des élèves en dehors des cours.

Dans mes propres activités à titre gratuit, j'ai réglé des problèmes juridiques mineurs pour des étudiants et un jeune maître-assistant ; j'ai tenté – en
vain – de convaincre davantage de médecins de Springdale, au nord de Fayetteville, d'accepter des patients pauvres couverts par Medicaid ; j'ai préparé un
rapport destiné à la Cour suprême dans une affaire antitrust à la demande du
secrétaire à la Justice Jim Guy Tucker ; et, lors de ma première prestation
d'avocat au tribunal, j'ai défendu mon ami le représentant Steve Smith dans un
conflit portant sur le droit électoral dans le comté de Madison.

Huntsville, siège du comté et ville d'Orval Faubus, comptait un peu plus
de un millier d'habitants. Les Démocrates occupaient tous les bureaux du palais
de justice, du juge au shérif, mais on trouvait de nombreux Républicains dans
les collines et les vallées du nord de l'Arkansas, pour la plupart des descendants
d'opposants à la Sécession en 1861. Les Républicains avaient assez bien tiré leur
épingle du jeu en 1972, aidés par l'écrasante victoire de Nixon, et ils pensaient
que, s'ils réussissaient à faire annuler suffisamment de votes par correspondance, ils avaient des chances d'inverser les résultats des élections locales.

L'affaire fut jugée dans le vieux tribunal du comté de Madison devant le
juge Bill Enfield, un Démocrate qui deviendrait un ami et un partisan. Les
Démocrates étaient représentés par deux vrais personnages : Bill Murphy, un
avocat de Fayetteville dont les deux passions étaient l'American Legion, où il
avait servi comme commandant de l'Arkansas, et le Parti démocrate, et un

avocat local, W. Q. Hall, connu sous le surnom de « Q », un manchot plein d'esprit au sens de l'humour aussi aiguisé que le crochet fixé à son bras gauche. Les témoins convoqués afin d'expliquer sous serment pourquoi ils avaient voté par correspondance offraient un tableau vivant des loyautés farouches, de la rudesse de la politique et des pressions économiques qui façonnaient la vie des gens des collines. Un homme dut se défendre d'avoir voté par correspondance à la dernière minute sans en avoir fait la demande à l'avance comme l'exigeait la loi. Il expliqua qu'il travaillait pour la commission de la chasse et de la pêche de l'État et qu'il était descendu voter la veille de l'élection parce qu'on venait de lui donner l'ordre de porter l'unique piège à ours de l'État dans les montagnes du comté de Stone le jour fatidique. On valida son vote. Un autre dut rentrer de Tulsa dans l'Oklahoma, où il travaillait, pour témoigner. Il admit qu'il habitait Tulsa depuis plus de dix ans mais qu'il continuait à voter par correspondance dans le comté de Madison, bien qu'il n'y résidât plus légalement. Quand l'avocat républicain tenta de le pousser dans ses derniers retranchements, il déclara avec beaucoup d'émotion qu'il était originaire du comté de Madison, qu'il n'était parti pour Tulsa que parce qu'il ne trouvait pas de travail dans les collines, qu'il ne se souciait guère de la politique dans sa ville d'adoption et que, dès qu'il serait en retraite, il rentrerait chez lui à Madison. Je ne me rappelle pas si sa voix a été comptée, mais son attachement à ses racines m'a fortement marqué.

Steve Smith déposa à propos de son rôle dans la collecte des votes par correspondance auprès des pensionnaires de la maison de retraite de son père. La loi semblait autoriser le personnel à aider les pensionnaires à voter, à condition que les votes soient postés par un membre de leur famille ou une personne habilitée à s'en charger. Steve avait pris les enveloppes et les avait mises dans la première boîte aux lettres venue. J'ai fait une plaidoirie que je jugeais très convaincante, disant qu'il était absurde d'affirmer que Steve ne pouvait pas les poster, que personne n'avait laissé entendre qu'il les avait falsifiés ni que les pensionnaires refusaient qu'il les poste. D'autant qu'il n'était pas prouvé que tous les pensionnaires âgés disposaient de parents en mesure de se charger de cette tâche. Le juge Enfield se prononça contre Steve et moi, mais valida suffisamment de votes par correspondance pour permettre au juge du comté Charles Whorton, au shérif Ralph Baker et à leurs équipes de conserver leurs postes.

J'avais perdu mon affaire, mais je venais de récolter des renseignements inestimables sur la vie des gens des collines de l'Arkansas. Et je m'étais lié d'amitié avec certains des politiciens les plus efficaces que je connaîtrai jamais. Si un nouveau venu s'installait dans le comté de Madison, ils savaient moins d'une semaine après s'il votait démocrate ou républicain. Les Républicains devaient se rendre au tribunal pour s'inscrire sur les listes électorales. Le greffier du comté se rendait au domicile des Démocrates pour les inscrire. Deux semaines avant chaque élection, ils téléphonaient à tous les Démocrates pour leur demander de voter pour eux. Et ils les rappelaient le matin du jour J. S'ils n'avaient pas voté en fin d'après-midi, on allait les chercher pour les conduire au bureau de vote. Le jour de ma première élection législative, en 1974, j'ai téléphoné à Charles Whorton pour savoir comment on s'en sortait. Il m'a répondu que des trombes d'eau avaient emporté un pont dans un coin perdu du comté et que certains des nôtres ne pouvaient pas se rendre au bureau de vote, mais qu'ils travaillaient sans relâche et pensaient gagner par environ cinq cents voix d'avance. J'ai emporté le comté de Madison par 501 voix d'avance.

Environ deux mois après mon installation à Fayetteville, je m'y sentais chez moi. J'aimais enseigner, assister aux matchs de football des Razorbacks, rouler dans les montagnes et vivre au milieu d'une communauté universitaire qui partageait mes centres d'intérêt. Je me suis lié d'amitié avec Carl Whillock, un des vice-présidents de l'université, un homme très réservé aux cheveux gris et courts. J'ai fait sa connaissance lors d'un déjeuner à la *Wyatt's Cafeteria* du grand centre commercial entre Fayetteville et Springdale. Tout le monde à notre table critiquait le président Nixon, sauf Carl, qui n'a pas pipé. Je lui ai donc demandé son avis. Je n'oublierai jamais sa réponse monocorde : « Je suis d'accord avec Henry Truman. Il a dit que Richard Nixon est du genre à piquer les nickels en bois des yeux d'un mort. » Jadis, ces nickels étaient les rondelles de bois que les entrepreneurs de pompes funèbres posaient sur les yeux des cadavres pour qu'ils restent fermés pendant l'embaumement. Il ne fallait pas juger Carl Whillock sur son apparence. Derrière son air très comme il faut se cachaient un esprit acéré et un cœur d'or.

Deux femmes professeurs dont les maris étaient des élus de l'État m'ont beaucoup marqué. Ann Henry enseignait à l'école de commerce ; son mari, Morriss, ophtalmologiste, était notre sénateur. Ann et Morriss qui sont devenus des amis intimes pour Hillary et moi ont organisé notre réception de mariage chez eux. Diane Kincaid était professeur au département des sciences politiques et était mariée, à l'époque, au représentant Hugh Kincaid. Elle était belle, brillante et incollable en politique. Quand Hillary est venue s'installer à Fayetteville, Diane et elle sont devenues plus que des amies ; des âmes sœurs qui ont trouvé la compréhension, la stimulation, le soutien et l'affection que l'on ne rencontre que trop rarement au cours d'une vie.

Si Fayetteville, comme tout le nord-ouest de l'Arkansas, se développait vite, elle conservait une petite place pittoresque avec un vieux bureau de poste au milieu qui serait converti par la suite en bar-restaurant. Des magasins de détail, des bureaux et des banques s'alignaient sur les quatre côtés de la place où, chaque samedi matin, s'installait un marché. Mon cousin Roy Clinton dirigeait le magasin *Campbell-Bell*. À force de fréquenter son établissement, j'ai beaucoup appris sur ma nouvelle ville. Le tribunal se trouvait à une rue de là. Les avocats dont le cabinet était non loin formaient une collection impressionnante de vieux renards et de jeunes talents, dont beaucoup ne tarderaient pas à devenir de solides partisans.

Le restaurant de prédilection de la gent politique était le *Steakhouse* de Billie Schneider sur la route 71, au nord de la ville. Dure à cuire à la voix rauque, qui ne mâchait pas ses mots et avait tout vu, Billie n'a jamais perdu sa passion dévorante et idéaliste pour la politique. Tous les politiciens locaux venaient chez elle, dont Don Tyson, le magnat du poulet, dont l'entreprise finirait par être la plus grosse société du monde, et son avocat, Jim Blair, un génie de 1 m 80 qui deviendrait l'un de mes meilleurs amis. Quelques mois après mon arrivée à Fayetteville, Billie ferma le restaurant pour ouvrir un bar et une discothèque dans le sous-sol d'un hôtel situé juste en face du tribunal. Tous ses habitués la suivirent, mais elle se constitua également une vaste clientèle parmi les étudiants qu'elle mobilisait pour prêter main-forte à ses candidats pendant les élections. Billie a occupé une grande place dans ma vie jusqu'à sa mort.

À Thanksgiving, j'ai quitté quelques jours mon repaire montagnard pour rendre visite à Hillary à Cambridge. Nous n'avons pas trouvé de solution à notre situation, mais elle a accepté de me rejoindre pour Noël. Je l'aimais et j'avais envie de vivre avec elle, mais je comprenais ses réserves. J'étais passionné et déterminé, mais rien dans mes antécédents n'indiquait que je savais ce qu'on entendait par un mariage stable. Elle n'ignorait pas qu'être ma femme ne serait pas de tout repos. En outre, si l'Arkansas ne lui paraissait plus un coin paumé au bout du monde, elle n'était pas encore convaincue de l'intérêt de s'y installer. Et, comme je l'ai dit, je n'étais pas sûr que cela fût bénéfique pour elle. Je pensais toujours qu'elle devait mener sa propre carrière politique. À cette époque de ma vie, je jugeais que le travail était plus important que la vie personnelle. J'avais rencontré nombre des plus doués de ma génération et j'estimais qu'ils ne lui arrivaient pas à la cheville au plan du potentiel politique. Elle avait un cerveau bien fait, un cœur d'or, de meilleurs talents d'organisatrice que moi et des compétences politiques pratiquement égales aux miennes. J'avais seulement davantage d'expérience. Je l'aimais suffisamment à la fois pour la vouloir auprès de moi et lui souhaiter de réussir au mieux. Un vrai dilemme.

À mon retour dans l'Arkansas, les débats politiques battaient leur plein. Comme les Démocrates partout ailleurs, les nôtres étaient stimulés par les auditions du Watergate et la poursuite de la guerre. Il semblait que nous avions une chance de gagner quelques voix aux élections parlementaires de milieu de mandat présidentiel, notamment après la montée en flèche du prix du pétrole et le début du rationnement de l'essence. Toutefois, les Démocrates locaux n'étaient pas très optimistes quant à la possibilité de détrôner notre élu, John Paul Hammerschmidt. Ce grand partisan du président Nixon avait très souvent voté conservateur au Congrès. C'était aussi un homme réservé et amical qui rentrait sillonner sa circonscription presque tous les week-ends et faisait preuve d'une efficacité extraordinaire sur le plan social, aidant des petites villes à obtenir des subventions pour installer l'eau et les égouts et décrochant pour ses administrés des allocations gouvernementales, souvent issues de programmes contre lesquels il avait voté à Washington. Hammerschmidt travaillait dans le bois d'œuvre, bénéficiait d'un bon soutien des PME du district et s'occupait des intérêts du bois, de la volaille et du transport, qui représentent une partie significative de l'économie locale.

Cet automne-là, j'ai demandé à plusieurs personnes si elles avaient l'intention de se présenter : Hugh et Diane Kincaid, Morriss et Ann Henry, Steve Smith et le représentant Rudy Moore, le beau-frère de Clark Willock. Tout le monde pensait qu'il fallait le faire, mais personne ne voulait se lancer parce que cela paraissait perdu d'avance. En outre, il semblait que le gouverneur Bumpers, qui jouissait d'une énorme popularité, allait probablement défier le sénateur Fulbright aux primaires démocrates. Fulbright était de Fayette-ville et la plupart de mes amis, s'ils appréciaient Bumpers, se sentaient obligés d'aider le sénateur dans une bataille qui ne manquerait pas d'être serrée.

Lorsqu'il devint manifeste qu'aucun de ceux qui auraient pu se battre ne voulait tenter le coup, j'ai commencé à songer à me présenter moi-même. Cela paraissait absurde à première vue. Je n'étais rentré que depuis six mois après neuf ans d'absence. Cela faisait seulement trois mois que j'occupais mon nouveau poste. Je n'avais aucun contact dans la plus grande partie du district. En revanche, Fayetteville, avec ses étudiants et ses Démocrates libéraux, pou-vait me servir de point de départ. Hot Springs, là où j'ai grandi, était la plus grosse ville du sud de la région. Et le comté de Yell, dont les Clinton étaient originaires, en faisait également partie. Bref, j'avais de la famille dans cinq des vingt et un comtés du district. J'étais jeune, célibataire et prêt à travailler jour et nuit. Et, même en cas d'échec, si je ne m'en sortais pas trop mal, je ne pensais pas que cela me porterait préjudice dans une campagne future. Bien entendu, si je me faisais dégommer, je pourrais tirer un trait sur la carrière politique dont je rêvais.

J'avais amplement matière à réflexion quand Hillary vint me voir peu après Noël. Nous en discutions un matin chez moi début janvier quand le téléphone sonna. C'était John Doar avec qui Hillary et moi avions passé un peu de temps au printemps précédent lorsqu'il était venu à Yale juger notre concours de procès. Il venait juste d'accepter de devenir le principal conseil dans l'enquête de la commission judiciaire devant décider si oui ou non il fal-lait mettre en accusation le président Nixon et me dit que Burke Marshall m'avait recommandé à lui. Il voulait que je prenne un congé de la faculté de droit, que je vienne collaborer avec lui et l'aider à recruter d'autres bons jeunes avocats. Je lui ai confié que je songeais à me présenter au Congrès, mais que j'allais réfléchir à son offre et que je le rappellerais le lendemain. Il fallait que je réfléchisse vite, et comme cela m'arriverait si souvent dans les années à venir, je me suis tourné vers Hillary. Quand j'ai rappelé John, j'avais pris ma décision. Je l'ai remercié de son offre mais je l'ai déclinée, en expliquant que j'avais choisi de me présenter au Congrès, parce qu'il y avait plein de jeunes avocats talentueux qui donneraient n'importe quoi pour collaborer avec lui dans l'enquête, mais personne d'autre pour se lancer dans la course en Arkansas. Visiblement, John pensait que je commettais une erreur grossière, ce qui n'était pas faux si on raisonnait un peu. Mais, comme je l'ai déjà dit, une grande partie de notre vie est façonnée autant par les offres que l'on refuse que par celles qu'on accepte.

J'ai suggéré à John d'engager Hillary et nos condisciples de Yale, Mike Conway et Rufus Cormier. Il m'avoua en riant que Burke Marshall les lui avait aussi recommandés. Tous finirent par travailler pour John et firent de l'excellent boulot. Doar se retrouva avec une extraordinaire équipe de jeunes talents.

Quelques jours avant le retour de Hillary à Cambridge, je l'ai emmenée à Huntsville, à une trentaine de kilomètres à l'est de chez moi, pour voir l'ancien gouverneur Faubus. Si je devais me présenter au Congrès, il fallait bien que je lui rende une visite de courtoisie tôt ou tard. En outre, si je désapprouvais ce qu'il avait fait à Little Rock, il était brillant et possédait des connaissances inestimables sur la vie politique de l'Arkansas. Faubus vivait dans une grande et belle maison Fay Jones que ses partisans lui avaient fait construire quand, au bout de douze ans, il avait pris sa retraite de gouverneur sans un sou en poche. Il vivait alors avec sa seconde épouse, Elizabeth, une femme séduisante du Massachusetts encore crêpée à la mode des années 1960 et qui, avant son mariage, avait fait une brève carrière de commentatrice politique à Little Rock. Elle était extrêmement conservatrice et présentait un contraste saisissant tant sur le plan physique que sur le plan des idées avec la première femme du gouverneur, Alta, une bonne populiste des collines qui était la rédactrice en chef du journal local, le *Madison County Record*.

Chez Faubus, nous nous sommes tous installés autour d'une grande table ronde placée dans une alcôve entièrement vitrée donnant sur les monts Ozark et dominant la ville. Pendant les quatre ou cinq heures suivantes, j'ai interrogé Orval qui m'a livré un récit fascinant de l'histoire et de la politique de l'Arkansas : la vie pendant la Dépression et la Seconde Guerre mondiale, pourquoi il défendait toujours ce qu'il avait fait à Little Rock, et s'il pensait que les problèmes du président Nixon pouvaient avoir un retentissement sur les élections au Congrès. Je n'ai pas dit grand-chose, me contentant de poser une nouvelle question dès que Faubus avait fini de répondre à la précédente. Hillary n'a pas ouvert la bouche. Et étonnamment, pendant plus de quatre heures, Elizabeth Faubus non plus. Elle a seulement veillé à nous alimenter en café et en biscuits.

Puis, quand il est devenu évident que l'entretien tirait à sa fin, Elizabeth Faubus m'a dit en me regardant droit dans les yeux : « Tout ça c'est très bien, Mr Clinton, mais que pensez-vous du complot international contre les États-Unis ? » J'ai répondu en soutenant son regard : « Je suis contre, bien sûr, Mrs Faubus. Pas vous ? » Peu après, les Faubus s'installèrent à Houston, où Orval sombra dans le désespoir après le sauvage assassinat d'Elizabeth dans son appartement. Lors de mon investiture au poste de gouverneur, j'ai invité tous les anciens gouverneurs, dont Faubus. Cela déclencha une controverse chez mes partisans progressistes, qui jugeaient que j'avais donné un coup de jeune à ce vieux gredin. Les événements leur donnèrent raison, un exemple classique du vieil adage selon lequel aucune bonne action ne reste jamais impunie. Pourtant, je recommencerais rien que pour revivre cet échange sur la menace rouge avec Elizabeth Faubus.

Après le départ de Hillary, je suis allé voir le doyen Davis pour lui faire part de mon intention de me présenter au Congrès tout en lui promettant d'assurer mes cours et de consacrer du temps aux étudiants. Je devais enseigner la procédure criminelle et le droit maritime au semestre de printemps et j'avais bien avancé dans ma préparation. Étonnamment, Wylie me donna sa bénédiction, probablement parce qu'il était trop tard pour me trouver un remplaçant.

La troisième circonscription de l'Arkansas qui comprenait vingt et un comtés dans le quart nord-ouest de l'État était l'un des plus ruraux de l'Amérique. Les gros comtés de Washington et de Benton à l'extrême nord-ouest ; sept comtés septentrionaux dans les monts Ozark ; huit comtés dans la vallée de l'Arkansas River, et quatre dans les monts Ouachita au sud-ouest. Grâce à

Wal-Mart, Tysons Foods et autres entreprises d'élevage de volaille et des compagnies de transport comme J. B. Hunt, Willis Shaw et Harvey Jones, les villes des comtés de Benton et de Washington prospéraient et devenaient plus républicaines. En fin de compte, le développement des Églises chrétiennes évangéliques et l'afflux de retraités du Midwest s'associèrent à la réussite des grosses entreprises pour faire du nord-ouest de l'Arkansas la région la plus républicaine et la plus conservatrice de l'État, exception faite de Fayetteville où la présence de l'université rétablissait un peu l'équilibre.

En 1974, Fort Smith, à la frontière avec l'Oklahoma, était à la fois la plus grande ville de la circonscription avec ses 72 286 habitants et la plus conservatrice. Dans les années 1960, les notables de la ville avaient refusé des financements de rénovation urbaine qu'ils taxèrent de premier pas vers le socialisme et quand la figure du Watergate John Mitchell fut inculpée quelques années plus tard, ses avocats déclarèrent que Fort Smith était l'une des trois seules villes en Amérique où il pourrait bénéficier d'un procès équitable. En fait, il aurait eu droit à un accueil réservé aux héros. À l'est de Fort Smith jusqu'à l'Arkansas River et dans les montagnes au nord, les comtés ont tendance à être populistes, conservateurs sur le plan social et assez bien répartis entre les Républicains et les Démocrates.

Les comtés des montagnes, notamment Madison, Newton et Searcy, étaient encore plutôt isolés. Quelques nouveaux arrivants s'y installèrent, mais de nombreuses familles occupaient la même terre depuis plus d'un siècle. Ils avaient une façon de parler unique, avec des expressions imagées que je n'avais encore jamais entendues. Ma préférée était la description de quelqu'un que vous ne pouvez pas supporter : « C'ui-là, j'lui pisserais pas dans l'oreille s'il avait le cerveau qui brûle. » Les comtés ruraux du sud de la circonscription avaient tendance à être plus démocrates tout en restant conservateurs, et le plus grand, Garland, dont Hot Springs était le siège, votait généralement républicain aux présidentielles et comptait de nombreux nouveaux retraités républicains venus du Nord. Le parlementaire y était très populaire.

Les Noirs, peu nombreux, se concentraient pour la plupart à Fort Smith ; à Hot Springs, la deuxième plus grande ville de la circonscription, et dans les villes de la vallée, Russellville et Dardanelle, au sud-est du district. La main-d'œuvre syndiquée était plutôt bien représentée à Fayetteville, Fort Smith et Hot Springs, mais pas vraiment ailleurs. À cause des routes de montagne peu praticables et d'un parc automobile ancien, la circonscription avait la consommation d'essence par véhicule immatriculé la plus élevée des États-Unis, facteur non négligeable du fait du prix croissant du brut et de la pénurie d'essence. Elle comptait également le pourcentage le plus élevé d'anciens combattants handicapés de toutes les circonscriptions du pays. Hammerschmidt, vétéran de la Seconde Guerre mondiale, courtisait sans vergogne les anciens combattants. Lors de l'élection précédente, les forces conservatrices avaient terrassé les Démocrates endurcis quand Nixon avait battu McGovern par 74 % contre 26. Hammerschmidt obtint 77 %. Pas étonnant que personne d'autre ne veuille se lancer dans la course.

Quelques jours après le départ de Hillary, Carl Whillock m'a emmené faire ma première tournée de campagne dans les comtés nord. Notre premier arrêt fut le comté de Carroll. À Berryville, une ville d'environ mille trois cents habitants, je suis entré dans le magasin de Si Bigham, un éminent Démocrate local, qui gardait ce jour-là son petit-fils de 4 ans. Plus de vingt ans plus tard, ce petit garçon, Kris Engskov, deviendrait mon assistant personnel à la Maison Blanche. J'ai également rencontré le pasteur méthodiste du coin, Vic Nixon, et sa femme Freddie. Ces Démocrates libéraux opposés à la guerre du Viêt-nam acceptèrent de me soutenir. Ils finirent par faire bien plus. Freddie devint ma coordinatrice des comtés, eut au charme les dirigeants de tous les bureaux de vote ruraux et travailla ensuite pour moi au bureau du gouverneur, où elle ne perdit jamais l'espoir de me convaincre de la nécessité d'abolir la peine de mort. C'est Vic qui nous maria.

Nous avons continué à l'est dans le comté de Boone, puis à Mountain Home, siège du comté de Baxter à l'extrême nord-est de la circonscription. Carl voulait que je rencontre Hugh Hackler, un homme d'affaires qui nous annonça tout de go qu'il s'était engagé pour un autre candidat aux primaires. Nous n'en avons pas moins bavardé. Lorsqu'il découvrit que je venais de Hot Springs, il me parla de Gabe Crawford, un bon ami à lui. Quand je lui appris que Gabe avait été le meilleur ami de papa, Hugh décida de me soutenir. Je fis également la connaissance de Vada Sheid, propriétaire d'un magasin de meubles et trésorière du comté. Remarquant un bouton qui ne tenait plus qu'à un fil sur ma chemise, elle me le recousit le temps de notre visite. Elle devint également un partisan ce jour-là. Elle ne m'a jamais recousu d'autre bouton, mais après que je suis devenu gouverneur et qu'elle siégeait au Sénat de l'État, ses votes m'ont également souvent sauvé la mise.

Après Mountain Home, nous avons pris la direction du sud pour nous rendre dans le comté de Searcy. Nous nous sommes arrêtés à St Joe, qui comptait environ cent cinquante habitants, pour rencontrer le président démo-crate du comté, Will Goggins. Malgré ses 80 ans bien sonnés, il conservait toute sa vivacité d'esprit, sa forme physique et nourrissait une vraie passion pour la politique. Lorsqu'il a dit qu'il me soutiendrait, j'ai compris que cela représentait beaucoup de voix, comme on le verra. Au siège de Marshall, j'ai vu George Daniel qui dirigeait la quincaillerie. Son cadet, James, étudiant en droit, fut l'un des premiers à me remettre une contribution de mille dollars ; son aîné, Charles, était le médecin du comté. George m'a bien fait rire avec son sens de l'humour et m'a raconté une anecdote qui m'a marqué. Un ancien combattant du Viêt-nam rentré dans le comté après des années d'absence vint un jour lui acheter un pistolet. Il expliqua qu'il voulait s'exercer au tir. Le len-demain, il tuait six personnes. On apprit qu'il sortait juste de Fort Roots, l'asile psychiatrique fédéral destiné aux anciens combattants de North Little Rock, où il avait séjourné plusieurs années, apparemment à cause d'un traumatisme causé par ses expériences de guerre. Il fallut longtemps à George Daniel pour s'en remettre. C'est le meilleur argument que j'aie jamais entendu en faveur de la vérification des antécédents des acheteurs d'armes requise par la proposition de loi Brady que j'ai fini par ratifier en 1993, au bout de dix-neuf années de tueries perpétrées par des criminels avérés, des pervers et des malades mentaux qui auraient pu être évitées.

À notre retour à Fayetteville, je ne touchais plus terre. J'avais toujours aimé la politique de terrain quand j'ai travaillé pour d'autres candidats. Maintenant j'adorais me rendre dans les petites villes ou m'arrêter dans des magasins, des cafés et des stations-service sur la route. Je n'ai jamais été très doué pour demander de l'argent, mais j'aimais aller voir les gens chez eux et dans les entreprises, et solliciter leur voix. En plus, on ne savait jamais si on n'allait pas rencontrer un personnage haut en couleur, entendre une histoire intéressante, apprendre quelque chose ou se faire un nouvel ami.

Cette première tournée de campagne serait suivie de dizaines d'autres du même genre. Je quittais Fayetteville le matin, couvrais autant de villes et de comtés que possible jusque tard le soir, puis je reprenais le chemin de la maison si je devais enseigner le lendemain ou, dans le cas contraire, je dormais chez un Démocrate hospitalier afin d'être à pied d'œuvre pour me rendre dans le comté suivant dès le matin.

Le dimanche d'après, je suis retourné à l'est pour terminer ma tournée des comtés des montagnes. J'ai failli ne jamais y arriver. J'avais oublié de faire le plein de ma Gremlin American Motors de 1970 avant le week-end. À cause de la pénurie, par loi fédérale, les stations-service n'avaient pas le droit d'ouvrir le dimanche. Mais il fallait que je retourne dans les collines. En désespoir de cause, j'ai appelé le président de notre entreprise de gaz naturel locale, Charles Scharlau, pour lui demander s'il voulait bien que je fasse le plein à la pompe de son usine. Il m'a dit de m'y rendre et qu'il allait s'en occuper. À mon grand étonnement, il est venu en personne remplir mon réservoir. Charles Scharlau a ainsi donné un coup de pouce à ma campagne débutante.

J'ai commencé par Alpena pour voir le président démocrate du comté, Bo Forney, que j'avais raté lors de ma première visite. J'ai trouvé sa petite maison sans problème. Un pick-up doté d'un râtelier d'armes était garé dans la cour, l'équipement standard des montagnards. Bo m'a accueilli vêtu d'un jean et d'un tee-shirt blanc cachant son embonpoint. Il regardait la télé et il n'a pas dit grand-chose quand je lui ai vanté mes mérites pour obtenir son soutien. À la fin, il a déclaré que Hammerschmidt avait besoin de prendre une veste et que s'il risquait fort de remporter sa ville de Harrison avec une marge confortable, nous avions des chances d'obtenir un bon score dans la partie rurale du comté de Boone. Puis, il m'a indiqué le nom de gens à voir, m'a signalé que j'obtiendrais plus de voix si je m'offrais une vraie coupe de cheveux et m'a dit qu'il me soutiendrait, avant de retourner à sa télévision. Je n'ai pas trop su quoi penser de lui jusqu'à ce que j'examine son pick-up de plus près avant de remonter en voiture. Un autocollant pour McGovern ornait le pare-chocs. Ensuite, quand j'en ai parlé à Bo, il m'a dit qu'il se moquait bien de ce que disaient les critiques de McGovern : les Démocrates défendaient les petits et les Républicains, non, point barre. Quand j'étais président et qu'il était en mauvaise santé, notre ami commun, Levi Phillips, a amené Bo à la Maison Blanche pour qu'il passe une nuit chez nous. Après une bonne soirée, Bo a refusé de dormir dans la chambre Lincoln. Il ne lui pardonnait pas les excès du Parti républicain pendant l'ère de la reconstruction d'après la guerre de Sécession, ni la dévotion de son parti pour les riches et les puissants pendant tout le XXᵉ siècle.

Maintenant que Bo et Mr Lincoln sont tous les deux au paradis, j'aime à penser qu'ils se sont retrouvés et ont réglé leurs différends.

Après Alpena, je me suis rendu à Flippin, une ville d'environ un millier d'habitants, dans le comté de Marion, qui comptait plus de routes non carrossables qu'aucun autre dans notre État. J'y ai rencontré Jim « Red » Milligan et Kearney Carlton, deux jeunes gens à qui je désirais confier la direction de ma campagne dans cette région. Ils m'ont embarqué dans le pick-up de Red et ont emprunté une de ces routes en terre menant à Everton, un village minuscule situé dans le coin le plus reculé du comté, pour m'y présenter Leon Swofford, le propriétaire de l'unique magasin de l'endroit, dont le soutien valait environ deux cents voix. À une vingtaine de kilomètres de Flippin, Red s'arrêta en pleine campagne dans un nuage de poussière. Il sortit un paquet de tabac à chiquer Red Man, s'en fourra une boule dans la bouche, puis le tendit à Kearney qui l'imita. Ce dernier me l'offrit ensuite en me disant : « On veut voir ce que vous avez dans le ventre. Si vous êtes homme à chiquer ce tabac, alors on sera pour vous. Sinon, on vous jette dehors et on vous laisse rentrer à pied en ville. » Après réflexion, je me suis exclamé : « Ouvrez la portière ! » Ils m'ont fixé d'un air mauvais pendant environ cinq secondes, puis ils ont rugi de rire et redémarré. Nous avons obtenu les voix là-bas et bien plus au cours des années. S'ils m'avaient jugé à mon goût pour le tabac Red Man, j'errerais encore sur les routes paumées du comté de Marion.

Quelques semaines plus tard, j'aurais droit à une nouvelle épreuve de ce genre. J'étais à Clarksville dans la vallée de l'Arkansas River avec mon directeur de campagne, Ron Taylor, un jeune homme de 22 ans, issu d'une famille importante en politique et doté d'une sagesse dépassant largement son âge. Il m'emmena à la foire du comté voir le shérif, dont il fallait que nous nous assurions le soutien pour que tout le comté suive. Nous l'avons trouvé dans les enclos de rodéo, tenant les rênes d'un cheval. Le rodéo allait commencer par une parade équestre dans l'arène. Le shérif m'a tendu les rênes en m'expliquant que nous profiterions de la parade pour me présenter. Il m'assura que le cheval se comportait bien. J'arborais costume sombre, cravate et chaussures de ville. Je n'avais pas monté depuis l'âge de 5 ans et, ce, seulement pour poser en tenue de cow-boy. J'avais refusé le tabac à chiquer, mais j'ai pris les rênes et je me suis hissé sur ma monture. À force de voir des westerns, ça ne devait pas être aussi difficile que ça ! Je suis entré dans l'arène comme si j'avais fait ça toute ma vie. On venait à peine de me présenter que mon cheval a pilé et rué. Par miracle, je ne suis pas tombé. Applaudissements des spectateurs. Ils ont dû croire que je l'avais fait exprès. Le shérif, pas dupe, m'a tout de même promis son soutien.

J'ai terminé ma tournée des monts Ozark par le comté de Newton, l'un des plus beaux endroits d'Amérique, où coule la Buffalo River, qui venait d'être le premier fleuve à être protégé par le Congrès en vertu du Wild and Scenic Rivers Act. Mon premier arrêt fut Pruitt, un petit village sur le fleuve, pour voir Hilary Jones. S'il vivait dans une maison modeste, ce bâtisseur de routes était peut-être l'homme le plus riche du comté. Son héritage familial démocrate remontait bien avant la guerre de Sécession, et il avait les documents généalogiques pour le prouver. Il était profondément enraciné dans sa terre des rives du fleuve. Sa famille en avait perdu une grande partie pendant la Dépression et à son retour de la Seconde Guerre mondiale, il avait travaillé des années pour reconstituer son patrimoine. Le classement de Buffalo en fleuve protégé était un de ses pires cauchemars. La plupart des propriétaires des terrains le long du fleuve en avaient la jouissance à vie, sauf qu'ils n'avaient le droit de les revendre de leur vivant qu'au gouvernement, et à leur mort seul le gouvernement pouvait les racheter. Comme les terres de Hilary se situaient le long de la route principale, le gouvernement entendait faire bientôt jouer son droit d'expropriation afin d'y installer des locaux. Sa femme Margaret et lui avaient huit enfants. Ils voulaient que leurs descendants héritent de leurs terres. Sur ces terres se trouvait un vieux cimetière où étaient enterrés des gens nés dans les années 1700. Chaque fois qu'un déshérité mourait dans le comté, Hilary payait son inhumation dans le cimetière. J'étais en faveur de la protection du fleuve, mais j'estimais que le gouvernement aurait dû autoriser les propriétaires à conserver leurs terres, à condition qu'ils se gardent de se livrer à des dégradations préjudiciables à l'environnement, ce qui aurait permis aux familles de transmettre la terre de génération en génération. Quand j'ai été élu à la présidence, l'histoire des gens de Buffalo River m'a permis de comprendre mieux que la plupart des Démocrates le ressentiment de nombreux propriétaires de ranch placés devant des considérations environnementales incompatibles avec ce qu'ils estimaient être leurs prérogatives.

Hilary Jones finit par perdre sa bataille contre le gouvernement. Cela le toucha beaucoup, mais ne tua pas sa passion pour la politique ; il emménagea dans une nouvelle maison et continua. Il passa une soirée mémorable avec Hillary et moi à la Maison Blanche. Il eut les larmes aux yeux quand Hillary l'emmena dans la salle des cartes pour lui montrer la carte de guerre qu'utilisait Roosevelt à sa mort à Warm Springs, en Géorgie, en 1945. Il vénérait Roosevelt. Contrairement à Bo Forney, il accepta de passer la nuit dans la chambre Lincoln. Mais il précisa tout de même qu'il avait « dormi du côté du lit placé sous le portrait d'Andrew Jackson ».

Du jour de notre rencontre à celui où je suis rentré de la Maison Blanche pour prendre la parole à son enterrement, Hilary Jones a été mon homme dans le comté de Newton. Il incarnait le bel esprit farouche d'un lieu dont j'étais tombé amoureux l'année de mes 16 ans.

Le siège du comté, Jasper, abritait moins de quatre cents habitants. Il avait deux cafés, l'un fréquenté par les Républicains, l'autre par les Démocrates. L'homme que je voulais voir, Walter Brasel, vivait dans le café démocrate que dirigeait sa femme. À mon arrivée, un dimanche matin, il était encore au lit. Pendant que j'attendais dans le petit salon, il s'est levé et a entrepris d'enfiler son pantalon devant la porte ouverte. N'étant pas bien réveillé, il a glissé et il était tellement replet qu'il a roulé une ou deux fois avant de s'immobiliser à quelques pas de moi. Comme je voulais son soutien, je me suis bien gardé de rire. Mais lui l'a fait. Il m'a expliqué que, dans le temps, il avait été le jeune, mince et véloce arrière de l'équipe de basket de Coal Hill High School qu'il avait menée jusqu'au championnat d'État à Little Rock Central High dans les années 1930 : il avait pris tout ce poids lorsqu'il était le *bootlegger* du comté et ne l'avait jamais perdu depuis. Il ne tarda pas à m'assurer de son soutien. Peut-être parce qu'il avait envie de retourner se coucher.

Ensuite, je suis parti dans la campagne rencontrer Bill Fowler, qui possédait une ferme à Boxley. Bill avait été le représentant de l'Arkansas au sein du département de l'Agriculture sous l'administration Johnson. D'une colline qui offrait un panorama spectaculaire des montagnes, il me dit qu'il me soutiendrait mais qu'il ne pensait pas que Hammerschmidt « serait assez recouvert de merde de Nixon pour puer le jour de l'élection ». Il me donna ensuite son avis sur le président : « Je déteste dire ça d'un Républicain, mais il aurait pu être un super président. Il est brillant et il a des couilles. Mais il est juste désolé, il ne peut s'en empêcher. » Ses réflexions m'ont hanté jusqu'à mon retour à Fayetteville.

Pendant les premières semaines de la campagne, outre le porte-à- porte, je me suis occupé de l'aspect pratique. Comme je l'ai dit, oncle Raymond et Gabe Crawford m'ont cosigné un billet à ordre de dix mille dollars pour me mettre le pied à l'étrier et j'ai entrepris de collecter des fonds, d'abord dans la région de Fayetteville, puis dans le district et finalement dans tout l'État. Plusieurs de mes amis de Georgetown, Oxford et Yale, de même que les équipes de campagne de McGovern et de Duffey envoyèrent des petits chèques. Mon donateur le plus important fut mon amie Anne Bartley, belle-fille du gouverneur Winthrop Rockefeller, qui dirigea ensuite le bureau de l'Arkansas à Washington quand j'étais gouverneur. Finalement, des milliers de gens ont contribué, donnant souvent des billets de un, cinq et dix dollars quand nous passions la sébile à la fin des meetings.

Le 25 février, j'ai officiellement annoncé ma candidature entouré de ma famille et de quelques amis au *Avanelle Motel*, où ma mère allait prendre son café presque tous les matins avant de partir travailler.

Oncle Raymond m'a donné une petite maison bien située pour abriter le QG de Hot Springs. Ma mère, ma voisine de Park Avenue, Rose Crane, et Bobby Hargraves, un jeune avocat avec la sœur duquel j'avais travaillé à Washington, ont mis sur pied une organisation de premier ordre. Rose a ensuite déménagé à Little Rock pour entrer dans mon administration quand je suis devenu gouverneur, mais ma mère a continué à s'occuper des coulisses de ma campagne. Le QG principal se trouvait à Fayetteville, où mon ami banquier George Shelton accepta de prendre la direction de la campagne et F. H. Martin, un jeune avocat avec qui je jouais au basket, prit les fonctions de trésorier. J'ai loué une vieille maison dans College Avenue, dont la permanence était surtout assurée par des étudiants et souvent le week-end par la fille de mon cousin, Marie Clinton, qui à 15 ans s'en chargeait toute seule. Nous avons peint des pancartes CLINTON AU CONGRÈS que nous avons plantées de chaque côté de la maison. Elles y sont encore, repeintes chaque fois que de nouvelles entreprises se sont installées à notre place. Aujourd'hui, c'est le mot TATTOO qu'on peut y lire. Finalement, mon amie d'enfance Patty Howe a ouvert un QG à Fort Smith et d'autres ont jailli de terre dans le district à mesure que le jour de l'élection approchait.

Quand, le 22 mars, je suis allé m'inscrire à Little Rock, j'avais trois adversaires : le sénateur Eugene Rainwater, un Démocrate conservateur à la coupe en brosse de Greenwood, juste au sud de Fort Smith ; David Stewart, un jeune avocat séduisant de Danville, dans le comté de Yell ; et Jim Scanlon, le grand maire si sociable de Greenland, à quelques kilomètres au sud de Fayetteville. C'était surtout Stewart qui me causait du souci parce qu'il était bel homme, s'exprimait bien et était originaire du comté natal des Clinton, que j'espérais voir voter pour moi.

Le premier grand événement de la campagne eut lieu le 6 avril : le meeting de Russellville, une ville universitaire de la vallée à l'est du district. Il s'agissait d'une soirée incontournable et tous les candidats aux postes fédéraux, de l'État et locaux y assistaient, dont le sénateur Fulbright et le gouverneur Bumpers. Le sénateur Robert Byrd de Virginie-Occidentale en fut l'orateur. Il prononça un discours enflammé à l'ancienne et détendit la foule en jouant du crincrin. Puis les candidats prirent la parole, les aspirants au Congrès devant être les derniers. Le temps que tout le monde se soit exprimé de trois à cinq minutes, il était 10 heures passées. Je savais que le public serait fatigué et las quand nous prendrions la parole, mais je fis le pari d'intervenir le dernier. Selon moi, c'était ma seule chance de laisser une impression durable.

J'avais beaucoup travaillé mon discours que j'ai prononcé en deux minutes. C'était un plaidoyer passionné pour un Congrès plus fort qui représenterait les gens ordinaires contre la concentration de pouvoirs de l'administration républicaine et ses intérêts économiques alliés. Bien qu'ayant rédigé mon discours, je l'ai prononcé de mémoire en y mettant tout mon cœur. Cela dut toucher une corde sensible dans l'auditoire qui, bien que fatigué après une longue soirée, trouva l'énergie de m'offrir une ovation debout. À la sortie, mes volontaires distribuèrent des exemplaires de mon discours. Je venais de prendre un bon départ.

À la fin, le gouverneur Bumpers vint me voir. Après m'avoir complimenté pour mon discours, il me dit qu'il savait que j'avais travaillé pour le sénateur Fulbright et qu'il pensait qu'il ne devait pas tenter de le détrôner. Puis il me stupéfia en concluant : « Dans douze ans, vous serez peut-être confronté à la même décision : vous présenter contre moi ou pas. Si vous pensez qu'il le faut, alors faites-le, et rappelez-vous que je vous ai dit de le faire. » Dale Bumpers avait oublié d'être bête. Il aurait pu amasser une fortune en s'installant comme psychologue.

Les sept semaines suivantes furent un tourbillon de meetings, de réunions dans des granges, de dîners pique-niques, de collectes de fonds et de porte-à-porte. J'eus droit à un énorme coup de pouce sur le plan de l'organisation et des finances quand l'AFL-CIO, lors de sa réunion à Hot Springs, décida de me soutenir. L'Education Association de l'Arkansas en fit autant en raison de mon soutien à l'aide fédérale pour l'éducation.

J'ai passé beaucoup de temps dans les comtés où j'étais moins connu et qui étaient moins bien organisés que ceux des monts Ozark : le comté de Benton à l'extrême nord-ouest, les comtés bordant l'Arkansas River, et ceux du sud-ouest dans les monts Ouachita. Dans le comté de Yell, ma campagne était dirigée par mon cousin Mike Cornwell, l'entrepreneur de pompes funèbres local. Comme il avait enterré pas mal de membres des familles du coin, il connaissait tout le monde et il avait une personnalité optimiste qui l'aida à soutenir la bataille acharnée contre son voisin de Danville, David Stewart. Un nombre incroyable de gens jouèrent un rôle actif dans la campagne : de jeunes membres idéalistes des professions libérales et du monde des affaires, des dirigeants syndicaux locaux très doués, des fonctionnaires de mairie et de comté, de même que des Démocrates conservateurs, de lycéens à des gens âgés de 70 à 80 ans.

Le jour des primaires, nous avions fait mieux que l'opposition sur le plan de l'organisation et du travail accompli. J'obtins 44 % des voix, le sénateur Rainwater dépassant d'un cheveu David Stewart pour la deuxième place, avec 26 % contre 25. Le maire Scanlon, qui n'avait pas d'argent mais qui s'est battu comme un lion, rafla le reste.

Je pensais que nous l'emporterions haut la main à l'élection du 11 juin devant départager les deux premiers, à moins qu'il y ait beaucoup d'abstentions, auquel cas tout était possible. Je ne voulais pas que mes partisans prennent ce vote à la légère et j'ai été effaré quand Will Goggins, le président démocrate du comté de Searcy, annonça que le vote aurait lieu là-bas au tribunal sur la place de Marshall. Il ne fallait pas espérer que les gens vivant au fin fond de la campagne parcourraient la quarantaine de kilomètres de routes en lacet pour une seule élection. Quand je l'ai appelé pour tenter de le convaincre d'ouvrir davantage de bureaux de vote, Will m'a dit en riant. « Allons, Bill, on se calme. Si vous ne pouvez pas battre Rainwater sans une grosse participation ici, vous n'avez pas l'ombre d'une chance contre Hammerschmidt. Je ne peux pas me permettre d'ouvrir des bureaux de vote en pleine cambrousse pour deux ou trois électeurs. Nous aurons besoin de cet argent en novembre. Vous obtiendrez les voix qu'il y aura. »

Le 11 juin, j'ai gagné par 69 % contre 31, avec 177 voix contre 10 dans le comté de Searcy. Après les élections de novembre, quand j'ai appelé Will pour le remercier de son aide, il m'a annoncé qu'il tenait à me rassurer sur un point : « Je sais que vous pensez que j'ai truqué ce vote pour vous. En fait, vous avez gagné par 177 voix contre 9. J'ai accordé une voix de plus à Rainwater parce que je ne supporte pas les résultats inférieurs à 10. »

La campagne pour les primaires fut exaltante. Je n'avais pas cessé de me jeter dans l'inconnu et j'avais beaucoup appris sur les gens – l'impact du gouvernement sur leur vie, et en quoi leurs points de vue et leurs prises de position politiques dépendaient non seulement de leurs intérêts mais aussi de leurs valeurs. J'avais également respecté mon emploi du temps de professeur. Cela n'a pas été facile, mais j'y ai pris plaisir et je pensais m'en être plutôt bien tiré à l'exception d'une erreur impardonnable. Après l'examen du printemps, j'ai dû corriger des copies alors que la campagne battait son plein. J'ai emporté les copies de droit maritime dans la voiture, les notant pendant les trajets ou le soir après la fin du travail de campagne. Dieu sait comment, j'en ai perdu cinq. J'étais mortifié. J'ai proposé aux étudiants de repasser leur examen ou d'être reçus sans note. Ils optèrent tous pour la seconde solution, mais une étudiante n'a pas accepté de bon cœur, non seulement parce que c'était une bonne étudiante qui aurait probablement décroché un A, mais aussi parce qu'en bonne Républicaine, elle avait milité pour Hammerschmidt. Je pense qu'elle ne m'a jamais pardonné d'avoir perdu sa copie ni de m'être présenté contre son patron. J'en eus la certitude quand, plus de vingt ans plus tard, mon ancienne étudiante, le juge fédéral Susan Webber Wright, présida le tribunal dans l'affaire Paula Jones. Susan Webber Wright était très brillante et peut-être aurais-je dû lui donner un A. Quoi qu'il en soit, pour l'élection, j'ai pris un congé sans solde de la faculté de droit.

L'été fila à un rythme trépidant, avec des interruptions pour la remise de diplômes de fin d'études secondaires de mon frère, ma dixième réunion des anciens du lycée et un voyage à Washington pour voir Hillary et rencontrer certains de ses confrères dans l'équipe de l'enquête sur la mise en accusation. Hillary et ses confrères travaillaient comme des fous sous la houlette de John qui exigeait d'eux d'être rigoureux, justes et de rester bouche cousue. L'épuisement de Hillary m'a inquiété – elle était plus mince que jamais, au point que son beau visage paraissait trop grand pour son corps.

Nous avons passé un excellent moment ensemble et je commençais à croire qu'elle viendrait peut-être me rejoindre en Arkansas dès la fin de l'enquête. Plus tôt dans l'année, lors d'un séjour à Fayetteville, Dean Davis l'avait invitée à passer un entretien pour un poste à la faculté de droit. Quelques semaines plus tard elle était revenue, avait impressionné le comité de sélection et décroché le job, de sorte qu'à présent elle pouvait à la fois enseigner et exercer le droit dans l'Arkansas. Restait à savoir si elle le ferait. Pour l'instant, je me souciais surtout de sa fatigue et de sa maigreur.

Je suis rentré pour ma campagne et à cause d'un problème de santé beaucoup plus grave dans ma famille. Le 4 juillet, je prononçai un discours au *Mount Nebo Chicken Fry* pour la première fois depuis que j'y avais représenté Frank Holt en 1966. Jeff, ma mère et Rose Crane vinrent m'écouter et m'aider à chauffer la salle. J'ai remarqué que Jeff n'avait pas l'air en grande forme et j'ai su ensuite qu'il n'en avait pas beaucoup fait. Il lui était trop difficile de rester debout toute la journée. Je lui ai suggéré de venir passer une quinzaine avec moi à Fayetteville où il pourrait répondre au téléphone et diriger le QG. Il accepta et parut apprécier, mais, quand je rentrais le soir, il était évident qu'il était malade. Une nuit, j'ai eu un choc en le trouvant agenouillé par terre et allongé en travers du lit. Il m'expliqua qu'il ne pouvait plus respirer quand il était sur le dos et qu'il essayait de trouver une position pour dormir. Lorsqu'il fut incapable de travailler une journée entière au QG, il rentra chez lui. Ma mère m'expliqua que son problème était dû à son diabète ou bien au traitement qu'il prenait depuis des années. À l'hôpital de Little Rock, on diagnostiqua une cardiomégalie, une hypertrophie et une détérioration du muscle cardiaque. C'était apparemment incurable. Jeff rentra chez lui et tenta de profiter au mieux du temps qui lui restait à vivre. Quelques jours plus tard, j'étais en campagne à Hot Springs quand j'ai pris un café avec lui. Toujours tiré à quatre épingles, il s'apprêtait à se rendre aux courses de lévriers à West Memphis. C'est la dernière fois que je l'ai vu.

Le 8 août, sa présidence condamnée par les enregistrements qu'il avait gardés de ses conversations avec ses aides de camp, le président Nixon annonça son intention de démissionner le lendemain. J'ai jugé la décision du Président bonne pour le pays mais mauvaise pour ma campagne. Deux jours avant l'annonce, Hammerschmidt avait défendu Nixon et critiqué l'enquête du Watergate dans un entretien figurant à la une de l'*Arkansas Gazette*. Ma campagne avait pris de l'ampleur, mais maintenant que l'albatros Nixon n'encombrait plus Hammerschmidt, elle semblait s'essouffler.

J'ai repris confiance quand Hillary m'a appelé quelques jours plus tard pour me dire qu'elle venait dans l'Arkansas. Son amie Sara Ehrman l'amenait en voiture. Sara, âgée de plus de vingt ans que Hillary, avait décelé en elle une femme capable d'exploiter au mieux les perspectives nouvelles offertes à la gent féminine, et comme elle pensait que Hillary était folle de venir en Arkansas après avoir si bien travaillé et s'être fait autant d'amis à Washington, elle prit son temps pour la conduire à destination en s'efforçant de lui faire changer d'avis environ tous les dix kilomètres. Quand elles arrivèrent enfin à Fayetteville, on était samedi soir. Elles vinrent me rejoindre à mon meeting de Bentonville. J'ai essayé de prononcer un bon discours, autant pour Hillary et Sara que pour la foule. J'ai serré des mains et nous sommes rentrés à Fayetteville où notre avenir nous attendait.

Deux jours plus tard, ma mère m'appelait pour m'annoncer que Jeff venait de mourir dans son sommeil. Il n'avait que 48 ans. Elle était anéantie et Roger aussi. Elle avait perdu trois maris et lui, deux pères. Je suis rentré pour m'occuper de l'enterrement. Comme Jeff désirait être incinéré, nous avons dû faire transporter son corps au Texas parce qu'à l'époque l'Arkansas ne possédait pas de crématorium. Au retour des cendres de Jeff, selon ses dernières volontés, on les éparpilla sur le lac Hamilton près de son ponton de pêche préféré, sous les yeux de ma mère et de son amie Marge Mitchell.

J'ai prononcé l'éloge funèbre. J'ai tenté de résumer en quelques mots l'amour qu'il avait donné à ma mère, l'aide paternelle qu'il avait apportée à Roger, l'amitié et les sages conseils qu'il m'avait prodigués ; sa gentillesse à l'égard des enfants et des victimes de revers de fortune, la dignité avec laquelle il avait enduré la souffrance de ses dernières années. Comme Roger l'a souvent dit dans les jours qui ont suivi sa mort : « Il s'est bien battu. » Quoi qu'il ait fait avant d'entrer dans notre vie, pendant ses six courtes années à nos côtés, ce fut un homme très bien. Il nous a manqué à tous très longtemps.

Avant que Jeff ne tombe malade, je ne savais pratiquement rien du diabète. Cette maladie devait ensuite tuer mon directeur de campagne de 1974, George Shelton. Deux enfants de mon ami et ancien secrétaire général Erskine Bowles en sont atteints, comme des millions d'autres Américains, dont une partie disproportionnée appartenant aux minorités. Quand je suis devenu président, j'ai eu la stupéfaction d'apprendre que le diabète et ses complications représentent 25 %, pas moins, des coûts de Medicaid. C'est pour cette raison que, président, j'ai soutenu les recherches de cellules souches et un programme d'automédication du diabète que l'Association américaine contre le diabète considère comme l'avancée la plus importante depuis la découverte de l'insuline. Je l'ai fait pour les enfants d'Erskine, pour George Shelton et pour Jeff, qui aurait souhaité plus que tout au monde épargner aux autres ses souffrances et sa fin prématurée.

Quelques jours après l'enterrement, fidèle à son idée qu'il ne faut pas
« lâcher le morceau », ma mère m'a poussé à reprendre ma campagne. La politique s'arrête pour la mort, mais pas très longtemps. Je suis donc retourné au
charbon en prenant toutefois soin d'appeler et de voir ma mère plus souvent,
surtout après le départ de Roger à l'Université Hendrix de Conway à
l'automne. Il se faisait tant de souci pour elle qu'il faillit annuler. Ma mère et
moi avons fini par le convaincre.

Début septembre, j'étais toujours à la traîne dans les sondages, avec 23 %
contre 59, après huit mois de travail éreintant. C'est alors que j'ai bénéficié
d'un énorme coup de chance. Le 8 septembre, cinq jours avant la convention
démocrate de l'État à Hot Springs, le président Ford accorda à Richard Nixon
un pardon sans conditions pour tous les délits qu'il avait commis ou avait pu
commettre lorsqu'il était président. Le pays désapprouva violemment. Nous
étions de nouveau sur les rails.

À la convention de l'État, toute l'attention se concentra sur ma candidature. Le gouverneur Bumpers avait battu le sénateur Fulbright par une
marge confortable dans les primaires et il n'y avait pas d'autres luttes serrées.
J'ai détesté voir Fulbright perdre mais c'était inévitable. Les délégués étaient
remontés et nous avons alimenté leur enthousiasme en remplissant le centre de
convention de Hot Springs d'amis de ma ville d'origine et d'autres partisans de
tout le district.

J'ai prononcé un discours à casser la baraque, en exposant les idées que
je défendais d'une manière dont j'espérais qu'elle fédérerait les éléments
conservateurs et populistes libéraux du district. J'ai commencé par démolir le
pardon du président Ford à l'ancien président Nixon : si le président Ford
tenait à accorder son pardon, qu'il pardonne aux conseillers économiques de
l'administration.

Les années passant, j'ai changé d'avis à propos du pardon accordé à
Nixon. Le pays avait besoin de passer à autre chose et je pense que le président
Ford a pris une décision sensée bien qu'impopulaire, et je l'ai dit quand nous
avons été réunis en 2000 pour célébrer les deux cents ans de la Maison
Blanche. Mais je n'ai pas changé d'avis à propos de la politique économique
républicaine. Je suis toujours d'accord avec Roosevelt qui disait : « Nous avons
toujours su que l'intérêt personnel était immoral. Nous savons maintenant que
c'est de la mauvaise économie. » Cela s'applique encore mieux aujourd'hui
qu'en 1974.

Nous étions bien partis quand nous avons quitté Hot Springs. Avec
encore sept semaines devant nous, nous avions une chance, mais aussi beaucoup de travail à abattre. Nos QG fonctionnaient de mieux en mieux Mes
meilleurs jeunes bénévoles tournaient aux pros aguerris.

Ils eurent droit à d'excellentes suggestions de la part de celui que le Parti
démocrate nous dépêcha pour nous aider. Il s'agissait de Jody Powell, dont le
patron, le gouverneur Jimmy Carter, de Géorgie, joua un rôle primordial dans
la victoire des Démocrates en 1974. Deux ans plus tard, quand Jimmy Carter
se présenta à la présidence, beaucoup d'entre nous se souvinrent de son coup
de main et surent lui montrer leur reconnaissance. Quand Hillary venait, elle
nous aidait aussi, comme son père et son jeune frère Tony, qui colla des

affiches dans tout le nord de l'Arkansas en racontant aux retraités républicains du Midwest que les Rodham étaient aussi des Républicains du Midwest. Mais cela ne m'a pas posé de problème.

Plusieurs de mes étudiants en droit se révélèrent des chauffeurs fiables. En cas de besoin pendant ma campagne, je pouvais emprunter quelques avions. Jay Smith, 67 ans, qui portait un bandeau sur un œil, n'avait pas son brevet de pilote. Mais cela faisait quarante ans qu'il volait dans les monts Ozark. Souvent, pendant un orage, il piquait sous les nuages pour suivre une vallée, tout en me racontant des histoires ou en vantant le mérite du sénateur Fulbright d'avoir su le premier que le Viêt-nam était une erreur.

Steve Smith effectua un superbe boulot de recherche sur les différentes prises de position de Hammerschmidt et l'historique de ses votes au Congrès. Il mit au point une série de prospectus ingénieux où il comparait ma position sur certains problèmes à ses votes. Nous en avons publié un par semaine pendant les six dernières de la campagne. Ils ont largement été repris par la presse locale et Steve les transforma en publicités efficaces. Par exemple, la vallée de l'Arkansas River, de Clarksville à la frontière de l'Oklahoma, au sud de Fort Smith, fourmillait de mineurs qui avaient travaillé pendant des décennies dans les mines de charbon à ciel ouvert qui défigurèrent le paysage jusqu'à ce qu'une loi fédérale oblige à remettre ces terrains en état. De nombreux mineurs qui souffraient d'anthracose après avoir respiré la poussière de charbon pendant des années avaient droit à des allocations du gouvernement fédéral. Le programme d'aide sociale personnalisée du parlementaire les aida à obtenir ces allocations, mais quand l'administration Nixon voulut les réduire, il vota dans ce sens. Les gens de la vallée l'ont ignoré jusqu'à ce que Steve Smith et moi le leur apprenions.

J'avais également plusieurs propositions positives, que je défendais encore pour certaines vingt ans plus tard, dont un système d'imposition plus juste, un programme national de Sécurité sociale, un financement public des élections présidentielles, une bureaucratie fédérale allégée et plus efficace, davantage de financements fédéraux pour l'éducation et la création d'un ministère de l'Éducation (c'était alors encore un secrétariat dépendant du ministère de la Santé, de l'Éducation et de l'Aide sociale) et des incitations à la promotion des économies d'énergie et de l'énergie solaire.

Grâce en grande partie au soutien financier des syndicats nationaux, pour lequel mon ami et directeur régional de l'AFL-CIO, Dan Powell, milita vigoureusement, nous eûmes assez d'argent pour nous offrir des publicités télévisées. Dan Powell me voyait déjà président alors que j'avais encore vingt-cinq points de retard dans ma course au Congrès. Le procédé était simple : je parlais, planté devant une caméra. Cela m'obligea à réfléchir en segments de vingt-huit secondes. Au bout d'un moment, je n'eus plus besoin de chronomètre pour savoir si j'avais une seconde ou deux de retard ou d'avance. Les coûts de production n'étaient pas très élevés.

Les publicités télévisées étaient peut-être rudimentaires, mais celles de la radio furent géniales. Une publicité mémorable, produite à Nashville, mettait en scène un chanteur country qui avait des accents de Johnny Cash, un natif de l'Arkansas. Elle commençait ainsi : vous en avez marre de bouffer des haricots et des légumes au point d'en avoir oublié le goût du porc et du bœuf, voilà l'homme que vous devriez écouter. Elle éreintait ensuite l'administration Nixon qui, en finançant d'énormes ventes de céréales à l'Union soviétique, faisait grimper en flèche le prix de la nourriture et des aliments pour bétail, ce qui portait préjudice aux producteurs de volaille et de bétail. Le texte de la chanson disait : « Il est temps de virer Earl Butz (le ministre de l'Agriculture de Nixon) des abreuvoirs. » J'adorais cette pub. Don Tyson, dont les coûts de production de volaille avaient fait un bond à cause des ventes de grains et dont le frère Randal se dépensait sans compter pour ma campagne, fit en sorte que je dispose d'assez d'argent pour passer ma chanson en boucle sur les radios rurales.

À l'approche du jour de l'élection, notre soutien se renforça, comme l'opposition. J'obtins l'appui de l'*Arkansas Gazette*, le plus grand journal de l'État, et de plusieurs autres de la circonscription. J'ai mené une campagne énergique à Fort Smith, où l'on bénéficiait d'un solide soutien de la communauté noire, surtout après que j'eus rejoint la section locale du NAACP. J'ai trouvé de bons partisans dans tout le comté de Benton à forte majorité républicaine. Dans le comté de Crawford, sur l'autre rive du fleuve en face de Fort Smith, quatre ou cinq personnes se sont pratiquement tuées à la tâche pour le faire virer en ma faveur. J'ai eu droit à un chaleureux accueil dans le comté de Scott, au sud de Fort Smith, à l'occasion de la réunion annuelle des chasseurs de renards et de loups. Toute la nuit dans la campagne, des hommes qui aimaient leurs chiens autant que leurs gosses et s'en occupaient aussi bien, montraient leurs bêtes, puis les lâchaient afin qu'elles courent après les renards et aboient à la lune, pendant que les femmes veillaient toute la nuit sur des tables de pique-nique disparaissant sous des monceaux de victuailles. J'ai même obtenu un solide soutien de Harrison, le fief du parlementaire, grâce à quelques âmes courageuses qui ne craignirent pas de s'élever contre le gratin de la petite ville.

L'un des meetings les plus passionnants de l'élection eut lieu un après-midi d'automne sur la rive de la White River, non loin du tristement célèbre projet immobilier de Whitewater dans lequel j'investirai sans jamais en voir la couleur. Les Démocrates du coin étaient tous remontés, parce que le ministère de la Justice de Nixon tentait d'expédier en prison pour fraude fiscale le shérif démocrate du comté de Searcy, Billy Joe Holder. Aux termes de notre Constitution de 1876, les salaires des fonctionnaires d'État et locaux doivent être approuvés par un vote populaire ; et leur dernière augmentation datait de 1910. Les fonctionnaires du comté gagnaient juste cinq mille dollars par an. Le gouverneur ne touchait que dix mille dollars, mais il bénéficiait d'une résidence et ses frais de transport et de bouche étaient remboursés. De nombreux fonctionnaires locaux étaient obligés de se servir de leurs notes de frais, qui se montaient à sept mille dollars par an d'après mes souvenirs, pour survivre. Le ministère de la Justice voulait envoyer le shérif Holder en prison pour n'avoir pas payé d'impôts sur des dépenses personnelles financées par ces notes de frais. L'affaire Holder devait être le cas d'évasion fiscale le plus modeste qu'ait jamais traité le gouvernement fédéral et les gens des collines étaient convaincus que c'était une manœuvre politique. Peut-être, mais, quoi qu'il en soit, elle n'eut pas l'effet escompté. Au bout d'une heure et demie de délibérations, le jury le déclara non coupable. On apprit ensuite qu'ils avaient tout de suite voté l'acquittement, mais qu'ils étaient restés dans la salle des délibérations une heure de plus pour qu'on ne les accuse pas d'avoir bâclé leur tâche. Sorti libre du tribunal, Billy Joe se rendit directement à notre meeting, où il fut accueilli comme un héros revenant de la guerre.

Sur le chemin du retour à Fayetteville, je me suis arrêté à Harrison, où avait eu lieu le procès, pour en discuter avec Miss Ruth Wilson, un agent comptable qui faisait du travail fiscal pour de nombreux habitants des collines. Je lui ai dit que, d'après ce que j'avais compris, elle avait aidé l'avocat de Holder, mon ami F. H. Martin, à sélectionner les jurés. C'était effectivement le cas. Mi-figue, mi-raisin, je lui ai alors demandé si elle avait donné la préférence à des Démocrates. Je n'oublierai jamais sa réponse : « Non, Bill, pas du tout. En fait, il y avait pas mal de Républicains dans ce jury. Vous savez, ces jeunes venus de Washington pour poursuivre le shérif étaient loin d'être bêtes et ils avaient fière allure dans leurs beaux costumes. Mais ils ne savaient rien de nous. C'est ça le plus étrange. Neuf des douze jurés avaient eu droit à un contrôle fiscal au cours des deux dernières années. » J'étais ravi que Ruth Wilson et ses gars soient de mon côté. Après le tour joué par Ruth à ces avocats de Washington, le ministère de la Justice se renseigna systématiquement sur le passé fiscal des jurés potentiels pour ce genre de procès.

À deux semaines de l'élection, le parlementaire donna enfin un coup d'accélérateur à sa campagne. Il venait de prendre connaissance d'un sondage qui disait que, s'il ne bougeait pas, mes efforts me rapporteraient peut-être une courte victoire. Ses équipes firent le maximum. Ses amis du monde des affaires et les Républicains se mirent au travail. Certains entreprirent d'appeler tous les journaux pour réclamer une photo où on me voyait manifester contre le président Nixon à l'occasion du match Arkansas-Texas de 1969, photo inexistante dont j'ai parlé plus haut. À Hot Springs, la Chambre de commerce organisa un grand dîner pour remercier le sénateur de tout ce qu'il avait fait. Plusieurs centaines de personnes s'y pressèrent et le journal local consacra plusieurs pages à l'événement. Dans la circonscription, les Républicains s'employèrent à effrayer les hommes d'affaires en faisant valoir qu'avec le soutien des syndicats dont je bénéficiais, je deviendrais un pantin à la solde de la main-d'œuvre syndiquée au Congrès. À Fort Smith, six mille cartes postales que nous avions envoyées à nos partisans politiques identifiés grâce à notre sondage téléphonique ne furent jamais distribuées. Apparemment les postiers n'avaient rien à faire de mon soutien des syndicats. La section de l'État de l'American Medical Association défendit ardemment Hammerschmidt, pour me punir de mes tentatives de convaincre les médecins de la région de Springdale de soigner les pauvres bénéficiant de Medicaid. Hammerschmidt obtint même des fonds fédéraux pour paver les rues de Gilbert, une petite ville du comté de Searcy, quelques jours avant l'élection. Il y gagna par 38 % contre 34, mais c'est la seule ville du comté qu'il remporta.

J'ai eu une petite idée de l'efficacité de son travail le week-end précédant l'élection quand je me suis rendu à un ultime meeting au centre de convention de Hot Springs. Nous n'y avons pas rassemblé autant de gens que lui à son dîner quelques jours plus tôt. Nos équipes s'étaient dépensées sans compter, mais l'épuisement les guettait.

Pourtant, le jour des élections, je pensais que nous pourrions gagner. Quand nous nous sommes réunis au QG pour regarder les résultats, l'atmosphère était tendue mais pleine d'espoir. Nous avons mené le décompte des votes jusqu'à près de minuit, parce que le plus grand comté à majorité républicaine, Sebastian, communiqua ses résultats avec retard. J'ai emporté douze des quinze comtés avec moins de huit mille votes exprimés, dont tous les bureaux de vote le long de la Buffalo River dans les comtés de Newton et de Searcy. Mais j'ai perdu cinq des six plus grands comtés, battu de seulement cinq cents voix dans le comté de Garland où j'ai grandi, et dans le comté de Washington où j'habitais ; battu de onze cents voix dans le comté de Crawford, j'étais écrasé dans les comtés de Benton et de Sebastian, où mes pertes combinées représentaient deux fois la marge de victoire totale. Nous avons chacun remporté un comté par environ deux pour un. Il a remporté le comté de Sebastian, le plus grand, et moi, le comté de Perry, le plus petit. Il paraît ironique, maintenant que les ruraux américains votent en masse pour les Républicains aux élections nationales, que j'aie commencé ma carrière politique en m'appuyant sur une base profondément rurale, en multipliant les contacts personnels et en étant attentif aux ressentiments et aux vrais problèmes de cet électorat. J'étais de leur côté et ils le savaient. Le décompte final fut de 89 324 voix contre 83 030, environ 52 % contre 48.

À l'échelon national, les Démocrates passèrent une bonne soirée en remportant quarante-neuf sièges à la Chambre des représentants et quatre au Sénat, mais nous n'avons pas pu surmonter l'énorme popularité de Hammerschmidt et son effort de dernière minute. Au début de la campagne, sa cote de popularité était de 85 %. J'avais réussi à la faire chuter à 69 %, et la mienne était passée de 0 à 66 %, résultat convenable mais pas suffisant. Tout le monde a dit que j'avais fait une bonne prestation et qu'un brillant avenir m'attendait. Ce n'était pas désagréable à entendre, mais j'aurais préféré gagner. J'étais fier de notre campagne, mais j'avais le sentiment d'avoir un peu relâché la pression dans les derniers jours et, ce faisant, d'avoir trahi tous ceux qui avaient travaillé si dur pour moi, de même que les changements que nous souhaitions opérer. Peut-être que si j'avais eu l'argent et le bon sens de faire des publicités efficaces sur l'historique des votes de Hammerschmidt, cela aurait changé la donne. Probablement pas. Néanmoins, en 1974, j'ai appris grâce à des milliers de rencontres que les électeurs des classes moyennes étaient prêts à soutenir les efforts du gouvernement pour résoudre leurs problèmes et ceux des pauvres, à condition qu'on fasse bon usage de l'argent de leurs impôts et que les tentatives d'élargir leurs perspectives se doublent d'une insistance sur la responsabilité.

Après quelques jours consacrés à voyager pour remercier ceux qui m'avaient aidé, j'ai eu un coup de cafard. J'ai passé la plus grande partie des six semaines suivantes chez Hillary, dans une jolie maison près du campus. Allongé par terre à tenter de panser mes plaies et à essayer d'imaginer comment j'allais rembourser ma dette de campagne qui dépassait les quarante mille dollars. Mon nouveau salaire de seize mille quatre cent cinquante dollars était plus que suffisant pour me faire vivre et rembourser mes dettes de la faculté de droit, mais certainement pas celle de la campagne. En décembre, Hillary réussit à me convaincre de l'accompagner à une soirée animée par un grand orchestre à l'université. Au bout de quelques heures de danse, j'ai commencé à me sentir mieux. Mais il me faudrait longtemps pour comprendre que Hammerschmidt m'avait fait une fleur en me battant. Si je m'étais retrouvé à Washington, je suis sûr que je n'aurais jamais été élu président. Et j'aurais raté les dix-huit années géniales qui m'attendaient en Arkansas.

CHAPITRE DIX-NEUF

En janvier 1975, j'ai recommencé à enseigner. C'est la seule année durant laquelle j'ai pu me consacrer entièrement à cette activité sans être interrompu par la politique. J'ai donné un cours magistral de droit de la concurrence et animé un groupe de travaux dirigés sur la criminalité économique au printemps, enseigné le droit maritime et le droit fédéral à l'université d'été, puis de nouveau la criminalité économique ainsi que le droit constitutionnel à l'automne. En droit constitutionnel, j'ai consacré deux semaines complètes à l'étude de l'arrêt *Roe contre Wade*, arrêt de la Cour suprême qui, en vertu du droit à l'intimité garanti par la Constitution, reconnaît aux femmes le droit de pratiquer un avortement durant les deux premiers trimestres de leur grossesse. Cette période correspond approximativement au temps nécessaire au fœtus pour pouvoir survivre à l'extérieur du ventre de sa mère. Selon les termes de l'arrêt, une fois ce seuil de viabilité atteint, l'État a le droit de défendre l'intérêt d'un enfant à venir au monde contre la décision de la mère d'interrompre sa grossesse, à moins que son prolongement ou l'accouchement ne mettent sa vie ou sa santé en danger. Certains de mes étudiants, pour lesquels le droit constitutionnel n'était jamais qu'un cours comme les autres, qui leur demandait seulement d'apprendre par cœur la législation applicable à chaque affaire, ne comprenaient pas pourquoi je m'attardais autant sur cet arrêt. Je les ai poussés à l'approfondir parce que je pensais alors, comme je le pense toujours, que l'arrêt *Roe contre Wade* est le jugement le plus difficile qu'un tribunal ait jamais eu à prononcer. Quelle que soit la décision à laquelle ils seraient arrivés, les juges avaient été contraints de se mettre à la place de Dieu. Chacun sait que la vie, d'un point de vue biologique, commence au moment de la conception. Mais personne ne sait à quel moment une entité biologique se transforme en être humain ou, pour formuler la question en termes religieux, à quel moment l'âme pénètre dans le corps. La plupart des avortements qui ne sont pas motivés par la préservation de la vie ou de la santé de la mère concernent des jeunes femmes et des jeunes filles qui ont peur et ne savent pas quoi faire d'autre. La plupart des partisans du droit à l'avortement sont conscients du fait qu'un avortement met fin à une vie potentielle. Ils croient que l'avortement doit être une pratique légale, sans danger et rare, et que nous devons soutenir les jeunes mères qui décident de mener leur grossesse à terme, comme c'est d'ailleurs le cas pour la plupart d'entre elles. Les partisans les plus radicaux de l'interdiction de l'avortement, qui le considèrent comme un crime, ont beau exiger que les médecins qui le pratiquent soient poursuivis en justice, ils ne sont plus aussi sûrs d'eux lorsqu'il s'agit de pousser leur raisonnement jusqu'à sa conclusion logique, c'est-à-dire de poursuivre la mère pour meurtre. Même les fanatiques qui posent des bombes dans les cliniques où se pratique l'avortement ne s'attaquent pas aux femmes qui font vivre ces établissements. De plus, comme nous l'ont montré la Prohibition et notre législation sur la drogue, laquelle bénéficie pourtant d'un soutien plus large qu'une interdiction complète de l'avortement, il est difficile de sanctionner pénalement des actes qu'une grande partie de la société ne considère pas comme des crimes.

Je pensais et je pense toujours que la Cour suprême a pris la bonne décision, même si, selon un mécanisme si fréquent dans la vie politique américaine, son action a déclenché des réactions très vives. Elle a donné lieu au développement d'un mouvement antiavortement très actif et d'ampleur nationale qui a fini par provoquer la limitation draconienne de l'accès à l'avortement dans beaucoup d'endroits du pays et qui a poussé un grand nombre d'électeurs à rejoindre la nouvelle frange radicale du Parti républicain. Quelles que soient les indications des sondages d'opinion sur les positions des électeurs à propos de l'avortement, notre pays se caractérise par une grande ambivalence sur cette question. En effet, son impact sur les élections évolue selon l'intensité de la menace que l'un ou l'autre camp sent peser sur lui. Ainsi, au cours des trente dernières années, le droit à l'avortement étant garanti par la loi, les électeurs favorables à l'avortement se sont en général sentis libres de voter pour tel ou tel candidat en fonction de ses positions sur d'autres questions, tandis que, pour les adversaires de l'avortement, les autres questions n'avaient souvent que peu d'importance. 1992 a été une exception. La décision fortement médiatisée de la cour d'appel dans l'affaire Webster, qui autorisait les États à refuser de financer les services pratiquant l'avortement et avait pour effet de réduire l'étendue du droit à l'avortement, associée à la perspective d'une vacance de poste imminente à la Cour suprême, a galvanisé le camp des défenseurs de l'avortement. Par suite, moi-même et les autres candidats soutenant le droit à l'avortement n'avons pas eu à ressentir les conséquences de nos positions sur la question cette année-là. Cependant, après mon élection, la menace qui pesait sur le droit à l'avortement étant écartée, la frange aisée du camp des partisans de l'avortement s'est de nouveau sentie autorisée à déterminer son vote en fonction d'autres questions, c'est-à-dire à opter pour des candidats républicains qui y étaient opposés. À l'inverse, les Démocrates et les indépendants opposés à l'avortement mais approuvant mon bilan économique et social dans d'autres domaines se sont sentis obligés de soutenir des candidats qui partageaient leurs opinions sur la question et qui, la plupart du temps, se trouvaient être des Républicains conservateurs.

En 1975, je ne m'intéressais pas véritablement aux retombées politiques de l'avortement, et je n'étais d'ailleurs pas très informé sur cet aspect des choses. Ce qui m'intéressait, c'était l'effort herculéen qu'avait accompli la Cour suprême pour réconcilier des conceptions différentes du droit, de la morale et de la vie. En l'absence de liaison directe avec Dieu, les juges de la Cour suprême ont, à mes yeux, pris la meilleure décision qu'ils pouvaient prendre. Que mes étudiants aient été d'accord avec moi ou non, je tenais à ce qu'ils réfléchissent sérieusement à ce problème.

À l'automne, on m'a confié une nouvelle charge de cours. L'université m'a demandé de venir sur le campus de Little Rock une fois par semaine pour y donner un cours du soir intitulé « Droit et société », destiné à des étudiants qui travaillaient pour les forces de l'ordre dans la journée. J'étais très enthousiaste à l'idée de ce cours, et j'ai pris beaucoup de plaisir à entrer en contact avec des élèves qui semblaient sincèrement désireux de comprendre comment leur travail dans la police ou dans les bureaux des shérifs locaux s'intégrait dans la Constitution et dans la vie quotidienne des citoyens.

Tout en enseignant, j'ai gardé un pied dans la politique, et je me suis occupé de quelques dossiers intéressants dans le domaine judiciaire. J'ai été nommé à la tête d'une commission étatique du Parti démocrate sur la discrimination positive, qui avait été créée pour assurer une participation accrue des femmes et des minorités dans les affaires du Parti et contourner le piège des règles McGovern. Celles-ci avaient pour effet d'envoyer des délégués à la convention nationale qui, bien que représentatifs de l'ensemble des groupes démographiques, n'avaient souvent jamais réellement travaillé pour le Parti et ne réussissaient pas à remporter des voix. Cette mission m'a donné l'occasion de parcourir l'Arkansas et de rencontrer les militants du Parti démocrate, aussi bien blancs que noirs, qui étaient sensibles à cette question.

L'autre raison qui me maintenait actif d'un point de vue politique était la nécessité de rembourser ma dette de campagne. J'ai fini par m'en acquitter grâce à la recette qui nous avait permis de financer la campagne, en associant les fonds issus de plusieurs petites manifestations et les contributions plus importantes de quelques donateurs plus généreux. Mes premiers deux cent cinquante dollars m'ont été versés par Jack Yates, un excellent avocat qui, avec son associé Lonnie Turner, avait travaillé dur pour moi pendant les élections. Quinze jours après les élections, Jack m'avait déjà transmis son chèque. À l'époque, je ne savais jamais d'où me viendraient mes prochains dollars, et je n'ai jamais oublié son geste. À ma grande tristesse, Jack Yates est mort d'une crise cardiaque quelques mois après m'avoir apporté son aide. Après l'enterrement, Lonnie Turner m'a demandé de reprendre les dossiers de certains clients de Jack, qui concernaient des affaires d'indemnisation d'anciens mineurs atteints de pneumoconiose. L'administration Nixon avait promulgué de nouveaux règlements qui rendaient l'obtention d'allocations plus difficile et imposait le réexamen des dossiers des malades qui en bénéficiaient déjà. Dans de nombreux cas, la procédure aboutissait à la suppression des allocations. Une ou deux fois par semaine, je suis donc allé étudier les dossiers en question et recevoir les vieux mineurs, en sachant que je ne toucherais des honoraires que si l'issue des litiges leur était favorable.

Lonnie savait que je prenais la question à cœur et que je connaissais les ficelles du programme d'indemnisation. Il est vrai que, lorsque le programme sur la pneumoconiose a été mis en place, les évaluations ont été trop laxistes et que certaines personnes qui n'en avaient pas besoin en ont tiré bénéfice. Mais, comme souvent avec les programmes publics, l'effort pour remédier à ce problème est allé trop loin dans l'autre direction.

Avant même de reprendre les dossiers de Jack, j'avais accepté d'aider dans sa lutte pour obtenir des indemnités un autre homme atteint de la maladie des mineurs. Jack Burns, originaire d'une petite ville située au sud de Fort Smith, était le père de l'administrateur de l'hôpital de Ouachita à Hot Springs, où travaillait ma mère. Il mesurait environ 1 m 50 et ne devait pas peser beaucoup plus de 50 kilos. Jack était un homme traditionnel, digne et posé, dont la santé avait été gravement altérée par la pneumoconiose. Il était donc parfaitement fondé à réclamer des indemnités. De plus, sa femme et lui en avaient cruellement besoin pour payer leurs factures. Durant les quelques mois où nous avons travaillé ensemble, j'ai appris à respecter sa patience et sa détermination. J'ai été presque aussi heureux que lui lorsqu'il a gagné son procès.

La pile de dossiers que Lonnie Turner m'a transmis devait comporter environ une centaine d'affaires semblables à celle de Jack Burns. J'aimais faire le trajet depuis Fayetteville jusqu'à Ozark, en empruntant les lacets d'une petite route surnommée The Pig Trail [La queue de cochon] pour aller travailler sur ces dossiers. Dans un premier temps, les dossiers étaient examinés par un juge administratif, Jerry Thomasson, un Républicain équitable. Le cas échéant, la procédure pouvait se poursuivre en appel devant le juge fédéral Paul X. Williams, à Fort Smith. Le juge Williams était un sympathique Démocrate, tout comme sa collaboratrice de longue date, Elsijane Trimble Roy, dont l'assistance me fut très précieuse. J'ai été ravi lorsque le président Carter l'a nommée juge fédéral, ce qui a fait d'elle la première femme à occuper ce poste en Arkansas.

Tandis que je poursuivais mes activités dans l'enseignement, la politique et le droit, Hillary s'acclimatait à la vie à Fayetteville. Je savais qu'elle appréciait vraiment la vie là-bas, peut-être même suffisamment pour s'y installer définitivement. Elle enseignait le droit pénal et les techniques de plaidoirie. Elle s'occupait également de l'équipe de bénévoles du service d'assistance juridique de l'université et des étudiants qui travaillaient pour des détenus. Certains des vieux avocats et des vieux juges grincheux ainsi que quelques étudiants se sont montrés un peu méfiants à son égard au premier abord, mais elle a fini par faire leur conquête. Le droit à un avocat lors d'un procès pénal étant inscrit dans la Constitution, nos juges nommaient des avocats locaux pour assurer la défense des plus démunis, et comme ces derniers ne payaient pratiquement jamais, le barreau a demandé aux bénévoles de Hillary de les prendre en charge. Au cours de sa première année d'existence, l'équipe de bénévoles de Hillary a défendu plus de trois cents clients et est devenue une institution reconnue de la faculté de droit. Hillary y a gagné le respect de la communauté judiciaire, a aidé beaucoup de gens qui en avaient besoin et s'est construit la réputation qui, quelques années plus tard, a incité le président Carter à la nommer au conseil d'administration de la Legal Services Corporation.

La Journée du droit, destinée à sensibiliser le grand public aux questions de droit et à l'organisation du système judiciaire américain, tombait juste à la fin de la session de printemps. Nous avons invité Jimmy Carter à faire une intervention à l'université. Il était évident qu'il comptait se présenter aux présidentielles. Hillary et moi avons eu un bref entretien avec lui, qu'il nous a invités à prolonger à Little Rock, où il avait un autre engagement. Notre conversation a confirmé mon sentiment qu'il avait de bonnes chances d'être élu. Après le Watergate et toutes les difficultés économiques que le pays avait traversées, ce brillant gouverneur du Sud, qui ne faisait pas partie des milieux politiques de Washington et était en mesure de reconquérir les électeurs que les Démocrates avaient perdus en 1968 et 1972, représentait l'espoir d'un nouvel élan. Six mois plus tôt, j'étais allé trouver Dale Bumpers et je l'avais poussé à se présenter, en lui disant : « En 1976, c'est quelqu'un dans ton genre qui va être élu. Alors autant que ce soit toi. » Il avait beau avoir eu l'air intéressé, il m'avait répondu qu'il ne pouvait en être question, car il venait d'être élu au Sénat et qu'il perdrait le soutien des électeurs de l'Arkansas s'il commençait son mandat en se portant candidat aux présidentielles. Il avait probablement raison. Il n'en reste pas moins qu'il aurait fait un candidat formidable et un très bon président.

En dehors de notre travail et de nos activités ordinaires avec nos amis, Hillary et moi avons vécu quelques aventures peu banales à Fayetteville et dans les environs. Un soir, nous nous sommes rendus à Alma par l'autoroute 7 pour assister à un concert de Dolly Parton. J'étais un grand fan de Dolly Parton. Elle était particulièrement en forme ce soir-là, si je peux m'exprimer ainsi, mais l'événement le plus marquant de la soirée a été ma rencontre avec le couple qui était à l'origine de la présence de la chanteuse à Alma, Tony et Susan Alamo. À l'époque, ils possédaient un magasin de costumes de scène à Nashville et étaient les fournisseurs attitrés d'un grand nombre de stars de la musique country. Mais leurs activités ne s'arrêtaient pas là. Tony, qui ressemblait à un crooner sous amphétamines, avait été agent et organisateur de concerts de rock en Californie. C'est là qu'il avait rencontré Susan. Elle avait grandi à proximité d'Alma, puis elle avait déménagé dans l'Ouest, où elle était devenue télévangéliste. Ils ont décidé de s'associer, et Tony a commencé à s'occuper de sa carrière tout comme il s'était occupé de celle de ses rockers. Susan avait des cheveux blond platine et portait souvent des robes blanches qui lui tombaient jusqu'aux pieds pour ses sermons télévisés. Elle se montrait très talentueuse à cet exercice ; quant à Tony, il assurait sa promotion avec un savoir-faire incontestable. Ils ont fini par édifier un véritable petit empire, qui comprenait notamment une grande ferme où travaillaient de jeunes disciples aussi fascinés par eux que les adeptes du révérend Sun Myoung Moon par leur maître. Lorsque Susan a contracté un cancer, elle a voulu rentrer chez elle en Arkansas. Ils ont acheté une grande maison à Dyer, sa ville natale, ont ouvert la salle de concerts où nous avons vu chanter Dolly Parton et un magasin de costumes de l'autre côté de la rue, un peu plus petit que celui de Nashville. Une fois par semaine, ils se faisaient livrer un plein camion de victuailles en provenance de leur ferme, qui assurait leur subsistance ainsi que celle de leur petit contingent d'employés dans l'Arkansas. Susan a fait quelques apparitions à la télévision locale, ce qui lui a assuré une certaine célébrité jusqu'à ce qu'elle succombe à sa maladie. À sa mort, Tony proclama que Dieu lui avait annoncé qu'Il ressusciterait Susan d'entre les morts. Dans l'attente de ce jour béni, Tony a placé le corps de sa femme dans un compartiment en verre dans leur maison. En prévision de son retour, il a tenté de maintenir leur empire à flot. Mais lorsqu'un agent est privé de son produit, il est perdu. Les choses ont commencé à se dégrader. À l'époque où j'étais gouverneur, il est entré dans un sérieux litige fiscal avec le gouvernement et a organisé une sorte de manifestation non violente autour de sa maison. Quelques années plus tard, il a entamé une liaison avec une femme plus jeune. C'est alors que, ô miracle, Dieu s'est de nouveau adressé à lui pour lui dire que, finalement, Susan ne reviendrait pas. Alors, il l'a sortie du compartiment en verre et l'a enterrée.

Durant l'été, j'ai enseigné pendant les deux semestres de cours à l'université afin de gagner un peu d'argent supplémentaire, et j'ai passé de bons moments à flâner à Fayetteville avec Hillary et nos amis. Un jour, je l'ai emmenée à l'aéroport où elle devait prendre l'avion pour la côte est. En descendant California Drive, nous sommes passés devant une jolie petite maison en brique un peu biscornue, située en retrait sur un tertre et bordée d'un mur de pierre à l'avant. Il y avait un écriteau « À vendre » dans la cour. Hillary m'a fait remarquer à quel point la maison était jolie. Après l'avoir déposée à l'aéroport, je suis revenu la visiter. C'était un bâtiment d'un seul niveau avec une surface habitable d'un peu plus de 100 m². Elle comportait une chambre, une salle de bains, une cuisine avec une petite salle à manger attenante, une deuxième salle à manger et un superbe salon. Le plafond de cette pièce avait des poutres apparentes et sa hauteur était moitié plus élevée que dans le reste de la maison ; il y avait aussi une belle petite cheminée dans un renfoncement, et une grande baie vitrée. La maison comprenait également une grande véranda qui pouvait servir de chambre d'ami la plus grande partie de l'année. Il n'y avait pas l'air conditionné, mais un grand ventilateur qui parvenait à maintenir une température assez fraîche. La maison coûtait vingt mille cinq cents dollars. Je l'ai achetée en versant un acompte de trois mille dollars, somme suffisamment importante pour me permettre de réduire les mensualités à cent soixante-quatorze dollars.

J'ai transporté le peu de meubles que je possédais dans ma nouvelle maison et complété le mobilier en achetant deux ou trois choses, afin que l'endroit n'ait pas l'air trop vide. Quand Hillary est rentrée de son voyage, je l'ai accueillie en lui disant : « Tu te souviens de cette petite maison qui te plaisait tellement ? Je l'ai achetée. Il faut que tu m'épouses maintenant. Je ne peux pas vivre là-dedans tout seul. » Je l'ai emmenée voir la maison. Il y avait encore beaucoup de travaux à faire, mais mon coup de tête l'a séduite. Elle ne m'avait jamais dit qu'elle était prête à rester en Arkansas, mais là, elle a fini par dire oui.

Le 11 octobre 1975, nous avons célébré notre mariage dans le grand salon de notre petite maison, au 930, California Drive. Les plâtres avaient été refaits sous l'œil vigilant de Marynm Bassett, une excellente décoratrice qui savait que notre budget était limité. Elle nous a aidés à choisir un papier peint jaune vif pour la petite salle à manger, mais nous l'avons posé nous-mêmes, expérience qui a confirmé mes dons plutôt limités de travailleur manuel. Hillary portait une robe de dentelle de style victorien que j'adorais, et le révérend Vic Nixon nous a mariés, en présence des parents et des frères de Hillary, de ma mère et de Roger (qui a été notre témoin) et de quelques amis proches : Betsy Johnson Ebeling, la plus proche amie de Hillary à Park Ridge, et son mari, Tom, sa camarade de Wellesley, Johanna Branson, ma jeune cousine Marie Clinton, mon trésorier de campagne, F. H. Martin, et sa femme Myrna, nos meilleurs amis à la faculté de droit, Dick Atkinson et Elizabeth Osenbaugh, et mon amie d'enfance qui était également une infatigable militante de mon état-major de campagne, Patty Howe. Hugh Rodham n'avait sans doute jamais soupçonné qu'il donnerait sa fille, une méthodiste du Midwest, à un baptiste du Sud dans les monts Ozark. Mais il l'a fait. Il faut dire qu'à l'époque cela faisait quatre ans que je travaillais à le convaincre ainsi que le reste de la famille Rodham. J'espérais les avoir conquis. Moi en tout cas, j'étais sous leur charme.

Après la cérémonie, environ deux cents amis se sont réunis à la maison de Morriss et Ann Henry pour assister à une réception et, le soir, nous avons dansé jusque tard dans la nuit chez Billie Schneider, au *Dowtown Motor Inn*. À environ 4 heures du matin, alors que Hillary et moi étions allés nous coucher, j'ai reçu un appel de mon plus jeune beau-frère, Tony. Il était à la prison du comté de Washington. En reconduisant l'un des invités qui avait assisté à la réception, il avait été arrêté par un agent de la police d'État, non parce qu'il roulait trop vite ou qu'il zigzaguait sur la route, mais parce que son passager quelque peu éméché avait laissé pendre son pied par la fenêtre arrière. Une fois la voiture arrêtée, l'agent a remarqué que Tony avait bu lui aussi et l'a embarqué. Quand je suis arrivé à la prison pour payer sa caution, Tony était transi de froid. Lorsque je l'ai questionné, le gardien m'a appris que notre shérif, Herb Marshall, un Républicain que j'appréciais, faisait en sorte de maintenir une température glaciale dans la prison la nuit pour éviter que les ivrognes ne soient malades. Alors que nous quittions la prison, Tony m'a demandé si je pouvais faire libérer quelqu'un d'autre, un homme qui était en ville pour tourner un film avec Peter Fonda. J'ai accepté. L'homme tremblait encore plus fort que Tony, si fort que lorsqu'il a démarré sa voiture pour partir, il a foncé droit dans la petite Fiat jaune de Hillary. J'avais beau avoir payé sa caution, l'énergumène ne m'a jamais remboursé les frais de réparation de la voiture. D'un autre côté, il avait au moins évité de laisser son dîner sur le sol de la prison. Ainsi s'achevait ma première nuit d'homme marié.

Pendant très longtemps, l'idée de me marier ne m'était pas venue à l'esprit. Maintenant que je l'étais, j'avais le sentiment d'avoir pris une bonne décision, mais je ne savais pas très bien où cela nous mènerait.

Au cours des dernières années, notre mariage a probablement suscité plus de commentaires que n'importe quel autre en Amérique. J'ai toujours été stupéfait que certaines personnes se permettent d'émettre des analyses et des critiques ou d'échafauder des théories à ce propos. Au terme de près de trente ans de mariage, après avoir observé les expériences de mes amis, leurs séparations, leurs réconciliations et leurs divorces, j'ai compris que le mariage, avec tout ce qu'il a de merveilleux et de douloureux, avec ses satisfactions et ses désillusions, demeure un mystère qui n'est pas facile à comprendre pour ceux qui y sont engagés et en grande partie impénétrable pour ceux qui y sont extérieurs. Le 11 octobre 1975, je ne savais rien de tout cela. Tout ce que je savais, c'était que j'aimais Hillary, notre vie, notre travail, les amis communs que nous avions désormais et la perspective de ce que nous pouvions accomplir ensemble. J'étais fier d'elle aussi, et stimulé d'être engagé dans une relation qui ne serait peut-être pas toujours parfaite, mais certainement jamais ennuyeuse.

Le lendemain de notre nuit de noces sans sommeil, nous avons repris notre travail. Nous étions en plein milieu d'un trimestre scolaire, et je devais assister à plusieurs audiences dans les affaires de pneumoconiose. Deux mois plus tard, nous avons enfin pu partir en lune de miel à Acapulco. Ce fut une lune de miel un peu particulière, puisque toute la famille de Hillary nous a accompagnés, ainsi que la petite amie de l'un de ses frères. Tous ensemble, nous avons passé une semaine dans une magnifique suite en terrasse, nous sommes promenés sur la plage et avons profité des restaurants. Cette situation peut sembler inhabituelle, mais il n'empêche que nous avons passé de très bons moments. J'adorais la mère de Hillary, Dorothy, et j'ai passé des moments formidables avec son père et son frère, à jouer aux cartes et à faire des concours de canulars. Comme moi, ils étaient du genre à adorer monter des histoires et, à ce jeu, ils étaient tous capables de tenir un sacré bout de temps.

Pendant notre séjour à Acapulco, j'ai lu le livre d'Ernest Becker *The Denial of Death* [Le déni de la mort], lecture qui peut sembler un peu pesante pour une lune de miel, mais je n'avais alors qu'un an de plus que mon père lorsqu'il est mort et je venais de franchir une étape importante de ma vie. Le moment semblait donc propice pour s'interroger sur le sens de celle-ci.

D'après Becker, au fur et à mesure que nous grandissons, nous atteignons tout d'abord un moment où nous prenons conscience de l'existence de la mort, puis nous comprenons que les gens que nous connaissons et que nous aimons meurent ; enfin, nous comprenons qu'un jour nous mourrons nous aussi. La plupart d'entre nous font tout ce qu'ils peuvent pour se dissimuler cette vérité. Entre-temps, selon des mécanismes que nous ne saisissons qu'approximativement, voire pas du tout, nous endossons des identités et nous nous donnons l'illusion que nous nous suffisons à nous-mêmes. Nous nous lançons dans des activités, certaines positives, d'autres négatives, dont nous espérons qu'elles nous élèveront au-dessus des contraintes de l'existence ordinaire et qu'elles persisteront une fois que nous serons partis. Toutes ces activités constituent une tentative désespérée pour étouffer la certitude que la mort est notre destinée ultime. Certains d'entre nous courent après le pouvoir ou la richesse, d'autres après l'amour, le sexe, ou d'autres plaisirs encore. Certains recherchent la gloire, d'autres aspirent à être bons et à faire le bien. Que nous réussissions ou non, nous mourrons quand même. La seule consolation, bien sûr, est de croire que puisque nous avons été créés, il faut qu'il existe un Créateur pour lequel nous comptons et auprès duquel nous retournerons un jour.

À quoi l'analyse de Becker nous mène-t-elle ? Il conclut son livre par ces mots : « Qui sait quelle forme prendra la poussée irrésistible de la vie dans les époques à venir [...] ? Le maximum que nous puissions faire est de créer quelque chose – qu'il s'agisse de quelque chose de concret ou de nous-mêmes – et de déposer notre création au sein de la confusion, d'en faire offrande, pour ainsi dire, à la force de vie. » Ernest Becker est mort peu de temps avant la publication de son ouvrage, mais il semble qu'il ait réussi à accomplir ce qu'Emmanuel Kant considérait comme la mission que nous avions à accomplir ici-bas, à savoir réussir à comprendre comment nous pouvons occuper correctement la place assignée à l'homme dans la création et apprendre ce que nous devons être pour mériter le nom d'homme. J'ai passé toute ma vie à essayer de me conformer à ce précepte. Le livre de Becker m'a convaincu que cet effort valait la peine.

En décembre, j'ai été confronté à une nouvelle décision politique. Un grand nombre de mes partisans voulaient que je me présente de nouveau au Congrès. Nous avions payé notre dette et ils avaient envie d'une revanche. Je pensais que Hammerschmidt serait plus difficile à battre cette fois-ci, même si Jimmy Carter avait remporté l'investiture du Parti. Ce qui était plus important, c'est que je n'avais plus le désir d'aller à Washington ; je voulais rester en Arkansas. Par ailleurs, je m'intéressais de plus en plus aux questions liées au gouvernement d'un État, en partie grâce à notre ministre de la Justice, Jim Guy Tucker, qui m'avait donné l'occasion de rédiger au nom de l'Arkansas une note destinée à la Cour suprême des États-Unis, à propos d'une affaire de concurrence qui portait sur la fixation des taux d'intérêt sur les cartes de crédit. Jim Guy se présentait au Congrès et briguait le siège laissé vacant par le départ à la retraite de Wilbur Mills. Le poste de ministre de la Justice de l'Arkansas se retrouverait donc libre, et il m'attirait beaucoup.

Tandis que je retournais tout cela dans mon esprit, mon ami David Edwards, qui travaillait pour la Citibank, m'a appelé pour me demander de l'accompagner en Haïti. Il voyageait beaucoup et il avait accumulé suffisamment de points auprès de sa compagnie aérienne pour payer nos billets d'avion. Il voulait nous offrir ce voyage en guise de cadeau de mariage. À peine une semaine après notre retour du Mexique, nous étions de nouveau sur le départ

Fin 1975, Papa Doc Duvalier était mort et avait été remplacé par son fils, un jeune homme potelé que tout le monde appelait Bébé Doc. Nous l'avons aperçu un jour, alors qu'il traversait la cour de sa grande résidence de Port-au-Prince en voiture. Il allait déposer une couronne devant le monument commémorant l'indépendance de Haïti, une statue qui représentait un puissant esclave affranchi soufflant dans une conque. Sa milice, les célèbres « tontons macoutes », était omniprésente. Ils étaient intimidants avec leurs lunettes noires et leur mitraillette.

À force de coercition, de pillage et de mauvaise gestion, les Duvalier avaient réussi à faire de Haïti le pays le plus pauvre de notre hémisphère. Port-au-Prince était encore une belle ville par endroits, mais elle semblait décatie. Je me souviens tout particulièrement des tapis élimés et des bancs cassés de la cathédrale nationale. Malgré le régime politique et la pauvreté qui régnaient dans le pays, je trouvais ses habitants fascinants. Ils respiraient la vivacité et l'intelligence, l'artisanat local était très beau et la musique captivante. J'étais émerveillé de voir qu'un si grand nombre d'entre eux semblaient non seulement réussir à survivre, mais aussi garder le goût à la vie.

J'étais particulièrement intrigué par la religion et la culture vaudoues, qui, en Haïti, coexiste avec le catholicisme, et dont j'avais déjà eu un petit aperçu à La Nouvelle-Orléans.

Le berceau de cette religion haïtienne traditionnelle se trouve au Bénin, en Afrique de l'Ouest, et son nom vient du langage du peuple Fon au Bénin. Dans cette langue, il signifie « dieu » ou « esprit » et est dépourvu des connotations de magie noire et de sorcellerie qu'on lui attribue dans tant de films. Le principal rituel du vaudou consiste en une danse durant laquelle des fidèles entrent en transe et sont possédés par des esprits. Au cours de la journée la plus intéressante de notre voyage, j'ai pu assister à ce rituel. L'interlocuteur de David à la Citibank de Port-au-Prince avait proposé de l'emmener, avec Hillary et moi, dans un village voisin afin d'y rencontrer un prêtre vaudou. Max Beauvoir n'était pas un prêtre vaudou ordinaire. Il avait passé cinquante ans loin de Haïti, avait étudié à la Sorbonne et travaillé à New York. Il avait épousé une Française, une belle femme blonde, et avait deux filles très intelligentes. Il avait été ingénieur chimiste, jusqu'au jour où son grand-père, qui était prêtre vaudou, l'appela à son chevet alors qu'il était mourant et le désigna pour lui succéder. Max était un adepte du vaudou et décida d'obéir à son grand-père, en dépit des difficultés que sa décision n'a sans doute pas manqué d'entraîner pour sa femme française et ses enfants, habitués à une vie à l'occidentale.

Nous sommes arrivés en fin d'après-midi, environ une heure avant le début de la cérémonie de la transe. Max ouvrait la cérémonie à des touristes en échange d'un peu d'argent, ce qui lui permettait de couvrir certaines des dépenses occasionnées par sa nouvelle vie. Il nous a expliqué que dans la religion vaudoue, Dieu se manifeste aux humains par le biais d'esprits dont certains représentent des forces de la lumière et d'autres des forces de l'obscurité, des forces du bien et du mal qui sont plus ou moins en équilibre. Au terme de cette brève introduction à la théologie vaudoue, Hillary, David et moi avons été conduits vers un espace ouvert où on nous a installés parmi d'autres invités. Durant la cérémonie, des esprits sont invoqués et pénètrent dans le corps de fidèles tandis que ces derniers dansent. Après plusieurs minutes d'une danse rythmée par le son de tambours martelants, les esprits se sont manifestés et se sont emparés du corps d'une femme et d'un homme. L'homme s'est mis à frotter tout son corps avec une torche brûlante, et a marché sur des braises sans être brûlé. La femme, saisie de frénésie, a poussé une série de cris puis s'est emparée d'un poulet vivant et l'a décapité avec ses dents. Puis, les esprits l'ont quittée, et ceux qui avaient été possédés sont retombés sur le sol.

Quelques années après que j'ai été témoin de cet événement extraordinaire, Wade Davies, un scientifique de l'Université de Harvard, qui s'était rendu en Haïti pour chercher une explication au phénomène des zombies, aussi appelés « morts vivants », est également allé voir Max Beauvoir. Dans son livre *The Serpent and the Rainbow* [Le serpent et l'arc-en-ciel], Davis raconte comment, avec l'aide de Max et de sa sœur, il a réussi à résoudre l'énigme des zombies. Davies explique que ces personnes, mortes en apparence mais qui ressuscitent quelque temps plus tard, ont en fait été empoisonnées par une société secrète, en guise de punition pour un crime qu'elles ont commis. Ce poison, la tétrodotoxine, est prélevé dans le poisson-globe. Précisément dosé, il provoque une paralysie du corps et réduit la respiration à un niveau si bas que même les médecins s'y laissent prendre, et croient que le patient est mort. Lorsque les effets du poison se dissipent, la personne se réveille. Des cas comparables avaient été constatés au Japon, où le poisson-globe est un plat gastronomique s'il est correctement préparé, mais un poison mortel dans le cas contraire.

Si je relate cette brève incursion dans le monde du vaudou, c'est parce que j'ai toujours été fasciné par la manière dont les différentes cultures tentent de donner un sens à la vie et à la nature, et par la forme que prend chez elles la croyance quasi universelle en l'existence d'une force spirituelle qui anime le monde, qui existait bien avant l'humanité et survivra à sa disparition. La manière dont Dieu manifeste sa présence dans la religion haïtienne est très différente de celle que l'on trouve chez la plupart des chrétiens, des juifs ou des musulmans. Cependant, les annales de leur culte illustrent incontestablement le vieil adage selon lequel les voies du Seigneur sont impénétrables.

Après notre retour de Haïti, ma décision de me présenter au poste de ministre de la Justice de l'Arkansas était prise. J'ai donc demandé un nouveau congé à la faculté de droit où j'enseignais, et je me suis mis au travail. J'avais deux adversaires durant les primaires du Parti démocrate : George Jernigan, le secrétaire d'État, et Clarence Cash, qui dirigeait le département de protection des consommateurs dans l'administration de Jim Guy Tucker. Tous deux étaient de bons orateurs et n'étaient pas beaucoup plus âgés que moi. Jernigan semblait le plus imposant des deux, car il avait de nombreux soutiens au sein du réseau du gouverneur Pryor, de plusieurs palais de justice dans divers comtés, et des amis conservateurs dans tout l'État. Étrangement, aucun Républicain n'avait posé sa candidature. Ce fut donc la seule fois où je participai à un scrutin sans avoir d'opposant.

Je savais que j'allais devoir mener ma campagne à partir de Little Rock. En plus d'en être la capitale, la ville est située au centre de l'État et concentre à la fois le plus grand nombre d'électeurs et les possibilités de financement les plus importantes. J'ai installé l'état-major de campagne dans une vieille maison située à quelques rues du Capitole de l'État. Wally DeRoeck, un jeune banquier de Jonesboro, a accepté d'être mon directeur de campagne. Steve Smith, qui avait fait du si bon travail durant la course au Congrès, a signé pour le poste de manager. La gestion de l'état-major était assurée par Linda McGee, qui a réalisé un travail formidable avec un budget de misère : nous avons financé toute la campagne avec moins de cent mille dollars. Je ne sais pas comment Linda a fait, mais, grâce à elle, la permanence est toujours restée ouverte tard et toutes les factures ont été payées. C'est elle également qui s'occupait des volontaires. Paul Berry, que j'avais rencontré et apprécié lorsqu'il dirigeait le bureau de l'Arkansas du sénateur McClellan et qui était alors vice-président à l'Union Bank, m'a offert l'hospitalité. En plus de tout ce qu'il a accompli d'autre, il a insisté pour que je dorme dans le seul lit de son appartement, même si je rentrais à 2 ou 3 heures du matin. Nuit après nuit, quand je rentrais, il était endormi sur le sofa du living et la lumière était allumée dans la cuisine, où il m'avait laissé ma collation préférée : beurre de cacahuètes et carottes.

Des amis de longue date, comme Mack McLarty et Vince Foster, m'ont aidé à pénétrer les milieux des affaires et des professions libérales de Little Rock. Je bénéficiais toujours d'un soutien solide parmi les syndicats, même si certains s'étaient détournés de moi lorsque j'avais refusé de signer une pétition des leaders syndicaux pour faire abroger la législation sur le droit au travail de l'Arkansas en en faisant l'enjeu du scrutin de novembre. Cette législation permet aux ouvriers de travailler dans des établissements syndiqués sans avoir à payer les cotisations syndicales. À l'époque, cette loi flattait mon côté libertaire. Plus tard, j'ai appris que le sénateur McClellan avait été tellement impressionné par mon geste qu'il avait demandé à Paul Berry d'appeler ses principaux partisans pour leur dire de me soutenir. Quelques années plus tard, ma position sur la question a changé. Je pense qu'il n'est pas juste que quelqu'un bénéficie des meilleures conditions salariales, des couvertures santé plus complètes et des retraites plus intéressantes que l'on trouve généralement dans les établissements syndiqués sans verser de contributions aux syndicats qui garantissent le maintien de ces prestations.

Ma base dans la troisième circonscription semblait donc assurée. Tous ceux qui avaient travaillé pour moi en 1974 étaient d'accord pour rempiler. Les frères de Hillary m'ont apporté une aide complémentaire. Tous deux avaient déménagé à Fayetteville, où ils s'étaient inscrits à l'université. En plus de nous aider, ils ont aussi beaucoup égayé notre existence. Un soir, Hillary et moi sommes allés dîner chez eux et nous avons passé toute la soirée à écouter Hugh nous régaler du récit de ses aventures à Columbia au sein du Peace Corps – les événements qu'il racontait avaient l'air d'être tout droit sortis de *Cent Ans de solitude,* mais il nous a juré qu'ils étaient vrais. Il nous a aussi confectionné des piña coladas qui, malgré leur goût de jus de fruits, nous ont assez rapidement assommés. Après en avoir bu deux ou trois, j'avais tellement sommeil que je suis sorti m'étendre à l'arrière de ma camionnette Chevrolet « El camino », que j'avais héritée de Jeff Dwire. Hillary m'a reconduit à la maison et, le lendemain, je me suis remis au travail. Je raffolais de cette vieille camionnette, et je m'en suis servi jusqu'à ce qu'elle rende l'âme.

J'ai trouvé de solides appuis à Hope ma ville natale, et aux environs, ainsi que dans les cinq ou six comtés qui ne faisaient pas partie de la troisième circonscription et où j'avais de la famille. Grâce à d'anciens étudiants en droit qui exerçaient dans cette contrée, j'ai pris un bon départ au sein de la communauté noire au centre, au sud et à l'est de l'Arkansas. De plus, je bénéficiais de l'appui de militants démocrates qui m'avaient encouragé contre Hammerschmidt ou qui avaient participé au travail de la commission sur la discrimination positive. Malgré tout, il restait de grands vides dans notre maillage, et j'ai consacré la majeure partie de la campagne à essayer de les colmater.

Au cours de mes déplacements dans l'État, j'ai dû faire face à un nouveau mouvement politique, la *Moral Majority* [majorité morale], conduite par le révérend Jerry Falwell. Le révérend Falwell, originaire de Virginie, était un pasteur baptiste conservateur qui avait rassemblé un large public de téléspectateurs dont il se servait de base pour édifier une organisation nationale fondamentaliste d'un point de vue religieux et politiquement de droite. Partout où j'allais, je risquais de serrer la main de quelqu'un qui me demandait si j'étais chrétien. Lorsque je répondais oui, ce quelqu'un me demandait si j'avais accompli ma renaissance à la foi chrétienne par le baptême, c'est-à-dire si j'étais baptiste. Lorsque je répondais oui, je déclenchais une nouvelle série de questions, apparemment dictées par l'organisation de Falwell. Un jour, alors que je faisais campagne à Conway, à une cinquantaine de kilomètres à l'est de Little Rock, je me trouvais dans le bureau du comté où l'on enregistre les votes par correspondance. Une des femmes qui y travaillaient se dirigea vers moi et commença à égrener cette sempiternelle série de questions. Apparemment, j'ai mal répondu à l'unes d'elles, et avant même que j'aie quitté le bureau, elle m'avait fait perdre quatre voix. Je ne savais pas quoi faire. Je n'avais pas l'intention de répondre à une question sur la religion par un mensonge, mais je ne voulais pas continuer à perdre des voix. J'ai appelé le sénateur Bumpers, un bon méthodiste libéral, pour lui demander conseil. « On me fait ce coup-là tout le temps, m'a-t-il dit. Mais je ne les laisse jamais aller au-delà de la première question. Quand ils me demandent si je suis chrétien, je réponds : "Je l'espère. En tout cas, j'ai toujours essayé de l'être. Mais je pense vraiment que c'est une question à laquelle seul Dieu peut répondre." Généralement, ça leur cloue le bec. » J'ai ri et je lui ai dit que maintenant, je savais pourquoi lui était sénateur alors que je n'étais que candidat au poste de ministre de la Justice. Et pour le restant de la campagne, je me suis servi de la réponse qu'il m'avait donnée.

L'épisode le plus drôle de la campagne est sans doute celui qui m'est arrivé dans le comté de Mississippi, à l'extrême nord-est de l'Arkansas. Deux villes de ce comté, Blytheville et Osceola, ainsi qu'un groupe d'agglomérations plus petites étaient dominées par des fermiers qui possédaient de grandes parcelles de terre. Systématiquement, ceux qui travaillaient pour eux et les petits commerçants dont ils assuraient les revenus votaient pour le même candidat qu'eux, c'est-à-dire généralement le plus conservateur, qui en l'occurrence était le secrétaire d'État Jernigan. Ce dernier bénéficiait également du soutien d'un puissant réseau de partisans dirigé par le juge du comté, « Shug » Banks. La situation semblait sans espoir, mais le comté était trop grand pour que je puisse me permettre de l'ignorer. J'ai donc consacré un samedi à faire campagne à Blytheville et Osceola. J'étais seul. Le moins que l'on puisse dire, c'est que la journée a été décourageante. Même si mes anciens étudiants en droit m'avaient assuré quelques partisans, la plupart des gens que j'ai rencontrés dans les deux villes étaient contre moi, ou alors ne savaient pas qui j'étais et ne s'en souciaient pas le moins du monde. Malgré tout, j'ai serré toutes les mains que j'ai pu trouver, terminant mon parcours à Osceola à environ 23 heures. Quand je me suis rendu compte qu'il me restait encore un trajet de trois heures à accomplir pour rejoindre Little Rock, j'ai abandonné. Je n'avais pas envie de m'endormir au volant.

Alors que je me dirigeais vers le sud, à travers une série de petites agglomérations, je me suis souvenu que je n'avais pas mangé de la journée et que j'avais faim. En arrivant dans un endroit appelé Joiner, j'ai vu un pub éclairé et je suis entré. Pour tous clients, il y avait un homme debout au bar et quatre joueurs de dominos. J'ai commandé un hamburger, puis je suis sorti pour appeler Hillary depuis la cabine téléphonique. En revenant à l'intérieur, j'ai décidé de me présenter aux joueurs de dominos. Les trois premiers, comme tant de gens que j'avais rencontrés ce jour-là, ne savaient pas qui j'étais et s'en fichaient éperdument. Le quatrième a levé les yeux et a souri. Je n'oublierai jamais les mots qu'il a prononcés : « Tu vas te faire massacrer ici, mon gars. Tu le sais, non ? » J'ai répondu que j'avais en effet eu une impression plutôt néga-tive au terme d'une journée de campagne, mais que j'étais désolé qu'il la confirme. « Peut-être, mais c'est comme je te le dis, a-t-il continué. Pour nous, t'es un professeur hippie à cheveux longs de l'université. En ce qui nous concerne, t'es un communiste. Mais je vais te dire une chose. Le type qui va faire campagne dans un rade à bière à Joiner à minuit, un samedi, ce type-là mérite quand même une récompense. Alors reste au frais et observe. Tu vas gagner ici. Mais ça sera le seul foutu bled de ce comté où tu gagneras. »

L'homme s'appelait R. L. Cox, et il était aussi bon que ses paroles. Le soir des résultats, j'ai été laminé dans les autres circonscriptions contrôlées par les grands cultivateurs, mais j'ai obtenu 76 voix à Joiner, alors que mes deux opposants n'en ont eu que 49. C'est le seul endroit du comté de Mississippi où j'ai gagné, hormis deux circonscriptions noires à Blytheville, acquises à ma cause le week-end précédant le scrutin grâce à un entrepreneur de pompes funèbres noir, LaVester McDonald, et au rédacteur en chef du journal local, Hank Haines.

Heureusement, j'ai obtenu de meilleurs résultats presque partout ailleurs, de sorte que j'ai totalisé presque 55 % de l'ensemble des votes, et remporté soixante-neuf des soixante-quinze comtés grâce à un soutien important au sud de l'Arkansas, où j'avais beaucoup de bons amis et de proches, et un énorme score de 74 % dans la troisième circonscription. Tous ceux qui avaient travaillé si dur pour moi en 1974 étaient enfin récompensés par une victoire.

L'été qui a suivi les élections a été une période très heureuse pour Hillary et moi. Les deux premiers mois, nous avons tout simplement pris du bon temps à Fayetteville avec nos amis. À la mi-juillet, nous sommes partis en voyage en Europe. En chemin, nous nous sommes arrêtés à New York pour assister à une soirée de la convention démocrate. Puis, nous sommes allés à Paris pour rendre visite à David Edwards, qui y travaillait. Après y avoir passé quelques jours, nous avons repris l'avion pour l'Espagne. Nous avions à peine franchi les Pyrénées que je recevais un message me demandant d'appeler l'état-major de campagne de Jimmy Carter. J'ai rappelé depuis le village espagnol de Castro Urdiales. On me demandait de diriger la campagne en Arkansas, ce que j'ai aussitôt accepté. J'étais un partisan convaincu de Jimmy Carter et en dépit de mes charges de cours à Fayetteville à l'automne, je savais que je pouvais faire ce travail. Carter était extrêmement populaire en Arkansas, grâce à son progressisme, à sa connaissance de l'agriculture, à son engagement religieux sincère envers les baptistes du Sud et à ses contacts personnels dans l'État, notamment quatre notables qui avaient fait partie de sa promotion à l'École navale. La question qui se posait en Arkansas n'était pas de savoir si l'État allait voter pour lui, mais de combien de voix il allait l'emporter. Après toutes les élections que nous avions perdues, la perspective d'en gagner deux en une seule année était trop tentante pour que je laisse passer cette occasion.

Nous avons terminé nos vacances en Espagne par un arrêt à Guernica, immortalisée par le remarquable tableau de Picasso qui représente le bombardement de la ville durant la guerre civile espagnole. Au moment de notre séjour, la ville était en plein festival basque. Nous avons apprécié la musique et les danses, mais nous avons eu un peu plus de mal avec la spécialité locale : du poisson froid dans du lait. Nous avons visité les grottes voisines dont nous avons admiré les peintures préhistoriques et passé une journée magnifique sur une petite plage au pied des Pyrénées coiffées de neige. Nous y avons mangé dans un restaurant qui proposait une excellente cuisine bon marché et de la bière à cinq cents le verre. Quand nous avons passé la frontière avec la France – nous étions alors déjà début août –, nous avons croisé de longues files de voitures qui s'étendaient à perte de vue, témoignage du bon sens des Européens pour lesquels la vie personnelle est plus importante que le travail. Cet adage devait devenir de moins en moins facile à appliquer en ce qui me concerne.

À notre retour, je me suis rendu à Little Rock pour mettre en place l'infrastructure de campagne avec Craig Campbell, qui avait joué un rôle important dans la cellule du Parti démocrate de l'Arkansas. Il travaillait pour Stephens Inc à Little Rock, qui était alors la plus grande banque d'affaires d'Amérique après celles de Wall Street. Elle appartenait à Witt et Jack Stephens. Witt Stephens exerçait une influence de longue date sur la vie politique de l'État. Jack, qui avait dix ans de moins, avait été élève de l'École navale en même temps que Jimmy Carter. Craig était un bel homme de haute taille qui aimait s'amuser. Il était extrêmement perspicace sur les gens et la politique, ce qui le rendait très efficace.

J'ai sillonné l'État afin de m'assurer que nous avions des bureaux en état de fonctionner dans chaque comté. Un dimanche soir, je me suis rendu dans une petite église noire juste à la sortie de Little Rock. Le pasteur s'appelait Cato Brooks. Au moment de notre arrivée, l'édifice résonnait déjà des chants d'un grand chœur gospel. Pendant le deuxième ou troisième, la porte s'est soudain ouverte, et une jeune femme qui ressemblait à Diana Ross, vêtue de cuissardes noires et d'une robe de laine moulante, a descendu l'allée centrale, s'est dirigée en ondulant vers le chœur et s'est installée derrière l'orgue. Je n'avais jamais entendu quelqu'un jouer de l'orgue comme ça. Son interprétation avait beaucoup de force, et je n'aurais pas été étonné de voir l'instrument s'élever dans les airs et quitter l'église, tant son jeu était puissant. Lorsque Cato s'est levé pour prononcer son sermon, quatre ou cinq fidèles se sont groupés autour de lui sur des tabourets pliants. Il a scandé et quasiment chanté tout son sermon en cadences rythmiques, ponctuées par le son des cuillères que les hommes battaient sur leurs cuisses. Après le sermon, le révérend Brooks m'a présenté pour que je puisse dire un mot en faveur de Carter. Mon discours était passionné, mais j'étais loin d'être aussi bon que Cato. Quand je me suis rassis, il m'a dit que l'église soutiendrait Carter et m'a suggéré de partir car ils allaient rester encore une heure ou deux. J'avais à peine fait quelques pas à l'extérieur de l'église lorsque j'ai entendu une voix derrière moi qui disait : « Hé, petit Blanc, t'as besoin d'aide pour ta campagne ? » C'était l'organiste, Paula Cotton. Elle est devenue l'une de nos meilleures volontaires. Cato Brooks s'est installé à Chicago peu de temps après la campagne. Il était trop bon pour ne pas s'attaquer aux villes.

Tandis que je travaillais en Arkansas, Hillary a rejoint la campagne Carter avec une mission beaucoup plus délicate. Elle est devenue coordinatrice des opérations sur le terrain en Indiana, État qui vote généralement pour les Républicains aux présidentielles, mais où l'équipe de Carter pensait que ses racines rurales lui donneraient une chance de gagner. Elle a travaillé dur et il lui est arrivé quelques aventures intéressantes qu'elle me racontait tous les jours au téléphone et lors de mon séjour à Indianapolis.

À l'automne, la campagne a connu des hauts et des bas. Au terme de la convention à New York, Carter avait 33 points d'avance sur le président Ford, mais le pays était plus nettement divisé que jamais. Le président Ford a fait un effort impressionnant pour le rattraper. Il s'est attaché surtout à mettre en doute qu'un gouverneur du Sud, dont le programme se résumait essentiellement à promettre qu'il apporterait au pays un gouvernement aussi honnête que le peuple américain, avait suffisamment d'expérience pour devenir président. En définitive, Carter a battu Ford par environ 2 % du vote populaire et par 297 votes de grands électeurs contre 240. Le score était trop serré pour que notre camp gagne en Indiana, mais nous avons gagné en Arkansas avec 65 %, c'est-à-dire par juste 2 points de moins que dans l'État natal de Carter, la Géorgie, et 7 points de plus que le troisième État à avoir remporté les meilleurs scores, la Virginie-Occidentale.

La campagne terminée, Hillary et moi nous sommes retirés dans notre maison pendant quelques mois. J'ai terminé mes cours en droit maritime et en droit constitutionnel. En trois ans et trois mois, j'avais donné huit cours répartis sur cinq semestres et deux sessions d'été, j'avais donné deux cours à des officiers de police à Little Rock, je m'étais présenté deux fois aux élections et j'avais dirigé la campagne de Jimmy Carter. J'avais aimé chaque minute de toutes ces activités. Je regrettais seulement de n'avoir pu passer plus de temps à me consacrer à ma vie personnelle et à mes amis à Fayetteville, et à apprécier cette petite maison du 930, California Drive qui nous a donné tant de joie, à Hillary et à moi.

CHAPITRE VINGT

Pendant les deux derniers mois de 1976, j'ai effectué des allers-retours réguliers à Little Rock afin de me préparer à mes nouvelles fonctions. Paul Berry m'a trouvé des bureaux au dix-septième étage de l'immeuble de l'Union Bank, où il travaillait, ce qui m'a permis de rencontrer de futurs membres potentiels de mon équipe.

Beaucoup de gens à la fois idéalistes et compétents se sont présentés. J'ai persuadé Steve Smith de devenir mon secrétaire général, afin que nous puissions élaborer quelques bonnes initiatives politiques tout en gérant les affaires courantes. Il n'y avait que vingt juristes dans l'équipe en place. Certains d'entre eux, tout à fait excellents, ont souhaité rester avec moi. Et j'ai engagé quelques nouveaux, dont des jeunes femmes et des Noirs, ce qui fait que notre équipe juridique a compté 25 % de femmes et 20 % de Noirs, ce qui était du jamais vu à l'époque.

Courant décembre, Hillary et moi avons trouvé une maison au 5419, L Street, à Hillcrest, un agréable vieux quartier proche du centre. Avec ses 90 m², elle était plus petite que notre maison de Fayetteville et était nettement plus chère (trente-quatre mille dollars de l'époque). Nous pouvions néanmoins largement nous le permettre, puisque, lors de l'élection précédente, les citoyens avaient accepté, pour la première fois depuis 1919, une augmentation des salaires des hauts fonctionnaires locaux et de l'État qui avait porté celui du ministre de la Justice à 26 500 dollars par an. De son côté, Hillary a trouvé un bon travail au cabinet Rose, qui comptait de nombreux juristes expérimentés et très respectés, et beaucoup de jeunes gens brillants, dont mon ami Vince Foster et l'armoire à glace Webb Hubbell, une ancienne star de football au sein des Razorbacks, qui allait devenir un de nos meilleurs amis.

Par la suite, elle a gagné beaucoup plus d'argent que moi jusqu'à l'année de mon élection à la présidence, à partir de laquelle elle a cessé d'exercer.

Le département de la Justice avait pour tâche d'émettre des avis sur des questions relatives à la législation de l'État, mais aussi d'agir en justice au nom de l'État, tant du côté de l'accusation que de la défense ; de représenter l'État dans des appels au pénal devant la Cour suprême de l'État et dans des affaires pénales devant un tribunal fédéral ; d'émettre des avis juridiques aux conseils et commissions de l'État ; et de protéger les intérêts des consommateurs en estant en justice, en intervenant auprès de l'assemblée de l'État et en agissant auprès de la Public Service Commission (PSC) de l'État dans des affaires de tarifs des services publics.

L'année a débuté sur les chapeaux de roue. La session parlementaire commençait dès le début janvier et une réunion de la PSC se tenait au sujet d'une demande d'augmentation importante des tarifs de l'Arkansas Power and Light Company (AP & L). En effet, celle-ci participait à la construction par sa société mère, Middle South Utilities (devenue Entergy), d'une grande centrale nucléaire à Grand Gulf, dans le Mississippi. Et comme Middle South ne desservait pas directement les consommateurs, le coût de la centrale devait être réparti entre celles de ses filiales qui desservaient l'Arkansas, la Louisiane, le Mississippi et La Nouvelle-Orléans. Cette affaire Grand Gulf allait me demander beaucoup de temps et d'attention pendant plusieurs années. Deux problèmes se posaient à moi : premièrement, étant donné que c'était la société mère qui construisait la centrale, l'accord préalable de la PSC de notre État n'était pas obligatoire, même si on demandait à nos contribuables de financer ce projet à hauteur de 35 % ; deuxièmement, je pensais que nous pouvions répondre à la demande de plus en plus grande d'électricité de façon beaucoup moins onéreuse, grâce à des économies d'énergie et à l'exploitation plus efficace des installations existantes. Lors de la préparation de la réunion, Wally Nixon, un des juristes de mon équipe, a mis la main sur les travaux d'Amory Lovins, qui montraient l'énorme potentiel et les avantages économiques offerts par des mesures d'économie d'énergie et l'énergie solaire. Comme ce qu'il disait m'a paru sensé, je l'ai contacté. À l'époque, il était généralement admis, parmi les chefs d'entreprise et les dirigeants politiques, que la croissance économique exigeait une hausse constante de la production d'électricité. Quels qu'aient pu être les arguments en leur faveur, les économies d'énergie étaient considérées comme des élucubrations d'intellectuels rêveurs. Et, malheureusement, beaucoup de gens pensent encore ainsi.

Pendant plus de vingt ans, en tant que ministre de la Justice, puis comme gouverneur et comme président, j'ai prôné le développement d'énergies de substitution en m'appuyant sur les travaux d'Amory Lovins et de quelques autres. Et même si à ces trois postes, j'ai un peu fait avancer le dossier, l'opposition y est demeurée acharnée, notamment quand le Congrès est devenu majoritairement conservateur en 1995. Al Gore et moi-même nous sommes efforcés pendant des années, sans succès, de faire adopter un crédit d'impôt de 25 % pour la production ou l'achat d'énergie propre ou de technologies permettant de réaliser des économies d'énergie, en apportant des montagnes de documents à l'appui de notre position. Mais chaque fois, les Républicains l'ont bloqué. Une de mes plaisanteries favorites était que l'une des plus grandes réussites de mon second mandat avait été de trouver, enfin, une réduction d'impôt dont Newt Gingrich et Tom DeLay ne voulaient pas.

Il était passionnant de travailler avec l'assemblée de l'État, non seulement parce que les sujets traités étaient intéressants et imprévisibles, mais aussi parce que l'on rencontrait, à la Chambre des représentants et au Sénat, beaucoup de gens pittoresques, et que la moitié de l'État semblait s'y présenter, un jour ou l'autre, afin de faire pression pour ou contre une mesure donnée. Un jour, au début de la session parlementaire, j'ai participé à la réunion d'une commission afin de m'opposer à un projet. L'hémicycle était plein à craquer de représentants de parties favorables à celui-ci, dont Vince Foster. Et Hillary. Il l'avait amenée juste pour lui faire découvrir cette expérience, sans savoir que je me prononcerais pour l'autre bord. Nous nous sommes contentés de nous sourire et nous avons fait notre travail. Fort heureusement, le cabinet Rose avait reçu de l'association du barreau américain un avis disant qu'ils pouvaient embaucher la femme du ministre de la Justice et exposant les mesures à prendre pour éviter des conflits d'intérêt. Hillary s'y est conformée à la lettre. Quand je suis devenu gouverneur et elle associée au sein de Rose, elle a été jusqu'à abandonner sa part des profits annuels réalisés sur la gestion des obligations de l'État, tâche que le cabinet assurait depuis les années 1940.

Lorsque j'ai pris mes fonctions, le retard dans les dossiers à traiter était important. Nous avons souvent dû travailler jusqu'à minuit, ce qui nous a permis d'instaurer entre nous d'excellentes relations et de vivre des heures formidables. Le vendredi, quand les parlementaires ne siégeaient pas, j'autorisais le port de tenues décontractées et incitais tout le monde à aller prendre un déjeuner prolongé dans un petit restau voisin qui faisait des hamburgers géniaux et où il y avait des flippers et un jeu de palets. Le toit de ce vieux boui-boui aux murs bruts et au nom inquiétant de *Whitewater Tavern* [Taverne de l'eau vive] était orné d'un grand canoë.

La puissance grandissante de la majorité morale et d'autres groupes de même sensibilité a été à l'origine de quelques lois que nombre de parlementaires modérés et progressistes ne souhaitaient pas faire passer. Mais ils ne voulaient pas non plus qu'il soit enregistré qu'ils avaient voté contre. La tactique qui s'imposait consistait alors à faire déclarer la proposition de loi contraire à la Constitution par le ministre de la Justice. C'est là une illustration d'une autre des lois de la politique selon Clinton : si quelqu'un peut vous refiler sa patate chaude, il ne manquera pas de le faire.

Les propositions de loi les plus amusantes ont été présentées par le député Arlo Tyer, de Pocahontas, dans le nord-est de l'Arizona, un type plutôt bien qui voulait rester un cran au-dessus de la majorité morale. Ainsi, il a présenté une proposition visant à interdire la projection de films pornographiques dans l'ensemble de l'Arkansas, y compris pour les adultes. Il m'a alors fallu décider s'il s'agissait là d'une limitation contraire à la Constitution de la liberté d'expression. Je voyais déjà les gros titres : « Le ministre de la Justice défend les films porno ! » J'ai appelé Bob Dudley, qui était juge de district dans la ville d'Arlo, afin d'essayer de comprendre pour quel motif il avait déposé cette proposition de loi. « Il y a beaucoup de cinémas porno, chez vous ? » Dudley, qui ne manquait pas d'esprit, m'a répondu : « Non. Absolument aucun. C'est juste qu'il est jaloux que vous, vous puissiez y aller. »

À peine ce projet avait-il été enterré qu'Arlo a pondu un autre petit bijou : un impôt de mille cinq cents dollars par an payable par tous les couples de l'Arkansas vivant en dehors des liens du mariage. La sonnette d'alarme médiatique s'est à nouveau déclenchée dans ma tête : « Clinton favorable à la cohabitation dans le péché ! » Cette fois, je suis allé trouver directement Arlo Tyer. « Arlo, ai-je dit, combien de temps faut-il qu'un homme et une femme aient vécu ensemble pour payer cet impôt ? Un an, un mois, une semaine ? Ou une nuit suffit-elle ? » « J'avoue que je n'y avais pas pensé », m'a-t-il répondu. « Et l'aspect pratique des choses, ai-je continué. Allons-nous prendre des battes de base-ball pour enfoncer des portes afin de savoir qui fait quoi avec qui ? » Arlo a haussé les épaules et dit : « Je n'avais pas pensé à cela non plus. Je devrais peut-être retirer ce projet. » Je suis rentré à mon bureau soulagé d'avoir encore évité une balle. À ma grande surprise, quelques-uns de mes collaborateurs ont paru déçus. Deux d'entre eux auraient aimé que le projet de loi soit voté et que le ministère se charge des vérifications nécessaires. Ils avaient même imaginé leurs nouveaux uniformes : des tee-shirts marqués de l'acronyme SNIF, pour « Sex No-no Investigation Force » [Force d'enquête antisexe].

Les choses ont été plus difficiles concernant les droits des homosexuels. Deux ans plus tôt, le ministre de la Justice Jim Guy Tucker avait été l'initiateur d'un nouveau code pénal que l'assemblée avait voté. Ce texte simplifiait et clarifiait la définition de plus de cent ans de délits complexes et enchevêtrés. Qui plus est, il éliminait ce que l'on appelait les « délits de situation », qui avaient été condamnés par la Cour suprême. Pour qu'il y ait délit, il fallait désormais qu'un acte interdit ait été commis, intentionnellement ou par imprudence ; il ne suffisait pas de présenter une caractéristique que la société jugeait indésirable. Ainsi, être alcoolique ou homosexuel n'était plus un délit, même si cela avait été le cas avant l'adoption de ce nouveau code.

Le député Bill Stancil subit une forte pression de la part des pasteurs conservateurs de sa ville de Fort Smith lorsqu'il vota en faveur de ce code pénal révisé. Ils prétendirent qu'il avait voté la légalisation de l'homosexualité. Or Stancil était un type bien, un des meilleurs anciens entraîneurs de football dans les établissements secondaires de l'Arkansas. C'était un homme musclé, à la mâchoire carrée, dont la subtilité n'était pas le point fort. Ne pouvant croire qu'il avait voté en faveur de l'homosexualité, il résolut de rectifier son erreur avant que la religion ne l'en punisse, et il présenta alors une proposition de loi faisant des actes homosexuels des délits. Et pour faire bonne mesure, il demandait aussi la pénalisation de la zoophilie, ce qui fit qu'un de ses collègues, plus spirituel, remarqua que, de toute évidence, il ne devait pas y avoir beaucoup d'agriculteurs dans sa circonscription. La proposition de Stancil décrivait dans des détails insupportables toutes les variations imaginables des deux types de rapports interdits. Un pervers qui l'aurait lu aurait pu se dispenser d'acheter des revues pornographiques pendant une semaine.

Il n'y avait aucun moyen de contrer cette proposition de loi par un vote direct. En outre, on était encore loin de la décision de la Cour suprême, en 2003, déclarant que les relations homosexuelles librement consenties sont protégées par le droit à la vie privée. Il m'était donc impossible de déclarer l'inconstitutionnalité de la proposition. La seule stratégie possible consistait à user de manœuvres dilatoires. Au sein de la Chambre des représentants, trois jeunes libéraux dont je m'étais fait de grands alliés – Kent Rubens, Jody Mahoney et Richard Mays – ont alors décidé de soumettre à l'assemblée un amendement fort intéressant. Le bruit a couru qu'il y avait anguille sous roche, et c'est dans une tribune bondée, au-dessus de l'hémicycle, que j'ai assisté au feu d'artifice. L'un d'eux s'est levé et a fait l'éloge de la proposition de loi de Stancil, disant qu'il était bien temps que quelqu'un défende la moralité dans l'Arkansas. Le seul problème, a-t-il ajouté, c'était que le texte n'était pas assez vigoureux. C'est pourquoi il souhaitait présenter un « petit amendement » susceptible de le renforcer. Et sans sourciller, il a alors proposé leur ajout, qui faisait une infraction de catégorie D de tout adultère commis par un parlementaire à Little Rock pendant la durée des sessions.

Toute la tribune a explosé de rire. Dans l'hémicycle, en revanche, ce fut un silence de mort. Venir à Little Rock pour la session était le seul divertissement – qui valait bien deux mois à Paris – pour beaucoup de parlementaires représentant des petites villes. Ils n'ont pas trouvé cela amusant et quelques-uns d'entre eux ont lancé à mes trois mousquetaires qu'ils ne voteraient aucune autre proposition tant que cet amendement ne serait pas retiré. Et la proposition a été adoptée et transmise au Sénat.

Nous avions davantage de chances de la descendre à ce stade-là, parce qu'elle a été confiée pour examen à une commission présidée par Nick Wilson, un jeune sénateur de Pocahontas qui était aussi l'un des membres les plus brillants et les plus progressistes de l'assemblée. Il me paraissait possible de le convaincre de refouler la proposition jusqu'à la clôture de la session.

Le dernier jour de la session, elle était encore dans les cartons de la commission et je comptais les heures qui nous séparaient de la clôture. J'ai appelé Nick plusieurs fois pour savoir ce qu'il en était et j'ai traîné au point de partir avec près d'une heure de retard à Hot Springs où je devais prononcer un discours. Quand je n'ai vraiment plus pu attendre, je l'ai appelé une dernière fois. Il m'a dit qu'il ne restait plus qu'une demi-heure avant la clôture de la session et que la proposition était fichue. Je suis donc parti. Quinze minutes plus tard, un puissant sénateur qui était favorable à cette proposition a offert à Nick Wilson un nouveau bâtiment pour l'école technique professionnelle de sa circonscription s'il la soumettait au vote. Comme le disait Tip O'Neill, le président de la Chambre des représentants, la politique est toujours locale. Nick a alors soumis la proposition au vote, et elle a été adoptée sans problème. Ça m'a rendu malade. Quelques années plus tard, l'actuel député de Little Rock, Vic Snyder, a essayé de la faire abroger alors qu'il était au Sénat de l'État. En vain. À ma connaissance, cette loi n'a jamais été appliquée, mais il a fallu attendre la décision de la Cour suprême en 2003 pour qu'elle soit invalidée.

Une autre affaire réellement intéressante à laquelle j'ai été confronté en tant que ministre de la Justice a littéralement été une question de vie ou de mort. Un jour, j'ai reçu un appel de l'hôpital pour enfants de l'Arkansas. Ils venaient d'embaucher un jeune chirurgien talentueux à qui l'on demandait d'opérer deux jumeaux siamois qui étaient soudés au niveau de la poitrine et partageaient le même système pour respirer et pomper le sang. Le problème était que l'opération tuerait très certainement l'un d'eux. L'hôpital souhaitait donc obtenir une déclaration selon laquelle ce médecin ne pourrait être poursuivi en justice pour homicide involontaire à l'encontre de celui des deux enfants qui ne survivrait pas à l'intervention. En fait, je ne pouvais leur donner cette garantie, parce que l'avis du ministre de la Justice ne peut protéger que de poursuites civiles, et non pénales. Il constituerait néanmoins une puissante arme de dissuasion face à une accusation par trop zélée. J'ai donc rédigé une lettre officielle exposant mon opinion selon laquelle le décès inévitable de l'un des jumeaux pour sauver la vie de l'autre ne constituerait pas un délit. Le chirurgien a effectué l'intervention. L'un des deux est mort, mais l'autre a survécu.

Le plus gros du travail qui nous incombait était beaucoup plus classique. Pendant deux ans, nous nous sommes donné beaucoup de mal pour émettre des avis bien rédigés, effectuer du bon boulot pour les organismes de l'État et sur les affaires criminelles, améliorer la qualité des soins à domicile et limiter les tarifs des services publics, en particulier grâce à un gros effort pour maintenir le prix d'un appel dans une cabine téléphonique à dix cents, alors que presque tous les autres États le passaient à vingt-cinq.

En dehors de cela, j'ai parcouru l'État autant que je le pouvais afin d'intensifier mes contacts et de renforcer mon organisation en vue de l'élection suivante. En janvier 1977, à Pine Bluff, la plus grande ville du sud-est de l'Arkansas, j'ai prononcé mon premier discours d'élu à un banquet du Rotary Club. J'y avais obtenu 45 % des voix en 1976, mais il allait falloir faire mieux. Et les cinq cents convives de ce dîner étaient une bonne occasion de gagner du terrain. La soirée fut longue, avec beaucoup de discours et un nombre interminable de présentations. En effet, bien souvent, les organisateurs de ce genre d'événements craignent que les gens qui n'ont pas été présentés rentrent chez eux fâchés. Cela ne fut sans doute pas le cas ce jour-là. Il était près de 22 heures quand mon hôte en arriva à moi. Il était plus nerveux que moi. Ses premiers mots furent : « Vous savez, nous pourrions nous arrêter là, la soirée aurait été très réussie. » Je sais qu'il voulait dire que le meilleur était encore à venir, mais ce n'est pas vraiment ce qui est sorti de sa bouche. Fort heureusement, l'assemblée a éclaté de rire et mon discours a été bien accueilli, notamment parce qu'il était bref.

J'ai aussi assisté à plusieurs événements liés à la communauté noire. Un jour, j'ai été invité par le révérend Robert Jenkins, qui prenait ses fonctions de pasteur à l'église baptiste Morning Star. C'était une petite église en bois blanc située au nord de Little Rock, qui contenait juste assez de bancs pour accueillir confortablement cent cinquante fidèles. Par ce dimanche après-midi de canicule, il y avait à peu près trois cents personnes, dont les pasteurs et les choristes de plusieurs autres églises ainsi qu'un autre Blanc, notre juge de comté, Roger Mears. Les différents chœurs ont chanté et chacun des pasteurs a présenté ses félicitations. Quand Robert s'est levé pour prononcer son sermon, tout le monde était là depuis un bon moment déjà. Mais comme il était jeune, beau et s'exprimait avec puissance, il a su retenir l'attention de la foule. Il a commencé doucement, disant qu'il souhaitait être quelqu'un d'accessible, mais qu'il ne fallait cependant pas se méprendre . « Je désire adresser un message tout particulier aux dames présentes dans cette église, a-t-il dit. Si vous avez besoin d'un pasteur, vous pouvez faire appel à moi à toute heure du jour et de la nuit. Mais si vous avez besoin d'un homme, faites appel au Seigneur. Il vous en trouvera un. » Des propos aussi directs auraient été impensables dans une église blanche classique. Là, la foule les a appréciés. De multiples « amen » lui ont répondu.

Au fur et à mesure que Robert a progressé dans son sermon, la température a semblé monter. Tout à coup, une dame d'un certain âge qui était assise près de moi s'est levée, prise de tremblements, et s'est mise à crier, saisie par l'esprit du Seigneur. Quelques instants plus tard, c'est un homme qui s'est levé encore plus bruyamment, comme s'il avait totalement perdu le contrôle de lui-même. Comme il ne se calmait pas, quelques ecclésiastiques l'ont accompagné jusqu'à une petite pièce où l'on rangeait les robes des choristes. Et ils ont refermé la porte. Il a continué à crier quelque chose d'incompréhensible en frappant les murs. Je me suis retourné juste à temps pour le voir arracher quasiment la porte de ses gonds, la flanquer par terre et sortir précipitamment dans le cimetière en hurlant. Cela m'a rappelé ce qui s'était passé chez Max Beauvoir, en Haïti, sauf que ces gens croyaient avoir été inspirés par Jésus.

Peu de temps après, j'ai vu des chrétiens blancs vivre des expériences du même genre lorsque ma comptable, Dianne Evans, m'a invité au camp annuel des pentecôtistes à Redfield, à une quarantaine de kilomètres au sud de Little Rock. Dianne était la fille de pasteurs pentecôtistes, et comme d'autres femmes pieuses de cette confession, elle portait des vêtements sobres, ne se maquillait pas et ne se coupait pas les cheveux, qui étaient relevés en chignon. À l'époque, les pentecôtistes les plus pratiquants n'allaient même pas au cinéma ou à des matchs. Beaucoup d'entre eux ne voulaient même pas écouter de la musique profane dans leur voiture. Je me suis intéressé à leur foi et à leurs pratiques, notamment après avoir fait la connaissance de Dianne, qui était intelligente, extrêmement compétente et ne manquait pas d'humour. Quand je plaisantais au sujet de tout ce que les pentecôtistes ne pouvaient pas faire, elle répondait que c'était à l'église qu'ils trouvaient tout leur plaisir. Je n'ai d'ailleurs pas tardé à m'en rendre compte.

Quand je suis arrivé à Redfield, j'ai été présenté au responsable des pentecôtistes au niveau de l'État, le révérend James Lumpkin, et à d'autres pasteurs haut placés. Nous nous sommes ensuite dirigés vers le sanctuaire, qui pouvait contenir près de trois mille personnes. Je me suis assis sur la scène avec les pasteurs. Une fois que j'ai été présenté et que divers préliminaires ont été effectués, l'office a commencé avec une musique tout aussi puissante et rythmée que ce que j'avais pu entendre dans des églises noires. Deux hymnes ont été chantés, puis une belle jeune femme s'est levée dans l'assistance, est allée s'asseoir à l'orgue et a chanté un gospel que je n'avais jamais entendu auparavant : *In the Presence of Jehovah*. C'était à couper le souffle. Avant même de m'en rendre compte, je pleurais. Cette femme, c'était Mickey Mangun, la fille du révérend Lumpkin et l'épouse du révérend Anthony Mangun qui, avec Mickey et ses parents, s'occupait d'une grande église à Alexandria, en Louisiane. Au terme d'un sermon enthousiasmant du pasteur, qui incluait de déroutants passages glossolaliques inspirés par le Saint-Esprit, la congrégation a été invitée à approcher et à venir prier devant une rangée de petits autels bas. Beaucoup y sont allés, levant la tête, priant Dieu et parlant eux aussi dans une langue incompréhensible. Je ne devais jamais oublier cette nuit.

Entre 1977 et 1992, je suis allé tous les étés à ce camp, à une exception près, et j'y ai souvent emmené des amis. Au bout de deux ans, quand ils ont su que je faisais partie du chœur de mon église, ils m'ont invité à chanter avec un quartet de pasteurs dégarnis, les Bald Knobbers. J'y ai pris un très grand plaisir et me suis très bien intégré dans le groupe, sauf pour les cheveux.

Chaque année, j'ai assisté à quelque nouvelle manifestation stupéfiante de la foi pentecôtiste. Une année, le pasteur présenté était un homme sans grande instruction qui a déclaré que Dieu lui avait donné le pouvoir de connaître la Bible par cœur. Au cours de son sermon, il a cité deux cent trente versets. Comme j'avais emporté ma Bible, j'ai mis sa mémoire à l'épreuve ; mais au bout de vingt-huit versets, je me suis arrêté. Il ne s'était pas trompé sur un seul mot. Une autre fois, j'ai vu un jeune homme gravement handicapé qui, chaque année, répondait à l'appel à la prière dans son fauteuil électrique. Au départ, il était installé tout à l'arrière de l'église, en haut de la pente qui descendait vers les autels. Il enclenchait la vitesse maximale avec son fauteuil et dévalait toute la travée du milieu. Lorsqu'il arrivait à environ trois mètres de l'autel, il freinait à fond, ce qui le projetait en l'air, et il atterrissait pile sur les genoux devant l'autel. Il se penchait alors en avant et se mettait à prier Dieu comme tous les autres.

Le plus important n'est cependant pas ce que les pentecôtistes faisaient, mais les amis que je me suis faits parmi eux. Ce que j'aimais et admirais, en eux, c'est qu'ils vivaient leur foi. Ils sont totalement opposés à l'avortement, mais contrairement à d'autres, ils veillent à ce qu'un bébé non désiré, quels que soient son origine ou son handicap, soit accueilli dans un foyer chaleureux. Ils n'étaient pas d'accord avec moi à propos de l'avortement et des droits des homosexuels, mais ils respectaient le précepte du Christ selon lequel il faut aimer son prochain. En 1980, lorsque je me suis présenté une nouvelle fois au poste de gouverneur et ai été battu, un des premiers appels que j'ai reçus a été celui des Bald Knobbers. Trois d'entre eux désiraient me voir, m'a-t-on dit. Ils sont venus à la résidence du gouverneur, ont prié avec moi, m'ont dit qu'ils m'aimaient tout autant maintenant que lorsque j'avais gagné et sont partis.

Outre le fait qu'ils étaient respectueux de leur foi, les pentecôtistes que je connaissais étaient de bons citoyens. Ils pensaient que ne pas voter était un péché. La plupart des pasteurs que j'ai connus aimaient la politique et les hommes politiques, et sur le plan pratique, ils pouvaient être, eux aussi, de bons tacticiens. Ainsi, au milieu des années 1980, dans tous les États-Unis, les Églises fondamentalistes s'opposaient à des législations des États selon lesquelles leurs garderies devaient être conformes aux lois des États et agréées par ceux-ci. Dans certains endroits, c'était devenu un sujet extrêmement brûlant, au point qu'au moins un pasteur d'un État du Midwest a préféré se retrouver en prison plutôt que d'appliquer les règlements afférents aux garderies. Dans l'Arkansas, où nous avions rencontré quelques problèmes avec une garderie religieuse et où les nouveaux règlements d'État relatifs à la garde des enfants allaient être votés, la situation était explosive. J'ai convoqué deux de mes amis pasteurs pentecôtistes et leur ai demandé où le bât blessait, réellement, dans cette affaire. Ils m'ont répondu qu'ils n'étaient absolument pas opposés à l'application des règlements de l'État en matière de santé et de sécurité. Ce qui leur déplaisait, c'était d'avoir à obtenir une licence de l'État et à l'afficher. Ils considéraient que la garde d'enfants était un élément essentiel de leur ministère et qu'en vertu de la garantie de la liberté de culte prévue par le Premier Amendement, l'État n'avait pas à interférer dans cette tâche. Je leur ai alors remis un exemplaire de la nouvelle réglementation de l'État, leur ai demandé de la lire et de me dire ce qu'ils en pensaient. Le lendemain, lorsqu'ils sont revenus, ils m'ont dit que cette réglementation était bonne. Je leur ai donc proposé un compromis : les garderies religieuses n'auraient pas à être agréées par l'État à condition que les Églises acceptent de se conformer pour bonne partie à ces règles et de se soumettre à des contrôles réguliers. Ils ont accepté, la crise s'est calmée, la réglementation a été mise en œuvre et, pour autant que je sache, les garderies religieuses n'ont jamais eu de problèmes.

Dans les années 1980, Hillary et moi-même avons emmené Chelsea assister à un office messianique de Pâques à l'église des Mangun, à Alexandria. Les systèmes d'éclairage et de sonorisation étaient de premier ordre, le décor très réaliste – avec des animaux vivants – et les acteurs étaient tous des fidèles. En outre, la plupart des chants étaient originaux et magnifiquement interprétés. C'est pourquoi quand, alors que j'étais président, je me suis trouvé à Fort Polk, près d'Alexandria, à Pâques, je suis retourné voir cet office messianique et ai persuadé les journalistes accrédités qui me suivaient de venir avec moi, ainsi que deux parlementaires noirs de Louisiane, Cleo Fields et Bill Jefferson. Au milieu de l'office, les lumières se sont éteintes. Une femme s'est mise à chanter un hymne connu d'une voix puissante et profonde. Le révérend s'est penché sur l'épaule de Jefferson et lui a demandé : « Bill, selon vous, cette femme est-elle blanche ou noire ? » À quoi Bill a répondu : « C'est une de nos sœurs, cela ne fait aucun doute. » Au bout de quelques minutes, les lumières se sont rallumées, nous révélant une petite femme blanche vêtue d'une longue robe noire, les cheveux relevés sur la tête. Jefferson s'est contenté de secouer la tête, mais un autre Noir assis à quelques rangées devant nous n'a pu s'empêcher de s'exclamer : « Mon Dieu, une Blanche ! » À la fin de la représentation, j'ai pu voir que plusieurs journalistes, d'habitude cyniques, avaient les larmes aux yeux tant leur scepticisme avait été ébranlé par la puissance de la musique.

Quand Mick Mangun et une autre amie pentecôtiste, Janice Sjostrand, ont chanté à mon office de consécration, lors de ma première investiture, ils ont fait un tabac. Alors qu'il quittait l'église, Colin Powell, alors président des chefs d'état-major interarmées, s'est penché vers moi et m'a demandé : « Où avez-vous trouvé des femmes blanches capables de chanter de la sorte ? Je ne savais pas que ça existait. » J'ai souri et je lui ai répondu que c'est parce que je connaissais de telles personnes que j'avais été élu président.

Lors de mon second mandat, quand les Républicains essayaient de m'abattre et que beaucoup de spécialistes me donnaient déjà pour mort, Anthony Mangun m'a appelé et m'a demandé si j'avais vingt minutes à leur consacrer, à Mickey et lui. « Vingt minutes ? ai-je répondu. Vous allez prendre l'avion jusqu'ici pour vingt minutes ? » « Vous êtes très occupé. Ça suffira », m'a-t-il dit. J'ai donc accepté qu'ils viennent. Quelques jours plus tard, Anthony et Mickey étaient assis, seuls avec moi, dans le Bureau ovale. « Vous avez commis une faute, mais vous n'êtes pas un mauvais homme, m'a-t-il dit. Nous avons élevé nos enfants ensemble. Je connais votre cœur. N'abandonnez pas. Et si vous vous enfoncez et que les rats commencent à quitter le navire, appelez-moi. J'ai suivi votre ascension, et je veux rester avec vous dans la descente. » Puis nous avons prié ensemble, et Mickey m'a donné une bande sur laquelle elle avait enregistré une magnifique chanson écrite dans le but de me soutenir. Elle s'appelait *Redemption*. Au bout de vingt minutes, ils se sont levés et sont partis reprendre l'avion.

Les pentecôtistes ont enrichi et changé ma vie. Quelles que soient les idées religieuses que l'on peut avoir, ou ne pas avoir, la vue de gens qui vivent leur foi dans un esprit d'amour à l'égard de tous, et non seulement des leurs, est une belle chose. Si la chance vous est jamais offerte d'assister à un office pentecôtiste, ne la laissez pas passer

Vers la fin 1977, la politique a repris ses droits. Le sénateur McClellan avait annoncé son départ en retraite après presque trente-cinq années passées au Sénat, et sa succession allait donner lieu à une bataille épique. Le gouverneur Pryor, qui avait failli battre McClellan six ans plus tôt, se présentait ; de même que Jim Guy Tucker et le député de la quatrième circonscription du sud de l'Arkansas, Ray Thornton, qui était une personnalité importante depuis qu'il avait fait partie de la Commission judiciaire de la Chambre des représentants lors de la procédure de destitution de Nixon. De plus, il était le neveu des banquiers Witt et Jack Stephens, ce qui fait que le financement de sa campagne était assuré.

Il me fallait décider si je me présentais ou non au Sénat moi aussi. Des sondages récents me donnaient en deuxième position, à environ 10 points derrière le gouverneur et légèrement devant les deux parlementaires. J'étais un élu depuis moins d'un an, mais contrairement à ces deux hommes, je représentais la totalité de l'État, étais présent en permanence et avais la chance d'assurer une fonction qui, lorsqu'elle est accomplie correctement, suscite naturellement l'appui de l'opinion publique. En effet, bien peu de gens sont opposés à la protection des consommateurs, à une meilleure prise en charge des personnes âgées, à des tarifs moins élevés des services publics ou à l'ordre public.

J'ai néanmoins décidé d'être candidat au poste de gouverneur. J'aimais gérer les affaires de l'État et voulais rester chez moi. Mais avant de m'engager dans la campagne, j'ai eu une dernière grosse affaire à régler en tant que ministre de la Justice. Et il m'a fallu le faire à distance. Au lendemain de Noël, Hillary et moi sommes partis à Miami voir l'Arkansas jouer l'Orange Bowl contre l'Oklahoma. Pour sa première année à la tête de l'équipe de football de l'Arkansas, l'entraîneur Lou Holtz l'avait amenée à la sixième place nationale, au terme d'une saison marquée par dix victoires contre une seule défaite, face au Texas, les premiers du classement. L'Oklahoma était en deuxième position, n'ayant lui aussi perdu que face au Texas, mais sur un score plus serré.

À peine étions-nous arrivés qu'une catastrophe s'est produite, dans l'Arkansas, avec l'équipe de football. L'entraîneur Holtz a suspendu trois joueurs, ce qui les mettait hors course pour le match contre l'Oklahoma, en raison du rôle qu'ils avaient joué dans une affaire impliquant une jeune femme dans les vestiaires. Or il ne s'agissait pas de n'importe quels joueurs. À eux trois, ils constituaient le plus gros de l'attaque de l'équipe. Bien que personne n'ait été inculpé, Holtz a indiqué qu'il suspendait ces joueurs parce qu'ils avaient violé le code de « bonne conduite » et qu'il avait pour tâche de faire de ses ouailles non seulement des joueurs de foot, mais aussi des gens bien.

Les trois hommes intentèrent une action en justice en vue d'obtenir leur réintégration, arguant que leur suspension était arbitraire et peut-être fondée sur des considérations raciales, puisque tous trois étaient noirs et la femme blanche. Et ils rallièrent des soutiens au sein de l'équipe. Neuf autres joueurs déclarèrent qu'ils ne joueraient pas l'Orange Bowl si ces trois-là n'étaient pas réintégrés dans l'équipe.

Ma tâche consistait à appuyer la décision de Holtz. Après en avoir discuté avec Frank Broyles, qui était devenu directeur sportif, j'ai résolu de rester en Floride, où je pouvais mener des consultations étroites avec Holtz et lui. J'ai demandé à ma collaboratrice Ellen Brantley de prendre les choses en main au niveau de la cour fédérale, à Little Rock. Ellen, qui avait fait Wellesley avec Hillary, était une brillante avocate ; en outre, je pensais qu'il ne serait pas mauvais qu'une femme défende notre position. De son côté, Holtz était de plus en plus soutenu, et un certain nombre de joueurs commençaient à envisager de jouer le match.

Pendant trois journées trépidantes, j'ai passé huit heures, voire plus, au téléphone, discutant avec Ellen à Little Rock et avec Broyles et Holtz à Miami. Holtz faisait l'objet de pressions et de critiques de plus en plus nombreuses, notamment sur la question du racisme. Or tout ce que l'on pouvait avoir contre lui, c'est que lorsqu'il avait été entraîneur de l'équipe de Caroline-du-Nord, il avait pris parti pour la réélection du sénateur conservateur Jesse Helms. Après avoir discuté des heures avec Holtz, j'ai été convaincu qu'il n'était ni raciste ni un politique. Helms avait été correct avec lui, et il lui avait rendu la pareille.

Le 30 décembre, trois jours avant le match, les joueurs ont retiré leur plainte et libéré leurs coéquipiers de leur promesse de ne pas jouer. Mais l'affaire n'était pas terminée ! Car Holtz était tellement bouleversé qu'il m'a déclaré avoir l'intention d'appeler Frank Broyles pour lui remettre sa démission. Aussitôt, j'ai appelé le directeur sportif en lui disant de ne répondre sous aucun prétexte au téléphone dans sa chambre cette nuit-là. J'étais persuadé qu'au petit matin, Lou se réveillerait avec la rage de vaincre.

Au cours des deux jours qui ont suivi, les joueurs se sont entraînés comme des fous. Au départ, ils étaient donnés perdants à 18 contre 1, et après l'éviction des trois vedettes, le match avait été retiré des paris. Cela ne les a pas empêchés de se botter très vivement le postérieur.

Le 2 janvier au soir, Hillary et moi étions assis dans l'Orange Bowl Stadium à regarder les joueurs de l'Oklahoma s'échauffer. La veille, le Texas, premier du classement, avait perdu le Cotton Bowl face à Notre Dame. Il suffisait à l'Oklahoma de battre un Arkansas blessé pour remporter le championnat national, et comme tout un chacun, ils pensaient que c'était dans la poche. Puis, les Razorbacks sont entrés sur le terrain. Ils ont trottiné les uns derrière les autres et ont frappé le poteau d'en-but avant de commencer leurs exercices. Hillary les a regardés, m'a saisi le bras et m'a dit : « Regarde-les, Bill. Ils vont gagner. » Avec une défense paralysante et une percée record de 205 yards par l'arrière remplaçant Roland Sales, les Razorbacks ont pulvérisé l'Oklahoma par 31 à 6, ce qui était peut-être la plus grande et sans doute la plus improbable victoire enregistrée dans les annales du football en Arkansas. Lou Holtz est un petit gars maigrichon et nerveux qui arpentait le bord du terrain d'une manière qui rappelait Woody Allen à Hillary. J'ai été heureux que ce curieux épisode m'ait donné l'occasion de bien le connaître. Il est brillant et courageux, et c'est peut-être le meilleur entraîneur des États-Unis. Il a connu d'autres grandes saisons avec l'Arkansas, le Minnesota, Notre Dame et la Caroline-du-Sud, mais il ne vivra jamais une autre nuit aussi éprouvante que celle-là.

L'affaire de l'Orange Bowl étant close, je suis rentré pour passer à la suite. Après l'annonce par le sénateur McClellan de son départ en retraite, je suis allé le voir pour le remercier de ses bons et loyaux services, et lui demander conseil. Il m'a vivement encouragé à briguer son siège. Il ne souhaitait pas qu'il revienne à David Pryor et n'avait aucun lien particulier avec Tucker et Thornton. Il m'a dit que le pire qui pouvait m'arriver serait de perdre, comme cela lui était arrivé la première fois, et que si je perdais, j'étais jeune et pourrais tenter de nouveau ma chance, comme il l'avait fait. Quand je l'ai informé que j'envisageais de me présenter pour le poste de gouverneur, il m'a répondu que ce n'était pas une bonne idée et qu'un gouverneur ne faisait que mécontenter les gens, alors qu'au Sénat, on pouvait faire de grandes choses pour l'État et la population. Le poste de gouverneur, a-t-il ajouté, n'est guère éloigné du cimetière politique. D'un point de vue historique, l'analyse de McClellan était juste. Quand le gouverneur Dale Bumpers, porté par la vague de la prospérité et du progressisme du Nouveau Sud, avait été élu au Sénat, il avait fait exception à la règle. Les temps avaient été plus durs lors du mandat de Pryor, maintenant confronté à l'incertitude de ma candidature. Et il était difficile de rester gouverneur plus de quatre ans. Depuis que l'Arkansas avait adopté un mandat de deux ans, en 1876, seuls deux gouverneurs, Jeff Davis avant la Première Guerre mondiale et Orval Faubus, étaient restés plus de quatre ans. Et Faubus avait dû envoyer la troupe contre les enfants noirs de Little Rock pour se maintenir.

McClellan, qui avait 82 ans, avait toujours l'esprit très vif, et j'étais respectueux de ses conseils. J'étais même surpris de ses encouragements. J'étais beaucoup plus libéral que lui, mais c'était également vrai de tous ses successeurs potentiels. Le courant passait entre nous, en partie parce que j'étais encore en fac de droit quand le gouverneur Pryor avait été candidat contre lui et que je n'avais donc pas pu aider Pryor, ce que j'aurais peut-être fait si j'avais été là. Je respectais aussi les travaux tout à fait sérieux que McClellan avait menés en vue de démanteler les réseaux de la criminalité organisée, qui constituaient une menace pour tous les Américains, sans considération de leurs opinions politiques ou de leur situation économique. Peu après notre rencontre, le sénateur McClellan est mort sans même parvenir au terme de son mandat.

En dépit de ses conseils et des assurances de soutien pour ma course au Sénat qui m'avaient été données aux quatre coins de l'État, je m'en suis tenu à ma décision de me présenter comme gouverneur. J'étais excité par la perspective de ce que je pourrais accomplir, et je pensais que j'avais des chances de gagner. Même si à 31 ans, mon âge risquait davantage de jouer contre moi dans une élection au poste de gouverneur qu'à celui de sénateur, en raison des lourdes tâches administratives et décisionnelles qu'il impliquait, la concurrence était moins rude que pour le Sénat.

Il y avait quatre autres candidats en lice pour les primaires du Parti démocrate : Joe Woodward, un juriste de Magnolia, dans le sud de l'Arkansas, qui avait pris part activement aux campagnes de Dale Bumpers ; Frank Lady, un juriste du nord-est de l'Arkansas, chrétien évangélique conservateur, le candidat préféré des adeptes de la majorité morale et le premier, mais non le dernier, de mes adversaires à critiquer Hillary sur la place publique : explicitement, parce qu'elle était juriste, et implicitement, parce qu'elle avait conservé son nom de jeune fille quand nous nous étions mariés ; Randall Mathis, un bon orateur, juge du comté de Clark, juste au sud de Hot Springs ; et Monroe Schwarzlose, un ancien éleveur de dindes du sud de l'Arkansas, absolument génial. Woodward promettait d'être le meilleur des quatre. Il était intelligent, s'exprimait bien, et avait des contacts dans tout l'État en raison de sa collaboration avec Bumpers. Je partais néanmoins avec une bonne avance. Il ne me restait qu'à la garder. Et comme c'était la course au Sénat qui suscitait le plus l'intérêt, il me suffisait de faire une bonne campagne, d'éviter les erreurs et de faire du bon travail en tant que ministre de la Justice.

Quoique assez peu passionnante, la campagne a néanmoins comporté quelques épisodes intéressants. Ainsi, l'« histoire de l'arbre » a refait surface lorsqu'un policier de l'État favorable à Joe Woodward a juré qu'il m'avait fait descendre de cet arbre de la honte en 1969. À Dover, au nord de Russellville, j'ai dû relever un autre défi à ma virilité en participant à un tir à la corde avec une bande de grumiers baraqués. J'étais le plus petit des deux équipes et je me suis retrouvé sur le devant. Or la corde que nous tirions et retenions passait dans un cylindre plein d'eau et de boue. C'est mon côté qui a perdu, et j'ai fini couvert de boue et les mains en sang d'avoir tiré si fort sur la corde. Heureusement, un ami qui m'avait incité à prendre part à ce concours m'a donné un nouveau pantalon en toile afin que je puisse reprendre la route. Et à Saint Paul, un village d'environ cent cinquante âmes à côté de Huntsville, j'ai commencé à serrer la main de tous les participants au défilé du Pioneer Day [qui célèbre l'arrivée des mormons à Salt Lake City], mais j'ai tout à coup battu en retraite en voyant venir vers moi un homme tenant en laisse son animal préféré : un ours de taille adulte. Je ne sais pas qui la laisse était censée rassurer, mais en tout cas, pas moi.

Et, chose étonnante, les tomates aussi ont joué un rôle dans la campagne de 1978. En effet, on en cultive beaucoup dans l'Arkansas, en particulier dans le comté de Bradley. Elles sont en grande partie cueillies par des travailleurs itinérants qui vont du sud du Texas jusqu'au Mississippi, en traversant l'Arkansas, avant de remonter jusqu'au Michigan en suivant l'élévation des températures et le mûrissement des fruits et légumes. J'avais eu l'occasion, en tant que ministre de la Justice, de me rendre à Hermitage, dans le sud de ce comté, à une réunion locale sur les difficultés qu'avaient les petits agriculteurs à appliquer les nouveaux règlements fédéraux relatifs au logement de leurs employés. Ils n'avaient tout bonnement pas les moyens de s'y conformer. Je leur avais obtenu des aides de l'administration Carter afin qu'ils puissent construire les installations requises et se maintenir en activité et ils m'en avaient été très reconnaissants : quand j'ai annoncé ma candidature au poste de gouverneur, ils ont organisé une fête au cours de laquelle la fanfare du collège devait conduire un cortège dans la rue principale. J'étais enthousiasmé par cette perspective et content qu'une reporter de l'*Arkansas Gazette* soit venue avec moi pour couvrir l'événement. En cours de route, elle m'a posé de nombreuses questions au sujet de ma campagne et des thèmes mis en avant. C'est alors que j'ai dit quelque chose qui semblait mettre en doute mon soutien à la peine de mort, et il n'a plus été question que de cela. Tout Hermitage était là, mais leur fête et le travail à l'origine de sa réalisation sont restés un secret pour le reste de l'État. Je l'ai déploré pendant des jours et des jours, jusqu'à ce que mes collaborateurs se disent que le seul moyen de me faire taire était de recourir à l'humour. Ils ont alors fait fabriquer des tee-shirts marqués : « Vous auriez dû voir la foule à Hermitage ! » J'ai récolté toutes les voix de cette ville et appris à me méfier davantage des reporters.

Quelques semaines plus tard, je suis revenu dans le comté de Bradley pour m'assurer les faveurs des cultivateurs de tomates lors du Pink Tomato Festival, qui se tient chaque année à Warren. Et je me suis inscrit au concours du plus gros mangeur de tomates. Trois des sept ou huit concurrents étaient des jeunes bien plus costauds que moi. Chacun de nous a reçu un sac en papier plein de tomates qui avaient été soigneusement pesées. Quand la cloche a sonné, nous nous sommes mis à en manger autant que nous le pouvions dans le temps imparti, qui était de cinq minutes, je crois, ce qui est bien long pour regarder des adultes se comporter comme des porcs devant leur auge. Toute partie de la tomate qui n'était pas consommée devait être remise dans le sac, afin que l'on puisse ensuite déterminer le poids exact qui avait été absorbé. Et moi, comme un idiot, j'ai essayé de gagner. Comme je le faisais tout le temps. J'ai fini troisième ou quatrième et me suis senti plutôt mal pendant quelques jours. Ce n'était pas pour rien. J'ai aussi récolté la plupart des voix de Warren. Mais je n'ai jamais plus participé à ce concours.

Entre-temps, le Congrès fédéral avait voté l'amendement à la Constitution sur l'égalité des droits des minorités (Equal Rights Amendment, ERA) et l'avait renvoyé devant les assemblées des États pour ratification, mais le pourcentage requis des trois quarts des parlements des États n'avait pas été atteint – et ne devait jamais l'être. Cependant, pour différentes raisons, le sujet demeurait brûlant parmi les moralistes de l'Arkansas. Le sénateur Kaneaster Hodges, que

David Pryor avait nommé pour terminer le mandat de McClellan, avait prononcé un beau discours au Sénat en faveur de cet amendement. Notre amie Diane Kincaid l'avait emportée sur Phyllis Schlafly, l'adversaire numéro un de ce texte dans le pays, lors d'un débat très médiatisé devant l'assemblée de l'Arkansas. Et Hillary et moi le soutenions publiquement. Ses adversaires prévoyaient la fin de la civilisation telle que nous la connaissions s'il était voté : les femmes au combat, des toilettes unisexes, des familles brisées au sein desquelles des femmes arrogantes ne seraient plus soumises à leurs maris.

À cause de cet amendement, j'ai eu un petit accrochage avec des partisans de Frank Lady lors d'un rassemblement d'environ cinq cents personnes à Jonesboro, dans le nord-est de l'État. Je prononçais mon discours de campagne, exposant mes propositions en matière d'éducation et de développement économique, quand une vieille femme portant un tee-shirt de soutien à Lady commença à hurler : « Et l'ERA ! Parlez-nous un peu de l'ERA ! » Au bout d'un moment, je répondis : « D'accord, je vais vous en parler. Je suis pour. Vous êtes contre. Mais il ne fera pas autant de dégâts que vous le croyez, ni autant de bien que ceux d'entre nous qui y sont favorables le voudraient. Alors, revenons-en aux écoles et aux emplois. » Mais elle ne lâcha pas prise, me lançant : « Vous encouragez l'homosexualité ! » Je la regardai en souriant et répondis : « Madame, au cours de ma courte carrière politique, j'ai été accusé de tout ce que l'on peut imaginer. Mais vous êtes la première personne qui m'ait jamais accusé d'encourager l'homosexualité. » Ce fut un rugissement général. Même certains des partisans de Lady ne purent s'empêcher de rire. Et je pus ensuite terminer mon discours.

Le jour de l'élection primaire, j'ai obtenu 60 % des voix et remporté soixante et onze des soixante-quinze comtés. Dans le vote pour le Sénat, les voix étaient divisées à peu près à égalité entre Pryor, Tucker et Thornton. Le gouverneur recueillait 34 % des voix, et Jim Guy Tucker en avait juste un peu plus que Ray Thornton, ce qui signifiait qu'il y aurait un second tour. Tout le monde pensait que Pryor était en difficulté, parce qu'en tant que gouverneur en place il aurait dû obtenir bien plus de 40 % des voix. Comme je l'aimais bien et que j'avais apprécié de travailler avec lui aux affaires de l'État, je lui ai vivement recommandé d'aller voir mon nouveau sondeur, Dick Morris, un jeune consultant politique qui avait pris part activement à la vie politique à New York. C'était un personnage brillant et corrosif, débordant d'idées sur la politique et la stratégie. Il était partisan de campagnes créatives et agressives, et tellement sûr de tout que beaucoup de gens, surtout dans le Sud, comme dans l'Arkansas, avaient du mal à le supporter. Pour ma part, je le trouvais stimulant. Et il m'a été très utile, en partie parce que je refusais de me laisser dérouter par sa façon de faire et en partie parce que je sentais quand il avait raison et quand il avait tort. Une des choses que j'appréciais beaucoup chez lui, c'est qu'il osait me dire ce que je ne voulais pas entendre.

Durant la campagne d'automne, mon adversaire était un éleveur, président du Parti républicain dans l'État, Lynn Lowe. Tout s'est passé sans histoires, sauf lors de la conférence de presse, sur les marches du Capitole, où son responsable de campagne m'a accusé d'avoir été un insoumis. Je les ai renvoyés au colonel Holmes. J'ai remporté l'élection avec 63 % des voix, gagnant dans soixante-neuf des soixante-quinze comtés. À 32 ans, j'étais le gouverneur élu de l'Arkansas et j'avais deux mois devant moi pour former une équipe, élaborer un programme législatif et achever mon travail de ministre de la Justice. J'avais vraiment aimé ce poste, et grâce au mal que s'étaient donné des collaborateurs dévoués, notre bilan était bon. Nous avons éclusé l'arriéré de demandes d'avis juridique, en émettant un nombre record ; recouvré plus de quatre cent mille dollars de créances de consommateurs, ce qui faisait plus qu'au cours des cinq années d'existence de la division de recouvrement ; signifié aux conseils de l'État chargés de réglementer des secteurs professionnels qu'ils ne pouvaient plus interdire aux professions qu'ils réglementaient de faire de la publicité pour leurs prix, chose courante, à l'époque, dans l'ensemble des États-Unis ; préconisé de meilleurs soins à domicile et que l'on cesse de pratiquer de la discrimination à l'encontre des personnes âgées ; pris part à davantage de débats sur les tarifs des services publics que cela ne s'était jamais fait auparavant, permettant aux contribuables d'économiser des millions de dollars ; rédigé et fait voter une loi sur l'indemnisation des victimes d'agressions violentes ; et protégé les droits à la vie privée des citoyens en ce qui concernait les informations personnelles détenues par des organismes publics. Enfin, un autre des résultats que j'ai obtenus me tenait tout particulièrement à cœur. J'ai réussi à convaincre les trois quarts requis des deux chambres de modifier la loi de l'État sur le droit de vote afin de le rendre aux criminels ayant purgé leur peine. J'ai fait valoir qu'une fois qu'un délinquant avait payé, il devait recouvrer toutes ses prérogatives de citoyen. Je l'ai fait pour Jeff Dwire, un homme travailleur, payant régulièrement ses impôts, qui n'a jamais été réhabilité et vivait un véritable supplice chaque fois qu'il y avait une élection. Malheureusement, plus de vingt-cinq ans plus tard, le gouvernement fédéral et la plupart des États n'ont toujours pas suivi le mouvement.

CHAPITRE VINGT ET UN

Nous avons commencé à organiser mon premier mandat après les primaires du mois de mai, et nous nous sommes réellement mis au travail après le mois de novembre, convertissant notre quartier général en bureau de transition. Rudy Moore et Steve Smith, qui avaient tous deux travaillé au Parlement, m'ont aidé à préparer les budgets et les projets de loi destinés à concrétiser les objectifs prioritaires de ma politique et à analyser les principaux dossiers qu'il allait falloir traiter ; ils ont également commencé à engager une équipe, ainsi que les membres de mon cabinet.

En décembre, le Parti démocrate a tenu son congrès de mi-mandat à Memphis. On m'a donc demandé de traverser le Mississippi afin de participer, en tant que modérateur, à une table ronde sur la santé publique à laquelle participaient Joe Califano – secrétaire à la Santé, à l'Éducation et à l'Aide sociale sous la présidence de Jimmy Carter – et le sénateur Edward Kennedy, qui s'était fait, au Sénat, le plus ardent défenseur de la couverture médicale universelle. Califano défendait avec brio l'approche présidentielle de la réforme du système de santé, plutôt favorable à une augmentation des cotisations ; mais Kennedy a conquis l'assistance avec un émouvant plaidoyer en faveur de l'accès de tous, riches et pauvres, à la même couverture médicale que celle qu'il avait pu payer à son fils, Teddy, lorsque celui-ci avait eu un cancer. J'ai bien aimé participer à cette conférence, de même que j'ai aimé me retrouver plongé dans un débat national, mais j'étais convaincu que ce congrès ne faisait que mettre en lumière nos dissensions, alors qu'il avait pour but d'unir les Démocrates et de leur redonner de l'énergie hors période d'élections présidentielles. Ces congrès intermédiaires ont d'ailleurs été abandonnés par la suite.

Peu de temps avant Noël, Hillary et moi avons pris quelques jours de repos bien mérités en Angleterre.

Nous avons passé le jour de Noël avec mon amie d'Oxford, Sara Maitland, et son mari, Donald Lee, un Américain devenu prêtre de l'Église d'Angleterre. C'était la première fois que Donald officiait le soir de Noël. Il était un peu nerveux, mais il a commencé par un sermon pour les enfants, certain de conquérir ainsi ses ouailles. Il s'est assis sur les marches, devant une très belle Nativité et il a demandé aux enfants de venir s'asseoir avec lui ; puis il leur a dit : « Les enfants, ce jour est un jour très spécial. » Ils ont tous acquiescé. « Savez-vous quel jour nous sommes ? » « Oui », ont-ils répondu. Et Donald leur a demandé en souriant : « Quel jour sommes-nous ? » Ils ont tous crié à l'unisson : « Lundi ! » Je ne sais pas comment il a fait pour continuer. Il s'est peut-être consolé en se disant que, dans son église au moins, ces enfants disaient la vérité.

Dans le mois, nous devions emménager dans la résidence du gouverneur et nous préparer à la journée inaugurale. La résidence était une grande demeure de style colonial d'environ 3 000 m², située dans le magnifique quartier ancien de Quapaw, à Little Rock, non loin du Capitole. Le bâtiment principal était flanqué de deux bâtiments plus petits, celui de gauche servant à loger les invités et celui de droite servant de quartier général aux gardes civils qui surveillent l'endroit et répondent au téléphone vingt-quatre heures sur vingt-quatre. La résidence elle-même dispose de trois grands salons de réception, d'une grande cuisine et d'une petite salle à manger au rez-de-chaussée, d'un vaste sous-sol converti en espace de détente et même équipé d'un flipper. Les appartements privés sont situés au premier étage. En dépit de la taille imposante du bâtiment, les appartements privés ne sont constitués que de cinq petites pièces et de deux modestes salles de bains. Mais le tout était tellement plus vaste et confortable que notre petite maison de L Street que nous n'avions pas de quoi meubler les cinq pièces.

Le plus dur, dans cette période de transition, était de s'habituer aux règles de sécurité. J'ai toujours mis un point d'honneur à ne compter que sur moi-même et j'ai toujours accordé beaucoup d'importance à ma vie privée. Je gagnais ma vie depuis l'âge de 20 ans et, au fil des années, j'avais pris l'habitude de faire moi-même les courses, le ménage et la cuisine. Lorsque Hillary et moi nous sommes installés ensemble, nous avons naturellement partagé les tâches ménagères. À présent, d'autres que nous faisaient la cuisine, le ménage et les courses. Depuis l'âge de 16 ans, je conduisais avec plaisir ma propre voiture, où je pouvais réfléchir à loisir tout en écoutant de la musique. Je ne pouvais plus le faire à présent. J'aimais courir tous les jours, généralement avant ou après le travail. À présent, je ne pouvais le faire qu'en étant suivi de près par des policiers dans une voiture banalisée. Au début, j'ai vraiment eu du mal à m'y habituer : cela me donnait envie de prendre les rues à sens unique dans le mauvais sens. Avec le temps, j'ai fini par m'y faire et j'ai pu apprécier tout le travail effectué par nos employés de maison et par ceux qui étaient chargés de notre surveillance. Comme je disposais d'un chauffeur, je pouvais m'occuper d'un certain nombre de choses pendant le trajet. J'ai finalement obtenu de pouvoir conduire moi-même jusqu'à l'église, le dimanche. Ce n'était pas une concession très importante, car mon église et l'église méthodiste où allait Hillary étaient toutes deux situées à deux kilomètres environ de notre résidence, mais je tenais beaucoup à ces quelques minutes de liberté hebdomadaires. L'un des policiers courait avec moi lorsqu'il était de service. Je préférais nettement cela au fait d'être suivi par une voiture. Après avoir été en fonctions pendant plusieurs années et voyant que je n'étais pas particulièrement menacé, j'ai pu courir seul le matin, mais toujours sur un itinéraire prédéterminé, et le long d'une artère centrale très fréquentée. Je finissais toujours mon jogging par une étape au McDonald's ou à la boulangerie du coin, tous deux distants d'environ un kilomètre de la résidence ; j'y prenais un verre d'eau avant de rentrer en marchant.

Il arrivait que les policiers chargés de notre surveillance aient à effectuer de vraies opérations de sécurité. Lors de mon premier mandat, un homme qui s'était échappé d'un hôpital psychiatrique a appelé la résidence pour dire qu'il allait me tuer. Comme il avait décapité sa mère quelques années plus tôt, sa menace a été prise très au sérieux. Il a été arrêté et il est retourné dans l'institution qui le soignait, ce qu'il souhaitait peut-être en appelant. Un jour, un homme gigantesque armé d'une grande pointe de métal est entré dans le bureau du gouverneur, déclarant qu'il voulait s'entretenir avec moi seul à seul. Inutile de préciser qu'on ne l'a pas laissé entrer. En 1982, alors que j'essayais de reconquérir le poste de gouverneur, un homme a appelé en disant qu'il avait eu un message de Dieu lui disant que mon adversaire était l'instrument du Seigneur, que j'étais, pour ma part, l'instrument du diable et qu'il allait honorer la volonté divine en m'éliminant. Il s'était lui aussi échappé d'un asile psychiatrique du Tennessee. Il avait un revolver et avait fait toutes les armureries de la région pour essayer d'acheter des munitions ; mais faute de pouvoir produire un document d'identité, il avait échoué. Quoi qu'il en soit, j'ai dû porter un très inconfortable gilet pare-balles jusqu'à la fin de la campagne. Un jour que par accident la porte d'entrée n'avait pas été fermée à clef, une femme inoffensive, bien qu'un peu folle, a emprunté l'escalier qui menait aux appartements privés. Les gardes l'ont rattrapée à mi-chemin alors qu'elle criait mon nom. Une autre fois, un petit homme maigre en short et en rangers a été arrêté alors qu'il s'apprêtait à forcer la porte d'entrée. Il venait visiblement de s'injecter je ne sais quelle drogue qui lui donnait tant de force qu'il n'a pas fallu moins de deux gardes plus grands que moi pour le réduire à l'impuissance, non sans qu'il ait trouvé le moyen d'en faire passer un par la fenêtre du bâtiment de la sécurité. Plus tard, lorsque l'homme s'est calmé, il s'est excusé auprès des policiers et les a remerciés de l'avoir empêché de blesser quelqu'un.

Les policiers chargés de ma sécurité ont fait parler d'eux lors de mon premier mandat présidentiel lorsque deux d'entre eux, contrariés par des problèmes financiers, ont propagé des histoires sur mon compte, contre une modeste somme d'argent, la promesse de la célébrité et d'un enrichissement ultérieur. Mais la plupart de ceux qui s'occupaient de la sécurité faisaient très sérieusement leur travail, et plusieurs d'entre eux sont même devenus des amis. En janvier 1979, je n'étais pas certain de pouvoir m'habituer à être ainsi l'objet d'une surveillance constante, mais j'étais tellement passionné par mes nouvelles fonctions que je n'ai pas vraiment eu le temps d'y penser.

En plus du traditionnel bal marquant mon entrée en fonctions, nous avons organisé une soirée de spectacle sur l'Arkansas intitulée *Diamants et Denim*. Tous les interprètes étaient originaires de l'Arkansas, notamment le grand chanteur de soul Al Green, qui s'est plus tard tourné vers le gospel et la prêtrise, et Randy Goodrum, le pianiste de notre trio musical au lycée : les Three Kings [Les trois rois]. À 31 ans, il avait déjà remporté un Grammy Award en tant qu'auteur de chansons. Je l'ai accompagné au saxophone sur *Summertime* ; c'était la première fois que nous jouions ensemble depuis 1964.

L'entrée en fonctions du gouverneur était un grand événement. Des centaines de personnes sont venues de tout l'État, ainsi que des amis que Hillary et moi n'avions pas vus depuis des années, notamment mes anciens colocataires Tom Caplan et Dave Matter, qui s'étaient occupés de ma campagne malheureuse à Georgetown ; Betsey Wright ; Fred Kammer et Alston Johnson, mes copains de Louisiane, militants des droits civiques ; et trois amis de Yale, Carolyn Ellis, Greg Craig et Steve Cohen. Carolyn Yeldell Staley est également venue tout spécialement d'Indiana pour chanter.

J'ai beaucoup travaillé mon discours inaugural. Je voulais à la fois donner toute la mesure de ce moment historique, et en dire plus à mes concitoyens d'Arkansas sur les valeurs et les idéaux que je comptais attacher à ma fonction. La veille au soir, Steve Cohen m'a donné l'idée d'ajouter un élément à mon discours lorsqu'il m'a dit qu'il ressentait deux choses qu'il n'avait pas éprouvées depuis longtemps, « la fierté et l'espoir ». Dans ce discours, j'ai évoqué des choses auxquelles je crois encore autant aujourd'hui qu'à l'époque ; j'ai prononcé des mots qui exprimaient l'essence de ce que j'ai toujours essayé de faire dans ma vie publique, notamment à la présidence :

Aussi loin que je me souvienne, j'ai toujours défendu avec passion l'idée d'égalité des chances, et je ferai tout mon possible pour lui permettre de progresser.

Aussi loin que je me souvienne, j'ai toujours déploré l'exercice arbitraire et abusif du pouvoir par ceux qui le détenaient, et je ferai tout mon possible pour y mettre un terme.

Aussi loin que je me souvienne, j'ai toujours regretté le gaspillage, le manque d'ordre et de discipline qui sont trop souvent l'apanage de la gestion gouvernementale, et je ferai tout mon possible pour les restreindre.

Aussi loin que je me souvienne, j'ai toujours aimé la terre, l'air et l'eau de l'Arkansas, et je ferai tout mon possible pour les protéger.

Aussi loin que je me souvienne, j'ai toujours voulu soulager le fardeau de l'existence de ceux qui, sans en être responsables, sont atteints par la vieillesse, la faiblesse ou la pauvreté, et je ferai tout mon possible pour leur venir en aide.

Aussi loin que je me souvienne, j'ai toujours été attristé de voir tant de nos concitoyens industrieux et indépendants se tuer à la tâche pour un trop maigre salaire, faute de débouchés convenables, et je ferai tout mon possible pour améliorer leur situation.

Le lendemain, je suis allé travailler, inaugurant ainsi les deux années les plus enthousiasmantes et les plus fatigantes, les plus gratifiantes et les plus frustrantes de ma vie. J'ai toujours été pressé de faire les choses, et cette fois ma volonté a souvent dépassé mes capacités. Je pense que l'on pourrait honnêtement résumer mon premier mandat de gouverneur en disant que j'y ai mené une politique de succès et une politique de désastre.

J'avais deux priorités budgétaires, l'éducation et les infrastructures routières, ainsi qu'un ensemble de réformes substantielles à mener dans le domaine de la santé, de l'énergie et du développement économique. En 1978, l'Arkansas était le dernier État pour les dépenses par habitant en matière d'éducation. Un rapport sur l'école dirigé par le Dr Kern Alexander − un expert de la politique d'éducation à l'Université de Floride qui avait acquis une renommée nationale − concluait que notre système était déplorable : « Du point de vue de l'éducation, un enfant moyen de l'Arkansas s'en sortirait mieux en étant scolarisé dans n'importe quelle école publique de n'importe quel autre État de notre pays. » Nous avions trois cent soixante-neuf écoles d'arrondissement, dont beaucoup étaient trop petites pour offrir tous les cours nécessaires en mathématiques et en sciences. Il n'existait pas de normes pour l'État ni de système d'évaluation, et, dans bien des endroits, le salaire des enseignants était misérable.

Le Parlement a voté presque tous mes projets sur l'éducation, poussé par l'Arkansas Education Association, qui représentait la plupart des enseignants, par les associations représentant les administrateurs et les membres des conseils d'administration des écoles, poussé également par des députés particulièrement concernés par l'éducation, comme Clarence Bell, le puissant président de la commission sénatoriale sur l'éducation. Les représentants ont approuvé une augmentation budgétaire de 40 % sur deux ans − dont une augmentation de salaire de mille deux cents dollars par an pendant deux ans pour les enseignants −, une augmentation de 67 % de la dotation pour l'éducation spécialisée, des augmentations destinées à couvrir le coût des manuels scolaires ou du transport et, pour la première fois, une aide aux arrondissements scolaires afin d'encourager la mise en place de programmes spéciaux destinés aux enfants précoces et de favoriser le transport vers les écoles maternelles − un grand pas vers la généralisation de l'accès à ces établissements.

L'obtention de ce budget supplémentaire était liée aux efforts qui devaient être fournis afin d'améliorer le niveau et la qualité de l'enseignement, ce que je me suis toujours efforcé de faire. Nous avons voté le premier programme d'État organisant l'évaluation des compétences scolaires des élèves et indiqué les zones qui devaient s'améliorer. Nous avons exigé que tous les enseignants passent le National Teacher Examination [examen national d'enseignement] avant de pouvoir exercer ; mais nous avons aussi fait passer une loi interdisant le renvoi d'un enseignant pour des « motifs arbitraires, discriminatoires ou saugrenus ». Nous avons également créé l'Arkansas Governor's School pour enfants précoces, qui a ouvert pour la première fois ses portes dans l'enceinte du Hendrix College à l'été 1980. Hillary et moi avons parlé à la première promotion d'élèves ; c'est l'une des mesures dont je suis le plus fier, et cette institution s'est renforcée avec les années.

J'ai eu moins de succès dans deux autres domaines. Le rapport Alexander recommandait de réduire à deux cents le nombre d'arrondissements scolaires, afin d'économiser de l'argent sur les frais administratifs. Mais je n'ai jamais pu ne serait-ce que créer une commission pour étudier la question, car beaucoup de petites communes rurales pensaient que si elles perdaient leur propre arrondissement, « les gens de la ville » fermeraient leurs écoles et détruiraient leur communauté.

J'ai également rencontré une certaine résistance concernant le mode d'attribution des aides aux écoles. Plusieurs arrondissements scolaires ont intenté un procès au motif que notre système était injuste et que lorsque s'y ajoutaient des différences dans les recettes de la taxe d'habitation, les inégalités de dépenses par enfant à l'intérieur de l'Arkansas étaient si flagrantes qu'elles en devenaient anticonstitutionnelles. Le mode d'attribution ne prenait pas suffisamment en compte la différence de valeur des biens immobiliers d'un arrondissement à un autre, ni les variations de la population scolaire ; au bout du compte, le système attribuait plus d'argent par élève aux très petits districts, où les dépenses générales par élève étaient bien plus élevées. Il était difficile de changer les choses, parce que donner plus à certains arrondissements scolaires revenait à donner moins aux autres. Les deux groupes étaient bien représentés au Parlement et lorsque les perdants ont vu sur les projections les conséquences que les changements prévus auraient dans leur arrondissement, ils ont tout fait pour faire avorter le projet. Nous avons ajusté le système de répartition, mais dans une assez faible mesure. Il allait falloir attendre qu'une décision de la Cour suprême de l'Arkansas en 1983 invalide le système de répartition pour que nous puissions réellement faire bouger les choses.

Mes propositions en matière d'infrastructures routières visaient à remédier à la détérioration de nos autoroutes, de nos routes et de nos rues, tout en prenant en compte le besoin en infrastructures nouvelles. L'Arkansas n'avait pas eu de grand programme en la matière depuis plus de dix ans ; les nids-de-poule et les nombreux ralentissements coûtaient cher en temps et en argent aux habitants de l'État. Beaucoup de gens étaient en faveur d'un programme routier, mais personne ne s'entendait sur le mode de financement. Je proposais un ensemble de taxes assez imposant, comprenant de grosses augmentations pour les poids lourds, qui causaient le plus de dégâts, et des augmentations moins importantes pour les voitures. À l'époque, les vignettes, comme les licences des camions, voyaient leur prix changer en fonction du poids du véhicule. Je pensais que c'était injuste puisque, contrairement aux camions, les différences de poids d'une voiture à l'autre n'avaient pas de répercussions significatives sur l'état des routes ; sans compter que les voitures les plus lourdes étaient aussi les plus vieilles et appartenaient généralement à des personnes disposant de faibles revenus. À la place, je proposais d'indexer le prix des vignettes sur la valeur des voitures, les propriétaires des véhicules neufs les plus chers payant cinquante dollars tandis que ceux des véhicules les plus vieux, dont la valeur était moindre, n'en payaient que vingt. Avec le système que je proposais, les propriétaires de vieilles voitures lourdes n'avaient pas à débourser plus.

Certains parlementaires aguerris ont alors dit que nous ne devions pas toucher au système de taxation des véhicules et que nous devions faire en sorte de financer le programme routier en augmentant les taxes sur les carburants. Les syndicats étaient contre parce que les conducteurs ordinaires auraient ainsi à payer bien plus sur l'année, même s'ils ne s'en apercevaient pas puisque cette taxe additionnelle serait incluse dans leur facture d'essence. J'étais d'accord sur le fond, mais une augmentation des taxes sur le carburant aurait fait beaucoup moins de dégâts politiques que la mesure que j'ai finalement adoptée.

Aucun groupe de pression, sauf celui des constructeurs d'autoroutes, ne soutenait mon projet. Les lobbies des camionneurs, des éleveurs de poulets et des exploitants forestiers affirmaient ne pas pouvoir supporter les augmentations qui frapperaient leurs très gros poids lourds, et ils ont tout fait pour les réduire. Les vendeurs de voitures neuves disaient que je voulais trop taxer leur clientèle et qu'une indexation de la vignette sur la valeur du véhicule serait un cauchemar administratif. Je trouvais leurs arguments particulièrement faibles, mais ils ont convaincu les parlementaires. Le lobby des autoroutes était représenté au Sénat par Knox Nelson, parlementaire rusé et lui-même constructeur de routes, qui voulait l'argent, mais ne se préoccupait pas de savoir d'où il venait. Au bout du compte, les parlementaires ont voté un fort relèvement des vignettes automobiles, mais en continuant de les indexer sur le poids du véhicule, ce qui revenait presque à doubler la taxe des voitures lourdes, qui passait de dix-neuf à trente-six dollars. Il fallait que je prenne une décision. Je pouvais confirmer la décision du Parlement et obtenir ainsi un bon programme routier financé de manière injuste, ou je pouvais opposer mon droit de veto et me retrouver sans programme routier. J'ai donc approuvé et signé la proposition de loi définitive. C'est resté ma plus stupide erreur politique, jusqu'à ce qu'en 1994 j'accepte d'avoir recours à un procureur spécial dans l'affaire Whitewater alors que rien, dans le dossier, ne le justifiait.

En Arkansas, on doit payer la taxe de sa voiture chaque année le jour de son anniversaire. Les automobilistes doivent se rendre à l'hôtel des impôts de leur comté afin de renouveler leur vignette. À compter du 1er juillet, jour de l'entrée en vigueur de la hausse de la taxe, il ne s'est pas passé un seul jour, pendant un an, sans que certains de mes administrés ne se rendent à la perception pour y trouver que le prix de leur vignette avait doublé : c'était mon cadeau d'anniversaire. Beaucoup d'entre eux venaient de la campagne et avaient parcouru plus de quarante kilomètres en voiture jusqu'au chef-lieu de comté pour acheter leur nouvelle vignette. Bien souvent, ils n'avaient pas de carnet de chèques et avaient apporté avec eux en liquide la somme exacte correspondant à l'ancien tarif ; ils devaient donc rebrousser chemin, prendre la somme manquante, et revenir à la perception. À leur retour, ils devaient refaire la queue, comme souvent, et ils n'avaient alors d'autre source de distraction, dans les locaux spartiates où ils se trouvaient, que la photo du gouverneur qui leur souriait.

À la fin de 1978, lorsque j'ai été élu gouverneur pour la première fois, Hilary Jones m'avait fait une réflexion prophétique. Il m'avait dit que les gens des montagnes m'avaient soutenu dans trois élections, mais que j'allais désormais devoir aller chercher mon électorat dans les villes. Lorsque je lui ai demandé pourquoi, il m'a répondu que j'allais travailler sur l'éducation et le développement économique, ce dont l'État avait besoin, mais que tout ce que je ferais pour relever le niveau des écoles menacerait les écoles rurales et que je ne pourrais jamais créer autant de postes nouveaux dans des zones rurales pauvres. Il a ajouté qu'une récente décision de la Cour suprême des États-Unis, stipulant que les employés du gouvernement qui n'étaient pas impliqués dans les décisions politiques ne pouvaient plus être remplacés pour des motifs politiques, aurait pour conséquence mon incapacité à licencier les employés de l'État dans les comtés ruraux pour les remplacer par des gens à nous. « Je ferai tout ce que je pourrai pour toi, a-t-il ajouté enfin, mais plus rien ne sera jamais comme avant. » Comme pour beaucoup de choses, Hilary avait raison. Au cours des campagnes politiques qui ont conduit à mon élection au poste de gouverneur, j'ai reçu de plus en plus de soutien de la part d'électeurs indépendants ou républicains des villes et des banlieues, mais je n'ai jamais retrouvé le soutien profond que m'avaient apporté les électeurs blancs des campagnes dans la troisième circonscription comme dans la plus grande partie de l'Arkansas. À présent, en plus de tout ce face à quoi j'étais impuissant, voilà que j'avais scié la branche sur laquelle j'étais assis avec cette augmentation de la vignette automobile, anéantissant d'un coup de stylo cinq années de travail acharné dans les zones rurales et auprès des employés des villes.

Cette alternance de bonnes idées politiques et de mauvaises décisions ne se limitait pas au législatif. J'avais organisé les services attachés au gouverneur en supprimant le poste de directeur de cabinet, confiant ainsi différents domaines de responsabilité à Rudy Moore, Steve Smith et John Danner, un analyste politique de Californie dont l'épouse, Nancy Pietrafesa, était une vieille amie de Hillary. Nancy travaillait aussi dans les services de l'éducation. Le président Kennedy avait aussi organisé la Maison Blanche de cette façon, sauf que ses hommes à lui avaient tous les cheveux courts, des costumes ternes, des chemises blanches et des cravates sombres. Rudy, Steve et John portaient tous les trois la barbe et se trouvaient moins engoncés par leur tenue de travail. Mes détracteurs conservateurs au Parlement s'en sont d'ailleurs donné à cœur joie. Au bout du compte, plusieurs conflits ont fini par éclater. J'ai donc décidé de nommer Rudy chef de cabinet, de charger Steve de la supervision d'une grande partie des décisions politiques et de rendre sa liberté à John Danner et à sa femme, Nancy. Par une sorte de faiblesse inexcusable, j'ai demandé à Rudy de le leur annoncer. C'est ce qu'il a fait, et ils ont démissionné. J'ai eu beau essayer de leur en reparler par la suite, notre amitié ne s'en est jamais remise. Je pense qu'ils ne m'ont jamais pardonné de ne pas leur avoir annoncé moi-même, et je ne peux leur en vouloir. C'étaient des gens bien qui travaillaient dur au service d'idées justes. Par inexpérience, je les avais mis dans une situation impossible ; ce n'est pas leur échec, c'est le mien.

J'ai aussi eu des ennuis pour avoir fait venir un certain nombre de personnes qui n'étaient pas de l'Arkansas afin de diriger le département de la Santé, le département des Services sociaux et de la Santé mentale, le département de l'Éducation et le nouveau département de l'Énergie. Il s'agissait de personnes très capables et bien intentionnées, mais, pour réaliser les profondes réformes qu'elles envisageaient, il leur manquait les contacts et l'expérience qui s'acquièrent directement sur le terrain.

Ces problèmes ont été aggravés par mon propre manque d'expérience et ma jeunesse. Je paraissais encore plus jeune que mes 32 ans. Lorsqu'on m'a confié les rênes de la Justice, George Fisher, le caricaturiste talentueux de l'*Arkansas Gazette*, m'a dessiné dans un landau. Lorsque je suis devenu gouverneur, j'ai eu droit à un tricycle. Ce n'est que lorsque je suis devenu président qu'il m'a retiré mon tricycle pour me mettre dans un pick-up. Le pire, c'est qu'il était de mon côté : j'aurais dû me remettre en question, mais je ne l'ai pas fait.

Après avoir cherché quelqu'un dans le pays tout entier, c'est le Dr Robert Young, directeur d'une excellente clinique dans une zone rurale de Virginie-Occidentale, qui a été nommé directeur du département de la Santé. Je voulais qu'il traite du sérieux problème de la qualité et de l'accessibilité des soins en milieu rural. Le Dr Young et Orson Berry, directeur du bureau de la médecine rurale, ont donc élaboré un programme novateur visant à créer de petites cliniques où un médecin serait présent au moins un jour toutes les deux semaines ; le reste du temps, les soins qui n'étaient pas urgents et les diagnostics seraient effectués par des infirmières libérales et des assistants. En dépit du nombre insuffisant de médecins prêts à travailler en zone rurale, en dépit des études montrant que la plupart des patients préféraient être traités par des infirmières ou des assistants qui leur consacraient plus de temps, et en dépit d'un programme de formation d'infirmières sages-femmes qui avait permis de réduire de moitié la mortalité néonatale dans le comté du Mississippi, les médecins de l'Arkansas étaient fortement opposés à ce programme. Le Dr Jim Webber, représentant les généralistes, a déclaré qu'ils ne pensaient pas « qu'un peu de soins soit mieux que pas de soin du tout ». Nonobstant l'opposition des médecins, l'administration Carter nous a octroyé un financement. Nous avons pu ouvrir quatre cliniques rurales et nous avons commencé à en construire trois autres, tout en étendant aux infirmières libérales le programme de formation des infirmières sages-femmes du comté du Mississippi. Le travail que nous avons effectué nous a valu la reconnaissance du pays tout entier.

Chaque fois que nous avons pu le faire, nous avons travaillé avec les médecins. J'ai financé l'achat de terrains destinés à la construction d'une unité de soins pédiatriques intensifs au sein de l'hôpital pour enfants d'Arkansas, afin de prendre en charge les grands prématurés et les nouveau-nés en danger. Nous avons aussi aidé à la construction d'un institut de radiothérapie au centre médical universitaire, afin d'offrir un meilleur traitement aux patients atteints de cancer. J'ai nommé Hillary présidente de la commission de conseil sur la médecine rurale, et je l'ai chargée de préconiser d'autres améliorations et de trier par ordre de priorité le grand nombre de demandes d'aide émanant de communes rurales. Nous nous sommes efforcés de recruter des médecins pour aller travailler dans nos campagnes, mettant sur pied un plan de financement chargé d'allouer jusqu'à cent cinquante mille dollars d'argent public à tout médecin décidant d'ouvrir un cabinet médical dans une ville de six mille habitants au plus. Nous avons aussi permis aux médecins généralistes des petites villes de demander un complément de revenu de six mille dollars par an. Les médecins ont finalement soutenu toutes ces initiatives, qui étaient d'autant plus remarquables que la récession économique de 1980 avait entraîné de sévères coupes dans le budget du département de la Santé. Ils ne nous ont toutefois jamais pardonné – pas plus à moi qu'au Dr Young – de ne pas les avoir consultés davantage et d'avoir tant hâté le programme de création des petites cliniques rurales. En août 1980, l'ordre des médecins de l'Arkansas a demandé la démission du Dr Young. Lorsque j'ai quitté mes fonctions, en 1981, certaines de mes initiatives ont été interrompues, ce qui montre bien que l'on peut avoir de bonnes idées politiques et mal les appliquer ; mais, pour administrer correctement un État, il faut de bonnes idées et savoir aussi comment les appliquer

L'énergie était une question capitale en raison des fortes hausses pratiquées par les pays de l'OPEP, qui ne manquaient pas de se répercuter sur tout le reste. Dans ce domaine, nous avions de bonnes idées et de bonnes façons de les appliquer, même si je me suis encore fait un certain nombre d'ennemis puissants. J'ai obtenu du Parlement qu'il transforme le bureau de l'énergie de l'Arkansas en un département intégré au cabinet du gouverneur, et j'ai essayé d'établir une large coalition d'usagers, d'entreprises, de fournisseurs de services et d'administrations afin de trouver le moyen d'épargner l'argent des usagers, d'inciter tous ces acteurs à promouvoir les économies d'énergie, et d'encourager le développement de sources d'énergie non-polluantes. Je pensais que nous pouvions devenir plus autosuffisants et que l'Arkansas pouvait devenir un modèle en matière d'énergies alternatives et d'économies d'énergie. Nous avons ainsi voté une loi permettant des déductions fiscales pour l'économie d'énergie ainsi que pour les dépenses liées aux énergies renouvelables pour les particuliers, les commerçants et les industriels. Les carburants mixtes contenant au moins 10 % d'alcool étaient également exemptés de la taxe d'État sur le carburant. Nous avons effectué des audits sur l'énergie pour des industries et des commerces et nous avons accordé 50 % d'aides équivalentes aux écoles, aux hôpitaux et autres institutions publiques pour l'achat et la mise en place d'installations permettant l'économie d'énergie. Le gouvernement fédéral finançait ce type de mesures, et nous avons été le premier État à bénéficier de ces subventions fédérales. Lorsque je suis entré en fonction, les statistiques fédérales montraient que notre programme énergétique était le pire des États-Unis. Au bout d'un an, nous étions parvenus à nous hisser à la neuvième place du classement général et à la troisième place en termes d'économie d'énergie.

Nos efforts pour réguler les entreprises de fournitures énergétiques se sont révélés globalement payants, mais ils ont été très controversés. Je voulais que le département de l'Énergie ait la possibilité d'intervenir dans certains travaux de la commission sur le service public et d'obtenir des informations sur les centrales de production d'énergie atomique, qu'il devait aussi pouvoir inspecter. Le Parlement de l'Arkansas, poussé par son doyen, Max Howell, qui était libéral en matière d'éducation et de taxation mais proche des entreprises de fournitures énergétiques, a largement atténué ma première requête, refusant purement et simplement de financer la seconde. Lorsque j'ai convaincu Arkansas Power and Light de proposer un prêt sans intérêt à ses clients pour encourager les économies d'énergie et d'en faire supporter le coût par l'ensemble des usagers, tous ceux qui avaient perçu les enjeux d'une telle mesure ont applaudi, comprenant qu'il s'agissait d'un moyen d'augmenter l'énergie disponible bien moins onéreux que le recours à la construction de nouvelles centrales. Malheureusement, un grand nombre de parlementaires, convaincus que l'économie d'énergie remettait en cause le système de la libre entreprise, ont tellement protesté qu'AP & L s'est senti obligé de reporter cette mesure. L'entreprise a cependant continué à soutenir les efforts que nous faisions afin d'équiper de climatiseurs les habitations des personnes à bas revenus, ce qui leur permettait d'avoir plus chaud l'hiver, moins l'été et de diminuer considérablement leur facture énergétique.

Nos efforts d'économies n'ont cependant pas non plus échappé à la controverse. Un journaliste d'investigation a découvert que l'un des projets que nous financions était un gouffre. Il s'agissait d'apprendre aux personnes disposant de faibles revenus à couper du bois et à le distribuer ensuite aux autres personnes pauvres pour qu'elles puissent le faire brûler dans leur poêle. Le projet spécial sur le bois comme énergie de remplacement avait un acronyme tout à fait parlant, SAWER [scieur], mais de bien piètres résultats. Soixante-deux mille dollars avaient été dépensés pour former six coupeurs de bois et débiter trois stères de bois de chauffage. J'ai remercié son directeur et nommé quelqu'un d'autre à sa place, qui a réussi à assurer la viabilité du projet ; mais c'est l'absurde gâchis qui avait frappé l'opinion publique. Pour beaucoup d'habitants de l'Arkansas, soixante-deux mille dollars représentaient une forte somme d'argent.

Sur le front de la réglementation, nous avons été battus sur deux grandes questions. Nous nous étions efforcés de mettre un terme à une pratique largement utilisée par les entreprises de fournitures énergétiques. Lorsqu'elles demandaient une hausse de 10 % des tarifs et n'en obtenaient que 5 %, elles pouvaient prélever les 10 % en attendant que les tribunaux tranchent. Pendant ce temps-là, elles pouvaient demander une nouvelle hausse des tarifs et recommencer l'opération, mettant ainsi bout à bout les hausses non autorisées. Même lorsque ces entreprises perdaient devant les tribunaux, ce qui était presque systématiquement le cas, cette pratique avait pour conséquence de forcer les usagers, notamment les plus pauvres, à leur octroyer d'énormes prêts sans intérêts. Tout cela était condamnable, mais, une fois encore, ces entreprises ont eu plus d'influence que moi sur le Parlement, tuant dans l'œuf le projet de loi visant à interdire ces pratiques.

J'ai continué à me battre contre AP & L et sa maison mère, Middle South Utilities, à propos des mesures destinées à faire payer par les usagers de l'Arkansas 35 % du coût des centrales nucléaires de Grand Gulf, dans la région du Mississippi, alors même qu'AP & L proposait de construire six centrales thermiques en Arkansas et que la demande en électricité dans notre État avait à ce point baissé qu'AP & L envisageait de vendre l'électricité produite par l'une de ses centrales aux usagers situés hors de l'État. Aux termes de la loi, les entreprises de fourniture énergétique avaient le droit de faire des bénéfices, baptisés avec euphémisme « contributions de retour » sur toutes leurs dépenses. Dans le cadre du programme Grand Gulf, les usagers de l'Arkansas allaient devoir payer plus d'un tiers des frais de construction, en plus des contributions de retour, même s'ils n'utilisaient jamais l'énergie produite par cette centrale. AP & L n'était pas propriétaire de la centrale, qui appartenait à une filiale indépendante et sans clientèle. La construction et le plan de financement ne devaient être approuvés que par le gouvernement fédéral, qui avait soumis le projet à un examen bien trop succinct. Lorsque les faits ont été rendus publics par l'*Arkansas Gazette*, ils ont entraîné un déluge de protestations. Le président de la commission sur le service public a demandé à AP & L de se retirer de Grand Gulf ; nous avons organisé une campagne massive d'envoi de courrier à la commission fédérale de réglementation de l'énergie, en leur demandant de revenir sur la décision concernant Grand Gulf et de ne pas mettre l'Arkansas à contribution : rien n'y a fait.

Le projet Grand Gulf a finalement été confirmé par la cour d'appel du District de Columbia, qui était compétente pour les affaires concernant les agences fédérales de réglementation. Le jugement a été rédigé par le juge Robert Bork, mon ancien professeur de droit constitutionnel. Comme c'était déjà le cas du temps où j'étais à Yale, il était toujours en faveur des droits des différents États lorsqu'il s'agissait de réduire les libertés individuelles ; mais lorsque de grosses sommes étaient en jeu, il pensait que le dernier mot revenait au gouvernement fédéral, qui devait protéger le monde des affaires contre les actions éventuelles de certains États soucieux de défendre les intérêts des citoyens ordinaires. En 1987, je me suis présenté en qualité de témoin devant la commission juridique du Sénat, la décision prise par Bork dans l'affaire de Grand Gulf était une des raisons que j'ai invoquées pour rejeter sa nomination à la Cour suprême des États-Unis.

Malgré une opposition très rigide, j'ai beaucoup travaillé sur la question de l'énergie, mais je me suis fait un adversaire de taille, AP & L, qui avait des bureaux dans la plupart des comtés. Ce n'était pas le dernier ennemi que je me faisais. J'étais assez irrité par les coupes claires excessives pratiquées par certaines de nos grandes entreprises du bois, et j'ai demandé à Steve Smith de diriger un groupe de travail chargé d'étudier ce dossier. Steve était encore dans sa période boutefeu. Il a terrorisé les gens de la filière bois et les a rendus fous. Je voulais simplement que les exploitants réduisent la taille de leurs grandes coupes claires et qu'ils laissent une zone tampon suffisante le long des routes et des cours d'eau afin de réduire les effets de l'érosion. Mes plus ardents détracteurs affirmaient que je voulais mettre tous les chauffeurs de poids lourds et tous les ouvriers des scieries au chômage. Nous n'aboutissions à rien et Steve, dégoûté par la tournure que prenait la situation, est retourné peu de temps après chez lui, dans les montagnes.

Même ce que j'ai fait pour le développement économique en a irrité plus d'un, ce qui est un comble. J'étais bien décidé à accroître les efforts consentis par l'État – qui se limitaient jusqu'alors à la création de nouvelles entreprises industrielles – au développement des entreprises industrielles existantes et à l'aide aux petites entreprises, aux entreprises des minorités et aux agriculteurs afin de leur permettre de vendre leurs produits dans le pays comme à l'étranger. Nous avons considérablement augmenté l'activité de notre bureau européen à Bruxelles et nous avons mis sur pied la première mission commerciale de l'Arkansas en Extrême-Orient : à Taiwan, au Japon et à Hong Kong. Nous sommes devenus le premier État américain à disposer d'un programme de traitement des déchets dangereux approuvé par le gouvernement fédéral. Nous avons également obtenu de bons résultats dans l'implantation de nouvelles entreprises industrielles avec des investissements plus importants que les années précédentes, de 75 % en 1979 et 64 % en 1980. Comment ai-je bien pu mécontenter qui que ce soit avec un tel bilan ? Tout simplement en changeant le nom de la commission pour le développement économique de l'Arkansas en département du Développement économique, afin de mieux refléter l'étendue nouvelle de ses compétences et de ses activités. Il se trouvait que l'ancien nom de ce département était très cher à un grand nombre d'hommes d'affaires influents qui avaient fait partie de la commission, ainsi qu'aux présidents de chambre de commerce qui avaient travaillé avec elle. Ils n'étaient pas non plus satisfaits de la nomination de Jim Dyke, un homme d'affaires de Little Rock, à la tête du nouveau département. Si je n'en avais pas changé le nom, j'aurais pu faire les mêmes choses sans encourir les foudres de tous ces gens. En 1979 et 1980, je crois bien que j'ai su, mieux que quiconque, m'attirer les foudres des uns et des autres.

J'ai fait la même erreur pour l'éducation. J'ai nommé Don Roberts, surintendant des écoles de Newport News, en Virginie, responsable de l'éducation. Don avait été administrateur du système scolaire de Little Rock quelques années plus tôt, il connaissait donc la plupart des principaux acteurs du système et s'entendait bien avec un grand nombre d'entre eux. Il a appliqué les réformes que j'avais fait approuver par l'assemblée législative, ainsi qu'une réforme à lui, un programme de formation des enseignants baptisé Programme pour un enseignement efficace. Mais, pour nommer Don, j'ai dû demander la démission d'Arch Ford, qui avait été responsable de l'éducation pendant des années. Arch était quelqu'un de très bien, qui avait consacré plusieurs dizaines d'années de sa vie aux écoliers de l'Arkansas. L'heure de la retraite avait cependant sonné pour lui, et, cette fois-ci, je n'ai pas commis l'erreur de ne pas la lui accorder moi-même. Disons simplement que j'aurais sans doute pu m'y prendre autrement, en lui donnant une grosse prime de départ et en m'arrangeant pour faire comme si l'idée venait de lui. Je n'ai pas su m'y prendre.

En matière de services sociaux, nous avons supprimé la TVA sur les médicaments délivrés sur ordonnance – une mesure particulièrement bénéfique aux personnes âgées – et augmenté des deux tiers la réduction sur la taxe foncière accordée à ces dernières. En tout, plus de vingt-cinq lois en faveur des personnes âgées ont été votées, notamment des normes plus strictes pour les maisons de retraite et l'extension des soins à domicile.

1979 a été l'Année internationale de l'enfance. Hillary, qui présidait l'Association des avocats de l'Arkansas pour les enfants et les familles, qu'elle avait contribué à créer, a initié un certain nombre de changements. Elle a, par exemple, fait voter une loi sur la garde partagée des enfants, afin d'éliminer les procédures supplémentaires pour les familles quittant l'État ou venant s'y établir ; elle a réduit de 25 % la population journalière moyenne dans nos centres de détention pour les jeunes ; elle a développé de meilleures prises en charge pour les enfants très perturbés, et a contribué au placement, dans des familles d'adoption, de 35 % d'enfants supplémentaires ayant des besoins spécifiques.

Pour la première fois, je me suis également attelé à la réforme de l'aide sociale. L'administration Carter avait désigné l'Arkansas et quelques autres États pour participer à une expérience d'« aide par le travail », en vertu de laquelle les bénéficiaires en bonne santé de bons d'alimentation devaient chercher du travail pour continuer d'en obtenir. Cette expérience m'a décidé à adopter une vision de l'aide sociale davantage tournée vers l'autonomie et le travail. J'ai conservé cette conviction à la Maison Blanche lorsque j'ai signé la loi de réforme de l'aide sociale en 1996.

Alors que 1980 touchait à sa fin, j'étais content de mon travail de gouverneur et satisfait de ma vie. Je m'étais mis à dos certains intérêts puissants, et le mécontentement ne cessait de croître au sujet des vignettes automobiles, mais j'avais aussi à mon actif une longue liste de mesures administratives et législatives dont j'étais très fier.

En septembre, nos amis Diane Kincaid et Jim Blair se sont mariés dans le jardin de Morriss et Ann Henry, là où Hillary et moi avions donné notre réception de mariage quatre ans auparavant. Comme le permet la Constitution de l'Arkansas, c'est moi qui, en tant que gouverneur, ai procédé au mariage, Hillary faisant office de témoin pour les deux époux.

En plus d'être témoin, Hillary était enceinte, et même très enceinte. Nous avions très envie d'avoir un enfant et nous avions essayé longtemps sans succès. Au cours de l'été 1979, nous avons décidé de prendre rendez-vous avec un spécialiste de la fertilité à San Francisco, dès notre retour des Bermudes, où nous prenions quelques jours de vacances. Notre séjour aux Bermudes a été très agréable, et même tellement que nous ne sommes jamais allés à San Francisco. Peu de temps après notre retour, Hillary s'est aperçue qu'elle était enceinte. Elle a continué à travailler pendant plusieurs mois et nous avons assisté à des cours de préparation à l'accouchement, car je voulais être à ses côtés. J'ai beaucoup aimé ces cours et le temps que nous passions avec les autres futurs parents ; des gens pour la plupart issus des classes moyennes et qui étaient tout aussi impatients que nous. Quelques semaines avant le terme, Hillary a connu quelques problèmes. Son obstétricien lui a dit qu'il lui était strictement interdit de voyager. Nous avions une totale confiance en lui et nous avons bien compris qu'il fallait qu'elle suive son conseil. Cela signifiait malheureusement qu'elle ne pouvait m'accompagner à Washington, pour le congrès annuel de l'Association nationale des gouverneurs, avec un dîner à la Maison Blanche en compagnie du président Carter et de son épouse. Je suis allé au Congrès, et j'ai invité Carolyn Huber, qui avait quitté le cabinet Rose pour diriger la résidence du gouverneur pour nous, à m'accompagner au dîner à la Maison Blanche. J'appelais Hillary à intervalles réguliers et je suis rentré aussi vite que j'ai pu dans la nuit du 27 février.

Quinze minutes après mon retour, Hillary a perdu les eaux avec trois semaines d'avance. J'étais très nerveux, relisant inlassablement la liste de tout ce qu'il fallait emporter à l'Arkansas Baptist Hospital. Les policiers qui gardaient la résidence étaient nerveux eux aussi. Je leur ai demandé de me chercher pour Hillary un sac de glaçons, que la sage-femme lui avait conseillé de sucer pour oublier la douleur. Tandis que je rassemblais toutes ses affaires, ils sont revenus avec 4 kilos de glaçons : de quoi tenir une semaine ! Le coffre de la voiture rempli de glace, les gardes nous ont conduits à l'hôpital en un rien de temps. Peu de temps après notre arrivée à l'hôpital, nous avons appris que Hillary allait devoir subir une césarienne parce que le bébé ne s'était pas retourné. On m'a dit que les pères n'étaient pas autorisés à assister à ce type d'intervention. J'ai plaidé ma cause auprès du directeur de l'hôpital, en lui disant que j'avais déjà assisté à des opérations avec ma mère et qu'il pouvait ouvrir Hillary des pieds à la tête sans que je ne tourne de l'œil, alors que Hillary avait besoin d'être rassurée, n'ayant jamais subi d'opération de sa vie. Ils ont fini par céder. À 23 h 24, j'ai tenu la main de Hillary, j'ai regardé par-dessus le champ opératoire destiné à l'empêcher de voir les détails de la césarienne, et j'ai vu l'accoucheur sortir notre bébé de son ventre. C'est le plus beau moment de ma vie, un moment que mon père n'aura jamais connu.

Notre petite fille pesait 3,5 kilos et a crié au moment prévu. Tandis que Hillary était en chambre de repos, je suis allé montrer Chelsea à ma mère et à toutes les personnes qui étaient là prêtes à admirer le plus beau bébé du monde. Je lui ai parlé, je lui ai chanté des chansons. Je voulais que cette nuit ne finisse jamais ; j'étais enfin père ! Malgré tout mon amour de la politique, malgré tout l'intérêt que je portais à mes fonctions et malgré mes ambitions, j'ai su à ce moment précis qu'être père était la plus écrasante responsabilité que j'aurais jamais. Grâce à Hillary et Chelsea, cette responsabilité-là s'est aussi avérée la plus gratifiante.

Lorsque nous sommes rentrés de l'hôpital, Chelsea avait déjà une grande famille : celle du personnel de la résidence, notamment Carolyn Huber et Eliza Ashley, qui y faisait la cuisine depuis toujours. Liza pensait que j'avais l'air trop jeune pour être gouverneur, en partie parce que j'étais mince ; elle disait que si j'étais plus costaud, je correspondrais mieux au rôle, et elle a tout fait pour que je le devienne. Comme c'est une excellente cuisinière, j'ai bien peur qu'elle n'y soit parvenue.

Le cabinet Rose a accordé à Hillary quatre mois de congé parental afin qu'elle puisse donner à Chelsea un bon départ dans l'existence. Parce que j'étais le patron, je pouvais arriver au travail quand je voulais. Je me suis donc arrangé pour que l'essentiel de mon travail puisse se faire à la résidence pendant les premiers mois. Hillary et moi nous sommes souvent dit que nous avions eu de la chance de disposer de ce temps libre pour nous rapprocher de Chelsea. Hillary m'a dit que la plupart des autres pays industrialisés octroyaient un congé parental payé à tous les citoyens et nous pensions que d'autres parents devaient pouvoir bénéficier de ce cadeau inestimable. J'ai repensé à ces premiers mois passés avec Chelsea en février 1993, lorsque j'ai signé mon premier texte de loi en tant que président. Il s'agissait de la loi sur le congé familial et le congé médical, permettant à la plupart des travailleurs américains de bénéficier d'un congé de trois mois pour la naissance d'un enfant ou la maladie d'un parent. Lorsque j'ai quitté mes fonctions présidentielles, plus de trente-cinq millions d'Américains avaient bénéficié des dispositions de cette loi. Des gens viennent encore me voir pour me raconter leur histoire et me remercier de leur avoir donné cette chance.

Au bout de quelques mois, je suis retourné travailler, et cette année-là devait être dominée par la politique politicienne et les catastrophes ; il était d'ailleurs souvent impossible de les distinguer.

L'une des choses sur lesquelles les candidats s'expriment peu et que les électeurs ne prennent pas suffisamment en compte au cours d'une élection gouvernatoriale ou présidentielle est la gestion des crises. Comment le chef de l'exécutif va-t-il gérer une catastrophe naturelle ou causée par l'homme ? Le moins que l'on puisse dire, c'est que j'ai eu mon lot de catastrophes lors de mon premier mandat de gouverneur. Lorsque j'ai pris mes fonctions, l'Arkansas s'est retrouvé sous un véritable déluge de grêle. J'ai appelé la garde nationale pour faire distribuer des groupes électrogènes aux gens qui n'avaient plus d'électricité, dégager les routes de campagne et sortir les véhicules des fossés. Au printemps 1979, nous avons essuyé une série de tornades qui ont poussé le président Carter à déclarer tout l'État zone de catastrophe naturelle, afin de nous permettre de toucher des indemnités fédérales. Nous avons ouvert des centres de secours et d'assistance afin de venir en aide aux personnes qui avaient perdu leur maison, leur entreprise ou leur récolte. Nous avons dû recommencer au printemps suivant, après le retour des tornades.

L'été 1980 a été marqué par une terrible vague de chaleur qui a fait plus d'une centaine de victimes et causé la pire sécheresse en un demi-siècle. Les personnes âgées étaient les plus exposées. Nous avons ouvert plus longuement les centres destinés à les accueillir et, avec l'argent de l'État et du gouvernement fédéral, nous avons pu financer l'achat de ventilateurs électriques, la location de climatiseurs et le règlement des factures d'électricité. Nous avons reçu un fort soutien de l'administration Carter, sous la forme de prêts à taux faibles destinés aux éleveurs de volailles qui avaient perdu des millions de poulets, et aux fermiers dont les champs avaient été brûlés. Les routes s'effondraient sous l'effet de la chaleur, et nous avons dû faire face à un nombre record d'incendies – presque huit cents –, ce qui m'a forcé à interdire les feux de plein air. Alors que nous nous rapprochions des élections de novembre, l'Arkansas rural était tout sauf euphorique.

En dehors des catastrophes naturelles, nous avons également dû faire face à des crises provoquées accidentellement ou volontairement par l'homme. Les dégâts causés étaient plus psychologiques que physiques ou financiers, mais ils étaient profonds. Au printemps 1979, le Ku Klux Klan et son président national, David Duke, ont voulu tenir un meeting à Little Rock. J'étais bien décidé à éviter l'explosion de violence qui avait marqué les affrontements entre les hommes du Klan et des manifestants lors d'un rassemblement similaire qui venait de se tenir à Decatur, dans l'Alabama. Mon directeur de la sécurité civile, Tommy Robinson, a étudié ce qui s'était passé à Decatur et a mis en place une série de mesures draconiennes afin d'éviter qu'un tel débordement ne se répète. Beaucoup de militaires et de policiers étaient sur le terrain et avaient reçu instruction d'arrêter les gens au premier signe de désordre. Au bout du compte, six personnes ont été arrêtées, mais il n'y a eu aucun blessé, en grande partie grâce à la présence dissuasive de la police. J'étais assez content de la manière dont nous avions géré cette histoire du Ku Klux Klan et j'ai eu l'impression que je pouvais me débrouiller correctement dans n'importe quelle situation. Un an plus tard, nous avons dû faire face à quelque chose de bien plus important.

Au printemps 1980, Fidel Castro a déporté vers les États-Unis cent vingt mille prisonniers politiques et autres « indésirables », dont beaucoup avaient un passé judiciaire ou des problèmes psychiatriques. Ils ont vogué vers la Floride pour chercher asile, posant un problème considérable à l'administration Carter. J'ai immédiatement su que la Maison Blanche allait vouloir envoyer certains de ces Cubains à Fort Chaffee, une grande base près de Fort Smith, car cet endroit avait été utilisé comme centre de relocalisation pour les réfugiés vietnamiens au milieu des années 1970. Cette opération de relocalisation avait été couronnée de succès et beaucoup de ces familles vietnamiennes vivaient encore – et prospéraient – en Arkansas.

Lorsque j'ai discuté du problème avec Eugene Eidenberg, responsable de la question cubaine à la Maison Blanche, je lui ai dit que l'effort que nous avions fourni en direction des Vietnamiens avait été payant, en partie grâce à une présélection aux Philippines et en Thaïlande qui avait permis d'écarter ceux qui ne pouvaient en aucun cas être admis aux États-Unis. Je lui ai suggéré de mettre un porte-avions, ou tout autre vaisseau de même taille, au large des côtes de Floride, et de procéder à la même présélection. Je savais que la plupart des réfugiés n'étaient ni des criminels ni des fous, mais c'est ainsi que la presse les présentait, et le processus de présélection apporterait le soutien de l'opinion publique à ceux qui auraient le droit d'entrer. Gene m'a répondu qu'il n'y avait pas lieu de faire cette présélection parce que nous n'avions nulle part où envoyer les refusés. « Bien sûr que si, ai-je répondu. Il nous reste une base à Guantanamo, non ? Il doit bien y avoir une porte dans la clôture qui sépare la base du territoire cubain. Envoyez-les à Guantanamo, ouvrez la porte et renvoyez-les à Cuba. » Avec cette histoire, Castro ridiculisait l'Amérique et faisait croire que son président était impuissant. Jimmy Carter devait déjà gérer l'inflation et la crise des otages en Iran, il n'avait pas vraiment besoin de tout cela. À mes yeux, ma proposition avait le mérite de renforcer l'image du Président et de préparer l'opinion à accepter les réfugiés qui étaient autorisés à entrer. Lorsque la Maison Blanche a rejeté mon idée, j'aurais dû me douter que nous allions au-devant d'une catastrophe.

Le 7 mai, la Maison Blanche m'a fait savoir que Fort Chaffee serait utilisé afin de relocaliser certains Cubains. J'ai exigé la mise en place de sérieuses mesures de sécurité, et j'ai déclaré à la presse que ces Cubains fuyaient la « dictature communiste » et que je m'engageais « à faire tout mon possible pour faire face aux responsabilités que le Président choisirait d'imposer aux citoyens de l'Arkansas » afin de faciliter l'installation des réfugiés. Le 20 mai, il y avait presque vingt mille réfugiés à Fort Chaffee. Dès leur arrivée, des troubles ont été causés par de jeunes Cubains impatients, excédés d'être parqués derrière une clôture et inquiets de leur avenir. Ces troubles sont vite devenus quotidiens à l'intérieur du fort. Comme je l'ai déjà dit, Fort Smith était une petite ville très conservatrice, où la plupart des gens voyaient d'un assez mauvais œil l'arrivée de ces réfugiés. Lorsque la presse s'est fait l'écho des troubles incessants, les habitants de Fort Smith et d'autres petites villes environnantes ont pris peur et se sont mis en colère, notamment ceux qui vivaient à Barling, une petite bourgade qui jouxte le fort. Comme l'a dit aux journalistes le shérif Bill Cauthron, qui s'est montré fort et raisonnable pendant toute la durée de la crise : « Dire qu'ils [les habitants] ont peur est un euphémisme. Ils sont en train de s'armer jusqu'aux dents, ce qui rend la situation encore plus explosive. »

Dans la nuit du samedi 26 mai, environ deux cents réfugiés ont forcé les barricades et se sont échappés du fort à un endroit qui n'était pas surveillé. Le lendemain matin, à l'aube, le jour des primaires, j'ai envoyé soixante-cinq soldats de la garde nationale à Fort Chaffee, je me suis précipité pour aller voter à Fayetteville avec Hillary, et je me suis rendu au Fort, où j'ai passé la journée à parler aux personnes présentes sur le terrain et à la Maison Blanche. L'officier chargé du commandement, le général de brigade James « Bulldog » Drummond, était un homme très impressionnant, avec d'impeccables états de service. Lorsque je me suis plaint que ses troupes avaient laissé sortir les Cubains de la base, il m'a répondu qu'il lui avait été impossible de les empêcher de s'enfuir, que ses supérieurs hiérarchiques lui avaient dit qu'une disposition fédérale – la loi *posse comitatus* – interdisait aux militaires d'imposer le respect de la loi à des civils. Apparemment, l'armée en avait conclu que la loi s'appliquait aux Cubains, même si leur statut juridique demeurait incertain. Ils n'étaient ni citoyens ni immigrants réguliers, mais ils n'étaient pas non plus en situation irrégulière. Puisqu'ils n'avaient enfreint aucune loi, la hiérarchie militaire avait dit à Drummond qu'il ne pouvait les maintenir contre leur gré à l'intérieur du fort au seul motif que la population locale les détestait et les craignait. Le général m'a dit que sa mission consistait uniquement à assurer le maintien de l'ordre à l'intérieur de la base. J'ai appelé le Président pour lui expliquer la situation, et j'ai exigé que l'on donne l'ordre de maintenir les Cubains à l'intérieur du fort. J'avais peur que les habitants des communes voisines ne se mettent à leur tirer dessus, d'autant qu'il y avait eu une véritable ruée sur les armes de poing et les fusils dans toutes les armureries situées dans un rayon de cinquante kilomètres.

Le lendemain, j'ai rappelé le Président, qui m'a dit qu'il envoyait des troupes supplémentaires et qu'elles assureraient le maintien de l'ordre tout en empêchant les réfugiés de quitter la base. Gene Eidenberg m'a dit que le ministère de la Justice avait envoyé un courrier au Pentagone disant que les militaires en avaient le droit. À la fin de la journée, j'ai pu me détendre un peu et analyser les résultats des primaires, au cours desquelles mon unique adversaire, le vieil éleveur de dindes Monroe Schwarzlose, avait obtenu 31 % des suffrages, soit trente fois ce qu'il avait obtenu lors des primaires de 1978. Les gens des campagnes m'envoyaient un message fort après l'épisode de la vignette automobile. Je pensais qu'ils auraient oublié ce détail, mais il faut croire que ce n'était pas le cas.

Dans la nuit du 1er juin, une émeute a éclaté. Un millier de Cubains sont sortis du fort sous le nez des troupes fédérales et se sont précipités sur l'autoroute 22, en direction de Barling. Une fois de plus, l'armée n'avait pas levé le petit doigt pour les en empêcher. J'ai donc dû agir. Les Cubains étaient séparés de quelques centaines de citoyens armés et en colère par une troupe de soldats commandés par le capitaine Deloin Causey – un homme consciencieux et qui savait garder la tête froide –, par les hommes de la garde nationale et par les adjoints du shérif Bill Cauthron. J'avais donné à Causey et à la garde nationale la stricte instruction de ne laisser passer aucun Cubain. Je ne savais que trop ce qui se produirait dans le cas contraire : un bain de sang qui reléguerait les émeutes de Little Rock Central High au rang de pique-nique dominical. Les Cubains ne cessaient d'avancer sur nos hommes et se sont bientôt mis à leur jeter des pierres. Finalement, Causey a ordonné à la police de l'État de tirer en l'air, ce qui a eu pour effet de leur faire prendre la direction du fort, où ils ont fini par rentrer. Au bout du compte, soixante-deux personnes avaient été blessées, dont cinq à cause de la déflagration des coups de feu, et trois des bâtiments de Fort Chaffee étaient endommagés. Heureusement, il n'y avait eu aucun tué ni aucun blessé grave.

Je me suis rendu sur place dès que j'ai pu afin de rencontrer le général Drummond. Nous avons eu une véritable engueulade. J'étais outré que ses troupes n'aient pas arrêté les Cubains alors même que j'avais eu des garanties de la Maison Blanche. Le général n'a pas bougé un cil et m'a répondu qu'il recevait ses ordres d'un général à deux étoiles de San Antonio, au Texas, et que, quoi que puisse dire la Maison Blanche, ses ordres n'avaient jamais été changés. Drummond était franc du collier ; il disait certainement la vérité. J'ai appelé Gene Eidenberg et je lui ai répété les propos de Drummond en lui demandant une explication. En fait d'explication, j'ai eu droit à un sermon. On lui avait dit que j'exagérais et que j'en faisais trop à cause de mes piètres résultats aux primaires. De toute évidence, Gene – que je considérais comme un ami – ne comprenait pas la situation, et ne me comprenait pas, aussi bien que je l'avais cru. J'étais fou de rage. Je lui ai répondu que puisqu'il n'avait visiblement aucune confiance dans mon jugement, c'était à lui de prendre une décision : « Venez ici arranger les choses immédiatement, ce soir, ou je fais fermer le fort. Je mettrai des gardes nationaux à chaque porte et personne ne pourra plus entrer ou sortir sans mon accord. » Il était incrédule. « Vous ne pouvez pas faire ça, dit-il. C'est un bâtiment fédéral. » « Peut-être bien, lui ai-je rétorqué, mais cette base est desservie par une route d'État, qui est donc sous mon autorité. C'est à vous de voir. »

Ce soir-là, Eidenberg a pris un avion militaire jusqu'à Fort Smith. Je suis allé le chercher et, avant de l'emmener au fort, je lui ai fait faire un tour à Barling. Il était bien plus de minuit, mais dans chaque rue, dans chaque maison, les gens en armes montaient la garde, assis sur leur pelouse, devant leur maison, voire sur le toit de celle-ci. Je n'oublierai jamais cette dame, qui devait bien avoir 70 ans, et qui était assise, impassible, dans un fauteuil de jardin, son fusil sur les genoux. Eidenberg n'en a pas cru ses yeux. Lorsque nous avons quitté la ville, il m'a regardé et m'a dit : « Je ne pouvais pas savoir. »

Après ce petit tour, nous sommes allés voir le général Drummond et d'autres responsables locaux, ainsi que des représentants de l'État ou du gouvernement fédéral. Au bout d'une heure, nous sommes allés parler à la foule de journalistes qui avait accouru. Eidenberg a promis que la question de la sécurité allait être réglée. Un peu plus tard dans la journée – nous étions le 2 juin –, la Maison Blanche a déclaré que le Pentagone avait reçu des instructions très strictes concernant le maintien de l'ordre et la nécessité de contenir les Cubains à l'intérieur de la base. Le président Carter a également reconnu que les citoyens de l'Arkansas avaient été injustement et inutilement plongés dans l'angoisse, et qu'aucun autre réfugié ne serait envoyé à Chaffee. Des retards dans le processus de présélection semblaient être à l'origine de tous ces troubles, et les personnes qui en avaient la responsabilité ont fait un effort pour accélérer les choses. Lorsque je suis allé inspecter le fort peu de temps après, la situation était beaucoup plus calme et tout le monde semblait dans de meilleures dispositions.

Tandis que tout paraissait s'apaiser, j'étais encore préoccupé par ce qui s'était passé – et par ce qui ne s'était pas passé – entre le 28 mai, jour où Eidenberg m'avait dit que l'armée avait reçu ordre d'empêcher les Cubains de quitter Chaffee, et le 1er juin, jour où les militaires en avaient laissé sortir un millier. Soit la Maison Blanche m'avait menti, soit le ministère de la Justice avait mis beaucoup de temps à transmettre ses conclusions juridiques au Pentagone, à moins qu'au Pentagone, justement, quelqu'un ait défié les ordres du commandant en chef. Si tel était le cas, il s'agissait d'une assez sérieuse violation de la Constitution. Je doute que l'on sache un jour le fin mot de l'histoire. Comme je l'ai appris à mon arrivée à Washington, quand les choses tournent mal, personne ne veut en prendre la responsabilité.

Au mois d'août, Hillary et moi sommes allés à Denver, pour le congrès d'été de l'Association nationale des gouverneurs. Tout le monde ne parlait que de la politique présidentielle. Le président Carter semblait avoir survécu à la concurrence du sénateur Edward Kennedy pour sa réélection comme candidat à la présidence ; mais Kennedy ne s'était pas retiré. Nous avons pris le petit déjeuner en compagnie du pénaliste Edward Bennett Williams, que Hillary connaissait depuis des années et qui avait voulu qu'elle vienne travailler avec lui à sa sortie de l'école d'avocats. Williams était très favorable à Kennedy et pensait qu'il avait de meilleures chances de battre Ronald Reagan, car le Président était handicapé par les problèmes économiques et les dix mois de captivité de nos otages en Iran.

Je ne partageais pas son opinion. Comme président, Carter avait une série de bonnes mesures à son actif. De surcroît, il ne pouvait être tenu responsable de la hausse des prix du pétrole décidée par l'OPEP, et de l'inflation qui s'en était suivie ; la crise des otages lui laissait par ailleurs une très faible marge de manœuvre. En dépit du problème des Cubains, sous Carter, la Maison Blanche avait bien traité l'Arkansas, accordant une aide financière à nos efforts de réforme en matière d'éducation, d'énergie, de santé et de développement économique. J'avais également pu être reçu facilement à la Maison Blanche, pour mon travail comme pour le plaisir. Je me souviens surtout du jour où j'ai pu emmener ma mère écouter Willie Nelson chanter sur la pelouse de la Maison Blanche, lors d'un pique-nique que le Président donnait pour l'Association nationale des courses de stock-car. Après le concert, ma mère et moi avons accompagné Nelson et Chip – le fils du Président – à l'*Hay-Adams Hotel*, de l'autre côté de Lafayette Square, en face de la Maison Blanche. Là, Willie s'est assis au piano et a chanté pour nous jusqu'à 2 heures du matin.

Pour toutes ces raisons, j'avais donc une vision assez positive de ma relation avec la présidence au moment où a débuté la réunion de l'Association nationale des gouverneurs. Les gouverneurs démocrates et leurs homologues républicains tenaient des réunions séparées. J'avais été élu vice-président du groupe des gouverneurs démocrates lors de notre congrès d'hiver, grâce à la nomination du gouverneur Jim Hunt, de Caroline-du-Nord, qui allait devenir l'un de mes plus proches amis parmi les gouverneurs, et un allié dans la lutte pour la réforme du système éducatif, même au cours de mes années à la Maison Blanche. Bob Strauss, président du Comité national démocrate, m'a demandé de pousser l'Association des gouverneurs démocrates à soutenir le président Carter contre le sénateur Kennedy. Après un bref sondage des gouverneurs présents, j'ai dit à Strauss que vingt d'entre eux, contre quatre, se déclaraient en faveur de Carter. Il s'est ensuivi un débat paisible, Strauss plaidant pour la candidature du Président, tandis que le gouverneur Hugh Carey, de New York, plaidait pour celle de Kennedy. Après le scrutin de vingt voix contre quatre, Strauss et moi nous sommes brièvement adressés à la presse, présentant ce soutien comme une marque de confiance envers le président Carter et un encouragement politique, à un moment où il en avait bien besoin.

Environ quinze minutes plus tard, on m'a dit que la Maison Blanche cherchait à me joindre au téléphone. Le Président voulait sans doute me remercier pour l'avoir aidé à obtenir le soutien des gouverneurs. Les apparences sont parfois trompeuses. Il voulait en fait me dire qu'il commençait à faire froid en Pennsylvanie et dans le Wisconsin, où le reste des réfugiés cubains avait été accueilli. Comme les forts concernés n'étaient pas protégés contre les rigueurs hivernales, il devenait nécessaire de déplacer ces réfugiés. Je commençais à voir où il voulait en venir. À présent que les problèmes étaient résolus à Chaffee, ils pouvaient y être relogés. Je lui ai répondu : « Monsieur le Président, vous aviez promis qu'aucun autre réfugié ne serait envoyé en Arkansas. Envoyez-les donc sur une base au soleil, dans l'Ouest, dans un endroit où vous êtes certain de perdre les élections de novembre, quoi qu'il arrive. » Le Président m'a rétorqué qu'il avait envisagé cette solution mais qu'il en coûterait dix millions de dollars pour aménager une des bases de la côte ouest. Je lui ai dit : « Monsieur le Président, la promesse que vous avez faite au peuple de l'Arkansas vaut bien dix millions de dollars. » Il n'a rien voulu entendre et la conversation en est restée là.

Maintenant que je sais ce que c'est qu'être président, je comprends mieux les pressions auxquelles Jimmy Carter a dû faire face. Il devait se battre contre une inflation galopante et une économie stagnante, et les otages américains étaient détenus depuis près d'un an par l'ayatollah Khomeiny. Comme les Cubains ne causaient plus aucun trouble à l'ordre public, ils étaient devenus le cadet de ses soucis. La Pennsylvanie et le Wisconsin avaient tous deux voté pour lui en 1976, et ils avaient plus d'électeurs que l'Arkansas, qu'il avait pourtant remporté avec deux tiers des voix. Les sondages me donnaient encore plus de 20 points d'avance sur mon adversaire, Frank White, alors qu'avait-il à redouter ?

À l'époque, je voyais les choses autrement. Je savais que le Président allait beaucoup pâtir de cette parole non tenue. Que les forts de la Pennsylvanie et du Wisconsin aient dû être fermés pour des raisons climatiques ou politiques et que les Cubains soient envoyés là où ils ne devaient pas aller pour économiser dix millions de dollars ne changeaient rien à l'affaire. J'ai appelé Rudy Moore et mon directeur de campagne, Dick Herget, pour avoir leur avis. Dick m'a conseillé de sauter dans le premier avion pour Washington afin de parler au Président. Si je ne pouvais pas le faire changer d'avis, il fallait que je parle à la presse devant la Maison Blanche et que je lui retire mon soutien pour sa réélection. Je ne pouvais le faire, pour deux raisons. Tout d'abord, je ne voulais pas avoir l'air d'être la version moderne d'Orval Faubus ou d'autres gouverneurs du Sud qui s'étaient singularisés en résistant à l'autorité fédérale pendant la lutte pour les droits civiques. Ensuite, je ne voulais rien faire qui puisse permettre à Ronald Reagan de battre Carter. Reagan faisait campagne tambour battant, porté par l'affaire des otages, la mauvaise conjoncture économique, et le très fort soutien des groupes de droite que tout excédait, de l'avortement à la restitution du canal de Panamá.

Gene Eidenberg m'a demandé de ne pas annoncer le transfert des Cubains avant qu'il ne puisse venir en Arkansas pour présenter les choses au mieux. L'affaire a cependant fini par s'ébruiter, et la visite de Gene n'a rien fait pour arranger les choses. Il a sans doute réussi à convaincre la population de ce qu'il n'y aurait plus de problèmes de sécurité, mais il ne pouvait guère nier que le Président reniait clairement son engagement auprès de l'État qui lui avait apporté le plus de soutien en dehors de sa Géorgie natale. J'ai pu asseoir mon rôle en supervisant les opérations de sécurité auxquelles j'ai pu apporter quelques améliorations, mais je restais l'homme du Président en Arkansas, et celui qui n'avait pas su lui rappeler sa promesse.

Je suis rentré de Denver dans un contexte politique assez explosif. Mon adversaire pour l'élection générale, Frank White, gagnait du terrain. White était très grand, parlait d'une grosse voix et avec un style ampoulé qui trahissait ses origines. Il sortait de l'Académie militaire de la marine, avait été cadre dans la banque et directeur de la commission du développement industriel de l'Arkansas au temps du gouverneur Pryor. Il bénéficiait en outre du soutien de tous les groupes d'intérêt que je m'étais mis à dos : les fournisseurs d'énergie, les éleveurs de volailles, les compagnies forestières et les associations médicales. C'était un chrétien du Renouveau soutenu par le chapitre de la majorité morale et autres activistes conservateurs. Il avait également su jouer sur l'exaspération des ruraux et des employés à propos de la vignette. Il profitait par ailleurs de la morosité ambiante, due à la situation économique comme à la sécheresse. Lorsque la mauvaise santé de l'économie a entraîné un déclin plus important que prévu des revenus de l'État, j'ai été contraint d'abaisser les dépenses afin d'équilibrer le budget, notamment en réduisant la hausse de salaire des enseignants à neuf cents dollars au lieu des mille deux cents de l'année précédente. Beaucoup d'enseignants se moquaient éperdument de mes problèmes de budget ; on leur avait promis mille deux cents dollars de hausse pendant deux ans et ils voulaient toucher leur dû. Voyant qu'ils allaient recevoir moins que prévu, ils ne m'ont plus soutenu avec autant d'ardeur.

En avril, Hillary et moi avions vu Frank White à une soirée, et j'avais dit à ma femme qu'en dépit de ce qu'annonçaient les sondages il avait d'ores et déjà 45 % des voix. J'avais donc irrité tant de gens ? Avec l'annonce que tous les réfugiés allaient être logés à Fort Chaffee, White tenait enfin les deux sujets phares de l'élection : les Cubains et la vignette. Il n'a d'ailleurs pas abordé d'autres sujets pendant tout le restant de la campagne. J'ai fait campagne avec beaucoup d'énergie pendant tout le mois d'août, mais sans trop de succès. À la porte des usines, les ouvriers qui prenaient ou quittaient leur travail disaient qu'ils ne voteraient pas pour moi parce que j'avais aggravé leur situation économique et que je les avais trahis en augmentant le prix de la vignette. Un jour que je faisais campagne à Fort Smith, près du pont qui mène vers l'Oklahoma, j'ai demandé son soutien à un homme qui m'a donné en retour une version plus parlante de la réponse qui m'avait été faite des centaines de fois : « Vous avez augmenté le prix de ma vignette. Je ne voterai pas pour vous, même si vous étiez le seul fils de p... à être candidat ! » Il était rouge de colère. Exaspéré, j'ai montré le pont et je lui ai dit : « Vous voyez là-bas ? Eh bien, si vous viviez dans l'Oklahoma, votre vignette vous coûterait plus du double de ce que vous payez ici ! » Il a perdu aussitôt ses belles couleurs, puis il a souri et m'a mis la main sur l'épaule : « Tu vois, mon gars, t'as vraiment rien compris. Pourquoi tu crois que je vis de ce côté-ci de la frontière ? »

À la fin du mois d'août, je me suis rendu à la convention nationale des Démocrates avec la délégation de l'Arkansas. Le sénateur Kennedy était encore en lice, même s'il était évident qu'il allait perdre. De bons amis à moi travaillaient pour lui et voulaient que je l'encourage à se retirer avant le second tour des primaires et à faire un discours généreux en faveur de Carter. J'aimais bien Kennedy et je pensais qu'il valait mieux pour lui qu'il fasse bonne figure afin de ne pas se voir reprocher une défaite éventuelle de Carter. Les deux candidats s'entendaient mal, mais mes amis pensaient que je pouvais le convaincre. Je suis allé voir le sénateur dans la suite de son hôtel et je lui ai sorti mes plus beaux arguments. Kennedy a effectivement fini par se retirer et par soutenir le Président, même si, lorsqu'ils apparaissaient ensemble sur l'estrade, il ne parvenait guère à feindre un enthousiasme qui n'était clairement pas le sien.

Au moment où a eu lieu la convention, j'étais président de l'Association des gouverneurs démocrates et j'ai donc été invité à prononcer un discours de cinq minutes. Les conventions de ce genre sont souvent bruyantes et agitées. Les délégués n'écoutent généralement que l'orateur principal ainsi que les discours du président et du vice-président. Si votre discours ne fait pas partie de ces trois-là, votre seule chance d'être entendu dans le brouhaha des conversations est de s'imposer et d'être concis. J'ai essayé d'expliquer la situation économique douloureuse que nous étions en train de vivre, et de dire que le Parti démocrate devait changer pour relever ce défi. Depuis la Seconde Guerre mondiale, les Démocrates prenaient pour acquise la prospérité de l'Amérique ; leur priorité était donc d'étendre cette prospérité au plus grand nombre et à lutter pour la justice sociale. Nous devions désormais combattre l'inflation et le chômage, les déficits budgétaires et notre perte de compétitivité. Notre incapacité à le faire avait poussé davantage de gens vers les Républicains, ou les avait convaincus de rejoindre les rangs déjà fournis des abstentionnistes. C'était un bon discours qui a duré moins longtemps que les cinq minutes qui m'avaient été allouées, mais personne n'y a vraiment prêté attention.

Le président Carter a quitté la convention avec tous les problèmes qu'il avait à gérer en y entrant, mais sans l'énergie et les encouragements qu'un parti authentiquement enthousiaste et uni donne habituellement à celui dont il fait son candidat. Je suis rentré en Arkansas bien décidé à sauver ma propre campagne. Elle n'a fait qu'aller de mal en pis.

Le 19 septembre, je suis rentré chez moi, à Hot Springs, après une longue journée de politique, lorsque le commandant du Commandement stratégique aérien m'a appelé pour me dire qu'un missile Titan II avait explosé dans son silo près de Damascus, en Arkansas, à environ vingt kilomètres au nord-ouest de Little Rock. C'était une histoire incroyable. Un mécanicien de l'armée de l'air était en train de réparer le missile lorsqu'il a fait tomber une clef à mollette d'un kilo et demi. Elle a atterri vingt mètres plus bas, au fond du silo, a rebondi, crevant le réservoir rempli de carburant pour missile. En se mélangeant à l'air, ce carburant hautement toxique a pris feu, entraînant ensuite une gigantesque explosion qui a soufflé le couvercle en béton de 740 tonnes du silo, tuant le mécanicien et blessant vingt soldats qui se trouvaient à proximité de cette ouverture. L'explosion a également détruit le missile et catapulté son ogive nucléaire dans les pâturages au milieu desquels se trouvait le silo. On m'a assuré que la tête nucléaire n'avait pas de détonateur, qu'aucun produit radioactif ne pouvait en sortir et que l'armée l'enlèverait avec toutes les précautions qui s'imposaient. Au moins, l'Arkansas ne risquait pas d'être incinéré par ce dernier coup du sort. Je commençais à croire que j'avais la poisse, mais je me suis efforcé de faire face au mieux à cette nouvelle catastrophe. J'ai ordonné à Sam Tatom, mon nouveau directeur de la sécurité civile, de mettre au point un plan d'évacuation d'urgence avec les responsables fédéraux, au cas où un incident se reproduirait avec l'un des dix-sept missiles Titan II restants.

Après tout ce que nous avions traversé, voilà que l'Arkansas se retrouvait doté des seuls pâturages équipés d'une tête de missile nucléaire. Quelques jours après l'incident, le vice-président Walter Mondale est venu à Hot Springs pour assister à la convention démocrate de l'Arkansas. Quand je lui ai demandé de veiller à ce que l'armée coopère avec nous à l'élaboration d'un nouveau plan d'urgence pour les missiles, il a pris le téléphone et appelé Harold Brown, le secrétaire de la Défense. Il a commencé par lui dire : « Bon sang, Harold, je sais que je t'ai demandé de régler le problème des réfugiés cubains en Arkansas, mais là, tu es allé trop loin ! » Sous ses airs un peu coincés, Mondale avait un grand sens de l'humour. Il savait que nous étions tous deux au bord du gouffre, mais il avait pris le parti d'en rire.

Les dernières semaines de campagne ont été dominées par un phénomène nouveau dans l'histoire politique de l'Arkansas : les campagnes de dénigrement à la télévision. Un de ces spots télévisés portait sur la vignette automobile. Mais le plus efficace montrait des émeutiers cubains tandis qu'un commentateur disait d'une voix forte aux téléspectateurs que les gouverneurs de Pennsylvanie et du Wisconsin se préoccupaient de leurs concitoyens et qu'ils avaient réussi à se débarrasser des Cubains, tandis que je me préoccupais davantage de Jimmy Carter que des citoyens de l'Arkansas : « Et maintenant, ils sont tous chez nous », concluait la voix. Lorsque Hillary et moi avons vu ce spot pour la première fois, nous l'avons trouvé si infamant que nous pensions que personne ne pourrait s'y laisser prendre. Un sondage, effectué juste avant le lancement de ce spot, montrait que 60 % de la population pensaient que j'avais bien géré la crise de Fort Chaffee, tandis que 3 % trouvaient que j'avais été trop dur et 20 % – la droite dure – trop faible. Ces derniers n'auraient été satisfaits que si j'avais tiré comme des lapins tous les réfugiés qui sortaient du fort.

Nous nous trompions quant à cette campagne télévisée : les spots touchaient leur cible. À Fort Smith, des responsables locaux, dont le shérif Bill Cauthron et le procureur Ron Fields, m'ont fortement défendu, en déclarant que j'avais fait ce qu'il fallait faire et que j'avais pris des risques pour protéger les habitants de la région du fort. Comme nous le savons désormais, une conférence de presse est impuissante à contrer les effets d'une publicité négative. Je m'enlisais dans le bourbier des Cubains et de la vignette.

Plusieurs jours avant les élections, Hillary a appelé Dick Morris, que j'avais promis de remplacer par Peter Hart car sa personnalité rugueuse déplaisait à ceux qui devaient travailler avec lui. Elle lui a demandé d'effectuer un sondage pour voir ce que nous pouvions éventuellement faire pour améliorer nos résultats. Le sondage fut fait et, avec la franchise qui le caractérise, Dick m'a annoncé que j'allais vraisemblablement perdre. Il nous a fait deux ou trois propositions de spots télévisés – propositions que nous avons suivies – mais comme il l'avait prévu, il était trop tard.

Le jour des élections, le 4 novembre, Jimmy Carter et moi avons rassemblé 48 % des voix en Arkansas contre 65 % en 1976 et 63 % en 1978. Mais nous n'avons pas perdu de la même manière. Le Président a remporté cinquante des soixante-quinze comtés, réussissant à se maintenir dans les fiefs démocrates où l'affaire des Cubains lui avait causé du tort sans toutefois le priver de la marge qui lui garantissait la victoire. À l'inverse, il s'est fait battre dans les régions plus républicaines et conservatrices de l'ouest de l'Arkansas, marquées par une forte participation résultant de la colère suscitée par son manque de parole dans la crise des réfugiés, et de l'alliance de Reagan avec les fondamentalistes chrétiens opposés à l'avortement et au traité de restitution du canal de Panamá. L'Arkansas n'était donc pas encore tout à fait tombé dans le camp républicain. Le score de Carter était de 7 points plus élevé que son score national. S'il avait tenu sa promesse, il aurait remporté l'Arkansas.

Pour ma part, en revanche, je n'avais remporté que vingt-quatre comtés, dont ceux qui présentaient une forte population noire, et quelques autres où l'on soutenait sans doute davantage – ou critiquait un peu moins – le programme autoroutier. J'ai perdu onze comtés dans le nord-est, pourtant démocrate, presque tous les comtés ruraux de la troisième circonscription, et plusieurs autres dans le sud de l'État. La vignette m'a tué. La principale conséquence du spot télévisé sur les Cubains a été de me priver des électeurs qui m'avaient jusqu'alors soutenu en dépit de certaines réticences. Le fait que l'opinion publique approuvait ma gestion de la question cubaine maintenait mes résultats dans les sondages bien au-dessus de ce qu'ils auraient été avec l'affaire de la vignette, l'opposition des groupes de pression et la mauvaise conjoncture économique. Ce qui m'est arrivé en 1980 est exactement ce qui est arrivé au président George H. W. Bush en 1992. La guerre du Golfe le maintenait assez haut dans les sondages, masquant le nombre réel des mécontents. Lorsque les électeurs ont décidé qu'ils n'allaient pas voter pour lui simplement à cause de la guerre, j'ai pu l'emporter. Frank White a utilisé l'affaire des réfugiés pour me faire le même coup.

En 1980, je m'en suis mieux sorti que le président Carter dans les zones républicaines de l'ouest de l'Arkansas, où l'électorat avait pu se rendre compte plus directement de la façon dont j'avais réglé la question cubaine. À Fort Smith et dans le comté de Sebastian, j'étais en tête du ticket démocrate, grâce à Fort Chaffee, Carter obtenant 28 %. Le sénateur Bumpers, qui y avait été avocat pendant plus de vingt ans, mais qui avait commis le péché impardonnable de voter en faveur de l'« abandon » du canal de Panamá, n'a obtenu que 30 %. J'ai, pour ma part, rassemblé 33 % des électeurs. La situation n'était guère brillante.

Le soir des élections, j'étais dans un tel état que je ne pensais pas pouvoir affronter les journalistes. Hillary s'est rendue à notre QG de campagne, a remercié ceux qui avaient travaillé pour nous et les a invités pour le lendemain à la résidence du gouverneur. Après une courte nuit de sommeil, Hillary, Chelsea et moi avons accueilli environ deux cents de nos militants les plus motivés dans le jardin de notre demeure. Je leur ai fait un discours, du mieux que j'ai pu, les remerciant pour tout ce qu'ils avaient fait, les assurant qu'ils pouvaient être fiers de ce que nous avions accompli ensemble, et proposant mon entière coopération à Frank White. C'était un discours assez positif, compte tenu des circonstances. Cependant, je bouillais de colère, en grande partie contre moi-même. Je regrettais aussi amèrement de devoir quitter mon travail de gouverneur, que j'avais tant aimé faire. J'ai évoqué ce regret, mais j'ai gardé ma colère et ma tristesse pour moi.

À ce moment-là, je ne semblais guère avoir d'avenir en politique. En vingt-cinq ans, j'étais le premier gouverneur de l'Arkansas à ne pas obtenir de second mandat et j'étais sans doute le plus jeune ex-gouverneur de l'histoire américaine. Ce que m'avait dit John McClellan à propos du bureau du gouverneur, qu'il qualifiait de véritable cimetière, m'a semblé prophétique. Mais comme j'avais creusé ma propre tombe, ce qu'il me restait de mieux à faire était d'essayer d'en sortir.

Le jeudi suivant, Hillary et moi avons trouvé une nouvelle maison. C'était une jolie demeure en bois datant de 1911 et située sur Midland Avenue dans le quartier de Hillcrest, à Little Rock, assez près de l'endroit où nous vivions avant d'emménager dans la résidence du gouverneur. J'ai appelé Betsey Wright et je lui ai demandé de venir m'aider à classer les dossiers avant mon départ. Elle s'est donc installée dans la résidence et a travaillé tous les jours avec mon amie la députée Gloria Cabe, qui n'avait pas non plus obtenu sa réélection après avoir soutenu l'ensemble de mon programme.

Mes deux derniers mois en poste ont été très durs pour ceux qui travaillaient pour moi. Eux aussi devaient trouver du travail. Lorsque l'on quitte la politique, on se retrouve généralement dans une de ces grandes entreprises qui travaillent beaucoup pour le gouvernement de l'État, mais nous nous les étions toutes mises à dos. Rudy Moore a fait son possible pour aider chacun et pour s'assurer que nous avions traité toutes les affaires courantes avant de confier les commandes à Frank White. Rudy Moore et mon secrétaire, Randy White, m'ont également rappelé, dans les périodes où j'étais trop absorbé par mon sort, qu'il fallait que je montre davantage d'intérêt pour mon personnel et pour l'avenir de mes employés. La plupart d'entre eux n'avaient pas d'économies leur permettant de rester trop longtemps à chercher du travail. Plusieurs avaient de jeunes enfants, et la plupart n'avaient travaillé que pour l'État, notamment tous ceux qui avaient travaillé pour moi lorsque j'étais en charge de la Justice. Même si j'aimais beaucoup les gens qui avaient travaillé pour moi, et si je leur en étais très reconnaissant, j'ai bien peur de ne pas l'avoir montré assez clairement après ma défaite.

Hillary a été fantastique avec moi pendant cette douloureuse période, alternant amour et compassion, et trouvant toujours le moyen de me rappeler les exigences du présent comme de l'avenir. Le fait que Chelsea ne se rendait absolument pas compte de tout cela m'a aidé à comprendre que ce n'était pas la fin du monde. J'ai eu de généreux appels d'encouragement de Ted Kennedy – qui m'a dit que je partais pour mieux revenir – et de Walter Mondale, qui, une fois de plus, sut faire preuve d'un solide sens de l'humour malgré sa propre défaite électorale. Je suis même allé à la Maison Blanche, dire au revoir au président Carter et le remercier pour tout ce que son administration avait fait pour l'Arkansas. Je lui en voulais encore de ne pas avoir tenu sa promesse, car cela avait contribué à ma défaite et lui avait valu de perdre l'Arkansas ; mais je me disais que l'histoire se montrerait généreuse envers lui grâce à sa politique en matière d'énergie et de protection de l'environnement – notamment avec la création de l'immense parc national de l'Arctique, en Alaska – et de ses réussites en politique étrangère : les accords de Camp David entre Israël et l'Égypte, le traité de restitution du canal de Panamá, et la question des droits de l'homme.

Comme les autres employés du bureau du gouverneur, il me fallait également trouver du travail. J'avais reçu plusieurs offres intéressantes venant de l'extérieur de l'Arkansas. Mon ami John Y. Brown avait fait fortune avec les *Kentucky Fried Chicken*. Il m'a demandé si je voulais poser ma candidature à la présidence de l'Université de Louisville. Avec ce style lapidaire qui le caractérise, il m'a résumé la situation : « Bonne école, belle maison, superbe équipe de basket. » Jerry Brown, gouverneur de la Californie, m'a dit que son directeur de cabinet, Gray Davis, lui-même futur gouverneur (et futur ex-gouverneur), s'en allait et m'a proposé de le remplacer. Il m'a dit qu'il ne pouvait pas croire que l'histoire des vignettes ait pu me coûter ma place, que la Californie était pleine de gens originaires d'autres États, que je m'y sentirais chez moi, et qu'il me garantissait que je pourrais influencer sa politique dans les domaines qui me tenaient particulièrement à cœur. On m'a aussi demandé de prendre la direction du World Wildlife Fund, une association de protection de la nature, basée à Washington, et dont j'admirais beaucoup le travail. Norman Lear, producteur de certaines des émissions de télévision les plus populaires de l'histoire – dont la série *All in the Family* – m'a demandé de prendre la tête de People for the American Way, un groupe libéral créé afin de contrer les attaques des conservateurs contre les libertés établies par le Premier Amendement. On m'a également demandé de poser ma candidature à la fonction de président du Comité national démocrate, contre Charles Manatt, un célèbre avocat de Los Angeles originaire de l'Iowa. La seule proposition que l'on m'ait faite en Arkansas émanait

de Wright, Lindsey & Jennings, un cabinet d'avocats réputé qui m'a demandé
de lui « apporter mes conseils » pour soixante mille dollars par an, presque le
double de ce que je gagnais comme gouverneur.

J'ai bien réfléchi à la proposition du Comité national démocrate, parce
que j'aimais la politique et je croyais savoir ce qu'il fallait faire ; mais, au bout
du compte, je me suis dit que ce n'était pas le meilleur choix. Par ailleurs,
Chuck Manatt tenait beaucoup à ce poste et s'était sans doute assuré suffisamment de voix pour arriver à ses fins avant même que l'on me fasse une proposition. J'en ai discuté avec Mickey Kantor, un associé de Manatt que j'avais
rencontré lorsqu'il siégeait avec Hillary au conseil d'administration de Legal
Services Corporation. J'aimais beaucoup Mickey et je me fiais à son jugement.
Il m'a dit que si je voulais avoir une seconde chance d'être élu, je ferais mieux
de ne pas travailler pour le Parti. Il m'a aussi déconseillé de devenir directeur de
cabinet de Jerry Brown. D'autres propositions m'intéressaient également, notamment celle du World Wildlife Fund, mais je savais que cela n'avait aucun sens ;
je n'étais pas prêt à quitter l'Arkansas, j'ai donc accepté la proposition de Wright,
Lindsey & Jennings.

Presque immédiatement après ma défaite, et pendant les mois qui ont
suivi, j'ai demandé à tous ceux que je connaissais de me dire quelles étaient,
selon eux, les raisons de cet échec. Certaines des réponses qui m'ont été données – au-delà des Cubains, de la vignette et de la colère générale des groupes
de pression – m'ont beaucoup surpris. Jimmy « Red » Jones, que j'avais
nommé général aide de camp de la garde nationale de l'Arkansas, après une
longue carrière de commissaire aux comptes, m'a répondu que je m'étais mis
l'électorat à dos en nommant, à des postes clefs, trop de jeunes et trop de personnes étrangères à l'État. Il pensait également que le fait que Hillary ait décidé
de conserver son nom de jeune fille m'avait fait du tort : ce qui était possible
pour une avocate ne l'était pas pour la Première Dame de l'Arkansas. Wally
DeRoeck, qui avait été mon directeur de campagne en 1976 et 1978, m'a
répondu que je m'étais à ce point laissé prendre par mon rôle de gouverneur
que je n'ai plus pensé à quoi que ce soit d'autre. Il a ajouté que lorsque j'étais
devenu gouverneur, je ne lui avais jamais plus demandé de nouvelles de ses
enfants. Mon ami George Daniel, qui tenait la quincaillerie de Marshall, dans
les montagnes, m'a dit en substance la même chose bien qu'en termes plus
crus : « Bill, les gens se sont dit que tu n'étais qu'un connard ! » Rudy Moore
a ajouté que je m'étais beaucoup plaint de la situation dans laquelle je me
trouvais, mais que je ne lui avais jamais donné l'impression de m'intéresser
suffisamment (et suffisamment longtemps) à mes problèmes politiques pour
pouvoir comprendre comment les résoudre. Mack McLarty, mon plus vieil
ami, qui me connaissait mieux que moi-même, m'a dit que j'avais été trop
préoccupé, toute l'année, par l'arrivée de Chelsea. Il a ajouté que j'avais toujours été malheureux de ne pas avoir connu mon père et que j'avais voulu être
très présent pour ma fille, sauf lorsqu'une situation grave – comme la crise des
réfugiés cubains – requérait mon attention et que je ne m'étais pas pleinement
investi dans la campagne électorale.

Avec quelques mois de recul, je me suis rendu compte que chacune de
ces explications était, dans une certaine mesure, justifiée. Depuis ma défaite,

plus d'une centaine de personnes étaient venues me voir pour me dire qu'elles avaient voté contre moi pour me faire passer un message mais qu'elles ne l'auraient pas fait si elles avaient su que j'allais perdre. J'aurais pu faire tant de choses si j'avais eu un peu plus la tête sur les épaules. Je prenais douloureusement conscience que des milliers de personnes s'étaient dit que j'avais la grosse tête, que j'étais trop obsédé par ce que je voulais faire pour faire attention à ce que les autres voulaient que je fasse. Il s'agissait bien d'un vote de protestation, mais cela ne changeait rien. Les sondages d'après scrutin montraient que 12 % des votants avaient déclaré m'avoir soutenu en 1978 et voté contre moi en 1980 à cause de la vignette ; 6 % de mes anciens électeurs déclaraient avoir changé d'avis à cause des Cubains. Malgré tous mes problèmes et toutes mes erreurs, si j'avais pu me débarrasser de l'une de ces deux questions, j'aurais sans doute gagné. Mais si je n'avais pas perdu ce jour-là, je ne serais sans doute jamais devenu président. C'était une expérience insupportable, mais elle n'avait pas de prix parce qu'elle m'a forcé à être davantage sensible aux problèmes politiques liés au progressisme : le système ne peut absorber autant de changements d'un coup ; personne ne peut vaincre tous les intérêts établis en même temps ; et si on pense que vous avez cessé d'être à l'écoute, alors vous coulez.

Le dernier jour que j'ai passé au poste de gouverneur, après avoir pris une photo de Chelsea – 10 mois – assise dans mon fauteuil en train de parler au téléphone, je me suis rendu au Parlement pour prononcer mon discours d'adieu. J'ai parlé des progrès que nous avions faits, j'ai remercié les membres du corps législatif pour leur soutien et j'ai rappelé que nous avions encore le deuxième plus faible taux d'imposition d'Amérique et que, tôt ou tard, il nous faudrait trouver un moyen politiquement acceptable d'accroître nos recettes fiscales pour développer tout notre potentiel. Puis, je suis sorti du Capitole de l'Arkansas pour retrouver ma vie privée. J'étais comme un poisson rouge hors de son bocal.

CHAPITRE VINGT-DEUX

Wright, Lindsey & Jennings était, selon les normes de l'Arkansas, un cabinet important qui jouissait d'une excellente réputation et intervenait dans de nombreux domaines. Le personnel administratif, diligent et accueillant, a multiplié les efforts pour faciliter mon installation. J'avais négocié, sans la moindre difficulté, l'embauche de ma secrétaire, Barbara Kerns, qui collaborait avec moi depuis quatre ans déjà et connaissait bien ma famille, mes amis et mes partisans. Le cabinet a bien voulu mettre des bureaux à la disposition de Betsey Wright, qui a ainsi pu classer mes archives et, très vite, s'atteler à ma prochaine campagne. Quant à moi, j'ai commencé à m'investir dans mon nouvel emploi et j'ai même apporté quelques affaires, d'une importance toute relative. Néanmoins, en me lançant cette bouée de sauvetage, le cabinet ne réalisait pas une opération fructueuse. Il n'avait rien à y gagner, sinon ma reconnaissance éternelle et quelques dossiers sur lesquels il a assuré ma défense après mon accession à la présidence.

Si mes fonctions de gouverneur me manquaient, tout comme l'investissement à plein temps dans la politique, j'appréciais mon nouveau rythme de vie : je rentrais chez moi à des heures raisonnables et j'étais plus souvent aux côtés de Hillary. Ensemble, nous pouvions nous occuper de Chelsea et observer ses progrès, accepter les invitations à dîner de nos amis ou mieux connaître nos voisins. Nous nous sommes liés, en particulier, avec Sarge et Louise Lozano, un couple âgé qui habitait la maison en face de la nôtre. Ils adoraient Chelsea et étaient toujours disposés à nous rendre service.

J'ai décidé de m'abstenir de toute déclaration publique pendant quelques mois. Ce principe a souffert une seule exception. En février, je me suis rendu à Brinkley, à une heure de Little Rock par l'autoroute, où j'ai prononcé un discours à l'occasion d'un banquet du Lions Club. Cette circonscription électorale m'avait donné la majorité en 1980 et, en outre, mes soutiens les plus fervents ont beaucoup insisté pour que j'accepte leur invitation. Passer un moment au milieu de mes partisans me ferait le plus grand bien, affirmaient-ils, et ils avaient raison. Le dîner s'est poursuivi par une réception au domicile de Don et Betty Fuller, qui avaient été les animateurs de ma campagne dans le comté. J'y ai rencontré avec beaucoup de plaisir – et non sans surprise – des gens qui souhaitaient me revoir aux commandes. À Little Rock, l'état d'esprit était différent : beaucoup de mes anciennes connaissances s'efforçaient de gagner les bonnes grâces du nouveau gouverneur. L'une d'entre elles, à qui j'avais offert un poste dans l'administration de l'État et qui tenait à le conserver, a changé de trottoir pour ne pas avoir à me serrer la main, un jour que je marchais dans le centre-ville. Être vu en plein jour à mes côtés aurait pu nuire à sa carrière.

Bien que l'accueil chaleureux de mes amis de Brinkley m'ait réconforté, je suis resté en retrait de la vie publique plusieurs mois durant. Frank White commettait ses premières erreurs et commençait à essuyer des revers sur le terrain législatif ; je n'avais pas besoin de me mettre en travers de son chemin. Comme il s'y était engagé pendant sa campagne, il a obtenu que le département du développement économique reprenne sa dénomination antérieure de Commission pour le développement économique et que la Commission à l'énergie soit supprimée. Mais, après le succès de ces deux initiatives, la tentative de suppression des cliniques rurales que j'avais créées avec Hillary s'est heurtée à une forte mobilisation de tous les usagers à qui elles rendaient service. Sa proposition de loi a été rejetée et il a dû se contenter d'interrompre les projets en cours, alors qu'une partie de la population aurait eu un grand besoin de ces nouvelles cliniques.

Quand le gouverneur a présenté un projet de loi destiné à repousser l'augmentation de la vignette automobile, Henry Gray, le directeur des infrastructures routières, les services de l'équipement et les entrepreneurs de travaux publics lui ont opposé une résistance acharnée. Pour gagner leur vie, ils construisaient des routes, les réparaient ou gagnaient de l'argent par ce moyen. De plus, ils avaient l'oreille de nombreux parlementaires dont les électeurs appréciaient les infrastructures routières, même s'ils avaient refusé d'en payer le prix. Au bout du compte, White a obtenu une modeste réduction de la taxe, mais une grande partie des sommes prévues ont bien été attribuées au programme routier.

Ironie du sort, c'est un projet de loi impulsé par le gouverneur lui-même qui a été à l'origine de ses difficultés les plus notables. Cette proposition, intitulée « Science de la création », prévoyait que toutes les écoles de l'État qui enseignaient la théorie de l'évolution consacrent un temps équivalent à la présentation de la doctrine créationniste. Selon celle-ci et en conformité avec les leçons de la Bible, l'homme ne serait pas apparu voilà cent mille ans environ, au gré de l'évolution des espèces, mais aurait été créé par Dieu, comme espèce séparée, il y a quelques milliers d'années.

Depuis le début du XXe siècle, les fondamentalistes ont nié la théorie de l'évolution qui contredit la version biblique de la création de l'homme et, dès les années 1900, plusieurs États, dont l'Arkansas, en ont banni l'enseignement.

Malgré les décisions de la Cour suprême visant à lever ces interdictions, la plupart des manuels de sciences n'ont pas abordé l'évolution jusque dans les années 1960. À la fin de cette décennie, une nouvelle génération de fondamentalistes a relancé l'offensive, en prétendant s'appuyer sur des données scientifiques récentes confirmant la version biblique de la création et remettant en cause la théorie de l'évolution. Ils ont fini par se fixer un nouvel objectif : exiger des écoles qui intègrent l'évolution dans leurs programmes qu'elles accordent une place équivalente à la « science créationniste ».

Suite aux campagnes de grande ampleur, menées par des groupes de pression tels que le FLAG (Family Life America and God), et à l'attitude bienveillante du gouverneur, l'Arkansas a, le premier, accordé une reconnaissance à la science de la création. Le projet de loi a été adopté sans réelle opposition : non que les élus se soient passionnés pour les débats scientifiques, mais la plupart d'entre eux tenaient à se concilier les groupes chrétiens conservateurs, qui relevaient la tête après avoir joué un rôle décisif dans l'élection du président des États-Unis et du gouverneur. La signature du projet de loi par le gouverneur White a soulevé une vague de protestations. Elle s'est manifestée dans le corps enseignant, qui se voyait mal transmettre, sous la contrainte, des principes religieux comme s'il s'agissait de vérités scientifiques, aussi bien que chez certains membres du clergé attachés au respect du principe constitutionnel de séparation de l'Église et de l'État ou encore parmi les simples citoyens qui ne souhaitaient pas que l'Arkansas devienne un objet de risée pour l'Amérique tout entière.

Très vite, les opposants à la loi ont épinglé Frank White. George Fisher, le caricaturiste de l'*Arkansas Gazette*, qui m'avait dessiné chevauchant un tricycle, représentait maintenant le gouverneur une banane à demi pelée à la main, comme si, arrêté sur le chemin de l'évolution, il occupait la position du mythique « chaînon manquant » entre le chimpanzé et l'homme. Pour dévier ces attaques personnelles, le gouverneur a expliqué qu'il n'avait pas lu le projet de loi avant de le signer, manœuvre qui a encore aggravé son cas. Au bout du compte, il a été déclaré contraire à la Constitution par le juge Bill Overton, qui a développé une argumentation magistrale devant la cour. Dans le résumé de ses conclusions, on lit que le projet implique un enseignement religieux, et non scientifique, et enfreint, de ce fait, le principe constitutionnel de la séparation de l'Église et de l'État. Le ministre de la Justice, Steve Clark, s'est bien gardé de faire appel de cette décision.

Les problèmes de Frank White ne se sont pas cantonnés à la session parlementaire. Une initiative a été particulièrement mal perçue : appelé à nommer de nouveaux membres de la commission des services publics, il a soumis leur candidature à l'Arkansas Power and Light Company, qui poursuivait depuis plusieurs années une offensive visant à obtenir un relèvement continu des tarifs de l'électricité. Dès que l'affaire est sortie, la presse a tiré à boulets rouges sur le gouverneur. Les notes d'électricité augmentaient à un rythme bien plus soutenu que la taxe sur les automobiles. Et voilà que le nouveau gouverneur demandait l'aval de la compagnie d'électricité pour choisir les responsables qui décideraient à l'avenir d'éventuelles augmentations !

Les gaffes du gouverneur ont encore aggravé son cas. Annonçant l'envoi d'une délégation commerciale à Taiwan et au Japon, il a déclaré à la presse combien il était ravi de se rendre au Moyen-Orient. Ce qui a fourni à George Fisher l'occasion de se surpasser : un de ses meilleurs dessins montre le gouverneur et sa délégation au pied de la passerelle d'un avion. Ils viennent d'atterrir en plein désert, parmi les palmiers dattiers, les pyramides et des Arabes en burnous tirant un dromadaire. Sa banane à la main, le gouverneur regarde le paysage et lance : « Magnifique ! Et maintenant, hélons donc un pousse-pousse. »

Au milieu de ces événements, j'ai participé à plusieurs initiatives politiques, hors de l'Arkansas. Avant ma défaite, j'avais été invité par le gouverneur John Evans à un dîner pour la journée commémorative de Jefferson et de Jackson, dans l'Idaho, au cours duquel je devais prononcer une allocution. Malgré le résultat de l'élection, il avait maintenu son invitation.

Je me suis aussi rendu, pour la première fois, à Des Moines, dans l'Iowa, où je devais intervenir dans un atelier de réflexion du Parti démocrate ouvert aux élus locaux et à ceux des États. Mon ami Sandy Berger m'a invité à Washington, pour un déjeuner avec Pamela Harriman, l'épouse du célèbre dirigeant démocrate Averell Harriman, émissaire de Roosevelt auprès de Staline et de Churchill, gouverneur de l'État de New York et responsable des négociations avec le Nord-Viêt-nam à la conférence de paix de Paris. Harriman avait connu Pamela pendant la Seconde Guerre mondiale. Elle était alors l'épouse du fils de Winston Churchill et habitait au 10, Downing Street. Il l'épousa quelques années plus tard après la mort de sa première femme. Quand je la rencontrai, Pamela avait tout juste la soixantaine et était encore une très belle femme. Elle souhaitait que je rejoigne la direction des Démocrates pour les années 1980, un comité d'action qu'elle venait de constituer dans le Parti. Il devait servir de laboratoire d'idées et encourager le financement de nos campagnes afin de permettre le retour aux affaires des Démocrates. Après notre déjeuner, j'ai accompagné Pam jusqu'au studio de télévision où elle allait donner sa première interview. Elle avait le trac et m'a demandé conseil. Je lui ai recommandé de conserver le ton détendu de notre déjeuner. Après cette rencontre, j'ai accepté de rejoindre la direction du comité d'action, ce qui m'a permis de passer des soirées mémorables dans la maison du couple, à Georgetown, au milieu de souvenirs politiques et de précieuses toiles de grands maîtres impressionnistes. Après mon accession à la présidence, j'ai nommé Pamela Harriman ambassadeur des États-Unis en France, pays où elle avait vécu après la Seconde Guerre mondiale quand elle avait rompu avec son premier mari. D'une efficacité remarquable, elle a séduit la France et y a vécu heureuse jusqu'à sa mort, en 1997, dans l'exercice de ses fonctions.

Dès le printemps, j'ai commencé à réfléchir à la prochaine élection. Le gouverneur paraissant vulnérable, la perspective d'une revanche n'était pas à exclure. Un jour que j'avais pris la route pour rendre visite à ma mère, à Hot Springs, je me suis arrêté, à mi-parcours environ, pour prendre de l'essence. J'ai profité de cette halte à Lonsdale pour sonder le propriétaire de la station-service, très impliqué dans la vie politique, sur mes chances de victoire. Il s'est montré plutôt encourageant, mais sans manifester pour autant son soutien. Alors que je retournais à ma voiture, un vieil homme en salopette m'a interpellé

« Vous ne seriez pas Bill Clinton, par hasard ? » J'ai répondu par l'affirmative et
je me suis approché pour lui serrer la main. Il s'est aussitôt fait un plaisir de
m'informer qu'il avait voté contre moi. « Je suis l'un de ceux qui ont contribué à votre défaite. Vous me devez la perte de onze voix : moi, ma femme,
mes deux garçons et leurs épouses, et cinq de mes amis. On vous a bien fait
payer. » Je lui ai demandé pour quelle raison il avait pris cette élection tellement à cœur et, comme je m'y attendais, il m'a répondu : « Il le fallait. Vous avez
augmenté le prix de mes vignettes ! » En pointant le doigt, je lui ai montré un
endroit de la route, non loin de la station-service : « Vous vous souvenez de
cette tempête de neige que nous avons eue quand j'ai pris mes fonctions ? Ce
tronçon de route, juste là, était affaissé et des voitures ont fini dans le fossé. J'ai
dû faire appel à la garde nationale pour les sortir de là. Vous avez dû voir les
photos, tous les journaux les ont publiées. Ces routes, il fallait bien les rénover. » Il a répondu : « Ce n'est pas mon problème. Moi, je ne voulais pas
payer. » À peine avait-il achevé sa phrase, que, sans même y réfléchir, je lui ai
posé une question : « Et si je me représentais. Vous envisageriez de voter pour
moi ? » Il a souri en me lançant : « Bien sûr ! Maintenant que je vous ai fait
payer votre erreur. » Je me suis dirigé vers la cabine téléphonique la plus proche
d'où j'ai appelé Hillary pour lui raconter cet échange. J'ai conclu la conversation
en lui confiant que je pensais pouvoir gagner.

J'ai passé le reste de l'année à sillonner l'État et à téléphoner. Les Démocrates étaient bien déterminés à battre Frank White et bon nombre de mes
anciens partisans m'ont garanti qu'ils me soutiendraient si je me présentais.
Deux hommes, en particulier, aussi attachés à notre État que passionnés de
politique, ont mis toute leur énergie au service de ma candidature. Le premier,
Maurice Smith, possédait un ranch de cinq mille hectares ainsi que la banque
de sa petite ville de Birdeye. C'était un homme petit et mince, au visage
raviné, âgé d'une soixantaine d'années et doté d'une voix grave et rocailleuse
dont il se servait avec parcimonie mais avec un effet toujours impressionnant
sur ses interlocuteurs. Maurice était malin comme un singe et bon comme le
pain. Il était impliqué dans la vie politique de l'État depuis fort longtemps et
défendait, comme toute sa famille, des positions démocrates réformatrices dans
la tradition rooseveltienne. Dénué de tout penchant élitiste ou ségrégationniste,
il ne m'avait jamais ménagé son soutien, y compris sur mes projets concernant
l'éducation ou les infrastructures routières. Il m'a encouragé à me représenter
et s'est engagé à s'occuper de mon comité de soutien, qu'il s'agisse de trouver
les fonds nécessaires à ma campagne ou de s'assurer le soutien de personnalités
respectées qui n'avaient encore jamais pris position en ma faveur lors de mes
précédentes campagnes. Son coup de maître a été d'associer George Kell à ma
campagne. C'était l'un des plus fameux joueurs de base-ball du pays, un ancien
des Tigers de Detroit, qui commentait toujours à la radio les matchs de son
équipe. Tout au long de sa brillante carrière sportive, George Kell avait
conservé des attaches avec Swifton, une petite ville du nord-est de l'Arkansas
où il avait grandi. Il y avait une maison, y était considéré comme une légende
vivante et y gardait, comme dans tout l'Arkansas, nombre d'admirateurs. Après
notre première rencontre, il a accepté de devenir le trésorier de ma campagne.

La présence de Maurice était un gage de crédibilité. J'en avais grand besoin, car aucun gouverneur de l'Arkansas n'avait réussi à être réélu après une défaite, malgré plusieurs tentatives de mes prédécesseurs. Maurice m'apportait bien plus encore. Il est devenu un ami, un confident et un conseiller. J'avais toute confiance en lui et il me tenait lieu de père de substitution et de frère aîné. Durant tout le temps que j'allais encore passer dans l'Arkansas, il devait s'impliquer dans toutes mes campagnes comme dans la bonne marche de mon cabinet de gouverneur. Il raffolait des marchandages comme de toute la cuisine politique des négociations et s'est toujours montré efficace pour promouvoir mes programmes au Parlement de l'État. Son sens de l'à-propos était rarement pris en défaut : il savait, selon les circonstances, lancer une rude bataille ou entamer des pourparlers. Sa présence m'a épargné les embarras que j'avais rencontrés au cours de mon premier mandat. Quand j'ai été élu président, sa santé était déjà défaillante. Nous avons eu l'occasion de passer une seule soirée ensemble, au troisième étage de la Maison Blanche, à évoquer nos souvenirs communs.

À ma connaissance, tout le monde appréciait Maurice Smith et le respectait. Quelques semaines avant son décès, Hillary, de retour en Arkansas, lui a rendu visite à l'hôpital. Après avoir regagné la Maison Blanche, elle m'a regardé dans les yeux et m'a dit : « Je ne peux te dire qu'une chose, j'adore notre Maurice. » Pendant la dernière semaine de sa vie, nous avons parlé deux fois au téléphone. Il m'a expliqué qu'il ne pensait pas sortir vivant de l'hôpital, cette fois, et il a ajouté : « Je voulais juste te dire que je suis très fier de tout ce qu'on a fait ensemble et que je t'aime beaucoup. » C'était la première fois qu'il me parlait ainsi.

À son décès, en 1998, j'ai prononcé une oraison pour ses funérailles, fonction que j'ai trop souvent eue à accomplir pendant ma présidence. Tout en revenant en Arkansas, j'ai repensé à tout ce qu'il avait fait pour moi. Il avait été directeur financier de toutes mes campagnes, maître des cérémonies à chacune de mes prises de fonctions, chef de mon cabinet, membre du conseil de surveillance de l'Université, directeur du département des Routes, responsable, au Parlement de l'État, du groupe de pression des handicapés – cause favorite de son épouse Jane. J'ai surtout repensé au lendemain de ma défaite électorale, en 1980, et à ce moment où nous nous tenions tous trois, Hillary, Chelsea et moi, au beau milieu de la pelouse qui donne sur la résidence du gouverneur. Je remâchais mon échec, le dos voûté, quand un homme de petite taille s'était approché de moi, avait mis sa main sur mon épaule et d'une voix rauque mais agréable m'avait dit : « Ne vous en faites pas. On reviendra ! » Maurice Smith me manque toujours.

Un autre homme entre dans la même catégorie : L. W. « Bill » Clark. Je le connaissais à peine avant qu'il ne m'approche en 1981 et ne commence à se pencher sur la stratégie à adopter pour reconquérir le siège de gouverneur. Bill était un gaillard bien bâti que la perspective d'un combat politique sérieux galvanisait et qui avait une compréhension innée de la nature humaine. Il était originaire de Fordyce, dans le sud-est de l'Arkansas, il possédait une scierie spécialisée dans le débitage de merrains de chêne, éléments constitutifs des barriques. Sa production était très appréciée des distilleries de whisky et des caves de Jerez. Pour cette raison, il en exportait une bonne part vers l'Espagne. Il avait aussi acheté quelques restaurants de la chaîne Burger King. Un jour, au début du printemps, il m'a invité à l'accompagner aux courses, sur l'hippodrome d'Oaklawn Park, à Hot Springs. Ma défaite remontait à deux mois à peine, et Bill a été surpris de constater que si peu de gens approchaient de notre loge pour me saluer. La désaffection du public aurait pu le décourager, il y a vu au contraire un défi à relever. Il s'est aussitôt mis en tête de me porter, contre vents et marées, jusqu'au poste de gouverneur. À plusieurs reprises, en 1981, je me suis rendu dans sa propriété, sur le lac de Hot Springs, pour discuter politique avec les divers invités qu'il s'efforçait de gagner à notre cause. J'y ai rencontré toutes sortes de personnalités du sud de l'Arkansas qui ont accepté de s'investir dans ma future campagne. Quelques-unes, parmi celles-ci, ne m'avaient jamais offert leur soutien auparavant, mais Bill Clark a su les convaincre. Je lui suis redevable d'une bonne part de mes activités, au cours des onze années suivantes ; il a joué un rôle décisif dans mes victoires électorales et dans la mise en œuvre de mes programmes. Par-dessus tout, je lui sais gré d'avoir cru en moi à un moment où je doutais de moi-même.

Pendant que je battais le rappel, Betsey Wright s'affairait à remettre la machine en route. Au cours des derniers mois de 1981, avec elle et Hillary, j'ai rencontré Dick Morris pour discuter du lancement de ma campagne. Il nous a suggéré de prendre contact avec Tony Schwartz, un expert en communication politique au talent reconnu. Comme il quittait rarement son appartement de Manhattan, nous nous sommes envolés pour New York. Le personnage m'a convaincu : il a su développer des idées précieuses sur les moyens à mettre en œuvre pour parler au cœur et à l'esprit des électeurs. Le point de départ était clair : si je voulais l'emporter en 1982, deux ans seulement après avoir été démis de ma charge, je disposais d'une marge de manœuvre étroite. Par ailleurs, si je me fustigeais trop ostensiblement, comment allais-je les convaincre de me donner une nouvelle chance d'assumer les mêmes fonctions ? Betsey et moi-même avions déjà retourné ce dilemme en tous sens, comme nous tentions d'établir une stratégie pour la primaire et pour l'élection générale.

Alors que la fin de l'année approchait, deux voyages, qui répondaient à des motivations très différentes, ont nourri ma réflexion avant la bataille qui se préparait. À l'invitation du gouverneur de Floride, Bob Graham, j'ai participé au congrès du Parti démocrate de l'État, événement qui se déroulait tous les deux ans, en décembre, dans la région de Miami. Mon discours en appelait à une riposte vigoureuse contre les attaques que les Républicains lançaient par la voie publicitaire. J'ai expliqué que c'était bien beau de les laisser tirer les premiers, mais, puisqu'ils s'acharnaient à frapper sous la ceinture, nous étions en droit de « brandir un hachoir et de leur trancher les deux mains ». Le ton de mon intervention était quelque peu mélodramatique, mais, en s'emparant des rênes du Parti républicain, la droite avait durci les règles du combat politique, tout en confiant à son héros, le souriant Ronald Reagan, un rôle de patriarche bienveillant, trônant au-dessus de la mêlée. Les Républicains étaient convaincus de pouvoir emporter indéfiniment les batailles électorales grâce à leur seule puissance de feu verbale. Il se pouvait qu'ils eussent raison, mais j'étais bien décidé à rompre avec notre fâcheux penchant au désarmement unilatéral.

Le second voyage était d'une tout autre nature. Nous avions décidé, avec Hillary, de nous joindre à un pèlerinage en Terre sainte, sous la conduite du pasteur W. O. Vaught, de l'église baptiste Immanuel. En 1980, Hillary avait réussi à me convaincre d'assister aux services de cette église. J'y chantais dans le chœur. Depuis mon départ de la maison pour Georgetown, en 1964, j'étais un pratiquant épisodique et j'avais cessé de participer aux chœurs quelques années plus tôt. Hillary savait que les offices religieux me manquaient, elle savait aussi que j'admirais W. O. Vaught, qui avait abandonné les prédications enflammées en faveur d'un enseignement approfondi et rigoureux de la Bible. À ses yeux, les textes sacrés étaient la transcription fidèle de la parole de Dieu, dont le sens réel échappait à la plupart des lecteurs. Depuis qu'il s'était immergé dans l'étude des versions jugées les plus anciennes des Saintes Écritures, ses sermons consistaient en séries suivies de commentaires d'un livre particulier ou d'un thème saillant, qu'il développait longtemps avant d'aborder un nouveau sujet. Chaque dimanche, je retrouvais avec plaisir ma place dans la tribune du chœur, en arrière de l'autel, d'où, les yeux fixés sur le dos et le crâne chauve du pasteur, ou m'absorbant dans le texte sacré ouvert devant moi, je suivais ses commentaires concernant l'Ancien ou le Nouveau Testament.

Le Dr Vaught se rendait régulièrement en Terre sainte depuis 1938, soit dix ans avant la naissance de l'État d'Israël. En décembre 1981, nous nous sommes joints à son groupe pendant que les parents de Hillary, venus de Park Ridge, s'installaient chez nous pour prendre soin de Chelsea. À Jérusalem, où se déroulait l'essentiel de notre séjour, nous avons suivi les étapes de la vie de Jésus et rencontré des chrétiens de la ville. Nous avons vu l'endroit même où, selon les chrétiens, la crucifixion a eu lieu et la petite grotte qui a été, suppose-t-on, le lieu de sa sépulture et de sa résurrection. Nous nous sommes aussi rendus au mur des Lamentations, précieux pour le culte juif et sur les lieux sacrés de l'islam, la mosquée al-Aqsa et le dôme du Rocher, d'où, selon les musulmans, Mahomet se serait élevé vers le Ciel, à la rencontre d'Allah. Nous avons visité l'église du Saint-Sépulcre ; le lac de Tibériade, où Jésus a marché sur les eaux ; Jéricho, qui pourrait être la plus vieille ville du monde, et Massada, où un groupe de combattants juifs, les Maccabées, entrés depuis dans le Panthéon des martyrs, a soutenu un long siège avant de céder à l'assaut violent des Romains. Sur les hauteurs de Massada d'où l'on domine le paysage, W. O. Vaught nous a rappelé que les plus grandes armées, à travers l'Histoire, y compris celles d'Alexandre et de Napoléon avaient arpenté ces contrées vouées, selon le livre des Révélations, à baigner dans un flot de sang quand viendra la fin des temps.

Ce voyage devait laisser une empreinte durable dans ma mémoire. J'en suis revenu avec des convictions religieuses remises en perspective, une profonde admiration pour Israël et un début de compréhension des aspirations et des souffrances du peuple palestinien. Depuis lors, contribuer à la réconciliation des enfants d'Abraham, sur la Terre sainte où nos trois religions ont vu le jour, m'est apparu comme un devoir primordial.

Peu après mon retour, ma mère a épousé Dick Kelley, grossiste dans l'alimentation, qu'elle connaissait depuis des années et fréquentait depuis longtemps déjà. Elle mettait ainsi fin à plus de sept ans de célibat et je m'en réjouissais pour elle. Dick était un grand gaillard sympathique qui aimait les champs de courses au moins autant que ma mère. En outre, il adorait voyager et il était toujours partant pour découvrir une nouvelle destination. Grâce à lui, ma mère est allée partout. Il l'emmenait souvent à Las Vegas, mais elle a aussi posé le pied en Afrique avant moi. Le révérend John Miles a béni leur union, à l'occasion d'une sympathique cérémonie, chez Marge et Bill Mitchell sur le lac Hamilton, qui s'est conclue par *Just the Way You Are* de Billy Joel chanté par Roger. J'ai appris très vite à apprécier Dick Kelley et je lui suis reconnaissant du bonheur dont il a entouré ma mère et moi-même. Il est devenu l'un de mes partenaires de golf favoris. À 80 ans passés, malgré nos différences de handicap, il me battait encore plus souvent qu'à son tour.

En janvier 1982, le golf était le dernier de mes soucis. L'heure était venue de lancer ma campagne. Betsey Wright était aussi à l'aise en Arkansas qu'une enfant du pays. Avec une grande maestria, elle venait de mettre sur pied une organisation mêlant mes anciens soutiens et les déçus du gouverneur White. L'heure des grandes décisions sonnait : par quel geste allions-nous lancer la campagne ? Dick Morris a suggéré de faire précéder l'annonce officielle de ma participation d'une publicité télévisée. Je reconnaîtrais les erreurs qui avaient conduit à ma défaite et je demanderais qu'une nouvelle chance me soit offerte. C'était une entrée en matière risquée, mais le projet tout entier – se présenter deux ans seulement après avoir perdu – était un pari difficile. Si la tentative se soldait par un échec, c'en serait fini de mon retour sur scène, pour une très longue période au moins.

Nous avons mis le message publicitaire au point à New York, dans le bureau de Tony Schwartz. Selon moi, il aurait porté ses fruits à la seule condition de conjuguer la reconnaissance de mes erreurs passées et une série d'engagements constructifs pour l'Arkansas. Je voulais ranimer les espoirs qui m'avaient valu un large soutien lors de ma première campagne. Le 8 février, le spot publicitaire était diffusé, sans information préalable. Alors que mon visage apparaissait plein cadre à l'écran, j'expliquais aux électeurs que, depuis ma défaite, j'avais sillonné l'Arkansas et discuté avec des milliers d'habitants. Tous admettaient que j'avais pris des mesures positives au cours de mon mandat, mais ils me reprochaient aussi des erreurs de taille, comme ma décision d'augmenter la vignette automobile. Je disais encore que l'argent ainsi collecté devait servir à l'entretien de nos routes, que celui-ci était indispensable mais que j'avais eu tort de procéder de cette manière, qui avait choqué tant de gens. Quand j'étais petit, continuais-je « mon père n'a jamais eu à me corriger deux fois pour la même faute », j'ajoutais que l'État avait besoin de nouvelles orientations pour l'éducation et l'économie, domaines dans lesquels j'avais œuvré de manière positive. Enfin, si l'on me donnait une nouvelle chance, je serais un gouverneur qui aurait tiré de son échec une leçon : « On ne dirige pas sans écouter. »

Le message suscita de nombreuses discussions. Au moins avait-il préparé les esprits à ma tentative de retour et une partie de l'électorat paraissait prête à me redonner une chance. Le 27 février, jour de l'anniversaire de Chelsea, j'annonçai officiellement ma candidature. Hillary m'offrit une photo de nous trois lors de cet événement. Elle y avait ajouté l'annotation suivante : « Deuxième anniversaire de Chelsea, deuxième chance de Bill. »

Je me suis engagé à donner la priorité aux trois questions que je jugeais décisives pour l'avenir de l'État : améliorer le système scolaire, attirer plus d'emplois et baisser les tarifs de l'électricité. Trois points sur lesquels le sénateur White était particulièrement vulnérable. Pendant qu'il réduisait la taxe automobile de seize millions de dollars, la commission des services publics, nommée par ses soins, avait approuvé une augmentation des tarifs qui apportait deux cent vingt-sept millions de dollars supplémentaires à la compagnie d'électricité qui desservait notre État, l'Arkansas Power and Light. Ce choix avait des conséquences douloureuses pour les particuliers comme pour les entreprises. Le ralentissement économique nous avait, par ailleurs, coûté de nombreux emplois et le trop bas niveau des revenus de l'État ne donnait aucune latitude pour améliorer l'éducation.

Mon message est bien passé. Mais la grande nouvelle du jour est venue après : ce jour-là, Hillary a déclaré publiquement qu'elle adoptait mon nom. Désormais, elle se ferait appeler Hillary Rodham Clinton. Nous avions discuté du sujet pendant plusieurs semaines. Hillary avait fini par se laisser convaincre, après que nombre de nos relations eurent souligné que cette particularité – même si elle ne nous nuisait pas dans les sondages – suscitait une gêne dans l'opinion. Vernon Jordan lui-même avait évoqué la question quelques mois plus tôt quand il nous avait rendu visite à Little Rock. Au fil des années, Vernon était devenu un intime. Figure prééminente des droits civiques dans le pays, c'était un ami sur lequel on pouvait compter. Originaire du Sud et plus âgé que nous, il saisissait mieux l'importance que l'opinion pouvait accorder à cette affaire de nom. Une seule personne, extérieure au cercle de nos amis, avait évoqué ce fait devant moi auparavant : par une ironie du sort, il s'agissait d'un de mes fervents supporters, un jeune avocat de Pine Bluff, très marqué à gauche. Il m'avait demandé si le fait que Hillary garde son nom de jeune fille me gênait. Je lui avais répondu par la négative, ajoutant que je n'y avais même jamais vu un problème avant que quelqu'un ne soulève la question. Il m'avait alors lancé en me fixant d'un air incrédule : « Je te connais bien, allez. Tu es un vrai mec. C'est évident que ça te gêne. » Je n'en revenais pas. Mais cela ne fut ni la première ni la dernière fois qu'un détail auquel beaucoup de gens accordaient de l'importance n'avait aucune signification pour moi.

J'avais été très clair avec Hillary : la décision lui appartenait à elle seule et je ne croyais pas une seule seconde que l'élection allait se jouer sur son nom. Dès le début de notre relation, elle m'avait expliqué l'importance qu'elle attachait à son nom. Elle avait pris la décision de le conserver lorsqu'elle était enfant, bien avant qu'un tel choix ne devienne un symbole de l'égalité des femmes. Fière de ses ascendances familiales, elle ne voulait pas les renier. Comme, de mon côté, je ne voulais pas renier Hillary, sa conviction me convenait. De fait, c'était même un des nombreux traits que j'appréciais tout particulièrement chez elle.

Après mûre réflexion, Hillary avait conclu – avec son pragmatisme habituel – qu'elle tenait moins à choquer les gens qui attachaient de l'importance à ce détail qu'à garder son nom de jeune fille. Quand elle m'a fait part de ce cheminement, j'ai émis une seule suggestion : qu'elle expose devant l'opinion les véritables raisons pour lesquelles elle prenait cette décision. Avec mon message publicitaire, j'exprimais d'authentiques excuses pour une erreur réelle. Présenté comme un choix guidé par un impératif moral ou sentimental, son changement de nom passerait pour un artifice de campagne. Dans sa déclaration, Hillary a expliqué aux électeurs, avec une grande simplicité, qu'elle adoptait mon nom pour eux, avant tout.

Lorsque la campagne pour la primaire s'est ouverte, ma candidature était en tête dans les sondages, mais nous avions face à nous une formidable opposition. Sur la ligne de départ, mon adversaire le plus sérieux était Jim Guy Tucker. Il avait perdu la course au Sénat, quatre ans plus tôt, contre David Pryor et avait depuis amassé beaucoup d'argent dans la télévision câblée. Tout comme moi, il pouvait séduire la base réformatrice, mais, à son avantage, les blessures de sa défaite avaient eu deux ans de plus pour cicatriser. Je m'appuyais sur une meilleure organisation dans les cantons ruraux, lesquels me gardaient une plus forte rancune. Un autre choix s'offrait aux électeurs démocrates : Joe Purcell, personnalité affable et sans aspérités, présentait sa candidature, après avoir été ministre de la Justice de l'Arkansas et vice-gouverneur, deux fonctions pour lesquelles il pouvait se targuer d'un bilan satisfaisant. À la différence de Jim Guy et de moi-même, il ne s'était jamais attiré l'hostilité des électeurs. Joe caressait l'espoir d'accéder au poste de gouverneur depuis longtemps et, bien que sa santé commençât à décliner, il escomptait l'emporter en cultivant une image consensuelle de gestionnaire efficace, moins dévoré par l'ambition que ses deux concurrents. Deux autres candidats se présentaient : Kim Hendren, élu au Sénat de l'Arkansas, et Monroe Schwarzlose, mon meilleur ennemi. Entrer dans la course le maintenait en vie.

Ma campagne aurait sombré corps et âme dès le premier mois si je n'avais pas retenu la leçon de 1980 quant à l'impact des publicités négatives à la télévision. Pour lancer l'offensive, Jim Guy Tucker a concocté un premier spot qui me reprochait d'avoir accepté une réduction de peine pour les meurtriers au cours de mon premier mandat. Il s'appuyait sur l'exemple d'un homme qui avait tué un de ses proches quelques semaines après sa sortie de prison. Cette affaire n'avait guère laissé de traces dans l'opinion, en conséquence, mes excuses n'y faisaient pas allusion et les sondages se sont vite ressentis de cette omission. Je suis passé derrière Jim Guy Tucker.

La commission des remises de peine et des libérations anticipées avait recommandé les réductions en question pour deux raisons. En premier lieu, la commission et les responsables du système pénitentiaire estimaient qu'ils auraient les pires difficultés à maintenir l'ordre et à réduire la violence dans les prisons si les « perpétuité » savaient qu'ils n'avaient aucun espoir de libération, quelle que soit leur conduite. Par ailleurs, de nombreux détenus âgés rencontraient de graves problèmes de santé dont le coût pour l'État était très élevé. Une fois libérés, leurs soins étaient pris en charge par le programme Medicaid, financé pour une large part par des fonds fédéraux.

L'affaire exhumée par la publicité de Tucker était véritablement insolite. L'homme dont j'avais signé la libération anticipée était âgé de 72 ans et avait purgé une peine de seize ans pour meurtre. Pendant tout son temps de détention, il s'était comporté en prisonnier modèle, son dossier mentionnait une seule sanction disciplinaire. Il souffrait d'artériosclérose, les médecins lui donnaient un an à vivre et pronostiquaient une invalidité permanente dans les six mois, exigeant des soins qui coûteraient une petite fortune à la prison. Il avait par ailleurs une sœur dans le sud-est de l'Arkansas qui se portait volontaire pour l'héberger. Six semaines environ après sa libération conditionnelle, il buvait des bières avec un ami, installé dans la camionnette de celui-ci, laquelle était équipée d'un râtelier à fusils. Une dispute avait éclaté, il s'était emparé d'une arme, avait tué son acolyte avant de lui voler le mandat de la Sécurité sociale qu'il portait sur lui. Arrêté pour ce meurtre, le vieillard handicapé fut placé en liberté provisoire sur décision du juge et confié à sa sœur dans l'attente de son procès. Quelques jours plus tard, il grimpait à l'arrière d'une motocyclette conduite par un trentenaire. Les deux hommes roulèrent jusqu'à Pottsville, une bourgade proche de Russellville, où ils tentèrent de dévaliser la banque en fracassant la porte d'entrée avec la moto qu'ils chevauchaient. Le vieil homme était bien malade, mais sa pathologie n'était pas tout à fait celle qu'avaient identifiée les médecins de la pénitentiaire.

Peu de temps après ces événements, alors que je passais à Pine Bluff, pour rendre visite aux services administratifs du comté, j'avais serré la main d'une femme qui m'avait dit que la victime du meurtre, dans la camionnette, était son oncle. Elle avait eu l'indulgence de me confier : « Je ne vous tiens pas pour responsable. Il n'y avait pas une chance sur un milliard pour que vous deviniez qu'il en arriverait là. » Mais les électeurs ne partageaient pas tous, loin de là, sa grandeur d'âme. Je me suis engagé à refuser toute remise de peine pour les meurtriers et à donner plus de place aux victimes dans la commission des libérations conditionnelles.

Et je m'empressai de rendre le coup à Tucker. Le moment était venu de mettre en pratique la leçon que j'avais apprise : encaisser la première frappe, puis taper aussi fort que possible. Le directeur local d'une agence de publicité, David Watkins, originaire de Hope lui aussi, m'a aidé à élaborer une première publicité : elle passait au crible les votes de Jim Guy Tucker pendant son mandat au Congrès de l'État. La critique était malgré tout limitée. En effet, mon adversaire était entré en campagne pour décrocher son siège au Sénat peu de temps après avoir été élu à la Chambre des représentants et avait donc peu participé aux votes sur les divers projets de loi. L'un des spots consacrés à ce sujet montrait deux types assis dans une cuisine : il ressortait de leur dialogue qu'ils ne seraient pas payés, eux, s'ils s'absentaient de leur travail la moitié du temps. Les escarmouches sur ce mode se sont poursuivies tout au long de la campagne. Pendant ce temps, la caravane de campagne de Joe Purcell sillonnait l'État, le candidat serrait des mains et se gardait bien d'entrer dans la guerre des publicités télévisées.

Nous avons nous aussi lancé une campagne de terrain. Et sur un rythme très dynamique. Betsey Wright commandait les opérations à la perfection. Elle exigeait énormément de ses troupes, piquait parfois des colères retentissantes mais vite pardonnées, en raison de ses qualités reconnues par tout le monde et de son dévouement de tous les instants. Nous étions sur la même longueur d'onde sachant exactement, la plupart du temps, ce que l'autre avait en tête, avant même d'avoir échangé un mot. Nous gagnions ainsi un temps précieux.

J'ai entamé ma campagne en arpentant l'État, Hillary et Chelsea à mes côtés, mon ami et directeur de campagne Jimmy « Red » Jones au volant. Il avait été commissaire aux comptes pour l'État pendant plus de vingt ans et gardait des liens politiques solides parmi les élus des petites villes. J'avais pour stratégie de gagner les grands comtés, comme celui de Pulaski, d'obtenir une majorité dans les comtés du Sud où je comptais encore un fort soutien, de recueillir le vote noir et de retourner les onze comtés du nord-est de l'Arkansas qui s'étaient tous donnés à Frank White en 1980 après m'avoir soutenu. Je me suis investi dans ces onze comtés avec autant de zèle que j'en avais mis à gagner les comtés ruraux du troisième district électoral en 1974. Je n'ai négligé aucun village, allant souvent jusqu'à passer la nuit sur place, chez de nouveaux partisans. Par contrecoup, cette stratégie portait aussi ses fruits dans les villes plus importantes, auprès des habitants favorablement impressionnés par ma présence dans des recoins toujours ignorés par les autres candidats et dont les journaux rendaient compte, photos à l'appui.

D'accord avec Betsey, j'ai recruté aussi trois jeunes leaders noirs qui se sont révélés de valeur. Rodney Slater a démissionné de son poste au cabinet du ministre de la Justice de l'État. À cette époque déjà, il montrait de remarquables qualités de tribun, il puisait ses arguments les plus percutants en faveur de notre cause dans les Saintes Écritures dont sa culture était fortement imprégnée. J'avais fait la connaissance de Carol Willis quand il était étudiant à la faculté de droit de Fayetteville. Il aimait les manières solennelles de la politique traditionnelle et connaissait la moindre figure de la vie rurale. Bob Nash qui avait auparavant animé ma campagne pour le poste de ministre de la Justice, nous aidait les soirs et les week-ends.

Rodney Slater, Carol Willis et Bob Nash ont fait équipe avec moi pendant les dix-neuf années suivantes. Ils m'ont accompagné pendant tous mes mandats de gouverneur. Quand j'ai été élu président, j'ai nommé Rodney administrateur fédéral des routes et secrétaire aux Transports ; Carol, entré au comité national du Parti démocrate, a maintenu les liens avec l'Amérique noire. Bob, d'abord sous-secrétaire à l'Agriculture, a ensuite rejoint la Maison Blanche au poste de directeur du personnel et des nominations. Je ne sais pas ce qu'aurait été mon parcours sans leur aide.

La campagne de la primaire a sans doute connu son tournant décisif lors d'une réunion dans la région du Delta. Quelque quatre-vingts personnalités noires de la région s'étaient rassemblées pour entendre Jim Guy Tucker et moi-même, afin de décider auquel des deux elles accorderaient leur soutien. Déjà, l'Arkansas Education Association s'était déclarée en faveur de Tucker, après qu'il eut promis une augmentation de salaire pour les enseignants, sans relever les impôts. J'avais lancé une rapide riposte et obtenu le soutien de plusieurs enseignants et de responsables administratifs qui comprenaient que la situation économique de l'État ne permettrait pas à Tucker de tenir sa promesse. De plus, ils n'avaient pas oublié ce que j'avais accompli lors de mon premier mandat. Je pouvais encore l'emporter malgré le handicap créé par la division dans les rangs des enseignants, mais une dispersion supplémentaire des voix de l'électorat noir du Delta me serait fatale. J'avais besoin de son soutien unanime.

La réunion se tenait dans le restaurant-barbecue que possédait Jack Crumbly, à Forrest City, une ville située à 140 kilomètres à l'est de Little Rock. Jim Guy avait déjà quitté les lieux au moment de mon arrivée. Il avait fait très bonne impression. J'étais en retard sur l'horaire prévu et fatigué après une longue journée, mais j'ai soigné ma présentation, en rappelant que j'avais nommé de nombreux Noirs à des postes de responsabilité et appuyé les démarches de petites collectivités locales, trop longtemps laissées pour compte, afin qu'elles obtiennent les crédits nécessaires à l'adduction d'eau et au tout-à-l'égout.

À la fin de mon intervention, un jeune avocat de Lakeview s'est levé pour prendre la parole. Il s'appelait Jimmy Wilson. C'était le principal supporter de Tucker dans le Delta. Jimmy a dit que j'étais un type bien, qu'il n'avait rien à me reprocher concernant mon précédent mandat, mais que jamais, dans l'histoire de l'Arkansas, un gouverneur battu n'avait reconquis son siège. Frank White était horrible et il fallait le battre à tout prix, a-t-il souligné. Puis, il a rappelé que Tucker avait toujours voté dans le bon sens, au Congrès de l'État, sur les droits civiques et qu'il avait recruté plusieurs jeunes Noirs. Tucker ferait aussi bien que moi-même pour les Noirs, mais lui au moins était en situation de gagner. « J'aime bien le gouverneur Clinton, a-t-il dit, mais il est parti pour perdre. Et nous, nous ne pouvons pas nous permettre une défaite. » L'argument se tenait, il était d'autant plus persuasif que mon contradicteur avait le courage de l'exposer alors que j'étais assis au milieu de l'assemblée. Je pouvais sentir l'opinion basculer vers sa position.

Après quelques secondes de silence, un homme s'est levé au fond de la salle. Il a prié l'assistance d'écouter ce qu'il avait à dire. John Lee Wilson s'est présenté : il était maire de Haynes, un village de cent cinquante habitants. Il était gros, de taille moyenne, vêtu de jeans et d'un tee-shirt blanc, distendu par les bourrelets, à la hauteur des manches, de l'encolure et du ventre. Le connaissant à peine, je n'avais pas la moindre idée de ce qu'il allait dire. Je n'ai jamais oublié ses propos.

« L'avocat Wilson a très bien parlé, a-t-il commencé. Et il se pourrait qu'il ait raison. Peut-être bien que le gouverneur est parti pour perdre. Tout ce que je sais, c'est que quand Bill Clinton est devenu gouverneur, la merde coulait dans les rues de mon bled et mes petits étaient malades parce qu'on n'avait pas le tout-à-l'égout. Nos problèmes, personne ne s'y intéressait. Quand il a quitté ses fonctions, on avait le tout-à-l'égout et mes petits n'étaient plus malades. Et il en a fait autant pour beaucoup d'entre nous. Alors je vais vous poser une question : si on ne soutient pas les types qui nous soutiennent, comment voulez-vous qu'on se fasse respecter ? Il est peut-être parti pour perdre, mais s'il coule, je coule avec lui. Et vous devriez tous en faire autant. » Après son intervention, le débat s'est poursuivi mais, comme on dit, l'affaire était pliée. J'avais vécu l'un de ces rares moments où les paroles d'un homme suffisent à rallier les cœurs et les esprits.

À mon grand regret, John Lee Wilson allait s'éteindre avant mon accession à la présidence. Vers la fin de mon second mandat à la Maison Blanche, j'ai accompli un petit voyage plein de nostalgie, dans l'est de l'Arkansas ; j'ai prononcé à cette occasion une allocution au lycée d'Earle, dont le proviseur se trouvait être Jack Crumbly, hôte de cette réunion décisive, deux décennies auparavant. Devant les élèves, j'ai relaté pour la première fois en public l'intervention de John Lee Wilson. Mon discours a été retransmis par la télévision dans tout l'est de l'Arkansas. Devant son écran, dans sa petite maison de Haynes, la veuve de John Lee Wilson a assisté à la retransmission. Elle m'a écrit une lettre très émouvante, dans laquelle elle me disait combien John aurait été fier d'entendre le Président prononcer son éloge. Je lui devais bien cela. Sans sa présence ce jour-là, je rédigerais peut-être des testaments et des procédures de divorce en ce moment plutôt que ce livre.

Plus l'échéance de la primaire approchait et plus les sondages se montraient fluctuants. L'électorat hésitait à me donner une deuxième chance. Cette indécision m'inquiétait, jusqu'à cet après-midi où, dans un café de Newark, dans le nord-est de l'Arkansas, j'ai entamé la conversation avec un client. Quand je l'ai interrogé sur son choix, il m'a répondu : « J'ai voté contre vous la dernière fois, mais cette fois, je vais voter pour vous. » Je pressentais la réponse, mais je lui ai néanmoins demandé pourquoi il avait voté contre moi : « Parce que vous avez augmenté mes vignettes ! » Le moment était venu de lui demander pour quelle raison il s'apprêtait à me donner sa voix : « Mais, parce que vous avez augmenté mes vignettes ! » J'ai pris garde de préciser que je ne pouvais pas me permettre de perdre une seule voix et que mon intention n'était sûrement pas de le froisser, mais que j'avais beaucoup de mal à comprendre comment il pouvait invoquer une seule et même raison de voter une fois contre et une fois pour moi. Il a souri et m'a lancé : « C'est pourtant facile à comprendre. Je ne connais pas tous vos défauts, Bill, mais je suis bien persuadé que vous n'êtes pas stupide. Vous serez bien le dernier tenté d'augmenter le prix de la vignette, maintenant. Donc, je vote pour vous ! » À partir de ce jour, j'ai utilisé cet argument imparable dans tous mes discours de campagne.

Le 25 mai, j'ai remporté la primaire avec 42 % des voix. La puissance de feu de mes publicités et le rouleau compresseur de mon organisation avaient réduit le score de Jim Guy Tucker à 23 %. En se tenant à l'écart des controverses et en avançant son programme, Joe Purcell avait attiré 29 % des électeurs et gagné sa place au second tour de la primaire qui allait se jouer deux semaines plus tard. La situation était inquiétante : avec nos publicités comparatives, Tucker et moi-même avions chacun accru le taux de rejet de l'autre dans les sondages ; en outre, Purcell avait tout pour séduire la portion de l'électorat démocrate qui n'avait pas digéré l'augmentation de la vignette. Se présenter sous un autre nom que le mien pouvait lui suffire à l'emporter. J'ai tenté dix jours durant de l'obliger à sortir de son trou, mais il a été assez rusé pour rester dans sa camionnette de campagne et continuer à serrer des mains. Le jeudi précédant le second tour, un sondage que j'avais commandé nous donnait à l'arrivée dans un mouchoir de poche. Autant dire que la course était perdue pour moi, dans la mesure où les indécis finissent par sanctionner le sortant, que j'étais en l'occurrence. Ma dernière publicité allait être diffusée : elle soulignait une divergence entre nous concernant la commission des services publics, qui fixe les tarifs de l'électricité. J'étais partisan de la constituer par élection, Joe s'y opposait. J'espérais creuser l'écart avec cette question. Rien n'était moins sûr.

Le lendemain, la victoire m'a été offerte sur un plateau, par l'entremise d'un mauvais coup qu'a tenté de m'asséner Frank White. Il voulait à tout prix que Purcell emporte le second tour de la primaire. Le gouverneur traînait derrière lui un taux d'opinions négatives encore plus élevé que le mien et j'avais pour moi une plate-forme électorale bien définie et une organisation efficace sur le terrain. White prévoyait déjà de jouer sa réélection sur l'état de santé défaillant de son rival. Le vendredi soir, alors qu'il était trop tard pour que j'allume un contre-feu, Frank White a fait diffuser un nouveau message publicitaire : il m'attaquait sur l'augmentation de la vignette et demandait aux électeurs de ne pas oublier cet épisode. Les annonceurs qui le soutenaient ont accepté de retirer leurs spots et de lui offrir ainsi leurs espaces, ce qui lui a permis de disposer d'un grand nombre d'écrans pendant tout le week-end. Dès que j'ai vu sa publicité, j'ai compris que l'effet pouvait être dévastateur. Il m'était impossible de réagir par télévision interposée avant le lundi. Et il serait alors trop tard. White bénéficiait d'un avantage indu, sur lequel les instances de régulation télévisuelles fédérales allaient d'ailleurs se pencher plus tard, en obligeant les stations de télévision à diffuser, au cours du week-end, les messages de réponse aux spots publicitaires de dernière minute. Mais nous n'en étions pas encore là.

Betsey a joint David Watkins et lui a demandé de nous ouvrir son studio, de façon que j'enregistre un message publicitaire destiné aux radios. Nous avons mis le texte au point tous les deux et, à 23 heures, l'enregistrement commençait. Pendant ce temps, Betsey rassemblait une équipe de jeunes volontaires qui devaient fournir la bande enregistrée à toutes les stations radio de l'État. Et dans les plus brefs délais. Il fallait que le message puisse être diffusé dès le samedi matin. Dans mon intervention, je demandais aux auditeurs s'ils avaient vu la publicité de White qui m'attaquait. Je les invitais à s'interroger sur les raisons pour lesquelles le gouverneur s'immisçait dans une primaire démocrate. La réponse allait de soi : lors de l'élection générale, le gouverneur désirait affronter Joe Purcell. Et surtout pas moi. Parce que j'allais le battre alors que Joe n'y parviendrait pas. Je savais qu'une large majorité des participants à la primaire démocrate étaient résolus à chasser le gouverneur et supporteraient très mal l'idée qu'il les manipulait. David Watkins a travaillé jusqu'au petit matin à préparer un nombre suffisant de copies pour saturer l'État. Les premiers volontaires ont pris le volant à 4 heures, munis chacun d'un chèque de campagne pour acheter autant d'espace que possible sur les radios. Le message a été si efficace que dès le samedi soir, la diffusion de la publicité télévisée de White servait mes intérêts. Le lundi, nous avons diffusé notre propre publicité télévisée, mais la bataille était déjà gagnée. Le lendemain, 8 juin, j'emportais le second tour avec 54 % des voix, contre 46 % à mon adversaire. La plupart des grands comtés ainsi que ceux comptant un nombre significatif d'électeurs noirs m'avaient placé en tête, mais je peinais encore dans les comtés démocrates en zone rurale, où la rancune pour la vignette restait vivace. Deux années supplémentaires allaient m'être nécessaires pour réparer le mal.

La campagne d'automne contre Frank White allait être rude mais agréable. Cette fois-ci, la situation économique le desservait, comme elle m'avait desservi et je pouvais l'attaquer sur son bilan. J'ai pris pour cibles ses liens avec la compagnie d'électricité et les emplois disparus, tout en diffusant des publicités positives sur les mesures que je comptais mettre en œuvre. De son côté, il a concocté une très bonne publicité négative : on y voyait un homme qui s'efforçait d'effacer les taches sur la fourrure d'un léopard pendant qu'une voix expliquait que, pas plus qu'un léopard, je ne pouvais me débarrasser de mes taches. Dick Morris a conçu une publicité fracassante dans laquelle il épinglait White pour avoir consenti une augmentation considérable des tarifs de l'électricité, tout en réduisant de quatre à trois le nombre mensuel d'ordonnances médicales remboursables aux personnes âgées par le programme Medicaid. Le slogan en était : « Frank White : doux avec l'électricité, dur avec les personnes âgées. » Nous avons diffusé la plus drôle de nos annonces radio suite à une série de fausses accusations. Une voix demandait s'il ne serait pas fabuleux de posséder un chien de garde capable d'aboyer à chaque déclaration mensongère d'un élu. On attendait alors un aboiement : « Ouah ! ouah ! » La voix énumérait chacune des accusations sous forme de question et le chien aboyait avant même qu'elle ne fournisse une réponse. On entendait, si je me souviens bien, le chien aboyer quatre fois. Après quelques jours de diffusion, les ouvriers m'abordaient avec des « Ouah ! ouah ! » complices quand je venais leur serrer la main à l'heure du changement d'équipe devant la porte des usines.

Dans chaque campagne vient un moment où le candidat sent au plus profond de lui-même s'il va gagner ou perdre. En 1982, j'ai éprouvé cette sensation à Melbourne, le siège du comté d'Izard, dans le nord de l'Arkansas. J'avais perdu le comté en 1980 sur l'affaire de la vignette, bien que le représentant du comté, John Miller, eût voté lui-même pour l'augmentation. John était un des doyens du Parlement de l'État, il connaissait sans doute mieux le fonctionnement des institutions que quiconque dans l'Arkansas. Il était très actif dans la campagne et avait organisé à mon intention une visite de l'usine McDonnell Douglas, qui fabriquait des composants pour l'aviation. Malgré leur affiliation au syndicat United Auto Workers, j'appréhendais la rencontre avec les salariés : dans leur grande majorité, ils avaient voté contre moi, deux ans auparavant. Una Sitton, une militante démocrate qui travaillait dans les services administratifs, m'a accueilli devant la porte du bâtiment. Elle m'a serré la main en me disant : « Bill, je pense que tu vas apprécier ta visite. » Quand j'ai ouvert la porte, j'ai été presque assommé par la sono qui diffusait une de mes chansons préférées, City of New Orleans, de Steve Goodman, dans une reprise de Willie Neslon. J'ai avancé sur les premiers vers : « Good morning, America, how are you ? Don't you know me, I'm your native son. » [Bonjour l'Amérique, comment ça va ? Tu ne me reconnais pas, je suis un enfant du pays.] Les ouvriers lançaient des acclamations. Tous, à l'exception d'un seul, portaient le badge de ma campagne, épinglé à leurs vêtements. J'ai parcouru les différentes allées, serrant des mains et retenant mes larmes. Je savais que l'élection était jouée. Mes gars ramenaient l'enfant du pays à la maison.

Dans la dernière ligne droite de mes campagnes, j'ai presque toujours couvert la prise de service de l'équipe du matin à l'usine des soupes Campbell

Mon père, William Jefferson Blythe,
1944.

Mon père et ma mère, Virginia Cassidy Blythe,
au *Palmer House Hotel*, Chicago, 1946.

Ma mère et moi.

Moi, 1949.
Ci-dessus à gauche: sur
la tombe de mon père
l'après-midi où ma mère
est partie pour ses études
d'infirmière
à La Nouvelle-Orléans;
au centre: dans notre cour;
à droite: posant le jour
de la fête des mères.

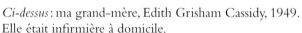

Ci-dessus: ma grand-mère, Edith Grisham Cassidy, 1949.
Elle était infirmière à domicile.

Ci-dessous: mon grand-père James Eldridge Cassidy (à droite) dans son épicerie
à Hope, Arkansas, 1946.

Le jardin d'enfants de Miss Marie Purkin à Hope. Je suis à l'extrême gauche avec Vince Foster à côté et Mack McLarty à l'arrière-plan.

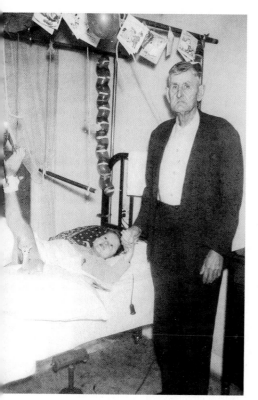

Mon arrière-grand-père Lem Grisham me rendant visite à l'hôpital quand je me suis cassé la jambe, mars 1952.

Mon arrière-grand-oncle Buddy Grisham, l'une des lumières de ma vie, lors de ma première campagne présidentielle.

Papa (mon beau-père, Roger Clinton).

Ma mère et papa, 1965.

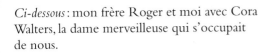

Ci-dessous : mon frère Roger et moi avec Cora Walters, la dame merveilleuse qui s'occupait de nous.

Ci-dessous, à droite : dans l'annuaire de l'école, les 3 Kings – Randy Goodrum au piano, Joe Newman à la batterie.

Papa et moi à la maison à Hope, 1951.

Je suis au premier plan, juste derrière le photographe, tandis que le président John F. Kennedy s'adresse aux délégués de Boys Nation dans la roseraie de la Maison Blanche, le 24 juillet 1963.

David Leopoulos et moi lors d'un spectacle de lycée, 1964.

Ma mère, Roger, ma chienne Susie et moi sous la neige dans notre maison de Park Avenue, 1961.

Un pique-nique avec des amis, dont Carolyn Yeldell, David Leopoulos, Ronnie Cecil, et Mary Jo Nelson.

Frank Holt en bras de chemise pendant
sa campagne pour le siège de gouverneur
en 1966. (Je suis en costume clair.)

Avec mon frère et mes camarades de
Georgetown, 1968 : (de gauche à droite)
Kit Ashby, Tommy Caplan, Jim Moore
et Tom Campbell.

Ci-dessus : mes colocataires d'Oxford :
Strobe Talbott (à gauche) et Frank Aller.

À droite : j'ai fait une surprise à ma mère
en prenant l'avion pour son mariage avec
Jeff Dwire, le 3 janvier 1969. Le révérend
John Miles les a mariés et j'étais témoin.
Roger figure au premier plan.

Avec mon mentor J. William Fulbright et
son assistant, Lee Williams, septembre 1989.
Pendant mes années à Georgetown,
j'ai travaillé au bureau de la Commission
des affaires étrangères dirigée par Fulbright.

Hillary et moi avec nos camarades de Yale.

Ci-dessus : en campagne pour
George McGovern à San Antonio,
Texas, 1972.

À droite : donnant un cours à la faculté
de droit de l'Université d'Arkansas.

À droite : avec George Shelton, mon directeur de campagne et F. H. Martin, le trésorier. Tous deux sont décédés avant que je devienne président, mais leurs fils ont travaillé dans mon administration.

À gauche : en campagne avec mes prédécesseurs comme gouverneurs Dale Bumpers et David Pryor.

En campagne pour le Congrès, 1974.

Le jour de notre mariage, le 11 octobre 1975.

Fête pour mon trente-deuxième
anniversaire pendant la campagne.
Hillary porte des lunettes de soleil.

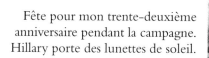

Discours au parlement d'Arkansas
en tant que gouverneur, 9 janvier 1979.

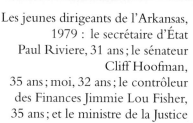

Les jeunes dirigeants de l'Arkansas,
1979 : le secrétaire d'État
Paul Riviere, 31 ans ; le sénateur
Cliff Hoofman,
35 ans ; moi, 32 ans ; le contrôleur
des Finances Jimmie Lou Fisher,
35 ans ; et le ministre de la Justice
Steve Clark, 31 ans.

Avec Chelsea et Zeke.

Hillary, Carolyn Huber,
Emma Phillips, Chelsea et Liza
Ashley fêtent l'anniversaire de Liza à
la résidence du gouverneur, en 1980.

Ci-dessus : l'annonce de ma candidature comme
gouverneur en 1982. Hillary a fait figurer
le panneau : « Deuxième anniversaire
de Chelsea, deuxième chance de Bill. »

À gauche : avec trois de mes plus fervents
partisans en Arkansas : Maurice Smith,
Jim Pledger et Bill Clark, 1998.

Ci-dessous, à gauche : visite aux dirigeants
de l'Arkansas Delta Project, avec lesquels
j'ai œuvré au développement économique
de la région.

Ci-dessous : parents et élèves à la résidence du
gouverneur, pour le jour des lycées, qui rend
hommage aux majors et aux deuxièmes
de promotion des lycées.

Ci-dessus : dans une usine Sanyo au Japon.

De gauche à droite :
Henry Oliver ;
Gloria Cabe ;
Carol Rasco.

Au Grand
Ole Opry,
de Nashville,
pendant le
congrès des
gouverneurs
de 1984.
Je suis à côté
de Minnie
Pearl ; Hillary
se trouve à
l'extrême
gauche.

À gauche : le premier jour d'école de Chelsea. *Au milieu* : Betsey Wright et moi faisons une surprise à Hillary pour son anniversaire, en 1983. *À droite* : Chelsea me regarde porter « Boa Derek » pour le jour de la Proclamation.

Dansant avec Chelsea et avec Hillary pour le bal du gouvernement, janvier 1991.

Avec le Dr Billy Graham et mon pasteur, le Dr W. O. Vaught, automne 1989.

Avec (en partant de la gauche) Lottie Shackleford, Bobby Rush, Ernie Green, Carol Willis, Avis Lavelle, Bob Nash et Rodney Slater à la convention démocrate nationale de juillet 1992.

La campagne de 1992.
À gauche : Tipper Gore
a pris cette photo
de la foule nombreuse
réunie à Keene,
New Hampshire ;
ci-dessous, à gauche :
James Carville et Paul
Bergala à notre QG ;
ci-dessous : en campagne
à Stone Moutain,
Géorgie ; *en bas :*
Wall Street nous
acclame Hillary et moi.

Sur la côte ouest en 1992. *En haut, à gauche*:
Cinco de Mayo; *en haut à droite*:
rassemblement à Seattle; *à droite*: lors
d'une prière après les émeutes de
Los Angeles; *ci-dessus*: remerciant
des partisans à Los Angeles.

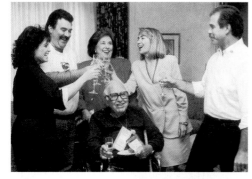

À gauche: la famille Rodham: (de gauche
à droite) Maria, Hugh, Dorothy, Hillary
et Tony. Hugh, le père de Hillary, est assis.

L'équipe
de campagne.

Le bus.

Hillary et moi, Tipper et Al Gore,
le président Jimmy Carter et (à gauche)
Millard Fuller, le fondateur de Habitat
for Humanity fêtent mon anniversaire
et celui de Tipper.

Le président George H. W. Bush,
Ross Perot et moi lors du débat
de l'Université de Richmond.

The Arsenio Hall Show.

Mon premier jour de président élu. *Ci-dessus, à droite* : avec ma mère ; *ci-dessous* : chez Carolyn Yeldell Staley : (au premier rang) ma mère, Thea Leopoulos ; (au deuxième rang) Bob Aspell, moi, Hillary, Glenda Cooper, Linda Theopoulos ; (en haut) Carolyn Staley, David Leopoulos, Mauria Aspell, Mary Jo Rodgers, Jim French, Tommy Caplan, Phil Jamison, Dick Kelley, Kit Ashby, Tom Campbell, Bod Dangremond, Patrick Campbell, Susan Jamison, Gail et Randy Goodrum, Thaddeus Leopoulos, Amy Ashby, Jim et Jane Moore, Tom et Jude Campbell, Will Staley.

de Fayetteville, où les ouvriers préparent les poulets et les dindes qui finissent dans les soupes. Le changement d'équipe a lieu à 5 heures, c'est le plus matinal de tout l'État. En 1982, une petite pluie glaciale était de la partie quand j'ai commencé à serrer des mains dans l'obscurité. Un homme m'a dit en plaisantant qu'il avait l'intention de voter pour moi, mais il se demandait s'il était bien raisonnable de donner sa voix à un type assez fou pour faire campagne sous la pluie et en pleine nuit.

On apprend beaucoup par ces matins obscurs. Je n'oublierai jamais l'image de cet homme qui déposait sa femme devant l'usine. Quand la porte de leur camionnette à plate-forme s'est ouverte, j'ai aperçu trois jeunes enfants dans la cabine, assis entre eux deux. L'homme m'a expliqué qu'ils devaient lever les petits à quatre heures moins le quart, chaque matin. Après avoir accompagné sa femme à l'usine, il les laissait chez une baby-sitter qui les conduisait à l'école, parce qu'il embauchait lui-même à 7 heures.

Dans notre environnement saturé de médias, un responsable politique tend à réduire les campagnes électorales aux efforts de financement, aux réunions et à la publicité, avec en prime un ou deux débats. Tout ce dispositif suffit peut-être à offrir un choix raisonné aux électeurs, mais les candidats ignorent ainsi bien des aspects de la réalité, en particulier les combats quotidiens de tous ceux qui mènent une vie difficile et redoublent d'efforts pour le bien-être de leurs enfants. Si ces gens me donnaient une nouvelle chance, j'étais bien résolu à ne jamais les laisser tomber.

Le 2 novembre, ils m'ont offert cette chance. J'ai gagné l'élection avec 55 % des suffrages et un vote majoritaire dans cinquante-six des soixante-quinze comtés ; dix-huit comtés dans l'ouest de l'État et un dans le sud donnaient une majorité au candidat républicain. La plupart des comtés ruraux blancs ont basculé en ma faveur, mais par une faible marge. En revanche, mon avance a été considérable dans le comté de Pulaski, le plus grand de l'État. Je l'ai emporté dans les onze comtés du nord-est, ceux où nous nous étions le plus investis. Et le vote noir s'est porté sur moi dans des proportions impressionnantes.

Parmi les responsables noirs j'avais beaucoup d'affection, en particulier, pour Emily Bowens, maire de Mitchellville, une petite bourgade dans le sud-est de l'Arkansas. Je l'avais aidée pendant mon premier mandat et elle avait payé sa dette, intérêts compris, lors du second tour de la primaire contre Purcell que j'avais gagné par 196 voix contre 8. Quand je l'ai appelée pour la remercier de ses efforts qui m'avaient valu ce mirifique 96 %, elle s'est excusée pour les huit voix manquantes. « Gouverneur, je vais les retrouver ces huit-là. Et leur remettre les idées à l'endroit avant le 2 novembre. » Le jour dit, je l'ai emporté à Mitchellville, par 256 voix contre 0. Emily avait remis les idées à l'endroit de huit électeurs et en avait enrôlé cinquante-deux de mieux.

Après l'annonce des résultats, des messages en provenance de tout le pays me sont parvenus. Ted Kennedy et Walter Mondale m'ont appelé, comme ils l'avaient déjà fait en 1980. Et j'ai reçu des lettres superbes. L'une d'entre elles était inattendue. Elle était signée du général James Drummond, qui commandait Fort Chaffee deux ans auparavant pendant la crise cubaine. Il se félicitait de ma victoire, parce que « s'il a pu sembler que nous ne marchions pas du même pas, à Fort Chaffee [...]. J'apprécie et je respecte vos capacités de leader, votre fermeté sur les principes et votre résolution à défendre vos convictions au nom des habitants de l'Arkansas ». Je respectais Drummond moi aussi et sa lettre m'a touché, beaucoup plus sans doute qu'il ne l'imaginait.

Les Démocrates ont obtenu de bons résultats dans tout le pays, en particulier dans le Sud, gagnant une majorité des trente-six sièges de gouverneurs, étoffant leurs positions à la Chambre des représentants. Le ralentissement de l'économie a joué un grand rôle dans cette victoire. Parmi les gouverneurs nouvellement élus, je n'étais pas le seul à retrouver ma fonction. C'était aussi le cas de George Wallace, en Alabama, qui, de son fauteuil roulant, avait présenté ses excuses à l'électorat noir pour son passé raciste, et de Michael Dukakis, dans le Massachusetts. Comme moi, il avait été battu après son premier mandat et venait de reprendre son siège à son rival victorieux.

Mes supporters laissaient libre cours à leur enthousiasme. Après cette longue campagne, d'une portée historique, leurs bruyantes célébrations étaient bien légitimes. Quant à moi, je me sentais étrangement calme. J'étais heureux, mais je n'éprouvais pas le besoin de me pavaner après la victoire ni celui de reprocher à Frank White de m'avoir battu lors du précédent affrontement, ou d'avoir tenté de conserver son siège cette fois-ci. J'avais été le premier responsable de ma défaite. En cette soirée d'élection, comme au cours des jours suivants, j'ai d'abord ressenti une immense gratitude à l'égard des habitants de cet État, que j'aimais si profondément, pour avoir bien voulu m'accorder une nouvelle chance. J'étais déterminé à justifier leur choix.

CHAPITRE VINGT-TROIS

Le 11 janvier 1983, j'ai prêté serment en tant que gouverneur pour la seconde fois devant la plus grande foule jamais réunie pour une investiture dans notre État. L'assistance venait de m'aider à sortir de ma traversée du désert et son soutien me permettrait de rester au poste de gouverneur dix années de plus, la période la plus longue que j'aie jamais passée dans une fonction.

Le défi qui m'attendait était de tenir ma promesse de davantage m'occuper de mes administrés tout en respectant mon engagement de faire progresser notre État. La tâche était compliquée et d'autant plus cruciale que l'économie se trouvait dans un état lamentable. Le taux de chômage s'élevait à 10,6 %. En décembre, en qualité de gouverneur élu, je m'étais rendu à Trumann, dans le nord-est de l'Arkansas, pour serrer la main de six cents ouvriers de chez Singer qui, après avoir fabriqué des coffres en bois pour machines à coudre pendant des dizaines d'années, se voyaient définitivement bouter hors de leur lieu de travail. Cette fermeture, après les nombreuses autres survenues au cours des deux années précédentes, était un vrai coup dur pour l'économie du comté de Poinsett et avait un effet débilitant sur tout l'État. Je vois encore le désespoir sur le visage des ouvriers de Singer. Ils savaient qu'ils n'avaient pas ménagé leur peine et que leur gagne-pain venait de leur être arraché par des forces qu'ils ne maîtrisaient pas.

Cette économie au ralenti avait une autre conséquence : les recettes de l'État, en baisse, laissaient trop peu de marge pour financer l'éducation et autres services essentiels. Il était évident pour moi que, si nous voulions sortir de ce marasme, il fallait que l'État et moi-même donnions la priorité à l'éducation et à l'emploi. Et pendant la décennie suivante, c'est ce que j'ai fait. Même quand mon administration a pris d'importantes initiatives en matière de santé, d'environnement, de réforme des prisons, entre autres secteurs, de même qu'en nommant davantage de personnes issues des minorités et de femmes à des postes importants, je me suis efforcé d'empêcher l'attention de trop s'éloigner des écoles et des emplois. C'étaient les clefs de l'ouverture de nouvelles perspectives et de l'espoir d'une plus grande autonomie pour les habitants de l'État et, si je voulais conserver mon soutien politique, il fallait que je poursuive les changements positifs. J'avais appris pendant mon premier mandat que si l'on accorde le même temps à tout, on court le risque que tout devienne flou dans l'esprit du public qui finit par ne pas avoir l'impression que l'on a vraiment agi. Mon vieil ami George Frazier de Hope a déclaré un jour à un journaliste : « S'il a un défaut, et nous en avons tous, je crois que celui de Bill est de trouver trop de choses à faire. » Je ne me suis jamais vraiment débarrassé de ce défaut, mais, pendant la décennie suivante, j'ai consacré la plus grande partie de mon énergie aux écoles et à l'emploi.

Betsey Wright avait fait du si beau boulot dans la campagne que j'étais convaincu qu'elle serait capable de diriger le bureau du gouverneur. Au début j'ai également demandé à Maurice Smith d'être mon chef de cabinet, afin d'injecter de la maturité dans l'équipe et de nous assurer des rapports cordiaux avec les parlementaires les plus anciens, les lobbyistes et les gens influents. Pour l'éducation, je disposais d'une solide équipe avec Paul Root, mon ancien professeur d'histoire mondiale, et Don Ernst. Mon conseiller juridique, Sam Bratton, qui avait travaillé avec moi au département de la Justice, était également un expert en droit de l'éducation.

Carol Rasco est devenue mon assistante pour la santé et les services sociaux. Ses qualifications s'enracinaient dans l'expérience : son fils aîné, Hamp, était atteint d'encéphalopathie infantile depuis la naissance. Elle avait entre autres lutté pour ses droits à l'éducation et acquis ainsi une excellente connaissance des programmes destinés aux handicapés.

J'ai convaincu Dorothy Moore, originaire d'Arkansas City, au fin fond du sud-est de notre État, d'accueillir les visiteurs et de répondre au téléphone à la réception. Miss Dorothy avait déjà 70 ans passés à son entrée en fonctions et elle a poursuivi sa tâche jusqu'à ce que je quitte le bureau du gouverneur. Enfin, j'ai engagé une nouvelle secrétaire. Barbara Kerns, qui avait eu sa dose de politique, était restée au cabinet Wright. J'ai compris sa décision, mais je savais qu'elle me manquerait. Début 1983, j'ai engagé Lynda Dixon qui s'est occupée de moi pendant dix ans et a continué de travailler dans mon bureau de l'Arkansas quand je suis devenu président.

Ma nomination peut-être la plus remarquable fut celle de Mahlon Martin au poste de directeur des finances et de l'administration, la fonction sans doute la plus importante dans le gouvernement de l'État après celle de gouverneur. Avant que je ne le prenne dans mon équipe, Mahlon était un des gestionnaires – excellent – de la municipalité de Little Rock. Ce Noir était un pur produit de l'Arkansas – il prenait toujours un congé le jour de l'ouverture de la chasse aux cerfs. Dans les moments difficiles, il savait faire preuve de créativité lorsqu'il s'agissait de trouver des solutions à des problèmes de budget sans jamais grever les finances. Dans les années 1980, pendant l'un de nos cycles budgétaires de deux ans, il a dû réduire six fois les dépenses pour équilibrer les comptes.

Peu après mon accession à la présidence, Mahlon s'est lancé dans une longue et vaine bataille contre le cancer. En juin 1995, je suis rentré à Little Rock pour inaugurer les appartements Mahlon Martin destinés aux ouvriers à faibles revenus. Mahlon est mort deux mois après. Je n'ai jamais collaboré avec un fonctionnaire plus doué.

Betsey a veillé à ce que je respecte un emploi du temps différent de ce qu'il avait été durant mon premier mandat. À l'époque, on m'avait reproché d'être inaccessible parce que j'acceptais trop d'engagements dans l'ensemble de l'État. À présent, je passais davantage de temps au bureau et avec les parlementaires en session en jouant notamment aux cartes avec eux le soir, moments que j'appréciais vraiment. Quand j'assistais à des manifestations en dehors de la ville, c'était généralement à la demande d'un de mes partisans. Ma présence était un moyen de récompenser ceux qui m'avaient aidé, de consolider leur position dans leur communauté et de cimenter l'organisation.

Quels que soient le lieu ou la durée de la manifestation à laquelle je participais, je rentrais toujours le soir pour être là au réveil de Chelsea. Cela me permettait de prendre le petit déjeuner avec Hillary et elle, et le moment venu, de la conduire à l'école. Je l'ai fait chaque jour jusqu'à ce que je sois candidat à la présidence. J'ai également installé une petite table dans mon bureau de gouverneur afin qu'elle puisse y lire ou dessiner. J'aimais beaucoup ces moments à travailler ensemble. Si les responsabilités d'avocate de Hillary l'obligeaient à s'absenter un soir ou une nuit, je m'arrangeais pour être là. Quand Chelsea était au jardin d'enfants, on demanda aux enfants de sa classe quelle était la profession de leurs parents. Elle répondit que sa mère était avocate et que son père « parle au téléphone, boit du café et prononce des discours ». À l'heure du coucher, Hillary et moi récitions une ou deux petites prières avec notre fille avant de lui lire une histoire. Quand j'étais tellement fatigué que je m'endormais en pleine lecture, Chelsea me réveillait en me couvrant de baisers. Cela me plaisait tellement que j'ai souvent fait semblant de piquer du nez.

Une semaine après ma prise de fonctions, j'ai prononcé le discours sur l'état de l'Arkansas devant le Congrès. J'ai proposé des moyens de résorber la grave crise budgétaire et demandé aux parlementaires de prendre quatre initiatives qui, selon moi, aideraient l'économie : accorder à l'Arkansas Housing Development Agency le pouvoir d'émettre des obligations à intérêt conditionnel afin de construire de nouveaux logements et de créer des emplois ; implanter des entreprises dans des quartiers à taux de chômage élevé en accordant plus d'avantages de nature à y encourager l'investissement ; offrir des aides fiscales aux employeurs créateurs d'emplois ; enfin, constituer un service spécialisé dans la science et la technologie, inspiré en partie de la Port Authority de New York et du New Jersey, afin de développer le potentiel scientifique et technologique de l'État. Ces mesures qui ont toutes fini par être adoptées annonçaient les initiatives du même genre qui seraient votées quand j'accéderais à la présidence dans une autre période de problèmes économiques.

J'ai énergiquement défendu mes réformes des services publics, dont l'élection par le peuple des hauts fonctionnaires, mais je savais que je ne pourrais en faire voter la plupart à cause de l'influence qu'exerçait sur les parlementaires l'Arkansas Power and Light Company, entre autres services publics. J'ai donc dû me contenter de nommer des hauts fonctionnaires dont je pensais qu'ils protégeraient nos concitoyens et l'économie de l'État sans mettre en faillite les services publics.

J'ai fait adopter quelques modestes améliorations dans le domaine de l'éducation : une obligation pour tous les arrondissements d'ouvrir des jardins d'enfants ainsi qu'une loi autorisant les lycéens à suivre la moitié de leurs cours dans un arrondissement scolaire voisin si le leur n'en proposait pas. Cette mesure était importante parce que nombre des arrondissements les plus modestes ne proposaient ni chimie, ni physique, ni maths supérieures, ni langues étrangères. J'ai aussi demandé au Parlement d'augmenter les taxes sur le tabac, la bière et l'alcool, et d'affecter plus de la moitié des recettes prévues aux écoles. C'était tout ce que nous pouvions faire, vu notre situation financière et le fait que nous attendions une décision de la Cour suprême de l'État qui devait statuer sur une plainte selon laquelle, vu l'inégalité de la répartition des fonds prévue par notre système de financement des établissements scolaires, notre système était inconstitutionnel. Si la Cour donnait raison aux plaignants, comme je l'espérais, il me faudrait convoquer une session extraordinaire du Parlement pour régler le problème. Or celui-ci n'était tenu de se réunir que soixante jours tous les deux ans. Même si les parlementaires restaient généralement quelques jours de plus, il survenait souvent une affaire après qu'ils s'étaient retirés qui m'obligeait à les rappeler. La décision de la Cour suprême me le permettrait. Une telle session serait difficile, mais elle pourrait nous donner une chance de faire quelque chose de vraiment bien pour l'éducation, parce que le Parlement, le public et la presse pourraient s'y consacrer plus facilement que lors d'une session régulière où il y a tant d'autres points à régler.

En avril, la National Commission on Excellence in Education, nommée par le secrétaire à l'Éducation Terrel Bell, publia un rapport sidérant intitulé *Une nation en danger*. On y apprenait par exemple que, dans dix-neuf examens internationaux différents, les étudiants américains n'arrivaient jamais ni en première ni en deuxième position et qu'ils terminaient sept fois bons derniers ; que vingt-trois millions d'adultes américains, 13 % de la population âgée de 17 ans et jusqu'à 40 % des étudiants issus des minorités étaient illettrés ; que les résultats moyens des lycéens aux examens étaient inférieurs à ce qu'ils avaient été vingt-six ans plus tôt, à l'époque du lancement de Spoutnik ; que les résultats au principal examen d'entrée à l'université, le Scholastic Aptitude Test, déclinaient depuis 1962 ; qu'un quart de tous les cours de math à l'université étaient des cours de rattrapage – en d'autres termes, on y enseignait ce qui aurait dû être appris au lycée, voire plus tôt ; que des dirigeants d'entreprise et des militaires signalaient qu'ils étaient obligés de consacrer de plus en plus de fonds à des cours de rattrapage. Et ce déclin de l'éducation se produisait à un moment où la demande d'ouvriers très qualifiés grimpait en flèche.

Exactement cinq ans plus tôt, le Dr Kern Alexander avait déclaré que les enfants s'en tireraient mieux dans les écoles de n'importe quel État autre que l'Arkansas. Si toute notre nation était en danger, il fallait nous placer sous assistance respiratoire. En 1983, deux cent soixante-cinq lycées ne proposaient pas de biologie, deux cent dix-sept pas de physique, cent soixante-dix-sept pas de langues étrangères, cent soixante-quatre pas de maths supérieures, cent vingt-six pas de chimie. Lors de la session de 1983, j'ai demandé aux parlementaires d'autoriser la constitution d'une commission des normes de l'éducation composée de quinze membres qui présenteraient des recommandations précises pour l'amélioration des programmes. J'ai réuni une commission capable et pleinement représentative dont j'ai confié la présidence à Hillary. Elle avait fait de l'excellent travail à la tête de la commission pour la santé rurale et du conseil d'administration de Legal Services Corporation pendant mon premier mandat. Elle s'y entendait pour diriger des commissions, elle aimait les enfants et, en la nommant, j'apportais la preuve de l'importance qu'avait l'éducation à mes yeux. Mon raisonnement était bon, mais je prenais tout de même une initiative risquée, parce que chacun des changements que nous proposerions ne manquerait pas d'éveiller l'hostilité d'un groupe d'intérêt.

En mai, la Cour suprême de l'État a jugé que notre système d'aides à l'éducation n'était pas constitutionnel. Il fallait que nous en rédigions un autre puis que nous le financions. Pour ce faire, nous n'avions que deux solutions : prendre l'argent aux petits arrondissements qui étaient aussi les plus riches pour le redistribuer aux plus pauvres qui se développaient le plus vite ou bien collecter suffisamment de recettes pour pouvoir répartir équitablement les financements sans toucher les zones les plus privilégiées. Comme aucun arrondissement ne voulait voir ses écoles perdre de l'argent, la décision de la Cour nous offrait la meilleure occasion que nous aurions jamais de lever des impôts pour l'éducation. La commission de Hillary a organisé des auditions dans tous les comtés de l'État en juillet, afin de recueillir des recommandations auprès des éducateurs et du public. Elle m'a remis leur rapport en septembre et j'ai annoncé que je convoquerais le Parlement le 4 octobre pour traiter de l'éducation.

Le 19 septembre, j'ai prononcé un discours à la télévision pour expliquer le contenu du programme pour l'éducation, défendre une augmentation de 1 % de la TVA et une hausse des taxes sur le gaz naturel pour le financer et demander à mes concitoyens de l'appuyer. Malgré le soutien que nous avions recueilli pour le programme, il restait une forte opposition aux impôts dans l'État, aggravée par la faiblesse de l'économie. Aux élections précédentes, un homme de Nashville, en Arkansas, ne m'avait réclamé qu'une chose si j'étais élu : de dépenser ses dollars de contribuable comme si je vivais comme lui avec cent cinquante dollars par semaine. Un autre qui participait à la construction du nouvel *Excelsior Hotel* de Little Rock m'avait prié de ne pas oublier que si l'État avait besoin de lever davantage d'impôts, son contrat prenait fin ce jour-là et il n'en avait pas d'autre en perspective. Il fallait que je gagne ces gens à ma cause.

Dans mon discours, j'ai expliqué que nous ne pourrions pas créer davantage d'emplois sans améliorer l'éducation, citant des exemples de mes efforts pour attirer chez nous des entreprises de haute technologie. J'ai enchaîné en disant que nous ne pourrions pas progresser tant que nous serions les derniers en termes de budget par enfant et pour le salaire des professeurs. Ce qu'il fallait, c'était à la fois augmenter la TVA et approuver les normes recommandées par la commission de Hillary, « Les meilleures de la nation ».

Les mesures préconisées étaient les suivantes : des jardins d'enfants obligatoires ; vingt élèves maximum par classe jusqu'au cours moyen ; des conseillers dans toutes les écoles élémentaires ; un examen pour tous les élèves de cours moyen, de 6ᵉ et de 4ᵉ, avec redoublement obligatoire pour ceux qui rataient l'examen de 4ᵉ ; l'obligation pour les écoles dans lesquelles plus de 15 % des élèves échouaient de mettre en place un projet pour améliorer les résultats ; davantage de cours de maths, de science, de langues étrangères ; un programme obligatoire de quatre ans d'anglais au lycée et de trois ans de maths, science et histoire ou de sciences sociales ; davantage de travail scolaire dans la journée et un allongement de la durée de l'année scolaire qui passerait de cent soixante-quinze à cent quatre-vingts jours ; des mesures d'encouragement pour les enfants doués et une scolarité obligatoire jusqu'à 16 ans. Jusqu'alors, les élèves pouvaient abandonner leurs études après la 4ᵉ et beaucoup en profitaient. Notre taux d'abandon était supérieur à 30 %.

Ma proposition la plus controversée fut d'exiger de tout le corps professoral et des administrateurs de réussir le National Teacher Examination, « selon les normes à présent imposées aux jeunes diplômés qui se présentent à l'examen ». Je recommandai que les professeurs qui échoueraient se voient accorder des cours de rattrapage gratuits et soient autorisés à se présenter à l'examen aussi souvent qu'ils le souhaiteraient jusqu'en 1987 quand les normes scolaires entreraient en vigueur.

J'ai également proposé des améliorations de l'enseignement professionnel et supérieur, et un triplement du programme d'éducation des adultes pour aider ceux qui avaient abandonné leurs études à obtenir un diplôme du secondaire.

J'ai conclu mon discours en demandant à mes concitoyens de montrer leur adhésion à ce programme en arborant des rubans bleus, lesquels témoigneraient aussi de leur conviction que l'Arkansas pouvait se hisser aux premiers rangs de l'excellence en matière d'éducation. Nous avons diffusé des spots publicitaires à la télévision et à la radio demandant le soutien de la population, distribué des milliers de cartes postales à envoyer par les citoyens à leurs élus et des dizaines de milliers de rubans bleus. De nombreuses personnes les ont arborés tous les jours jusqu'à la fin de la session parlementaire. Le public commençait à croire que nous étions capables de provoquer un changement salutaire.

Notre programme était ambitieux : seule une poignée d'États exigeait alors un cursus aussi rigoureux que le nôtre. Aucun n'exigeait des élèves de réussir un examen de 4ᵉ avant d'entrer au lycée. Quelques-uns leur demandaient de réussir des examens en 1ʳᵉ ou en terminale pour obtenir un diplôme, ce qui, selon moi, revenait à fermer la porte de l'écurie une fois que la vache en est sortie. Je voulais que les élèves aient le temps de rattraper leur retard. Aucun État n'exigeait la présence de conseillers à l'école élémentaire, alors que de plus en plus d'enfants issus de foyers perturbés souffraient de problèmes émotionnels qui gênaient leur apprentissage. Et aucun État n'autorisait son ministère de l'Éducation à imposer des changements de direction dans des écoles qui n'étaient pas performantes. Nos propositions dépassaient de très loin celles du rapport intitulé *Une nation en danger*.

C'est le programme de contrôle des connaissances des professeurs qui a causé le plus de remous. L'AEA (Association de l'éducation de l'Arkansas) a vu rouge et m'a accusé de rabaisser les professeurs et d'en faire des boucs émissaires. Pour la première fois de ma vie, je me faisais taxer de racisme, sous prétexte qu'un pourcentage plus élevé de professeurs noirs échouerait au test. Les cyniques nous accusèrent Hillary et moi de faire les intéressants afin d'augmenter notre popularité auprès de gens qui sinon s'opposeraient à toute augmentation d'impôts. L'examen des professeurs semblait incontournable à en croire les témoignages recueillis par la commission des normes dans tout l'État. Il apparaissait en effet que certains professeurs ne connaissaient pas les matières qu'ils enseignaient ou ne possédaient pas les compétences de base. Une femme me remit une notice qu'un professeur avait confiée à son enfant. Sur vingt-deux mots, trois étaient mal orthographiés. Je ne doutais pas un instant que la plupart des enseignants étaient capables et dévoués, et je savais que ceux qui rencontraient des problèmes n'avaient probablement pas bénéficié de cursus de qualité ; ils auraient l'occasion d'améliorer leurs compétences et de repasser l'examen. Mais si nous devions augmenter les impôts pour donner un coup de pouce au salaire des professeurs et si les normes devaient être bénéfiques pour les élèves, les enseignants devaient être à la hauteur.

Le Congrès se réunit pendant trente-huit jours afin d'examiner mes cinquante-deux propositions, ainsi que des points connexes soumis par les parlementaires eux-mêmes. Hillary fit un brillant exposé devant le Congrès, ce qui poussa le représentant Lloyd George du comté de Yell à s'exclamer : « On dirait que nous n'avons pas élu le bon Clinton ! » Nous étions confrontés à trois groupes d'opposants : les adversaires des impôts, les arrondissements scolaires ruraux qui craignaient d'être regroupés parce qu'ils n'étaient pas en mesure de respecter les normes et l'AEA qui menaçait de renvoyer dans leurs foyers tous les parlementaires qui voteraient pour l'examen des professeurs.

Nous avons contré l'argument selon lequel l'examen était une mesure vexatoire pour le corps enseignant en publiant une déclaration de plusieurs professeurs de Little Rock Central High, largement reconnu comme le meilleur établissement de l'État. Ils se disaient heureux de passer l'examen, pour renforcer la confiance du public. Afin de repousser les accusations de racisme, j'ai persuadé un groupe de pasteurs noirs éminents de soutenir ma position. Ils expliquèrent que les enfants noirs avaient surtout besoin de bons professeurs et que ceux qui échoueraient se verraient offrir d'autres occasions de se présenter. J'ai également obtenu le soutien inestimable du Dr Lloyd Hackley, le président afro-américain de l'Université de l'Arkansas à Pine Bluff, une institution à majorité noire. Hackley y avait effectué un travail remarquable et était membre de la commission sur les normes de l'éducation de Hillary. En 1980, quand les jeunes diplômés avaient dû se présenter pour la première fois à l'examen pour devenir certifiés, 42 % avaient échoué. En 1986, le taux de réussite avait augmenté fortement. C'étaient les étudiants infirmiers du Dr Hackley qui s'étaient le plus améliorés au cours de la même période. Il expliquait que les étudiants noirs avaient été davantage handicapés par la faiblesse des normes imposées que par la discrimination. Ses résultats prouvaient qu'il avait raison. Il croyait en ses étudiants et en tirait le maximum. Tous nos enfants devraient avoir des éducateurs comme lui.

Vers la fin de la session parlementaire, tout laissait croire que l'AEA risquait bien de faire repousser la proposition de loi sur l'examen. À plusieurs reprises, j'ai dû faire l'aller-retour entre la Chambre et le Sénat pour forcer des mains et passer des marchés en échange de voix. Finalement, j'ai dû menacer de ne pas laisser voter ma proposition sur la TVA si l'examen n'était pas voté en même temps.

C'était une manœuvre risquée : j'aurais pu perdre sur les deux tableaux. La main-d'œuvre syndiquée s'opposait à l'augmentation de la TVA sous prétexte qu'elle était injuste pour les familles ouvrières parce que je n'avais pas réussi à garantir un dégrèvement des impôts sur le revenu pour compenser la TVA sur la nourriture. L'opposition des syndicats fit passer des votes libéraux du côté des adversaires des impôts, mais ils ne pouvaient réunir une majorité. Dès le départ, le programme avait reçu un solide soutien et, le temps que la question des impôts soit examinée, nous avions fait voter une nouvelle formule et fait approuver les normes. Sans l'augmentation de la TVA, de nombreux arrondissements auraient perdu l'aide de l'État aux termes de la nouvelle formule et la plupart auraient été obligés d'imposer de fortes augmentations d'impôts fonciers pour respecter les normes. Le dernier jour de la session, nous avions tout gagné : les normes, la loi d'examen des professeurs et une augmentation de la TVA.

C'est euphorique et complètement épuisé que j'ai pris la voiture pour parcourir une centaine de kilomètres afin de participer à la soirée annuelle du gouverneur à Fairfield Bay, un village de retraités issus des classes moyennes venus dans l'Arkansas parce qu'il y faisait plus chaud, que les quatre saisons y existaient encore et que les impôts y étaient peu élevés. La plupart d'entre eux, dont les enseignants en retraite, soutenaient le programme d'éducation. Un charpentier amateur m'a offert une petite école rouge avec une plaque rendant hommage à mes efforts.

Le calme revenu après la session, l'Arkansas bénéficia d'une importante couverture médiatique nationale positive pour nos réformes de l'éducation et reçut les félicitations du ministre de l'Éducation Bell. Toutefois, l'AEA ne renonça pas ; elle intenta une action en justice contre la loi de l'examen. Peggy Nabors, la présidente de l'AEA, et moi-même avons eu un débat passionné dans l'émission de Phil Donahue, la première de nos nombreuses disputes dans les médias nationaux. La société propriétaire de l'examen national des professeurs nous refusa l'autorisation de l'utiliser pour des professeurs en exercice, sous prétexte qu'il devait servir à déterminer si on pouvait autoriser quelqu'un à enseigner, mais pas si un professeur incapable de le réussir devait continuer à exercer. Nous avons donc dû mettre au point un nouvel examen. Quand les professeurs et l'administration ont passé l'examen pour la première fois en 1984, il y a eu 10 % d'échecs. Environ le même pourcentage a échoué lors de tentatives suivantes. Finalement, mille deux cent quinze professeurs, environ 3,5 % de la totalité, ont dû quitter les salles de classe parce qu'ils étaient incapables de réussir l'examen. Mille six cents ont perdu le droit d'enseigner parce qu'ils ne se sont pas soumis à l'examen. À l'élection de 1984, l'AEA refusa de me soutenir ainsi que nombre des meilleurs amis de l'éducation au Congrès à cause de la loi de l'examen. Malgré leurs efforts, ils n'ont réussi à faire battre qu'un parlementaire, ma vieille amie le sénateur Vada Sheid, de Mountain Home, qui m'avait recousu un bouton lors de notre première rencontre en 1974. Les professeurs ont fait du porte-à-porte pour son adversaire, Steve Luelf, un avocat républicain venu de Californie. Ils n'ont pas évoqué l'examen des professeurs. Malheureusement, Vada non plus. Elle a commis une erreur commune aux candidats qui adoptent une position soutenue par une majorité désorganisée mais contestée par une minorité organisée et animée. Le seul moyen de survivre à l'assaut est de rendre le problème aussi important dans l'isoloir pour ceux qui sont d'accord avec vous que pour ceux qui s'opposent à vous. Le prix qu'elle a payé pour avoir aidé nos enfants m'a toujours mis mal à l'aise.

Au cours des deux années suivantes, le salaire des enseignants est passé à quatre mille quatre cents dollars, l'augmentation la plus rapide dans la nation. Nous nous classions encore à la quarante-sixième place, mais nous avions enfin dépassé la moyenne nationale des salaires des professeurs en pourcentage du revenu par habitant et presque la moyenne nationale pour les dépenses par élève en pourcentage des recettes. En 1987, le nombre de nos arrondissements scolaires n'était plus que de trois cent vingt-neuf et 85 % avaient augmenté leurs taxes foncières, mesure qui ne peut être ratifiée que par un vote populaire, pour mettre en place les nouvelles normes.

Les résultats aux examens des élèves augmentèrent régulièrement. En 1986, le Southern Regional Education Board fit passer un examen aux élèves de 1re dans cinq États du Sud. L'Arkansas fut le seul à dépasser la moyenne nationale. Quand le même groupe avait été testé cinq ans plus tôt en 1981, nos élèves avaient obtenu des résultats inférieurs à la moyenne nationale. Nous étions sur la bonne voie.

J'ai continué à militer pour une amélioration de l'éducation jusqu'à la fin de mes fonctions de gouverneur, mais les nouvelles normes, le financement et les mesures de contrôle ont jeté les bases des progrès ultérieurs. J'ai fini par me réconcilier avec l'AEA et sa directrice à force de collaborer avec eux pour améliorer nos écoles et l'avenir de nos enfants. Quand je songe à ma carrière politique, la session parlementaire de 1983 consacrée à l'éducation reste une de mes plus grandes fiertés.

L'été 1983, les gouverneurs se sont réunis à Portland dans le Maine. Hillary, Chelsea et moi avons pris beaucoup de plaisir à retrouver mon vieil ami Bob Reich et sa famille, et à accompagner les autres gouverneurs à un barbecue organisé dans la propriété du vice-président Bush dans la belle ville côtière de Kennebunkport. Chelsea, 3 ans, s'approcha du vice-président pour lui confier qu'elle avait besoin de se rendre aux toilettes. Il la prit par la main et l'y conduisit. Chelsea apprécia, et Hillary et moi fûmes impressionnés par la gentillesse de George Bush. Ce ne serait pas la dernière fois.

Néanmoins, je n'étais pas d'accord avec l'administration Reagan et j'étais venu dans le Maine bien décidé à agir. Le gouvernement venait juste de renforcer les règles d'accès aux indemnités d'invalidité. Tout comme pour le programme de lutte contre l'anthracose dix ans plus tôt, il y avait eu des abus, mais le remède Reagan était pire que le mal. Les règles étaient strictes au point d'être ridicules. Dans l'Arkansas, un conducteur de camion ayant arrêté ses études en 3ᵉ avait perdu un bras dans un accident. On lui refusa des indemnités d'invalidité sous prétexte qu'il pouvait toujours travailler dans un bureau.

Plusieurs Démocrates du Congrès, dont le parlementaire de l'Arkansas Beryl Anthony, tentaient de casser la loi. Beryl me demanda de convaincre les gouverneurs d'appeler à son annulation. Les gouverneurs s'intéressaient au problème, parce que nombre de nos administrés handicapés se voyaient refuser des indemnités et parce qu'on nous en tenait en partie responsables. En effet, si le programme était financé par le gouvernement fédéral, il était administré par les États.

Comme le problème ne figurait pas à notre programme, il fallait que j'obtienne de la commission concernée qu'elle vote aux deux tiers pour l'annulation des règles, puis que je persuade 75 % des gouverneurs présents de soutenir l'action de la commission. C'était tellement important pour la Maison Blanche que l'administration dépêcha deux secrétaires adjoints du ministère de la Santé et des Services sociaux pour contrer mes efforts. Les gouverneurs républicains étaient pris entre deux feux. La plupart pensaient qu'il fallait changer les règles et ne souhaitaient certainement pas les défendre en public, mais ils ne voulaient pas désavouer leur président. La stratégie républicaine fut de tuer notre proposition en commission. D'après mes calculs, nous pouvions gagner dans la commission par une voix, à condition que tous nos partisans votent. L'un d'eux était le gouverneur George Wallace. Depuis qu'il avait été cloué dans un fauteuil roulant par la balle d'un assassin potentiel, il lui fallait deux heures chaque matin pour se préparer. Ce matin-là, il dut se lever deux heures plus tôt que d'habitude pour ses douloureux préparatifs. Il assista à la réunion et vota d'une voix haute et claire en faveur de notre résolution, après avoir expliqué à la commission que de nombreux ouvriers de l'Alabama, noirs et blancs, avaient souffert des nouvelles règles. Votée par la commission, la résolution fut adoptée par l'Association nationale des gouverneurs. Par la suite, le Congrès annula cette loi, si bien que nombre de ceux qui le méritaient obtinrent l'aide dont ils avaient besoin pour survivre. Cela ne se serait peut-être pas produit si George Wallace n'avait pas eu le cran de revenir aux racines populaires de sa jeunesse.

À la fin de l'année, notre famille accepta l'invitation de Phil et Linda Lader à leur réunion du Nouvel An à Hilton Head en Caroline-du-Sud, ce qu'ils appelaient le week-end de la Renaissance. Cette manifestation avait alors seulement deux ans d'existence. Une centaine de familles se réunissaient pour passer trois jours à discuter de tous les sujets possibles, de la politique à l'économie et à la religion en passant par la vie privée. Les participants qui étaient d'âges, de religions, de races et de milieux différents avaient tous un point commun : ils préféraient consacrer un week-end à évoquer des sujets sérieux et à se détendre en famille plutôt que de faire la fête toute la nuit ou d'assister à des matchs de foot. Nous révélions les uns aux autres des aspects de nous-mêmes que nous n'aurions jamais confiés dans des circonstances normales. Nous nous sommes faits tous les trois de bons amis, dont beaucoup nous ont aidés en 1992 et ont travaillé dans mon gouvernement. Ensuite, nous avons assisté pratiquement tous les ans au week-end de la Renaissance jusqu'en 2000, quand la fête nationale organisée à l'occasion du nouveau millénaire au Lincoln Memorial nous a obligés à rester à Washington. Après mon accession à la présidence, ce week-end qui rassemblait à présent plus de mille cinq cents personnes avait un peu perdu de son caractère intime, mais j'ai toujours pris plaisir à y assister.

Début 1984, l'heure de me présenter à ma réélection avait sonné. Même si le président Reagan était bien plus populaire qu'en 1980 dans l'Arkansas et dans l'ensemble du pays, j'étais confiant. Notre État se passionnait pour la mise en place des nouvelles normes scolaires et l'économie se portait un peu mieux. Mon principal adversaire aux primaires était Lonnie Turner, l'avocat des monts Ozark avec qui j'avais travaillé dans les affaires d'anthracose en 1975, après la mort de son associé Jack Yates. Lonnie pensait que les normes scolaires allaient causer la fermeture des écoles rurales et cela le mettait dans une colère noire. J'en étais attristé parce que nous étions des amis de longue date et que j'estimais qu'il se fourvoyait. En mai, j'ai aisément remporté les primaires et, au bout de quelques années, nous nous sommes réconciliés.

En juillet, le colonel Tommy Goodwin, directeur de la police d'État, a demandé à me rencontrer. Je suis allé le voir accompagné de Betsey Wright. C'est là qu'il m'a annoncé que mon frère avait été filmé en train de vendre de la cocaïne à un agent en civil, dont l'ironie voulait qu'il ait été engagé dans le cadre du développement de la politique antidrogue de l'État que les parlementaires avaient financée sur mon insistance. Tommy voulait savoir ce que j'attendais de lui. Je lui ai demandé ce que la police d'État ferait dans un cas pareil. Selon lui, Roger n'était pas un dealer de haut vol mais un cocaïnomane qui vendait pour financer son penchant. Comme d'habitude, avec des gens comme lui, ils l'avaient filmé à plusieurs reprises pour s'assurer qu'ils le tenaient, puis l'avaient arrêté en le menaçant d'une longue peine de prison pour le pousser à dénoncer son fournisseur. J'ai prié Tommy de traiter l'affaire de Roger comme les autres. À la sortie de cet entretien, j'ai demandé à Betsey de trouver Hillary. Elle déjeunait dans un restaurant du centre. Je suis passé la chercher pour lui apprendre ce qui venait de se produire.

Pendant les six tristes semaines qui ont suivi, personne en dehors de la police n'a été au courant, sinon Betsey, Hillary et, je crois, mon attachée de presse, entièrement digne de confiance, Joan Roberts. Et moi. Chaque fois que je parlais à ma mère, j'en étais malade. Chaque fois que je me voyais dans la glace, j'étais dégoûté. J'ai été tellement pris par la vie et le travail que je n'avais pas su repérer les signes. Peu après son entrée à l'université en 1974, Roger avait formé un groupe de rock qui lui permettait de vivre en jouant dans des clubs à Hot Springs et Little Rock. J'étais allé l'écouter plusieurs fois et il me semblait qu'avec la voix caractéristique de Roger et les talents musicaux de l'orchestre, ils promettaient vraiment. Il aimait visiblement cette activité et même s'il est retourné une ou deux fois à l'Université Hendrix, il n'a jamais tardé à abandonner de nouveau ses études pour réintégrer le groupe. Lorsqu'il travaillait, il restait debout toute la nuit et dormait tard. Pendant la saison des courses, il pariait beaucoup au tiercé. Il pariait aussi sur des matchs de football. Je n'ai jamais su combien il avait gagné ou perdu, mais je ne le lui ai jamais demandé. Aux réunions de famille, il arrivait toujours en retard, semblait à cran et se levait une ou deux fois pendant le repas pour passer des coups de fil. Les signes annonciateurs étaient tous là. J'étais simplement trop occupé pour les voir.

Quand on a fini par arrêter Roger, la nouvelle a fait le tour de l'Arkansas. J'ai fait une brève déclaration à la presse, où je disais que j'aimais mon frère mais que j'attendais de la loi qu'elle suive son cours et demandai que l'on prie pour ma famille en respectant son intimité. Puis j'ai avoué à mon frère et à ma mère depuis quand je connaissais la vérité. Ma mère a eu un choc et je ne suis pas sûr qu'elle ait vraiment compris. Roger était furieux, même s'il a surmonté sa colère ensuite dès qu'il a admis sa dépendance. Nous sommes tous allés consulter. J'ai appris que la prise de cocaïne de Roger, environ quatre grammes par jour, était si grave que cela aurait pu le tuer s'il n'avait pas été fort comme un bœuf et que sa dépendance s'enracinait, en partie, dans les cicatrices de son enfance voire dans une prédisposition génétique qu'il partageait avec son père.

Du jour de son arrestation à son procès, Roger a été incapable d'admettre qu'il était drogué. Finalement, un jour, au petit déjeuner, je lui ai dit que s'il n'était pas accro, je voulais qu'il reste longtemps en prison, parce qu'il avait vendu du poison à d'autres contre de l'argent. Cet argument l'a touché. Après avoir admis son problème, il a commencé sa longue route vers la réhabilitation.

Le ministre de la Justice américain, Asa Hutchinson, s'était emparé de l'affaire. Roger dénonça son fournisseur, un immigré encore plus jeune que lui, qui obtenait la cocaïne auprès de sa famille ou d'amis restés dans son pays d'origine. Roger plaida coupable de deux délits fédéraux devant le juge Oren Harris, qui avait présidé la Commission du commerce à la Chambre des représentants avant d'entrer dans la magistrature. Le juge Harris, malgré ses 80 ans bien sonnés, avait toujours l'esprit vif et clair. Il condamna Roger à trois ans pour un délit et à deux ans pour l'autre, et suspendit la peine de trois ans parce que Roger avait coopéré. Roger purgea quatorze mois, dont la plus grande partie dans une prison fédérale accueillant des délinquants non violents, ce qui n'a pas été facile pour lui, mais lui a probablement sauvé la vie.

Hillary et moi étions au tribunal avec ma mère lorsqu'il a été condamné. J'ai été impressionné par la façon de faire du juge Harris et du ministre de la Justice. Asa Hutchinson était professionnel, juste et sensible à la souffrance de la famille. Je n'ai pas été du tout surpris de le voir ensuite élu au Congrès par la troisième circonscription.

L'été, à la tête de la délégation de l'Arkansas à la convention démocrate de San Francisco, j'ai assisté à la nomination de Walter Mondale et de Geraldine Ferraro, et j'ai prononcé un hommage de cinq minutes à Harry Truman. Au début, ce n'était pas gagné, mais tout s'est arrangé quand Mondale a annoncé qu'il proposerait une lourde augmentation des impôts pour réduire le déficit budgétaire. C'était un acte de franchise remarquable, mais il aurait aussi bien pu proposer la création d'un permis de conduire fédéral. Quoi qu'il en soit, la convention fut très réussie. Comme la ville avait de nombreux charmants petits hôtels situés à deux minutes de marche du centre de convention et qu'elle avait su régler les problèmes de circulation. nous avons échappé aux embouteillages qui caractérisent de nombreuses conventions. L'hôte de l'Arkansas, le Dr Richard Sanchez, était très impliqué dans les efforts pour traiter et prévenir le sida qui en était alors à ses débuts et se répandait en ville. Je l'ai beaucoup interrogé à ce propos et sur ce qu'on pouvait faire. Ce fut ma première rencontre avec ce combat qui m'occuperait beaucoup à la Maison Blanche et par la suite.

J'ai dû quitter San Francisco plus tôt afin de rentrer en Arkansas où j'espérais convaincre une entreprise de haute technologie de s'installer dans notre État. Cela n'a pas abouti, mais, de toute façon, cela n'aurait servi à rien que je reste en Californie. Nous allions droit à la défaite. L'économie reprenait et le Président nous annonça que l'Amérique connaissait un nouveau départ, pendant que ses partisans nous taxaient de Démocrates « de San Francisco », allusion à peine voilée à nos liens avec l'importante population gay de la ville. Même le vice-président Bush s'est laissé aller à un commentaire macho.

Aux élections de novembre, Reagan a battu Mondale par 59 % contre 41 %. Le Président a remporté 62 % des voix dans l'Arkansas. J'ai obtenu 63 % dans ma course contre Woody Freeman, un séduisant jeune homme d'affaires de Jonesboro.

Après le cinquième Noël de Chelsea et notre deuxième week-end Renaissance, une nouvelle session parlementaire nous attendait, vouée celle-là à la modernisation de notre économie.

Si l'économie globale s'améliorait, le chômage restait élevé dans des États comme l'Arkansas, dépendants de l'agriculture et des industries traditionnelles. La majeure partie de la croissance des offres d'emplois dans les années 1980 en Amérique venait des secteurs de la haute technologie et des services, et se concentrait dans des zones urbaines, surtout dans des États sur ou proches des côtes est et ouest. Le schéma était si prononcé qu'on a fini par dire que l'Amérique avait une économie « à deux côtes ».

Il était évident que, pour accélérer la croissance des emplois et l'augmentation des recettes, il nous fallait restructurer notre économie.

Le programme que j'ai présenté au Congrès reposait sur des solutions financières nouvelles pour l'Arkansas mais déjà en place dans d'autres États. Je proposais d'élargir la mission de l'Agence pour le logement pour en faire un Service du développement et de la finance habilité à émettre des obligations afin de financer des projets industriels et agricoles, ainsi que des petites entreprises. J'ai recommandé que les fonds de pension de l'État fixent des objectifs d'investissements d'au moins 5 % de leurs avoirs dans l'Arkansas. Nous étions un État pauvre en capitaux ; il n'était pas nécessaire d'exporter des fonds publics alors qu'il existait de bonnes possibilités d'investissements chez nous. J'ai recommandé que l'on autorise les banques liées à l'État à conserver plus longtemps des biens qu'elles hypothéquaient, avant tout pour empêcher d'écouler à perte des terres cultivables dans un marché déjà déprimé, rendant ainsi d'autant plus difficile aux fermiers de tenir le coup. J'ai également demandé aux parlementaires d'autoriser les banques d'État non seulement à prêter de l'argent, mais aussi à faire de modestes investissements de capitaux propres dans des fermes et des entreprises dans l'impossibilité de lever de nouveaux emprunts, à la condition que le fermier ou le petit entrepreneur ait le droit de rembourser la banque avant trois ans. Cette proposition attira l'attention d'autres gouverneurs d'États agricoles, dont l'un d'eux, Bill Janklow du Dakota-du-Sud, en fit voter une version pendant son mandat.

Les propositions économiques étaient novatrices mais trop complexes pour être bien comprises ou largement soutenues. Toutefois, après que j'eus participé à plusieurs auditions de commissions pour répondre à des questions et que j'eus fait pas mal de lobbying au cas par cas, le Congrès les vota toutes.

Plus de dix ans après la décision de la Cour suprême des États-Unis dans l'affaire *Roe c. Wade*, notre Congrès a fini par interdire l'avortement au troisième trimestre de la grossesse, comme l'autorisait la décision de la Cour. La proposition fut présentée par le sénateur Lu Hardin, de Russellville, un chrétien que j'aimais beaucoup, et le sénateur Bill Henley, un catholique qui était le frère de Susan McDougal. La proposition a été aisément adoptée et je l'ai ratifiée. Dix ans plus tard, quand les Républicains du Congrès ont soutenu une proposition visant à interdire lesdits avortements au troisième trimestre sans exemption pour la santé de la mère, j'ai préconisé l'adoption d'un statut fédéral interdisant les avortements de fin de grossesse à moins que la vie ou la santé de la mère ne soient en danger. Comme plusieurs États n'avaient pas encore voté de lois comme celle que j'ai ratifiée en 1985, ma proposition aurait rendu illégaux davantage d'avortements que la proposition interdisant la procédure généralement utilisée pour minimiser les dégâts pour le corps de la mère. La direction du Parti républicain m'a envoyé promener.

Outre les mesures économiques et la loi sur l'avortement, le Parlement adopta plusieurs de mes propositions : constituer un fonds d'indemnisation pour les victimes de crimes violents ; intensifier nos efforts visant à réduire et à gérer les mauvais traitements aux enfants ; créer un fonds pour fournir des soins aux indigents, surtout des femmes enceintes pauvres, non couvertes par Medicaid ; faire de l'anniversaire de Martin Luther King Jr. un jour férié ; créer un programme visant à fournir une meilleure formation aux directeurs d'école. J'étais convaincu que les résultats d'une école dépendaient plus des qualités de meneur d'un directeur que de tout autre facteur. Les années à venir n'ont fait que renforcer ma conviction.

Les seuls remous au cours d'une session qui fut vouée à l'examen des lois inoffensives furent provoqués par les efforts herculéens déployés par l'AEA pour faire abroger la loi sur l'examen des professeurs à quelques semaines de sa mise en place. Les professeurs eurent la bonne idée de demander au représentant Ode Maddox de soutenir l'abrogation. Ode était un ancien directeur très respecté dans sa petite ville d'Oden. C'était également un bon Démocrate qui avait conservé une grande photo de Franklin D. Roosevelt dans l'amphithéâtre de son école jusque dans les années 1980. C'était aussi un de mes amis. Malgré les efforts de mes partisans, l'abrogation fut votée à la Chambre. J'ai immédiatement fait diffuser à la radio une publicité expliquant ce qui venait de se produire, invitant la population à appeler le Sénat pour protester. Le standard croula sous les appels et le Sénat repoussa la proposition. À la place, le Parlement vota la proposition que je soutenais requérant de tous les éducateurs certifiés, pas seulement ceux qui exerçaient en 1985, de réussir l'examen avant 1987 s'ils voulaient conserver leur certificat.

L'AEA annonça que les professeurs boycotteraient l'examen. La semaine avant qu'il ait lieu, quatre mille professeurs manifestèrent devant le Capitole où un représentant de l'AEA m'accusa d'« assassiner la dignité des écoles publiques et de leurs élèves ». Une semaine plus tard, plus de 90 % de nos vingt-sept mille six cents professeurs se présentaient à l'examen.

Avant la fin de la session, nous avons eu droit à quelques ultimes remous. Le département des Routes avait sillonné l'État pour préconiser qu'un nouveau programme de construction de routes soit financé par une augmentation des taxes sur l'essence et le diesel. Ils ont réussi à convaincre les entreprises locales et les fermiers, si bien que cela a été voté assez facilement, ce qui m'a posé un problème. Ce programme me plaisait, je le jugeais bon pour l'économie, mais, dans ma campagne, je m'étais engagé à ne pas soutenir une importante augmentation fiscale. J'ai donc opposé mon veto à la proposition, tout en prévenant ses partisans que je ne m'opposerais pas à leurs tentatives de faire annuler le veto. Et effectivement mon veto a été déclaré nul, la première et unique fois en douze ans d'exercice que cela m'arrivait.

En 1985, j'ai également participé à des activités politiques au plan national. En février, j'ai lu la réponse des Démocrates au discours du président Reagan sur l'état de l'Union. Ce discours était le forum rêvé pour les talents d'orateur de Reagan et celui qui prononçait notre brève réponse avait du mal à tirer son épingle du jeu. Cette année-là, notre Parti changea de tactique en présentant les idées nouvelles et les réussites économiques de plusieurs de nos gouverneurs et maires. J'ai également participé au Democratic Leadership Council, un groupe dont la mission était de mettre au point un message gagnant pour les Démocrates se fondant sur la responsabilité fiscale, de nouvelles idées novatrices en matière de politique sociale et un engagement pour une défense nationale forte.

La réunion estivale des gouverneurs qui se tint dans l'Idaho fut marquée par une rare bataille partisane autour d'une lettre de collecte de fonds pour les gouverneurs républicains signée par le président Reagan. La lettre attaquait assez violemment les confrères démocrates en leur reprochant d'être trop laxistes avec l'argent des contribuables. C'était une violation de notre engagement tacite de préserver le bipartisme des réunions de gouverneurs. Les Démocrates étaient si furieux qu'ils menacèrent de bloquer l'élection du gouverneur républicain Lamar Alexander du Tennessee à la direction de l'Association nationale des gouverneurs, ce qui aurait dû se faire sans heurts puisqu'il était vice-président et que la présidence revenait alternativement à un parti ou à un autre chaque année. J'aimais bien Lamar, dont je doutais qu'il soutienne de bon cœur l'attaque contre ses confrères démocrates ; après tout, lui aussi avait levé des impôts pour financer une amélioration des normes scolaires. J'ai contribué à négocier une résolution au conflit : les Républicains ont présenté leurs excuses pour la lettre et ont juré de ne pas recommencer, et nous avons élu Lamar à la présidence. J'ai été élu à la vice-présidence. Nous avons fait du très bon boulot dans les réunions de gouverneurs dans les années 1970 et 1980. Dans les années 1990, quand les gouverneurs républicains ont remporté la majorité et ont suivi de plus près la ligne de leur parti national, le vieil esprit de coopération a périclité. Peut-être s'agissait-il d'une bonne manœuvre politique, mais la quête de mesures politiques valables en a gravement pâti.

En nous rendant dans l'Idaho, Hillary, Chelsea et moi avons passé un séjour très agréable dans le Montana, grâce au gouverneur Ted Schwinden. Après une nuit chez lui, Ted nous réveilla à l'aube pour nous faire remonter en hélicoptère le cours du Missouri afin d'observer le réveil de la faune. Ensuite, nous avons suivi la ligne Burlington Northern sur deux cents kilomètres à bord d'un 4 × 4 équipé de connecteurs aux rails, un voyage qui a compris une traversée spectaculaire d'une gorge profonde de cent mètres. Et nous avons roulé vers le soleil à bord d'une voiture louée pour observer l'activité des ouistitis au-dessus de la ligne des neiges, avant de passer quelques jours à la Kootenai Lodge sur Swan Lake. J'ai beaucoup voyagé, mais l'ouest du Montana reste l'un des plus beaux endroits que j'aie jamais vus.

Les voyages politiques que j'ai effectués ne m'ont pas fait oublier ma principale mission après le retrait du Parlement en 1985 et jusqu'à la fin des années 1980 : construire l'économie de l'Arkansas. Ce défi me plaisait et je l'ai plutôt bien relevé. Tout d'abord, il fallait que j'empêche les catastrophes. Quand International Paper a annoncé son projet de fermer une usine de Camden qui tournait depuis les années 1920, je me suis rendu à New York pour rencontrer le président de l'entreprise, John Georges, afin de lui demander quelles mesures il fallait prendre pour maintenir l'usine en activité. Il m'a confié une liste de cinq ou six desiderata. Je les ai tous satisfaits sauf un et il n'a pas fermé l'usine. Quand mon ami Turner Whitson m'a prévenu de la fermeture imminente de l'usine de chaussures de Clarksville, j'ai appelé à l'aide Don Munro qui avait réussi à maintenir ouvertes six usines de chaussures dans l'Arkansas aux pires moments de la crise des années 1980. Les ouvriers découvrirent que leurs emplois étaient sauvés lors d'une réunion organisée pour les aider à s'inscrire au chômage et à bénéficier de programmes de recyclage.

Quand la société Sanyo qui comptait plus de cent mille employés dans le monde entier m'a appris qu'elle avait l'intention de fermer son usine de téléviseurs de Forrest City, Dave Harrington et moi nous sommes envolés pour Osaka au Japon afin de rencontrer son président, Satoshi Iue. Je m'étais lié d'amitié avec lui au cours des années. Après ma défaite aux élections de gouverneur en 1980, il m'avait envoyé un superbe exemple de calligraphie japonaise qui disait : « Même si le fleuve t'oblige à changer de cap, cramponne-toi à ce que tu crois. » Je l'avais fait encadrer et, à ma réélection de 1982, je l'avais placé à l'entrée de notre chambre pour que je puisse le voir tous les jours. J'ai dit à Iue que nous ne pouvions faire face à la suppression des emplois de Sanyo dans l'est de l'Arkansas, où les comtés du Delta souffraient tous de taux de chômage supérieurs à 10 %. Je lui ai demandé s'il serait prêt à revenir sur sa décision si Wal-Mart vendait les téléviseurs Sanyo. Son accord en poche, je suis rentré dans l'Arkansas pour solliciter l'aide de Wal-Mart. En septembre 2003, Satoshi Iue est venu déjeuner à Chappaqua. À l'époque, Wal-Mart avait vendu plus de vingt millions de ses téléviseurs.

Je n'ai pas donné que dans des missions de sauvetage. Nous avons également eu quelques belles réussites en finançant de nouveaux projets de haute technologie, en incitant les universités à contribuer à la création de nouvelles entreprises, en organisant de fructueuses missions d'investissements et d'échanges commerciaux en Europe et en Asie, et en soutenant l'expansion d'usines prospères comme la Daiwa Steel Tube Industries à Pine Bluff et la Dana Company à Jonesboro, qui fabrique des transmissions avec l'aide d'ouvriers qualifiés et de robots absolument incroyables.

Notre plus beau coup fut de convaincre NUCOR Steel Company de s'installer dans le nord-est de l'État. NUCOR était une entreprise très prospère qui fabriquait de l'acier en fondant du métal déjà forgé au lieu de le créer de toutes pièces. NUCOR versait aux ouvriers un salaire hebdomadaire modeste et une prime calculée sur les bénéfices, prime qui représentait généralement bien plus que la moitié des revenus de l'ouvrier. En 1992, le revenu moyen des ouvriers de NUCOR Arkansas s'élevait à environ cinquante mille dollars. En outre, NUCOR accordait à chaque employé un supplément de mille cinq cents dollars par an par enfant inscrit à l'université. Grâce à l'aide de la société, l'un de ses employés a pu envoyer onze enfants à l'université. NUCOR ne possédait pas de jet et fonctionnait avec une minuscule équipe de direction installée dans des locaux de location en Caroline-du-Nord. Le fondateur, Ken Iverson, inspirait une immense loyauté à la manière ancienne : il la gagnait. Dans les années 1980, pendant la seule année où les recettes de NUCOR ont baissé, Iverson a envoyé une lettre à ses employés pour les prier de l'excuser de leur diminution de salaire, à laquelle tout le personnel était soumis, parce que, chez NUCOR, le licenciement était strictement banni. Les bénéfices et les charges étaient répartis également, sauf pour le patron. Iverson écrivait que ce n'était pas la faute des ouvriers si les conditions du marché étaient mauvaises, mais que lui aurait dû trouver un moyen d'y faire face. Il annonçait à ses ouvriers qu'il opérait une réduction de 60 % sur son salaire, trois fois la leur, exception spectaculaire à la pratique commune depuis ces vingt dernières années qui consiste à augmenter les salaires des cadres beaucoup plus vite que ceux des employés, que la société obtienne ou non de bons résultats. Inutile de préciser que personne n'avait envie de rendre son tablier chez NUCOR.

Quand le fabricant de chemises Van Huesen annonça qu'il fermait son usine de Brinkley, Farris et Marilyn Burroughs, qui, depuis des années, participaient à la vie de la communauté et des ouvriers, décidèrent de la racheter, mais ils avaient besoin d'élargir leur clientèle. J'ai demandé à David Glass, le président de Wal-Mart, s'il voulait bien vendre leurs chemises. Une fois de plus, Wal-Mart est venu à notre rescousse. Peu après, j'ai organisé un déjeuner avec les cadres de Wal-Mart et notre équipe chargée du développement économique afin d'encourager l'entreprise à acheter davantage de produits fabriqués en Amérique et à utiliser cet argument publicitaire pour augmenter leurs ventes. La campagne de Wal-Mart « Achetez américain » a rencontré un énorme succès et a contribué à réduire le ressentiment contre ce bradeur géant accusé de mettre sur la paille les marchands des petites villes. Hillary à qui ce programme a beaucoup plu s'est employée à le soutenir lorsqu'elle est entrée au conseil d'administration de Wal-Mart deux ans plus tard. Au meilleur de sa forme, la marchandise vendue par Wal-Mart était américaine à 55 %, c'est-à-dire 10 % de plus que son concurrent le plus proche. Malheureusement, au bout de quelques années, Wal-Mart a abandonné cette politique par volonté de devenir le détaillant le moins cher, mais nous en avons bien profité dans l'Arkansas tant que cela a duré.

Le travail que j'ai effectué en matière d'éducation et de développement économique m'a convaincu qu'il fallait que l'Arkansas et l'Amérique opèrent de grands changements si nous voulions préserver notre position dominante sur le plan économique et politique dans l'économie mondiale. Nous n'étions tout simplement ni assez bien formés ni assez productifs. Nous avions perdu du terrain en matière de revenus moyens depuis 1973 et, dans les années 1980, quatre ouvriers sur dix avaient des revenus en baisse. La situation était intolérable, et j'étais bien décidé à faire mon possible pour y remédier.

Mes efforts ont contribué à élargir ma base politique, en glanant le soutien de Républicains et d'indépendants conservateurs qui n'avaient encore jamais voté pour moi. Même si l'Arkansas figurait parmi les dix premiers États pour la part de création d'emplois dans l'emploi total au cours de deux des trois dernières années, je ne pouvais convertir tout le monde. Quand la raffinerie d'El Dorado fut sur le point de fermer, sacrifiant plus de trois cents emplois syndiqués, j'ai contribué à convaincre des hommes d'affaires du Mississippi de la racheter. Je savais ce que cela signifiait pour les familles de ces ouvriers et l'économie locale, et j'avais hâte de serrer des mains aux portes de l'usine lors de la prochaine élection. Tout s'est très bien passé jusqu'à ce que je tombe sur un homme qui m'a déclaré, furieux, qu'il ne voterait pour moi sous aucun prétexte. Quand je lui ai répondu : « Mais c'est moi qui ai sauvé votre emploi ! », il a répliqué : « Ouais, je suis au courant, mais vous en avez rien à foutre de moi. Vous ne l'avez fait que pour avoir un pauvre con de plus à imposer. Voilà pourquoi vous voulez que j'aie ce job, pour me faire payer des impôts. Vous m'offririez un million de dollars que je ne voterais pas pour vous. » On ne peut pas plaire à tout le monde.

Début 1986, j'ai lancé ma campagne de réélection, cette fois pour un mandat de quatre ans. En 1984, les électeurs avaient voté en faveur d'un amendement faisant passer les mandats de deux à quatre ans pour la première fois depuis l'adoption de notre Constitution de l'ère de la reconstruction en 1874. Si je gagnais, je serais le second gouverneur de l'Arkansas à rester aussi longtemps à sa tête depuis Orval Faubus. Il devait sa longévité à Little Rock Central High. Je tenais à devoir la mienne aux écoles et à l'emploi.

L'ironie a voulu que mon principal adversaire aux primaires soit Faubus lui-même. Il m'en voulait toujours parce que, pendant mon premier mandat, j'avais refusé de faire racheter par l'État sa superbe maison Fay Jones à Huntsville pour la reconvertir en refuge des parcs nationaux. Je savais qu'il était à court d'argent, mais c'était également le cas de l'État, et je ne pouvais justifier la dépense. Faubus allait s'attaquer aux nouvelles normes d'éducation, en disant qu'elles avaient provoqué des regroupements et des hausses d'impôts dans les zones rurales qui n'avaient bénéficié d'aucune des créations d'emplois dont je ne cessais de me vanter.

Et derrière Faubus, Frank White guettait. Entre les deux, je savais que les accusations allaient voler. J'étais sûr que Betsey Wright, Dick Morris, David

Watkins et moi pourrions affronter la situation, mais j'étais inquiet de la réaction de Chelsea devant les critiques adressées à son père. À 6 ans, elle regardait les informations et lisait le journal. Hillary et moi avons tenté de la préparer aux attaques de White et de Faubus contre moi. Plusieurs jours de suite, nous avons chacun notre tour incarné un des candidats. Un soir que Hillary jouait Frank White, que j'étais Faubus et que Chelsea tenait mon rôle, je l'ai accusée de ruiner les petites écoles avec ses idées peu judicieuses en matière d'éducation. Elle a aussitôt rétorqué : « Eh bien, moi au moins, je ne me suis pas servi de la police d'État pour espionner mes ennemis politiques comme vous l'avez fait. » Faubus s'était effectivement prêté à ce petit jeu après la crise de Central High. Pas mal pour une gamine de 6 ans !

J'ai remporté la primaire par plus de 60 % des voix, mais Faubus en a gagné un tiers. Malgré ses 76 ans, il avait encore de la ressource dans les zones rurales. Frank White a pris le relais de Faubus. Bien qu'il ait accusé les professeurs de « cupidité » quand ils avaient réclamé des augmentations de salaire pendant son mandat, il a obtenu le soutien de l'AEA dans les primaires républicaines lorsque, de partisan de l'examen des professeurs, il en est devenu un adversaire. Puis il s'est attaqué à Hillary et moi.

Il a commencé par prétendre que les nouvelles normes scolaires étaient trop lourdes et avaient besoin d'être modifiées. J'ai répliqué au vol en disant que s'il était élu, il les « retarderait jusqu'à ce qu'elles finissent aux oubliettes ». Puis il s'en est pris à Hillary sous prétexte qu'elle avait un conflit d'intérêts, puisque le cabinet Rose représentait l'État dans sa lutte contre les centrales nucléaires de Grand Gulf. Nous avons pu également contrer cette accusation. Tout d'abord, le cabinet Rose s'employait à économiser l'argent de l'Arkansas en le débarrassant du fardeau des centrales de Grand Gulf, alors que White, membre du conseil à l'époque de l'une des sociétés Middle South Utilities, avait voté trois fois pour qu'on poursuive la construction des centrales. Ensuite, la commission du service public avait engagé le cabinet Rose parce que tous les autres cabinets importants représentaient les services publics ou d'autres parties prenantes dans l'affaire. Le Parlement comme le ministre de la Justice avaient approuvé ce choix. Enfin, l'argent que l'État versait au cabinet Rose était soustrait des revenus de la firme avant que les bénéfices d'associé de Hillary ne soient calculés, si bien que cela ne lui rapportait pas un sou. White semblait davantage chercher à défendre la volonté des services publics de faire casquer les contribuables que de les protéger d'un conflit d'intérêts. Je lui ai demandé si ses attaques contre Hillary signifiaient qu'il voulait se présenter comme première dame plutôt que gouverneur. Notre campagne confectionna même des autocollants et des badges disant « Frank, première dame ».

Les dernières accusations de White ont causé sa chute. Il avait travaillé pour Stephens, Inc., alors le plus gros cabinet émetteur d'obligations en dehors de Wall Street. Jack Stephens m'avait soutenu lors de la première campagne pour devenir gouverneur, puis il avait viré à droite, prenant la tête du Mouvement des Démocrates pour Reagan en 1984, pour finir Républicain en 1986. Son frère aîné, Witt, toujours démocrate, me soutenait, mais c'était Jack le directeur du cabinet. Et Frank White était son homme. Pendant de nombreuses années, Stephens avait contrôlé le marché des obligations de l'État. Quand j'ai accru de manière spectaculaire le volume des émissions d'obligations, j'ai insisté pour que les émissions soient ouvertes à la concurrence nationale et pour que nous donnions à davantage de cabinets de l'Arkansas l'occasion de placer des obligations. Le cabinet Stephens eut tout de même sa part, mais il ne contrôlait plus toutes les émissions comme par le passé et il recommencerait si White emportait l'élection. L'un des cabinets de l'Arkansas qui rafla une partie des émissions était dirigé par Dan Lasater qui avait prospéré à Little Rock avant de tout perdre à cause de sa cocaïnomanie. Lasater avait été un de mes partisans et était un ami de mon frère, avec qui il avait pas mal fait la bringue lorsqu'ils étaient tous les deux accros à la cocaïne, comme trop de jeunes dans les années 1980.

Betsey Wright et moi nous préparions à notre débat télévisé avec White quand nous avons appris qu'il allait me mettre au défi de me prêter à un contrôle antidrogue avec lui. La raison affichée était de donner le bon exemple, mais je savais que White espérait que je refuserais de m'y soumettre. Dans le tourbillon de rumeurs provoqué par la chute de Lasater, l'une d'elles disait que j'avais fait partie de son cercle de fêtards. C'était faux. Betsey et moi avons décidé de subir le contrôle avant le débat. Quand White m'a lancé son défi en direct, j'ai répondu en souriant que Betsey et moi avions déjà fait le test et que lui et son directeur de campagne, Darrell Glascock, feraient bien de suivre notre exemple. Glascock avait eu également droit à sa part de rumeurs. Leur coup s'était retourné contre eux.

White en a remis une couche avec la campagne télévisée la plus désagréable que j'aie jamais vue. Il montrait le bureau de Lasater, puis un plateau de cocaïne, pendant que le commentateur expliquait que j'avais accepté des contributions d'un cocaïnomane avéré avant de lui confier les émissions d'obligations de l'État. Sous-entendu : j'avais donné la préférence à Lasater en sachant pertinemment que c'était un drogué. J'ai invité l'*Arkansas Gazette* à étudier les rapports du Development Finance Authority et le journal a publié à la une un article montrant que de nombreux autres cabinets avaient travaillé pour l'État depuis que j'avais pris la succession du gouverneur White. Leur nombre était passé de quatre à quinze, et Stephens avait tout de même traité plus de sept cents millions de dollars d'émission d'obligations, plus du double que tout autre cabinet de l'Arkansas. J'ai également riposté par une publicité télévisée qui commençait par demander au public s'il avait vu la publicité de White avant de lui en montrer quelques secondes. Ensuite, on passait à une photo de Stephens, Inc., le commentateur précisant que White y travaillait et que s'il m'attaquait, c'était parce que ni Stephens ni personne ne contrôlaient plus les affaires de l'État, mais que ce serait de nouveau le cas si White était réélu. Ce fut une de mes publicités les plus efficaces, parce que c'était une réplique forte à un coup bas et parce que les faits parlaient d'eux-mêmes.

J'étais aussi content que Roger et ma mère n'aient pas trop souffert du rappel par White du problème de drogue de mon frère. Après sa sortie de prison, Roger passa six mois dans un centre de réinsertion au Texas, avant de s'installer dans le nord de l'Arkansas où il travailla pour un de nos amis dans une station-service. Il s'apprêtait à emménager à Nashville dans le Tennessee et il était suffisamment en forme pour ne pas se laisser grignoter par cette vieille histoire. Ma mère qui vivait heureuse auprès de Dick Kelley savait maintenant que la politique était un domaine impitoyable où tous les coups bas étaient permis pour gagner.

En novembre, j'ai remporté l'élection par 64 %, dont un incroyable score de 75 % à Little Rock. J'étais heureux que la victoire me donne l'occasion d'écraser la rumeur voulant que j'aie abusé de mes prérogatives de gouverneur et que la drogue y avait joué un rôle. La campagne fut rude, mais je n'ai jamais été très doué pour la rancune. Les années passant, j'en suis venu à apprécier Frank White et Gay, sa femme, et à me féliciter de collaborer avec lui à l'élaboration de programmes. Il avait un grand sens de l'humour, il aimait l'Arkansas et sa mort en 2003 m'a attristé. Heureusement, je me suis également réconcilié avec Jack Stephens.

En ce qui me concernait, la campagne contre Faubus et White était une bataille contre le passé de l'Arkansas et cette fâcheuse nouvelle tendance à recourir à des attaques personnelles en politique. Je voulais que les gens se concentrent sur les problèmes et l'avenir, en défendant nos réformes de l'éducation et en promouvant nos initiatives économiques. Le *Memphis Commercial Appeal* écrivit : « Les discours de Clinton tiennent autant du séminaire d'économie que d'appels à voter pour lui et la plupart des analystes politiques s'accordent à dire que sa stratégie marche. »

J'ai souvent raconté l'histoire de ma visite à l'usine chimique Eastman dans le comté rural d'Independence. Mon hôte ne cessait de me répéter que tout l'équipement antipollution était informatisé et qu'il tenait à me présenter le type qui s'en occupait. Il m'en dressa un tel portrait qu'en pénétrant dans la salle de contrôle, je m'attendais à rencontrer un mélange d'Albert Einstein et du magicien d'Oz. Je me suis retrouvé face à un type en santiags, vêtu d'un jean à la ceinture ornée d'une grosse boucle rodéo en argent, coiffé d'une casquette de base-ball. Il écoutait de la musique country en chiquant. Il m'a tout de suite dit : « Ma femme et moi allons voter pour vous parce qu'il faut davantage d'emplois de ce genre. » Il élevait du bétail et des chevaux – un pur produit de l'Arkansas –, mais il savait que sa prospérité dépendait davantage de ses connaissances que de ce qu'il savait faire de ses mains. Il avait eu une vision de l'avenir et il voulait en faire partie.

En août, l'Association nationale des gouverneurs qui s'est réunie à Hilton Head en Caroline-du-Sud m'a élu président. À cette occasion, j'ai également fêté mon quarantième anniversaire. J'avais déjà accepté de présider la commission pour l'éducation des États-Unis, groupe censé rassembler les meilleures idées et pratiques en matière d'éducation et les diffuser dans tout le pays. Lamar Alexander m'avait également nommé vice-président démocrate de la cellule de travail des gouverneurs sur la réforme de l'aide sociale, qui collaborerait avec la Maison Blanche et le Congrès pour mettre au point une proposition bipartite d'amélioration du système d'aide sociale afin qu'il promeuve le travail, renforce les familles et réponde aux besoins de base des enfants. Si j'avais obtenu une augmentation des maigres aides mensuelles de l'Arkansas en 1985, je voulais que l'aide sociale ne soit qu'une étape sur la route de l'indépendance.

Ces responsabilités nouvelles me passionnaient. J'étais à la fois un animal politique et un fondu de mesures, toujours impatient de faire de nouvelles rencontres et d'explorer de nouvelles idées. J'estimais que cette tâche me permettrait d'être un meilleur gouverneur, de consolider mon réseau de contacts nationaux et de mieux comprendre l'économie mondiale naissante et la manière dont l'Amérique devrait relever ses défis.

Fin 1986, j'ai fait un rapide voyage à Taiwan pour prononcer un discours sur nos futurs rapports devant la dixième conférence annuelle des dirigeants taiwanais et américains. Les Taiwanais étaient de bons clients pour les graines de soja de l'Arkansas et une large variété de nos produits manufacturés, des moteurs électriques aux parcmètres. Mais le déficit commercial de l'Amérique déjà important augmentait et quatre ouvriers américains sur dix avaient vu leurs revenus baisser au cours des cinq dernières années. M'exprimant au nom de tous les gouverneurs, j'ai reconnu qu'il incombait à l'Amérique de réduire son déficit afin de diminuer les taux d'intérêt et d'augmenter la demande nationale, de restructurer et de réduire la dette de ses voisins d'Amérique latine, d'alléger les contrôles à l'export des produits de haute technologie et d'améliorer la formation et la productivité de sa main-d'œuvre. Ensuite, j'ai défié les Taiwanais de réduire leurs barrières commerciales et d'investir davantage de leurs énormes réserves en capitaux en Amérique. C'était mon premier discours sur l'économie mondiale devant un public étranger. Le rédiger m'a obligé à réfléchir précisément à ce qui devait être fait et à qui devait s'en charger.

Je m'étais forgé une opinion sur la nature du monde moderne et cela fournirait la nouvelle philosophie démocrate qui servirait de base à ma campagne présidentielle de 1992. Ces convictions, je les ai résumées dans un discours prononcé lors de la réunion de fin d'exercice de la chaîne de journaux Garnett qui venait juste de racheter l'*Arkansas Gazette*.

Voici les nouvelles règles qui, selon moi, devraient constituer le cadre à l'intérieur duquel prendre des mesures.

1. Le changement est peut-être la seule constante de l'économie américaine actuelle. J'ai assisté il y a trois mois au cent cinquantième anniversaire d'une vieille église rurale de l'Arkansas. Soixante-quinze personnes se pressaient dans ce petit édifice en bois. Après l'office, pendant un déjeuner sous les pins, j'ai eu l'occasion de discuter avec un vieil homme visiblement brillant. J'ai fini par lui demander son âge. « Quatre-vingt-deux ans », répondit-il. « Quand avez-vous rejoint cette église ? » demandai-je. « En 1916. » « Si vous deviez la résumer en une phrase, quelle différence y a-t-il entre notre État aujourd'hui et en 1916 ? » Il réfléchit un instant et répondit : « Oh, c'est facile, gouverneur. En 1916, quand je me levais, je savais ce qui allait se passer. Maintenant, je n'en ai pas la moindre idée. » Pas mal comme résumé, non ? Aussi bien que Lester Thurow, non ?

2. Le capital humain est probablement plus important que le capital physique à présent [...].

3. Un partenariat plus constructif entre les entreprises et le gouvernement est bien plus important que la prééminence de l'un ou de l'autre.

4. Dans nos efforts pour résoudre les problèmes qui naissent de l'internationalisation de la vie américaine et des changements survenant dans notre population, la coopération dans tous les domaines est bien plus importante

que le conflit [...]. Il nous faut partager les responsabilités et les ouvertures – nous progressons ou reculons ensemble.

5. Le gaspillage sera puni [...]. Il me semble que nous dépensons des milliards de dollars en investissements qui accentuent la dette des entreprises sans augmenter leur productivité. Davantage de dettes devraient être synonymes d'une augmentation de la productivité, de la croissance et de la rentabilité. Désormais, cela signifie trop souvent moins d'emplois, moins d'investissements en recherche et développement, et une restructuration forcée pour assurer le service d'une dette improductive...

6. Une Amérique forte requiert une résurgence du sens de la communauté, un sens solide des obligations mutuelles, et une conviction que nous ne pouvons satisfaire nos intérêts individuels sans tenir compte des besoins de nos concitoyens [...].

Si nous voulons préserver le rêve américain pour notre peuple ainsi que le rôle de l'Amérique dans le monde, il faut que nous acceptions les nouvelles règles de vie économique, politique et sociale. Et nous y conformer.

Pendant les cinq années suivantes, j'affinerais mon analyse de la globalisation et de l'interdépendance et proposerais davantage d'initiatives pour y répondre, en jonglant du mieux possible entre mon désir d'être un bon gouverneur et d'avoir une influence positive sur la politique nationale.

En 1987, mon programme pour la session législative, intitulé « De bons débuts, de bonnes écoles, de bons emplois » fut une suite logique du travail que j'accomplissais avec l'Association nationale des gouverneurs sur le thème « Mettre l'Amérique au travail ». Outre des recommandations qui s'inspiraient de nos efforts précédents en matière d'éducation et de développement économique, j'ai demandé au Parlement de m'aider à donner un bon départ dans la vie au nombre croissant d'enfants pauvres en augmentant la couverture de santé pour les mères et les enfants pauvres, à commencer par les visites prénatales afin de réduire le taux de mortalité infantile de même que les dommages causés aux nourrissons qu'on pouvait éviter, à augmenter l'éducation parentale destinée aux mères d'enfants en danger, à fournir une éducation plus spécifique dans la première enfance aux enfants ayant des difficultés d'apprentissage, à augmenter la disponibilité de garde d'enfants abordable et à renforcer l'obligation de versement de pension alimentaire.

Grâce à Hillary, j'avais appris le plus gros de ce que je savais en matière de développement du jeune enfant et de son importance par la suite. Je l'avais toujours vue s'y intéresser et elle avait fait une quatrième année à la faculté de droit de Yale pour travailler sur les problèmes infantiles au Centre d'études des enfants de Yale et à l'hôpital de Yale-New Haven. Elle s'était dépensée sans compter pour importer d'Israël en Arkansas un programme préscolaire novateur baptisé Hippy, lequel cherchait à développer à la fois les compétences parentales et les aptitudes d'apprentissage des enfants. Hillary a mis en place des programmes Hippy dans tout l'État. Nous aimions tous les deux assister aux fêtes de fin d'année où les enfants montrent leurs œuvres sous le regard fier de leurs parents. Grâce à elle, l'Arkansas avait le plus vaste programme du pays, veillant sur deux mille quatre cents mères, et leurs enfants ont fait de remarquables progrès.

L'axe principal de mes initiatives en matière de développement économique était d'augmenter l'investissement et les ouvertures pour les pauvres et les régions défavorisées, pour la plupart dans l'Arkansas rural. La proposition la plus importante était de procurer davantage de capitaux à des gens qui avaient le potentiel de gérer de petites entreprises profitables sans pouvoir emprunter l'argent pour démarrer. La South Shore Development Bank de Chicago a joué un rôle décisif en aidant des charpentiers et des électriciens au chômage à créer leurs entreprises dans le sud de la ville pour rénover des immeubles à l'abandon qui sinon auraient été condamnés. De ce fait, tout le quartier a connu une renaissance.

J'étais au courant de cette initiative de la banque parce qu'une de ses employées, Jan Piercy, avait été l'une des meilleures amies de Hillary à Wellesley. Jan nous expliqua que la South Shore tenait à l'idée de financer des artisans compétents mais pas solvables selon les critères conventionnels du travail de la Grameen Bank du Bangladesh, fondée par Muhammad Yunus, qui avait étudié l'économie à l'Université Vanderbilt avant de rentrer chez lui pour aider son peuple. Lors d'un petit déjeuner que j'avais organisé à Washington, il m'expliqua comment fonctionnait son programme de microcrédit. On formait des équipes avec des villageoises qui avaient des compétences et une réputation d'honnêteté, mais aucun bien. Quand la première emprunteuse remboursait son petit emprunt, la suivante sur la liste obtenait son prêt, et ainsi de suite. Le jour où j'ai fait la connaissance de Yunus, la Grameen Bank avait déjà accordé des centaines de milliers de prêts, avec un taux de remboursement plus élevé que celui des prêteurs professionnels du Bangladesh. En 2002, Grameen les avait accordés à plus de 2,4 millions de gens, des femmes pauvres pour 95 %.

Si l'idée marchait à Chicago, je me suis dit qu'elle marcherait aussi dans les zones économiquement défavorisées de l'Arkansas. Comme l'a déclaré Yunus dans un entretien : « Partout où tout le monde est rejeté par le système bancaire, il y a de la place pour un programme inspiré de Grameen. » Nous avons constitué la Southern Development Bank Corp. à Arkadelphia. La Development Finance Authority a fourni la mise de départ, mais la plus grande partie du financement est venue d'entreprises que Hillary et moi avons convaincues d'investir.

Une fois président, j'ai obtenu l'approbation du Congrès pour un programme national de prêts calqué sur la Grameen Bank et j'ai présenté certains de nos succès lors d'une soirée qui a eu lieu à la Maison Blanche. L'agence américaine pour le développement international a également financé deux millions de microcrédits par an dans des villages pauvres d'Afrique, d'Amérique du Sud, et d'Asie de l'Est. En 1999, quand je me suis rendu en Asie du Sud, j'ai rendu visite à Muhammad Yunus et certains de ceux qu'il a aidés à créer des entreprises, dont des femmes qui avaient utilisé leurs emprunts pour acheter des téléphones cellulaires qu'elles mettaient contre paiement à la disposition des villageois pour appeler leurs proches en Amérique et en Europe. Cela fait des années qu'on aurait dû décerner le prix Nobel d'économie à Muhammad Yunus.

La réforme de l'aide sociale était mon autre priorité. J'ai demandé au Parlement d'exiger des bénéficiaires ayant des enfants d'au moins 3 ans et plus de signer un contrat les engageant à recouvrer leur indépendance, par le biais de l'alphabétisation, la formation professionnelle et l'emploi. En février, je suis allé à Washington avec plusieurs autres gouverneurs pour évoquer devant la commission du budget de la Chambre des représentants la prévention de l'aide sociale et ses réformes. Nous avons demandé au Congrès de nous donner les moyens de « promouvoir le travail et non l'assistance, l'indépendance et non la dépendance ». Nous soutenions qu'il fallait en faire plus pour empêcher les gens de tomber sous la coupe de l'aide sociale en réduisant l'analphabétisme des adultes, les grossesses chez les adolescentes, les abandons d'études et les abus de drogues et d'alcool. Pour la réforme de l'aide sociale, nous avons préconisé un contrat entre le bénéficiaire et le gouvernement, détaillant les droits et les devoirs des deux parties. Les bénéficiaires s'engageraient à s'efforcer de gagner leur indépendance en échange des allocations et le gouvernement s'engagerait à les aider, avec l'éducation et la formation, les soins médicaux, la garde des enfants et des propositions d'emplois. Nous avons également demandé que tous les bénéficiaires d'aide sociale ayant des enfants de 3 ans et plus soient obligés de participer à un programme de travail conçu par les États ; que chaque bénéficiaire soit en contact avec un travailleur social s'engageant à favoriser une transition réussie vers l'autosuffisance et que l'on crée une nouvelle formule d'aide en liquide proportionnelle au coût de la vie dans chaque État. La loi fédérale autorisait les États à fixer des allocations mensuelles au niveau de leur choix à condition qu'elles ne soient pas inférieures à celles en cours au début des années 1970, ce qui était le cas partout.

J'avais consacré suffisamment de temps à discuter avec des bénéficiaires de l'aide sociale et des travailleurs sociaux dans l'Arkansas pour savoir que la majorité des assistés voulaient travailler et entretenir leurs familles. Mais ils étaient confrontés à des obstacles formidables et des plus évidents que sont le manque de compétences, le manque d'expérience et l'incapacité de financer des gardes d'enfants. Nombre des gens que j'ai rencontrés ne possédaient pas de voiture et n'avaient pas accès aux transports publics. S'ils acceptaient un emploi mal rémunéré, ils perdaient les tickets d'alimentation et la couverture médicale de Medicaid. Enfin, nombre d'entre eux ne croyaient tout simplement pas qu'ils avaient une chance de s'en sortir dans le monde du travail et ils ne savaient pas du tout par où commencer.

À l'une de nos réunions de gouverneurs à Washington, avec mon vice-président chargé de la réforme de l'aide sociale, le gouverneur Mike Castle du Delaware, j'ai organisé une réunion pour d'autres gouverneurs autour de la réforme de l'aide sociale. J'ai invité à témoigner deux femmes de l'Arkansas qui avaient abandonné l'aide sociale pour travailler. Une jeune femme de Pine Bluff n'avait jamais pris l'avion ou emprunté d'escalator avant son voyage. Elle expliqua d'une manière sobre mais convaincue que les pauvres avaient le potentiel de gagner de quoi vivre pour eux-mêmes et leurs enfants. L'autre témoin avait entre 35 et 40 ans. Elle s'appelait Lillie Hardin et elle venait de trouver un emploi de cuisinière. Je lui ai demandé si, selon elle, on devait obliger les bénéficiaires de l'aide sociale en bonne santé à accepter des emplois disponibles. « Bien sûr. Sinon, on passerait la journée à regarder des feuilletons à la télé ! » a-t-elle répondu ! Je lui ai ensuite demandé quel était le principal avantage à ne plus dépendre de l'aide sociale. Sans hésitation, elle a répliqué : « Quand mon garçon va à l'école et qu'on lui demande ce que fait sa maman, il peut répondre. » Je n'avais jamais entendu meilleur argument en faveur de la réforme de l'aide sociale. Après son témoignage, les gouverneurs l'ont traitée comme une star du rock.

Quand, président, je me suis attaqué à l'aide sociale, j'ai toujours été assez amusé d'entendre certains membres de la presse qualifier cela de problème de Républicain, comme si attacher de la valeur au travail était réservé aux conservateurs. En 1996, quand le Congrès a adopté une proposition de loi que j'ai pu ratifier, je travaillais depuis plus de quinze ans à la réforme de l'aide sociale. Mais je ne considérais pas cette question comme un problème démocrate. Ni comme relevant de la responsabilité d'un gouverneur. La meilleure incarnation du problème était Lillie Hardin et son enfant.

CHAPITRE VINGT-QUATRE

Grâce à la perspective du prolongement du mandat à quatre ans, au dévouement et à la compétence de mon équipe gouvernementale et de mes conseillers, à de bonnes relations de travail avec le Parlement et à la solidité de mes appuis politiques, j'avais l'esprit suffisamment libre pour me lancer dans l'arène politique nationale.

En raison de la visibilité que me procurait mon travail dans le domaine de l'éducation, de l'économie et de la protection sociale, et mon poste de président de l'Association nationale des gouverneurs et de la commission de l'éducation des États, j'ai reçu de nombreuses invitations à intervenir dans des manifestations à l'extérieur de l'Arkansas au cours de 1987. J'en ai accepté plus de vingt cinq, qui m'ont mené dans quinze États différents. Même si seulement quatre concernaient des manifestations du Parti démocrate, elles m'ont toutes servi à élargir mon cercle de contacts et à alimenter les spéculations relatives à mon éventuelle participation à la course à la présidence.

J'avais beau n'avoir que 40 ans au printemps 1987, trois raisons me poussaient à vouloir participer à la course. Premièrement, l'histoire montrait que les Démocrates avaient de très bonnes chances de récupérer la Maison Blanche. Il semblait évident que le vice-président Bush serait le candidat officiel du Parti républicain. Or le seul candidat à avoir jusqu'alors été élu président après avoir été vice-président était Martin Van Buren en 1836. Il avait succédé à Andrew Jackson au cours de la dernière élection de l'histoire où il n'y avait eu aucune opposition réelle au Parti démocrate. Deuxièmement, j'étais convaincu que le pays devait absolument s'orienter sur une autre voie. Notre croissance était alimentée essentiellement par une forte augmentation des dépenses militaires et par des réductions d'impôts considérables qui accroissaient le déficit et avantageaient de manière disproportionnée les Américains les plus riches. Le gouvernement se trouvant en concurrence avec des emprunteurs privés, l'augmentation du déficit avait entraîné une hausse des taux d'intérêt qui avait fait grimper la valeur du dollar, diminuant ainsi le coût des importations tout en augmentant celui des exportations américaines. Alors même que notre productivité et notre compétitivité commençaient à s'améliorer, nous perdions des emplois dans l'industrie et dans l'agriculture. De surcroît, à cause du déficit budgétaire, nous ne pouvions réaliser d'investissements dans l'éducation, la formation continue et la recherche pour élever les salaires et réduire le chômage. En conséquence, 40 % des Américains avaient subi une baisse de leurs revenus réels depuis le milieu des années 1970.

Troisième raison pour laquelle j'envisageais sérieusement d'être candidat aux présidentielles : je pensais avoir compris ce qui se passait et être en mesure de l'expliquer au peuple américain. De plus, les bons résultats que j'avais obtenus dans le domaine de la criminalité, de la réforme de l'aide sociale, de la mise en place d'objectifs précis pour les établissements scolaires et dans l'utilisation des fonds publics m'incitaient à penser que les Républicains ne pourraient pas me présenter comme un Démocrate ultralibéral ne partageant pas les valeurs du plus grand nombre et pensant qu'il existait un programme gouvernemental pour chaque problème. J'étais convaincu que si nous réussissions à nous débarrasser de cette image de « déconnectés du réel » dans laquelle les Républicains nous avaient enfermés depuis 1968 et dont nous n'étions sortis que brièvement grâce au succès du président Carter en 1976, nous pouvions regagner la Maison Blanche.

Le défi était de taille, car amener les gens à modifier leurs représentations politiques n'est pas une mince affaire. Mais j'étais persuadé que je pouvais y arriver, et un certain nombre de mes collègues gouverneurs partageaient cette conviction. Au printemps, j'ai assisté aux Cinq Cents Miles d'Indianapolis où j'ai croisé le gouverneur Bob Kerrey, du Nebraska. J'appréciais beaucoup Bob et je pensais qu'il aurait également fait un bon candidat présidentiel. Il avait remporté la médaille d'honneur du Congrès au Viêt-nam et il était, comme moi, conservateur sur le plan fiscal et progressiste sur le plan social. Il avait été élu dans un État bien plus républicain que l'Arkansas. À ma surprise, Bob m'a encouragé à poser ma candidature et a proposé de diriger ma campagne dans les États du Midwest si je le faisais.

En Arkansas, un obstacle s'opposait à ma participation aux présidentielles : Dale Bumpers aussi songeait sérieusement à se présenter. Je l'encourageais moi-même à le faire depuis fin 1974. Il avait failli se décider en 1984, et cette fois-ci, il avait de très bonnes chances de l'emporter. Dale avait fait partie des Marines durant la Seconde Guerre mondiale, il avait été un gouverneur formidable et il était le meilleur orateur du Sénat. Je savais que Dale ferait un bon président et qu'il avait de meilleures chances de gagner que moi. J'aurais été heureux de faire campagne pour lui. Je voulais que notre camp gagne et que notre pays s'engage sur une nouvelle voie.

Le 20 mars, alors que je faisais mon jogging sur Main Street à Little Rock, un journaliste local m'a rattrapé et m'a dit que le sénateur Bumpers venait d'annoncer qu'il ne souhaitait pas se présenter aux présidentielles. Deux semaines plus tôt, le gouverneur Mario Cuomo de New York avait pris la même décision. J'ai alors fait part à Hillary et à Betsey de mon intention d'examiner sérieusement la situation afin d'évaluer mes chances.

Nous avons rassemblé un peu d'argent pour prendre la température dans le pays, et Betsey a envoyé quelques personnes en éclaireurs dans l'Iowa, le New Hampshire et certains États du Sud qui, l'année suivante, devaient voter peu après le New Hampshire lors du « Super Mardi », cette journée décisive du mois de mars où les primaires d'un grand nombre d'États ont lieu en même temps. Le 7 mai, le sénateur Gary Hart, qui avait failli inquiéter le vice-président Mondale en 1984, se retira de la course après qu'eut été révélée sa relation avec Donna Rice, ce qui augmentait encore nos chances de remporter les primaires. J'avais beau penser que Gary avait commis une erreur en mettant la presse au défi de réussir à déterrer quoi que ce soit de répréhensible sur son compte, j'étais quand même désolé pour lui. C'était un homme politique brillant et novateur, qui réfléchissait en permanence aux grands problèmes qui se posaient à l'Amérique et à ce qu'on pouvait faire pour les résoudre. L'affaire Hart jeta le trouble dans les esprits. Ceux d'entre nous dont l'existence n'était pas totalement irréprochable ne savaient plus où situer les limites de la presse ni selon quels critères elle décidait de révéler telle ou telle chose. Néanmoins, nous avons fini par décider que tous ceux qui pensaient qu'ils avaient quelque chose à offrir devaient tout simplement se lancer, faire face aux éventuelles accusations qui pèseraient sur eux et faire confiance au peuple américain. Sans un seuil de tolérance élevé à la douleur, il est de toute façon impossible d'être un président efficace.

Je m'étais donné jusqu'au 14 juillet pour prendre ma décision. Plusieurs de mes anciens compagnons de lutte en politique sont venus me voir à Little Rock, notamment Mickey Kantor, Carl Wagner, Steve Cohen, John Holum et Sandy Berger. Tous pensaient que je devais me présenter, que je ne pouvais pas passer à côté d'une aussi belle occasion. J'étais réticent, malgré tout. Je savais que j'étais prêt pour faire un bon candidat, mais je n'étais pas certain d'avoir vécu assez longtemps pour avoir acquis la sagesse et le bon sens nécessaires à l'exercice de la fonction de président. Si j'étais élu, j'aurais 42 ans, c'est-à-dire environ le même âge que Theodore Roosevelt à l'époque où il prit ses fonctions après l'assassinat du président McKinley, et un an de moins que John F. Kennedy à son élection. Néanmoins, ces deux hommes venaient de familles riches qui occupaient une position importante sur la scène politique, et leur formation leur avait permis de se sentir à l'aise dans les milieux du pouvoir. Mes deux présidents préférés, Lincoln et Franklin D. Roosevelt, avaient 51 ans lorsqu'ils prirent leurs fonctions. Ils avaient atteint leur pleine maturité, et étaient maîtres d'eux-mêmes et de leurs responsabilités. Par une curieuse coïncidence, dix ans plus tard, le jour de mon cinquante et unième anniversaire, Al Gore m'a expliqué que, selon les Indiens Cherokee, un homme n'atteignait la pleine maturité qu'à l'âge de 51 ans.

La deuxième chose qui me tracassait, c'était la difficulté de mener une campagne tout en remplissant mes fonctions de gouverneur. Les nouvelles normes scolaires devaient être appliquées au plus tard en 1987. J'avais déjà réuni une session parlementaire extraordinaire afin de débloquer des fonds pour les écoles et les prisons surchargées. Les débats avaient été très virulents et avaient provoqué des tensions avec plusieurs parlementaires. L'issue aurait très bien pu être défavorable si nous n'avions pas réussi à réunir suffisamment de votes à la dernière minute. Je savais que j'allais probablement devoir réunir une nouvelle session extraordinaire début 1988. J'étais déterminé à appliquer intégralement les nouvelles normes scolaires et à les développer ; elles représentaient la seule chance d'un avenir meilleur pour la plupart des enfants démunis de mon État. L'école primaire de Chelsea comptait à peu près 60 % d'élèves noirs, et plus de la moitié venaient de familles à faibles revenus. Je me souviens qu'un petit garçon qu'elle avait invité à la résidence du gouverneur pour son anniversaire avait failli ne pas venir parce qu'il n'avait pas les moyens de lui acheter un cadeau. J'étais déterminé à offrir à ce petit garçon de meilleures chances de réussite que ses parents.

De plus, l'*Arkansas Gazette*, journal qui m'avait soutenu dans toutes mes campagnes, a publié un éditorial dont l'auteur disait que je ne devais pas me présenter. L'article reprenait les deux raisons qui me retenaient. Tout en reconnaissant mes dispositions pour diriger le pays, le journaliste écrivait : « Bill Clinton n'est pas prêt pour être président » et « L'Arkansas a besoin du gouverneur Clinton ».

L'ambition est un moteur puissant, qui a mené plus d'un candidat à la présidence à ignorer à la fois ses limites et les responsabilités liées à un mandat en cours. J'ai toujours pensé que je pouvais être à la hauteur de n'importe quelle difficulté, que j'étais capable de faire front aux attaques les plus dévastatrices et de m'acquitter de deux ou trois fonctions à la fois. En 1987, l'ambition et la confiance que j'avais en mes capacités auraient pu me décider à me lancer dans la course. Mais je ne l'ai pas fait. Ce qui a fini par emporter ma décision, c'est le seul élément de ma vie que la politique ne pouvait pas atteindre : Chelsea. Carl Wagner, lui aussi père d'une fille unique, m'a fait comprendre qu'il faudrait que je me résigne à être séparé de Chelsea durant la plupart des seize mois à venir. Je m'entretenais avec Mickey Kantor, qui était sur le point de réussir à me convaincre, lorsque Chelsea est apparue et m'a demandé où nous partions en vacances l'été suivant. Lorsque je lui ai répondu que je ne pourrais peut-être pas prendre de vacances si je me présentais aux présidentielles, Chelsea m'a dit : « Alors on ira sans toi, maman et moi. » C'était plus que je ne pouvais en supporter.

Je suis entré dans la salle à manger de la résidence officielle, où mes amis étaient en train de déjeuner. Je leur ai annoncé que je ne me présentais pas et je leur ai demandé de m'excuser de les avoir fait venir pour rien. Ensuite, je me suis rendu à l'*Excelsior* pour annoncer officiellement la nouvelle à quelques centaines de mes partisans. J'ai fait de mon mieux pour leur expliquer pourquoi j'avais reculé au dernier moment, alors que j'avais été si près de me présenter :

J'ai besoin de temps pour ma famille, de temps pour moi. Les hommes politiques aussi sont des être humains. Nous avons parfois tendance à l'oublier, mais c'est ainsi. Qu'il s'agisse de moi-même ou d'un autre, la seule chose qu'un candidat ait à offrir en se présentant, c'est ce qu'il a à l'intérieur de lui-même. C'est cette étincelle qui fait vibrer les gens et qui nous fait gagner leur confiance et leur voix, qu'ils vivent dans le Wisconsin, le Montana ou à New York. J'ai besoin de ressourcer cette partie de moi-même. L'autre raison qui motive ma décision, et qui est encore plus importante, c'est l'impact négatif que cette campagne n'aurait pas manqué d'avoir sur notre fille. Le seul moyen d'emporter la victoire en rejoignant la course aussi tard aurait été de me lancer sur les routes à plein temps aujourd'hui même et jusqu'à la fin de la campagne, et de demander à Hillary de faire la même chose [...]. J'ai vu beaucoup d'enfants grandir en ayant à subir ce genre de contraintes, et il y a bien longtemps, je me suis promis que si jamais, un jour, j'avais la chance d'avoir un enfant, celui-ci n'aurait jamais à grandir en se demandant qui est son père.

Hillary avait beau m'avoir assuré de son soutien quelle que soit ma décision, elle était soulagée. Elle pensait que je devais finir le travail que j'avais commencé en Arkansas et continuer à consolider le réseau national de mes partisans. Elle savait aussi que c'était un mauvais moment pour être loin de nos familles. Ma mère avait des problèmes dans son travail, Roger n'était sorti de prison que depuis deux ans et les parents de Hillary venaient de s'installer à Little Rock. En janvier 1983, alors que je prêtais serment devant le Parlement, Hugh Rodham s'était affaissé dans son fauteuil, frappé par une crise cardiaque foudroyante. Il a été transporté d'urgence à l'hôpital, où il a subi un quadruple pontage. J'étais près de lui à son réveil. Après m'être assuré qu'il était lucide, je lui ai dit : « Voyons, Hugh, ce discours n'est pas assez bon pour donner une crise cardiaque à qui que ce soit ! » En 1987, il a de nouveau eu une légère attaque. Il ne fallait pas que Hugh et Dorothy restent à Ridge Park seuls, nous voulions les avoir près de nous. Même s'ils étaient impatients de déménager, surtout pour pouvoir être près de leur unique petite-fille, cela représenterait un grand changement pour eux.

Enfin, Hillary était également heureuse que je ne me présente pas parce qu'elle ne souscrivait pas à l'opinion générale selon laquelle les Démocrates étaient sûrs de gagner en 1988. Elle considérait que la révolution Reagan n'était pas encore terminée et que, malgré l'Irangate, George Bush l'emporterait parce qu'il incarnait une version modérée de Reagan. Ce n'est que quatre ans plus tard, alors que les perspectives de victoire semblaient bien moins brillantes et que le président Bush caracolait à 70 % dans les sondages que Hillary m'a encouragé à me présenter. Comme toujours, elle avait raison.

Après avoir annoncé ma décision, j'ai eu l'impression qu'un poids immense tombait de mes épaules. J'étais de nouveau libre d'être père, mari et gouverneur, de m'exprimer et de travailler sur des problèmes politiques nationaux sans être entravé en cela par des ambitions à court terme.

En juillet, Hillary, Chelsea et moi sommes allés assister à la conférence d'été des gouverneurs, à Traverse City, dans le Michigan, où je devais conclure mon année en tant que président de l'association. Mon successeur était le gouverneur du New Hampshire, John Sununu, avec lequel j'avais de bonnes relations et qui a promis de poursuivre nos efforts pour réformer le système d'aide sociale. Après la clôture de la séance, les gouverneurs démocrates se sont réunis sur Mackinaw Island à l'initiative du gouverneur Jim Blanchard, afin de rencontrer tous les candidats présidentiels démocrates : les sénateurs Al Gore, Paul Simon et Joe Biden, Dick Gephardt, membre de la Chambre des représentants, le révérend Jesse Jackson, l'ex-gouverneur Bruce Babbitt d'Arizona et le gouverneur Mike Dukakis. À mon sens, tous les candidats étaient bons, mais mes préférences allaient à Mike Dukakis. Sous son mandat, le secteur des technologies de pointe s'était développé dans le Massachusetts ; il avait maintenu l'équilibre budgétaire et fait progresser la réforme de l'éducation et du système d'aide sociale. Il menait une politique de « Nouveau Démocrate », et il savait bien ce que cela signifiait de perdre une élection en raison d'attaques déloyales puis de faire un come-back réussi. Même si la plupart des Américains considéraient le Massachusetts comme un État « libéral », j'étais d'avis que nous arriverions à promouvoir sa candidature en mettant en avant ses succès en tant que gouverneur, et qu'il éviterait les erreurs qui nous avaient fait plonger dans des élections précédentes. Par ailleurs, nous étions amis. Mike a été soulagé d'apprendre que je ne participais pas à la course, et m'a offert un cadeau d'anniversaire anticipé, un tee-shirt portant l'inscription : « Joyeux 41e anniversaire. Votez Clinton en 96. Tu n'auras que 49 ans ! »

À la fin du meeting, nous avons pu assister à un formidable concert de rock organisé par Jim Blanchard, qui avait réuni des artistes Motown des années 1960, notamment les Four Tops, Martha Reeves and the Vandellas et Jr. Walker, légendaire virtuose du saxophone ténor qui parvenait à pousser l'instrument un octave plus haut que nous autres joueurs ordinaires et pauvres mortels. Alors que le concert touchait à sa fin, une jeune femme s'est approchée de moi et m'a invité à venir jouer du saxophone avec tous les groupes sur le grand classique de Motown *Dancin' in the Streets*. Je n'avais pas touché à mon instrument depuis trois ans. « Y a-t-il des partitions ? » lui ai-je demandé. Elle m'a répondu que non. « C'est en quelle tonalité ? » Elle n'en avait aucune idée. « Je peux prendre quelques minutes pour réchauffer l'instrument ? » Nouveau « non ». J'ai donné la seule réponse possible : « D'accord, je le fais. » Je suis monté sur scène, on m'a donné un saxophone, on y a fixé un micro, et la musique a commencé. J'ai d'abord joué aussi doucement que possible, le temps d'accorder le saxophone et de trouver la tonalité. Puis, je me suis joint à eux et je ne m'en suis pas mal tiré. J'ai toujours une photo de Jr. Walker et moi en plein riff.

Septembre a été bien rempli. Comme l'année scolaire reprenait, j'ai participé à l'émission politique « Meet the Press » sur NBC avec Bill Bennett, qui avait succédé à Terrel Bell au département de l'Éducation sous Reagan. Je m'entendais bien avec Bennett, qui appréciait mon appui concernant la mise en place de cahiers des charges fixant des objectifs de réussite précis pour les établissements scolaires et l'apprentissage des valeurs de base aux enfants, et il ne me donna pas tort lorsque j'ai dit que les États fédérés avaient besoin de davantage d'aides de la part du gouvernement pour financer des programmes d'éducation pour la petite enfance. Lorsque Bennett a critiqué la National Education Association en disant que le syndicat faisait obstacle au système des cahiers des charges scolaires, j'ai répondu qu'il avait fait des progrès dans ce domaine et lui ai rappelé qu'Al Shanker, le leader du deuxième grand syndicat enseignant, l'American Federation of Teachers, soutenait à la fois le système de cahiers des charges et l'enseignement des valeurs de base.

Malheureusement, mes relations avec Bill Bennett se sont dégradées après mon élection à la présidence, lorsque la défense de la vertu est devenue son fonds de commerce. Un jour, il m'avait dédicacé un livre avec ces mots : « À Bill Clinton, un Démocrate intelligent. » Il faut croire que plus tard, il a décidé qu'il s'était trompé ou que j'avais perdu le peu d'intelligence que j'avais à l'époque.

À peu près à l'époque de ma participation à « Meet the Press », le président de la Commission judiciaire du Congrès, le sénateur Joe Biden, m'a demandé de témoigner contre le juge Robert Bork, que le président Reagan avait nommé à la Cour suprême. Je savais que Joe me l'avait demandé parce que j'étais un gouverneur blanc du Sud et que, atout supplémentaire, j'avais été l'étudiant de Bork en droit constitutionnel. Avant d'accepter, j'ai lu la plupart des articles de Bork, ses attendus les plus importants et les comptes rendus de ses discours. La conclusion que j'en ai tirée est que le juge Bork ne devait pas rejoindre la Cour suprême. Dans un rapport de huit pages, j'ai expliqué que j'appréciais et que je respectais Bork en tant que professeur, et que je pensais que le président Reagan devait pouvoir bénéficier d'une marge de manœuvre assez large dans l'attribution de ce genre de poste, mais que je pensais que le Sénat devait s'opposer à sa nomination. Mon argument principal était que les termes employés par Bork lui-même dans ses discours montraient qu'il s'agissait non d'un simple conservateur ordinaire, mais d'un conservateur réactionnaire. À l'exception de l'arrêt contre la ségrégation scolaire *Brown c. Board of Education,* il avait critiqué quasiment toutes les décisions de la Cour suprême qui avaient permis d'élargir les droits civiques. En réalité, Bork était l'un des deux avocats – l'autre étant William Rehnquist – qui avaient conseillé à Barry Goldwater de voter contre le *Civil Rights Act* en 1964.

Originaire du Sud, je savais à quel point il était important de ne pas rouvrir les plaies du problème racial en remettant ces arrêts en question. Aucun des juges nommés à la Cour suprême depuis des dizaines d'années n'avait une conception aussi restrictive que lui de la mission de protection des droits individuels de la Cour suprême. Selon lui, des « dizaines » de décisions devaient être renversées. Ainsi, à ses yeux, un couple marié n'était pas davantage fondé à attendre que l'on protège son droit à utiliser des contraceptifs contre les ingérences du gouvernement qu'une usine ne l'était à attendre qu'on l'autorise à polluer l'atmosphère. En fait, comme l'avait montré sa décision contre l'Arkansas dans l'affaire de la centrale nucléaire de Grand Gulf, il pensait que les entreprises et les acteurs de l'économie avaient davantage que les citoyens droit à être protégés contre des actions du gouvernement avec lesquelles ils n'étaient pas d'accord. Dès que des intérêts économiques étaient en jeu, il jetait le principe de « réserve judiciaire » par-dessus bord et versait dans l'activisme. Il allait jusqu'à soutenir que les tribunaux fédéraux ne devaient pas appliquer de sanctions en vertu de la législation sur la concurrence parce que cette dernière reposait sur une conception erronée de l'économie. J'ai donc demandé au Sénat de ne pas courir le risque de voir le juge Bork agir conformément à des convictions personnelles profondément ancrées en lui plutôt qu'aux opinions plus modérées qu'il affichait pendant la durée du processus de confirmation de sa nomination.

Je n'ai pas témoigné de vive voix, mais j'ai dû déposer mon rapport écrit parce que l'audience avait été reportée et que je devais me rendre en Europe pour une mission de prospection commerciale. Fin octobre, le Sénat a rejeté la nomination de Bork par 58 voix contre 42. Je doute que mon témoignage ait influencé un seul de ces votes. Suite au rejet du Sénat, le président Reagan a nommé le juge Antonin Scalia. Ce dernier était tout aussi conservateur que Bork, mais comme il n'en avait pas dit et écrit assez pour permettre de le prouver, sa nomination a été confirmée. En décembre 2000, dans l'affaire *Bush c. Gore*, c'est lui qui a rédigé l'explication du jugement sans précédent de la Cour suprême ordonnant l'interruption du décompte des voix en Floride. Trois jours plus tard, par cinq voix contre quatre, la Cour suprême a reconnu l'élection de George W. Bush, justifiant notamment sa décision au motif que les scrutins manquants qui faisaient l'objet d'une contestation ne pouvaient être recomptés avant minuit ce même jour comme l'exigeait la loi de l'État de Floride. La justification était fausse, évidemment, puisque la Cour suprême avait stoppé le décompte de votes légaux trois jours plus tôt. C'était un acte d'activisme judiciaire dont peut-être même Bob Bork aurait rougi.

Au terme de ma mission commerciale, Hillary et moi avons rejoint John Sununu et le gouverneur Ed DiPrete de Rhode Island à Florence pour une réunion avec nos homologues italiens. C'était notre premier voyage en Italie. Nous sommes tombés amoureux de Florence, de Sienne, de Pise, de San Gimignano et de Venise. J'ai également été impressionné par le dynamisme de l'économie de l'Italie du Nord, dont le revenu par habitant était plus élevé que celui de l'Allemagne. La prospérité de cette région semblait tenir entre autres à une extraordinaire coopération entre les petits entrepreneurs qui partageaient leurs infrastructures, leurs coûts administratifs et de promotion, comme les artisans d'Italie du Nord le faisaient d'ailleurs depuis des siècles, depuis le développement des guildes de métiers au Moyen Âge. Une fois de plus, j'avais trouvé une idée dont je pensais qu'elle pouvait fonctionner en Arkansas. À notre retour, nous avons aidé un groupe d'ouvriers en métallurgie au chômage à monter des entreprises et à coopérer en partageant les frais de production et de promotion, comme je l'avais observé chez les tanneurs et les fabricants de meubles italiens.

En octobre, la Bourse a chuté de plus de 500 points en un jour, ce qui représentait la baisse journalière la plus importante depuis 1929. L'économie américaine a subi un choc terrible. Par hasard, Sam Walton, l'homme le plus riche d'Amérique, se trouvait dans mon bureau au moment de la clôture des marchés. Sam était à la tête de l'Arkansas Business Council, un groupement d'hommes d'affaires importants que l'on surnommait « le Club des beaux costumes ». Ils se consacraient à l'amélioration de l'éducation et de l'économie en Arkansas. Sam s'absenta un instant pour voir ce qu'il était advenu de l'action Wal-Mart. Toute sa richesse était concentrée dans cette entreprise. Il vivait dans la même maison depuis des dizaines d'années et conduisait une vieille camionnette. À son retour, je lui ai demandé combien d'argent il avait perdu :

« Environ un milliard de dollars », m'a-t-il répondu. En 1987, cette somme représentait énormément d'argent, même pour Sam Walton. Quand je lui ai demandé s'il était inquiet, il m'a dit : « Demain, je vais partir dans le Tennessee pour voir le dernier magasin Wal-Mart. S'il y a beaucoup de voitures sur le parking, je ne serai pas inquiet. Je ne suis entré en Bourse que pour trouver de l'argent pour ouvrir plus de magasins et permettre aux employés d'avoir une participation dans la société. » Presque tous les employés de Wal-Mart possédaient des actions de l'entreprise. Walton était radicalement différent de ce nouveau type de chefs d'entreprise qui exigent désormais de grosses augmentations de salaire même quand leur société ou leurs employés vont mal et des parachutes dorés si elles font faillite. Lorsque la chute de nombreuses valeurs durant les premières années du XXIᵉ siècle a déclenché une nouvelle vague de cupidité et de corruption au sein des entreprises, j'ai repensé à cette journée de 1987, durant laquelle Sam Walton avait perdu un milliard de dollars. Sam était républicain. Je doute qu'il ait jamais voté pour moi. Je n'étais pas entièrement d'accord avec la politique de Wal-Mart à l'époque, et je n'aime pas beaucoup certaines pratiques de cette entreprise depuis la mort de Sam. Comme je l'ai dit, Wal-Mart ne met plus autant en pratique le slogan « Achetez américain » qu'à une certaine époque. La société a été accusée d'employer de nombreux clandestins, et bien sûr elle est contre les syndicats. Malgré tout, l'Amérique se porterait mieux si toutes nos entreprises étaient dirigées par des personnes suffisamment impliquées dans leurs affaires pour accepter de voir leur fortune augmenter ou baisser en même temps que leurs employés et leurs actionnaires.

J'ai conclu 1987 par mon troisième discours de la décennie à la convention démocrate de Floride. J'y ai redit ce que je disais toujours, à savoir que nous devions regarder la réalité en face et amener les Américains à la voir de la même façon que nous. Le président Reagan avait promis de réduire les impôts, d'augmenter les crédits de la défense et d'équilibrer le budget. Il a atteint les deux premiers objectifs, mais n'a pas pu accomplir le troisième, pour la simple raison qu'une économie fondée sur les principes de « l'école de l'offre » défie les lois de l'arithmétique. Le résultat était que nous avions fait exploser la dette nationale, négligé d'investir dans notre avenir et provoqué une baisse des revenus de 40 % de la population. Je sais que les Républicains étaient fiers de leur bilan. En ce qui me concerne, je l'examinai à la manière de ces deux vieux cabots qui contemplent deux gamins en train d'exécuter un numéro de break-dance. Le premier chien dit au second : « Si on s'avisait de faire la même chose, on écoperait d'une bonne dose de vermifuge. »

J'ai dit aux Démocrates réunis en Floride : « Notre mission est de créer un nouvel ordre économique mondial et d'assurer la place du peuple américain au sein de cet ordre. » Deux idées clés étaient au cœur de mon discours : il nous fallait faire des sacrifices aujourd'hui pour garantir notre avenir, et nous étions tous embarqués dans le même bateau.

Il me semble intéressant de revenir sur mes discours de la fin des années 1980, dans la mesure où ils sont similaires à ce que j'ai dit en 1992 et à ce que j'ai essayé de faire en tant que président.

En 1988, j'ai parcouru treize États et le District de Columbia pour prononcer des discours portant à parts à peu près égales sur la politique en général et sur les mesures à prendre dans certains domaines particuliers. Parmi ces derniers, j'ai surtout évoqué l'éducation et la nécessité d'une réforme de l'aide sociale, dont nous espérions qu'elle serait votée au Congrès avant la fin de l'année. Le discours le plus important pour mon avenir politique portait sur « Le capitalisme démocrate ». Je l'ai prononcé le 29 février à Williamsburg, en Virginie, devant le Democratic Leadership Council. À partir de cette date, j'ai commencé à m'impliquer davantage dans les activités de ce groupe de réflexion créé au sein du Parti démocrate, car c'était le seul que j'estimais véritablement engagé dans la promotion des nouvelles idées dont les Démocrates avaient besoin à la fois pour gagner les élections et pour remettre le pays sur la bonne voie. À Williamsburg, j'ai évoqué la nécessité de « démocratiser » l'économie mondiale, c'est-à-dire de la rendre accessible à tous les citoyens et à toutes les communautés. Je m'étais converti à la thèse développée par William Julius Wilson dans son livre *The Truly Disadvantaged* [Les vrais défavorisés], selon laquelle la forme la plus pénible de la pauvreté et du chômage touche indifféremment toutes les races, et que les seules solutions à ces problèmes étaient les écoles, l'éducation et la formation des adultes, et l'emploi. De retour en Arkansas, j'ai continué à me battre avec les problèmes budgétaires auxquels les écoles et les prisons étaient confrontées, à travailler sur les trois points de mon programme pour « Un bon départ, de bonnes écoles et de bons emplois » et à persévérer dans mes efforts pour obtenir une réforme fiscale et une réforme de la législation sur les lobbies. Les parlementaires ne les ont pas fait passer, mais ces deux questions ont pesé sur l'élection suivante. Les groupes d'intérêt ont fait campagne contre ces réponses. Celle qui portait sur les lobbies est passée, la réponse fiscale a échoué.

Mike Dukakis travaillait à assurer sa nomination comme candidat du Parti démocrate aux présidentielles. Quelques semaines avant l'ouverture de notre convention à Atlanta, il m'a demandé de prononcer un discours de nomination pour lui. Mike avait beau être en tête des sondages, lui et ses directeurs de campagne disaient que les Américains ne le connaissaient pas très bien. Ils voulaient profiter du discours de nomination pour le présenter comme un leader qui, par ses qualités personnelles, ses actes en tant que gouverneur et ses idées nouvelles, était la bonne personne pour la présidence. Parce que j'étais son collègue, son ami et que j'étais comme lui originaire du Sud, ils voulaient que je me charge du discours et que j'occupe l'intégralité du temps alloué aux discours de nomination, c'est-à-dire environ vingt-cinq minutes. Cela constituait un écart par rapport à l'usage, qui consistait à faire parler trois participants représentant différents groupes au sein de notre Parti, qui prononçaient chacune un discours de nomination de cinq minutes. Personne ne prêtait beaucoup d'attention à ce qu'ils disaient, mais cela satisfaisait à la fois les orateurs et leurs électeurs.

Leur proposition me flattait, mais j'hésitais à l'accepter. Comme je l'ai déjà dit, les conventions sont des réunions bruyantes, essentiellement consacrées aux mondanités et où les discours provenant de la tribune, à l'exception du discours de présentation du programme et des discours d'acceptation des candidats à la présidence et à la vice-présidence, servent généralement de bruit de fond. J'avais assisté à suffisamment de conventions pour savoir qu'un long discours de plus parmi tous les autres tomberait à plat, à moins que les délégués et les médias n'y soient préparés et que les conditions d'écoute soient favorables dans la salle. J'ai expliqué à l'équipe de Mike que le discours ne pourrait marcher qu'à condition que je parle dans l'obscurité, que leur personnel dans le public fasse en sorte que les délégués se taisent et qu'il n'y ait pas trop d'applaudissements, car cela risquait d'allonger considérablement la durée du discours. Je leur ai également dit que je me rendais compte que ce que je leur demandais était peut-être un peu compliqué, et que s'ils ne voulaient pas le faire, je pouvais très bien prononcer un plaidoyer entraînant de cinq minutes.

Le jour du discours, le 20 juillet, j'ai apporté une copie de mes remarques dans la chambre de Mike et la lui ai montrée ainsi qu'à son équipe. Je leur ai expliqué qu'il me faudrait environ vingt-cinq minutes pour prononcer le discours si je le lisais tel quel, et qu'à condition qu'il n'y ait pas trop d'applaudissements, je ne dépasserais probablement pas cette limite. Je leur ai montré que je pouvais tout à fait éliminer un quart, la moitié, ou même les trois quarts du discours s'ils pensaient que c'était préférable. Deux heures plus tard, je suis revenu les voir pour leur demander ce qu'ils voulaient que je fasse. Ils m'ont dit de ne rien couper. Mike voulait que l'Amérique le connaisse aussi bien que moi.

Le soir venu, on m'a présenté, puis je suis monté à la tribune au son d'une musique tonitruante. Quand j'ai commencé à parler, les lumières ont baissé. Une seconde plus tard, tout a commencé à se détraquer. J'avais à peine prononcé trois phrases que l'éclairage a retrouvé son intensité initiale. Puis la foule s'est mise à acclamer bruyamment Mike chaque fois que je prononçais son nom. Instantanément, j'ai su que j'aurais dû dire adieu à la version initiale du discours et me rabattre sur celle de cinq minutes. Mais je ne l'ai pas fait. Je me suis dit que le public véritable était en train de nous regarder à la télévision, et que si j'arrivais à ignorer les perturbations dans la salle, je parviendrais peut-être encore à dire aux gens chez eux ce que Mike voulait qu'ils entendent :

> Je voudrais vous parler de Mike Dukakis. Il a parcouru tellement de chemin en si peu de temps que chacun se demande quel genre d'homme il est, quel gouverneur il a été et quel président il sera.
> Mike est mon ami depuis longtemps. Je voudrais vous faire part de mes réponses personnelles à ces interrogations et des raisons pour lesquelles je crois que nous devrions faire de Mike Dukakis le premier président américain né de parents immigrés depuis Andrew Jackson.

Alors que je m'apprêtais à poursuivre et à répondre à ses questions, le public s'est remis à parler, s'interrompant uniquement pour acclamer Mike chaque fois qu'il entendait son nom. J'avais l'impression que mon discours était un rocher d'une tonne que je devais pousser jusqu'au sommet d'une montagne. Je me souviens que plus tard, quand j'ai pu en rire, j'ai dit que j'avais compris que la situation était préoccupante quand, arrivé au seuil fatidique de dix minutes de discours, la délégation des Samoa a commencé à faire rôtir un cochon.

Quelques minutes plus tard, c'est moi qui me suis retrouvé en train de rôtir sous l'œil des caméras d'ABC et de NBC, qui se sont mises à filmer l'agitation dans le public, tandis que les commentateurs demandaient avec insistance quand diable j'allais finir. Seules CBS et les stations de radio ont rediffusé l'intégralité du discours sans y ajouter de commentaires critiques. À l'évidence, personne n'avait dit aux journalistes présents à la convention combien de temps j'allais parler, ni ne leur avait expliqué ce que je cherchais à faire. Pour couronner le tout, je me suis aperçu que la manière dont j'avais rédigé le discours n'était pas du tout adaptée. En essayant de raconter l'histoire de Mike sans ménager d'espace aux interruptions ou aux applaudissements, j'étais parvenu à un discours à la fois trop informel et trop didactique. J'avais commis une grosse erreur en pensant que je pouvais m'adresser uniquement aux personnes qui suivaient la convention à la télévision, sans me soucier de la manière dont le discours allait passer auprès des délégués.

Il y avait quelques trouvailles dans mon discours. Hélas, la salve d'applaudissements la plus retentissante est arrivée juste avant que je n'atteigne péniblement la fin, au moment où j'ai prononcé les mots : « Pour conclure... » Trente-deux minutes de désastre absolu. Plus tard, j'ai taquiné Hillary en lui disant que ce n'était qu'au moment où je l'avais vue se diriger vers des inconnus en me présentant comme son ex-mari que j'ai compris à quel point j'avais fait un four.

Fort heureusement, Mike Dukakis n'a pas eu à pâtir de ma mésaventure. La presse a bien accueilli la nomination de Lloyd Bentsen comme candidat à la vice-présidence, tous deux ont prononcé de bons discours et son équipe a quitté Atlanta avec une solide avance dans les sondages. Mais en ce qui me concernait, j'étais un homme fini.

Le 21 juillet, Tom Shales a écrit un article ravageur dans le *Washington Post* qui résumait la réaction de la presse à mon discours : « Si Jesse Jackson a électrifié la salle mardi, le gouverneur Bill Clinton de l'Arkansas l'a calcifiée mercredi soir. » Il m'a gratifié du titre de champion des raseurs, fait l'éloge de mon savoir-faire unique dans l'art du rétamage et décrit d'une manière atrocement détaillée ce que les chaînes de télévision avaient fait pour occuper les écrans le temps que je finisse.

En nous réveillant le lendemain matin, Hillary et moi savions que je m'étais fourré dans un nouveau pétrin dont il allait falloir que je me sorte. Hormis l'autodérision, je ne savais pas très bien quelle stratégie adopter. Ma première déclaration publique a été : « Ce moment n'a pas été une des heures, ni même des heures et demie les plus glorieuses de mon existence. » À l'extérieur, j'ai essayé de rester beau joueur, mais au fond de moi, je me suis juré de ne plus jamais aller à l'encontre de mes instincts à propos d'un discours. Et hormis un bref instant au cours de mon discours sur le système de santé devant le Congrès en 1994, je ne l'ai plus jamais fait.

Je n'ai jamais été aussi heureux de rentrer chez moi de toute ma vie. Les habitants de l'Arkansas m'ont témoigné beaucoup de soutien. Mes partisans les plus soupçonneux pensaient même que quelqu'un m'avait tendu un piège, mais la plupart des gens étaient tout simplement d'avis que j'avais sacrifié ma spontanéité et mon éloquence naturelles aux contraintes d'un discours écrit. Robert « Say » McIntosh, un restaurateur noir un peu lunatique avec lequel j'avais des relations en dents de scie, a volé à mon secours en s'indignant de la couverture de l'événement par la presse et en offrant un déjeuner gratuit au Capitole de notre État à ceux qui rédigeraient une carte postale ou une lettre ripostant à l'un de mes détracteurs dans les journaux nationaux. Plus de cinq cents personnes se sont présentées. J'ai reçu environ sept cents lettres à propos de mon discours, dont 90 % étaient positives. Apparemment, leurs auteurs avaient tous entendu le discours à la radio ou l'avaient suivi sur CBS, dont le correspondant, Dan Rather, avait eu la décence d'attendre que j'aie fini de parler pour me massacrer.

Un jour ou deux après mon retour, j'ai reçu un appel de mon ami Harry Thomason, le producteur de l'émission de télévision à succès « Designing Women », conçue par sa femme, Linda Bloodworth. Harry était le frère de Danny Thomason, qui chantait juste à côté de moi dans le chœur de l'église. Hillary et moi avions fait sa connaissance et celle de sa femme Linda au cours de mon premier mandat. Il se trouvait alors en Arkansas pour tourner un télé-film sur la guerre de Sécession. D'après Harry, il existait un moyen de retourner cette bourde à mon avantage. Mais il me fallait agir au plus vite. Son idée était que je participe à l'émission du comique Johnny Carson pour y tourner moi-même en dérision mon faux pas. J'étais toujours sous le choc de ma mésaventure et je lui ai demandé de m'accorder un délai d'un jour pour réfléchir. Déjà, Carson avait fait ses choux gras de mon malheureux discours dans plusieurs de ses monologues. Une de ses répliques les plus mémorables était : « Ce discours s'est à peu près aussi bien déroulé qu'un préservatif en velcro. » En fait, il n'y avait pas besoin de réfléchir longtemps pour voir que les choses pouvaient difficilement aller plus mal. Le lendemain, j'ai donc appelé Harry pour lui demander d'essayer d'obtenir que je participe à l'émission de Carson. En principe, Carson n'invitait pas d'hommes politiques dans son émission. Cependant, il semble qu'il ait fait une exception dans mon cas, car d'une part, je faisais une cible trop tentante pour être ignorée, et d'autre part, j'avais accepté de jouer un morceau au saxophone. Ma prestation permettait à Carson de prétexter que l'interdiction de plateau continuait du moins de s'appliquer aux hommes politiques qui n'étaient pas musiciens. L'idée du saxophone venait de Harry, et ce n'était d'ailleurs pas la dernière astuce qu'il devait inventer pour moi.

Quelques jours plus tard, j'ai pris l'avion pour la Californie, accompagné de Bruce Lindsey et de mon attaché de presse, Mike Gauldin. Avant le début de l'émission, Johnny Carson est venu me saluer dans la pièce où j'attendais, honneur dont il ne gratifiait quasiment aucun de ses invités. Sans doute savait-il que j'étais au supplice et voulait-il me mettre à l'aise. Il était prévu que j'entre en scène juste après le début de l'émission. Carson a lancé l'émission en s'adressant au public pour le rassurer à propos de mon intervention : la régie avait prévu du café en abondance et disposé des lits pliants dans le hall. Puis il m'a présenté. Une fois. Puis deux. Puis trois. Son discours était interminable. Pas un seul détail de ce que ses collaborateurs avaient réussi à dénicher sur l'Arkansas ne manquait. J'ai cru un instant qu'il allait prendre plus de temps que je n'en avais pris moi-même pour prononcer mon discours à Atlanta. Lorsque j'ai enfin pu monter sur scène et m'asseoir, Carson s'est emparé d'un immense sablier et l'a posé bien en vue à côté de moi, de manière à permettre au public de bien voir le sable s'écouler. « Votre temps de parole est limité », a-t-il déclaré. C'était d'autant plus drôle que j'avais moi-même amené un sablier. Mais les gens du studio m'avaient catégoriquement interdit de l'emporter sur scène. Ensuite, Carson m'a demandé ce qui m'était arrivé à Atlanta. J'ai répondu que comme Mike Dukakis n'était pas particulièrement réputé pour ses talents d'orateur, j'avais voulu le mettre en valeur par mon intervention, et que le résultat avait dépassé mes plus folles espérances. D'ailleurs, Mike Dukakis avait tellement apprécié mon discours qu'il voulait que j'aille refaire le même pour le vice-président Bush à la convention républicaine. J'ai conclu en lui disant qu'en réalité j'avais fait exprès de rater ce discours parce que j'avais toujours rêvé de participer à son émission, et qu'aujourd'hui, j'y étais enfin parvenu. Sur ce, Johnny m'a demandé si je pensais que j'avais encore un avenir politique. Je suis resté de marbre et j'ai improvisé une réponse : « Tout dépend de mes performances sur ce plateau ce soir. » Après quelques minutes passées à échanger des plaisanteries qui ont déclenché de francs éclats de rire dans le public, Johnny m'a invité à prendre mon saxophone et à jouer avec l'orchestre de Doc Severinsen. Nous avons exécuté une version enlevée de *Summertime*, que le public a appréciée au moins autant que nos plaisanteries. Ensuite, je suis revenu m'asseoir pour écouter l'invité suivant, le célèbre chanteur anglais Joe Cocker, interpréter son dernier tube, *Unchain My Heart*.

À la fin de l'émission, j'étais soulagé et j'avais l'impression que les choses s'étaient passées au mieux. Harry et Linda ont improvisé une fête pour moi avec quelques-uns de leurs amis, y compris deux compatriotes de l'Arkansas, l'actrice oscarisée Mary Steenburgen, et Gil Gerard, que son rôle dans le film *Buck Rogers in the 25st Century* avait rendu célèbre.

Épuisé, j'ai pris l'avion pour rentrer à la maison. Le lendemain, j'ai appris que l'émission de Carson avait remporté un bon taux d'audience nationale et battu tous les records en Arkansas. Généralement, en Arkansas, on ne se couche pas assez tard pour qu'une telle chose puisse arriver. Mais, dans ce cas précis, l'honneur de l'État était en jeu. À mon arrivée au Capitole, une foule était là pour m'accueillir. On m'a applaudi, acclamé, donné l'accolade pour me féliciter de ma prestation. En Arkansas du moins, la débâcle d'Atlanta faisait désormais partie du passé.

Les choses semblaient s'arranger pour moi et pour le reste du pays. CNN m'a décerné le titre de gagnant politique de la semaine, après m'avoir gratifié de celui de plus grand *loser* huit jours plus tôt. Tom Shales a salué ma « guérison miraculeuse » et ajouté que les téléspectateurs adoraient « ce genre de come-back spectaculaire ». Malgré tout, je n'étais pas encore tout à fait au bout de mes peines. Avec Hillary et Chelsea, nous sommes allés passer quelques jours à la plage à Long Island en compagnie de notre amie Liz Robbins. On m'avait demandé d'arbitrer le match de bienfaisance annuel de softball opposant des artistes et des écrivains qui passaient l'été à Long Island. J'ai encore une photo sur laquelle on me voit faire des appels de balle à Mort Zuckerman, aujourd'hui éditeur du *New York Daily News* et du *US News & World Report*. En annonçant mon entrée sur le terrain, le commentateur du match a dit en plaisantant qu'il espérait que je serais plus rapide que pour arriver au terme de mon discours à Atlanta. J'ai ri, mais intérieurement je pestais. Je n'ai pu savoir ce que pensait le public qu'à la fin de la manche. Un grand gaillard a quitté les gradins, est descendu sur le terrain et s'est dirigé vers moi. Il m'a dit : « Ne faites pas attention aux critiques. J'ai écouté votre discours et en fait, je l'ai trouvé très bien. » C'était l'acteur Chevy Chase. J'ai toujours beaucoup aimé ses films. Il venait de gagner un admirateur indéfectible.

Ni mon mauvais discours ni mon succès sur le plateau de l'émission de Carson n'avaient grand-chose à voir avec mon travail quotidien de gouverneur. Cependant, cette épreuve m'a démontré de nouveau que l'image publique d'un homme politique a un impact considérable sur ce qu'il peut accomplir. Elle m'a également communiqué une saine dose d'humilité. Je savais qu'à l'avenir je serais plus sensible à l'état d'esprit de ceux qui se retrouvaient dans des situations embarrassantes ou humiliantes. Comme je l'ai dit à Pam Strickland, une journaliste de l'*Arkansas Democrat* pour laquelle j'avais beaucoup de respect : « Je pense que cela ne fait pas de mal à un homme politique de prendre une claque de temps à autre. »

Si les choses commençaient à s'améliorer pour moi, on ne pouvait pas en dire autant pour Mike Dukakis. George Bush avait prononcé un merveilleux discours d'acceptation de candidature à la convention républicaine, dans lequel il proposait un reaganisme plus souple et plus tolérant, et s'engageait solennellement à ne pas augmenter les impôts. Malheureusement, la nouvelle approche plus « tolérante » du vice-président ne s'étendait pas à Mike Dukakis. Lee Atwater et consorts se sont jetés sur lui comme une meute de chiens enragés, affirmant que Mike ne croyait pas au serment d'allégeance au drapeau américain et à la fermeté envers les criminels. Dans un de ses films de campagne, un groupe « indépendant » sans lien officiel avec la campagne de Bush faisait apparaître un tueur appelé Willie Horton, qui avait été libéré d'une prison du Massachusetts dans le cadre d'un programme de permission. Comme par hasard, Horton était noir. Ses adversaires s'employaient habilement à ternir l'image de Dukakis qui, pour ne rien arranger, ne ripostait ni assez vite ni assez fort et se laissait photographier installé dans un tank et affublé d'un casque qui lui donnait un air nigaud évoquant davantage Alfred E. Neuman, la mascotte du journal satirique *MAD Magazine*, que le futur chef des forces armées.

À l'automne, je suis allé à Boston pour voir ce que je pouvais faire pour l'aider. À ce moment, Dukakis avait perdu beaucoup de points dans les sondages. J'ai parlementé longtemps avec son équipe pour essayer de les convaincre de contre-attaquer, au moins en disant aux électeurs que le gouvernement fédéral, dont Bush faisait partie, accordait également des permissions à des détenus. À mon sens, aucune de leur riposte n'était assez musclée. J'ai fait la connaissance de Susan Estrich, la directrice de campagne. C'était une femme très bien qui prenait trop à son compte la responsabilité des problèmes de Mike. J'ai aussi rencontré Madeleine Albright, qui avait été professeur à Georgetown et avait été membre de l'administration Carter. Elle était alors conseillère en politique étrangère. J'ai été très impressionné par la clarté de sa pensée et par sa force de caractère, et j'ai décidé de rester en contact avec elle.

Au cours des trois dernières semaines de la campagne, Dukakis a fini par trouver le ton juste, mais il n'est jamais parvenu à reconstruire l'image de Nouveau Démocrate que les spots des Républicains et son manque d'agressivité dans les débats avaient détruite. En novembre, le vice-président Bush l'a battu par 54 % des voix contre 46 %. En dépit de mes efforts, nous avons également perdu dans l'Arkansas. Dukakis était un excellent homme et un gouverneur hors pair. Lui et Lloyd Bentsen auraient bien servi notre pays à la Maison Blanche. Mais les Républicains étaient parvenus à le mettre définitivement hors course. Je ne pouvais pas leur reprocher d'avoir appliqué une stratégie efficace, mais, malgré tout, je pense que les conséquences en ont été regrettables pour l'Amérique.

En octobre, alors que la campagne présidentielle était dans sa dernière ligne droite, j'ai participé à la mise en place de projets intéressants. Conjointement avec les gouverneurs des États voisins de l'Arkansas, Ray Mabus du Mississippi et Buddy Roemer de Louisiane, nous avons initié un programme de relance de l'économie dans nos États. Ray Mabus et Buddy Roemer étaient deux jeunes gouverneurs éloquents et progressistes qui avaient étudié à Harvard. Afin de concrétiser notre engagement, nous avons signé un accord sur un chaland au beau milieu du Mississippi, à Rosedale. Peu après, nous avons organisé tous ensemble une mission de prospection commerciale au Japon. En outre, nous avons soutenu l'initiative du sénateur Bumpers et du membre de la Chambre des représentants Mike Espy, du Mississippi, pour la création d'une commission pour le développement du delta du Mississippi inférieur. Cette commission était chargée de formuler des recommandations en vue d'améliorer la situation économique des comtés les plus pauvres de part et d'autre du Mississippi, du sud de l'Illinois jusqu'à La Nouvelle-Orléans, là où le fleuve se jette dans le golfe du Mexique. La situation des comtés entièrement blancs au nord de la région du Delta était à peu près aussi mauvaise que celle des comtés à majorité noire du Sud. Les trois gouverneurs des États de cette zone ont participé à la commission sur le Delta. Une année durant, nous avons organisé des audiences le long du fleuve, dans de petites villes où le temps semblait s'être arrêté. Nous avons rédigé un rapport qui a mené à l'ouverture d'un bureau permanent consacré à cette question grâce auquel on a pu entreprendre des efforts suivis pour améliorer l'économie et la qualité de vie de cette région, la plus pauvre d'Amérique après les territoires indiens.

Le 13 octobre, j'étais invité à la Maison Blanche où le président Reagan devait signer la loi de réforme du système d'aide sociale que nous attendions depuis si longtemps. Cette loi était réellement le produit d'une collaboration entre deux partis, le fruit du travail conjoint des gouverneurs démocrates et républicains, de Harold Ford du Tennessee côté démocrate et Carroll Campbell de Caroline-du-Sud côté républicain, tous deux membres de la Chambre des représentants, de Dan Rostenkowski, président de la Commission du budget, de Pat Moynihan, éminent spécialiste de l'histoire de l'aide sociale et président de la Commission des finances du Sénat, et du personnel de la Maison Blanche.

J'ai été impressionné par la manière dont le Congrès et la Maison Blanche ont collaboré avec les gouverneurs sur ce projet. Harold Ford était allé jusqu'à m'inviter, avec Mike Castle, le gouverneur républicain du Delaware, à participer à la réunion de sa sous-commission afin de rédiger la version finale du projet de loi avant qu'il ne soit soumis au vote. J'étais persuadé que ce projet permettrait d'arracher plus de gens à l'aide sociale pour les mener vers l'emploi, tout en fournissant plus d'aide à leurs enfants.

J'étais également heureux de voir le président Reagan terminer son mandat sur une mesure positive. L'affaire de l'Irangate avait sérieusement entamé sa position, et même si la Maison Blanche l'avait approuvé, elle aurait pu mener à sa destitution si les Démocrates s'étaient montrés ne serait-ce qu'à moitié aussi impitoyables que Newt Gingrich. En dépit de mes nombreux points de désaccord avec lui, j'appréciais Ronald Reagan en tant que personne et j'aimais l'écouter parler de ses expériences au cours des dîners réservés aux gouverneurs à la Maison Blanche, où lors du déjeuner auquel il avait convié quelques-uns d'entre nous après le dernier discours qu'il adressa aux gouverneurs en 1988. Néanmoins, il est toujours demeuré plutôt énigmatique pour moi, à la fois amical et distant. Je n'ai jamais réussi à savoir s'il était pleinement conscient des conséquences humaines de ses mesures les plus sévères, ni si c'était lui qui se servait de la droite radicale ou la droite radicale qui se servait de lui. Les ouvrages sur Ronald Reagan ne livrent aucune réponse catégorique à ces questions, et comme la maladie d'Alzheimer l'a frappé, nous sommes probablement condamnés à rester dans l'ignorance. Quoi qu'il en soit, sa vie est sans doute bien plus intéressante et mystérieuse que les films qu'il a tournés.

J'ai passé les trois derniers mois de 1988 à me préparer pour la session parlementaire suivante. Fin octobre, j'ai publié une brochure de soixante-dix pages intitulée *L'Arkansas en route pour le XXIe siècle*, qui présentait les grandes lignes du programme que je comptais soumettre au Parlement en janvier. Ce texte reflétait le travail et les recommandations de plus de trois cent cinquante citoyens et fonctionnaires qui avaient participé aux conseils et aux commissions chargés d'étudier les défis les plus ambitieux que l'Arkansas devait relever. La brochure fourmillait de propositions concrètes et novatrices. Elle proposait notamment la mise en place d'unités médico-sociales dans les écoles afin de prévenir les grossesses des adolescentes, la création d'une couverture sociale par le biais des écoles pour les enfants non assurés, la possibilité pour les parents d'inscrire leurs enfants dans une école publique autre que celle de leur circonscription, l'expansion du programme de préscolarisation Hippy à l'ensemble des soixante-quinze comtés, l'introduction d'un relevé de notes annuel pour chaque étudiant et pour chaque école, afin de pouvoir comparer leurs performances d'année en année et d'établissement en établissement, la prise en charge par l'État de circonscriptions scolaires en échec, et l'expansion du programme d'alphabétisation destiné aux adultes, afin de faire de l'Arkansas le premier État à « éradiquer l'analphabétisme parmi les citoyens adultes en âge de travailler ».

J'étais particulièrement motivé par ce programme d'alphabétisation et par la perspective de transformer le mal chronique de l'analphabétisme en un challenge qu'il fallait attaquer de front. L'automne précédent, au cours d'une réunion parents-professeurs à l'école de Chelsea où je me trouvais avec Hillary, un homme est venu me voir pour me dire qu'il m'avait vu parler d'alphabétisation à la télévision. Il avait un bon emploi, mais n'avait jamais appris à lire. Il voulait savoir si je pouvais l'inscrire dans un programme d'alphabétisation sans que son employeur le sache. Il se trouve que je connaissais son patron et que j'étais convaincu qu'il aurait été fier de l'initiative de son employé, mais ce dernier avait peur que cela lui porte préjudice. Je l'ai donc fait inscrire dans un programme d'apprentissage sans en aviser son employeur. Cet incident m'a incité à souligner par la suite qu'il n'y avait pas de honte à être analphabète, mais que ce qui était honteux, c'était de ne rien faire pour y remédier.

Le point central du programme, en dépit de toutes les initiatives nouvelles qu'il lançait, était le même que celui que je rabâchais infatigablement depuis six ans : « Soit nous investissons dans le capital humain et nous développons le potentiel de coopération de nos équipes, soit nous sommes condamnés à long terme à un déclin inéluctable. » En raison des réalités nouvelles de l'économie mondialisée, notre ancienne stratégie de promotion de l'Arkansas, qui consistait à le vendre comme un bel État où les gens travaillaient dur, où les salaires étaient bas mais les impôts aussi, était dépassée depuis dix ans. Nous devions poursuivre nos efforts pour changer cette image.

Le 9 janvier 1989, après avoir passé le restant de l'année précédente à sillonner l'État, j'ai exposé le programme au Parlement. Pendant mon discours, j'ai présenté quelques citoyens de l'Arkansas qui soutenaient les réformes qu'il comportait et les augmentations d'impôts nécessaires à leur financement : un directeur d'école qui n'avait jamais voté pour moi, mais était persuadé du bien-fondé de la réforme de l'éducation, une mère de famille qui vivait de l'aide sociale et qui, après s'être inscrite dans notre programme de formation continue, avait pu terminer ses études secondaires, entamer des études supérieures et trouver un emploi, un vétéran de la Seconde Guerre mondiale qui venait d'apprendre à lire et le patron de la nouvelle usine de papier de Nekoosa à Ashdown, qui pesait cinq cents millions de dollars. Ce dernier a expliqué aux parlementaires qu'il était indispensable qu'il puisse disposer d'une main-d'œuvre mieux formée, ses impératifs de productivité exigeant que ses employés aient des connaissances en statistiques, ce qui n'était pas le cas de la plupart d'entre eux.

J'ai démontré aux membres du Parlement que nous pouvions nous permettre d'augmenter les impôts. Notre taux de chômage était encore au-dessus de la moyenne nationale, mais il était passé à 6,8 % contre 10,6 % six ans plus tôt. Nous étions au quarante-sixième rang national pour le revenu par habitant, mais nous demeurions au quarante-troisième pour le montant des impôts d'État et locaux par habitant.

À la fin de mon discours, j'ai signalé que quelques jours plus tôt, la presse avait fait paraître un commentaire du membre de la Chambre des représentants de l'Arkansas John Paul Capps, un ami qui avait toujours activement soutenu mon programme. Ce dernier disait que la population « commençait à en avoir par-dessus la tête d'entendre Bill Clinton prononcer sans arrêt le même discours ». J'ai dit au Parlement que je ne doutais pas que beaucoup de gens étaient fatigués de m'entendre répéter les mêmes choses, mais que « l'essence de la responsabilité politique » était « la capacité à se concentrer longtemps sur les choses réellement importantes, jusqu'à ce que le problème soit résolu », que je parlerais d'autre chose « lorsque le taux de chômage dans notre État » serait « en dessous de la moyenne nationale et le niveau des salaires au-dessus [...], qu'aucune entreprise n'ira investir ailleurs parce qu'elle pense que nous n'avons pas les épaules pour faire face à la nouvelle économie mondialisée » et « que plus aucun jeune de notre État ne sera forcé de quitter son foyer pour trouver un bon emploi ».

J'ai eu la confirmation que le fait de répéter la même chose avait du bon lors du concert de Tina Turner à Little Rock. Après avoir présenté son nouveau répertoire, Tina a clôturé le spectacle en chantant son premier grand tube, *Proud Mary*. Les musiciens avaient à peine attaqué les premières notes que la foule était en délire. Tina s'est approchée du micro, elle a souri et a dit : « Vous savez, ça fait vingt-cinq ans que je chante cette chanson. Mais chaque fois, elle est meilleure. »

J'espérais sincèrement que ma vieille rengaine à moi était encore efficace elle aussi. Malheureusement, certains signes tendaient à confirmer que, comme l'affirmait John Paul Capps, les citoyens de l'Arkansas, parlementaires inclus, commençaient à se lasser de mes pressions incessantes. Si le Parlement a entériné la plupart des réformes touchant des domaines précis, il a refusé de voter l'augmentation d'impôt nécessaire au financement des projets plus ambitieux dans le domaine de la santé et de l'éducation, notamment une nouvelle augmentation des salaires des enseignants et l'extension des programmes éducatifs destinés aux enfants de 3 et 4 ans. Un sondage réalisé au début du mois de janvier montrait qu'une majorité d'électeurs étaient favorables à une augmentation du budget de l'éducation et me plaçait en tête par rapport à d'autres candidats éventuels au poste de gouverneur pour les élections de 1990, mais indiquait également que la moitié des personnes interrogées voulaient un nouveau gouverneur.

Parallèlement, certains des meilleurs éléments de mon équipe commençaient eux aussi à montrer des signes de lassitude et voulaient se consacrer à de nouveaux défis. Parmi eux se trouvait l'exubérant Lib Carlisle, le chef du Parti démocrate en Arkansas, un homme d'affaires que j'avais convaincu d'accepter cette fonction à une époque où j'avais encore pu lui dire que cela ne lui demanderait pas plus d'une demi-journée de travail par semaine. Plus tard, il m'a taquiné en me disant que je devais probablement parler du temps qu'il lui resterait pour s'occuper de ses affaires.

Fort heureusement, il y avait encore des gens talentueux qui étaient prêts à rejoindre mon équipe. L'une des personnes les plus brillantes et les plus contestées que j'ai recrutées était le Dr Joycelyn Elders, que j'ai nommée à la tête du département de la Santé. Je lui avais demandé de réfléchir à un moyen de lutter contre le problème des grossesses des adolescentes, dont les proportions en Arkansas étaient très préoccupantes. Avec mon soutien, elle s'est engagée pour la mise en place de centres médico-sociaux dans les écoles. Ces derniers, avec l'approbation de l'administration des établissements, devaient dispenser une éducation sexuelle aux adolescents et promouvoir à la fois l'abstinence et l'utilisation de préservatifs. Quelques-uns de ces centres étaient déjà en activité, la population y était favorable et ils semblaient obtenir de bons résultats dans la réduction des grossesses hors mariage.

Nos initiatives ont déclenché une levée de boucliers parmi les fondamentalistes, qui privilégiaient une politique de tolérance zéro. Comme s'il n'était pas déjà assez grave que le Dr Elders soit pour l'avortement, voilà qu'avec nos centres médico-sociaux scolaires, nous allions inciter des hordes de jeunes gens déchaînés à s'adonner à des actes sexuels qu'ils n'auraient même pas songé à pratiquer avant leur existence. Personnellement, j'avais tendance à penser que le Dr Elders et ses idées étaient le cadet des soucis de deux adolescents surexcités sur la banquette arrière d'une voiture.

Quand je suis devenu président, j'ai nommé Joycelyn Elders ministre de la Santé. Elle n'a jamais hésité à monter au créneau pour défendre une politique rationnelle de santé, même si elle devait pour cela s'exposer à des critiques, et cette attitude la rendait très populaire au sein de la communauté de la santé publique. En décembre 1994, alors que nous venions de perdre un grand nombre de voix au profit des Républicains aux élections de la mi-mandat au Congrès, le Dr Elders a refait la une des journaux pour avoir suggéré que l'introduction de l'enseignement de la masturbation dans les écoles permettrait sans doute une réduction substantielle du taux de grossesses chez les adolescentes. À l'époque, j'étais déjà très occupé à essayer de garder le soutien d'une fraction démocrate versatile au Congrès et j'étais déterminé à combattre les Républicains sur le front des réductions budgétaires radicales qu'ils voulaient réaliser dans l'éducation, la santé et la protection de l'environnement. Désormais, je risquais en plus de voir Gingrich et consorts détourner l'attention de la presse et de l'opinion publique de leurs projets de coupes budgétaires en nous clouant au pilori. À un autre moment, nous aurions probablement été en mesure de faire face à une telle attaque. Mais mon budget controversé, l'ALENA, l'échec du projet de réforme du système de santé, la loi Brady sur l'interdiction des ventes libres d'armes de guerre et le délai de cinq jours entre l'achat d'une arme et sa livraison, ainsi que l'interdiction des armes d'assaut, que le lobby des armes à feu, la National Rifle Association, avait exploités pour battre une douzaine environ de nos représentants à la Chambre, avaient déjà fait peser un fardeau suffisamment lourd sur le camp démocrate. J'ai jugé préférable de demander sa démission. Cette démarche me répugnait, car c'était une femme honnête, capable et courageuse, mais nous nous étions déjà montrés plus sourds aux critiques que plusieurs administrations réunies. J'espère qu'elle me pardonnera ce geste un jour. Elle a accompli beaucoup de choses positives au cours des deux mandats que je lui ai donnés.

La perte la plus douloureuse que mon équipe a dû subir fut celle de Betsey Wright en 1989. Début août, elle a annoncé qu'elle prenait un congé de plusieurs semaines. J'ai demandé à Jim Pledger de doubler le temps de travail au département des Finances et de la Gestion, et de la remplacer temporairement. L'annonce de Betsey déclencha beaucoup de rumeurs et de spéculations, car elle était connue pour sa gestion implacable du bureau du gouverneur et pour garder un œil sur tout ce qui se passait au sein du gouvernement de l'État.

John Brummett, le chroniqueur incisif de l'*Arkansas Gazette*, a écrit une chronique dans laquelle il se demandait si notre séparation provisoire se terminerait par un divorce. Il postulait que non, car nous étions à ses yeux trop importants l'un pour l'autre. Il avait entièrement raison sur ce point. Cependant, Betsey avait besoin de faire une pause. Elle avait travaillé d'arrache-pied depuis ma défaite en 1980, et maintenant, elle en ressentait les conséquences. Nous étions tous les deux des accros du travail, et quand nous étions épuisés, nous devenions irritables. En 1989, le climat politique était difficile et nous avons tenté d'imposer beaucoup de nouvelles mesures. Bien souvent, nous nous libérions de nos frustrations en nous en prenant l'un à l'autre. À la fin de l'année, après dix ans de service et d'abnégation, Bestey a démissionné officiellement du poste de secrétaire générale. Début 1990, j'ai nommé Henry Oliver, agent du FBI à la retraite et ancien chef de la police à Fort Smith, pour lui succéder. Henry n'avait pas vraiment envie d'accepter ce travail, mais il était mon ami et il croyait en ce que nous voulions faire. Il m'a consacré une bonne année de son temps.

Betsey est revenue se joindre à notre équipe pour la campagne de 1992, afin de m'aider à me défendre contre les attaques portées contre mon bilan politique et ma vie privée. Ensuite, après un passage à Washington, au début de mon mandat présidentiel, elle est retournée chez elle dans les monts Ozark. La plupart des citoyens de l'Arkansas ne sauront probablement jamais le rôle qu'elle a joué dans l'amélioration de leurs écoles, l'augmentation du nombre d'emplois et l'existence d'un gouvernement d'État honnête et efficace. Ils devraient le savoir. Sans elle, il m'aurait été impossible d'accomplir la plupart des choses que j'ai faites en tant que gouverneur. Et, sans elle, je n'aurais jamais survécu aux guerres politiques que j'ai dû mener dans l'Arkansas pour devenir président.

Début août, le président Bush a annoncé qu'il invitait les gouverneurs de tout le pays à assister à un sommet sur l'éducation le mois suivant. Le sommet en question a eu lieu les 27 et 28 septembre à l'Université de Virginie à Charlottesville. De nombreux Démocrates étaient sceptiques quant à ses résultats car le Président et son secrétaire à l'Éducation, Lauro Cavazos, avaient clairement laissé entendre qu'il ne préludait en rien à une augmentation substantielle des crédits fédéraux pour l'éducation. J'avais beau partager leurs inquiétudes, j'étais enthousiasmé à l'idée que le sommet pourrait déboucher sur l'établissement d'une feuille de route pour la réforme de l'éducation, à la manière du rapport *Une nation en danger* de 1983. J'étais persuadé que le Président s'intéressait sincèrement à la réforme de l'éducation, et je pensais comme lui que nous pouvions réaliser des changements importants sans avoir à faire appel à des crédits fédéraux supplémentaires. Ainsi, l'administration Bush était favorable à une mesure donnant le droit aux parents d'inscrire leurs enfants dans une autre école publique que celle où ils avaient été affectés. L'Arkansas était le deuxième État après le Minnesota à avoir adopté cette mesure, et je voulais qu'elle soit étendue aux quarante-huit autres États. Par ailleurs, il me semblait que. si le sommet débouchait sur la rédaction d'un rapport adéquat, les gouverneurs pourraient s'appuyer sur ce rapport pour convaincre l'opinion publique de la nécessité d'augmenter les investissements dans l'éducation. Si on expliquait aux gens ce que leur argent allait permettre de réaliser, ils accepteraient peut-être mieux la perspective d'une augmentation d'impôt. En tant que coprésident du groupe de travail des gouverneurs sur l'éducation avec le gouverneur Carroll Campbell de Caroline-du-Sud, je voulais dans un premier temps construire un consensus au sein du camp démocrate, puis mettre au point avec les Républicains un rapport énonçant les conclusions du sommet.

Le président Bush a ouvert le sommet par un discours bref, mais éloquent. Après avoir fait quelques pas dans le jardin tous ensemble afin de donner aux photographes de quoi alimenter le bulletin d'informations du soir et les journaux du matin, nous nous sommes mis au travail. Le soir, le Président et Mrs Bush ont reçu les gouverneurs à dîner. Hillary était assise à la table du Président et a entamé une conversation avec lui à propos du taux de mortalité infantile en Amérique. Le Président a eu du mal à la croire lorsqu'elle lui a dit que dix-huit pays nous devançaient en matière de soins vitaux dispensés aux enfants jusqu'à l'âge de 2 ans. Elle lui a proposé de lui apporter des preuves de ce qu'elle avançait, mais il a tenu à s'en occuper lui-même. Le lendemain, il m'a transmis un mot à l'attention de Hillary, dans lequel il lui disait qu'elle avait raison. Son geste élégant m'a rappelé le jour où, six ans plus tôt, à Kennebunkport, il avait lui-même accompagné Chelsea aux toilettes. Elle avait 3 ans à l'époque.

Carroll Campbell ayant été forcé de rentrer pour cause d'urgence, j'ai dû mettre au point les détails du rapport contenant les conclusions du sommet avec le président de l'Association nationale des gouverneurs (NGA), le gouverneur républicain Terry Branstad de l'Iowa, le responsable des questions d'éducation de la NGA, Mike Cohen, et mon assistante, la parlementaire Gloria Cabe. Après avoir travaillé jusque bien après minuit, quelques-uns d'entre nous ont fini par ébaucher une déclaration par laquelle les gouverneurs et la Maison Blanche s'engageaient à élaborer une série d'objectifs précis pour l'éducation avec l'an 2000 pour horizon de réalisation. À la différence du mouvement de réforme scolaire de la décennie précédente, ce projet était centré sur les résultats obtenus et non sur les investissements, ce qui obligeait chacun d'entre nous à atteindre des objectifs précis. J'avais fait valoir que nous aurions l'air ridicule si nous ne quittions par Charlottesville avec un engagement audacieux qui insufflerait un élan nouveau à la réforme de l'éducation.

Dès le départ, la plupart des gouverneurs étaient partisans d'une telle réforme et favorables à l'idée de faire de ce sommet le point de départ d'une entreprise ambitieuse. Certains des membres de l'équipe du Président, en revanche, n'étaient pas aussi convaincus. Ils redoutaient d'engager le Président dans un grand projet qui risquait de créer des attentes concernant l'augmentation des crédits fédéraux. Le budget était déficitaire et il avait promis qu'il n'y aurait pas de nouveaux impôts. Une telle augmentation n'était donc pas prévue au programme. Malgré tout, grâce à John Sununu, alors secrétaire général de la Maison Blanche, le gouvernement a fini par se rallier à notre cause. Sununu avait fait comprendre à ses collègues de la Maison Blanche que les gouverneurs ne pouvaient pas rentrer chez eux les mains vides et, de mon côté, j'ai promis de réduire au minimum les pressions publiques des gouverneurs pour réclamer davantage de crédits fédéraux. La déclaration rédigée à l'issue du sommet disait : « Le moment est venu, pour la première fois dans l'histoire des États-Unis, de fixer des objectifs de performance nationaux clairs, des objectifs qui assureront notre compétitivité au niveau international. »

Au terme du sommet, le président Bush m'a transmis un mot manuscrit très cordial, dans lequel il me remerciait de ma coopération avec son équipe au cours du sommet et m'assurait qu'il désirait qu'à l'approche des élections de la mi-mandat de 1990, la question de la réforme de l'éducation demeure « au-dessus des querelles partisanes ». Je partageais ses souhaits sur ce point. Le groupe de travail des gouverneurs a pris des mesures immédiates pour développer les objectifs fixés au cours du sommet, en travaillant conjointement avec le conseiller en politique intérieure de la Maison Blanche, Roger Porter, qui était entré à Oxford avec une bourse Rhodes un an après moi. Au cours des mois qui ont suivi, nous avons travaillé avec acharnement afin d'arriver à un accord avec la Maison Blanche avant que le Président ne prononce son discours sur l'état de l'Union.

Fin janvier 1990, nous avions fixé six objectifs à atteindre à l'horizon 2000 :

- En l'an 2000, tous les enfants américains entreraient à l'école avec un niveau suffisant pour commencer leur apprentissage.
- En l'an 2000, le taux d'obtention du diplôme de fin d'études secondaires aurait augmenté d'au moins 90 %.
- En l'an 2000, les étudiants américains quitteraient leurs quatrième, huitième et douzième années d'études en ayant apporté la preuve de leurs aptitudes dans des matières telles que l'anglais, les mathématiques, les sciences, l'histoire et la géographie, et chaque école américaine fera en sorte que tous les étudiants sachent utiliser correctement leurs facultés intellectuelles afin d'être en mesure de poursuivre des études supérieures et de devenir des citoyens responsables et des travailleurs productifs dans notre société moderne.
- En l'an 2000, les étudiants américains se classeraient au premier rang mondial des performances en sciences et en mathématiques.
- En l'an 2000, chaque adulte en Amérique saurait lire et écrire, et maîtriserait les savoirs et les savoir-faire nécessaires à l'intégration dans une économie mondialisée et à l'exercice des droits et des devoirs d'un citoyen.
- En l'an 2000, chaque école américaine serait débarrassée de la drogue et de la violence et fournirait un cadre discipliné et favorable à l'acquisition du savoir.

Le 31 janvier, je me trouvais dans la galerie de la Chambre des représentants au moment où le président Bush a annoncé ces objectifs. Il a déclaré qu'ils avaient été élaborés conjointement par la Maison Blanche et le groupe de travail des gouverneurs sur l'éducation, et il a ajouté qu'ils s'inscrivaient dans une liste d'objectifs plus généraux qui seraient présentés à tous les gouverneurs au cours de leur réunion d'hiver prévue le mois prochain.

Le document que les gouverneurs ont adopté fin février était le digne héritier du rapport *Une nation en danger* de 1983. J'étais fier d'avoir participé à son élaboration, impressionné par le savoir et l'engagement de mes collègues gouverneurs et reconnaissant envers le Président, John Sununu et Roger Porter. Pendant les onze années qui suivirent, en tant que gouverneur et président, j'ai travaillé dur pour atteindre les objectifs nationaux que nous avions fixés. Nous avions placé la barre très haut. Mais, lorsqu'on se fixe des objectifs ambitieux, même si l'on ne parvient pas tout à fait à les atteindre, on se retrouve toujours bien plus loin que là où l'on avait commencé.

J'ai passé les derniers mois de 1989 à réfléchir à ce que j'allais faire du reste de mon existence. Plusieurs bonnes raisons semblaient s'opposer à ce que je me présente à un cinquième mandat de gouverneur. Mon incapacité à obtenir les fonds nécessaires pour faire avancer les choses dans l'éducation, les programmes d'éducation pour les tout-petits et la santé me décourageait. Je pouvais très bien m'arrêter sur ces dix ans de mandat, me réjouir des progrès réels accomplis dans des conditions difficiles et laisser l'option de me présenter aux présidentielles en 1992 ouverte. Enfin, si je me présentais de nouveau, il n'était pas exclu que je perde. J'avais déjà occupé mes fonctions plus longtemps qu'Orval Faubus, et les sondages indiquaient que beaucoup de gens avaient envie de changer de gouverneur.

D'un autre côté, j'aimais la politique, et je ne voulais pas quitter mes fonctions en conservant le goût amer d'une défaite financière. J'avais toujours une équipe capable, dynamique et surtout extrêmement honnête. Au cours des années où j'ai été gouverneur, il n'est arrivé que deux fois que l'on me propose de l'argent pour influencer mes décisions. La première fois, une entreprise désireuse de décrocher le contrat public pour la mise en place de services médicaux dans le système pénitentiaire m'a offert une somme considérable par le biais d'un intermédiaire. J'ai fait rayer l'entreprise de la liste des candidats. La seconde, un juge de comté m'a demandé de recevoir un vieux monsieur qui désirait obtenir la grâce de son neveu. Le vieil homme n'avait eu aucun contact avec le gouvernement de son État depuis des dizaines d'années et pensait à l'évidence qu'il faisait ce qu'il fallait en me proposant dix mille dollars. Je lui ai dit qu'il avait de la chance que je sois un peu dur d'oreille, car ce qu'il venait de faire était un délit. Je lui ai suggéré de rentrer chez lui et de donner son argent à son église ou à une œuvre de bienfaisance, et je lui ai promis d'examiner le dossier de son neveu.

La plupart du temps, je continuais de me rendre à mon travail avec plaisir, et je n'avais aucune idée de ce que je ferais si j'arrêtais. Fin octobre, au salon de l'État d'Arkansas, j'étais présent plusieurs heures à un stand et j'ai parlé à tous ceux qui avaient des questions à me poser. Alors que le soir approchait, un homme en bleu de travail qui pouvait avoir 65 ans est venu me voir. Mon entretien avec lui a été fort instructif. « Bill, est-ce que vous allez vous représenter ? » a-t-il demandé. « Je ne sais pas. Si je le fais, vous voterez pour moi ? » « Je suppose, m'a-t-il répondu. Je l'ai toujours fait. » Je lui ai demandé s'il n'en avait pas assez de me voir après toutes ces années. Il a souri et m'a dit : « Moi, non. Mais tous ceux que je connais, oui. » J'ai ri et je lui ai demandé : « Ils pensent que je n'ai pas fait du bon boulot ? » « Bien sûr que si, m'a-t-il répliqué du tac au tac, mais vous avez touché votre chèque tous les quinze jours, non ? » C'était une illustration parfaite d'une autre loi Clinton de la politique : l'enjeu de toute élection est l'avenir. J'étais censé bien faire mon travail, au même titre que n'importe quel autre salarié. Un bilan positif n'est utile que dans la mesure où il prouve que l'on fera réellement ce que l'on dit si on est réélu.

En novembre, le mur de Berlin, symbole de la division du monde en deux blocs et de la guerre froide, est tombé. Comme tous les Américains, je me suis réjoui en voyant de jeunes Allemands le réduire en morceaux qu'ils conservaient en guise de souvenir. Notre longue résistance contre l'expansion du communisme en Europe se terminait par la victoire de la liberté, rendue possible grâce au front uni opposé par l'OTAN et à la constance des dirigeants américains de Harry Truman à George Bush. J'ai repensé à mon voyage à Moscou près de vingt ans plus tôt, à la curiosité avide des jeunes Russes vis-à-vis de l'Ouest en général et de sa musique, qui trahissait leur soif de liberté. Peu de temps après, j'ai reçu deux fragments du mur de Berlin envoyés par mon vieil ami David Ifshin, qui se trouvait à Berlin en cette nuit historique du 9 au 10 novembre et s'était joint aux Allemands pour détruire le Mur. David s'était opposé avec virulence et ouvertement à la guerre du Viêt-nam. Sa joie devant la chute du Mur reflétait l'espoir que la fin de la guerre froide et l'ouverture d'une nouvelle ère avaient fait naître chez l'ensemble des Américains.

En décembre, mon ancien pasteur et mentor, W. O. Vaught, a perdu son combat contre le cancer. Il avait quitté l'église baptiste Immanuel pour prendre sa retraite quelques années auparavant. Son successeur était Brian Harbour, un excellent jeune pasteur qui incarnait la mouvance progressiste des baptistes du Sud dont je me sentais proche, mais qui était de moins en moins répandue. Après son départ à la retraite, le pasteur Vaught était resté actif jusqu'à ce que sa maladie le rende trop faible pour pouvoir voyager et s'adresser aux fidèles. Quelques années plus tôt, il était venu me rendre visite à la résidence officielle des gouverneurs. Il avait trois choses à me dire. Tout d'abord, il m'a parlé de la peine capitale et m'a dit qu'il connaissait mes doutes quant à sa légitimité morale, même si je l'avais toujours soutenue. Il m'a expliqué que le commandement « Tu ne tueras point » n'interdisait pas les exécutions qui résultaient d'une application de la loi, car, dans son étymologie grecque, le terme « tuer » ne s'étendait pas à toutes les formes de cet acte. Le sens littéral de ce commandement était donc : « Tu ne commettras point de meurtre. » Ensuite, il m'a confié que les attaques des fondamentalistes à mon égard en raison de mes positions sur l'avortement le préoccupaient. Il voulait que je sache, bien que lui-même pensât que d'une manière générale avorter était mal, que la pratique n'était pas condamnée dans la Bible et que les Écritures ne disaient pas non plus que la vie commençait à la conception. Selon la Bible, la vie débutait au premier souffle du bébé, c'est-à-dire au moment précis où celui-ci prend sa première inspiration après être sorti du ventre de sa mère. Je l'ai questionné sur la manière dont il fallait interpréter le passage de la Bible qui dit que Dieu nous connaît même lorsque nous sommes encore dans les entrailles de notre mère. Il m'a répondu que ce passage faisait simplement référence à l'omniscience de Dieu et qu'il aurait tout aussi bien pu dire que Dieu nous connaissait avant même que nous soyons dans le ventre de notre mère ou avant qu'un seul de nos aïeux ait vu le jour.

La dernière chose que W. O. Vaught avait à me dire m'a décontenancé. « Bill, m'a-t-il dit, je suis sûr que tu seras président un jour. Je suis convaincu que tu feras du bon travail, mais il y a une chose dont il faut que tu te souviennes : si tu te détournes d'Israël, Dieu ne te le pardonnera jamais. » Il pensait que la volonté de Dieu était que les juifs soient chez eux en Terre sainte. Il reconnaissait que les Palestiniens avaient été traités injustement, mais d'après lui, la solution à leur problème devait comprendre la paix et la sécurité pour Israël.

Mi-décembre, je suis allé lui rendre visite à mon tour. Il s'étiolait et était devenu trop faible pour quitter le lit. Il m'a prié de transporter son sapin de Noël dans sa chambre afin de pouvoir en profiter pendant ses dernières heures. Il est mort le jour de Noël. Jamais Jésus n'avait eu plus fervent disciple, et jamais je n'ai eu un pasteur et un guide plus dévoué. Désormais, j'allais devoir m'engager seul sur la route qu'il avait entrevue pour moi et affronter les écueils de mon âme sans son aide.

CHAPITRE VINGT-CINQ

Alors que je tentais de déterminer si je devais me présenter de nouveau, la campagne s'annonçait comme une véritable foire d'empoigne, que j'y participe ou non. Des années d'ambitions politiques bridées semblaient se libérer en même temps. Il y avait trois candidats côté démocrate : Jim Guy Tucker, le ministre de la Justice Steve Clark et le président de la fondation Rockefeller Tom McRae, dont le grand-père avait été gouverneur. Tous les trois étaient des amis, avaient de bonnes idées et un bilan politique progressiste. Côté républicain, la compétition promettait d'être encore plus intéressante. Elle opposait deux anciens Démocrates d'envergure : le membre de la Chambre des représentants Tommy Robinson, à qui le milieu de Washington déplaisait, et Sheffield Nelson, l'ancien président de l'Arkansas-Louisiana Gas Company, qui disait avoir changé de camp parce que les Démocrates s'étaient trop déportés à gauche. C'était la justification classique qu'avançaient généralement les Blancs du Sud, mais, venant de lui, elle était intéressante, car il avait soutenu le sénateur Ted Kennedy contre le président Carter en 1980.

Robinson, Nelson et leurs partisans, qui étaient tous d'anciens amis, se sont sautés à la gorge avec la plus grande sauvagerie, multipliant les insultes et les allégations sordides. Robinson qualifiait Nelson et Jerry Jones, un vieil ami à tous les deux qui possédait des gisements de gaz en Arkansas, d'hommes d'affaires rapaces et les accusait d'exploiter l'Arkansas-Louisiana pour leur profit personnel, tandis que Nelson dépeignait Robinson comme un homme instable qui n'avait pas les épaules pour la fonction de gouverneur. La seule chose sur laquelle ils étaient à peu près d'accord, c'était que les augmentations d'impôts que j'avais instaurées étaient excessives par rapport aux résultats que j'avais obtenus dans l'éducation et dans l'économie.

Steve Clark s'est retiré de la course, et Jim Guy Tucker et Tom McRae ont adopté une stratégie plus habile que celle des Républicains pour me décourager de me présenter. Ils disaient que j'avais accompli beaucoup de choses positives, mais que j'étais à court d'idées nouvelles et que je n'étais plus en prise avec mon époque. Dix ans de mandat étaient largement suffisants. Je ne parvenais plus à obtenir quoi que ce soit du Parlement, et quatre années de plus m'auraient donné une trop grande mainmise sur les rouages du gouvernement de l'État. McRae avait rencontré plusieurs panels d'électeurs représentatifs qui disaient qu'ils voulaient poursuivre sur la voie que j'avais tracée en matière de développement économique, mais qu'ils étaient ouverts à de nouvelles idées venant d'un nouveau leader. Je ne pouvais pas leur donner entièrement tort, en revanche, je doutais qu'ils parviennent à obtenir davantage que moi de nos parlementaires conservateurs opposés aux augmentations d'impôts.

Comme je ne parvenais toujours pas à prendre un parti, j'ai fixé la date butoir du 1er mars pour annoncer ma décision. Hillary et moi en avons discuté en long et en large des dizaines de fois. Des rumeurs selon lesquelles elle se présenterait si je ne le faisais pas circulaient dans la presse. Lorsqu'on m'a interrogé à ce propos, j'ai répondu qu'elle ferait un excellent gouverneur mais que j'ignorais si elle avait l'intention de se présenter. Quand nous avons abordé la question ensemble, Hillary m'a dit qu'elle franchirait le pas si je décidais de ne pas poser ma candidature, mais que ses projets ne devaient pas entrer en ligne de compte dans ma décision. Elle avait compris bien avant moi que je n'étais pas prêt à rendre mon tablier.

Finalement, l'idée de laisser derrière moi une décennie de travail acharné dont la dernière année était entachée par des échecs répétés pour obtenir les fonds nécessaires au financement d'améliorations supplémentaires dans l'éducation m'a été insupportable. Je n'ai jamais été du genre à baisser les bras, et chaque fois que j'ai été tenté de le faire, un événement extérieur est venu me redonner courage. Au milieu des années 1980, alors que notre économie partait à vau-l'eau, j'étais sur le point d'implanter une nouvelle activité dans un comté où le chômage touchait un actif sur quatre. Au dernier moment, le Nebraska a offert un million de dollars de plus à l'entreprise concernée, et j'ai perdu l'affaire. J'étais effondré. J'avais le sentiment d'avoir fait défaut à tout le comté. Quand mon assistante, Lynda Dixon, m'a vu prostré dans mon fauteuil, la tête entre les mains, elle a arraché le feuillet du calendrier religieux qu'elle avait sur son bureau, sur lequel se trouvait un verset de la Bible. Il s'agissait de l'épître aux Galates, 6.9 : « Faisons le bien sans défaillance ; car au temps voulu, nous récolterons si nous ne nous relâchons pas. » Alors je me suis remis au travail.

Le 11 février, j'ai pu contempler le témoignage le plus éclatant du pouvoir de la persévérance. C'était un dimanche matin, il était encore tôt. Hillary et moi avons réveillé Chelsea et l'avons conduite dans la cuisine de la résidence officielle pour lui montrer ce que nous lui avons présenté comme l'un des événements les plus importants auxquels il lui serait donné d'assister dans sa vie. Puis nous avons allumé la télévision. Nelson Mandela accomplissait ses derniers pas sur le long chemin qui l'avait mené à la liberté. Après vingt-sept années d'incarcération et d'abus, il avait triomphé dans sa lutte pour mettre un terme à l'apartheid, libérer son esprit et son cœur de la haine et donner un exemple au monde entier.

À la conférence de presse du mois de mars, j'ai annoncé que je me présenterai pour un cinquième mandat, même si « le feu de la compétition électorale » ne brûlait plus en moi. Je voulais avoir une chance de terminer mon travail dans l'éducation et la modernisation de l'économie, et je pensais que je pouvais m'acquitter de mes fonctions mieux que les autres candidats. Je me suis engagé à faire entrer de nouveaux collaborateurs dans l'équipe gouvernementale et à veiller scrupuleusement à éviter les abus de pouvoir.

Rétrospectivement, je comprends en quoi cette déclaration pouvait sembler ambivalente et légèrement arrogante. Néanmoins, c'était une expression honnête de mon état d'esprit au moment de me lancer dans la première campagne que je pouvais perdre depuis 1982. J'ai pu jouir d'un peu de répit peu de temps après, lorsque Jim Guy Tucker a décidé de se retirer de la course pour se présenter au poste de lieutenant-gouverneur, en arguant qu'une primaire conflictuelle ne ferait qu'augmenter les chances des Républicains à l'automne, quel que soit le candidat qui l'emporterait en définitive. Jim Guy avait calculé qu'il pouvait remporter facilement le poste de lieutenant-gouverneur et devenir gouverneur quatre ans plus tard. Son raisonnement me semblait presque tout à fait pertinent, et j'étais soulagé.

Malgré tout, je ne pouvais me permettre de considérer une victoire aux primaires comme acquise. McRae menait une campagne énergique et grâce à la qualité du travail qu'il avait accompli durant les années qu'il avait passées à la fondation Rockefeller, il avait acquis de nombreux amis et admirateurs à travers l'État. Lors de l'annonce officielle de sa candidature, il s'est présenté armé d'un balai et a déclaré qu'il avait l'intention de faire le ménage dans le gouvernement, de le débarrasser de ses vieilles idées et de ses hommes politiques carriéristes. La tactique du balai s'était déjà avérée efficace pour mon voisin David Boren de l'Oklahoma au cours des élections de 1974. J'étais déterminé à ce qu'il n'en soit pas de même cette fois-ci. Gloria Cabe a accepté de diriger la campagne et a mis sur pied un réseau de campagne efficace. Maurice Smith s'est occupé de rassembler les fonds. Quant à moi, j'ai adopté une stratégie simple : mettre mes opposants en échec par mon travail, faire ce que j'avais à faire et continuer à prêcher pour mes idées nouvelles, notamment pour la mise en place d'un système de bourse d'études supérieures pour tous les lycéens ayant obtenu une moyenne de B ou plus, et pour le projet « Des arbres pour l'avenir », qui prévoyait la plantation de dix millions de nouveaux arbres par an pendant dix ans, afin de contribuer à la réduction des gaz à effet de serre et de lutter contre le réchauffement climatique.

En conséquence, McRae a été forcé de se montrer plus critique à mon égard, ce qui l'a, je crois, mis mal à l'aise, mais qui a été relativement efficace. Tous les candidats me reprochaient mon engagement sur la scène politique nationale. Fin mars, je me suis rendu à La Nouvelle-Orléans pour accepter officiellement le poste de président du Democratic Leadership Council. J'étais persuadé que les idées de notre groupe de réflexion sur la réforme de l'aide sociale, la justice pénale, l'éducation et la croissance économique étaient déterminantes pour l'avenir du Parti démocrate et de la nation. Les positions du

DLC étaient bien accueillies en Arkansas, mais ma position en vue au sein du groupe représentait un handicap potentiel pour la campagne. Je suis donc rentré en Arkansas aussi vite que possible.

En avril, la plus importante fédération de syndicats des États-Unis, l'AFL-CIO m'a refusé pour la première fois son soutien. Bill Becker, le président, ne m'avait jamais vraiment apprécié. Il considérait que l'augmentation des impôts indirects était injuste pour les salariés, il était opposé aux mesures fiscales que je défendais destinées à attirer de nouveaux employeurs en Arkansas et il me reprochait l'échec du référendum sur la réforme fiscale en 1988. De plus, il était furieux que j'aie appuyé le consentement d'un prêt de trois cent mille dollars à une entreprise qui se trouvait en conflit avec les syndicats. J'ai pris la parole au congrès des syndicats pour y défendre l'augmentation des impôts destinée à financer les réformes dans l'éducation et j'ai fait part de mon étonnement devant l'attitude de Becker, qui me reprochait l'échec de la réforme fiscale, alors qu'en dépit de mes efforts, c'était le peuple qui l'avait rejetée. J'ai également défendu ma position sur le consentement du prêt, car celui-ci avait permis de sauver quatre cent dix emplois. L'entreprise en question vendait ses produits à Ford Motor Company, et le prêt lui avait permis d'organiser un inventaire de deux mois, à défaut duquel Ford aurait annulé son contrat. L'entreprise aurait fait faillite. En l'espace de deux semaines, dix-huit syndicats locaux se sont détournés de Becker et m'ont apporté leur soutien. Fort heureusement, ils avaient évité le piège classique pour les libéraux, qui ont tendance à faire du mieux l'ennemi du bien. Si ceux qui avaient voté pour Ralph Nader en 2000 n'avaient pas succombé à ce travers, Al Gore aurait été élu président.

Le seul événement critique de la primaire est intervenu alors que j'étais de nouveau en déplacement à l'extérieur de l'Arkansas. Je me trouvais à Washington pour présenter le rapport de la commission pour le développement du Delta au Congrès. Profitant de mon absence, McRae a organisé une conférence de presse au Capitole pour critiquer ma politique. Il pensait qu'il allait avoir toute la presse de l'Arkansas pour lui tout seul. C'était compter sans Hillary. La veille, au téléphone, elle m'avait dit qu'elle songeait à faire une apparition à la conférence. McRae avait disposé un mannequin en carton qui me représentait à côté de lui. Il m'a attaqué pour être absent de l'État, a insinué que je refusais de l'affronter dans un débat et s'est mis en devoir de critiquer ma politique point par point en posant des questions à mon fantôme et en y répondant à ma place.

Au beau milieu de son petit numéro, Hillary s'est levée et l'a interrompu. Elle lui a dit qu'il savait parfaitement que je me trouvais à Washington, où j'étais en train de défendre les recommandations de la commission du Delta, dont la mise en œuvre serait extrêmement favorable à l'Arkansas. Puis, elle lui a montré un résumé préparé à l'avance de plusieurs années de rapports élogieux de la fondation Rockefeller sur mon travail de gouverneur. Elle a conclu en lui disant qu'il avait eu raison dans ses rapports et que l'Arkansas pouvait être fier d'avoir fait « plus de progrès que n'importe quel autre État du pays hormis la Caroline-du-Sud » et de se trouver au coude à coude avec elle.

On n'avait jamais vu la femme d'un candidat, et encore moins la première dame d'un État, affronter ainsi un adversaire politique. Si certaines personnes ont critiqué Hillary pour son intervention, la plupart savaient qu'elle avait mérité le droit de défendre le travail que nous avions accompli ensemble durant toutes ces années. De plus, son initiative a eu pour effet d'arrêter McRae dans son élan. À mon retour, j'ai riposté à ses allégations et je m'en suis pris à sa stratégie de développement économique, qui équivalait à mes yeux à construire un mur autour de l'Arkansas. J'ai gagné l'élection avec 55 % des voix, devant McRae et d'autres concurrents. Malgré tout, Tom avait mené une campagne habile avec un budget très serré, et il s'en était suffisamment bien tiré pour rendre les Républicains optimistes sur leurs chances de réussite à l'automne.

Sheffield Nelson a battu Tommy Robinson dans la primaire républicaine et a promis de m'attaquer sur le terrain des impôts et des dépenses publiques pendant la campagne. C'était là une stratégie maladroite. Il aurait été bien plus efficace pour Nelson de mener sa campagne en tant que Républicain modéré, de faire l'éloge de mon travail dans l'éducation et dans le développement économique, et de dire qu'après dix ans de bons et loyaux services, j'avais fait mon temps et que je devais partir avec les honneurs, une montre en or et une retraite confortable. En revenant sur sa stratégie initiale, qui consistait à louer la mise en place de nouvelles normes scolaires et l'augmentation des impôts indirects qui servait à les financer, Nelson m'a permis de me libérer de mon image de gouverneur fatigué et usé, et de me présenter comme l'unique candidat du changement.

Son opposition au programme fiscal et de réforme de l'éducation présentait un autre avantage : celui de me permettre, en cas de victoire, de faire valoir devant le Parlement que c'était sur ce programme que le peuple m'avait élu. Tandis que le jour du scrutin se rapprochait, l'AFL-CIO a fini par m'accorder son soutien. Le syndicat enseignant Arkansas Education Association a « recommandé » de voter pour moi en raison de mon engagement à augmenter les enseignants, ce que la promesse de Nelson de ne pas augmenter les impôts pendant quatre ans ne permettait pas d'envisager. Le président du syndicat, Sid Johnson, souhaitait enterrer la hache de guerre afin que nous puissions travailler ensemble et avancer.

Parallèlement, Nelson a commencé à glisser de plus en plus vers la droite en défendant une réduction de l'aide sociale pour les enfants illégitimes et en m'attaquant pour avoir posé mon veto à un projet de loi que la National Rifle Association avait réussi à faire voter au Parlement. Le projet visait à interdire aux gouvernements locaux d'émettre des restrictions sur la possession d'armes à feu ou de munitions. C'était habile de la part de la NRA de présenter ce projet au Parlement, car les parlementaires d'un État fédéré étaient immanquablement des campagnards favorables aux armes contrairement aux membres des conseils municipaux. À mes yeux, il s'agissait d'un projet dangereux. Si le conseil municipal de Little Rock voulait mettre un terme aux attaques armées sur les policiers pour pouvoir enrayer une multiplication des gangs, il devait en avoir le droit.

La campagne avait beau battre son plein, l'activité du bureau du gouverneur ne s'est pas interrompue pour autant. En juin, j'ai entériné les premières exécutions capitales en Arkansas depuis 1964. John Swindler avait été condamné pour le meurtre d'un policier de l'Arkansas et de deux adolescentes originaires de Caroline-du-Sud. Ronald Gene Simmons avait tué sa femme, ses trois fils, ses quatre filles, son gendre, sa belle-fille, ses quatre petits-enfants et deux autres personnes avec lesquelles il avait des comptes à régler. Simmons voulait mourir. Pas Swindler. Tous deux ont été exécutés en juin. Je n'ai éprouvé de scrupules ni pour l'un ni pour l'autre. Mais je savais que des cas plus difficiles nous attendaient.

J'ai également entamé la commutation des peines pour meurtre, afin de permettre aux détenus concernés de demander la liberté conditionnelle. Comme je l'ai expliqué aux électeurs, je n'avais pas commué de peine depuis des années, après la mauvaise expérience de mon premier mandat, mais les services pénitentiaires et celui des remises de peine m'y incitaient. Dans la plupart des États, les condamnés à perpétuité avaient le droit de demander une liberté conditionnelle après avoir purgé plusieurs années de leur peine. Dans l'Arkansas, il incombait au gouverneur de commuer leurs peines. Ces décisions n'ont pas été faciles à prendre et elles ont été plutôt impopulaires, mais elles étaient nécessaires pour maintenir le calme et l'ordre dans notre système pénitentiaire, où 10 % des détenus étaient condamnés à perpétuité. Fort heureusement, beaucoup d'entre eux reproduisent rarement leurs crimes et peuvent être réintégrés dans la société sans représenter une menace pour les autres citoyens. Cette fois-ci, nous avons fait beaucoup d'efforts pour contacter les familles de victimes afin de connaître leur sentiment sur cette question. Nous avons été étonnés de constater qu'un grand nombre d'entre elles n'y étaient pas opposées. En outre, la plupart des prisonniers qui ont bénéficié de cette mesure étaient âgés ou avaient commis les crimes pour lesquels ils avaient été condamnés très jeunes.

Mi-septembre, un ancien employé amer m'a attaqué sur le terrain de la vie privée. Depuis son bureau, Larry Nichols avait eu plus de cent vingt communications téléphoniques avec des conservateurs partisans de la rébellion antisandiniste au Nicaragua, que les Républicains à l'échelon national soutenaient fortement. Pour sa défense, Nichols prétendait que ces communications étaient destinées à amener ses interlocuteurs à faire pression sur les Républicains au Congrès afin de les pousser à appuyer une législation favorable à son agence. Son argumentation n'a pas convaincu, et il a été renvoyé. Sur ces entrefaites, Nichols a organisé une conférence de presse sur les marches du Capitole et m'a accusé d'utiliser les fonds de l'agence pour financer mes aventures avec cinq femmes différentes. Au moment où il lançait ses accusations, j'étais précisément en train de garer ma voiture sur la place de parking devant le Capitole. Le choc a été rude lorsque Bill Simmons, de l'agence Associated Press, membre chevronné de la presse politique et excellent journaliste, est venu m'expliquer ce qui se passait. Quand il m'a interrogé sur les accusations de Nichols, je lui ai suggéré de demander aux femmes en question. Il l'a fait, elles ont toutes nié, et l'histoire a été tuée dans l'œuf. Ni la télévision ni les journaux ne l'ont évoquée. Seul un animateur d'une station de radio conservatrice a encouragé Nelson à en parler et il a même cité nommément l'une de mes prétendues maîtresses, Gennifer Flowers. Cette dernière a menacé de le poursuivre en justice s'il n'arrêtait pas. L'équipe de Nelson a tenté d'alimenter la rumeur, mais sans pouvoir apporter aucune confirmation ni aucune preuve de ce qu'elle avançait.

À la fin de la campagne, Nelson a diffusé un spot télévisé trompeur mais efficace. Le commentateur y évoquait une série de problèmes et demandait ce que j'avais l'intention de faire pour les résoudre. Après chaque question, on entendait ma propre voix répondre : « Augmenter les impôts et investir. » L'équipe de Nelson avait extrait ces mots d'une section de mon discours sur l'état de l'Arkansas, dans laquelle je comparais le budget de l'État à celui du gouvernement fédéral. J'y disais que si Washington pouvait se permettre une gestion déficitaire, il n'en allait pas de même de notre État et que nous devions « augmenter les impôts et investir, ou ne pas investir du tout ». J'ai fait diffuser une riposte sous la forme d'un spot confrontant les allégations de Nelson aux propos que j'avais tenus en réalité, et j'ai dit aux électeurs que s'ils ne pouvaient faire confiance à Nelson pour qu'il leur dise la vérité durant la campagne, ils ne pouvaient pas non plus lui faire confiance en tant que gouverneur. Quelques jours plus tard, j'étais réélu par 57 % des voix contre 43.

Cette victoire était douce à bien des égards. Le peuple avait décidé de me laisser exercer mes fonctions quatorze ans, plus longtemps que n'importe quel autre gouverneur de l'Arkansas n'avait jamais pu le faire. De plus, pour la première fois, j'avais remporté la majorité des voix dans le comté de Sebastian qui, à l'époque, était encore le bastion républicain le plus irréductible de tous les grands comtés de l'État. Lors d'une visite à Fort Smith pendant la campagne, j'avais promis que si je gagnais dans ce comté, Hillary et moi descendrions l'avenue principale de la ville, Garrison Avenue, en dansant. Un soir, un ou deux jours après les élections, accompagnés de quelques centaines de partisans, nous avons tenu notre promesse. Il faisait froid et il pleuvait, mais nous avons dansé en savourant chaque seconde. Cela faisait seize ans que nous espérions une victoire électorale dans ce comté.

Le seul moment sombre de l'élection fut purement personnel. En août, le médecin de ma mère a découvert qu'elle avait une tumeur au sein droit. Quarante-huit heures plus tard, tandis que Dick, Roger et moi attendions à l'hôpital, on la lui a enlevée. Après l'opération, elle est retournée œuvrer pour la campagne tout en subissant plusieurs mois de chimiothérapie. Le cancer lui avait déjà développé des métastases au bras, mais elle ne l'a dit à personne, même pas à moi. Ce n'est qu'en 1993 qu'elle nous a appris à quel point elle allait mal.

En décembre, j'ai repris mes activités pour le Democratic Leadership Council, notamment en inaugurant le bureau du DLC au Texas, à Austin. J'ai souligné dans mon discours que, contrairement à nos détracteurs libéraux, nous étions de véritables Démocrates. Nous voulions que le rêve américain demeure vivant pour tous. Nous avions foi dans l'action gouvernementale, nous rejetions le *statu quo* et nous pensions que le gouvernement consacrait trop d'argent au passé et au présent - intérêts de la dette, budget de la défense, maintien du même système de santé publique — et pas assez à l'avenir, à l'éducation, à l'environnement, à la recherche et au développement, aux infrastructures. Le

DLC défendait un programme moderne, conçu pour le bénéfice du plus grand nombre : moins d'administration pour plus d'initiatives, la liberté de choisir en matière d'écoles publiques et de garde des enfants, la responsabilité et l'autonomie pour les défavorisés, un gouvernement réinventé, affranchi du modèle bureaucratique hiérarchisé hérité de l'ère industrielle, doté d'une structure moins lourde, plus souple et plus innovante adaptée à l'économie mondialisée moderne.

Je tentais d'élaborer un message d'ampleur nationale pour les Démocrates, ce qui a alimenté les théories selon lesquelles j'entrerais dans la course à la présidence en 1992. Au cours de la campagne pour le poste de gouverneur, j'avais dit à de multiples occasions que j'irais au bout de mon mandat si j'étais élu, et je le pensais. La session parlementaire qui s'annonçait promettait d'être très intéressante. J'avais beau être profondément opposé à de nombreuses initiatives du président Bush, comme sa décision de bloquer la loi Brady ou de poser son veto au *Family and Medical Leave Act* qui donnait aux employés des grandes entreprises la possibilité de prendre des congés pour raisons familiales et de santé, laquelle a finalement été votée en 1993, j'appréciais le Président et j'avais de bonnes relations avec la Maison Blanche. Par ailleurs, une campagne pour le vaincre semblait être une entreprise vouée à l'échec. Saddam Hussein avait envahi le Koweït et les États-Unis se préparaient pour la guerre du Golfe. Deux mois plus tard, la cote de popularité du Président atteignait des sommets inégalés.

Le matin du 15 janvier 1991, j'ai prononcé mon dernier serment d'entrée en fonctions à Little Rock, en jurant sur une bible que tenait Chelsea, alors âgée de 10 ans. Conformément à l'usage, j'ai prononcé un discours informel devant une foule dense massée dans la Chambre des représentants, suivi par un discours plus formel à la cérémonie officielle qui, en raison du mauvais temps, s'est tenue dans la rotonde du Capitole. Le Parlement n'avait jamais comporté autant de femmes et de Noirs. Le président de la Chambre, John Lipton, et le président *pro tempore* du Sénat, Jerry Bookout, étaient progressistes et comptaient parmi mes plus fidèles partisans. Jim Guy Tucker, au poste de lieutenant-gouverneur, était probablement la personne la plus compétente à avoir jamais occupé ce poste. Pour la première fois depuis des années, nous travaillions ensemble, et non l'un contre l'autre.

J'ai dédié mon discours inaugural aux hommes et aux femmes de l'Arkansas qui combattaient dans le golfe Persique, et ai remarqué que ce jour était idéal pour prendre un nouveau départ, car c'était aussi celui de l'anniversaire de Martin Luther King Jr. Il nous fallait « avancer vers l'avenir ensemble », à défaut de quoi chacun d'entre nous serait limité dans ce qu'il pourrait accomplir. Puis j'ai présenté le programme le plus ambitieux que j'avais jamais proposé, dans le domaine de l'éducation, de la santé, des infrastructures autoroutières et de l'environnement.

En matière d'éducation, j'ai proposé une augmentation sensible des programmes de formation continue et d'alphabétisation pour les adultes, la mise en place de programmes d'apprentissage pour les jeunes qui n'allaient pas à l'université, d'un système de bourse d'études supérieures pour les lycéens des classes moyennes issus de familles à faibles revenus ayant suivi les enseignements requis, obtenu une moyenne de B et n'ayant jamais touché à la drogue, des programmes de préscolarisation pour les enfants des familles défavorisées, l'ouverture d'un nouveau lycée spécialisé dans les mathématiques et les sciences, la transformation de quatorze lycées techniques en établissements d'enseignement supérieur proposant un cycle de formation en deux ans, et une augmentation de quatre mille dollars des salaires des enseignants sur deux ans. Pour financer ces mesures, j'ai demandé au Parlement d'augmenter la TVA d'un demi-cent et l'impôt sur les sociétés de 0,5 %.

Mon programme comportait également certaines propositions de réforme, notamment la mise en place d'une couverture santé pour les femmes enceintes et les enfants, le retrait de plus de deux cent cinquante mille salariés, c'est-à-dire plus de 25 % du total, des listes des contribuables assujettis à l'impôt sur le revenu et des compensations fiscales touchant près de 75 % des contribuables pour contrebalancer l'augmentation de la TVA.

Au cours des soixante-huit jours qui ont suivi, je me suis employé par tous les moyens à faire accepter ce programme, en multipliant les tête-à-tête avec les parlementaires et les interventions dans les audiences des commissions pour défendre personnellement les projets de loi, en coinçant les parlementaires dans les couloirs, dans des réceptions le soir ou tôt le matin à la cafétéria du Capitole, en traînant avec eux dans les couloirs ou les vestiaires, en les appelant chez eux le soir, et enfin en organisant des rencontres réunissant ceux qui étaient opposés à mes projets et leurs alliés dans la société civile afin de parvenir à des compromis. À la fin de la session parlementaire, j'étais arrivé à faire accepter quasiment tout mon programme. Les mesures fiscales ont été votées par 76 à 100 % des voix et ont même emporté l'adhésion d'une majorité de parlementaires républicains.

Ernest Dumas, l'un des meilleurs chroniqueurs de l'Arkansas, a écrit que « pour l'éducation, cette session parlementaire » avait été « l'une des plus positives de notre histoire, voire la meilleure ». Il a également noté que nous avions adopté le programme de valorisation du réseau autoroutier le plus ambitieux que l'on ait jamais vu, considérablement étendu la couverture santé pour les familles défavorisées, œuvré pour l'environnement en faisant voter les programmes de recyclage et de réduction des déchets et en diminuant « la mainmise des entreprises pollueuses sur l'agence de contrôle de la pollution de l'État », que nous avions habilement éconduit « quelques fanatiques religieux » et ouvert des centres médico-sociaux scolaires dans des communautés défavorisées.

C'est la question des centres médico-sociaux scolaires qui a soulevé les débats les plus vifs au Parlement. Ma position était que les centres devaient être autorisés à distribuer des préservatifs si la direction des établissements était d'accord. Le Sénat partageait mon point de vue. En revanche, la Chambre des représentants, plus conservatrice, y était radicalement opposée. En définitive, les représentants ont adopté un compromis proposé par le parlementaire Mark Pryor. Le compromis autorisait la distribution de préservatifs à condition que leur achat ne soit pas financé par des fonds publics. Cette mesure a inspiré un article hilarant à un chroniqueur délicieusement drôle de l'*Arkansas Gazette*, Bob Lancaster, dans lequel il relatait les combats qui avaient déchiré le « Congrès de la capote ».

Le Parlement a également approuvé la proposition de loi avancée par la National Rifle Association, qui interdisait aux villes et aux comtés d'adopter des mesures de contrôle des armes à feu, loi à laquelle j'avais posé mon veto en 1989. Aucun Parlement du Sud ne pouvait dire non à la NRA. Même au Sénat, pourtant d'orientation plus libérale, la loi a été votée par 26 voix contre 7. Malgré tout, j'ai réussi à repousser suffisamment le vote au Sénat pour poser mon veto au moment de la clôture de la session, de manière à empêcher son annulation. Alors que la loi venait de m'être transmise pour que je la signe, j'ai eu une confrontation tout à fait extraordinaire avec un jeune militant de la NRA venu spécialement de Washington pour la défendre. Il était très grand, vêtu avec élégance et s'exprimait sur un ton sec marqué par l'accent de la Nouvelle-Angleterre. Un jour, il m'a intercepté alors que je traversais le Capitole pour me rendre de la Chambre des représentants au Sénat. « Gouverneur ! Gouverneur ! m'a-t-il lancé, pourquoi vous ne laissez pas passer cette loi sans votre signature ? » Pour la énième fois, j'ai énuméré les raisons de mon opposition à cette loi. Alors il m'a lancé : « Écoutez, Gouverneur, vous vous présentez aux présidentielles l'année prochaine : si vous posez votre veto à cette loi, on vous cassera la tête au Texas. » Ma réaction m'a fait comprendre que j'étais devenu plus mûr et plus maître de moi. Au lieu de lui administrer une correction, j'ai souri et je lui ai dit : « Vous n'avez pas l'air de bien comprendre. Je n'aime pas cette loi. Vous savez que le contrôle des armes à feu ne posera jamais de problème en Arkansas. Vous avez accroché un tableau avec le nom de cette loi en haut et une liste de tous les États du pays en dessous dans votre joli bureau de Washington. Vous vous fichez complètement des mérites de ce projet. Tout ce que vous voulez, c'est pouvoir mettre une croix dans la case "Arkansas". Alors préparez vos armes, je préparerai les miennes, et rendez-vous au Texas. » Dès que les parlementaires furent rentrés chez eux, j'ai posé mon veto à la loi. Peu après, la NRA a commencé à diffuser des spots télévisés dans lesquels elle m'attaquait. Avant de coucher cet épisode par écrit, je n'avais pas réalisé qu'au cours de ma confrontation avec ce militant de la NRA, j'avais admis implicitement que j'envisageais de me présenter aux présidentielles. À l'époque, je n'y pensais pas. Mais je n'aimais pas les menaces.

Au terme de la session parlementaire, Henry Oliver m'a annoncé qu'il souhaitait partir. J'étais contrarié de le perdre, mais après avoir dignement servi dans les Marines, le FBI, dans les services du gouvernement de l'État et dans l'administration locale, il avait bien mérité de retourner chez lui. Gloria Cabe et Carol Rasco ont provisoirement repris ses fonctions.

Pendant les mois suivants, je me suis employé à m'assurer que notre important programme législatif était dûment appliqué et j'ai accompli plusieurs déplacements dans le pays pour le Democratic Leadership Council. Comme j'étais présent partout pour expliquer ce que nous devions faire pour regagner le soutien des électeurs des classes moyennes qui avaient déserté le Parti par vagues successives durant les vingt dernières années, la presse a continué à suggérer que j'allais me présenter aux présidentielles en 1992. Dans une interview donnée en avril, j'ai abordé la question sur le ton de la plaisanterie, en disant que chacun était potentiellement sur la liste des candidats, ce qui était plutôt agréable, dans la mesure où cela faisait toujours plaisir à ma mère de voir mon nom dans les journaux.

Alors que je ne pensais toujours pas que je pouvais ou que je devais me présenter et que le président Bush, toujours auréolé du succès de la guerre du Golfe, continuait de jouir d'une cote de popularité supérieure à 70 %, je commençais à me dire qu'un candidat démocrate faisant partie de la DLC et pouvant atteindre à la fois la base traditionnelle du Parti et les électeurs indécis avait peut-être une chance, car le pays connaissait de graves problèmes qui n'étaient pas abordés à Washington. Le Président et son équipe semblaient déterminés à se laisser porter vers la victoire en naviguant sur la vague de la guerre du Golfe. J'en avais vu assez dans l'Arkansas et au cours de mes nombreux voyages à travers le pays pour savoir que l'Amérique ne sortirait pas indemne de quatre années de plus de ce régime. Au cours de 1991, de plus en plus de gens se sont rangés à ce point de vue.

En avril, je me suis rendu à Los Angeles pour prendre la parole à un déjeuner organisé par Education First, association dédiée à l'amélioration de l'éducation publique. Après avoir été présenté par Sidney Poitier, j'ai relaté trois de mes expériences récentes concernant l'éducation en Californie, qui illustraient à la fois mes espoirs et mes inquiétudes pour l'avenir de l'Amérique. Un an auparavant, j'avais prononcé un discours à l'Université de Californie à Los Angeles, devant un parterre d'étudiants dont les origines remontaient à cent vingt-deux nations différentes. Leur diversité présageait favorablement de notre compétitivité et de notre capacité à interagir avec le reste de la communauté mondiale. En revanche, l'évidence des dangers qui menaçaient l'éducation nous avait cruellement frappés, Hillary et moi-même, lors d'une visite dans une classe de 6ᵉ à l'est de Los Angeles. Les élèves étaient des enfants formidables qui avaient de grands rêves pour leur avenir et aspiraient profondément à mener une vie normale. Ils nous ont confié que ce dont ils avaient le plus peur était d'être abattus sur le chemin de l'école ou en rentrant chez eux. Ils nous ont également raconté qu'ils faisaient des exercices de sécurité pour apprendre à se jeter sous leurs pupitres au cas où on tirerait une rafale de balles sur l'école depuis une voiture. Ce qu'ils redoutaient le plus après cela, c'était d'être obligé d'entrer dans un gang à l'âge de 13 ans et d'être forcés à fumer du crack sous peine d'être corrigés par les autres adolescents. Cette rencontre m'a profondément marqué. Ces enfants méritaient mieux.

Au cours d'un autre séjour en Californie, durant lequel j'ai débattu du problème de l'éducation avec l'association Business Roundtable, qui regroupe cent cinquante P-DG des plus grandes sociétés américaines, le patron d'une entreprise de téléphonie m'a confié que 70 % des candidats à un poste échouaient au test d'admission dans la société, alors même qu'ils possédaient pratiquement tous un diplôme de fin d'études secondaires. J'ai demandé à l'assistance si les États-Unis, riches de leur victoire toute fraîche dans le Golfe, pouvaient espérer diriger le monde de l'après-guerre froide s'il était devenu dangereux d'être un enfant et si nos écoles n'étaient pas adaptées.

Bien sûr, il était facile de pointer du doigt les problèmes du pays. Il était moins évident de déterminer ce que le gouvernement fédéral devait faire pour les résoudre, et encore moins facile de l'expliquer à des citoyens que des années de reaganisme avaient convaincus que le gouvernement était la cause de leurs problèmes et non la solution. Il appartenait au Democratic Leadership Council de relever ce défi.

Début mai, je suis allé à Cleveland afin de présider la convention du DLC. Un an auparavant, à La Nouvelle-Orléans, nous avions rédigé une déclaration de principe par laquelle nous nous engagions à dépasser les vieilles querelles partisanes de Washington en créant un mouvement centriste progressiste et dynamique nourri d'idées nouvelles enracinées dans les valeurs américaines traditionnelles. Le DLC avait beau avoir été taxé de conservatisme excessif par certains critiques, notamment le gouverneur Mario Cuomo et le révérend Jesse Jackson, la convention avait attiré une galerie de théoriciens inventifs, de hauts fonctionnaires des États et des administrations locales novateurs et d'hommes d'affaires préoccupés par les problèmes économiques et sociaux du pays. De nombreuses personnalités nationales du Parti démocrate, parmi lesquelles figuraient plusieurs candidats potentiels à la présidence, étaient également présentes. Parmi les intervenants se trouvaient notamment les sénateurs Sam Nunn, John Glenn, Chuck Robb, Joe Lieberman, John Breaux, Jay Rockefeller et Al Gore. Hormis moi-même, les gouverneurs présents étaient Lawton Chiles de Floride et Jerry Baliles de Virginie. La plupart des membres de la Chambre des représentants venus assister à la convention, comme Dave McCurdy de l'Oklahoma, représentaient des circonscriptions conservatrices ou avaient un intérêt dans les questions de sécurité nationale et de politique étrangère, comme Steve Solarz de New York. Paul Tsongas et Doug Wilder, respectivement anciens sénateur et gouverneur de Virginie, étaient également présents. Tous deux devaient bientôt entrer dans la course à la présidence. De nombreux dirigeants noirs talentueux étaient venus participer à la convention : le gouverneur Wilder, le maire de Cleveland, Mike White, Vince Lane, le directeur novateur de la commission du logement de la ville de Chicago, ainsi que les membres de la Chambre des représentants Bill Gray de Pennsylvanie et Mike Espy du Mississippi.

J'ai prononcé le discours d'ouverture de la convention. Je m'y proposais de démontrer que l'Amérique avait besoin de s'engager sur une voie nouvelle et que le DLC pouvait et devait lui indiquer le chemin. Après avoir égrené la litanie des problèmes que connaissait l'Amérique et des défis qu'elle devait relever, j'ai condamné la négligence dont les Républicains avaient fait preuve pendant des années. En dépit de leurs échecs, les Démocrates n'étaient pas parvenus à remporter les élections pendant cette période, « car ceux qui votaient pour nous autrefois, les classes moyennes accablées qui étaient au cœur de nos débats, étaient trop nombreux à ne pas nous avoir fait confiance dans les scrutins nationaux. Ils ne nous avaient pas jugés capables de défendre nos intérêts nationaux à l'extérieur, d'élaborer une politique sociale en accord avec leurs valeurs à l'intérieur, ou de dépenser leur argent avec pertinence et rigueur ».

J'ai applaudi la nomination de Ron Brown, que j'avais appuyée, à la tête du Parti démocrate. C'était notre premier président noir. Brown avait fait des efforts considérables pour élargir la base du Parti. Cependant, nous avions besoin d'adresser un message national, comportant des propositions spécifiques, au peuple américain.

Les Républicains ont à porter la responsabilité de leur déni, de leur fuite et de leur négligence. Notre responsabilité est d'offrir au peuple américain le choix d'une voie nouvelle enracinée dans des valeurs ancestrales, une voie riche de nouvelles chances, mais exigeant une attitude responsable, où les citoyens auront davantage voix au chapitre face à un gouvernement plus réactif – tout cela parce que nous aurons compris que nous constituons une communauté. Nous sommes tous embarqués dans le même bateau, et c'est ensemble que nous avancerons ou que nous coulerons.

L'élargissement des voies d'avenir impliquait une croissance économique fondée sur des échanges libres et équitables, plus d'investissements dans les nouvelles technologies, un système éducatif et de formation de classe mondiale. La responsabilité impliquait que tous les citoyens apportent leur contribution à la communauté : les jeunes bénéficiant d'une aide financière pour leurs études supérieures s'acquitteraient de travaux d'intérêt général, les adultes valides devaient travailler en échange d'un soutien financier supplémentaire de l'État pour leurs enfants, on devait veiller à ce que les parents subviennent correctement aux besoins et à l'éducation de leurs enfants et à ce qu'ils garantissent l'assiduité de leurs enfants à l'école, tout cela dans le cadre d'un gouvernement « réinventé », doté d'une administration moins lourde et offrant plus de choix en matière de garde d'enfants, d'écoles publiques, de formation professionnelle, de soin aux personnes âgées, de police de proximité et de logements sociaux.

J'ai fait de mon mieux pour briser les schémas binaires qui dominaient les débats publics sur le pays. Selon la logique communément admise à Washington, il fallait choisir entre l'excellence et l'égalité dans l'éducation, la qualité ou l'accès universel aux soins en matière de santé, un environnement plus propre et la croissance économique, entre travailler et élever des enfants, entre les syndicats et la productivité, entre la prévention ou la répression en matière pénale, entre la promotion des valeurs familiales ou l'augmentation de l'assistance aux familles défavorisées. Dans son remarquable ouvrage *Why Americans Hate Politics* [Pourquoi les Américains détestent la politique], le journaliste E. J. Dionne a dénoncé ces schémas comme étant de « fausses alternatives » et a souligné que dans chacun des cas cités, les Américains pensaient que nous ne devions pas opter pour l'un des deux termes de ces alternatives, mais pour les deux. J'étais d'accord avec cette analyse, et j'ai tenté de l'expliquer en faisant valoir par exemple que : « On ne peut nourrir un enfant qui a faim avec des valeurs familiales, mais on ne pourra l'élever correctement sans elles. Nourriture et valeurs : nous avons besoin des deux. »

En conclusion de mon discours, j'ai évoqué la leçon que j'avais apprise plus de vingt-cinq ans auparavant au cours de civilisation occidentale du professeur Carroll Quigley : l'avenir peut être meilleur que le passé, et chacun d'entre nous a la responsabilité personnelle et morale de faire en sorte qu'il le soit. « Voilà ce qui constitue l'essence de cette voie nouvelle, voilà la raison de notre présence à Cleveland. Nous ne sommes pas ici pour sauver le Parti démocrate. Nous sommes ici pour sauver les États-Unis d'Amérique. »

Ce discours est l'un des plus importants et des plus efficaces que j'aie jamais prononcés. Il traduisait l'essence de ce que j'avais appris en dix-sept ans de carrière politique et exprimait ce que pensaient des millions d'Américains. Il constituait la base du message que j'allais développer durant ma campagne et il a contribué à détourner l'attention du grand public de la victoire du président Bush dans le Golfe et à la reporter sur ce que nous devions faire pour construire un avenir meilleur. Parce qu'il était fondé sur des valeurs à la fois libérales et traditionnelles, il a incité à nous écouter des électeurs qui n'avaient pas soutenu les candidats démocrates aux présidentielles depuis des années. Enfin, grâce à l'accueil enthousiaste qu'il a reçu, ce discours a fait de moi le meilleur porte-parole pour promouvoir la voie nouvelle sur laquelle je croyais profondément que l'Amérique devait s'engager. Plusieurs personnes présentes à la convention m'ont vivement encouragé à me présenter aux présidentielles. J'ai quitté Cleveland avec la conviction que mes chances d'obtenir la nomination démocrate étaient réelles, et que je devais sérieusement envisager de me présenter.

En juin, mon ami Vernon Jordan m'a demandé de l'accompagner à Baden-Baden pour assister à la conférence Bilderberg. D'importants représentants du monde des affaires ainsi que des dirigeants politiques des États-Unis et d'Europe s'y réunissaient une fois par an pour débattre des problèmes à l'ordre du jour et de l'état des relations transatlantiques. J'ai toujours apprécié la compagnie de Vernon, et j'ai eu des entretiens très stimulants avec certains représentants européens, en particulier avec l'Écossais Gordon Brown, brillant membre du Parti travailliste devenu chancelier de l'Échiquier sous Tony Blair. D'une manière générale, les Européens soutenaient la politique extérieure du président Bush, mais ils étaient préoccupés par la dégradation et l'affaiblissement continuels de notre économie, qui leur portaient préjudice tout autant qu'à nous.

À Bilderberg, je suis tombé sur Esther Coopersmith, une militante démocrate qui avait fait partie de la délégation américaine aux Nations unies pendant les années Carter. Esther se préparait à partir pour Moscou avec sa fille Connie. Elle m'a proposé de me joindre à elles afin que je puisse me rendre compte sur place des changements qui s'opéraient dans le pays en ces derniers jours de l'Union soviétique. Boris Eltsine était sur le point d'être élu président de la République russe, et son rejet du système économique et politique soviétique était encore plus radical que celui de Gorbatchev. Le voyage fut bref, mais intéressant.

À mon retour en Arkansas, j'avais la ferme conviction qu'un grand nombre des défis que l'Amérique allait devoir relever en matière de politique extérieure mettraient en jeu des questions économiques et politiques que je comprenais et que je serais en mesure de gérer si je devais me présenter et devenir président. Malgré tout, alors que le mois de juillet approchait, j'étais encore très partagé quant à la décision que je devais prendre. Au scrutin de 1990, j'avais dit aux citoyens de l'Arkansas que je terminerais mon mandat. Le succès de la session parlementaire de 1991 avait rallumé mon enthousiasme pour mont travail. Notre vie de famille était formidable. Chelsea était heureuse dans sa nouvelle école, elle avait de bons professeurs, de bons amis, et était passionnée par la danse classique. Le cabinet de Hillary fonctionnait bien, elle était appréciée et respectée dans son milieu. Après des années de tensions et de combats politiques, nous étions enfin installés et heureux. De plus, le président Bush semblait toujours invincible. Selon un sondage effectué début juin en Arkansas, seulement 39 % de la population était favorable à ma participation aux présidentielles, et seules 32 % des personnes interrogées avaient déclaré qu'elles voteraient pour moi, contre 57 % pour Bush. Cela signifiait que si je me présentais, je perdrais mon propre État au bénéfice du Président. Plusieurs autres Démocrates talentueux semblaient susceptibles de se présenter, si bien que la course à la nomination promettait d'être rude. Enfin, l'histoire était contre moi. Parmi les gouverneurs de petits États, un seul avait jamais été élu président. Il s'agissait de Franklin Pierce, gouverneur du New Hampshire, en 1852.

Toute considération politique mise à part, j'appréciais sincèrement le président Bush et la manière dont lui-même et la Maison Blanche avaient coopéré avec moi dans le domaine de l'éducation. J'avais beau être en profond désaccord avec sa politique sociale et économique, je le tenais pour un homme charitable, qui était loin d'être aussi impitoyable et aussi à droite que la plupart des reaganiens. Je ne savais quel parti prendre. En juin, j'ai effectué un séjour en Californie. C'est un jeune homme du nom de Sean Landres qui est venu me chercher à l'aéroport pour me conduire à la conférence où je devais prendre la parole. Il m'a encouragé à me présenter et m'a dit qu'il avait trouvé le slogan idéal pour ma campagne. Puis il a mis une cassette dans l'autoradio et m'a fait écouter le tube de Fleetwood Mac : *Don't Stop Thinking About Tomorrow* [N'arrête pas de penser à demain]. Il lui semblait, de même qu'à moi, qu'elle exprimait exactement ce que je voulais dire.

À Los Angeles, j'ai discuté des avantages et des inconvénients que présentait mon éventuelle candidature avec Mickey Kantor, un ami de Hillary qui était aussi devenu le mien, et un conseiller en qui j'avais pleinement confiance. Au début de notre entretien, Mickey m'a recommandé de lui verser un honoraire de un dollar, pour que nos conversations revêtent un statut privilégié. Quelques jours plus tard, je lui ai envoyé un chèque de un dollar accompagné d'un mot qui disait que j'avais toujours rêvé d'avoir un avocat inabordable à mon service et ce chèque attestait de ma conviction que si l'on voulait obtenir des résultats dans la vie, il fallait y mettre le prix. J'ai beau avoir reçu beaucoup d'excellents conseils en échange de ce dollar, je ne savais toujours pas quoi faire. Jusqu'au jour où un coup de téléphone a tout changé.

Ce jour-là, en juillet, Lynda Dixon m'a appelé pour m'annoncer que j'avais une communication de Roger Porter, de la Maison Blanche. Comme je l'ai dit, j'avais travaillé avec Roger sur les objectifs nationaux pour l'éducation et j'avais beaucoup admiré sa capacité à rester loyal envers le Président tout en coopérant avec les gouverneurs. Roger m'a demandé si je comptais me présenter en 1992. Je lui ai répondu que je n'avais pas encore pris ma décision, que je n'avais jamais été aussi heureux d'être gouverneur depuis des années, que ma vie de famille était très agréable et que je répugnais à la perturber, mais que je pensais que la Maison Blanche faisait preuve de trop de passivité dans sa gestion des problèmes économiques et sociaux du pays. Je lui ai également dit qu'il faudrait que le Président exploite l'immense capital politique qu'il avait accumulé grâce à la guerre du Golfe pour s'attaquer aux grands problèmes du pays. Après environ dix minutes de ce qui me paraissait être une conversation sérieuse, Roger m'a interrompu pour en venir au fait. Je n'oublierai jamais les premiers mots du message qu'on l'avait chargé de me transmettre : « Arrêtez votre numéro, Gouverneur. » Il a enchaîné en me disant qu'« ils » avaient passé en revue tous les candidats potentiels. Le gouverneur Cuomo était le meilleur orateur, mais ils pouvaient facilement l'évincer en le présentant comme trop libéral. Tous les sénateurs pouvaient être attaqués sur l'historique de leurs votes au Sénat. Mon cas était différent. Mon bilan convaincant dans le domaine de l'économie, de l'éducation et de la criminalité, associé à la force de mon discours de membre du DLC, me donnait de réelles chances de gagner. Si je me présentais, ils allaient donc devoir s'attaquer à moi sur un plan personnel. « C'est comme ça que ça marche à Washington, m'a-t-il dit, la presse a besoin d'une victime dans chaque élection, et c'est vous que nous allons leur donner. » Il a poursuivi en disant que les journaux étaient remplis d'élitistes qui avaleraient tout ce qu'on leur raconterait sur les mœurs des campagnes obscures de l'Arkansas. « Nous dépenserons ce qu'il faudra pour amener qui il faudra à dire ce qu'il faudra pour vous éliminer de la course. Et nous n'attendrons pas le dernier moment pour le faire. »

J'ai essayé de garder mon calme, mais j'étais enragé. J'ai répondu à Roger que ce qu'il venait de dire illustrait parfaitement ce qui clochait dans cette administration. Ils étaient au pouvoir depuis si longtemps qu'ils pensaient que ce pouvoir leur revenait de droit. « Vous vous imaginez que ces places de parking réservées devant l'aile ouest de la Maison Blanche vous appartiennent, lui ai-je dit, mais elles sont la propriété du peuple américain, et vous devez gagner le droit de les utiliser. » Je lui ai dit qu'en me parlant comme il venait de le faire, il m'avait encouragé à me présenter. Il m'a répondu que c'était un sentiment agréable, mais qu'il avait simplement voulu me mettre en garde en ami. Si j'attendais jusqu'en 1996, je pouvais gagner la présidentielle. Si je me présentais en 1992, ils me détruiraient et ma carrière politique serait finie.

Après avoir raccroché, j'ai appelé Hillary et lui ai raconté notre conversation. Puis j'en ai parlé à Mack McLarty. Je n'ai plus eu de nouvelles ou revu Roger Porter jusqu'au jour où, en tant que président, j'ai assisté à une réunion des anciens membres du personnel de la Maison Blanche. Je me demande s'il lui est parfois arrivé de s'interroger sur cette conversation et sur l'impact qu'elle a eu sur ma décision.

Depuis mon plus jeune âge, j'ai toujours détesté les menaces. Lorsque j'étais enfant, on m'a tiré dessus avec un fusil à air comprimé et j'ai été rossé par un garçon plus grand que moi, tout cela parce que je refusais de me laisser intimider par les menaces. Durant la campagne et pendant les huit années qui ont suivi, les Républicains se sont montrés à la hauteur de leurs promesses et, conformément aux prédictions de Roger Porter, certains journalistes leur ont apporté une aide précieuse. Tout comme la balle qui m'avait touché à la jambe et les coups que j'avais encaissés dans la mâchoire étant enfant, leurs attaques étaient douloureuses. Les mensonges étaient douloureux, et les bribes de vérité qui s'y mêlaient l'étaient parfois encore plus. Je me suis efforcé de me concentrer sur la tâche que j'avais à accomplir et sur l'impact que mon travail avait sur les gens ordinaires. Il est ainsi devenu plus facile de tenir bon face à ceux qui ne recherchaient que le pouvoir pour lui-même.

Les trois mois suivants sont passés comme un éclair. J'ai vu fleurir les premiers slogans « Clinton Président » aux pique-niques de la fête nationale du 4 Juillet au nord-est de l'Arkansas. Certains m'ont conseillé d'attendre 1996 pour me présenter, tandis que d'autres, qui m'en voulaient d'avoir de nouveau augmenté les impôts, m'ont conseillé de ne pas me présenter du tout. Au cours d'un séjour à Memphis à l'occasion de la consécration du musée national des Droits civiques, sur l'ancien emplacement de l'hôtel *Memphis*, où Martin Luther King Jr. avait été assassiné, j'ai rencontré plusieurs personnes qui m'ont encouragé à me présenter. Jesse Jackson, en revanche, persistait à critiquer le DLC qui, à ses yeux, était trop conservateur et créateur de divisions au sein du Parti. J'étais contrarié d'être en désaccord avec Jesse, que j'admirais tout particulièrement pour les efforts qu'il avait déployés pour convaincre les jeunes Noirs d'aller à l'école et de se tenir à l'écart de la drogue. En 1977, nous avions fêté le vingtième anniversaire de l'introduction de la mixité raciale au lycée Central High de Little Rock par une intervention commune dans l'établissement. Dans son discours, il avait dit aux étudiants : « Ouvrez vos cerveaux et non vos veines. »

En 1991, la drogue et la violence parmi les jeunes étaient toujours des problèmes graves. Le 12 juillet, je suis allé à Chicago pour visiter les complexes de logements sociaux et me rendre compte de ce qui avait été entrepris pour la protection des enfants. Fin juillet, j'ai rendu visite au comédien noir Dick Gregory dans un hôpital de Little Rock. Il avait été arrêté pour avoir organisé un sit-in dans un bazar qui vendait du matériel pour les toxicomanes, avec quatre membres d'une association antidrogue locale appelée « Dignité ». L'association était dirigée par des pasteurs noirs et le chef local des Black Muslims. Tout comme le révérend Jackson et le DLC, ce mouvement voyait dans un comportement adulte et responsable l'une des solutions à nos problèmes sociaux. Personnellement, je considérais qu'un tel comportement était essentiel si nous voulions parvenir à changer les choses.

En août, la campagne a commencé à prendre forme. J'ai pris la parole en plusieurs endroits et mis sur pied une commission préparatoire dont j'ai nommé Bruce Lindsey trésorier. La commission m'a autorisé à collecter des fonds et à payer mes voyages et mes autres frais sans être tenu de poser ma candidature. Deux semaines plus tard, Bob Farmer, de Boston, qui avait dirigé la collecte de fonds pour la campagne de Dukakis, a démissionné de son poste de trésorier du comité national démocrate afin de m'aider à rassembler des fonds pour ma campagne. J'ai aussi obtenu l'aide de Frank Greer, originaire de l'Alabama, dont les spots de campagne qu'il avait produits pour moi en 1990 avaient eu un bon impact, à la fois sur le plan émotionnel et sur celui des idées, et de Stan Greenberg, un politologue qui avait étudié des panels d'électeurs représentatifs pour la campagne de 1990. Il avait également effectué des recherches approfondies sur ceux que l'on qualifiait de Démocrates reaganiens pour tenter de déterminer ce qu'il fallait faire pour les ramener au bercail. Je voulais à tout prix que Greenberg fasse partie de mon équipe. Je regrettais de devoir renoncer à Dick Morris, mais à l'époque, il s'était tellement rapproché de plusieurs candidats et officiels républicains qu'il était compromis auprès de pratiquement tous les Démocrates.

Peu après, avec Hillary et Chelsea, nous sommes allés assister à la réunion d'été de l'Association nationale des gouverneurs à Seattle. Mes collègues venaient de me désigner comme le gouverneur le plus efficace du pays dans l'enquête annuelle du magazine *Newsweek* et plusieurs voulaient que je me présente. Au terme de la réunion, nous avons pris le bateau en famille pour le Canada, où nous avons passé de courtes vacances à Victoria et à Vancouver.

À mon retour en Arkansas, j'ai entamé une tournée de l'État pour demander aux électeurs de ma circonscription s'ils pensaient que je devais me présenter et, si oui, s'ils me libéreraient de mon engagement à terminer mon mandat. La plupart de ceux que j'ai interrogés m'ont dit que je devais le faire si j'estimais que cette option était la bonne. Toutefois, peu pensaient que j'avais une chance de gagner. Les sénateurs Bumpers et Pryor, ainsi que Ray Thornton et Beryl Anthony, nos deux représentants démocrates au Congrès, m'ont tous soutenu dans leurs discours. Le lieutenant-gouverneur Jim Guy Tucker, le président de la Chambre des représentants, John Lipton, et le président du Sénat, Jerry Brookout, m'ont assuré qu'ils veilleraient sur l'État en mon absence.

Hillary pensait que je devais participer à la course et même Chelsea n'y était pas opposée cette fois-ci. Ma mère était très pour aussi. J'avais dit à Chelsea que je serais présent pour les choses importantes, comme pour la voir danser dans *Casse-Noisette* à Noël, pour les événements de son école, pour nos weekends de Renaissance et sa fête d'anniversaire. Mais je savais aussi que j'allais passer à côté de certaines choses : refaire un duo au saxophone avec elle pour son récital de piano, l'accompagner pour faire du porte-à-porte à Halloween, vêtue d'un déguisement toujours unique, lui lire des histoires le soir et l'aider à faire ses devoirs. Être son père était la mission la plus enthousiasmante que j'aie jamais eue à accomplir. J'espérais seulement que je serais capable de m'en acquitter correctement pendant la longue campagne qui m'attendait. Quand j'étais absent, j'en souffrais tout autant qu'elle. Mais le téléphone était un réconfort et le fax s'est également avéré précieux lorsqu'il s'agissait de faire faire la navette à d'épineux problèmes de mathématiques. Hillary devait s'absenter moins souvent que moi, mais quand nous étions en déplacement tous les deux, Chelsea était bien entourée, par ses grands-parents, Carolyn Huber, le personnel de la résidence du gouverneur et par ses amis et leurs parents.

Le 21 août, j'ai poussé un grand soupir de soulagement lorsque le sénateur Al Gore a annoncé qu'il ne se présentait pas. Al avait posé sa candidature en 1988, et s'il s'était de nouveau présenté en 1992, l'électorat aurait été divisé dans les États du Sud lors du « Super Mardi », le 10 mars, ce qui aurait rendu ma victoire bien plus difficile. Le fils unique d'Al, Albert, avait été renversé par une voiture et gravement blessé. Al décida qu'il devait rester aux côtés de sa famille pendant la convalescence longue et difficile de son fils. C'était une décision que je comprenais et que j'admirais.

En septembre, j'ai fait un nouveau séjour dans l'Illinois et j'ai rencontré les dirigeants du Parti démocrate de l'Iowa, du Dakota-du-Sud et du Nebraska à

Sioux City, dans l'Iowa, et les représentants du comité national démocrate à Los Angeles. Cet arrêt dans l'Illinois était particulièrement important en raison du calendrier électoral des primaires. Ce sont les comités électoraux de l'Iowa qui ont ouvert le combat à la nomination. J'ai réussi à les remporter parce que le sénateur Tom Harkin, de l'Iowa, était dans la course et était sûr de gagner dans son État. Puis vinrent le New Hampshire, la Caroline-du-Sud, le Maryland, la Géorgie et le Colorado, suivis par les onze États du Sud lors du « Super Mardi », et enfin, par l'Illinois et le Michigan le 17 mars, jour de la Saint-Patrick.

Quatre ans plus tôt, la campagne du sénateur Gore avait pris un tour défavorable parce que ses résultats impressionnants dans les États du Sud n'avaient pas été suivis d'autres victoires. Trois raisons m'incitaient à penser que je pouvais gagner dans l'Illinois : Hillary était originaire de cet État, j'y avais travaillé dans le cadre de la commission du Delta et de nombreuses personnalités noires de Chicago avaient des racines dans l'Arkansas. À Chicago, j'ai rencontré deux jeunes militants politiques, David Wilhelm et David Axelrod qui allaient être impliqués dans la campagne. Ils étaient idéalistes, avaient fait leurs armes au cours de combats électoraux à Chicago et ils soutenaient ma politique. Pendant ce temps, Kevin O'Keefe sillonnait l'État afin de mettre sur pied l'organisation nécessaire à une victoire.

Le Michigan votait le même jour que l'Illinois, et j'espérais également y obtenir de bons résultats, grâce à l'ex-gouverneur Jim Blanchard, à Ed McNamara, chef d'entreprise dans le comté de Wayne, et à beaucoup d'autres gens, blancs et noirs, qui avaient quitté l'Arkansas pour le Michigan afin d'y travailler dans l'industrie automobile. Le prochain grand État à voter, après le Michigan et l'Illinois, c'était New York. Mon ami Harold Ickes s'y employait à rassembler des partisans et Paul Carey, fils de l'ancien gouverneur Hugh Carey, y collectait des fonds.

Le 6 septembre, je mettais la dernière main à l'organisation du bureau du gouverneur en prévision de la campagne lorsque Bill Bowen a accepté de devenir mon secrétaire. Bill était le président de la Commercial National Bank. Il était l'un des chefs d'entreprise les plus respectés de l'État et occupait une position importante au sein du « Club des beaux costumes », ce groupe d'hommes d'affaires qui avait soutenu les réformes de l'éducation au cours de la session parlementaire de 1991. La nomination de Bowen rassura la population : les affaires de l'État seraient en de bonnes mains pendant mon absence.

Durant les semaines qui précédèrent ma désignation officielle, j'ai commencé à saisir la différence entre une candidature aux présidentielles et une candidature pour un mandat au sein d'un État fédéré. Tout d'abord, l'avortement prenait une place de première importance dans les débats. On supposait en effet qu'en cas de réélection du président Bush, ce dernier aurait suffisamment de postes vacants à pourvoir à la Cour suprême pour s'assurer une majorité et renverser l'arrêt *Roe c. Wade*. J'avais toujours soutenu cet arrêt, tout en étant opposé à ce que l'État finance l'avortement pour les femmes défavorisées. Ma position ne satisfaisait donc aucun des deux camps. C'était peut-être injuste vis-à-vis des femmes pauvres, mais il me semblait difficile de justifier le financement de l'avortement grâce à l'argent de contribuables qui le considéraient comme un meurtre. D'ailleurs, la question était réellement controversée, puisque même le

Congrès à majorité démocrate avait régulièrement échoué à faire accepter cette mesure.

Au-delà de l'avortement, il y avait les questions touchant ma vie personnelle. Lorsqu'on m'a demandé si j'avais déjà fumé de la marijuana, j'ai répondu que je n'avais jamais enfreint les lois américaines sur la drogue. C'était une manière sans doute maladroite d'avouer que j'y avais goûté en Angleterre. De nombreuses rumeurs circulaient également à propos de ma vie privée. Le 16 septembre, à l'instigation de Mickey Kantor et de Frank Greer, Hillary et moi avons participé au *Sperling breakfast*, petit déjeuner qui réunit régulièrement la presse de Washington, pour répondre aux questions des journalistes. Je n'étais pas convaincu qu'il s'agissait d'une bonne idée. Mais Mickey s'est montré persuasif. J'avais déjà dit publiquement que je n'avais pas toujours été irréprochable. Les gens le savaient. Selon Mickey, il valait mieux le leur redire directement et devancer ainsi ce qui se passerait peut-être durant la suite de la campagne.

Lorsqu'un reporter m'a questionné sur le sujet, je lui ai répondu que, comme beaucoup de couples, nous avions connu des problèmes, mais que nous étions dévoués l'un envers l'autre et que notre mariage était solide. Hillary m'a soutenu. Pour autant que je sache, j'étais le seul candidat à en avoir jamais révélé autant. J'ai satisfait la curiosité de certains journalistes et chroniqueurs, tandis que, pour d'autres, ma franchise confirmait simplement que j'étais une bonne cible.

Je ne suis toujours pas convaincu d'avoir eu raison d'aller à ce petit déjeuner ou de m'engager sur le terrain glissant de la vie privée en répondant à des questions dans ce domaine. La personnalité d'un président est importante. Néanmoins, comme en témoignent les exemples contrastés de Franklin D. Roosevelt et de Richard Nixon, la perfection maritale n'est pas nécessairement un bon critère d'évaluation du caractère d'un président. De plus, le critère de jugement qui avait cours n'était pas exactement celui de la perfection maritale. En effet, en 1992, lorsqu'on avait brisé les vœux prononcés lors du mariage et que l'on avait divorcé pour se remarier, l'infidélité n'était pas considérée comme un facteur disqualifiant, ni même comme une chose qui valait la peine qu'on s'y arrête. Les couples mariés, en revanche, étaient des proies rêvées, comme si un divorce constituait toujours le choix le plus authentique. Compte tenu de la complexité de la vie et de l'importance des deux parents pour l'éducation d'un enfant, il me semble que cette façon de voir les choses n'était pas la bonne.

En dépit des questions personnelles, j'ai bénéficié de beaucoup d'articles positifs dans la presse durant les premiers temps de la campagne, rédigés par des journalistes sérieux, intéressés par mes idées et les mesures que je proposais, ainsi que par mes réalisations en tant que gouverneur. Je savais également que je pouvais commencer la campagne en m'appuyant sur un noyau dur de partisans enthousiastes à travers tout le pays grâce aux amis que Hillary et moi-même avions acquis au fil des années, ainsi que sur de nombreux citoyens de l'Arkansas qui étaient prêts à se déplacer dans d'autres États pour m'y défendre. Que je sois pratiquement inconnu du peuple américain et classé loin derrière dans les sondages ne les décourageait pas. Moi non plus. Les choses n'étaient plus comme en 1987. Cette fois-ci, j'étais prêt.

CHAPITRE VINGT-SIX

Le 3 octobre, dans l'Arkansas, commença par une belle matinée d'automne à l'air vif sous un ciel dégagé. J'ai entamé la journée qui allait changer ma vie comme toutes les autres, par un jogging au petit matin. Je suis sorti par la porte arrière de la résidence du gouverneur, j'ai traversé le vieux Quapaw Quarter et je suis allé jusqu'à l'Old State House, dans le centre-ville. Ce bâtiment grandiose, où j'avais organisé ma première réception lors de ma prestation de serment comme ministre de la Justice en 1977, était déjà pavoisé de drapeaux américains. Je suis passé devant, puis l'ai contourné et, alors que je prenais le chemin du retour, j'ai aperçu un distributeur de journaux. À travers le panneau de verre, j'ai pu lire les gros titres : « L'heure a sonné pour Clinton. » Sur mon chemin, plusieurs passants m'ont adressé leurs vœux. De retour à la résidence, j'ai jeté un dernier coup d'œil à mon discours de candidature, auquel j'avais travaillé jusqu'à une heure très avancée. Il était riche en belles formules et en propositions politiques précises, mais encore un peu trop long. Il m'a donc fallu le raccourcir de quelques lignes.

À midi, j'ai été introduit à la tribune par le secrétaire aux Finances de l'État, Jimmie Lou Fisher, qui était à mes côtés depuis 1978. Au début, je suis apparu un peu embarrassé, sans doute à cause des sentiments contradictoires qui m'habitaient : j'étais tout à la fois chagriné d'abandonner la vie que je menais et très désireux de relever le défi qui se présentait. J'étais un peu angoissé, mais sûr de faire ce qu'il fallait. J'ai parlé pendant plus d'une demi-heure, remerciant ma famille, mes amis et mes partisans de me donner la force « d'aller au-delà d'une vie et d'un travail que j'aime, de m'engager au service d'une plus grande cause : préserver le rêve américain, rendre espoir à la classe moyenne oubliée, offrir un avenir à nos enfants ». J'ai terminé sur la promesse de « redonner vie au rêve américain » en concluant un « nouveau pacte » avec la population : « Davantage d'ouvertures pour tous, davantage de responsabilités pour chacun, et un plus grand sens de l'intérêt commun. »

Après cela, je me suis senti plein d'allégresse et d'excitation, mais peut-être avant tout soulagé, notamment après la sortie de Chelsea : « Beau discours, monsieur le gouverneur ! » Hillary et moi avons passé le restant de la journée à recevoir des sympathisants, ainsi que ma mère, Dick et Roger. Tous semblaient contents, comme la famille de Hillary. Ma mère se comportait comme si elle savait que j'allais gagner. Je ne sais pas très bien si c'était ce qu'elle ressentait ou si elle faisait semblant. Le soir, avec de vieux amis, nous nous sommes réunis autour du piano. C'est Carolyn Staley qui a joué, comme elle le faisait depuis nos 15 ans. Nous avons chanté *Amazing Grace*, d'autres hymnes, et plein de chansons des années 1960, comme *Abraham, Martin and John*, hommage aux héros disparus de notre génération. Je suis allé me coucher persuadé que nous pouvions faire barrage au cynisme et au désespoir, et raviver la flamme que ces hommes avaient allumée dans mon cœur.

Le gouverneur Mario Cuomo a déclaré, un jour, que l'on fait campagne dans la poésie et que l'on gouverne dans la prose. C'est fondamentalement exact, mais il y a aussi beaucoup de prose au cours d'une campagne : mettre en place la logistique, s'acquitter des rituels obligés et faire face à la presse. Ainsi, mon deuxième jour de campagne fut plus prosaïque que poétique : je dus répondre à une série d'interviews destinées à me faire passer à la télévision au niveau du pays et des grands centres locaux, et à la question préalable consistant à savoir pourquoi j'étais revenu sur mon engagement de terminer mon mandat ; cela signifiait-il que je n'étais pas un homme de parole ? Je répondis le mieux que je pus et livrai ensuite mon message de campagne. Tout cela n'était que prose, mais cela nous a menés jusqu'au troisième jour.

Les trois derniers mois de l'année ont été consacrés aux activités frénétiques qui vont de pair avec une campagne tardive : s'organiser, collecter des fonds, nouer des contacts avec certains électorats particuliers, et préparer la première primaire, celle du New Hampshire.

Nous avons tout d'abord emménagé dans une ancienne boutique de peinture située dans la 7e Rue, près du Capitole. J'avais décidé d'installer notre base de campagne à Little Rock, et pas à Washington. Cela compliquait un peu la question des déplacements, mais je voulais rester proche de mes racines, être assez souvent chez moi pour voir ma famille et m'acquitter des tâches officielles qui nécessitaient ma présence. En outre, il y avait un autre avantage de taille à rester dans l'Arkansas : cela permettait à nos jeunes collaborateurs de rester concentrés sur le travail à faire sans être distraits par le moulin à rumeurs permanent de Washington, de ne pas avoir la tête tournée par la couverture médiatique étonnamment favorable dont j'ai bénéficié au début de la campagne, ou au contraire le moral abattu par le torrent d'articles négatifs qui devait suivre peu après.

Au bout de quelques semaines, nous ne tenions plus dans la boutique de peinture et avons emménagé non loin de là, dans les anciens locaux du département de l'Enseignement supérieur, où nous sommes restés jusqu'à ce qu'ils deviennent eux aussi trop étroits, juste avant la convention démocrate. Puis nous avons de nouveau déménagé pour nous installer, dans le centre, dans le bâtiment de l'*Arkansas Gazette*, qui était libre depuis quelques mois, le propriétaire de l'*Arkansas Democrat*, Walter Hussman, ayant acheté puis démantelé la *Gazette*. Ce bâtiment allait être notre siège jusqu'à la fin de la campagne, ce qui, à mon sens, était le seul résultat heureux de la disparition du plus vieux journal indépendant des États-Unis à l'ouest du Mississippi.

La *Gazette* avait défendu les droits civiques dans les années 1950 et 1960, et avait fermement soutenu les efforts de Dale Bumpers, David Pryor et moi-même en vue de moderniser l'enseignement, les services sociaux et l'économie. À son heure de gloire, c'était un des meilleurs journaux du pays qui offrait, dans ses rubriques nationale et internationale, des articles bien écrits et variés à des lecteurs vivant dans les coins les plus reculés de l'État. Mais dans les années 1980, la *Gazette* commença à être confrontée à la concurrence de l'*Arkansas Democrat* qui, jusqu'alors, avait été un quotidien du soir à tirage beaucoup plus réduit. La guerre qui s'ensuivit eut une issue prévisible, attendu que Hussman possédait d'autres médias lucratifs qui lui permirent d'amortir les énormes pertes d'exploitation subies par le *Democrat* pour détourner la publicité et les abonnés de la *Gazette*. C'est peu après l'annonce de ma candidature que Hussman acquit la *Gazette* et fusionna les deux journaux en un seul, qu'il rebaptisa *Arkansas Democrat-Gazette*. Au fil des ans, le *Democrat-Gazette* devait contribuer à faire de l'Arkansas un État plus républicain. La tonalité globale de ses éditoriaux était conservatrice et très critique à mon égard, souvent sur un plan très personnel. En cela, ce journal reflétait fidèlement l'opinion de son patron. Quoique j'aie été attristé de voir disparaître la *Gazette*, j'ai été très heureux de travailler dans cet immeuble. J'espérais que les fantômes de son passé progressiste nous aideraient à œuvrer pour l'avenir.

Au départ, tous mes collaborateurs étaient de l'Arkansas. Bruce Lindsey était mon directeur de campagne et Craig Smith qui, auparavant, avait géré mes rendez-vous aux conseils et commissions en tous genres, mon directeur financier. Rodney Slater et Carol Willis travaillaient déjà dur pour établir des contacts avec des dirigeants politiques, religieux et économiques noirs. Et mon vieil ami Eli Segal s'était chargé de me constituer un état-major national.

J'avais déjà rencontré une personne que j'étais certain de vouloir dans l'équipe, un talentueux jeune collaborateur du parlementaire Dick Gephardt, le chef de la majorité démocrate à la Chambre des représentants. George Stephanopoulos, fils d'un prêtre orthodoxe grec, avait bénéficié d'une bourse Rhodes et avait précédemment travaillé avec mon ami le père Tim Healy à l'époque où il était responsable de la bibliothèque publique de l'État de New York. J'ai tout de suite apprécié George ; il pourrait nous servir de passerelle avec la presse nationale et les Démocrates du Congrès, et aussi apporter sa pierre à l'analyse des défis intellectuels à relever tout au long de la campagne.

Eli s'est entretenu avec lui, et a été du même avis que moi. George est donc venu travailler avec nous comme directeur de campagne adjoint chargé de la communication. Eli a également rencontré David Wilhelm, le jeune militant politique de Chicago que je souhaitais avoir dans l'équipe. Nous lui avons offert le poste de gestionnaire de la campagne, qu'il a rapidement accepté. Avec David, nous pourrions faire d'une pierre deux coups : outre qu'il devrait gérer l'ensemble de la campagne, il nous serait particulièrement utile dans l'Illinois. En effet, j'étais persuadé qu'avec David comme gestion-naire de campagne et Kevin O'Keefe comme organisateur au niveau des États, nous pourrions l'emporter nettement dans l'Illinois après la victoire attendue dans les États du Sud lors du « Super Mardi ». Peu après, nous avons également convaincu de se joindre à nous un autre jeune de Chicago, Rahm Emanuel. Il avait travaillé avec Wilhelm lors des campagnes victorieuses du maire Richard Daley et du sénateur Paul Simon. C'était un homme frêle mais volontaire qui avait fait de la danse classique et qui, quoique citoyen américain, avait servi dans l'armée israélienne. Rahm était tellement agressif qu'à côté de lui j'avais l'air relax. Nous en avons fait notre directeur financier, poste qui demande quelqu'un d'énergique lorsqu'on part en campagne sans grand budget, et Craig Smith s'est consacré à notre organisation dans les États, tâche qui convenait mieux à son immense talent politique. Bruce Reed n'a pas tardé à quitter le DLC pour devenir notre directeur stratégique. Eli a également rencontré deux femmes qui allaient jouer un rôle important dans la campagne : Dee Dee Myers, de Californie, a été nommée chef du service de presse, ce qui devait l'amener à essuyer davantage de tirs qu'elle n'aurait pu l'imaginer. Pourtant, toute jeune qu'elle était, elle s'en est sortie ; de son côté, Stephanie Solien, de l'État de Washington, est devenue notre directrice politique. Elle était mariée à Frank Greer, un consultant en communication, mais ce n'est pas pour cela que je l'ai embauchée. Elle était intelligente, politiquement astucieuse et plus diplomate que la plupart des garçons. Elle avait à la fois la compétence et la bonne composition nécessaires à toute entreprise à haute tension. Et au fur et à mesure que nous avons avancé dans la campagne, d'autres jeunes de tout le pays se sont présentés pour assumer les tâches supplémentaires.

Pour ce qui était de l'argent, au début nous nous sommes débrouillés avec quelques dons généreux en provenance de l'Arkansas, grâce aux efforts menés dans le Massachusetts par Bob Farmer et à des donateurs démocrates ordinaires qui participaient juste parce qu'il le leur avait demandé, et grâce à des amis qui, dans tout le pays, m'ont aidé à obtenir des financements publics. Pour y avoir droit, il faut qu'un candidat recueille cinq mille dollars dans chacun des vingt États en montants inférieurs à deux cent cinquante dollars chacun. Dans certains États, mes amis gouverneurs s'en sont occupés. Au Texas, par exemple, mon supporter de longue date, Truman Arnold, a rassemblé trente mille dollars dont nous avions bien besoin. Contrairement à beaucoup de gens aisés, Truman a été un Démocrate de plus en plus engagé au fur et à mesure qu'il s'est enrichi.

Nous avons été quelque peu étonnés de constater qu'à Washington et alentour, beaucoup de gens désiraient nous aider, en particulier l'avocat démo-crate et philanthrope Vic Raiser et mon ami des week-ends de la Renaissance Tom Schneider. Dans l'État de New York, j'ai bénéficié de la précieuse assis-tance non seulement de nos amis Harold Ickes et Susan Thomases, mais aussi de celle de Ken Brody, un cadre de la banque d'investissements Goldman Sachs qui avait décidé pour la première fois qu'il voulait participer activement à la politique aux côtés des Démocrates. Auparavant, m'a-t-il dit, il avait pen-ché en faveur des Républicains parce qu'il pensait que les Démocrates avaient un cœur, mais que leur tête n'était pas à sa place. Puis, il avait connu d'assez près certains responsables républicains au niveau national et s'était dit qu'ils avaient une tête, mais pas de cœur. C'est là qu'il avait décidé de rejoindre le camp démocrate, parce qu'il lui paraissait plus facile de changer d'idées que de cœur, et la chance a voulu qu'il voie dans ma campagne la meilleure occasion de commencer. Ken m'a emmené dîner avec des hommes d'affaires influents de l'État de New York, comme Bob Rubin, dont les arguments solides en faveur d'une nouvelle politique économique m'ont durablement marqué. Lors de toutes les campagnes politiques réussies, il surgit ainsi des gens comme Ken Brody, qui apportent de l'énergie, des idées et de nouveaux adeptes.

S'il nous fallait collecter des fonds et bâtir notre organisation, il fallait également prendre contact avec certains électorats majoritairement démocrates. C'est pourquoi au mois d'octobre, je me suis adressé à un groupe juif du Texas à qui j'ai dit qu'Israël devait céder des terres pour favoriser le rétablissement de la paix ; à des Noirs et à des Hispaniques à Chicago ; et à des sections du Parti démocrate au Tennessee, dans le Maine, dans le New Jersey et en Californie, États considérés comme « flottants », c'est-à-dire susceptibles de pencher d'un côté comme de l'autre lors de l'élection. Au mois de novembre, j'ai pris la parole à Memphis devant la convention de l'Église de Dieu en le Christ, le culte qui gagnait le plus d'adeptes aux États-Unis. J'ai également sillonné le Sud : la Floride, la Caroline-du-Sud, la Louisiane et la Géorgie. La Floride comptait tout particulièrement parce que le vote indicatif du 15 décembre risquait d'être le premier vote contesté. Mais le président Bush commençait à perdre du terrain dans les sondages et ne se rendait pas service en affirmant que la situation économique était bonne. Je me suis adressé à l'Association nationale pour l'éducation et à la commission des affaires publiques américano-israéliennes, à Washington. Je suis ensuite reparti en Caroline-du-Nord, au Texas et en Géorgie. Dans l'Ouest, j'ai fait des haltes dans le Colorado et le Dakota-du-Sud, mais aussi dans le Wyoming, où le gouverneur Mike Sullivan m'a apporté son appui, et dans le bastion républicain qu'est le comté d'Orange, en Californie, où je me suis rallié le soutien de Roger Johnson, un cadre en télécommunications républicain, et de quelques autres déçus de la politique économique du président Bush.

Mais pendant tout ce temps, l'objectif numéro un de la campagne était le New Hampshire. Si je n'y faisais pas un bon score, je n'aurais peut-être pas des résultats suffisants dans les États suivants pour tenir jusqu'au « Super Mardi ». Quoique j'aie été classé bon dernier dans les sondages à la mi-novembre, je croyais en mes chances. Le New Hampshire est un petit État, deux fois plus petit que l'Arkansas, où les électeurs, très bien informés, prennent leurs responsabilités au sérieux lors des primaires et étudient soigneusement les candidats et leurs idées. Pour être un concurrent efficace, il faut avoir une bonne organisation et des publicités télévisées convaincantes, mais c'est loin de suffire. Il faut aussi faire bonne impression lors d'un nombre infini de réceptions, de réunions, de rassemblements et de séances de poignées de mains imprévues. Beaucoup de citoyens du New Hampshire ne voteront pas pour vous si vous n'avez pas sollicité personnellement leur appui. Après les années que j'avais passées à faire de la politique dans l'Arkansas, ce genre de campagne m'était devenu tout naturel.

Mais plus que du fait de la culture politique, c'était à cause du désarroi économique et de l'inévitable traumatisme émotionnel qu'il suscitait que je me sentais à l'aise dans le New Hampshire. C'était comme en Arkansas dix ans plus tôt. Car après avoir prospéré durant les années 1880, le New Hampshire était l'État du pays où les aides sociales et les bons d'alimentation étaient le plus à la hausse, et celui qui connaissait le plus fort taux de faillites. Des usines fermaient et des banques étaient en difficulté. Beaucoup de gens étaient au chômage et vivaient dans l'angoisse – l'angoisse de perdre leur maison et leur assurance santé. Ils ne savaient pas s'ils pourraient envoyer leurs enfants à l'université. Et ils se demandaient si l'assurance sociale serait en mesure de les payer quand ils arriveraient à l'âge de la retraite. Je savais ce qu'ils ressentaient, parce que j'avais connu beaucoup de gens dans la même situation dans l'Arkansas. Et je pensais savoir ce qu'il fallait faire pour redresser les choses.

Au départ, l'organisation de la campagne dans le New Hampshire a été assurée par deux jeunes talentueux, Mitchell Schwartz et Wendy Smith, qui ont emménagé à Manchester et y ont ouvert notre siège dans cet État. Ils n'ont pas tardé à être rejoints par un Irlandais de Boston, Michael Whouley, un as de l'organisation, et par mon amie de quarante ans, Patty Howe Criner, qui est montée de Little Rock pour expliquer mes thèses et défendre mes positions et mon bilan. En peu de temps, nous avons pu constituer un gros comité directeur coprésidé par deux juristes que j'avais rencontrés grâce au DLC, John Broderick et Terry Schumaker, dont le cabinet se trouvait, par le plus grand des hasards, dans l'immeuble qui, plus d'un siècle auparavant, avait abrité le cabinet du gouverneur Franklin Pierce.

La concurrence était rude. Tous les candidats déclarés s'activaient beaucoup dans le New Hampshire. Le sénateur Bob Kerrey, cité à l'ordre du mérite militaire et ancien gouverneur du Nebraska, attirait beaucoup de gens parce que c'était, sur le plan politique, un non-conformiste : il était conservateur en matière fiscale et libéral en matière sociale. Le point fort de sa campagne était un vaste programme de couverture santé pour tous les Américains, ce qui tapait dans le mille dans un État où le nombre de personnes ne bénéficiant plus d'aucune assurance santé augmentait chaque jour après dix années pendant lesquelles le coût de cette assurance avait augmenté, dans l'ensemble du pays, trois fois plus vite que l'inflation. En outre, Kerrey pouvait arguer que son passé militaire et sa popularité dans l'État républicain et conservateur du Nebraska faisaient de lui le meilleur candidat démocrate contre le président Bush.

Tom Harkin, de l'Iowa, était au sein du Sénat le grand défenseur des droits des handicapés ; c'était une autorité sur des questions de sciences et techniques qui intéressaient le nombre croissant d'électeurs issus des banlieues du New Hampshire, et un allié de longue date du mouvement syndical. Il affirmait que, pour gagner en novembre, il fallait mener une authentique campagne populaire, et non diffuser un message du DLC qui, disait-il, ne touchait pas les « véritables » Démocrates.

Paul Tsongas, de Lowell, dans le Massachusetts, avait pris sa retraite tôt, après une belle carrière au Sénat, afin de lutter contre un cancer. Il était devenu fan de sport, nageant avec vigueur et en public, afin de bien montrer qu'il était guéri et capable d'être président. Il prétendait qu'après avoir côtoyé prématurément la mort, il était libéré des contraintes politiques traditionnelles et plus disposé que le reste d'entre nous à dire aux électeurs des vérités qu'ils n'avaient pas forcément envie d'entendre. Il avait quelques idées intéressantes, qu'il présentait dans un livret de campagne largement diffusé.

Doug Wilder, lui, était entré dans l'histoire en devenant le premier gouverneur afro-américain de Virginie. Il affirmait que cette victoire dans un État conservateur du Sud et son bilan en matière d'éducation, de lutte contre la criminalité et d'équilibre budgétaire démontraient sa capacité à être élu.

Peu après mon entrée en lice, Jerry Brown, ancien gouverneur de Californie, s'était lui aussi déclaré candidat. Il disait qu'il n'accepterait pas de dons supérieurs à cent dollars et essayait de se présenter comme le seul véritable réformateur en course. L'élément central de son programme était une proposition d'élimination du code des impôts complexe qui était en vigueur au profit d'un impôt forfaitaire uniforme de 13 % pour tous les Américains. En 1976, alors qu'il était jeune gouverneur, Jerry était apparu lors des dernières primaires et avait remporté plusieurs d'entre elles dans le cadre d'une tentative de dernière minute pour faire barrage à Jimmy Carter. En 1979, je me suis retrouvé avec lui au sein de l'Association nationale des gouverneurs, où j'ai pu apprécier sa vivacité d'esprit et son analyse souvent originale des événements en cours. La seule qualité qui manquait à ce personnage politique hors pair était le sens de l'humour. J'aimais bien Jerry, mais il prenait n'importe quelle conversation terriblement au sérieux.

Pendant plus de deux mois après l'annonce de ma candidature, la campagne a été obscurcie par le spectre de l'apparition possible d'un autre candidat, le gouverneur Mario Cuomo, de l'État de New York. Cuomo était un monument au sein des Démocrates, c'était notre meilleur orateur et il avait été un ardent défenseur des valeurs démocrates pendant les années Reagan-Bush. Beaucoup de gens pensaient qu'il n'avait qu'à le demander pour être désigné et pendant un bon moment, j'ai cru qu'il le ferait. Il lança quelques piques contre le DLC, moi-même, et mes idées sur la réforme de la protection sociale et le service national. En public, je me montrais magnanime, mais, en privé, j'étais furieux et j'ai eu contre Mario des mots que je regrette. Je crois que si j'étais tellement piqué au vif par ses critiques, c'est parce que je l'avais toujours admiré. À la mi-décembre, finalement, il annonça qu'il ne se présenterait pas. Lorsque certaines de mes attaques contre lui ont été révélées, au cours de la primaire du New Hampshire, je n'ai pu que présenter mes excuses. Dieu merci, il était suffisamment adulte pour les accepter. Au cours des années suivantes, Mario Cuomo allait devenir un précieux conseiller et l'un de mes plus ardents défenseurs. J'aurais voulu qu'il soit nommé à la Cour suprême, mais il n'a pas non plus voulu de ce poste. Je crois qu'il aimait trop la vie qu'il menait dans l'État de New York pour y renoncer, chose que ses électeurs n'ont pas pleinement mesurée en ne le réélisant pas une quatrième fois, en 1994.

Au début de la campagne, je pensais que mon principal concurrent dans le New Hampshire serait Harkin ou Kerrey. Mais je n'ai pas tardé à me rendre compte de mon erreur : l'homme à battre, c'était Tsongas. Sa ville d'origine se trouvait pratiquement à la frontière du New Hampshire ; son histoire personnelle forçait l'admiration ; il faisait preuve de la ténacité et de la détermination nécessaires pour gagner ; et surtout, il était le seul autre candidat en compétition avec moi sur le terrain essentiel des idées, du message et des propositions d'ensemble concrètes.

Il y a trois conditions préalables à une bonne campagne présidentielle. Premièrement, il faut que les gens puissent, en vous regardant, vous imaginer président. Ensuite, il faut avoir suffisamment d'argent et de soutiens pour se faire connaître. Pour le reste, la bataille se situe au niveau des idées, du message et des thèmes de campagne. Or Tsongas satisfaisait aux deux premiers critères et était bien décidé à l'emporter aussi sur le plan des idées. Mais j'étais bien résolu à l'en empêcher.

J'ai programmé trois discours à l'Université de Georgetown afin d'étoffer mon thème du nouveau pacte de propositions concrètes. Je devais les prononcer devant des étudiants, des enseignants, des sympathisants et de nombreux journalistes dans une belle vieille salle aux murs lambrissés, le *Gaston Hall*, située dans le Healy Building. Le 23 octobre, je devais parler de responsabilité et société ; le 20 novembre des ouvertures économiques ; et le 12 décembre de la sécurité nationale.

À eux trois, ces discours devaient me permettre d'exprimer les idées et propositions que j'avais élaborées tout au long de la décennie précédente en tant que gouverneur et au sein du Democratic Leadership Council. J'avais contribué à la rédaction des cinq grands principes du DLC, auxquels j'adhérais profondément : le credo de l'égalité des chances et de l'absence de privilèges, hérité d'Andrew Jackson ; les valeurs américaines fondamentales que sont le travail et la famille, la liberté et la responsabilité, la foi, la tolérance et l'ouverture à tous ; l'éthique de la responsabilité réciproque, due à John Kennedy, qui veut que les citoyens rendent quelque chose à leur pays ; la promotion des valeurs démocratiques et humanitaires dans le monde, ainsi que de la prospérité et de la progression sociale chez nous ; et l'engagement de Franklin D. Roosevelt en faveur de l'innovation, de la modernisation de la gestion des affaires publiques pour l'adapter à l'ère de l'informatique et de l'incitation des citoyens à agir en leur fournissant les outils susceptibles de leur permettre de tirer le maximum de leur vie.

J'ai été stupéfait de certaines des critiques émises à l'encontre du DLC par la gauche démocrate, qui nous accusait d'être des Républicains inavoués, et par certains journalistes politiques, qui maniaient des petites boîtes commodément étiquetées « Démocrate » et « Républicain ». Lorsque nous ne collions pas parfaitement avec leur modèle rigide de ce qu'est un Démocrate, ils disaient que nous ne croyions en rien. La preuve en était d'ailleurs que nous voulions remporter des élections nationales, ce que des Démocrates n'étaient apparemment pas censés faire.

Pour ma part, j'étais convaincu que le DLC servait les valeurs principales du Parti démocrate en lui apportant des idées nouvelles. Certes, c'est en toute bonne foi que certains libéraux n'étaient pas d'accord avec nous sur la réforme de la protection sociale, le commerce, la responsabilité fiscale et la défense nationale. Mais nos points de divergence avec les Républicains étaient clairs. Nous étions contre leurs réductions d'impôts injustes et leurs gros déficits ;

contre leur opposition à une législation sur le congé parental et maladie ainsi qu'au projet de loi Brady visant à limiter les ventes d'armes ; contre leur incapacité à financer correctement l'enseignement ou à introduire de véritables réformes, et non des chèques-études ; contre leur tactique de division à propos des questions ethniques et homosexuelles ; contre leurs réticences en matière de protection de l'environnement ; contre leur position antiavortement ; et contre bien d'autres positions encore. Nous avions de bonnes idées, comme de créer cent mille postes d'îlotiers, de doubler le crédit d'impôts sur les revenus du travail pour rendre le travail plus attractif et améliorer la vie des familles à revenus modestes, et d'offrir aux jeunes la possibilité d'accomplir un service civil en contrepartie d'une aide financière leur permettant d'entrer à l'université.

On pouvait difficilement dire des principes et des propositions que je défendais qu'ils rejoignaient les thèses républicaines ou étaient tièdes. Ils ont contribué à la modernisation du Parti démocrate et devaient par la suite être adoptés par les partis de centre gauche en pleine résurgence dans le monde entier dans le cadre de ce que l'on a appelé la « troisième voie ». Surtout, une fois mises en œuvre, ces idées allaient s'avérer positives pour les États-Unis. Mes discours de 1991 à Georgetown m'ont donné une précieuse occasion de montrer que j'avais un vaste programme de réformes et que j'entendais vraiment le faire appliquer.

Entre-temps, pour revenir au New Hampshire, j'ai moi aussi publié un livret de campagne qui exposait toutes les propositions concrètes que j'avais faites dans ces discours. Et j'ai planifié autant de meetings que possible dans des villes. L'un des tout premiers a eu lieu à Keene, jolie ville universitaire située dans le sud de l'État. Les membres de notre état-major avaient bien distribué des prospectus, mais nous ne savions pas pour autant combien de gens viendraient. La salle que nous avions louée pouvait contenir environ deux cents personnes. En chemin j'ai demandé à une habituée des campagnes électorales combien de personnes il fallait que nous ayons pour éviter la honte. Elle me répondit : « Cinquante. » Et combien en fallait-il pour que le meeting soit jugé réussi ? « Cent cinquante. » À notre arrivée, il y avait quatre cents personnes. Le commandant des pompiers nous demanda d'en installer la moitié dans une autre salle, et je dus tenir deux meetings. C'est la première fois que je me suis rendu compte que nous pouvions faire un bon score au New Hampshire.

En général, je parlais pendant une quinzaine de minutes et passais une bonne heure à répondre aux questions. Au début, j'ai eu peur d'être trop précis et fastidieux dans mes réponses, mais j'ai vite compris que les gens voulaient davantage de fond que de forme. Ils étaient réellement angoissés et voulaient comprendre ce qui leur arrivait et comment ils pourraient sortir de leurs difficultés. J'ai beaucoup appris en écoutant les questions que l'on me posait lors de ces réunions et d'autres rencontres électorales.

Ainsi, un couple de personnes âgées, Edward et Annie Davis, m'a raconté qu'il leur arrivait fréquemment d'avoir à choisir entre acheter leurs médicaments ou de la nourriture. Une lycéenne m'a dit que son père, au chômage, avait tellement honte de sa situation, qu'à table il ne pouvait plus regarder les siens dans les yeux ; il gardait la tête baissée. J'ai rencontré des anciens combattants et me suis rendu compte qu'ils étaient plus préoccupés par la dégradation des soins dans les hôpitaux militaires que par mon opposition à la guerre du Viêt-nam. J'ai été tout particulièrement ému par l'histoire de Ron Machos, dont le fils Ronnie était né affecté d'un problème cardiaque. Il avait perdu son travail durant la période de récession et ne pouvait en trouver un autre lui offrant l'assurance santé nécessaire pour couvrir les gros frais médicaux à venir. Et quand les Démocrates du New Hampshire ont tenu une convention qui devait réunir tous les candidats du Parti, un groupe d'élèves brandissant une bande-role « Clinton Président », recrutés par mon vieil ami professeur de l'Arkansas, Jan Paschal, m'a accompagné jusqu'à la tribune. Je me souviens tout particu-lièrement de l'un d'eux : Michael Morrison était dans un fauteuil roulant, mais cela ne freinait en rien son ardeur. Il me soutenait parce qu'il avait été élevé par une mère célibataire gagnant peu et qu'il pensait que j'étais attaché à donner à tous les enfants une chance d'aller à l'université et d'avoir un bon travail.

En décembre, la campagne marchait déjà fort. Le 2, nous avons été rejoints par James Carville et son collaborateur Paul Begala. C'étaient des per-sonnages hauts en couleur et très recherchés sur le marché politique, puisqu'ils avaient récemment contribué à l'élection du gouverneur Bob Casey et du sénateur Harris Wofford, en Pennsylvanie, ainsi que du gouverneur Zell Miller, en Géorgie. C'est Zell qui a d'abord contacté Carville au téléphone pour moi afin que je puisse organiser une rencontre avec Begala et lui. Tout comme Frank Greer et moi, ils faisaient partie d'une espèce politique en danger, mais résistante, celle des Démocrates blancs du Sud. Carville était un Cajun de Louisiane et un ex-Marine ayant un grand sens stratégique et un profond attachement aux valeurs progressistes. Nous avions beaucoup en commun, y compris des mères réalistes et volontaires que nous adorions. Begala, lui, était un battant de Sugar Land, au Texas, qui alliait un populisme agressif à une conscience sociale catholique. Je n'étais pas le seul candidat à vouloir les recru-ter, et quand ils ont été à nos côtés, ils nous ont apporté énergie, détermination et crédibilité.

Le 10 décembre, j'ai parlé devant la conférence des présidents des grandes organisations juives des États-Unis et, deux jours plus tard, j'ai prononcé le troisième et dernier de mes discours à Georgetown, celui sur la sécurité natio-nale. J'ai été beaucoup aidé dans la rédaction de mes textes par mon ami de longue date Sandy Berger, qui avait été directeur adjoint de la planification politique au département d'État durant les années Carter. Sandy a recruté trois autres experts en politique étrangère de la période Carter – Tony Lake, Dick Holbrooke et Madeleine Albright – ainsi qu'un brillant spécialiste du Moyen-Orient né en Australie, Martin Indyck. Ils devaient tous jouer des rôles impor-tants au cours des années suivantes. À la mi-décembre 1991, il suffisait qu'ils m'aident à passer le cap de la compréhension et de la compétence en matière de politique étrangère.

Le 15 décembre, j'ai remporté le vote indicatif de Floride lors de la conven-tion démocrate de l'État avec les voix de 54 % des délégués. Je connaissais beaucoup d'entre eux depuis mes trois visites à la convention dans les années 1980 et j'avais de loin la plus forte organisation de campagne, sous la houlette du vice-gouverneur Buddy McKay. Hillary et moi avons beaucoup demandé des délégués, tout comme ses frères, Hugh et Tony, qui habitaient à Miami, et l'épouse de Hugh, Maria, juriste américano-cubaine.

Deux jours après cette victoire en Floride, un collecteur de fonds de l'Arkansas a décroché huit cent mille dollars pour la campagne, ce qui était bien plus que ce qui avait jamais été collecté là-bas en une seule fois. Le 19 décembre, le *Nashville Banner* est devenu le premier journal à me soutenir. Le 20, le gouverneur Cuomo a annoncé qu'il ne serait pas candidat. Puis le sénateur Sam Nunn et le gouverneur Zell Miller, de Géorgie, ont donné un gros coup de pouce à la campagne en se déclarant en ma faveur. En effet, la primaire de Géorgie avait lieu juste avant le « Super Mardi », avec celles du Maryland et du Colorado.

Pendant ce temps, les nuages s'amoncelaient pour le président Bush, Pat Buchanan ayant annoncé son intention de se présenter aux primaires républicaines en l'attaquant sur sa droite à la manière de George Wallace. En effet, les Républicains conservateurs étaient mécontents que le Président ait signé un plan de réduction du déficit de quatre cent quatre-vingt-douze milliards de dollars voté par le Congrès démocrate, parce que, outre qu'il prévoyait des réductions des dépenses, il comportait aussi une augmentation de cinq cents de la taxe sur les produits pétroliers. Or, en 1988, Bush avait suscité l'enthousiasme de la convention républicaine en lançant son fameux : « Lisez sur mes lèvres. Pas de nouvelles taxes. » Certes, il assumait ses responsabilités en signant le plan de réduction du déficit, mais, ce faisant, il reniait sa grande promesse électorale et se montrait infidèle à la religion antifiscale de l'aile droite de son parti.

Les conservateurs n'ont cependant pas tiré seulement sur le Président. J'ai moi aussi été leur cible, en particulier de la part d'un groupe appelé ARIAS, l'Alliance pour la renaissance d'un esprit américain indépendant. ARIAS était dirigé par Cliff Jackson, ce gars de l'Arkansas que j'avais connu et apprécié à Oxford, mais qui était devenu un Républicain conservateur plein d'animosité à mon égard. Quand ARIAS diffusait à la télévision, à la radio ou dans les journaux des messages attaquant mon bilan, nous réagissions rapidement et vivement. En fait, il se peut que ces attaques aient été plus bénéfiques que préjudiciables à notre campagne, parce qu'en y répondant nous étions amenés à mettre en avant ce que j'avais accompli en tant que gouverneur et parce que l'origine de ces attaques les a rendues suspectes aux yeux des Démocrates du New Hampshire. Deux jours avant Noël, un sondage réalisé dans le New Hampshire me plaçait en deuxième position derrière Paul Tsongas, avec un écart qui se comblait rapidement. L'année se terminait sur une note positive.

Le 8 janvier, le gouverneur Wilder s'est retiré de la course, ce qui réduisait les choix offerts aux électeurs afro-américains, notamment dans le Sud. À peu près au même moment, Frank Greer a produit une excellente publicité télévisée mettant l'accent sur les problèmes économiques du New Hampshire et sur mon plan pour y remédier, et nous avons alors doublé Tsongas dans les sondages. La deuxième semaine de janvier, nous avions recueilli 3,3 millions de dollars en moins de trois mois, dont la moitié dans l'Arkansas. Cela peut paraître dérisoire de nos jours, mais, début 1992, cela suffisait pour être en tête.

La campagne semblait bien lancée jusqu'au 23 janvier, où les médias de Little Rock ont été prévenus de la parution à venir, dans la livraison du 4 février du tabloïd *Star*, du récit de Gennifer Flowers, qui prétendait avoir eu une liaison de douze années avec moi. Son nom était sur la liste des cinq femmes qui, selon le « patriote » Larry Nichols, avaient eu une aventure avec moi durant la campagne de 1990 pour le poste de gouverneur. À l'époque, elle l'avait vigoureusement nié. Au début, ne sachant pas quel crédit la presse allait accorder à son revirement, nous avons maintenu notre programme. J'ai donc fait une longue route pour me rendre à Claremont, dans le sud-est du New Hampshire, afin de visiter une usine de balais. Ses dirigeants souhaitaient vendre leurs produits à la chaîne Wal-Mart, et je voulais les aider. À un moment donné, Dee Dee Myers s'est retirée dans le petit bureau de l'usine et a appelé notre siège. Elle a alors appris que Flowers affirmait avoir les enregistrements de dix conversations téléphoniques avec moi censés prouver la justesse de ses allégations.

Un an plus tôt, l'avocat de Flowers avait envoyé à une station de radio de Little Rock une lettre dans laquelle il la menaçait d'engager une action en diffamation parce que, lors d'un talk-show, un des invités avait repris certaines des accusations contenues dans un communiqué de presse de Larry Nichols. Il disait que la station l'avait accusée « à tort et de façon mensongère » d'avoir une liaison avec moi. Nous ne savions pas ce qu'il y avait sur les bandes que Flowers pouvait avoir en sa possession, mais je ne pensais pas qu'il ait pu y avoir quoi que ce soit de compromettant. Gennifer Flowers, que je connaissais depuis 1977 et que j'avais récemment aidée à obtenir un travail dans une administration publique, m'avait appelé pour se plaindre d'être harcelée par les médias dans le bar où elle chantait le soir. Elle craignait que cela ne mette son travail en péril. J'avais compati avec elle, mais n'avais pas jugé l'affaire trop grave. Dee Dee est alors partie enquêter sur ce que le *Star* entendait publier, et de mon côté, j'ai appelé Hillary pour la mettre au courant des événements. Par chance, elle séjournait, dans le cadre de la campagne, chez le gouverneur de Géorgie et sa femme, Zell et Shirley Miller, qui ont été formidables avec elle.

L'affaire Flowers fit l'effet d'une bombe et les médias n'ont pas manqué de s'en emparer. Certains des articles publiés jetaient pourtant un doute sur ses allégations. La presse a rapporté que Flowers avait été payée pour déclencher ce scandale et qu'elle avait vigoureusement nié avoir eu une liaison avec moi un an plus tôt. Et, il faut le reconnaître, les médias ont révélé ses mensonges au sujet de son éducation et de sa vie professionnelle. Mais ils étaient écrasés par les accusations portées. Comme je dégringolais dans les sondages du New Hampshire, Hillary et moi avons décidé d'accepter une invitation à l'émission *60 Minutes* de CBS pour répondre à des questions au sujet de ces accusations et de notre situation conjugale. Ce n'était pas facile. Nous voulions pouvoir nous défendre contre la campagne médiatique engagée et revenir aux thèmes essentiels sans nous avilir ni jeter de l'huile sur le feu des attaques personnelles que j'avais déplorées avant même qu'elles ne me touchent. En outre, j'avais déjà dit que je n'avais pas mené une vie de saint et que si tel était le critère requis pour être président, il faudrait trouver quelqu'un d'autre que moi.

Nous avons enregistré l'émission au *Ritz-Carlton* de Boston le matin du dimanche 26 janvier, pour diffusion le soir même, après le Super Bowl. Nous avons discuté avec le journaliste Steve Kroft pendant plus d'une heure. Il a commencé par demander si l'histoire que racontait Gennifer Flowers était vraie. Quand j'ai répondu que non, il a demandé si j'avais eu des aventures. Peut-être aurais-je dû réutiliser la brillante réponse de Rosalynn Carter à cette question en 1976 : « Si j'en avais eu, je ne vous le dirais pas. » Mais comme je n'étais pas aussi blanc que Mrs Carter, j'ai décidé de ne pas faire le malin. Bien au contraire, j'ai déclaré que j'avais déjà reconnu avoir causé du tort à mon couple, que j'en avais déjà dit sur ce sujet plus que tout autre homme politique et que je m'en tiendrais là, le peuple américain comprenant ce que je voulais dire.

Chose incroyable, Kroft a alors répété sa question. Son seul but, en m'interrogeant, était d'obtenir un aveu circonstancié. Enfin, après une série de questions au sujet de Gennifer Flowers, il est revenu à Hillary et moi, et il a traité notre mariage d'« arrangement ». J'aurais voulu lui casser la figure, mais j'ai répondu : « Une minute. Vous avez en face de vous deux personnes qui s'aiment. Cela n'a rien d'un arrangement ou d'un accord. C'est un mariage. » Hillary a alors ajouté, pour justifier sa présence à mes côtés dans cette émission : « [Si je suis ici, c'est] parce que je l'aime, que je le respecte et que j'admire ce qu'il a fait et ce que nous avons fait ensemble. Vous savez, si cela ne suffit pas aux gens, alors qu'ils ne votent pas pour lui ! » Après ses premières piques, Kroft s'est adouci et nous avons eu quelques échanges aimables sur Hillary et notre vie ensemble. Tous ont été coupés lors du montage de l'interview, réduite à dix minutes, en théorie pour cause de dépassement de temps par le Super Bowl.

À un moment donné, pendant la séance, le puissant et brûlant projecteur qui éclairait le plateau au-dessus de la banquette sur laquelle Hillary et moi étions assis s'est décollé du plafond et est tombé. Il se trouvait très exactement au-dessus de la tête de Hillary et s'il l'avait touchée, elle aurait pu être gravement brûlée. Fort heureusement, je ne sais trop comment, je l'ai vu du coin de l'œil et j'ai tiré Hillary contre moi une fraction de seconde avant qu'il ne s'écrase à l'endroit précis où elle était assise. Elle a eu très peur, à juste titre. Je lui ai juste caressé les cheveux et lui ai dit que tout allait bien et que je l'aimais. Après ce calvaire, nous avons pris l'avion pour rentrer à la maison et voir l'émission avec Chelsea. À la fin, j'ai demandé à Chelsea ce qu'elle en pensait. Elle a répondu : « Je crois que je suis heureuse de vous avoir comme parents. »

Le lendemain matin, j'ai pris l'avion pour Jackson, dans le Mississippi, où je devais prendre part à un petit déjeuner organisé par l'ex-gouverneur Bill Winter et Mike Espy, qui m'avaient tous les deux déjà soutenu. Je me demandais si quelqu'un viendrait et quel accueil me serait réservé. À mon immense soulagement, il a fallu trouver des chaises supplémentaires pour des gens plus nombreux que prévu qui semblaient vraiment heureux de me voir. Je me suis alors remis au travail.

Mais ce n'était pas terminé. Gennifer Flowers a tenu une conférence de presse, dans une salle bondée, au *Waldorf-Astoria* de New York. Elle a répété son histoire et déclaré qu'elle en avait assez de mentir à ce sujet. Elle a également reconnu avoir été approchée par un « candidat républicain local » qui lui avait demandé de porter l'affaire à la connaissance du public, mais elle a refusé de donner son nom. Des extraits de ces bandes ont été diffusés lors de cette conférence de presse, mais à part le fait qu'ils prouvaient que je lui avais parlé au téléphone, ce que je n'avais pas contesté, ils ne contenaient rien que de décevant, compte tenu de tout le tapage qu'ils avaient suscité.

Bien qu'il ait encore été question de l'affaire dans quelques articles ou émissions, le soufflé retombait. Je crois que la raison majeure en était que nous avions réussi à faire passer le bon message à *60 Minutes*. L'opinion publique comprenait que je ne m'étais pas conduit en saint et que je ne prétendais pas en être un, mais elle savait aussi que le pays était aux prises avec des problèmes bien plus graves. Et beaucoup de gens étaient écœurés par le comportement des médias. C'est aussi à cette période que Larry Nichols a décidé d'abandonner ses poursuites et s'est excusé publiquement d'avoir, a-t-il dit, essayé de me « détruire » : « Les médias ont fait tout un pataquès de cette affaire, et maintenant, les choses sont allées trop loin. Quand le *Star* a publié son article, au début, plusieurs femmes m'ont appelé en demandant si je voulais bien les payer pour qu'elles déclarent qu'elles avaient eu une aventure avec Bill Clinton. C'est de la folie. » Des questions ont alors été soulevées au sujet des cassettes diffusées lors de la conférence de presse de Gennifer Flowers. Le *Star* a refusé de publier les originaux des bandes. De son côté, une chaîne de télévision de Los Angeles a engagé un expert qui a indiqué qu'il ne pouvait pas dire si la bande avait été « trafiquée », mais qu'elle avait sans nul doute été « montée de façon sélective ». Et CNN aussi a émis des critiques fondées sur l'analyse réalisée par son propre expert.

Comme je l'ai dit, j'ai rencontré Gennifer Flowers pour la première fois en 1977, alors que j'étais ministre de la Justice et qu'elle était reporter pour une chaîne de télévision locale à laquelle j'ai accordé de fréquentes interviews. Peu après, elle a quitté l'Arkansas pour faire du spectacle ; je crois qu'elle était dans les chœurs de la star de musique country Roy Clark. À un moment donné, elle est partie à Dallas. Vers la fin des années 1980, elle est revenue à Little Rock pour être près de sa mère et m'a appelé pour me demander si je pouvais l'aider à trouver un emploi dans une administration publique afin de compléter ses revenus de chanteuse. Je l'avais adressée à ma collaboratrice Judy Gaddy, qui était chargée de diriger les nombreuses demandes de ce genre vers différents organismes. Au bout de neuf mois, Gennifer Flowers avait fini par avoir un emploi rapportant moins de vingt mille dollars par an.

Elle m'était apparue comme une battante qui avait vécu une enfance fort peu idéale et connu des désillusions professionnelles, mais qui tenait bon. Plus tard, elle a été citée dans la presse comme ayant dit qu'elle voterait sans doute pour moi et, en une autre occasion, qu'elle ne croyait pas aux accusations de harcèlement sexuel de Paula Jones. Par une ironie du sort, presque six ans exactement après mon apparition de 1992 dans *60 Minutes*, j'ai dû faire une déposition dans le cadre de l'affaire Paula Jones, et l'on m'a à nouveau posé des questions sur Gennifer Flowers. J'ai reconnu que dans les années 1970, j'avais eu une histoire que je n'aurais pas dû avoir avec elle. Bien sûr, ces questions n'avaient rien à voir avec la fallacieuse accusation de harcèlement sexuel de

Jones ; elles s'inscrivaient seulement dans la longue tentative, grassement rémunérée, pour me causer du tort et me mettre dans l'embarras tant sur le plan privé que politique. Mais j'avais prêté serment et bien entendu, comme je n'avais rien fait de mal, je n'avais eu aucune raison d'être embarrassé. Mes adversaires se sont jetés sur cette déclaration. Curieusement, alors qu'ils se déclaraient certains que le reste de ma déposition n'était que mensonge, ils acceptaient cette réponse comme véridique. En tout cas, il n'y a jamais eu de liaison pendant douze ans. Gennifer Flowers est toujours en procès avec James Carville, Paul Begala et Hillary, qu'elle accuse de l'avoir calomniée. Je ne lui veux aucun mal, mais maintenant que je ne suis plus président, j'aimerais qu'elle les laisse tranquilles.

Quelques jours après que le scandale a éclaté, j'ai appelé Eli Segal et je l'ai supplié de venir à Little Rock pour avoir quelqu'un de mûr et de posé avec moi au siège. Quand il m'a demandé comment je pouvais désirer l'aide de quelqu'un qui n'avait travaillé que sur des campagnes électorales s'étant soldées par des échecs, j'ai craqué : « Je n'en peux plus, lui ai-je avoué. » Eli a éclaté de rire et il a accepté de devenir mon directeur de campagne, chargé du siège central, des finances et de l'avion. Au début du mois, Ned McWherter, Brereton Jones et Booth Gardner, respectivement gouverneurs du Tennessee, du Kentucky et de l'État de Washington, m'avaient apporté leur soutien. Ceux qui l'avaient déjà fait, comme Dick Riley, de Caroline-du-Sud, Mike Sullivan, du Wyoming, Bruce King, du Nouveau-Mexique, George Sinner, du Dakota-du-Nord, et Zell Miller, de Géorgie, m'ont réaffirmé le leur. Tout comme le sénateur Sam Nunn, qui avait cependant ajouté qu'il « attendait de voir » quelles autres histoires allaient surgir.

Selon un sondage national publié dans cette période, 70 % des Américains pensaient que la presse ne devait pas s'immiscer dans la vie privée des personnalités publiques. Dans un autre, 80 % des Démocrates indiquaient que même si l'affaire Flowers était vraie, leur vote n'en serait pas affecté. Tout cela était très bien, mais 20 % de perdus d'emblée, c'était beaucoup. La campagne paraissait toutefois se relancer et il semblait possible que nous finissions au moins en bonne position derrière Tsongas, ce qui, pensais-je, suffirait pour m'amener jusqu'aux primaires du Sud.

Puis, au moment même où la campagne semblait repartir, une autre déflagration s'est produite avec l'affaire de la mobilisation. Le 6 février, le *Wall Street Journal* a publié un papier sur l'histoire de ma mobilisation et du programme de formation d'officiers de réserve à l'Université de l'Arkansas en 1969. Or, au début de la campagne, je ne m'étais pas préparé à des questions sur cette période et j'ai déclaré par erreur que je n'avais jamais bénéficié d'un sursis lors de mes années à Oxford, alors que j'en avais bien eu un du 7 août au 20 octobre 1969. Pire encore, le colonel Eugene Holmes, qui avait accepté mon inscription à ce programme, prétendait maintenant que je l'avais trompé en vue d'éviter la mobilisation. En 1978, lorsque des reporters l'avaient interrogé sur cette accusation, il avait dit qu'ayant eu à traiter des centaines de dossiers, il ne se rappelait rien de particulier à propos du mien. Si l'on y ajoute ma propre erreur au sujet du sursis, cela laissait penser que j'essayais de mener les gens en bateau à propos de ma non-mobilisation. Ce n'était pas vrai, mais à l'époque, je ne pouvais pas le prouver. Je ne m'en souvenais pas et il était impossible de trouver l'enregistrement de Jeff Dwire retransmettant sa conversation amicale avec Holmes en mars 1970. Jeff était mort, de même que Bill Armstrong, le responsable de ma commission locale d'aptitude. Et tous les dossiers de mobilisation de l'époque avaient été détruits.

L'attaque de Holmes m'a surpris. Parce qu'elle était en contradiction avec ses déclarations antérieures. En effet, au début des années 1980, le colonel Holmes, alors retiré des cadres, m'a appelé pour me demander si je pouvais aider son fils, qui était dans les troupes de réserve de l'armée de Terre ou dans la garde nationale d'un autre État et voulait revenir chez lui. Il souhaitait donc que ce jeune homme puisse être versé dans la garde nationale de l'Arkansas. J'ai répondu que je verrais ce que je pouvais faire. Je n'ai plus jamais entendu parler de lui. Certains ont suggéré que le réveil de la mémoire de Holmes a peut-être été favorisé par sa fille Linda Burnett, militante républicaine œuvrant pour la réélection du président Bush.

Puis, le 16 septembre, Holmes a formulé une attaque plus précise mettant en doute mon « patriotisme et [mon] intégrité » et répétant que je l'avais trompé. Sa déclaration semblait avoir été rédigée par sa fille, « guidée » par les services de mon vieil adversaire, le parlementaire John Paul Hammerschmidt, et avait été revue par plusieurs responsables de campagne de Bush.

Quelques jours après, juste une semaine avant l'élection dans le New Hampshire, Ted Koppel, présentateur de l'émission *Nightline* sur la chaîne ABC, a appelé David Wilhelm en lui disant qu'il possédait une copie de ma désormais célèbre lettre d'enrôlement à Holmes et qu'ABC allait en faire un sujet. J'avais totalement oublié cette lettre et ABC a accepté de nous en envoyer une copie – ce que la chaîne a fait de bonne grâce. Quand je l'ai lue, j'ai compris pourquoi les collaborateurs de Bush étaient sûrs que cette lettre plus les nouvelles déclarations du colonel Holmes à propos de l'épisode des officiers de réserve allaient me couler dans le New Hampshire.

Cette nuit-là, Mickey Kantor, Bruce Lindsey, James Carville, Paul Begala, George Stephanopoulos, Hillary et moi nous sommes réunis dans une de nos chambres au *Days Inn Motel* de Manchester. La presse nous démolissait. Et maintenant, je faisais l'objet d'une double attaque personnelle. Tous les spécialistes de l'audiovisuel me donnaient pour mort. George était recroquevillé par terre, presque en larmes. Il a demandé s'il n'était pas encore temps d'envisager de se retirer. Carville, lui, arpentait la chambre de long en large en agitant la lettre et en criant : « Mon Dieu ! Mon Dieu ! C'est dingue. Cette lettre parle pour nous. Tous ceux qui la liront se diront qu'il a du caractère ! » J'appréciais beaucoup sa ténacité, mais cette fois, j'étais plus calme que lui. Je savais que George n'avait d'expérience politique qu'à Washington et que contrairement à nous, il pensait peut-être que c'était à la presse de décider de ceux qui valaient quelque chose. Je lui ai alors demandé : « George, est-ce que tu crois encore que je serais un bon président ? » « Oui », a-t-il répondu. « Alors lève-toi et remets-toi au boulot. Si les électeurs veulent me retirer de la course, ils le feront le jour des élections. Je vais les laisser décider. »

Mes paroles étaient résolues, mais je chutais dans les sondages comme une pierre dans un puits. J'avais déjà rétrogradé à la troisième place et je paraissais bien parti pour tomber en dessous des 10 %. Sur les conseils de Carville et de Mickey Kantor, nous avons acheté un encart dans le *Manchester Union Leader* pour publier l'intégralité de la lettre, et deux tranches de trente minutes à la télévision pour que les électeurs puissent appeler et me poser des questions sur les accusations dont je faisais l'objet ou ce qu'ils voulaient d'autre. De leur côté, cent cinquante citoyens de l'Arkansas ont tout plaqué pour aller faire du porte-à-porte dans le New Hampshire. L'un d'eux, le député David Matthews, avait été mon étudiant en droit et l'un des plus ardents supporters de mes programmes législatifs et de mes campagnes dans l'Arkansas. David était un orateur éloquent et convaincant qui est rapidement devenu mon auxiliaire numéro un après Hillary. En le voyant chauffer la foule pour moi lors des rassemblements, certains ont dû se dire que c'est lui qui aurait dû être candidat. Six cents autres sympathisants de l'Arkansas ont publié leur nom et numéro de téléphone sur une pleine page de l'*Union Leader*, invitant instamment les Démocrates du New Hampshire à les appeler s'ils voulaient connaître la vérité à propos de leur gouverneur. Et ils ont reçu des centaines d'appels.

Mais de tous les gens de l'Arkansas qui sont venus à notre rescousse, aucun n'a été aussi efficace que mon plus grand ami d'enfance, David Leopoulos. Quand l'affaire Flowers a éclaté, David a entendu des journalistes de télévision déclarer que j'étais cuit. Il était tellement peiné que, n'ayant pas les moyens de se payer l'avion, il a pris sa voiture et a roulé trois jours pour aller jusqu'au New Hampshire. Lorsqu'il est arrivé à notre siège, Simon Rosenberg, mon jeune attaché de presse, a programmé son interview sur une station de radio de Boston largement écoutée dans le New Hampshire. Il a fait un tabac en parlant simplement de nos quarante années d'amitié et en me présentant sous un jour plus humain. Puis il s'est adressé à un groupe de bénévoles découragés des quatre coins de l'État. Quand il s'est tu, ils pleuraient et étaient déterminés à aller jusqu'au bout. David a parcouru l'État pendant toute une semaine, accordant des interviews à la radio et distribuant des prospectus faits maison avec des photos de nos amis d'enfance pour prouver que j'étais quelqu'un de normal. À la fin de son périple, je l'ai vu à un rassemblement, à Nashua, au milieu de cinquante autres personnes de l'Arkansas, dont Carolyn Staley, mon ancien partenaire de jazz Randy Goodrum et ma camarade d'école Mauria Aspell. Ce sont sans doute ces « amis de Bill » qui ont sauvé la campagne dans le New Hampshire.

Quelques jours avant l'élection, je suis descendu à New York pour une collecte de fonds prévue de longue date. Je me demandais s'il viendrait quelqu'un, ne serait-ce que pour voir à quoi ressemblait un homme mort. En traversant la cuisine de l'hôtel *Sheraton* pour gagner la salle de bal, j'ai serré la main des garçons et des employés de cuisine, comme je le faisais toujours. L'un des garçons, Dimitrios Theofanis, a engagé avec moi une brève conversation qui en a fait mon ami à vie. « Mon petit garçon de 9 ans étudie les élections à l'école et dit que je devrais voter pour vous. Si je le fais, je veux que vous fassiez de lui un homme libre. Parce que, en Grèce, nous étions pauvres, mais nous étions libres. Ici, mon fils ne peut pas aller jouer seul dans le parc d'en face ou aller seul à pied jusqu'à son école parce que c'est trop dangereux. Il n'est pas libre. Alors, si je vote pour vous, vous en ferez quelqu'un de libre ? » J'ai failli fondre en larmes. J'avais devant moi un homme qui s'intéressait vraiment à ce que je pouvais faire pour la sécurité de son fils. Je lui ai dit que des îlotiers, qui se promènent dans les rues et connaissent les habitants, pourraient améliorer sensiblement la situation et que j'étais résolu à en financer le recrutement de cent mille.

Je me sentais déjà mieux, mais quand je suis entré dans la salle de bal, mon moral est remonté en flèche : il y avait là sept cents personnes, dont mon amie de Georgetown Denise Hyland Dangremond, avec son mari Bob. Ils étaient venus de Rhode Island pour m'apporter leur soutien moral. En rentrant dans le New Hampshire, je me disais que j'allais peut-être survivre.

Au cours des derniers jours de la campagne, Tsongas et moi nous sommes affrontés vivement au sujet de la politique économique à mener. J'avais proposé un programme en quatre points qui visait à créer des emplois, à favoriser la création d'entreprises et à réduire la pauvreté et les inégalités de revenus ; à diminuer le déficit de moitié en quatre ans, en imposant des réductions des dépenses et des augmentations d'impôts aux plus riches ; à accroître les investissements dans l'enseignement, la formation et les nouvelles technologies ; à développer le commerce et à diminuer les impôts, légèrement pour la couche moyenne et nettement plus pour les actifs dans le besoin. Nous avions fait de notre mieux pour évaluer le coût de chacune de ces propositions en nous basant sur les chiffres du service du budget du Congrès. Tsongas, lui, affirmait qu'il fallait se concentrer sur la réduction du déficit et que le pays ne pouvait se permettre une réduction de la charge fiscale de la classe moyenne, alors qu'il était favorable à une réduction de l'impôt sur les plus-values qui avantagerait surtout les riches. Il m'a accusé de caresser mon électorat dans le sens du poil en proposant des réductions fiscales et a ajouté qu'il serait le meilleur ami que Wall Street ait jamais eu. J'ai répliqué qu'il fallait que les Nouveaux Démocrates proposent un programme économique susceptible d'aider à la fois Wall Street et les citoyens, les entreprises et les familles de travailleurs. Beaucoup de gens étaient d'accord avec l'argument de Tsongas selon lequel le déficit était trop important pour mes réductions d'impôts, mais je pensais qu'il fallait faire quelque chose à propos de l'aggravation, depuis vingt ans, de l'inégalité des revenus et du glissement de la charge fiscale vers la classe moyenne dans les années 1980.

Si j'étais ravi de débattre des mérites de nos programmes économiques respectifs, je ne me faisais cependant pas d'illusions quant aux questions relatives à ma personnalité. Alors que la campagne du New Hampshire tirait à sa fin, j'ai exposé à une foule enthousiaste, rassemblée à Dover, ce que je pensais vraiment de ce sujet :

> Il a été absolument passionnant, pour moi, de vivre ces dernières semaines et de voir ce que ces questions dites de personnalité recouvraient, de façon fort opportune, alors que j'étais monté en flèche jusqu'à la première position en parlant de vos problèmes, de votre avenir et de votre vie.

Certes, la personnalité d'un candidat est un point important lors d'une élection présidentielle, et les Américains jugent la personnalité de leurs hommes politiques depuis plus de deux cents ans maintenant. Et la plupart du temps, ils ont vu juste, sans quoi aucun d'entre nous ne serait ici aujourd'hui. Je vais vous dire ce que je pense de cette question de la personnalité : qui s'intéresse vraiment à vous ? Qui essaie vraiment de dire ce qu'il ferait, concrètement, s'il était élu président ? Qui a un bilan prouvant qu'il fait ce qu'il dit ? Et qui est résolu à changer votre vie et non juste à accéder au pouvoir ou à le conserver ? [...]

Je vais vous dire ce que je pense de cette question de la personnalité dans le cadre de cette élection : comment peut-on détenir le pouvoir d'être président et s'en servir pour aider les gens à vivre mieux seulement quand on a besoin de sauver sa peau lors d'une élection ? Voilà une question de personnalité [...].

Je vais vous dire quelque chose. Je vais remettre cette élection entre vos mains, et si vous me faites gagner, je ne serai pas comme George Bush. Je n'oublierai jamais ceux qui m'auront donné une deuxième chance, et je serai là pour vous jusqu'à ce que le dernier chien soit mort.

Ce « jusqu'à ce que le dernier chien soit mort » est devenu le cri de ralliement de nos troupes durant les derniers jours de la campagne du New Hampshire. Des centaines de bénévoles ont travaillé comme des fous. Hillary et moi serrions toutes les mains qui se présentaient. Les sondages restaient décourageants, mais notre tension avait baissé.

Le matin des élections, le 18 février, il faisait un froid glacial. Le jeune Michael Morrison, l'étudiant en fauteuil de Jan Paschal, s'est réveillé impatient d'aller tenir un bureau de vote pour moi. Malheureusement, la voiture de sa mère n'a jamais voulu démarrer. Michael a été déçu, mais il ne s'est pas avoué vaincu pour autant. Il a sorti son fauteuil électrique dans le froid de ce début de matinée, est monté sur le bas-côté de la route glissante et a ainsi bravé le vent d'hiver sur deux kilomètres pour rejoindre le bureau qui lui était affecté. Certains croyaient peut-être que la consultation portait sur les histoires de la mobilisation et de Gennifer Flowers. Mais moi, je pensais qu'elle concernait Michael Morrison ; Ronnie Machos, le petit garçon qui avait un trou dans le cœur et pas d'assurance maladie ; la petite fille dont le père chômeur baissait la tête de honte à la table familiale ; Edward et Annie Davis, qui n'avaient pas assez d'argent pour acheter à la fois la nourriture et les médicaments dont ils avaient besoin ; et le fils d'un serveur immigré de New York qui ne pouvait aller jouer dans le parc en face de chez lui. Nous allions savoir qui avait raison.

Ce soir-là, Paul Tsongas a gagné avec 35 % des voix, mais je finissais bien placé derrière lui, avec 26 % des bulletins, loin devant Kerrey qui en avait 12 %, Harkin qui en avait 10 % et Brown 9 %. Le reste des voix allait à des candidats non déclarés. Poussé par Joe Grandmaison, un supporter du New Hampshire que je connaissais depuis la campagne sénatoriale de Duffey, je me suis rapidement adressé aux médias, et à la suggestion de Paul Begala, j'ai déclaré que le New Hampshire avait fait de moi un *Comeback Kid*, comme le héros de ce film qui reprend goût à la vie après une traversée du désert.

Tsongas m'avait écrasé dans les circonscriptions proches du Massachusetts, mais à compter de dix kilomètres plus au nord, j'avais gagné. J'étais ravi et profondément reconnaissant envers mes électeurs. Ils avaient décidé que je devais poursuivre ma campagne.

J'en étais venu à aimer le New Hampshire, à apprécier ses particularités, et à respecter le sérieux de ses électeurs, y compris de ceux qui soutenaient quelqu'un d'autre. Cet État m'avait mis à l'épreuve et avait fait de moi un meilleur candidat. Tant de gens nous avaient aidés, Hillary et moi, et nous avaient soutenus. Un nombre étonnant d'entre eux ont travaillé dans mon administration et je suis resté en contact avec beaucoup d'autres pendant les huit années qui ont suivi, allant même jusqu'à instaurer un Jour du New Hampshire à la Maison Blanche. Cet État a démontré à quel point le peuple américain souhaitait que son pays change. Le président Bush aussi, du côté des Républicains. La campagne d'arriviste de Pat Buchanan lui avait rapporté 37 % des voix, et pour la première fois depuis la guerre du Golfe, la cote de popularité nationale du Président était passée en dessous de la barre des 50 %. Peut-être était-il encore devant Paul Tsongas et moi dans les sondages, mais cela valait vraiment la peine de se battre pour être le candidat démocrate.

Après le New Hampshire, la suite des primaires et des caucus électoraux se déroula à un tel rythme qu'il était impossible de reproduire le genre d'action « de proximité » qu'il avait fallu mener dans cet État. Le 23 février, Tsongas et Brown remportèrent les caucus du Maine, Tsongas recueillant 30 % des voix et Brown 29 %. J'étais loin derrière, avec 15 %. Sauf dans l'Iowa, les États désignant leur candidat au moyen de caucus impliquaient beaucoup moins de gens dans leur processus de sélection de délégués que ceux qui organisaient des primaires. Les caucus favorisaient donc des candidats qui disposaient d'un noyau dur de fervents supporters. En général, mais pas toujours, ils penchaient plus à gauche que la majorité des Démocrates, et nettement plus à gauche que les électeurs du scrutin présidentiel proprement dit. Le 25 février, lors de la primaire du Dakota-du-Sud, les électeurs soutinrent davantage leurs voisins Bob Kerrey et Tom Harkin que moi, mais je fis bonne figure pour quelqu'un qui n'était venu qu'à un seul rassemblement dans un ranch de dressage de chevaux.

Mars fut un mois chargé. Il commençait avec les primaires du Colorado, du Maryland et de Géorgie. J'avais beaucoup d'amis dans le Colorado, et l'ancien gouverneur Dick Lamm était mon coordinateur dans les Rocheuses, mais je ne pus obtenir plus d'un tiers des voix à égalité avec Brown et Tsongas. Brown en remporta 29 %, moi 27 %, et Tsongas était sur mes talons avec 26 %. Dans le Maryland, je partais avec une organisation forte, mais quelques-uns de mes partisans étaient passés dans le camp de Tsongas quand j'avais sombré dans les sondages dans le New Hampshire. Il arriva donc premier.

La Géorgie constituait le test décisif. Je n'avais pas encore remporté de primaire, et il fallait que je gagne celle-là, qui plus est avec une bonne marge. C'était le plus grand État à voter le 3 mars et le premier du Sud. Zell Miller avait avancé la date de l'élection d'une semaine, afin de séparer la Géorgie des États votant lors du « Super Mardi ». C'était un État très intéressant. Atlanta est une ville cosmopolite très mélangée, qui abrite nombre de sièges de sociétés.

En dehors de la capitale, l'État est traditionnellement conservateur. Ainsi, en dépit de sa grande popularité, Zell n'avait pas réussi à faire voter par l'assemblée de Géorgie la suppression de la croix des confédérés sur son drapeau, et quand son successeur, le gouverneur Roy Barnes, le fit, il fut battu à l'élection suivante. En outre, cet État compte une forte présence militaire, longtemps protégée par ses représentants au Congrès. Ce n'était pas un hasard si Sam Nunn était président de la Commission des forces armées au Sénat. Quand l'affaire de la mobilisation éclata, Bob Kerrey déclara qu'en Géorgie les électeurs m'éclateraient comme une « cacahuète molle », ce qui ne manquait pas d'esprit, puisque la Géorgie est le plus gros producteur d'arachide des États-Unis. Quand mon avion s'y est posé, le maire Maynard Jackson, un vieil ami, est venu à ma rencontre, accompagné de Jim Butler, procureur et ancien combattant du Viêt-nam qui m'a souri et m'a dit que lui qui était soldat n'avait aucune envie de m'éclater comme une cacahuète molle.

Nous nous sommes rendus tous les trois en ville pour un rassemblement dans un centre commercial. Je suis monté à la tribune avec une foule de Démocrates influents qui soutenaient ma candidature. Mais la tribune, spécialement montée pour l'occasion, n'a bientôt plus pu supporter tout ce monde et s'est effondrée dans un enchevêtrement de corps. Je n'ai pas été blessé, mais un de mes coprésidents, Calvin Smyre, élu afro-américain de l'État, a eu moins de chance. Il est tombé et s'est brisé une hanche. Plus tard, Craig Smith s'est moqué de Calvin en lui disant qu'il était le seul de mes supporters à s'être vraiment « cassé le cul » pour moi. Ce qu'il a fait, tout comme Zell Miller, le député John Lewis et bien d'autres Géorgiens. Mais aussi de nombreux citoyens de l'Arkansas qui avaient formé le groupe des « Voyageurs de l'Arkansas », qui ont fait campagne dans presque tous les États où avait lieu une élection primaire. Ils ont été efficaces partout, mais tout particulièrement en Géorgie. Selon la presse politique, pour pouvoir continuer, je devais gagner largement dans cet État, avec au moins 40 % des voix. Grâce à mes amis et à mon message, j'en ai recueilli 57 %.

Le samedi suivant, en Caroline-du-Sud, j'ai remporté ma deuxième victoire, avec 63 % des voix. J'étais fortement aidé par divers responsables démocrates, ainsi que par l'ancien gouverneur Dick Riley et par des amis des week-ends de la Renaissance. Tom Harkin a fait une dernière tentative pour me torpiller, et Jesse Jackson, natif de Caroline-du-Sud, a fait le tour de l'État avec lui en me dénigrant. En dépit de leurs attaques, et de la remarque grossière que j'ai lâchée négligemment à leur encontre dans une salle d'une station de radio où un micro était ouvert, d'autres leaders noirs sont restés fidèles. J'ai recueilli une large majorité du vote noir, comme en Géorgie. Je crois que cela a surpris mes adversaires, qui avaient tous des convictions fortes et de bons antécédents en matière de droits civiques. Mais j'étais le seul candidat du Sud, et mes supporters noirs de l'Arkansas et moi apportions avec nous des années de liens personnels avec les dirigeants politiques, scolaires, commerciaux et religieux noirs de tout le Sud et au-delà.

Mais, comme en Géorgie, j'ai aussi été bien soutenu par les électeurs blancs. Car en 1992 la plupart des Blancs qui ne voulaient pas soutenir un candidat ayant des liens étroits avec la communauté noire étaient déjà passés dans le camp républicain. J'ai recueilli les voix de ceux qui voulaient que leur président transcende les différences d'origines pour s'attaquer aux problèmes qui pré-occupaient tous les Américains. Les Républicains s'efforçaient d'en limiter le nombre en faisant de toute élection une guerre de culture et de chaque Démocrate un extraterrestre aux yeux des électeurs blancs. Ils savaient exacte-ment sur quel bouton psychologique il fallait appuyer pour que les électeurs blancs cessent de penser, et quand ils y parvenaient, ils gagnaient. C'est pourquoi il ne me fallait pas seulement gagner aux primaires, mais aussi faire réfléchir suffisamment d'électeurs blancs pour être compétitif, dans le Sud, le jour de l'élection présidentielle proprement dite.

Après la Géorgie, Bob Kerrey avait jeté l'éponge. Après la Caroline-du-Sud, Tom Harkin en a fait autant. Seuls Tsongas, Brown et moi avons donc abordé le « Super Mardi », avec ses huit élections primaires et ses trois caucus. Tsongas m'a écrasé dans son État natal du Massachusetts et dans celui, voisin, de Rhode Island, et il a remporté les caucus du Delaware. Mais dans les États du Sud et les États voisins, ce fut un jour de fête pour nous. Dans toutes les primaires du Sud – au Texas, en Floride, en Louisiane, dans le Mississippi, en Oklahoma et dans le Tennessee –, j'ai obtenu la majorité des voix. Au Texas, soutenu par des amis que je m'étais faits durant la campagne de McGovern en 1972 et une large majorité des Mexico-Américains, je l'ai emporté avec 66 % des voix. Et dans tous les autres États où s'étaient tenues des primaires, j'ai fait un meilleur score, sauf en Floride qui, au terme d'une âpre compétition, a voté à 51 % Clinton, à 34 % Tsongas et à 12 % Brown. J'ai également remporté les caucus de Hawaï, grâce au gouverneur John Waihee, et du Missouri, où le vice-gouverneur Mel Carnahan a soutenu ma candidature alors qu'il était lui-même en campagne primaire pour le poste de gouverneur. Et il a gagné.

Au lendemain du « Super Mardi », je disposais d'une semaine exactement pour cimenter ma stratégie et prendre une avance incontestable dans l'Illinois et le Michigan. Un mois plus tôt seulement, j'étais en chute libre et tous les « experts » des médias m'enterraient déjà. Et voilà que j'avais pris la tête de la course. Mais Tsongas restait bien placé. Le lendemain du « Super Mardi », il lança en plaisantant que compte tenu de ma prestation dans les primaires du Sud, il pourrait envisager de faire tandem avec moi en me gardant comme vice-président. Le lendemain, il se trouvait lui aussi dans le Midwest où il mettait en cause ma personnalité, mon bilan de gouverneur et mes chances d'être élu président. En fait, pour lui, la question de la personnalité renvoyait à la réduction de la charge fiscale de la classe moyenne. Un nouveau sondage a alors fait apparaître que 40 % des Américains environ doutaient eux aussi de mon honnêteté, mais eux, ils n'avaient sans doute pas les impôts en tête.

La seule chose à faire consistait à m'en tenir à ma stratégie et à maintenir résolument le cap. Dans le Michigan, je suis allé dans la petite ville de Barton, près de Flint, où une large majorité des habitants étaient venus de l'Arkansas en quête d'emplois dans l'industrie automobile. Le 12 mars, j'ai pris la parole dans le comté de Macomb, près de Detroit, prototype de foyer de Démocrates reaganiens, c'est-à-dire d'électeurs détournés de notre parti par le message de Reagan à l'encontre d'un État fédéral interventionniste et pour des politiques militaire et sécuritaire fortes. En fait, ces électeurs suburbains avaient commencé à voter républicain dans les années 1960 parce qu'ils trouvaient que les Démocrates ne partageaient plus les valeurs que représentaient pour eux le travail et la famille et qu'ils étaient trop tournés vers les programmes sociaux, ce qui voulait dire pour beaucoup d'entre eux que l'on prenait l'argent de leurs impôts pour le donner aux Noirs et à des fonctionnaires inutiles.

Devant une salle comble, à l'Université du comté de Macomb, j'ai déclaré que je leur offrirais un nouveau Parti démocrate, dont les politiques économique et sociale reposeraient sur des chances offertes à tous et la responsabilité de tous. Elles concerneraient tout à la fois les dirigeants d'entreprise gagnant d'énormes salaires sans considération de leurs résultats, les travailleurs refusant de développer leurs compétences et les assistés en mesure de travailler. J'ai ensuite ajouté que nous ne pourrions réussir s'ils ne voulaient pas transcender les divisions ethniques pour œuvrer avec tous ceux qui partageaient ces valeurs. Ils devaient cesser de voter dans cet esprit, parce que « les problèmes ne sont pas raciaux par nature. C'est une question de politique économique, de valeurs ».

Le lendemain, à Detroit, j'ai repris le même message devant quelques centaines de pasteurs et de militants noirs à l'église baptiste de Pleasant Grove, dirigée par le révérend Odell Jones. J'ai raconté à ce public noir, en grande partie originaire de l'Arkansas, que j'avais mis les électeurs blancs du comté de Macomb au défi de transcender les divisions ethniques et que, maintenant, je les mettais au défi, eux, d'en faire autant, en acceptant le volet « responsabilité » de mon programme, qui incluait une réforme de la protection sociale, une mise en œuvre plus stricte du système des pensions alimentaires aux enfants, et des efforts en matière de lutte contre la délinquance qui renforceraient les valeurs de travail, de famille et de sécurité dans leurs quartiers. Ces deux discours retinrent sensiblement l'attention, parce qu'il était rare qu'un homme politique lance un défi aux Blancs du comté de Macomb sur les questions raciales ou aux Noirs des quartiers pauvres sur la protection sociale et la délinquance. Pour ma part, je ne fus pas surpris que les deux communautés réagissent vigoureusement à ce message. Au fond de leur cœur, la plupart des Américains savent que le meilleur des programmes sociaux est un travail, que l'institution sociale la plus forte est la famille et que la stratégie de la division raciale ne fait qu'aggraver les problèmes.

Dans l'Illinois, je me suis rendu dans une usine de production de saucisses employant des travailleurs immigrés noirs, hispaniques et d'Europe de l'Est pour attirer l'attention sur la politique de cette société, qui donnait à tous ses employés non bacheliers accès à un programme de formation continue. J'ai rencontré un tout nouveau citoyen venu de Roumanie qui m'a promis que son premier vote serait pour moi. J'ai établi des contacts avec les communautés noire et hispanique avec l'aide de deux jeunes militants, Bobby Rush et Luis Gutierrez, qui ont tous les deux été élus au Congrès quelques années plus tard. Je suis allé visiter un grand ensemble où l'on pratiquait des économies d'énergie avec un jeune leader hispanique, Danny Solis, dont la sœur Patti s'est mise à travailler aux côtés de Hillary dans la campagne et ne l'a ensuite plus quittée. Et j'ai défilé dans les rues de Chicago pour la fête de la Saint-Patrick sous les acclamations de mes partisans et les huées de mes adversaires, attisées par la bière offerte en abondance dans les bars situés sur le trajet du défilé.

Deux jours avant l'élection, j'ai participé à un débat télévisé avec Paul Tsongas et Jerry Brown à Chicago. Comme ils savaient que le moment était crucial, ils m'ont attaqué bille en tête. Brown a tiré le premier en s'en prenant de front à Hillary. Il a déclaré que j'avais confié des affaires publiques au cabinet Rose afin d'augmenter ses revenus et qu'une entreprise d'élevage de volailles que ce cabinet représentait bénéficiait grâce à elle d'un traitement spécial du département de Lutte contre la pollution. Ces accusations étaient ridicules et la véhémence avec laquelle Jerry les avaient lancées m'a mis en colère. J'ai expliqué les choses, comme je l'avais fait quand Frank White avait attaqué le cabinet de Hillary durant la campagne de 1986 pour le poste de gouverneur. Le cabinet Rose représentait l'État de l'Arkansas depuis 1948 en matière de gestion d'obligations. Il le représentait contre les compagnies de service public qui voulaient lui faire payer la centrale nucléaire de Grand Gulf. Tous les honoraires payés par l'État qui auraient dû revenir à Hillary étaient effacés des revenus du cabinet avant le calcul de sa part d'associée, ce qui fait qu'elle n'en tirait aucun profit, ainsi qu'il serait ressorti de l'enquête la plus rudimentaire. En outre, il n'existait aucune preuve que des clients du cabinet aient bénéficié du moindre avantage de la part d'une administration publique. Je n'aurais pas dû perdre mon sang-froid sur ces questions, mais ces allégations étaient tout simplement dénuées de fondement. Et je suppose qu'inconsciemment, je me sentais coupable que Hillary ait eu tellement à me défendre et j'étais heureux de pouvoir monter au créneau pour elle.

Tous ceux qui la connaissaient savaient qu'elle était d'une honnêteté scrupuleuse, mais tout le monde ne la connaissait pas, et ces attaques la blessaient. Le lendemain du débat, alors que nous serrions des mains au *Busy Bee Coffee Shop* de Chicago, un reporter lui a demandé ce qu'elle pensait des accusations de Brown. Elle a bien répondu en parlant de ses efforts pour mener tout à la fois une carrière et une vie de famille. Le reporter lui a alors demandé si elle aurait pu éviter qu'un conflit n'éclate entre les deux. Bien entendu, c'est exactement ce qu'elle faisait, et ce qu'elle aurait dû dire. Mais parce qu'elle était fatiguée et tendue, elle a répondu : « Je suppose que j'aurais dû rester chez moi, faire des cookies et inviter des amies à prendre le thé, mais j'ai décidé de me réaliser dans ma profession, que j'ai commencé à exercer avant que mon mari ne devienne un homme public. Et j'ai vraiment essayé de prendre toutes les précautions possibles. C'est tout ce que je peux vous dire. »

La presse s'est emparée de la remarque sur le thé et les cookies, qu'elle a fait passer pour une gifle à l'encontre des femmes au foyer. Les champions de la culture républicaine s'en sont donné à cœur joie, dépeignant Hillary comme une « juriste militante féministe », future idéologue d'une « administration Clinton-Clinton » prônant un programme « féministe radical ». J'avais mal pour elle. Je ne sais pas combien de fois, au fil des ans, je l'avais entendue défendre le libre choix des femmes, notamment celui de rester chez elles avec leurs enfants, décision que la plupart des mères, célibataires ou mariées, ne pouvaient tout bonnement plus se permettre. En outre, je savais qu'elle aimait faire des cookies et recevoir ses amies pour prendre le thé ensemble. Une seule remarque impromptue et nos adversaires avaient entre les mains une nouvelle arme pour faire ce qu'ils faisaient le mieux : diviser les électeurs et les empêcher de se concentrer sur l'essentiel.

Tout cela a été rapidement oublié, le lendemain, lorsque nous avons gagné dans l'Illinois, d'où Hillary était originaire, avec 52 % contre 25 % pour Tsongas et 15 % pour Brown. Dans le Michigan, nous avions 49 % des voix contre 27 % pour Brown et 18 % pour Tsongas. Si l'attaque de Brown contre Hillary avait eu un effet quelconque, elle s'était sans doute retournée contre lui dans l'Illinois. Pendant ce temps, le président Bush battait facilement Pat Buchanan dans ces deux États, mettant efficacement fin au défi que ce dernier lui avait lancé. La division dans les rangs républicains m'arrangeait, mais j'étais content de la défaite de Buchanan, qui avait essayé d'exploiter la face la plus sinistre de l'insécurité ressentie par la classe moyenne. Ainsi, dans un État du Sud, il avait visité un cimetière confédéré, mais n'avait pas voulu traverser la rue pour aller voir le cimetière noir.

Après une grande fête au *Palmer House Hotel* de Chicago, agrémentée de confettis verts en l'honneur de la Saint-Patrick, nous nous sommes remis au travail. En surface, tout allait très bien pour nous. Mais, plus en profondeur, les choses n'étaient pas si claires. Un nouveau sondage m'a donné à égalité avec le président Bush, mais un autre me donnait nettement derrière lui, même si son bilan n'était plus approuvé qu'à 39 %. Une enquête auprès des électeurs de l'Illinois à leur sortie des bureaux de vote indiquait que la moitié des Démocrates étaient mécontents du choix qui s'offrait à eux pour les présidentielles. Et Jerry Brown aussi était mécontent. Il ne me soutiendrait peut-être pas si je remportais l'investiture démocrate, a-t-il déclaré.

Le 19 mars, Tsongas s'est retiré de la campagne, arguant de problèmes financiers. Le seul adversaire qui restait en lice contre moi, alors que l'étape suivante était la primaire du Connecticut, le 24 mars, était Jerry Brown. *A priori*, je devais gagner, parce que la plupart des dirigeants démocrates de cet État m'avaient soutenu et que j'y avais des amis du temps de la fac de droit. Pourtant, en dépit d'une campagne très active, j'étais inquiet. Ça ne sentait pas bon. Les partisans de Tsongas m'en voulaient de l'avoir sorti de la course et prétendaient qu'ils allaient quand même voter pour lui ou qu'ils reporteraient leurs voix sur Brown. Inversement, mes supporters étaient difficiles à motiver, parce qu'ils pensaient que l'investiture était dans la poche. Je craignais qu'un faible taux de participation ne me coûte l'élection. Et j'avais raison. Vingt pour cent environ des Démocrates inscrits sont allés voter, et Brown m'a battu avec 37 % des voix contre 36 %. Vingt autres pour cent des électeurs étaient des partisans à tous crins de Tsongas et ne l'avaient pas lâché.

La grande épreuve suivante était l'État de New York, le 7 avril. Maintenant que j'avais perdu dans le Connecticut, l'investiture démocrate deviendrait de nouveau très incertaine si je ne remportais pas cette élection. Avec le cycle d'information insatiable, implacable et sans répit qui le caractérise, mais aussi sa vie politique désordonnée, au gré des initiatives des groupes de pression, l'État de New York semblait être l'endroit idéal pour me mettre hors jeu.

CHAPITRE VINGT-SEPT

En politique, rien ne ressemble à une élection new-yorkaise. L'État de New York est divisé en trois régions distinctes, tant géographiquement que psychologiquement : la ville de New York et ses cinq arrondissements très différents les uns des autres, Long Island et les autres comtés de banlieue, et le reste. On y trouve de fortes populations noires et hispaniques, la plus grosse population juive américaine, ainsi que des groupes de populations indiennes, pakistanaises, albanaises, et presque toutes les ethnies possibles et imaginables. Il existe aussi une grande diversité à l'intérieur des populations noires et hispaniques, et la population hispanique de New York comporte des gens originaires de Porto Rico et de toutes les Caraïbes, dont plus de cinq cent mille personnes venues de la seule République dominicaine.

Mon action en direction des communautés ethniques était organisée par Chris Hyland, un ancien condisciple de Georgetown qui vivait dans le sud de Manhattan, l'un des quartiers les plus mélangés d'Amérique. Lorsque Hillary et moi sommes allés visiter une école élémentaire déplacée à la suite des attaques terroristes du 11 septembre 2001, nous nous sommes retrouvés à parler à des enfants provenant de quatre-vingts nationalités ou groupes ethniques différents. Chris a commencé par acheter environ trente journaux ethniques pour trouver les leaders d'opinion qui y étaient mentionnés. Après les primaires, il a organisé une soirée caritative à New York avec neuf cent cinquante représentants des communautés ethniques, puis il s'est rendu à Little Rock afin d'organiser les groupes ethniques à travers le pays, contribuant ainsi activement à la victoire lors des élections générales et créant les fondations des relations inédites et privilégiées qui se sont durablement établies avec les communautés ethniques quand nous sommes arrivés à la Maison Blanche.

Les syndicats, notamment ceux des employés du service public, sont très présents sur la scène politique où ils se montrent très efficaces et très perspicaces. À New York, le paysage politique des primaires était rendu plus compliqué par le fait que les membres réguliers du Parti et les réformateurs libéraux étaient très actifs bien que souvent opposés les uns aux autres. Les groupes de militants en faveur des droits des homosexuels étaient très organisés et défendaient activement la nécessité d'en faire plus dans la lutte contre le sida qui faisait davantage de victimes chez nous que dans n'importe quel autre pays. La presse prenait la forme d'une omniprésente cacophonie de journaux traditionnels – *New York Times* en tête –, de tabloïds, de chaînes de télévision locales et de programmes radiophoniques, qui voulaient tous trouver en premier la dernière histoire à raconter.

Comme la campagne de New York ne commençait vraiment qu'après les primaires du Connecticut, j'avais pu faire campagne dans cet État pendant des mois avec l'aide précieuse et les conseils avisés de Harold Ickes, l'homonyme et le fils du célèbre secrétaire à l'Intérieur de Franklin D. Roosevelt. En 1992, nous avons fêté les vingt ans de notre amitié. Harold est mince, intense, brillant, passionné et parfois iconoclaste ; un mélange unique d'idéalisme libéral et de sens politique pratique. Dans sa jeunesse, il avait été cow-boy dans l'Ouest et s'était fait passer à tabac pour avoir travaillé en faveur des droits civiques dans le Sud. En période de campagne électorale, c'était un ami loyal et un farouche adversaire, persuadé que la politique avait le pouvoir de changer la vie. Il connaissait comme sa poche toutes les personnalités, toutes les grandes questions et toutes les luttes de pouvoir de l'État de New York. Je m'apprêtais à traverser l'enfer, mais j'y allais avec celui qui m'en sortirait vivant.

En décembre 1991, Harold, qui avait déjà aidé à rallier des soutiens importants à Manhattan, à Brooklin et dans le Bronx, s'était arrangé pour que je prononce un discours devant le comité démocrate du Queens. Il m'a proposé de nous rendre à ce meeting en métro, depuis Manhattan. La presse a moins parlé de mon discours que du fait que moi, petit gars de la campagne, j'avais pris le métro. Mais il était important de faire acte de présence. Peu de temps après, le président des Démocrates du Queens, le député Tom Manton, a approuvé ma candidature, de même que Floyd Flake, député du Queens et ministre de l'Église épiscopale méthodiste africaine d'Allen.

En janvier, je me suis rendu dans une école de Brooklyn pour la célébration de l'anniversaire de la naissance de Martin Luther King Jr., en compagnie du député afro-américain Ed Towns et de Clarence Norman, le président des Démocrates de Brooklyn. Les enfants nous ont beaucoup parlé du problème des armes blanches et des armes à feu dans leur école. Ils voulaient un président qui leur assurerait une vie plus sûre. J'ai ensuite assisté à un débat dans le Bronx, animé par le président d'arrondissement, Fernando Ferrer, qui allait devenir un de mes plus fervents supporters. J'ai pris le ferry pour Staten Island pour y faire campagne. À Manhattan, la présidente d'arrondissement, Ruth Messinger, se démenait pour moi, tout comme son assistant, Marty Rouse, qui m'a aidé à entrer en contact avec la communauté gay. Victor et Sara Korner ont convaincu un grand nombre de libéraux réformateurs de me soutenir et sont devenus de bons amis. Guillermo Linares, premier Dominicain

élu au conseil municipal, a été l'un des premiers Latinos importants à me sou
tenir. Grâce à Harold, j'ai également obtenu le soutien des réformateurs de la
ville. J'ai fait campagne à Long Island, dans le comté de Westchester, où je
réside à présent.

Dans l'État de New York, les syndicats ont pesé beaucoup plus que lors
des précédentes primaires. L'un des plus importants et des plus actifs était la
branche new-yorkaise de l'AFSCME, la Fédération américaine des employés
des municipalités, des comtés et des États. J'ai pu m'entretenir avec son exécutif, et l'AFSCME a été le premier gros syndicat à me soutenir. Lorsque j'étais
gouverneur, j'avais travaillé en étroite collaboration avec les membres de ce
syndicat, et j'en suis même venu à payer ma cotisation de membre. Mais si j'ai
obtenu son soutien, c'est parce que le président du syndicat, Gerald McEntee,
avait décidé qu'il m'aimait bien et que j'avais des chances de gagner. Il était
bon d'avoir McEntee de notre côté. Efficace, loyal jusqu'au bout des ongles, il
ne reculait jamais devant l'affrontement. J'avais également le soutien de la
United Transportation Union, le syndicat des transporteurs, et, à la fin du mois
de mars, j'ai obtenu celui de Communications Workers of America et de
l'International Ladies' Garment Workers Union, un syndicat des ouvriers du
prêt-à-porter. Les enseignants m'aidaient, même s'ils ne m'avaient pas encore
officiellement confirmé leur soutien. En plus des syndicats, j'étais également
soutenu par un grand nombre d'hommes d'affaires mobilisés par Alan Patricof
et Stan Schuman.

Ma relation la plus importante et la plus durable avec un groupe ethnique
a sans conteste été celle des Irlandais. Un soir tard, je me suis rendu au Irish
Issues Forum organisé par John Deave. Harold Ickes et le directeur des contributions de New York, Carol O'Cleireacain m'avaient aidé à m'y préparer. Le
légendaire Paul O'Dwyer, qui avait près de 85 ans, et son fils Brian étaient là,
de même que Niall O'Dowd, le rédacteur en chef de *Irish Voice*, le journaliste
Jimmy Breslin, le Républicain Peterkings et une centaine d'autres militants
irlandais. Ils voulaient obtenir ma promesse de nommer un représentant spécial
chargé de promouvoir l'arrêt des violences en Irlande du Nord en proposant
une solution favorable à la minorité catholique. J'y avais déjà été encouragé par
le maire de Boston, Ray Flynn, un ardent catholique irlandais qui se trouvait
être l'un de mes plus fervents partisans. Je m'intéressais à la question irlandaise
depuis que les troubles avaient éclaté en 1968, lorsque j'étais à Oxford. Après
une longue discussion, j'ai donné ma promesse et assuré que j'userais de mon
influence pour qu'on en finisse avec les discriminations contre les catholiques
d'Irlande du Nord dans le domaine économique notamment. Même si je savais
que j'allais me mettre les Anglais à dos et que j'allais mettre à mal notre plus
importante alliance transatlantique, j'étais persuadé que les États-Unis, avec
leur forte diaspora irlandaise – notamment des personnes qui envoyaient de
l'argent à l'Armée républicaine irlandaise –, pourraient faciliter les choses.

J'ai également fait une déclaration vigoureuse réaffirmant mon engagement qui avait été préparée par mon assistante en politique étrangère Nancy
Soderberg. Mon condisciple en droit, l'ex-parlementaire du Connecticut
Bruce Morrison organisa les Irish Americans for Clinton, groupe qui a joué un
grand rôle dans la campagne et dans le travail que nous avons accompli par la

suite. Comme l'a noté Chelsea dans le mémoire de maîtrise sur la question irlandaise qu'elle a soutenu à Stanford, si je me suis tout d'abord penché sur ce problème à cause d'enjeux politiques internes à l'État de New York, c'est une question qui m'a passionné pendant toute ma présidence.

Normalement, dans le cadre ordinaire des primaires démocrates, un candidat capable de faire valoir un tel soutien est assuré d'obtenir la victoire. Mais il ne s'agissait pas de primaires ordinaires. Tout d'abord, il y avait l'opposition. Jerry Brown se démenait comme un beau diable, bien décidé à se rallier les électeurs libéraux dans ce qui était pour lui la dernière – et la meilleure – occasion de me faire sortir de la course. Paul Tsongas, encouragé par ses résultats dans le Connecticut, a fait savoir qu'il ne serait pas mécontent que ses électeurs votent pour lui une deuxième fois. La candidate présidentielle du New Alliance Party [le Parti de la Nouvelle Alliance], Lenora Fulani (une forte femme), a fait de son mieux pour les aider, allant jusqu'à pousser ses militants à venir perturber une conférence que je donnais sur la santé publique à l'hôpital de Harlem.

Jesse Jackson s'est pratiquement installé à New York pour aider Brown. Il a notamment convaincu Dennis Rivera, président de l'un des plus importants et des plus actifs syndicats de la ville – le Service Employees International Union Local 1199 – à soutenir la candidature de Jerry plutôt que la mienne. Brown lui a renvoyé l'ascenseur en affirmant que, s'il remportait les primaires, il ferait de Jesse son partenaire de campagne. Je pensais que la déclaration de Brown allait lui valoir les voix des électeurs noirs, mais elle a également poussé vers moi une bonne partie de l'électorat juif. On pensait également Jackson trop proche de Louis Farrakhan, le très antisémite leader des Black Panthers. Néanmoins, dans l'État de New York, le soutien de Jesse jouait incontestablement en faveur de Brown.

Et puis, il y avait la presse. Les grands journaux faisaient le siège de l'Arkansas depuis des semaines, essayant de glaner tout ce qu'ils pouvaient sur ma carrière et ma vie privée. Le *New York Times* avait ouvert le bal au début du mois de mars avec la première histoire sur Whitewater. En 1978, Hillary et moi, ainsi que Jim et Susan McDougal, avions contracté des prêts de plus de deux cent mille dollars afin d'investir dans des terrains bordant la rivière White, dans le nord-ouest de l'Arkansas. Jim était un promoteur que j'avais rencontré lorsqu'il était directeur de cabinet du sénateur Fulbright à Little Rock. Nous espérions diviser les terrains en plusieurs lots et les revendre avec une marge aux retraités qui, dans les années 1960 et 1970, étaient venus nombreux s'installer dans les monts Ozark. McDougal n'avait connu que des succès dans ses précédents investissements de ce type, y compris pour un terrain dans lequel j'avais investi quelques milliers de dollars et dégagé un modeste bénéfice. Malheureusement, à la fin des années 1970, les taux d'intérêt sont montés en flèche, l'économie s'est ralentie, le prix des terrains a chuté et nous avons perdu beaucoup d'argent dans cette opération.

Quand je suis redevenu gouverneur en 1983, McDougal avait acheté une petite agence d'épargne et de prêt qu'il avait appelée Madison Guaranty Savings and Loan. Quelques années plus tard, il a fait appel au cabinet Rose pour en représenter les intérêts. Quand la crise a frappé ce secteur en Amérique,

Madison, qui risquait la mise en liquidation judiciaire, a cherché à lever des capitaux en vendant des actions privilégiées et en créant une filiale destinée à fournir des services de courtage. Pour ce faire, McDougal devait obtenir l'autorisation de la directrice du Trésor public de l'Arkansas, Beverly Bassett Schaffer, que j'avais nommée à ce poste. Beverly était une avocate hors pair, c'est la sœur de mon ami Woody Bassett et l'épouse d'Archie Schaffer, le neveu du sénateur Dale Bumpers.

L'article du *Times* faisait partie d'une série d'articles sur Whitewater. Le journaliste se demandait si le fait que Hillary représentait une entité juridique réglementée par l'État n'aboutissait pas à un conflit d'intérêts. Elle avait personnellement signé une lettre adressée à Beverly Schaffer, dans laquelle elle lui expliquait la solution des actions privilégiées. Le journaliste sous-entendait également que Madison avait reçu un traitement de faveur en obtenant une autorisation pour deux propositions de financement « inédites » et que Schaffer n'avait pas surveillé d'assez près cette institution alors qu'elle était au bord de la faillite.

Les faits lui donnaient tort. Tout d'abord, les propositions financières approuvées par la directrice du Trésor n'avaient rien d'inhabituel à cette époque. Ensuite, dès lors qu'un audit indépendant a montré, en 1987, que Madison était insolvable, Schaffer a poussé les instances fédérales de réglementation bancaire à en décider la fermeture, bien avant que ces dernières ne s'apprêtent à en prendre d'elles-mêmes la décision. Troisièmement, Hillary n'avait facturé en tout et pour tout à Madison que vingt et une heures de travail en deux ans pour le cabinet Rose. Quatrièmement, nous n'avons jamais contracté le moindre emprunt auprès de Madison, mais nous avons effectivement perdu de l'argent dans notre investissement de Whitewater. Il n'y avait rien de plus à dire sur l'affaire Whitewater. Il était clair que le journaliste du *New York Times* était en relation avec Sheffield Nelson et certains de mes autres adversaires en Arkansas, qui auraient été trop heureux de ternir mon image avec d'autres histoires que celle de ma mobilisation ou de Gennifer Flowers, même s'il devait pour cela ignorer des faits contrariants et salir la réputation professionnelle d'un haut personnage de l'État tel que Beverly Schaffer.

Le *Washington Post* est aussi entré dans la danse avec un article destiné à montrer que j'avais été trop proche des éleveurs de volailles et que je n'avais rien fait pour les empêcher de répandre le lisier de leurs exploitations sur les terres agricoles. En quantités raisonnables, le lisier est effectivement un engrais efficace, mais lorsque les doses déversées sont trop importantes pour être absorbées par la terre, la pluie les charrie jusqu'aux cours d'eau, polluant ainsi ces derniers au point qu'ils deviennent impropres à la pêche ou à la baignade. En 1990, le département de l'Écologie et du Contrôle de la pollution de l'Arkansas a découvert que plus de 90 % des cours d'eau du nord-ouest de l'État – où se trouvent concentrés les élevages de volailles – étaient pollués. Nous avons dépensé plusieurs millions de dollars pour tenter de résoudre ce problème et, deux ans plus tard, les personnes chargées du contrôle de la pollution nous ont annoncé que plus de 50 % des cours d'eau remplissaient les normes autorisant leur usage à titre récréatif. J'ai obtenu des éleveurs qu'ils acceptent un « code de bonnes pratiques » pour assainir les autres. On m'a reproché de ne pas impose.. un assainissement des élevages eux-mêmes, mais c'est une chose plus facile à dire qu'à faire. Le congrès démocrate ne pouvait l'imposer, et les groupes de pression agricoles avaient suffisamment d'influence pour échapper complètement aux réglementations fédérales lorsque le Congrès a voté la loi sur la qualité de l'eau. La volaille représentait le plus gros secteur industriel de l'Arkansas, celui qui fournissait le plus grand nombre d'emplois et qui avait su se ménager la plus grande influence auprès des instances législatives de l'État. Dans ces circonstances, je considérais que j'avais fait plutôt du bon travail, même s'il est vrai que cette question demeurait le point faible d'une politique environnementale par ailleurs assez solide. Le *Washington Post* et le *New York Times* ont tous deux publié des articles sur le sujet, le *Post* laissant entendre à la fin du mois de mars que le cabinet Rose avait fait pression sur le gouvernement de l'Arkansas pour qu'il ne pénalise pas trop ce secteur agroalimentaire.

J'essayais de prendre les choses avec recul. La presse ne faisait que jouer son rôle en examinant la personnalité et les actions politiques de quelqu'un qui pouvait fort bien devenir président. La plupart des journalistes ne connaissaient rien de l'Arkansas ; certains d'entre eux s'en faisaient l'image négative d'un État pauvre et rural. On m'avait aussi collé l'étiquette du « candidat à problèmes » de 1992 ce qui rendait les médias hautement perméables à tout ce qui pouvait conforter l'opinion qu'ils s'étaient forgée de moi.

À tête reposée, je comprenais bien tous ces enjeux, et je n'avais pas oublié la couverture médiatique positive dont j'avais été l'objet au début de la campagne. J'avais cependant l'impression de plus en plus forte que ces articles étaient publiés sur le principe : « On tire d'abord, on pose les questions après. » En les lisant, j'avais l'impression de sortir de moi-même. Les journalistes semblaient bien décidés à prouver que seuls des fous pouvaient me croire capable de devenir président : les électeurs de l'Arkansas qui m'avaient accordé leur voix à cinq reprises, mes collègues gouverneurs qui m'avaient désigné comme le gouverneur le plus efficace du pays, les experts en matière d'éducation qui avaient encensé nos réformes et nos améliorations, ou encore les amis de toujours qui avaient fait campagne pour moi à travers tout le pays. En Arkansas, même mes adversaires honnêtes savaient que je ne ménageais pas ma peine et que j'avais la tête sur les épaules. À en croire la presse, j'avais donc embobiné tous ces gens depuis l'âge de 6 ans. À un moment, lorsque les choses ont commencé à très mal se présenter dans l'État de New York, Craig Smith m'a confié qu'il ne lisait plus les journaux, « parce que je ne connais pas la personne dont ils parlent ».

Vers la fin du mois de mars, Betsey Wright, qui se trouvait à Harvard pour une mission temporaire à la Kennedy School, est venue à mon secours. Elle avait beaucoup travaillé pendant des années à l'élaboration progressive de notre bilan et à la mise en place d'une stratégie aussi précise qu'éthique. Sa mémoire était prodigieuse, elle connaissait tous les dossiers et elle avait envie d'en découdre avec les journalistes afin de rétablir la vérité. Lorsqu'elle est arrivée à notre quartier général pour réparer les dégâts, je me suis senti beaucoup mieux. Betsey a mis un terme à un certain nombre d'histoires fausses, mais elle n'a pas pu tout empêcher.

Le 26 mars, nous avons commencé à sortir la tête de l'eau lorsque le sénateur Tom Harkin et deux syndicats – les Communications Workers of America et les International Ladies' Garment Workers Union – m'ont officiellement apporté leur soutien. J'ai aussi été soulagé de voir que le gouverneur Cuomo et le sénateur de New York Pat Moynihan critiquaient le taux d'imposition uniforme de 13 % proposé par Jerry Brown, en disant que cela ferait du tort à l'État de New York. Ce jour-là, exceptionnellement, les journaux n'ont parlé que des vraies questions et de leurs conséquences sur la vie des gens.

Le 29 mars, j'ai de nouveau bu la tasse, par ma faute. Jerry Brown et moi participions à un débat télévisé sur la chaîne WCBS, à New York, lorsqu'un journaliste m'a demandé si j'avais déjà fumé du cannabis lorsque j'étais étudiant à Oxford. C'est la première fois que l'on me posait directement cette question précise. En Arkansas, quand on me demandait si j'avais déjà goûté à la marijuana, je répondais très évasivement que je n'avais jamais enfreint la loi des États-Unis. Cette fois-ci, ma réponse a été plus directe : « Lorsque j'étais en Angleterre, j'ai goûté une fois ou deux de la marijuana. Je n'ai pas aimé ça, je n'ai jamais inhalé la fumée et je n'ai jamais recommencé. »

Même Jerry Brown a demandé aux journalistes de passer à autre chose, trouvant que la question n'avait aucun intérêt.

Mais la presse venait de mettre la main sur un autre défaut dans ma cuirasse. En précisant que je n'avais pas inhalé, je ne faisais qu'évoquer un fait, je n'essayais pas de minimiser la chose, comme j'ai tenté par la suite de l'expliquer inlassablement. J'aurais dû dire que je ne savais pas inhaler. Je n'avais jamais fumé de cigarette et je n'inhalais pas la fumée de la pipe que je fumais très occasionnellement à Oxford. J'avais donc essayé, mais sans succès, d'inhaler la fumée de la marijuana. Je ne sais pas ce qui m'a pris de dire ça ; j'ai sans doute voulu être drôle, ou peut-être était-ce simplement une réaction nerveuse à un sujet que j'aurais préféré ne pas aborder. Ma version a été confirmée par un journaliste anglais très respecté, Martin Walker, qui a par la suite écrit un ouvrage intéressant et assez flatteur sur ma présidence. Martin a déclaré publiquement qu'il était à Oxford avec moi et qu'à cette soirée il m'avait vu essayer d'inhaler sans y parvenir. Mais c'était trop tard. Mon histoire de marijuana, maladroite, a été reprise par tous les politologues et les Républicains tout au long de l'année 1992, et ils s'en sont servis pour renforcer mon image de candidat à problèmes. J'avais également donné du grain à moudre à tous les animateurs de shows télévisés satiriques.

Comme le dit une chanson de chez nous, je ne savais trop si je devais « me tuer ou aller jouer aux boules ». L'État de New York souffrait de graves problèmes socio-économiques que la politique de Bush ne faisait qu'empirer, et pourtant, chaque jour semblait ponctué par les interventions de journalistes de la télévision ou de la presse qui me posaient toutes sortes de questions sur ma personnalité. L'animateur radio Don Imus m'a même qualifié de « bouseux clownesque ». Lorsque je me suis rendu sur le plateau de l'émission télévisée de Phil Donahue, il s'est contenté, pendant vingt minutes, de me poser des questions sur la fidélité conjugale. J'avais beau lui répondre ce que je répondais toujours, il ne cessait de reposer la même question. J'ai fini par l'envoyer paître et le public a applaudi à tout rompre. Il ne s'est pas arrêté pour autant.

Je ne savais pas si j'avais effectivement une personnalité problématique, mais j'avais sans aucun doute une mauvaise réputation, et cette mauvaise réputation m'avait été promise par la Maison Blanche plus de six mois auparavant. Parce que le Président est à la fois le chef de l'État et le plus haut personnage du gouvernement, il incarne en un sens l'idée que les gens se font de l'Amérique ; sa réputation est donc une chose importante. Tous les présidents, depuis George Washington et Thomas Jefferson, ont toujours préservé jalousement leur réputation : Washington a dû se préserver des critiques sur ses dépenses pendant la Révolution ; Jefferson a dû faire oublier les histoires que l'on racontait sur sa faiblesse pour les femmes. Avant de devenir président, Abraham Lincoln a souffert d'épisodes de dépression très invalidants. Il lui est même arrivé de ne pouvoir sortir de chez lui pendant un mois entier. S'il avait dû faire campagne dans les conditions actuelles, nous nous serions sans doute privés du plus grand président de notre histoire.

Jefferson a même écrit que les collaborateurs du président avaient pour obligation de protéger sa réputation, quel qu'en soit le coût. « Lorsque les événements nous donnent une place dans l'histoire à laquelle la nature ne nous avait pas préparés en nous parant de toutes les qualités requises, il appartient à notre entourage de voiler nos faiblesses, et plus encore nos vices, aux yeux de l'opinion publique. » On avait arraché le voile qui cachait mes vices et mes faiblesses, réels ou imaginaires. L'opinion publique en savait plus à ce sujet que sur le bilan de ma vie politique ou sur mon message, sans parler de mes vertus éventuelles. Si ma réputation était en miettes, je risquais de ne pouvoir être élu, quand bien même les électeurs seraient en accord avec mes propositions et me croiraient capable de les mener à bien.

Face à toutes ces attaques personnelles, j'ai réagi comme je l'ai toujours fait chaque fois que je me suis trouvé dos au mur : j'ai continué à tracer ma route. Dans les dernières semaines de la campagne, les nuages ont commencé à se dissiper. Le 1er avril, lors d'une réunion avec le président Bush à la Maison Blanche, le président Carter a fait savoir qu'il me soutenait. Cela ne pouvait tomber mieux. Personne ne s'était jamais interrogé sur la personnalité de Carter, et sa réputation n'avait cessé de croître après son départ de la présidence, en raison du travail qu'il avait accompli aux États-Unis comme sur la scène internationale. En un commentaire, il a plus que réparé les torts qu'il m'avait causés lors de la crise des réfugiés cubains en 1980.

Le 2 avril, Jerry Brown a été hué lors d'un discours qu'il prononçait devant le conseil des relations avec la communauté juive de New York, pour avoir évoqué la possibilité de choisir Jesse Jackson comme partenaire de campagne (et, de fait, futur vice-président). Au même moment, Hillary et moi nous adressions à un large public assemblé pour un meeting de mi-journée à Wall Street. J'ai été hué moi aussi, pour avoir dit que les années 1980 étaient une décennie vorace et pour m'être opposé à une baisse de la taxation sur les revenus du capital. Après mon discours, j'ai pris un bain de foule, serrant les mains des uns. tentant une dernière fois de convaincre les autres

Pendant ce temps-là, nous avons fait venir tout notre état-major de campagne dans l'État de New York. En plus de Harold Ickes et de Susan Thomases, Mickey Kantor a pris ses quartiers dans la suite d'un hôtel, rejoint par Carville, Stephanopoulos, Stan Greenberg, Frank Greer et sa compagne Mandy Grunwald. Comme toujours, Bruce Lindsey était à mes côtés. Sa femme, Bev, est venue nous rejoindre à son tour afin de veiller à ce que les événements publics soient bien organisés et correctement mis en œuvre. Carol Willis a fait venir à New York un car empli de Noirs de l'Arkansas, afin qu'ils racontent ce que j'avais fait, en tant que gouverneur, pour et avec les Noirs. Des pasteurs noirs de l'Arkansas ont appelé leurs homologues new-yorkais, pour leur demander de laisser nos gens monter en chaire pour s'adresser aux fidèles le dernier dimanche avant les élections. Lottie Shackleford, haut fonctionnaire municipal de Little Rock et vice-présidente du comité démocrate national, s'est rendue dans cinq églises ce jour-là. Ceux qui me connaissaient tentaient de contrer tout ce que faisait Jesse Jackson pour amener les électeurs noirs à voter pour Brown.

Certains journalistes sont venus vers nous. Le vent tournait peut-être. J'ai même été bien reçu à l'émission de radio de Don Imus et Jimmy Breslin, chroniqueur au *Newsday* spécialiste de la question irlandaise, a écrit : « On peut dire ce qu'on veut, mais il ne baisse pas les bras. » Pete Hamill, chroniqueur au *New York Daily News* dont j'avais pu apprécier les livres, a écrit pour sa part : « J'en suis venu à respecter Bill Clinton. Nous en sommes à la fin du match, et il est encore debout. » J'avais donc le soutien du *New York Times* et du *Daily News*. Aussi incroyable que cela puisse paraître, j'avais également celui du *New York Post*, qui avait été plus virulent qu'aucun autre journal. Un beau jour, son éditorialiste a écrit ces lignes : « Le fait qu'il ait survécu à des assauts répétés de la presse sur sa vie privée, des assauts sans précédent dans l'histoire politique de notre pays, en dit long sur sa force de caractère […]. Il a continué à faire campagne avec une remarquable ténacité […] manifestant, selon nous, une volonté extraordinaire en dépit d'une énorme pression. »

Le 5 avril, nous avons reçu de bonnes nouvelles de Porto Rico, où j'avais obtenu 96 % des suffrages. Le 7 avril, avec une faible participation (un million de votants), j'ai remporté les primaires de l'État de New York avec 41 % des voix. Tsongas est arrivé en deuxième position avec 29 %, tout juste devant Brown, qui recueillait 26 % des suffrages. Une majorité d'Afro-Américains s'étaient exprimés en ma faveur. Ce soir-là j'étais épuisé mais content. Pour moi, la phrase qui résume le mieux cette campagne est tirée d'une chanson de gospel entendue à l'église d'Anthony Mangun : « Plus sombre est la nuit, plus douce est la victoire. »

En faisant des recherches pour ce livre, j'ai lu le compte rendu de ces primaires dans *The Comeback Kid* de Charles Allen et Jonathan Portis. Dans ce livre, les auteurs font référence à une phrase de Levon Helm, batteur du groupe The Band et originaire de l'Arkansas, qui explique dans *The Last Waltz* [La dernière valse], ce grand documentaire sur le rock, ce qu'éprouve un garçon du Sud qui débarque à New York en espérant y devenir célèbre : « La première fois, tu arrives et tu te fais botter le cul à un point tel que tu décolles. Dès que tu es guéri, tu reviens et tu y goûtes à nouveau. À la fin, tu finis par vraiment aimer ça. »

Je n'ai pas pu prendre le temps de panser mes plaies, mais je comprenais très bien ce qu'il avait voulu dire. Comme le New Hampshire, l'État de New York m'avait mis à l'épreuve et donné une leçon. Comme Levon Helm, j'en étais arrivé à aimer ça. Après des débuts incertains, New York est devenu pendant huit ans l'État où j'obtenais mes meilleurs résultats.

Le 7 avril, nous avons aussi remporté le Kansas, le Minnesota et le Wisconsin. Le 9 avril, Paul Tsongas a annoncé qu'il quittait la course : la lutte pour l'investiture était pour ainsi dire terminée. J'avais plus que les 2 145 délégués dont j'avais besoin pour être désigné, et Jerry Brown était mon seul adversaire encore en lice. Mais je savais que j'avais pris beaucoup de coups, et que je ne pouvais pas y faire grand-chose avant la grande convention démocrate de juillet. Sans compter que j'étais épuisé. Je n'avais plus de voix, mais j'avais presque 15 kilos de plus. J'avais pris du poids pendant le dernier mois de ma campagne dans le New Hampshire. J'avais attrapé une sorte de virus qui, la nuit, remplissait d'eau mes poumons, de sorte que je ne pouvais pas dormir plus d'une heure sans être réveillé par des quintes de toux. Pour tenir le coup, j'avais l'adrénaline et les beignets *Dunkin' Donuts*, et mon tour de taille s'en est ressenti. Harry Thomason a dû m'apporter de nouveaux costumes pour que je n'aie pas l'air d'un ballon de baudruche sur le point d'éclater.

Après les primaires de New York, je suis rentré chez moi quelques semaines pour reposer ma voix, me remettre sur pied et réfléchir à la façon de me sortir du gouffre. Pendant que j'étais à Little Rock, j'ai remporté le comité électoral de Virginie et reçu le soutien officiel des dirigeants de l'AFL-CIO. Le 24 avril, United Auto Workers [syndicat des ouvriers de l'automobile] m'a accordé son soutien et, le 28 avril, j'ai remporté les primaires de Pennsylvanie avec une large majorité. Le combat aurait pu être rude en Pennsylvanie. Le gouverneur Bob Casey, dont j'admirais la ténacité puisqu'il s'était présenté trois fois avant de l'emporter, s'était montré très critique envers moi. Il était fortement opposé à la légalisation de l'avortement et, comme il devait à présent se battre contre ses propres problèmes de santé, cette question était devenue de plus en plus importante à ses yeux ; il avait donc beaucoup de mal à soutenir des candidats favorables à la légalisation. Tel était également le cas de beaucoup de Démocrates antiavortement de Pennsylvanie. J'ai cependant toujours gardé une bonne opinion de cet État. Sa partie occidentale me rappelait le nord de l'Arkansas, je m'entendais bien avec les gens de Pittsburgh et des petites villes du centre, et surtout, j'adorais Philadelphie. J'ai remporté la Pennsylvanie avec 57 % des voix, et les sondages effectués à la sortie des bureaux de vote montraient que plus de 60 % des Démocrates qui avaient voté pensaient que j'étais assez intègre pour devenir président ; ils n'étaient que 49 % dans l'État de New York. Si mon score s'était amélioré sur cette question de l'intégrité, c'est parce que j'avais eu trois semaines pour faire une campagne positive, centrée sur les vrais problèmes, dans un État qui voulait justement qu'on lui tienne ce genre de discours.

Cette victoire en Pennsylvanie arrivait à point nommé, mais elle s'est trouvée éclipsée par l'arrivée d'un nouvel adversaire, H. Ross Perot. Perot était un milliardaire texan qui avait fait fortune avec Electronic Data Systems, une entreprise qui travaillait beaucoup pour les instances gouvernementales, notamment en Arkansas. Il s'était fait connaître à l'échelon national en finançant et organisant l'aide aux employés d'EDS en Iran après la chute du shah. Comme orateur, il était assez cru mais efficace, et il avait réussi à convaincre beaucoup d'Américains qu'avec son expérience dans les affaires, son indépendance financière et son goût pour l'action, il pouvait faire un bien meilleur président que Bush ou moi-même.

À la fin du mois d'avril, plusieurs sondages rendus publics le donnaient en tête, tandis que je me trouvais relégué en troisième position. Perot était un homme assez intéressant dont la popularité – aussi soudaine que phénoménale – me fascinait. S'il entrait dans la course à la présidence, j'avais tendance à penser que le soufflé finirait par retomber, mais je ne pouvais en être certain. Je me suis donc contenté de faire ce que j'avais à faire, c'est-à-dire de récolter le soutien des « superdélégués », c'est-à-dire de personnalités élues ayant été ou étant actuellement en poste et qui disposaient d'un droit de vote garanti lors de la convention. L'un des premiers superdélégués à se prononcer en ma faveur a été le sénateur Jay Rockefeller, de Virginie-Occidentale. Nous nous étions rencontrés lors d'un congrès de gouverneurs et nous étions vite devenus amis. Depuis les primaires du New Hampshire, il me donnait des conseils sur la santé publique, domaine qu'il connaissait bien mieux que moi.

Le 29 avril, au lendemain du vote de la Pennsylvanie, des émeutes ont éclaté à Los Angeles après qu'un jury entièrement composé de Blancs eut décidé, dans le comté voisin de Ventura, d'acquitter quatre officiers de police blancs de Los Angeles accusés d'avoir tabassé Rodney King, un Noir, en mars 1991. Un témoin avait filmé la scène avec son Caméscope, et la cassette a été rendue publique et montrée sur toutes les chaînes de télévision du pays. On y voyait King se laisser interpeller sans résistance et se faire malgré tout rouer de coups.

Le verdict a enflammé la communauté noire, qui avait depuis longtemps le sentiment que la police de Los Angeles était gangrenée par le racisme. Au bout de trois jours de violence dans la zone de South Central, plus de cinquante personnes sont mortes, deux mille trois cents ont été blessées, des milliers de personnes ont été arrêtées, tandis que les dégâts causés par les pillages et les incendies étaient estimés à plus de sept cents millions de dollars.

Le dimanche 3 mai, j'étais à Los Angeles pour parler devant les fidèles de la Première Église épiscopale méthodiste africaine du révérend Cecil « Chip » Murray. Je leur ai parlé de la nécessité d'apaiser nos tensions raciales et économiques. J'ai ensuite fait le tour des quartiers qui avaient le plus souffert, en compagnie de Maxine Waters, qui représentait la circonscription de South Central Los Angeles au Congrès. Maxine était une femme politique intelligente et solide, qui m'avait apporté son soutien très tôt en dépit de la longue amitié qui la liait à Jesse Jackson. Les rues offraient un paysage de guerre civile, avec leurs bâtiments ravagés par les flammes ou les pillages. En marchant, j'ai remarqué une épicerie qui m'avait l'air intacte. Lorsque j'en ai parlé à Maxine, elle m'a répondu que cette boutique avait été « protégée » par des gens du voisinage, y compris par les membres d'un gang, parce que son propriétaire, un homme d'affaires blanc du nom de Ron Burkle, s'était montré généreux envers la communauté. Il avait embauché des gens du quartier, tous ses employés étaient syndiqués et bénéficiaient d'une mutuelle, et les produits qu'il vendait étaient de même qualité que ceux que l'on trouvait au même prix dans les épiceries de Beverly Hills. À cette époque, la chose n'était pas commune ; parce que les habitants des centres-ville sont moins mobiles, les épiceries de leur quartier proposent souvent des produits de qualité moindre à un prix supérieur. J'avais rencontré Burkle pour la première fois quelques heures plus tôt, et je me suis promis de le revoir. Il est devenu l'un de mes meilleurs amis et l'un de mes plus fervents partisans.

Lors d'une réunion chez Maxine, j'ai écouté des habitants de South Central raconter leurs problèmes avec la police, les tensions entre les commerçants d'origine coréenne et leur clientèle noire, le manque de travail. Je me suis engagé à soutenir les actions visant à donner plus de pouvoir aux habitants du centre-ville, ou à encourager les investisseurs privés et les banques de développement locales à accorder des prêts à des personnes disposant de revenus faibles à modérés. J'ai beaucoup appris au cours de ce voyage, qui a été largement couvert par la presse. J'ai ainsi pu donner l'impression aux habitants de la ville que je me souciais suffisamment d'eux pour faire le déplacement avant même le président Bush. C'est une leçon que n'a pas oubliée le plus talentueux politicien de la non moins talentueuse famille Bush. En 2002, le président George W. Bush est venu à Los Angeles pour le dixième anniversaire des émeutes.

Fin mai, une série de victoires dans d'autres élections primaires est venue grossir le nombre de mes délégués. J'ai notamment remporté 68 % des voix en Arkansas le 26 mai, rivalisant avec mon meilleur score jamais obtenu lors d'une primaire dans mon propre État. Pendant ce temps-là, j'étais en train de faire campagne en Californie, espérant compléter mon palmarès dans l'État de Jerry Brown. J'ai dit qu'il fallait que le gouvernement fédéral nous aide à rendre nos écoles plus sûres et à lutter véritablement contre le sida en Amérique. J'ai également commencé à chercher un candidat à la vice-présidence. J'ai confié le processus de sélection à Warren Christopher, un avocat de Los Angeles qui avait été le secrétaire d'État adjoint du président Carter, et qui jouissait d'une réputation bien méritée d'homme compétent et discret. En 1980, Chris avait négocié la libération de nos otages en Iran. Malheureusement, leur libération a été retardée jusqu'à l'entrée en fonctions du président Reagan, la preuve que tous les dirigeants jouent un jeu de politique politicienne, même dans les théocraties.

En attendant, la candidature – toujours non déclarée – de Ross Perot continuait de faire parler d'elle. Il avait démissionné du poste de président de son entreprise et continuait de grimper dans les sondages. Au moment où j'étais sur le point d'obtenir l'investiture, les journaux ont commencé à titrer en première page : « Clinton devrait arracher son investiture, mais tous les regards sont tournés vers Perot », « La saison des primaires touche à sa fin, Perot pourrait arbitrer l'élection » ou encore « Les sondages donnent Perot en tête, devant Bush et Clinton ». Au contraire du président Bush, Perot ne pâtissait pas d'un mauvais bilan et n'avait pas eu, comme moi, à endurer la douloureuse bataille des primaires. Aux yeux des Républicains, il apparaissait sans doute comme leur propre créature de Frankenstein : un homme d'affaires qui s'était glissé dans l'espace laissé vacant par leurs attaques à mon endroit. Aux yeux des Démocrates, il avait aussi des allures de cauchemar, la preuve que le Président pouvait être battu, mais par un autre que leur candidat blessé.

Le 2 juin, j'ai remporté les primaires de l'Ohio, du New Jersey, du Nouveau-Mexique, de l'Alabama, du Montana et de la Californie, où j'ai battu Brown par 48 % contre 40 %. Finalement, j'avais réussi à remporter mon investiture. J'ai obtenu plus de 10,3 millions de tous les suffrages exprimés lors des primaires de 1992, soit 52 %. Brown a obtenu près de 4 millions des voix, soit 20 %, Tsongas 3,6 millions (18 %), les autres candidats se partageant les voix restantes, à l'exception des suffrages qui s'étaient exprimés en faveur de candidats non inscrits.

Mais ce qui était sur toutes les lèvres ce soir-là, c'était la facilité avec laquelle tant d'électeurs des deux partis – selon les instituts de sondage – étaient prêts à laisser choir les candidats désignés afin de voter Perot. Cette nouvelle a quelque peu gâché la fête que nous avions organisée à l'hôtel *Biltmore* de Los Angeles. Hillary et moi avons regardé les résultats dans notre suite, et j'ai eu bien du mal à garder mon légendaire optimisme. Peu de temps avant que nous ne descendions dans les salons de l'hôtel pour le discours de la victoire, nous avons reçu la visite de Chevy Chase. Tout comme il l'avait fait à Long Island quatre ans plus tôt, il venait me remonter le moral à un moment difficile. Cette fois, il était accompagné de sa partenaire de tournage, Goldie Hawn. Après les avoir entendus rire de la situation absurde dans laquelle nous nous trouvions, je me suis senti mieux et prêt à reprendre la course.

Une fois de plus, les journalistes politiques me déclaraient mort. Perot était désormais l'homme qu'il fallait battre. Une dépêche de l'agence Reuters a ainsi résumé la situation en une simple phrase : « Bill Clinton, qui s'est battu pendant des mois pour éviter que sa vie privée ne soit rendue publique, s'est trouvé vendredi face à une bien plus sombre menace : celle de passer inaperçu. » Le président Nixon prédisait que Bush allait battre Perot à l'arraché et que j'arriverais loin derrière.

Il fallait redynamiser notre campagne. Nous avons décidé d'aller dans certaines circonscriptions en particulier et de nous adresser directement aux électeurs, en ne parlant que des vrais problèmes. Le 3 juin, j'ai participé à l'émission télévisée d'Arsenio Hall, qui passait tard le soir et attirait toujours un public de téléspectateurs plutôt jeunes. J'avais mis des lunettes de soleil et j'ai joué *Heartbreak Hotel* et *God Bless the Child* au saxophone. J'ai répondu aux questions des téléspectateurs de *Larry King Live*. Les 11 et 12 juin, le comité démocrate chargé de la plate-forme électorale a sorti un projet qui reflétait ma philosophie et les engagements pris pendant la campagne, tout en évitant de reprendre les formulations qui nous avaient fait du tort.

Le 13 juin, je me suis adressé à la Rainbow Coalition [la coalition arc-en-ciel] du révérend Jesse Jackson. Nous avions tous deux compris que ce pouvait être l'occasion d'aplanir nos différences et de bâtir un front uni pour la campagne. Malheureusement, les choses ne se sont pas passées ainsi. La veille de mon intervention, la chanteuse rap Sister Souljah s'est adressée à la coalition. C'est une femme charismatique qui pouvait influencer les jeunes. Un mois auparavant, dans une interview donnée au *Washington Post* après les émeutes de Los Angeles, elle avait fait quelques remarques incroyables : « Si des Noirs tuent d'autres Noirs tous les jours, pourquoi ne pas prendre une semaine pour tuer des Blancs ? […] Si vous faites partie d'un gang, et qu'il est normal pour vous de tuer des gens, pourquoi ne tuez-vous pas des Blancs ? »

Je suppose que, dans son esprit, Sister Souljah ne faisait qu'exprimer la colère et le sentiment d'abandon des jeunes Noirs, tout en leur demandant de ne plus se massacrer les uns les autres. Mais ce n'était pas ce qu'elle avait dit. Mon entourage, notamment Paul Begala, m'a dit qu'il fallait absolument que je commente ses déclarations. Deux choses me semblaient capitales : combattre la violence des jeunes et combler le fossé racial. Après avoir demandé à tous les électeurs blancs d'Amérique de lutter contre le racisme, je ne pouvais m'abstenir de réagir contre les propos de Sister Souljah sans paraître faible ou hypocrite. À la fin de mon allocution, j'ai donc dit : « Si vous inversez les mots "Noirs" et "Blancs" vous aurez sans doute l'impression d'entendre un discours de David Duke […]. Il est de notre devoir, du devoir de chacun d'entre nous, de dénoncer le racisme partout où il se trouve. »

La presse a présenté mes remarques comme une tentative calculée de rallier les indécis modérés et conservateurs en me confrontant à une frange capitale de l'électorat démocrate. C'était aussi l'analyse de Jesse Jackson. Il pensait que j'avais abusé de son hospitalité pour faire un appel du pied démagogique aux électeurs blancs. Il a ajouté que Sister Souljah était quelqu'un de bien, qui avait rendu service à la communauté et que je lui devais des excuses. Il a aussi menacé de ne pas me soutenir, allant jusqu'à laisser entendre qu'il pourrait bien se tourner vers Ross Perot. En fait, j'avais pensé condamner les déclarations de Sister Souljah dès que j'en avais eu connaissance, alors que je participais, à Los Angeles, à un meeting de la Show Coalition, un groupe rassemblant le milieu du spectacle. Finalement je n'avais rien dit, parce qu'il s'agissait d'un événement caritatif que je ne voulais pas politiser. Lorsque la Rainbow Coalition nous a virtuellement renvoyés dos à dos, j'ai eu le sentiment que je devais m'exprimer.

À ce moment-là, je ne comprenais rien à la culture rap. Chelsea m'avait dit et répété qu'on trouvait parmi les rappeurs des gens très intelligents mais qui se sentaient profondément exclus, et elle m'a donné envie d'en savoir plus. En 2001, elle a fini par m'offrir six disques de rap et de hip-hop en me faisant promettre de les écouter, ce que j'ai fait. Je continue de préférer le jazz et le rock, mais je dois dire que j'ai apprécié une bonne partie des chansons. J'ai pu également me rendre compte que ma fille avait raison à propos de l'intelligence des rappeurs et de leur sentiment d'exclusion. Cela ne m'empêche pas d'avoir eu raison de m'opposer à l'apologie de la violence raciste proposée par Sister Souljah, et je crois d'ailleurs que la plupart des Afro-Américains partageaient mon point de vue. Après les critiques de Jesse Jackson, j'ai décidé de faire un effort supplémentaire en direction des jeunes des quartiers pauvres qui se sentaient rejetés et abandonnés.

Le 18 juin, j'ai rencontré Boris Eltsine pour la première fois, alors qu'il était venu à Washington pour voir le président Bush. La coutume veut que les dirigeants étrangers en visite dans un autre pays rencontrent le leader de l'opposition. Eltsine était poli et amical, mais il me prenait un peu de haut. Je l'admirais beaucoup depuis qu'il s'était mis debout sur un char pour s'opposer à une tentative de coup d'État dix mois plus tôt. D'un autre côté, il préférait très clairement Bush et pensait que ce dernier allait être réélu. À la fin de notre entretien, Eltsine m'a promis un brillant avenir, même si je n'étais pas élu cette fois-ci. Je pensais qu'il était l'homme qu'il fallait à la Russie postsoviétique, et je l'ai quitté convaincu que je pourrais travailler avec lui, si d'aventure je parvenais à le décevoir quant au résultat de nos élections présidentielles.

Cette semaine-là, j'ai ajouté une touche de légèreté à cette campagne, qui en avait si singulièrement manqué. Le vice-président Dan Quayle avait déclaré vouloir être le « pit-bull » de la campagne électorale. Quand on m'a demandé ce que j'en pensais, j'ai répondu que la menace de Quayle allait vraisemblablement faire trembler de peur toutes les bouches à incendie d'Amérique.

Le 23 juin, j'ai repris mon sérieux en ressortant mes propositions pour l'économie, qui avaient été légèrement révisées en fonction du dernier rapport du gouvernement annonçant un déficit plus important que prévu. Je prenais des risques : pour tenir ma promesse de réduire le déficit de moitié en quatre ans, je devais rogner sur le projet de baisse des impôts pour les classes moyennes. Les Républicains de Wall Street n'aimaient guère mon programme, car je proposais d'augmenter l'impôt sur le revenu pour les plus riches et pour les sociétés qui, après vingt ans de présidence Reagan et Bush, n'avaient jamais payé aussi peu d'impôts. Nous ne pouvions diviser le déficit par deux en nous contentant de diminuer les dépenses de l'État, et j'avais le sentiment que ceux qui avaient bénéficié le plus de la situation dans les années 1980 devaient à présent payer la moitié de la facture. J'étais également déterminé à me démarquer des scénarios lénifiants suivis pendant vingt ans par les Républicains, dans lesquels ils surestimaient constamment les revenus de l'État et sous-estimaient les dépenses pour ne pas avoir à prendre de mesures difficiles. Mon nouveau programme économique avait été établi sous la supervision de mon nouveau conseiller économique, Gene Sperling, qui avait quitté l'équipe du gouverneur Mario Cuomo en mai pour rejoindre notre équipe de campagne. Il était brillant, dormait peu et travaillait comme un esclave.

À la fin du mois de juin, nos actions vigoureuses en direction de l'électorat ainsi que nos efforts politiques commençaient à porter leurs fruits. Le 20 juin, les sondages donnaient les trois candidats dans un mouchoir de poche. Je n'étais pas le seul responsable de cette situation. Perot et le président Bush s'étaient engagés dans une très vive querelle personnelle. Le moins que l'on puisse dire est que les deux Texans ne s'aimaient pas, mais leur inimitié se fondait sur des éléments étranges : Perot accusait par exemple Bush d'avoir tout fait pour gâcher le mariage de sa fille.

Pendant que Perot se battait avec Bush à propos de sa fille, j'ai pris un jour de repos pour aller chercher Chelsea dans le nord du Minnesota, où elle effectuait chaque été un stage d'allemand. Elle a commencé à vouloir partir en colonie de vacances quand elle avait 5 ans, en nous expliquant qu'elle voulait « voir le monde et vivre des aventures ». Les Concordia Language Camps, dans la région des lacs du Minnesota, comportaient plusieurs villages dont l'architecture reflétait la langue enseignée. Lorsque les jeunes arrivaient, on leur donnait un nouveau nom et un peu d'argent en devises étrangères, et ils passaient tout leur séjour à parler la langue de leur village. À Concordia, on trouvait des villages dans lesquels on parlait les langues européennes et scandinaves, mais également le japonais ou le chinois. Chelsea avait choisi le village allemand, et elle y est retournée chaque été pendant plusieurs années. C'est une merveilleuse expérience qui a beaucoup marqué son enfance.

J'ai passé les premières semaines de juillet à choisir un partenaire de campagne. Après de nombreuses recherches, Warren Christopher m'a suggéré plusieurs noms : le sénateur Bob Kerrey, le sénateur Harris Wofford, de Pennsylvanie, qui avait travaillé avec Martin Luther King Jr. et pour le président Kennedy à la Maison Blanche, le député de l'Indiana Lee Hamilton, président très respecté de la commission des affaires étrangères, le sénateur de Floride Bob Graham, avec qui j'étais devenu ami lorsque nous étions tous deux gouverneurs, et le sénateur du Tennessee Al Gore. Je les appréciais tous. Kerrey et moi avions travaillé ensemble lorsque nous étions gouverneurs, et je ne lui tenais pas rigueur de tout ce qu'il avait pu dire contre moi pendant la campagne. Il avait la carrure suffisante pour attirer les électeurs républicains ou indépendants. Wofford était un homme profondément intègre, qui défendait la réforme du système de santé publique et avait toujours milité pour les droits civiques. Il s'entendait bien avec le gouverneur Bob Casey, qui pouvait m'assurer la victoire en Pennsylvanie. Hamilton m'impressionnait par sa connaissance des affaires étrangères et aussi parce qu'il avait su se maintenir solidement dans un arrondissement conservateur du sud-est de l'Indiana. Graham était dans les trois ou quatre meilleurs gouverneurs sur les quelque cent cinquante avec lesquels j'ai servi en douze ans, et il allait certainement faire passer la Floride dans le camp démocrate pour la première fois depuis 1976.

En fin de compte, j'ai préféré demander à Al Gore. Au début, je ne pensais pas le faire. Lors de nos précédentes rencontres, nous nous étions bien entendus mais sans plus. En le choisissant, j'allais à l'encontre de l'idée communément admise selon laquelle le candidat à la vice-présidence doit apporter un équilibre politique et géographique. Or nous venions de deux États voisins. Il était encore plus jeune que moi et il était, lui aussi, rattaché à la frange des Nouveaux Démocrates. Je pensais que nous pouvions gagner ensemble précisément parce que notre équilibre était ailleurs. La présence d'Al Gore à mes côtés offrirait à l'Amérique une nouvelle génération de dirigeants et prouverait que je souhaitais sincèrement mener le Parti démocrate comme le pays tout entier sur une nouvelle voie. Je pensais aussi que le choix d'Al Gore serait bien perçu dans le Tennessee, dans le Sud en général, ainsi que dans d'autres États indécis.

De plus, il m'apporterait un équilibre bien plus important : il savait des choses que j'ignorais. Je connaissais très bien l'économie, l'agriculture, la criminalité, l'aide sociale, l'éducation et la santé, et je maîtrisais bien les grandes questions de politique étrangère. Al était expert en matière de sécurité nationale, de contrôle des armements, de technologie de l'information, d'énergie et de défense de l'environnement. Il avait fait partie des dix sénateurs démocrates qui avaient soutenu le président Bush lors de la première guerre du Golfe. Il avait assisté au sommet de Rio de Janeiro sur la biodiversité et s'opposait fermement à la décision du président Bush de ne pas ratifier le traité qui en est sorti. Il venait d'écrire un livre, *Sauver la planète Terre*, où il montrait que les problèmes tels que le réchauffement global, la diminution de la couche d'ozone et la destruction de la forêt amazonienne, exigeaient une réorientation radicale de nos rapports à l'environnement. Il m'en avait offert un exemplaire dédicacé au mois d'avril. Je l'ai lu et j'ai beaucoup appris, sans compter que je trouvais ses arguments convaincants. En plus d'être très au fait des sujets que nous aurions à traiter si nous étions élus, Al Gore connaissait bien mieux que moi la culture du Congrès et de Washington. Je pensais surtout que, s'il m'arrivait quelque chose, il ferait un très bon président et qu'il avait de bonnes chances de me succéder au terme de mon mandat.

J'ai pris mes quartiers dans un hôtel de Washington afin de rencontrer les quelques personnes que j'avais envisagées pour ce poste. Al est passé un soir tard, vers 23 heures, afin de ne pas être vu par les journalistes. Cet horaire m'arrangeait davantage que lui, mais il était en forme et de très bonne humeur. Nous avons parlé pendant deux heures de notre pays, de la campagne électorale, de nos familles respectives. Il était visiblement très proche et très fier de Tipper et de leurs quatre enfants. Tipper était une femme très intéressante qui s'était rendue célèbre en menant une campagne contre les paroles vulgaires et violentes des chansons actuelles ; elle se passionnait également pour l'amélioration de la prise en charge des maladies mentales. À la fin de notre entretien, j'étais convaincu que Tipper et lui formeraient un atout indéniable pour notre campagne.

Le 8 juillet, j'ai appelé Al pour lui demander d'être mon partenaire de campagne. Le lendemain, il est venu en faire l'annonce à Little Rock avec toute sa famille. La photo de nous tous sur le perron de la résidence du gouverneur a fait sensation dans tout le pays. Sans doute bien plus qu'un long discours, elle véhiculait l'énergie et l'enthousiasme de deux jeunes leaders engagés en faveur d'un changement positif. Le lendemain, Al et moi sommes allés courir dans Little Rock, puis nous nous sommes rendus dans sa ville – Carthage, dans le Tennessee – pour un meeting, mais aussi pour rendre visite à ses parents, qui avaient tous deux beaucoup d'influence sur lui. Al Gore père avait été sénateur pendant trois mandats consécutifs au cours desquels il avait défendu la cause des droits civiques et combattu la guerre du Viêt-nam, deux choix qui ont précipité sa défaite en 1970, mais qui lui ont également valu une place d'honneur dans l'histoire américaine. La mère d'Al, Pauline, n'était pas moins impressionnante. À une époque où c'était assez rare pour une femme, elle avait fait des études de droit et brièvement exercé le métier d'avocate dans le sud-ouest de l'Arkansas.

Le 11 juillet, Hillary, Chelsea et moi sommes allés à New York pour la convention démocrate. Nous avions passé cinq semaines agréables, tandis que Perot et Bush en étaient encore à se battre. Pour la première fois, certains sondages commençaient à me donner en tête. Couverte par la télévision quatre soirs de suite, la convention pouvait renforcer notre position comme la fragiliser. En 1972 et 1980, les Démocrates avaient été affaiblis parce qu'ils s'étaient montrés divisés, découragés et indisciplinés au peuple américain. J'étais bien décidé à ne pas laisser pareille chose se reproduire. C'était également le cas de Ron Brown, le président de la convention. Harold Ickes et l'adjoint de Ron, ainsi que le directeur exécutif de la convention, Alexis Herman, ont pris les opérations en charge afin de s'assurer que nous donnions une image d'unité et de nouveauté, tant pour ce qui est des idées que des personnes. Il était bon également que les militants démocrates aient à nouveau envie de gagner après vingt années de présence républicaine à la Maison Blanche. Nous avions beaucoup à faire pour recentrer le Parti autour de l'image plus positive que nous souhaitions projeter. Nos recherches montraient par exemple que la plupart des Américains ne savaient pas que Hillary et moi avions un enfant et que beaucoup pensaient que j'avais grandi dans un milieu très aisé et privilégié.

Pour le candidat, ces conventions sont des moments très intenses. Ce fut tout particulièrement le cas pour celle-là. Après m'avoir traité de minable pendant des mois, désormais on me portait au pinacle. Dans le New Hampshire, et même par la suite lors des attaques personnelles dont j'ai été l'objet, j'ai dû me battre pour garder mon calme et ne pas céder à la tentation de me plaindre lorsque j'étais épuisé. Je devais à présent dompter mon ego et toujours veiller à ne pas me laisser emporter par les louanges et les articles positifs.

Le premier jour de la convention, nous avions déjà fait des progrès en matière d'unité. Tom Harkin faisait partie de ceux qui m'avaient apporté leur soutien très tôt. Désormais, c'était au tour de Bob Kerrey, Paul Tsongas et Doug Wilder de faire des déclarations en ma faveur. Jesse Jackson a fait de même ; seul Jerry Brown s'est abstenu. Harkin, qui était devenu l'un de mes hommes politiques favoris, disait que Jerry avait un vrai problème d'ego. Il y a également eu un petit accroc lorsque Ron Brown a refusé de laisser le gouverneur Bob Casey s'exprimer devant la convention, non pas parce qu'il comptait s'exprimer contre l'avortement, mais parce qu'il n'avait pas l'intention de me soutenir. Pour ma part, je ne voyais pas d'inconvénient à ce que Casey s'exprime car je l'aimais bien et respectais les convictions des Démocrates opposés à la légalisation sur l'avortement. Je pensais que nous pouvions convaincre bon nombre d'entre eux de voter pour nous sur la foi d'autres questions et sur ma promesse de faire de l'avortement un acte « sûr, légal et rare ». Mais Ron ne voulait rien savoir. Pour lui, nous pouvions avoir des avis différents sur certaines questions, mais personne ne pouvait prendre le micro sans s'être entièrement engagé en faveur de notre victoire en novembre. Je respectais la discipline sur laquelle nous avions reconstruit le Parti, et j'ai donc accepté sa décision.

La soirée d'ouverture de la convention était centrée sur sept de nos candidates au Sénat. Hillary et Tipper ont également fait chacune une brève apparition. Les principaux discours devaient être prononcés par le sénateur Bill Bradley, la députée Barbara Jordan et le gouverneur Zell Miller. Bradley et Jordan étaient plus connus et leurs discours respectifs ont été bien accueillis, mais Miller a fait pleurer tout le monde en racontant l'histoire suivante :

> Mon père, qui était professeur, est mort alors que je n'avais que deux semaines, laissant une jeune veuve et deux petits enfants. Ma mère était très croyante et − soutenus par la voix de Roosevelt à la radio − nous sommes allés de l'avant. À la mort de mon père, ma mère a désherbé de ses propres mains un petit terrain caillouteux. Chaque jour, elle s'aventurait dans un

petit torrent de montagne qui appartenait à un voisin pour rapporter les milliers de galets qui devaient servir à la construction de la maison. J'ai grandi en regardant ma mère édifier cette maison avec les pierres qu'elle sortait de la rivière et le ciment qu'elle mélangeait dans une brouette. Encore aujourd'hui, on distingue par endroits l'empreinte de ses mains dans le ciment sec. Son fils garde encore l'empreinte de ses mains, lui aussi. Elle a imprimé sa fierté, ses espoirs et ses rêves au plus profond de mon âme. Pour toutes ces raisons, je sais ce que Dan Quayle veut dire lorsqu'il affirme qu'il vaut toujours mieux pour un enfant qu'il ait deux parents. C'est on ne peut plus vrai. Et ce serait même encore mieux s'ils avaient tous les deux une bonne assurance vie. Tout le monde ne peut pas naître riche, beau et chanceux ; et c'est bien pour cela qu'il existe un Parti démocrate.

Il a ensuite résumé l'apport de chaque président démocrate de Franklin D. Roosevelt à Jimmy Carter. Il a rappelé que, pour nous, un gouvernement pouvait améliorer le système éducatif, faire progresser les droits de l'homme, les droits civiques, l'égalité des chances économiques et sociales, et préserver l'environnement. Il a dénoncé la politique des Républicains qui consiste à favoriser les riches et les intérêts de certains groupes de pression. Il a enfin soutenu mon programme en matière d'économie, d'éducation, de santé, de criminalité et de réforme de l'aide sociale. C'était un discours Nouveau Démocrate fort, exactement ce que le pays voulait entendre. Lorsque Zell Miller a été élu au Sénat en 2000, la Géorgie était devenue plus conservatrice, et lui aussi. Il a fini par devenir l'un des plus ardents partisans du président Bush, votant en faveur de très fortes baisses d'impôts qui ont fait exploser les déficits en favorisant de façon disproportionnée les Américains les plus riches. Il a aussi voté des budgets qui ont interdit aux enfants les plus pauvres de bénéficier d'activités extrascolaires, aux chômeurs de suivre une formation, et aux policiers en uniforme de surveiller nos rues. Je ne sais pas ce qui a poussé Zell à changer d'avis, mais je n'oublierai jamais ce qu'il a fait pour moi, pour les Démocrates et pour l'Amérique en 1992.

Le lendemain, nous devions présenter notre plate-forme, et cette présentation devait être suivie des discours phares du président Carter, de Tom Harkin et de Jesse Jackson. Lorsque ce dernier a décidé de me soutenir, il est allé jusqu'au bout et a mis le feu à la salle. Mais le moment le plus émouvant de la soirée a été consacré à la santé publique. Le sénateur Jay Rockefeller a évoqué la nécessité d'une couverture médicale pour tous les Américains. Ron et Rhonda Machos, mes nouveaux amis du New Hampshire, sont venus illustrer son propos. Ils attendaient leur deuxième enfant et devaient trouver le moyen de payer cent mille dollars de frais médicaux pour l'opération à cœur ouvert de Ronnie. Ils avaient le sentiment d'être des citoyens de seconde classe, mais ils ont dit aussi qu'ils me connaissaient bien, et que je représentais « leur meilleur espoir pour l'avenir ».

Deux des personnes qui sont venues parler de santé publique étaient atteintes du sida : Bob Hattoy et Elizabeth Glaser. Je voulais qu'ils fassent enfin entrer dans tous les foyers américains un problème trop longtemps ignoré par la classe politique. Bob était homosexuel et travaillait pour moi. Il a dit : « Je ne veux pas mourir. Mais je ne veux pas non plus vivre dans une Amérique dont le Président me considérerait comme un ennemi. Je peux accepter l'idée de mourir à cause d'un virus, mais pas à cause de la politique. » Elizabeth – une femme belle et intelligente – était l'épouse de Paul Michael Glaser, rendu célèbre par la série télévisée *Starsky et Hutch*. Elle avait été contaminée à la naissance de son premier enfant, lorsqu'une hémorragie avait imposé une transfusion contaminée par le virus. Elle a ensuite transmis la maladie à sa fille par l'allaitement, ainsi qu'à son second enfant, pendant la grossesse. Lorsqu'elle est venue s'adresser à la convention, Elizabeth avait fondé la Pediatric AIDS Foundation [fondation pédiatrique contre le sida] et s'était battue pour obtenir de l'argent pour la recherche et les soins. Elle avait aussi perdu sa fille, emportée par la maladie. Elle voulait un président qui puisse en faire plus. Peu de temps après mon élection, Elizabeth, à son tour, a perdu son combat contre la maladie. Hillary et moi avons été effondrés par la nouvelle, comme beaucoup de gens qui l'aimaient et suivaient son exemple. Je suis heureux que son fils Jake vive encore et que son père et les amis d'Elizabeth aient repris le flambeau.

Au troisième jour de la convention, un sondage national me mettait en première place, avec une avance à deux chiffres sur le président Bush. J'ai commencé la journée en allant faire du jogging dans Central Park. Puis Hillary, Chelsea et moi avons été comblés par la visite de Nelson Mandela. Il était l'invité du maire, David Dinkins. Nelson Mandela nous a dit ne pas vouloir prendre parti dans cette élection, mais il a dit qu'il appréciait le fait que les Démocrates se soient toujours opposés à l'apartheid. Mandela voulait que les Nations unies dépêchent un envoyé spécial afin d'enquêter sur l'explosion de la violence en Afrique du Sud, et je l'ai assuré de mon soutien. Cette visite a marqué le début d'une réelle amitié entre nous tous. Mandela aimait beaucoup Hillary, et j'ai vraiment été frappé par l'attention sincère qu'il a montrée envers Chelsea. Au cours des huit années que j'ai passées à la Maison Blanche, il n'est jamais venu me voir sans me demander de ses nouvelles. Un jour, au cours d'une conversation téléphonique, il a demandé à lui parler. Je l'ai vu montrer le même intérêt aux enfants, noirs ou blancs, qui croisaient son chemin en Afrique du Sud. C'est un détail qui en dit long sur sa grandeur d'âme.

Le mercredi était un grand jour pour la convention. On y attendait, entre autres, les discours galvanisants de Bob Kerrey et Ted Kennedy. Nous avons pu suivre un émouvant hommage filmé à Robert Kennedy, présenté par son fils, Joe Kennedy, député du Massachusetts. Puis Jerry Brown et Paul Tsongas ont pris la parole. Jerry a descendu le président Bush. Paul Tsongas a fait de même, mais il a aussi parlé en faveur d'Al Gore et de moi-même. Après tout ce qu'il avait vécu, c'était courageux et chic de sa part.

C'est alors que le grand moment est arrivé : le discours d'investiture prononcé par Mario Cuomo. C'était incontestablement le meilleur orateur du Parti, et il ne nous a pas déçus. À l'aide d'une brillante rhétorique, Cuomo a déclaré qu'il était temps d'« avoir quelqu'un d'assez intelligent pour savoir, d'assez fort pour agir et d'assez sûr pour commander : le *Comeback Kid*, une nouvelle voix pour l'Amérique ! » Après les discours des députés Maxine Waters et Dave McCurdy, de l'Oklahoma, tout était dit.

L'Alabama a laissé son tour à l'Arkansas, afin que mon État puisse annon
cer son vote en premier. Le président des Démocrates de l'Arkansas, George
Jernigan, qui s'était présenté contre moi pour le poste de ministre de la Justice
de l'État seize ans plus tôt, a donné la parole à un autre délégué Clinton : ma
mère. Elle s'est contentée de dire : « L'Arkansas est fier d'accorder ses quarante-
huit voix à son fils préféré, mon fils, Bill Clinton. » Je me suis demandé ce
qu'elle pouvait bien penser et ressentir, en dehors de sa fierté de mère ; je me
suis demandé si elle était remontée quarante-six ans en arrière, si elle repensait
à la jeune veuve de 23 ans qui m'avait donné le jour et à tout ce qu'elle avait
affronté, le sourire aux lèvres, pour nous offrir, à mon frère et à moi, une vie
aussi normale que possible. J'étais heureux de la voir là et ravi que quelqu'un
ait eu l'idée de lui laisser ouvrir la proclamation des résultats.

Alors que celle-ci se poursuivait, Hillary, Chelsea et moi avons quitté
notre hôtel pour nous rendre au Madison Square Garden. En chemin, nous
nous sommes arrêtés au grand magasin Macy's, où nous avons regardé la
proclamation à la télévision. Lorsque j'ai vu que l'Ohio me donnait 144 votes
et que je passais la barre de la majorité qui était de 2 145 voix, j'ai su que
j'étais le candidat officiel du Parti démocrate. Lors de la cérémonie qui s'est
ensuivie, nous sommes tous les trois montés sur l'estrade. J'étais le premier
candidat depuis Kennedy, en 1960, à venir à la convention avant le soir de
mon discours d'acceptation. J'ai brièvement pris la parole pour dire : « Il y a
trente-deux ans, un autre jeune candidat, qui voulait que son pays bouge, est
venu devant cette convention pour dire tout simplement : merci ! » Je voulais
faire le lien avec l'esprit de la campagne de John F. Kennedy, remercier ceux
qui m'avaient nommé et tous les délégués du Parti. J'ai achevé ma déclaration
sur ces mots : « Je voulais aussi vous dire que demain soir, je serai le Comeback
Kid. »

La convention prenait fin le jeudi 16 juillet. Les trois premiers jours
avaient été fantastiques, tant sur place qu'à la télévision. Nous avions montré
non seulement nos leaders nationaux, mais aussi nos étoiles montantes, aux
côtés de citoyens ordinaires. Nous avions pu faire passer avec force nos idées
nouvelles, mais tout cela n'aurait servi à rien si Al Gore et moi n'avions pas
prononcé des discours d'acceptation efficaces. Cette journée a débuté par une
surprise, comme bien d'autres tout au long de cette incroyable période de
campagne. Ross Perot s'est retiré de la course. Je l'ai appelé au téléphone pour
le féliciter pour sa campagne et pour lui dire que je pensais, comme lui,
qu'une réforme politique fondamentale était nécessaire. Il a refusé de se prononcer en faveur du président Bush ou en ma faveur, et je me suis rendu à la
dernière soirée de notre convention sans savoir si son retrait allait ou non
m'être bénéfique.

Al Gore a été désigné candidat sous les acclamations, et il a commencé
son discours en racontant sous les vivats qu'enfant, dans le Tennessee, il avait
rêvé qu'il ferait un jour la première partie d'Elvis (surnom que l'équipe me
donnait pendant la campagne). Al s'est ensuite lancé dans la litanie des échecs
de l'administration Bush, concluant chaque évocation par les mêmes mots : « Il
est temps pour eux de partir. » Après avoir répété ces mots deux ou trois fois,
les délégués ont pris la relève, scandant cette phrase d'un bout à l'autre de la

salle. Il a ensuite dressé le bilan de mon action politique, souligné les défis que nous devions relever, puis il a évoqué sa famille et l'obligation qui était la nôtre de laisser aux générations à venir une nation plus forte et plus unie. Al a fait un vraiment bon discours. Il avait fait sa part, à moi de faire la mienne.

Paul Begala avait écrit la première version de mon discours. Nous avions voulu y mettre beaucoup de choses : détails biographiques, rhétorique électorale, programme politique. Nous voulions aussi nous adresser à trois groupes différents : les Démocrates purs et durs, les indépendants et les Républicains mécontents du président sortant mais encore indécis, et les abstentionnistes, ceux qui pensaient que voter pour moi ou pour un autre ne changerait rien. Comme toujours, Paul avait trouvé des phrases chocs. George Stephanopoulos avait noté dans un carnet les phrases qui avaient le mieux fonctionné au cours de la campagne pour les primaires. Bruce Reed et Al From ont contribué à rendre la section politique plus acérée. Pour préparer mon entrée, mes amis Harry et Linda Bloodworth Thomason ont montré un court-métrage intitulé *L'Homme de l'espoir*. Il a chauffé la salle, et je suis monté sur l'estrade sous un tonnerre d'applaudissements.

J'ai commencé mon discours en douceur, en saluant Al Gore, en remerciant Mario Cuomo, et en saluant mes opposants malheureux aux primaires. Puis, j'ai lancé mon message : « Au nom de tous ceux qui travaillent et paient des impôts, au nom de tous ceux qui élèvent leurs enfants et respectent les règles du jeu, au nom de tous les Américains travailleurs et consciencieux qui forment une classe moyenne trop souvent oubliée, j'accepte avec fierté mon investiture pour l'élection présidentielle. Je suis un produit de cette classe moyenne, et lorsque je serai président, on ne vous oubliera plus. »

J'ai ensuite raconté l'histoire des gens qui avaient eu une influence décisive sur moi, à commencer par ma mère, des problèmes qu'elle avait affrontés lorsqu'elle était jeune veuve pour s'occuper de son bébé jusqu'à son combat contre le cancer, et j'ai dit : « Toujours, toujours, toujours, elle m'a appris à me battre. » J'ai parlé de mon grand-père, qui m'avait appris à « regarder avec respect ceux que les autres regardaient avec mépris ». J'ai rendu hommage à Hillary pour m'avoir appris que « tous les enfants peuvent apprendre, et que chacun d'entre nous a le devoir de les aider à le faire ». Je voulais que l'Amérique sache que j'avais hérité mon esprit combatif de ma mère, que mon grand-père m'avait poussé à m'engager en faveur de l'égalité raciale et que mon intérêt pour l'avenir de tous nos enfants était né de l'impulsion de ma femme.

Et je voulais que les gens sachent que tout le monde pouvait faire partie de notre grande famille américaine : « Ce soir, je voudrais dire une chose à chaque enfant de ce pays qui tente de grandir sans père ni mère : je sais ce que tu ressens. Toi aussi, tu es spécial. Toi aussi, tu comptes pour l'Amérique. Et ne laisse jamais personne te dire que tu ne peux pas devenir ce que tu veux être. »

Puis, j'ai critiqué le bilan de l'administration Bush et j'ai dit ce que je comptais faire pour améliorer les choses. « En termes de salaires, nous sommes passés de la première à la treizième place mondiale depuis que Reagan et Bush ont pris la tête du pays », « Il y a quatre ans, Bush a promis quinze millions de

nouveaux emplois ; aujourd'hui, il en manque quatorze millions » ou encore
« Le Président sortant affirme que le chômage augmente toujours un peu avant
la reprise, mais il ne manque qu'un seul chômeur de plus pour que la reprise
arrive, et ce chômeur c'est vous, monsieur le Président ». J'ai parlé du nouveau
contrat – fondé sur l'égalité des chances, la responsabilité et la communauté –
qui nous donnerait « une Amérique au sein de laquelle les portes des universités seront à nouveau grandes ouvertes aux fils et aux filles de nos secrétaires et
de nos ouvriers métallurgistes », « une Amérique au sein de laquelle les revenus
de la classe moyenne et non ses impôts augmenteront », « une Amérique au
sein de laquelle les riches ne boiront plus la tasse, mais où les classes moyennes
ne se noieront pas pour autant », « une Amérique où nous mettrons un terme
à l'aide sociale sous sa forme actuelle ».

J'en ai appelé à l'unité nationale. C'était à mes yeux la partie la plus
importante de mon discours, j'y parlais d'une chose à laquelle je croyais depuis
l'enfance :

> Ce soir, chacun d'entre vous sait bien que nous sommes trop divisés. Il est
> temps de guérir l'Amérique.
> Alors, nous devons dire à tous les Américains : regardez au-delà des stéréo-
> types qui nous aveuglent. Nous avons besoin les uns des autres. Nous avons
> tous besoin des autres. Nous ne pouvons sacrifier personne. Et pourtant,
> pendant très longtemps, trop longtemps, les hommes politiques ont dit à la
> plupart de ceux d'entre nous qui se débrouillent bien que ce sont les autres
> qui nuisent à l'Amérique. Eux.
> Eux, les gens des minorités. Eux, les libéraux. Eux, les pauvres, eux les sans-
> abri, eux les handicapés. Eux, les homosexuels.
> Nous en sommes arrivés au point où nous les avons presque jetés dans la
> tombe ; eux, eux, et eux aussi.
> Mais ici, c'est l'Amérique. « Eux » n'existent pas, il n'y a que nous. Une
> nation, en un seul Dieu, indivisible, avec la justice et la liberté pour tous.
> C'est notre vœu d'obéissance et c'est le fondement de notre nouveau contrat
> [...].
> Adolescent, j'ai entendu John Kennedy en appeler à la citoyenneté de chacun.
> Lorsque j'étais étudiant à Georgetown, un professeur du nom de Carroll Qui-
> gley nous a expliqué ce qu'il avait voulu dire : que l'Amérique était la plus
> grande nation de l'histoire parce que notre peuple avait toujours cru en deux
> grandes idées : que demain peut être plus brillant qu'aujourd'hui et que chacun
> d'entre nous y a sa part de responsabilité morale et personnelle.
> C'est cette vision de l'avenir qui est entrée dans ma vie la nuit où notre fille,
> Chelsea, est née. Alors que j'étais dans la salle d'accouchement, submergé par
> l'idée que Dieu m'avait donné une chance que mon père n'avait pas eue : la
> chance de tenir mon enfant dans mes bras.
> Quelque part, au moment même où je parle, un enfant naît en Amérique. Il
> est de notre devoir de donner à cet enfant un foyer heureux, une famille en
> bonne santé et un avenir plein d'espoir. Il est de notre devoir de veiller à ce
> que cet enfant ait la chance de tirer le meilleur parti des capacités que Dieu
> lui a données [...]. Il est de notre devoir de donner à cet enfant un pays
> soudé, et non un pays qui s'effondre, un pays d'espoirs illimités et de rêves

infinis, un pays qui pousse à nouveau ses enfants de l'avant et qui inspire le monde entier.

C'est là notre devoir, notre engagement, notre nouveau contrat. Mes chers concitoyens, je m'arrête ce soir-là où tout a commencé pour moi : je crois encore en un endroit qui s'appelle Hope, l'espoir. Que Dieu vous bénisse, et bénisse l'Amérique.

À la fin de mon discours, et après les salves d'applaudissements, la convention s'est achevée sur *Circle of Friends* [Le cercle des amis], une chanson écrite pour l'occasion par Arthur Hamilton et mon vieil ami Randy Goodrum, qui faisait de la musique avec moi au lycée Elle était interprétée par la vedette de Broadway Jennifer Holiday, accompagnée par le Philander Smith College Choir de Little Rock, le petit Reggie Jackson qui, du haut de ses 10 ans, avait enchanté la convention en chantant lundi soir *America the Beautiful* et mon frère Roger. Nous avons tous repris en chœur les paroles : « Allons retrouver le cercle des amis, un cercle qui s'ouvre et jamais ne se ferme. »

C'était une fin parfaite pour le plus important discours de ma carrière. Et ce discours a porté. Nous avons agrandi le cercle. Trois sondages différents ont montré que mon message avait fait forte impression sur les électeurs et que nous avions une bonne avance : un peu plus de 20 points. Mais je savais que nous allions avoir du mal à préserver cette avance. Tout d'abord parce que la base culturelle des Républicains – des électeurs blancs qui refusaient l'idée de voter pour un candidat démocrate – formait 45 % de l'électorat. Ensuite, parce que la convention républicaine n'avait pas encore eu lieu. Elle allait sûrement redonner de l'énergie au président Bush. Au bout du compte, je n'avais eu que six semaines de bonne couverture médiatique et une semaine d'accès direct et totalement positif à l'Amérique. C'était plus qu'il n'en fallait pour renvoyer tous les doutes que les gens avaient pu avoir à mon endroit dans les recoins les plus sombres de l'inconscient collectif ; mais je savais bien que cela ne suffisait pas à les effacer tout à fait.

CHAPITRE VINGT-HUIT

Le lendemain matin, 17 juillet, Al, Tipper, Hillary et moi avons gagné le New Jersey, d'où partait la première de nos tournées en autobus à travers le pays. Nous voulions aller à la rencontre de l'Amérique rurale et de toutes ces petites villes que les campagnes présidentielles modernes ignorent, préférant les rassemblements dans les grands centres où les médias ont leur siège. Nous comptions bien entretenir l'élan de la convention, grâce à ce périple inhabituel, dont l'idée revenait à Susan Thomases et à David Wilhelm.

Ce parcours de mille cinq cents kilomètres, émaillé d'arrêts prévus ou imprévus, de discours de campagne et de bains de foule, nous a conduits du New Jersey en Pennsylvanie, en Virginie-Occidentale, en Ohio, dans le Kentucky et jusque dans l'Indiana et l'Illinois. Le premier jour, nous avons tracé notre route à travers l'est et le centre de la Pennsylvanie, pour atteindre, à 2 heures du matin, notre destination finale, York. Plusieurs milliers de personnes nous attendaient encore. Le discours d'Al a sans doute été l'un des meilleurs jamais prononcés à une heure aussi tardive. Je l'ai relayé dès qu'il a conclu, après quoi nous avons passé plus d'une heure à serrer la main de nos partisans, avant de nous effondrer, tous les quatre, pour quelques heures d'un sommeil réparateur. Le jour suivant, nous avons poursuivi notre trajet en Pennsylvanie. L'expérience nous rapprochait, tous les quatre, les uns des autres, comme elle nous rapprochait du public venu nous soutenir. Nous nous sentions plus détendus, plus impliqués, galvanisés par l'enthousiasme de la population qui assistait à nos réunions ou venait à notre rencontre sur la route. Sur un vaste parking réservé aux routiers, Al et moi sommes montés à bord des cabines, invités par les chauffeurs à qui nous voulions serrer la main. Sur l'aire de repos d'une autoroute, nous avons pris un peu d'exercice autour d'un ballon de football américain. Lors d'une étape improvisée, nous nous sommes même défiés sur un parcours de golf miniature. Le troisième jour, nous avons couvert l'ouest de la Pennsylvanie avant de pénétrer en Virginie-Occidentale, où nous avons fait halte aux aciéries Weirton, une grande entreprise du secteur rachetée à son ancien propriétaire par les salariés qui avaient pu ainsi maintenir l'activité. Le soir, nous avions rendez-vous à la ferme de Gene Branstool, dans l'Ohio, pour un barbecue qui rassemblait quelque deux cents agriculteurs et leurs familles. De là, nous avons gagné un champ voisin où dix mille personnes nous attendaient. Mes deux principaux sujets d'étonnement ont été, ce jour-là, la taille des groupes venus nous soutenir et la taille des plants de maïs. De ma vie, je n'en avais jamais vu d'aussi haut, grands et d'aussi denses. J'ai jugé l'augure favorable. Le lendemain, nous sommes arrivés à Columbus, la capitale de l'Ohio, d'où nous sommes repartis en direction du Kentucky. Au moment de franchir la ligne frontière entre les deux États, j'étais convaincu que nous pouvions gagner l'Ohio, comme Jimmy Carter y était parvenu en 1976. L'enjeu était de taille. Depuis la guerre de Sécession, aucun Républicain n'avait conquis la présidence sans emporter l'Ohio.

Le cinquième et dernier jour, après un grand rassemblement à Louisville, nous avons roulé dans le sud de l'Indiana et de l'Illinois. Tout le long du parcours, les gens agitaient nos affiches de campagne, dans les champs ou sur le bord des routes. Nous avons croisé un camion géant dont la double remorque s'ornait, sur toute sa longueur, d'un drapeau américain et de l'affiche Clinton-Gore. À notre arrivée en Illinois, nous avions du retard sur l'horaire, comme chaque jour, du fait des haltes imprévues. Nous comptions bien accélérer le rythme, mais un petit groupe, posté à un carrefour nous attendait avec une pancarte sur laquelle était inscrit : « Donnez-nous huit minutes, nous vous donnerons huit ans ! » Bien entendu, nous nous sommes arrêtés. Le dernier meeting de la journée a été l'un des plus remarquables de toute la campagne. Quand nous avons atteint Vandalia, des milliers de gens, bougie à la main, s'étaient rassemblés sur la pelouse entourant l'ancien Capitole de l'État, où Abraham Lincoln avait occupé un siège, avant que Springfield ne devienne la capitale de l'Illinois. La nuit était déjà bien avancée quand notre autobus s'est garé à Saint Louis pour une nuit, encore une fois, écourtée.

Notre périple en autobus a eu un impact formidable. Il nous a permis de nous rendre – et d'emmener les médias – au cœur du pays, en des lieux trop souvent négligés. Toute l'Amérique a pu le voir : nous allions au-devant de ceux que nous avions promis de représenter à Washington : les Républicains auraient désormais du mal à nous dépeindre sous les traits de radicaux politiques et culturels. En outre, nous avons appris à nous connaître, tous les quatre, d'une manière qui n'aurait pas été possible sans ces longues heures passées ensemble sur la route.

Le mois suivant, nous sommes repartis à quatre reprises, pour des expéditions plus courtes, de un ou deux jours. Notre deuxième déplacement commençait à Saint Louis. Nous avons remonté le cours du Mississippi, en passant par Hannibal, la ville natale de Mark Twain, dans le Missouri, puis par Davenport, dans l'Iowa, d'où nous avons poursuivi en traversant le Wisconsin, jusqu'à notre destination finale : Minneapolis. Au moment de notre arrivée tardive, Walter Mondale entretenait, depuis déjà deux heures, l'enthousiasme d'une foule de dix mille personnes, en l'informant régulièrement de notre progression.

L'épisode le plus mémorable de ce deuxième déplacement a eu lieu à Cedar Rapids, dans l'Iowa, quand, après une rencontre sur le thème des nano-technologies et la visite de l'usine d'emballage des céréales Quaker Oats, nous avons tenu un grand rassemblement sur un parking. Le public était nombreux et chaleureux, à l'exception d'un groupe bruyant d'opposants, porteurs de pancartes antiavortement, qui lançaient leurs slogans, réclamant le droit à la vie. Après nos discours, je descendis de l'estrade et je commençai à serrer des mains, en échangeant quelques mots avec les uns et les autres. Une femme blanche, un badge défendant le droit à l'avortement épinglé à son col, portait un bébé noir dans les bras. Quand je lui ai demandé à qui était l'enfant, elle m'a répondu, rayonnante : « C'est mon bébé. Elle s'appelle Jamiya. » Elle m'a expliqué que l'enfant avait été diagnostiquée séropositive dès sa naissance, en Floride, et qu'elle l'avait adoptée. Elle-même, divorcée, élevait ses deux premiers enfants en peinant à joindre les deux bouts. Je n'oublierai jamais cette femme montrant sa petite Jamiya, et affirmant avec fierté : « C'est mon bébé. » Elle, aussi, se battait pour le droit à la vie. Ma candidature concernait les gens comme elle : je voulais que le rêve américain leur redevienne accessible.

D'autres voyages en bus ont suivi, au cours de ce même mois d'août. Une journée en Californie, dans la vallée de San Joaquin ; deux jours au Texas ; enfin, un tour des régions que nous n'avions pas encore couvertes en Ohio et en Pennsylvanie, et qui s'est achevé dans la partie occidentale de l'État de New York. En septembre, nous avons traversé en bus le sud de la Géorgie. En octobre, nous avons couvert le Michigan en deux jours puis, en une seule journée, sur un rythme haletant, dix villes de la Caroline-du-Nord.

Je n'avais jamais rien vu de comparable à l'enthousiasme que suscitait le passage de notre bus. Les habitants des petites villes n'avaient pas l'habitude de voir de près un candidat à la présidentielle, que ce soit à Coatesville, en Pennsylvanie ; Centralia, dans l'Illinois ; Prairie du Chien, dans le Wisconsin ; Walnut Grove, en Californie ; Tyler, au Texas ; Valdosta, en Géorgie, ou Elon, en Caroline-du-Nord. Mais, au-delà de la simple curiosité, je crois surtout que le bus établissait une relation entre les gens et notre campagne. Il représentait à la fois notre proximité avec la population et les progrès de notre aventure. En 1992, les Américains étaient soucieux, mais encore optimistes. Nous leur parlions de leurs préoccupations et nous nourrissions leurs espoirs. Al et moi, nous avons très vite établi un scénario efficace. À chaque halte, il énumérait les problèmes du moment avant de dire : « Tout ce qui devait monter descend et tout ce qui devrait descendre monte. » Ensuite, il me présentait et je commençais à expliquer ce que nous comptions entreprendre pour surmonter les obstacles. J'ai adoré ces tournées en bus. Nous avons roulé à travers seize États, dont treize nous ont choisis en novembre.

Après le premier de ces périples, un sondage national m'accordait deux fois plus d'intentions de vote que le président Bush. Cette photographie instantanée de l'opinion ne méritait pas d'être prise trop au sérieux, dans la mesure où mon adversaire n'avait pas encore lancé sa campagne. Il l'inaugura par une série d'attaques, pendant la dernière semaine de juillet. Il affirmait que mon plan de maîtrise des crédits de défense allait coûter des milliers d'emplois, que mon plan de couverture maladie, placé sous la coupe de l'État serait géré avec « la compassion du KGB », que je préparais « la plus grande augmentation d'impôts de l'histoire », enfin, que sa reconduction garantissait un meilleur « climat moral » dans le pays que mon accession aux plus hautes fonctions. Mary Matalin, son assistante, se mit sur les rangs pour ravir à Dan Quayle le titre de « pit-bull » de la campagne : elle me qualifia d'« hypocrite larmoyant ». Plus tard, dans la campagne, quand les sondages ont mis le président Bush au plus bas, beaucoup des carriéristes de son entourage ont commencé à confier à la presse que la faute en incombait à tout le monde, sauf à eux-mêmes. Quelques-uns ont même critiqué le Président. Pas Mary. Elle s'est battue à ses côtés jusqu'au bout. Ironie du sort, Mary Matalin et James Carville étaient fiancés et allaient bientôt se marier. Malgré leurs convictions opposées, tous deux défendaient leurs idées sans réserve, trouvaient que leur relation amoureuse pimentait leur vie et communiquaient leur ardeur politique à la campagne qu'ils animaient.

Pendant la deuxième semaine d'août, le président Bush a persuadé James Baker de démissionner de son poste de secrétaire d'État et de revenir à la Maison Blanche, pour y superviser sa campagne. Il avait rempli ses fonctions au mieux, sauf sur la question de la Bosnie, où j'estimais que le gouvernement aurait dû s'opposer avec plus de fermeté au nettoyage ethnique. Avec ce responsable compétent, je savais que la campagne de Bush allait gagner en efficacité.

De notre côté, nous cherchions aussi à améliorer notre efficacité. Nous avions décroché la nomination en calant notre organisation sur le calendrier des primaires. L'étape de la convention passée, le moment était venu d'établir un centre stratégique unique, afin de mieux coordonner nos forces. James Carville a pris cette responsabilité. Il lui fallait un assistant. Diane, l'épouse de Paul Begala, était enceinte de leur premier enfant. Paul ne pouvait donc pas s'installer à Little Rock à plein temps. À regret, je me suis séparé de George Stephanopoulos, qui aurait dû nous accompagner dans tous nos déplacements de campagne. George avait acquis une compréhension parfaite du fonctionnement de l'information sur chaque cycle de vingt-quatre heures, il avait appris à réagir aux articles négatifs et à savourer les plus positifs. Il était l'homme de la situation.

James installa tous les éléments de la campagne – cellule politique, relations avec la presse, études – dans l'ancienne grande salle de rédaction du bâtiment de l'*Arkansas Gazette*. Travailler tous ensemble sur ce grand plateau dépourvu de cloisons a contribué à supprimer les barrières et a favorisé un véritable esprit d'équipe. Hillary compara l'endroit à la salle des opérations d'un état-major de guerre et le nom resta. James Carville accrocha une grande feuille de papier au mur en guise de pense-bête. Les grandes orientations de la campagne y tenaient en trois phrases : « Le changement contre davantage de la même chose. L'économie, imbécile ! Ne pas oublier la couverture maladie. »

James avait aussi résumé sa tactique de combat d'une formule qu'il a fait imprimer sur une série de tee-shirts : « La vitesse tue... Bush ! » Deux réunions quotidiennes se tenaient dans la salle des opérations à 7 et 19 heures.

On y analysait les résultats des derniers sondages de Stan Greenberg, les messages publicitaires de Frank Greer, la presse du jour, les attaques de Bush et les derniers événements. Les jeunes volontaires s'activaient 24 heures sur 24, collectant toutes les données possibles par notre antenne satellite, recueillant les dépêches et les critiques sur leurs ordinateurs. Toutes ces méthodes, aujourd'hui banales, étaient alors inédites, mais il était indispensable que nous sachions exploiter ces nouvelles technologies pour que la campagne atteigne les objectifs fixés par James Carville : rapidité de réaction et concentration sur les points essentiels.

Dès que nous avions défini ce que nous avions à dire, le message pouvait partir vers ses destinataires : les médias, tout d'abord, mais aussi nos équipes de « réaction rapide » dans chaque État, qui avaient pour mission de le transmettre à nos supporters, à la presse locale et aux autres relais d'information. Nous avons envoyé des badges portant l'inscription « équipe de réaction rapide », à tous ceux qui acceptaient de se charger d'une tâche quotidienne. À la fin de la campagne, des milliers de volontaires les arboraient.

Après le briefing matinal, en présence de Carville, Stephanopoulos et de tous les responsables requis selon l'actualité du jour, un plan précis pouvait être établi pour la journée, en fonction de la situation et des initiatives à prendre. Si j'avais un désaccord, nous en débattions. Si un choix politique ou stratégique se présentait, la décision me revenait. Le plus souvent, je me contentais d'écouter, en appréciant intérieurement la qualité de leur réflexion. Il m'arrivait aussi d'émettre des critiques, sur les discours de campagne, par exemple, trop rhétoriques, trop légers sur le fond et dans l'argumentation, ou encore sur mon emploi du temps trop lourd, ce dont j'étais le premier responsable. Allergies et fatigue aidant, j'étais souvent d'humeur peu amène, le matin. Par chance, James Carville et moi étions sur la même longueur d'onde, si bien qu'il savait toujours si mes récriminations recouvraient un désaccord sérieux ou si elles me permettaient juste de décompresser. Je pense que les autres responsables ont fini par le comprendre aussi.

Les Républicains ont tenu leur convention, à Houston, pendant la troisième semaine d'août. En règle générale, la campagne se poursuit en sourdine pendant que le parti adverse désigne son candidat. J'étais prêt à respecter l'étiquette et à faire profil bas, mais notre centre de réaction rapide se tenait sur le pied de guerre. La situation commandait cette attitude. Les Républicains n'avaient pas d'autre choix que de me tailler en pièces. Ils étaient en mauvaise position dans les sondages et les charges sabre au clair leur avaient réussi à chaque élection depuis 1968, sauf face à Jimmy Carter, qui l'avait emporté de deux points dans le contexte du Watergate. Nous étions bien déterminés à recourir à l'équipe de réaction rapide pour retourner les attaques des Républicains contre eux.

Le 17 août, jour de l'ouverture de la convention, j'avais encore 20 points d'avance dans les sondages. Nous avons réussi à gâcher un peu la fête en annonçant le soutien de dix-huit chefs d'entreprise à ma candidature. C'était une entrée en matière un peu rageante pour les Républicains, elle ne les a pas empêchés de mettre en œuvre leur plan de chasse. Ils ont commencé en me qualifiant de « coureur de jupons » et de « planqué » et ont accusé Hillary de vouloir détruire la famille américaine en autorisant les enfants à poursuivre leurs parents en justice chaque fois qu'une décision concernant la discipline ne leur convenait pas. Marilyn Quayle, l'épouse du vice-président, s'est particulièrement illustrée dans les assauts contre Hillary sur les « valeurs familiales ». Ces critiques se fondaient sur une interprétation très contournée d'un article écrit par Hillary pendant ses années d'université. Elle y développait l'idée que, dans des situations d'abus caractérisé ou de négligence grave, les mineurs jouissaient de droits propres, indépendants de ceux de leurs parents. L'immense majorité des Américains auraient adhéré à ce point de vue s'il avait été restitué dans sa formulation originale mais, bien entendu, très peu de gens avaient lu l'article incriminé et personne ou presque ne pouvait savoir, en entendant proférer ces accusations, si elles étaient fondées ou non.

La prestation de Pat Buchanan allait être le grand numéro de la soirée d'ouverture républicaine avec une série d'attaques contre ma personne qui ont mis les délégués en transe. Je classe aux tout premiers rangs de mes petites phrases préférées sa comparaison entre le président Bush, qui avait présidé à la libération de l'Europe de l'Est, et ma propre expérience de la politique étrangère, « qui se limite à peu près à un unique petit déjeuner au restaurant *International House of Pancakes* » et, aussi, sa description de la convention démocrate avec « des radicaux et des gens de gauche… rhabillés en modérés et en centristes pour le plus remarquable défilé de travestis de l'histoire politique américaine ». Selon les sondages, Pat Buchanan n'avait pas aidé Bush. J'ai une opinion différente sur la question. Il devait arrêter l'hémorragie de la droite en expliquant aux conservateurs qui souhaitaient un changement qu'il leur était impossible de voter pour moi. Et il a bien rempli sa mission.

La chasse au Clinton s'est poursuivie tout le temps de la convention, accompagnée des contre-offensives de notre centre de réaction rapide. Le révérend Pat Robertson m'a surnommé « Willie le retors » et a déclaré que j'avais un plan radical pour détruire la famille en Amérique. Dans la mesure où je m'étais impliqué dans la redéfinition du système d'assistance sociale bien avant que Pat Robertson n'ait eu la révélation de l'affiliation de Dieu à l'aile droite du Parti républicain, l'accusation était risible. Notre équipe commando riposta sans attendre. Ils se sont montrés particulièrement efficaces pour défendre Hillary des attaques sur la famille, en comparant le traitement que les Républicains lui infligeaient avec la façon dont ils avaient exploité l'affaire Willie Horton contre Dukakis, quatre ans auparavant.

Nous voulions montrer que les Républicains m'attaquaient parce que leur seul souci était de conserver le pouvoir, alors que nous voulions le pouvoir pour nous attaquer aux problèmes de l'Amérique. Pour illustrer notre position, Al, Tipper, Hillary et moi avons dîné avec le président et Mrs Carter, le 18 août. Nous avons passé la journée suivante – date de l'anniversaire de Tipper et du mien – sur le chantier de construction d'une maison avec des membres d'Habitat for Humanity. Jimmy et Rosalynn Carter soutenaient cette association depuis des années. Créée par Millard Fuller, notre ami depuis que nous avions participé à un week-end de la Renaissance, l'association et ses volontaires construisent des maisons pour et avec des pauvres, qui remboursent ensuite le coût des matériaux. Cette organisation compte au rang des tout premiers constructeurs immobiliers aux États-Unis et avait déjà commencé à s'implanter dans d'autres pays. Notre activité de ce jour apportait la meilleure réfutation des attaques cinglantes lancées par les Républicains.

Comme je l'avais fait moi-même, le président Bush accomplit une visite surprise à la convention, le soir de sa nomination. Il était accompagné des siens, avec lesquels il offrait une image idéale de la famille américaine. Le lendemain soir, il prononça un discours percutant, invoquant Dieu, le pays et la famille tout en affirmant que je n'adhérais pas, hélas, à ces mêmes valeurs. Il ajouta qu'il avait commis une erreur en signant le projet de loi sur la réduction du déficit, qui comportait une augmentation des taxes sur l'essence et il s'engagea, s'il était réélu, à réduire de nouveau les impôts. Sa meilleure sortie a consisté, à mon goût, à me prêter l'intention de pratiquer « l'économie façon Elvis » qui conduirait l'Amérique à « l'hôtel des cœurs brisés », titre d'une chanson d'Elvis Presley. Il compara ses états de service pendant la Seconde Guerre mondiale à mon opposition à la guerre du Viêt-nam, lançant : « Alors que je me rongeais les sangs, il se rongeait les ongles. »

Les Républicains avaient sorti leur grand numéro. Si, de l'avis de la plupart des commentateurs, ils avaient adopté un ton trop négatif et trop extrême, les sondages montraient qu'ils rattrapaient leur retard. Selon l'une de ces enquêtes, l'écart n'était plus que de 10 points, selon une autre de 5. Ces chiffres correspondaient à mes propres estimations : si je me tirais de l'épreuve des débats d'une manière satisfaisante et si j'évitais toute gaffe majeure jusqu'à la fin de la campagne, le résultat final, me semblait-il, se situerait quelque part dans cette fourchette.

Le moral du président Bush était au plus haut à son départ de Houston. Il a même comparé sa campagne au miraculeux rétablissement de Harry Truman, couronné par une victoire en 1948. Entamant alors sa tournée du pays, il s'est empressé d'exercer ce privilège dont seul un président en titre a la jouissance : puiser dans les fonds fédéraux pour attirer des voix. Il s'est ainsi engagé à aider les céréaliers et les victimes de l'ouragan Andrew, qui avait dévasté le sud de la Floride, puis il a annoncé la vente de cent cinquante chasseurs F-16 à Taiwan et de soixante-douze F-15 à l'Arabie Saoudite, commandes qui garantissaient les emplois du secteur de l'armement, souvent localisés dans des États cruciaux pour l'élection.

Fin août, nous avons été successivement invités au congrès des anciens combattants de l'American Legion. Les compagnons d'armes du président Bush lui ont réservé un accueil plus chaleureux qu'à moi-même, mais ma prestation s'est mieux déroulée que je ne l'attendais. D'emblée, j'ai abordé la question du service militaire et de mon opposition à la guerre du Viêt-nam. Je croyais toujours, ai-je dit, que la guerre du Viêt-nam était une erreur, avant d'ajouter : « Vous pouvez me refuser vos voix, en raison d'événements survenus voici vingt-trois ans. C'est le droit de chaque citoyen américain et je respecte votre choix. Mais j'ose espérer que, au moment de voter, vous vous soucierez aussi de l'avenir. » J'ai aussi réussi à susciter une salve d'applaudissements en m'engageant à changer les têtes au département des Anciens Combattants dont le directeur en exercice était peu apprécié des associations.

Après ce rendez-vous avec l'American Legion, je me recentrai sur mon message : donner une nouvelle orientation à la politique économique et sociale de l'Amérique. Je m'appuyai, pour cela, sur une étude récente dont les conclusions montraient que les riches s'enrichissaient et les pauvres s'appauvrissaient dans le pays. Début septembre, ma candidature recevait le soutien officiel de deux groupes importants dans la défense de l'environnement, le Sierra Club et les électeurs de la Ligue pour la conservation. Puis, je me suis rendu en Floride, quelques jours après le président Bush, pour constater les dommages causés par l'ouragan Andrew. J'avais connu de nombreuses catastrophes naturelles dans mes fonctions de gouverneur de l'Arkansas, qu'il s'agisse d'inondations, de sécheresses ou de tornades, mais je n'avais jamais rien vu de tel. Arpentant les rues jonchées des débris détrempés de maisons, j'ai recueilli, non sans surprise, les critiques formulées par les habitants aussi bien que par les officiels à l'adresse de l'Agence fédérale de gestion des catastrophes naturelles et des initiatives qu'elle avait prises depuis le passage de l'ouragan. Par tradition, la direction de l'Agence était une sinécure offerte par le Président à un ami politique dont les compétences en matière de gestion des risques n'avaient qu'une importance très relative. Je notais pour moi-même la nécessité de changer cet usage, en cas de victoire. Les électeurs ne choisissent pas un président pour ses compétences dans la gestion des risques naturels mais, lorsqu'une catastrophe se produit, elle prend le pas sur tous les autres problèmes.

Le jour de la fête du Travail, premier lundi de septembre aux États-Unis, marque l'ouverture réelle de la campagne pour les élections générales. Je me suis rendu, ce jour-là, à Independence, dans le Missouri, ville natale de Harry Truman, pour rallier l'électorat ouvrier. Margaret, la fille de l'ancien Président, m'a prêté main-forte en déclarant lors du meeting que j'étais, moi et non le président Bush, le dépositaire légitime de l'héritage de Harry Truman.

Le 11 septembre, j'étais à South Bend, dans l'Indiana, où je devais m'adresser aux étudiants et aux enseignants de Notre Dame, l'université catholique la plus prestigieuse des États-Unis. Ce même jour, le président Bush rendait visite, en Virginie, à la très conservatrice Coalition chrétienne. Je n'ignorais pas que les catholiques américains observeraient les deux événements avec attention. La hiérarchie catholique partageait l'opposition de Bush à l'avortement, d'un autre côté, mes vues étaient plus proches de celles de l'Église sur la justice économique et sociale. Ma présence à l'Université Notre Dame offrait une analogie frappante – quoique les appartenances religieuses fussent, cette fois, inversées – avec l'intervention de John F. Kennedy, en 1960, devant les pasteurs baptistes du Sud. Paul Begala, fervent catholique, m'avait aidé à préparer mon discours, tandis qu'en m'accompagnant sur place Ray Flynn, le maire de Boston, et le sénateur Harris Wofford m'accordaient un soutien moral. J'ai prononcé la première moitié de mon discours, sans être en mesure de juger de sa réception. Quand j'en suis venu à cette phrase · « Nous devons respecter le reflet de l'image de Dieu en tout homme et en toute femme. Voilà pourquoi il nous faut accorder la plus grande valeur à la liberté de chacun, non seulement sa liberté politique, mais aussi sa liberté de conscience concernant la famille, les convictions philosophiques et religieuses », l'assistance s'est levée pour applaudir.

Après Notre Dame, mon programme de campagne m'emmenait dans l'Ouest. À Salt Lake City, le congrès de la garde nationale m'a réservé un bon accueil, en raison de la réputation favorable que j'avais acquise dans la gestion de la garde nationale de l'Arkansas, mais aussi parce que j'étais présenté par Les Aspin, président très respecté de la commission des forces armées à la Chambre des représentants. Le rassemblement organisé à Portland, dans l'Oregon, a été étonnant. Plus de dix mille personnes s'étaient massées dans les rues et bien d'autres nous saluaient depuis les fenêtres de leurs bureaux. Plus tard, nos supporters ont lancé vers la tribune des centaines de roses, fleur symbole de la ville. Après les discours, j'ai parcouru les rues de la cité et serré les mains, m'a-t-il semblé, de milliers de personnes.

Le 15 septembre, ma tournée dans l'Ouest a connu son moment le plus fort quand trente figures de premier plan de la Silicon Valley, la Mecque des hautes technologies, républicaine par tradition, ont soutenu officiellement ma candidature. J'avais commencé à faire porter mes efforts sur la Silicon Valley dès le mois de décembre de l'année précédente, aidé par Dave Barram, le vice-président d'Apple. Dave s'était retrouvé associé à ma campagne par l'intermédiaire d'Ira Magaziner, mon ami d'Oxford, qui avait des relations professionnelles avec les patrons du secteur des hautes technologies et qui savait que Dave Barram était affilié au Parti démocrate. Bon nombre de chefs d'entreprise républicains étaient aussi déçus que Barram par la politique économique du président Bush et par son incapacité à percevoir le potentiel formidable des entrepreneurs de la Silicon Valley. Quelques jours avant mon passage, un quotidien local, le *San Jose Mercury News* rendait compte de la dernière déclaration de Carla Hills, déléguée au commerce extérieur du président Bush. Elle affirmait : « À nos yeux, il importe peu que l'Amérique exporte des pommes chips ou des puces informatiques *[chips]*. » Les cadres du secteur ne partageaient pas cette opinion. Je les rejoignais sur ce point.

Parmi mes nouveaux soutiens déclarés se trouvaient plusieurs Républicains de premier plan, comme John Young, le président de Hewlett-Packard ; John Sculley, le directeur général d'Apple, le banquier d'affaires Sandy Robertson, ainsi que l'un des rares Démocrates notoires, à l'époque, de la Silicon Valley, Regis McKenna. À l'occasion de notre rencontre, à San Jose, dans les locaux du Technology Center de la Silicon Valley, j'ai rendu public mon plan national pour les technologies, sur lequel Dave Barram avait travaillé d'arrache-pied depuis plusieurs mois. En prenant position pour des investissements plus importants dans la recherche scientifique et technologique, concernant en particulier des programmes importants pour la Silicon Valley, je me démarquais de l'administration Bush et de son aversion pour les partenariats État-industrie. Le Japon et l'Allemagne affichaient alors de meilleurs résultats économiques que les États-Unis et cela tenait, pour une part, au soutien apporté par la puissance publique à certains secteurs jugés décisifs pour la croissance. Aux États-Unis, le gouvernement préférait accorder des subventions à des secteurs politiquement influents, comme l'agriculture ou le pétrole, sans doute importants, mais moins susceptibles de créer de nouveaux emplois et de nouvelles activités que les technologies de pointe. Le soutien que m'apportaient les dirigeants du secteur donnait un nouveau coup de fouet à la campagne, légitimait mon positionnement à la fois proentreprises et prosalariés, et créait une passerelle avec les forces économiques les plus représentatives du progrès et de la croissance.

Alors que je rassemblais les forces capables de participer à la relance de l'économie et à la réforme de la couverture maladie, les Républicains s'acharnaient dans leur entreprise de déstabilisation. Pendant son discours devant la convention, le président Bush m'avait stigmatisé pour m'être régalé à augmenter les impôts à cent vingt-huit reprises, en Arkansas. Au début du mois de septembre, sa campagne matraquait inlassablement cette même accusation, malgré les remarques du *New York Times*, selon lequel tout cela était « faux », du *Washington Post*, qui la qualifiait de très « exagérée » et de « ridicule » et même du *Wall Street Journal*, la jugeant « confuse ». Dans sa liste, Bush intégrait, par exemple, le dépôt de garantie de vingt-cinq mille dollars exigé des concessionnaires automobiles, actifs sur le marché de l'occasion ; le modeste dépôt de garantie demandé aux organisateurs de concours de beauté et le dollar symbolique de participation aux frais de justice, réclamé à tout délinquant condamné par un tribunal. L'éditorialiste conservateur George Will remarqua que, en gardant les critères utilisés par le Président, « Bush a augmenté les impôts plus souvent en quatre ans que Clinton en dix ».

Pour l'essentiel, la campagne de Bush a consacré la suite du mois de septembre à m'attaquer sur le thème du service militaire. Le Président n'a cessé de répéter que je ferais mieux de « me contenter de dire la vérité » à ce sujet. Même Dan Quayle s'est cru autorisé à sortir du bois en dépit de son propre parcours : n'avait-il pas utilisé ses relations familiales pour accomplir son service dans la garde nationale et échapper ainsi au Viêt-nam ? Le vice-président prétendait d'ailleurs qu'il me relançait sur ce terrain parce que la presse n'épluchait pas mon passé avec la hargne qu'elle avait montrée contre lui, quatre ans plus tôt. Sans doute ne lisait-il pas les journaux publiés hors du New Hampshire et de New York.

Quelques fameux coups de main m'ont aidé à contrer les attaques sur ce terrain. Début septembre, Bob Kerrey, mon concurrent de la primaire, décoré de la médaille d'honneur, a déclaré qu'il n'y avait pas là matière à débat. Puis, le 18 septembre, sur la pelouse de la résidence du gouverneur, en Arkansas, j'ai reçu le soutien de l'amiral Bill Crowe, ancien chef de l'état-major interarmées du président Reagan et, pour une courte période, du président Bush. J'ai été impressionné par son attitude simple et directe, et je lui suis très reconnaissant de s'être exposé pour soutenir quelqu'un qu'il connaissait à peine mais en qui il s'était mis à croire.

L'impact politique de nos campagnes respectives restait incertain. Du côté de Bush, les gains de la convention s'amenuisaient, mais dans une proportion difficile à circonscrire : l'avance que me prêtaient les sondages du mois de septembre fluctuait entre 9 et 20 points. Chaque campagne avait défini son cadre le plus général : Bush affirmait représenter les valeurs familiales et la fiabilité ; j'étais le candidat du changement économique et social. Il me reprochait mon absence de fiabilité et mes positions dangereuses pour la famille, je l'accusais de diviser le pays et de favoriser l'immobilisme. Quantité d'électeurs hésitaient encore entre nos deux candidatures.

Hormis l'affrontement sur nos programmes, la question des débats télévisés a polarisé l'attention au cours du mois de septembre. La commission nationale bipartite recommandait que trois débats soient organisés, adoptant chacun une formule différente. J'ai donné mon accord immédiat, mais le président Bush n'appréciait pas les formules proposées. J'ai alors affirmé que ses objections n'étaient qu'un prétexte qui dissimulait ses réticences à défendre son bilan. Le désaccord s'est prolongé pendant tout le mois de septembre, si bien que les débats, déjà planifiés, ont dû être annulés. Après cette décision, je me suis rendu dans chacune des villes où ils auraient dû avoir lieu, afin de bien montrer aux citoyens déçus lequel des deux candidats les privait de la présence momentanée des médias nationaux.

Le plus sombre événement de septembre a été d'ordre personnel plus que politique. Paul Tully, l'organisateur irlandais que Ron Brown nous avait envoyé à Little Rock pour superviser la coordination des efforts de la campagne avec ceux du Parti démocrate, est soudainement décédé dans sa chambre d'hôtel. Tully n'avait que 48 ans, c'était un permanent politique à l'ancienne qui jouait un rôle crucial dans l'équipe et sa personnalité attachante lui avait gagné l'affection de tous. Juste au moment où nous entrions dans la dernière ligne droite, un autre de nos dirigeants disparaissait.

Le mois s'est conclu sur une série d'événements inattendus. Le célèbre basketteur Earvin « Magic » Johnson, ancienne vedette de l'équipe des Lakers de Los Angeles, qui avait annoncé publiquement sa séropositivité, a démissionné brusquement de la commission nationale sur le sida, écœuré par le manque d'intérêt du gouvernement pour ce problème et par son absence d'initiatives. Il a aussitôt déclaré qu'il me soutiendrait. Le président Bush a révisé son jugement sur les débats et m'a mis au défi d'en accepter quatre. Plus surprenant, Ross Perot a déclaré qu'il songeait à revenir dans la course présidentielle, parce qu'il estimait que ni le Président ni moi-même ne proposions un programme sérieux pour lutter contre le déficit. Il a critiqué l'engagement de Bush de ne pas augmenter les impôts et m'a reproché de vouloir dépenser trop. Il a enfin invité les états-majors des deux campagnes à engager la discussion avec lui par délégations interposées.

Nous ne savions pas lequel de nous deux serait le plus affecté par la remise en selle de Perot et nous voulions tous deux obtenir son soutien. En conséquence, chaque état-major de campagne a envoyé une équipe de haut niveau pour entamer les pourparlers. Dans notre camp, la discussion a été difficile : il nous paraissait certain qu'il avait déjà pris la décision de rentrer dans la course et que sa démarche protocolaire visait juste à braquer les projecteurs sur lui pour accroître son prestige, mais j'ai fini par admettre que nous devions faire un pas vers lui. Le sénateur Lloyd Bentsen, Mickey Kantor et Vernon Jordan ont été désignés pour me représenter. Ils ont été accueillis dans une ambiance cordiale, tout comme les envoyés de Bush. Perot a conclu en déclarant avoir beaucoup appris des discussions avec nos deux équipes. Puis, deux jours plus tard, le 1er octobre, il s'est senti tenu, a-t-il annoncé, de présenter sa candidature, « au service » de ses volontaires. A posteriori, son retrait de juillet lui rendait service. Au cours de ses dix semaines d'absence, le souvenir de sa prise de bec absurde avec Bush, au printemps précédent, s'était estompé, quand le Président et moi-même avions tout fait pour maintenir l'éclairage sur nos points faibles réciproques. La presse et l'opinion l'ont pris d'autant plus au sérieux que nous l'avions, tous les deux, ostensiblement courtisé.

Le retour de Perot a coïncidé avec la mise au point d'un accord, entre les gens de Bush et nous-mêmes sur l'organisation des débats. Ils seraient au nombre de trois, auxquels s'ajouterait un débat vice-présidentiel. Le tout devait se dérouler dans un intervalle de neuf jours, entre le 11 et le 19 octobre. Au cours du premier et du troisième, les questions nous seraient posées par des journalistes. Le deuxième allait être un débat public, sur le modèle d'une réunion de préau, avec des questions posées par de simples citoyens. Dans un premier temps, l'équipe de Bush excluait la participation de Perot : elle estimait, d'une part, qu'il allait attaquer le Président et, d'autre part, qu'il allait débaucher plus de nouveaux électeurs chez ses partisans potentiels que chez les miens. J'ai fait savoir que je n'avais pas d'objections à la présence de Perot, non parce que je partageais son analyse sur son gisement de voix – j'étais beaucoup plus dubitatif à ce sujet –, mais parce que je prévoyais qu'il faudrait bien finir par accepter sa participation et que je voulais éviter d'avoir à changer d'avis sur la question. Le 4 octobre, les représentants des deux campagnes se mettaient enfin d'accord pour inviter Perot.

Au cours de la semaine précédant le premier de ces débats, j'ai fini par me déclarer favorable à l'Accord de libre-échange nord-américain (ALENA), que l'administration Bush avait signé avec le Canada et le Mexique et qui était l'objet de fortes controverses. J'ai toutefois posé comme condition l'éventuelle signature d'accords complémentaires, qui garantiraient des normes sociales et environnementales minimales, contraignantes pour tous les partenaires, Mexique compris. Mes soutiens syndicaux s'inquiétaient de la délocalisation des emplois industriels peu qualifiés vers notre voisin du Sud et étaient en désaccord total avec ma position. Je me sentais toutefois contraint d'adopter celle-ci, pour des raisons à la fois politiques et économiques. J'étais partisan du libre-échange et je considérais qu'il était du devoir des Etats-Unis de soutenir la croissance économique au Mexique, afin d'assurer la stabilité à long terme du continent. Quelques jours plus tard, plus de cinq cent cinquante économistes, parmi lesquels neuf prix Nobel, déclaraient leur soutien à mon programme économique, en affirmant qu'ils lui prêtaient de meilleures chances qu'aux propositions du Président pour relancer la croissance.

Autant j'étais déterminé à mettre en avant les questions économiques à la veille des débats, autant le camp de Bush s'évertuait à multiplier les interrogations concernant ma personnalité et mon honnêteté. Il avait diligenté des recherches au Centre national des archives, à Suitland, dans le Maryland, qui devait passer au crible les dossiers de passeports concernant mon voyage de quarante jours en Europe du Nord, en Union soviétique et en Tchécoslovaquie, au cours de la période 1969-1970. Il voulait, semble-t-il, étayer de vieilles rumeurs selon lesquelles je me serais rendu à Moscou dans le cadre de la lutte contre la guerre au Viêt-nam, ou encore, que j'aurais essayé de changer de nationalité pour échapper au service militaire. Le 5 octobre, des fuites dans la presse laissaient entendre que les dossiers du FBI me concernant auraient été falsifiés. L'histoire des passeports s'est poursuivie pendant tout le mois. Le FBI affirma que les dossiers n'avaient pas été falsifiés, mais les révélations sur le déroulement de cette affaire suffisaient à mettre dans l'embarras les responsables de campagne de Bush. Un responsable politique de haut niveau, au département d'État, avait pressé le centre national des archives – qui gère plus de cent millions de fichiers – de donner la priorité aux recherches me concernant, alors que plus de deux mille demandes de recherches, correspondant à plusieurs mois de travail pour le centre, étaient déjà en liste d'attente. Un membre de l'équipe présidentielle avait, en outre, exigé de nos ambassades, à Londres et à Oslo, qu'elles entreprennent une enquête « extrêmement approfondie » dans leurs fichiers, concernant mon statut à l'égard du service militaire et de ma nationalité. Selon la presse, les archives concernant les voyages à l'étranger de ma mère auraient, elles aussi, été passées à la loupe. Qu'une fille de la campagne, originaire de l'Arkansas et passionnée de courses, puisse être soupçonnée de penchants subversifs, même par les éléments les plus paranoïaques de la droite dure, échappe à l'entendement.

Plus tard, il a été établi que l'équipe de Bush était allée jusqu'à demander au gouvernement de John Major d'enquêter sur mes activités passées en Grande-Bretagne. Selon la presse, les conservateurs britanniques se seraient pliés à la requête, bien qu'ils aient déclaré plus tard avoir entrepris une enquête « détaillée », quoique sans résultats, en réponse à la demande des médias. Je sais qu'ils se sont mis à la tâche, un ami de David Edwards lui ayant appris que les services officiels britanniques l'avaient interrogé sur les activités de David et de moi-même, à cette époque déjà lointaine. Deux stratèges électoraux du Parti conservateur britannique ont aussi fait le voyage de Washington, missionnés pour conseiller Bush sur les moyens de me détruire, en exploitant l'expérience acquise contre Neil Kinnock, le chef de file du Parti travailliste, six mois auparavant. Après mon élection, la presse britannique s'est inquiétée des dommages causés à la relation spéciale entre nos deux pays par cet empiétement incongru de Londres dans la politique intérieure américaine. J'étais bien déterminé à éviter de tels dommages, mais je laissais, non sans plaisir, les Tories anglais mariner quelque temps dans l'incertitude

L'épisode du passeport a régalé la presse pour quelques jours. Al Gore parla même d'un « abus de pouvoir digne du maccarthysme » sans déstabiliser pour autant le Président qui continuait à mettre en cause mon patriotisme. Interviewé par Larry King, sur CNN, je répétais que j'aimais mon pays et que je n'avais jamais envisagé de changer de nationalité. Je doutais que toute cette histoire puisse avoir une grande influence sur l'opinion, dans un sens ou dans l'autre, et je m'en amusais plutôt. Il s'agissait bel et bien d'un abus de pouvoir, mais bien pitoyable par rapport à l'Irangate. Il montrait toutefois que l'équipe de Bush ne regardait pas aux moyens pour conserver le pouvoir et qu'elle n'avait guère de propositions à avancer pour l'avenir du pays. Si elle voulait passer le dernier mois de la campagne à taper sur ce clou, je n'y voyais pas d'inconvénient.

J'ai passé les jours précédant le premier débat à affiner ma préparation. Je me suis replongé dans nos argumentaires et je me suis livré à une série de répétitions. Bob Barnett, avocat à Washington, tenait le rôle du président Bush, comme il l'avait déjà fait, quatre ans plus tôt, face à Dukakis. Mike Synar, représentant de l'Oklahoma, jouait la doublure de Ross Perot, accent et expressions compris. Face à eux, je suis sorti de chaque session aux limites de l'épuisement. Et en remerciant le ciel de ne pas avoir affaire à eux dans la course présidentielle. Le résultat de l'élection aurait pu en être changé.

Le jour du premier débat est enfin arrivé. Il devait se tenir à l'Université Washington de Saint Louis le dimanche 11 octobre, jour du dix-septième anniversaire de mon mariage avec Hillary. Détail encourageant, deux quotidiens, le *Washington Post* et le *Louisville Courier-Journal*, ont pris officiellement position en faveur de ma candidature dans leur éditorial de ce jour-là. Le premier expliquait : « Le pays est fatigué, il a besoin d'orientations claires. Il y a urgence à trouver un nouveau souffle, à indiquer de nouvelles directions. Bill Clinton est le seul candidat susceptible d'y parvenir. » C'était précisément l'argument que je voulais développer à l'occasion du débat. Malgré l'avance que me prêtaient les sondages, malgré le soutien du *Washington Post*, j'étais le plus exposé des candidats, celui qui avait le plus à perdre. Selon un nouveau sondage Gallup, 44 % des personnes interrogées estimaient que j'allais sortir gagnant du débat et 30 % affirmaient que celui-ci pouvait encore modifier leur choix. Le président Bush et ses conseillers étaient convaincus que le seul moyen d'attirer ces 30 % d'indécis consistait à poursuivre le matraquage sur les prétendues interrogations concernant ma personnalité, jusqu'à ce que le message passe. Outre l'affaire du service militaire, le voyage à Moscou et les rumeurs sur le changement de nationalité, le Président me harcelait maintenant sur ma participation à des manifestations antiguerre, à Londres, « contre les États-Unis d'Amérique, à un moment où nos enfants mouraient de l'autre côté de la planète ».

Le débat était animé par Jim Lehrer de l'émission *MacNeil/Lehrer News-Hour*. Autour de lui, trois journalistes nous interrogeaient à tour de rôle. La première question s'adressait à Ross Perot. Il avait deux minutes pour expliquer ce qui le distinguait des deux autres candidats. Il a répondu qu'il avait le soutien de simples citoyens et non celui de partis ou de groupes d'intérêt. Le Président, puis moi, avons eu ensuite une minute pour répondre à la question. J'ai dit que je représentais le changement. Le Président a souligné son expérience. Nous avons alors abordé l'expérience de chacun. La question suivante, adressée au Président, avait tout pour le réjouir : « Voyez-vous des aspects importants, ayant trait au caractère, qui vous distinguent de ces deux hommes ? » Il a ciblé sa réponse sur l'affaire du service militaire. Perot a rétorqué que Bush avait commis ses principales erreurs à l'âge adulte, non dans la peau d'un jeune étudiant. J'ai dit que le père de Bush, alors sénateur du Connecticut, avait eu raison de critiquer le sénateur Joe McCarthy quand il mettait en cause le patriotisme de citoyens loyaux, alors que le Président avait tort de mettre le mien en cause et que l'Amérique avait besoin d'un président qui s'évertue à rassembler le pays, et non à le diviser.

Nous avons poursuivi à ce rythme pendant une heure et demie, abordant les impôts, la défense, le déficit, l'emploi et les mutations de l'économie, la politique étrangère, la Bosnie, la définition de la famille, la légalisation de la marijuana, les divisions raciales, le sida, le programme Medicare et la réforme de la couverture médicale.

Chacun de nous s'en est tiré plutôt bien. À l'issue du débat, les gourous des différentes campagnes ont travaillé les médias au corps pour leur démontrer que leur candidat en sortait gagnant. Sur ce terrain, mes meilleurs émissaires ont été Mario Cuomo, James Carville et le sénateur Bill Bradley. Charlie Black, un lieutenant du président Bush, a invité les journalistes présents à visionner, en avant-première, la prochaine publicité qui m'attaquait sur le service militaire. L'offensive des conseillers pouvait influencer les commentaires que la presse allait consacrer à la soirée, elle n'allait pas modifier l'opinion que les auditeurs s'étaient formée à l'occasion du débat.

Je tirais mon propre bilan : des trois candidats, j'estimais que j'avais développé les arguments les plus cohérents et avancé les propositions les plus concrètes, mais que Perot s'était montré plus naturel et plus spontané. Quand Bush avait dit que Perot n'avait aucune expérience du gouvernement, Perot lui avait donné raison. Ajoutant aussitôt : « Moi, je ne sais pas comment on s'y prend pour accumuler une dette de quatre mille milliards de dollars ! » Perot avait de grandes oreilles en feuilles de choux, d'autant plus saillantes qu'il portait les cheveux ras. À propos du déficit, il avait dit : « Nous devons faire rentrer l'impôt » pour l'éliminer, mais si quelqu'un voulait bien lui souffler une autre idée : il était « tout ouïe ». J'avais été, quant à moi, un peu crispé et sur certaines questions, j'avais paru réciter une leçon trop bien apprise.

La bonne nouvelle était que le Président n'avait pas regagné de terrain. La mauvaise était que Perot paraissait à nouveau crédible. Dans un premier temps, il pouvait monter dans les sondages en puisant dans le vivier des électeurs encore indécis ou hésitants entre les deux candidatures. Mais, s'il franchissait la barre des 10 % d'intentions de vote, ses nouveaux électeurs se recruteraient parmi les partisans du changement que je n'aurais pas convaincu de m'accorder leur confiance. Les sondages indiquaient que, parmi les électeurs qui avaient suivi le débat, un grand nombre avaient désormais plus confiance dans mes capacités à remplir la fonction. Ils montraient aussi que plus de 60 % d'entre eux avaient une perception plus positive de Ross Perot à l'issue du débat. À trois semaines de l'échéance, l'intrusion d'un nouveau candidat brouillait les cartes.

Deux jours plus tard, le 13 octobre, le débat entre vice-présidents se déroulait à Atlanta. Al Gore finit la course nettement en tête. Le colistier de Perot, l'amiral de réserve James Stockdale, quoique fort sympathique, fut à peu près inexistant. Après sa prestation, l'élan donné par Perot lors du débat à Saint Louis retomba quelque peu. Quayle ne s'éloigna pas des leitmotive habituels : Clinton veut augmenter les impôts, Bush ne veut pas ; Clinton n'a pas de caractère, Bush en a. Il exploita une de mes pires déclarations, qui n'avait de sens que dans son contexte. Au début de 1991, le Congrès avait autorisé le président Bush à déclencher la guerre contre l'Irak. On m'avait alors demandé comment j'aurais moi-même voté et, bien que soutenant la résolution, j'avais répondu : « Je pense que j'aurais voté avec la majorité si ma voix lui avait été indispensable. Mais je suis d'accord avec les arguments présentés par la minorité. » Au moment de l'interview, je n'avais pas pensé que je me présenterais à la présidentielle de 1992. Les deux sénateurs de l'Arkansas avaient voté contre la résolution. C'étaient des amis et je ne voulais pas susciter de polémique publique. Maintenant que j'étais dans la course, ce bel exemple de langue de bois ne me mettait pas à mon avantage. La stratégie d'Al consista à riposter aussi brièvement que possible aux attaques pour se concentrer sur nos projets.

Deux jours plus tard, le soir du 15 octobre, le deuxième débat avait lieu, à Richmond, en Virginie. C'était celui que j'attendais, une véritable confrontation avec le public, où les questions nous étaient posées par un groupe représentatif d'électeurs locaux indécis.

Mon plus gros souci, cette fois, était ma voix. Elle était déjà dans un tel état, avant le premier débat, que je m'étais exprimé à peine au-dessus d'un chuchotement. Quand le problème m'avait affecté, durant la campagne des primaires, j'avais vu un spécialiste à New York et je faisais des exercices, sous le contrôle d'un médecin. Il m'apprenait à ouvrir la gorge et à pousser les sons à travers les cavités des sinus. Je devais pour cela chantonner, prononcer des voyelles par paires détachées, en commençant toujours par un e, par exemple : e-i, e-o, e-a, et répéter certaines phrases, en m'efforçant de pousser les sons le long des cordes vocales abîmées. Ma phrase préférée était : « Abraham Lincoln était un grand orateur. » Chaque fois que je la prononçais, je pensais à la voix haut perchée, presque criarde de Lincoln. Au moins était-il assez malin pour ne pas la perdre. Quand j'étais aphone, les jeunes membres de l'équipe se moquaient de moi sans malice en répétant mes exercices. Je m'amusais de leurs imitations, beaucoup moins de ma situation. Un homme politique qui perd sa voix ne vaut plus grand-chose. Quand le phénomène se répète régulièrement, il devient inquiétant : comment ne pas redouter, alors, de rester aphone à jamais ? Après le premier épisode, je pensais que mes allergies étaient à l'origine du phénomène. J'ai ensuite appris que le problème s'expliquait par des reflux acides, une pathologie assez commune, due à la remontée des sucs gastriques dans l'œsophage qui brûlent les cordes vocales, phénomène qui se produit, en général, pendant les périodes de sommeil. Mon état s'est amélioré grâce aux médicaments et parce que j'ai commencé à dormir la tête et les épaules en position relevée. À la veille du deuxième débat, j'étais loin d'être rétabli.

Carole Simpson d'ABC-News animait le débat. La première question venue de l'assistance concernait les conditions de l'équité dans le commerce extérieur. Elle s'adressait à Ross Perot. Il a répondu en adversaire du libre-échange. Le Président a développé des positions favorables au libre-échange. J'ai expliqué que j'étais partisan d'échanges libres et équitables, et que trois mesures s'imposaient : s'assurer que les marchés de nos partenaires commerciaux étaient aussi ouverts que les nôtres, modifier le code des impôts afin d'encourager la modernisation des centres de production chez nous plutôt que d'assister à leur déménagement vers l'étranger et cesser de consentir des prêts à faible taux d'intérêt et des subventions à l'emploi aux entreprises qui n'hésitaient pas à délocaliser quand nous n'offrions pas les mêmes avantages aux sociétés américaines qui souffraient en restant dans le pays.

Nous avons ensuite abordé les déficits puis les attaques personnelles. Bush, de nouveau, s'en est pris à ma participation aux manifestations contre la guerre du Viêt-nam à Londres. Quand mon tour est venu de répondre sur cette question, j'ai dit : « Son caractère ne m'intéresse pas. Ce que je veux, c'est changer le caractère de la présidence. Ce qui m'intéresse, c'est de savoir dans quelle mesure nous pouvons lui faire confiance, dans quelle mesure vous pouvez me faire confiance, dans quelle mesure vous pouvez faire confiance à Mr Perot pour agir au cours des quatre prochaines années. »

Nous avons alors débattu d'une série de questions : les villes, les routes, le contrôle des ventes d'armes, la limitation des mandats et les coûts de la couverture maladie. Puis est venue la question qui a décidé de l'issue du débat. Une femme dans l'assistance a demandé : « Comment la dette nationale vous a-t-elle touché personnellement ? Et, si elle ne vous affecte pas, comment pouvez-vous honnêtement trouver les remèdes aux difficultés économiques des gens comme nous, en n'ayant pas l'expérience de nos difficultés ? » Perot a répondu le premier. Il a dit que la dette l'avait conduit à « bouleverser sa vie personnelle et professionnelle pour [se] lancer dans cette campagne ». Il a poursuivi en affirmant qu'il voulait alléger le fardeau qui allait peser sur ses enfants et ses petits-enfants. Bush s'est trouvé bien en peine d'expliquer comment il avait été affecté personnellement. La femme qui avait posé la question l'a poussé dans ses retranchements, en mentionnant de nombreuses connaissances, autour d'elle, qui avaient perdu leur emploi et ne pouvaient plus rembourser les crédits pour leur maison ou leur voiture. De façon saugrenue, Bush a dit qu'il s'était rendu dans une église noire, où il avait lu le bulletin paroissial qui évoquait des cas d'adolescentes enceintes. Enfin, il n'était pas juste, a-t-il lancé, d'affirmer qu'on ne pouvait pas connaître un problème parce qu'on n'en souffrait pas. C'était mon tour de répondre, j'ai dit que j'avais été gouverneur d'un petit État pendant douze ans. Beaucoup de gens que je connaissais personnellement avaient perdu leur emploi ou leur société. J'en avais rencontré bien d'autres dans la même situation en menant campagne dans tout le pays depuis un an. En dirigeant le gouvernement d'un État, j'avais vu les conséquences humaines qu'entraînaient les coupes dans les services fédéraux. M'adressant à la femme qui avait posé la question, je lui ai dit que la dette constituait un gros problème mais que d'autres raisons expliquaient l'atonie de la croissance : « Nous sommes prisonniers d'une théorie économique erronée. » Pendant ces échanges, le président Bush aggrava son cas en regardant nerveusement sa montre. Il parut encore plus indifférent. D'autres thèmes ont ensuite été abordés, comme la Sécurité sociale, les retraites, le programme Medicare, les responsabilités de la superpuissance américaine, l'éducation ou l'éventualité de l'accession d'un Noir ou d'une femme à la présidence. Mais le débat avait virtuellement pris fin après nos réponses à la question posée par cette femme concernant les conséquences personnelles de la dette sur nos vies.

Le Président a présenté ses conclusions avec beaucoup de talent. Il a demandé au public de bien réfléchir à la question suivante : qui souhaiterait-il voir à la tête de l'État si le pays affrontait une crise majeure ? Perot a bien parlé sur l'éducation, le déficit et sur le fait qu'il payait plus d'un milliard de dollars d'impôts : « Pour un type qui a commencé avec tout ce qu'il possédait dans le coffre d'une voiture, ce n'est pas mal. » J'ai attaqué ma conclusion en expliquant que je m'étais efforcé de répondre aussi précisément que possible et sans faux-fuyant aux questions. Puis j'ai rappelé les mesures que j'avais mises en œuvre, en Arkansas, pour l'éducation et l'emploi et j'ai souligné que ma campagne avait reçu le soutien de vingt-quatre généraux et amiraux de réserve et de plusieurs Républicains qui évoluaient dans le monde des affaires. J'ai ajouté : « C'est à vous de décider si vous souhaitez ou non le changement. » J'avais besoin de leur aide, ai-je terminé, pour remplacer le modèle économique reaganien, le *trickle-down economics*, selon lequel l'enrichissement au sommet finirait par innerver toute la société, par l'économie « des investissements et de la croissance ».

J'ai pris un grand plaisir à ce deuxième débat. Sans doute, les électeurs s'interrogeaient-ils à mon sujet, mais ils voulaient avant tout des réponses sur les questions qui concernaient leur vie quotidienne. Selon un sondage *CBS News* d'après débat sur un échantillon de 1 145 électeurs, 53 % estimaient que j'avais fait la meilleure prestation, 25 % avaient préféré celle de Bush et 21 % celle de Perot. Cinq spécialistes de la préparation des hommes politiques aux débats, interrogés par Associated Press, me plaçaient en tête, sur des critères de présentation, de pertinence des réponses et d'aisance. J'étais rompu à la formule des débats publics depuis le début de ma campagne et, avant cela encore, en Arkansas. J'aimais le contact direct avec les citoyens et je ne craignais pas la confrontation avec leurs points de vue.

Alors que le troisième débat approchait, un sondage CNN/*USA Today* m'attribuait 47 % des intentions de vote, contre 32 % à Bush et 15 % à Perot.

Hillary et moi avons rejoint Ypsilanti la veille, avec toute l'équipe, pour préparer le dernier débat qui devait avoir lieu sur le campus de l'Université d'État du Michigan, à East Landing. Une nouvelle fois, je me suis offert quelques tours de chauffe avec Bob Barnett et Mike Synar. Cette fois-ci, je n'allais pas m'en sortir sans être soumis à rude épreuve. Le président Bush s'était enfin résolu à se battre pour conserver son siège et c'était un homme fier et cassant. Quant à Ross Perot, j'étais convaincu que, tôt ou tard, il allait me prendre pour cible principale.

Plus de quatre-vingt-dix millions de téléspectateurs ont suivi le dernier débat le 19 octobre. La campagne n'avait jamais attiré une aussi forte audience. Jim Lehrer nous a questionnés pendant la moitié du temps, avant de laisser la parole à un groupe de journalistes. Le président Bush a fourni sa meilleure prestation. Il m'a accusé de proposer une politique de gauche fondée sur les impôts et la dépense publique, d'être un clone de Jimmy Carter et un tribun à l'opinion versatile. Sur ce dernier point, ma riposte a fait mouche : « J'ai peine à croire qu'il m'accuse de changer d'opinion, lui qui a dit "l'économie *trickle-down*, c'est du vaudou économique", avant d'en devenir l'adepte le plus fervent. » Quand il a évoqué la situation économique de l'Arkansas, j'ai montré que, bien que l'Arkansas ait toujours été un État pauvre, nous avions été classés, l'année précédente, premier État pour les créations d'emplois, quatrième pour la croissance en pourcentage des emplois industriels, quatrième pour la croissance en pourcentage du revenu individuel et quatrième pour la réduction de la pauvreté. En outre, l'État affichait le deuxième plus faible taux d'imposition locale de tout le pays. « Je note une différence entre l'Arkansas et les États-Unis, le premier avance dans la bonne direction, les États-Unis, dans la mauvaise. » Plutôt que de présenter ses excuses après avoir signé le plan de réduction du déficit et son volet sur l'augmentation des taxes pétrolières, ai-je ajouté, le Président aurait dû reconnaître qu'il s'était trompé bien plus tôt, quand il avait dit : « Lisez sur mes lèvres ! » Perot a essayé de nous renvoyer dans les cordes, tous les deux. Puisque, a-t-il dit, il avait passé son enfance à une portée de flèche de l'Arkansas, il en connaissait bien la situation et jugeait que mon expérience de gouverneur d'un si petit État n'avait « aucune perti-nence » au regard des responsabilités présidentielles. Quant à Bush, il lui a reproché d'avoir assuré Saddam Hussein qu'il pouvait envahir le Koweit sans craindre de représailles américaines. Nous l'avons remis à sa place, l'un après l'autre.

Après cet échange, les journalistes, à leur tour, ont posé des questions. Dans l'ensemble, le débat était plus structuré, moins houleux que le précédent. Avec toutefois quelques moments sur mesure pour les télévisions. Helen Thomas de l'agence UPI, doyenne des correspondantes à la Maison Blanche, m'a demandé : « Si c'était à refaire, accepteriez-vous cette fois d'endosser l'uni-forme ? » J'ai répondu que je n'aurais pas nécessairement la même attitude vis-à-vis du service militaire, mais que je pensais encore que le Viêt-nam était une erreur. J'ai rappelé que nous avions quand même un certain nombre de prési-dents dignes de ce nom qui n'avaient pas servi sous les drapeaux, dont Franklin D. Roosevelt, Wilson ou encore Lincoln, qui s'était opposé à la guerre du Mexique. Plus tard, j'ai dit que Bush avait fait la une de la presse en déclarant, lors du premier débat, qu'il confierait la conduite de la politique économique à James Baker, mais que je comptais bien faire la une en prenant moi-même cette responsabilité, Bush a eu une excellente repartie : « C'est bien ce qui m'inquiète ! » Le débat s'est achevé sur nos trois conclusions. J'ai remercié tous ceux qui avaient suivi le débat de l'intérêt qu'ils portaient à l'avenir du pays et j'ai répété que ma priorité n'était pas de lancer des attaques personnelles. J'ai félicité Ross Perot pour la bonne tenue de sa campagne et pour le surcroît d'attention qu'il avait attiré sur le problème du déficit. À propos du président Bush, j'ai ajouté : « Je respecte sa personne, ses efforts et son engagement au service de notre pays. Mais je pense que le temps du changement est venu […]. Nous pouvons faire mieux, j'en suis convaincu. »

Désigner le vainqueur de ce troisième débat serait malaisé. Je crois avoir réussi à défendre l'Arkansas et mon bilan personnel, à présenter mes perspectives, mais sans doute ai-je souvent été trop spécifique dans mes réponses. J'avais vu de si nombreux présidents contraints de changer d'orientation sous la pression des événements que je ne tenais pas à me lier les mains par des engagements trop généraux. Alors qu'il combattait le dos au mur, le Président s'en est très bien sorti, sauf quand il m'a attaqué sur mon bilan en Arkansas ; ce type d'arguments n'aurait guère été payant que dans une publicité, hors de la présence d'un contradicteur. Il a joué une meilleure carte en s'interrogeant sur mon profil de président, exploitant l'image traditionnelle des Démocrates, faibles en politique étrangère et forts pour relever les impôts, ainsi qu'en rappelant aux électeurs que le mandat présidentiel du dernier gouverneur démocrate sudiste porté à la Maison Blanche avait coïncidé avec une période de taux d'intérêt élevés et de forte inflation. Perot était très à l'aise et percutant, assez, craignais-je, pour conforter ses supporters dans leur choix et convaincre de nombreux indécis. Trois sondages d'après débat m'attribuaient la meilleure prestation, mais l'enquête d'opinion CNN/*USA Today*, la seule qui classait Perot meilleur débatteur, indiquait que 12 % des électeurs avaient modifié leur intention de vote après le débat, au bénéfice de Perot dans la moitié des cas.

Dans l'ensemble, les débats m'avaient servi. Davantage d'Américains estimaient que j'avais les capacités pour remplir une charge et les échanges sur les programmes m'avaient aussi fourni l'occasion de développer mes propositions. J'aurais souhaité réitérer l'exercice pendant les deux semaines suivantes. Au lieu de quoi nous abordions la dernière ligne droite, une course frénétique au cours de laquelle les candidats allaient devoir se montrer dans le plus grand nombre d'États possible, alors que le matraquage des publicités négatives concoctées par mes deux concurrents s'intensifiait et que je lançais moi-même un petit missile contre Bush, reprenant sa réplique la plus célèbre : « Lisez sur mes lèvres. » Frank Greer et Mandy Grunwald continuaient à concevoir des publicités efficaces et notre équipe de réaction rapide réagissait toujours sans délais aux attaques de l'adversaire, mais le contexte était moins favorable qu'une confrontation à trois dans un studio. Maintenant, mes adversaires aboyaient à mes basques et je devais tenir à tout prix.

Le 21 octobre, un petit épisode comique vint pimenter la campagne. Burke's Peerage, le plus prestigieux cabinet d'enquêtes généalogiques anglais, établissait un lointain cousinage entre le président Bush et moi. Nous serions descendus tous deux, au vingtième degré au moins, d'un membre de la famille royale britannique, ayant vécu au XIIIᵉ siècle. Le roi George aurait été notre ancêtre commun. Bush descendrait de Henry III et aurait été donc cousin au treizième degré de la reine Elizabeth. Comme il se doit, ma filiation royale aurait été bien moins prestigieuse et, qui plus est, contrebalancée par un enracinement démocratique non moins solide. Mes ancêtres, du nom de Blythe, seraient descendus de la sœur de Henry III, Eleonor et de son mari, Simon de Montfort, duc de Leicester, lequel avait mené la guerre contre le roi, l'avait battu et lui avait imposé un Parlement considéré comme le plus démocratique de l'époque. Hélas, en 1265, le roi avait renié son serment et l'antagonisme avec le Parlement allait se poursuivre jusqu'à la bataille de Levensham, où le pauvre Simon perdrait la vie. Selon le porte-parole de Burke's Peerage, le corps de Simon « avait été mis en lambeaux, les fragments de sa dépouille emportés à travers le pays – un doigt, par exemple, jusqu'à tel village, un pied jusqu'à telle ville – afin d'édifier les sujets du roi sur le sort réservé aux démocrates ». Comment, apprenant que la racine de mes divergences avec le Président remontait sept cents ans en arrière, pouvais-je encore m'étonner que son état-major de campagne perpétue la tactique de ses ancêtres ? En outre, Burke's Peerage localisait le berceau de la famille Blythe à Gotham, un village longtemps hanté, selon les légendes, par l'esprit de déments. Je savais qu'il fallait être un peu fou pour vouloir devenir président, mais j'étais tout de même contrarié qu'on attribue ma décision à mon héritage génétique.

Le 23 octobre, notre campagne reçut un nouveau coup de pouce du secteur des hautes technologies, quand plus de trente dirigeants d'entreprises spécialisées dans l'informatique, dont Steve Ballmer, le vice-président de Microsoft, m'apportèrent leur soutien officiel. La campagne n'était pas terminée pour autant. Une semaine après le dernier débat, un sondage CNN/*USA Today* me donnait à 7 points seulement devant le président Bush : j'étais crédité de 39 %, Bush de 32 % et Perot de 20 %. Comme je le craignais, la campagne publicitaire de Perot, combinée aux attaques personnelles lancées par le président Bush, modifiait les intentions de vote en sa faveur et à mes dépens. Le 26 octobre, depuis la Caroline-du-Nord, où nous avait menés la campagne, nous avons décidé, Al Gore et moi, de contre-attaquer pour garder notre avance. Notre cible était l'Irakgate : l'affaire concernait un détournement de crédits, garantis par le gouvernement et destinés à l'Irak, dans lequel était impliquée l'agence d'Atlanta d'une banque contrôlée par le gouvernement italien. Officiellement affectés à l'agriculture, les crédits avaient été siphonnés par Saddam Hussein, en vue de relancer ses programmes d'armement après la guerre contre l'Iran. Deux milliards de dollars, jamais remboursés, restaient aux frais des contribuables américains. Le banquier d'Atlanta, mis en accusation pour son rôle dans l'opération frauduleuse, avait négocié un accord particulièrement bienveillant avec le bureau du procureur fédéral d'Atlanta, dont le responsable, par une étrange coïncidence, avait été nommé par Bush peu de temps après avoir été le représentant des intérêts irakiens dans le montage du dossier de crédit, bien qu'il ait dit qu'il avait refusé au cours de l'enquête. Au moment où Al et moi décidions de nous emparer de l'affaire, le FBI, la CIA et le département de la Justice enquêtaient les uns sur les autres en essayant de démêler l'écheveau des responsabilités et des négligences réciproques. C'était un gâchis de premier ordre, mais trop complexe pour influencer l'électorat si tard dans la campagne.

Perot était toujours l'inconnue de l'équation. Le 29 octobre, une dépêche de l'agence Reuters commençait ainsi : « Si le président Bush parvient à être réélu, il devra une fière chandelle à un milliardaire texan qui ne mâche pas ses mots et qui ne l'aime pas beaucoup. » L'article expliquait ensuite que les débats avaient modifié l'image de Perot, à tel point que le nombre d'électeurs qui le soutenaient avait doublé, d'abord à mes dépens, et que le « changement » n'était plus, désormais, mon monopole. Ce même jour, mon avance se réduisait à 2 points selon un sondage CNN/*USA Today*, contredit toutefois par cinq autres enquêtes d'opinion et par le sondage de Stan Greenberg, selon lesquels je conservais mon avantage de 5 à 7 points. Néanmoins, l'élection restait volatile.

Pendant la dernière semaine, je mis toutes mes forces dans la campagne. Le président Bush en fit autant. Le jeudi, tenant meeting dans une banlieue du Michigan, il nous qualifia, Al et moi, de « bozos », nous comparant au clown du même nom qui trouva sans doute la comparaison moins flatteuse que nous-mêmes. Le vendredi qui précédait l'élection, Lawrence Walsh, Républicain de l'Oklahoma et procureur spécial sur le dossier de l'Irangate, mit en accusation Caspar Weinberger, le secrétaire de la Défense de Ronald Reagan, et cinq autres personnes. L'arrêt qu'il avait rédigé suggérait que le président Bush avait joué un plus grand rôle dans les ventes d'armes illégales à l'Iran – autorisées par la Maison Blanche – et qu'il disposait d'informations plus approfondies qu'il ne l'avait admis jusqu'alors. Ce nouveau développement allait-il lui nuire ? J'aurais été bien en peine de me prononcer ; j'étais beaucoup trop occupé pour y réfléchir. Je m'amusais toutefois de la succession des événements, ce rebondissement survenant juste après les efforts acharnés de la Maison Blanche pour éplucher mes fichiers de passeport, après aussi les pressions exercées – et dont nous ignorions tout à ce moment – sur le procureur fédéral en Arkansas, nommé par Bush, pour m'impliquer dans l'enquête sur la faillite d'une caisse d'épargne, la Madison Guaranty.

Durant le dernier week-end de campagne, Bush a ciblé toutes ses publicités de campagne sur moi. Perot, estimant que 30 % de mon électorat était « incertain » et pouvait encore le rejoindre, s'est joint à l'offensive, artillerie lourde en tête. Ses trente minutes d'« infomercials » télévisées auraient coûté, dit-on, trois millions de dollars. Le sujet en était l'Arkansas : si j'étais élu, disait-il, « nous serons tous employés à plumer les poulets ». Son petit film passait ensuite en revue vingt-trois domaines dans lesquels l'Arkansas arrivait en queue de peloton parmi tous les États. De toute évidence, Ross Perot ne jugeait plus l'Arkansas sans « aucune pertinence ». Notre équipe a eu une discussion houleuse sur la réplique à apporter. Hillary voulait qu'on riposte à Perot. J'estimais que nous devions au moins défendre l'Arkansas. Nous avions bien pris garde jusqu'alors à ne jamais laisser aucune accusation sans réponse et la méthode avait porté ses fruits. Tous les autres intervenants jugeaient les attaques trop mesquines et trop tardives pour justifier un changement de plan. À regret, je me rangeais à la position majoritaire. Le jugement de l'équipe n'avait jamais été pris en défaut jusque-là sur les questions importantes et, en outre, j'étais trop fatigué et trop nerveux pour me fier à mon jugement contre le leur.

J'ai entamé le week-end par un meeting matinal dans le stade de football américain, plein à craquer, d'un lycée de Decatur, une banlieue d'Atlanta, en Géorgie. Le gouverneur Zell Miller, le sénateur Sam Nunn, le représentant John Lewis et d'autres élus démocrates qui m'épaulaient depuis le premier jour étaient là. Mais la présence la plus remarquable était celle de Hank Aaron, l'étoile du base-ball qui avait battu, en 1974, le record du nombre de *home-run*, détenu par Babe Ruth. Il jouissait d'un véritable statut de héros local, non seulement pour ses exploits sportifs mais aussi pour son engagement au service des enfants pauvres. Vingt-cinq mille personnes assistaient au meeting. Trois jours plus tard, j'allais l'emporter en Géorgie d'une courte marge de treize mille voix. Depuis, Hank Aaron s'est souvent amusé à me rappeler que je lui devais personnellement la Géorgie, grâce à la promotion qu'il avait assurée, ce matin-là. Peut-être, d'ailleurs, a-t-il raison.

Après la Géorgie, j'ai poursuivi par Davenport, dans l'Iowa, puis l'avion m'a emmené à Milwaukee pour mon dernier débat public de la campagne, que la télévision a retransmis. J'ai enregistré mon ultime spot publicitaire, dans lequel j'enjoignais les Américains de voter et de voter pour le changement. Le dimanche soir, après avoir fait étape à Cincinnati et à Scranton, ville de la famille Rodham, nous avons repris l'avion pour le New Jersey. Notre destination était Meadowlands, où se tenait une grande soirée musicale, mêlant des artistes de rock, de jazz et de country ainsi que des stars de Hollywood qui me soute-naient. Plus tard, j'ai joué du saxophone et dansé avec Hillary devant quinze mille personnes, sur le champ de courses de Garden State Park, à Cherry Hill, dans le New Jersey. Un cheval du nom de Bubba Clinton – le surnom que mon frère me donnait depuis ma plus tendre enfance – y avait récemment gagné une course, dans laquelle il était placé à 17 contre 1. Mon pronostic était meilleur, mais tel n'avait pas toujours été le cas. Un parieur qui avait misé cent livres sur moi, auprès d'un bookmaker londonien, quand mes chances étaient à 33 contre 1 emporta l'équivalent de cinq mille dollars au lendemain de l'élection présidentielle. Il aurait pu devenir beaucoup plus riche s'il avait tenté sa chance dès le début de février, quand j'avais perdu les primaires dans le New Hampshire.

Hillary et moi nous sommes réveillés le lundi matin, à Philadelphie, lieu de naissance de la démocratie américaine et première étape de notre ultime tournée de campagne, longue de 6 500 kilomètres. Pendant qu'Al et Tipper Gore labouraient, de leur côté, une série d'États décisifs, Hillary et moi, notre équipe et une horde de journalistes embarquaient à bord de trois Boeing 727, repeints en rouge, blanc et bleu pour un périple de vingt-neuf heures. Au *Mayfair Diner* de Philadelphie, notre premier arrêt, quelqu'un m'a demandé ce que serait ma première initiative si j'étais élu. « Remercier Dieu », ai-je répondu. Départ pour Cleveland. Malgré ma voix sur le point de me lâcher, une nouvelle fois, j'ai déclaré : « Teddy Roosevelt a dit qu'il fallait parler d'une voix douce et porter un gros bâton. Demain, je voudrais parler d'une voix douce et emporter l'Ohio. » Pendant un meeting sur un aéroport, à proximité de Detroit, entouré de plusieurs élus du Michigan et de dirigeants syndicaux qui s'étaient impliqués sans réserve pour moi, j'ai croassé : « Si vous voulez bien être ma voix demain, je serai votre voix pour quatre ans. » Après une halte à Saint Louis et une autre à Paducah, dans le Kentucky, l'avion s'est envolé vers le Texas, où notre programme comptait deux rendez-vous. Le premier était à McAllen, ville du sud profond de l'État, proche de la frontière mexicaine, où j'avais été bloqué sur l'aéroport, avec Sargent Shriver, vingt ans plus tôt. Minuit avait sonné quand nous avons rejoint Fort Worth, mais la foule restait éveillée, grâce au spectacle du célèbre musicien de country rock, Jerry Jeff Walker. Quand j'ai réintégré l'avion, j'ai appris que l'équipe venait d'acheter pour quatre cents dollars de glace à la mangue, à l'hôtel *Menger* de San Antonio, qui fait face à Fort Alamo. Ils m'avaient tous entendu vanter cette glace, découverte quand je travaillais pour la campagne de McGovern. Une telle quantité a suffi à régaler les passagers exténués de nos trois avions jusqu'au matin.

Entre-temps, à Little Rock, James Carville avait rassemblé tous les présents, soit plus d'une centaine de personnes, pour une dernière réunion au quartier général. Après une courte présentation par George Stephanopoulos, James a prononcé un discours très émouvant, expliquant que l'amour et le travail sont les cadeaux les plus précieux que chacun puisse offrir et remerciant tous les collaborateurs, dont la plupart étaient très jeunes, pour ces dons qu'ils avaient consentis.

Du Texas, l'avion nous a emportés à Albuquerque, au Nouveau-Mexique, pour un meeting très matinal, en présence de mon vieil ami le gouverneur Bruce King. À 4 heures du matin, la manifestation terminée, j'ai dévoré un petit déjeuner mexicain puis embarqué à destination de Denver, notre dernière étape. Une foule énorme et enthousiaste nous a accueillis, malgré l'aube. Le maire, Wellington Webb, le sénateur Tim Wirth et le gouverneur Roy Roemer, mon associé pour la réforme de l'éducation, travaillaient à accroître encore son effervescence. Hillary a prononcé le discours et j'ai tiré de mes cordes vocales enflées mes tout derniers mots de campagne qui exprimaient ma gratitude et mon espoir. Cette tâche accomplie, l'heure était venue de faire retraite vers Little Rock.

À l'aéroport, Chelsea nous attendait. Des membres de la famille, des amis, des collaborateurs de la campagne ont ajouté à la chaleur de l'accueil. Je les ai remerciés pour tous leurs efforts, puis nous sommes partis tous les trois en voiture jusqu'à notre bureau de vote, au centre socioculturel de Dunbar, situé dans un quartier en majorité noire, à moins de deux kilomètres de la résidence du gouverneur. Nous avons échangé quelques mots avec les gens rassemblés autour du centre et signé le registre électoral. Puis, respectant notre petit rituel, inauguré lorsqu'elle avait 6 ans, Chelsea m'a accompagné dans l'isoloir. J'ai tiré le rideau et c'est elle qui a actionné le levier de vote mentionnant mon nom avant de me serrer très fort dans ses bras. Après treize mois d'activités intensives, nous accomplissions la dernière tâche de la campagne. Quand Hillary a achevé la procédure de vote, nous nous sommes embrassés tous les trois. En quittant les locaux, nous avons répondu à quelques questions de la presse, serré des mains et pris la direction de la maison.

À mes yeux, les journées d'élection ont toujours symbolisé le grand mystère de la démocratie. Sondeurs d'opinion et experts des médias peuvent bien mettre tous leurs efforts à le décortiquer, le mystère demeure. Ce jour-là, citoyen ordinaire, millionnaire ou président, chacun dispose du même pouvoir. Beaucoup l'exercent, d'autres s'abstiennent. Les premiers choisissent un candidat pour toutes sortes de raisons, certaines rationnelles, d'autres intuitives, parfois avec conviction, d'autres fois avec scepticisme. Pourtant, à travers tout ce processus, ils désignent souvent le dirigeant le mieux à même d'assumer la fonction dans la période donnée. Voilà pourquoi l'Amérique se perpétue et prospère après plus de deux cent vingt-huit ans.

J'avais présenté ma candidature, avant tout parce que j'estimais être à même de porter cette responsabilité en cette période de mutations spectaculaires, affectant les Américains dans leur vie quotidienne, leur travail ou l'éducation de leurs enfants. Après de longues années d'activité, je comprenais quel rôle peuvent jouer les décisions des responsables politiques dans la vie des gens. J'estimais avoir des idées sur les objectifs qu'il fallait poursuivre et sur la méthode à adopter pour y parvenir. Mais en présentant ma candidature, je demandais aussi aux Américains de faire un pari. En premier lieu, ils n'ont pas une grande habitude des présidents démocrates. Ensuite, des questions se posaient à mon sujet : j'étais très jeune ; j'étais le gouverneur d'un État dont la plupart des Américains ne savaient pas grand-chose ; je m'étais opposé à la guerre du Viêt-nam et j'avais évité le service militaire ; j'avais un point de vue de gauche sur les races, comme sur les droits des femmes et des homosexuels ;

je pouvais paraître expert en langue de bois quand je parlais d'atteindre des objectifs ambitieux, qui, au moins en apparence, semblaient contradictoires ; enfin, ma conduite personnelle n'avait rien d'exemplaire. J'avais travaillé de tout mon cœur à convaincre les Américains que ce pari valait la peine d'être engagé : les fluctuations permanentes des sondages et la réapparition de Ross Perot montraient que beaucoup d'entre eux voulaient croire en moi mais entretenaient encore de sérieux doutes. Dans ses discours de campagne, Al Gore demandait aux électeurs de se figurer quels gros titres ils aimeraient lire dans leurs journaux au lendemain de l'élection : « Quatre ans de plus » ou « Le changement est en route ». À ce point, je pensais savoir laquelle de ces deux éventualités ils avaient choisie, mais pendant cette longue journée de novembre, comme tout citoyen, je devais prendre mon mal en patience avant de connaître la réponse.

En arrivant à la maison, nous avons regardé, tous les trois, un vieux film avec John Wayne, avant de nous offrir une sieste de quelques heures. L'après-midi, je suis allé courir en ville avec Chelsea. Comme des milliers de fois auparavant, nous avons bu un verre d'eau au McDonald' local. De retour à la résidence du gouverneur, il ne restait plus longtemps à patienter. Les informations nous sont parvenues tôt, vers 18 h 30. J'étais toujours en survêtement quand les premières projections m'ont placé en tête dans plusieurs États de la côte est. À peine plus de trois heures plus tard, les grandes chaînes de télévision ont pronostiqué ma victoire dans l'ensemble du pays, après que l'Ohio eut basculé en notre faveur, de 90 000 voix sur 5 millions de participants, soit un avantage inférieur à 2 %. Le résultat était cohérent : l'Ohio n'avait-il pas été un des États à assurer ma nomination lors des primaires du 2 juin, puis l'État dont les votes, à la convention de New York, m'avaient officiellement mis en tête ? À l'échelle nationale, la participation était importante, la plus forte depuis le début des années 1960, avec plus de cent millions de votants.

Quand les 104 600 366 voix eurent été décomptées, notre avance fut établie à quelque 5,5 %. J'obtenais 43 % des suffrages, contre 37,4 % pour le président Bush et 19 % pour Ross Perot, qui réussissait la plus belle percée d'un candidat de troisième parti depuis que Teddy Roosevelt avait rassemblé 27 % de l'électorat sous la bannière, frappée d'un élan, de son parti du progrès, en 1912. Notre ticket de baby-boomers réalisait ses meilleurs scores chez les électeurs de plus de 65 ans comme chez ceux de moins de 30 ans. Notre propre génération, semble-t-il, doutait encore que nous fussions prêts à diriger le pays. Les charges tardives contre l'Arkansas, menées en binôme par Bush et Perot, à la veille de l'élection, nous avaient ramenés à 2 à 3 points sous notre étiage. L'assaut avait porté, mais sans causer trop de dommages.

Nous l'avons emporté par une marge plus importante au sein du collège électoral. Le président Bush a gagné dix-huit États grâce à 168 voix. J'ai reçu 370 voix, portées par trente-deux États et le District of Columbia, dont l'ensemble des États riverains du Mississippi, du nord au sud, à l'exception de l'État du Mississippi, tous les États de Nouvelle-Angleterre et tous ceux de la région Mid-Atlantic. J'ai aussi gagné, de manière plus inattendue, la Géorgie, le Montana, le Nevada et le Colorado. Onze États ont basculé, d'un côté ou de l'autre, par une marge inférieure à 3 % : l'Arizona, la Floride, la Virginie et la Caroline-du-Nord, en faveur du Président ; outre l'Ohio, déjà mentionné, la Géorgie, le Montana, le Nevada, le New Hampshire, Rhode Island et le New Jersey, pour ma candidature. J'ai rassemblé 53 % des votants en Arkansas, mon plus haut pourcentage, et j'ai obtenu une avance supérieure à 10 % dans douze autres États, dont quelques-uns des plus grands : la Californie, l'Illinois, le Massachusetts et New York. Si la présence de Perot m'a empêché de dépasser le seuil des 50 % lors du vote direct, elle a joué en ma faveur dans les résultats du collège électoral.

Quels facteurs expliquent que les Américains aient désigné leur premier président baby-boomer, le troisième plus jeune de l'histoire, le deuxième, seulement, qui ait acquis son expérience en tant que gouverneur d'un petit État et, de plus, un candidat qui traînait déjà un certain nombre de casseroles ? Lors des sondages de sortie des urnes, les électeurs ont placé, au tout premier rang de leurs préoccupations, la situation économique, suivie par le déficit et la couverture maladie et, plus loin encore, la personnalité du candidat. Tout compte fait, j'ai d'abord remporté le débat préalable, celui qui concernait l'enjeu de l'élection. C'est un aspect essentiel de toute campagne présidentielle, bien plus que les solutions proposées à telle ou telle question spécifique. Mais le contexte économique n'explique pas tout. Je dois aussi beaucoup à James Carville et à une brillante équipe de campagne qui a toujours ramené l'attention – la mienne et celle de tous – sur notre message, malgré les méandres de la campagne ; à la sagacité de Stan Greenberg et à la pertinence des questions formulées dans ses sondages ; à toutes les compétences qui ont animé la campagne à la base ; au Parti démocrate, uni avec un grand savoir-faire par Ron Brown et bien décidé à surmonter douze années d'errance ; au soutien sans faille que m'ont apporté les minorités et les femmes, dont l'implication s'est aussi ressentie au Congrès, avec l'élection de six femmes sénateurs et de quarante-sept représentantes, contre vingt-huit dans la précédente législature ; à la désunion des conservateurs et à leur excès d'assurance ; à une couverture médiatique étonnamment positive pendant la campagne proprement dite, qui succédait à une attitude très agressive pendant les primaires ; à l'implication personnelle de tous les instants d'Al et Tipper Gore, qui a contribué à symboliser le changement de génération que nous incarnions ; à la percée du courant des Nouveaux Démocrates et des idées que j'appliquais en Arkansas, comme au sein du Democratic Leadership Council. Enfin, j'ai pu l'emporter parce que Hillary et mes amis se tenaient à mes côtés chaque fois que nous devions faire face aux assauts et parce que je n'avais pas abandonné le combat après mes défaites.

La soirée électorale commençait à peine quand le président Bush m'a téléphoné pour me féliciter. Sur un ton aimable, il m'a promis une transition harmonieuse, tout comme Dan Quayle, peu de temps après. J'ai apporté les ultimes corrections à mon discours de victoire et adressé, aux côtés de Hillary, une prière à Dieu pour le remercier de cette bénédiction et lui demander assistance dans la tâche qui commençait. Puis, Chelsea à nos côtés, nous avons rejoint l'Old State House, bâtiment historique de l'Arkansas pour fêter l'événement.

L'Old State House est mon monument favori en Arkansas. J'y retrouve, chaque fois, l'histoire de mon État et la mienne. J'y avais reçu les vœux de mes supporters après mon élection au siège de ministre de la Justice, seize ans plus tôt, j'y avais annoncé mon entrée dans la course, treize mois avant l'élection présidentielle. Nous avons rejoint la tribune d'où nous avons adressé nos congratulations à Al et Tipper Gore, ainsi qu'aux milliers de gens descendus dans les rues de la ville. J'étais bouleversé par leurs visages rayonnants d'espoir et d'enthousiasme. Et je débordais de gratitude. Les yeux de ma mère remplis de larmes m'ont ému, et j'espère que mon père me voyait, là où il se trouvait, et qu'il était fier de moi.

Jamais, en m'embarquant dans cette extraordinaire odyssée, je n'avais anticipé de telles difficultés ni un tel bonheur. Les gens présents dans la rue et des millions d'autres avec eux y avaient mis du leur. L'heure était venue de justifier leur choix. J'ai commencé mon discours par ces mots : « En ce jour, avec de grands espoirs et une volonté sincère, les Américains, en grand nombre, ont voté pour un nouveau départ. » J'ai prié tous ceux qui avaient donné leur voix au Président ou à Ross Perot de participer, avec moi, à la création des « États réUnis » avant de conclure :

> « Cette victoire est plus que la victoire d'un parti, c'est la victoire de tous ceux qui travaillent dur en respectant les règles ; la victoire de ceux qui se sentent exclus et laissés pour compte et qui veulent s'en sortir [...]. J'accepte, ce soir, la responsabilité que vous m'avez confiée : assumer la direction de ce grand pays, le plus grand dans l'histoire de l'humanité. Je l'accepte sans réserve et l'esprit allègre. Mais, à mon tour, je vous demande de redevenir américains, de vous préoccuper non seulement d'acquérir mais de donner, non seulement d'accuser mais d'assumer vos responsabilités, non seulement de vous soucier de vous-mêmes mais de vous soucier des autres aussi [...]. Ensemble, nous pouvons faire en sorte que le pays que nous aimons soit à la hauteur de sa vocation. »

CHAPITRE VINGT-NEUF

Le jour qui a suivi les élections, submergé de coups de téléphone et de messages de félicitations, j'ai attaqué ce que l'on appelle la transition. On peut le dire ! Nous n'avons pas eu de temps pour fêter ça, et nous ne nous sommes pas vraiment reposés, ce qui a probablement été une erreur. En l'espace de onze semaines seulement, ma famille et moi devions effectuer la transition entre notre vie en Arkansas et la Maison Blanche. Il y avait tant à faire : composer le cabinet, choisir les adjoints du président, et constituer le secrétariat de la Maison Blanche ; travailler avec l'équipe de Bush au processus de changement ; commencer à organiser des briefings sur la sécurité nationale et des entretiens avec les chefs d'État étrangers ; entrer en contact avec les leaders du Congrès ; établir un plan d'application des autres engagements pris pendant la campagne ; faire face à un nombre important de demandes de rendez-vous et au désir de bon nombre des membres de notre état-major de campagne et de nos plus fervents militants de savoir le plus tôt possible s'ils allaient faire partie de la nouvelle administration ; enfin, réagir aux événements au jour le jour. Et ils allaient se multiplier au cours des prochains soixante-dix jours, en particulier à l'étranger : en Irak, où Saddam Hussein cherchait à faire lever les sanctions des Nations unies ; en Somalie, où le président Bush avait envoyé des troupes américaines en mission humanitaire pour lutter contre une extension de la famine ; et en Russie, où l'économie était en miettes, où le président Eltsine devait affronter la montée d'une opposition d'ultranationalistes et de communistes non convertis, et où le retrait des troupes russes des nations baltes avait été retardé. La liste des « choses à faire » s'allongeait.

Plusieurs semaines plus tôt, nous avions préparé dans le calme un plan de transition à Little Rock, dirigé par un conseil comprenant Vernon Jordan, Warren Christopher, Mickey Kantor, l'ancien maire de San Antonio Henry

Cisneros, Doris Matsui et l'ancien gouverneur du Vermont Madeleine Kunin Le responsable en était Gerald Stern, qui avait momentanément quitté son poste de vice-président d'Occidental Petroleum. Bien évidemment, nous ne voulions pas agir comme si le résultat des élections ne faisait aucun doute, l'opération avait donc été discrète, avec un numéro de téléphone sur liste rouge et aucune plaque sur la porte des bureaux situés au treizième étage du bâtiment de la Worthen Bank.

Quand George Stephanopoulos est arrivé à la maison le mercredi, Hillary et moi lui avons fait part de notre désir de le maintenir dans ses fonctions de directeur de la communication à la Maison Blanche. J'aurais été ravi d'y conserver James Carville, pour qu'il nous aide à développer notre stratégie et à maintenir la ligne du Parti, mais il pensait qu'il n'était pas fait pour travailler au gouvernement et deux jours auparavant il avait avoué aux journalistes : « Je ne veux pas vivre dans un pays où je serais l'employé du gouvernement. »

Le mercredi après-midi, je me suis réuni avec le conseil de transition et me suis fait remettre mes premiers briefings. À 14 h 30, j'ai tenu une courte conférence de presse sur la pelouse de l'arrière de la résidence du gouverneur. Parce que le président Bush se trouvait dans une situation de tension avec l'Irak, j'ai insisté sur le fait que l'Amérique n'avait qu'un président à la fois et que la politique étrangère des États-Unis demeurait entre ses seules mains.

Au cours de ma deuxième journée de président élu, je me suis entretenu avec certains chefs d'État étrangers et me suis rendu au bureau pour m'occuper de quelques affaires d'État et pour remercier l'équipe du bureau du gouverneur du bon travail qu'elle avait accompli pendant mon absence. Ce jour-là, nous avons organisé une soirée pour l'équipe de campagne. J'étais encore si enroué que je pouvais à peine murmurer « merci ». J'ai passé la plupart du temps à serrer des mains, déambulant avec mes badges sur ma chemise qui disaient « Désolé je suis aphone » et « Vous avez fait du bon travail ».

Le vendredi, j'ai nommé Vernon Jordan président et Warren Christopher directeur de mon conseil de transition. L'annonce de leur nomination a été bien accueillie à Washington et à Little Rock, où tous les deux étaient respectés par l'équipe de campagne, au sein de laquelle on commençait à voir des signes bien compréhensibles d'épuisement, d'irritabilité et d'inquiétude pour l'avenir, au fur et à mesure que retombait l'euphorie de notre victoire.

Au cours de la deuxième semaine de transition, le rythme s'est nettement accéléré. Je me suis entretenu avec le Premier ministre israélien Yitzhak Rabin, le président égyptien Hosni Moubarak et le roi Fahd d'Arabie Saoudite, à propos de la paix au Moyen-Orient. Vernon et Chris ont recruté la plus grande partie des personnalités les plus importantes de l'état-major de transition : Alexis Herman, qui avait assuré la vice-présidence du Parti démocrate, et Mark Gearan, qui s'était occupé de la campagne d'Al Gore, ont été nommés directeurs adjoints ; le président du Democratic Leadership Council, Al From, a été chargé de la politique intérieure ; Sandy Berger et ma conseillère de campagne Nancy Soderberg, de la politique étrangère ; Gene Sperling et Bob Reich, mon vieux copain de classe de Rhodes, qui à l'époque était professeur à Harvard et auteur de plusieurs ouvrages originaux sur l'économie mondiale, se sont vu confier la politique économique. Les enquêtes sur tous les candidats à un poste important seraient dirigées par Tom Donilon, avocat avisé de Washington et militant démocrate de longue date. Le travail de Donilon était important : il était désormais courant dans la vie politique à Washington de voir annuler des nominations effectuées par un président parce que ceux qui avaient été choisis avaient des problèmes personnels ou financiers ou parce qu'une recommandation n'avait pas été précédée d'une vérification. Nos enquêteurs avaient pour mission de s'assurer que quiconque désirant travailler avec nous devait pouvoir survivre à un examen minutieux.

Quelques jours plus tard, le gouverneur de Caroline-du-Sud, Dick Riley, s'est joint à l'équipe de transition pour s'occuper de la nomination des adjoints du président. La tâche de Riley était éprouvante. À un moment donné, il recevait plus de trois cents notes et dans les deux cents coups de fil en une seule journée. Beaucoup de ces appels émanaient de membres du Congrès et de gouverneurs qui attendaient de lui qu'il y réponde personnellement. Tant d'acteurs de notre victoire se montraient désireux de travailler avec moi que j'étais inquiet à l'idée de laisser passer entre les mailles du filet des gens compétents et méritants, et c'est arrivé à un certain nombre d'entre eux.

La troisième semaine de transition a été consacrée à entrer en contact avec Washington. J'ai invité le président de la Chambre des représentants, Tom Foley, le chef de la majorité à la Chambre, Dick Gephardt, et le chef de la majorité au Sénat, George Mitchell, à Little Rock pour un dîner et une réunion matinale. Il était important pour moi de bien commencer avec les leaders démocrates. Je n'ignorais pas que j'avais besoin de leur soutien pour réussir, et ils savaient que les Américains s'attendaient à ce que nous sortions ensemble de l'impasse politique dans laquelle nous nous trouvions à Washington. Cela nécessiterait des compromis de leur part et de la mienne, mais à l'issue de nos entretiens j'étais sûr que nous pouvions travailler ensemble.

Le mercredi, je suis allé passer deux jours à Washington pour rencontrer le président Bush, d'autres Démocrates du Congrès et les leaders républicains au Congrès. Ma rencontre avec le Président, qui au départ devait durer une heure, s'est prolongée presque du double et fut à la fois cordiale et utile. Nous avons évoqué quantité de sujets, et j'ai trouvé l'analyse du Président sur les défis lancés par notre politique étrangère particulièrement perspicace.

De la Maison Blanche, j'ai parcouru trois kilomètres pour me rendre au nord-est de Washington, dans un quartier frappé par la pauvreté, le chômage, la drogue et la criminalité. Sur Georgia Avenue, je suis descendu de la voiture et j'ai fait le tour d'un pâté de maisons, serrant des mains et parlant avec des commerçants et d'autres citoyens de leurs problèmes et de ce que je pouvais faire pour les aider. Huit personnes avaient été tuées l'année précédente dans un rayon de un kilomètre autour de l'endroit où je m'étais arrêté. J'ai acheté quelque chose à manger chez un traiteur chinois où les employés travaillaient derrière des vitres pare-balles. Des parents m'ont dit qu'ils vivaient dans la peur parce qu'il y avait beaucoup de camarades de classe de leurs enfants qui venaient à l'école armés. Les habitants des quartiers pauvres de Washington étaient souvent oubliés par le Congrès et par la Maison Blanche, même si le gouvernement fédéral contrôlait encore largement les affaires de la ville.

Je voulais que les habitants de cette ville sachent que je me sentais concerné par leurs problèmes et que je voulais être un bon voisin.

Le jeudi, je suis allé faire un jogging, partant de l'hôtel *Hay-Adams*, de l'autre côté de Lafayette Square en face de la Maison Blanche, poursuivant le long d'une rue où j'ai croisé quantité de sans-abri qui avaient passé la nuit là, jusqu'à Washington Monument et jusqu'au Lincoln Memorial, puis retour au *McDonald's* près de l'hôtel. J'y ai pris un café et j'y ai rencontré un homme de 59 ans qui m'a raconté qu'il avait perdu son emploi et tous ses biens dans la crise économique. Je suis rentré à l'hôtel en pensant à lui, et en me demandant comment je pourrais rester en contact avec les problèmes de gens comme lui derrière les murs qui entourent tout président.

Plus tard, après un petit déjeuner avec quatorze leaders démocrates du Congrès, j'ai rencontré en privé le chef de la minorité au Sénat, Bob Dole. J'avais toujours respecté Dole, parce qu'il s'était remis avec beaucoup de courage de ses blessures infligées au cours de la Seconde Guerre mondiale et parce qu'il avait travaillé avec les Démocrates sur des questions comme les bons d'alimentation et les droits des handicapés. D'un autre côté, c'était un partisan, et il n'avait pas attendu qu'on lui donne la parole le soir de la victoire pour déclarer que je n'avais même pas gagné à la majorité et que ce n'était donc pas un vrai mandat. Par conséquent, disait-il, sa responsabilité était d'« unifier notre parti, de faire tout notre possible pour attirer vers nous les indépendants et les supporters de Perot afin de mettre au point notre propre programme ». Nous avons eu une discussion très intéressante, mais je l'ai quitté sans vraiment savoir quelles seraient nos relations, ou ses intentions. Après tout, Dole lui aussi voulait être président.

J'ai également eu un entretien cordial avec le chef de la minorité à la Chambre, Bob Michel, un conservateur à l'ancienne de l'Illinois, tout en regrettant de ne pas voir le chef de file du Parti républicain, Newt Gingrich, de Géorgie, qui était en vacances. Gingrich était le chef politique et intellectuel des Républicains conservateurs à la Chambre, et il pensait qu'une majorité républicaine permanente était possible en réunissant les conservateurs culturels et religieux et les électeurs qui ne voulaient pas d'un gouvernement trop fort et d'une fiscalité trop lourde. Il avait embroché le président Bush parce qu'il avait signé le train de mesures visant à réduire le déficit proposé par les Démocrates en 1990 et qui augmentait le prix de l'essence. J'imaginais bien ce qu'il pouvait faire avec moi.

De retour à l'hôtel, j'ai rencontré le général Colin Powell, le chef d'état-major des armées. S'étant élevé dans les plus hauts rangs avec le soutien des présidents Reagan et Bush, Powell allait passer ses neuf derniers mois en tant que chef d'état-major sous un commandant en chef très différent. Il était opposé à ma proposition d'autoriser les homosexuels à servir dans l'armée, même si pendant la guerre du Golfe, qui avait fait de lui un héros populaire, le Pentagone avait sciemment autorisé plus de cent homosexuels à se battre en tant que soldats, les renvoyant immédiatement après la fin du conflit, leur présence n'étant plus indispensable. En dépit de nos différences, le général Powell n'a pas hésité à dire qu'il remplirait ses fonctions du mieux possible, y compris en me donnant son avis honnêtement, ce qui était exactement ce que j'attendais de lui.

Hillary et moi avons terminé notre séjour à Washington par un dîner donné par Pamela Harriman. La veille au soir, Vernon et Ann Jordan avaient également invité quelques personnes pour dîner avec nous. Les deux réceptions, ainsi qu'une tournée donnée ensuite par Katherine Graham, avaient pour but de nous faire connaître, Hillary et moi, des personnalités importantes du monde de la presse, de la politique et des affaires. La plupart d'entre eux ne nous avaient encore jamais vus.

Après avoir passé un dernier Thanksgiving dans la résidence du gouverneur avec ma famille, ce qui supposait également une dernière visite dans un centre tenu par l'une de nos amies accueillant des femmes et des enfants maltraités, Hillary et moi avons pris l'avion, avec Chelsea et son amie Elizabeth Flammang pour la Californie-du-Sud pour un petit séjour de repos chez nos amis les Thomason et nous sommes allés rendre une visite de courtoisie au président Reagan, qui s'était installé dans un très bel immeuble situé sur une propriété que la Twentieth Century Fox avait autrefois utilisée pour produire des films. Cette visite a vraiment été un bon moment. Reagan racontait très bien les histoires, et après huit ans passés à la Maison Blanche, il en connaissait plein que j'avais très envie de découvrir. À la fin de l'entretien, Reagan m'a donné un pot de ses bonbons à la gelée bleus, blancs et rouges. J'allais le garder dans mon bureau pendant huit ans.

En décembre, je me suis attaché à ce pour quoi les électeurs se donnent des présidents : prendre des décisions. Comme j'avais promis de me concentrer sur l'économie « comme un rayon laser », j'ai commencé par là. Le 3 décembre, à la résidence du gouverneur, j'ai rencontré en tête à tête Alan Greenspan, le directeur de la Réserve fédérale américaine. Il avait une influence énorme sur l'économie, essentiellement due à la fixation par la Réserve fédérale des taux d'intérêt à court terme, lesquels agissent sur les taux à long terme des prêts aux entreprises et aux consommateurs, hypothèques comprises. Parce que Greenspan était aussi un brillant analyste de tous les aspects de l'économie et un vieux briscard du pouvoir à Washington, ses discours et ses déclarations au Congrès avaient beaucoup de poids. Je savais que Greenspan était un Républicain conservateur et qu'il avait probablement été déçu par mon élection, mais je pensais que nous pouvions travailler ensemble pour trois raisons : je croyais à l'indépendance de la Réserve fédérale ; comme Greenspan, je pensais qu'il était essentiel de réduire le déficit ; et enfin lui aussi avait un jour joué du saxophone ténor puis, comme moi, décidé qu'il gagnerait mieux sa vie en faisant autre chose.

Une semaine plus tard, j'ai entamé l'annonce des nominations au cabinet en commençant par l'équipe économique et choisi Lloyd Bentsen, le président de la commission financière du Sénat, comme secrétaire au Trésor. Bentsen était un démocrate ouvert à l'économie qui se souciait aussi des gens ordinaires. Grand et mince, d'allure patricienne, il venait d'une riche famille du sud du Texas. Après avoir été pilote de bombardier en Italie au cours de la Seconde Guerre mondiale, il avait été élu à la Chambre des représentants. Il avait quitté la Chambre après trois mandats pour la vie d'entreprise puis, en 1970, il avait été élu au Sénat, l'emportant sur le député George Bush. J'aimais bien Bentsen et je pensais qu'il ferait un parfait secrétaire au Trésor : on le respectait à Wall Street, il était efficace au Congrès, et il partageait mes ambitions de restaurer la croissance et de réduire la pauvreté. Le secrétaire adjoint de Bentsen allait être Roger Altman, le vice-président de la société d'investissements Blackstone Group, un Démocrate de toujours et un génie de la finance qui renforcerait notre équipe et nos liens avec Wall Street. Était également nommé au Trésor Larry Summers, qui allait devenir sous-secrétaire aux Affaires internationales. Il était devenu le plus jeune professeur titulaire de Harvard à l'âge de 28 ans. Il était encore plus brillant que ne le laissait entendre sa réputation.

J'ai choisi Leon Panetta, le député californien qui présidait la Commission budgétaire de la Chambre, pour être directeur des services du budget, un poste toujours délicat mais particulièrement important pour moi, parce que je m'étais engagé à dresser un budget qui à la fois réduirait le déficit et augmenterait les dépenses dans des domaines vitaux pour notre prospérité, comme l'éducation et la technologie. Je ne connaissais pas Leon avant de l'interroger, mais j'ai été très impressionné par ses connaissances, son énergie et ses manières simples. J'ai nommé comme adjointe de Leon l'autre finaliste pour les services du budget, Alice Rivlin. Comme lui, elle était « obsédée » par la réduction du déficit, mais sensible à ceux qui avaient besoin de l'aide fédérale.

J'ai demandé à Bob Rubin de se charger d'une nouvelle tâche : coordonner la politique économique à la Maison Blanche au titre de président d'un Conseil économique national, qui fonctionnerait pour beaucoup de la même manière que le Conseil national de sécurité, réunissant tous les services compétents pour formuler et faire appliquer la politique. J'avais acquis la conviction que la mise en œuvre de la politique économique du gouvernement fédéral n'était ni aussi bien organisée ni aussi efficace qu'elle aurait pu l'être. Je voulais réunir non seulement les fonctions budgétaires et fiscales du Trésor et des services du budget, mais aussi associer le secrétariat au Commerce, le représentant du Commerce, les conseillers économiques, la Banque d'import-export et le département du Travail, l'Administration des petites et moyennes entreprises. Il nous fallait employer toutes les ressources possibles pour mettre en place un programme économique global, complexe, qui devait bénéficier à chaque catégorie de revenus et à chaque région. Rubin était l'homme de l'emploi. D'une certaine manière, il parvenait à se montrer à la fois discret et passionné. Il avait été président adjoint de Goldman Sachs, la grande société d'investissements new-yorkaise, et s'il était capable d'harmoniser toutes ces personnalités et tous ces intérêts, il avait de grandes chances de réussir au poste auquel je l'avais nommé. Le Conseil économique national était le plus grand changement qui ait été opéré à la Maison Blanche depuis des années, et grâce à Rubin, il allait bien servir l'Amérique.

J'ai annoncé que Laura Tyson, professeur d'économie de renom de l'Université de Californie à Berkeley, présiderait le Conseil des conseillers économiques. Laura m'impressionnait par ses connaissances dans le domaine de la technologie, de l'industrie manufacturière et du commerce, questions microéconomiques dont je sentais qu'elles avaient trop longtemps été négligées dans l'établissement de la politique économique nationale.

J'ai également nommé Bob Reich secrétaire au Travail. Cette fonction s'était délitée sous Reagan et Bush, mais, pour moi, elle jouait un rôle important dans notre équipe économique. Bob avait écrit quelques ouvrages intéressants sur la nécessité d'augmenter la coopération dans la gestion du travail et sur l'importance tant de la flexibilité que de la sécurité sur le lieu de travail moderne. J'étais sûr qu'il pourrait aussi bien défendre les intérêts des salariés en matière de santé, de sécurité et d'aide sociale que garantir le soutien décisif du monde du travail à notre nouvelle politique économique.

J'ai demandé à Ron Brown d'occuper le poste de secrétaire au Commerce, tenant par là une promesse de campagne qui était de donner plus d'importance à un département qui pendant trop longtemps n'avait été considéré que comme un service « de second ordre ». Avec ce mélange d'intelligence et de bravade qui n'appartenait qu'à lui, Ron avait ressuscité le DNC d'entre les morts, réalisant l'union de sa base, celle du monde du travail et du centre gauche, et des partisans de la nouvelle approche du Democratic Leadership Council. Si quelqu'un était capable de faire bouger la bureaucratie du secrétariat au Commerce, c'était bien lui. Ron allait être le premier secrétaire au Commerce afro-américain et, sans aucun doute, le responsable le plus efficace que ce secrétariat ait jamais connu.

Le jour où j'ai annoncé la nomination de Ron, j'ai également démissionné de mon poste de gouverneur de l'Arkansas. Je n'avais plus du tout de temps à consacrer à cette fonction, et le lieutenant-gouverneur Jim Guy Tucker était plus que prêt et compétent pour prendre ma suite. Ce qui était dommage dans le fait de quitter ce poste en décembre était qu'il me manquait à peine vingt-quatre jours pour battre le record du mandat de gouverneur le plus long de mon État, détenu par Orval Faubus.

Les 14 et 15 décembre, les postes économiques essentiels ayant été attribués, j'ai accueilli un sommet économique à Little Rock. Nous y travaillions depuis six semaines, sous la direction de Mickey Kantor, John Emerson, un ami de Hillary, qui m'avait soutenu en Californie, et d'Erskine Bowles, un homme d'affaires prospère de Caroline-du-Sud qui avait soutenu ma candidature à la présidence parce qu'il appréciait ma philosophie de Nouveau Démocrate et le soutien que j'apportais aux recherches portant sur le tissu fœtal. Erskine comptait des diabétiques dans sa famille, et il croyait, comme moi, que ces recherches aideraient très certainement à résoudre les mystères du diabète et d'autres maladies encore incurables.

Lorsque le congrès a été annoncé, on aurait dit que toute l'Amérique voulait y assister et nous avons eu bien du mal à maintenir un effectif qui puisse tenir dans la salle du palais des congrès de Little Rock tout en laissant assez de place pour l'énorme foule de journalistes du monde entier qui voulaient couvrir l'événement. Finalement, ils ont réduit la liste des participants à trois cent vingt-neuf, parmi lesquels on trouvait pêle-mêle des individus figurant sur la liste des cinq cents plus grosses fortunes du pays, des patrons de la Silicon Valley, des commerçants, des leaders syndicaux, des universitaires, un fermier de l'Alaska et le chef de la nation indienne Cherokee, dont le nom imposant était Wilma Mankiller.

Quand le congrès s'est ouvert, l'atmosphère était électrique, presque comme s'il s'était agi d'un concert de rock pour décideurs. Les médias l'avaient appelé « le festival des conseillers politiques ». Les tables rondes ont fait émerger des commentaires pertinents et de nouvelles idées, et mis au clair les choix auxquels j'étais confronté. Tout le monde ou presque était d'accord sur l'idée que ma toute première priorité serait de réduire le déficit, même si cela signifiait une baisse moins significative, voire aucune, des impôts pour les classes moyennes. Le congrès, que nous avions appelé « la maison de campagne de Mickey », fut un énorme succès, et pas seulement aux yeux des conseillers politiques. Un sondage publié après avait indiqué que 77 % des Américains approuvaient mes préparatifs pour la prise du pouvoir présidentiel.

Le congrès économique disait haut et fort que, comme je l'avais promis, l'Amérique allait de l'avant, passant d'une économie des retombées des profits des plus riches vers les moins riches à une économie d'investissements et de croissance, s'éloignant de ceux qui perdaient du terrain dans la mondialisation pour devenir une Amérique qui à nouveau donnait ses chances à chaque citoyen responsable. Finalement, j'ai nommé Mickey Kantor au poste de représentant du Commerce américain, Erskine Bowles à la tête de l'Administration des petites et moyennes entreprises et John Emerson à la Maison Blanche. Nul plus qu'eux ne méritait une place dans l'équipe.

Juste avant le congrès économique, j'avais annoncé que Mack McLarty serait nommé secrétaire général de la Maison Blanche. C'était un choix inhabituel car, alors qu'il avait travaillé au sein de deux commissions fédérales sous le président Bush, il n'avait jamais fréquenté Washington de l'intérieur, ce qui lui causait du souci. Il m'avait dit qu'il aurait préféré un autre poste correspondant mieux à sa qualité d'homme d'affaires. J'avais néanmoins insisté auprès de Mack pour qu'il accepte le poste, parce que j'étais convaincu qu'il était capable de faire fonctionner le secrétariat de la Maison Blanche sans accrocs et qu'il pourrait insuffler l'esprit d'équipe dans lequel je voulais travailler. Il était discipliné, intelligent, et avait de grands dons de négociateur ainsi que la capacité de faire beaucoup de choses à la fois de façon suivie. C'était aussi un ami loyal depuis plus de quarante ans et je savais que je pouvais compter sur lui pour qu'il ne me cache pas des points de vue et des sources d'information différents. Dans les premiers mois de nos fonctions, lui comme moi avons souffert d'un certain manque d'oreille pour la culture politique et journalistique de Washington, mais, grâce à Mack, nous avons également accompli beaucoup de choses et créé un esprit de coopération qui avait manqué à beaucoup de secrétariats de la Maison Blanche.

Entre le 11 et le 18 décembre, je suis allé encore un peu plus loin dans mon ambition de nommer l'administration la plus diverse que l'Histoire ait connue. Le 11, j'ai nommé la présidente de l'Université du Wisconsin, Donna Shalala, secrétaire à la Santé et aux Service sociaux, et Carole Browner, qui était responsable des questions écologiques pour l'État de Floride, à la tête de l'Agence de protection de l'environnement. Hillary et moi connaissions depuis des années Shalala, une pile électrique de 1 m 50 d'origine libanaise. Je ne connaissais pas Carol Browner avant de l'interroger, mais elle m'impressionnait ; mon ami le gouverneur Lawton Chiles avait une très bonne opinion d'elle et Al Gore voulait que ce soit elle qui ait le poste. Toutes deux allaient rester auprès de moi pendant la totalité de mes deux mandats, faisant aboutir quantité d'entreprises importantes. Le 15, la nouvelle s'est répandue que j'allais demander au Dr Joycelyn Elders, directrice du département de la Santé de l'Arkansas, qui était la seconde femme noire diplômée de la faculté de médecine de l'Université de l'Arkansas et qui faisait autorité dans le pays sur le diabète infantile, d'occuper le poste de ministre de la Santé.

Le 17, j'ai annoncé que j'avais choisi de nommer Henry Cisneros secrétaire au Logement et à l'Urbanisme. Avec ce mélange de talent politique et d'attention aux autres qui le caractérisait, Henry était devenu l'homme politique hispanique le plus populaire des États-Unis. Il avait toutes les compétences requises pour l'emploi : il avait brillamment réussi, à la tête de la mairie de San Antonio, à redynamiser sa ville. J'ai aussi nommé secrétaire aux Anciens Combattants Jesse Brown, un Afro-Américain, ancien marine et vétéran du Viêt-nam, qui dirigeait le service des anciens combattants américains handicapés.

Le 21 décembre, j'ai nommé secrétaire à l'Énergie Hazel O'Leary, une Afro-Américaine directrice du service public de la Northern States Power Company du Minnesota, et Dick Riley secrétaire à l'Éducation. Hazel était spécialiste du gaz naturel et je voulais en encourager le développement parce qu'il était plus propre que le pétrole et que le charbon, et que nous en disposions en grande quantité. Dick et moi étions amis depuis des années. Ses manières modestes étaient trompeuses. Il avait longtemps souffert d'une maladie de la colonne vertébrale provoquant des douleurs et, malgré cela, il avait réussi à mener une brillante carrière juridique et politique et fondé une belle famille. De plus, il avait été un très bon gouverneur en matière d'éducation. Au cours de la campagne, j'avais souvent cité un article qui disait que l'Arkansas avait accompli plus de progrès dans l'éducation dans les dix dernières années que n'importe quel autre État à l'exception de la Caroline-du-Sud.

Le mardi 22 décembre, j'ai annoncé les nominations de toute mon équipe de sécurité nationale : Warren Christopher était secrétaire d'État, Les Aspin secrétaire à la Défense, Madeleine Albright ambassadrice aux Nations unies, Tony Lake conseiller pour la Sécurité nationale, Jim Woolsey directeur de la CIA et l'amiral Bill Crowe chef du President's Foreign Intelligence Advisory Board, le conseil consultatif du Président pour les services secrets.

Christopher avait été secrétaire d'État adjoint du président Carter et avait joué un rôle majeur dans les négociations pour la libération des otages américains par l'Iran. Il m'avait bien servi lors de la sélection du vice-président et du cabinet et partageait mes objectifs fondamentaux en matière de politique étrangère. Certains pensaient qu'il avait une personnalité trop retenue pour être vraiment efficace, mais je savais qu'il pouvait venir à bout des choses.

J'ai demandé à Les Aspin d'être secrétaire à la Défense après qu'il était devenu évident que mon premier choix, Sam Nunn, refuserait cette nomination. En tant que président de la Commission intérieure sur les services armés, Aspin en savait probablement plus sur la défense que n'importe quel membre de la Chambre des représentants, et il était certain qu'il comprenait les enjeux en matière de sécurité qui caractérisaient le monde d'après la guerre froide et qu'il était soucieux de moderniser nos forces armées en conséquence.

J'avais été impressionné par Madeleine Albright, professeur très appréciée de l'Université de Georgetown, dès la première fois où je l'avais rencontrée pendant la campagne de Dukakis. Native de Tchécoslovaquie et amie de Václav Havel, elle défendait avec passion et intelligence la démocratie et la liberté. J'avais pensé qu'elle serait notre porte-parole idéal aux Nations unies en cette période d'après la guerre froide. Parce que je voulais également bénéficier de ses conseils sur des questions de sécurité nationale, j'ai rattaché le poste d'ambassadeur aux Nations unies au cabinet.

Il était difficile pour moi de décider qui allait être conseiller pour la Sécurité nationale, car Tony Lake aussi bien que Sandy Berger m'avaient été très précieux en m'instruisant et en me conseillant sur la politique étrangère tout au long de la campagne. Tony était un peu plus âgé et Sandy avait travaillé pour lui au département d'État de Carter, mais je connaissais mieux Sandy et depuis plus longtemps. Finalement, la question a été résolue lorsque Sandy est venu me voir et m'a suggéré de nommer Tony conseiller pour la Sécurité nationale et de faire de lui-même son adjoint.

Le dernier poste à être pourvu a été celui de la CIA. Je voulais nommer le député d'Oklahoma Dave McCurdy président de la commission des services secrets de la Chambre, mais, à mon grand regret, il avait refusé. J'avais rencontré Jim Woolsey, une vieille figure du monde diplomatique de Washington, à la fin de l'année 1991 au cours d'un débat sur la sécurité nationale organisé par Sandy Berger avec un groupe très composite de Démocrates et d'indépendants aux vues sur la sécurité nationale et la défense plus fermes que celles que défendait traditionnellement notre parti. Woolsey était visiblement intelligent et intéressé par le poste. Après une seule entrevue, je le lui ai offert.

Après l'annonce des nominations à la Sécurité nationale, j'étais tout proche de la date limite de Noël que je m'étais imposée moi-même pour la composition du cabinet. Le jour du réveillon, nous sommes parvenus à la respecter : en plus d'annoncer officiellement la nomination de Mickey Kantor, j'ai nommé le représentant du Mississippi Mike Espy, secrétaire à l'Agriculture ; Federico Peña, l'ancien maire de Denver, secrétaire aux Transports ; l'ancien gouverneur de l'Arizona, Bruce Babbitt, secrétaire à l'Intérieur ; et Zoe Baird, avocate-conseil d'Aetna Life and Casualty, a été la première femme à être nommée ministre de la Justice.

Espy était très actif au sein du DLC, comprenait bien les problèmes de l'agriculture et, avec les députés Bill Jefferson de La Nouvelle-Orléans et John Lewis d'Atlanta, il était l'un des tout premiers dirigeants noirs très en vue en dehors de l'Arkansas à soutenir ma candidature. Je ne connaissais pas bien Peña, mais il avait été un bon maire, et il avait été le fer de lance de la construction du nouvel aéroport de Denver, une réalisation gigantesque. L'industrie des transports aériens était dans une situation difficile, et elle avait besoin d'un secrétaire aux Transports qui comprenne les problèmes. Lorsque j'étais gouverneur, Bruce Babbitt avait été l'un de mes homologues favoris. Brillant, iconoclaste et plein d'esprit, il avait remporté les élections en Arizona, bastion des Républicains, et avait fait une belle et très active carrière de gouverneur progressiste. J'espérais qu'il serait capable de faire entrer dans les faits nos projets écologiques avec plus de réussite dans les États de l'Ouest que le président Carter.

Au départ, j'avais eu l'intention de nommer Vernon Jordan ministre de la Justice. Il avait été un brillant avocat des droits civiques et le monde de l'entreprise américain ne pensait que du bien de lui. Mais Vernon, comme James Carville, était résolu à ne pas faire partie du gouvernement. Lorsqu'il a tiré sa révérence au début du mois de décembre, au cours d'une discussion sur le porche de l'arrière de la résidence du gouverneur, j'ai hésité entre plusieurs personnes avant de finir par choisir Zoë Baird.

Je ne connaissais pas Zoë avant de l'interroger. En dehors de son travail d'avocate d'Aetna, elle avait travaillé à la Maison Blanche où elle avait servi sous Carter, avait pris fait et cause pour les pauvres et, en dépit de ses 40 ans seulement, elle faisait preuve d'une maturité inhabituelle dans sa compréhension de la fonction de ministre de la Justice et des défis qu'elle aurait à relever.

Même si j'allais plus tard rattacher d'autres fonctions au cabinet, parmi lesquelles celle de chef de l'Office national de contrôle des drogues, de directeur de l'Agence pour les petites et moyennes entreprises, et de directeur de la Federal Emergency Management Agency, service chargé de la gestion des états d'urgence, je n'avais pas dépassé la date limite de Noël dans ma composition d'un cabinet d'une compétence indiscutable et d'une diversité sans précédent.

C'était une bonne histoire, mais pas le fait du jour. Le président Bush avait fait un gros cadeau de Noël à certains de ses anciens collaborateurs, et potentiellement à lui-même, lorsqu'il avait accordé son pardon à Caspar Weinberger et à cinq autres individus qui avaient été mis en examen dans le scandale des Contras d'Iran par le procureur indépendant Lawrence Walsh. Le procès de Weinberger était en cours et le Président devait comparaître comme témoin. Walsh avait dénoncé avec violence ces pardons comme étant l'aboutissement de six ans pendant lesquels on avait tenté d'étouffer l'affaire, dont il avait dit qu'« elle va à l'encontre du principe selon lequel aucun homme n'est au-dessus des lois. Elle est la preuve de ce que les hommes puissants qui ont des alliés puissants peuvent commettre des délits de la plus haute gravité en occupant des postes importants – abusant délibérément de la confiance de l'opinion publique – sans aucune conséquence ». Puisque désormais, aucun des défendeurs ne pouvait être appelé à témoigner à la barre sous serment, si d'autres faits de quelque nature que ce soit étaient révélés ils ne le seraient probablement jamais. À peine deux semaines plus tôt, Walsh avait appris que le Président et son avocat, Boyden Gray, s'étaient dérobés, pendant plus d'un an, aux injonctions répétées qui leur avaient été adressées de remettre les notes relatives aux Contras d'Iran que Bush avait lui-même prises à l'époque.

J'étais opposé à ces pardons et j'aurais pu en tirer un plus grand profit, mais je ne l'ai pas fait, pour trois raisons. Tout d'abord, parce que notre Constitution veut que le droit de grâce du Président soit absolu. Ensuite, parce que je voulais favoriser l'unité, et non la division, du pays, même si j'avais pu trouver dans cette rupture un avantage politique. Enfin, parce que le président

Bush avait servi son pays pendant plusieurs décennies, et que je pensais que nous devions le laisser partir en paix, et faire face lui-même à sa conscience.

Le lendemain de Noël, j'ai eu une agréable surprise en découvrant que le magazine *Time* voulait faire de moi « l'homme de l'année », arguant que l'on m'avait donné l'occasion « de présider à l'une de ces réinventions périodiques du pays, à ces moments où les Américains se sortent de leurs problèmes les plus graves en se réimaginant eux-mêmes ». Lorsqu'on m'a demandé ce que je pensais de cet honneur, j'ai dit que j'en étais flatté, mais que je m'inquiétais parce que nous vivions une époque troublée, parce que j'étais enlisé dans toutes ces choses que j'avais à faire et parce que je ne savais pas si le déménagement à Washington serait une bonne chose pour Chelsea. Pour Chelsea tout allait bien se passer, mais mes autres inquiétudes allaient s'avérer fondées.

Hillary, Chelsea et moi avons passé le Nouvel An à Hilton Head au moment du week-end de la Renaissance, comme nous le faisions depuis presque dix ans. C'était merveilleux de se retrouver avec de vieux amis, de jouer au touch-football sur la plage avec les gamins, de faire quelques parcours de golf avec un nouveau jeu de clubs que m'avait offert Hillary. J'adorais assister aux débats et aux tables rondes, où j'apprenais toujours quelque chose auprès de gens qui parlaient de tout, de la science à la politique en passant par l'amour. Cette année-là, j'ai particulièrement apprécié le débat intitulé « Qu'est-ce que je dirais au Président si nous mangions un sandwich ensemble ? ».

Pendant ce temps, le président Bush quittait la scène à grandes enjambées. Il a rendu une visite à nos troupes en Somalie, puis il m'a appelé pour me dire qu'il partait en Russie pour signer un accord stratégique de désarmement, START II, avec Boris Eltsine. J'étais pour cet accord, et je lui ai confirmé que j'étais prêt à favoriser sa ratification au Sénat. Bush se montrait également serviable, en affirmant auprès de chefs d'État étrangers qu'il souhaitait que je « réussisse en tant que président », et qu'ils verraient que j'étais « un bon interlocuteur avec qui on pouvait travailler » sur des questions importantes.

Le 5 janvier, Hillary et moi avons annoncé que nous allions inscrire Chelsea dans une école privée, Sidwell Friends. Jusqu'alors, elle avait toujours fréquenté des écoles publiques, et le District de Columbia en comptait quelques-unes de bonne réputation. Après en avoir discuté avec Chelsea, nous nous sommes décidés en faveur de Sidwell essentiellement parce que l'anonymat de Chelsea y serait préservé. Elle allait avoir 13 ans, et Hillary et moi voulions lui donner la possibilité de vivre son adolescence aussi normalement que possible. C'était ce qu'elle souhaitait également.

Le 6 janvier, à seulement deux semaines de l'intronisation, et la veille de ma première réunion avec mon équipe économique, le directeur des services du budget de l'administration Bush, Richard Darman, a annoncé que le déficit budgétaire de l'année à venir allait être supérieur à ce qui avait été précédemment estimé. Mon équipe était convaincue que Darman savait depuis plus longtemps que le déficit allait dépasser les prévisions, mais qu'il avait choisi de reporter l'annonce de cette mauvaise nouvelle au lendemain des élections. Quoi qu'il en soit, il allait désormais être beaucoup plus difficile de jongler avec des priorités concurrentes : il fallait faire baisser le déficit de moitié sans nuire au redémarrage de l'économie sur le court terme ; conjuguer correctement la baisse des dépenses publiques et l'augmentation de la fiscalité nécessaire à la réduction du déficit avec l'augmentation des dépenses dans des domaines vitaux pour la prospérité de notre économie sur le long terme ; et enfin assurer une plus juste répartition de l'impôt pour les salariés aux revenus faibles et moyens.

Le lendemain, l'équipe économique s'est réunie autour de la table de salle à manger de la résidence du gouverneur pour discuter du dilemme et examiner les choix politiques qui produiraient le plus de croissance. Selon la théorie économique keynésienne traditionnelle, les gouvernements devaient laisser courir le déficit dans des contextes économiques difficiles et équilibrer le budget ou l'excédent dans des contextes favorables. La conjugaison d'une forte réduction des dépenses publiques et d'une augmentation de la fiscalité nécessaire à la réduction de moitié du déficit semblait donc le mauvais remède pour le moment. C'est pour la même raison que Franklin D. Roosevelt, après avoir été élu sur la promesse d'équilibrer le budget, avait abandonné la réduction du déficit en faveur d'importantes dépenses publiques destinées à ramener les gens au travail et à stimuler le secteur privé.

La difficulté de mettre en pratique l'analyse traditionnelle dans la situation actuelle tenait au fait que, sous Reagan et Bush, nous avions accumulé un important déficit structurel qui persistait dans des contextes favorables comme défavorables. Au moment où le président Reagan avait pris le pouvoir, la dette publique était de mille milliards de dollars. Elle avait triplé au cours des huit années de sa présidence, en raison des importantes réductions d'impôts de 1981 et de l'augmentation des dépenses publiques. Sous le président Bush, la dette avait continué d'augmenter, d'un tiers, en quatre ans à peine. À présent, elle atteignait quatre mille milliards de dollars. Le paiement des intérêts annuels de la dette constituait le troisième poste du budget fédéral après la défense et la sécurité sociale.

Le déficit était l'inévitable résultat d'une économie dite de l'offre, théorie selon laquelle la réduction des impôts engendre toujours une croissance de l'économie, la croissance entraînant à son tour une augmentation des recettes fiscales à des taux inférieurs à ceux des précédentes rentrées. Bien entendu, cela n'avait pas fonctionné, et les déficits avaient explosé pendant toute la période de reprise des années 1980. En dépit du fait que la théorie de l'économie de l'offre était un mauvais calcul de café du commerce, les Républicains s'y étaient accrochés en raison de leur aversion pour les impôts et parce que, à long terme, l'économie de l'offre était un bon calcul politique. « Dépenser plus, imposer moins », ce principe sonnait bien et faisait du bien, mais il avait fait tomber notre pays au fond du trou et avait obscurci l'horizon de nos enfants.

Associé à un important déficit commercial, le déficit budgétaire nous obligeait à importer des capitaux en quantités énormes chaque année pour financer nos dépassements budgétaires. Pour attirer cet argent et pour éviter une chute vertigineuse de la valeur du dollar, nous devions maintenir les taux d'intérêt à un niveau bien plus élevé que celui qu'il aurait fallu respecter dans la phase descendante de l'économie qui avait précédé mon élection. Ces taux d'intérêt élevés ralentissaient la croissance économique et avaient pour conséquence une forte taxation indirecte des classes moyennes américaines qui subissaient l'augmentation des taux d'hypothèque, des crédits automobiles et de tous les autres achats financés par l'emprunt.

Nous avons pris place pour nous mettre au travail, et Bob Rubin, qui dirigeait la réunion, a tout d'abord donné la parole à Leon Panetta. Leon a expliqué que le déficit s'était aggravé parce que les recettes fiscales étaient faibles dans un contexte d'économie morose, alors que les dépenses publiques étaient élevées, dans la mesure où il y avait plus de gens qui pouvaient prétendre à l'aide publique et qu'on constatait une forte augmentation des dépenses de santé. Laura Tyson a expliqué que, si la situation actuelle persistait, la croissance de l'économie serait probablement de 2,5 à 3 % sur les prochaines années, ce qui ne suffisait pas pour faire significativement baisser le chômage ou pour garantir la poursuite de la reprise. Puis, nous avons attaqué la vraie question, lorsqu'Alan Blinder, un autre de mes conseillers économiques, a pris la parole pour essayer de voir si un train de mesures destinées à réduire fortement le déficit allait véritablement relancer la croissance et créer de nouveaux emplois en faisant baisser les taux d'intérêt, dans la mesure où le gouvernement ne stimulerait pas vraiment la concurrence dans le secteur privé en empruntant de l'argent. Blinder a déclaré que cela finirait par arriver, mais que les effets positifs pendant quelques années seraient estompés par l'impact négatif de la réduction des dépenses publiques ou par l'augmentation de la fiscalité, jusqu'à ce que la Réserve fédérale réplique à notre programme en baissant significativement les taux d'intérêt et le marché obligataire. Après tant de promesses de réduction du déficit faites au cours des dernières années et qui n'avaient pas été tenues, Blinder pensait qu'une réponse forte du marché obligataire était peu probable. Larry Summers n'était pas de cet avis, prétendant qu'un bon programme convaincrait le marché de réduire ses taux vu qu'il n'y avait aucune menace d'inflation dans un contexte de reprise économique. L'exemple de certains pays asiatiques lui a permis de soutenir son argumentation.

C'était là le premier d'une série d'échanges que nous allions avoir à propos du pouvoir qu'exerçaient sur la vie d'Américains ordinaires ces courtiers en bons obligataires de 30 ans à peine. Souvent, les critiques que j'exprimais à haute voix à ce propos et les réponses que me faisait Rubin nous faisaient rigoler, mais le problème était terriblement sérieux. Avec un chiffre du chômage national qui restait scotché à de plus de 7 %, il fallait que nous fassions quelque chose. Tyson et Blinder semblaient vouloir dire que, pour la bonne santé de l'économie à long terme, il fallait que nous réduisions le déficit, mais qu'en faisant cela nous ralentirions la croissance à court terme. Bentsen, Altman, Summers et Panetta pensaient que le marché obligataire suivrait et que la réduction du déficit accélérerait la croissance économique. Rubin ne faisait que diriger la réunion, mais je savais qu'il était d'accord avec eux. Idem pour Al Gore.

Bob Reich n'avait pas assisté à la réunion, mais il m'a envoyé une note le lendemain soutenant que, tandis que la dette représentait un pourcentage du produit intérieur brut supérieur à ce qu'il devait être, les investissements dans l'éducation, la formation, et la recherche et développement dans les secteurs autres que la défense représentaient tous un pourcentage du PIB très inférieur à celui que l'on avait connu dans les années d'avant Reagan, et que le sous-investissement était aussi nuisible à l'économie que d'importants déficits. Il disait que le but n'était pas de réduire le déficit de moitié mais de le faire revenir, de même que les investissements, au pourcentage du PIB qui était le leur avant les années Reagan et Bush. Il affirmait que les investissements feraient augmenter la productivité, la croissance et l'emploi, ce qui nous permettrait de réduire le déficit, mais que si nous ne partions que sur une réduction du déficit, une économie stagnante où les recettes étaient anémiques ne pourrait de toute façon jamais le réduire de moitié. Je pense que Gene Sperling était parfaitement d'accord avec Reich.

Pendant que je continuais à réfléchir à tout cela, nous nous sommes mis à discuter de la méthode que nous pourrions employer pour effectuer la réduction du déficit dont nous avions besoin. Dans mon programme de campagne, *Les gens d'abord*, j'avais proposé plus de cent quarante milliards de dollars de coupes budgétaires. Le chiffre du déficit étant plus élevé, nous allions devoir faire plus de coupes encore pour atteindre l'objectif que je m'étais fixé et réduire en quatre ans le déficit de moitié. Ce qui nous a amenés à la première d'une série de discussions visant à définir ce qu'il fallait réduire exactement. Par exemple, on pouvait faire d'importantes économies en réduisant les indemnités de vie chère et en rognant sur la Sécurité sociale mais, ainsi que l'avait fait remarquer Hillary, près de la moitié des Américains de plus de 60 ans comptaient sur la Sécurité sociale pour ne pas vivre en dessous du seuil de pauvreté, la réduction de ces indemnités allait les toucher. Nous n'étions pas obligés de prendre des décisions définitives, de toute manière nous ne pouvions pas le faire sans en discuter avec les chefs du Congrès, mais il était évident que, quelle que soit la décision finale que nous prendrions, cela ne serait pas facile.

Au cours de la campagne, en plus des réductions budgétaires, j'avais aussi proposé de récupérer des sommes comparables sous la forme de nouvelles recettes fiscales, toutes prélevées sur les riches et sur les entreprises. À présent, pour réduire le déficit de moitié, nous allions devoir également prélever plus d'impôts. Et il allait presque certainement falloir rogner sur les réductions fiscales élargies accordées aux classes moyennes, même si j'étais toujours déterminé à faire baisser les impôts des familles de salariés gagnant environ trente mille dollars par an ou moins en doublant le crédit d'impôts sur les revenus salariaux. Les revenus de ces gens perdaient du terrain depuis vingt ans, et ils avaient besoin de cette aide ; de plus, il nous fallait rendre les emplois peu rémunérés plus attractifs que l'aide publique si nous voulions réussir dans notre tentative d'amener les gens à travailler plutôt que de dépendre des aides de l'État. Lloyd Bentsen a repris la liste des augmentations d'impôts possibles, concluant que toute imposition serait difficile à faire voter, et que le plus important était de l'emporter. Si notre programme échouait au Congrès, cela pouvait compromettre ma présidence. Bentsen a suggéré que nous présentions un nombre important d'options au Congrès, ainsi, si je ne parvenais pas à en faire voter une ou deux, je pouvais toujours prétendre à la réussite et éviter d'être politiquement affaibli.

Après la présentation de la question fiscale, Roger Altman et Larry Summers ont argumenté en faveur d'une série de mesures incitatives sur le court terme devant accompagner le plan de réduction du déficit. Ils ont préconisé de faire passer environ vingt milliards de dollars en dépenses publiques et réductions des taxes professionnelles qui, au mieux, relanceraient l'économie et qui, au moins, l'empêcheraient de sombrer à nouveau dans la récession, ce qui d'après eux représentait une possibilité d'environ 20 %. Puis Gene Sperling nous a présenté plusieurs options d'investissements, défendant les plus coûteuses, qui représentaient dans les quatre-vingt-dix milliards de dollars, et qui me permettraient de tenir mes engagements de campagne immédiatement.

Ayant écouté les différents arguments, je me suis rangé du côté des défenseurs d'une réduction du déficit. Si nous ne faisions pas baisser significativement le déficit, les taux d'intérêt demeureraient élevés, ce qui empêcherait une forte et durable reprise économique. Al Gore était parfaitement d'accord. Mais, alors que nous tentions de définir l'importance de cette réduction dont nous avions besoin, je me faisais du souci à propos de cette résistance à court terme qui avait été prédite par Laura Tyson et Alan Blinder et que Roger Altman et Gene Sperling craignaient. Après environ six heures, nous nous engagions vers une réduction du déficit. Clairement, la mise en œuvre d'une politique économique, tout du moins dans ce contexte, n'était pas une science, et si c'était de l'art, elle devait séduire le public du marché obligataire.

Une semaine plus tard, nous avons tenu une deuxième réunion au cours de laquelle j'ai abandonné les réductions d'impôts pour les classes moyennes, accepté de chercher à faire des économies sur la Sécurité sociale, sur Medicare et Medicaid, et soutenu la proposition d'Al Gore d'introduire une taxe élargie sur l'énergie basée sur la British Thermal Unit et appelée taxe BTU, qui serait calculée en fonction de la quantité de chaleur produite. Al disait que, tandis que la taxe BTU serait controversée dans les États producteurs de charbon, de pétrole et de gaz naturel, elle aurait des retombées dans tous les secteurs de l'économie, allégeant le fardeau qui pesait sur les consommateurs ordinaires, et encouragerait les économies d'énergie, que nous avions bien besoin d'augmenter.

Pendant plusieurs heures encore, nous avons débattu à nouveau pour savoir jusqu'à quel point nous devions tenter de réduire le déficit, en commençant par nous projeter cinq ans plus tard puis en revenant au présent. Gore avait choisi une ligne dure : il prétendait que si nous nous décidions en faveur de la plus importante réduction possible, on louerait notre courage et nous pourrions créer une nouvelle réalité, rendant possibles des choses auparavant inimaginables, comme de demander aux bénéficiaires de la Sécurité sociale au-dessus d'un certain niveau de revenus de payer un impôt sur le revenu sur leurs allocations. Rivlin était d'accord avec lui. Selon Blinder, cela pouvait marcher si la Réserve fédérale et le marché obligataire nous croyaient. Tyson et Altman étaient sceptiques quant à la possibilité d'éviter des contractions économiques sur le court terme. Sperling et Reich (qui était présent à cette réunion) tenaient pour plus d'investissements.

De même que Stan Greenberg, Mandy Grunwald et Paul Begala, qui n'assistaient pas à la réunion et qui craignaient de me voir sacrifier tout ce en quoi je croyais sous l'influence de gens qui n'avaient pas participé à notre campagne et qui se moquaient bien des Américains ordinaires qui m'avaient élu. À la fin du mois de novembre, Stan m'avait envoyé une note disant que ma lune de miel avec les électeurs ne durerait pas si je ne m'attachais pas tout de suite à régler les problèmes de l'emploi et de la baisse des revenus. Soixante pour cent de ceux qui disaient que leur situation financière s'était aggravée en 1992, environ un tiers de l'électorat, avaient voté pour moi. Stan pensait que je pouvais perdre leur soutien avec ce programme. George Stephanopoulos, qui assistait aux réunions, devait expliquer à Stan et à ses alliés que le déficit ruinait l'économie et leur montrer que si nous ne réglions pas ce problème, il n'y aurait pas de reprise économique et pas de recettes fiscales que nous pourrions reverser dans l'éducation, les réductions d'impôts pour les classes moyennes ou quoi que ce soit d'autre. Bentsen et Panetta souhaitaient une réduction du déficit aussi importante qu'il était possible de la faire voter au Congrès, ce qui représentait moins que ce que défendaient Gore et Rivlin, mais qui faisait encore beaucoup. Rubin, qui était modéré, gardait cette fois encore son avis pour lui, mais je sentais bien qu'il était du côté de Bentsen et Panetta. Après avoir entendu tout le monde, moi aussi je l'étais.

À un moment donné j'ai demandé à Bentsen jusqu'à quel point il nous faudrait réduire le déficit pour nous rallier le marché obligataire. Il m'a donné le chiffre de cent quarante milliards de dollars dans la cinquième année, pour un total en cinq ans de cinq cents milliards de dollars. J'ai donné mon assentiment aux cinq cents milliards, mais, même avec de nouvelles réductions des dépenses publiques et des augmentations des recettes fiscales, il n'était toujours pas certain que nous pourrions atteindre l'objectif de la réduction de moitié du déficit d'ici à la fin de mon premier mandat. Tout dépendait du taux de croissance.

Parce qu'il était possible que notre stratégie produise un ralentissement à court terme, nous avons cherché des moyens d'encourager encore plus la croissance. J'ai rencontré les patrons des trois plus grands constructeurs automobiles ainsi qu'Owen Bieber, président du syndicat United Auto Workers, qui m'a expliqué que, alors que les voitures japonaises représentaient presque 30 % du marché américain, le Japon était encore largement fermé aux voitures et aux fournisseurs de pièces automobiles américains. J'ai demandé à Mickey Kantor de trouver un moyen d'élargir l'ouverture du marché japonais. Des représentants de l'industrie biotechnologique, secteur à forte croissance, m'ont laissé entendre qu'il serait bon que notre crédit d'impôts sur la recherche et le développement soit élargi et qu'il puisse être remboursable pour les jeunes entreprises, qui souvent ne faisaient pas de bénéfices suffisants pour prétendre à la totalité du crédit sous la loi actuelle. Ils demandaient aussi une protection renforcée pour leurs brevets face à la concurrence déloyale ainsi que des modifications et une accélération dans le processus d'approbation du produit par la Food and Drug Administration. J'ai demandé à l'équipe d'examiner leurs propositions et de me faire des recommandations. Enfin, j'ai donné mon accord à la proposition de mettre vingt milliards de dollars dans des mesures incitatives exceptionnelles destinées à augmenter l'activité économique sur le court terme.

Cela m'ennuyait énormément d'avoir à abandonner la réduction d'impôts pour les classes moyennes, mais avec un chiffre du déficit revu à la hausse, je n'avais pas le choix. Si notre stratégie fonctionnait, les classes moyennes constateraient des bénéfices directs d'une valeur bien supérieure à une réduction d'impôts sous la forme d'une baisse du taux des hypothèques et des taux d'intérêt pour le remboursement d'une voiture, des achats par cartes de crédit et des prêts étudiants, par exemple. Nous ne serions pas non plus capables d'augmenter les dépenses publiques autant que je l'avais promis durant la campagne, du moins dans un premier temps. Mais si la réduction du déficit faisait baisser les taux d'intérêt et relançait la croissance, les recettes fiscales augmenteraient et je pourrais toujours atteindre mes objectifs d'investissements sur quatre ans. Tout cela reposait sur des « si ».

Il y avait aussi une autre grande incertitude : notre stratégie ne fonctionnerait que si le Congrès l'adoptait. Depuis la défaite de Bush, les Républicains étaient plus opposés aux impôts que jamais, si bien que très peu d'entre eux, peut-être même aucun, ne voterait pour un programme que je proposerais et qui comprendrait de nouvelles taxes. Beaucoup de Démocrates issus de régions conservatrices se méfieraient également des taxes, et les Démocrates du centre gauche aux sièges assurés étaient susceptibles de ne pas soutenir le budget si les coupes dans le programme auquel ils tenaient étaient trop sombres.

Après une campagne qui avait mis sur le devant de la scène les problèmes économiques de l'Amérique, à une époque où la croissance était ralentie dans le monde entier, j'allais entamer ma présidence par une stratégie économique à laquelle on ne connaissait aucun précédent. Elle pouvait s'avérer extrêmement profitable si je parvenais à convaincre le Congrès de voter le budget et si celui-ci provoquait la réaction espérée de la Réserve fédérale et du marché obligataire. Il y avait des arguments irréfutables en sa faveur, mais la décision de politique intérieure la plus importante de toute ma présidence reposait encore largement sur un pari.

La plus grande partie de la transition avait été occupée par les nominations au cabinet et ailleurs, et par la mise au point de notre programme économique, mais ce n'était pas tout. Le 5 janvier, j'ai tenu une réunion qui a conduit à l'annonce que je poursuivrais la politique du président Bush qui était d'intercepter et de renvoyer les Haïtiens qui essayaient de rentrer aux États-Unis par la voie maritime, politique que j'avais violemment critiquée pendant la campagne électorale. Après que le président élu de Haïti, Jean-Bertrand Aristide, avait été renversé par le lieutenant général Raoul Cédras et ses alliés en 1991, les sympathisants haïtiens d'Aristide avaient commencé à fuir leur île. Lorsque l'administration Bush, qui paraissait être mieux disposée vis-à-vis de Cédras que moi, avait commencé à renvoyer les réfugiés, les défenseurs des droits de l'homme avaient vivement protesté. Je voulais permettre aux Haïtiens de rechercher et d'obtenir plus facilement le droit d'asile politique aux États-Unis, mais je m'inquiétais que nombre d'entre eux périssent en tentant d'y parvenir sur de frêles navires lancés en haute mer, comme cela était déjà arrivé à quatre cents d'entre eux à peine une semaine plus tôt. C'est pourquoi, sur l'avis de notre équipe de sécurité, j'ai déclaré que, au lieu d'accueillir tous les Haïtiens qui survivraient au voyage vers l'Amérique, nous renforcerions notre présence officielle en Haïti et accélérerions les demandes d'asile sur place. Pendant ce temps, pour des raisons de sécurité, nous continuerions à arrêter les navires et à renvoyer les passagers. Ironiquement, alors que les défenseurs des droits de l'homme critiquaient cette position et que la presse jugeait qu'elle allait à l'encontre de ma promesse de campagne, le président Aristide la soutenait. Il savait que nous ferions rentrer aux États-Unis plus de Haïtiens que l'administration Bush, et il ne voulait pas voir des habitants de son pays se noyer.

Le 8 janvier, je me suis envolé pour Austin, au Texas, où j'avais vécu et travaillé pour McGovern plus de vingt ans auparavant. Après un déjeuner de retrouvailles avec d'anciens amis de cette époque dans le jardin du bar à bières *Scholtz*, j'ai tenu ma première réunion depuis les élections avec un chef d'État étranger, le président du Mexique Carlos Salinas de Gortari. Salinas était un ardent défenseur de l'ALENA (Accord de libre échange nord-américain) qu'il avait négocié avec le président Bush. Nous étions accueillis par mon amie de longue date, le gouverneur Ann Richards, qui elle aussi défendait avec enthousiasme l'ALENA. Je voulais rencontrer rapidement Salinas, pour l'assurer du souci que j'avais de la prospérité et de la stabilité du Mexique, pour le convaincre de l'importance des accords sur le travail et sur l'environnement dans le renforcement du traité et lui faire accepter une coopération plus étroite dans la lutte contre les narcotrafiquants.

Le 13, ma future ministre de la Justice, Zoë Baird, s'est attiré des ennuis lorsqu'il est apparu, au moment même où sa nomination à ce poste était envisagée, qu'elle avait employé chez elle deux immigrés clandestins et ne payait que depuis peu de temps ses charges patronales. L'emploi de clandestins n'était pas si rare à l'époque, mais c'était un problème particulier pour Zoë, car c'est le ministre de la Justice qui a sous sa coupe le service de l'immigration et des naturalisations. La confirmation de Zoë étant peu probable, l'adjoint au ministre de la Justice en exercice à Civil Division, Stuart Gerson, servirait en tant que ministre suppléant. Nous avons également envoyé Webb Hubbell, le ministre associé désigné, au département de la Justice pour régler les affaires courantes.

Au cours des deux jours suivants, nous avons annoncé quelques nominations supplémentaires au secrétariat de la Maison Blanche. En dehors de George Stephanopoulos, que j'avais nommé directeur de la communication, j'ai fait de Dee Dee Myers la première femme porte-parole de la Maison Blanche, j'ai chargé Eli Segal de mettre au point le nouveau programme de service national et j'ai fait de Rahm Emanuel le directeur des affaires politiques et d'Alexis Herman la directrice du service de relation avec les groupes d'intérêts. J'emmenais avec moi plusieurs personnes de l'Arkansas : Bruce Lindsey s'occuperait du personnel, y compris des nominations aux conseils et aux commissions ; Carol Rasco serait mon assistante pour la politique intérieure ; Nancy Hernreich, ma planificatrice lorsque j'étais gouverneur, superviserait les opérations dans le Bureau ovale ; Anne McCoy, l'administratrice de la résidence du gouverneur est venue travailler à la Maison Blanche ; David Watkins superviserait les fonctions administratives de la Maison Blanche ; et mon ami de toujours, Vince Foster, avait accepté de devenir le conseiller du Président.

Parmi ceux qui n'étaient pas issus de la campagne figurait celui que j'avais désigné comme le conseiller juridique à la Maison Blanche, Bernie Nussbaum, qui avait été le collègue de Hillary à la commission d'enquête chargée de la mise en accusation de Nixon en 1974 ; Ira Magaziner, mon camarade de classe d'Oxford, qui allait travailler avec nous sur la réforme du système de santé ;

Howard Paster, un lobbyiste expérimenté de Washington, qui allait s'occuper de nos relations avec le Congrès ; John Podesta, mon vieil ami, comme secrétaire administratif ; Katie McGintie, qu'Al Gore avait choisie pour prendre en charge l'environnement ; et Betty Currie, qui avait été la secrétaire de Warren Christopher dans la transition et qui allait occuper la même fonction auprès de moi. Andrew Friendly, un jeune originaire de Washington, occuperait la fonction d'assistant du président, m'accompagnant à chaque rendez-vous et lors de chaque voyage, s'assurant que j'avais bien lu mon brief et restant en contact avec la Maison Blanche quand nous étions en déplacement. Al avait son propre personnel, avec son compatriote du Tennessee, Roy Neel, au poste de secrétaire général. Même chose pour Hillary, dont la secrétaire générale était une ancienne amie.

J'ai également appuyé la candidature de David Wilhelm, mon chef de campagne, à la succession de Ron Brown au poste de président de la commission des Démocrates. David était jeune et n'avait pas la présence en public de Ron Brown, mais ce n'était le cas de pratiquement personne. Sa force résidait dans ses talents d'organisateur à la base, et notre parti avait terriblement besoin d'être redynamisé au niveau local et au niveau de l'État. Maintenant que nous tenions la Maison Blanche, j'imaginais bien qu'Al Gore et moi nous ferions de toute façon attribuer la part du lion : la levée des fonds et les déclarations publiques.

En dehors des nominations, j'ai fait paraître un communiqué dans lequel j'affirmais fermement mon soutien à l'action militaire du président Bush en Irak pour la première fois, j'ai déclaré que j'exigerai que le président serbe Slobodan Milosevic comparaisse en justice pour crimes de guerre. Il allait falloir trop de temps pour que cela se produise.

À la même époque, j'ai également reçu à déjeuner à la résidence du gouverneur un groupe de pasteurs évangéliques. Mon pasteur, Rex Horne, m'avait suggéré de le faire et avait dressé la liste des invitations. Rex pensait que cela pouvait être utile d'avoir une conversation informelle avec la communauté évangélique. Environ dix pasteurs sont venus, parmi lesquels des figures nationalement connues comme Charles Swindoll, Adrian Rogers et Max Lucado. Nous avions aussi invité le pasteur de Hillary de la First United Methodist Church de Little Rock, Ed Matthews, un homme merveilleux dont nous savions qu'il serait de notre côté si le déjeuner dégénérait en bataille verbale. J'ai été particulièrement impressionné par le jeune et brillant pasteur de la Community Church de Willow Creek près de Chicago, Bill Hybels. Il avait bâti son Église en partant de rien au sein de la plus vaste congrégation des États-Unis. Comme ses pairs, il n'était pas de mon avis sur l'avortement et les droits des homosexuels, mais il avait aussi de l'intérêt pour d'autres sujets, et il se demandait quels chefs politiques seraient capables de sortir de l'impasse et d'adoucir les rancœurs partisanes à Washington. Pendant huit ans, Bill Hybels est venu me voir régulièrement pour prier avec moi, me conseiller, et vérifier l'état de ce qu'il appelait ma « santé spirituelle ». Quelquefois nous avions des discussions houleuses. D'autres fois nous sommes même tombés d'accord. Mais c'était toujours une bénédiction de le voir.

Au début de ma dernière semaine en Arkansas, alors que des camions de déménagement stationnaient dans l'allée, j'ai accordé une interview d'adieu aux journalistes de l'Arkansas, où je leur ai avoué ressentir un mélange de fierté et de regret à l'idée de quitter ces lieux : « Je me suis senti heureux et fier et triste parfois presque jusqu'aux larmes [...]. J'aime vivre ici. » L'une des dernières tâches que j'avais à accomplir avant de partir pour Washington était d'ordre privé. Chelsea possédait une grenouille qu'elle avait récupérée dans un cours de sciences à l'école. Alors que nous emmenions notre chat Socks avec nous, Chelsea avait décidé de libérer la grenouille pour qu'elle puisse vivre « une vie normale ». Elle m'avait demandé de le faire moi-même, et donc en ce dernier jour que je passais en Arkansas, je suis descendu à la rivière Arkansas, j'ai sorti la grenouille de la boîte à chaussures dans laquelle elle était enfermée, j'ai dévalé une berge escarpée jusqu'au bord de l'eau, et là j'ai relâché la grenouille. L'une d'entre nous au moins retournait à une vie normale.

Tous les autres étaient très excités à l'idée de cette nouvelle aventure, mais un peu inquiets, aussi. C'était très dur pour Chelsea de quitter ses amis et le monde qu'elle connaissait, mais nous lui avons assuré qu'elle pourrait souvent recevoir ses amis chez nous. Hillary se demandait comment elle vivrait la perte de l'indépendance qu'offre un emploi rémunéré, mais elle était très impatiente de devenir une Première Dame à plein temps, à la fois pour poursuivre l'œuvre politique dans laquelle elle s'était investie et pour remplir les devoirs traditionnels imposés par la charge. Elle m'avait surpris lorsque j'avais découvert tout le temps qu'elle avait déjà passé à étudier l'histoire de la Maison Blanche, les différentes fonctions qui allaient être les siennes et les contributions importantes des femmes qui avaient occupé cette position avant elle. Chaque fois que Hillary se lançait dans une nouvelle entreprise, elle était très stressée au départ, mais une fois qu'elle avait pris les choses en main, elle se détendait et commençait à s'amuser. Je ne pouvais pas lui reprocher d'être un peu nerveuse. Je l'étais aussi.

La période de transition avait été difficile et mouvementée. Avec le recul, on peut dire que nous avons fait du bon travail en faisant de gens capables et qui reflétaient la diversité de l'Amérique les membres du cabinet et les adjoints à la Maison Blanche, mais j'ai fait une erreur en ne nommant pas un Républicain en vue au sein du cabinet en signe de ma volonté de garantir une coopération bipartite. J'ai également tenu ma promesse qui était de mettre l'économie en tête de nos préoccupations, en réunissant une équipe économique de tout premier plan, en organisant le sommet économique et faisant en sorte que l'élaboration de la politique économique soit bien informée et soumise à des débats approfondis. Et ainsi que je l'avais promis, Al Gore était entièrement associé à l'administration entrante, avait participé à toutes les réunions stratégiques et était intervenu dans le choix des collaborateurs du président et du cabinet, tout en restant une personnalité importante.

Pendant et après la transition, on m'a reproché de ne pas rester fidèle aux engagements que j'avais pris pendant la campagne d'alléger les impôts des classes moyennes, de réduire le déficit de moitié en quatre ans, et d'accueillir les réfugiés haïtiens. Pour ce qui est des deux premiers points, lorsque j'ai répondu que je ne faisais que réagir à des prévisions qui annonçaient un déficit supérieur à celui auquel nous nous attendions, certains critiques ont prétendu que j'aurais dû savoir que l'administration Bush chiffrait le déficit à un niveau inférieur à la réalité pour ne les révéler qu'après les élections, et que par conséquent je n'aurais pas dû me servir des chiffres gouvernementaux officiels pour élaborer mon programme économique. Je n'ai pas pris ces critiques très au sérieux. En revanche, je me suis dit que certaines des critiques qui m'étaient adressées à propos de la question des Haïtiens étaient justifiées, étant donné les affirmations sans nuances que j'avais lancées durant la campagne. Néanmoins, j'étais déterminé à accueillir en toute sécurité plus de demandeurs d'asile aux États-Unis et à rétablir le président Aristide. Si j'y parvenais, mes engagements seraient tenus.

On me critiquait également pour avoir nommé Zoe Baird et pour ma tendance à vouloir savoir absolument tout ce qui se passait, puis à mettre trop de temps pour prendre une décision. Ces deux attaques avaient quelque fondement. Zoe n'avait rien caché de ses agissements. Nous en avions simplement sous-estimé la signification. Quant à ma manière de gouverner, je savais que j'avais beaucoup à apprendre, et j'avais utilisé la période de transition pour cerner vraiment ce en quoi consistait le boulot de président. Par exemple, je ne regrette aucune minute du temps que j'ai passé à me colleter avec l'économie pendant la transition. Cela m'a rendu grand service au cours des huit années suivantes. D'un autre côté, j'avais toujours eu tendance à vouloir trop en faire, ce qui était aussi responsable de mon épuisement physique, de mon irritabilité et de ma réputation bien méritée de lenteur.

Je savais que la transition n'était qu'un avant-goût de ce qu'allait être la présidence : tout arrivait en même temps. J'allais devoir déléguer plus et faire preuve de plus d'organisation dans le processus décisionnel que lorsque j'étais gouverneur. Cependant, le fait que tant de postes d'adjoints à la Maison Blanche n'avaient pas été confirmés était bien plus lié à l'éloignement du pouvoir des Démocrates depuis douze ans. Nous devions remplacer beaucoup de gens, nous nous étions engagés à ratisser large et nombreux étaient ceux qui pouvaient prétendre à quelque chose et qu'il nous fallait prendre en compte. Par ailleurs, la procédure d'enquête qu'il avait fallu suivre était devenue si compliquée qu'elle avait pris trop de temps, les enquêteurs fédéraux examinant chaque petit bout de papier et prêtant leur attention à chaque rumeur mesquine pour trouver des gens qui soient blindés contre les attaques politiques et journalistiques.

Quand j'y repense, je me dis que j'ai montré essentiellement deux défauts dans ma gestion de la transition : j'ai passé tellement de temps à composer le cabinet que je n'en ai presque pas dévolu au recrutement du secrétariat de la Maison Blanche, et je n'ai pratiquement pas réfléchi à la manière de conserver l'intérêt de l'opinion sur mes principales priorités plutôt que sur d'autres affaires qui, au minimum, allaient détourner l'attention du public des questions vraiment importantes et, au pire, pouvaient donner l'impression que je négligeais ces priorités.

Le vrai problème, en ce qui concerne mes collaborateurs, était que la plupart étaient issus de la campagne ou de l'Arkansas et n'avaient aucune expérience de la Maison Blanche ou de la culture politique de Washington. Mes jeunes collaborateurs étaient doués, honnêtes et dévoués et je me disais que je devais à beaucoup d'entre eux la chance que j'avais de servir mon pays en travaillant à la Maison Blanche. Avec le temps, ils allaient prendre le pied marin et se débrouiller très bien. Mais au cours de la phase critique des premiers mois, mes collaborateurs comme moi-même allions apprendre énormément sur le tas, et certaines de ces leçons allaient nous coûter très cher.

Nous avons également été bien loin d'accorder la même attention à la communication que pendant la campagne électorale, bien que cela soit plus difficile lorsque l'on est au gouvernement, même pour le Président, de faire passer tous les jours le message désiré. Comme je l'ai dit, tout arrive en même temps, et toute polémique est plus susceptible de faire la une qu'une décision politique quelle que soit son importance. C'est ce qui s'est passé avec l'affaire Zoe Baird et celle des homosexuels dans l'armée. Même si elles n'occupaient que peu de mon temps, on pouvait pardonner aux gens qui regardaient le journal du soir de croire que je ne passais mon temps qu'à cela. Si nous avions plus réfléchi à ce défi et que nous lui avions consacré plus de travail au cours de la transition je suis sûr que nous nous y serions mieux pris.

En dépit de ces problèmes, j'estimais que notre transition s'était relativement bien passée. Les Américains aussi, apparemment. Avant que je ne parte pour Washington, un sondage réalisé par *NBC News* et le *Wall Street Journal* m'avait crédité d'un taux de satisfaction de 60 %, alors que celui-ci n'était que de 32 % en mai. Hillary obtenait encore de meilleurs scores : 66 % des personnes interrogées la percevaient comme « un modèle positif pour les Américaines », alors que le chiffre n'était que de 39 % dans le précédent sondage. Un autre sondage réalisé par une organisation bipartite avait montré que 84 % des gens approuvaient mon action depuis les élections. Le taux de satisfaction de Bush était lui aussi en hausse, de près de 20 points, atteignant les 59 %. Nos citoyens avaient retrouvé leur optimisme vis-à-vis de l'Amérique, et ils me donnaient une occasion de réussir.

Le 16 janvier, lorsque Hillary, Chelsea et moi avons dit au revoir aux amis qui nous avaient accompagnés à l'aéroport de Little Rock, me sont revenus en mémoire les mots d'adieu émouvants d'Abraham Lincoln aux habitants de Springfield, dans l'Illinois, au moment où il quittait la gare pour se rendre à la Maison Blanche : « Mes amis, nul ne peut imaginer à quel point, dans ma situation, je suis attristé par cette séparation. Je dois tout à ce lieu, et à la bonté de ces gens […]. Ayons foi en [Dieu], qui a le pouvoir d'être avec moi, avec vous et en tout lieu, et espérons avec confiance que tout se passera bien malgré tout. » Je ne l'ai pas aussi bien formulé que Lincoln, mais j'ai fait de mon mieux pour laisser entendre la même chose à mes concitoyens de l'Arkansas. Sans eux, je n'aurais pas été en train de monter dans cet avion.

Nous volions vers la Virginie, où les festivités liées à l'inauguration allaient débuter à Monticello, le lieu de résidence de Thomas Jefferson. Pendant le vol, j'ai réfléchi à la signification historique de mon élection et à l'ampleur de la tâche qui m'attendait. Les élections correspondaient à un changement générationnel aux États-Unis, des anciens combattants de la Seconde Guerre mondiale aux baby-boomers, qu'alternativement on raillait en ne voyant en eux que des enfants gâtés préoccupés uniquement d'eux-mêmes puis que l'on van-

tait comme étant idéalistes et soucieux du bien commun. Qu'elle soit de
centre gauche ou conservatrice, notre politique avait été façonnée par le Viêt-
nam, la lutte pour les droits civiques et les événements tumultueux de 1968 :
marches de protestation, émeutes et assassinats. Nous avions aussi été la première génération à ressentir toute la force du mouvement féministe, dont les
gens allaient percevoir l'impact à la Maison Blanche. Hillary allait être la Première Dame la plus professionnellement accomplie de l'Histoire. À présent
qu'elle avait démissionné de son emploi d'avocate et des conseils où elle siégeait, mon salaire allait constituer les seuls revenus de notre famille pour la première fois depuis que nous nous étions mariés et elle allait avoir toute liberté
pour employer ses immenses talents à travailler avec moi dans une collaboration totale. Je pensais qu'elle pouvait avoir plus d'impact positif que n'importe
quelle Première Dame, à l'exception d'Eleanor Roosevelt. Bien entendu, un
tel activisme allait l'exposer aux flèches de ceux qui pensaient que le rôle d'une
Première Dame n'était pas d'entrer dans l'arène ou de nos adversaires politiques, mais cela aussi pouvait s'expliquer par ce changement générationnel.

Nous représentions clairement la relève de la garde, mais étions-nous capables de relever les défis de ces temps troublés ? Étions-nous capables de relever
l'économie, de restaurer le progrès social et la légitimité du gouvernement ?
Etions-nous capables d'endiguer la montée des querelles religieuses, raciales et
ethniques à travers le monde ? Pour reprendre les mots qu'avait employés le
numéro de *Time* consacré à « l'homme de l'année », étions-nous capables
d'amener les Américains à « se sortir de leurs problèmes en se réimaginant eux-
mêmes » ? Malgré notre victoire dans la guerre froide et malgré l'expansion de
la démocratie dans le monde, des forces puissantes divisaient les peuples et tentaient de déchirer le fragile tissu communautaire à l'intérieur du pays comme
à l'étranger. Face à ces défis, les Américains avaient parié sur moi.

Environ trois semaines après les élections, j'avais reçu une lettre remarquable de Robert McNamara qui, en tant que secrétaire à la Défense sous les
présidents Kennedy et Johnson avait conduit les procès de la guerre du Viêt-
nam. Il avait eu l'idée de m'écrire après avoir lu dans la presse une histoire qui
évoquait mon amitié avec mon camarade de chambre d'Oxford, Frank Aller,
qui avait été objecteur de conscience et qui s'était suicidé en 1971. Voici ce
qu'il me disait :

> Pour moi – et je crois pour la nation aussi　la guerre du Viêt-nam a véri-
> tablement pris fin le jour de ton élection à la présidence. Par leurs voix, les
> Américains ont enfin reconnu que les Aller et les Clinton, lorsqu'ils met-
> taient en doute la sagesse et la moralité des décisions prises par leur gouver-
> nement relativement au Viêt-nam, n'étaient pas moins patriotes que ceux
> qui servaient en uniforme. L'appréhension qui était la tienne et celle de tes
> amis lorsque vous débattiez de nos actions en 1969 était douloureuse pour
> toi à l'époque et je suis sûr que d'avoir eu à revenir sur ces questions pendant
> la campagne a dû rouvrir de vieilles blessures. Mais la dignité dont tu as fait
> preuve face aux attaques et ton refus de cesser de croire qu'il est de la res-
> ponsabilité de tous les citoyens de mettre en question la validité de toute

décision d'envoyer les jeunes Américains à la guerre ont donné à la nation une force que jamais elle ne perdra.

La lettre de McNamara, comme d'autres que j'ai reçues de vétérans du Viêt-nam, m'a profondément touché. Juste avant les élections, Bob Higgins, un ancien marine de Hillsborough, dans l'Ohio, m'avait envoyé la médaille qu'on lui avait remise pour ses services au Viêt-nam en raison de ma prise de position contre la guerre et pour « la manière dont je m'étais conduit dans une campagne difficile ». Quelques mois plus tôt, Ronald Murphy de Las Vegas m'avait remis sa Purple Heart et Charles Hampton de Marmaduke, dans l'Arkansas, m'avait fait parvenir la Bronze Star qui lui avait été décernée pour son courage dans la guerre du Viêt-nam. En tout, en 1992, des vétérans du Viêt-nam m'ont envoyé cinq Purple Heart trois médailles militaires du Viêt-nam, un insigne de combattant de l'infanterie, et la Bronze Star de mon compatriote de l'Arkansas. Je les ai pour la plupart fait encadrer et je les ai accrochés au mur de mon cabinet privé jouxtant le Bureau ovale.

Alors que mon avion piquait vers les splendides paysages de la Virginie, qui avait donné naissance à quatre de nos cinq premiers Présidents, je pensais à ces vétérans et à leurs médailles, espérant qu'enfin nous puissions guérir les blessures des années 1960, et priant pour que je sache me montrer digne de leurs sacrifices, de leur soutien et de leurs rêves.

CHAPITRE TRENTE

Le dimanche 17 janvier, Al et Tipper Gore, Hillary et moi avons entamé la semaine de notre entrée en fonctions par une visite de Monticello, suivie par un débat avec des jeunes sur l'importance de Thomas Jefferson dans l'histoire américaine.

Nous sommes ensuite montés dans notre bus pour effectuer les soixante kilomètres qui nous séparaient de Washington. Ce bus symbolisait l'engagement que nous avions pris de rendre le gouvernement fédéral au peuple. Nous étions également attachés à un grand nombre de souvenirs liés à lui, et nous voulions faire un dernier voyage dedans. Nous nous sommes brièvement arrêtés pour assister à l'office dans la petite ville de Culpeper, dans la jolie vallée de la Shenandoah, et nous avons poursuivi notre voyage jusqu'à Washington. En chemin, nous avons rencontré beaucoup de sympathisants et quelques critiques, exactement comme pendant la campagne.

Lorsque nous sommes arrivés dans la capitale, les cérémonies publiques qui devaient saluer notre entrée en fonctions et qui avaient pour titre « Une réunion américaine : de nouveaux départs, un espoir renouvelé » avaient déjà commencé. Harry Thomason, Rham Emanuel et Mel French, un ami de l'Arkansas qui allait devenir chef du protocole lors de mon second mandat, avaient organisé une extraordinaire succession d'événements. Nous avions souhaité que le plus grand nombre soit gratuit ou tout au moins d'un prix abordable pour les travailleurs qui m'avaient élu. Le dimanche et le lundi, le Mall, c'est-à-dire l'immense pelouse qui sépare le Capitole du Washington Monument, a été le théâtre d'un festival de plein air, avec des stands de nourriture, de la musique et de l'artisanat. Le soir, nous avons assisté à un concert d'« appel à l'union » sur les marches du Lincoln Memorial, joint à un défilé impressionnant de stars, dont Diana Ross et Bob Dylan, qui ont fait vibrer les deux cent mille spectateurs remplissant l'espace qui séparait la scène du Washington Monument. Debout sous la statue de Lincoln, j'ai prononcé un bref discours dans lequel j'ai appelé à l'unité nationale, ajoutant que Lincoln « avait donné un nouveau souffle au rêve de Jefferson, à l'idée que nous avons tous été créés libres et égaux en droit ».

Après le concert, les Gore et ma famille ont pris la tête d'une procession de milliers de personnes brandissant des flambeaux. Nous avons traversé la rivière Potomac par le Memorial Bridge jusqu'au rond-point de Lady Bird Johnson, juste à côté du cimetière national d'Arlington. À 18 heures, nous avons fait sonner une réplique de la Liberty Bell, pour que « les cloches de l'espoir » se mettent à leur tour à sonner dans toute l'Amérique, et même à bord de la navette spatiale *Endeavor*. Nous avons ensuite assisté à un feu d'artifice, ainsi qu'à une ou deux réceptions. Lorsque nous sommes arrivés à Blair House, la résidence des invités officiels située en face de la Maison Blanche, nous étions épuisés mais heureux et, avant de m'endormir, j'ai pris le temps de revoir la dernière version de mon discours d'entrée en fonctions.

Je n'étais toujours pas satisfait du résultat. Comparé à mes discours de campagne, il me semblait trop formel. Je savais qu'il fallait lui donner de la solennité, mais je ne voulais pas qu'il devienne ennuyeux pour autant. Il y avait un passage que j'aimais bien, construit autour de l'idée que notre nouveau départ avait « forcé le printemps » à venir en Amérique en cette froide journée d'hiver. C'est l'ancien président de l'Université de Georgetown, mon ami le père Tim Healy, qui en avait eu l'idée. Tim était mort subitement d'une crise cardiaque alors qu'il se trouvait à l'aéroport de Newark, quelques semaines après les élections. Lorsque certains de ses amis se sont rendus à son appartement, ils ont trouvé sur sa machine à écrire une lettre inachevée qui m'était destinée et qui comprenait certaines suggestions pour mon discours d'entrée en fonctions. Cette expression « forcer le printemps » nous avait tous frappés, et j'ai voulu l'utiliser en souvenir de lui.

Le lundi 18 janvier était le jour anniversaire de la naissance de Martin Luther King Jr. Dans la matinée, j'ai donné une réception pour tous les diplomates des autres nations dans la grande cour carrée de Georgetown, m'adressant à eux depuis les marches de l'Old North Building. C'est à cet endroit même qu'en 1797, George Washington s'était tenu et que le grand général français La Fayette, héros de notre Révolution, avait parlé en 1824. J'ai dit aux ambassadeurs que ma politique étrangère reposerait sur trois piliers essentiels : la sécurité économique du pays, la restructuration des forces armées afin de répondre aux défis de l'après-guerre froide et le soutien des valeurs démocratiques dans le monde. La veille, le président Bush avait ordonné une attaque aérienne contre un site présumé de production d'armes en Irak et, le 18 janvier, les avions américains avaient pilonné les défenses antiaériennes de Saddam Hussein. Je pensais moi aussi qu'il fallait pousser Saddam Hussein à se conformer aux résolutions des Nations unies et j'ai demandé aux diplomates présents d'insister sur ce point auprès de leur gouvernement. Après cette réception, je me suis adressé aux étudiants de Georgetown ainsi qu'aux anciens élèves, dont certains de mes anciens camarades, en leur demandant de soutenir mon projet de service civil national.

Nous avons quitté Georgetown pour nous rendre à l'Université de Howard pour une cérémonie en l'honneur de Martin Luther King Jr. Nous avons ensuite déjeuné dans la magnifique *Folger Library* en compagnie de plus de cinquante personnes que nous avions rencontrées Al, Tipper, Hillary et moi au cours de la campagne et qui nous avaient fait forte impression. Nous les avions surnommées les « visages de l'espoir », en raison du courage dont ces personnes avaient fait preuve face à l'adversité ou de la façon novatrice dont elles avaient relevé certains défis actuels. Nous voulions les remercier pour toute l'inspiration qu'elles nous avaient apportée et rappeler à la nation, au milieu de tout le luxe de cette semaine inaugurale, que beaucoup d'Américains menaient une vie difficile.

Parmi ces visages de l'espoir se trouvaient deux anciens membres de gangs rivaux de Los Angeles qui avaient uni leurs forces après les émeutes afin d'offrir un meilleur avenir aux enfants de ces quartiers. Il y avait aussi deux des vétérans du Viêt-nam qui m'avaient envoyé leur médaille militaire, un directeur d'école qui avait créé une école sans violence au cœur du quartier le plus criminogène de Chicago et dont les élèves obtenaient régulièrement des résultats supérieurs au niveau de l'État comme de la nation. Il y avait un juge texan qui avait mis sur pied un programme novateur d'aide aux enfants en grande difficulté, un jeune garçon de l'Arizona qui m'avait aidé à prendre conscience de la pression engendrée par les heures supplémentaires que devait effectuer son père, un médecin indien du Montana qui consacrait son temps à l'amélioration de la prise en charge des malades mentaux de sa tribu, des hommes qui avaient perdu leur emploi à cause des délocalisations, des gens qui devaient faire face à de très coûteux frais médicaux sans recevoir la moindre aide du gouvernement, un jeune chef d'entreprise à la recherche de capitaux, des personnes qui dirigeaient des centres d'accueil pour familles éclatées, la veuve d'un policier tué par un déséquilibré qui avait pu se procurer une arme sans en être empêché, un petit génie de la finance de 18 ans qui travaillait déjà à Wall Street, une femme qui avait créé un vaste programme de recyclage dans son usine, et bien d'autres encore... Michael Morrison, le jeune homme qui était venu en fauteuil roulant sur une autoroute glacée du New Hampshire pour travailler avec moi, était également présent ; de même que Dimitrios Theofanis, cet immigré grec de New York qui m'avait demandé de permettre à son fils de retrouver la liberté.

Tous ces visages de l'espoir m'avaient appris quelque chose sur la douleur et la promesse qui caractérisaient l'Amérique en 1992, mais personne ne m'en avait mieux parlé que Louise et Clifford Ray, dont les trois fils hémophiles avaient contracté le virus du sida à l'occasion d'une transfusion sanguine. Ils avaient également une fille, qui n'était pas malade. Les habitants de leur petite bourgade de Floride ont fait pression pour que les enfants Ray quittent l'école, par peur de voir les leurs contaminés à la suite d'une blessure. Les Ray ont dû saisir les tribunaux afin que leurs enfants soient maintenus dans leur école. Ils ont ensuite décidé de déménager pour Sarasota, une ville plus importante et où les autorités scolaires les ont bien accueillis. Leur fils aîné Ricky était visiblement très malade et s'accrochait à la vie. Après les élections, je l'ai appelé à l'hôpital pour l'encourager et l'inviter aux cérémonies de mon entrée en fonctions. Il avait très envie de venir, mais il n'en a pas eu le temps. À 15 ans, il a perdu sa bataille, cinq semaines à peine avant que je ne devienne président. J'étais tout de même très touché que la famille Ray puisse assister à ce déjeuner. Lorsque j'ai pris mes fonctions, ils se sont faits les défenseurs des hémophiles atteints du sida et ont fait pression sur le Congrès pour qu'il autorise la création du Fonds Ricky Ray d'aide aux hémophiles. Il a fallu huit ans pour le mettre en place, et ils n'en avaient pas encore fini avec leur chagrin. En octobre 2000, trois mois avant la fin de mon second mandat, leur deuxième fils, Robert, est à son tour mort du sida à l'âge de 22 ans. Si seulement la thérapie antirétrovirale avait été disponible quelques années plus tôt ! Maintenant qu'elle l'est, je consacre beaucoup de temps à essayer de donner ce traitement à tous les Ricky Ray du monde entier. Je veux qu'eux aussi soient des visages de l'espoir.

Mardi matin, Hillary et moi avons entamé la journée en allant nous recueillir sur la tombe de John et Robert Kennedy, au cimetière national d'Arlington. Accompagné par John Kennedy Jr., Ethel Kennedy, plusieurs de ses enfants et le sénateur Ted Kennedy, je me suis agenouillé devant la flamme éternelle pour dire une courte prière, remerciant Dieu de leur avoir donné la vie et de leur avoir permis de servir la nation et demandant sagesse et force pour la grande aventure qui m'attendait. Vers midi, j'ai convié mes collègues gouverneurs à un déjeuner à la Bibliothèque du Congrès, afin de les remercier pour tout ce qu'ils m'avaient appris au cours des vingt dernières années. Après une cérémonie au Kennedy Center autour des enfants d'Amérique, nous nous sommes rendus au Capitol Centre de Landover, dans le Maryland, pour un concert de gala où de nombreux artistes nous ont enchantés pendant des heures : Barbra Streisand, Wynton Marsalis, k.d. lang, les légendes du rock Chuck Berry et Little Richard, Michael Jackson, Aretha Franklin, Jack Nicholson, Bill Cosby, l'Alvin Ailey Dance Theater, et bien d'autres. Fleetwood Mac a mis le public à ses pieds en entonnant la chanson dont nous avions fait notre hymne de campagne : *Don't Stop Thinking About Tomorrow* [N'arrête pas de penser à demain].

Après le concert, nous avons assisté à un office de prière à la Première Église baptiste, et il était plus de minuit lorsque je suis rentré à Blair House. Même si j'avais apporté quelques améliorations, je restais mécontent de mon discours d'inauguration. Les deux personnes chargées de rédiger mes discours – Michael Waldman et David Kusnet – devaient s'arracher les cheveux, parce que j'étais encore en train de changer certaines phrases alors même que nous répétions, entre 1 heure et 4 heures du matin, le jour même de ma prise de fonctions. Bruce Lindsey, Paul Begala, Bruce Reed, George Stephanopoulos, Michael Sheehan et mes amis orfèvres des mots Tommy Caplan et Taylor Branch ont veillé avec moi cette nuit-là, de même qu'Al Gore. Le personnel merveilleux de Blair House avait l'habitude de s'occuper de chefs d'État étrangers qui avaient tous des horaires particuliers. Nous avions donc à notre disposition des litres de café pour nous tenir éveillés et des petits en-cas pour maintenir la bonne humeur de chacun. Lorsque je suis allé me coucher pour deux malheureuses heures de sommeil, j'étais davantage satisfait de mon discours.

Mercredi matin, le jour s'est levé, clair et froid. J'ai commencé ma journée, très tôt, par un briefing sur la sécurité, puis j'ai reçu les instructions nécessaires pour que mon aide de camp militaire assure le déclenchement de nos armes atomiques. Le président dispose de cinq aides de camp, de jeunes officiers représentant chaque armée ; l'un se tient toujours auprès de lui.

Même si un conflit nucléaire était impensable depuis la fin de la guerre froide, prendre soudain le contrôle de notre arsenal me rappelait sobrement les responsabilités qui m'attendaient à quelques heures de là. Parler de la présidence et être effectivement président étaient deux choses différentes. Il est difficile de l'exprimer en mots, mais j'ai quitté Blair House avec un mélange d'impatience et d'humilité.

La dernière chose que j'ai faite avant la cérémonie inaugurale a été d'assister à un office de prière à l'église épiscopale méthodiste africaine de Washington. C'était important pour moi. Aidé par Al Gore et Hillary, j'avais choisi le clergé officiant, les chanteurs et la musique. Ma famille, ainsi que celle de Hillary, était présente. Ma mère rayonnait. Roger affichait un large sourire, porté par la musique. Nos pasteurs de l'Arkansas ont participé au service, de même que les prêtres d'Al et Tipper, ainsi que le père de George Stephanopoulos, doyen de l'Église grecque orthodoxe de la cathédrale de la Sainte Trinité à New York. Le père Otto Hentz, qui, presque trente ans auparavant, m'avait suggéré de devenir jésuite, a dit une prière. Le rabbin Gene Levy, de Little Rock, et l'imam Wallace D. Mohammad ont tous deux pris la parole. Plusieurs pasteurs noirs de mes amis ont participé à cet office, aux côtés de Gardner Taylor, l'un des plus grands prédicateurs d'Amérique, toutes confessions confondues, et qui était le principal orateur ce jour-là. Mes amis pentecôtistes de l'Arkansas et de la Louisiane sont venus chanter, ainsi que Phil Driscoll, un fabuleux chanteur et trompettiste qu'Al connaissait du Tennessee. Carolyn Staley a chanté *Be Not Afraid* [N'aie pas peur], l'un de mes hymnes favoris, une bonne résolution pour ces heures particulières. J'ai eu plus d'une fois les larmes aux yeux, et j'ai quitté l'église rasséréné et prêt pour les événements qui s'annonçaient.

Nous sommes rentrés à Blair House afin de jeter un dernier coup d'œil à mon discours. Il s'était beaucoup amélioré depuis 4 heures du matin ! À 10 heures, Hillary, Chelsea et moi avons traversé la rue pour nous rendre à la Maison Blanche, où nous avons été accueillis sur les marches du perron par le Président et Mrs Bush, qui nous ont invités à entrer prendre le café avec les Gore et les Quayle. Ron et Alma Brown étaient également présents. Je voulais que Ron partage un moment qu'il avait tant contribué à rendre possible. J'ai été frappé de voir que le Président et Barbara Bush prenaient si bien cette situation douloureuse et cette triste séparation ; ils étaient clairement devenus très proches de certains membres du personnel qui allaient leur manquer autant qu'ils leur manqueraient. Vers 10 h 45, nous nous sommes tous engouffrés dans des voitures officielles. Respectant la tradition, le président Bush et moi sommes montés dans la même voiture, en compagnie du président de la Chambre Thomas Foley et de Wendell Ford, le sénateur du Kentucky à la voix grave, qui était coprésident de la commission interparlementaire sur les cérémonies inaugurales, et avait beaucoup contribué à notre courte victoire dans le Kentucky.

À cause des travaux en cours pour la restauration du Capitole, les trois précédentes cérémonies inaugurales avaient dû se tenir le long de l'aile ouest. Avant, elles avaient lieu de l'autre côté, en face de la Cour suprême et de la Bibliothèque du Congrès. La plupart des spectateurs ne pouvaient rien voir de la cérémonie à cet endroit. Le service du Parc national a estimé entre deux cent quatre-vingt mille et trois cent mille la foule qui s'était massée sur les vastes pelouses de la capitale, jusque sur le Mall et sur Constitution et Pennsylvania Avenues. Quoi qu'il en soit, il s'agissait d'une foule immense, rassemblant toutes sortes de gens, jeunes et vieux, de toutes races et de toutes confessions, de tous milieux. J'étais heureux que tant de gens qui avaient rendu ce jour possible soient ainsi venus le partager.

Les nombreux « amis de Bill » présents témoignaient de ma dette à l'égard de mes amis personnels : Marsha Scott et Martha Whetstone, qui ont organisé ma campagne en Californie du Nord, étaient de vieilles amies de l'Arkansas ; Sheila Bronfman avait été proche de Hillary et de moi lorsque j'étais ministre de la Justice ; Dave Matter, qui avait dirigé ma campagne dans l'ouest de la Pennsylvanie, m'avait succédé comme représentant des étudiants à Georgetown ; Bob Raymar et Tom Schneider, deux de mes plus importants pourvoyeurs de fonds, étaient des amis de la fac de droit et des week-ends de le Renaissance. Ils étaient si nombreux à avoir rendu ce jour possible.

La cérémonie a débuté à 11 h 30. Tous les principaux intervenants sont montés sur l'estrade par ordre protocolaire, accompagnés de leur escorte de députés. Le président Bush est monté juste avant moi, avec l'orchestre de la marine qui, sous la direction du colonel John Bourgeois, a joué *Hail to the Chief* pour nous deux. J'ai regardé la foule.

Puis, Al Gore a prêté serment devant Byron White, juge à la Cour suprême. La prestation de serment aurait dû se faire devant Thurgood Marshall, juge à la Cour suprême à la retraite, grand spécialiste des droits civiques et premier Noir à être nommé à la plus haute juridiction par le président Johnson. Mais Marshall était tombé malade. Il était inhabituel pour un juge en retraite de tenir ce rôle, mais le fils de Marshall, Thurgood Jr., faisait partie de l'équipe d'Al Gore. Un autre de ses fils, John, faisait partie des soldats de Virginie qui avaient escorté notre convoi officiel entre Monticello et Washington. Marshall est décédé quatre jours après mon entrée en fonctions. Tous les Américains qui se souvenaient encore de ce qu'était l'Amérique avant qu'il n'entreprenne de la faire changer ont porté le deuil de cet homme apprécié de tous.

Après la prestation de serment d'Al Gore, la grande mezzo-soprano Marilyn Horne, que j'avais rencontrée lorsqu'elle était venue chanter à Little Rock quelques années auparavant, a chanté une sélection de standards américains. Puis, mon tour est venu. Hillary se tenait à ma gauche, notre Bible familiale entre les mains ; Chelsea était à ma droite. J'ai posé la main gauche sur la Bible, levé la main droite, et j'ai prêté serment devant le juge Rehnquist, président de la Cour suprême, jurant solennellement d'« exécuter fidèlement » ma tâche de président et, « au mieux de mes possibilités, de préserver, protéger et défendre la Constitution des États-Unis, avec l'aide de Dieu ».

J'ai serré la main du président de la Cour suprême et celle du président Bush et j'ai serré Hillary et Chelsea dans mes bras en leur disant que je les aimais. Puis, le sénateur Ford m'a appelé à monter sur le podium en tant que « président des États-Unis ». J'ai commencé mon allocution en replaçant ce moment dans le cours de l'histoire américaine :

« Aujourd'hui, nous célébrons le mystère du renouveau américain. Cette cérémonie a lieu au cœur de l'hiver. Mais, par les mots que nous prononçons et par les visages que nous montrons au monde, nous forçons l'arrivée du printemps. Un printemps qui renaît dans la plus vieille démocratie du monde et qui donne le courage visionnaire de réinventer l'Amérique. Lorsque nos Pères fondateurs ont audacieusement annoncé au monde l'indépendance de l'Amérique et déclaré nos intentions au Seigneur, ils savaient que, pour perdurer, l'Amérique devait changer. Chaque génération d'Américains doit redéfinir ce que signifie être américain. »

Après avoir salué le président Bush, j'ai décrit la situation que nous connaissions :

« Aujourd'hui, une génération élevée dans l'ombre de la guerre froide doit prendre de nouvelles responsabilités dans un monde réchauffé par le chaud soleil de la liberté, mais menacé par les anciennes haines et les nouvelles pestes. Nous qui avons grandi dans une période de prospérité sans égale, nous avons hérité une économie qui reste la plus forte au monde, mais qui s'est affaiblie [...]. Des forces profondes et puissantes sont en train de secouer et de remodeler notre monde, et la question la plus urgente qui se pose à nous aujourd'hui est de savoir si nous pouvons faire en sorte que ce changement soit notre ami, et non notre ennemi. [...]
« Il n'est rien de mauvais en Amérique qui ne puisse être amendé grâce à ce qui est bon en Amérique. »

J'ai cependant prévenu :

« Ce ne sera pas facile ; il nous faudra faire des sacrifices [...]. Nous devons veiller sur la nation comme une famille veille sur ses enfants. » J'ai demandé à mes concitoyens de penser à la postérité, au monde à venir, ce monde pour lequel nous tenons à nos idéaux, ce monde pour lequel nous avons emprunté cette planète, ce monde envers lequel nous avons un devoir sacré. Nous devons faire ce que l'Amérique fait le mieux : offrir plus de chances à tous et exiger de tous des devoirs.
« Il n'existe plus de distinction claire entre ce qui est étranger et ce qui est national. L'économie mondiale, l'environnement mondial, l'épidémie mondiale de sida, la course mondiale aux armements : tout cela nous affecte tous [...]. L'Amérique doit continuer à mener ce monde que nous avons tant contribué à créer. »

J'ai achevé mon discours en parlant du défi que devait relever le peuple américain. J'ai dit à mes concitoyens que, par leur vote, ils avaient « forcé l'arrivée du printemps », mais que le gouvernement ne pouvait seul créer la nation qu'ils souhaitaient : « Vous aussi, vous devez jouer un rôle dans notre renouveau. Je lance un défi à une nouvelle génération de jeunes Américains : celui de donner une partie de leur temps, une saison, au service de la communauté [...]. Il y a tant à faire. » Et pour finir, j'ai déclaré : « Au sommet de cette joyeuse célébration, nous entendons l'appel, en bas, dans la vallée. Nous avons entendu les trompettes. Nous avons relevé la garde. Et voilà qu'à présent, chacun à notre manière, et avec l'aide de Dieu, nous devons répondre à l'appel. »

Même si plusieurs commentateurs ont éreinté mon allocution, en disant qu'elle manquait à la fois de phrases fortes et d'arguments frappants, j'en étais assez satisfait. Mon discours comportait des moments d'éloquence, il était clair, il annonçait que nous allions réduire notre déficit tout en augmentant les investissements essentiels pour l'avenir, et il encourageait le peuple américain à faire davantage pour venir en aide à ceux qui étaient dans le besoin et pour apaiser nos dissensions. Il avait également le mérite d'être court, le troisième plus bref discours inaugural de l'histoire, après le second discours inaugural de Lincoln – le plus brillant de tous – et le second discours de Washington, qui n'avait pas duré deux minutes. Washington avait dit en substance, merci, je retourne au travail, et si je ne travaille pas bien, vous devrez me sanctionner. William Henry Harrison, qui a donné en 1841 le discours le plus long de l'histoire, avait parlé sans manteau, dans le froid, pendant plus d'une heure, attrapant une mauvaise pneumonie qui allait lui coûter la vie trente-trois jours plus tard. Au moins, j'avais eu le bon goût d'être bref, et les gens savaient désormais comment je voyais le monde et ce que j'avais l'intention de faire.

Les plus belles phrases de la journée ont sans conteste été prononcées par Maya Angelou, une femme magnifique dotée d'une voix puissante à qui j'avais demandé d'écrire un poème pour l'occasion. Elle était le premier poète à le faire depuis que Robert Frost était venu prendre la parole lors de l'entrée en fonctions du président Kennedy en 1961. Je suivais sa carrière littéraire depuis que j'avais lu *I Know Why the Caged Bird Sings* [Je sais pourquoi chante l'oiseau en cage], le récit de son enfance de petite fille muette et traumatisée dans un quartier noir et défavorisé de Stamps, dans l'Arkansas.

Le poème de Maya, intitulé *Le Cœur battant du matin*, a fait forte impression sur la foule. Construit autour d'images puissantes – un rocher sur lequel se tenir, une rivière auprès de laquelle se reposer, un arbre prenant racine dans toutes les cultures et toutes les ethnies qui forment la mosaïque américaine –, son poème était un plaidoyer plein de passion exprimé sous la forme d'une invitation amicale :

> Relevez la tête, vous avez le besoin aigu
> De cet éclatant matin qui se lève pour vous.
> L'histoire, malgré sa violente douleur,
> Ne peut pas s'annuler, et affrontée
> Avec courage, elle peut ne pas se répéter.
> Levez les yeux sur
> Le jour qui se lève pour vous.
> Redonnez naissance
> Au rêve.
> [...]

Avec le cœur battant de ce jour nouveau
Sans doute aurez-vous la chance de lever les yeux
Et de regarder ceux de votre sœur, de regarder
Les traits de votre frère, de regarder votre pays
Et de dire simplement
Très simplement
Avec espoir
Bonjour.

Billy Graham a clos la matinée par une brève bénédiction, et Hillary et moi avons quitté l'estrade pour accompagner les Bush au bas des marches du Capitole, où l'hélicoptère présidentiel, *Marine One*, les attendait pour la première étape de leur voyage de retour au Texas. Nous sommes rentrés dans le bâtiment pour déjeuner avec notre groupe parlementaire, puis nous avons remonté Pennsylvania Avenue vers les tribunes érigées devant la Maison Blanche pour le défilé inaugural. Avec Chelsea, nous sommes sortis de la voiture et nous avons fait le reste du chemin à pied afin de pouvoir saluer la foule qui s'était massée le long du parcours.

Après le défilé, nous sommes allés pour la première fois dans notre nouvelle demeure. Nous n'avions que deux heures pour saluer le personnel, nous reposer et nous préparer pour la soirée. Les déménageurs avaient miraculeusement apporté toutes nos affaires au cours des différentes cérémonies de la journée.

À 7 heures, nous avons entamé le marathon de la soirée par un dîner, suivi par des apparitions rapides à onze bals différents, organisés pour l'occasion. Mon frère a chanté pour moi au MTV Youth Ball, tandis qu'à un autre, j'ai joué un duo de saxophone ténor sur *Night Train*, avec Clarence Clemons. La plupart du temps, nous nous sommes contentés de dire quelques mots de remerciements et de danser sur quelques couplets de l'une de nos chansons préférées (*It Had to Be You*) pour que Hillary puisse montrer sa magnifique robe de soirée violette. Pendant ce temps-là, Chelsea s'était rendue au Youth Ball [le bal de la jeunesse] avec des amis venus d'Arkansas, Al et Tipper suivant leur propre programme. Au Tennessee Ball, Paul Simon leur a fait le plaisir de chanter *You Can Call Me Al*, son grand succès. À l'Arkansas Ball, j'ai présenté ma mère à Barbra Streisand en leur disant qu'elles allaient certainement bien s'entendre. Elles ont fait plus que bien s'entendre : elles sont devenues très amies, et Barbra a appelé ma mère chaque semaine jusqu'au jour de sa mort. J'ai encore une photo d'elles marchant main dans la main le soir de mon entrée en fonctions.

Lorsque nous sommes rentrés à la Maison Blanche, il était plus de 2 heures du matin. Nous devions nous lever tôt pour une réception publique, mais j'étais trop heureux de cette journée pour aller me coucher tout de suite. Nous avions beaucoup de monde chez nous : les parents de Hillary, ma mère et Dick, nos frères et sœurs, les amis de Chelsea, nos amis Jim et Diane Blair, ainsi que Harry et Linda Thomason. Seuls nos parents étaient partis se coucher.

J'ai voulu visiter notre nouveau logis. Nous étions déjà allés dans les appartements du premier étage, mais ce n'était pas la même chose. Nous commencions à prendre conscience que nous vivions là désormais, et que nous allions devoir tout faire pour nous y sentir chez nous. La plupart des chambres étaient hautes de plafond et dotées d'un mobilier aussi beau que confortable. La chambre et le salon présidentiels sont orientés plein sud, avec une petite pièce attenante à la chambre, qui allait devenir le salon privé de Hillary. Chelsea disposait d'une chambre et d'un bureau de l'autre côté du hall d'entrée, juste après la salle à manger de réception et la petite cuisine. De l'autre côté du hall se trouvaient les principales chambres d'amis, dont l'une avait servi de bureau à Lincoln et renfermait un exemplaire manuscrit de son discours de Gettysburg.

À côté de la chambre Lincoln se trouve la salle du Traité, ainsi nommée parce que le traité mettant fin à la guerre entre l'Amérique et l'Espagne y a été signé en 1898. Pendant plusieurs années, elle a fait office de bureau privé pour le Président, équipée de plusieurs écrans de télévision de façon que le chef de l'exécutif puisse regarder tous les journaux télévisés en même temps. Je crois que le président Bush y avait fait installer quatre écrans. Quant à moi, j'avais décidé que ce bureau devait être un endroit calme, où je puisse lire, réfléchir, écouter de la musique et tenir des réunions en petit comité. Les ébénistes de la Maison Blanche m'ont installé des étagères sur toute la hauteur du mur, et j'ai fait remettre la table sur laquelle le traité avait été signé. En 1869, elle servait de table de réunion au cabinet d'Ulysses Grant, où seul le Président et ses sept ministres venaient s'y asseoir. Depuis 1898, elle avait été utilisée pour la signature de tous les traités, notamment le moratoire sur les essais nucléaires signé par le président Kennedy et les accords de Camp David signés par le président Carter. J'allais moi-même l'utiliser à cette fin avant que l'année en cours ne s'achève.

J'ai ajouté à cette pièce un canapé Chippendale de la fin du XVIIIe siècle – le meuble le plus ancien des réserves de la Maison Blanche – et une table ancienne achetée par Mary Todd Lincoln, sur laquelle nous avons posé la coupe en argent qui commémorait la signature du traité de 1898. Une fois que mes livres et mes CD ont pris place sur les rayonnages et que j'ai accroché mes vieux cadres au mur – notamment une photo d'Abraham Lincoln datant de 1860 ainsi que le fameux portrait de Churchill par Yousuf Karsh –, l'endroit a revêtu cet aspect confortable et paisible où j'allais passer d'innombrables heures de travail dans les années à venir.

Pour ma première journée de président, j'ai emmené ma mère dans la roseraie, pour lui montrer l'endroit exact où j'avais serré la main du président Kennedy près de trente ans plus tôt. Puis, rompant ainsi avec la tradition, nous avons ouvert la Maison Blanche au public, offrant des billets d'entrée à deux mille personnes choisies par le tirage au sort de leur carte postale. Al, Tipper, Hillary et moi étions debout côte à côte, serrant la main de ceux qui entraient, munis de leur billet, tandis que d'autres attendaient sous la pluie froide, dans l'espoir de pénétrer à leur tour dans le salon de réception des diplomates. Un jeune homme dépourvu de billet, mais très déterminé, avait voyagé toute la nuit en auto-stop jusqu'à la Maison Blanche avec son sac de couchage. Au bout de six heures, nous avons dû arrêter les visites et je suis sorti sur la pelouse afin de saluer la foule qui s'était rassemblée sur la pelouse sud. Ce soir-là, Hillary et moi sommes restés debout pendant quelques heures encore, afin d'accueillir nos amis de l'Arkansas et nos anciens condisciples de Georgetown, Wellesley et Yale.

Quelques mois après mon entrée en fonctions, un livre de photographies a été publié. Les clichés magnifiques rendaient parfaitement compte de l'excitation qui entoure la première semaine du mandat présidentiel, et de la signification profonde de ce moment particulier. Ces photographies étaient accompagnées d'un texte explicatif de Rebecca Buffum Taylor. En conclusion, l'auteur écrit :

> « Il faut du temps pour changer les valeurs politiques. Même lorsque ce changement s'opère avec succès, il ne devient visible qu'après des mois ou des années, quand les jumelles de l'histoire ayant été ajustées plusieurs fois, ce que l'on distingue au loin se fond dans ce que nous voyons aujourd'hui. »

C'est une phrase lourde de sens et probablement vraie. Mais je ne pouvais attendre des années, des mois, ni même des jours pour voir si la campagne puis la semaine inaugurale avaient provoqué un changement de valeurs, allongeant et multipliant les racines tout en étendant et resserrant les liens avec le peuple d'Amérique. J'avais trop à faire et, une fois de plus, le travail m'a rapidement fait passer de la poésie à la prose ; une prose qui n'était pas toujours des plus élégantes.

CHAPITRE TRENTE ET UN

L'année suivante a été marquée par une surprenante combinaison de réalisations législatives majeures, de frustrations et de succès sur la scène internationale, d'événements inopinés, de tragédie personnelle, d'erreurs commises en toute candeur et de bourdes contraires aux usages de Washington. Conjuguées à l'irrésistible penchant aux fuites de certains collaborateurs de mon équipe, ces dernières ont nourri une couverture médiatique presque aussi désagréable que celle dont j'avais fait l'expérience pendant la primaire de New York.

Le 22 janvier, nous avons annoncé que Zoë Baird retirait sa candidature au poste de ministre de la Justice. Au cours du processus d'examen, nous avions appris qu'elle avait employé des immigrés clandestins sans les déclarer ni payer leurs charges sociales. J'avais pris aussitôt la responsabilité de cet imbroglio et déclaré publiquement que la défaillance était de mon fait et non du sien. À aucun moment, Zoë n'avait cherché à nous abuser. Lorsque les employés de maison en question étaient entrés à son service, elle venait juste d'accepter un nouvel emploi et son mari, enseignant, était en congés d'été. Chacun, semble-t-il, avait cru que l'autre s'était occupé de régler la question des charges sociales. Je la croyais et j'avais donc continué à soutenir sa nomination, trois semaines durant, après qu'elle eut offert une première fois de la retirer. Plus tard, j'allais nommer Zoë au comité consultatif pour le renseignement extérieur. Elle allait fournir une précieuse contribution au travail de l'équipe supervisée par l'amiral Crowe.

Une décision prise ce même jour à la Maison Blanche nous a valu une réaction furieuse de la presse. Selon un usage qui remontait à quelques années, les journalistes se déplaçaient librement depuis la salle de presse – située entre l'aile ouest et les appartements privés – jusqu'au bureau du secrétariat à la presse qui jouxte la salle du cabinet présidentiel au premier étage. Nous avons supprimé ce privilège. Au gré de leurs allées et venues, les correspondants pouvaient questionner quiconque se trouvait à leur portée. Au moment de la passation de pouvoirs, certains hauts responsables de l'administration Bush avaient, m'a-t-on dit, évoqué avec leurs successeurs les inconvénients de cet état de fait : il nuisait à l'efficacité du travail et facilitait les fuites. De là venait la décision d'y mettre fin. Je ne me souviens pas avoir été consulté à ce sujet, mais je n'en jurerais pas. Bien que les journalistes aient crié au scandale, nous avons maintenu la mesure, estimant qu'ils finiraient par s'en accommoder. Cette nouvelle disposition favorisait une plus grande liberté de parole et de mouvement parmi le personnel. Cet avantage contrebalançait-il l'animosité de la presse ? Je n'en suis pas certain. Dans la mesure où, au cours de ces premiers mois, la Maison Blanche fuyait plus qu'une cabane en toile goudronnée au toit crevé et aux murs fissurés, personne ne pourrait jurer que limiter les mouvements de la presse ait été bénéfique.

Ce même jour était la date anniversaire de l'arrêt de la Cour suprême *Roe c. Wade*, qui avait accordé à l'avortement une légitimité constitutionnelle. L'après-midi, j'ai levé, par décret présidentiel, l'interdiction édictée par Reagan et reconduite par Bush, concernant la recherche médicale sur les tissus fœtaux. De même, j'ai aboli la « règle de Mexico » qui prohibait toute aide fédérale aux agences de planning familial qui, travaillant à l'étranger, étaient d'une manière ou d'une autre impliquées dans des avortements, et j'ai encore annulé la « règle du bâillon » de Bush, qui interdisait toute information sur l'avortement dans les cliniques de planning familial recevant des fonds fédéraux. Je m'étais engagé à prendre ces mesures au cours de la campagne et elles reflétaient mes convictions. La recherche sur les tissus fœtaux jouait un rôle crucial dans la mise au point de meilleurs traitements contre la maladie de Parkinson, le diabète ou d'autres pathologies. La « règle de Mexico » avait probablement conduit à une augmentation du nombre d'avortements, en limitant l'accès à l'information concernant d'autres méthodes de planning familial. Quant à la « règle du bâillon », elle utilisait les fonds fédéraux pour empêcher les cliniques de planning familial d'informer les patientes enceintes – souvent de jeunes femmes seules et effrayées – d'un choix que la Cour suprême avait placé au rang des droits constitutionnels. Après ce train de nouvelles mesures, les fonds fédéraux ne pouvaient toujours pas servir au financement des avortements, aux États-Unis ou à l'étranger.

Le 25 janvier, alors que Chelsea faisait sa rentrée dans sa nouvelle école, j'ai annoncé la nomination de Hillary à la tête d'un groupe de travail dont la mission serait de présenter un plan de réforme du système de santé. Elle allait collaborer avec Ira Magaziner, représentant de la Maison Blanche, Carol Rasco, conseillère en politique intérieure, et Judy Feder, qui avait dirigé notre équipe de transition sur la question de la couverture maladie. J'étais ravi qu'Ira ait accepté de participer à cette commission. Nous étions amis depuis 1969, quand il était arrivé à Oxford, grâce à sa bourse Rhodes, un an après moi. Devenu un homme d'affaires brillant, il s'était intégré à la cellule économique de ma campagne. À ses yeux, la mise en place d'une couverture maladie universelle constituait un impératif à la fois économique et moral. Je savais qu'il apporterait à Hillary un soutien indispensable dans la tâche formidable qui nous attendait. Un projet de cette envergure représentait une responsabilité sans précédent pour une Première Dame. Tout aussi inédite était ma décision d'installer son équipe dans l'aile ouest, réservée à l'action présidentielle, par opposition aux bureaux de l'aile est, traditionnellement dévolus à la gestion des projets sociaux. Ces deux décisions ont suscité des controverses : en ce qui concerne les attributions de la Première Dame, Washington s'est montré plus conservateur que l'Arkansas. Je lui avais confié cette responsabilité parce que je savais qu'il s'agissait d'une de ses préoccupations majeures, qu'elle avait une bonne connaissance de la question et du temps pour mener la tâche à bien. De plus, j'estimais qu'elle saurait aboutir aux indispensables compromis entre intérêts concurrents : ceux du secteur de la santé, des agences gouvernementales et des associations de consommateurs. Je savais à quel point le projet était risqué. Lorsque Harry Truman avait tenté d'instaurer une couverture maladie universelle, le projet avait failli mettre fin à sa présidence. Les projets de loi respectifs de Nixon et de Carter n'avaient jamais franchi le stade de la commission. Lyndon Johnson, qui s'appuyait sur la plus forte majorité démocrate de l'histoire au Congrès, avait fait aboutir les programmes Medicare pour les personnes âgées et Medicaid pour les pauvres, mais il n'avait pas même tenté de proposer une formule d'assurance pour tous ceux qui restaient dépourvus de couverture. Je jugeais néanmoins nécessaire d'avancer vers un système de couverture universelle, tel que tous les autres pays développés en possédaient depuis fort longtemps. Mes motivations concernaient la santé aussi bien que l'économie. Quelque quarante millions d'Américains n'avaient pas d'assurance maladie et pourtant, nous dépensions 14 % de notre produit national brut en soins de santé, soit 4 % de plus que le Canada qui venait au deuxième rang.

Dans la soirée du 25, j'ai rencontré, à leur demande expresse, les chefs de l'état-major interarmées qui souhaitaient m'entretenir du problème des homosexuels dans l'armée. Plus tôt ce jour-là, le *New York Times* avait expliqué que, en raison de la vigoureuse opposition de l'institution militaire, je m'apprêtais à reporter de six mois l'adoption de nouvelles règles qui lèveraient de fait la discrimination, et que je comptais consacrer ce délai à composer avec la haute hiérarchie et à surmonter les obstacles pratiques. C'était une démarche raisonnable. Lorsque Harry Truman avait ordonné la suppression des barrières raciales au sein de l'armée, il avait accordé un délai plus long au Pentagone pour mener à bien la transition en accord avec sa mission initiale de soutien d'une force militaire ayant un esprit de corps et un moral d'acier. Pendant cette période, Les Aspin, le secrétaire à la Défense, demanderait à l'armée de ne plus questionner les recrues sur leurs orientations sexuelles et de cesser de rayer des cadres les personnels homosexuels, hommes ou femmes, qui n'avaient pas été surpris en flagrant délit, ce qui aurait été une violation du code de l'uniforme, appliqué par la justice militaire.

La première requête des plus hauts responsables militaires posait un problème auquel j'étais très attentif. J'étais très désireux de les entendre. Mais je ne souhaitais pas que cette question alimente, plus encore que ce n'était déjà le cas, le débat public. Je ne cherchais pas à dissimuler ma position, mais je ne voulais pas que l'opinion pense que j'accordais plus d'importance à cette affaire qu'à l'économie. L'opposition républicaine au Congrès s'efforçait précisément d'atteindre ce résultat. Déjà le sénateur Bob Dole parlait de soumettre au vote une résolution qui me démettrait de l'autorité de lever cette interdiction. Il se battait pour que mes premières semaines à la présidence soient assimilées à celle-ci.

Lors de notre entrevue, les chefs d'état-major des armées ont admis que, parmi le 1,8 million de militaires, des milliers d'homosexuels — hommes ou femmes — servaient avec mérite. Pourtant, ont-ils maintenu, officialiser leur situation serait, selon les mots du général Powell, « préjudiciable à l'ordre et à la discipline ». Les autres responsables présents partageaient son point de vue. Quand j'ai évoqué les cinq cents millions de dollars qu'avait coûtés, au cours des dernières décennies, la radiation de dix-sept mille homosexuels, en dépit d'un rapport du gouvernement selon lequel il n'existait aucune raison de conclure à leur inaptitude, mes interlocuteurs ont répondu que le prix ainsi payé avait servi à maintenir le moral et la cohésion des armées.

Le chef des opérations navales, l'amiral Frank Kelso, a souligné que la marine faisait face aux problèmes pratiques les plus évidents, du fait de l'isolement et du confinement à bord des unités. Le général Gordon Sullivan, commandant en chef de l'armée de Terre, le général Merrill McPeak, commandant en chef de l'aviation m'ont fait part, à leur tour, de leur opposition. Le plus déterminé d'entre eux était toutefois le général Carl McMundy, commandant en chef du corps des Marines. Ses inquiétudes allaient bien au-delà des questions d'apparence ou des détails pratiques. Convaincu du caractère immoral de l'homosexualité, il estimait qu'en autorisant les homosexuels déclarés à s'engager, l'armée encouragerait les déviances et, de ce fait, n'attirerait plus les meilleurs éléments de la jeunesse américaine. Je ne partageais pas son point de vue et pourtant McMundy m'était sympathique. De fait, j'appréciais et je respectais chacun d'entre eux. Ils m'avaient exposé leur opinion sans détour, ils m'avaient aussi assuré que, si je leur donnais l'ordre d'appliquer un nouveau règlement, ils s'exécuteraient de leur mieux, mais ils ne m'ont pas caché que, s'ils étaient appelés à témoigner devant le Congrès, ils développeraient leur point de vue en toute franchise.

Quelques jours plus tard, j'ai eu une longue réunion sur la question, avec plusieurs membres de la commission sénatoriale des forces armées, dont les sénateurs Sam Nunn, James Exon, Carl Levin, Robert Byrd, Edward Kennedy, Bob Graham, Jeff Bingaman, John Glenn, Richard Shelby, Joe Lieberman et Chuck Robb. Sam Nunn, bien qu'opposé à mes vues, était d'accord pour un report de six mois. Plusieurs de mes collaborateurs en voulaient à Sam Nunn d'avoir déclaré son opposition publiquement et avec véhémence. Ce n'était pas mon cas. Après tout, il était fondamentalement conservateur. Qui plus est, dans sa position de président de la commission, il respectait la mentalité militaire et jugeait de son devoir de la protéger. Pour remplir cette mission, il n'était pas seul. Charlie Moskos, le sociologue de la Northwestern University, qui avait travaillé avec Sam Nunn et moi-même dans l'instance des Nouveaux Démocrates, le Democratic Leadership Council, sur le projet de service civil national et qui affirmait qu'il avait connu un officier homosexuel pendant la guerre de Corée était lui aussi opposé à la levée de l'interdiction, au motif que celle-ci préservait l'« exigence d'intimité » à laquelle les militaires vivant en collectivité étaient en droit d'aspirer. Moskos estimait que nous devions nous conformer aux vœux de la grande majorité des militaires, parce que nous avions d'abord besoin que l'armée remplisse deux exigences fondamentales : la capacité et la volonté de se battre. Cet argument, tout comme celui de Sam Nunn, ne me satisfaisait pas entièrement. Il aurait pu être opposé avec autant de validité aux ordres de Truman visant la mixité raciale ou aux efforts entrepris plus tard pour faciliter le recrutement des femmes.

La position plus intransigeante du sénateur Byrd faisait écho aux arguments développés par le général McMundy. Il considérait l'homosexualité comme un péché et affirmait qu'il ne tolérerait jamais que son petit-fils – qu'il adorait – intègre l'armée si les homosexuels y étaient admis. Il soutenait même que la chute de l'Empire romain s'expliquait, en bonne part, par une bienveillance généralisée à l'égard des comportements homosexuels, penchant auquel les légions auraient cédé dès l'époque de Jules César. À l'inverse des deux premiers intervenants, Chuck Robb, quoique d'opinion conservatrice sur d'autres sujets et par ailleurs ancien combattant du Viêt-nam, soutenait ma position. Dans le feu du combat, il avait connu des soldats à la fois homosexuels et courageux. Parmi les anciens combattants qui siégeaient au Congrès, il n'était pas le seul de cet avis.

La fracture culturelle recoupait imparfaitement les différences partisanes et générationnelles. Plusieurs jeunes Démocrates s'opposaient à la levée de l'interdiction alors que certains Républicains âgés étaient favorables à son abolition, tels Lawrence Korb ou Barry Goldwater. Le premier, qui avait veillé au respect du règlement dans ses fonctions de vice-secrétaire à la Défense, sous la présidence de Reagan, a expliqué que la discrimination sexuelle ne contribuait en rien à la qualité ou à la force de nos armées. Le second, ancien président de la commission des forces armées, fondateur et ancien membre de la garde nationale de l'Arizona, était un conservateur à l'ancienne cultivant un fort penchant libertaire. Dans une contribution publiée par le *Washington Post*, il écrivait qu'ouvrir les rangs de l'armée aux homosexuels ne favoriserait pas la licence morale mais, au contraire, réaffirmerait les valeurs de l'Amérique en étendant les chances offertes aux citoyens responsables et en restreignant le droit de regard du gouvernement sur la vie privée des individus.

Tout compte fait, ces diverses prises de position – jusqu'au soutien de Goldwater – alimentèrent un débat purement académique. La Chambre vota une résolution qui s'opposait à mon initiative par une majorité des deux tiers. Si l'opposition du Sénat ne fut pas aussi forte, elle fut néanmoins substancielle. En d'autres termes, si je revenais à la charge, le Congrès repousserait ma position par le biais d'un amendement au projet de budget de la Défense, auquel il me serait difficile d'opposer mon veto, lequel serait, dans tous les cas, rejeté par les deux assemblées.

Alors que le débat parlementaire se poursuivait, je lus un sondage : 45 % de l'opinion soutenait mes vues, 48 % la rejetait. Les chiffres n'avaient rien de désastreux sur une question aussi controversée, néanmoins, ils ne m'étaient pas favorables et expliquaient pourquoi le Congrès freinait des quatre fers. Seuls 16 % des électeurs approuvaient fermement la levée de la discrimination, 33 % la désapprouvaient très fermement. Il s'agissait là d'électeurs susceptibles d'accorder ou de retirer leur voix à un parlementaire selon son vote au Congrès. Il est difficile à un élu qui se présente dans une circonscription susceptible de basculer de se mettre potentiellement à dos 17 % de l'électorat. Le sondage montrait bien comment se polarisait l'opinion : la plus forte opposition s'exprimait parmi les chrétiens fondamentalistes, avec 77 % d'opinions défavorables et 22 % d'opinions favorables, le plus fort soutien se manifestait parmi les sondés qui déclaraient connaître personnellement des homosexuels, avec 66 % d'opinions favorables et 33 % d'opinions défavorables.

Un échec au Congrès étant inévitable, j'ai confié à Les Aspin la mission de négocier un compromis avec Colin Powell et les chefs de l'état-major interarmées. Le 19 juillet, soit six mois plus tard, à quelques jours près, j'en annonçais la teneur devant un parterre d'officiers, à l'Université nationale de la Défense, située à Fort McNair. Une formule résumait le compromis : « Ne demandez rien, n'indiquez rien. » Elle signifiait ceci : quiconque affirme son homosexualité se met en situation de violer le code de l'uniforme de la justice militaire ; en revanche, quiconque garde cette information pour lui-même peut – sans encourir de sanctions – participer à une manifestation homosexuelle en civil, fréquenter des bars homos ou s'afficher en compagnie de gays déclarés, figurer sur une liste de diffusion homosexuelle, partager sa vie avec une personne du même sexe, y compris en la nommant bénéficiaire de sa prime d'assurance vie. En théorie, l'armée acceptait de franchir un grand pas : elle laissait chacun vivre sa vie tout en s'accrochant à l'idée que reconnaître officiellement la présence d'homosexuels dans ses rangs reviendrait à encourager l'homosexualité et à compromettre la cohésion et le moral des troupes. Dans les faits, tout ne s'est pas toujours passé aussi bien. De nombreux officiers homophobes ont tout bonnement ignoré la nouvelle règle et ont multiplié les prétextes pour obtenir la radiation de personnels homosexuels. Leurs initiatives ont coûté des millions de dollars à l'armée, fonds qui auraient été mieux employés à améliorer la sécurité des États-Unis.

À court terme, je perdais sur les deux tableaux : mon projet était rejeté et la communauté homosexuelle se livrait à une critique féroce du compromis auquel nous avions abouti. Je regrettais qu'elle ne prenne en compte ni le rapport de forces défavorable au Congrès, ni la suppression, de fait, d'une discrimination frappant les homosexuels et la possibilité qui leur était désormais offerte d'occuper des positions importantes dans la défense du pays, ni enfin, la présence d'un nombre significatif d'homosexuels hommes et femmes au sein de mon administration. Le sénateur Bob Dole sortait grand vainqueur de l'opération. En focalisant, très tôt, l'attention sur cette cause, il avait réussi à donner l'impression que je n'avais guère d'autres préoccupations. De nombreux Américains qui m'avaient élu pour redresser la situation économique commençaient à s'interroger sur mes priorités, voire sur la pertinence de leur choix.

Je me suis heurté à un nouveau défi en cherchant à honorer une autre promesse de campagne : réduire les effectifs de la Maison Blanche de 25 %. Le problème confinait au cauchemar pour Mack McLarty, d'autant que nous avions un objectif autrement ambitieux que la précédente administration et que nous recevions un courrier deux fois plus conséquent. Le 9 février, soit une semaine avant la date prévue pour la présentation de mon programme économique, je suis passé à l'exécution de ma promesse : trois cent cinquante emplois allaient être supprimés sur un total de mille quarante-quatre. Tous les services étaient touchés : même Hillary aurait moins de personnel que Barbara Bush, malgré les responsabilités que je lui confiais. La suppression que je regrettais le plus était celle de vingt emplois au service de la correspondance. J'aurais préféré supprimer les postes par départs à la retraite, mais Mack McLarty m'a convaincu que ce moyen n'aurait pas suffi à atteindre l'objectif. En outre, la modernisation des équipements de la Maison Blanche s'imposait. Le courrier électronique y était encore inconnu et les installations téléphoniques dataient de la présidence de Jimmy Carter. Il n'existait aucun système de téléconférence, mais, en revanche, n'importe qui pouvait écouter une conversation téléphonique en cours – y compris les miennes – en appuyant sur un des gros boutons lumineux d'extension de son combiné. Très vite, nous avons changé cette situation.

Nous avons aussi renforcé un autre service de la Maison Blanche : le service des requêtes individuelles qui avait pour mission d'assister les gens qui rencontraient des problèmes avec les services fédéraux, souvent à l'occasion d'une demande de pension d'invalidité ou d'ancien combattant, ou pour d'autres types d'allocations. En général, les doléances dans ces domaines étaient adressées aux parlementaires mais, après ma campagne très personnalisée, de nombreux Américains voyaient en moi un interlocuteur naturel dans de telles situations. Je garde un vif souvenir d'une de ces requêtes. Le 20 février, Peter Jennings, le présentateur des informations sur ABC, animait une émission destinée aux enfants – *Children's Town Meeting* – dans l'enceinte de la Maison Blanche. Des jeunes gens de 8 à 15 ans m'ont demandé si j'aidais Chelsea à faire ses devoirs à la maison, pourquoi aucune femme n'avait jamais été élue à la présidence, comment je comptais aider la ville de Los Angeles suite aux émeutes, comment la couverture maladie allait être financée ou encore si j'avais le pouvoir de freiner la violence dans les écoles. Beaucoup, parmi eux, s'intéressaient aussi à l'environnement.

Une enfant m'a demandé mon aide. Anastasia Somoza était une très jolie jeune fille de New York condamnée à se déplacer sur un fauteuil roulant, en raison de son infirmité motrice cérébrale. Elle a expliqué qu'elle avait une sœur jumelle, Alba, victime du même handicap, mais à un degré plus grave : elle ne pouvait pas parler. « Pour cette raison, on l'a mise dans une école spécialisée. Elle arrive pourtant à communiquer avec un ordinateur. Alors je voudrais bien qu'elle soit dans une école comme tous les autres enfants. Et avec moi. » Anastasia a dit qu'elle était persuadée, et ses parents aussi, qu'Alba pourrait suivre un cursus scolaire normal, si on lui en donnait la possibilité. La législation fédérale prévoyait que les enfants handicapés soient scolarisés dans l'environnement « le moins contraignant possible », mais elle en laissait aux chefs d'établissement l'appréciation finale. Il a fallu un an pour parvenir à réintégrer Alba dans une classe normale.

Hillary et moi-même sommes restés en contact avec la famille Somoza et en 2002, j'ai prononcé un discours dans son lycée lors de la remise des diplômes de fin de scolarité. Les jumelles sont entrées à l'université, parce que les parents étaient bien décidés à leur donner toutes leurs chances et n'hésitaient pas à demander un coup de main à quiconque pouvait être utile, moi compris. Chaque mois, la personne qui s'occupait de me transmettre les requêtes me faisait parvenir le dossier des opérations en cours, en y adjoignant parfois quelques lettres de remerciements émouvantes.

Outre les réductions de postes, j'ai pris un décret prévoyant de restreindre les dépenses de fonctionnement de 3 % à tous les niveaux de l'administration fédérale, de réduire les salaires des plus hauts responsables et de supprimer certains avantages dont bénéficiaient ces derniers, tels que les services de limousine ou l'accès aux salles de restauration privées du Congrès. Une de mes initiatives a eu un effet extraordinaire sur le moral du personnel : j'ai facilité l'accès d'un plus grand nombre de jeunes cadres à la cantine de la Maison Blanche, considérée jusqu'alors comme le domaine privé des responsables de très haut niveau.

Nombre de ces jeunes gens passaient de très longues heures à leur bureau, certains étaient même présents le week-end et je trouvais absurde qu'ils aient à quitter la Maison Blanche pour se nourrir, voire qu'ils apportent leur déjeuner avec eux le matin. L'accès au restaurant était aussi une reconnaissance de leur rôle dans la bonne marche du gouvernement. La cantine était une pièce dont les murs étaient recouverts de panneaux de bois et la nourriture était préparée par le personnel de la marine. J'y commandais mon déjeuner presque tous les jours et j'aimais rendre visite aux jeunes gens qui travaillaient en cuisine. Une fois par semaine, ils servaient des plats mexicains que j'appréciais tout particulièrement. Après mon départ de la présidence, l'ancien usage a été rétabli. La règle que nous avions adoptée était, me semble-t-il, favorable à l'ambiance de travail et à l'efficacité.

Vu l'ampleur de la tâche qui nous attendait, vu aussi les réductions de postes, nous devions pouvoir compter non seulement sur ces jeunes collaborateurs, mais aussi sur le millier de bénévoles qui nous prêtaient main-forte, presque à temps plein pour certains d'entre eux. Ils ouvraient le courrier, envoyaient si nécessaire des formulaires à remplir, répondaient à des demandes d'information et remplissaient quantité d'autres tâches, à défaut desquelles la Maison Blanche aurait été en relation beaucoup moins étroite avec les citoyens américains. Hormis la satisfaction de servir, les bénévoles avaient droit, pour seule rétribution, à une réception organisée chaque année par Hillary et moi-même à leur intention, sur la pelouse sud de la Maison Blanche. Leur action était pourtant indispensable au fonctionnement de la présidence.

Au-delà des coupes budgétaires ponctuelles auxquelles je m'étais résolu, j'étais convaincu qu'une refonte générale nous permettrait de restreindre les coûts des services fédéraux et d'en améliorer l'efficacité. En Arkansas, j'avais lancé un tel plan, dénommé Gestion de la qualité totale, qui avait donné des résultats positifs. Le 3 mars, j'ai confié à Al Gore une enquête de six mois sur l'ensemble des activités fédérales. Al a pris la tâche à bras-le-corps, impliquant des intervenants extérieurs et organisant force consultations avec les fonctionnaires. Au cours des huit années suivantes, il n'abandonnerait jamais cette préoccupation. Ses efforts allaient contribuer à l'élimination de seize mille pages de règlements divers, à la suppression de trois cent mille postes et à cent trente-six millions de dollars d'économie d'impôts. Notre administration fédérale allait être la plus réduite depuis 1960.

Si je m'impliquais dans notre fonctionnement et dans les controverses soulevées par la presse, je consacrais l'essentiel de mon temps, en janvier et en février, à parfaire notre programme économique. Le 24 janvier – un dimanche –, Lloyd Bentsen était l'invité de l'émission de télévision *Meet the Press*. Il avait pour consigne de s'en tenir aux grandes lignes de notre plan, même en réponse à des questions précises. Il s'est toutefois aventuré un peu plus loin que la limite fixée et a annoncé que nous concoctions une taxe sur la consommation et que nous discutions de la nécessité d'une taxe générale sur l'énergie. Le lendemain, les taux d'intérêt des obligations d'État à trente ans chutaient de 7,29 à 7,19 %. atteignant ainsi leur seuil le plus bas depuis six ans.

La mise au point détaillée du budget soulevait encore de fortes difficultés. Des discussions serrées accueillaient chaque proposition de coupe dans les dépenses et chaque esquisse de création de taxes. Je me souviens par exemple d'une rencontre avec les responsables du Sénat et de la Chambre des représentants pour les questions budgétaires : Leon Panetta a suggéré que nous reportions – une seule fois et de trois mois – l'augmentation des retraites du système général, indexée sur le coût de la vie. La plupart des experts jugeaient le niveau de cette pension trop élevé, en raison du faible taux d'inflation, et le report de trois mois nous assurerait une économie de quinze milliards de dollars sur cinq ans. Le sénateur Mitchell a objecté : le report de l'augmentation serait injuste, lui-même ne soutiendrait pas cette initiative et de nombreux parlementaires le suivaient. Il nous restait à trouver ces quinze milliards de dollars ailleurs.

Pendant le week-end des 30 et 31 janvier, j'ai invité les membres du cabinet et plusieurs hauts fonctionnaires de la Maison Blanche à Camp David, la résidence de campagne présidentielle des monts Catoctin, dans le Maryland. Camp David est un ravissant site boisé, sur lequel ont été construites de confortables cabanes et où l'on trouve tout ce qu'il faut pour se détendre. Le personnel est composé d'hommes et de femmes de la marine. C'était l'endroit idéal pour apprendre à nous connaître et tracer quelques perspectives pour l'année qui commençait. Stan Greenberg, Paul Begala et Mandy Grunwald nous ont rejoints. Pendant la période de notre installation à la Maison Blanche, tous trois s'étaient sentis exclus. En outre, ils estimaient que l'obsession pour les déficits publics avait pris le pas sur les autres objectifs avancés au cours de la campagne. Selon eux, nous courions à la catastrophe, Al et moi, si nous persistions à négliger les préoccupations plus profondes de ceux qui nous avaient élus. Je comprenais leur point de vue. D'autant qu'ils n'avaient pas participé aux longs débats qui avaient amené la plupart d'entre nous à conclure à la nécessité impérative d'affronter le problème de la dette. Si nous n'en passions pas par là, nous ne parviendrions pas à enclencher une période de croissance forte et continue, mes promesses de campagne – les plus coûteuses au moins – seraient alors vouées à s'étioler dans les marais de la stagnation économique.

J'ai laissé Mandy et Stan lancer le débat. Mandy s'est étendue sur les soucis de la classe moyenne, aiguisés par les incertitudes concernant l'emploi, les retraites, la couverture maladie et le système éducatif. Stan a énuméré les priorités des électeurs, soit, dans l'ordre : l'emploi, la réforme de la couverture maladie, la réforme de l'aide sociale, enfin, la lutte contre le déficit. Et si mon action dans ce domaine passait par une augmentation des impôts de la classe moyenne, je ferais bien de songer à lui offrir une contrepartie. Hillary est alors intervenue pour rappeler les raisons de notre échec en Arkansas, lors de mon premier mandat. Je m'étais dispersé en lançant trop de chantiers, sans orientation fédératrice et sans mobiliser mes électeurs pour un effort prolongé. Puis, elle a décrit nos succès après ma réélection : au cours de chaque mandat de deux ans, nous nous étions concentrés sur une ou deux questions et nous avions couplé objectifs à long terme et pas en avant plus modestes, sur les résultats desquels les électeurs pouvaient juger de notre bilan. Cette démarche, a-t-elle poursuivi, m'avait permis de tenir devant les électeurs un discours sur mes orientations générales qu'ils comprenaient et soutenaient. Un autre intervenant a aussitôt remarqué que nous ne serions pas en mesure de développer un tel discours aussi longtemps que nous continuerions à patauger dans les fuites, lesquelles concernaient toutes les propositions les plus controversées. À l'issue du week-end, les consultants ont planché sur notre stratégie de communication, de façon à en finir avec les fuites quotidiennes et les controverses.

Les conversations personnelles ont occupé la suite de notre week-end. Le samedi soir, un ami d'Al Gore, invité pour la circonstance, a organisé une séance destinée à renforcer les liens au sein du groupe. Assis en cercle, nous devions, chacun à notre tour, confier un détail de notre vie que les autres ignoraient. Bien que l'exercice ait été diversement apprécié, j'y ai personnellement pris plaisir. J'ai confessé que, lorsque j'étais enfant, j'avais souffert des moqueries qu'on m'adressait parce que j'étais trop gros. Lloyd Bentsen a jugé tout ce théâtre ridicule et a regagné son pavillon : si nous ignorions certains détails de sa vie, il en était fort aise. Bob Rubin est resté pour dire qu'il n'avait rien à dire – la confession publique ne semble pas avoir été la clé de ses succès antérieurs chez Goldman Sachs. Warren Christopher s'est prêté au jeu : l'homme le plus discipliné du monde a sans doute vu dans cette version du supplice chinois de la goutte d'eau pour baby-boomers un moyen de raffermir encore son caractère d'acier. Dans l'ensemble, le week-end a été utile, mais les véritables liens allaient se former dans le feu de l'action, au gré des victoires et des défaites qui nous attendaient.

Le dimanche soir, de retour à la Maison Blanche, nous avons accueilli le dîner de l'Association nationale des gouverneurs. C'était la première réception officielle à laquelle Hillary assistait au titre de Première Dame et, malgré ses appréhensions, la soirée s'est déroulée au mieux. Les gouverneurs se souciaient de la mauvaise situation économique et de la contraction des revenus des États qui les contraignaient à supprimer certains services ou à augmenter les impôts. Ils comprenaient la nécessité de réduire le déficit, mais ne voulaient pas faire les frais de l'opération, à l'occasion d'un transfert des responsabilités fédérales vers les États, qu'ils n'avaient pas les moyens de financer.

Le 5 février, j'ai, pour la première fois, promulgué une loi, et tenu ainsi une autre promesse de ma campagne. Avec la loi sur le congé familial et médical, les États-Unis rejoignaient un groupe de plus de cent cinquante pays qui offrent aux salariés une période de congés à l'occasion de la naissance d'un enfant ou de la maladie d'un membre de la famille. Le principal promoteur de la proposition de loi, Chris Dodd, ami de longue date et sénateur du Connecticut, travaillait depuis deux ans à la faire passer. À deux reprises, le président Bush y avait opposé son veto, au prétexte que la charge serait trop lourde pour les entreprises. À quelques exceptions près, les Républicains avaient voté contre la proposition, en arguant des mêmes raisons. Le congé familial me semblait bénéfique pour l'économie. L'immense majorité des parents ayant une activité professionnelle, les dispositions sociales doivent leur permettre d'organiser leur vie dans des conditions optimales, sur leur lieu de travail comme à la maison. Les personnes préoccupées par la prise en charge de leur bébé ou la maladie d'un parent âgé sont moins productives que celles qui se rendent au travail en sachant qu'elles ont réglé leurs problèmes familiaux. Au cours de mes deux mandats présidentiels, plus de trente-cinq millions d'Américains bénéficieront de la loi sur le congé familial et médical.

Pendant les huit années suivantes, et encore après mon départ de la Maison Blanche, aucune autre loi n'a été évoquée aussi souvent par les gens avec lesquels je me suis entretenu. Beaucoup d'entre eux m'ont fait part de leur histoire personnelle. Un dimanche matin, de retour de mon jogging, je suis tombé sur une famille qui visitait la Maison Blanche. Une adolescente en fauteuil roulant et, selon toute apparence, très malade, se trouvait parmi le petit groupe. Je les ai salués et je leur ai proposé, s'ils voulaient bien attendre que je prenne ma douche et que je m'habille pour la messe, de les conduire jusqu'au Bureau ovale pour une photo. Ils ont acquiescé et nous avons passé un moment ensemble. Je me souviens en particulier de ma conversation avec cette jeune fille très courageuse. Comme je les quittais, le père a posé sa main sur mon bras pour échanger quelques mots en aparté : « Tous les médecins disent que les jours de ma fille sont comptés. Je viens de passer les trois dernières semaines avec elle. Croyez-moi, ce sont les trois semaines les plus importantes de ma vie. Je n'aurais jamais eu cette possibilité sans le congé familial. »

Au début de l'année 2001, alors que je prenais – pour la première fois en tant que passager privé – la navette aérienne qui va de New York à Washington, une hôtesse m'a raconté comment ses deux parents étaient tombés gravement malades au même moment : l'un souffrait d'un cancer, l'autre de la maladie d'Alzheimer, et elle n'avait personne pour prendre soin d'eux. Grâce à la loi sur le congé familial, elle et sa sœur avaient pu s'organiser pour veiller sur les derniers jours de leurs parents. « Quand je pense que les Républicains nous rebattent les oreilles avec les valeurs familiales, m'a-t-elle dit. Eh bien, vous ne croyez pas qu'être au chevet de ses parents à l'agonie a quelque chose à voir avec les valeurs familiales ? »

Le 11 février, alors que nous en étions à finaliser le programme économique, la ministre de la Justice a enfin été nommée. Après plusieurs faux départs, mon choix s'était porté sur Janet Reno, l'avocate générale du comté de Dade, en Floride. Je la connaissais de réputation depuis des années et je l'admirais pour son travail, en particulier pour l'initiative novatrice que représentait le

« tribunal de la drogue ». La formule permettait aux accusés en première comparution d'éviter la prison, à la condition qu'ils acceptent de suivre un traitement et d'être placés sous contrôle judiciaire. Hugh Rodham, mon beau-frère, avait travaillé au tribunal de la drogue de Miami, comme avocat à l'aide juridictionnelle. À son invitation, j'avais assisté à deux séances du tribunal, dans les années 1980. Procureur, avocat de la défense et juge s'efforçaient de convaincre les accusés de saisir leur dernière chance d'échapper à la prison. J'avais été frappé par cette collaboration inhabituelle, mais efficace, entre les différents acteurs. Le programme donnait de bons résultats, affichant un taux de récidive plus faible que la prison et à un coût bien moindre pour les contribuables. Pendant la campagne, je m'étais engagé à créer dans l'ensemble du pays et sur fonds fédéraux des tribunaux de la drogue répliquant le modèle de Miami.

Le sénateur Bob Graham a approuvé mon choix avec beaucoup de chaleur quand je l'ai appelé. Tout comme mon amie Diane Blair, qui avait été étudiante à Cornell avec Janet Reno, trente ans plus tôt. Ou comme Vince Foster, encore, au jugement personnel duquel je me fiais en toutes circonstances. À l'issue de leur entrevue, il m'avait appelé pour un commentaire très positif, coloré par son humour : « On a trouvé une bonne cliente. » Janet Reno, les deux pieds sur terre, administrait la Justice avec fermeté et compréhension. Cette réputation lui valait une très grande popularité dans sa circonscription. Originaire de Floride, cette femme de grande taille – elle mesure 1 m 80 – ne s'était jamais mariée. Le service public était sa vie et elle la menait brillamment. J'estimais qu'elle saurait améliorer les relations, souvent tendues, entre la justice fédérale et les instances équivalentes à l'échelle locale ou à celle des États. Ma seule réserve tenait à son absence de familiarité avec Washington, quoique son expérience à Miami l'ait mise en relations suivies avec les autorités fédérales sur des affaires d'immigration ou de stupéfiants. J'étais convaincu qu'elle en saurait vite assez pour remplir ses fonctions.

Nous avons passé le week-end à ficeler le programme économique. Paul Begala était venu travailler à la Maison Blanche, deux semaines auparavant. Pour l'essentiel, il devait m'aider à formuler les objectifs de mon plan d'une façon conforme au message de ma campagne. J'avais promis d'offrir de nouvelles chances à la classe moyenne. Or Paul était convaincu que mon équipe économique ne se souciait pas assez de cette perspective. Selon lui, notre démarche devait intégrer trois principes : la réduction des déficits n'était pas une fin en soi, mais un moyen pour atteindre les objectifs décisifs – relance de la croissance et de l'emploi, augmentation des revenus ; notre plan représentait un changement majeur dans l'action gouvernementale, une rupture avec l'irresponsabilité et l'iniquité qui prévalaient naguère ; on demandait enfin aux grandes entreprises prospères et aux intérêts particuliers, principaux bénéficiaires des réductions d'impôts et des déficits des années 1980, de contribuer aux réparations, après le gâchis ; nous n'exigions pas des « sacrifices », nous demandions aux Américains de « contribuer » au renouveau du pays, formulation plus patriotique et plus positive. Paul Begala a rédigé une note reprenant toute son argumentation et proposant le thème général : « Ce n'est pas le déficit, imbécile ! » Gene Sperling, Bob Reich et George Stephanopoulos partageaient son point de vue. La contribution de Paul Begala leur paraissait une aubaine, au moment où nous allions discuter le message.

En coulisses, toutefois, plusieurs questions essentielles n'étaient toujours pas réglées. En premier lieu, fallait-il inclure la réforme de la couverture maladie dans le projet de budget soumis au Congrès ? Un argument fort justifiait cette option : tout d'abord, le budget, à la différence de tout autre texte législatif, ne peut pas faire l'objet d'obstructions systématiques, pratique reconnue qui permet à une minorité de quarante et un sénateurs de repousser un projet de loi, en prolongeant les débats, sans limite de durée, et en reportant le vote jusqu'à ce que le calendrier parlementaire impose un autre sujet. Selon toute probabilité, la minorité républicaine de quarante-quatre sénateurs tenterait cette manœuvre dans l'hypothèse d'un débat sur la question.

Hillary et Ira Magaziner défendaient ce point de vue avec acharnement et les présidents de groupes, au Congrès, n'y étaient pas opposés. Et Dick Gephardt avait même pressé Hillary d'adopter cette solution, seul moyen, selon lui, d'éviter l'obstruction systématique des sénateurs républicains qui lui semblait inévitable. George Mitchell avait une autre raison de soutenir cette démarche : présentée sous forme d'un projet de loi autonome, la réforme de l'assurance maladie serait soumise à la commission des finances du Sénat, dont le président – Pat Moynihan, de New York – doutait, c'est le moins qu'on puisse dire, que nous puissions présenter un plan de réforme sérieux de la couverture maladie dans des délais aussi courts. Il suggérait que nous commencions par une réforme de l'aide sociale avant de nous investir dans la réforme du système de santé, une entreprise qui exigeait, selon lui, deux années de préparation.

L'équipe économique, quant à elle, s'opposait vigoureusement à l'inclusion de la couverture maladie dans le budget, pour de bonnes raisons. Ira Magaziner, suivi en cela par la plupart des économistes de la santé, pensait – et les faits allaient lui donner raison – qu'une concurrence plus aiguë sur le marché des soins de santé, que notre projet favoriserait, aurait conduit à des économies sans qu'il soit besoin d'instaurer un contrôle des prix. Mais l'office budgétaire du Congrès n'aurait jamais accepté l'introduction de ces économies sous forme d'une ligne de crédit dans le budget. Ainsi, afin de fournir une couverture universelle, nous aurions aussi été contraints d'inclure dans le plan une provision pour le contrôle des prix, de l'équilibrer soit par une augmentation des impôts, soit par une réduction encore plus importante des dépenses sur d'autres postes, deux solutions peu compatibles avec la baisse des taux d'intérêt qui était au cœur de notre stratégie.

Je me suis résolu à repousser les choix au-delà de la présentation, à l'opinion et au Congrès, des détails de notre plan économique. Mais l'affaire allait très vite être tranchée sans mon intervention. Le 11 mars, le sénateur Robert Byrd, doyen démocrate du Sénat et référence ultime sur les règles de fonctionnement parlementaire, nous a avertis que la question de la couverture maladie ne ferait pas exception à la « règle de Byrd », laquelle interdisait l'introduction d'un poste non générique dans la loi d'orientation budgétaire. Nous avons alors mobilisé tous les contacts possibles pour tenter une conciliation, mais Byrd s'est montré inflexible : la réforme du système de santé ne pouvait à aucun prix être intégrée dans le débat budgétaire. Dès lors, la probabilité pour que les Républicains fassent de l'obstruction systématique à notre projet était à peu près inévitable.

Pendant la deuxième semaine de février, alors que l'élaboration de la réforme du système de santé redevenait un projet à long terme, nous nous sommes attachés à finaliser les autres points du programme économique. Je me suis immergé dans les arcanes du budget, avec pour objectif de comprendre l'impact humain de nos décisions. Dans leur majorité, les membres de l'équipe souhaitaient opérer des coupes dans les subventions aux agriculteurs et aux zones rurales parce qu'ils jugeaient celles-ci injustifiées. Alice Rivlin m'a même suggéré de déclarer que je mettais fin à l'aide aux agriculteurs « telle que nous la connaissons », allusion à l'une de mes formules de campagne les plus percutantes, la promesse de « mettre fin à l'aide sociale, telle que nous la connaissons ». J'ai rappelé à mes spécialistes du budget, tous ou presque citadins, que nous n'avions rien contre les agriculteurs, gens honorables qui avaient choisi une activité difficile, soumise à toutes sortes d'incertitudes et, si je ne voyais pas de raison de leur épargner les restrictions budgétaires, je n'étais pas partisan, comme je le dis alors, « de nous en réjouir ». Dans la mesure où nous ne pouvions ni engager une restructuration de l'ensemble des aides à l'agriculture, ni réviser toutes les subventions prévues au budget de la nation, ni supprimer les barrières qui limitaient, à l'étranger, nos exportations agricoles, nous avons bel et bien restreint les subventions agricoles, mais dans des proportions modestes. Et je ne voyais pas là motif à réjouissances.

S'il était indispensable que nous envisagions des coupes budgétaires, encore fallait-il qu'elles aient une chance d'être acceptées. Quelqu'un a ainsi souligné que la suppression des « projets routiers de vitrine » serait une source d'économies substantielles L'expression désigne les postes budgétaires spécifiques, introduits par les membres du Congrès pour servir les intérêts particuliers de leur circonscription ou de leur État. Lorsque cette suggestion a été émise, Howard Paster, mon nouveau responsable des relations avec le Congrès, a marqué sa désapprobation d'un simple hochement de tête. Il avait fait carrière au sein de divers cabinets de lobbying, liés à l'un ou l'autre parti et intervenant dans les deux assemblées. New-Yorkais et habitué à parler sans détour, il a aussitôt lancé d'un ton mordant : « Le marché des obligations ? Combien de voix au Congrès ? » Bien sûr, nous devions convaincre le marché des obligations de la validité de notre plan de lutte contre le déficit, mais, nous rappelait Howard, encore fallait-il que celui-ci soit avalisé par les membres du Congrès. Infliger des vexations aux parlementaires ne servirait pas notre stratégie.

Quelques-unes des propositions évoquées étaient absurdes au point d'en devenir comiques. Lorsque quelqu'un a suggéré de tarifer les déplacements des gardes-côtes, j'ai demandé des éclaircissements sur la méthode à mettre en œuvre. La raison de cette proposition venait de ce que les gardes-côtes répondaient souvent à des appels de détresse de plaisanciers que leur propre imprévoyance avait mis en danger. J'ai demandé en plaisantant : « Donc, au moment de remorquer une épave ou de lancer une bouée depuis un hélicoptère, nos gardes-côtes devront d'abord demander : "Visa ou Mastercard ?" » Nous avons préféré renoncer à cette innovation, mais pas à un train de plus de cent cinquante mesures d'austérité.

L'arbitrage sur les taxes à augmenter n'a pas été plus facile que celui sur les restrictions budgétaires. La question la plus épineuse pour moi était celle de la taxe BTU sur la consommation énergétique. J'avais déjà été contraint de revenir sur mon engagement de réduction des impôts pour la classe moyenne, et voilà qu'on m'expliquait que je devais les augmenter, à la fois pour atteindre notre objectif de cent quarante milliards de dollars de réduction du déficit à l'horizon de cinq ans et pour obtenir un effet psychologique favorable sur le marché des obligations. La classe moyenne avait été sérieusement ponctionnée dans les années 1980 et, en donnant son feu vert à l'augmentation de la taxe sur les carburants, Bush s'était créé un handicap. Si j'avançais mon projet de taxe sur la consommation d'énergie, j'offrais au Parti républicain une nouvelle virginité, et ce, à la seule fin de satisfaire les appétits des prospères opérateurs boursiers au prix d'une souffrance – légère, il est vrai – infligée à la classe moyenne, soit neuf dollars par mois en coûts directs et dix-sept dollars en coûts indirects, en tenant compte du renchérissement des biens de consommation. Lloyd Bentsen nous a expliqué que voter pour des taxes sur l'énergie ne lui avait jamais causé le moindre souci. Selon lui, Bush s'était tiré une balle dans le pied en signant l'augmentation de la taxe sur les carburants, avant tout parce qu'il avait lancé auparavant sa célèbre promesse « Lisez sur mes lèvres ! » et, en outre, parce que les adversaires les plus acharnés des impôts étaient des Républicains convaincus. Al Gore a poursuivi la charge, défendant l'idée que la taxe servirait à promouvoir la maîtrise et l'indépendance énergétiques du pays.

Je me suis rangé à leurs arguments, en opérant toutefois quelques modifications complémentaires dans les propositions d'imposition présentées par le Trésor, afin de limiter, autant que possible, la pression fiscale sur la classe moyenne. J'ai aussi insisté pour que soient inclus dans le budget les 26,8 milliards de dollars de ma campagne afin de plus que doubler les réductions d'impôts sur le revenu réel pour des millions de familles de travailleurs aux revenus ne dépassant pas trente mille dollars et, pour la première fois, d'offrir un crédit d'impôts moins lourd pour plus de quatre millions de travailleurs américains pauvres sans personne à charge. Par ce biais, je pouvais honorer ma promesse : les familles dont le revenu n'atteignait pas trente mille dollars profiteraient d'un réel allégement fiscal. Au cours de ma campagne, j'avais répété à chacune de mes étapes : « Aucun Américain qui a charge de famille et travaille à plein temps ne devrait connaître la pauvreté. » En 1993, pourtant, beaucoup de gens vivaient dans une telle situation. Doubler les crédits d'impôts sur le revenu a permis à plus de quatre millions d'entre eux de sortir de la pauvreté et de rejoindre les rangs de la classe moyenne au cours de ma présidence.

Alors que nous allions vers un accord, Laura Tyson nous a fait part d'une réflexion : tout bien considéré, que nous atteignions notre objectif de réduction du déficit de cent quarante milliards de dollars sur cinq ans, ou que nous en restions à cent vingt-cinq, voire cent vingt milliards n'avait guère d'importance, d'un point de vue économique. Quels que soient nos chiffres, le Congrès trouverait bien un biais pour réduire les ambitions de mon projet. Si nous tenions là un moyen de surmonter nos problèmes politiques ou, plus simplement, de définir de meilleures orientations, pourquoi, proposait-elle, ne pas s'éviter quelques maux de tête supplémentaires et ne pas s'en tenir au chiffre de cent trente-cinq milliards de dollars, voire un peu moins ? Reich, Sperling, Blinder, Begala et Stephanopoulos ont tous marqué leur assentiment. Les autres préféraient en rester à l'objectif initial. Lloyd Bentsen a rappelé que nous pouvions économiser trois milliards de dollars en excluant du budget le coût estimé de la réforme de l'aide sociale. Je le suivais sur ce point. Après tout, nous n'avions pas encore mis au point notre projet et ce chiffre n'était rien de plus qu'une estimation. Nous savions qu'il nous faudrait financer plus de formations, de crèches et de transports pour aider les pauvres à passer de l'aide sociale au travail, mais si les opérations réussissaient, le nombre des bénéficiaires des aides baisserait et par conséquent, les coûts diminueraient. En outre, nous envisagions de présenter, devant le Congrès, la réforme de l'aide sociale avec un soutien bipartite.

Un peu plus tard, Lloyd Bentsen a pris une initiative de dernière minute. Il a supprimé le plafond de cent trente-cinq mille dollars sur la taxe de 1,45 % de la masse salariale des entreprises, destinée au financement du programme Medicare. Cette mesure s'avérait nécessaire pour s'assurer que nos chiffres concernant l'augmentation de la solvabilité de Medicare soient cohérents, mais engendrait une augmentation supplémentaire pour les Américains les plus riches, pour lesquels nous proposions déjà un taux d'imposition marginal de 39,5 % et qui ne dépenseraient sans doute jamais une proportion du budget de Medicare équivalente à celle qu'ils allaient désormais financer. Quand j'ai interrogé Bentsen, il s'est contenté de sourire en affirmant qu'il savait ce qu'il faisait. Il pressentait que les Américains aux plus hauts revenus, dont il était, se rembourseraient de cette ponction fiscale supplémentaire, grâce à la flambée boursière que notre programme économique allait déclencher.

Le lundi 15 février, je prononçai ma première allocution télévisée depuis le Bureau ovale. En dix minutes, j'ai dévoilé les grandes lignes du programme économique que je m'apprêtais à présenter, deux jours plus tard, devant les deux chambres du Congrès. Même si les indicateurs économiques signalaient un retour de la croissance, nous nous trouvions face à une reprise sans création d'emplois, dans un contexte rendu difficile par le poids de la dette, qui avait quadruplé au cours des douze dernières années. Du fait des déficits, qui résultaient des allégements d'impôts en faveur des plus riches, de l'envol des coûts de la santé et de l'augmentation des dépenses militaires, nous étions contraints à réduire nos investissements dans « tous les domaines qui nous rendent plus forts et plus alertes, plus riches et mieux protégés », qu'il s'agisse de l'éducation des enfants, des transports ou de l'administration de la justice. Si nous poursuivions sur cette voie, nous allions devoir attendre cent ans – et non plus vingt-cinq, comme dans toute l'histoire de l'Amérique – pour voir notre niveau de vie doubler. Inverser la tendance exigeait un bouleversement majeur de l'ordre des priorités nationales, combinant augmentation des impôts et restriction des dépenses, afin de réduire les déficits et investir pour notre futur. J'espérais, ai-je poursuivi, atteindre ces objectifs sans exiger d'efforts supplémentaires de la classe moyenne, parce qu'elle avait supporté toutes les difficultés et avait subi un sort injuste au cours des douze années écoulées, mais la dette publique dépassait de beaucoup les estimations dont je disposais quand j'avais tracé mes perspectives budgétaires au cours de la campagne électorale. Ainsi, « davantage d'Américains doivent contribuer à l'effort aujourd'hui, afin que tous bénéficient des résultats demain ». Toutefois, à la différence des années 1980, la majeure partie des nouveaux impôts serait à la charge des Américains les plus riches : « Pour la première fois, depuis plus d'une décennie, nous partageons tous un sort commun. » Au-delà de la lutte contre le déficit, mon programme économique contiendrait des incitations à la création d'emplois pour les entreprises ; une enveloppe particulière pour la création immédiate de cinq cent mille emplois ; des investissements dans l'éducation et la formation, incluant des programmes spécifiques pour les employés du secteur de la défense, touchés par les restructurations ; une réforme de l'aide sociale et une augmentation significative des crédits d'impôts ; un développement du programme Head Start, facilitant la prise en charge des enfants pauvres d'âge préscolaire et un plan de vaccination pour tous les enfants qui en auraient besoin. Enfin, j'en suis venu à mon initiative de service national, destinée à financer les études des jeunes en échange de services rendus à leur collectivité locale. Je terminai en reconnaissant que la mise en œuvre de ces mesures ne serait ni immédiate ni aisée, mais, grâce à elles, nous pourrions « redonner sa vitalité au rêve américain ».

Le mercredi soir, dans mon adresse au Congrès, j'éclairai la stratégie qui gouvernait mon programme et j'en détaillai les mesures. Je pointai les quatre principes directeurs qui en étaient la source : déplacer une partie de la dépense publique et privée de la consommation vers l'investissement de façon à créer plus d'emplois ; promouvoir le travail et la famille ; présenter un budget fondé sur des estimations prudentes qui en finisse avec les chiffres « à l'eau de rose » utilisés dans le passé et financer le changement au moyen de coupes réelles dans les dépenses et d'une répartition plus juste de l'impôt.

Pour créer plus d'emplois, je proposai un abattement d'impôts permanent pour les petites entreprises, lesquelles employaient moins de 40 % de la population active mais créaient la plupart des nouveaux emplois, et la création de banques de développement local et de zones de développement, deux engagements de campagne qui visaient à drainer prêts et investissements vers les quartiers les plus pauvres. Je demandai aussi des financements plus conséquents pour les routes, les ponts, les transports publics, les réseaux informatiques et l'entretien de l'environnement, afin d'améliorer la productivité et de créer des emplois.

Concernant l'éducation, je soulignai la nécessité d'investissements plus élevés pour les écoles publiques et d'un enseignement plus exigeant, la nécessaire mise en place d'incitations pour faciliter l'entrée à l'université, au rang desquelles je comptai mon initiative de service national. Je félicitai le Congrès pour son vote favorable à la loi sur le congé familial et je demandai aux parlementaires de poursuivre dans cette voie quand se présenterait l'introduction de mesures contraignantes pour le paiement des pensions alimentaires concernant les parents divorcés. Abordant la criminalité, j'exprimai mon soutien à la proposition de loi Brady, qui prévoyait la création de centres fermés avec un encadrement de style militaire pour les jeunes délinquants non récidivistes, auteurs de délits sans violence. Dans le même domaine, je rappelai que j'avais le projet d'augmenter de cent mille les effectifs policiers présents dans la rue.

Je demandai ensuite au Congrès de m'aider à changer le mode de fonctionnement de nos institutions politiques. Pour cela, je soumettais à leur réflexion un projet de loi portant sur la réforme du financement des campagnes électorales, les procédures d'enregistrement des lobbyistes et la suppression des déductions fiscales pour frais professionnels dont bénéficiaient ces derniers. Je m'engageai à réduire les effectifs fédéraux de cent mille fonctionnaires et à économiser neuf milliards de dollars sur les dépenses administratives. J'enjoignis le Congrès de m'aider à maîtriser la spirale inflationniste des coûts de la santé. Abordant la défense, je dis que nous pouvions encore réduire modestement nos effectifs, mais que nous devions assumer nos responsabilités d'unique superpuissance mondiale et entretenir, à cette fin, l'armée la mieux entraînée et la mieux équipée du monde.

J'avais gardé la question des impôts pour la fin. J'ai recommandé de porter le taux d'imposition de 31 à 36 % pour la tranche maximale, soit les revenus dépassant cent quatre-vingt mille dollars et de le coupler à une surimposition de 10 % au-delà de deux cent cinquante mille dollars de revenu ; de porter le taux d'imposition sur les revenus des entreprises de 34 % à 36 % pour les revenus supérieurs à dix millions de dollars ; de supprimer l'abattement fiscal qui incitait les sociétés à délocaliser leurs unités de production vers l'étranger plutôt qu'à réinvestir aux États-Unis ; d'assujettir à l'impôt une proportion plus forte des allocations de Sécurité sociale pour les moins nécessiteux et de voter mon projet de taxe sur l'énergie. L'augmentation du taux d'imposition sur le revenu devait concerner seulement 1,2 % des contribuables, ceux jouissant des revenus les plus élevés ; l'imposition sur les allocations de Sécurité sociale s'appliquerait à 20 % des bénéficiaires et la taxe sur la consommation d'énergie coûterait quelque dix-sept dollars par mois aux Américains disposant de revenus supérieurs à quarante mille dollars par an. Pour les familles aux revenus égaux ou inférieurs à trente mille dollars, les crédits d'impôts devaient compenser largement le coût de cette dernière taxe. Les impôts et le budget devaient nous permettre de réduire le déficit de cinq cents milliards de dollars environ sur cinq ans, selon nos estimations, fondées sur les données économiques disponibles.

Pour conclure mon discours, je fis de mon mieux pour donner la mesure concrète de l'ampleur du problème posé par les déficits publics. Je soulignai que, si la tendance se poursuivait, dans dix ans le déficit annuel s'élèverait à au moins six cent trente-cinq milliards de dollars, contre deux cent quatre-vingt-dix milliards au moment où je parlais, et que le remboursement des intérêts de la dette cumulée représenterait le premier poste budgétaire, ponctionnant plus de vingt cents sur chaque dollar imposé. Pour montrer ma détermination à réduire les déficits, j'avais invité Alan Greenspan à assister à la séance, depuis la loge de la Première Dame, située dans la galerie de la Chambre des représentants. Pour montrer sa propre détermination, il avait accepté de prendre place à côté de Hillary, malgré les réticences bien compréhensibles que lui inspirait ce geste politique.

Dans l'ensemble, mon discours a été bien reçu. Les commentateurs se sont empressés de souligner que je reniais ma promesse d'alléger les impôts de la classe moyenne. Je l'avais moi-même expliqué. Par ailleurs, mon programme économique respectait plusieurs de mes engagements. Les jours suivants, Al Gore, les membres du cabinet et moi-même avons multiplié les déplacements pour convaincre le pays. Les commentaires d'Alan Greenspan ont été élogieux. Ceux de Paul Tsongas aussi. Il a affirmé que le Bill Clinton qui avait prononcé son adresse devant le Congrès n'était pas celui contre lequel il avait concouru. C'était bien là ce qui inquiétait mes conseillers politiques et certains parlementaires démocrates.

Mon discours comportait assez de propositions importantes et sujettes à débat pour occuper le Congrès l'année durant. En outre, d'autres projets de loi étaient déjà inscrits au calendrier parlementaire ou le seraient bientôt. Je savais que mon programme économique ne serait pas entériné sans de nombreuses péripéties. Je savais aussi que je ne pourrais pas les suivre avec toute l'attention nécessaire : la situation internationale et les événements nationaux ne me laisseraient pas ce loisir.

Sur le front intérieur, février s'est achevé dans la violence. Le 26, une bombe a explosé dans le World Trade Center de Manhattan, tuant six personnes et en blessant plus d'un millier. L'enquête a rapidement révélé que l'attentat avait été fomenté par des terroristes moyen-orientaux qui ne s'étaient guère souciés d'effacer leurs traces. Les premières arrestations sont survenues le 4 mars. Au bout du compte, six auteurs de l'attentat ont été jugés par un tribunal fédéral à New York et chacun condamnés à deux cent quarante années de prison. Si l'efficacité de la police était un sujet de satisfaction, la vulnérabilité évidente de nos sociétés ouvertes au terrorisme méritait réflexion. Mon équipe de sécurité a commencé à prêter une plus grande attention aux réseaux terroristes et aux moyens de protection dont nous et les sociétés libres à travers le monde pourrions disposer contre leurs entreprises.

Le 28 février, quatre agents d'un office fédéral de répression, le Bureau of Alcohol, Tobacco and Firearms étaient tués et seize autres blessés lors d'une opération de contrôle d'une secte religieuse, les Branch Davidians, aux abords de leur camp retranché, proche de Waco, au Texas. Les davidiens étaient suspectés de violation de la loi sur les armes. Le chef messianique de la secte, David Koresh, prétendait être une réincarnation du Christ et le seul détenteur du secret des sept sceaux, dont parle la Bible au livre des Révélations. David Koresh exerçait un ascendant sans faille sur ses disciples, hommes, femmes et enfants. Il détenait un arsenal impressionnant dont il paraissait prêt à faire usage et avait stocké assez de vivres pour soutenir un long siège. Le FBI établit un cordon de sécurité autour de leur communauté qu'il maintint deux mois durant. Au cours de cette période, plusieurs membres de la secte, des adultes et des enfants, évacuèrent les lieux, mais une majorité resta sur place. Les pourparlers se succédaient : lors de chaque nouvelle négociation, David Koresh promettait sa reddition, puis invoquait un prétexte de dernière minute pour prolonger la confrontation.

Le soir du dimanche 18 avril, Janet Reno m'a retrouvé à la Maison Blanche. Elle m'a informé que le FBI était prêt à lancer un assaut, afin d'appréhender Koresh et les divers membres de son groupe suspectés d'avoir participé à la fusillade ou à d'autres crimes. Les autres seraient relâchés. Certaines sources (du FBI) faisaient état d'abus sexuels commis par David Koresh sur des enfants, dont la plupart étaient très jeunes. Cet aspect de la question préoccupait Janet, ainsi que d'autres informations qui évoquaient un possible suicide collectif. En outre, selon le FBI, il n'était pas souhaitable qu'une part aussi importante des forces soit mobilisée en un seul lieu. Leur plan prévoyait l'assaut pour le lendemain : en utilisant des véhicules blindés, les responsables de l'opération comptaient ouvrir des brèches dans les bâtiments par lesquelles ils tireraient des grenades lacrymogènes ce qui, calculaient-ils, contraindrait les assiégés à se rendre dans un délai de deux heures. Janet avait déjà donné son accord. Elle avait maintenant besoin de mon feu vert.

Plusieurs années auparavant, dans mes fonctions de gouverneur, j'avais eu à gérer une situation similaire. Un groupe d'extrême droite – hommes, femmes et enfants compris – s'était installé dans une région montagneuse du nord de l'État. Parmi eux se trouvaient deux suspects recherchés pour meurtre. Ils vivaient dans des cabanes équipées d'une trappe qui communiquait avec des abris enterrés depuis lesquels ils pouvaient faire feu sur d'éventuels assaillants. Et ils avaient assez d'armes pour se défendre. Là aussi, le FBI avait voulu lancer un assaut contre leur position. Lors d'une réunion d'urgence, à laquelle j'avais convié le FBI, notre police d'État et des experts policiers du Missouri et de l'Oklahoma, le FBI m'a exposé son point de vue. J'ai proposé, avant de donner mon accord, qu'on prenne l'avis d'un spécialiste de la guerre en forêt. Un ancien du Viêt-nam a été envoyé reconnaître les lieux depuis un hélicoptère. À son retour, il nous a déclaré : « Si ces gars-là savent viser, vous allez perdre, au bas mot, cinquante hommes dans l'assaut. » J'ai arrêté l'opération, installé un blocus du camp, suspendu les bons d'alimentation des familles qui en bénéficiaient et interdit à quiconque quittant les lieux pour aller au ravitaillement d'y remettre les pieds. Les assiégés ont fini par accepter de se rendre et les suspects de meurtre ont été appréhendés sans effusion de sang.

Quand Janet m'a présenté le projet d'intervention, j'ai suggéré de recourir, une nouvelle fois, à la méthode qui avait abouti à une conclusion pacifique en Arkansas, avant d'approuver l'assaut du FBI. Elle a objecté que le FBI avait déjà fait preuve de patience. En outre, le siège coûtait un million de dollars par semaine à l'administration et immobilisait des forces qui faisaient défaut ailleurs. Les davidiens paraissaient partis pour tenir beaucoup plus longtemps que le groupe auquel j'avais eu affaire en Arkansas et les informations sur les abus sexuels, tout comme l'hypothèse d'un suicide collectif, semblaient vraisemblables, David Koresh et plusieurs de ses disciples étant sérieusement déséquilibrés. J'ai fini par lui concéder que, si elle estimait que nous n'avions pas d'autre solution, elle pouvait lancer l'opération.

Le lendemain, je regardais les informations sur CNN, dans une pièce mitoyenne du Bureau ovale, et j'ai vu le camp de David Koresh en flammes. Rien ne s'était déroulé comme prévu. Après les tirs de grenades lacrymogènes à l'intérieur des bâtiments, les davidiens acculés avaient fait feu sur les agents du FBI. La situation avait empiré quand ils avaient ouvert les fenêtres pour évacuer les gaz : le vent violent des plaines du Texas avait alors attisé les flammes. Quand tout fut fini, on releva plus de quatre-vingts morts, dont vingt-cinq enfants, et seulement neuf survivants. Je n'avais pas le choix : je devais convoquer la presse et prendre la responsabilité de ce fiasco. J'allais partager la tâche avec Dee Dee Myers et Bruce Lyndsey. Mais, à plusieurs reprises au cours de la journée, George Stephanopoulos m'a pressé de reporter mon intervention : nul ne savait s'il restait des survivants et on redoutait que David Koresh, s'il m'écoutait, ne décide de tuer les derniers d'entre eux. Janet Reno a fait une apparition télévisée, pour expliquer ce qui s'était passé et endosser la responsabilité des événements. Elle considérait de son devoir, en tant que première femme ministre de la Justice, de ne pas esquiver les coups. Quand j'ai enfin parlé à la presse sur cette affaire, Janet Reno était déjà l'objet de tous les éloges et on me critiquait vertement pour l'avoir envoyée en première ligne.

En moins de vingt-quatre heures, je venais de me ranger, par deux fois, à des avis contraires à mon intuition. Je n'en voulais pas à George Stephanopoulos. Jeune et prudent, il m'avait exposé son point de vue – hélas erroné – en toute honnêteté. Mais j'étais furieux contre moi-même, tout d'abord pour avoir donné mon assentiment à ce raid, auquel je ne croyais guère, ensuite pour avoir repoussé mon allocution, destinée à reconnaître ma responsabilité, en tant que chef de l'État. Pour un président, les moments les plus difficiles sont souvent ceux où il doit choisir ou bien de se ranger à l'avis de ses collaborateurs ou bien de le rejeter. Personne n'a raison à tout coup, néanmoins il est plus facile d'assumer un mauvais choix auquel on croit qu'une décision prise à contrecœur sous les objurgations de ses conseillers. Après Waco, j'ai décidé de me fier à ma voix intérieure.

Peut-être, pour une part, ne m'étais-je pas fié à mon instinct en raison du climat hostile qui régnait alors à Washington. On cherchait quelles intentions dissimulait chacune de mes initiatives. Après une première apparition au Congrès, où elle avait été accueillie avec chaleur, Hillary était critiquée parce que les réunions de sa cellule de réflexion sur la couverture universelle se tenaient à huis clos. Son équipe consultait des centaines d'experts, leur action n'avait donc rien de secret. Elle s'efforçait de progresser sans délai à travers une série de questions d'une immense complexité et d'atteindre l'objectif ambitieux à l'extrême que je lui avais fixé : présenter au Congrès un projet de couverture universelle, dans un délai de cent jours. Le groupe de travail a auditionné plus de onze cents groupes, il a organisé plus de deux cents rencontres avec des membres du Congrès et tenu des réunions publiques dans tout le pays. Sa réputation de cultiver le secret était exagérée. Au bout du compte, sa cellule de réflexion ne pouvait plus faire avancer le projet et nous l'avons dissoute. Déjà, nous savions que nous ne tiendrions pas le délai de cent jours.

Comme si tout cela ne suffisait pas, j'ai essuyé un autre échec avec mon plan d'urgence à court terme, dont l'objectif était la création de cinq cent mille emplois. Il prévoyait le déblocage rapide de fonds vers des projets d'infrastructures portés par les villes ou les États. La reprise était encore hésitante, ce coup de pouce aurait été bienvenu et la modestie des fonds exceptionnels mobilisés n'aurait eu aucune influence sur le déficit. La Chambre des représentants vota très vite le projet de loi, une majorité y était favorable au Sénat, mais Bob Dole trouva quarante sénateurs républicains prêts à participer à une opération d'obstruction. Après le succès de leur premier vote d'obstruction, nous aurions dû tenter de négocier un plan d'envergure réduite avec Bob Dole ou accepter la proposition de compromis, plus modeste encore, qu'avançaient John Breaux et David Boren, deux sénateurs démocrates conservateurs. Robert Byrd, qui présentait le projet, était convaincu que, si nous ne pliions pas, Dole ne parviendrait pas à tenir ses troupes et sa tentative d'obstruction échouerait. Le 21 avril, deux jours après Waco, nous avons entériné notre échec.

Au cours de mon premier mandat, l'obstruction systématique a été utilisée plus souvent que dans aucune autre législature, la minorité républicaine parvenant ainsi à contrecarrer la volonté du Sénat, parfois par conviction politique, d'autres fois dans le but de démontrer mon incapacité à diriger le pays. Le sénateur George Mitchell a dû recourir douze fois au vote pour mettre fin aux manœuvres d'obstruction pendant les seuls premiers cent jours de ma présidence.

Le 19 mars, nous avons dû faire face à une épreuve privée quand une attaque cérébrale a frappé mon beau-père. Hillary s'est aussitôt rendue à son chevet, à l'hôpital Saint-Vincent, de Little Rock, accompagnée de Chelsea et de Tony, mon beau-frère. Le docteur Drew Kumpuris, le médecin de Hugh et notre ami, a informé Hillary que le cerveau avait été gravement atteint et que, plongé dans un coma profond, son père ne se réveillerait sans doute jamais. J'ai pu les rejoindre deux jours plus tard. Hillary, Chelsea, ma belle-mère Dorothy, ses deux fils, Hugh et Tony, se relayaient au chevet du malade, lui parlant, chantant même parfois, pendant qu'il semblait dormir paisiblement. Nous ne savions pas combien de temps la situation allait se prolonger, mais je ne pouvais pas rester au-delà de cette journée. J'ai laissé Hillary parmi les siens. Les Thomason étaient présents, ainsi que Carolyn Huber, qui connaissait Hugh depuis l'époque où elle avait été l'administratrice de la résidence du gouverneur et Lisa Caputo, attachée de presse de Hillary et très appréciée de Hugh, parce qu'elle était originaire de l'est de la Pennsylvanie, comme lui, qui venait de Scranton.

Le dimanche suivant, j'ai pu regagner Little Rock en avion. Je voulais passer ces journées avec le reste de la famille, bien qu'il n'y eût rien que nous puissions faire, sinon attendre. Le docteur nous a avertis que le cerveau de Hugh avait cessé de fonctionner. Au cours du week-end, après que la famille eut décidé de lui retirer l'assistance respiratoire, nous avons tous prononcé des prières et des adieux, mais Hugh n'était pas prêt à nous quitter. Son vieux cœur vigoureux continuait à battre. Je continuais à assumer l'essentiel de mes fonctions depuis l'Arkansas, mais j'ai dû rentrer à Washington, le mardi. J'ai quitté Little Rock à contrecœur, avec la certitude que je ne reverrais plus mon beau-père. J'aimais Hugh Rodham, sa franchise bourrue et sa loyauté sans faille à l'égard de sa famille. Je lui étais reconnaissant de m'avoir accueilli parmi les siens, vingt ans plus tôt, quand j'étais mal dégauchi, sans le sou et, pis à ses yeux, Démocrate convaincu. Nos parties de cartes – nous jouions au *pinochle* –, nos discussions politiques et sa simple présence allaient me manquer.

Le 4 avril, alors que Hugh était toujours entre vie et trépas, Hillary a dû regagner Washington, à son tour, avec Chelsea qui reprenait les cours, après les vacances de printemps. Elle s'était engagée à prononcer un discours, le 6 avril, à l'Université du Texas, à Austin, pour Liz Carpenter, qui avait été l'attachée de presse de l'épouse de Lyndon Johnson. Liz l'avait priée de ne pas annuler son intervention, aussi avait-elle pris la décision de tenir son engagement. Dans ce moment de profonde douleur, Hillary a trouvé au fond d'elle-même les mots pour décrire la transition vers un nouveau millénaire : « Nous avons besoin d'une nouvelle politique du sens. Nous avons besoin d'une nouvelle éthique de la responsabilité individuelle et du souci des autres. Nous avons besoin d'une nouvelle définition de la société civile, capable de fournir des réponses aux questions laissées sans réponse par les forces du marché et par celles du pouvoir politique. Comment pouvons-nous avancer, de sorte que la société soit, à la fois, une source de satisfaction et nous aide à sentir que nous appartenons à une communauté plus grande que nous-mêmes ? » Hillary avait développé cette réflexion après avoir lu, avec beaucoup d'intérêt, un article écrit par Lee Atwater, peu avant que le cancer ne l'ait emporté, à l'âge de 40 ans. Le personnage devait sa notoriété – et la crainte qu'il inspirait – aux assauts impitoyables qu'il dirigeait contre les Démocrates, quand il travaillait pour les présidents Reagan et Bush. Confronté à sa mort prochaine, il avait découvert que la quête du pouvoir, de la richesse et du prestige ne sauraient suffire à remplir une vie. Il avait alors jugé indispensable de faire partager ses réflexions à ce sujet. À Austin, le 6 avril, l'esprit endeuillé, Hillary s'est efforcée d'avancer dans cette même voie. J'ai été très ému par ses paroles et impressionné par son courage.

Le lendemain, Hugh Rodham s'est éteint. Après une veillée religieuse en sa mémoire à Little Rock, il a été transporté à Scranton pour une cérémonie funéraire au temple méthodiste de Court Street. J'ai prononcé un discours à la mémoire de l'homme qui avait laissé de côté ses convictions politiques pour collaborer avec moi en 1974 et qui, ayant toute sa vie tiré les leçons de ses expériences, avait surmonté les idées reçues que son éducation lui avait inculquées. Il n'avait plus été raciste après avoir travaillé aux côtés d'un Noir, à Chicago. Il n'avait plus été homophobe après avoir noué des liens d'amitié avec ses voisins, un médecin et un infirmier, qui l'avaient soigné à Little Rock. Il avait grandi dans l'est de la Pennsylvanie, une région fanatique de football américain, où les vedettes d'origine catholique rejoignaient l'équipe de l'Université Notre Dame et où les protestants comme lui jouaient dans l'équipe de l'Université Penn State. Cette tradition reflétait les préjugés anticatholiques qui faisaient aussi partie de l'éducation de Hugh. Celui-ci avait aussi surmonté ces *a priori*. Nous trouvions tous significatif qu'il ait vécu ses derniers jours à l'hôpital Saint-Vincent, où les religieuses catholiques avaient pris soin de lui avec amour.

CHAPITRE TRENTE DEUX

Si dans les premiers mois de ma présidence les gros titres se sont concentrés sur ma volonté de faire adopter mon plan économique, l'entrée des homosexuels dans l'armée et le travail de Hillary pour la réforme du système de santé, il n'en reste pas moins que la politique étrangère a toujours fait partie de mes préoccupations et de mon travail quotidien. Toutefois, l'impression générale parmi les observateurs de Washington était que je ne m'intéressais pas vraiment aux affaires étrangères et que je souhaitais leur consacrer le moins de temps possible. Il est vrai que ma campagne avait surtout tourné autour de la politique intérieure : nos problèmes économiques l'exigeaient. Mais, comme je n'avais cessé de le répéter, l'interdépendance mondiale de plus en plus grande effaçait la division entre les politiques intérieures et extérieure. Et le « nouvel ordre mondial » proclamé par le président Bush après la chute du mur de Berlin fourmillait de situations chaotiques et soulevait d'importants problèmes.

Selon Tony Lake, mon conseiller à la sécurité nationale, si on voulait réussir en matière d'affaires étrangères, il fallait s'attacher à prévenir et à désamorcer les problèmes avant qu'ils ne se transforment en vrais casse-tête et ne deviennent omniprésents à la une des médias. « Nous pouvons faire du très beau boulot sans que le public n'en sache rien, si les chiens n'aboient pas. » À mon arrivée au pouvoir, nous nous sommes retrouvés face à un chenil grouillant de chiens hurlants, la Bosnie et la Russie aboyant le plus fort, et plusieurs autres, dont la Somalie, Haïti, la Corée-du-Nord, sans compter le Japon et sa politique commerciale grondant à l'arrière-plan.

Le démembrement de l'Union soviétique et l'effondrement du communisme dans les pays du pacte de Varsovie faisaient naître la perspective d'une Europe démocratique, pacifique et unie pour la première fois de l'histoire. Mais quatre grandes questions demeuraient : la RFA et la RDA seraient-elles réunifiées ? La Russie deviendrait-elle une nation réellement démocratique, stable et non impérialiste ? Qu'adviendrait-il de la Yougoslavie, composée de différentes provinces ethniques seulement cimentées par la volonté de fer du maréchal Tito ? La Russie et les anciens pays communistes seraient-ils intégrés dans l'Union européenne et dans l'alliance de l'OTAN avec les États-Unis et le Canada ?

Quand j'ai accédé à la présidence, l'Allemagne venait d'être réunifiée sous la direction visionnaire du chancelier Helmut Kohl, fermement soutenu par le président Bush et malgré les réserves en Europe face à la renaissance d'une Allemagne puissante sur les plans politique et économique. Les trois autres questions restaient en suspens et je savais que l'une de mes plus importantes responsabilités de Président serait de m'assurer qu'on les résolve.

Pendant la campagne électorale, le président Bush et moi-même avions soutenu l'aide à la Russie. Au début, je la défendais avec plus de vigueur que lui, mais sur l'insistance de l'ancien président Nixon, Bush annonça que le G7, comprenant les sept principaux pays industrialisés, les États-Unis, l'Allemagne, la France, l'Italie, le Royaume-Uni, le Canada et le Japon, accorderait vingt-quatre milliards de dollars pour soutenir la démocratie et la réforme économique en Russie. À sa venue à Washington en juin 1992, Eltsine, reconnaissant, a ouvertement milité pour la réélection de Bush. Comme je l'ai déjà dit, il a accepté une rencontre de courtoisie avec moi à Blair House le 18 juin, grâce à l'amitié qui liait le ministre des Affaires étrangères Andrei Kozyrev et Toby Gati, l'un de mes conseillers en politique étrangère. Le fait qu'Eltsine soutenait Bush ne me gênait pas ; je voulais juste lui faire savoir que si je l'emportais, je le soutiendrais.

En novembre, deux jours après l'élection, Eltsine m'appela pour me féliciter et m'inviter à venir le plus tôt possible à Moscou pour réaffirmer le soutien de l'Amérique à ses réformes face à une opposition croissante dans son pays. Eltsine avait du pain sur la planche. Il avait été élu président de la Russie en juin 1991, quand la Russie faisait encore partie d'une Union soviétique au bord de l'effondrement. En août, le président soviétique Mikhaïl Gorbatchev avait été assigné à résidence dans sa datcha d'été sur la mer Noire par des conspirateurs bien décidés à provoquer un coup d'État. Les citoyens russes descendirent dans la rue pour manifester. Le moment décisif du drame fut l'instant où Eltsine, au pouvoir depuis à peine deux mois, grimpa sur un char devant le Parlement assiégé par les conspirateurs. Il exhorta le peuple russe à défendre sa démocratie chèrement gagnée. En fait, il disait aux réactionnaires : « Si vous voulez nous voler notre liberté, il faudra d'abord me passer sur le corps. » L'appel héroïque de Eltsine galvanisa le soutien national et international, et le coup d'État échoua. En décembre, l'Union soviétique s'était désintégrée en une série d'États indépendants et la Russie occupait le siège de l'Union soviétique au Conseil de sécurité des Nations unies.

Mais Eltsine n'était pas au bout de ses peines. Des éléments réactionnaires, furieux d'avoir perdu le pouvoir, s'opposèrent à sa détermination à retirer les troupes soviétiques des États baltes d'Estonie, de Lituanie et de Lettonie La catastrophe économique menaçait, puisque les tristes vestiges de l'économie soviétique étaient confrontés aux nouvelles lois du libéralisme, ce qui provoqua une inflation et donna lieu à la vente de biens d'État à prix bradés à une nouvelle classe d'hommes d'affaires hyperriches baptisés les « oligarques », à côté de qui les barons pillards américains de la fin du XIXᵉ siècle auraient fait figure de prêcheurs puritains. Des réseaux du crime organisé occupèrent également le vide créé par l'effondrement de l'État soviétique et étendirent leurs tentacules dans le monde entier. Eltsine avait détruit l'ancien système, mais il n'avait pas encore été capable d'en édifier un nouveau. Il n'avait pas non plus établi de bons rapports de travail avec la Douma, en partie parce qu'il était par nature ennemi du compromis et en partie parce que celle-ci regorgeait d'éléments nostalgiques de l'ordre ancien ou de partisans d'un nouvel ordre tout aussi oppressif enraciné dans l'ultranationalisme.

Eltsine était cerné par les vautours et je voulais l'aider. J'étais encouragé dans ce sens par Bob Strauss, que le président Bush avait nommé ambassadeur à Moscou bien qu'il fût un ardent Démocrate et un ancien président de la commission nationale démocrate. Strauss estimait que je pouvais travailler avec Eltsine et lui prodiguer de bons conseils politiques.

J'étais enclin à accepter l'invitation d'Eltsine à me rendre en Russie, mais Tony Lake décréta que Moscou ne devait pas être ma première étape à l'étranger et le reste de mon équipe estima que cela détournerait l'attention de notre programme national. Leurs arguments tenaient debout ; les États-Unis misaient gros sur la réussite de la Russie et nous ne voulions certainement pas voir de partisans de la ligne dure, qu'ils fussent communistes ou ultranationalistes, aux rênes du pouvoir là-bas. Boris me facilita la tâche en m'envoyant peu après son coup de téléphone une lettre où il suggérait une rencontre dans un pays tiers acceptable pour les deux parties.

À cette époque, j'ai convaincu mon vieil ami et ancien colocataire d'Oxford Strobe Talbott de quitter le magazine *Time* pour travailler au département d'État afin de nous aider à mettre au point une politique vis-à-vis de l'ancienne Union soviétique. À ce moment-là, cela faisait presque vingt-cinq ans que Strobe et moi discutions de l'histoire et de la politique russes. Depuis qu'il avait traduit et adapté les souvenirs de Khrouchtchev, Strobe s'intéressait plus que quiconque à la Russie et au peuple russe. Il avait un bel esprit analytique, une imagination fertile derrière une façade de sérieux professoral, et je me fiais non seulement à son jugement mais aussi à sa volonté de me livrer la vérité sans fard. Comme il n'existait pas de poste dans la hiérarchie du département d'État qui corresponde à ce que j'attendais de lui, il en créa un nouveau, avec la bénédiction de Warren Christopher et l'aide de Dick Holbrooke, un banquier d'affaires et un vieux connaisseur de la politique étrangère qui avait joué les conseillers pendant la campagne et qui deviendrait l'une des figures les plus éminentes de mon administration.

Finalement, la nouvelle mission de Strobe hérita d'un titre : chargé de mission et conseiller particulier du secrétaire d'État pour les nouveaux États indépendants de l'ancienne Union soviétique. Il deviendrait ensuite secrétaire d'État adjoint. Si, à mon avis, on comptait sur les doigts d'une main ceux qui étaient capables de citer le titre exact de Strobe, personne n'ignorait ses fonctions : il était l'homme à consulter pour les questions russes. Pendant huit ans, il a participé à toutes mes rencontres avec les présidents Eltsine et Poutine, dont dix-huit avec le seul Eltsine. Comme il parlait couramment russe et prenait d'abondantes notes, sa collaboration avec moi et ses rapports avec les Russes garantissaient une précision et une exactitude dans notre travail qui se révéleraient inestimables. Strobe retrace notre odyssée de huit ans dans son livre, *The Russia Hand*, qui est remarquable non seulement par sa perspicacité mais aussi pour ses retranscriptions mot pour mot de mes conversations hautes en couleur avec Eltsine. Le principal argument de Strobe est que je suis devenu mon propre expert russe « un point important : en ce qui concernait les deux problèmes qui avaient constitué le *casus belli* de la guerre froide – démocratie contre dictature à l'intérieur et coopération contre concurrence à l'extérieur – », Eltsine et moi étions, « en principe, du même bord ».

Pendant la période de transition, j'avais beaucoup discuté avec lui de la détérioration de la situation en Russie et de l'impératif d'éviter la catastrophe. Lors du week-end de la Renaissance, Strobe et sa femme Brooke, qui avait fait toute la campagne avec Hillary et moi, et qui s'apprêtait à diriger le programme des White House Fellows, firent un jogging avec moi sur la plage de Hilton Head. Nous voulions parler de la Russie, mais le chef de notre groupe, le grand coureur olympique Edwin Moses, imposa un tel rythme que je fus incapable de courir et d'articuler un mot en même temps. Notre rencontre avec Hillary qui faisait sa promenade matinale nous sauva la mise. Le président Bush se trouvait à Moscou pour signer le traité Start II avec Eltsine. C'était une bonne nouvelle, même si, comme pour chaque initiative progressiste d'Eltsine, elle était confrontée à une forte opposition de la Douma. J'ai dit à Strobe que les choses évoluaient si vite en Russie que nous ne pouvions pas adopter une stratégie complètement défensive ; il fallait que nous contribuions à consolider et à accélérer les changements positifs, notamment ceux qui amélioreraient l'économie russe.

En février, je suis allé chez Strobe un soir pour voir sa famille et discuter avec lui de la Russie. Strobe me raconta sa récente rencontre avec Richard Nixon qui nous exhortait à soutenir vigoureusement Eltsine. L'aide de vingt-quatre milliards de dollars annoncée au printemps précédent par le président Bush n'y était pas parvenue, parce que les instances financières internationales refusaient de libérer les fonds tant que la Russie n'aurait pas restructuré son économie. Il fallait que nous agissions sans attendre.

Début mars, Eltsine et moi sommes convenus de nous rencontrer les 3 et 4 avril à Vancouver. Le 8 mars, Richard Nixon me rendit visite à la Maison Blanche afin de m'inviter à soutenir Eltsine. Après une brève conversation avec Hillary et Chelsea, pendant laquelle il leur a rappelé qu'il avait reçu une éducation de quaker et que ses filles, comme la nôtre, avaient fréquenté la Sidwell Friends School, il est passé aux choses sérieuses et m'a dit qu'on se souviendrait de ma présidence davantage pour ce que j'aurais fait en faveur de la Russie que pour ma politique économique. Ce soir-là, j'ai téléphoné à Strobe afin de lui faire part de ma conversation avec Nixon et souligner à quel point il était important que nous accomplissions quelque chose de tangible à Vancouver pour aider la Russie, que nous défendrions vigoureusement lors du sommet annuel du G7 à Tokyo en juillet. Pendant tout le mois de mars, fort des mises à jour de notre équipe des Affaires étrangères, de Larry Summers et de son assistant David Lipton aux Finances, je les ai poussés à voir plus grand et à aller plus loin.

En attendant, à Moscou, le Parlement réduisait les pouvoirs d'Eltsine et avalisait les mesures inflationnistes stériles de la Banque centrale russe. Le 20 mars, il répliqua avec un discours annonçant un référendum le 25 avril afin de déterminer qui du Parlement ou de lui dirigeait le pays ; jusqu'alors, ses décrets présidentiels resteraient en vigueur, quoi que décide la Douma. J'ai suivi son discours sur l'un des deux téléviseurs installés dans ma salle à manger privée à côté du Bureau ovale. L'autre diffusait le match du tournoi NCAA de basket-ball entre les Razorbacks de l'Arkansas et St John's University. J'avais un cheval dans les deux courses.

L'ensemble de mon équipe des affaires étrangères et moi avons eu un débat animé à propos de ma réaction officielle au discours d'Eltsine. Ils préconisaient tous la prudence, parce qu'Eltsine repoussait les limites de son pouvoir constitutionnel et qu'il risquait de perdre. Je n'étais pas d'accord. Il livrait la bataille de sa vie contre les vieux communistes et autres réactionnaires. Il allait vers le peuple avec un référendum. Et peu m'importait le risque d'échec – j'ai rappelé à mes collaborateurs que j'avais moi-même accumulé pas mal de défaites. Je n'avais aucun intérêt à me couvrir et j'ai donné pour instruction à Tony Lake de rédiger la première mouture d'une déclaration de soutien franc et massif. Lorsqu'il me l'a soumise, je l'ai corrigée en m'engageant encore plus avant de la remettre à la presse. En l'occurrence, j'ai fait confiance à mon instinct et j'ai parié que la Russie suivrait Eltsine et resterait du bon côté de l'Histoire. Mon optimisme fut renforcé par la victoire inattendue de l'Arkansas.

Finalement, en mars, j'ai obtenu un programme d'assistance que je pouvais soutenir : 1,6 milliard de dollars en aide directe pour permettre à la Russie de stabiliser son économie ; proposer de l'argent pour fournir des logements aux officiers militaires déclassés ainsi que des programmes de travail aux scientifiques nucléaires à présent sous-employés et trop souvent non rémunérés ; démanteler plus facilement les armes nucléaires aux termes du programme Nunn-Lugar récemment promulgué ; soutenir les PME, les médias indépendants, les organisations non gouvernementales, les partis politiques et les syndicats ; et financer un programme d'échange destiné à faire venir des dizaines de milliers d'étudiants et de jeunes membres de professions libérales aux États-Unis. Le programme d'aide était quatre fois plus que ce que l'administration précédente avait alloué et trois fois ce que je recommandais à l'origine.

Un sondage nous apprit que 75 % des Américains s'opposaient à ce qu'on donne davantage d'argent à la Russie et nous étions déjà en mauvaise posture pour notre projet économique. Pour ma part, j'avais le sentiment que nous n'avions pas d'autre choix que de poursuivre dans cette voie. L'Amérique avait fait des centaines de milliards de dollars de dépenses militaires pour remporter la guerre froide ; nous ne pouvions risquer un retournement de situation pour deux malheureux milliards de dollars et un mauvais sondage. À la surprise de mon équipe, les leaders du Congrès, dont les Républicains, abondèrent dans mon sens. Lors d'une réunion que j'avais organisée pour défendre le projet, le sénateur Joe Biden, président de la Commission des affaires étrangères, soutint vigoureusement le programme d'aide. Bob Dole s'y rallia lorsqu'on lui fit valoir qu'il n'était pas question de bousiller l'après-guerre froide comme l'avaient fait les vainqueurs de la Première Guerre mondiale. Leur manque de perspicacité avait largement provoqué la Seconde Guerre mondiale, dans laquelle Dole avait montré son héroïsme. Newt Gingrich se déclara passionnément favorable à une aide à la Russie, affirmant que c'était « un moment décisif » pour l'Amérique et qu'il fallait qu'on fasse le nécessaire. Comme je l'ai dit à Strobe, Newt cherchait à être plus prorusse que moi, mais je n'étais que trop content de le laisser faire.

Lors de ma rencontre avec Eltsine le 3 avril, il y a eu au départ un certain malaise lorsqu'il a expliqué qu'il lui faudrait faire en sorte de recevoir l'assistance américaine pour faciliter le passage de la Russie à la démocratie sans avoir l'air d'être à la botte de l'Amérique. Quand nous sommes passés aux détails de notre programme d'aide, il a déclaré qu'il lui convenait, mais qu'il faudrait davantage pour des logements destinés aux militaires qu'il rapatriait des États baltes, dont beaucoup vivaient sous des tentes. Une fois ce problème résolu, Eltsine est brusquement passé à l'offensive, exigeant que j'abroge l'amendement Jackson-Vanik, une loi de 1974 liant le commerce américain à la liberté d'émigration de Russie et que je mette un terme à la célébration de la Semaine des nations captives, rappelant la domination soviétique de pays comme la Pologne et la Hongrie qui étaient à présent libres. Ces deux lois étaient surtout symboliques, sans véritable retentissement sur nos relations, et je ne pouvais pas épuiser mon capital politique pour les changer et réussir en même temps à obtenir une aide digne de ce nom pour la Russie.

Après la première séance, mon équipe redoutait que je ne laisse Eltsine me sermonner comme Khrouchtchev avait tyrannisé Kennedy lors de leur célèbre rencontre de Vienne, en 1961. Il n'était pas question que je paraisse en position de faiblesse. Cela ne m'inquiétait pas, parce que l'analogie politique ne tenait pas debout. Eltsine ne cherchait pas à me faire perdre la face comme Khrouchtchev avec Kennedy ; il s'efforçait de faire bonne figure devant des ennemis qui voulaient sa peau. Pendant la semaine précédant notre sommet, ils avaient essayé de le démettre de ses fonctions à la Douma. Ils avaient échoué, mais la motion avait obtenu un grand nombre de voix. Je pouvais adopter une attitude un peu grandiloquente si cela devait aider la Russie à rester sur la bonne voie.

L'après-midi, nous sommes convenus d'un moyen pour officialiser notre coopération en créant une commission dirigée par le vice-président Gore et le Premier ministre russe Victor Chernomyrdine. L'idée a été développée par Strobe et Georgi Mamedov, le vice-ministre des Affaires étrangères, et elle a donné de meilleurs résultats que nous ne l'aurions imaginé, grâce en grande partie aux efforts constants et intenses qu'Al Gore et ses homologues russes ont accomplis au cours des années pour résoudre une foule de problèmes difficiles et controversés.

Le dimanche 4 avril, nous nous sommes retrouvés dans un cadre plus officiel afin d'évoquer les problèmes de sécurité, avec Eltsine et son équipe assis face à nous. Comme auparavant, Eltsine a commencé par être agressif en exigeant que nous changions de positon en matière de contrôle d'armements et que nous ouvrions les marchés américains à des produits russes tels que des lance-roquettes par satellite sans imposer des contrôles à l'exportation qui interdiraient aux Russes de vendre leur technologie militaire à des adversaires de l'Amérique comme l'Iran et l'Irak. Avec l'aide de Lynn Davis, notre expert intraitable, j'ai tenu bon pour les contrôles à l'exportation et repoussé les exigences en matière de contrôle d'armements en chargeant mon équipe de les étudier plus avant.

L'atmosphère s'est détendue quand nous sommes passés à l'économie. J'ai qualifié le programme économique de « coopération » et non d'« assistance », puis j'ai prié Lloyd Bentson de résumer les propositions que nous ferions au G7 à Tokyo. Eltsine s'est alarmé lorsqu'il a compris que nous ne pourrions lui débloquer des fonds avant le référendum du 25 avril. Si je n'ai pu remettre à Boris le chèque de cinq cents millions de dollars qu'il souhaitait, à la conférence de presse suivant notre dernière séance, j'ai clairement annoncé qu'une importante aide financière suivrait parce que les États-Unis soutenaient la démocratie en Russie, ses réformes et son dirigeant.

J'ai quitté Vancouver en faisant davantage confiance à Eltsine et en comprenant mieux l'étendue de ses défis et sa détermination viscérale à les surmonter. De plus, il me plaisait. C'était un grand costaud, bourré de contradictions apparentes. Il avait grandi dans des conditions archaïques qui faisaient ressembler mon enfance à celle d'un Rockefeller ; il pouvait être grossier, mais il avait un esprit bien fait capable de saisir les subtilités d'une situation. En un clin d'œil, il passait de l'agressivité à l'accolade la plus chaleureuse. Il semblait tour à tour froidement calculateur et réellement sensible, mesquin et généreux, furieux contre le monde entier et drôle comme tout. Nous traversions mon hôtel quand un journaliste russe lui demanda s'il était heureux de notre réunion. « Heureux ? répliqua-t-il. On ne peut pas être heureux en l'absence de jolies femmes. Mais je suis satisfait. » Comme tout le monde le sait, Eltsine a un faible pour la vodka, mais en gros, pendant toutes nos rencontres, j'ai trouvé en lui un être attentif, bien préparé et un porte-parole efficace de son pays. La Russie avait de la chance de l'avoir à sa tête. Il aimait son pays, détestait le communisme et voulait une Russie à la fois grande et bonne. Chaque fois que quelqu'un lâchait un commentaire railleur sur son penchant pour l'alcool, je me rappelais ce qu'aurait dit Lincoln quand des snobs de Washington adressèrent la même critique au général Grant, de loin son meilleur commandant pendant la guerre de Sécession : « Renseignez-vous sur ce qu'il boit et donnez-en aux autres généraux. »

À mon retour à Washington, j'ai augmenté de nouveau le montant de l'aide en proposant 2,5 milliards pour tous les anciens États soviétiques, dont deux tiers reviendraient à la Russie. Le 25 avril, une large majorité d'électeurs soutint Eltsine, sa politique et son désir d'un nouveau Parlement. Au bout d'un peu plus de cent jours au pouvoir, nous avions avancé à pas de géant dans notre assistance à Eltsine et à la démocratie russe. Malheureusement, on ne pouvait pas en dire autant de nos tentatives de mettre un terme au massacre et au nettoyage ethnique en Bosnie.

En 1989, quand l'Union soviétique s'est effondrée et que la disparition du communisme s'est accélérée en Europe, la question de savoir quelle philosophie politique le remplacerait suscitait des réponses différentes selon les pays. L'ouest de l'ancien empire soviétique préférait clairement la démocratie, une cause défendue depuis des décennies par des immigrants de Pologne, Hongrie, Tchécoslovaquie et des États baltes aux États-Unis. En Russie, Eltsine et d'autres démocrates menaient un combat d'arrière-garde contre les communistes et les ultranationalistes. En Yougoslavie, alors que la nation s'efforçait de concilier les revendications concurrentes de ses composants ethniques et religieux, le nationalisme serbe l'emportait sur la démocratie sous la direction de la figure politique dominante du pays, Slobodan Milosevic.

En 1991, les provinces les plus à l'ouest de la Yougoslavie, la Slovénie et la Croatie, toutes deux à dominante catholique, s'étaient proclamées indépendantes de la Yougoslavie. Des combats éclatèrent alors entre la Serbie et la Croatie avant de déborder en Bosnie, la province yougoslave la plus mélangée sur le plan ethnique, où les musulmans constituaient environ 45 % de la population, contre juste un peu plus de 30 % de Serbes et 17 % de Croates. Les différences prétendument ethniques en Bosnie étaient en fait politiques et religieuses. La Bosnie avait été le point de rencontre de trois expansions impériales : le Saint Empire romain catholique à l'ouest, le mouvement chrétien orthodoxe à l'est et l'Empire ottoman musulman au sud. En 1991, les Bosniaques étaient gouvernés par une coalition d'unité nationale dirigée par le principal dirigeant musulman, Alija Izetbegovic, qui comprenait le dirigeant nationaliste serbe militant Radovan Karadzic, un psychiatre de Sarajevo.

Au début, Izetbegovic voulait que la Bosnie soit une province multiethnique, multireligieuse autonome de la Yougoslavie. Quand la Slovénie et la Croatie furent reconnues par la communauté internationale comme des nations indépendantes, Izetbegovic décida que le seul moyen pour la Bosnie d'échapper à la domination serbe était de rechercher l'indépendance elle aussi. Karadzic et ses alliés, très proches de Milosevic, avaient un tout autre programme. Ils soutenaient la volonté de Milosevic de transformer toutes les régions de la Yougoslavie dont il pourrait s'emparer en une Grande Serbie comprenant la Bosnie. Le 1er mars 1992, on organisa un référendum pour savoir si la Bosnie devait devenir une nation indépendante au sein de laquelle tous les citoyens et divers groupes auraient droit à un traitement égal. Le résultat fut une approbation presque unanime de l'indépendance, mais seuls deux tiers des électeurs votèrent. Karadzic avait ordonné aux Serbes de s'abstenir et ils lui avaient obéi pour la plupart. À ce moment-là, des forces paramilitaires serbes avaient commencé à tuer des musulmans désarmés, à les expulser de leurs maisons situées dans des régions dominées par les Serbes dans l'espoir de diviser de force la Bosnie en enclaves ethniques, ou « cantons ». Cette politique cruelle finit par recevoir une appellation curieuse : le nettoyage ethnique.

Le représentant de la communauté européenne, Lord Carrington, s'efforça de convaincre les différentes parties d'accepter de diviser pacifiquement le pays en régions ethniques mais il échoua parce qu'il n'y avait pas moyen d'y parvenir sans laisser de nombreux éléments d'un groupe sur une terre contrôlée par un autre et parce que beaucoup de Bosniaques tenaient à maintenir la cohésion de leur pays, où les différents groupes vivraient ensemble en paix, comme ils avaient réussi à le faire pendant près de cinq siècles.

En avril 1992, la Communauté européenne reconnut l'indépendance de la Bosnie pour la première fois depuis le XVe siècle. En attendant, les forces paramilitaires serbes continuaient de terroriser les communautés musulmanes et à tuer des civils, tout en se servant des médias pour convaincre les Serbes locaux qu'ils étaient attaqués par les musulmans et qu'il leur fallait se défendre. Le 27 avril, Milosevic proclamait la naissance d'un nouvel État de Yougoslavie composé de la Serbie et du Monténégro. Il fit alors semblant de retirer son armée de Bosnie, tout en y laissant des armes, des approvisionnements ainsi que des soldats serbes bosniaques sous la direction de son commandant de prédilection, Ratko Mladic. Les combats et les tueries continuèrent de faire rage pendant toute l'année 1992, malgré les tentatives de les contenir des dirigeants de la Communauté européenne, pendant que l'administration Bush, qui ne savait pas comment réagir et ne tenait pas à hériter d'un nouveau problème une année d'élections, n'était pas mécontente de laisser le soin à l'Europe de régler la question.

Il faut dire en sa faveur que l'administration Bush a exhorté les Nations unies à imposer des sanctions économiques à la Serbie, mesure à laquelle s'étaient d'abord opposés le secrétaire général Boutros Boutros-Ghali, les Français et les Britanniques sous prétexte qu'ils voulaient donner à Milosevic une chance de mettre un terme à la violence qu'il avait fait naître. Finalement, des sanctions furent imposées fin mai, sans grand effet, puisque les Serbes continuaient à recevoir du ravitaillement de voisins amis. Les Nations unies maintinrent l'embargo sur les armes contre le gouvernement bosniaque qui avait été imposé à l'origine à l'ensemble de la Yougoslavie fin 1991. Le problème avec l'embargo, c'était que les Serbes disposaient de suffisamment d'armes et de munitions pour lutter pendant des années ; de ce fait, la seule conséquence du maintien de l'embargo était de priver les Bosniaques de moyens de se défendre. Ils réussirent on ne sait comment à tenir en 1992, grâce à des armes saisies aux forces serbes et à de modestes cargaisons envoyées par la Croatie qui parvint à contourner le blocus de l'OTAN sur la côte croate.

Au cours de l'été 1992, quand la télévision et la presse écrite firent enfin connaître aux Européens et aux Américains les horreurs perpétrées dans un camp de détention dirigé par les Serbes dans le nord de la Bosnie, je me suis prononcé en faveur de frappes aériennes de l'OTAN avec une participation américaine. Plus tard, lorsqu'il est apparu que les Serbes procédaient au massacre systématique des musulmans bosniaques, en exterminant notamment des dirigeants locaux, j'ai suggéré qu'on lève l'embargo sur les armes. En lieu et place, les Européens s'employèrent à mettre un terme à la violence. Le Premier ministre britannique John Major tenta de convaincre les Serbes de lever le siège des villes bosniaques et de placer leurs armes lourdes sous la surveillance de l'ONU. En même temps, on créait de nombreuses missions humanitaires privées et gouvernementales pour fournir des vivres et des médicaments, et les Nations unies dépêchaient huit mille soldats pour protéger les convois d'assistance.

Fin octobre, juste avant nos élections, Lord David Owen, le nouveau négociateur européen, et celui de l'ONU, l'ancien secrétaire d'État américain Cyrus Vance, proposèrent que l'on transforme la Bosnie en une nation constituée de plusieurs provinces autonomes détenant toutes les fonctions gouverne-mentales sauf la défense et les affaires étrangères qui seraient confiées à un gouvernement central faible. Du fait du nombre des cantons et de la réparti-tion géographique des groupes ethniques dominants, Vance et Owen pensaient qu'il serait impossible pour les zones sous contrôle serbe de fusionner avec la Yougoslavie afin de former une Grande Serbie. Leur plan posait des problè-mes, les deux plus graves étant que vu les larges pouvoirs accordés aux gouver-nements des cantons, les musulmans ne pourraient sans risque rentrer chez eux dans les zones contrôlées par les Serbes et, en outre, le flou qui régnait dans le tracé des frontières des cantons ne pouvait qu'inciter l'agresseur serbe à conti-nuer d'étendre ses zones d'influence et favoriser la poursuite du conflit, certes moins sévère, entre Croates et musulmans.

Quand j'ai accédé à la présidence, l'embargo sur les armes et le soutien européen au plan Vance-Owen avaient affaibli la résistance musulmane contre les Serbes, alors que des preuves de leur massacre de civils musulmans et de leurs violations des droits de l'homme dans les camps de détention conti-nuaient d'affluer. Début février, j'ai décidé de ne pas soutenir le plan Vance-Owen. Le 5, j'ai rencontré le Premier ministre canadien qui m'a confié, à ma grande satisfaction, que le plan ne lui plaisait pas non plus. Quelques jours plus tard, nous terminions un bilan de la politique bosniaque et Warren Christopher annonçait que les États-Unis souhaitaient négocier un nouvel accord et seraient prêts à contribuer à son application.

Le 23 février, le secrétaire général de l'ONU Boutros-Ghali convint avec moi de la nécessité d'un plan d'urgence destiné à parachuter des fournitures humanitaires aux Bosniaques. Le lendemain, lors de ma première rencontre avec John Major, ce dernier soutint aussi ce projet. Si ces parachutages aidèrent de nombreuses personnes à rester en vie, ils ne firent rien pour régler les causes de la crise.

En mars, nous paraissions progresser un peu. Les sanctions économiques avaient été renforcées et elles semblaient handicaper les Serbes qui s'inquié-taient également de l'éventualité d'une intervention militaire de l'OTAN. Mais nous étions loin d'être parvenus à l'adoption d'une politique unie. Le 9, lors de ma première rencontre avec le président Mitterrand, il me fit claire-ment comprendre que, s'il avait envoyé cinq mille soldats français en Bosnie, au sein d'une force humanitaire des Nations unies, pour apporter de l'aide et contenir la violence, sa sympathie allait aux Serbes et il était moins disposé que moi à voir une Bosnie unifiée dirigée par des musulmans.

Le 26, j'ai rencontré Helmut Kohl qui déplorait ce qui se passait et qui, comme moi, s'était prononcé en faveur de la levée de l'embargo sur les armes, mais nous ne sommes pas parvenus à faire changer d'avis les Britanniques et les Français, qui estimaient que la levée de l'embargo ne ferait que prolonger la guerre et mettre en danger les forces de l'ONU sur le terrain, constituées de leurs soldats, et non des nôtres. Izetbegovic était également à la Maison Blanche le 26 pour rencontrer Al Gore, dont le chargé de la sécurité nationale, Leon Fuerth, avait contribué à rendre l'embargo plus efficace. Kohl et moi avons expliqué à Izetbegovic que nous faisions notre possible pour obtenir des Européens qu'ils le soutiennent plus ouvertement. Cinq jours plus tard, nous avons réussi à convaincre les Nations unies d'étendre une zone d'interdiction de survol à toute la Bosnie, histoire de priver au moins les Serbes des avantages de leur domination en matière de puissance aérienne. C'était une bonne décision, mais elle n'a pas vraiment ralenti les tueries.

En avril, une équipe composée de militaires, de diplomates et de membres des organisations humanitaires américains rentrant de Bosnie nous exhorta à intervenir militairement pour arrêter les souffrances. Le 16, les Nations unies acceptaient notre recommandation de créer une « zone de sécurité » autour de Srebrenica, une ville de l'est de la Bosnie où les tueries et le nettoyage ethnique serbes avaient été particulièrement monstrueux. Le 22, à l'inauguration du Holocaust Memorial Museum, le survivant de la Shoah Elie Wiesel me supplia publiquement d'agir avec davantage de fermeté pour mettre un terme à ces horreurs. À la fin du mois, mon équipe des Affaires étrangères recommandait qu'au cas où nous ne pourrions obtenir un cessez-le-feu serbe, nous levions l'embargo sur les armes touchant les musulmans et procédions à des frappes aériennes contre des cibles militaires serbes. Alors que Warren Christopher partait pour l'Europe afin de rallier ses dirigeants à ces mesures, le dirigeant serbe bosniaque Radovan Karadzic, espérant échapper aux frappes aériennes, finissait par signer le plan de paix de l'ONU, bien que son Parlement l'ait rejeté six jours plus tôt. Je n'ai pas cru une seconde que sa signature annonce un changement de ses objectifs à long terme.

À la fin de nos cent premiers jours, nous étions loin d'une solution satisfaisante pour la crise bosniaque. Les Britanniques et les Français repoussè-rent les ouvertures de Warren Christopher, et réaffirmèrent leur droit à diriger la gestion de la situation. L'ennui avec leur position, bien sûr, c'était que si les Serbes pouvaient surmonter le contrecoup économique des sanctions sévères, ils pourraient poursuivre leur nettoyage ethnique agressif sans craindre d'autres représailles. La tragédie bosniaque se prolongerait deux ans de plus, avec deux cent cinquante mille morts et 2,5 millions d'individus chassés de leurs foyers, jusqu'à ce que les attaques aériennes de l'OTAN, aidées par les pertes serbes sur le terrain, conduisent à une initiative diplomatique américaine qui mettrait fin à la guerre.

J'avais mis le pied dans ce que Dick Holbrooke a appelé « le plus grand échec en matière de sécurité collective de l'Occident depuis les années 1930 ». Dans son livre, *To End a War*, Holbrooke attribuait l'échec à cinq facteurs : 1. une mauvaise lecture de l'histoire des Balkans, qui partait du principe que la lutte ethnique était trop ancienne et trop enracinée pour que des étrangers puissent en changer le cours ; 2. la perte apparente de l'importance stratégique de la Yougoslavie après la fin de la guerre froide ; 3. le triomphe du nationa-lisme sur la démocratie, devenu l'idéologie dominante de la Yougoslavie post-communiste ; 4. la réticence de l'administration Bush à s'engager de nouveau militairement si tôt après la guerre d'Irak de 1991 et 5. la décision des Nations unies de confier le problème à l'Europe et non à l'OTAN, et la réaction vague et passive des Européens. À la liste de Holbrooke, j'ajouterais un sixième facteur : certains dirigeants européens ne tenaient pas vraiment à voir un État musulman au cœur des Balkans, craignant que cela ne devienne une base d'exportation de l'extrémisme, une conséquence que leur négligence favorisa plus qu'elle ne l'empêcha.

Mes propres options étaient limitées par les positions retranchées auxquelles j'ai été confronté à mon entrée en fonctions. Par exemple, je rechignais à suivre le sénateur Dole dans sa proposition de lever unilatéralement l'embargo sur les armes, de crainte d'affaiblir les Nations unies (bien que nous l'ayons fait plus tard, en refusant de soutenir cette mesure). Je ne voulais pas diviser l'alliance de l'OTAN en bombardant unilatéralement les positions militaires serbes, d'autant que la mission des Nations unies était composée de troupes européennes et non américaines. Et je refusais de faire participer des soldats américains à une mission de l'ONU que je jugeais vouée à l'échec. En mai 1993, nous étions encore loin de la solution.

À la fin des cent premiers jours d'une nouvelle présidence, la presse se livre toujours à une évaluation du respect des promesses de campagne de la nouvelle administration et de ses résultats face aux défis nouveaux qui se présentent. Les critiques s'accordèrent pour dire que mon bilan était mitigé. Sur le plan positif, j'avais créé un conseil national économique à la Maison Blanche et établi un programme économique ambitieux destiné à inverser douze ans d'économie reposant sur l'idée que la richesse accumulée par un petit nombre finirait par bénéficier à toute la société, vue qui commençait à faire son chemin au Congrès ; j'avais signé une loi de congé parental et la loi sur l'inscription électronique pour faciliter l'inscription sur les listes électorales et inversé la politique sur l'avortement de Reagan-Bush, dont l'interdiction des recherches à partir de tissu fœtal et la loi sur le secret des délibérations. J'avais réduit le personnel de la Maison Blanche malgré sa charge de travail qui ne cessait de croître ; pour citer un exemple, en trois mois et demi, nous avons reçu davantage de courrier que dans l'ensemble de l'année 1992. J'avais également ordonné de diminuer de cent mille les effectifs fédéraux et confié au vice-président Gore le soin de trouver de nouvelles économies et de meilleurs moyens de servir le public dans le cadre d'une initiative baptisée « Réinventons le gouvernement », qui finirait par montrer aux sceptiques qu'ils avaient tort de douter de son bien-fondé. J'avais envoyé des projets de loi au Congrès pour créer mon programme de service national, doubler l'aide aux faibles revenus et créer des zones de plus grande autonomie dans les communautés pauvres, et réduire de manière spectaculaire le coût des emprunts universitaires, faisant ainsi économiser des milliards de dollars aux étudiants et aux contribuables. J'avais fait du système de santé une priorité et pris des mesures vigoureuses pour renforcer la démocratie et la réforme en Russie. Et j'avais la chance d'avoir une équipe et un cabinet compétents, prêts à travailler sans compter et qui, les fuites mises à part, collaboraient dans une ambiance saine loin des coups bas et des luttes intestines qui avaient caractérisé de nombreuses administrations précédentes. Malgré un démarrage lent, j'avais mieux respecté l'impératif des nominations présidentielles dans les cent premiers jours que le président Reagan ou le président Bush à la même période, ce qui n'est pas mal quand on sait à quel point cette tradition était devenue pesante. Le sénateur Alan Simpson, le Républicain du Wyoming, m'a dit en plaisantant que cette pratique était si excessive qu'il « refuserait de dîner avec une personne susceptible d'être approuvée par le Sénat ».

Du côté négatif, j'avais temporairement laissé tomber la réduction d'impôts visant les classes moyennes à cause du déficit croissant ; perdu le programme d'incitation à cause de l'obstruction républicaine ; poursuivi la politique de Bush en matière de renvoi forcé au pays de réfugiés haïtiens, alors que davantage de Haïtiens entraient chez nous par d'autres moyens ; perdu la lutte pour l'admission des homosexuels dans l'armée ; été incapable de soumettre le plan de système de santé avant la fin des cent jours prévus, ce qui avait été mon objectif ; mal géré au moins la partie publique du raid de Waco et échoué à convaincre l'Europe de se joindre aux États-Unis pour davantage soutenir la Bosnie, bien que nous ayons accru l'aide humanitaire, renforcé les sanctions contre la Serbie, créé une zone d'interdiction de survol.

Une des raisons de mon bilan mitigé tenait à ma volonté de tenir tête à une opposition républicaine déterminée, ainsi qu'à la perplexité du peuple américain devant la mission du gouvernement. Après tout, cela faisait douze ans qu'on lui répétait que le gouvernement était la source de tous nos ennuis et qu'il était si incompétent qu'il ne serait pas fichu d'organiser un défilé de deux voitures. J'avais manifestement surestimé ce que je pouvais faire dans l'urgence. Pendant plus de dix ans, le pays avait vécu avec une politique au coup par coup ; on lui avait servi des platitudes rassurantes sur sa grandeur et on avait nourri ses illusions en recourant à une augmentation des dépenses doublée d'une diminution des impôts sans se préoccuper des conséquences possibles. Il allait falloir plus de cent jours pour inverser le cours des choses.

J'avais voulu agir trop vite et, de plus, j'avais surestimé la quantité de changements que je pouvais apporter, de même que les capacités des Américains de les digérer. Dans une analyse des cent jours, un spécialiste politique de l'Université Vanderbilt, Erwin Hargrove, observa : « Je me demande si le Président ne se disperse pas trop. » Il avait probablement raison, mais il y avait beaucoup à faire, et je n'ai cessé d'essayer de tout concilier jusqu'au jour où les électeurs m'ont durement ramené à la réalité aux élections de mi-mandat. J'avais laissé mon sentiment d'urgence prendre le pas sur une autre de mes règles en politique : tout le monde est globalement en faveur du changement, mais s'y oppose individuellement, quand il se sent personnellement concerné.

Pendant ce temps, ma famille s'adaptait au changement spectaculaire de notre mode de vie et s'efforçait de surmonter la mort du père de Hillary. Mes nouvelles fonctions me passionnaient et Hillary se consacrait corps et âme à son projet sur la santé. Nous aimions la vie à la Maison Blanche, les réceptions officielles et les visites de nos amis.

Le personnel de la Maison Blanche s'habituait à une Première Famille qui se retirait plus tard le soir. Même si j'en suis venu à me reposer sur elle et à en apprécier la valeur, il m'a fallu un moment pour me faire à toute l'assistance dont je bénéficiais soudain. Dans mes fonctions de gouverneur, j'avais vécu dans une belle demeure entourée d'un personnel important et j'avais été véhiculé par les hommes de la sécurité de l'État. Mais le week-end, Hillary et moi cuisinions nos repas et je prenais le volant pour aller à l'office du dimanche. Désormais, j'avais des valets de chambre qui préparaient mes vêtements chaque

matin, faisaient mes valises quand je partais en voyage, où ils me suivaient pour
déballer mes affaires et les mettre sur des cintres ; des majordomes qui restaient
tard, arrivaient tôt, me servaient mes repas et m'apportaient des sodas sans
sucre et des cafés, même le week-end ; des stewards de la marine qui effectuaient les mêmes tâches que je sois dans le Bureau ovale ou en voyage ; un
personnel de cuisine qui nous préparait nos repas sept jours sur sept ; des portiers pour appuyer sur les touches de l'ascenseur et m'apporter à toute heure
des documents à signer et des notes à lire ; une équipe médicale à notre disposition 24 heures sur 24 ; et les services secrets qui m'interdisaient de m'asseoir
à l'avant de la voiture, voire de prendre le volant.

Ce que j'ai le plus apprécié à la Maison Blanche, c'était la présence de
fleurs fraîches partout, tant dans nos appartements que dans les bureaux. Les
bouquets étaient toujours superbes. C'est un des détails qui me manqueraient
le plus à mon départ.

À notre arrivée, Hillary a réaménagé la petite cuisine pour que nous
puissions y dîner tous les trois. La salle à manger de l'étage était belle mais trop
grande et trop officielle à notre goût à moins que nous n'ayons des invités.
Hillary a également installé un solarium au deuxième étage, une pièce lumineuse qui donnait sur un balcon et le toit de la Maison Blanche. Nous l'avons
transformé en pièce à vivre. Chaque fois que la famille ou des amis nous
rendaient visite, nous finissions dans le solarium pour bavarder, regarder la télé,
jouer aux cartes ou à des jeux de société. Je suis devenu accro de Master
Boggle et d'un jeu baptisé UpWords : une sorte de Scrabble en trois dimensions où on gagne des points non en plaçant des lettres tirées au hasard sur
certaines cases, mais en créant des mots. On ne peut pas dire que j'aie réussi à
convertir toute ma famille et mes amis à UpWords. Mon beau-frère Hugh est
souvent venu jouer avec moi, et Roger adorait ça. Quant à Hillary, Tony et
Chelsea, ils préféraient une bonne vieille belote. J'ai continué à jouer avec
mon équipe et nous sommes tous devenus fans d'un nouveau jeu auquel
Steven Spielberg et Kate Capshaw nous ont initiés. Il portait un nom parfaitement adapté à la vie politique de Washington : Oh Hell.

Les services secrets me suivaient depuis la primaire du New Hampshire,
mais, une fois à la Maison Blanche, je leur ai causé des soucis avec mon jogging matinal. J'avais plusieurs itinéraires. Parfois, je me rendais en voiture à
Haines Point où je disposais d'un trajet de cinq kilomètres autour du terrain de
golf. Il était plat, mais il présentait des difficultés en hiver quand des vents violents soufflaient du Potomac. De temps à autre, je courais aussi à Fort McNair,
qui offrait un trajet ovale sur le terrain de l'Université de la Défense nationale.
Mais je préférais de loin sortir par la grille sud-ouest de la Maison Blanche pour
courir sur le Mall jusqu'au Lincoln Memorial avant de rentrer par le Capitole.
J'ai rencontré plein de gens intéressants, dont certains étaient las de courir à
travers les symboles de l'histoire américaine. Quand les services secrets m'ont
finalement prié d'arrêter à cause de problèmes de sécurité, j'ai obtempéré, mais
cela m'a manqué. Pour moi, ces joggings en public étaient un moyen de garder le contact avec le monde extérieur à la Maison Blanche. Pour eux qui gardaient le souvenir de la tentative d'assassinat de John Hinckley contre le président Reagan et qui en savaient plus long que moi sur le courrier plein de

haine que je recevais, mes contacts avec le public présentaient des risques inquiétants.

Al Gore m'a beaucoup aidé au début, en m'encourageant à continuer à prendre des décisions difficiles et en ne cessant de m'initier aux arcanes de la vie à Washington. Nous déjeunions régulièrement en tête à tête une fois par semaine dans ma salle à manger privée. Après avoir dit le bénédicité, nous bavardions de tout, de nos familles, de sport, de livres et de films, sans oublier les questions à l'ordre du jour. Ce rituel a duré huit ans. Si nous avions beaucoup de points communs, nous étions très différents et ces déjeuners nous permettaient de rester plus proches que nous n'aurions pu l'être au milieu des pressions de Washington et ils m'ont aidé à m'adapter à ma nouvelle vie.

Tout compte fait, mes cent premiers jours m'ont satisfait tant sur le plan personnel que politique. Et pourtant, j'étais soumis à une grande tension. Comme Hillary. Malgré notre enthousiasme et notre engagement, nous étions fatigués à notre arrivée, n'ayant pas eu vraiment le temps de souffler après l'élection. Nous avons également été privés de la lune de miel traditionnellement accordée aux nouveaux Présidents, en partie parce que la question des homosexuels dans l'armée est apparue très tôt et en partie parce que nous avons contrarié la presse en limitant son accès à l'aile ouest. La mort de son père fut un choc douloureux pour Hillary. Hugh me manquait aussi et pendant un moment, son décès nous a empêchés d'être au meilleur de notre forme. Si nous pouvions apprécier notre nouvelle tâche, le retentissement physique et émotionnel des cent premiers jours fut considérable.

CHAPITRE TRENTE-TROIS

La réduction du déficit budgétaire était essentielle à ma stratégie économique ; elle ne suffisait cependant pas à elle seule à assurer une reprise durable et profitable à tous. Les premiers mois, nous avons établi un calendrier de mesures fourni visant à développer le commerce extérieur et à augmenter les investissements dans l'éducation, mais aussi à intervenir de manière ciblée à l'échelle microéconomique sur toute une série de points névralgiques précis et de problèmes ponctuels. Ainsi, j'ai formulé des propositions pour aider les employés du secteur militaire et civil qui avaient perdu leur travail suite à la réduction des dépenses militaires due à la fin de la guerre froide, j'ai encouragé nos grands laboratoires de recherche fédéraux – Los Alamos et Sandia au Nouveau-Mexique et Livermore en Californie – à exploiter l'immense capital scientifique et technologique qui avait contribué à nous faire gagner la guerre froide, pour développer des technologies nouvelles ayant des applications commerciales, j'ai annoncé le lancement d'un programme de microcrédits pour soutenir les jeunes entrepreneurs, notamment les bénéficiaires de l'aide sociale qui désiraient voler de leurs propres ailes mais qui, en dépit de leurs bonnes idées, souvent ne remplissaient pas les critères de solvabilité fixés par les établissements de crédit traditionnels, j'ai augmenté le volume des prêts destinés aux petites entreprises, en particulier celles dirigées par des femmes ou des membres de minorités ethniques, enfin, j'ai nommé une commission nationale pour une industrie aérienne forte et compétitive, dirigée par l'ancien gouverneur de Virginie, Jerry Baliles. Les constructeurs et les transporteurs traversaient une passe difficile en raison de la récession, de la réduction des commandes d'avions militaires et de la concurrence ardue du constructeur européen Airbus.

J'ai également proposé des programmes destinés à aider les collectivités à développer des utilisations commerciales pour les infrastructures militaires qu'on avait dû fermer en raison de la réduction des effectifs de la défense. Lorsque j'étais gouverneur, j'avais été amené à gérer les conséquences de la fermeture d'une base aérienne, et maintenant que j'étais président, j'étais déterminé à davantage aider ceux qui étaient confrontés au même problème. Comme la Californie était en elle-même la sixième puissance économique mondiale et qu'elle avait été particulièrement touchée par la réduction des effectifs de la défense et par d'autres problèmes, nous avons élaboré un plan de reprise spécialement conçu pour elle. J'en avais confié le suivi à John Emerson, ainsi que d'autres questions relatives à son État, et il s'acquittait de sa mission avec tant d'ardeur que, dans les bureaux de la Maison Blanche, on le surnommait le « ministre de la Californie ».

L'une de nos initiatives les plus efficaces a été la réforme des réglementations régissant les établissements financiers au titre du Community Reinvestment Act de 1977. Cette loi obligeait les établissements financiers agréés à réaliser des efforts particuliers pour adapter leurs conditions de prêt aux emprunteurs à revenus faibles et moyens. Cependant, son impact était resté très limité avant 1993. Grâce aux changements que nous y avons introduits, entre 1993 et 2000, les banques ont retiré plus de huit cents milliards de dollars des crédits immobiliers et des prêts aux petites entreprises et aux collectivités locales qu'elles ont accordés aux emprunteurs couverts par cette loi, une somme impressionnante qui représente plus de 90 % de celle engendrée par l'ensemble des prêts débloqués durant les vingt-trois années d'existence du Community Reinvestment Act.

Le mois de mai a été une période intéressante et très instructive pour mon apprentissage toujours renouvelé de la politique. Le 5, j'ai décerné ma première Medal of Freedom en tant que président à mon vieil ami et mentor le sénateur Fulbright. C'était le jour de son quatre-vingt-huitième anniversaire. Le père d'Al Gore était présent à la cérémonie, et lorsqu'il a rappelé au sénateur Fulbright que lui-même n'avait encore que 85 ans, ce dernier lui a rétorqué : « Albert, si vous êtes sage, vous y arriverez, vous aussi. » J'admirais ces deux hommes pour ce qu'ils avaient fait pour l'Amérique. Je me suis demandé si je saurais porter les années aussi bien qu'eux si jamais j'avais la chance de vivre aussi longtemps.

La troisième semaine du mois, je me suis rendu en Californie afin de mettre l'accent sur les investissements que le plan de relance de l'économie prévoyait dans l'éducation et le développement des zones urbaines défavorisées. J'ai participé à un meeting à San Diego et je suis intervenu dans un centre universitaire de Van Nuys qui comptait de nombreux étudiants d'origine hispanique. J'ai également visité un magasin d'équipements sportifs dans le sud du centre de Los Angeles. Des émeutes y avaient éclaté un an auparavant. J'ai tout particulièrement apprécié cette dernière étape. À l'arrière du magasin, qui s'appelait Playground, il y avait un terrain de basket qui était devenu un lieu de réunion pour les jeunes du quartier. Ron Brown était avec moi, et nous avons improvisé une partie avec quelques-uns des gamins présents. Après notre partie, j'ai évoqué le potentiel de ces zones urbaines prioritaires qui permettaient d'espérer la création de commerces aussi prospères que Playground dans de nombreuses communautés défavorisées à travers toute l'Amérique. Je suis prêt à parier que c'était la première fois qu'un président jouait au basket avec des jeunes dans l'arrière-cour d'un ghetto urbain. J'avais espéré que des photos signaleraient clairement au pays quelles étaient les priorités de la nouvelle administration, et qu'elles montreraient tout particulièrement aux jeunes que je m'intéressais à eux et à leur avenir.

Malheureusement, la plupart des Américains n'ont jamais eu connaissance de cette partie de basket, parce que j'ai eu le malheur de me faire couper les cheveux. Je n'avais pas encore trouvé de coiffeur à Washington, je ne pouvais pas rentrer en Arkansas toutes les trois semaines pour voir Jim Miles, et mes cheveux étaient trop longs. Hillary se faisait couper les cheveux par un coiffeur de Los Angeles, Cristophe Schatteman. C'était un ami des Thomason que j'appréciais beaucoup. Je lui ai demandé s'il était disponible pour me faire une coupe rapide. Il a accepté et est venu me retrouver dans les quartiers privés à bord d'*Air Force One*. Avant qu'il ne se mette au travail, je me suis assuré non pas une, mais deux fois, auprès des services secrets que nous ne causerions aucun retard dans les décollages ou les atterrissages si nous reportions notre départ de quelques minutes. Ils ont contacté le personnel de l'aéroport, qui a confirmé qu'il n'y avait aucun problème. J'ai demandé à Cristophe de se contenter de me rendre présentable aussi rapidement que possible, ce qu'il a fait en dix minutes. Puis nous avons décollé.

Sans même que j'aie eu le temps de réaliser ce qui se passait, les journaux disaient que j'avais bloqué le trafic sur deux pistes pendant une heure et retardé des milliers de gens pour me faire faire une coupe à deux cents dollars par un coiffeur de luxe tellement célèbre qu'on ne l'appelait que par son prénom. Oubliée, la partie de basket avec les jeunes d'un quartier difficile, la nouvelle sensationnelle était que j'avais renié mes racines de l'Arkansas et mon souci du peuple pour m'offrir des plaisirs ruineux. Sans doute y avait-il là matière à un papier du tonnerre, mais c'était faux. Tout d'abord, je n'ai pas payé deux cents dollars simplement pour faire rafraîchir ma coupe de cheveux en dix minutes. Ensuite, je n'ai retardé aucun décollage ni aucun atterrissage, comme en ont attesté les archives de l'administration fédérale des transports aériens, lesquelles ont finalement été rendues publiques quelques semaines plus tard. J'étais consterné que quiconque puisse penser que j'aurais pu faire une chose pareille. Tout président que j'étais, ma mère n'aurait pas manqué de me remonter sérieusement les bretelles si j'avais fait attendre des milliers de gens une heure pendant que je me faisais couper les cheveux, à plus forte raison pour deux cents dollars.

Cette histoire de coupe de cheveux avait beau être totalement absurde, je l'ai mal gérée, parce que je me suis mis en colère, ce qui est toujours une erreur. L'un des attraits principaux de l'histoire était que Cristophe avait beaucoup de clients à Hollywood. Beaucoup de gens de Washington ont une relation d'amour-haine avec Hollywood. Tout en aimant se mêler à des stars du cinéma ou de la télévision, ils ont tendance à considérer que l'intérêt pour la politique ou l'engagement du monde du spectacle est moins authentique que le leur. La plupart des gens appartenant à ces deux groupes sont de bons citoyens et ont beaucoup en commun. Quelqu'un a dit un jour que la politique était le show business des physiques ingrats.

Quelques semaines plus tard, *Newsday,* un journal de Long Island, a eu accès aux fichiers de l'administration fédérale des transports aériens concernant le trafic de l'aéroport de Los Angeles ce jour-là. Ces documents ont enfin établi que les prétendus retards n'avaient jamais eu lieu. *USA Today* ainsi que quelques autres journaux ont publié des rectificatifs.

C'est sans doute en raison d'un événement tout à fait différent que l'épisode de la coupe de cheveux est resté si longtemps à la une sans être rectifié. Le 19 mai, sur le conseil de David Watkins, alors chargé de la gestion administrative de la Maison Blanche, et avec l'aval du bureau des conseillers de la Maison Blanche, Mack McLarty a licencié sept employés du service des déplacements. Ce service organise les déplacements des journalistes lorsqu'ils accompagnent le président dans ses voyages et facture ensuite les frais à leur employeur. Hillary et moi avions demandé à Mack d'examiner la gestion du service. En effet, on avait dit à Hillary qu'il entravait la concurrence sur les vols charters qu'elle organisait, et j'avais moi-même reçu des plaintes de la part d'un reporter de la Maison Blanche à propos de la qualité des repas et des prix. Un audit interne réalisé par la société KPMG Peat Marwick a alors révélé dix-huit mille dollars de dépenses hors comptabilité et mal justifiées, ainsi que d'autres irrégularités, suite à quoi les employés en cause ont été licenciés.

Après avoir transmis les plaintes du reporter à Mack, je n'ai plus repensé au service des déplacements jusqu'à l'annonce des licenciements. La réaction de la presse présidentielle fut extrêmement hostile. Ils appréciaient la manière dont on s'était occupé d'eux, particulièrement pour les voyages à l'étranger. De plus, ils connaissaient les employés du service depuis des années et n'admettaient pas l'idée qu'ils aient fait quoi que ce soit de répréhensible. Beaucoup de journalistes avaient eu tendance à oublier que le service des déplacements travaillait pour la Maison Blanche et non pour eux, et ils avaient le sentiment qu'on aurait dû au moins les prévenir, si ce n'est les consulter avant de prendre une décision. Malgré les critiques, le nouveau service a proposé les mêmes prestations avec moins d'employés et à moindre coût pour la presse.

Cette affaire constitue un exemple particulièrement représentatif du « choc culturel » qui résultait de l'affrontement entre deux logiques, celle de la nouvelle équipe en place à la Maison Blanche et celle du milieu établi de la presse politique. Par la suite, le directeur du service des déplacements a été condamné pour avoir détourné les fonds à des fins personnelles. Selon les comptes rendus publiés dans la presse, il a proposé de plaider coupable en échange d'un allégement des charges prononcées contre lui et de quelques mois de prison, mais le procureur a insisté pour ouvrir un procès pour trahison. Plusieurs journalistes ayant témoigné en sa faveur, il a fini par être acquitté. En dépit des enquêtes menées par la Maison Blanche, le General Accounting Office, instance fédérale de contrôle financier, le FBI et le bureau du procureur indépendant, aucun membre de la Maison Blanche n'a jamais pu être reconnu coupable d'un délit, d'un conflit d'intérêts ou d'une infraction quelconque, et personne n'a contesté l'existence des problèmes financiers du service des déplacements ou de la mauvaise gestion révélés par l'audit de Peat Marwick.

Je n'arrivais pas à croire que le peuple américain me voyait principalement à travers le prisme de la coupe de cheveux, de l'affaire du service des déplacements et de la question du statut des homosexuels dans l'armée. Au lieu d'un président qui tentait de réaliser des changements positifs dans le pays, on me présentait comme un homme qui avait abandonné ses racines pour monter à la ville, un incurable libéral dont le masque de modération avait fini par tomber. Peu de temps auparavant, au cours d'une émission télévisée à Cleveland, un homme m'a dit qu'il avait cessé de me soutenir parce que je consacrais tout mon temps au problème du statut des homosexuels dans l'armée et à la Bosnie. Je lui ai rétorqué que je venais de dresser un bilan de mes activités au cours des cent premiers jours de mon mandat : 55 % de mon temps avait été consacré à l'économie et au système de santé, 25 % à la politique extérieure et 20 % à d'autres questions de politique intérieure. Lorsqu'il m'a demandé combien de temps j'avais passé sur la question des homosexuels dans l'armée, et que je lui ai répondu quelques heures, il m'a tout bonnement répliqué qu'il ne me croyait pas et que tout ce qu'il savait, c'est ce qu'il avait lu et vu.

La rencontre de Cleveland, le fiasco du service des déplacements et de la coupe de cheveux étaient des leçons de choses qui m'ont permis de saisir l'étendue de notre ignorance des mœurs politiques de Washington et de comprendre à quel point elle pouvait entraver nos efforts pour expliquer ce que nous étions en train de faire pour résoudre les problèmes qui comptaient réellement pour le reste de l'Amérique. Quelques jours plus tard, Doug Sosnik, l'un des membres les plus spirituels de mon équipe, a lancé une formule qui décrivait à merveille le panier de crabes dans lequel nous avions mis le pied. Alors que nous nous préparions à partir à Oslo pour promouvoir le processus de paix au Moyen-Orient, Sharon Farmer, ma photographe, une femme dynamique d'origine africaine, nous a confié que la perspective d'un séjour dans le froid norvégien ne la réjouissait pas particulièrement. « C'est normal, Sharon, lui a dit Doug. Ce n'est pas un match à domicile pour toi. Personne n'aime les matchs à l'extérieur. » Arrivé à la moitié de l'année 1993, tout ce que j'espérais, c'était que mon mandat ne se résumerait pas à un long « match à l'extérieur ».

Après avoir sérieusement réfléchi à la situation dans laquelle je me trouvais, j'en ai conclu que les racines du problème étaient les suivantes : le personnel de la Maison Blanche avait trop peu d'expérience et trop peu de relations au sein des centres du pouvoir établi de Washington, nous tentions de faire trop de choses à la fois, ce qui créait une impression de confusion et empêchait les gens de voir ce que nous avions réellement accompli. De plus, l'absence d'un message clair déportait l'attention sur des problèmes par ailleurs mineurs, ce qui donnait l'impression que j'avais opté pour un gouvernement culturellement et politiquement situé à gauche, et non au centre dynamique comme promis. Cette impression était renforcée par l'insistance des Républicains à m'attaquer toujours sur le même front, en répétant que mon programme budgétaire se résumait à une augmentation massive des impôts. Enfin, j'avais été aveugle aux obstacles politiques considérables auxquels j'étais confronté. J'avais été élu avec 43 % des suffrages, et je n'avais pas réalisé à quel point il serait difficile de faire changer de cap un Washington qui avançait sur une trajectoire différente depuis douze ans, ni anticipé le choc politique – et même psychologique – que ces changements représentaient pour les acteurs principaux de la vie politique à Washington. Nombreux étaient les Républicains qui considéraient d'entrée mon accession à la présidence comme illégitime et qui se comportaient en conséquence. Quant au Congrès, avec une majorité démocrate agissant à sa façon et une minorité républicaine déterminée à prouver que j'étais trop de gauche et incapable de gouverner, on pouvait difficilement espérer qu'il voterait toutes les lois que je voulais faire passer aussi rapidement que je le souhaitais.

Je savais qu'il fallait que je change mais, comme toujours, ce genre d'entreprise est bien plus facile à conseiller à d'autres qu'à mettre en pratique. Néanmoins, j'ai réussi à réaliser deux changements qui se sont avérés particulièrement productifs. J'ai convaincu mon ami David Gergen, vétéran de trois administrations républicaines que j'avais rencontré lors d'un week-end de la Renaissance, de rejoindre l'équipe de la Maison Blanche en tant que conseiller présidentiel, afin de nous aider à remanier notre organisation et notre politique de communication. David avait émis plusieurs avis pertinents sur la situation politique dans sa chronique *Us News & World Report*, dont certains étaient plutôt critiques, mais auxquels je souscrivais. De plus, il appréciait et respectait Mack McLarty et il était un authentique membre de l'establishment washingtonien, rompu à sa façon de réfléchir et de ne rien oublier. Enfin, pour le bien du pays, il voulait nous voir réussir. Pendant les quelques mois qui ont suivi, David a exercé une influence apaisante sur la Maison Blanche. Il s'est aussitôt employé à améliorer nos relations avec la presse en rétablissant son accès direct au bureau des porte-parole, une mesure que nous aurions dû prendre depuis longtemps.

En plus de la nomination de David Gergen, nous avons effectué d'autres changements dans l'équipe : Mark Gearan, le secrétaire adjoint très apprécié et compétent de Mack McLarty, a remplacé George Stephanopoulos au poste de directeur de la communication, Dee Dee Myers a été maintenue dans les services de communication en tant que porte-parole principale, prenant en charge à ce titre les points de presse quotidiens, et George a été promu à un poste de conseiller plus important afin de m'assister dans la coordination de ma politique et de ma stratégie, ainsi que dans mes décisions quotidiennes. Il a tout d'abord été déçu de ne plus s'occuper des points quotidiens avec la presse, mais bientôt, il a fait preuve d'une grande maîtrise de sa mission, qui était très voisine de celle qu'il avait accomplie pendant la campagne, et il s'en est acquitté avec tant de compétence que son influence et son impact au sein de la Maison Blanche ont considérablement augmenté.

Autre changement positif : nous avons clarifié mon emploi du temps quotidien en dégageant une plage de deux heures à la mi-journée, consacrée à la lecture, à la réflexion, au repos et aux communications téléphoniques. Ce changement a complètement transformé mes journées.

À la fin du mois, les choses ont commencé à s'améliorer. La Chambre a voté mon budget par 219 voix contre 213, puis le projet est passé au Sénat. Les sénateurs ont immédiatement rejeté la taxe BTU sur l'énergie en faveur d'une augmentation de la taxe sur le carburant et d'une réduction accrue des dépenses. La mauvaise nouvelle, c'était que la taxe sur le carburant favoriserait moins les économies d'énergie que la taxe BTU ; la bonne, c'était qu'il en coûterait moins cher aux Américains des classes moyennes, à savoir seulement environ trente-trois dollars par an.

Le 31 mai, mon premier Memorial Day en tant que président, après la cérémonie traditionnelle au cimetière national d'Arlington, j'ai assisté à une seconde cérémonie pour inaugurer une nouvelle section du cimetière qui abritait le mémorial des vétérans de la guerre du Viêt-nam. C'était un long mur de marbre noir sur lequel on avait gravé les noms de tous les soldats qui avaient été tués. Tôt ce matin-là, j'avais fait le trajet à pied de la Maison Blanche jusqu'au monument pour voir les noms de mes amis de Hot Springs. J'ai posé ma main sur celui de mon ami Bert Jeffries, je me suis agenouillé et j'ai dit une prière.

Je savais que cette cérémonie allait être délicate, que, pour certains dans l'assistance, la guerre du Viêt-nam demeurait un moment central de leur existence et que, pour eux, l'idée que quelqu'un comme moi fût à la tête des forces armées du pays était insupportable. Malgré tout, j'étais déterminé à me rendre à cette cérémonie, à faire face à ceux qui me tenaient toujours rigueur de mes positions sur le Viêt-nam, à rendre hommage aux vétérans et à leurs camarades tombés au front, et à les assurer que je ne relâcherais pas nos efforts pour résoudre les cas toujours en suspens de certains prisonniers de guerre et de soldats portés disparus.

Colin Powell m'a présenté avec conviction et élégance, en insistant avec force sur le respect qui m'était dû à ses yeux en tant que chef des forces armées. Néanmoins, quand je me suis levé pour prendre la parole, certaines personnes dans la foule m'ont hué et ont tenté de couvrir ce que je disais. Je me suis adressé directement à elles :

> À tous ceux parmi vous qui protestent : je vous ai entendus. Je vous demande maintenant d'écouter ce que j'ai à vous dire. [...] Certains ont suggéré que ma présence ici aujourd'hui était déplacée parce qu'il y a un quart de siècle, je n'étais pas d'accord pour que l'on envoie des jeunes gens, des hommes et des femmes, combattre au Viêt-nam. Je me réjouis que ces voix se soient élevées [...]. Car tout comme la guerre est la rançon de la liberté, le désaccord est son privilège, et c'est à elle que nous rendons hommage ici aujourd'hui [...]. Le message que nous adresse ce mémorial est simple : voici des hommes et des femmes qui ont combattu pour la liberté, qui ont fait honneur à leur communauté, qui aimaient leur pays et sont morts pour lui [...]. Il n'y a pas une seule personne parmi vous aujourd'hui qui n'ait connu quelqu'un dont le nom est gravé sur ce mur. Quatre de mes camarades de lycée y figurent [...]. Puisqu'il faut que nous soyons en désaccord à propos de cette guerre, continuons de l'être. Mais ne la laissons pas continuer de nous diviser en tant que peuple.

En dépit de débuts houleux, la cérémonie s'est bien terminée. Robert McNamara avait suggéré que mon élection mettrait un terme à la guerre du

Viêt-nam. Si sa prédiction ne s'était pas tout à fait vérifiée, peut-être étions-nous du moins sur la bonne voie.

Juin a commencé par une déception à la fois personnelle et politique, lorsque j'ai dû revenir sur la nomination de Lani Guinier, professeur à l'Université de Pennsylvanie et depuis longtemps avocate au sein du bras légal de la National Association for the Advancement of Coloured People, le Legal Defense Fund, ancienne camarade de la faculté de droit, le premier avocat dont la carrière avait été consacrée à la lutte pour les droits civiques à diriger la division pour les droits civiques du ministère de la Justice. Après que je l'eus nommée en avril, les conservateurs se sont violemment attaqués à Guinier, la qualifiant de « reine du quota » et l'accusant de défendre l'abandon du principe constitutionnel « un homme, une voix » parce qu'elle avait appuyé un système de vote cumulatif, aux termes duquel chaque électeur pouvait obtenir autant de votes que de sièges contestés dans une assemblée législative et concentrer tous ses votes sur un seul candidat. Ce système aurait eu pour effet d'accroître fortement les chances de candidats issus de minorités ethniques.

Au début, je n'ai pas vraiment prêté attention aux vociférations de la droite, me disant que ce qui leur déplaisait réellement chez Guinier c'étaient les victoires qu'elle avait remportées dans ses combats pour les droits civiques et sa capacité à remporter suffisamment de votes au Sénat pour être confirmée dans ses fonctions.

J'avais tort. Mon ami le sénateur David Pryor est venu me trouver pour me presser de revenir sur la nomination de Lani. Ses entretiens avec les sénateurs se passaient mal, ce qui m'a rappelé que nous avions aussi un programme économique à faire voter et que nous ne pouvions nous permettre de perdre une seule voix. Le chef de la majorité, George Mitchell, qui avait été juge fédéral avant de rejoindre le Sénat, partageait la position de David. D'après lui, Lani ne pourrait pas être confirmée et nous devions mettre fin au processus aussi vite que possible. On m'a informé que le sénateur Ted Kennedy et Carol Moseley Brown, le seul Afro-Américain membre du Sénat, pensaient de même.

J'ai alors jugé qu'il fallait que je lise les articles de Lani. Elle y défendait ses positions de manière très convaincante, mais celles-ci étaient en contradiction avec ma position − j'étais pour l'action affirmative mais opposé aux quotas − et elle semblait renoncer au principe « un homme, une voix » pour le remplacer par le principe « un homme, beaucoup de voix », et ce quelle que soit la manière dont on les répartissait.

Je lui ai demandé de venir me voir afin que nous en discutions en détail. Au cours de notre conversation dans le Bureau ovale. Lani était offensée des attaques nourries qu'elle avait subies, ce qui était tout à fait compréhensible, et stupéfaite que les réflexions théoriques de ses articles aient pu être interprétées comme un obstacle sérieux à sa confirmation. Elle ne prenait pas au sérieux les difficultés que présentait sa nomination pour certains sénateurs dont les votes lui étaient nécessaires. Mon équipe lui avait dit que nous n'avions pas les votes nécessaires pour la confirmer, mais elle a refusé de se retirer, car elle estimait qu'elle avait le droit d'être soumise au vote. J'ai fini par lui dire que j'étais contraint de revenir sur sa nomination, que cette démarche m'était pénible mais que nous allions perdre, que c'était sans doute un piètre réconfort mais que le retrait de sa candidature allait faire d'elle une héroïne dans la communauté des droits civiques.

Par la suite, j'ai été vivement critiqué pour avoir abandonné une amie en cédant à des pressions politiques, surtout par des gens qui n'avaient pas suivi les détails de l'affaire. J'ai fini par nommer Deral Patrick à la tête de la division pour les droits civiques, un brillant avocat noir pourvu d'une solide expérience de la lutte pour les droits civiques. Il a fait du très bon travail. J'ai toujours beaucoup d'admiration pour Lani Guinier et je regrette d'avoir perdu son amitié.

Durant la première moitié du mois de juin, j'ai consacré la majeure partie de mon temps à choisir un juge pour la Cour suprême. Quelques semaines auparavant, Byron White, dit « Whizzer », avait annoncé son départ à la retraite après trente et un ans au service de la Haute Cour. Comme je l'ai dit plus haut, mon intention initiale était de nommer le gouverneur Mario Cuomo, mais le poste ne l'intéressait pas. Après avoir examiné plus de quarante candidatures, j'en ai retenu trois : mon secrétaire à l'Intérieur, Bruce Babbitt, qui avait été ministre de la Justice de l'Arizona avant de devenir gouverneur, le juge Stephen Breyer, président de la cour d'appel du Premier Circuit à Boston, dont les actions en tant que magistrat étaient impressionnantes, et la juge Ruth Bader Ginsburg de la cour d'appel de la circonscription du District de Columbia, femme brillante au parcours fascinant et dont le bilan dans la justice était intéressant, indépendant et progressiste. Mes entretiens avec Babbitt et Breyer m'ont convaincu qu'ils feraient d'excellents juges pour la Cour suprême. Cependant, je répugnais à perdre Babbitt à l'Intérieur, à l'instar de nombreux partisans de la protection de l'environnement qui ont appelé la Maison Blanche pour m'inciter à le maintenir dans ses fonctions. Quant à Breyer, il avait un léger problème de « nounou ». Malgré tout, le sénateur Kennedy, qui l'encourageait fortement à se présenter, m'a assuré que sa nomination serait confirmée si je le choisissais.

Comme toujours à la Maison Blanche durant les premiers mois de mon mandat, il y a eu des fuites à propos de mes entretiens avec les deux hommes. J'ai donc décidé de voir Ginsburg à mon bureau privé dans la résidence de la Maison Blanche un dimanche soir. Elle m'a énormément impressionné. J'ai estimé qu'elle avait le potentiel pour devenir un grand juge et qu'à tout le moins elle serait en mesure d'accomplir trois choses qui me semblaient essentielles compte tenu de la composition de la Cour à l'époque, étroitement divisée entre les modérés et les conservateurs : juger les affaires en fonction de leur contenu et non en fonction des idées ou de l'identité des parties, coopérer avec les juges républicains conservateurs afin d'arriver à un compromis lorsque cela était possible, et leur résister si nécessaire. Dans un de ses articles, Ginsburg avait écrit : « Les plus grandes figures de la justice américaine ont été des individus dotés d'une pensée indépendante et d'un esprit ouvert mais non vide, des individus disposés à écouter et à apprendre, disposés à réexaminer leurs propres présupposés, libéraux ou conservateurs, aussi scrupuleusement que ceux des autres. »

Lorsque nous avons annoncé que le poste lui était revenu, personne ne s'y attendait. Dans la presse, on avait écrit que mon intention était de nommer Breyer, sur la foi d'une rumeur colportée par quelqu'un qui ne savait pas de quoi il parlait. Après que la juge Ginsburg eut prononcé un discours bref, mais émouvant, l'un des journalistes a dit que le fait que j'avais fini par me décider pour elle au lieu de Breyer donnait l'impression d'un processus de décision « en zigzag » à la Maison Blanche. Puis il m'a demandé si je pouvais démentir cette impression. J'hésitai entre rire et fondre en larmes. J'ai répondu : « J'ai renoncé depuis longtemps à l'idée de pouvoir empêcher certains d'entre vous de transformer toutes mes décisions politiques importantes en manœuvres politiciennes. » À l'évidence, lorsqu'il s'agissait de nommer les responsables aux hautes fonctions de l'État, la règle du jeu n'était pas : « suivez le leader », mais « suivez la rumeur ». Je dois reconnaître que j'étais presque aussi satisfait du choix que j'avais fait que d'avoir pu surprendre la presse.

Durant les dernières semaines de juin, le Sénat a fini par voter mon budget par seulement 50 voix contre 49. Un Démocrate et un Républicain s'étaient abstenus et la voix d'Al Gore avait fait la différence. Pas un seul Républicain n'a voté pour, et nous avons perdu six Démocrates conservateurs. Le sénateur David Boren, de l'Oklahoma, que je connaissais depuis 1974, époque à laquelle il avait posé sa première candidature au mandat de gouverneur et où je m'étais présenté pour la première fois au Congrès, nous a cédé sa voix afin de nous éviter une défaite, tout en nous notifiant qu'il s'opposerait au projet de loi définitif à moins que ce dernier ne prévoie des réductions de dépenses plus importantes et moins d'impôts.

Le Sénat et la Chambre ayant approuvé mon programme budgétaire, il s'agissait maintenant d'aplanir leurs différends sur le programme, suite à quoi il nous faudrait recommencer à batailler pour faire réaccepter le projet dans les deux chambres. Comme nous l'avions emporté d'une courte majorité dans les deux chambres, toute concession faite par l'une à l'autre pouvait nous faire perdre une ou deux voix, ce qui était suffisant pour faire échouer l'ensemble du programme. Roger Altman nous a rejoints avec son secrétaire général, Josh Steiner, depuis le département du Trésor afin de constituer un « état-major » pour organiser la campagne en vue du vote final. Nous devions savoir où en était précisément chacun des votes, et quels étaient les arguments ou les compromis que nous pouvions proposer aux indécis afin de remporter la majorité. Après tout le sang que nous avions versé pour des dossiers mineurs, ce combat-là valait la peine d'être mené. Pendant les six semaines qui suivirent, l'avenir économique du pays, sans parler de mon avenir politique, a été en suspens.

Le lendemain du vote du budget par le Sénat, j'ai été amené pour la première fois à ordonner une intervention militaire. Vingt-trois missiles Tomahawk ont été lancés sur le quartier général des services secrets irakiens suite à la découverte d'un projet d'assassinat du président George H.W. Bush, qui devait être réalisé à l'occasion d'un voyage de ce dernier au Koweit. On avait arrêté plus de douze personnes impliquées dans ce complot au Koweit le 13 avril, la veille du jour où l'ex-Président devait arriver dans le pays. Le matériel en leur possession a permis de remonter sans ambiguïté jusqu'aux services secrets irakiens. Le 19 mai, l'un des Irakiens qui avaient été arrêtés a confirmé au FBI que les services secrets irakiens étaient bien à l'origine du projet. J'ai demandé au Pentagone de me conseiller une réaction appropriée. Le général Powell m'a suggéré un lancer de missiles sur le quartier général des services secrets, qu'il m'a présenté à la fois comme une riposte proportionnelle à l'attaque et une mesure de dissuasion efficace. J'avais le sentiment que des frappes plus sévères auraient été légitimes, mais le général Powell m'a convaincu que ce bombardement aurait un effet suffisamment dissuasif pour empêcher de nouvelles attaques terroristes et qu'un raid étendu à d'autres cibles telles que les palais présidentiels aurait peu de chances de tuer Saddam Hussein, mais entraînerait à coup sûr la mort d'encore plus d'innocents. La plupart des Tomahawks ont atteint leur objectif, à l'exception de quatre d'entre eux qui ont dépassé leur cible. Parmi ces derniers, trois ont atterri dans un quartier des hauteurs de Bagdad et tué huit civils. Cet événement était un rappel cruel que la libération de ce type de puissance de feu, quels que soient la précision des armes et le soin que l'on avait mis à préparer leur lancement, avait généralement des conséquences involontaires.

Le 6 juillet, j'étais à Tokyo pour ma première réunion internationale, le sixième sommet annuel des pays industrialisés. Par le passé, ces sommets avaient généralement comporté beaucoup de longs discours, mais ils n'avaient donné lieu qu'à peu d'engagements significatifs qui avaient eu peu de retombées concrètes. Nous ne pouvions pas nous permettre le luxe d'un autre sommet improductif. L'économie mondiale fonctionnait au ralenti, cela faisait plus de dix ans en Europe et près de vingt ans au Japon que la croissance n'avait pas été aussi lente. Nous avancions sur le front économique. Au cours des cinq derniers mois précédents, plus de neuf cent cinquante mille Américains avaient trouvé un emploi. Ce chiffre était à peu près équivalent aux nouveaux emplois créés par l'économie durant les trois années précédentes.

Je m'étais rendu au Japon avec un programme d'action précis. Mon intention était d'amener les leaders européens et japonais à coordonner leurs politiques économiques avec la nôtre afin de stimuler la croissance mondiale, de convaincre l'Europe et le Japon d'abaisser leurs barrières douanières sur les produits manufacturés afin de créer des emplois dans l'ensemble des pays représentés et d'augmenter nos chances de conclure le 15 décembre suivant les pourparlers sur le commerce mondial de l'Uruguay Round entamés sept ans plus tôt et d'affirmer clairement et de manière unifiée notre soutien financier et politique à Boris Eltsine et à la démocratie russe.

Les chances que j'avais de remporter un succès sur l'un de ces trois points, et à plus forte raison sur les trois ensemble, n'étaient pas énormes, en partie car aucun des leaders n'abordait le G7 en position de force. Entre les mesures draconiennes de mon programme économique et les mauvais échos que j'avais eus dans la presse sur des dossiers réels ou imaginaires, ma popularité était en chute libre depuis mon investiture. John Major se maintenait en Angleterre, mais il pâtissait d'incessantes comparaisons avec son prédécesseur, Margaret Thatcher, et la Dame de fer ne faisait rien pour y mettre fin. François Mitterrand était un homme fascinant et brillant. Il entamait son second mandat de sept ans, mais, étant donné que son Premier ministre et son gouvernement appartenaient à l'opposition et contrôlaient la politique économique, son champ d'action dans le cadre du sommet était limité. Carlo Ciampi, le Premier ministre italien, ancien gouverneur de la Banque centrale italienne, était un homme modeste connu pour se rendre à son travail à bicyclette. En dépit de son intelligence et de son charisme, il était entravé par les divisions et l'instabilité politique qui régnaient dans son pays. Kim Campbell, première femme Premier ministre du Canada, était une personnalité impressionnante, clairement dévouée à ses fonctions et qui venait d'entrer en poste suite à la démission de Brian Mulroney. Tandis qu'elle achevait le long mandat de Mulroney, les sondages indiquaient une vague de soutien grandissante pour le leader de l'opposition, Jean Chrétien. Notre hôte, Kiichi Miyazawa, était largement considéré comme un canard boiteux dans un système politique où le long règne du Parti libéral démocrate tirait à sa fin. Miyazawa était peut-être un canard boiteux, mais il était impressionnant et doué d'une compréhension très fine du monde. Il parlait l'anglais de tous les jours à peu près aussi bien que moi. C'était également un patriote qui voulait que le G7 ait des retombées positives sur son pays.

Il était d'usage de dire que Helmut Kohl, qui était chancelier depuis si longtemps, était également dans une situation difficile en raison de ses mauvais scores dans les sondages et des revers dont les chrétiens-démocrates avaient souffert dans certains scrutins régionaux. Il me semblait au contraire que Helmut Kohl était loin d'être au bout de ses ressources politiques. C'était un homme de carrure imposante, à peu près de la même taille que moi mais bien plus gros. Il parlait avec beaucoup de conviction, était très direct, parfois brusque, et doté d'un solide sens de l'humour. Au-delà de son gabarit, c'était le personnage le plus imposant du continent européen depuis des dizaines d'années. Il avait réunifié l'Allemagne, injectant des sommes considérables de l'Ouest vers l'Est pour relever les salaires de ceux dont les revenus étaient bien moins élevés sous le régime communiste. L'Allemagne de Kohl était devenue le soutien financier le plus important de la démocratie russe. Kohl était également le moteur le plus puissant de l'Union européenne naissante, et il était favorable à l'entrée de la Pologne, de la Hongrie et de la République tchèque dans l'UE et l'OTAN. Enfin, Kohl était profondément préoccupé par la passivité de l'Europe en Bosnie et pensait comme moi que les Nations unies devaient lever l'embargo sur les armes, qui était injuste envers les musulmans de Bosnie. Sur toutes les grandes questions qui se posaient à l'Europe, il était du bon côté, et s'employait avec une grande énergie à faire valoir ses points de vue. Il avait le sentiment que, s'il parvenait à résoudre les dossiers importants, les sondages suivraient. J'appréciais beaucoup Helmut Kohl. Au cours des années qui suivirent, à travers de nombreux repas, de multiples visites, et beaucoup de conversations téléphoniques, nous devions forger un lien politique et personnel qui allait s'avérer très fructueux à la fois pour les Européens et pour les Américains.

J'étais optimiste quant à l'issue du G7, car je l'abordais avec un programme solide et j'étais persuadé que les autres leaders avaient compris que le meilleur moyen d'améliorer leur situation chez eux était de prendre des mesures significatives à Tokyo. Dès l'ouverture du sommet, nous avons franchi un seuil important lorsque nos ministres du Commerce ont décidé l'abaissement des barrières douanières à zéro dans dix secteurs industriels, ouvrant ainsi des marchés qui représentaient des centaines de milliards de dollars d'échanges commerciaux. Ce fut la première victoire de Mickey Kantor en tant que représentant américain au Commerce. Il s'était avéré un négociateur âpre et efficace, dont les compétences devaient permettre la conclusion de plus de deux cents accords qui ont permis de déclencher une expansion du commerce extérieur responsable de près de 30 % de notre croissance durant les huit années suivantes.

Après la conclusion d'un programme d'aide généreusement doté, le G7 a clairement réaffirmé le soutien de tous les pays riches à la Russie. Sur la question de la coordination de nos politiques économiques, les résultats ont été plus mitigés. Je m'employais à essayer de réduire notre déficit et la banque centrale allemande venait de baisser ses taux d'intérêt, mais la détermination du Japon à doper son économie et à ouvrir ses frontières à davantage d'échanges et de concurrence en provenance de l'étranger demeurait problématique. J'allais devoir m'efforcer d'atteindre ces objectifs dans le cadre de nos négociations bilatérales avec le Japon, qui ont débuté juste après la clôture du G7.

En 1993, parce que le Japon traversait une stagnation économique et une crise politique, je savais qu'il serait difficile d'obtenir des changements de politique commerciale mais je devrais essayer. L'important déficit de notre balance commerciale avec le Japon s'expliquait en grande partie par le protectionnisme. Par exemple, le Japon refusait d'acheter nos skis sous prétexte qu'ils n'avaient pas la bonne largeur. Je devais trouver un moyen de pousser le Japon à ouvrir ses marchés sans pour autant nuire à notre partenariat de sécurité, essentiel à la construction d'un avenir stable pour l'Asie. Pendant que j'exposais ces arguments devant des étudiants japonais à l'Université de Waseda, Hillary avait entamé sa propre offensive de charme au Japon. Elle a trouvé un accueil particulièrement chaleureux auprès du nombre croissant de jeunes femmes diplômées et intégrées dans la vie active.

Le Premier ministre Miyazawa s'est déclaré favorable au principe d'un accord-cadre par lequel nos deux pays s'engageraient à améliorer leurs relations commerciales en plusieurs étapes définies et mesurables. Le ministère des Affaires étrangères, dont le représentant était le père de la princesse héritière japonaise, était déterminé à arriver à un accord. Le grand obstacle était le MITI, le ministère de l'Industrie et du Commerce international, dont les dirigeants estimaient que leur politique avait fait du Japon une grande puissance et qui ne voyaient aucune raison de la changer. Un soir, alors qu'il était déjà tard et que nos pourparlers étaient achevés, nous avons assisté à un affrontement entre les représentants des deux ministères, qui se jetaient leurs arguments à la tête en hurlant dans le hall de l'hôtel *Okura*. Malgré tout, notre équipe est parvenue à se rapprocher autant qu'on le pouvait d'un accord, avec l'aide de l'adjointe de Mickey Kantor, Charlene Barshefsky, qui s'était montrée tellement âpre aux négociations que les Japonais l'avaient surnommée « le mur ». À l'issue des pourparlers, Miyazawa et moi-même avons partagé un repas japonais traditionnel à l'hôtel *Okura* afin de tenter de résoudre les derniers points de désaccords qui subsistaient. Nous y sommes parvenus, au cours de ce que l'on a appelé plus tard le « sommet du sushi », même si Miyazawa avait coutume de dire en plaisantant que le saké que nous avions bu avait sans doute contribué davantage au résultat final que les sushis.

Par cet accord-cadre, l'Amérique s'engageait à réduire son déficit budgétaire et le Japon à prendre des mesures au cours de l'année suivante pour ouvrir ses marchés dans les secteurs de l'automobile, de l'informatique, des télécommunications, des satellites, de l'équipement médical, ainsi que dans celui des services financiers et des assurances. L'accord comportait des critères d'évaluation de réussite objectifs et un calendrier de réalisation précis. J'étais persuadé qu'il serait bénéfique à la fois pour l'économie des États-Unis et pour celle du Japon, et qu'il aiderait les réformateurs japonais à faire entrer leur remarquable pays dans une nouvelle ère de réussite. Comme c'est souvent le cas pour ce type d'accord, il n'a pas produit tous les résultats que l'on pouvait en espérer dans chacun des deux pays. Cependant, il n'en demeurait pas moins une initiative très positive.

Tandis que je quittais le Japon pour me rendre en Corée, la presse américaine rapportait que mon premier G7 était un triomphe et se réjouissait de la diplomatie dont j'avais fait preuve avec les autres leaders et du contact que j'avais réussi à établir avec le peuple japonais. Ces échos positifs dans les médias étaient agréables, mais l'idée d'avoir atteint les objectifs que nous nous étions fixés pour le G7 et pour les négociations avec le Japon l'était encore plus. J'avais pris plaisir à faire plus ample connaissance avec les autres chefs d'État et à travailler avec eux. Au terme du G7, j'avais davantage confiance en moi et en ma capacité à promouvoir les intérêts de l'Amérique dans le monde, et je comprenais pourquoi tant de présidents préféraient la politique étrangère aux frustrations qui allaient de pair avec la politique intérieure.

En Corée-du-Sud, j'ai visité nos troupes le long de la zone démilitarisée qui séparait la Corée-du-Sud de celle du Nord depuis la signature de l'armistice qui avait mis fin à la guerre. J'ai fait quelques pas sur le pont qui traverse, je me suis avancé jusqu'à la ligne blanche qui séparait les deux pays et j'ai regardé le jeune soldat nord-coréen qui montait la garde de l'autre côté, dans le dernier avant-poste isolé de la guerre froide. À Séoul, en tant qu'invités du président Kim Yong-Sam, Hillary et moi séjournions dans la résidence destinée aux visiteurs officiels, qui possédait une piscine découverte. Tandis que je m'apprêtais à faire quelques brasses, de la musique a soudain retenti dans les airs. Je me suis retrouvé à nager au son d'un grand nombre de mes airs favoris, des chansons d'Elvis à des airs de jazz. C'était un bon exemple de la célèbre hospitalité coréenne. Après une rencontre avec le Président et un discours devant le Parlement, j'ai quitté la Corée plein de gratitude pour notre longue alliance et déterminé à la maintenir.

CHAPITRE TRENTE-QUATRE

Je suis retourné aux rigueurs de Washington. Au cours de la troisième semaine de juillet, sur les conseils de Janet Reno, j'ai remercié William Sessions, le directeur du FBI, qui refusait de démissionner en dépit de nombreux problèmes internes à l'agence. Il nous fallait donc trouver un remplaçant. Bernie Nussbaum me poussait à choisir Louis Freeh, un ancien agent du FBI que le président Bush avait nommé juge fédéral à New York après une brillante carrière de procureur fédéral. Lorsque j'ai rencontré Freeh, je lui ai demandé ce qu'il pensait de l'affirmation du FBI selon laquelle le raid de Waco avait eu lieu parce que le FBI ne voulait pas mobiliser tant d'hommes au même endroit pendant trop longtemps. Sans savoir ce que j'en pensais, il m'a dit qu'il n'était pas d'accord et que les agents du FBI étaient « payés pour attendre ». Cette réponse m'a impressionné. Je savais que Freeh était républicain, mais Nussbaum m'avait assuré qu'il était très professionnel, très droit et qu'il n'utiliserait jamais le FBI à des fins politiques. Nous avions prévu d'annoncer sa nomination le 20. La veille, lorsque la nouvelle de sa nomination a filtré, un agent du FBI à la retraite de mes amis a appelé Nancy Hernreich, la responsable des opérations au Bureau ovale, pour me dire de ne pas lui donner le poste. D'après lui, Freeh était trop politique et intéressé par le climat politique du moment. Cela donnait à réfléchir, mais je lui ai répondu qu'il était trop tard, que l'offre avait été faite et acceptée. J'allais donc devoir me fier à l'avis de Bernie Nussbaum.

Quand nous avons annoncé la nomination de Freeh lors d'une cérémonie matinale dans la roseraie, j'ai remarqué Vince Foster, debout au fond, près de l'un des vénérables magnolias plantés par Andrew Jackson. Vince souriait, et je me suis dit qu'il devait être soulagé de voir qu'avec les conseillers juridiques de la présidence, il s'occupait désormais des nominations à la Cour suprême ou au FBI au lieu de répondre inlassablement aux questions qui lui étaient posées à propos du service des déplacements de la Maison Blanche. La cérémonie s'est parfaitement déroulée, presque trop bien, comme nous allions nous en rendre compte.

Ce soir-là, j'ai participé à l'émission de Larry King depuis la bibliothèque du rez-de-chaussée de la Maison Blanche, pour parler de la bataille budgétaire et de tout ce qui lui venait à l'esprit ou à celui des spectateurs posant leurs questions par téléphone. Comme tout le monde, j'aimais bien Larry King. Il a un vrai sens de l'humour et il est très humain, même lorsqu'il pose des questions difficiles. Au bout de quarante-cinq minutes, tout se passait si bien que Larry m'a demandé si je pouvais rester trente minutes de plus afin de continuer de répondre aux questions des spectateurs. J'ai accepté tout de suite, mais à la coupure suivante, Mack McLarty est arrivé sur le plateau pour dire que nous ne pouvions pas faire plus d'une heure d'interview. Au début, je l'ai assez mal pris, pensant que mon équipe avait sans doute peur que je finisse par commettre des erreurs ; mais d'un simple regard, Mack m'a tout de suite fait comprendre qu'il y avait autre chose.

À la fin de l'émission, j'ai serré la main de Larry et de toute l'équipe du plateau, et j'ai suivi Mack à l'étage résidentiel. Retenant à peine ses larmes, il m'a annoncé que Vince Foster venait de mourir. Vince avait quitté la roseraie après la cérémonie de Louis Freeh, pris sa voiture jusqu'à Fort Marcy Park et il s'était tiré une balle dans la tête avec son vieux revolver de famille. Nous avions été amis pratiquement toute notre vie. Quand je vivais chez mes grands-parents à Hope, leur jardin touchait celui de ses parents. Nous avions commencé à jouer ensemble avant même d'entrer à la maternelle. Je savais qu'il avait été très contrarié par l'affaire du service des déplacements et qu'il se tenait pour responsable des critiques adressées aux conseillers juridiques de la Maison Blanche. Il s'était également senti blessé lorsque sa compétence et son intégrité avaient été remises en question par plusieurs éditoriaux du *Wall Street Journal*.

La veille au soir, j'avais appelé Vince pour l'inviter à voir un film avec moi. J'espérais pouvoir l'encourager et le soutenir ; mais il était déjà rentré chez lui et voulait rester avec son épouse, Lisa. Au téléphone, j'ai fait de mon mieux pour le convaincre de ne pas se laisser démonter par ces éditoriaux. Le *Wall Street Journal* était un bon journal, mais ses éditoriaux n'étaient pas très lus, et la plupart de ceux qui les lisaient étaient, comme ceux qui les écrivaient, des conservateurs qui resteraient contre nous quoi qu'il arrive. Vince m'avait écouté, mais je savais que mes arguments n'avaient pas suffi à le convaincre. Il n'avait jamais été l'objet de critiques publiques et, comme beaucoup de personnes qui se retrouvent d'un coup sous le feu roulant de la presse, il avait le sentiment que le monde entier avait lu et cru les choses négatives proférées sur lui.

Lorsque Mack m'a annoncé cette terrible nouvelle, Hillary m'a appelé de Little Rock. Elle était déjà au courant et pleurait au téléphone. Vince avait été son ami le plus proche au cabinet Rose. Elle cherchait en vain une réponse à la question qui nous hantait tous : pourquoi en était-il arrivé là ? J'ai fait ce que je pouvais pour la convaincre qu'elle n'aurait rien pu faire pour l'en empêcher, tout en me demandant ce que moi j'aurais dû faire. Puis, je suis allé avec Mack rendre visite à la famille de Vince. Webb et Suzy Hubbell étaient là, ainsi que de nombreux amis de Vince, des amis de l'Arkansas comme de la

Maison Blanche. J'ai essayé de consoler chacun, mais j'étais moi-même très affecté. Je ressentais exactement ce que j'avais ressenti lorsque Frank Aller s'était suicidé : j'en voulais à Vince de l'avoir fait, et je m'en voulais de ne pas avoir senti le drame venir et de ne rien avoir pu faire pour tenter de l'empêcher. J'étais triste pour tous mes amis de l'Arkansas venus à Washington dans le seul but de servir le pays pour se rendre compte que leurs moindres actions étaient stigmatisées. Et voilà que Vince était mort : lui qui était si grand, si beau, si fort et si sûr de lui ; lui que tout le monde considérait comme le plus équilibré de tous.

Vince avait jugé qu'il n'y avait pas d'issue. Dans sa serviette, Bernie Nussbaum a trouvé une note déchirée en mille morceaux. Une fois reconstituée, on pouvait y lire ces mots : « Je n'étais pas fait pour travailler ainsi sous les projecteurs de la vie publique, à Washington. Ici, détruire la vie des gens est un sport […]. L'opinion publique ne croira jamais en l'innocence des Clinton et des personnes loyales qui les entourent. » Vince était submergé, épuisé et très vulnérable aux attaques d'individus qui ne jouaient pas le jeu selon les mêmes règles que lui. L'honneur et le respect étaient profondément enracinés en lui, qui avait été déraciné par ceux qui mettent le pouvoir et les attaques personnelles au-dessus de tout. Une dépression qu'il ne soignait pas lui avait ôté les défenses qui nous permettent à tous de survivre.

Le lendemain, je me suis adressé à tous ceux qui travaillaient pour moi. Je leur ai dit qu'il y a dans la vie des choses sur lesquelles nous n'avons pas de prise et des mystères pour lesquels nous n'avons pas d'explication. Je leur ai dit que je voulais qu'ils se préoccupent davantage d'eux-mêmes, de leurs amis et de leur famille, et que nous ne pouvions pas « endormir notre sensibilité dans le travail acharné ». Il m'avait toujours été bien plus facile de donner ce conseil que de le suivre.

Nous sommes tous allés à Little Rock pour les funérailles de Vince, à la cathédrale catholique de Saint-Andrew. Puis, nous sommes allés à Hope pour enterrer Vince dans le cimetière où mes grands-parents et mon père étaient enterrés. Beaucoup de gens qui avaient été avec nous à la maternelle ou à l'école primaire étaient présents. J'avais cessé de tenter de comprendre la dépression de Vince et son suicide ; je tentais désormais de les accepter et de me souvenir de ce qu'il nous avait donné de son vivant. Dans son éloge funèbre, j'ai essayé de parler de toutes les merveilleuses qualités de Vince, de tout ce qu'il avait représenté pour nous, de tout ce qu'il avait fait de bien à la Maison Blanche et de l'homme d'honneur qu'il avait toujours été. J'ai cité la très émouvante chanson de Leon Russell intitulée *A Song for You* : « Je t'aime dans un endroit qui n'a ni temps ni espace. Je t'aime pour la vie. Tu es mon ami. »

C'était l'été, et les pastèques commençaient à mûrir. Avant de quitter la ville, je me suis arrêté chez Carter Russell, pour goûter les deux variétés qu'il faisait pousser. Puis, j'ai discuté avec la presse des mérites nombreux de la plus grosse production agricole de la région. Les journalistes, qui savaient que j'avais besoin de souffler un peu et de surmonter ma douleur, étaient exceptionnellement bien intentionnés ce jour-là. Je suis rentré à Washington en me disant que Vince était chez lui, là où il avait été heureux, et en louant Dieu que tant de gens pensent à lui.

Le lendemain, 24 juillet, j'ai accueilli à la Maison Blanche les jeunes représentants du projet éducatif American Legion Boys Nation, pour le trentième anniversaire de ma rencontre avec le président Kennedy dans la roseraie. Certains délégués démocrates étaient également présents. Al Gore, qui se démenait pour faire passer notre programme économique, s'est libéré quelques minutes pour dire à ces jeunes garçons : « Je n'ai qu'un conseil à vous donner : débrouillez-vous pour que l'on vous prenne en photo en train de serrer la main du Président, ça pourra vous être utile un jour. » Je leur ai à tous serré la main et j'ai été pris en photo avec chacun d'entre eux. Je l'ai fait six années sur les huit que j'ai passées à la Maison Blanche, pour les garçons comme pour les filles de la Girls Nation. J'espère qu'un jour on verra ces photos dans des spots de campagne.

J'ai passé le reste du mois et les premiers jours d'août à discuter individuellement de notre programme économique avec les représentants et les sénateurs. La *war room* de Roger Altman s'occupait de l'opinion publique et m'avait demandé de participer à des téléconférences de presse dans les États dont les représentants au Congrès restaient indécis. Al Gore et les membres du cabinet effectuaient littéralement des centaines d'appels et de visites. L'issue était incertaine et semblait nous échapper, pour deux raisons. Tout d'abord à cause de la proposition du sénateur David Boren de rejeter toute taxe sur l'énergie, de retenir la plupart – mais pas toutes – des taxes frappant les très hauts revenus et de compenser la différence en éliminant une grande partie de l'aide sous forme de crédits d'impôts, en réduisant les indexations sur le coût de la vie pour la sécurité sociale et les pensions civiles et militaires, et en plafonnant les dépenses pour Medicare et Medicaid en dessous des niveaux prévisionnels pour les nouveaux bénéficiaires et les augmentations des frais médicaux. Boren n'a pas réussi à faire accepter sa proposition en dehors de la commission parlementaire, mais il a su se rallier les Démocrates des États conservateurs. Sa proposition était également soutenue par le sénateur démocrate de Louisiane, Bennett Johnston, et les sénateurs républicains du Missouri et du Maine, John Danforth et Bill Cohen.

Lorsque le budget a été accepté pour la première fois, par 50 voix contre 49 (la voix d'Al Gore avait fait la différence), Bennett Johnston avait voté contre, ainsi que Sam Nunn, Dennis DeConcini de l'Arizona, Richard Shelby de l'Alabama, Richard Bryan du Nevada et Frank Lautenberg du New Jersey. Shelby commençait déjà à se rapprocher du parti républicain, dans un État qui l'était de plus en plus ; Sam Nunn était tout à fait contre ; DeConcini, Bryan et Lautenberg redoutaient les réactions hostiles de leurs administrés envers la fiscalité. Comme je l'ai dit, lors du premier vote, j'avais réussi sans leur concours, parce que deux sénateurs, un Républicain et un Démocrate, s'étaient abstenus. La fois suivante, ils allaient tous venir voter. Tous les Républicains étant contre nous, si Boren votait contre sans que personne ne change d'opinion, j'allais perdre par 51 voix contre 49. En dehors de ces six personnes, le sénateur Bob Kerrey laissait entendre qu'il pourrait, lui aussi, voter contre. Nos relations avaient été mises à mal par la campagne présidentielle, et le Nebraska était un État très conservateur. Je restais néanmoins optimiste à son endroit, car il avait vraiment à cœur de réduire le déficit et il était très proche du président de la commission sénatoriale sur les finances, Pat Moynihan, qui soutenait mon programme avec beaucoup d'énergie.

À la Chambre des représentants, le problème était différent. Chaque Démocrate savait qu'il disposait d'une force de levier maximale, et beaucoup marchandaient avec moi certains détails du plan ou une aide pour des problèmes particuliers. Un grand nombre de Démocrates, qui venaient de circonscriptions hostiles à l'impôt, avaient peur de voter pour une nouvelle augmentation de la taxe sur le carburant seulement trois ans après la dernière hausse votée par le Congrès. Outre le président de la Chambre, mon plus fort soutien me venait du puissant président de la Commission du budget, le représentant de l'Illinois Dan Rostenkowski. Rostenkowski était un législateur hors pair, qui alliait un esprit subtil à la débrouillardise de la rue ; mais il faisait l'objet d'une enquête pour usage illégal de fonds publics à des fins politiques et cette enquête risquait fort de réduire l'influence qu'il pouvait avoir sur les autres représentants de la Chambre. Chaque fois que je rencontrais les membres du Congrès, les journalistes me parlaient de Rostenkowski. Pour être honnête, je dois dire que Rosty a fait feu de tout bois, récoltant les voix et disant à ses collègues qu'ils devaient faire ce qui était juste. Il restait efficace, et il valait d'ailleurs mieux qu'il le fût. Le moindre faux pas pouvait nous coûter une ou deux voix, ce qui suffisait à nous plonger dans la défaite.

Au début du mois d'août, alors que la grande comédie du budget arrivait à son apogée, Warren Christopher a fini par obtenir l'accord des Français et des Britanniques pour lancer des attaques aériennes en Bosnie dans le cadre de l'OTAN, mais les attaques ne pouvaient avoir lieu que si l'OTAN et les Nations unies les approuvaient ; c'était la double condition clef. J'avais bien peur de ne jamais pouvoir tourner ces deux clefs à la fois, car la Russie, très liée aux Serbes, disposait d'un droit de veto au Conseil de sécurité. Cette double obligation allait être un obstacle à la protection des populations bosniaques, mais elle marquait une étape supplémentaire dans le processus lent et tortueux qui devait conduire l'Europe et les Nations unies vers une attitude plus agressive.

Le 3 août, nous étions tombés d'accord sur un programme budgétaire définitif, avec deux cent cinquante-cinq milliards de dollars de restrictions et deux cent quarante et un milliards de dollars de recettes fiscales supplémentaires. Certains Démocrates redoutaient encore que l'augmentation de la taxe sur les carburants nous prive du soutien des électeurs des classes moyennes, déjà mécontents de ne pas obtenir de baisse d'impôts. Des Démocrates conservateurs ont dit que ce programme ne cherchait pas assez à réduire le déficit en diminuant les dépenses de remboursements et d'allocations de Medicare, de Medicaid et de la Sécurité sociale. Plus de 20 % de nos économies budgétaires provenaient déjà de la réduction des remboursements futurs versés aux médecins et aux hôpitaux dans le cadre de Medicare. Une autre partie importante de ces économies était réalisée en assujettissant à l'impôt une part plus grande des pensions versées aux retraités aisés. Je ne pouvais faire davantage sans risquer de perdre davantage de votes à la chambre que nous ne pouvions en gagner.

Ce soir-là, dans une allocution télévisée prononcée dans le Bureau ovale, j'ai tenté une dernière fois de convaincre l'opinion de la nécessité d'un tel programme, qui allait permettre de créer huit millions d'emplois au cours des quatre années à venir. J'ai ajouté que j'allais signer dès le lendemain une ordonnance établissant un fonds dédié à la réduction du déficit public, afin que tous les bénéfices des nouveaux impôts et des réductions des dépenses soient utilisés à cette seule fin. Ce fonds était cher au sénateur de l'Arizona Dennis DeConcini, et je lui en avais d'ailleurs attribué le mérite dans mon allocution télévisée. Des six sénateurs qui avaient voté contre ce programme lors du premier vote, DeConcini était mon seul espoir. J'avais reçu les autres à dîner, je les avais rencontrés ou je leur avais parlé au téléphone, j'avais même demandé à leurs amis proches au sein de l'administration de tenter de les convaincre, en vain. Si DeConcini ne changeait pas son fusil d'épaule, nous étions battus.

Le lendemain, il a heureusement changé d'avis, affirmant qu'il allait voter « oui » à cause de la création de ce fonds. Si Bob Kerrey restait de notre côté, nous pouvions obtenir cinquante voix au Sénat et Al Gore pouvait, une fois de plus, faire pencher la balance en notre faveur. Mais le budget devait d'abord être voté par la Chambre. Il ne nous restait plus qu'un jour pour obtenir une majorité de 218 voix, et il s'en fallait encore de beaucoup. Plus de trente Démocrates restaient indécis. Ils avaient peur des impôts, même si nous avions donné à chaque représentant un document montrant combien de personnes dans leur circonscription allaient bénéficier d'une réduction d'impôts dans le cadre de l'allocation sous forme de crédit d'impôts, et combien de personnes verraient leurs impôts augmenter. Dans beaucoup de cas, le ratio était de dix contre un, voire mieux. Dans à peine plus d'une douzaine de circonscriptions, les administrés étaient si aisés qu'il y aurait effectivement plus d'augmentations que de baisses d'impôts. Ils restaient cependant inquiets à cause de la taxe sur les carburants. Je n'aurais eu aucun mal à faire voter ce programme si j'avais abandonné cette taxe et compensé le manque à gagner en abandonnant la réduction de l'aide sous forme de crédit d'impôts. Politiquement, cette solution aurait été bien moins coûteuse. Les travailleurs pauvres n'avaient pas de lobbyistes à Washington ; ils n'en auraient jamais rien su. Moi j'aurais su. Par ailleurs, si nous allions faire payer les riches, la Bourse voulait que nous fassions peser une partie de la charge sur les classes moyennes.

Cet après-midi-là, Leon Panetta et Dick Gephardt, le chef de la majorité à la Chambre, qui se démenait pour le budget, avaient trouvé un accord avec Tim Penny, représentant du Minnesota au Congrès. Tim Penny était à la tête d'un groupe de Démocrates conservateurs qui souhaitaient davantage de réductions budgétaires. Nous promettions à ces réducteurs de budget un vote supplémentaire à l'automne, au moment des dotations budgétaires, afin de procéder à d'autres réductions. Penny était satisfait, et son approbation nous a apporté six ou sept voix de plus.

Nous avons perdu les voix de deux représentants qui avaient d'abord voté en faveur du budget. Billy Tauzin, de la Louisiane, qui est par la suite devenu républicain, et Charlie Stenholm, du Texas, qui représentait une circonscription où la plupart des électeurs étaient républicains, nous ont fait savoir qu'ils voteraient contre. Ils étaient fermement opposés à la taxe sur les carburants et faisaient valoir que l'opposition unanime des Républicains avait convaincu leurs administrés que le programme se résumait à une hausse de la fiscalité.

Moins d'une heure avant le vote, j'ai discuté avec le député Bill Sarpalius, d'Amarillo au Texas, qui avait voté contre le budget au mois de mai. Au cours de notre quatrième conversation téléphonique de la journée, Bill m'a dit qu'il avait décidé de voter en faveur du budget, parce qu'une plus grande proportion de ses administrés bénéficieraient, en fait, d'une réduction d'impôts, et parce que Hazel O'Leary, le secrétaire à l'Énergie, avait promis de donner plus de commandes de l'État à l'usine Pantex installée dans sa circonscription. Nous avons dû faire beaucoup de compromis de ce style. Quelqu'un a dit qu'il y a deux choses à la fabrication desquelles les gens ne devraient jamais assister : les saucisses et les lois. Le processus était peu ragoûtant et le résultat incertain.

Lorsque le vote a commencé, je ne savais toujours pas si nous allions perdre ou gagner. David Minge, qui représentait une circonscription rurale du Minnesota, ayant déclaré qu'il voterait contre, tout se jouait sur trois personnes : Pat Williams, du Montana, Ray Thornton, de l'Arkansas, et Marjorie Margolies-Mezvinsky, de Pennsylvanie. Je ne voulais pas que Margolies-Mezvinsky se sente obligée de voter avec nous. Elle faisait partie de ces rares Démocrates représentant une circonscription dont la plupart des administrés allaient voir leurs impôts augmenter, et dans sa campagne, elle avait promis de voter contre toute hausse de la fiscalité. Ce n'était pas non plus un vote facile pour Pat Williams. La plupart de ses administrés allaient bénéficier de réductions d'impôts, mais le Montana était un très vaste État, avec une population très clairsemée ; les gens devaient traverser de longues distances en voiture et la taxe sur le carburant allait les frapper plus durement que la plupart des Américains. Mais Pat Williams était un politicien avisé et populiste, qui déplorait les conséquences néfastes d'une économie de dominos. Il avait au moins une chance de survivre au vote.

Comparé à Williams et à Margolies-Mezvinsky, Thornton avait la partie facile. Il représentait le centre de l'Arkansas, où les électeurs allaient massivement bénéficier de réductions d'impôts. Il était populaire et même une charge de dynamite n'aurait pu le déloger de son siège au Congrès. C'était mon député, et ma présidence était en jeu. Il était par ailleurs amplement couvert : les deux sénateurs de l'Arkansas, David Pryor et Dale Bumpers, s'étaient largement déclarés en faveur du programme budgétaire. Thornton n'a cependant pas approuvé le budget. Il n'avait jamais voté en faveur d'une taxe sur les carburants, et ce n'était pas maintenant qu'il allait le faire, ni pour réduire le déficit, ni pour donner un coup de pouce à l'économie, ni pour sauver ma place ou la carrière de Marjorie Margolies-Mezvinsky.

Pat Williams et Margolies-Mezvinsky ont finalement décidé de voter « oui », nous donnant une majorité d'une voix. Les Démocrates ont salué leur courage, et les Républicains les ont hués. Ils ont été particulièrement cruels avec Margolies-Mezvinsky, se mettant tous à chanter « Au revoir Margie » en la saluant de la main. Margie avait gagné une place d'honneur dans l'histoire, avec un vote qu'elle n'aurait jamais dû être forcée de donner. Dan Rostenkowski était si heureux qu'il en avait les larmes aux yeux. De retour à la Maison Blanche, j'ai poussé un cri de joie et de soulagement.

Le lendemain, la grande comédie s'est rejouée au Sénat. Grâce à George Mitchell et à son équipe, grâce aussi à nos efforts de lobbying, nous avions mis de notre côté tous les sénateurs dès la première consultation, à l'exception de David Boren. Dennis DeConcini avait bravement pris place à nos côtés, mais l'issue restait incertaine, car Bob Kerrey refusait de s'engager. Vendredi, il est venu discuter avec moi pendant une heure et demie. Finalement, à quatre-vingt-dix minutes du vote, il a fait une déclaration devant tous les sénateurs, disant en s'adressant directement à moi : « Je ne dois ni ne peux voter dans un sens qui vous coûterait la présidence. » Ayant donc décidé de voter « oui », il a ajouté que j'allais devoir contrôler davantage les dotations finales. J'ai accepté de m'y atteler avec lui. Il était satisfait de cette réponse, et satisfait aussi de savoir que j'avais accepté la proposition de Penny sur la tenue d'un nouveau vote sur les restrictions en octobre.

Avec la voix de Kerrey, nous obtenions l'égalité avec 50 voix contre 50. Comme il l'avait déjà fait le 25 juin, Al Gore, en tant que président du Sénat, a ajouté sa voix et fait pencher la balance en notre faveur. Dans une déclaration suivant le vote, j'ai remercié George Mitchell et tous les sénateurs qui avaient voté en faveur du changement ; j'ai également remercié Al Gore pour son inébranlable soutien. Al disait toujours en plaisantant qu'à chaque fois qu'il votait nous l'emportions.

J'ai ratifié le budget le 10 août. Il mettait un terme à douze années au cours desquelles la dette nationale avait quadruplé. Les chiffres du revenu de l'État avaient été largement optimistes ; et l'idée que moins d'impôts et plus de dépenses créeraient assez de croissance pour équilibrer le budget était presque devenue un dogme. Lors de la cérémonie qui a suivi le vote, j'ai remercié tout particulièrement les représentants et les sénateurs qui n'avaient jamais vacillé dans leurs convictions du début à la fin et qui, pour cette raison, n'avaient jamais fait la une des journaux. Celles et ceux qui avaient voté en notre faveur pouvaient à juste titre se dire que, sans leur voix, nous ne serions pas là.

Nous avions fait du chemin depuis les débats acharnés dans la salle à manger de Little Rock, au mois de décembre précédent. À eux seuls, les Démocrates avaient tordu le cou à une théorie économique fausse mais largement répandue. Notre nouvelle théorie économique devenait enfin réalité.

Malheureusement, les Républicains, dont la politique était responsable des problèmes que nous connaissions, avaient réussi à présenter le budget comme une simple affaire de hausse des impôts. Il est vrai que la plupart des restrictions budgétaires ont été mises en place après les augmentations d'impôts, mais il en était de même avec le budget alternatif proposé par le sénateur Dole. En fait, la proposition de Dole concentrait une proportion encore plus importante de ses réductions budgétaires dans les deux dernières années de son plan quinquennal. Il faut du temps pour réduire les dépenses de santé et les dépenses militaires, dans ce domaine, rien ne peut ni ne doit se faire dans la précipitation. De plus, nos investissements pour l'avenir en matière d'éducation, de formation, de recherche, de technologie et d'environnement étaient déjà maintenus à des niveaux beaucoup trop bas depuis les années 1980, au moment où les réductions d'impôts se sont multipliées tandis que les dépenses en matière de défense et de santé augmentaient. Mon budget se proposait de renverser la tendance.

Comme on pouvait s'y attendre, les Républicains ont dit que mon programme économique allait être catastrophique, le qualifiant de « tueur d'emplois » ou d'« aller simple pour la récession ». Ils avaient tort. La manœuvre habile que nous avions tentée avec le marché des obligations a fonctionné au-delà de ce que nous avions osé espérer : les taux d'intérêt ont baissé, la Bourse a pris de l'ampleur et l'économie s'est retrouvée en pleine forme. Comme l'avait prédit Lloyd Bentsen, les Américains les plus riches allaient regagner le montant de leurs impôts, et bien plus, avec ce qu'allaient rapporter les investissements. Les classes moyennes allaient récupérer plusieurs fois le montant de la taxe sur les carburants en bénéficiant de taux d'intérêt plus bas pour leurs emprunts, qu'il s'agisse de l'achat d'un bien immobilier, d'un véhicule, d'un emprunt étudiant ou encore des achats effectués à l'aide d'une carte de crédit. Les familles d'ouvriers à faibles revenus bénéficiaient, quant à elles, d'une aide immédiate sous forme de crédit d'impôts.

Plus tard, on m'a souvent demandé quelle grande idée nouvelle mon équipe et moi avions apportée à l'économie politique. Au lieu de me lancer dans l'explication compliquée de notre stratégie de couplage de la réduction du déficit et du marché des obligations, je répondais toujours en un mot : « L'arithmétique. » Pendant plus d'une décennie, on avait dit aux citoyens américains que leur gouvernement était un Léviathan vorace qui engloutissait les dollars qu'ils avaient si péniblement gagnés pour n'en rien faire de positif. Les mêmes politiciens qui leur tenaient ce discours et qui avaient entrepris d'affamer le monstre à coups de baisses d'impôts avaient fait volte-face et s'étaient fait réélire à force de dépenses somptuaires, laissant les électeurs dans l'idée fausse qu'ils pouvaient bénéficier de programmes pour lesquels ils n'avaient pas payé et que, si notre déficit était si grand, c'était à cause de dépenses inconsidérées pour l'aide aux pays étrangers, l'aide sociale et autres programmes d'aide aux pauvres, qui représentaient en fait une fraction infime du budget. Dépenser de l'argent pour « eux » n'était pas une bonne chose, tandis qu'il était bon de dépenser de l'argent pour « nous » et de « nous » accorder des baisses d'impôts. Comme le disait mon ami le sénateur Dale Bumpers, très conservateur en matière de fiscalité : « Si vous me laissez signer des chèques à hauteur de deux cents milliards de dollars par an, moi aussi je peux vous donner du bon temps. »

Nous avions réintégré l'arithmétique dans le budget et débarrassé l'Amérique d'une bien mauvaise habitude. Malheureusement, même si les bénéfices ont été immédiats, les gens ont mis du temps à en ressentir les effets. En attendant, les Démocrates et moi étions en butte au mécontentement de l'opinion publique. Le manque est une souffrance, et je ne pouvais m'attendre à de la gratitude. Même avec un terrible abcès dentaire, personne n'aime aller chez le dentiste.

CHAPITRE TRENTE-CINQ

Les vacances parlementaires du mois d'août ont suivi le vote du budget, et j'étais impatient de partir avec ma famille pour deux semaines d'un repos bien mérité à Martha's Vineyard. Vernon et Ann Jordan avaient fait le nécessaire pour que nous puissions résider au bord du lac d'Oyster Pond, dans une villa qui appartenait à Robert McNamara.

Mais avant de pouvoir partir, j'avais devant moi une semaine chargée. Le 11, j'ai nommé le général John Shalikashvili pour qu'il succède à Colin Powell au poste de chef d'état-major des armées lorsque le mandat de celui-ci s'achèverait à la fin du mois de septembre. Shali, comme tout le monde l'appelait, était entré dans l'armée comme appelé et avait gravi les échelons jusqu'à occuper son poste actuel de commandant de l'OTAN et des forces américaines en Europe. Il était né en Pologne, dans une famille originaire de Géorgie, en ex-Union soviétique. Avant la révolution russe, son grand-père avait servi comme général de l'armée du tsar et son père, lui aussi, avait été officier. Quand Shali avait 16 ans, sa famille était venue s'installer à Peoria, dans l'Illinois, où il avait appris l'anglais tout seul en regardant des films de John Wayne. Je pensais qu'il était l'homme qu'il nous fallait pour prendre la tête de nos forces armées dans le monde d'après la guerre froide, surtout lorsque l'on songeait à la situation critique qui était celle de la Bosnie.

Au milieu du mois, Hillary et moi nous sommes envolés pour Saint Louis, où j'ai donné mon accord au projet de loi d'aide aux sinistrés des inondations du Mississippi, après l'énorme crue qui avait fait déborder le haut Mississippi du Minnesota jusqu'au Missouri, en passant par les Dakota du Nord et du Sud. La cérémonie de signature du projet de loi marquait ma troisième visite dans les zones sinistrées. Des exploitations agricoles et des bâtiments industriels avaient été ravagés, et de petites villes situées dans la zone inondable

Entrée en fonctions et bal d'entrée
en fonctions, 20 janvier 1993.

Al Gore et moi avec le cabinet : (debout en partant de la gauche) Madeleine Albright,
Mack McLarty, Mickey Kantor, Laura Tyson, Leon Panetta, Carol Browner, Lee Brown ;
(assis depuis la gauche) Llyod Bentsen, Janet Reno, Micke Espy, Robert Reich,
Henry Cisneros, Hazel O'Leary, Richard Riley, Jesse Brown, Federico Peña, Donna Shalala,
Ron Brown, Bruce Babbitt, Les Aspin et Warren Christopher.

Al et moi priant lors de notre déjeuner hebdomadaire.

Avec ma mère, Dick Kelley et Champ, à Hot Springs.

Mack McLarty et moi assistant au sommet des Amériques, à Santiago du Chili.

Dans la résidence privée, avec les présidents George Bush, Jimmy Carter et Gerald Ford la veille de l'annonce de la campagne pour l'ALENA.

Avec le personnel de la résidence de la Maison Blanche.

Avec Hillary
dans le Wyoming.

Ma mère, Roger et moi fêtant notre dernier
Noël ensemble.

Chelsea dans
Casse-Noisette.

Ron Brown et moi
jouant une partie
de basket improvisée
dans South Central,
à Los Angeles.

Al et moi, sur
la pelouse sud,
annonçant le
pilonnage de
palettes de
règlements publics,
dans le cadre de
notre programme
pour réinventer le
gouvernement.

Rajustant le Premier ministre Rabin,
pour notre dernier moment ensemble.

À droite : Tony Lake m'informe de la mort
de Rabin.

Arrivée sur
Marine One, avec
Bruce Lindsey et
Reskine Bowles.

Ci-dessous :
réunion sur
la Bosnie en salle
de crise de la
Maison Blanche.

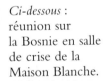

Ci-dessus, à gauche : avec des volontaires de l'AmeriCorps sur le site d'un ouragan en Arkansas.

Ci-dessus, à droite : diplôme de Chelsea.

Rahm Emanuel et Leon Panetta me briefent dans la salle à manger du Bureau ovale.

Ci-dessous, à gauche : à cheval avec Harold Ickes, dans le Montana.

Avec Hillary.

Al et moi au bord du Grand Canyon.

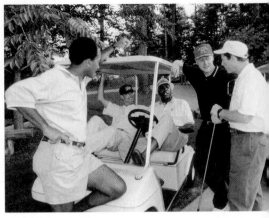

Au golf avec Frank Raines, Erskine Bowles, Vernon Jordan et Max Chapman.

Réunion stratégique dans le salon jaune.

Avec les chefs des Républicains à la Chambre Newt Gingrich et au Sénat Bob Dole dans la salle de cabinet.

Avec les chefs des Démocrates à la Chambre Richard Gephardt et au Sénat Tom Daschle dans le Bureau ovale.

Le président russe Boris Eltsine et moi
à Hyde Park, New York.

Avec le chancelier
allemand Helmut Kohl
au château de Warburg.

Lisant « C'était pendant
la nuit d'avant Noël »
aux enfants dans le salon
est avec Hillary et Chelsea.

Chelsea et moi
à l'enterrement
de Rob Brown.

Nos amis la reine Noor et le roi
Hussein de Jordanie, avec Hillary et moi,
sur le balcon Truman.

Ci-dessus : discours à l'Université d'État d'Arizona.

À droite : campagne pour l'éducation en Californie.

Fêtant notre victoire de 1996
à bord d'*Air Force One*.

Signature d'un décret avec des délégués
des gouvernements amérindiens.

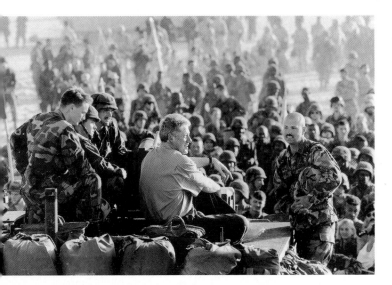

Visite à nos troupes
au Koweit.

Réunion à
Shepherdstown,
Virgine-Occidentale,
avec ma cellule pour
le Moyen-Orient :
Madeleine Albright,
Dennis Ross, Martin
Indyk, Rob Malley,
Bruce Reidel
et Sandy Berger.
La sous-secrétaire
générale Maria
Echaveste est à
l'extrême gauche.

Ci-dessous : avec
l'équipe économique
dans le Bureau ovale.

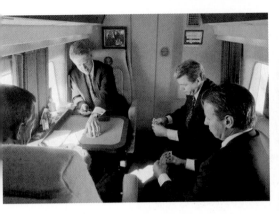

Jouant aux cartes avec Bruce Lindsey, Doug Sosnik et Joe Lockhart à bord de *Marine One*.

Mon équipe juridique : Cheryl Mills, Bruce Lindsey, David Kendall, Chuck Ruff et Nicole Seligman.

Avec les ordonnances de la Maison Blanche Fred Sanchez et Lito Bautista, mon médecin Connie Mariano, l'ordonnance Joe Fama et le majordome du Bureau ovale Bayani Nelvis.

Le majordome du Bureau ovale Glen Maes montre à Al et moi le gâteau qu'il a fait pour mon anniversaire.

À gauche : jouant avec Buddy et mes neveux Zachary et Tyler sur la pelouse sud.

Ci-dessous : Socks fait un point de presse.

Le président sud-africain
Nelson Mandela et moi
dans la cellule de
Robben Island où
il a passé les premières
dix-huit années de
ses vingt-sept ans
de détention.

Avec le Premier ministre japonais
Keizo Obuchi à Tokyo.

Avec le président chinois Jiang Zemin
dans le Bureau ovale.

Enfants jouant à Cartagène
avec Chelsea et le président
colombien Andres Pastrana.

Réunion du G8
à Denver : (de gauche
à droite) Jacques Santer,
Tony Blair,
Ryutaro Hashimoto,
Helmut Kohl,
Boris Eltsine, moi,
Jacques Chirac,
Jean Chrétien, Romano
Prodi et Wim Kok.

Avec le cabinet : (premier rang) Bruce Babbitt, William Cohen, Madeleine Albright, moi,
Larry Summers, Janet Reno ; (deuxième rang) George Tenet, Togo West, Bill Richardson,
Andrew Cuomo, Alexis Herman, Dan Glickman, John Podesta, William Daley,
Donna Shalala, Rodney Slater, Richard Riley, Carol Browner ; (dernier rang)
Thurgood Marshall Jr., Bruce Reed, James Lee Witt, Charlene Barshefsky, Martin Baily,
Jack Lew, Barry MacCaffrey, Aida Alvarez, Gene Sperling et Sandy Berger.

Ci-dessus, à gauche : avec Tony Blair à Chequers.

Ci-dessus à droite : Hillary et moi visitant un camp de réfugiés kosovars en Macédoine.

À gauche : Hillary et moi avec un nouveau-né baptisé Bill Clinton à Wanyange, Ouganda.

Ci-dessous : discours devant plus de cinq cent mille personnes sur la place de l'Indépendance, au Ghana.

Commémoration du trente-cinquième anniversaire de la marche du droit de vote de Selma, Alabama, par la traversée du pont Edmund Pettus avec Jesse Jackson, Coretta Scott King, John Lewis et d'autres vétérans du mouvement des droits civiques qui ont lutté avec Martin Luther King Jr.

Hillary, Chelsea et moi au Viêt-nam avec la famille Evert.

Le sommet sur la paix au Moyen-Orient de Camp David, avec le Premier ministre Ehud Barak, le président Arafat et mon traducteur et conseiller pour le Moyen-Orient, Gemal Helal.

Pluie de pétales de rose au cours d'une cérémonie traditionnelle à Naila, en Inde.

Avec Gerry Adams, John Hume et David Trimble pour la Saint Patrick 2000.

Discours sur Market Square, à Dundalk, Irlande du Nord.

Internet dans les écoles, avec Dick Riley.

Ci-dessus : avec mes assistants Doug Band, Kris Engskov, Stephen Goodin et Andrew Friendly.

Les agents spéciaux responsables de la protection du président, avec Nancy Hernreich, directrice des opérations au Bureau ovale, et ma secrétaire, Betty Curie.

Ci-dessous : fête avec mon équipe après mon dernier discours à la nation.

7 février 2000 : Hillary annonce sa candidature au Sénat.

Chelsea et moi attendant que Hillary vote pour la première fois comme candidate à Chappaqua, New York.

Derniers instants dans le Bureau ovale une fois posée la traditionnelle lettre au prochain occupant sur le bureau *Resolute*.

vieille d'une centaine d'années avaient été complètement emportées. À chaque voyage, j'étais épaté de voir le nombre de citoyens qui étaient venus de toute l'Amérique pour porter secours à la région.

Puis, nous avons poursuivi notre voyage vers Denver, où nous avons accueilli le pape Jean-Paul II aux États-Unis. J'ai eu un entretien très productif avec Sa Sainteté, qui soutenait notre mission en Somalie et partageait mon désir de faire plus pour la Bosnie. À la fin de notre entrevue, il a sympathiquement reçu tous les catholiques de la Maison Blanche et du détachement des services secrets qui avaient pu m'accompagner. Le lendemain, j'ai ratifié le *Colorado Wilderness Act*, ma première loi majeure sur l'environnement, qui protégeait plus de 240 000 hectares de forêts nationales et de terres du domaine public au sein du National Wilderness Preservation System.

Puis je me suis rendu à Tulsa, dans l'Oklahoma, pour discuter avec mes anciens collègues de l'Association des gouverneurs de la question du système de santé. L'encre du programme budgétaire n'était pas encore tout à fait sèche, mais je voulais attaquer le système de santé tout de suite, et je pensais que les gouverneurs pouvaient m'y aider, parce que les coûts croissants de Medicaid, des assurances santé des employés de l'État et des soins médicaux des personnes non assurées pesaient lourd dans le budget des États.

Le 19, jour de mon quarante-septième anniversaire, j'ai annoncé que Bill Daley, de Chicago, allait prendre la tête de notre groupe de travail sur l'ALENA. Six jours auparavant avec le Canada et le Mexique, nous avions finalisé les accords parallèles de l'ALENA sur la coopération dans le domaine du travail et de l'environnement, que j'avais promis au cours de la campagne, ainsi qu'un autre accord qui protégeait nos marchés contre les « vagues » d'importations. À présent qu'ils étaient en place, j'étais prêt à aller jusqu'au bout pour faire voter l'ALENA au Congrès. Je pensais que Bill Daley était l'homme idéal pour mener la campagne en sa faveur. C'était un avocat démocrate de la famille politique la plus connue de Chicago. Son frère, comme son père avant lui, était le maire de la ville, et il avait de bonnes relations avec plusieurs chefs syndicaux. La bataille pour l'ALENA allait être bien différente de celle que nous avions dû mener pour le budget. Beaucoup de Républicains allaient soutenir ces accords, et il nous fallait trouver un nombre suffisant de Démocrates qui accepteraient de passer outre les objections de la fédération syndicale AFL-CIO.

Après l'annonce de la nomination de Daley, nous sommes enfin partis pour Martha's Vineyard. Ce soir-là, les Jordan ont organisé pour moi une soirée d'anniversaire avec d'anciens et de nouveaux amis. Jackie Kennedy Onassis et son compagnon, Maurice Tempelsman, sont venus, de même que Bill et Rose Styron et Katharine Graham, l'éditrice du *Washington Post* et l'une des personnes que j'admirais le plus à Washington. Le lendemain, nous sommes allés faire du bateau et nager avec Jackie et Maurice, Ann et Vernon, Ted et Vicky Kennedy, et Ed et Caroline Kennedy Schlossberg. Caroline et Chelsea sont montées sur une plate-forme élevée du yacht de Maurice et ont plongé dans l'eau. Elles ont défié Hillary d'en faire autant et Ted et moi l'avons aussi poussée à sauter. Seule Jackie lui recommandait de le faire de moins haut. Avec son bon sens habituel, elle a écouté Jackie.

J'ai passé les dix jours suivants autour du lac d'Oyster Pond, à ramasser des crabes avec Hillary et Chelsea, à marcher sur les plages du lac et de l'océan Atlantique, à faire connaissance avec des gens qui habitaient toute l'année dans le coin et à bouquiner.

Les vacances se sont terminées bien trop vite, et nous sommes revenus à Washington pour la rentrée au lycée de Chelsea, pour reprendre la campagne pour la réforme du système de santé dans laquelle Hillary s'était engagée, pour entendre les premières recommandations qu'Al Gore allait faire pour réaliser des économies grâce à une évaluation du fonctionnement de l'administration fédérale, la National Performance Review, et pour trouver un Bureau ovale redécoré. J'aimais y travailler. Il était toujours clair et ouvert, même les jours nuageux, du fait des grandes fenêtres et des portes vitrées donnant au sud et à l'est. La nuit, la lumière indirecte se reflétait sur le plafond incurvé, ce qui ajoutait de la luminosité et le rendait plus confortable pour travailler. La pièce était élégante mais chaleureuse, et je m'y suis toujours senti bien, seul ou dans des groupes nombreux. Kaki Hockersmith, un ami décorateur de l'Arkansas, nous a aidés en apportant son regard nouveau et inspiré : il a suggéré des rideaux dorés à garnitures bleues, des chaises à dossier doré, des canapés recouverts de tissu à rayures dorées et rouges, un beau tapis bleu marine orné du sceau présidentiel au milieu, reflétant celui qui figure sur le plafond. Désormais, je l'aimais encore plus.

Septembre fut aussi le mois le plus chargé de ma présidence sur le plan de la politique étrangère. Le 8, le président de Bosnie Izetbegovic est venu à la Maison Blanche. La menace d'attaques aériennes par les forces de l'OTAN était parvenue à contenir les Serbes et à faire se poursuivre les pourparlers de paix. Izetbegovic m'a assuré qu'il maintiendrait sa position en faveur d'un accord de paix tant que celui-ci se montrerait juste envers les musulmans bosniaques. Si l'on parvenait à cet accord, il voulait que je lui promette d'envoyer des forces de l'OTAN, y compris des troupes américaines, en Bosnie pour le faire appliquer. Je lui ai réaffirmé mon intention de le faire.

Le 9 septembre, Yitzhak Rabin m'a appelé pour me dire qu'Israël et l'OLP avaient trouvé un accord de paix. Ils y étaient parvenus après des pourparlers secrets qui s'étaient tenus à Oslo et dont nous avions été informés peu de temps avant que je ne prenne mes fonctions. Une fois ou deux, alors que les pourparlers menaçaient de dérailler, Warren Christopher avait réussi à les maintenir sur la bonne voie. Les pourparlers avaient été tenus secrets, ce qui avait permis aux négociateurs de traiter avec franchise les questions les plus sensibles et de se mettre d'accord sur un ensemble de principes acceptables par les deux camps. La plus grande partie de notre travail était encore à venir, dans l'aide que nous allions apporter à cette tâche énorme qui était de résoudre les questions les plus conflictuelles, d'élaborer les termes de l'application de l'accord, de lever les fonds permettant de financer son coût, car il fallait à la fois assurer une plus grande sécurité en Israël, relancer l'économie de la Palestine et réimplanter et dédommager les réfugiés palestiniens. J'avais déjà reçu des signes encourageants de soutien financier de la part d'autres pays étrangers, y compris de l'Arabie Saoudite, où le roi Fahd, gardant pourtant toujours le même ressentiment vis-à-vis de Yasser Arafat pour le soutien que ce dernier avait accordé à l'Irak dans la guerre du Golfe, était toujours favorable au processus de paix.

Nous étions encore loin d'une solution globale, mais la déclaration de principes était un grand pas en avant. Le 10 septembre, j'ai annoncé que les dirigeants israéliens et palestiniens allaient signer l'accord sur la pelouse sud de la Maison Blanche, le lundi 13, et que parce que les membres de l'OLP avaient renoncé à la violence et avaient reconnu l'existence d'Israël, les États-Unis reprendraient le dialogue avec eux. Quelques jours avant la signature, les journalistes m'ont demandé si Arafat allait être le bienvenu à la Maison Blanche. Tout ce que j'ai répondu était qu'il appartenait aux parties directement concernées de décider par qui elles seraient représentées à la cérémonie. En vérité, j'étais très désireux d'avoir Arafat et Rabin et je les ai pressés de venir : s'ils ne venaient pas, personne dans le pays ne croirait qu'ils s'engageaient véritablement à faire appliquer ces principes et, s'ils venaient, un milliard de personnes à travers le monde les verraient à la télévision et ils quitteraient la Maison Blanche résolus à faire la paix plus fermement encore qu'à leur arrivée. Lorsqu'Arafat m'a dit qu'il viendrait, j'ai à nouveau demandé à Rabin d'être là. Il a accepté, même si cela le rendait encore un peu nerveux.

Avec le recul, prendre la décision de venir pour les dirigeants des deux pays peut paraître quelque chose de facile. À l'époque, c'était un pari pour Rabin comme pour Arafat, car ils ne pouvaient être sûrs de la réaction de leurs compatriotes. Même si une majorité de la population de leur pays les soutenait, les extrémistes des deux bords étaient fortement susceptibles de réagir violemment aux compromis sur les questions fondamentales contenues dans la déclaration de principe. Rabin et Arafat ont tous les deux fait preuve d'intelligence et de courage en consentant à venir et à parler. L'accord serait signé par le ministre des Affaires étrangères Shimon Pérès et par Mahmoud Abbas, plus connu sous le nom d'Abu Mazin, qui tous deux avaient été intimement associés aux négociations d'Oslo. Le secrétaire Christopher et le ministre des Affaires étrangères russe Andrei Kozyrev seraient les témoins de l'accord.

Le matin du 13, il régnait autour de la Maison Blanche une atmosphère de tension et d'excitation. Nous avions invité plus de deux mille cinq cents personnes à l'événement, qui avait été organisé par George Stephanopoulos et Rahm Emanuel. J'étais particulièrement content de voir Rahm s'en occuper parce qu'il avait servi dans l'armée israélienne. Le président Carter, qui avait négocié les accords de Camp David entre l'Égypte et Israël, serait là, lui aussi. De même que le président Bush qui, avec Gorbatchev, avait organisé des pourparlers à Madrid en 1991 entre Israël, les Palestiniens et les États arabes. Le président Ford était invité, mais il ne pouvait pas venir à Washington avant le dîner de célébration dans la soirée. Tous les anciens secrétaires d'État et conseillers pour la Sécurité nationale qui avaient travaillé à la paix au cours des vingt dernières années étaient également invités. Chelsea s'absentait de l'école pour la matinée, tout comme les enfants des Gore. Ils ne voulaient absolument pas manquer ça.

La veille au soir, j'étais allé me coucher à 22 heures, ce qui était tôt pour moi, et je m'étais réveillé à 3 heures du matin. Incapable de me rendormir, j'ai pris ma Bible et j'ai lu tout le livre de Josué. J'en ai été inspiré pour réécrire certaines de mes interventions, et cela m'a donné l'idée de porter une cravate bleue ornée de trompettes dorées qui me rappelleraient celles que Josué avait utilisées pour faire tomber les murs de Jéricho. À présent, les trompettes allaient annoncer la paix et rendraient Jéricho aux Palestiniens.

Tôt dans la matinée, nous avons dû faire face à deux incidents mineurs. Lorsqu'on m'a appris qu'Arafat allait venir vêtu de sa tenue habituelle, en keffieh et en uniforme vert olive, et qu'il allait peut-être vouloir y ajouter le pistolet qu'il portait souvent sur la hanche, j'ai dit non et je lui ai fait savoir qu'il ne pouvait pas venir armé. Il venait là pour faire la paix, le pistolet donnerait l'idée contraire, et il ne courait aucun risque s'il ne le portait pas. Il a accepté de venir sans arme. Lorsque les Palestiniens se sont aperçus qu'ils étaient désignés dans l'accord par le terme de « délégation palestinienne », et non par celui d'OLP, ce sont eux qui ont dit non. Israël a alors accepté de reconnaître l'appellation souhaitée.

Puis s'est posée la question de savoir si Rabin et Arafat se serreraient la main. Je savais qu'Arafat voulait le faire. Avant d'arriver à Washington, Rabin avait dit qu'il le ferait « si nécessaire », mais j'étais sûr qu'il ne le souhaitait pas. Lorsqu'il est arrivé à la Maison Blanche, j'ai mis la question sur le tapis. Il n'a pas voulu promettre quoi que ce soit, évoquant tous les jeunes Israéliens qu'il avait dû enterrer à cause d'Arafat. J'ai dit à Yitzhak que s'il avait vraiment l'intention de faire la paix, il fallait qu'il serre la main d'Arafat pour le prouver. « Le monde entier vous regardera, et ce qu'il voudra voir, ce sera cette poignée de main. » Rabin a soupiré, et de sa voix profonde et lasse, il a déclaré : « Je suppose qu'on ne fait pas la paix avec ses amis. » « Alors, vous allez le faire ? », ai-je demandé. Il m'a répondu, presque coupant : « D'accord, d'accord. Mais pas de baiser. » Les Arabes traditionnellement s'embrassent sur la joue pour se saluer, et il ne voulait pas de ça.

Je savais qu'Arafat adorait se mettre en scène et qu'il était possible qu'il essaie d'embrasser Rabin après la poignée de main. Nous avions décidé que je serrerais la main de chacun d'eux dans un premier temps, et qu'ensuite, je les rapprocherais l'un de l'autre. J'avais la certitude que si Arafat ne m'embrassait pas, il n'essaierait pas d'embrasser Rabin. Alors que nous en discutions dans le Bureau ovale avec Hillary, George Stephanopoulos, Tony Lake et Martin Indyk, Tony m'a dit qu'il connaissait un moyen pour être sûr que je puisse serrer la main d'Arafat tout en évitant de me faire embrasser. Il m'a montré comment et nous nous sommes entraînés. Je jouais le rôle d'Arafat, et il jouait mon rôle, en me montrant ce qu'il fallait faire. Lorsque je lui ai serré la main et que je me suis approché pour l'embrasser, il a posé sa main gauche sur mon bras droit au niveau du coude et il a exercé une forte pression : ça m'a tout de suite refroidi. Puis, nous avons inversé les rôles et je lui ai fait la même chose. Nous nous sommes encore un peu entraînés jusqu'à ce que je sois certain que rien ne vienne toucher la joue de Rabin. Nous en avons tous bien rigolé, mais je savais qu'éviter de se faire embrasser était une chose terriblement sérieuse pour Rabin.

Juste avant la cérémonie, les trois délégations se sont réunies dans le salon bleu ovale au premier étage de la Maison Blanche. Les Israéliens et les Palestiniens ne se parlaient pas encore en public, si bien que les Américains faisaient l'aller-retour entre les deux groupes en les suivant le long des bords de la salle. Nous avions l'air d'un petit groupe de gamins maladroits montés sur un manège tournant au ralenti.

Dieu merci, cela n'a pas duré et nous sommes descendus pour commencer la cérémonie. Tout le monde est sorti comme convenu, en nous laissant un moment seuls, Arafat, Rabin et moi. Arafat a salué Rabin et lui a tendu la main. Yitzhak tenait ses mains fermement croisées derrière son dos. Il a dit laconiquement : « Pas ici, à l'extérieur. » Arafat s'est contenté de sourire et de faire un signe de tête pour marquer qu'il avait compris. Puis Rabin a dit : « Vous savez, il va falloir travailler très dur pour que ça marche. » Arafat a répondu : « Je sais, et je suis prêt à faire ce qu'il faudra. »

Nous sommes sortis dans la lumière de cette fin de journée d'été. J'ai ouvert la cérémonie avec quelques mots de bienvenue et de remerciement, de soutien et d'encouragement pour les chefs des deux pays et pour leur détermination à parvenir à une « paix des braves ». À ma suite, Peres et Abbas ont fait chacun un bref discours, puis ils se sont assis pour signer les accords. Warren Christopher et Andrei Kozyrev servaient de témoins tandis que Rabin, Arafat et moi-même nous tenions en retrait sur la droite. Lorsque leur signature a été apposée, tous les regards se sont tournés vers les dirigeants des deux pays. Arafat se tenait sur ma gauche et Rabin sur ma droite. J'ai serré la main d'Arafat, en l'empêchant de m'embrasser, ainsi que je m'y étais exercé. Puis, je me suis tourné vers Rabin et je lui ai serré la main, après quoi je me suis effacé, et j'ai étendu les bras pour les rapprocher. Arafat a levé la main vers un Rabin toujours réticent. Lorsque celui-ci a tendu la main, la foule a laissé échapper un soupir audible, suivi d'un tonnerre d'applaudissements au moment où ils se serraient la main sans s'embrasser. Le monde entier se réjouissait, à l'exception de quelques irréductibles protestataires au Moyen-Orient qui prêchaient la violence et de manifestants devant la Maison Blanche qui prétendaient que nous mettions en danger la sécurité d'Israël.

Après la poignée de main, Christopher et Kozyrev ont fait quelques brèves interventions, puis Rabin s'est approché du micro. Sur le ton d'un prophète de l'Ancien Testament, il s'est exprimé en anglais, en s'adressant directement aux Palestiniens : « Nous sommes destinés à vivre ensemble, sur le même sol et sur la même terre. Nous, les soldats qui sommes revenus du combat couverts de sang [...], nous vous disons, d'une voix forte et claire : "Assez de sang et de larmes. Assez !" [...] Nous, tout comme vous, sommes des êtres humains, des êtres humains qui veulent se construire un foyer, planter un arbre, aimer, vivre côte à côte avec vous dans la dignité, dans l'affinité, comme des êtres humains, comme des hommes libres. » Puis, citant le livre de Qohélet, que les chrétiens appellent l'Ecclésiaste, Rabin a dit : « Il y a un temps pour tout, un temps pour toute chose sous les cieux. Un temps pour naître et un temps pour mourir, un temps pour tuer et un temps pour guérir [...], un temps pour la guerre et un temps pour la paix. Le temps de la paix est venu. » C'était un discours magnifique. Il s'en était servi pour tendre la main à ses adversaires.

Lorsque cela a été au tour d'Arafat, celui-ci a choisi une tactique différente. Il avait déjà fait des gestes amicaux et des sourires en direction des Israéliens, en plus de sa poignée de main engageante. À présent, d'une voix rythmée et qui psalmodiait, il parlait à son peuple en arabe, en rappelant leur espoir que soit entamé le processus de paix et en réaffirmant la légitimité de leurs aspirations. Comme Rabin, il était pour la paix, mais il émettait un avertissement : « Notre peuple ne pense pas que l'exercice de l'autodétermination puisse violer les droits de ses voisins ou empiéter sur leur sécurité. Il pense bien plutôt que, en faisant disparaître le sentiment qu'ils avaient d'être dupés et d'avoir subi une injustice historique, il garantit de la manière la plus sûre la réussite de la coexistence et de l'ouverture entre nos deux peuples et entre les générations futures. »

Arafat avait choisi de faire preuve de générosité en s'adressant aux Israéliens et de se montrer inflexible dans son discours pour rassurer ceux qui dans son pays avaient encore des doutes. Rabin avait fait l'inverse. Il s'était montré sincère et bienveillant envers les Palestiniens dans son discours ; et à présent, il utilisait le langage du corps pour rassurer ceux qui en Israël étaient sceptiques. Pendant toute l'intervention d'Arafat, il avait semblé mal à l'aise et défiant, tellement mal à l'aise qu'il donnait l'impression de quelqu'un qui voulait absolument s'excuser. Leurs tactiques différentes, côte à côte, formaient une juxtaposition fascinante et révélatrice. Je me suis dit qu'il faudrait que je m'en souvienne lorsque j'aurais à nouveau à négocier avec eux. Mais je n'aurais pas dû m'inquiéter. En peu de temps, Rabin et Arafat allaient établir des relations de travail remarquables, témoignage de la considération d'Arafat pour Rabin et de la troublante capacité qu'avait le chef israélien de comprendre comment fonctionnait l'esprit d'Arafat.

J'ai clos la cérémonie en saluant les descendants d'Isaac et d'Ismaël, tous deux enfants d'Abraham, par les mots de « *Shalom, salaam*, la paix soit avec vous », et en leur demandant d'« aller accomplir leur mission de pacificateurs ». Après l'événement, j'ai eu un bref entretien avec Arafat et j'ai déjeuné en privé avec Rabin. Yitzhak était épuisé par le long trajet en avion et par cet événement exceptionnel. C'était un tournant surprenant dans sa vie mouvementée, dont la plus grande partie avait été passée sous l'uniforme, à combattre les ennemis d'Israël, y compris Arafat. Je lui ai demandé pourquoi il avait accepté de soutenir les pourparlers d'Oslo et les accords qui en étaient issus. Il m'a expliqué qu'il s'était rendu compte que le territoire qu'Israël occupait depuis 1967 n'était plus nécessaire à sa sécurité, et qu'en fait il était bien plus une source d'insécurité. Il m'a avoué que l'Intifada qui avait éclaté quelques années plus tôt avait montré qu'occuper un territoire peuplé de gens en colère ne renforçait pas la sécurité d'Israël mais le rendait plus vulnérable aux attaques venues de l'intérieur. Puis, au cours de la guerre du Golfe, lorsque l'Irak avait envoyé des missiles Scud sur Israël, il avait compris que ces terres ne constituaient pas une barrière de sécurité contre des attaques menées avec des armes modernes et lancées de l'extérieur. Finalement, a-t-il dit, si Israël devait conserver de façon permanente la partie ouest, il devrait alors décider si les Arabes pouvaient voter aux élections israéliennes ainsi que le faisaient ceux qui vivaient à l'intérieur des frontières d'avant 1967. Si les Palestiniens obtenaient le droit de vote, étant donné leur taux de natalité plus élevé, en quelques décennies Israël ne serait plus un État hébreux. Si on leur refusait le droit de vote, Israël ne serait plus une démocratie mais un État d'apartheid. Par conséquent, a-t-il conclu, il fallait qu'Israël abandonne ce territoire, mais à la seule condition que cela entraîne une paix réelle et l'instauration de relations normales avec ses voisins, y compris la Syrie. Rabin pensait qu'il parviendrait à conclure un accord avec le président syrien Hafez el-Assad avant ou peu après avoir fait aboutir le processus palestinien. Les conversations que j'avais eues avec Assad m'amenaient à penser la même chose.

Avec le temps, l'analyse que Rabin avait faite de la signification de la partie ouest pour Israël allait être largement acceptée parmi les Israéliens défenseurs de la paix, mais en 1993 elle était nouvelle, pertinente et courageuse. J'admirais Rabin avant même de le rencontrer en 1992, mais ce jour-là, en le regardant parler lors de la cérémonie et en l'écoutant présenter ses arguments en faveur de la paix, j'avais vraiment pu constater à quel point c'était un grand leader et j'avais pu évaluer la grandeur de son esprit. Je n'avais jamais rencontré personne qui pouvait lui être réellement comparé, et j'étais déterminé à l'aider à accomplir son rêve de paix.

Après le déjeuner, Rabin et les Israéliens sont repartis chez eux pour les fêtes du Nouvel An et de Yom Kippour, et pour s'attacher à faire accepter les accords à la Knesset, le Parlement israélien, s'arrêtant en route au Maroc pour discuter des accords avec le roi Hassan, qui depuis longtemps avait adopté une position modérée vis-à-vis d'Israël.

Ce soir-là, Hillary et moi avons organisé un dîner de célébration réunissant environ vingt-cinq couples, parmi lesquels le président Carter et son épouse, le président Ford et son épouse, le président Bush, six des neuf secrétaires d'État vivants et les leaders démocrates et républicains du Congrès. Les présidents avaient accepté de venir, non seulement pour fêter la paix, mais aussi pour participer au lancement public de la campagne pour l'ALENA le lendemain. Au cours de la soirée, je les ai tous fait monter dans mon bureau à l'étage résidentiel, où nous avons pris une photo pour commémorer ce rare moment de l'histoire américaine où quatre présidents étaient réunis pour un dîner à la Maison Blanche. Après le dîner, les Carter et les Bush ont accepté notre invitation à passer la nuit. Les Ford l'ont déclinée, pour une très bonne raison : ils avaient réservé la suite de l'hôtel de Washington où ils avaient passé leur nuit de noces.

Le lendemain, nous avons poursuivi la marche vers la paix, par la signature d'un accord par les diplomates israéliens et jordaniens les rapprochant de la paix finale, et en réunissant plusieurs centaines d'hommes d'affaires juifs et arabes américains au Département d'État pour qu'ils s'engagent à conjuguer leurs efforts d'investissement dans les zones palestiniennes où les conditions étaient suffisamment pacifiques pour permettre à une économie stable de se développer.

Pendant ce temps, les autres présidents m'ont rejoint pour une cérémonie de signature des accords parallèles de l'ALENA dans l'aile est de la Maison Blanche. J'ai démontré pourquoi l'ALENA serait une bonne chose pour les économies des États-Unis, du Canada et du Mexique, en créant un marché gigantesque de près de quatre cents millions de personnes ; que ces accords renforceraient la domination des États-Unis dans notre hémisphère et dans le monde ; et que si nous ne les faisions pas voter cela rapprocherait, au lieu de l'éloigner, la menace de la perte d'emplois face à la concurrence des bas salaires au Mexique. Les droits de douane au Mexique étaient deux fois et demie plus élevés que les nôtres, et même comme cela, ce pays était le plus gros acheteur de produits américains après le Canada. La suppression progressive et mutuelle des tarifs douaniers allait nous apporter un net avantage.

Puis les présidents Ford, Carter et Bush se sont exprimés en faveur de l'ALENA. Ils étaient tous bons, mais Bush fut particulièrement efficace et se montra généreux avec esprit envers moi. Il complimenta mon discours en disant : « À présent, je comprends pourquoi lui est à l'intérieur et regarde dehors, alors que moi je suis à l'extérieur et regarde dedans. » Les présidents conféraient à la campagne la gravité des accords bipartites, et nous avions besoin de toute l'aide disponible. L'ALENA devait faire face à une coalition inattendue de Démocrates du centre gauche et de Républicains conservateurs, qui partageaient la même crainte de voir des relations plus ouvertes avec le Mexique coûter à l'Amérique de bons emplois sans aider les Mexicains ordinaires, dont ils pensaient qu'ils continueraient à être sous-payés et exploités, même si leurs employeurs réalisaient de gros bénéfices en faisant commerce avec les États-Unis. Je savais qu'ils pouvaient avoir raison sur le second point. Mais je voyais l'ALENA essentielle, non seulement pour nos relations avec le Mexique et l'Amérique latine, mais aussi pour notre engagement à édifier un monde plus intégré, plus coopératif.

Même s'il devenait évident qu'un vote sur la réforme du système de santé n'aurait pas lieu avant l'année suivante, nous devions quand même encore envoyer notre projet de loi au Capitole pour engager le processus législatif. Au départ, nous avions pensé n'envoyer qu'un plan du projet aux commissions juridictionnelles et les laisser rédiger elles-mêmes la proposition de loi, mais Dick Gephardt et d'autres étaient fermement d'avis que nos chances de succès seraient plus grandes si nous commencions par un texte bien défini. Après une réunion avec les chefs du Congrès dans la salle du Cabinet, j'ai suggéré à Bob Dole de travailler avec lui sur la loi. Je l'ai fait parce que Dole et sa secrétaire générale, une ancienne infirmière impressionnante du nom de Sheila Burke, avaient un réel intérêt pour la question du système de santé et parce que, dans tous les cas, si je produisais un projet de loi qu'il n'appréciait pas, il pouvait y faire obstruction à mort. Dole a décliné ma suggestion de rédiger ensemble un projet commun, en disant qu'il serait mieux que je propose mon propre projet de loi et que nous trouverions un compromis plus tard. Lorsqu'il m'avait dit cela, sans doute le pensait-il vraiment, mais les choses ne se sont pas passées ainsi.

Il était prévu que je présente le programme de réforme du système de santé lors d'une séance interparlementaire du Congrès le 22 septembre. Je me sentais optimiste. Ce matin-là, j'avais signé le projet de loi créant AmeriCorps, le programme de service national ; c'était l'un des projets dont la réalisation me tenait personnellement le plus à cœur, et j'avais aussi fait d'Eli Segal, qui avait suivi le projet de loi au Congrès, le premier chef de la Corporation for National Service. Parmi les participants à la cérémonie de signature sur la pelouse derrière la Maison Blanche figuraient des jeunes gens qui avaient répondu à mon appel pour se mettre au service de la communauté l'été précédent, deux anciens combattants du Civilian Conservation Corps, le corps de civils engagés pour participer à la préservation de nos ressources naturelles par Franklin D. Roosevelt, dont les projets marquaient encore les paysages des États-Unis ; et le sergent Shriver, le premier directeur du Corps de la Paix. Judicieusement, le sergent m'avait prêté l'un des stylos que le président Kennedy avait utilisés trente-deux ans plus tôt pour signer la loi sur le Corps de la Paix, et je l'ai utilisé pour sceller la création d'AmeriCorps. Sur les cinq années qui ont suivi, près de deux cent mille jeunes Américains allaient rejoindre les rangs d'Ameri-Corps, plus nombreux que ceux qui avaient servi dans le Corps de la Paix sur la totalité de ses quarante ans d'existence.

Le soir du 22, je me sentais sûr de moi alors que je descendais l'allée centrale de la salle des débats du Congrès et que je pouvais voir Hillary assise au balcon avec deux des plus célèbres médecins des États-Unis, le pédiatre T. Berry Brazelton, ami de très longue date, et le Dr C. Everett Koop, qui avait servi sous le président Reagan au poste de ministre de la Santé, position qu'il avait utilisée pour informer la nation sur le sida et sur l'importance de la prévention de cette maladie. Brazelton tout comme Koop étaient favorables à une réforme du système de santé et allaient soutenir nos efforts en nous apportant leur crédibilité.

Ma confiance a chuté lorsque j'ai jeté un coup d'œil au téléprompteur pour commencer mon discours. Celui-ci ne s'y affichait pas. À sa place, je voyais le début d'un discours au Congrès sur le programme économique, que j'avais fait en février. Le budget était passé plus d'un mois auparavant, le Congrès n'avait pas besoin d'entendre à nouveau ce discours. Je me suis tourné vers Al Gore, qui comme d'habitude était assis derrière moi, lui ai expliqué le problème et lui ai demandé de dire à George Stephanopoulos de s'en occuper. En attendant, j'ai commencé mon discours. J'en avais une copie écrite avec moi, et de toute façon je savais ce que je voulais dire, je ne m'inquiétais donc pas trop, même si j'étais un peu distrait par tous ces mots sans aucun rapport qui défilaient sur le téléprompteur. À la septième minute, le bon texte est finalement apparu. Je ne pense pas que quiconque s'en soit aperçu à ce moment-là, mais c'était rassurant de pouvoir me remettre en selle.

Aussi simplement et aussi directement que possible, j'ai expliqué le pro-blème – notre système de santé coûtait trop cher et couvrait trop peu de per-sonnes –, puis j'ai présenté les lignes principales de notre programme : sécurité, simplicité, économies, choix, qualité et responsabilité. Tout le monde allait être couvert par des assureurs privés et cette couverture ne disparaîtrait pas en cas de maladie ou de perte d'emploi ; il y aurait beaucoup moins de paperas-serie, grâce à un programme d'aide minimum ; nous ferions d'importantes économies sur les coûts administratifs, qui étaient chez nous significativement plus élevés que dans d'autres pays riches, et par des mesures de répression contre la fraude et les abus. D'après le Dr Koop, cela pouvait permettre d'économiser des dizaines de milliards de dollars. Avec notre système, les Américains allaient pouvoir choisir leur propre programme d'assurance santé et conserver leur médecin, ce qui n'était plus le cas pour un nombre croissant de gens dont l'assurance était prise en charge par des organismes médicaux privés, les Health Maintenance Organisations ou HMO, qui, souhaitant maîtriser les coûts, restreignaient le choix des patients et pratiquaient des enquêtes approfondies avant de donner leur accord à des traitements coûteux. La qualité serait assurée par la publication à l'attention des consommateurs de bulletins d'évaluation des programmes d'assurance santé et par une plus grande information des médecins. On responsabiliserait systématiquement les compagnies d'assurances médicales, les fournisseurs de services qui gonflaient leurs factures, les laboratoires pharmaceutiques qui surfacturaient leurs produits, les avocats qui lançaient des poursuites en justice bidons et les citoyens dont les choix irresponsables affectaient la santé et faisaient grimper les coûts pour tous les autres.

J'ai proposé que tous les employeurs fournissent des assurances santé, ainsi que 75 % d'entre eux le faisaient déjà, avec une réduction pour les patrons de petites entreprises qui sans cela ne pourraient combler le coût de l'assurance. Cette subvention serait financée par une augmentation des taxes sur le tabac. Les travailleurs indépendants pourraient déduire la totalité du coût de leur prime d'assurance de leurs revenus imposables.

Si le système que je proposais avait été adopté, cela aurait réduit l'inflation des dépenses de santé, réparti plus équitablement la charge de leur paiement, et permis à des millions d'Américains qui en étaient exclus d'avoir une couverture maladie. Et cela aurait mis fin à d'horribles injustices comparables à celles que j'avais personnellement pu constater, comme le cas de cette femme qui avait dû abandonner un emploi rapportant cinquante mille dollars par an et qui lui permettait de faire vivre ses six enfants parce que son plus jeune enfant était si malade qu'elle ne pouvait pas conserver son assurance santé et que le seul moyen pour la mère de faire accéder l'enfant à des soins médicaux était de demander l'aide de l'État et de s'inscrire au programme Medicaid ; ou comme le cas de ce jeune couple qui avait un enfant malade et dont la seule assurance santé était celle de l'employeur d'un des deux parents, qui travaillait dans une petite entreprise non bénéficiaire de vingt employés. Les soins médicaux de l'enfant étaient si chers que l'assureur avait demandé à l'employeur de choisir entre le renvoi de l'employé dont l'enfant était malade ou une augmentation des primes d'assurance de tous les autres employés de deux cents dollars. Je pensais que l'Amérique pouvait faire mieux.

Hillary, Ira Magaziner, Judy Feder et tous ceux qui les avaient aidés avaient élaboré un programme que nous pouvions faire appliquer tout en réduisant le déficit. Et contrairement à ce que l'on a ultérieurement prétendu, les spécialistes de la santé généralement le trouvaient à l'époque louable, modéré et applicable. En aucun cas le gouvernement ne faisait main basse sur le système de santé, ainsi que des critiques l'en ont accusé, mais tout cela n'allait être entendu que plus tard. Le soir du 22, j'étais simplement content que le téléprompteur fonctionne.

Vers la fin du mois de septembre, la Russie est revenue à la une des médias, avec la tentative par des parlementaires de la ligne dure de destituer Eltsine. Celui-ci a réagi en dissolvant le Parlement et en appelant à de nouvelles élections pour le 12 décembre. Nous avons mis cette crise à profit pour renforcer le soutien à notre programme d'aide à la Russie, qui a été voté à la Chambre des représentants par 321 voix pour et 108 voix contre le 29 septembre, et au Sénat par 87 pour et 11 contre le 30 septembre.

Le dimanche 3 octobre, le conflit qui opposait Eltsine à ses adversaires réactionnaires à la Douma avait donné naissance à des violences dans les rues de Moscou. Des groupes armés portant des drapeaux rouges ornés de la faucille et du marteau et des portraits de Staline lançaient des grenades autopropulsées dans le bâtiment qui abritait un certain nombre de chaînes de télévision russes. D'autres dirigeants réformateurs d'anciens pays communistes, parmi lesquels Václav Havel, faisaient des déclarations de soutien à Eltsine, tout comme moi, en disant aux journalistes qu'il était évident que les opposants à Eltsine étaient les premiers à avoir allumé des violences, que Eltsine s'était « mis en quatre » pour éviter d'avoir à employer des forces excessives et que les États-Unis le soutiendraient dans l'effort qu'il faisait pour organiser des élections libres et dénuées de toute pression au Parlement. Le lendemain, les forces militaires russes ont bombardé le bâtiment du Parlement et ont menacé de le prendre d'assaut, obligeant les chefs de la rébellion à se rendre. À bord d'*Air Force One*, en route vers la Californie, j'ai appelé Eltsine pour lui transmettre un message de soutien.

La bataille dans les rues de Moscou était dans toutes les conversations dans le monde entier ce soir-là, mais aux États-Unis les médias ont fait leur une avec une autre histoire, qui a marqué l'un des jours les plus sombres de ma présidence, et qui a rendu célèbre le titre « la chute du faucon noir ».

En décembre 1992, le président Bush avait envoyé des troupes américaines en Somalie avec mon soutien pour aider les Nations unies après que plus de 350 000 Somaliens eurent trouvé la mort dans une sanglante guerre civile, qui avait entraîné la famine et la maladie. À cette époque, le conseiller pour la Sécurité nationale de Bush, le général Brent Scowcroft, avait assuré à Sandy Berger qu'ils seraient de retour au pays avant mon intronisation. Ce n'est pas ce qui s'est produit, parce que la Somalie n'avait pas de gouvernement opérationnel, et que, sans la présence de nos troupes, des bandes armées auraient dérobé l'aide alimentaire envoyée par les Nations unies et la famine se serait à nouveau installée. Au cours des quelques mois qui ont suivi, les Nations unies avaient envoyé environ vingt mille soldats et nous avions réduit la présence militaire américaine de vingt cinq mille à à peine plus de quatre mille hommes. Après sept mois, les céréales poussaient, la famine était terminée, les réfugiés rentraient chez eux, les écoles et les hopitaux rouvraient, une police avait été créée et de nombreux Somaliens étaient engagés dans un processus de réconciliation menant à la démocratie.

En juin, le clan du seigneur de la guerre somalien Mohammed Aidid avait tué vingt-quatre pacificateurs pakistanais. Aidid, dont les bandes armées contrôlaient une bonne partie de la capitale Mogadiscio, et qui ne voulait pas du processus de réconciliation, cherchait à contrôler la Somalie. Il pensait qu'il devait pour cela pousser les Nations unies dans leurs derniers retranchements. Après l'assassinat des Pakistanais, le secrétaire général Boutros-Ghali et son représentant en Somalie, l'amiral en retraite Jonathan Howe, avaient pris la ferme résolution de s'emparer d'Aidid, pensant que la mission des Nations unies ne pourrait réussir que si celui-ci était amené devant un tribunal. Parce qu'Aidid était protégé par des forces lourdement armées, les Nations unies n'étaient pas parvenues à l'appréhender, et avaient demandé l'aide des États-Unis. L'amiral Howe, qui avait été l'adjoint de Brent Scowcroft dans l'administration Bush, était convaincu, surtout après l'assassinat des pacificateurs pakistanais, que l'arrestation d'Aidid et son procès en justice étaient la seule manière de mettre fin aux conflits claniques qui faisaient de la Somalie un pays embourbé dans la violence, l'échec et le chaos.

Quelques jours avant qu'il ne quitte ses fonctions de chef d'état-major des armées, Colin Powell est venu me voir, et m'a conseillé d'approuver la tentative américaine d'arrestation d'Aidid, même s'il pensait que nous n'avions que 50 % de chances de le capturer et 25 % de chances de le capturer vivant. Cependant, nous ne pouvions pas nous comporter comme si nous étions indifférents à l'assassinat par Aidid de soldats des Nations unies qui servaient avec nos forces. Les échecs répétés que les Nations unies avaient subis en tentant d'arrêter Aidid avaient fait grandir la popularité de ce dernier et entaché la nature humanitaire de leur mission que j'approuvais.

Le commandant des Rangers américains était le général en chef William Garrison. La dixième Mountain Division, dont le quartier général se trouvait à Fort Drum, dans l'État de New York, avait aussi des troupes qui étaient placées sous le commandement des forces américaines en Somalie du général Thomas Montgomery. Ils étaient tous deux sous la direction du général des Marines Joseph Hoar, chef du poste de commandement central américain sur la base aérienne de MacDill à Tampa, en Floride. Je connaissais Hoar et j'avais toute confiance en son jugement et en ses capacités.

Le 3 octobre, ayant reçu une information qui disait que deux des lieutenants les plus proches d'Aidid se trouvaient dans le quartier de la « Mer noire » de Mogadiscio, qui était contrôlé par Aidid, le général en chef Garrison a ordonné aux Rangers de donner l'assaut au bâtiment dont on pensait qu'il abritait ces hommes. Ils se sont envolés pour Mogadiscio à bord d'hélicoptères Black Hawk en plein jour. C'était une opération bien plus risquée de jour que de nuit, car la nuit les hélicoptères et les troupes sont bien moins visibles et leur matériel de vision nocturne leur donne la possibilité d'opérer aussi bien qu'à la lumière du jour. Garrison avait décidé de prendre ce risque parce que ses troupes avaient réussi trois opérations de jour.

Les Rangers ont pris d'assaut le bâtiment et ont capturé les lieutenants d'Aidid plus quelques autres de moindre importance. C'est alors que le raid a horriblement mal tourné. Les forces d'Aidid ont répliqué, abattant deux Black Hawks. Le pilote du premier hélicoptère a été touché au cours de l'attaque et les Rangers ont refusé de l'abandonner : ils ne laissent jamais leurs hommes sur le champ de bataille, morts ou vifs. Quand ils sont revenus, la véritable fusillade a commencé. En peu de temps quatre-vingt-dix soldats américains entouraient l'hélico, pris dans une terrible fusillade contre des centaines de

Somaliens. Finalement, les Forces de déploiement rapide du général Mont-gomery sont intervenues, mais la résistance somalienne était suffisamment forte pour empêcher l'opération de secours d'aboutir pendant toute la nuit. À la fin de la bataille, dix-neuf Américains avaient été tués, des dizaines avaient été blessés et le pilote de l'hélicoptère Black Hawk avait été capturé. Plus de cinq cents Somaliens étaient morts et plus d'un millier blessés. Des Somaliens enra-gés ont traîné le corps du chef d'équipage des Black Hawks, qui avait été blessé, à travers les rues de Mogadiscio.

Les Américains étaient indignés et sidérés. Comment notre mission humanitaire avait-elle pu se transformer en une obsession de capturer Aidid ? Pourquoi les forces américaines exécutaient-elles les ordres de Boutros-Ghali et de l'amiral Howe ? Le sénateur Robert Byrd a demandé que l'on mette fin à « ces opérations de gendarmes et de voleurs ». Le sénateur John McCain a déclaré : « Clinton doit les ramener au pays. » L'amiral Howe et le général Garrison voulaient poursuivre Aidid. D'après leurs sources à Mogadiscio, un grand nombre de ses alliés avaient fui la ville et il ne faudrait pas beaucoup de temps pour finir le travail.

Le 6, notre cellule de Sécurité nationale s'est réunie à la Maison Blanche. Tony Lake avait fait venir Robert Oakley, qui avait été l'ambassadeur des États-Unis à Mogadiscio de décembre à mars. Oakley pensait que les Nations unies, y compris son vieil ami l'amiral Howe, avaient fait une erreur en isolant Aidid du processus politique et en faisant de son arrestation une obsession. Par extension, il désapprouvait notre décision d'essayer de l'appréhender pour le compte des Nations unies.

Je comprenais très bien le général Garrison et les hommes qui voulaient retourner sur le terrain et finir le boulot. J'étais écœuré par la perte de nos hommes et je voulais qu'Aidid paie pour cela. Si son arrestation avait coûté la vie de dix-huit Américains et en avait blessé quatre-vingt-quatre, cela ne valait-il pas la peine de finir le travail ? Le problème avec ce raisonnement était que si nous y retournions et que nous coincions Aidid, mort ou vif, ce serait alors nous, et non les Nations unies, qui posséderions la Somalie, et il n'existait aucune garantie que nous puissions la remettre debout politiquement mieux que ne l'avaient fait les Nations unies. Les événements qui ont suivi ont prouvé la validité de cette analyse : après le décès de mort naturelle d'Aidid en 1996, la Somalie est restée divisée. Et personne au Congrès n'a soutenu une intervention militaire accrue en Somalie, comme je l'ai appris lors d'une réu-nion à la Maison Blanche avec les parlementaires : la plupart exigeaient le retrait de nos forces. Je n'étais pas d'accord du tout ; à la fin, nous nous sommes entendus sur une période transitoire de six mois. J'étais prêt à affronter le Congrès, mais je devais penser aussi aux conséquences de tout geste qui aurait rendu plus difficile encore la tâche de convaincre le Congrès d'envoyer des troupes américaines en Bosnie et en Haïti, où nous avions de bien plus grands intérêts en jeu.

Finalement, j'ai accepté d'envoyer Oakley sur une mission dont l'objectif était d'obtenir d'Aidid qu'il relâche Mike Durant, le pilote capturé. Ses instructions étaient claires : les États-Unis ne prendraient pas de mesures de rétorsion si Durant était relâché immédiatement et sans conditions. Nous ne voulions pas marchander les soldats qui venaient d'être faits prisonniers. Oakley a transmis le message et Durant a été relâché. J'ai renforcé nos troupes et j'ai fixé une date pour leur retrait, en donnant aux Nations unies six mois de plus pour établir leur contrôle ou pour installer une organisation politique effective en Somalie. Après la libération de Durant, Oakley a ouvert les négociations avec Aidid, et il a fini par obtenir une sorte de trêve.

La bataille de Mogadiscio me hantait. Je me disais que maintenant je savais comment le président Kennedy s'était senti après la baie des Cochons. J'étais responsable d'une opération que j'avais approuvée dans son ensemble mais pas dans ses détails. Contrairement à la baie des Cochons, ce n'était pas un échec en termes strictement militaires : les Rangers du corps expéditionnaire avaient arrêté deux des lieutenants d'Aidid en tombant sur Mogadiscio en plein jour, exécutant cette mission complexe et difficile et subissant des pertes imprévues avec courage et compétence. Mais les pertes humaines avaient choqué l'Amérique et la bataille qui les avait occasionnées entrait en contradiction avec le projet humanitaire plus vaste qui était le nôtre et celui des Nations unies.

Ce qui me tourmentait le plus était que lorsque j'avais approuvé l'utilisation des troupes américaines pour l'arrestation d'Aidid, je pensais à tout sauf à une intervention qui consisterait à donner l'assaut de jour dans un quartier hostile plein de monde. J'avais dans l'idée que nous essaierions de le capturer lorsqu'il était en déplacement, à l'écart des foules de civils, qui donnaient à ses forces armées une protection. Je pensais que je donnais mon approbation à une action de police effectuée par des troupes américaines qui avaient de plus grandes capacités, un meilleur équipement et un meilleur entraînement que leurs homologues des Nations unies. Apparemment, c'est aussi ce que Colin Powell croyait me demander d'approuver. Lorsque j'en ai parlé avec lui plus tard, alors que j'avais quitté la Maison Blanche et qu'il était secrétaire d'État, Powell m'a avoué qu'il n'aurait pas approuvé une opération comme celle-ci à moins qu'elle n'ait été menée de nuit. Mais, à l'époque, nous n'en avions pas parlé, et personne non plus n'avait imposé de limites aux différentes options présentées par le général Garrison. Colin Powell avait quitté son poste trois jours avant le raid, et John Shalikashvili n'avait pas encore été confirmé comme son successeur. L'opération n'avait pas été approuvée par le général Hoar au commandement central ou par le Pentagone. Et donc, au lieu d'autoriser une opération de police offensive, j'avais autorisé un assaut militaire en territoire hostile.

Dans une lettre de sa main qu'il m'avait adressée le lendemain du combat, le général Garrison avait endossé toute la responsabilité de la décision qu'il avait prise de poursuivre le raid, en me donnant le détail des raisons pour lesquelles il avait agi ainsi : les renseignements étaient excellents ; les troupes étaient expérimentées ; les capacités de l'ennemi étaient connues ; la tactique était appropriée ; des plans d'urgence avaient été établis ; des forces de réaction armées auraient pu être un plus, mais n'auraient pas réduit le nombre des victimes américaines, parce que les troupes du corps expéditionnaire refusaient d'abandonner leurs camarades abattus, et que l'un d'entre eux avait été touché lorsque son hélicoptère avait été descendu. Garrison terminait sa lettre en disant : « La mission a été un succès. Les individus visés ont été capturés et extraits de la cible. [...] Le président Clinton et le secrétaire Aspin doivent être mis hors de portée des condamnations. »

Je respectais Garrison et j'étais d'accord avec sa lettre, à l'exception du dernier point. En aucune manière je ne pouvais et devais « être mis hors de portée des condamnations ». Je pense que le raid a été une erreur, parce que sa réalisation en plein jour était la preuve que nous avions sous-estimé la puissance et la détermination des forces d'Aidid, et donc la possibilité de perdre un ou plusieurs hélicoptères. En temps de guerre, ces risques auraient été acceptables. Dans une mission de maintien de la paix, ils ne l'étaient pas, parce que la victoire ne valait pas de prendre le risque d'occasionner des pertes significatives et de déboucher inévitablement sur une modification de la nature de notre mission aux yeux des Somaliens comme des Américains. L'arrestation d'Aidid et de ses principaux lieutenants en réponse à l'incapacité des forces des Nations unies ne devait constituer qu'un volet de nos opérations en Somalie, pas l'objectif essentiel. Il valait la peine de s'y engager dans les circonstances appropriées mais, lorsque j'ai donné mon consentement aux recommandations du général Powell, j'aurais également dû demander au préalable l'approbation du Pentagone et de la Maison Blanche pour toute opération de cette importance. En aucun cas, je n'accuse le général Garrison, qui est un excellent soldat et dont la carrière a été injustement entachée. La décision qu'il a prise, étant donné les instructions qu'il avait reçues, était défendable. C'est en plus haut lieu qu'il aurait fallu concevoir les implications plus graves de cette décision.

Dans les semaines qui ont suivi, je me suis rendu au chevet de plusieurs des soldats blessés à l'hôpital militaire Walter Reed, et j'ai eu deux émouvants entretiens avec les familles des soldats qui avaient perdu la vie dans cette opération. Lors de l'une de ces rencontres, j'ai été rudement questionné par deux pères en deuil, Larry Joyce et Jim Smith, un ancien Ranger qui avait perdu une jambe au Viêt-nam. Ils voulaient savoir pourquoi leur fils était mort et pourquoi nous avions changé de cap. Lorsque j'ai remis la médaille d'honneur à titre posthume aux tireurs d'élite Gary Gordon et Randy Shugart, de la Delta Force, pour l'héroïsme dont ils avaient fait preuve en essayant de sauver Mike Durant et l'équipage de son hélicoptère, leur famille était encore dans une peine immense. Le père de Shugart était furieux contre moi et m'a violemment accusé d'être incapable d'occuper le poste de commandant en chef. Sachant le prix qu'il avait payé, pour moi, il pouvait dire tout ce qu'il voulait. Je ne pouvais donc pas savoir s'il se comportait comme ça parce que je n'avais pas fait le Viêt-nam, parce que j'avais approuvé la politique qui avait mené au raid ou parce que j'avais renoncé à poursuivre Aidid après le 3 octobre. Je ne croyais pas que les bénéfices émotionnels, politiques ou stratégiques que nous aurions pu retirer de l'arrestation ou de l'assassinat d'Aidid pouvaient justifier la perte d'autres vies dans un camp comme dans l'autre, ou un plus grand transfert de responsabilités dans la définition de l'avenir de la Somalie des Nations unies vers les États-Unis.

Après la « chute du faucon noir », à chaque approbation que j'ai donnée au déploiement de forces militaires, j'avais une meilleure connaissance des risques impliqués et j'ai toujours fait définir avec bien plus de précision la nature des opérations qui devaient être approuvées par Washington. Les leçons de la Somalie n'ont pas été oubliées par les stratèges militaires qui ont mis au point le cours de nos opérations en Bosnie, au Kosovo, en Afghanistan, et en d'autres lieux agités du monde d'après la guerre froide, où l'on demandait souvent aux États-Unis d'intervenir pour mettre fin à d'atroces violences. et où trop souvent on s'attendait à ce que cela se fasse sans pertes humaines dans notre camp, dans celui de nos adversaires ou parmi d'innocents témoins. Le défi qui nous était lancé d'intervenir dans des conflits complexes comme ceux de la Somalie, de Haïti et de la Bosnie a inspiré à Tony Lake l'un de ses meilleurs mots · « Parfois la guerre froide me manque. »

CHAPITRE TRENTE-SIX

J'ai passé le reste du mois d'octobre à gérer la suite de la crise somalienne et à lutter contre le Congrès, qui tentait par tous les moyens de limiter ma capacité à engager les troupes américaines en Haïti et en Bosnie.

Le 26 octobre, nous avons enfin pu bénéficier d'un moment de détente avec le premier anniversaire que Hillary fêtait à la Maison Blanche. Il s'agissait d'une soirée costumée organisée à son insu. Son équipe avait prévu que nous nous déguisions tous deux en James et Dolley Madison. Lorsqu'elle est rentrée, après une longue journée de travail, on l'a conduite à l'étage, à travers une Maison Blanche plongée dans le noir pour l'occasion, afin qu'elle mette son costume. Elle est redescendue, magnifique avec sa robe à crinoline et sa perruque poudrée, tandis que je l'attendais au bas de l'escalier, en perruque blanche et bas de soie. Les membres de son équipe étaient déguisés en Hillary, chaque déguisement correspondant à une occasion particulière : Hillary s'occupant des questions de santé publique, Hillary servant du thé et des petits-fours… Comme mes vrais cheveux étaient de toute façon en train de virer au blanc, ma perruque ne manquait pas d'allure, mais les bas de soie me donnaient l'air ridicule.

Le lendemain, vêtus normalement, Hillary et moi avons personnellement présenté notre projet de loi sur la santé devant le Congrès. Hillary avait passé des semaines à informer les membres du Congrès des deux partis, avec un retour généralement enthousiaste. Beaucoup de représentants républicains avaient loué nos efforts et le sénateur John Chafee, de Rhode Island, qui représentait les sénateurs républicains, a déclaré que s'il n'était pas d'accord avec certaines parties de notre projet de loi, il pensait que nous pouvions travailler ensemble à l'élaboration d'un compromis satisfaisant. Je commençais à croire que nous allions effectivement pouvoir débattre honnêtement et aboutir à quelque chose qui resterait proche de l'idée de couverture universelle.

Nos détracteurs ont eu beau jeu de critiquer la longueur de notre texte : 1 342 pages. Chaque année, pourtant, le Congrès vote de volumineuses propositions de loi de plus de mille pages traitant de sujets autrement moins complexes ou profonds. De plus, notre projet aurait éliminé bien plus de pages d'articles de loi et de réglementations que ce que le Congrès proposait d'ajouter. Tout le monde à Washington savait cela, mais pas le peuple américain. La longueur de notre texte donnait des arguments aux campagnes publicitaires efficaces que les compagnies d'assurance médicale avaient commencé à lancer contre ce projet. Une de ces publicités montrait un couple ordinaire – Harry et Louise – évoquant avec angoisse le fait que le gouvernement allait « nous forcer à accepter des mesures rédigées par des bureaucrates ». Ces publicités étaient mensongères mais très bien faites et largement regardées. En fait, les coûts administratifs imposés par les compagnies d'assurance étaient une des raisons principales pour lesquelles les Américains payaient plus pour leur couverture médicale sans pour autant bénéficier de la couverture universelle que les citoyens des autres nations prospères considèrent comme acquise. Les compagnies d'assurance entendaient garder pour elles les bénéfices d'un système inefficace et injuste. Jouer sur le scepticisme bien connu des Américains envers toute action gouvernementale était le meilleur moyen d'y parvenir.

Au début du mois de novembre, la revue trimestrielle *Congressional Quarterly* a affirmé que j'avais remporté davantage de succès auprès du Congrès qu'aucun président lors de sa première année d'exercice depuis le président Eisenhower, en 1953. Nous avions fait voter le plan économique, réduit le déficit et réalisé beaucoup de nos promesses électorales. Le Congrès avait aussi approuvé la réforme des prêts étudiants, le service civil national, l'aide globale à la Russie, la réforme du mode d'inscription sur les listes électorales, et la loi portant sur le congé parental. Les deux chambres du Congrès ont entériné plusieurs versions de mon projet de lutte contre la criminalité, qui commençait par le financement des cent mille officiers de police de quartier que j'avais promis durant ma campagne. L'économie avait déjà produit plus d'emplois dans le secteur privé qu'au cours des quatre années précédentes. Les taux d'intérêt étaient encore bas et l'investissement restait fort.

La devise d'Al Gore pendant la campagne devenait une réalité. Désormais, tout ce qui pouvait être à la hausse l'était et tout ce qui devait baisser baissait, à une notable exception près. En dépit de tous ces succès, le pourcentage de personnes satisfaites donné par les sondages restait faible. Le 7 novembre, dans un entretien spécial avec les journalistes de l'émission *Meet the Press* – Tim Russert et Tom Brokaw – à l'occasion du quarante-sixième anniversaire de l'émission, Russert m'a demandé pourquoi ce chiffre restait faible. Je lui ai répondu que je n'en savais rien.

Quelques jours auparavant, j'avais lu la liste de tout ce que nous avions accompli devant un groupe venu de l'Arkansas pour visiter la Maison Blanche. À la fin, un de mes concitoyens m'a dit : « Alors, c'est que certaines personnes doivent conspirer à tenir tout ça secret. Nous n'entendons jamais parler de toutes ces mesures. » La faute m'incombait en partie. Dès que j'avais achevé un projet, je passais au suivant, sans prendre la peine d'assurer le suivi en termes de communication. En politique, si vous ne mettez pas votre action en avant, elle passe généralement inaperçue. Une partie du problème tenait pour moi à la constante intrusion de crises extérieures, comme en Haïti ou en Somalie. Une partie du problème tenait également à la nature de la couverture médiatique. Les histoires concernant ma coupe de cheveux, le service des déplacements ou le personnel de la Maison Blanche, ou encore le processus de prise de décision étaient, à mon sens, décrits à tort ou de façon tout à fait exagérée.

Quelques mois plus tôt, une enquête nationale avait montré que l'on m'avait consacré un nombre inhabituel d'articles négatifs. J'en étais en partie responsable, car, au début de mon mandat, je n'avais pas su y faire avec les journalistes. La presse, que l'on qualifiait si souvent de libérale, était sans doute plus conservatrice que je ne l'étais, en tout cas lorsqu'il s'agissait de changer la façon dont les choses étaient censées fonctionner à Washington. Les journalistes avaient certainement une autre idée de ce qui était important. J'ajouterai que la plupart de ceux qui couvraient la présidence étaient jeunes et tentaient de faire carrière dans un système d'information continue 24 heures sur 24, où chaque histoire devait avoir une dimension politique et où on ne retirait aucun prestige des informations positives. Comment pouvait-il en être autrement dans un environnement où la presse écrite et les journaux télévisés des chaînes traditionnelles étaient en concurrence avec la télévision câblée et où la frontière entre la presse traditionnelle, les tabloïds, les publications partisanes et les émissions politiques à la télévision ou à la radio devenait de plus en plus floue ?

Les Républicains étaient aussi grandement responsables du fait que mes résultats dans les sondages étaient plus mauvais que mon bilan réel. Leurs attaques incessantes avaient été efficaces, ainsi que leur façon très négative de présenter mon plan économique et mon plan de réforme de l'assurance maladie ; sans compter qu'ils avaient toujours su exploiter mes erreurs. Depuis mon arrivée à la présidence, ils avaient remporté les élections sénatoriales spéciales au Texas et en Géorgie, deux sièges de gouverneur en Virginie et dans le New Jersey, et les mairies de New York et de Los Angeles. Dans chaque cas, le résultat des élections avait été amplement déterminé par la conjoncture locale, mais je n'y étais certes pas étranger. Les gens n'avaient pas encore le sentiment que l'économie allait en s'améliorant et la vieille rhétorique antigouvernementale et antifiscale avait encore de beaux restes. Certaines des mesures que nous mettions en place afin d'aider des millions d'Américains étaient trop complexes pour être facilement comprises – comme l'aide sous forme de crédit d'impôts pour les personnes à faibles revenus – ou bien trop controversées pour ne pas nous faire du tort sur le plan politique, même lorsqu'il s'agissait de bonnes mesures.

Novembre nous a donné deux exemples de bonne politique et de mauvaise mise en œuvre. Al Gore avait littéralement envoyé Ross Perot au tapis lors d'un débat télévisé très suivi sur l'ALENA [l'Accord de libre-échange entre les pays d'Amérique du Nord], ce qui a sans doute permis à cet accord d'être approuvé par la Chambre par 234 voix contre 200. Trois jours plus tard, le Sénat a suivi avec 61 voix contre 38. Mark Gearan a confié à la presse qu'Al et moi avions appelé ou rencontré personnellement deux cents membres du Congrès, et que nos collaborateurs avaient passé pas moins de neuf cents coups de téléphone. Le président Carter a également passé ses journées pendant une semaine entière à appeler. Nous devions obtenir des accords sur une grande variété de questions. Les efforts de lobbying autour de l'ALENA ressemblaient encore plus à une discussion de marchands de tapis que le débat que nous avions eu autour du budget. Bill Daley et toute notre équipe avaient remporté une grande victoire économique et politique pour l'Amérique mais, comme pour le budget, cette victoire s'est faite au prix fort, divisant notre propre parti au sein du Congrès et nous aliénant bon nombre de nos plus ardents supporters dans les rangs du syndicalisme.

La loi Brady sur le contrôle des armes à feu a également été votée en novembre, après une tentative d'obstruction inspirée par la National Rifle Association et soutenue par les sénateurs républicains. J'ai ratifié ce texte de loi, sous les yeux de Jim et Sarah Brady. Depuis le jour où John Hinckley Jr. avait tiré sur Jim en tentant d'assassiner le président Reagan, Jim et Sarah s'étaient battus pour obtenir une loi encadrant la vente des armes à feu. Ils avaient œuvré sept années durant pour faire accepter une proposition de loi exigeant un délai dans l'achat de toute arme à feu, afin de pouvoir vérifier les antécédents judiciaires ou psychiatriques de l'acheteur. Le président Bush avait posé son veto à une version antérieure de la loi Brady à cause de la très forte opposition manifestée par la NRA, qui prétendait que ce texte portait atteinte au droit constitutionnel de posséder et de transporter des armes à feu. La NRA jugeait que le délai légal constituait un insupportable fardeau pour les acheteurs normaux et que nous pouvions arriver au même résultat en augmentant les peines pour achat illégal d'armes à feu. La plupart des Américains étaient en faveur de la loi Brady, mais, une fois votée, elle ne constituait plus pour eux un enjeu électoral. La NRA, en revanche, avait juré la perte de tous les membres du Congrès qui avaient voté en sa faveur. Lorsque j'ai quitté mes fonctions, la loi Brady avait permis d'empêcher plus de six cent mille criminels, fugitifs ou agresseurs d'acheter une arme, sauvant ainsi d'innombrables vies humaines. Comme le budget, cette loi mettait en péril beaucoup de ceux qui avaient été assez courageux pour la voter malgré des attaques virulentes qui se sont cependant révélées suffisamment efficaces pour coûter leur siège à certains d'entre eux.

Tout ce que j'ai fait de positif n'a pas suscité de controverse. Le 19 novembre, j'ai ratifié le *Religious Freedom Restoration Act*, loi sur la liberté religieuse destinée à protéger l'expression raisonnable des croyances religieuses dans les lieux publics comme les écoles et les lieux de travail. Ce texte était supposé renverser une décision prise par la Cour suprême en 1990 donnant aux États plus de latitude pour réglementer l'expression des convictions religieuses dans certains endroits. L'Amérique est pleine de gens profondément attachés à leur foi ; je pensais donc que cette loi apportait un juste équilibre entre la protection de leurs droits et la nécessité de maintenir l'ordre public. Elle était soutenue au Sénat par Ted Kennedy et Orrin Hatch, sénateur républicain de l'Utah, et elle a été adoptée par 97 voix contre 3. La Chambre l'a adoptée à l'issue d'un vote oral. Même si la Cour suprême l'a finalement rejetée, je reste convaincu qu'il s'agissait d'une loi juste et nécessaire.

J'ai toujours pensé que la protection des libertés religieuses et l'accès à la Maison Blanche pour toutes les religions constituaient une part importante de ma mission. J'ai demandé à un membre du service des relations publiques de la Maison Blanche de faire le point avec les différents groupes religieux. J'ai assisté à toutes les prières nationales organisées chaque année au début de la session parlementaire ; je restais toujours jusqu'à la fin, prenant la parole et m'adressant aux gens de diverses confessions et partis politiques qui venaient prier Dieu de les guider dans leur travail. Chaque année, lorsque le Congrès reprend le travail après les vacances du mois d'août, j'organisais un petit déjeuner interconfessionnel dans la State Dining Room, ce qui me permettait d'entendre les remarques des dirigeants des différents groupes religieux et de leur faire part des miennes. Je voulais que la communication entre nous reste ouverte, même avec ceux qui n'étaient pas d'accord avec moi, et, chaque fois que la chose était possible, je voulais qu'ils travaillent avec moi sur les questions sociales et sur les actions humanitaires à l'étranger.

Je suis fermement convaincu qu'il faut une séparation entre l'Église et l'État, mais je crois aussi qu'ils contribuent tous deux à parts égales à la solidité de la nation et qu'ils peuvent travailler ensemble pour le bien commun sans violer pour autant la Constitution. Le gouvernement est, par définition, imparfait et expérimental ; c'est une œuvre sans cesse en cours d'élaboration. La foi s'adresse à ce qu'il y a de plus profond en nous, elle nous pousse à rechercher la vérité et la capacité de notre esprit à s'élever et à changer en profondeur. Mais les programmes gouvernementaux ne fonctionnent pas aussi aisément dans une société qui dévalorise la famille, le travail et le respect mutuel. Il est difficile de vivre sa foi sans respecter les préceptes des Écritures concernant l'aide aux pauvres et aux opprimés, et sans aimer notre prochain comme soi-même.

À la mi-novembre, je réfléchissais au rôle que la foi doit jouer dans la vie de la nation alors que je me rendais à Memphis pour répondre à l'appel de l'Église de Dieu en le Christ au Mason Temple. La presse s'était fait l'écho d'une montée préoccupante de la violence envers les enfants dans les quartiers afro-américains, et je voulais en parler avec les pasteurs et les laïcs, afin de voir ce que nous pouvions faire. Il était évident que la conjoncture socio-économique était au cœur du chômage qui frappait si durement ces quartiers de l'effondrement de la famille, des problèmes rencontrés dans les écoles, de la hausse de la dépendance envers l'aide sociale, des naissances hors mariage et de la violence. Mais la combinaison de toutes ces difficultés avait engendré une culture au sein de laquelle la violence était désormais banalisée, de même que l'absence de travail ou de structures familiales normales ; j'étais convaincu que le gouvernement ne pouvait à lui seul faire évoluer cette culture. Un grand nombre d'Églises noires commençaient à s'intéresser à cette question et je voulais les encourager à en faire davantage.

Lorsque je suis arrivé à Memphis, je me suis trouvé entouré d'amis. L'Église de Dieu en le Christ était la confession qui progressait le plus vite au sein de la communauté afro-américaine. Son fondateur, Charles Harrison

Mason, avait reçu l'inspiration de cette dénomination à Little Rock, en un endroit où j'avais contribué à faire ériger une plaque deux ans auparavant. Sa veuve se trouvait à l'église à mon arrivée. L'évêque en titre, Louis Ford, de Chicago, avait joué un rôle déterminant dans la campagne présidentielle.

Mason Temple est un lieu sacré dans l'histoire des droits civiques. C'est là que Martin Luther King avait prêché son dernier sermon, dans la soirée précédant son assassinat. J'ai évoqué la mémoire de Martin Luther King, et j'ai souhaité rappeler à tous qu'il avait lui-même prédit que sa vie serait courte. J'ai ensuite demandé à mes amis de se pencher en toute honnêteté sur « la grande crise spirituelle qui frappe aujourd'hui l'Amérique ».

Puis, j'ai laissé mes notes de côté et prononcé ce que plusieurs commentateurs ont par la suite décrit comme mon meilleur discours en huit ans de présidence, parlant avec mon cœur dans la langue de notre héritage commun :

Si Martin Luther King devait réapparaître à mes côtés aujourd'hui et nous résumer tout ce qui s'est passé au cours des vingt-cinq dernières années, que dirait-il ? Vous avez bien travaillé, dirait-il, en votant et en élisant des personnes qui jusqu'alors étaient inéligibles à cause de la couleur de leur peau [...]. Vous avez bien travaillé, dirait-il, en laissant ceux qui le pouvaient vivre où ils le souhaitaient et se déplacer partout où ils le voulaient dans notre vaste pays [...]. Vous avez bien travaillé, dirait-il, en créant une classe moyenne noire [...] en donnant davantage de chances à chacun.

Mais il dirait aussi : je n'ai pas vécu et je ne suis pas mort pour assister à la destruction de la famille américaine. Je n'ai pas vécu et je ne suis pas mort pour voir des garçons de 13 ans prendre une arme automatique et tuer des enfants de 9 ans pour s'amuser. Je n'ai pas vécu et je ne suis pas mort pour voir des jeunes détruire leur existence à cause de la drogue ou amasser des fortunes en détruisant la vie des autres. Ce n'est pas ce pourquoi je suis venu. Je me suis battu pour la liberté, dirait-il, mais pas pour la liberté de tuer les autres sans vergogne, pas pour la liberté d'avoir des enfants lorsqu'on en est soi-même un, pas pour la liberté d'abandonner ses enfants comme s'ils ne valaient rien. Je me suis battu pour que les gens aient le droit de travailler, pas pour qu'on abandonne des communautés entières. Ce n'est pas pour cela que j'ai vécu et que je suis mort.

Je ne me suis pas battu pour que les Noirs aient le droit d'assassiner d'autres Noirs sans vergogne [...].

Nous pouvons changer les choses de l'extérieur ; c'est le rôle du Président, du Congrès, des gouverneurs, des maires et des bureaux d'aide sociale. Mais il est des changements qui ne peuvent se faire que de l'intérieur, ou personne n'y prêtera attention [...]. Parfois, aucune réponse ne peut venir du dehors ; parfois, toutes les réponses doivent venir des valeurs, des efforts et des voix qui nous parlent en nous-mêmes [...].

Là où il n'y a pas de famille, pas d'ordre, pas d'espoir [...] qui sera là pour offrir structure, discipline et amour à ces enfants ? C'est à vous de le faire. Et c'est à nous de vous aider.

Depuis cette chaire, aujourd'hui, je vous demande à tous de dire dans votre cœur : nous ferons honneur à la vie et à l'œuvre de Martin Luther King [...]. D'une manière ou d'une autre, avec l'aide de Dieu, nous allons changer les choses. Nous allons donner un avenir à ces enfants. Nous allons leur enlever leurs armes et leur donner des livres. Nous allons leur enlever leur désespoir et leur donner l'espoir. Nous allons reconstruire les familles, les quartiers et les communautés. Nous ne laisserons pas tout le travail accompli ne bénéficier qu'à quelques-uns. Nous ferons ce travail ensemble, avec l'aide de Dieu.

Le discours de Memphis était un hymne à une philosophie du service public enracinée dans mes valeurs religieuses personnelles. Trop de choses étaient en train de s'effondrer ; je devais aider à les reconstruire.

Les 19 et 20 novembre, j'ai commencé mon travail de reconstruction en me rendant à Seattle pour la première réunion des dirigeants de l'APEC, l'Organisation pour la coopération économique Asie-Pacifique. Avant 1993, l'APEC était un forum où les ministres des Finances venaient discuter de questions économiques. J'avais proposé que les chefs d'État eux-mêmes se réunissent chaque année afin de discuter de nos intérêts communs ; je voulais profiter de cette première réunion, sur l'île de Blake au large de Seattle, pour mettre en place trois objectifs : une zone de libre-échange couvrant les Amériques et les nations de l'Asie-Pacifique, une discussion informelle sur les questions de sécurité et de politique et la création d'une tradition de coopération destinée à prendre plus d'importance que jamais au cours du XXIe siècle. Les nations de l'Asie-Pacifique représentaient la moitié de la production mondiale tout en concentrant d'énormes problèmes de politique et de sécurité. Dans le passé, les États-Unis n'avaient jamais eu de cette région la vision très complète qu'ils avaient de l'Europe ; je pensais qu'il était temps de changer d'approche.

J'ai été ravi de rencontrer le nouveau Premier ministre japonais Morihiro Hosokawa, un réformateur qui avait brisé l'hégémonie du Parti libéral démocrate et qui avait continué sa politique d'ouverture économique du Japon. J'étais satisfait d'avoir la chance de parler longuement et dans un cadre moins formel avec le président chinois Jiang Zemin. Nous avions encore des positions différentes sur les droits de l'homme, le Tibet ou l'économie, mais nous partagions le même intérêt pour l'instauration de relations durables entre nos deux pays, ce qui, loin d'isoler la Chine, l'intégrerait dans la communauté internationale. Jiang Zemin et Morihiro Hosokawa étaient aussi préoccupés que moi par la menace de crise en Corée-du-Nord, qui semblait déterminée à devenir une puissance nucléaire. Je voulais à tout prix l'éviter, et j'avais besoin de leur aide pour y parvenir.

De retour à Washington, Hillary et moi avons donné notre premier dîner officiel en l'honneur du président sud-coréen Kim Yong Sam. J'ai toujours aimé les visites officielles. Il n'y avait pas d'événements plus ritualisés à la Maison Blanche commençant par la cérémonie officielle d'accueil. Hillary et moi devions nous tenir sous le portique sud de la Maison Blanche afin d'accueillir les invités qui arrivaient en voiture. Après quoi, nous nous rendions ensemble sur la pelouse sud pour une brève allocution commune. Puis, l'invité officiel montait sur une estrade à mes côtés, devant une foule impressionnante d'hommes et de femmes portant les uniformes des différents corps d'armée. L'orchestre militaire jouait toujours l'hymne de chaque pays et j'escortais ensuite mon visiteur qui passait les troupes en revue. Nous remontions alors sur l'estrade pour dire quelques mots, en nous arrêtant fréquemment en chemin pour saluer un groupe d'écoliers et de citoyens originaires du pays concerné et vivant aux États-Unis ou encore des Américains ayant des racines familiales dans l'autre pays.

Avant le dîner officiel, Hillary et moi donnions toujours une petite réception pour la délégation invitée, dans le salon jaune de l'étage résidentiel. Al et Tipper, le secrétaire d'État et le secrétaire de la Défense, ainsi que quelques autres personnalités se joignaient généralement à nous pour recevoir les invités. Après la réception, une escorte militaire d'honneur composée d'un homme et d'une femme de chaque service nous escortait jusqu'au bas de l'escalier, devant les portraits de mes prédécesseurs. Au cours du dîner – qui avait généralement lieu dans la State Dining Room, les dîners plus importants en nombre pouvant se tenir dans l'East Room, ou encore dehors sous une tente –, nous avions le plaisir d'écouter les instruments à corde des US Marines ou de leurs homologues de l'armée de l'Air. J'étais toujours ému quand ils entraient. Après le dîner, nous assistions à un spectacle musical, choisi en fonction des goûts de nos invités. Vaclav Havel, par exemple, avait voulu entendre Lou Reed, dont la musique avait inspiré ses partisans dans la Révolution de velours. Je saisissais chaque occasion de faire venir à la Maison Blanche toutes sortes de musiciens. Selon les années, nous avons aussi eu Earth, Wind and Fire, Yo Yo Ma, Placido Domingo, Jessye Norman et plein d'autres musiciens classiques, de jazz, de blues, de comédie musicale et de gospel, ainsi que divers types de danseurs. Pour les concerts, nous pouvions souvent avoir quelques invités de plus qu'au dîner. Ensuite, tous ceux qui voulaient rester rejoignaient le foyer de la Maison Blanche pour danser. Il arrivait souvent que les invités soient trop fatigués et aillent se coucher à Blair House, la résidence des invités de la Maison Blanche. Hillary et moi restions d'ordinaire le temps d'une danse ou deux avant de monter nous coucher, tandis que les plus énergiques restaient encore près d'une heure.

Fin novembre, je perpétuais également chaque année une tradition instituée par le président Coolidge : le pardon demandé à la dinde de Thanksgiving. Hillary, Chelsea et moi partions ensuite à Camp David, le temps d'un long week-end. Cette année-là, j'avais bien des sujets de satisfaction. Ma cote de popularité remontait dans les sondages et American Airlines venait d'annoncer le règlement d'un conflit social qui durait depuis cinq jours. Cette grève, qui aurait pu avoir des effets très négatifs sur l'économie, a été réglée grâce aux efforts intenses et habiles de Bruce Lindsey. J'étais heureux que mes concitoyens puissent rentrer chez eux pour les fêtes.

Nous avons fait de la fête de Thanksgiving à Camp David une tradition annuelle qui était l'occasion pour nous de réunir nos familles et quelques amis. Nous prenions toujours notre repas de Thanksgiving dans le pavillon Laurel, le plus grand du domaine, doté d'une grande salle à manger, d'une vaste salle de conférences, d'un grand espace de réception avec une cheminée et une télévision et d'un bureau privé pour moi. Nous allions ensuite saluer le personnel de la marine, en charge du domaine, et leurs familles. Le soir, nous regardions des films ou jouions au bowling. Au moins une fois au cours du week-end, qu'il pleuve ou qu'il vente, les frères de Hillary, Roger et moi faisions une partie de golf avec tous ceux qui étaient assez courageux pour venir jouer avec nous. Aussi étonnant que cela puisse paraître, Dick Kelley était de toutes les parties, alors qu'en 1993, il avait presque 80 ans.

J'ai beaucoup aimé tous les week-ends de Thanksgiving que nous avons passés à Camp David, mais le premier avait quelque chose de spécial, car c'était le dernier Thanksgiving de ma mère. À la fin du mois de novembre, son cancer s'était étendu au point de contaminer son sang. Il lui a fallu subir des transfusions sanguines tous les jours pour pouvoir se maintenir en vie. Je ne savais combien de temps il lui restait à vivre, mais les transfusions lui donnaient l'air d'être en bonne santé et elle était bien décidée à profiter de chaque jour. Elle aimait bien regarder les matchs de football américain à la télévision ; elle aimait aussi rendre visite aux jeunes soldats qui se retrouvaient au bar de Camp David. Elle refusait de parler de la mort. Elle avait encore trop de vie en elle pour y penser.

Le 4 décembre, je suis retourné en Californie, pour un sommet économique portant sur les difficultés chroniques rencontrées par cet État et je me suis également adressé à un certain nombre de représentants du monde du spectacle, réunis dans les bureaux de la Creative Arts Agency, pour leur demander de rejoindre mon action contre la violence dans les programmes destinés à la jeunesse, et contre le dénigrement trop systématique de la famille et du travail. Au cours des deux semaines suivantes, j'ai tenu deux des engagements que j'avais pris lors de la bataille pour le budget. Je me suis rendu dans la circonscription de Marjorie Margolies-Mezvinsky pour la conférence sur les allocations à laquelle je lui avais promis de participer. J'ai également nommé Bob Kerrey et le sénateur du Missouri John Danforth à la commission sur la Sécurité sociale et autres allocations, dont j'avais promis la création.

Le 15 décembre, j'ai salué la déclaration commune du Premier ministre britannique John Major et du Premier ministre irlandais Albert Reynolds, qui proposaient un cadre à la résolution pacifique du conflit en Irlande du Nord. C'était un magnifique cadeau de Noël, un cadeau qui, je l'espérais, me donnerait l'occasion de jouer un rôle dans la solution d'un problème auquel j'avais commencé à m'intéresser lorsque j'étais étudiant à Oxford. Ce même jour, j'ai nommé mon vieil ami de l'époque McGovern John Holum à la tête de l'agence chargée du désarmement et du contrôle des armements. J'ai profité de l'occasion pour insister sur les mesures que je comptais prendre contre la prolifération : ratifier la convention sur le contrôle des armes chimiques, signer un traité étendu d'interdiction des essais nucléaires, parvenir à une extension permanente du traité de non-prolifération nucléaire, expiré en 1995, et financer complètement le programme Nunn-Lungar sur les armes et le matériel nucléaire russe.

Le 20 décembre, j'ai ratifié un texte de loi qui nous tenait beaucoup à cœur, à Hillary et moi. La loi sur la protection nationale de l'enfance prévoyait la création d'une banque de données nationale que les institutions s'occupant d'enfants pourraient utiliser pour vérifier les antécédents de ceux qui postulaient à un emploi. C'est l'écrivain Andrew Vachss qui avait eu l'idée de cette loi, en réaction aux histoires d'enfants victimes de terribles maltraitances dans les centres mêmes où l'on devait prendre soin d'eux. La plupart des parents devant travailler, les enfants qui ne sont pas encore en âge d'être scolarisés doivent être confiés à des crèches ou des haltes-garderies. Ces parents avaient le droit de savoir si l'on allait bien s'occuper de leurs enfants et si ces derniers allaient être en sécurité.

Au moment de Noël, Hillary et moi avons eu par deux fois l'occasion de voir Chelsea sur une scène : dans *Casse-Noisette*, avec le Washington Ballet Company, où elle suivait des cours de danse chaque jour après les cours, et dans une petite comédie de Noël à l'église que nous avions choisie, l'église méthodiste unie Foundry, sur la 16e Rue, non loin de la Maison Blanche. Nous aimions beaucoup le pasteur de Foundry, Phil Wogaman, et nous étions aussi très attachés au fait que cette église accueillait des homosexuels comme des gens de toutes races, cultures, origines sociales ou opinions politiques.

La Maison Blanche est un endroit très particulier au moment de Noël. Chaque année, on apporte un immense sapin dans le salon bleu de l'étage principal. Ce salon, comme toutes les pièces publiques, est décoré en fonction du thème choisi pour l'année. Pour notre premier Noël, Hillary avait choisi comme thème l'artisanat américain. Des artisans de tout le pays nous ont donné des décorations de Noël et autres objets en verre, en bois ou en métal. La State Dining Room était décorée d'une énorme Maison Blanche en pain d'épice qui avait toujours beaucoup de succès auprès des enfants. En 1993, environ cent cinquante mille personnes sont venues voir les décorations de Noël de la Maison Blanche pendant les fêtes.

Un autre grand arbre de Noël était installé dans le salon jaune de l'étage résidentiel et couvert de décorations que Hillary et moi avions conservées depuis le premier Noël que nous avions passé ensemble. Traditionnellement, Chelsea et moi installions la majorité de ces décorations, et il en était ainsi depuis qu'elle était en âge de le faire. Entre Thanksgiving et Noël, nous donnions un très grand nombre de réceptions et de fêtes pour le Congrès, la presse, les services secrets, le personnel de la résidence, le secrétariat de la Maison Blanche, le cabinet, pour les responsables des autres administrations, pour certains de nos militants venus des quatre coins du pays, pour la famille ou pour les amis. Hillary et moi restions debout pendant des heures à saluer les gens et à nous faire prendre en photo tandis que des chorales ou des formations musicales de tout le pays jouaient un peu partout dans la Maison Blanche. C'était une manière fatigante mais joyeuse de remercier ceux qui nous permettaient de faire notre travail et qui enrichissaient notre vie.

Notre premier Noël a revêtu pour moi une importance singulière, car je savais depuis notre premier week-end de Thanksgiving à Camp David que ce serait sans doute le dernier Noël de ma mère. Nous avons réussi à les convaincre, elle et Dick, de venir passer la semaine en notre compagnie. Elle a accepté contre la promesse que je la raccompagnerais chez elle à temps pour qu'elle puisse se rendre à Las Vegas assister au concert de la Saint-Sylvestre donné par Barbra Streisand. Barbra voulait vraiment que ma mère assiste à son concert et ma mère y était bien décidée. Elle aimait beaucoup Barbra et, pour elle, Las

Vegas était un avant-goût du paradis sur terre. Je me suis toujours demandé ce qu'elle ferait en découvrant que l'au-delà ne proposait ni jeux de hasard ni spectacle de music-hall.

Alors que nous goûtions aux joies de Noël, Whitewater est revenu sur le tapis. Au cours des semaines précédentes, le *Washington Post* et le *New York Times* avaient fait état de rumeurs laissant entendre que Jim McDougal allait de nouveau être inculpé. En 1990, il avait été jugé et acquitté pour la faillite de Madison Guaranty. Apparemment, le Resolution Trust Corporation cherchait à savoir si McDougal avait contribué illégalement à la campagne électorale de certains hommes politiques, dont moi. Pendant la campagne, nous avions commandé un rapport prouvant que nous avions perdu de l'argent dans cet investissement de Whitewater. Mes comptes de campagne étaient parfaitement transparents, et ni Hillary ni moi n'avions emprunté d'argent à Madison Guaranty. Je savais que l'affaire Whitewater était une tentative de mes ennemis pour me discréditer et remettre en cause ma capacité à servir le pays.

Hillary et moi avons cependant décidé qu'il valait mieux nous faire aider par un avocat. David Kendall avait été étudiant à Yale avec nous, et il avait représenté des clients dans des affaires bancaires. Il avait compris comment organiser et synthétiser des faits complexes et apparemment sans liens entre eux. Un esprit brillant se cachait derrière l'allure de quaker modeste de David, qui voulait avant tout combattre l'injustice. Il avait fait de la prison en raison de ses activités en faveur des droits civiques dans le Mississippi lors du Freedom Summer de 1964 et il avait défendu des prévenus passibles de la peine capitale pour le fonds d'aide juridique du NAACP [National Association for the Advancement of Colored People : l'association nationale pour le progrès des personnes de couleur]. Mais surtout, David Kendall était un être sensationnel qui allait nous permettre, avec force, intelligence et humour, de traverser les moments les plus sombres des années à venir.

Le 18 décembre, David Kendall nous a annoncé que l'*American Spectator*, un mensuel de droite, était sur le point de publier un article de David Brock dans lequel quatre policiers de l'Arkansas prétendaient m'avoir fourni en femmes lorsque j'étais gouverneur. Deux d'entre eux avaient accepté d'être interviewés pour CNN. Leur histoire comportait des allégations aisées à réfuter, et les deux policiers avaient quelques problèmes de crédibilité qui n'avaient rien à voir avec ce qu'ils racontaient sur moi : ils avaient fait l'objet d'une enquête pour escroquerie à l'assurance sur un véhicule de l'État qu'ils avaient accidenté en 1990. Plus tard, David Brock viendra d'ailleurs nous présenter ses excuses pour toute cette histoire. Si vous voulez en savoir plus, vous pouvez lire ses courageux mémoires, *Blinded by the Right* [Aveuglé par la droite], dans lesquels il révèle les efforts incroyables déployés, afin de me discréditer, par de riches personnalités de droite liées à Newt Gingrich et à certains de mes adversaires en Arkansas. Brock reconnaît s'être laissé utiliser par des gens peu soucieux de savoir si l'information dévastatrice pour laquelle ils payaient était vraie ou fausse.

Cette histoire de policiers véreux était ridicule, mais elle m'a fait du mal. Elle a fait beaucoup souffrir Hillary, qui avait cru que tout cela s'était arrêté après la campagne présidentielle. Elle savait désormais que la calomnie serait sans fin. À ce moment-là, il n'y avait rien d'autre à faire qu'aller de l'avant en espérant que toute cette histoire allait se dégonfler d'elle-même. Alors que cette crise battait son plein, nous sommes allés un soir au Kennedy Center pour une représentation du *Messie* de Haendel. Lorsque Hillary et moi sommes apparus au balcon de la loge présidentielle, les autres spectateurs se sont levés et nous ont applaudis. Nous avons été très touchés par ce geste aussi généreux que spontané. Je n'ai compris à quel point tout ceci m'avait perturbé que lorsque j'ai senti mes yeux s'emplir de larmes de reconnaissance.

Après une inoubliable semaine de Noël, Hillary, Chelsea et moi avons raccompagné ma mère et Dick jusqu'en Arkansas. Hillary et Chelsea sont restées chez Dorothy à Little Rock et je suis allé en voiture jusqu'à Hot Springs avec ma mère et Dick. Nous sommes tous allés dîner avec certains de mes anciens camarades de lycée à *Rocky's Pizza*, l'un des restaurants préférés de ma mère, juste en face du champ de courses. Après le repas, ma mère et Dick ont voulu rentrer se coucher et je les ai ramenés chez eux avant d'aller au bowling avec mes amis. Après quoi, nous sommes retournés à la petite maison du lac Hamilton pour jouer aux cartes et discuter jusqu'au petit matin.

Le lendemain, ma mère et moi avons pris un café tous les deux. Ce serait le dernier. Comme toujours, elle était très positive. Pour elle, si l'histoire des deux policiers était sortie à ce moment précis, c'est parce que ma cote de popularité dans les sondages avait augmenté au cours du dernier mois pour atteindre son niveau le plus élevé depuis le début de mon mandat. Puis elle ajouta en riant doucement qu'elle était certaine que ces deux policiers n'étaient sans doute pas des « lumières », mais qu'elle souhaitait qu'à l'avenir, ils « trouvent un autre moyen de gagner leur vie ».

Pendant un court instant, je lui ai fait penser au sable qui s'écoule dans un sablier. Elle écrivait ses mémoires aidée par un excellent collaborateur de l'Arkansas, James Morgan, et elle avait consigné toute l'histoire de sa vie sur des cassettes audio ; mais quelques chapitres en étaient encore au stade de l'ébauche. Je lui ai demandé ce qu'elle voulait que l'on fasse au cas où elle ne pourrait pas terminer ces chapitres. Elle a souri et m'a dit : « C'est toi qui les finira, bien sûr. » J'ai répondu : « Quelles sont tes instructions ? » Elle m'a demandé de vérifier les faits et de clarifier tout ce qui me semblait confus. « Mais je veux que cette histoire soit racontée avec mes mots à moi. Alors ne change rien, sauf si tu estimes que j'ai été trop dure avec une personne encore en vie. » Elle est repartie dans une longue discussion politique avant de me parler de son voyage à Las Vegas.

À la fin de la journée, j'ai embrassé ma mère et je suis allé en voiture jusqu'à Little Rock chercher Hillary et Chelsea ; puis nous avons pris l'avion jusqu'à Fayetteville pour assister à un match de basket des Razorbacks avant de nous rendre à un week-end de la Renaissance avec nos amis Jim et Diane Blair. Après une année bien remplie, pleine de bons et de mauvais moments, j'étais très content de pouvoir passer quelques jours avec mes vieux amis. J'ai marché sur la plage, joué au foot avec les enfants et au golf avec mes amis, j'ai assisté aux conférences proposées et j'ai bien apprécié la compagnie des personnes présentes.

Mais je ne cessais de penser à ma mère. Elle était merveilleuse, encore très belle à 70 ans, même après une mastectomie et une chimiothérapie qui avait fait tomber tous ses cheveux, la forçant à porter une perruque, et malgré les transfusions sanguines quotidiennes qui auraient cloué la plupart des gens au lit. Elle terminait sa vie comme elle l'avait vécue, en ne gardant que le meilleur, heureuse des moments de bonheur, sans l'ombre d'un atermoiement malgré la douleur et la maladie, et impatiente de vivre les aventures dont chaque jour nouveau lui apportait la promesse. Elle était rassurée de savoir Roger sur des rails et persuadée que je maîtrisais parfaitement ma tâche. Elle aurait aimé vivre centenaire, mais elle considérait que son heure était arrivée, alors il fallait qu'il en soit ainsi. Elle était en paix avec Dieu. Il pouvait venir la chercher à présent, mais il allait tout de même devoir lui courir après.

CHAPITRE TRENTE-SEPT

L'année 1994 a été l'une des plus difficiles de ma vie, malgré des succès décisifs en politique étrangère et sur la scène intérieure, hélas relativisés par le rejet de ma réforme du système de santé et par une série de scandales infondés, se succédant sur un mode quasi obsessionnel. L'année a commencé dans l'affliction familiale, elle s'est achevée en débâcle politique.

Le 5 janvier au soir, ma mère m'a téléphoné à la Maison Blanche. Elle revenait tout juste d'un séjour à Las Vegas. Je lui ai dit que j'avais essayé de joindre sa chambre d'hôtel, depuis plusieurs jours, sans succès. Elle m'a répondu en riant qu'elle avait été occupée, jour et nuit ; elle s'amusait comme une folle dans sa ville préférée, alors elle n'allait certainement pas rester dans sa chambre à attendre que le téléphone sonne. Par-dessus tout, elle avait été enchantée par le concert de Barbra Streisand, qui avait informé le public de sa présence dans la salle et lui avait dédié une chanson. Ma mère pétillait, elle paraissait en pleine forme et m'appelait juste pour m'annoncer son retour et m'adresser toute son affection. C'était un appel de routine, comme nous en échangions depuis toujours, les dimanches soir, en particulier.

Vers 2 heures du matin, le téléphone a sonné à nouveau et nous a réveillés, Hillary et moi. Dick Kelley au bout du fil, a réussi à articuler entre deux sanglots : « Elle nous a quittés, Bill ! » Après une semaine idéale mais exténuante, ma mère s'était endormie pour ne plus se réveiller. Je savais que sa fin approchait, mais je n'étais pas prêt à faire face à l'événement. Je m'en voulais *a posteriori* de la banalité de notre ultime échange : nous nous étions parlé comme deux personnes qui ont la vie devant elles. J'aurais tout donné pour revivre cet instant. Je parvins seulement à assurer Dick de ma profonde affection et à lui exprimer ma gratitude : grâce à lui, ma mère avait à nouveau connu le bonheur pendant les dernières années de sa vie. Enfin, je lui ai promis de tout arranger pour être à ses côtés aussi vite que possible. Aux derniers mots de la conversation, Hillary a compris ce qui se passait. Je l'ai prise dans mes bras et j'ai pleuré. Elle a prononcé quelques mots à propos de ma mère et de son amour de la vie, et j'ai alors compris que notre ultime dialogue était précisément le genre d'échange qu'elle aurait choisi en guise d'adieux. Elle s'était toujours souciée de la vie, jamais de la mort.

J'ai appelé mon frère qui, je le savais, allait être terrassé par la nouvelle. Il vénérait notre mère. D'autant plus qu'elle ne l'avait jamais laissé prendre son indépendance. Je lui ai dit qu'il devait tenir le coup, comme elle l'aurait voulu, et continuer à construire sa vie. Puis, j'ai appelé mon amie Patty Howe Criner qui, depuis quarante ans, faisait presque partie de la famille, et je lui ai demandé de veiller, avec Dick et moi, à l'organisation des funérailles. Hillary a réveillé Chelsea pour lui annoncer ce qui venait de se passer. Elle avait déjà perdu un grand-père. Elle et ma mère – Chelsea l'appelait Ginger – avaient une relation très forte et très affectueuse. Sur un mur de la pièce qui lui servait de bureau, Chelsea avait accroché un superbe portrait de ma mère, une encre de Gary Simmons, un artiste de Hot Springs, intitulé *Chelsea's Ginger*. J'étais très ému de voir ma fille aux prises avec le deuil, manifestant sa peine pour la perte d'un être cher et s'efforçant de paraître digne, les accès de chagrin alternant avec les instants de maîtrise de soi. *Chelsea's Ginger* est accroché aujourd'hui au mur de sa chambre, dans notre maison de Chappaqua.

Un peu plus tard, ce matin-là, nous avons annoncé le décès de ma mère par un communiqué qui a été immédiatement répercuté dans les médias. Par hasard, Bob Dole et Newt Gingrich étaient tous deux invités aux journaux télévisés du matin. La nouvelle n'a en rien modifié les préoccupations des présentateurs qui les ont interrogés sur Whitewater ; lors de l'une de ses apparitions, Bob Dole a même lancé que l'affaire était « à pleurer » et qu'elle exigeait l'intervention d'un procureur indépendant. J'étais abasourdi. Je pensais qu'en ce jour de deuil, au moins, la presse et mes adversaires respecteraient une trêve. À la décharge de Bob Dole, je dois admettre qu'il m'a présenté ses excuses quelques années plus tard. Avec le recul, je tends à montrer plus d'indulgence : le pouvoir est le stupéfiant de prédilection de Washington. Il émousse la sensibilité et obscurcit le jugement. Bob Dole n'en est pas, loin s'en faut, le consommateur le plus insatiable. Son repentir m'a touché.

Ce même jour, Al Gore s'est envolé pour Milwaukee. Il répondait, à ma place, à une invitation que j'avais acceptée de prononcer un discours de politique étrangère. De mon côté, j'ai pris l'avion pour l'Arkansas. Parents et amis, déjà présents en grand nombre dans la maison de ma mère et de Dick, partageaient la nourriture que les gens de l'Arkansas apportent toujours dans de telles occasions. Tout le monde échangeait des anecdotes et des souvenirs en riant sans retenue. Hillary et Chelsea sont arrivées le lendemain, ainsi que plusieurs proches, venus de plus loin, comme Barbra Streisand et Ralph Wilson, le propriétaire de l'équipe de football américain des Buffalo Bills, qui avait invité ma mère à la finale du Super Bowl l'année précédente, après qu'il eut appris qu'elle soutenait son équipe depuis toujours.

Aucune église n'était assez grande pour accueillir tous les amis de ma mère et le temps froid ne permettait pas de tenir la cérémonie sur son site de prédilection : le champ de courses. Nous nous sommes donc rabattus sur le palais des congrès. Quelque trois mille personnes ont assisté aux funérailles, dont le sénateur Pryor, le gouverneur Tucker et tous mes colocataires de l'université. Mais une majorité des participants étaient des gens très simples avec lesquels ma mère était liée depuis des années. Toutes les dames de son « club de l'anniversaire » étaient présentes. Il se composait de douze membres, dont chacun fêtait son anniversaire pendant un mois différent de l'année et invitait, pour l'occasion, les onze autres à partager un déjeuner de fête. Après la mort de ma mère, comme elle l'avait demandé, les onze affiliées lui ont choisi une remplaçante. Et ont rebaptisé leur groupe « club de l'anniversaire Virginia Clinton Kelley ».

Le révérend John Miles officiait. Il a dit que ma mère était une « Américaine originale ». « Virginia, a-t-il dit, se comportait comme une balle, chaque fois que les circonstances la poussaient à trébucher, elle rebondissait plus haut. » Il a rappelé à l'assistance la réponse qu'elle tenait prête face à chaque problème : « Pour un bon marcheur, ce n'est pas une montagne. »

Ses cantiques favoris ont été interprétés au cours de la cérémonie. Nous avons chanté en chœur *Amazing Grace* et *Precious Lord, Take My Hand*. Puis, son amie Malvie Lee Giles, qui avait perdu la voix quelques années auparavant avant de la recouvrer, agrémentée d'une octave supplémentaire « par la grâce de Dieu », a chanté *His Eye Is on the Sparrow* et le cantique qu'elle préférait entre tous, *A Closer Walk with Thee*. Notre ami pentecôtiste Janice Sjostrand a chanté un cantique bouleversant que ma mère avait entendu lors de la messe donnée après mon investiture présidentielle, *Holy Ground*. En entendant Janice, Barbra Streisand, assise derrière moi, m'a touché l'épaule et a hoché la tête en signe d'approbation. À l'issue de la cérémonie, elle m'a demandé : « Qui est cette femme et d'où vient cette musique ? C'était magnifique ! » Barbra a été touchée par la cérémonie funéraire au point d'enregistrer son propre album de cantiques et de chants empreints de spiritualité. L'un d'entre eux, *Leading with Your Heart*, était écrit à la mémoire de ma mère.

Après la cérémonie, le cortège funéraire a accompagné ma mère jusqu'à Hope. Les gens s'étaient alignés le long du parcours pour marquer leur respect. Elle a été enterrée aux côtés de ses parents et de mon père, dans le cimetière qui faisait face à l'épicerie de son père. Nous étions le 8 janvier, date de naissance de la personne qu'elle aimait le plus au monde, en dehors du cercle familial : Elvis Presley.

Après une réception au restaurant *Sizzlin'Steakhouse*, nous avons repris la route jusqu'à l'aéroport, d'où l'avion nous a ramenés à Washington. Le deuil n'était pas prévu dans mon emploi du temps surchargé, des tâches urgentes m'attendaient. À peine ai-je eu le temps de déposer Hillary et Chelsea que je me suis embarqué pour un voyage officiel prévu de longue date en Europe. Le lancement du processus d'intégration à l'OTAN des pays d'Europe centrale était la raison de ce déplacement. L'opération exigeait de la prudence afin de ne pas créer de difficultés pour Boris Eltsine, en Russie. J'étais bien décidé à mettre tout mon poids dans la balance et à contribuer ainsi à la naissance d'une Europe unie, libre, démocratique et sûre. Une première dans l'Histoire ! Avant tout, je ne voulais pas que l'élargissement de l'OTAN repousse plus loin vers l'est la division de l'Europe.

À Bruxelles, après un discours devant un groupe de jeunes, suivi d'une brève adresse publique sur la grand-place, j'ai reçu un cadeau très particulier. Comme le pays célébrait le centième anniversaire de mon Belge favori, Adolphe Sax, l'inventeur du saxophone, le maire de Dinant, ville natale de mon héros, m'a offert un superbe saxophone ténor flambant neuf, tout juste sorti des ateliers Selmer, à Paris. Le lendemain, les dirigeants de l'OTAN ont avalisé mon projet de Partenariat pour la paix devant permettre de lier les nouvelles démocraties à l'OTAN avant l'extension de celle-ci.

Le 11 janvier, vingt-quatre ans après ma première visite de la ville comme étudiant, j'ai rencontré Václav Havel à Prague. Cet homme de petite taille aux yeux pétillants et à l'esprit mordant incarnait l'héroïsme pour les partisans de la liberté dans le monde entier. Il avait passé des années derrière les barreaux et avait mis la situation à profit pour écrire des livres provocateurs et percutants. Dès sa libération, il avait dirigé la Tchécoslovaquie, dans son processus de « Révolution de velours », avant d'accepter la partition du pays en deux États, laquelle s'était déroulée sans heurts. Président de la République tchèque, il s'efforçait de développer l'économie de marché et d'adhérer à l'OTAN pour assurer la sécurité de son pays. Havel était très proche de Madeleine Albright, notre ambassadeur auprès des Nations unies, elle-même originaire de Tchécoslovaquie et ravie de chaque occasion qui se présentait de dialoguer avec lui dans leur langue natale.

Václav Havel m'a emmené dans l'un de ces clubs de jazz qui avaient été les foyers de sa Révolution de velours. Après que le groupe eut joué deux ou trois morceaux, Václav m'a entraîné sur la scène pour saluer les musiciens et, à son tour, il m'a offert un saxophone, fabriqué, celui-ci, par une société pragoise qui, pendant toute la période communiste, fournissait les fanfares militaires des pays du pacte de Varsovie. Il m'a invité à me joindre au groupe qui attaquait *Summertime* enchaînant sur *My Funny Valentine*, pendant que Václav Havel nous accompagnait au tambourin.

En route pour Moscou, un bref arrêt à Kiev m'a permis de rencontrer le président d'Ukraine, Leonid Kravtchouk, que je voulais remercier de prendre part à l'accord que nous nous apprêtions à signer, Boris Eltsine, lui et moi, le vendredi suivant et par lequel l'Ukraine s'engageait à éliminer 176 missiles balistiques et 2 500 têtes nucléaires pointés sur les États-Unis. Grand pays de soixante millions d'habitants, fort d'un riche potentiel, l'Ukraine – comme la Russie – hésitait encore sur l'avenir qu'elle voulait se choisir. Leonid Kravtchouk se heurtait à une forte opposition au Parlement sur la question de l'élimination des armements nucléaires et je tenais à lui manifester mon soutien.

Hillary m'a retrouvé à Moscou. Chelsea l'accompagnait, afin de ne pas rester seule, juste après la mort de ma mère. Passer quelques jours en famille dans l'enceinte du Kremlin et découvrir Moscou au plus profond de l'hiver nous servirait de dérivatif. Boris Eltsine comprenait mon chagrin : lui-même avait perdu sa mère, qu'il adorait, peu de temps auparavant.

Chaque fois que nous avons eu un moment de loisir, nous avons arpenté les rues de Moscou, à la recherche de produits locaux ou bien nous arrêtant pour acheter du pain et des pâtisseries. J'ai allumé une bougie à la mémoire de ma mère dans la cathédrale Kazan, dont les travaux de restauration, après les déprédations dues au stalinisme, s'achevaient et j'ai rendu visite au patriarche de l'Église orthodoxe russe, alors hospitalisé. Le 14 janvier, après une impressionnante cérémonie d'accueil dans la salle Saint-Georges du Kremlin, immense galerie voûtée aux larges colonnes blanches, portant les noms, gravés à l'or, des héros militaires russes, nous avons signé, Boris Eltsine et moi-même, l'accord sur les armements nucléaires avec le président ukrainien Kravtchouk et débattu d'initiatives liées à l'économie et à la sécurité.

Au cours de la conférence de presse qui a suivi, Boris Eltsine a exprimé sa satisfaction pour les aides fournies à son pays par les États-Unis, d'une part, et par le G7, qui venait de décider, lors de son sommet de Tokyo, d'un engagement de plus de un milliard sur deux ans. En outre, les États-Unis avaient aussi pris la décision d'abaisser leurs droits de douane pour plus de cinq mille produits russes. Le président russe a soutenu sans concession le Partenariat pour la paix, suite à mon engagement en faveur d'un accord de coopération spécial entre la Russie et l'OTAN. De mon côté, j'étais satisfait que nous ayons abouti à un accord sur les armements nucléaires. Il prévoyait que nos missiles ne seraient plus pointés, à partir du 30 mai, sur nos pays réciproques, pas plus que sur un quelconque ennemi, et il contraignait les États-Unis à racheter à la Russie de l'uranium hautement enrichi, pour une valeur de douze milliards de dollars, sur une période de vingt ans, afin de l'exclure progressivement de tout emploi militaire.

Ces initiatives m'apparaissaient bénéfiques pour nos deux pays, mais mon avis ne faisait pas l'unanimité. Boris Eltsine se heurtait à de fortes résistances au sein de son nouveau Parlement, soulevées, en particulier, par Vladimir Jirinovski, chef d'un virulent courant nationaliste qui voulait rendre sa gloire impériale à la Russie dont, il en était convaincu, je m'efforçais de rogner la puissance et l'influence. Je pensais très fort à lui en répétant, une nouvelle fois, mon credo : le peuple russe doit adopter une définition de la grandeur adaptée à l'avenir, non au passé.

La conférence de presse achevée, j'ai participé à un débat avec un public de jeunes Russes dans les studios de la télévision Ostankino. Leurs questions couvraient l'ensemble de l'actualité, mais ils voulaient aussi savoir ce qu'on apprenait dans les écoles américaines à propos de la Russie, à quel âge j'avais envisagé de devenir président, quel conseil je donnerais à un jeune Russe qui voudrait commencer une carrière politique et pour laquelle de mes actions j'aimerais passer à la postérité. La rencontre m'a paru très prometteuse pour l'avenir de la Russie : mes interlocuteurs étaient intelligents, nourris d'idéaux et très attachés aux valeurs démocratiques.

Ma visite officielle se déroulait de manière fructueuse, elle servait au mieux la promotion des intérêts américains en favorisant la sécurité et la liberté dans le monde, mais un lecteur assidu des quotidiens américains aurait été bien en peine de l'apprendre : seule l'affaire Whitewater intéressait la presse et le monde politique. Même les correspondants américains qui m'accompagnaient au cours de mon voyage présidentiel m'ont questionné à ce sujet. Juste avant mon départ, le *Washington Post* et le *New York Times* avaient, comme les Républicains avant eux, demandé que Janet Reno nomme un procureur indépendant. Seul nouveau développement au cours des mois écoulés, David Hale, un Républicain condamné en 1993, dans une affaire de fraude concernant l'Office administratif des petites entreprises, avait déclaré que je lui aurais demandé de consentir un prêt à Susan McDougal, prêt qu'elle ne pouvait pas obtenir par des voies légales. Je n'avais rien fait de tel.

La nomination d'un procureur indépendant, que ce soit dans le cadre de la loi antérieure, désormais caduque, ou de la proposition qui était encore en discussion au Congrès, supposait qu'il existât une « preuve crédible » d'infraction à la loi. Dans son éditorial du 5 janvier, le *Washington Post* reconnaissait pourtant de manière explicite que « jusqu'à présent, il n'existe aucune charge crédible dans ce dossier, établissant que le Président ou Mrs Clinton ont agi de manière illégale ». Le quotidien jugeait néanmoins nécessaire la nomination d'un procureur indépendant, parce que Hillary et moi-même avions été associés dans l'opération immobilière Whitewater (dans laquelle nous avions perdu de l'argent) avant que McDougal n'ait acheté la Madison Guaranty (auprès de laquelle nous n'avions jamais emprunté d'argent). Pire encore, il semble que nous n'ayons pas bénéficié de l'intégralité de la déduction fiscale à laquelle nos pertes nous donnaient droit. C'est sans doute la première fois dans l'Histoire que l'on attisait les feux de l'indignité contre un responsable politique parce qu'il avait perdu de l'argent, n'avait pas obtenu de prêt et n'avait pas fait valoir son droit à des déductions fiscales. Le *Washington Post* ajoutait que les responsables du département de la Justice me devaient leur situation et qu'on ne pouvait, à ce titre, leur confier la responsabilité de mener une enquête me concernant, ni même les laisser décider si un tiers devait être nommé à cette fin.

La loi sur le procureur indépendant avait été votée en réaction au limogeage par le président Nixon du procureur spécial de l'affaire Watergate, Archibald Cox. Nommé par le ministre de la Justice de Nixon, il avait pu être démis de ses fonctions dans le cadre des procédures de fonctionnement habituelles de l'exécutif. Mais, si le Congrès reconnaissait la nécessité d'enquêtes indépendantes, dans l'hypothèse d'infractions commises par le Président ou les principaux responsables de l'exécutif nommés par celui-ci, il tenait compte, par ailleurs, du danger qu'il y aurait à offrir un pouvoir sans limites à un procureur qui ne rendrait compte à aucune instance hiérarchique et jouirait de ressources illimitées. C'est la raison pour laquelle la loi faisait référence à une preuve crédible d'infraction à la loi. Pourtant, la presse en était arrivée à demander que le Président accepte la désignation d'un procureur indépendant, *en l'absence* d'une telle preuve. Le raisonnement qu'elle adoptait était tout autre : dans toutes les situations où quiconque ayant été en affaires avec le Président faisait l'objet d'une enquête, alors la désignation d'un procureur indépendant se justifiait.

Pendant les mandats de Reagan et de Bush, plus de vingt-six personnes avaient été mises en accusation et condamnées dans le cadre de cette loi. Après sept années d'enquête et les preuves apportées par la commission du sénateur John Tower, établissant que le président Reagan avait autorisé la vente illégale d'armes aux rebelles nicaraguayens, le procureur spécial pour l'Irangate, Lawrence Walsh, avait mis en accusation Caspar Weinberger et cinq autres responsables, mais le président Bush leur avait accordé son pardon. La seule enquête confiée à un procureur indépendant regardant les activités d'un président antérieures à l'exercice de son mandat avait visé Jimmy Carter. L'affaire concernait la contestation d'un prêt pour un entrepôt d'arachides dont lui et son frère Billy avaient été propriétaires. Le procureur spécial, nommé sur requête du Président, avait bouclé son enquête en six mois, concluant à l'absence d'infraction de la part des Carter.

Au moment où mon voyage officiel me menait à Moscou, plusieurs sénateurs démocrates, ainsi que le président Carter, s'étaient joints aux appels des Républicains et de la presse en faveur de la nomination d'un procureur indépendant, bien qu'aucun n'ait invoqué un motif tenant, de près ou de loin, à une preuve crédible d'infraction à la loi. La plupart des Démocrates ne disposaient d'aucun élément sur Whitewater ; ils voulaient cependant montrer qu'ils ne voyaient pas d'inconvénient à ce que soit mise en route une enquête visant un président issu de leurs rangs. Et ils ne tenaient pas à prendre une position contraire à celle du *New York Times* ou du *Washington Post*. Sans doute pensaient-ils aussi qu'on pouvait faire confiance à Janet Reno pour nommer un procureur professionnel qui mènerait l'affaire rondement. Quoi qu'il en soit, il était temps de réagir ou, pour le dire dans les termes de Lloyd Bentsen, de « crever l'abcès ».

Dès mon arrivée à Moscou, je me suis mis en relation avec mes collaborateurs, ainsi qu'avec David Kendall et Hillary, laquelle était encore à Washington. Grâce à un système de téléconférence, nous avons envisagé les diverses possibilités qui s'offraient à nous. David Gergen, Bernie Nussbaum et David Kendall ne souhaitaient pas que nous endossions l'option d'un procureur indépendant, parce que aucun fait ne justifiait cette demande et, si nous jouions de malchance, un procureur peu scrupuleux aurait toute latitude pour mener une enquête interminable dont les effets seraient des plus néfastes sur la marche de l'exécutif. En outre, n'importe quelle procédure judiciaire aurait vite raison de mes économies : de tous les présidents de l'Histoire moderne, je disposais du patrimoine le plus modeste. Bernie Nussbaum, un juriste de très grande classe, qui avait travaillé avec Hillary sur l'enquête menée par le Congrès pendant l'affaire Watergate, était le plus virulent dans son opposition. Il est allé jusqu'à parler d'« institution perverse » offrant une totale liberté d'action à des procureurs ne devant rendre de comptes à personne ; selon lui, pour défendre la fonction présidentielle autant que ma réputation personnelle, il était impératif que je résiste par tous les moyens disponibles à la nomination d'un tel procureur. À ses yeux, le peu de cas que faisait le *Washington Post* de l'enquête menée par le département de la Justice était injustifiable, dans la mesure où mes archives étaient examinées par un procureur de métier, nommé, qui plus est, par le président Bush.

David Gergen partageait ce point de vue, mais il jugeait indispensable que je communique l'ensemble de mes archives au *Washington Post*. Mark Gearan et George Stephanopoulos étaient du même avis. Pour David Gergen, le directeur exécutif du *Washington Post*, Len Downie, qui avait gagné ses galons avec le Watergate, était convaincu que nous avions quelque chose à cacher. Le *New York Times* semblait penser ainsi aussi. David Gergen estimait que le seul moyen d'alléger la pression en faveur d'un procureur indépendant consistait à produire les documents.

Tous les avocats – Bernie Nussbaum, David Kendall et Bruce Lindsey – s'opposaient, quant à eux, à la diffusion des archives, en avançant la même raison : bien que nous ayons accepté de transmettre au département de la Justice tous les documents en notre possession, les archives étaient encore dispersées et nous en étions toujours à les compléter. Autrement dit, chaque fois que nous serions dans l'incapacité de répondre à une question ou de produire un document, la presse en reviendrait au leitmotiv du procureur indépendant. Entre-temps, l'interprétation des archives nourrirait toutes sortes d'insinuations et de spéculations.

Mes autres collaborateurs, dont George Stephanopoulos et Harold Hickes, entré comme vice-secrétaire général de la Maison Blanche en janvier, partaient d'un autre postulat : puisque les Démocrates suivaient la pente de moindre résistance, nous n'allions pas échapper à la nomination d'un procureur spécial ; aussi, mieux valait prendre les devants et réclamer sa désignation, de façon à nous remettre au travail sur notre calendrier. J'ai demandé à Hillary son avis. Selon elle, demander un procureur spécial reviendrait à abolir la norme qui exigeait une preuve crédible. Nous allions créer un précédent fâcheux : comment, après ce pas de côté, ne pas céder devant chaque nouvel accès de fièvre médiatique ? Mais, a-t-elle ajouté, la décision me revenait. Je sentais qu'elle était fatiguée de tenir tête, seule, à mes collaborateurs.

J'ai déclaré à tous mes interlocuteurs, au bout du fil, que je ne craignais pas que soit mise en route une enquête, puisque ni moi ni Hillary n'avions enfreint la loi et que je ne voyais aucun obstacle à la diffusion des archives. D'ailleurs, n'avions-nous pas déjà subi toutes sortes d'attaques, concernant Whitewater, depuis le début de la campagne ? Ma réaction immédiate était de diffuser les documents et de m'opposer à la désignation du procureur, mais si mes collaborateurs partageaient, de façon unanime, le point de vue inverse, j'étais prêt à m'en accommoder. Bernie Nussbaum a rappelé son principal sujet d'inquiétude : quelle que soit la validité du processus de nomination, le procureur spécial qui serait désigné risquait fort d'éprouver quelque contrariété s'il n'aboutissait à aucun résultat fructueux. Il serait alors tenté d'élargir son enquête jusqu'à ce qu'il mette la main sur une éventuelle illégalité commise par quelqu'un de mon entourage. Au mieux, si je voulais prendre une initiative, il préconisait que je communique mes archives à la presse, voire que j'offre de témoigner devant la commission judiciaire du Sénat. George Stephanopoulos l'a immédiatement contré. Il n'aimait pas du tout cette idée : en adoptant cette démarche, nous étions sûrs de nous attirer la pire publicité. Selon lui, la nomination d'un procureur indépendant par Janet Reno suffirait à calmer la presse, l'affaire retomberait en quelques mois. Bernie Nussbaum contestait cette analyse : si le Congrès votait une nouvelle loi sur le procureur indépendant et si je la promulguais, comme je m'y étais engagé, les juges de la cour d'appel de Washington nommeraient alors un nouveau procureur et toute la procédure recommencerait. Le ton est alors monté, George reprochant à Bernie de céder à la paranoïa et d'envisager les hypothèses les plus échevelées. Bernie savait que le président de la Cour suprême, William Rehnquist, allait nommer la commission, laquelle serait, en conséquence, dominée par les Républicains. Il a réagi par un ricanement à l'éclat de George, en admettant que, au mieux, les probabilités qu'un deuxième procureur soit désigné étaient de cinquante/cinquante.

La discussion s'est poursuivie sur ce ton pendant un moment, puis j'ai demandé à parler avec Hillary et David Kendall, exclusivement. Je leur ai dit qu'il me semblait, à ce point, que nous devions nous ranger à l'opinion des non-juristes parmi mes collaborateurs, lesquels étaient favorables à la désignation d'un procureur spécial. Après tout, je n'avais rien à cacher et tout ce brouhaha mobilisait l'attention aux dépens de notre action et des intérêts du pays. Le lendemain, la Maison Blanche demandait à Janet Reno de nommer un procureur spécial. J'avais dit que j'étais prêt à m'accommoder de cette solution, pourtant j'ai bien failli ne pas y survivre.

De toutes mes décisions présidentielles, celle-ci a été la pire : rien, du point de vue des faits, du droit, de la stratégie politique, de l'institution présidentielle ou de la Constitution, ne la justifiait. Sans doute mon état de fatigue extrême et le décès de ma mère ont-ils joué un rôle dans cette erreur de jugement. Toute ma concentration suffisait à peine pour accomplir les tâches que mon emploi du temps m'imposait au moment où je quittai l'enterrement. Il est clair que j'aurais dû adopter une autre démarche : communiquer mes archives, résister à la nomination du procureur, donner toutes les explications nécessaires aux Démocrates qui en auraient fait la demande en échange de leur soutien. Peut-être, d'ailleurs, ma démarche n'aurait-elle rien changé au cours des événements. Au moment où nous envisagions notre riposte, je ne nourrissais guère d'inquiétudes : je savais que je n'avais pas violé la loi et j'estimais que la presse recherchait la vérité.

Au cours de cette même semaine, Janet Reno nomma Robert Fiske, ancien procureur républicain de New York, qui aurait mené à bien son enquête dans les meilleurs délais en l'absence d'interférences extérieures. Il devait, hélas, rencontrer divers obstacles sur son chemin, mais je reviendrai sur ces épisodes. À ce point, la nomination d'un procureur spécial allait avoir le même effet qu'un cachet d'aspirine pour combattre un gros rhume : le soulagement serait notable mais temporaire. Très temporaire.

Sur le chemin du retour, après une brève étape en Biélorussie, je me suis arrêté à Genève, où j'ai rencontré, pour la première fois, le président syrien Hafez El-Assad. C'était un personnage intelligent et sans scrupules. En guise d'avertissement à ses opposants, il avait fait massacrer tout un village. Son soutien aux groupes terroristes moyen-orientaux avait distendu les liens entre son pays et les États-Unis. Assad quittait rarement la Syrie et, quand il s'y resolvait, c'était presque toujours pour gagner Genève, où il rencontrait des dirigeants étrangers. Lors de notre entrevue, j'ai été impressionné par son intelligence et la précision de sa mémoire : il se souvenait par le menu d'événements vieux de plus de vingt ans. Il avait la réputation de prolonger les entretiens : il pouvait ainsi tenir une réunion de six ou sept heures sans prendre une seule pause. De mon côté, j'étais exténué : je savais qu'il me faudrait le secours d'une tasse de café ou de thé, d'un verre d'eau, pour tenir la distance. Heureusement, notre entrevue n'a duré que quelques heures. Nous avons abouti à des résultats sur les deux points qui me tenaient à cœur : pour la toute première fois, Assad a formulé le souhait de conclure la paix et d'entretenir des relations normales avec Israël ; d'autre part, il s'est engagé à retirer toutes les forces syriennes présentes au Liban et à respecter l'indépendance de son voisin, dès qu'un plan de paix serait établi pour l'ensemble du Moyen-Orient. Notre adéquation personnelle n'expliquait pas, à elle seule, le succès de notre rencontre : Assad avait longtemps bénéficié d'une aide économique considérable de la part de l'ex-Union soviétique, le nouveau contexte international l'obligeait à solliciter l'Occident. Pour obtenir satisfaction, il devait cesser de soutenir le terrorisme dans la région, objectif auquel il était prêt à adhérer, à la condition de parvenir à un accord qui assurerait la restitution à son pays des hauteurs du Golan, occupées par Israël depuis la guerre des Six Jours.

À mon retour à Washington, par une nouvelle manifestation de la loi des séries, les événements se sont succédé, en quelques jours, sans me laisser le moindre répit. Le 17 janvier, Los Angeles a été touché par le tremblement de terre le plus coûteux de toute l'histoire américaine. Habitations, hôpitaux, écoles et entreprises ont été affectés en très grand nombre ; les dommages se montaient à plusieurs dizaines de milliards de dollars. Je me suis rendu sur les lieux, le 19, accompagné de James Lee Witt, le directeur de l'Agence fédérale de gestion des risques pour constater les dégâts. Je me souviens, en particulier, d'une autoroute coupée en deux par une large faille. Le 20, la quasi-intégralité de mon cabinet était à mes côtés lorsque j'ai rencontré le maire de Los Angeles, Richard Riordan, et d'autres responsables californiens dans un vaste hangar d'aviation, à Burbank, pour planifier l'aide d'urgence. Grâce à un partenariat remarquable, la reconstruction a été rapide : trois mois ont suffi pour remettre en état la principale autoroute ; l'Agence fédérale de gestion des risques a pu procurer une aide financière à plus de six cent mille familles et entreprises et des milliers d'habitations et d'entreprises ont été rebâties grâce aux prêts consentis par l'Administration des petites entreprises. Seize millions de dollars d'aides directes ont ainsi été distribués. J'étais touché par la détresse des Californiens : ils avaient déjà subi la morsure de la récession et des restructurations dans le secteur de la défense, ils avaient eu affaire à des incendies majeurs et affrontaient maintenant les conséquences du tremblement de terre. Un responsable local m'a dit en plaisantant qu'il n'attendait plus que les nuées de sauterelles. Son sens de l'humour m'a remis en mémoire la remarque de mère Teresa : elle savait, disait-elle, que Dieu ne la chargerait jamais d'un fardeau trop lourd pour elle, mais elle souhaitait néanmoins qu'il ne surestime pas ses forces. Dès mon retour à Washington, je devais accorder une interview à Larry King, à l'occasion du premier anniversaire du début de ma présidence. Je lui ai dit que j'aimais ma fonction, même dans les mauvais jours. Après tout, je n'avais pas signé pour prendre du bon temps, mais pour impulser le changement dans le pays.

Quelques jours plus tard, le fils aîné du président Assad, que celui-ci avait préparé pour sa succession, disparaissait dans un accident de voiture. Quand j'ai joint Assad au téléphone pour lui adresser mes condoléances, il était manifestement brisé. La perte d'un enfant est bien le pire événement qui puisse affecter quiconque.

Cette même semaine, j'ai nommé Bill Perry secrétaire à la Défense. Il était précédemment vice-secrétaire à la Défense et allait désormais remplacer Les Aspin qui avait démissionné peu de temps après le crash de l'hélicoptère Black Hawk en Somalie. Nous avions passé en revue les noms de toute une série de candidats, alors que le plus adéquat était à portée de notre main. Professeur de mathématiques et d'ingénierie, Bill Perry avait dirigé plusieurs organismes liés au secteur de la défense, avant un passage remarqué au Pentagone, où il avait pris en charge la promotion de la technologie des avions furtifs, la réforme des programmes d'équipement et de leur financement. Son allure calme et réservée cachait une détermination à toute épreuve. L'expérience allait montrer à quel point sa nomination avait été judicieuse : sans doute a-t-il été le meilleur secrétaire à la Défense depuis le général George Marshall.

Le 25, j'ai prononcé mon discours sur l'état de l'Union. Il s'agit de la seule occasion offerte à un président des États-Unis de s'adresser sans intermédiaire au peuple américain, pendant une heure entière. Je voulais en tirer le meilleur parti. Après avoir rendu un dernier hommage à Tip O'Neill, le président de la Chambre, décédé un jour avant ma mère, j'ai résumé les multiples avancées législatives de l'année 1993 et expliqué que l'économie créait désormais des emplois ; que des millions d'Américains avaient pu renégocier leurs prêts immobiliers et économiser de l'argent, grâce à des taux d'intérêt plus bas ; que les impôts avaient augmenté pour 1,2 % de la population seulement ; que les déficits allaient atteindre un niveau inférieur de 40 % aux précédentes prévisions et que nous nous apprêtions à baisser les effectifs de l'administration fédérale de deux cent cinquante mille postes, et non de cent mille comme nous l'avions d'abord promis.

La suite de mon discours traçait les perspectives pour l'année 1994, en commençant par l'éducation. J'ai demandé au Congrès de voter mon initiative « GOALS 2000 » qui s'offrait d'aider les écoles publiques à atteindre les objectifs éducatifs fixés au pays par les gouverneurs et par l'administration Bush, au moyen de réformes telles que la désectorisation, la création d'écoles pilotes et la connexion de tous les établissements au réseau Internet. En outre, j'ai préconisé de mesurer les progrès réalisés par les méthodes les plus classiques, c'est-à-dire en s'assurant que les contenus des programmes étaient bien acquis par les élèves.

J'ai aussi demandé au Congrès de se préoccuper des investissements dans les nouvelles technologies créatrices d'emplois et dans la reconversion de l'industrie de défense ; je l'ai pressé de voter la loi sur la criminalité et l'interdiction des armes d'assaut. J'ai ensuite défendu trois projets de loi liés à l'environnement : sécurité de l'eau potable, actualisation de la loi sur la propreté de l'eau et réforme du programme Superfund. Ce dernier consistait en un partenariat public-privé visant à la requalification des sites pollués, laissés à l'abandon et, de ce fait, inexploitables et dangereux. Le programme nous tenait à cœur, à Al et à moi-même et, lorsque nous avons quitté la Maison Blanche, trois fois plus de sites avaient été dépollués dans le cadre du programme Superfund que pendant les douze années de présidence Reagan et Bush.

J'ai ensuite demandé au Congrès de voter la réforme de l'aide sociale et celle du système de santé au cours de l'année 1994. Un million d'Américains étaient inscrits à l'aide sociale parce qu'ils ne disposaient d'aucun autre moyen de fournir une couverture maladie à leurs enfants. Beaucoup d'entre eux, quand ils quittaient l'aide sociale en échange d'un emploi peu payé et sans avantages sociaux, se retrouvaient dans la situation invraisemblable de cotiser pour le programme Medicaid qui couvrait les dépenses de santé des familles restées sous le régime de l'aide sociale. À tout moment, au cours d'une année moyenne, soixante millions d'Américains se trouvaient dépourvus de toute assurance médicale. Plus de quatre-vingts millions d'Américains, du fait de « pathologies préexistantes », c'est-à-dire de problèmes de santé reconnus, devaient payer plus cher leur police d'assurance médicale privée – s'ils avaient les moyens de souscrire – et ne pouvaient souvent changer d'emploi sans en perdre le bénéfice. Les polices d'assurance de trois Américains sur quatre comprenaient des limites restreignant les remboursements de leurs dépenses de santé, ce qui signifiait qu'ils pouvaient perdre leur assurance au moment où ils en auraient le plus besoin. Le système existant créait un véritable handicap pour les petites entreprises qui devaient payer des primes d'assurance de 35 % plus élevées que les grandes sociétés ou l'administration. Afin de contrôler les coûts, un nombre croissant d'Américains se voyaient contraints de rejoindre des organismes de gestion de la santé, qui limitaient la liberté de choix d'un praticien pour les patients et le choix des indications thérapeutiques pour les praticiens et dont le fonctionnement exigeait des professionnels de la santé qu'ils consacrent un temps de plus en plus important à la paperasse aux dépens de leurs patients. Résoudre ces problèmes exigeait de refondre en un système général cet assemblage hétérogène de couvertures maladie.

J'ai admis devant le Congrès qu'une telle réforme constituait un défi considérable. Roosevelt, Truman, Nixon et Carter s'y étaient attelés sans succès. La tentative avait virtuellement condamné la présidence de Truman : son taux d'approbation était alors passé sous la barre des 30 % et les Républicains avaient réussi à prendre le contrôle du Congrès. Pour une part, les difficultés provenaient de ce que, en dépit des insuffisances, une majorité d'Américains bénéficiaient d'une forme ou d'une autre de couverture maladie, appréciaient leurs médecins et leurs hôpitaux et savaient que nous disposions d'un bon système de soins. Ces faits restaient indiscutables. Mais ceux qui tiraient avantage du financement de l'assurance maladie, tel qu'il existait, dépensaient des sommes considérables pour convaincre le Congrès et l'opinion qu'améliorer les imperfections du système de santé suffirait à en détruire les aspects positifs.

J'estime avoir développé une argumentation convaincante. Hormis sur un point : après avoir achevé cette partie de mon discours, j'ai brandi un stylo en m'engageant à l'utiliser pour mettre mon veto sur toute proposition de loi qui ne garantirait pas une assurance maladie à chaque Américain. Cette petite mise en scène résultait des consultations avec certains de mes conseillers : selon eux, une partie de l'opinion se figurait que je manquais de détermination et attendait donc que je manifeste, sur ce sujet, un réel refus des compromis. En agissant ainsi, j'agitais, de façon inutile, un chiffon rouge devant mes adversaires au Congrès. Le compromis est l'essence de la politique et l'opinion attend d'un président qu'il impose son programme, non qu'il adopte des postures en public. La réforme du système de santé était l'obstacle le plus difficile sur mon

chemin. Je pouvais le franchir à la seule condition de trouver des accommode-
ments. Les événements allaient toutefois relativiser l'importance de cet impair :
Bob Dole était sur le point de décider de faire avorter la réforme de notre
système de santé.

À court terme, mon discours sur l'état de l'Union a accru, dans des
proportions spectaculaires, le soutien de l'opinion à mon programme. Newt
Gingrich m'a confié plus tard qu'après m'avoir écouté, il avait pronostiqué,
devant les représentants républicains que, si je parvenais à convaincre les
parlementaires démocrates de soutenir mes projets, notre parti conserverait le
pouvoir pour une longue période. Newt était bien décidé à empêcher une
telle perspective de se réaliser, aussi, tout comme Bob Dole, allait-il s'évertuer
à bloquer nos avancées législatives jusqu'aux élections de la mi-mandat.

La dernière semaine de janvier a connu un débat houleux avec l'équipe
de politique étrangère : les divergences portaient sur l'attribution d'un visa à
Gerry Adams, dirigeant du Sinn Fein, la branche politique de l'Armée républicaine irlandaise. Pour tous les acteurs du conflit, la position des États-Unis était
cruciale. Pendant des années, les sympathisants déclarés de l'IRA, aux États-
Unis, avaient financé ses activités violentes. De notre côté de l'Atlantique, le
Sinn Fein comptait de nombreux partisans parmi les catholiques d'origine
irlandaise, ils désavouaient le terrorisme, mais voulaient qu'il soit mis fin aux
discriminations subies par leurs coreligionnaires et que soit reconnue une plus
grande autonomie politique en Irlande du Nord, avec la participation des
catholiques. Les protestants – britanniques ou irlandais – disposaient, eux aussi,
de relais aux États-Unis qui désapprouvaient le principe même de négociation
avec le Sinn Fein, en raison de ses liens avec l'IRA, et s'opposaient à toute
ingérence dans les affaires du Royaume-Uni, notre allié le plus proche. Ce dernier argument avait prévalu sur tous les autres auprès de mes prédécesseurs, y
compris parmi ceux qui adhéraient aux revendications légitimes des catholiques
d'Irlande du Nord. L'existence de la déclaration de principe nous contraignait
à réviser notre attitude.

Pour la toute première fois, le Royaume-Uni admettait que le statut de
l'Irlande du Nord devait être déterminé par les aspirations de ses habitants,
cependant que la République d'Irlande abandonnait sa revendication historique
sur les six comtés du Nord, jusqu'à ce qu'un vote majoritaire de ses citoyens
réclame un changement de statut. Dans les deux camps – unioniste et nationaliste –, les partis modérés soutenaient l'accord du bout des lèvres. Le révérend
Ian Paisley, chef du Parti unioniste démocratique, de tendance extrémiste, le
dénonçait avec vigueur. Gerry Adams et le Sinn Fein reprochaient à cette
déclaration de maintenir un flou sur la mise en œuvre du processus de paix,
comme sur le rôle que Sinn Fein serait appelé à jouer. Malgré toutes ces réserves, les gouvernements britannique et irlandais avaient créé un nouveau
contexte et exerçaient de fortes pressions sur toutes les parties pour les conraindre
à s'inscrire dans le processus de paix.

Depuis la signature de la déclaration, les alliés de Gerry Adams aux États-
Unis me priaient de lui accorder un visa touristique. Ils voyaient là un moyen
d'asseoir son statut, de faciliter sa participation au processus et, ainsi, de lui per-

mettre d'amener l'IRA à abandonner la lutte armée. Le dirigeant du SDLP, le Social Democratic and Labour Party, de tendance modérée, John Hume, qui avait bâti sa carrière sur l'action non violente, avait révisé sa position sur l'attribution d'un visa à Gerry Adams : il considérait maintenant que cette initiative favorisait le processus de paix. De nombreux militants irlando-américains partageaient ce point de vue, y compris mon ami Bruce Morisson, qui s'était chargé d'établir les contacts avec la communauté irlando-américaine pendant la campagne de 1992, ou Jean Kennedy Smith, notre ambassadeur en Irlande. Au Congrès, son frère, le sénateur Ted Kennedy, relayait cette position, tout comme les sénateurs Chris Dodd, Pat Moynihan et John Kerry ou les élus du Congrès de l'État de New York, Peter King et Tom Manton. Le président de la Chambre des représentants, Tom Foley, qui avait longtemps suivi le dossier irlandais, restait un adversaire déterminé de la délivrance du visa.

Début janvier, le Premier ministre irlandais Albert Reynolds nous a fait savoir que, à l'instar de John Hume, il était désormais favorable au visa, dans la mesure où Gerry Adams œuvrait pour une solution pacifique. Notre initiative, estimait-il, lui donnerait une plus grande marge de manœuvre pour amener l'IRA sur ses positions, l'engager à rompre avec la lutte armée et l'impliquer dans le processus de paix. Le gouvernement britannique s'opposait avec véhémence à cette attitude, en raison du long passif terroriste de l'IRA et parce que Gerry Adams n'avait ni renoncé à la violence ni reconnu la déclaration de principe comme point de départ d'un règlement du problème irlandais.

J'ai expliqué à Albert Reynolds que je serais amené à considérer la délivrance d'un visa si Gerry Adams était invité à se rendre aux États-Unis dans un cadre officiel. Peu de temps après, il était convié, au même titre que les dirigeants des autres formations d'Irlande du Nord, à participer à une conférence sur la paix, organisée par un groupe de réflexion américain, spécialisé sur la politique internationale. La question du visa s'est alors posée dans des termes concrets et, pour la première fois, mes conseillers en politique étrangère n'ont pas réussi à trouver un consensus.

Warren Christopher et le département d'État – et avec eux notre ambassadeur en Grande-Bretagne, Ray Seitz – s'opposaient à la délivrance du visa. Aussi longtemps que Gerry Adams ne se déclarait pas opposé à la lutte armée, l'initiative passerait pour une concession au terrorisme, susceptible, par ailleurs de porter atteinte à notre « relation spéciale » tant vantée avec la Grande-Bretagne, en particulier sur la question bosniaque, où nous cherchions à obtenir la coopération anglaise. Le département de la Justice, le FBI et la CIA partageaient ce point de vue. Leur unanimité donnait plus de poids encore à leur position.

Trois personnes étaient en charge du dossier irlandais au Conseil national de sécurité : Nancy Soderberg, la secrétaire générale, Tony Lake et le commandant Jane Holl, responsable des affaires européennes. Avec mon soutien, ils s'efforçaient de faire valoir une autre appréciation de la question du visa, tout en cherchant à trouver un consensus avec le département d'État, par l'intermédiaire du vice-secrétaire aux Affaires étrangères Peter Tarnoff. Tous trois ont vite acquis la conviction que Gerry Adams défendait l'abandon de la lutte armée, la participation du Sinn Fein au processus de paix et la mise en place de structures démocratiques en Irlande. Si tel était le cas, leur point de vue reposait sur des bases solides. L'Irlande connaissait un début de prospérité économique, l'Europe avançait dans la voie de son intégration économique et politique et la population irlandaise reconsidérait son soutien au terrorisme. Toutefois, le noyau dur de l'IRA n'était pas prêt aux concessions : pour ses militants, la haine des Britanniques et des unionistes en Ulster était une raison de vivre, la perspective d'une coexistence pacifique au sein de structures dominées par la Grande-Bretagne, un sacrilège. Dans la mesure où la population protestante était majoritaire, par une marge de 10 % environ, dans les six comtés du Nord et sachant que la déclaration de principe engageait la Grande-Bretagne et l'Irlande à garantir un processus démocratique fondé sur la règle majoritaire, l'Irlande du Nord était vouée à conserver un lien avec le Royaume-Uni, dans un avenir proche, au moins. Gerry Adams avait conscience de cette situation, mais il voyait, par ailleurs, que la terreur menait à une impasse et il semblait sincère quand il affirmait souhaiter que l'IRA renonce à la violence en échange d'une levée des discriminations contre les catholiques et de la fin de leur isolement.

Fort de cette analyse, le Conseil national de sécurité concluait que le visa devrait être accordé, afin d'assurer une meilleure position à Gerry Adams au sein du Sinn Fein et de l'IRA, tout en augmentant l'influence américaine. Cette position tenait compte d'une réalité essentielle : sans renonciation à la violence de la part de l'IRA, sans participation de Sinn Fein au processus de paix, le problème irlandais ne serait pas résolu.

Quelques jours avant la date prévue pour la conférence, le débat se poursuivait avec la même intensité : le gouvernement britannique, les alliés de Gerry Adams au Congrès, la communauté irlando-américaine attisaient les flammes à qui mieux mieux. J'écoutais les arguments des deux camps avec attention, jusqu'au plaidoyer de dernière minute de Warren Christopher, en faveur du refus, jusqu'au message de Gerry Adams qui me signifiait que les Irlandais acceptaient de prendre des risques au nom de la paix et que je devais, à mon tour, prendre un risque. Nancy Soderberg a justifié son changement de position sur le visa, parce qu'elle avait acquis la conviction que Gerry Adams souhaitait réellement parvenir à la paix. Nous devions comprendre, ajoutait-elle, qu'il ne pouvait s'engager plus avant dans la renonciation à la lutte armée, sans prendre le risque de mettre sa position en péril au sein du Sinn Fein et de l'IRA. Nancy me prodiguait ses conseils en politique étrangère depuis ma campagne présidentielle et j'avais le plus grand respect pour son point de vue. Que Tony Lake partage la même opinion ne me laissait pas indifférent. Conseiller national pour la sécurité, il rencontrait chaque semaine les Britanniques et poursuivait les tractations sur les questions les plus diverses qui, toutes, pouvaient être affectées par la délivrance du visa. En outre, il avait conscience de nos engagements contre le terrorisme et prenait la mesure des conséquences éventuelles de notre décision. Le vice-président Al Gore qui avait, lui aussi, le contexte général à l'esprit, était partisan d'accorder le visa. Je me suis rangé à cet avis, mais en accompagnant ma décision de restrictions : Gerry Adams ne pouvait pas participer à des réunions de financement ni se déplacer hors de New York au cours de ses trois jours de présence sur le territoire.

Les Britanniques étaient furieux. À leurs yeux, Gerry Adams, tribun sans principes, n'avait pas la moindre intention d'abandonner les méthodes violentes qui avaient bien failli coûter la vie à Margaret Thatcher. Elles avaient causé la mort de plusieurs milliers de Britanniques, parmi lesquels de nombreux enfants innocents, des responsables gouvernementaux et un membre de la famille royale, Lord Mountbatten, qui avait supervisé la passation de pouvoirs lors de l'indépendance de l'Inde. Les partis unionistes décidèrent de boycotter la conférence dès l'annonce de la participation de Gerry Adams. Pendant plusieurs jours, John Major refusa de prendre mes appels téléphoniques. Dans la presse britannique, articles et éditoriaux déploraient l'atteinte portée par mon initiative à la relation spéciale entre nos deux pays. Un titre mémorable annonçait : « Adams le serpent visqueux crache son venin sur les Yankees. »

Plusieurs commentaires journalistiques laissaient entendre que j'avais accordé le visa pour m'assurer le vote irlandais aux États-Unis et parce que j'en voulais toujours à John Major de l'aide qu'il avait apportée au président Bush. Tout cela était faux. Ma rancune à l'égard de John Major n'avait jamais atteint le degré que lui prêtaient les Britanniques et cela d'autant plus que je l'admirais pour avoir pris le risque d'élaborer la déclaration de principe ; il s'appuyait sur une courte majorité au Parlement et pour la conserver, il avait besoin du vote des unionistes irlandais. En outre, j'abhorrais le terrorisme, à l'instar du peuple américain ; d'un point de vue politique, j'avais beaucoup plus à perdre qu'à gagner avec cette initiative. J'avais décidé d'accorder le visa, parce que je voyais là le meilleur moyen d'en finir avec la violence. Je gardais en tête la maxime d'Yitzhak Rabin : on ne fait pas la paix avec ses amis.

Le 31 janvier, Gerry Adams foulait le sol américain. Il était accueilli avec chaleur par les Irlando-Américains qui soutenaient sa cause. Durant son séjour, il a promis d'inciter le Sinn Fein à prendre des engagements concrets. Après cet épisode, les Britanniques ont redoublé d'efforts pour amener les acteurs du conflit à engager des pourparlers politiques et le gouvernement irlandais à accru ses pressions sur le Sinn Fein pour obtenir sa collaboration. Sept mois plus tard, l'IRA déclarait un cessez-le-feu. Ainsi a commencé mon implication sans faille dans le processus long, complexe et non dénué d'émotions en faveur de la paix en Irlande du Nord.

La journée du 3 février a commencé avec la deuxième édition de mon petit déjeuner national de prières. Mère Teresa était notre invitée d'honneur. J'ai développé l'idée que nous devions nous inspirer de son exemple et nous efforcer d'introduire de l'humilité et un esprit de réconciliation en politique. L'après-midi, façon de mettre la leçon en pratique, je levais notre long embargo commercial contre le Viêt-nam. Cette décision était le fruit de la remarquable coopération qu'avait fournie le gouvernement vietnamien en vue de résoudre les cas de prisonniers de guerre et de disparus et de la bonne volonté dont il avait fait preuve pour rapatrier aux États-Unis les dépouilles de nos soldats morts au champ d'honneur. Ma décision a reçu le soutien sans faille des anciens combattants du Viêt-nam élus au Congrès, en particulier John Kerry, Bob Kerrey et John McCain, ainsi que Pete Peterson, représentant de la Floride, qui, pendant plus de six ans, avait été prisonnier de guerre au Viêt-nam.

Pendant la deuxième semaine de février, après les terribles tirs de mortier sur le marché de Sarajevo par l'armée des Serbes de Bosnie et la mort de plusieurs dizaines d'innocents, l'OTAN a enfin voté, avec le soutien du secrétaire général des Nations unies, en faveur de bombardements de représailles, à défaut d'un retrait de l'artillerie lourde serbe hors d'un périmètre d'une vingtaine de kilomètres autour de la ville. Bien que tardive, l'initiative comportait encore des risques pour les Canadiens dont les détachements, à Srebrenica, étaient encerclés par les Serbes, comme pour les Français, les Britanniques, les Espagnols et les Hollandais qui avaient aussi déployé des troupes au sol, relativement restreintes, il est vrai, mais néanmoins vulnérables.

En peu de temps, l'armement lourd des Serbes a été déplacé ou mis sous contrôle des Nations unies. Bob Dole continuait à défendre l'idée d'une levée unilatérale de l'embargo sur les armes à destination de la Bosnie. Je souhaitais le maintenir, dans le contexte du moment, d'une part parce que nous avions enfin obtenu le feu vert pour des frappes aériennes sous la supervision de l'OTAN, d'autre part, parce que je ne voulais pas que son abandon serve de prétexte pour ignorer les embargos que nous maintenions vis-à-vis de Haïti, de la Libye ou de l'Irak.

Un peu plus tard, Hillary et Chelsea se sont envolées pour Lillehammer, en Norvège, où elles allaient représenter l'Amérique aux Jeux olympiques d'hiver et je me suis rendu à Hot Springs afin de passer une journée en compagnie de Dick Kelley. Cinq semaines s'étaient écoulées depuis l'enterrement de ma mère et je tenais à veiller un peu sur lui. Dick se sentait seul dans la petite maison où, dans chaque pièce, la présence de ma mère restait sensible, mais le vétéran de la marine américaine avait gardé le pied marin : il s'efforçait d'organiser sa vie au mieux dans ces nouvelles conditions.

Au cours des deux semaines suivantes, j'ai assuré la promotion de la réforme du système de santé et du projet de loi sur la criminalité, à chacune de mes diverses apparitions dans le pays, tout en continuant à intervenir en politique étrangère. Nous avons bénéficié d'une bonne couverture des médias après la signature d'un contrat pour l'achat d'avions américains par l'Arabie Saoudite qui se montait à six milliards de dollars. Tout le mérite en revenait à Ron Brown, Mickey Kantor et Federico Peña, le secrétaire aux Transports.

Nous avons éprouvé un véritable choc au moment de l'arrestation par le FBI d'Aldrich Ames, un agent de la CIA, en service actif depuis trente ans, et de sa femme. Une des plus grosses affaires d'espionnage de l'histoire du pays atteignait la scène publique. Pendant neuf ans, Aldrich Ames avait vendu des secrets aux Russes. Il avait amassé une véritable fortune en transmettant des informations qui avaient abouti à la mort de plus de dix de nos agents sur le territoire russe et causé de sérieux dommages à nos réseaux de renseignement. Après des années d'enquêtes destinées à identifier la taupe dont l'existence était manifeste, le FBI, en collaboration avec la CIA, avait enfin mis la main sur Aldrich Ames. Mais l'affaire soulevait de nombreuses questions concernant la vulnérabilité de notre appareil de renseignement et notre politique vis-à-vis des Russes : s'ils nous espionnaient, ne devions-nous pas annuler ou suspendre l'aide que nous leur offrions ? Lors d'une réunion devant les parlementaires des deux partis, comme en réponse aux questions posées par les médias, je me déclarais favorable à la poursuite de l'aide. La Russie était engagée dans un conflit entre le passé et l'avenir ; certes, la Russie d'hier nous espionnait, mais notre aide servait à soutenir la Russie de demain ; elle confortait la démocratie et les réformes économiques, elle encourageait la sécurisation et l'élimination des armements nucléaires. En outre, les Russes n'étaient pas seuls à entretenir des espions.

Vers la fin du mois, un colon israélien radical, indigné par la perspective d'une prochaine restitution de la Cisjordanie aux Palestiniens, a tiré sur les fidèles de la mosquée d'Abraham, à Hébron, et fait plusieurs morts. Le meurtrier avait commis son acte durant la période du Ramadan, sur un lieu saint pour les musulmans comme pour les juifs, qui y situent la sépulture d'Abraham et de son épouse, Sarah. De toute évidence, son acte visait à déclencher une réaction violente afin d'enrayer le processus de paix. Pour éviter une telle issue, j'ai demandé à Warren Christopher de prendre contact avec Itzhak Rabin et Yasser Arafat, de les inviter à dépêcher leurs négociateurs à Washington, dès que possible, où ils demeureraient jusqu'à ce qu'ils s'entendent sur des actions concrètes pour mettre en œuvre leur accord.

Le 28 février, les chasseurs de l'OTAN ont abattu quatre avions serbes qui violaient la zone d'interdiction de vol : il s'agissait de la première action militaire de l'Alliance depuis sa naissance, quarante-quatre ans plus tôt. Je souhaitais que les frappes aériennes, combinées aux progrès des négociations pour alléger le siège de Sarajevo, incitent nos alliés à adopter une attitude de plus grande fermeté à l'égard de l'agression serbe dans et autour des villes de Tuzla et de Srebrenica.

L'un de ces alliés, John Major, était en visite aux États-Unis, ce jour-là. La Bosnie et l'Irlande du Nord étaient au programme des discussions. Je l'ai d'abord accompagné à Pittsburgh, où son grand-père avait travaillé dans la sidérurgie, au XIXe siècle. John Major paraissait heureux de parcourir cet itinéraire généalogique jusque dans le cœur industriel de l'Amérique. À l'occasion de ce voyage, il a été le premier dirigeant étranger, depuis mon investiture, à passer la nuit à la Maison Blanche. Le lendemain, nous avons tenu une conférence de presse commune, peu mémorable, sinon pour son message général : notre désaccord concernant la demande de visa de Gerry Adams ne nuirait pas à la relation américano-britannique, ni ne nous empêcherait de collaborer étroitement sur la Bosnie comme sur les autres questions. John Major m'est apparu sérieux, intelligent et, comme je l'ai noté plus haut, résolu à régler le problème de l'Irlande, en dépit des inconvénients supplémentaires que ses efforts en ce sens ajoutaient à sa situation déjà périlleuse au Parlement. J'estimais ses qualités de dirigeant bien supérieures au portrait de lui qui transparaissait dans la presse et, après ces deux jours passés ensemble, nous avons conservé une relation de travail chaleureuse et fructueuse.

CHAPITRE TRENTE-HUIT

Alors que je consacrais le plus gros de mes efforts aux affaires étrangères, le nouveau monde de Whitewater commençait à prendre forme à l'intérieur. En mars, Robert Fiske se mit sérieusement au travail en envoyant des citations à comparaître à plusieurs membres du personnel de la Maison Blanche, dont Maggie Williams et Lisa Caputo, des collaboratrices de Hillary et des amies de Vince Foster. Mack McLarty constitua une cellule Whitewater qui, sous la direction de Harold Ickes, coordonnerait les réponses aux questions de Fiske et de la presse. Cela aurait pour effet de permettre au reste de l'équipe et à moi-même de continuer à nous occuper des tâches qui nous incombaient et de limiter les conversations que les membres de notre équipe pourraient avoir à propos de Whitewater entre eux ou avec Hillary et moi. Ce genre de conversations ne pouvait qu'exposer nos jeunes équipiers à des attaques politiques, les obliger à faire des dépositions et à engager de gros frais d'avocats. Beaucoup de gens avaient tout intérêt à trouver un accroc ; s'il n'y avait rien d'illégal dans notre ancienne affaire immobilière, peut-être pourraient-ils découvrir un coupable dans la gestion de l'affaire.

Ce système m'allait assez bien. J'avais appris dès l'enfance à mener des vies parallèles : la plupart du temps, j'étais capable de chasser toutes les accusations et insinuations de mon esprit pour continuer à travailler. Je savais que cela serait plus difficile pour ceux qui n'avaient jamais vécu sous la menace constante d'attaques arbitraires et destructrices, en particulier dans une atmosphère où une présomption de culpabilité était attachée à chaque accusation. Bien sûr, des experts juridiques comme Sam Dash soulignaient à quel point nous étions coopératifs par comparaison avec les administrations Reagan et Nixon, parce que nous n'avions pas résisté aux citations et que nous avions remis tous nos dossiers d'abord au département de la Justice, puis à Fiske. Mais les règles du jeu avaient changé : à moins que Hillary et moi puissions prouver que nous étions innocents, n'importe quel adversaire pourrait inventer, la plupart des questions et des articles seraient empreints d'un ton fortement soupçonneux ; l'idée sous-jacente était que nous ne pouvions pas être blancs comme neige.

Par exemple, quand la presse finit par mettre la main sur nos dossiers financiers, le *New York Times* rapporta que, avec un investissement de départ de mille dollars, Hillary avait gagné cent mille dollars dans le marché des marchandises en 1979, avec l'aide de Jim Blair. Blair était un de mes meilleurs amis ; il a effectivement aidé Hillary et plusieurs autres de ses amis à négocier des marchandises, mais elle avait pris ses propres risques, avait versé plus de dix-huit mille dollars en frais de courtage et, se fiant à son instinct, avait vendu avant la baisse. Leo Melamed, l'ancien président républicain de la Bourse du commerce de Chicago où s'échangent des marchandises agricoles examina toutes les transactions de Hillary et déclara que rien ne clochait. Personne n'en tint compte. Pendant des années, les critiques traiteraient le profit réalisé par Hillary comme un commencement de preuve de corruption.

Cette présomption transparut dans un article de *Newsweek* qui affirmait que Hillary n'avait pas investi son propre argent, sur la base d'une analyse fondée sur l'opinion éclairée du professeur Marvin Chirelstein, de la faculté de droit de Columbia. C'était une des autorités nationales en matière de droit des sociétés et des contrats, et il avait été mon ancien professeur à Yale. Notre avocat lui avait confié le soin d'étudier nos déclarations d'impôts de 1978-1979, la période de l'investissement dans Whitewater. Chirelstein contesta l'article de *Newsweek* en affirmant qu'il n'avait jamais rien déclaré de tel et qu'il était « furieux » et « humilié ».

À peu près au même moment, le magazine *Time* publia en couverture une photo me montrant assis à mon bureau soi-disant l'air soucieux à cause de Whitewater, avec George Stephanopoulos penché par-dessus mon épaule. En fait, la photo avait été prise pendant une réunion de programmation de routine à laquelle nous étions plusieurs à assister. Deux autres personnes au moins figuraient sur la photo d'origine. *Time* les avait tout simplement effacées.

En avril, Hillary donna une conférence de presse pour répondre à des questions concernant ses ventes de marchandises et Whitewater. Elle s'en est bien tirée et j'étais fier d'elle. Elle a même réussi à arracher un rire à l'assistance en reconnaissant que sa foi en une « zone d'intimité » l'avait peut-être rendue moins disposée à répondre aux questions de la presse sur ses transactions personnelles passées qu'elle n'aurait dû l'être, mais que, « après avoir longtemps résisté, elle avait changé de zone ».

La culpabilité supposée qui pesait sur nous fut étendue à d'autres. Par exemple, Roger Altman et Bernie Nussbaum furent tous les deux lourdement critiqués pour avoir discuté de plaintes lancées contre Madison Guaranty par la Resolution Trust Corporation, parce que cette dernière dépendait du département du Trésor et qu'Altman la supervisait provisoirement. Vraisemblablement les critiques pensaient que Nussbaum avait peut-être essayé d'influencer les actions du RTC. En fait, ces discussions étaient une conséquence de la nécessité de répondre à des questions de la presse suscitées par des fuites à propos de l'enquête Madison et elles avaient été approuvées par le conseiller en éthique du département du Trésor.

Edwin Yoder, un chroniqueur progressiste vieux jeu, déclara que Washington tombait sous l'influence de « nettoyeurs éthiques ». Dans une chronique portant sur la réunion Altman-Nussbaum, il écrivait :

> J'aimerais que quelqu'un m'explique en quoi il est si condamnable que le personnel de la Maison Blanche cherche des renseignements ailleurs que dans l'appareil exécutif à propos d'accusations et de rumeurs concernant le Président.

Robert Fiske jugea que les contacts entre la Maison Blanche et le département du Trésor étaient légaux, mais cela n'arrêta pas l'opération de diffamation contre Nussbaum et Altman. À l'époque, il fallait qu'on lise leurs droits trois fois par jour à tous ceux qui avaient été nommés par les politiques. Bernie Nussbaum démissionna début mars ; il ne s'est jamais remis de ma stupide décision de réclamer un procureur indépendant et il ne voulait pas être la source de nouveaux problèmes. Altman quitterait le gouvernement quelques mois plus tard. Tous les deux étaient des fonctionnaires compétents et honnêtes.

En mars, Roger Ailes, un Républicain de longue date devenu président de CNBC, accusa l'administration de « dissimulation concernant Whitewater comprenant [...] escroquerie foncière, contributions illégales, abus de pouvoir, [...] dissimulation de suicide – et probablement meurtre ». Autant pour les preuves crédibles de méfaits.

William Safire, le chroniqueur du *New York Times* qui avait écrit des discours pour Nixon et Agnew et qui semblait déterminé à prouver que tous leurs successeurs étaient aussi pourris qu'eux, se montra particulièrement passionné dans ses affirmations non étayées voulant que la mort de Vince soit liée à une conduite illégale de Hillary et moi. Bien entendu, le mot laissé par Vince lors de son suicide disait exactement le contraire, à savoir que nous n'avions rien fait de mal, mais cela n'empêcha pas Safire de formuler l'hypothèse que Vince avait malhonnêtement conservé des dossiers préjudiciables pour nous dans son bureau.

Nous savons à présent que beaucoup des soi-disant renseignements qui ont alimenté des articles dommageables mais erronés étaient fournis à la presse par David Hale et les gens de droite qui le protégeaient par intérêt. En 1993, Hale, le juge municipal républicain de Little Rock, fut accusé d'avoir détourné neuf cent mille dollars de l'Administration des petites entreprises soi-disant pour accorder des prêts à des entreprises minoritaires par le biais de sa société Capital Management Services. Un audit ultérieur a révélé qu'il avait en fait détourné 3,4 millions. Il empocha l'argent grâce à une série de sociétés-écrans. Hale évoqua sa situation désespérée avec le juge de la Cour suprême Jim Johnson, le vieux raciste de l'Arkansas qui s'était présenté contre Win Rockefeller au poste de gouverneur en 1966 et contre le sénateur Fulbright en 1968. Johnson prit Hale sous son aile et, en août, il le mit en contact avec un groupe conservateur baptisé Citizens United, dont les mandants étaient Floyd Brown et David Bossie.

Brown avait produit les infâmes publicités Willie Horton contre Mike Dukakis en 1988. Bossie l'avait aidé à écrire un livre pour la campagne de 1992 intitulé *Slick Willie : Why America Cannot Trust Bill Clinton* (Willy la Glisse : pourquoi l'Amérique ne peut faire confiance à Bill Clinton), dans lequel les auteurs adressaient leurs « chaleureux remerciements » au juge Jim Johnson.

Hale prétendit que je l'avais poussé à prêter trois cent mille dollars de Capital Management à une entreprise appartenant à Susan McDougal, dans le but de redistribuer la somme à des Démocrates en vue de l'Arkansas. En retour, McDougal aurait prêté à Hale plus de huit cent mille dollars de Madison Guaranty, lui permettant ainsi d'obtenir un autre million de dollars de l'Administration des petites entreprises. C'était une histoire absurde et fausse, mais Brown et Bossie s'employèrent à la colporter. Il semble que Sheffield Nelson y ait contribué également en la refilant à Jeff Gerth, son contact au *New York Times*.

En mars 1994, les médias se lamentaient à propos de documents détruits par le cabinet Rose : l'un des cartons contenant ces papiers portait les initiales de Vince Foster. Le cabinet expliqua que l'opération de déchiquetage concernait des données sans lien avec Whitewater et qu'il s'agissait d'une procédure normale pour des papiers ne présentant plus d'utilité. Personne à la Maison Blanche n'était au courant de cette destruction de routine de dossiers inutiles au cabinet Rose sans lien avec Whitewater. En outre, nous n'avions rien à dissimuler et il n'existait toujours pas l'ombre d'une preuve du contraire.

La machine s'emballa quand le très respecté journaliste David Broder déclara que Bernie Nussbaum avait eu le malheur de tolérer de l'arrogance et un abus de pouvoir qui avaient mené aux « mots bien trop familiers – enquête, citations à comparaître, jury d'accusation, démission » qui avaient « de nouveau résonné dans les rues de Washington cette dernière semaine ». Broder comparait même nos « salles de guerre » qui géraient les campagnes pour le plan économique et l'ALENA à la liste des ennemis de Nixon. Nussbaum n'avait pas eu de chance, effectivement ; il n'y aurait eu ni enquête, ni citations à comparaître, ni jury d'accusation si je l'avais écouté et refusé de céder à ceux qui exigeaient la nomination d'un procureur indépendant pour détendre l'atmosphère. La seule faute de Bernie était de penser que je devais respecter la loi et les normes de bienséance plutôt que les règles du jeu sans cesse changeantes des médias, destinées à justement produire les résultats mêmes qu'ils faisaient mine de déplorer. Le successeur de Nussbaum, l'avocat de Washington Lloyd Cutler, jouissait d'une bonne réputation justifiée dans l'establishment de Washington. Dans les mois suivants, sa présence et ses conseils seraient d'une grande aide, mais il ne pouvait lutter contre le raz de marée Whitewater.

Rush Limbaugh s'en donnait à cœur joie dans son show en se vautrant dans la boue de Whitewater. Il affirma que Vince avait été assassiné dans un appartement dont Hillary était propriétaire et qu'on avait transporté son corps à Fort Marcy Park. Je préfère ne pas imaginer l'effet de ces révélations sur la femme et les enfants de Vince. Plus tard, Limbaugh déclara faussement que « des journalistes travaillant sur le Whitewatergate et d'autres impliqués dans l'affaire ont été roués de coups et harcelés à Little Rock. Certains en sont morts ».

Pour ne pas être en reste devant Limbaugh, l'ancien parlementaire républicain Bill Dannemeyer demanda l'ouverture d'enquêtes parlementaires sur le nombre « effarant » de gens liés à moi qui étaient morts de « causes autres que naturelles ». Dans sa liste macabre, Dannemeyer citait le directeur adjoint des finances de ma campagne Vic Raiser et son fils, qui avaient trouvé une mort tragique dans un accident d'avion en Alaska en 1992, ainsi que Paul Tully, le directeur politique du Parti démocrate, qui était décédé d'une crise cardiaque alors qu'il participait à la campagne à Little Rock. J'avais prononcé l'éloge funèbre aux deux enterrements et avais ensuite nommé la veuve de Vic, Molly, chef du protocole de la Maison Blanche.

Jerry Falwell fit mieux que Dannemeyer en sortant *Circle of Power*, une vidéo traitant des « innombrables personnes mortes mystérieusement » dans l'Arkansas ; le film sous-entendait que j'en étais responsable d'une manière ou d'une autre. Parut alors la suite de Falwell, *The Clinton Chronicles*, dont il fit la promotion dans son show télévisé, *The Old Time Gospel Hour*. Dannemeyer et le juge Jim Johnson apparaissaient dans la vidéo qui m'accusait d'être impliqué dans un trafic de cocaïne, d'avoir fait tuer des témoins et organisé les meurtres d'un privé et de la femme d'un gendarme. De nombreux « témoins » furent rémunérés pour leur participation et Falwell vendit beaucoup de vidéos.

Pendant que Whitewater prenait de l'ampleur, je me suis efforcé de conserver le sens des proportions et de me rappeler que tout le monde ne succombait pas à l'hystérie générale. Par exemple, *USA Today* publia un article honnête sur Whitewater ; il était étayé d'entretiens avec Jim McDougal, qui déclarait que Hillary et moi n'avions rien fait de mal, et avec Chris Wade, l'agent immobilier du nord de l'Arkansas qui gérait le terrain Whitewater. Celui-ci affirmait aussi que nous disions la vérité à propos de notre participation limitée dans la propriété.

Je pouvais comprendre pourquoi des gens de droite comme Rush Limbaugh, Bill Dannemeyer, Jerry Falwell et un journal comme le *Washington Times* disaient de telles choses. Ce journal était ouvertement de droite, était financé par le révérend Moon et avait pour rédacteur en chef Wes Pruden Jr. dont le père, le révérend Wesley Pruden, avait été aumônier du White Citizens Council (conseil des citoyens blancs) dans l'Arkansas et avait soutenu le juge Jim Johnson dans sa vaine croisade contre les droits civiques pour les Noirs. En revanche, je n'arrivais pas à croire que le *New York Times*, le *Washington Post* ainsi que d'autres médias que j'avais toujours respectés et en qui j'avais confiance aient pu se faire rouler dans la farine par des individus comme Floyd Brown, David Bossie, David Hale et Jim Johnson.

Vers cette époque, j'ai organisé un dîner à la Maison Blanche en l'honneur du mois de l'histoire noire. Parmi les invités figuraient mon vieux professeur de droit Burke Marshall et son ami Nicholas Katzenbach qui avait tant fait pour la progression des droits civiques au département de la Justice sous Kennedy. Nick me dit qu'il faisait partie du conseil d'administration du *Washington Post* et qu'il avait honte de la façon dont le journal couvrait l'affaire Whitewater et des « retombées préjudiciables » d'accusations ridicules pour la présidence et pour moi : « Où veulent-ils en venir ? me demanda-t-il. Ils n'agissent certainement pas dans l'intérêt du public. »

Quoi qu'il en soit, cela fonctionnait. En mars, un sondage annonça que la moitié des sondés pensaient que Hillary et moi mentions à propos de White-water ; un tiers estimait que nous avions fait quelque chose d'illégal. Je dois avouer que Whitewater, notamment les attaques contre Hillary, m'a plus touché que je ne l'aurais cru possible. Les accusations étaient sans fondement et n'étaient pas étayées par des preuves. J'avais d'autres failles, comme nous le savons tous, mais si Hillary pouvait faire preuve d'entêtement de temps à autre, elle était irréprochable. Cela me bouleversait de la voir blessée par une accusa-tion fausse, d'autant que j'avais aggravé les choses en cédant à l'idée naïve qu'un procureur indépendant détendrait l'atmosphère. Je devais faire de gros efforts pour contenir ma colère et je n'y suis pas toujours parvenu. Le cabinet et le personnel parurent comprendre et tolérer mes explosions épisodiques et Al Gore m'aida à me calmer. Si j'ai continué à travailler dur et à aimer mes fonctions, mon naturel plutôt joyeux et mon optimisme n'ont cessé d'être mis à l'épreuve.

Heureusement nous avons eu l'occasion de rire de tout cela. Tous les ans au printemps ont lieu trois dîners de la presse, organisés respectivement par le Gridiron Club, les correspondants de la Maison Blanche et les correspondants de la radio et de la télévision. Ils donnaient à la presse l'occasion de se moquer du Président et d'autres politiciens et au Président l'occasion de répondre J'attendais ces soirées avec impatience parce qu'elles nous permettaient à tous de baisser un peu la garde et qu'elles me rappelaient que la presse n'est pas un monolithe et qu'elle se compose surtout de braves gens s'efforçant d'être justes. Et comme dit le proverbe : « Cœur joyeux améliore la santé, esprit déprimé dessèche les os. »

Le 12 avril, d'excellente humeur au dîner des correspondants de la radio et de la télévision, j'ai sorti quelques saillies du style : « Je suis vraiment enchanté d'être ici. Vous n'allez pas me croire, mais j'ai un peu de terrain dans le nord-ouest de l'Arkansas que j'adorerais vous montrer. » « D'aucuns pré-tendent que mes rapports avec la presse ont été marqués par l'apitoiement sur moi-même. J'aime à considérer cela comme les limites extérieures de mon empathie. Je sens ma douleur. » « Nous sommes à trois jours du 15 avril et, pour la plupart, vous avez consacré davantage de temps à mes impôts qu'aux vôtres. » Garrison Keillor, la star de la radio de Lake Wobegon, était l'orateur ce soir-là.

Le travail de ce que Hillary finirait par appeler le « vaste complot d'extrême droite » a été décrit en détail par Sidney Blumenthal dans *The Clinton Wars* et par Joe Conason et Gene Lyons dans *The Hunting of the President*. Pour ce que j'en sais, aucune de leurs affirmations factuelles n'a été réfutée. À la sortie de ces livres, les gens des médias appartenant au courant dominant qui avaient participé à l'hystérie Whitewater ignorèrent leurs accu-sations, taxèrent les auteurs de partialité à notre égard ou encore nous repro-chèrent notre gestion du problème Whitewater et nos récriminations. Je suis sûr que nous aurions pu mieux le gérer, mais eux aussi.

Au début de Whitewater, un de mes amis a été obligé de démissionner de son poste au gouvernement à cause d'une faute commise avant son arrivée à Washington. Avec le barreau de l'Arkansas, le cabinet Rose intenta un procès à Webb Hubbell pour avoir soi-disant réclamé des honoraires trop élevés à ses clients et gonflé ses notes de frais. Webb démissionna du département de la Justice, mais assura à Hillary que les accusations n'étaient pas fondées. En effet, le problème venait du fait que son beau-père fortuné mais irascible, Seth Ward, avait refusé de payer les coûts d'un procès intenté pour non-respect d'un brevet que le cabinet avait perdu. Cela paraissait plausible, mais c'était faux.

Webb avait bel et bien surfacturé ses clients et, ce faisant, il avait porté préjudice au cabinet Rose et réduit les revenus de tous ses associés, dont ceux de Hillary. Si son procès s'était passé normalement, il aurait probablement pu négocier avec le cabinet un accord aux termes duquel il s'engageait à rembourser les clients, ce qui ne l'aurait privé de son droit d'exercer que pendant un ou deux ans. Le barreau l'aurait peut-être renvoyé devant le procureur d'État ; auquel cas, Hubbell aurait probablement échappé à la prison en remboursant le cabinet Rose. Au lieu de cela, Webb s'est retrouvé pris dans les filets des procureurs indépendants.

Quand l'histoire est sortie, j'étais abasourdi. Webb et moi étions amis et partenaires de golf depuis des années et je croyais le connaître. Je pense toujours que c'est un homme bien qui a commis une grosse erreur, qu'il a dû payer trop cher, parce qu'il a refusé de devenir un pion dans le jeu de Starr.

En attendant, je me consacrais à une autre de mes vies parallèles : celle qui m'avait amené à Washington. En mars, je me suis battu pour défendre deux projets de loi qui, selon moi, viendraient en aide aux salariés sans diplômes supérieurs. La plupart des salariés ne pouvaient plus conserver un emploi voire travailler pour le même employeur toute leur vie et le marché de l'emploi leur réservait des traitements très différents. Notre taux de chômage de 6,5 % était trompeur ; il était de 3,5 % pour les diplômés de l'université, de plus de 5 % pour ceux qui avaient fait deux ans d'études supérieures, de plus de 7 % pour les lycéens diplômés et de plus de 11 % pour ceux qui avaient abandonné leurs études secondaires. Lors de réunions à Nashua et Keene dans le New Hampshire, j'ai déclaré que je voulais transformer le programme d'indemnités de chômage en un système de réembauche offrant un plus large éventail de programmes de formation mieux conçus. Et je voulais que le Congrès approuve le programme « De l'école au travail », pour fournir une ou deux années de formation de qualité aux jeunes qui ne voulaient pas suivre quatre ans d'études universitaires. À la fin du mois, j'ai ratifié l'initiative « GOALS 2000 ». Enfin, nous obtenions un engagement du Congrès de satisfaire les objectifs d'éducation nationaux auxquels j'avais travaillé en 1989, d'évaluer les progrès des étudiants dans ce sens et d'encourager les arrondissements scolaires à adopter les réformes les plus prometteuses.

Le 18 mars, les présidents Alija Izetbegovic de Bosnie et Franjo Tudjman de Croatie étaient à la Maison Blanche pour signer un accord négocié avec l'aide de mon envoyé, Charles Redman, qui établissait une fédération dans les régions de Bosnie où leurs populations étaient majoritaires et lançait un processus de constitution d'une confédération avec la Croatie. Les combats entre musulmans et Croates n'avaient pas été aussi sévères que ceux de ces deux camps avec les Serbes bosniaques, mais l'accord représentait néanmoins un pas important vers la paix.

Les derniers jours de mars virent le début d'une crise grave avec la Corée-du-Nord. Après avoir accepté en février que des inspecteurs de l'IAEA (l'Agence internationale de l'énergie atomique) vérifient ses sites nucléaires déclarés, le 15 mars, la Corée-du-Nord les empêcha de terminer leur mission. Le réacteur qu'ils inspectaient fonctionnait avec des barres. Après avoir été brûlées pour leur usage initial, celles-ci, une fois enrichies au plutonium, pouvaient être utilisées pour fabriquer des armes nucléaires. La Corée-du-Nord avait aussi prévu de construire deux plus gros réacteurs qui auraient produit davantage de barres. C'était un atout dangereux entre les mains du pays le plus isolé du monde, un pays pauvre incapable de nourrir sa population qui pourrait être tenté de vendre le plutonium au mauvais acheteur. Moins d'une semaine après, j'ai décidé d'envoyer des missiles Patriot en Corée-du-Sud et demandé aux Nations unies d'imposer des sanctions économiques à la Corée-du-Nord. J'étais déterminé à empêcher la Corée-du-Nord de développer un arsenal nucléaire, même au risque de déclencher une guerre, comme l'expliqua Bill Perry à un groupe de rédacteurs en chef et de journalistes le 30 mars. Afin de nous assurer que les Nord-Coréens comprenaient bien que nous ne plaisantions pas, Perry continua à tenir ce discours dur pendant les trois jours suivants, allant même jusqu'à déclarer que nous n'exclurions pas une frappe militaire préventive.

De son côté, Warren Christopher s'employait à rééquilibrer notre message. Le Département d'État déclara que nous préférions une solution pacifique et notre ambassadeur en Corée-du-Sud, Jim Laney, expliqua que nous étions dans une position de « vigilance, fermeté et patience ». Je croyais que si la Corée-du-Nord comprenait vraiment notre position, de même que les avantages économiques et politiques qu'elle pourrait tirer de l'abandon de son programme nucléaire en faveur d'une coopération avec ses voisins et les États-Unis, nous y parviendrions. Dans le cas contraire, Whitewater serait bientôt ravalé au rang de simple détail qu'il était.

Le 26 mars, j'ai passé un agréable week-end de détente à Dallas où j'ai été le témoin de mon frère à son mariage avec Molly Martin, une femme superbe qu'il avait rencontrée lors de son emménagement à Los Angeles, après quelques années passées à Nashville. J'étais très heureux pour Roger et j'espérais qu'il reprendrait sa carrière de chanteur.

Le lendemain du mariage, nous sommes tous allés voir les Razorbacks de l'Arkansas battre l'Université du Michigan dans les quarts de finale du tournoi de basket-ball du NCAA. Cette semaine-là, j'apparus vêtu d'un jogging des Razorbacks en couverture de *Sports Illustrated*, qui me consacrait un article illustré d'une autre photo de moi un ballon en main. Une vraie bouffée d'air frais après le traitement médiatique auquel j'avais eu droit. Une semaine plus tard, au stade de Charlotte en Caroline-du-Nord, j'assistai à la victoire de l'Arkansas contre Duke par 76 points contre 72 au championnat national.

Le 6 avril, le juge Harry Blackmun annonçait qu'il se retirerait de la Cour suprême. Hillary et moi nous étions liés d'amitié avec le juge et sa femme

Dotty lors des week-ends de la Renaissance. C'était un homme bien, un excellent juge et une voix modérée très nécessaire dans la cour Rehnquist. Je savais que je devais à la nation de lui trouver un remplaçant de valeur. Mon premier choix se porta sur le sénateur George Mitchell qui avait annoncé un mois plus tôt qu'il se retirait du Sénat. Mitchell était un bon chef de majorité, il avait été loyal et d'un grand secours pour moi et rien ne garantissait que nous pourrions conserver son siège aux élections de novembre. Je ne voulais pas qu'il quitte le Sénat mais l'idée de nommer George à la Cour suprême me remplissait d'aise. Il avait été juge fédéral avant d'entrer au Sénat et sa forte personnalité marquerait la Cour : il pourrait influer sur l'orientation des votes et sa voix serait entendue, même dans le désaccord. Pour la seconde fois en cinq semaines, Mitchell déclina mon offre. Il expliqua que s'il devait quitter le Sénat maintenant, nos chances de faire voter le programme du système de santé s'évaporeraient, ce qui serait nuisible non seulement pour les Américains, mais aussi pour les Démocrates cherchant une réélection et pour ma présidence.

Je me suis rapidement décidé pour deux autres candidats potentiels : le juge Stephen Breyer dont la candidature avait déjà été examinée et le juge Richard Arnold de la huitième cour d'appel qui siège à Saint Louis et dont dépend l'Arkansas. Arnold avait été l'assistant de Dale Bumpers et descendait d'une longue lignée d'avocats distingués de l'Arkansas. Il était probablement l'homme le plus brillant de la justice fédérale. Il avait fini premier de sa promotion à Yale et à la faculté de droit de Harvard, et il avait appris le latin et le grec en partie pour pouvoir lire les premiers textes bibliques. Je l'aurais probablement nommé s'il n'avait pas été soigné pour un cancer dont le pronostic restait incertain. Mes prédécesseurs républicains avaient rempli les cours fédérales de jeunes conservateurs qui n'étaient pas près d'en sortir, et je ne tenais pas à leur offrir un autre poste sur un plateau. En mai, j'ai pris la décision de nommer le juge Breyer. Il était aussi qualifié et il m'avait impressionné lors de notre entretien antérieur après la démission du juge White. La nomination de Breyer serait facilement ratifiée. Qu'il me soit permis de préciser que Richard Arnold est toujours juge à Saint Louis et qu'il joue de temps à autre au golf avec moi.

Début avril, l'OTAN bombarda de nouveau la Bosnie, cette fois pour arrêter le siège serbe de Gorazde. Le même jour, une violence collective éclata au Rwanda, après l'accident d'avion dans lequel le président du Rwanda et le président du Burundi trouvèrent la mort. Ce fut le début d'un horrible massacre infligé par les dirigeants de la majorité hutue aux Tutsis et à leurs sympathisants hutus. J'ai ordonné l'évacuation de tous les Américains et envoyé des troupes pour garantir leur sécurité. Les Tutsis ne constituaient que 15 % de la population, mais on estimait leur pouvoir politique et économique excessif. En cent jours, plus de huit cent mille personnes dans un pays comptant seulement huit millions d'habitants seraient assassinées, pour la plupart à coups de machette. Nous étions si préoccupés par la Bosnie, à cause du souvenir de la Somalie six mois plus tôt, et par l'opposition du Congrès à des déploiements militaires dans des endroits lointains non essentiels pour nos intérêts nationaux où ni moi ni personne dans mon équipe de politique étrangère n'avons songé à envoyer des troupes pour arrêter le massacre. Avec quelques milliers de soldats et l'aide de nos alliés, même en tenant compte du temps nécessaire pour les déployer, nous aurions pu sauver des vies. Ne pas avoir tenté de mettre un terme aux tragédies du Rwanda reste un des plus grands regrets de ma présidence.

Pendant mon second mandat et ensuite, j'ai fait mon possible pour aider les Rwandais à reconstruire leur pays et leur existence. Aujourd'hui, à l'invitation du président Paul Kagame, le Rwanda est l'un des pays dans lequel ma fondation œuvre à endiguer la marée du sida.

Le 22 avril, Richard Nixon mourut, un mois et un jour après m'avoir envoyé une remarquable lettre de sept pages à propos de son récent voyage en Russie, Ukraine, Allemagne et Angleterre. Nixon me disait que j'avais gagné le respect des dirigeants qu'il avait rencontrés et que je ne pouvais pas laisser Whitewater ou tout autre problème national « détourner l'attention de notre principale priorité en politique étrangère, à savoir la survie de la liberté politique et économique en Russie ». La position politique d'Eltsine et la montée de l'antiaméricanisme à la Douma l'inquiétaient, et il m'exhortait à conserver mes liens étroits avec Eltsine, mais aussi à tendre la main à d'autres démocrates de Russie ; à améliorer la conception et la gestion de notre programme d'aide étrangère ; et à confier le soin à un homme d'affaires de pointe de favoriser davantage d'investissements privés en Russie. Selon lui, il fallait dénoncer l'imposteur qu'était l'ultranationaliste Jirinovski au lieu de le mettre à l'écart et nous employer à « entretenir la division entre les méchants – Jirinovski, Rutskoï et les communistes – et tenter de convaincre les bons – Chernomyrdine, Yavlinski, Shahrai et Travkin – de former un front uni pour lancer des réformes responsables ». Il concluait en me conseillant de ne plus distribuer les dollars de l'aide directe à l'ensemble de l'ancienne Union soviétique mais plutôt de concentrer nos ressources, outre la Russie, sur l'Ukraine : « C'est indispensable », écrivait-il. Cette lettre était un tour de force, Nixon au meilleur de sa forme dans la huitième décennie de sa vie.

Tous les anciens présidents en vie assistèrent à son enterrement sur son lieu de naissance à côté de sa bibliothèque présidentielle et je fus un peu surpris que sa famille me demande de prendre la parole aux côtés de Bob Dole, Henry Kissinger et du gouverneur de Californie Pete Wilson qui, jeune homme, avait travaillé pour lui. J'ai loué « la sagesse de ses conseils, notamment en ce qui concerne la Russie » et j'ai évoqué son intérêt lucide jamais démenti pour l'Amérique et le monde en parlant de sa visite et de sa lettre un mois avant sa mort. Je n'ai fait qu'une allusion indirecte au Watergate, en plaidant pour la réconciliation : « Aujourd'hui, il faut que sa famille, ses amis et sa nation se rappellent la vie du président Nixon dans sa totalité [...]. Cessons de juger le président Nixon autrement qu'à l'aune de la totalité de sa vie et de sa carrière. » Certains des farouches ennemis de Nixon dans mon Parti n'ont pas apprécié mes paroles. À mes yeux, Nixon avait fait bien pire que le Watergate – la liste des ennemis, la prolongation de la guerre du Viêt-nam et la recrudescence des bombardements, sa volonté de ficher comme communistes ses opposants à la Chambre et au Sénat de Californie. Mais il avait également ouvert la porte à la Chine, signé des lois importantes et il avait défendu la discrimination positive. Comparé aux Républicains qui ont repris le Parti dans les années 1980 et 1990, le président Nixon était un libéral extravagant.

Le lendemain de l'enterrement, j'ai participé au show de Larry King qui interviewait Dick Kelley et James Morgan à l'occasion de la sortie du livre de ma mère, *Leading with My Heart*. J'ai raconté qu'à mon retour du déplacement à l'étranger que j'avais effectué après son enterrement, je m'étais dirigé vers le téléphone de notre cuisine avant de me figer en comprenant que je ne pourrais plus jamais l'appeler le dimanche soir, et j'ai avoué qu'il se passerait des mois avant que s'estompe cette envie de lui parler.

Le 29 avril, avec la presque totalité de mon cabinet, j'ai reçu les chefs de tribus amérindiennes et indiennes de l'Alaska sur la pelouse sud, lesquels venaient apparemment pour la première fois à la Maison Blanche depuis les années 1820. Certains avaient amassé une telle fortune grâce au jeu qu'ils étaient venus à Washington à bord de leur avion privé. D'autres, qui vivaient dans des réserves isolées, étaient si pauvres qu'ils avaient dû faire la quête dans leur tribu pour réunir l'argent nécessaire à l'achat d'un billet d'avion. J'ai promis de respecter leurs droits à l'autodétermination, à la souveraineté tribale et à la liberté religieuse, et de m'efforcer d'améliorer les rapports du gouvernement fédéral avec eux. Et j'ai signé des décrets présidentiels pour garantir que nos engagements seraient tenus. Enfin, j'ai promis de soutenir davantage le développement scolaire, sanitaire et économique des tribus les plus pauvres.

Fin avril, il était clair que nous avions perdu la bataille de la communication pour le système de santé. Un article du *Wall Street Journal* daté du 29 avril décrivait la campagne de désinformation de trois cents millions de dollars qui avait été lancée contre nous :

Les cris du bébé sont angoissés, la voix de la mère désespérée. « Je vous en supplie, dit-elle au téléphone en quête d'aide pour son enfant malade.
— Désolé, le centre de santé gouvernemental est fermé, répond la voix enregistrée à l'autre bout du fil. Toutefois, s'il s'agit d'une urgence, vous pouvez appeler le 1-800-GOUVERNEMENT. » La mère compose ce numéro pour être accueillie par un autre enregistrement : « Désolé, tous nos représentants du service de santé sont occupés. Veuillez ne pas quitter, nous vous mettrons en relation avec l'un d'eux dès qu'il sera disponible.
— Pourquoi ont-ils laissé le gouvernement prendre les choses en main ? se lamente la mère. Où est passé mon médecin de famille ? »

L'article précisait ensuite que le seul ennui avec le spot radiophonique, produit par un groupe basé à Washington et baptisé Les Américains pour la réforme fiscale, c'était qu'il n'avait rien de véridique.

Une autre campagne massive de courriers envoyés par un groupe baptisé Le Conseil américain pour la réforme de la santé a affirmé qu'aux termes du plan Clinton, on s'exposait à une peine de cinq ans de prison si on achetait une assurance maladie supplémentaire. En fait, notre plan disait explicitement que chacun était libre d'acheter les assurances maladie qu'il souhaitait.

La campagne de publicité était fausse, mais elle marchait. En fait, un sondage du *Wall Street Journal* associé à NBC News et publié le 10 mars dans un article intitulé « Beaucoup ne se rendent pas compte que c'est notre plan qui leur plaît » montrait que lorsqu'on interrogeait les gens sur le plan de santé Clinton, une majorité s'y opposait. Mais lorsqu'on leur demandait ce qu'ils attendaient d'un plan de santé, plus de 60 % des sondés soutenaient nos principales propositions. L'article continuait : « Quand on décrit à l'échantillon la proposition Clinton sans préciser qu'il s'agit du plan du Président et les quatre autres principales propositions au Congrès, le plan Clinton est le premier choix de toutes les personnes interrogées. »

Les auteurs du sondage, un Républicain et un Démocrate, déclaraient : « La Maison Blanche peut juger cela satisfaisant, mais cela devrait lui donner à réfléchir. Satisfaisant parce que les idées de base que propose l'équipe sont les bonnes du point de vue de beaucoup. Mais cela donne à réfléchir parce que, visiblement, ils n'ont pas su communiquer et se sont laissé déborder par les groupes d'intérêt. »

Malgré tout, le Congrès progressait. Le projet de loi avait été renvoyé devant cinq commissions du Congrès, trois à la Maison des représentants et deux au Sénat. En avril, la Commission du travail de la Chambre avait rejeté une proposition de système de santé en fait plus exhaustive que notre projet Les quatre autres commissions s'efforçaient de parvenir à un consensus.

La première semaine de mai fut un autre exemple de confusion où tout arrive en même temps. J'ai répondu aux questions de journalistes internationaux au cours d'un forum mondial sponsorisé par le centre du président Carter au siège de CNN à Atlanta ; signé la loi « De l'école au travail » ; félicité Rabin et Arafat pour leur accord sur la gestion du transfert de Gaza et de Jéricho ; fait campagne à la Chambre des représentants pour qu'elle vote une interdiction des armes meurtrières, applaudi à son vote par deux voix d'avance, malgré une opposition farouche de la NRA ; annoncé que les États-Unis augmenteraient leur aide à l'Afrique du Sud après ses premières élections dans les règles et qu'Al et Tipper Gore, Hillary, Ron Brown et Mike Espy prendraient la tête de notre délégation à l'entrée en fonctions du président Mandela ; organisé une réunion à la Maison Blanche pour souligner les problèmes des femmes privées d'assurance maladie ; renforcé les sanctions contre Haïti à cause de la poursuite des assassinats et des mutilations des partisans d'Aristide par le général Raoul Cédras ; nommé Bill Gray, chef du United Negro College Fund et ancien président de la Commission du budget à la Chambre, conseiller spécial pour Haïti auprès de Warren Christopher et de moi-même ; et été poursuivi en justice par Paula Jones.

Paula Jones avait fait sa première apparition publique au mois de février précédent à la convention du Comité de l'action politique conservatrice à Washington, où Cliff Jackson l'avait présentée, soi-disant pour qu'elle puisse « défendre son honneur ». Selon l'article de David Brock dans *American Spectator* se fondant sur les allégations de gendarmes de l'Arkansas, on m'accusait d'avoir retrouvé une femme dans la suite d'un hôtel de Little Rock. Ladite femme avait ensuite confié au gendarme qui l'y avait conduite qu'elle voulait être « ma petite amie ». Si l'article n'évoquait qu'une dénommée Paula sans préciser son nom de famille, Jones, prétendait que sa famille et ses amis l'avaient reconnue. Elle affirmait vouloir défendre son honneur, mais au lieu de poursuivre le *Spectator* pour diffamation, elle m'accusa de harcèlement sexuel et déclara que, après avoir repoussé mes avances, elle avait été privée des augmentations de salaire annuelles normalement accordées aux fonctionnaires de l'État. À l'époque, elle était employée de bureau à la Commission du développement industriel de l'Arkansas. Les débuts de Jones avec Cliff Jackson ne firent tout d'abord pas l'objet d'une grande publicité, mais le 6 mai, deux jours avant l'expiration de la prescription, elle m'intenta un procès en réclamant sept cent mille dollars de dommages et intérêts pour mon prétendu harcèlement.

Avant qu'elle ne porte plainte, le premier avocat de Jones avait pris contact avec un homme de Little Rock qui appela mon bureau pour nous apprendre que, selon l'avocat, son affaire ne tenait pas la route et que si je versais cinquante mille dollars à Jones et l'aidais, elle et son mari Steve, qui se révéla un farouche ennemi conservateur, à décrocher des emplois à Hollywood, elle ne m'intenterait pas de procès. Je n'ai pas payé, parce que je ne l'avais pas harcelée et que, contrairement à son autre allégation, elle avait obtenu son augmentation de salaire annuelle. Désormais, il fallait que j'engage un autre avocat pour me défendre, le procureur de New York Bob Bennett.

J'ai consacré la plus grande partie du reste du mois de mai à faire campagne pour les propositions de santé et d'interdiction des armes dans tout le pays, mais mes occupations ne se sont pas résumées à cela. L'événement de loin le plus heureux de cette période fut la venue au monde le 12 mai de Tyler Cassidy Clinton, le fils de Roger et de Molly.

Le 18, j'ai ratifié une importante loi de réforme Head Start à laquelle les secrétaires Shalala et Riley avaient beaucoup travaillé ; elle augmentait de plus d'un tiers le nombre des enfants pauvres bénéficiant du programme préscolaire, améliorait la qualité des services destinés à des enfants de moins de 3 ans.

Le lendemain, j'accueillais le Premier ministre de l'Inde, P. V. Narasimha Rao, à la Maison Blanche. La guerre froide et une diplomatie maladroite avaient trop longtemps maintenu des distances entre les États-Unis et l'Inde. Avec une population frôlant le milliard d'habitants, l'Inde était la plus grande démocratie du monde. Au cours des trente années précédentes, des tensions avec la Chine avaient favorisé son rapprochement avec l'Union soviétique, pendant que la guerre froide poussait les États-Unis dans le camp de son voisin le Pakistan. Depuis leur indépendance, les deux nations étaient plongées dans un rude conflit apparemment sans fin autour du Cachemire, région à dominante musulmane située au nord de l'Inde. Avec la fin de la guerre froide, je pensais avoir une occasion et même une obligation d'améliorer les rapports entre l'Inde et les États-Unis.

Le principal point de friction était le conflit entre nos tentatives pour limiter la propagation des armes nucléaires et la volonté qu'avait l'Inde de les développer, ce que les Indiens considéraient comme un moyen de dissuasion nécessaire face à l'arsenal nucléaire de la Chine et une condition préalable à son accession au statut de puissance mondiale. Le Pakistan avait également développé un programme nucléaire, ce qui créait une situation dangereuse dans le sous-continent indien. Selon moi, les arsenaux nucléaires de l'Inde et du Pakistan fragilisaient leur sécurité, mais les Indiens ne voyaient pas la chose de cet œil, et ils étaient bien décidés à ne pas laisser les États-Unis entraver ce qu'ils considéraient comme leur prérogative légitime de poursuivre leur programme nucléaire. Malgré tout, les Indiens souhaitaient autant que moi améliorer nos rapports. Si nous n'avons pas réglé nos différends, le Premier ministre Rao et moi avons brisé la glace et écrit un nouveau chapitre des relations indo-américaines, lesquelles ont continué à se réchauffer pendant mes deux mandats et après.

Le jour de ma rencontre avec le Premier ministre Rao, Jackie Kennedy Onassis mourut après une longue bataille contre le cancer. Elle n'avait que 64 ans. Jackie, la plus discrète de nos figures publiques, restait pour beaucoup une image d'élégance, de grâce et de douleur. Pour ceux qui avaient la chance de la connaître, elle était ce qu'elle semblait être en bien mieux – une femme brillante, débordante de vie, une bonne mère et une amie fidèle. Je savais combien elle manquerait à ses enfants, John et Caroline, et à son compagnon Maurice Tempelsman. Elle manquerait également à Hillary, pour qui elle avait été une source d'encouragement constant, de sages conseils et une vraie amie.

Fin mai, je devais décider s'il fallait ou non étendre la clause de nation la plus favorisée à la Chine. Cette expression un peu trompeuse recouvrait des rapports commerciaux normaux sans barrières douanières supplémentaires. L'Amérique avait déjà un considérable déficit commercial avec la Chine, qui augmenterait avec les années puisque les États-Unis achetaient annuellement entre 35 et 40 % d'exportations chinoises. Après les violences de la place Tiananmen et l'écrasement des dissidents qui a suivi, les Américains de tous bords ont eu le sentiment que l'administration Bush avait trop rapidement rétabli des relations normales avec Pékin. Pendant la campagne pour les élections, j'avais critiqué la politique du président Bush et, en 1993, j'avais publié un décret présidentiel exigeant des progrès sur divers plans dont l'émigration, les droits de l'homme et le travail forcé avant d'étendre le statut de nation la plus favorisée à la Chine. En mai, Warren Christopher m'envoya un rapport où il précisait que tous les cas d'émigration avaient été résolus, que nous avions signé un mémorandum d'accord sur la gestion des problèmes de travaux forcés et que, pour la première fois, la Chine avait annoncé qu'elle adhérerait à la Déclaration universelle des droits de l'homme. En revanche, poursuivait Christopher, la Chine violait encore les droits de l'homme en arrêtant et en détenant des dissidents politiques pacifiques et en réprimant les traditions religieuses et culturelles du Tibet.

La Chine était extrêmement sensible à toute ingérence extérieure dans ses affaires politiques. Les dirigeants chinois estimaient également qu'ils faisaient leur possible en matière de changement avec leur programme de modernisation de l'économie, à l'origine d'importantes migrations de populations des provinces intérieures vers les villes côtières prospères. Comme notre engagement avait eu des résultats positifs, j'ai décidé avec le soutien unanime de mes conseillers en politique étrangère et en économie, de lui accorder le statut de nation la plus favorisée et, à l'avenir, de cesser de lier droits de l'homme et commerce. Les États-Unis avaient tout intérêt à intégrer la Chine dans la communauté mondiale. Des échanges commerciaux plus soutenus assureraient davantage de prospérité aux citoyens chinois ; davantage de contacts avec le monde extérieur ; plus de coopération pour des problèmes comme la Corée-du-Nord, où nous en avions besoin ; une plus grande adhésion aux règles du droit international et, nous l'espérions, des progrès dans le domaine de la liberté individuelle et des droits de l'homme.

La première semaine de juin, Hillary et moi sommes partis pour l'Europe afin de commémorer le cinquantième anniversaire du débarquement du 6 juin 1944. Notre voyage commença par Rome avec une visite au Vatican pour voir le pape et une rencontre avec le nouveau Premier ministre italien, Silvio Berlusconi, qui venait de former une coalition comprenant un parti d'extrême droite avec des relents de fascisme. Bien qu'il ne fût pas complètement remis d'une fracture de la jambe, Sa Sainteté le pape Jean-Paul II évoqua avec vigueur les problèmes mondiaux, de la question de savoir si on pouvait faire respecter la liberté religieuse en Chine à l'éventualité d'une coopération avec des pays musulmans modérés, en passant par nos différends quant aux moyens de limiter l'explosion démographique et de promouvoir un développement durable dans les pays pauvres.

À certains égards, Berlusconi était le premier homme politique de l'ère de la télévision : charismatique, volontaire et bien décidé à remettre de l'ordre dans une vie politique italienne connue pour son instabilité. Ses détracteurs l'accusaient de tenter d'imposer un ordre néofasciste en Italie, ce qu'il réfutait avec force. Je fus satisfait de l'entendre affirmer sa volonté de préserver la démocratie et les droits de l'homme, d'entretenir les liens historiques de l'Italie avec les États-Unis et de s'acquitter des responsabilités de l'Italie au sein de l'OTAN en Bosnie.

Le 3 juin, j'ai prononcé un discours dans le cimetière américain de Nettuno. D'innombrables rangées de pierres tombales en marbre rappelaient les noms de 7 862 soldats enterrés en ce lieu. Les noms de trois mille autres Américains dont le corps n'a jamais été retrouvé sont inscrits dans la chapelle voisine. Tous sont morts trop jeunes pour libérer l'Italie. Comme c'était là que mon père s'était battu.

Le lendemain nous étions en Angleterre, à la base aérienne de Mildenhall près de Cambridge, où nous attendait un autre cimetière américain avec cette fois les noms de 3 812 aviateurs, soldats et marins qui avaient été basés ici, ainsi qu'un autre mur du souvenir portant les noms de cinq mille disparus, dont deux qui n'étaient jamais revenus de leur survol de la Manche : Joe Kennedy Jr., l'aîné des enfants Kennedy, dont tout le monde pensait qu'il deviendrait le politicien de la famille, et Glenn Miller, le chef d'orchestre dont la musique enthousiasmait les foules dans les années 1940. L'orchestre de l'aviation a joué *Moonlight Serenade*, le morceau fétiche de Miller, j'ai eu du mal à retenir mes larmes.

Après une rencontre avec John Major aux Chequers, la résidence campagnarde du Premier ministre datant du XVe siècle, Hillary et moi avons assisté à un dîner grandiose à Portsmouth, où on m'avait placé à côté de la reine. Sa grâce et son intelligence m'ont séduit, comme son art d'évoquer habilement les problèmes publics, en m'interrogeant sans jamais aller jusqu'à exprimer ses propres points de vue politiques, ce qui lui est interdit. Je pense que, née dans d'autres circonstances, Sa Majesté aurait pu être une politicienne ou une diplomate de talent. En l'état, elle était les deux sans jamais sembler être l'un ou l'autre.

Après le dîner, nous avons été invités à bord du yacht royal, le HMS *Britannia*, ce qui nous a procuré le plaisir de passer du temps avec la reine mère qui, à 93 ans, gardait sa vivacité et sa séduction avec son regard lumineux. Le lendemain matin, la veille du jour J, nous avons tous assisté au Drumhead Service, la cérémonie religieuse en l'honneur des forces combattantes. La princesse Diana qui était séparée mais pas divorcée du prince Charles y assistait aussi. Après nous avoir salués, Hillary et moi, elle est allée serrer des mains dans la foule, visiblement ravie de la voir. Pendant le peu de temps que j'ai passé avec Charles et Diana, j'ai appris à les apprécier tous les deux, et j'ai regretté que la vie n'ait pas été plus généreuse avec eux.

Après l'office, nous sommes remontés à bord du *Britannia* pour déjeuner avant de commencer la traversée de la Manche au milieu d'une énorme flotte de bateaux. Puis nous avons pris congé de la famille royale afin de rejoindre le porte-avions *George Washington* pour le reste du trajet. Hillary et moi avons eu le plaisir de partager le dîner de quelques-uns des six mille marins et Marines à bord avant que je ne me retire pour travailler à mes discours.

Le jour J, j'ai prononcé des discours à la pointe du Hoc, à Utah Beach et au cimetière américain de Colleville-sur-Mer devant des foules d'anciens combattants de la Seconde Guerre mondiale.

J'ai aussi fait une promenade sur Utah Beach avec trois vétérans dont l'un avait reçu la médaille d'honneur (la plus haute distinction américaine) pour son héroïsme en ce jour décisif, un demi-siècle plus tôt. C'était la première fois qu'il revenait. Il m'a raconté que nous nous tenions pratiquement à l'endroit exact où il avait atterri en 1944. Puis, désignant la plage, il m'a expliqué que son frère avait touché terre à quelques centaines de mètres de là. « C'est drôle les hasards de la vie. J'ai été décoré et mon frère est mort », me dit-il. « Et il vous manque encore, n'est-ce pas ? » Je n'oublierai jamais sa réponse : « Chaque jour depuis cinquante ans. »

Pendant la cérémonie, j'ai été présenté à Joe Dawson de Corpus Christi au Texas qui, jeune capitaine, avait été le premier officier à atteindre le sommet des impressionnantes falaises normandes sous un feu allemand nourri. Près de neuf mille quatre cents Américains sont morts le jour J, dont trente-trois couples de frères, un père et son fils, et onze hommes venus de la minuscule ville de Bedford en Virginie. Ceux qui avaient survécu et venaient de revenir sur le théâtre de leur triomphe « ont peut-être le pas un peu moins vif et sont de moins en moins nombreux. Mais n'oublions jamais que, lorsqu'ils étaient jeunes, ces hommes ont sauvé le monde ».

Le lendemain, j'étais à Paris pour rencontrer le maire Jacques Chirac, m'adresser à l'Assemblée nationale au Palais-Bourbon et assister à un dîner offert par le président François Mitterrand à l'Élysée. Le dîner avec François Mitterrand se termina autour de minuit et je fus surpris qu'il nous demande si nous aimerions voir le Nouveau Louvre, la superbe création de l'architecte sino-américain I. M. Pei. Mitterrand était âgé de 73 ans et en mauvaise santé, mais il tenait absolument à nous montrer le dernier chef-d'œuvre en date de la France. À notre arrivée sur place avec le Président et l'ambassadrice américaine Pamela Harriman, Hillary et moi avons découvert que notre guide n'était autre que Pei lui-même. Nous avons admiré la magnifique pyramide de verre, les anciens bâtiments restaurés et les ruines romaines qu'on avait retrouvées pendant plus d'une heure et demie. Mitterrand s'employa avec une énergie époustouflante à compléter le récit de Pei pour être sûr que nous ne rations rien

Le dernier jour de notre voyage en Europe serait consacré à une visite privée à Oxford, où on me remettrait un diplôme *honoris causa*. C'était une de ces parfaites journées printanières. Le soleil brillait, une brise soufflait, et les arbres et les glycines étaient en fleurs. Après avoir brièvement fait allusion au jour J, j'ai enchaîné : « L'Histoire ne nous offre pas toujours de croisades grandioses, mais elle nous ouvre toujours des portes. » Et elles étaient nombreuses sur le plan national et international : restaurer la croissance économique, étendre la portée de la démocratie, mettre fin à la destruction de l'environnement, construire une nouvelle sécurité en Europe et mettre un terme à la « propagation des armes nucléaires et du terrorisme ». Hillary et moi venions de passer une semaine inoubliable, mais il était temps de rentrer pour pousser ces « portes ».

Le lendemain de mon retour, la Commission du travail et des ressources humaines du sénateur Kennedy renvoyait après examen un projet de réforme de la couverture sociale. C'était la première fois qu'une loi prévoyant une couverture universelle passait le cap d'une commission. Un Républicain, Jim Jeffords du Vermont, avait voté pour. Il m'encouragea à continuer à tendre la main aux Républicains. Selon lui, avec un ou deux amendements qui n'abîmeraient pas l'essence de la proposition, nous avions des chances de recueillir quelques voix de plus.

Notre euphorie ne dura pas. Deux jours après, Bob Dole, après m'avoir dit que nous arriverions à un compromis, annonça qu'il bloquerait toute loi de réforme du système de santé et ferait de mon programme un des problèmes clés des élections du Congrès en novembre. Quelques jours plus tard, on rapportait que Newt Gingrich avait déclaré que la stratégie républicaine consisterait à renvoyer le projet de loi dans les limbes, en votant contre tout amendement visant à l'améliorer. Et il tint parole. Le 30 juin, la Commission du budget rejetait un projet de couverture universelle sans une seule voix républicaine.

Les leaders républicains avaient reçu une note de William Kristol, ancien secrétaire général du vice-président Dan Quayle, qui les exhortait à enterrer toute réforme du système de santé. Kristol disait que les Républicains ne pouvaient se permettre de laisser passer quoi que ce soit ; un succès en matière de santé représenterait « une grave menace pour le Parti républicain », alors que son renvoi serait un « revers monumental pour le Président ». Fin mai, lors du congé de Memorial Day, les dirigeants républicains du Congrès décidèrent d'adopter la position de Kristol. Je n'étais pas surpris que Gingrich suive la ligne dure de Kristol ; son objectif était de remporter la majorité à la Chambre et de pousser le pays à droite. En revanche, Dole s'intéressait vraiment au système de santé et savait que nous avions besoin de le réformer. Mais il se présentait à la présidentielle. Il lui suffisait de convaincre quarante et un de ses collègues républicains de faire obstruction et nous étions fichus.

Le 21 juin, j'ai transmis au Congrès un projet de réforme de l'aide sociale rédigé par Donna Shalala, Bruce Reed et leur équipe de haut vol visant à faire de l'aide sociale « une seconde chance, non un mode de vie ». Ce projet était le fruit de mois de consultations avec chacun des groupes d'intérêts touchés, des gouverneurs aux bénéficiaires de l'aide sociale. La loi exigeait des bien portants de reprendre le travail au bout de deux ans d'aide sociale, pendant lesquels le gouvernement leur aurait fourni éducation et formation. S'il n'y avait pas de poste disponible dans le secteur privé, le bénéficiaire serait tenu d'accepter un poste subventionné par l'État.

D'autres dispositions étaient destinées à garantir que les bénéficiaires ne s'en sortiraient pas plus mal en travaillant qu'ils ne l'avaient fait avec l'aide sociale, le texte prévoyant davantage d'argent pour faire appliquer le versement des pensions alimentaires et la poursuite d'une couverture de santé et d'alimentation pendant une période de transition grâce à Medicaid et au programme de coupons alimentaires. Ces changements, en plus de l'importante réduction d'impôts pour les ouvriers à bas salaires votée en 1993, seraient amplement suffisants pour rendre des emplois même à bas salaires plus séduisants que l'aide sociale. Bien entendu, si nous faisions voter la réforme du système de santé, les ouvriers les moins bien payés bénéficieraient d'une couverture sociale permanente et non plus temporaire et la réforme de l'aide sociale rencontrerait encore plus de succès.

J'ai également proposé de mettre fin à une disposition perverse du système actuel aux termes de laquelle les jeunes mères adolescentes recevaient davantage d'aide si elles s'installaient seules au lieu de continuer à vivre chez leurs parents en poursuivant leurs études. Et j'ai exhorté le Congrès à durcir la loi d'application des pensions alimentaires pour obliger les parents absents à financer davantage du chiffre astronomique de trente-quatre milliards de dollars de pensions alimentaires ordonnées par les tribunaux mais toujours impayées. La secrétaire Shalala avait déjà accordé à plusieurs États des dérogations à des lois fédérales existantes pour appliquer nombre de ces réformes et cela produisait des résultats. Le taux d'aide sociale chutait déjà nettement.

Juin fut un grand mois pour les affaires étrangères. J'ai durci les sanctions contre Haïti ; Hillary et moi avons donné un dîner en l'honneur de l'empereur et de l'impératrice du Japon, deux êtres extrêmement intelligents et charmants ; j'ai aussi reçu le roi Hussein de Jordanie et rencontré les présidents de

Hongrie, de Slovaquie et du Chili. Mais le plus gros problème de politique internationale restait la Corée-du-Nord.

Comme je l'ai dit, la Corée-du-Nord avait empêché des inspections de l'IAEA qui voulaient s'assurer qu'elle ne faisait pas un mauvais usage des barres déjà utilisées et enrichies au plutonium pour produire des armes nucléaires. En mars, à l'arrêt des inspections, j'avais promis de réclamer des sanctions de l'ONU contre la Corée-du-Nord et refusé d'exclure une action militaire. La situation s'aggrava après. En mai, la Corée-du-Nord avait vidangé un réacteur afin d'empêcher les inspecteurs de le contrôler convenablement et de déterminer quel usage avait été fait de ce qui avait été vidangé.

Le président Carter m'appela le 1er juin pour m'annoncer qu'il aimerait se rendre en Corée-du-Nord afin de tenter de résoudre le problème. J'ai dépêché l'ambassadeur Bob Gallucci, qui s'occupait de cette affaire, à Plains en Géorgie afin de briefer Carter sur la gravité des violations nord-coréennes. Cela ne le découragea pas et, après avoir consulté Al Gore et mon équipe de sécurité nationale, j'ai décidé que cela valait le coup d'essayer. Environ trois semaines plus tôt, j'avais reçu une estimation des pertes effroyables que subiraient les deux camps si une guerre éclatait. Cela donnait à réfléchir. Comme j'étais en Europe pour le jour J, Al Gore appela Carter pour lui dire que je ne voyais pas d'objection à son voyage en Corée-du-Nord à condition que le président Kim Il-Sung comprenne que je n'accepterais de lever les sanctions que si la Corée-du-Nord laissait travailler les inspecteurs, acceptait de geler son programme nucléaire et s'engageait à de nouveaux pourparlers avec les États-Unis sur la construction d'un avenir non nucléaire.

Le 16 juin, le président Carter téléphona de Pyongyang, puis donna une interview en direct sur CNN où il disait que Kim n'expulserait pas les inspecteurs de son complexe nucléaire tant que l'on ferait des tentatives de bonne foi pour résoudre les différends en matière d'inspection internationale. Carter déclara ensuite que du fait de ce « pas en avant très positif », notre administration devait alléger les sanctions et entamer des négociations de haut niveau avec la Corée-du-Nord. J'ai répondu que si la Corée-du-Nord était prête à geler son programme nucléaire, nous reprendrions les discussions, mais que, selon moi, il n'était pas clair si la Corée-du-Nord était d'accord.

Fort de mon expérience, je n'étais guère disposé à faire confiance à la Corée-du-Nord et je maintiendrais la menace des sanctions tant que nous n'aurions pas une confirmation officielle du changement de politique de la Corée. Moins d'une semaine après, nous l'avions, lorsque le président Kim m'envoya une lettre confirmant ce qu'il avait déclaré à Carter et acceptant nos autres conditions préalables à des discussions. J'ai répondu que les États-Unis étaient disposés à entamer des pourparlers avec la Corée-du-Nord à Genève le mois suivant et que, pendant qu'ils auraient lieu, nous suspendrions nos sanctions.

Fin juin, j'ai annoncé plusieurs changements au sein de notre équipe. J'espérais qu'ils nous permettraient de mieux affronter notre programme législatif chargé et les élections prévues dans quatre mois. Quelques semaines plus tôt, Mack McLarty avait annoncé qu'il était temps pour lui de changer de fonctions. Il avait pris pas mal de coups à cause de l'histoire du service des déplacements et avait eu droit à d'incessants articles critiquant nos prises de décision. Mack me suggéra de nommer Leon Panetta au poste de secrétaire général parce qu'il comprenait bien les rouages du Congrès et de la presse, et saurait mener son monde. Mack me fit part de son désir de tenter d'établir un rapprochement avec les Républicains modérés et les Démocrates conservateurs du Congrès, et de s'occuper de nos préparatifs pour le sommet des Amériques prévu à Miami en décembre.

J'estimais que Mack avait fait du meilleur boulot que certains ne le pensaient, en gérant une équipe réduite avec une charge de travail plus lourde et en jouant un rôle central dans nos victoires pour le plan économique et l'ALENA. Comme le remarquait souvent Bob Rubin, Mack avait su créer une atmosphère collégiale au sein de la Maison Blanche et avec le cabinet, chose que n'avaient jamais réussie de nombreuses administrations précédentes. Cet environnement nous avait permis de mener beaucoup de projets à bien tant au Congrès qu'avec les agences gouvernementales. Cela avait également favorisé le débat libre et ouvert qui nous avait valu des critiques, mais qui, vu la complexité et la nouveauté de nombre de nos défis à relever, menait à de meilleures décisions.

En outre, je doutais que nous puissions faire grand-chose, à part réduire les fuites, pour éviter le battage médiatique négatif. Le professeur Thomas Patterson, une autorité en ce qui concerne le rôle des médias dans les élections, venait de publier un livre important, *Out of Order*, qui m'aida à mieux comprendre ce qui se passait et ne plus prendre les critiques trop à cœur. La thèse de Patterson était que la couverture médiatique des campagnes présidentielles est devenue progressivement plus négative au cours des vingt dernières années, depuis que la presse en est venue à se considérer comme le « médiateur » entre les candidats et le public, avec la responsabilité d'expliquer aux électeurs comment ils devraient juger les candidats. En 1992, Bush, Perot et moi avions eu droit à davantage de couverture négative que positive.

Dans l'édition de 1994 de sa postface à *Out of Order*, Patterson écrivait qu'après les élections de 1992, pour la première fois, les médias avaient appliqué leurs préjugés négatifs contre la campagne à leur couverture de l'administration. À présent, disait-il, la couverture médiatique d'un président « dépend moins de ses performances réelles que du cynisme des médias. La presse exagère presque toujours le négatif et minimise le positif ». Par exemple, le Centre des médias et des affaires publiques qui est sans parti pris a dit que, pour ma gestion des problèmes de politique intérieure, la couverture était négative à 60 % et se polarisait sur les promesses de campagne non tenues, alors que, comme l'écrivait Patterson, j'avais respecté des « dizaines » d'engagements de campagne et que j'étais un président qui « aurait dû avoir la réputation de tenir ses promesses », en partie en l'emportant au Congrès par 88 % des votes, un record qui n'avait été battu que par Eisenhower en 1953 et Johnson en 1965. Patterson concluait que le battage médiatique négatif avait réduit non seulement ma cote de popularité, mais aussi le soutien du public pour mes programmes, dont la réforme du système de santé, et avait ainsi « énormément nui à la présidence Clinton et à l'intérêt national ».

L'été 1994, l'ouvrage de Thomas Patterson m'aida à comprendre que je ne pouvais pas faire grand-chose pour modifier la couverture médiatique. Si tel était le cas, il fallait que j'apprenne à mieux la gérer. Mack McLarty n'avait jamais réclamé le poste de secrétaire général et Leon Panetta était disposé à relever le défi. Il avait déjà établi à l'OMB un record qu'il serait difficile de battre – nos deux premiers budgets avaient été les premiers à être adoptés à temps par le Congrès en dix-sept ans ; ces budgets garantiraient trois ans d'affilée de réduction du déficit pour la première fois depuis la présidence de Truman et, peut-être le plus impressionnant, ils seraient à l'origine de la première réduction des dépenses nationales discrétionnaires en vingt-cinq ans, tout en continuant à dégager des augmentations des enveloppes pour l'éducation, le programme Head Start, la formation professionnelle et les nouvelles technologies. Au poste de secrétaire général, peut-être Leon pourrait-il faire savoir plus clairement ce que nous avions fait et ce que nous tentions d'accomplir pour l'Amérique. Je lui ai donc confié ces fonctions et j'ai nommé Mack conseiller du Président, avec la description de poste qu'il avait recommandée.

CHAPITRE TRENTE-NEUF

C'est au mois de juin que Robert Fiske a entrepris sa première démarche concrète. Devant la multiplication des questions soulevées par les médias et les Républicains au Congrès sur la mort de Vince Foster, il a décidé d'ouvrir une enquête indépendante. J'étais heureux qu'il examine le dossier. La machine à scandales essayait à toute force de fabriquer des scoops à partir de rien. Peut-être l'enquête allait-elle mettre un terme aux rumeurs et permettre à la famille de Vince de respirer un peu.

En des circonstances moins tragiques, certaines allégations et mises en scène auraient été comiques. Parmi la meute de ceux qui clamaient que Foster avait été assassiné, le plus bruyant et le plus sentencieux était le représentant républicain de l'Indiana Dan Burton. S'étant proposé de démontrer qu'il était impossible que Vince se soit suicidé, Burton s'était muni d'une pastèque qu'il avait disposée dans l'arrière-cour de sa maison et dans laquelle il avait tiré un coup de revolver. Qu'essayait-il au juste de démontrer par cette mise en scène absurde ? Je ne l'ai jamais compris.

Hillary et moi-même avons été interrogés par Robert Fiske. Au cours de l'entretien, il s'est montré direct et professionnel, ce qui m'a convaincu que l'investigation serait menée de manière rigoureuse et permettrait d'arriver à des conclusions rapides. Le 30 juin, Fiske a publié les premiers résultats de son enquête sur la mort de Vince, ainsi que les fameuses conversations entre Bernie Nussbaum et Roger Altman, qui avaient fait l'objet d'un énorme battage médiatique. Sur les circonstances de la mort, Fiske avait conclu au suicide. Par ailleurs, il ressortait de son enquête qu'il n'existait aucune preuve d'un lien quelconque entre le décès de Vince et l'affaire Whitewater, et que Nussbaum et Altman n'avaient pas mal agi.

À partir de ce moment, Fiske est devenu l'objet du dédain des Républicains conservateurs et de leurs alliés dans les médias. Déjà, le *Wall Street Journal* avait encouragé la presse à se montrer encore plus agressive en publiant des articles critiques sur Hillary et moi plus tard « démentis par des faits nouveaux ». Dans les médias et au Congrès, certains conservateurs ont commencé à réclamer la démission de Fiske. Le sénateur Lauch Faircloth de Caroline du-Nord figurait parmi les plus virulents d'entre eux, et avait pour le soutenir un nouveau collaborateur, David Bossie, ancien partenaire de Floyd Brown à Citizens United, ce groupe de recherche de droite, qui avait déjà répandu tant de mensonges à mon propos.

Le jour même où Fiske a publié ses premières conclusions, j'ai enfoncé un autre clou dans mon cercueil en signant la nouvelle législation sur les procureurs indépendants. Cette loi permettait à Fiske d'être réintégré dans ses fonctions au cas où la « division spéciale » de la cour d'appel du District de Columbia déciderait de lui retirer le dossier pour nommer un autre procureur, ce qui était possible en théorie et aurait ramené l'ensemble de la procédure à son point de départ. Aux termes de la loi, les juges de la division spéciale devaient alors être nommés par le président de la Cour suprême, c'est-à-dire le juge Rehnquist, dont le passé de militant républicain ultraconservateur était connu. On pouvait légitimement supposer que, depuis sa nomination à la Cour suprême, ses convictions étaient demeurées les mêmes.

Je souhaitais que Fiske soit récusé parce que son enquête avait précédé cette loi, mais d'après notre nouveau responsable des affaires législatives, Pat Griffin, les Démocrates craignaient que ce ne soit pas une bonne idée. Pour Lloyd Cutler, l'indépendance de Fiske ne faisant aucun doute, il n'y avait aucune raison de penser que l'on pourrait vouloir le remplacer. Lloyd est allé jusqu'à jurer devant Hillary qu'il « mangerait son chapeau » si une telle chose arrivait.

Début juillet, je suis retourné en Europe pour le sommet du G7 à Naples. Je me suis d'abord arrêté à Riga, en Lettonie, pour y rencontrer les dirigeants des Républiques baltes et fêter le départ des troupes russes de Lituanie et de Lettonie, que nous avions contribué à accélérer en fournissant un grand nombre de bons de logement aux officiers russes qui souhaitaient rentrer chez eux. Il restait des soldats russes en Estonie. Le président Lennart Meri, un cinéaste qui s'était toujours opposé à la domination russe sur son pays, était déterminé à les faire partir aussi vite que possible. La rencontre s'est achevée par une cérémonie devant le monument de la Liberté à Riga. J'ai été accueilli par une foule d'environ quarante mille personnes qui agitaient des drapeaux en signe de gratitude pour le soutien indéfectible de l'Amérique à leur liberté nouvellement acquise.

L'étape suivante a été Varsovie, où j'ai rencontré le président Lech Walesa et réaffirmé ma détermination à soutenir l'entrée de la Pologne dans l'OTAN. Walesa avait acquis la stature d'un véritable héros. Cet homme qui, dix ans plus tôt, avait été à la tête de la révolte des ouvriers des chantiers navals de Gdansk contre le communisme s'était naturellement imposé comme le nouveau dirigeant de la Pologne libérée. Profondément méfiant à l'égard de la

Russie, il souhaitait voir la Pologne rejoindre l'OTAN aussi rapidement que possible. Il désirait également que l'Amérique multiplie ses investissements en Pologne. Le pays avait besoin de plus de « généraux américains » pour assurer son avenir, disait-il, à commencer par deux d'entre eux : « General Motors et General Electric ».

Le soir, Walesa a reçu à dîner les représentants de l'ensemble des sensibilités politiques du pays. J'ai suivi avec le plus grand intérêt une discussion animée entre Mme Walesa, oratrice fougueuse et mère de huit enfants, et un parlementaire, qui était également cultivateur de pommes de terre. Tandis qu'elle s'attaquait avec véhémence au communisme, son interlocuteur soutenait que les agriculteurs se portaient mieux sous le régime communiste. Pendant un instant, j'ai cru qu'ils allaient en venir aux mains. J'ai tenté d'apporter ma contribution au débat en faisant remarquer au parlementaire que, même sous le communisme, les exploitations polonaises étaient aux mains de propriétaires privés dont les communistes se contentaient d'acheter les produits pour les revendre ensuite en Ukraine et en Russie. Tout en reconnaissant que j'avais raison sur ce point, il soutenait néanmoins qu'à l'époque du régime communiste, il parvenait toujours à écouler ses récoltes et à en retirer un bon prix. J'ai répondu que le régime sous lequel il avait vécu n'était pas totalement communiste comme en Russie et qu'il n'avait pas connu la collectivisation. Puis, j'ai expliqué le fonctionnement du système américain et souligné que les économies de marché prospères comportaient toujours une forme de coopération quelconque, dans le marketing ou par le biais de politiques de soutien aux prix. Malgré tout le cultivateur demeurait sceptique et Mme Walesa inflexible. Si c'est à l'existence de débats d'idées libres et sans contrainte que l'on reconnaît la démocratie, il ne faisait aucun doute qu'elle s'était bien implantée en Pologne.

Ma première journée au sommet de Naples a été consacrée à l'Asie. Kim Il-Sung était décédé la veille, au moment même où les pourparlers avec la Corée-du-Nord reprenaient à Genève, ce qui rendait l'avenir de notre accord avec ce pays incertain. La conclusion de l'accord mettait également en jeu les intérêts d'un autre participant au sommet : le Japon. Les tensions entre le Japon et la Corée dataient d'avant la Seconde Guerre mondiale. Le fait que la Corée-du-Nord possédait des armes nucléaires était une forte incitation à développer un arsenal de dissuasion pour le Japon, une mesure à laquelle les Japonais refusaient de se résoudre en raison de leur propre passé. Le nouveau Premier ministre japonais, Tomiichi Murayama qui était devenu le premier Premier ministre socialiste en rejoignant une coalition avec le Parti libéral démocrate, m'a assuré que notre solidarité sur le dossier nord-coréen demeurerait intacte. Par respect pour le décès de Kim Il-Sung, les pourparlers de Genève ont été interrompus pendant un mois.

Parmi les décisions les plus importantes qui ont été prises à Naples figuraient la mise en place d'un programme d'aide à l'Ukraine et l'inclusion future de la Russie dans les pourparlers politiques des prochains sommets. L'entrée de la Russie dans ce prestigieux cénacle a donné un grand coup de pouce à Boris Eltsine et aux autres réformateurs du pays qui soutenaient un rapprochement avec l'Ouest. Eltsine étant toujours d'une compagnie agréable, la mesure promettait par ailleurs d'ajouter un surcroît d'intérêt à nos rencontres futures.

Chelsea, Hillary et moi avons beaucoup aimé Naples et, après la clôture du sommet, nous avons pris un jour pour visiter Pompéi. Les Italiens y avaient réalisé un travail magnifique pour reconstituer la ville engloutie par les cendres d'une éruption volcanique en 79 après J.-C. Nous avons pu admirer des fresques dont les couleurs avaient gardé toute leur richesse, dont certaines étaient des versions antiques d'affiches politiques. Nous avons également vu des stands à ciel ouvert où l'on vendait des collations, qui évoquaient d'anciennes versions des fast-foods de notre époque, ainsi que les restes de certains corps que les cendres avaient étonnamment bien conservés. Parmi ces derniers, il y avait notamment celui d'un homme gisant à côté de sa femme enceinte. Sa main était posée sur le visage de sa compagne et d'autres enfants étaient couchés à leurs côtés. Ce tableau rappelait avec force à quel point la vie humaine était fragile et éphémère.

La dernière étape de notre voyage en Europe a été l'Allemagne. Helmut Kohl nous a fait découvrir sa ville natale, Ludwigshafen. Enfin, un avion m'a emmené sur notre base aérienne de Ramstein, où j'ai visité nos troupes, dont une grande partie devait quitter l'armée sous peu suite à la compression des effectifs entraînée par la fin de la guerre froide. Les hommes et les femmes en poste à Ramstein, à l'instar de leurs homologues à Naples, ne m'aient tous parlé que d'un seul problème de politique intérieure : le système de santé. La plupart d'entre eux avaient des enfants, et en tant que membres de l'armée, ils n'avaient jamais eu à s'inquiéter de leur couverture médicale. Maintenant qu'ils étaient sur le point de quitter l'armée, ils appréhendaient leur retour dans un pays qui ne couvrirait plus les frais médicaux de leurs enfants en raison de la diminution des effectifs militaires.

Berlin était en pleine effervescence, couverte de chantiers et hérissée de grues. La ville se préparait à recouvrer son rôle de capitale dans une Allemagne désormais réunifiée. En compagnie de Helmut Kohl, Hillary et moi avons franchi la magnifique porte de Brandebourg et avons marché le long de l'ancien emplacement du Mur. Le président Kennedy et le président Reagan avaient prononcé des discours historiques devant cette porte du côté ouest du Mur. Et voilà qu'à mon tour j'étais debout sur un podium, du côté est de la ville réunifiée, face à une foule enthousiaste de cinquante mille Allemands, qui comportait de nombreux jeunes gens. Les questions qu'ils se posaient sur leur avenir étaient bien différentes aujourd'hui de celles qui tourmentaient leurs parents.

J'ai exhorté les Allemands à mener l'Europe vers une plus grande unité. Dans cette entreprise, ai-je déclaré en allemand, « l'Amérique sera à vos côtés aujourd'hui et pour toujours ». Longtemps, la porte de Brandebourg était demeurée un symbole de l'époque à laquelle elle avait été construite, un monument à la gloire de la tyrannie et de la conquête. En ce jour, elle repre-nait le sens que ses bâtisseurs avaient voulu lui donner : celui d'une porte ouverte sur l'avenir.

Lors de mon retour en Amérique, le travail de politique étrangère reprit. La répression accrue en Haïti avait provoqué un nouvel afflux de *boat people* et provoqué l'interruption du trafic aérien. À la fin du mois, le Conseil de sécurité de l'ONU avait approuvé l'envoi de troupes pour mettre un terme à la dictature. Une telle mesure semblait de plus en plus inévitable.

Le 22 juillet, j'ai annoncé une forte augmentation de l'aide d'urgence aux réfugiés au Rwanda et la création d'une base militaire américaine en Ouganda afin de permettre l'acheminement continu de colis humanitaires vers les innombrables camps de réfugiés massés à la frontière rwandaise. J'ai également donné des instructions aux militaires pour assurer la mise en place d'un système d'approvisionnement en eau potable et sa distribution à ceux qui étaient exposés au choléra et à d'autres maladies. J'ai aussi annoncé que les États-Unis feraient parvenir vingt millions de kits de réhydratation par voie orale dans les deux jours suivants afin d'aider à enrayer la progression de l'épidémie de choléra. En l'espace d'une semaine, nous avions acheminé plus de mille trois cents tonnes de nourriture, de médicaments et d'autres produits de première nécessité, et nous assurions la production et la distribution de plus de 378 000 litres d'eau potable par jour. L'ensemble de ces mesures a mobilisé environ quatre mille hommes de troupe et coûté près de cinq cents millions de dollars. En dépit de l'ampleur des massacres, elles ont permis de sauver de nombreuses vies.

Le 25 juillet, le roi Hussein de Jordanie et le Premier ministre israélien Yitzhak Rabin ont signé la déclaration de Washington, par laquelle ils proclamaient officiellement la fin de l'état de belligérance entre leurs deux pays et s'engageaient à négocier un traité de paix global. Ils étaient en pourparlers secrets depuis quelque temps, et Warren Christopher avait travaillé dur afin de faciliter leur réconciliation. Le lendemain, les deux leaders ont pris la parole devant une session conjointe du Congrès, puis nous avons tous trois réaffirmé lors d'une conférence de presse notre volonté d'arriver à une paix globale impliquant tous les intervenants du conflit au Moyen-Orient.

L'accord entre Israël et la Jordanie formait un contraste marqué avec les attaques terroristes récentes qui avaient frappé des institutions juives à Buenos Aires, Panama et Londres, lesquelles avaient toutes été attribuées au Hezbollah. Le Hezbollah était armé par l'Iran et soutenu par la Syrie dans la conduite d'opérations depuis le Sud-Liban. Comme le processus de paix ne pouvait être finalisé sans un accord entre Israël et la Syrie, les activités du Hezbollah représentaient un sérieux obstacle à son accomplissement. J'avais appelé le président Assad pour lui parler de la proclamation faite par Israël et la Jordanie, lui demander de la soutenir, et l'assurer qu'Israël et les États-Unis souhaitaient toujours que les négociations avec son pays aient une issue favorable. Rabin a laissé la porte ouverte à des pourparlers avec la Syrie en disant que les Syriens pouvaient limiter les activités du Hezbollah, mais non y mettre un terme. Le roi Hussein, quant à lui, a déclaré que l'ensemble du monde arabe, et pas seulement la Syrie, devait suivre l'exemple de la Jordanie et se réconcilier avec Israël.

J'ai clos la conférence de presse en disant que, par leur démarche, le roi Hussein et Yitzhak Rabin avaient « répandu un souffle de paix sur le monde entier ». Boris Eltsine venait juste de m'informer que lui-même et le président

Meri s'étaient mis d'accord pour que toutes les troupes russes aient quitté l'Estonie au 31 août.

En raison des températures élevées qui règnent à Washington au mois d'août, les membres du Congrès ont coutume de quitter la ville. En 1994, cependant, il est resté en session pratiquement tout le mois pour travailler sur la criminalité et le système de santé. Le Sénat et la Chambre avaient approuvé deux versions du projet de loi sur la lutte contre la criminalité. Ce dernier prévoyait une augmentation des effectifs de la police municipale à hauteur de cent mille agents, des sanctions plus sévères pour les récidivistes et une augmentation des fonds alloués à la construction de prisons et aux programmes de prévention destinés à réduire la criminalité parmi les jeunes.

Lorsque la Commission de liaison législative s'est réunie pour harmoniser les projets votés par le Sénat et la Chambre, les Démocrates ont inclus l'interdiction des armes d'assaut dans le projet de compromis. Comme je l'ai dit plus haut, l'interdiction avait été acceptée à la Chambre dans le cadre d'un autre dossier, par une courte majorité de deux voix et en dépit de l'opposition virulente de la National Rifle Association. Ayant déjà essuyé un échec sur la loi Brady, la NRA était déterminée à ne pas se laisser faire cette fois-ci. Ses membres voulaient que les Américains conservent leur droit de « détenir et porter » des armes conçues dans le seul but de tuer. Leur puissance de feu rapide et leur contenance élevée en munitions étaient destinées à remplir un objectif unique : faire un maximum de victimes en un minimum de temps. Ces armes étaient efficaces : leurs victimes avaient trois fois plus de chances de mourir que celles qui étaient touchées par des balles tirées depuis un revolver classique.

Les membres de la commission ont décidé d'intégrer l'interdiction dans le projet de loi sur la criminalité car nous avions une majorité évidente pour l'interdiction au Sénat, mais nous n'avions pas les soixante votes nécessaires pour briser les manœuvres d'obstruction parlementaire de certains partisans de la NRA. Or les Démocrates au sein de la commission savaient qu'il serait bien plus difficile de faire obstruction au projet de loi dans son ensemble que si nous présentions l'interdiction des armes d'assaut seule. Cette stratégie présentait toutefois un problème : elle contraignait les Démocrates issus de circonscriptions rurales favorables au port d'armes à se prononcer à nouveau sur l'interdiction des armes d'assaut, ce qui risquait de faire échouer le vote du projet dans son ensemble et de mettre en péril leurs sièges s'ils votaient en sa faveur.

Le 11 août, la Chambre a rejeté le nouveau projet de loi sur la lutte contre la criminalité par 225 voix contre 210 dans le cadre d'un vote procédural. Cinquante-huit Démocrates ont voté contre et seulement 11 Républicains ont voté pour. Quelques-uns des votes démocrates négatifs provenaient de libéraux opposés à l'extension de la peine capitale prévue dans le projet de loi, mais la plupart de ceux qui nous ont fait défaut étaient des partisans de la NRA. Un important groupe d'élus républicains avaient déclaré qu'ils soutiendraient le projet, y compris la clause d'interdiction des armes d'assaut, mais estimaient que les dépenses prévues au projet, en particulier celles qui étaient consacrées aux programmes de prévention, étaient trop importantes. Nous nous retrouvions en difficulté sur un dossier qui représentait l'un des engagements majeurs que j'avais pris au cours de ma campagne, et je devais faire quelque chose pour tenter d'inverser la tendance.

Le lendemain, devant l'Association nationale des officiers de police à Minneapolis, en présence des maires de Minneapolis et de Saint Paul, du maire de New York Rudy Giuliani, et du maire de Philadelphie Ed Rendell, j'ai tenté de présenter le problème sous l'égide d'un choix entre le camp de la police et des citoyens d'une part, et celui de la NRA de l'autre. Nous n'en étions tout de même pas au point où le seul moyen de sauver des sièges au Congrès était de mettre en danger la sécurité de la police et du peuple américain !

Trois jours plus tard, au cours d'une cérémonie qui se tenait dans la roseraie de la Maison Blanche, les enjeux de ce débat ont été présentés d'une manière bien plus concrète par Steve Sposato, un homme d'affaires républicain dont la femme avait été tuée au cours d'un massacre orchestré par un maniaque muni d'un fusil d'assaut dans l'immeuble de bureaux de San Francisco, où elle travaillait. Sposato, qui avait amené avec lui sa petite fille Megan, a lancé un appel très émouvant en faveur de l'interdiction des armes d'assaut.

Le projet de loi a de nouveau été soumis au vote un peu plus tard dans le courant du mois. Contrairement à la refonte du système de santé, les négociations bipartites sur la loi de lutte contre la criminalité se déroulaient dans un climat ouvert et franc. Cette fois-ci, nous l'avons emporté par 235 voix contre 195. Nous avions récupéré près de 20 voix républicaines en nous engageant à réduire substantiellement les dépenses que prévoyait le projet. Parallèlement, nous étions parvenus à convaincre quelques Démocrates libéraux de changer leur vote en mettant en avant les programmes de prévention du projet. Enfin, quelques élus démocrates venus de circonscriptions favorables au port d'armes se sont résolus à voter pour le projet. Quatre jours plus tard, le sénateur Joe Biden réussit à faire voter le projet au Sénat par 61 voix contre 38. Six Républicains ont approuvé les votes nécessaires pour briser les manœuvres d'obstruction. Les retombées de la nouvelle législation de lutte contre la criminalité ont été extrêmement positives. Elle a permis d'enregistrer la baisse régulière du taux de criminalité la plus importante qui ait jamais été constatée.

Juste avant que ce projet de loi passe devant la Chambre, le président de la Chambre, Tom Foley et le chef de la majorité, Dick Gephardt avaient fait une dernière tentative pour me convaincre de retirer la clause d'interdiction des armes d'assaut du projet. Ils disaient que de nombreux élus démocrates issus de circonscriptions étroitement divisées avaient déjà émis des votes difficiles sur mon programme économique et défié la NRA une fois sur la loi Brady ; si nous les forcions à être sur la corde raide une fois de plus, nous risquions de faire échouer le projet de loi dans son ensemble. Dans cette éventualité, de nombreux Démocrates ayant voté pour le projet risquaient de ne pas survivre au scrutin de novembre. Le président de la Commission judiciaire de la Chambre, Jack Brooks, du Texas, avançait les mêmes arguments. Brooks faisait partie de la Chambre depuis plus de quarante ans et c'était l'un des élus que je préférais. La circonscription qu'il représentait fourmillait d'adhérents à la

NRA, et pourtant il avait été le chef de file de la campagne pour l'interdiction des armes d'assaut lors de son premier passage au Congrès. Jack était persuadé que si nous ne renoncions pas à cette clause d'interdiction, la NRA parviendrait à battre un grand nombre de Démocrates en terrorisant les propriétaires d'armes.

Même si les arguments de Foley, de Gephardt et de Brooks me préoccupaient, j'étais persuadé que, sur leur propre terrain, les élus démocrates à la Chambre étaient capables de sortir victorieux d'un débat avec la NRA. Dale Bumpers et David Pryor trouveraient les mots justes pour expliquer leur vote aux citoyens de l'Arkansas. Quant au sénateur Howell Heflin, de l'Alabama, il avait élaboré une explication ingénieuse pour justifier son soutien à la clause d'interdiction des armes d'assaut. Il n'avait jamais voté pour le contrôle des armes à feu, et son argumentation consistait à dire que pas une seule personne de sa connaissance ne possédait l'un des dix-neuf modèles d'armes d'assaut interdites par la clause du projet de loi sur la lutte contre la criminalité, qui par ailleurs, interdisait expressément les restrictions sur la possession de centaines de modèles d'armes courants.

C'était là un discours convaincant, mais tout le monde n'était pas capable d'en faire autant que Howell Heflin. Foley, Gephardt et Brooks avaient raison, et j'avais tort. Pour obtenir une Amérique plus sûre, nous allions devoir sacrifier un grand nombre de ceux qui la défendaient.

Peut-être en demandais-je trop au Congrès, au pays et à mon administration. Au cours de ma conférence de presse du 19 août, un journaliste m'a posé une question très pertinente : « Avez-vous songé qu'en tant que président élu avec 43 % des suffrages, vous tentiez peut-être de faire trop de choses trop vite ? [...] Vous êtes-vous demandé si vous n'étiez pas en train d'outrepasser votre mandat en forçant le vote de tant de lois avec aussi peu de soutien de la part des Républicains ? » Nous avions beau avoir accompli beaucoup de choses, je m'étais en effet posé cette question. La réponse ne devait pas tarder à arriver.

Tandis que nous remportions la victoire avec la loi sur la criminalité, nous accumulions les échecs sur le dossier du système de santé. Début août, George Mitchell a proposé un compromis qui prévoyait d'étendre les pourcentages des assurés à 95 %, sans mandat de leur employeur, laissant ouverte la possibilité de l'introduction d'un tel mandat et d'une couverture de 100 % de la population pour plus tard au cas où nous ne parvenions pas à l'imposer dans la version initiale du projet de loi. J'ai annoncé que je soutenais le projet de Mitchell le lendemain, et nous avons commencé à récolter l'adhésion de quelques Républicains modérés. Mais leur soutien fut inutile. Dole était déterminé à faire avorter toute tentative de réforme importante. Le jour de l'adoption du projet de loi sur la lutte contre la criminalité, le Sénat a suspendu ses séances pour une durée de quinze jours, et aucune nouvelle action sur le système de santé n'a été entreprise. En dépit de ses efforts, Dole n'était pas parvenu à faire échouer le projet de loi sur la lutte contre la criminalité, mais il avait réussi à faire dérailler le système de santé.

L'autre grande nouvelle du mois d'août concernait l'affaire Whitewater. Après ma signature de la législation sur les procureurs indépendants, le juge Rehnquist a nommé le juge David Sentelle à la tête de la division spéciale responsable, aux termes de la nouvelle loi, de désigner les procureurs indépendants. Ultraconservateur, le juge Sentelle était également un protégé du sénateur Jesse Helmes. Ce dernier avait dénoncé à hauts cris l'influence des « gauchistes hérétiques » qui, d'après lui, voulaient transformer l'Amérique en « un État collectiviste, égalitaire, matérialiste, conscient des différences raciales, hyperlaïc et socialement permissif ». Il y avait au sein de cette commission d'enquête constituée de trois membres, un autre juge conservateur. Ainsi, Sentelle pouvait agir comme il l'entendait.

Le 5 août, le juge Sentelle a renvoyé Robert Fiske et l'a remplacé par Kenneth Starr, ancien juge à la cour d'appel et ex-adjoint au département de la Justice sous l'administration Bush. Contrairement à Fiske, Starr n'avait pas d'expérience du travail de procureur. Cependant, il avait un atout bien plus considérable : il était bien plus conservateur et plus partial que Fiske. Dans une déclaration laconique, le juge Sentelle annonçait que le remplacement de Fiske par Starr était destiné à assurer « une apparence d'indépendance » à la procédure, que Fiske n'était pas en mesure de garantir en raison de ses « liens avec l'administration en place ». L'argument était parfaitement absurde. Fiske était républicain, et la seule chose qui le liait au gouvernement en place, c'était sa nomination par Janet Reno à un poste qu'il n'avait rien fait pour obtenir. Il aurait suffi que la division spéciale renouvelle sa nomination pour dissiper tout soupçon de prétendue « affiliation » avec notre administration.

Au lieu de cela, l'équipe du juge Sentelle a désigné un magistrat dont le parti pris n'était pas seulement apparent, mais bel et bien criant d'évidence. Starr avait soutenu ouvertement les poursuites engagées par Paula Jones et était allé jusqu'à intervenir à la télévision pour proposer de rédiger un rapport en sa faveur pour la cour. Cinq anciens présidents de l'Association du barreau américain ont réprouvé la nomination du juge Starr en raison de son parti pris politique évident. Le *New York Times* a fait de même, après que l'on eut découvert que le juge Sentelle avait déjeuné avec le plus important détracteur de Robert Fiske, le sénateur Lauch Faircloth, et Jesse Helms à peine deux semaines avant la nomination de Starr. Les trois convives ont déclaré qu'il s'étaient tout simplement réunis pour parler de problèmes de prostate.

Évidemment, Starr n'avait pas la moindre intention de se retirer. C'est précisément à cause de son parti pris contre moi qu'il avait été choisi et qu'il avait accepté cette fonction. Il en ressortait une bien étrange définition de ce qu'est un procureur « indépendant » : c'était quelqu'un qui devait être indépendant vis-à-vis de moi, mais qui avait parfaitement le droit d'être proche de mes ennemis politiques et de mes adversaires juridiques.

La nomination de Starr constituait un épisode sans précédent. Par le passé, on s'était efforcé de faire en sorte d'assurer que les procureurs spéciaux ne soient pas seulement indépendants, mais aussi équitables et respectueux de l'institution présidentielle. Leon Jaworski, le procureur spécial chargé d'enquêter sur l'affaire du Watergate, était un Démocrate conservateur qui avait soutenu la réélection du président Nixon en 1972. Lawrence Walsh, procureur chargé d'enquêter sur l'Irangate, était un Républicain de l'Oklahoma qui avait soutenu le président Reagan. Je n'avais jamais souhaité que l'enquête sur l'affaire Whitewater devienne un « match à domicile », pour reprendre les termes de Doug Sosnik, mais j'estimais du moins avoir le droit d'être jugé en terrain neutre. Ce droit ne devait pas m'être accordé. Puisqu'il n'y avait rien à tirer de Whitewater, le seul moyen de retourner l'enquête contre moi était de la transformer en un long « match à l'extérieur ». Robert Fiske était trop équitable et trop rapide pour s'acquitter de cette mission. Il devait partir.

Lloyd Cutler n'a pas mangé son chapeau, mais moins d'une semaine après la nomination de Kenneth Starr, il a lui-même quitté notre administration, ayant rempli son engagement de servir brièvement. Je l'ai remplacé par Abner Mikva, de l'Illinois, ancien membre du Congrès et ex-juge de cour d'appel, dont la réputation était irréprochable et qui avait une vision très lucide des forces contre lesquelles nous devions lutter. J'ai déploré qu'après une carrière si longue et si brillante, Lloyd ait été amené à comprendre que les gens qu'il pensait connaître et en qui il pensait pouvoir avoir confiance ne jouaient pas selon les mêmes règles que lui.

Dès que le Congrès eut quitté la ville, nous sommes repartis pour Martha's Vineyard. Hillary et moi avions besoin d'un peu de repos. Al Gore aussi. Quelques jours plus tôt, il s'était déchiré le tendon d'Achille au cours d'une partie de basket-ball. C'était une blessure douloureuse, qui nécessitait une longue convalescence. Al devait en sortir encore plus fort qu'auparavant, car il avait profité de son immobilité forcée pour travailler ses muscles avec des haltères. Entre-temps, appuyé sur des béquilles, il s'est rendu dans quarante États et quatre pays étrangers, notamment en Égypte, où il est parvenu à la signature d'un compromis sur l'épineuse question du contrôle de la croissance démographique au sommet du Caire sur le développement durable. Il a également continué à superviser l'initiative « Réinventer les gouvernements ». À la mi-septembre, nous avions déjà réalisé quarante-sept millions de dollars d'économies, suffisamment pour financer l'intégralité de la loi sur la lutte contre la criminalité, conclu un accord avec les constructeurs automobiles afin de développer une « voiture propre », réduit le formulaire de demande de crédit SBA de cent pages à une seule, réformé la FEMA afin d'en faire non plus l'agence fédérale la moins populaire, mais la plus admirée, grâce à James Lee Witt, et économisé plus de un million de dollars en annulant des projets de travaux, non nécessaires prévus sous Roger Johnson par la General Services Administration. Décidément, Al Gore s'en tirait plutôt bien avec une seule jambe en état de marche.

La semaine que nous avons passée à Martha's Vineyard a été intéressante à plus d'un titre. Vernon Jordan a organisé une partie de golf avec Warren Buffett et Bill Gates, l'homme le plus riche d'Amérique. Je les appréciais tous les deux et j'étais particulièrement impressionné par les convictions de Buffett, un Démocrate pur et dur qui croyait aux droits civiques, à une fiscalité équitable et au droit des femmes à l'avortement.

La soirée la plus mémorable en ce qui me concerne a été un dîner chez Bill et Rose Styron, où les invités d'honneur étaient le grand écrivain mexicain

Carlos Fuentes et mon héros dans la littérature, Gabriel García Márquez. García Márquez était ami avec Fidel Castro qui, tentant d'exporter certains des problèmes de son pays chez nous, était sur le point de déclencher un exode massif de Cubains vers les États-Unis, dont l'ampleur rappelait l'exode de Mariel qui m'avait causé tant de difficultés en 1980. Des milliers de Cubains, prenant des risques immenses, s'étaient embarqués sur de petits esquifs et des rafts pour rejoindre la Floride.

García Márquez était opposé à l'embargo américain sur Cuba et a tenté de me convaincre d'y renoncer. Je lui ai répondu que je ne lèverais pas l'embargo, mais que je soutenais le *Cuban Democracy Act* qui donnait au Président la marge de manœuvre nécessaire pour améliorer les relations avec Cuba à condition que le pays se dirige vers davantage de démocratie et de liberté. Je lui ai également demandé de dire à Fidel Castro que si l'afflux de réfugiés cubains se poursuivait, la réaction des États-Unis risquait d'être fort différente que celle du président Carter en 1980. « Fidel Castro m'a déjà coûté une élection, il n'en aura pas deux », ai-je conclu. J'ai fait passer le même message par l'intermédiaire du président mexicain, M. Salinas, qui avait de bonnes relations de travail avec Fidel Castro. Peu de temps après, les États-Unis sont arrivés à un accord avec Cuba, aux termes duquel Fidel Castro s'engageait à enrayer l'exode des Cubains vers notre pays, en échange de quoi les États-Unis acceptaient d'accueillir vingt mille Cubains de plus par les voies d'immigration normales. Fidel Castro a fidèlement observé cet accord jusqu'à la fin de mon mandat. Par la suite, García Márquez a pu s'enorgueillir en plaisantant d'être le seul homme comptant à la fois Fidel Castro et Bill Clinton parmi ses amis.

Après s'être entretenu avec moi de la situation à Cuba, Gabriel García Márquez a passé la plus grande partie de la soirée à parler avec Chelsea, qui lui avait dit qu'elle avait lu deux de ses livres. Il m'a confié par la suite qu'il n'imaginait pas qu'une adolescente de 14 ans pouvait comprendre ses livres, et que c'était la raison pour laquelle il s'était lancé dans une discussion approfondie avec elle sur *Cent ans de solitude*. Il a été tellement impressionné que, plus tard, il m'a envoyé une collection complète de ses romans.

Les seules affaires dont je me suis occupé pendant ces vacances concernaient l'Irlande. J'ai accordé un visa à Joe Cahill, âgé de 73 ans, un héros pour les Républicains irlandais. En 1973, Cahill avait été condamné pour trafic d'armes en Irlande. Il a continué à promouvoir la violence pendant des années encore. Je lui ai donné un visa parce qu'il désirait désormais s'engager pour favoriser la paix parmi les partisans américains de l'IRA, dans le cadre d'un accord dont l'objectif ultime était l'annonce d'un cessez-le-feu par l'IRA. Cahill est arrivé en Amérique le 30 août. Le lendemain, l'IRA a annoncé une cessation complète des violences, ouvrant ainsi la voie à la participation du Sinn Fein aux pourparlers de paix. Ce fut une victoire pour Gerry Adams et le gouvernement irlandais.

À notre retour, nous nous sommes installés à Blair House pour trois semaines, pendant que l'on réparait le système d'air conditionné de la Maison Blanche. Une restauration de grande ampleur, pierre par pierre, de la façade extérieure vieille de près de deux cents ans, avait été entamée sous l'adminis-

tration Reagan et elle n'était pas encore terminée. Pendant toute la durée de
mon premier mandat, une partie de la Maison Blanche a été couverte d'écha-
faudages.

Notre famille appréciait toujours beaucoup les moments passés à Blair
House, et ce séjour prolongé ne faisait pas exception à la règle, même s'il nous
a fait rater un épisode dramatique qui s'est déroulé juste en face de Blair
House, à la Maison Blanche. Le 12 septembre, un homme saoul et amer s'est
emparé d'un petit avion et a mis le cap sur le centre-ville de Washington et la
Maison Blanche. Son intention était probablement de se suicider en percutant
le bâtiment, ou en atterrissant sur la pelouse sud, à la manière du jeune pilote
allemand sur la place Rouge quelques années auparavant. Malheureusement,
son petit Cessna a touché le sol trop tard pour atterrir normalement. L'appareil
a été projeté au-dessus de la haie, a rebondi au pied du magnolia géant à l'ouest
de l'entrée et a terminé sa course en percutant le grand socle de pierre de la
Maison Blanche. Le pilote est mort sur le coup. Quelques années plus tard, un
autre homme armé d'un pistolet a escaladé la grille de la Maison Blanche avant
d'être blessé et arrêté par les officiers en tenue des services secrets. La Maison
Blanche attirait décidément bien d'autres personnes que des hommes politiques
ambitieux.

Au mois de septembre, la crise en Haïti a atteint son apogée. La terreur
que le général Cédras faisait régner sur le pays avait redoublé d'horreur, les
hommes exécutaient des orphelins, violaient des jeunes filles, tuaient des prêtres,
mutilaient des gens en laissant des fragments de corps humains à découvert
pour terroriser la population, tailladaient à la machette le visage de mères sous
les yeux de leurs enfants. À l'époque, je travaillais à la mise en place d'une
solution pacifique depuis deux ans, et j'en avais assez. Plus d'un an auparavant,
Cédras avait signé un accord dans lequel il s'engageait à renoncer au pouvoir
Mais quand le moment fut venu pour lui de partir, il refusa.

Il était temps de le jeter dehors, mais l'opinion publique et le Congrès y
étaient fortement opposés. Je bénéficiai du soutien des élus noirs et des sénateurs Tom Harkin et Chris Dodd, mais les Républicains y étaient fermement
hostiles et la plupart des Démocrates, notamment George Mitchell estimaient
que je les menais au bord d'un nouveau précipice, sans avoir le soutien de
l'opinion publique ou l'autorisation du Congrès. Même les membres de mon
administration étaient divisés. Al Gore, Warren Christopher, Bill Gray, Tony
Lake et Sandy Berger étaient pour. Bill Perry et le Pentagone ne l'étaient pas.
Néanmoins, ils travaillaient à mettre au point un plan d'invasion au cas où je
leur donnerais l'ordre de passer à l'action.

Il me semblait que nous devions aller de l'avant. Les retombées de la
situation en Haïti affectaient notre pays, des innocents étaient massacrés, et
nous dépensions déjà une petite fortune pour prendre soin des réfugiés haïtiens.
Les Nations unies soutenaient unanimement l'expulsion de Cédras.

Le 16 septembre, j'ai fait une dernière tentative pour éviter une invasion.
J'ai envoyé le président Carter, Colin Powell et Sam Nunn en Haïti pour
tenter de convaincre le général Cédras et ses partisans dans l'armée et au Parlement d'accepter pacifiquement le retour d'Aristide et le départ de Cédras du

pays. Pour des raisons différentes, Carter, Colin et Sam étaient opposés à l'utilisation de la force pour rétablir Aristide au pouvoir. Le Carter Center avait appuyé la victoire massive d'Aristide aux élections, mais le président Carter avait noué des relations avec Cédras et considérait que l'engagement d'Aristide envers la démocratie était douteux. Nunn était opposé au retour d'Aristide avant la tenue d'élections parlementaires, car il ne lui faisait pas confiance pour protéger les droits des minorités en l'absence d'une force susceptible de contrebalancer son influence au Parlement. Powell pensait que seule l'armée et la police pouvaient gouverner Haïti, et que ces derniers ne coopéreraient jamais avec Aristide.

Comme les événements l'ont montré, leurs arguments n'étaient pas dépourvus de fondement. Haïti était profondément divisé sur le plan économique et politique, ne possédait aucune expérience préalable de la démocratie, pas de classe moyenne significative et un appareil institutionnel trop fragile pour pouvoir assurer la gestion d'un État moderne. Même si le retour d'Aristide se passait sans heurt, il n'était pas exclu qu'il échoue à pacifier le pays. Il n'en restait pas moins qu'il avait été massivement élu et que Cédras et ses acolytes étaient en train de tuer des innocents. Nous pouvions au moins mettre un terme à ce carnage.

En dépit de leurs réserves, les trois hommes se sont engagés à transmettre fidèlement mes positions. Ils souhaitaient éviter une intervention américaine, qui risquait d'aggraver la situation. Tandis que Nunn parlait à des parlementaires haïtiens, Powell a clairement fait comprendre aux dirigeants militaires du pays ce qui se passerait si les États-Unis envoyaient des troupes, et Carter s'occupait de Cédras.

Le lendemain, je me suis rendu au Pentagone pour faire le point sur le plan d'invasion avec le général Shalikashvili et les chefs d'état-major au Pentagone et, par téléconférence, avec l'amiral Paul David Miller qui dirigeait l'ensemble des opérations et le lieutenant général Hugh Shelton, chef du 18e Corps aéroporté chargé de faire entrer nos troupes sur l'île. Le plan d'invasion était une opération unifiée mettant en jeu l'ensemble des corps de l'armée. Deux porte-avions stationnaient dans les eaux de Haïti, le premier chargé de forces d'intervention spéciales et le second des soldats de la 10e division des chasseurs alpins. Plusieurs avions de l'Air Force étaient prêts à assurer le renfort aérien. Les Marines devaient investir Cap Haïtien, la deuxième ville de l'île. Des avions transportant des parachutistes de la 18e division aéroportée, stationnés en Caroline-du-Nord, devaient lâcher les hommes au-dessus de l'île au début de l'intervention. Les troupes d'élite du Navy SEAL [*Sea, Air, Land, i.e.* Mer, Air, Terre] débarqueraient les premières pour quadriller des zones déterminées à l'avance. Un essai réalisé le matin avait montré qu'ils pourraient sortir de l'eau et arriver à terre sans encombre. La majeure partie des troupes et des véhicules devant être embarquée pour Haïti et débarquée sur les rivages de l'île par roulage, l'opération avait été baptisée « RoRo », abréviation de *roll-on, roll-off.* Une fois la mission terminée, le processus serait inversé. Aux troupes de l'armée américaine s'ajoutaient des renforts venus des vingt-cinq pays qui avaient rejoint la coalition des Nations unies.

Alors que l'échéance de l'attaque approchait, le président Carter m'a appelé pour me demander de lui donner un peu plus de temps pour convaincre Cédras de partir. Carter voulait à tout prix éviter une intervention armée. ma position n'était pas différente : Haïti n'avait aucun potentiel militaire, la partie était gagnée d'avance. Je lui ai donc accordé un délai de trois heures, tout en précisant clairement qu'un accord avec Cédras devait impérativement inclure une passation de pouvoir immédiate à Aristide. Il était hors de question que Cédras dispose d'une minute de plus pour assassiner des enfants, violer des jeunes filles et défigurer des mères. Nous avions déjà dépensé deux cents millions de dollars pour prendre soin des réfugiés haïtiens qui avaient quitté leur pays, je voulais qu'ils puissent rentrer chez eux en toute sécurité.

Tandis que le délai de trois heures touchait à sa fin, une foule en colère s'est massée devant le bâtiment de Port-au-Prince où les Américains continuaient de parlementer. Chaque fois que le président Carter me contactait, c'était pour me transmettre une proposition d'accord différente qui, à chaque fois, avait pour conséquence de permettre à Cédras de rogner un peu de temps sur l'échéance de la passation de pouvoir à Aristide. Je les ai toutes rejetées. En dépit du danger qui les menaçait à l'extérieur même du bâtiment et de l'imminence de l'intervention armée, Carter, Powell et Nunn ont poursuivi leurs efforts pour tenter de convaincre Cédras. En vain. Carter m'a demandé de prolonger le délai que je lui avais accordé jusqu'à dix sept heures. L'arrivée des parachutistes était prévue à environ dix-neuf heures, juste après la tombée de la nuit. Si les trois hommes étaient encore sur les lieux à cette heure, la foule rassemblée dans la rue risquait de les mettre en danger.

À 17 heures 30, ils n'étaient toujours pas partis et leur sécurité était déjà compromise car Cédras savait que les opérations militaires avaient commencé. Il avait fait surveiller l'espace aérien au-dessus de la base de Caroline-du-Nord et savait que les soixante et un avions qui transportaient nos parachutistes avaient décollé. J'ai appelé le président Carter pour lui dire de quitter immédiatement les lieux avec Colin et Sam. Les trois hommes ont adressé un ultime appel au chef nominatif du pays, le président Émile Jonassaint, âgé de quatre-vingt-un ans. Ce dernier déclara qu'en dernière instance il choisissait la paix plutôt que la guerre. Lorsque tous les membres du cabinet à l'exception d'un seul se rangèrent à cette position, Cédras finit par céder. J'ai donc donné l'ordre à nos avions de faire demi-tour. Moins d'une heure plus tard, le ciel de Port-au-Prince aurait été rempli de parachutes.

Le lendemain, sous la conduite du général Shelton, les premières unités du corps multinational d'intervention sont entrées en Haïti sans que le moindre coup de feu soit tiré. Shelton était un homme impressionnant. Il mesurait près de 1 m 90, avait un visage aux traits marqués et parlait avec un accent traînant du Sud. Il avait beau avoir quelques années de plus que moi, il sautait encore régulièrement en parachute avec ses hommes. Par sa seule apparence, on l'aurait cru capable de déposer Cédras à lui tout seul. Je lui avais rendu visite peu de temps auparavant à Fort Bragg, après qu'un avion se fut écrasé à la base aérienne voisine de Pope, causant la mort de plusieurs hommes. Les portraits de deux grands généraux de la Confédération durant la guerre de Sécession, Robert E. Lee et Stonewall Jackson, étaient suspendus aux murs de son bureau. En regardant le débarquement de Shelton à la télévision, j'ai fait remarquer à l'un de mes collaborateurs que l'Amérique avait parcouru bien du chemin lorsqu'un homme qui révérait Stonewall Jackson était devenu le libérateur de Haïti.

Cédras s'engagea à coopérer avec le général Shelton et à quitter le pouvoir avant le 15 octobre, dès que la loi d'amnistie générale requise par l'accord prévu par l'ONU aurait été votée. Bien qu'il m'ait pratiquement fallu faire revenir de force Carter, Powell et Nunn, ils avaient fait preuve de courage dans leur mission, en intervenant dans une situation délicate et qui aurait pu être dangereuse. Grâce à d'incessants efforts diplomatiques et à un déploiement de force immédiat, les effusions de sang avaient pu être évitées. Désormais, il appartenait à Aristide d'honorer son engagement : dire « non à la violence, non à la vengeance, oui à la réconciliation ». Comme c'est bien souvent le cas de tels engagements, celui-ci allait s'avérer bien plus facile à formuler qu'à mettre en pratique.

Le rétablissement de la démocratie en Haïti s'étant effectué sans incidents, les retombées négatives que redoutaient les Démocrates n'ont pas eu lieu. Nous aurions dû aborder les élections à venir avec optimisme : l'économie produisait deux cent cinquante mille nouveaux emplois par mois, le chômage était descendu de plus de 7 % à moins de 6 %, le déficit était en régression, nous avions fait voter des textes importants sur la lutte contre la criminalité, l'éducation, le service civil national, le commerce et les congés familiaux, et j'avais avancé à grands pas dans notre programme de politique extérieure concernant la Russie, l'Europe, la Chine, le Japon, le Moyen-Orient, l'Irlande du Nord, la Bosnie et Haïti. Mais en dépit de toutes ces initiatives et des résultats qu'elles avaient permis d'obtenir, nous étions en difficulté alors que seulement six semaines nous séparaient de l'échéance électorale. Beaucoup de gens n'avaient pas encore ressenti concrètement les effets positifs des progrès économiques, personne ne croyait que le déficit était réellement en train de régresser, la plupart des gens n'étaient pas conscients des victoires que nous avions remportées sur le plan législatif et n'étaient pas au courant ou ne s'intéressaient pas aux progrès accomplis en politique extérieure. Par ailleurs, les Républicains, les médias et les groupements d'intérêts qui les soutenaient m'avaient attaqué sans relâche en me présentant comme un libéral acharné qui voulait les mettre sur la paille à force d'impôts, et la couverture médiatique en général était majoritairement mauvaise.

L'institut d'études Center for Media and Public Affairs a publié un rapport établissant que durant les seize premiers mois de mon mandat, il y avait en moyenne cinq commentaires négatifs par jour dans les bulletins d'information de soirée, bien plus que le premier président Bush n'en avait récolté durant les deux premières années de son mandat. Selon le directeur du centre, Robert Lichter, j'avais « le malheur d'être devenu président à l'aube de l'ère du règne du journalisme agressif et des tabloïds ». Il y avait certaines exceptions, évidemment. Jacob Weisberg a écrit : « Parmi les chefs que l'exécutif a connus récemment, Bill Clinton est celui qui a été le plus fidèle à ses engagements. » Il remarquait que si les électeurs n'avaient pas vraiment confiance en moi, c'était en partie parce que les médias n'avaient cessé de leur répéter que je n'étais pas digne de confiance. Dans *Newsweek*, Jonathan Adler a écrit : « En moins de deux ans, Bill Clinton a déjà plus accompli sur le terrain de la politique intérieure que John F. Kennedy, Gerald Ford, Jimmy Carter et George Bush réunis. Même si Richard Nixon et Ronald Reagan ont bien souvent réussi à faire faire ce qu'ils voulaient au Congrès, le *Congressional Quarterly* rapporte que c'est Bill Clinton qui totalise le plus de succès législatifs depuis Lyndon Johnson. Les critères d'évaluation de la réussite d'une politique sur le plan intérieur ne devraient pas être la cohérence d'un processus, mais la manière dont la vie quotidienne des gens s'en trouve concrètement affectée et changée. À l'aune de ce critère, Bill Clinton s'en tire très bien. »

Weisberg avait peut-être raison, mais le cas échéant, le secret était bien gardé.

CHAPITRE QUARANTE

Alors que septembre touchait à sa fin, les choses n'ont fait qu'empirer. Le commissaire délégué au base-ball, Bud Selig, a annoncé que la grève des joueurs était dans une impasse et qu'il annulait le reste de la saison ainsi que les rencontres internationales, pour la première fois depuis 1904. J'ai demandé à Bruce Lindsey, qui m'avait aidé à résoudre le conflit des compagnies aériennes, d'essayer de trouver une solution. J'ai même invité les représentants des joueurs et des propriétaires de club à la Maison Blanche, mais rien n'y a fait. Si les grandes rencontres de notre sport national étaient annulées, c'est qu'aucune solution ne se profilait.

Le 26 septembre, George Mitchell a officiellement jeté l'éponge sur la question de la réforme du système de santé. Le sénateur Chafee avait continué à travailler avec lui, mais il n'avait pu rameuter suffisamment de Républicains pour contrer l'obstruction systématique du sénateur Dole. Les trois cents millions de dollars que le lobby des compagnies d'assurance et autres avaient dépensés afin d'empêcher la réforme avaient été bien investis. Je me suis contenté de déclarer que j'allais réessayer l'année suivante.

Même si je sentais depuis des mois que nous étions battus, j'étais déçu. Et j'étais triste que Hillary et Ira Magaziner prennent de plein fouet cet échec parfaitement injuste. Tout d'abord, nos propositions ne correspondaient en rien au grand cauchemar gouvernemental dont parlaient les campagnes publicitaires des compagnies d'assurance santé ; ensuite, Hillary et Ira ne pouvaient mieux faire étant donné la contrainte que je leur avais imposée : une couverture universelle sans hausse des impôts ; pour finir, ce n'étaient pas eux qui avaient retardé la réforme de l'assurance maladie, mais la volonté du sénateur Dole de tuer dans l'œuf toute possibilité de compromis sur la question. J'ai essayé de remonter le moral de Hillary en lui disant que, dans la vie, on pouvait faire de plus grosses erreurs que se faire prendre « en flagrant délit » d'essayer de donner une assurance maladie aux quarante millions d'Américains qui n'en avaient pas.

Malgré notre défaite, le travail de Hillary, d'Ira Magaziner et de toute l'équipe n'avait pas été accompli en pure perte. Dans les années à venir, un grand nombre de nos propositions allaient faire leur chemin, en droit comme en pratique. Le sénateur Kennedy et le sénateur républicain du Kansas Nancy Kassebaum allaient voter une loi garantissant aux travailleurs qu'ils conserveraient leur couverture en cas de changement d'emploi. En 1997, nous avons fait voter notre programme de couverture médicale pour les enfants, qui a permis de fournir des soins à des millions de petits dans le cadre de la plus vaste extension de l'assurance santé depuis la mise en place de Medicaid en 1965. Ce programme a permis, pour la première fois en douze ans, de faire baisser le nombre d'Américains ne disposant d'aucune couverture médicale.

Nous avons eu bien d'autres victoires dans ce domaine : une loi autorisant les femmes à séjourner plus de vingt-quatre heures à la maternité après la naissance de leur enfant, mettant fin aux accouchements express préconisés par les directives ; l'extension des dépistages du cancer par mammographie et échographie de la prostate ; un programme d'autogestion du diabète qui a été décrit comme la plus grande avancée depuis l'insuline par l'Association américaine des diabétiques ; une forte augmentation de crédits pour la recherche biomédicale et le traitement et la prise en charge du sida en Amérique comme à l'étranger ; une campagne de vaccination touchant, pour la première fois, 90 % d'enfants ; enfin, l'application par décret d'une charte des droits du patient, garantissant le choix du praticien et le droit à une prise en charge rapide et adéquate pour les quatre-vingt-cinq millions d'Américains couverts par des plans financés par le gouvernement fédéral.

Mais, en 1994, il n'était pas encore question de tout cela, et pour le moment, nous venions de nous prendre une belle déculottée. C'était en tout cas l'image que les gens garderaient jusqu'aux élections.

Vers la fin du mois, Newt Gingrich a rassemblé plus de trois cents élus et candidats républicains pour un meeting sur les marches du Capitole devant se clore par la signature d'un « contrat avec l'Amérique ». Les détails de ce contrat filtraient déjà depuis quelque temps. Newt leur avait donné corps pour montrer que les Républicains savaient faire autre chose que s'opposer, qu'ils disposaient d'un programme positif. Ce contrat était une nouveauté dans la vie politique américaine. Traditionnellement, les élections de mi-mandat se jouaient siège par siège. La conjoncture nationale et la cote de popularité du Président pouvaient être un avantage ou un inconvénient, mais il était de mise de considérer que les critères locaux devaient l'emporter. Gingrich était persuadé qu'il fallait voir les choses autrement. Il demandait tout simplement aux Américains de donner une majorité aux Républicains en leur disant : « Si nous, nous rompons le contrat, jetez-nous dehors, et nous disons cela très sérieusement. »

Dans son contrat, Gingrich souhaitait un amendement constitutionnel sur l'équilibre budgétaire et un droit de veto ligne par ligne, permettant au Président d'annuler certains points sans avoir à poser son veto à toute la loi, un durcissement des peines pour les criminels et l'annulation des programmes de prévention inscrits dans ma législation sur la criminalité, une réforme de l'aide sociale avec l'introduction d'une limite de deux ans pour les bénéficiaires en bonne santé, un crédit d'impôt de cinq cents dollars par enfant, un autre crédit d'impôt de cinq cents dollars pour couvrir les soins apportés aux parents et aux grands-parents, une application plus stricte des décisions portant sur le verse- ment des pensions alimentaires, l'annulation des taxes frappant les bénéficiaires aisés de la sécurité sociale (et qui faisaient partie du budget de 1993), une réduction de 50 % de l'impôt sur les revenus du capital et autres déductions fiscales, la fin des dépenses fédérales non budgétées en direction des États et des gouvernements locaux, une forte hausse des dépenses militaires, une réforme du droit de la responsabilité afin de plafonner le montant des dommages et intérêts, la limitation du nombre de mandats pour les sénateurs et les représen- tants à la Chambre, l'obligation pour le Congrès de respecter toutes les lois imposées aux autres employeurs, la réduction d'un tiers des effectifs des com- missions du Congrès, et la nécessité de rassembler une majorité de 60 % dans chaque Chambre pour toute hausse fiscale à venir.

J'étais d'accord avec bien des termes de ce contrat. Je mettais déjà en avant la nécessité d'une réforme de l'aide sociale et de l'application plus stricte des décisions de pensions alimentaires, et je m'étais depuis longtemps prononcé en faveur du droit de veto ligne par ligne et de la fin des dépenses fédérales non budgétées. J'aimais l'idée d'un crédit d'impôt d'aide à la famille, mais je voulais aussi réduire notre déficit. Même si certains des termes du contrat étaient séduisants, il restait, au fond, simpliste et hypocrite. Les Républicains, avec le soutien de certains Démocrates au Congrès, avaient multiplié par quatre la dette nationale au cours des douze années qui avaient précédé mon entrée en fonctions, en baissant les impôts et en augmentant les dépenses. À présent que les Démocrates réduisaient le déficit, ils voulaient que la Constitution impose l'équilibre du budget, tout en préconisant de fortes baisses des impôts et une hausse des dépenses militaires sans préciser la nature des dépenses qu'il leur faudrait réduire afin de financer cette hausse. Comme ils l'avaient fait dans les années 1980 et comme ils allaient le refaire dans les années 2000, les Républicains tentaient d'abolir les règles de l'arithmétique. Comme l'a dit Yogi Berra, nous avions à nouveau cette même impression de « déjà vu », mais dans un bel emballage tout neuf.

En plus de donner aux Républicains une plate-forme nationale pour la campagne de 1994, Gingrich leur avait fourni une liste de termes à utiliser pour définir leurs adversaires démocrates. Son comité d'action politique, le GOPAC, a publié un pamphlet intitulé *Le Langage : un mécanisme de contrôle déterminant*. Parmi les termes « contrastés » que Newt suggérait d'utiliser pour parler des Démocrates, on trouvait les mots suivants : trahir, tricher, effondre- ment, corruption, crise, déchéance, destruction, échec, hypocrisie, incompé- tence, instable, libéral, mensonge, minable, permissif, superficiel, malsain, traître. Gingrich était persuadé que s'il pouvait institutionnaliser ces pratiques langa- gières, il pourrait faire passer pendant longtemps le Parti démocrate pour un parti minoritaire.

Les Démocrates pensaient que les Républicains avaient commis une grave erreur en rendant ce contrat public, et ils se sont mis à l'attaquer en faisant ressortir les coupes claires qu'il faudrait effectuer dans le budget de l'éducation, de la santé et de la protection de l'environnement, afin de financer les réductions d'impôts et les hausses du budget de la défense, tout en équilibrant le budget général. Ils ont même été jusqu'à rebaptiser le programme de Newt : « Un contrat *sur* l'Amérique ». Ils avaient tout à fait raison, mais cela n'a pas suffi. Les sondages de sortie des urnes montreraient que l'opinion n'avait retenu que deux choses à propos de ce contrat : que les Républicains avaient un programme, et que l'équilibre du budget en faisait partie.

Au-delà de leurs attaques contre les Républicains, les Démocrates étaient déterminés à conduire les élections à l'ancienne mode, État par État ; circonscription par circonscription. J'avais déjà fait beaucoup pour lever des fonds pour les Démocrates, mais je n'avais encore jamais participé à un meeting de campagne nationale pour vanter le bilan de notre action ou annoncer ce que nous comptions faire et à quel point notre programme se distinguait du contrat des Républicains.

Le 30 septembre, dernier jour de l'année fiscale, nous avons achevé une année législative déjà bien remplie en votant dans les délais l'ensemble des treize textes portant sur les dotations, ce qui n'était pas arrivé depuis 1948. Ces dotations correspondaient aux deux premières années consécutives de réduction du déficit en vingt ans ; le nombre de fonctionnaires fédéraux était réduit de deux cent soixante-dix mille, tandis que les investissements continuaient d'augmenter en matière d'éducation ou autres domaines importants. Le résultat était impressionnant, mais il ne parvenait pas à éclipser l'idée d'un amendement sur l'équilibre budgétaire.

J'ai commencé péniblement le mois suivant avec environ 40 % de personnes satisfaites, mais ce mois allait être riche en événements propres à redorer mon image et améliorer les chances des Démocrates de se voir élire. Seule ombre au tableau : la démission de Mike Espy, le secrétaire à l'Agriculture. Janet Reno avait demandé à un procureur indépendant désigné par la Justice de se pencher sur les allégations qui visaient Espy, concernant des cadeaux, comme des billets pour certains matchs ou des voyages. Le juge Sentelle a désigné Donald Smaltz – un autre Républicain militant – pour enquêter sur Espy. Cette histoire me rendait malade. Mike Espy m'avait soutenu dans les bons comme dans les mauvais jours en 1992. Il avait abandonné un fauteuil de tout repos au Congrès – où même les électeurs blancs du Mississippi étaient derrière lui – pour devenir le premier secrétaire à l'Agriculture noir et il avait fait de l'excellent travail, notamment en relevant les normes de sécurité alimentaire.

Les nouvelles d'octobre ont cependant été globalement positives. Le 4 octobre, Nelson Mandela est venu en visite officielle à la Maison Blanche. Son sourire illuminait toujours les jours les plus sombres, et j'étais vraiment heureux de le voir. Nous avons annoncé la mise en place d'une commission conjointe destinée à promouvoir la coopération entre nos deux pays. Elle devait être dirigée par le vice-président Gore et le vice-président Thabo Mbeki, le successeur probable de Mandela. Cette idée de commission conjointe marchait si bien avec la Russie que nous voulions tenter à nouveau l'expérience avec un pays qui comptait pour nous ; l'Afrique du Sud était indéniablement dans ce cas. Si le gouvernement de réconciliation nationale dirigé par Mandela fonctionnait, il pouvait entraîner toute l'Afrique et inspirer une série d'efforts similaires dans d'autres régions instables du globe. J'ai également annoncé une assistance pour le logement, l'électricité et la santé en direction des townships pauvres et surpeuplées d'Afrique du Sud, des initiatives économiques en zones rurales et un fonds d'investissement qui devait être placé sous la direction de Ron Brown.

Alors que j'étais en train de m'entretenir avec Mandela, le Sénat a suivi la Chambre et voté, avec un énorme soutien des deux partis, la dernière pièce maîtresse du programme sur l'éducation que j'avais développé au cours de la campagne : la loi sur l'enseignement élémentaire et secondaire. Cette loi mettait fin à la pratique qui consistait à offrir indistinctement aux enfants pauvres un programme délayé. Les enfants issus de milieux défavorisés se retrouvaient trop souvent en classes d'éducation spécialisée, non pas en raison de leurs faibles capacités d'apprentissage, mais parce qu'ils avaient pris du retard dans des écoles pauvres et ne bénéficiaient pas, chez eux, du suivi ou du soutien nécessaires. Dick Riley et moi étions convaincus qu'avec des classes réduites et une attention soutenue de la part du personnel enseignant, ces enfants pouvaient rattraper leur retard. Cette loi comprenait également des mesures incitatives visant à accroître l'implication des parents, un soutien financier fédéral devant permettre aux élèves comme aux parents de choisir une autre école publique que celle qui leur était attribuée par la carte scolaire et le financement d'écoles publiques sous contrat spécifique destinées à promouvoir l'innovation et pouvant opérer en dehors des programmes et des exigences des arrondissements scolaires, si souvent suspectés de tuer la créativité. En seulement deux ans, en plus de cette loi, les représentants des deux partis au Congrès ont mis en place la réforme Head Start [un programme d'aide aux enfants défavorisés en âge préscolaire], transformé en texte de loi les recommandations de la National Education Association, réformé le programme de prêts aux étudiants, créé le programme de service national civil, voté le programme d'éducation sur les lieux de travail afin de favoriser l'apprentissage pour les lycéens qui décident de ne pas entrer à l'université, et ils ont enfin largement augmenté notre implication dans l'enseignement pour les adultes et dans la formation permanente.

Notre plan en faveur de l'éducation a sans conteste été l'une des plus importantes réalisations de ces deux premières années passées à la présidence. Cependant, si la qualité de l'enseignement et la situation économique allaient s'en trouver nettement améliorées pour des millions d'Américains, personne ou presque n'en a jamais rien su. Parce que les réformes de l'éducation avaient le soutien massif des deux partis, nos efforts pour les faire passer n'ont pratiquement fait l'objet d'aucune controverse, ce qui les rendait peu intéressantes pour la presse.

La première semaine d'octobre s'est achevée sur une bonne nouvelle : le taux de chômage était tombé à 5,9 % – le plus bas depuis 1990 – avec 4,6 millions de créations d'emplois. Plus tard dans le mois, la croissance économique du troisième trimestre s'est stabilisée à 3,4 %, avec une inflation à 1,6 %. L'ALENA contribuait à la croissance. Le total des exportations en direction du Mexique a augmenté de 19 % en seulement un an, les exportations de voitures et de camions augmentant de 600 %.

Le 7 octobre, l'Irak a concentré d'importants effectifs militaires à seulement cinq kilomètres de la frontière koweïtienne, laissant planer la menace d'une nouvelle guerre du Golfe. Fort du soutien massif de la communauté internationale, j'ai rapidement déployé cinquante-six mille soldats au Koweït, secondés par une flotte d'avions de combat et de gros porteurs. J'ai également demandé une liste réactualisée de cibles pour nos missiles Tomahawk. Les Britanniques ont annoncé qu'ils allaient aussi renforcer leur présence militaire. Le 9, les Koweïtiens ont avancé l'essentiel de leurs dix-huit mille hommes le long de la frontière. Le lendemain, les Irakiens, surpris par la puissance et la rapidité de notre réaction, ont annoncé qu'ils allaient retirer leurs troupes, et un mois plus tard, le Parlement irakien a reconnu la souveraineté du Koweït, ses frontières et son intégrité territoriale. Quelques jours après la crise irakienne, les groupes paramilitaires protestants en Irlande du Nord ont annoncé qu'ils allaient se joindre à l'IRA pour observer un cessez-le-feu complet.

Les bonnes nouvelles ont afflué pendant la troisième semaine d'octobre. Le 15, le président Aristide est rentré en Haïti. Trois jours plus tard, j'ai annoncé qu'après seize mois d'intenses négociations, nous étions parvenus à un accord avec la Corée-du-Nord pour mettre fin à la menace de prolifération nucléaire dans la péninsule coréenne. Aux termes de l'accord-cadre signé à Genève le 21 octobre par Bob Gallucci, notre négociateur, et les Nord-Coréens, la Corée-du-Nord s'engageait à geler toute activité sur les réacteurs nucléaires en activité, à en autoriser le contrôle, à expédier hors du pays les barres de combustible, à procéder au démantèlement des installations nucléaires existantes et par la suite à contrôler le combustible produit dans le passé. En retour, les États-Unis s'engageaient à mettre en place un consortium international chargé de construire de petits réacteurs à eau sous pression, qui ne produiraient aucune quantité de combustible nucléaire utilisable dans l'armement. Nous garantissions en outre la fourniture de cinq cent mille tonnes de pétrole brut par an, ainsi que la réduction des barrières diplomatiques et commerciales. Nous donnions également à la Corée-du-Nord l'assurance formelle qu'il ne serait fait contre elle aucune utilisation – ou menace d'utilisation – d'armes nucléaires.

Trois administrations successives avaient tenté de contrôler le programme nucléaire nord-coréen. Cet accord était un hommage au travail acharné de Warren Christopher et de l'ambassadeur Bob Galluci, et à notre détermination à empêcher la Corée-du-Nord de devenir une puissance nucléaire ou un pays marchand d'armes et de matériel nucléaires.

Lorsque j'ai quitté mes fonctions, les États-Unis ont appris qu'en 1998 la Corée-du-Nord avait commencé à violer l'esprit, sinon la lettre, de notre accord en produisant de l'uranium hautement enrichi en laboratoire, sans doute en quantité suffisante pour construire une ou deux bombes. Certains y ont vu l'occasion de remettre en question la validité de l'accord de 1994 ; mais le programme de production de plutonium auquel nous avions mis fin était bien plus important que les tentatives de productions en laboratoire. Le programme de construction de réacteur nucléaire de la Corée-du-Nord, s'il avait pu se dérouler comme prévu, aurait produit suffisamment de plutonium de qualité militaire pour permettre la fabrication de plusieurs armes nucléaires par an.

Le 17 octobre, Israël et la Jordanie ont annoncé qu'ils avaient conclu un accord de paix. Yitzhak Rabin et le roi Hussein m'ont invité à venir assister à sa signature le 26 octobre, dans le Wadi Araba, qui, dans la vallée du Rift, sert de frontière entre les deux pays. J'ai accepté, dans l'espoir de mettre à profit ce voyage pour faire progresser la situation ailleurs au Moyen-Orient. J'ai fait escale au Caire, où j'ai rencontré Yasser Arafat en compagnie du président Moubarak. Nous l'avons encouragé à intensifier sa lutte contre le terrorisme, notamment contre le Hamas, et nous nous sommes engagés à l'aider à résoudre le différend qui l'opposait aux Israéliens concernant le retard pris dans la restitution de certaines zones devant passer sous contrôle palestinien.

Le lendemain, je me suis rendu à la cérémonie de signature et j'ai remercié les Israéliens et les Jordaniens pour le courage avec lequel ils s'étaient engagés dans la voie de la paix. Il faisait beau et chaud, et le magnifique paysage de la vallée du Rift correspondait parfaitement à la solennité de ce moment ; mais le soleil était si fort, surtout avec la réverbération, que j'en suis presque ressorti aveugle. J'ai bien failli me trouver mal, et si mon assistant présidentiel, Andrew Friendly, n'était pas venu à mon secours avec une paire de lunettes de soleil, je me serais sans doute évanoui pour de bon, gâchant cet événement.

Après la cérémonie, Hillary et moi avons accompagné le roi Hussein et la reine Noor dans leur résidence de vacances à Aqaba. C'était l'anniversaire de Hillary et ils lui ont offert un gâteau sur lequel étaient plantées des bougies de farces et attrapes que Hillary ne parvenait pas à souffler, ce qui m'a permis de la taquiner sur l'influence néfaste de son grand âge sur sa capacité pulmonaire. Hussein et Noor étaient intelligents, généreux et visionnaires. Noor, qui était diplômée de Princeton, avait un père arabo-américain et une mère suédoise. Hussein arborait toujours un sourire énergique ; il avait des manières distinguées et un regard malicieux. Il avait survécu à plusieurs tentatives d'assassinat au cours de son long règne et « prendre des risques pour la paix » n'était pas parole en l'air pour lui. Hussein et Noor sont devenus de vrais amis. Nous riions beaucoup ensemble, oubliant, chaque fois que nous le pouvions, nos responsabilités pour parler de nos vies, de nos enfants ou de nos centres d'intérêt, dont les chevaux et les motos. Quelques années plus tard, Noor est venue en vacances avec nous dans le Wyoming, et nous sommes allés dans leur résidence du Maryland pour fêter l'anniversaire de Hussein. Elles se parlaient souvent. Leur rencontre a été très importante pour nous.

Le même jour, je suis devenu le premier président américain à parler devant le Parlement jordanien à Amman. Les phrases les mieux accueillies furent celles qui concernaient le monde arabe dans son ensemble : « L'Amérique n'acceptera jamais de collision entre nos deux civilisations. Nous respectons l'islam [...] Les valeurs traditionnelles de l'islam, l'importance de la foi et du travail, de la famille et de la société sont en harmonie avec les plus nobles idéaux de l'Amérique. Nous savons donc que nos peuples, nos fois et nos cultures peuvent vivre ensemble, en harmonie. »

Le lendemain matin, je me suis envolé pour Damas – la plus vieille cité au monde à avoir été habitée sans discontinuer – afin de rencontrer le président Assad. Aucun président américain ne s'y était rendu depuis vingt ans en raison du soutien apporté au terrorisme par la Syrie et à la domination qu'elle exerçait sur le Liban. Je voulais faire savoir à Assad que j'étais déterminé à trouver un accord de paix entre Israël et la Syrie, fondé sur les résolutions 242 et 338 des Nations unies, et que si on parvenait à un tel accord, je ferais tous les efforts possibles pour améliorer les relations entre nos deux pays. On m'a reproché d'être allé en Syrie, du fait de son soutien au Hezbollah et autres groupuscules violemment anti-israéliens, mais je savais que cette région ne connaîtrait jamais ni sécurité ni stabilité tant qu'Israël et la Syrie ne seraient pas réconciliés. Ma rencontre avec Assad n'a pas produit d'avancées majeures, mais il m'a cependant donné des signes encourageants pour l'avenir. Il voulait clairement faire la paix. Lorsque je lui ai suggéré de se rendre en Israël, de faire un pas en direction des citoyens israéliens et de plaider sa cause devant la Knesset, comme l'avait fait Anouar al-Sadate, j'ai bien compris que je parlais à un mur. Assad était brillant, mais il était très terre à terre et extrêmement prudent. Il jouissait de la sécurité de son magnifique palais de marbre et de son quotidien à Damas, et il ne pouvait envisager de prendre le risque politique de se rendre à Tel-Aviv. Dès la fin de notre entrevue et de la conférence de presse obligatoire, j'ai repris l'avion pour Israël afin d'informer Rabin de ce qu'il m'avait dit.

Dans mon discours à la Knesset, j'ai remercié Rabin et je l'ai félicité pour son action ; j'ai aussi assuré aux membres de la Knesset qu'Israël avançant vers la paix, les États-Unis feraient en sorte de renforcer sa sécurité et son évolution économique. C'était un message qui s'imposait, parce qu'Israël venait d'endurer une attaque terroriste de plus. Contrairement à l'accord palestinien, auquel beaucoup d'Israéliens étaient opposés, le pacte de paix jordanien avait l'aval d'à peu près tous les membres de la Knesset, dont le chef du Likoud, Bibi Nétanyahou. Les Israéliens admiraient le roi Hussein et lui faisaient confiance, mais ils n'étaient pas sûrs d'Arafat.

Le 28, après une visite très émouvante à Yad Vashem, le mémorial israélien de l'Holocauste, Hillary et moi avons dit au revoir à Yitzhak et Leah Rabin, puis je me suis rendu au Koweït pour rencontrer l'émir et remercier nos troupes d'avoir réussi à imposer le retrait des forces irakiennes grâce à leur déploiement rapide sur la zone frontière. Après le Koweït, j'ai passé quelques heures en Arabie Saoudite pour voir le roi Fahd. J'avais été impressionné par son appel au début de 1993, me demandant d'arrêter le nettoyage ethnique des musulmans bosniaques. À cette occasion, Fahd m'avait reçu avec chaleur et remercié pour la réaction américaine rapide dans la crise irakienne. Ce voyage avait été encourageant et positif, mais je devais rentrer à Washington pour me soumettre à la dure loi électorale.

CHAPITRE QUARANTE ET UN

En octobre, nos sondages n'étaient pas trop mauvais, mais l'ambiance de la campagne restait morose. Avant que nous ne partions pour le Moyen-Orient, Hillary avait appelé Dick Morris, notre vieil ami spécialiste des sondages, pour lui demander son avis sur la situation. Il a réalisé un questionnaire pour nous dont les résultats étaient décourageants. Selon lui, la plupart des gens ne croyaient pas que l'économie allait mieux ou que le déficit se réduisait ; ils n'avaient pas connaissance de ce que les Démocrates et moi-même avions accompli de bien ; et les attaques lancées contre le contrat de Gingrich avec l'Amérique restaient inefficaces.

Mon taux d'opinions favorables était passé au-dessus des 50 % pour la première fois depuis un bout de temps, et les électeurs répondaient positivement lorsqu'on les interrogeait à propos de la loi sur les congés parentaux, des cent mille policiers supplémentaires prévus par le projet de loi sur la criminalité, de la garantie d'une éducation de qualité et de la réforme de l'école, et de toutes nos autres réussites. D'après Dick, nous pouvions réduire nos pertes si les Démocrates cessaient de parler de l'économie, du déficit et du contrat pour mettre l'accent sur les lois qu'ils étaient parvenus à faire voter et qui remportaient l'adhésion du public. Et il m'a recommandé, à mon retour à Washington, de me tenir en dehors de la campagne et de rester « présidentiel », en parlant et en agissant de manière à consolider mon taux d'opinions favorables au niveau qu'il avait atteint. Cela serait plus utile aux Démocrates que si je replongeais dans l'arène politique. Ni l'une ni l'autre de ses recommandations n'ont été suivies.

Les Démocrates n'avaient aucun moyen de faire répercuter rapidement ces nouvelles instructions dans chaque État et dans chaque circonscription contestés où cela aurait fait la différence. Même si j'avais levé des fonds importants pour financer des candidatures officielles et pour les commissions électorales à la Chambre des représentants et au Sénat, ils avaient voulu dépenser l'argent de la manière traditionnelle.

Je suis revenu à la Maison Blanche après mon voyage au Moyen-Orient et j'ai déclaré que je pensais que, à mon retour, il serait préférable que je reste au travail de façon visible et active plutôt que de me lancer dans la campagne électorale. À mon arrivée, j'ai été surpris de voir que mon agenda était rempli de déplacements en Pennsylvanie, dans le Michigan, dans l'Ohio, dans les États de Rhode Island, de New York, en Iowa, dans le Minnesota, en Californie, dans l'État de Washington et dans le Delaware. Apparemment, lorsqu'ils avaient vu grimper les chiffres des sondages, les Démocrates de tout le pays avaient demandé que je soutienne leur campagne. Ils avaient été là pour moi, à présent je devais être là pour eux.

Au cours de la campagne, j'ai tout fait pour braquer les projecteurs sur nos réussites, en signant le *California Desert Protection Act*, qui protégeait trois millions d'hectares d'espaces naturels magnifiques et de parcs nationaux, en soulignant tous les bénéfices financiers apportés par le nouveau prêt étudiant direct à l'Université du Michigan, et en donnant autant d'interviews à la radio que possible où je faisais état de notre bon bilan. J'ai aussi organisé d'énormes meetings devant des foules enthousiastes, où je devais presque hurler pour me faire entendre. Mon battage de campagne portait ses fruits auprès des fidèles du Parti, mais pas du plus grand public qui le voyait à la télévision ; à la télé, le langage enflammé de la campagne refaisait du Président homme d'État un politicien dont les électeurs n'étaient pas très sûrs. Mon retour dans la campagne, quoique compréhensible et sans doute inévitable, a été une erreur.

Le 8 novembre, le ciel nous est tombé sur la tête : nous avions perdu huit sièges au Sénat et cinquante-quatre à la Chambre. C'était la plus cinglante défaite du Parti depuis 1946, lorsque les Démocrates avaient été balayés suite à la tentative par le président Truman de mettre en place une assurance santé pour tous les Américains. Les Républicains étaient récompensés des deux ans d'attaques constantes qu'ils avaient lancées contre moi et de la solidarité dont ils avaient fait preuve en soutenant tous le contrat. Les Démocrates étaient punis pour avoir trop bien gouverné et pour avoir trop mal mené leur politique. J'avais contribué à la déroute en consacrant mes premières semaines à la question des homosexuels dans l'armée, en refusant de me concentrer sur la campagne jusqu'à ce qu'il soit trop tard et en essayant d'en faire trop, trop vite, dans un contexte où les médias minimisaient mes victoires, exagéraient mes échecs et donnaient l'impression que je n'étais qu'un politique de centre gauche favorable à une lourde fiscalité et à un gouvernement omniprésent, et non le Nouveau Démocrate qui avait remporté les élections présidentielles. Par ailleurs, l'opinion était toujours inquiète : les gens n'avaient pas le sentiment que leur vie s'améliorerait et ils en avaient assez de toutes ces chamailleries à Washington. Ils semblaient penser qu'un exécutif divisé nous obligerait à travailler ensemble.

Ironiquement, j'avais desservi les Démocrates tant par mes victoires que par mes défaites. Mon incapacité à faire voter la réforme du système de santé et le succès que j'avais remporté avec l'ALENA avaient démoralisé beaucoup de nos électeurs de base et avaient fait chuter le taux de participation. Les victoires que nous avions obtenues avec le programme économique et ses augmentations d'impôts pour les revenus les plus élevés, la proposition de loi Brady et l'interdiction des armes d'assaut avaient enflammé les électeurs de base républicains et avaient fait grimper leur taux de participation. La différence de taux de participation à elle seule expliquait probablement la moitié de nos pertes et avait permis aux Républicains de conquérir onze sièges de gouverneurs. Mario Cuomo avait été battu à New York avec un taux de participation des électeurs démocrates pitoyable. Dans le Sud, grâce essentiellement aux efforts extraordinaires de la Coalition chrétienne, les Républicains affichaient systématiquement cinq ou six points de plus que dans les sondages préélectoraux. Au Texas, George W. Bush l'avait emporté sur le gouverneur Ann Richard, en dépit des 60 % de taux d'approbation qu'elle avait obtenus.

La National Rifle Association avait eu son heure de gloire. Ils avaient battu à la fois le président de la Chambre des représentants Tom Foley et Jack Brooks, deux des membres du Congrès les plus expérimentés, qui m'avaient prévenu que cela allait arriver. Foley était le premier président de la Chambre à subir une défaite depuis plus d'un siècle. Jack Brooks avait soutenu la NRA pendant des années, et avait pris la tête du mouvement d'opposition à l'interdiction des armes d'assaut à la Chambre, mais en tant que président de la Commission judiciaire, il avait voté pour le projet de loi global, même lorsqu'on y avait ajouté cette interdiction. La NRA ne pardonnait pas : une erreur et vous sortiez. Le lobby des armes à feu se vantait d'avoir mis en échec dix-neuf des vingt-quatre noms qui se trouvaient sur sa liste noire. Ils avaient au moins fait ces dégâts-là, et pouvaient fort justement se targuer d'avoir fait de Gingrich le président de la Chambre. Dans l'Oklahoma, le député Dave McCurdy, un leader du DLC, avait perdu l'élection au poste de sénateur à cause, pour reprendre ses propres mots, « de Dieu, des homos et des armes à feu ».

Le 29 octobre, un homme du nom de Francisco Duran, qui avait fait le voyage en voiture depuis le Colorado, a manifesté son opposition au projet de loi sur la criminalité en ouvrant le feu sur la Maison Blanche avec une arme d'assaut. Il a fait feu entre vingt et trente fois avant d'être neutralisé. Par chance, personne n'a été touché. Duran n'était peut-être qu'un déséquilibré, mais il montrait bien la haine quasi pathologique que j'avais fait naître chez les détenteurs d'armes à feu paranoïaques en proposant la loi Brady et l'interdiction des armes d'assaut. Après les élections, j'ai dû admettre le fait que les défenseurs d'une application de cette loi et d'une législation responsable sur les armes à feu, même s'ils représentaient la majorité des Américains, ne pouvaient tout simplement pas protéger leurs amis au Congrès contre la NRA. Le lobby des armes à feu était mieux doté qu'eux financièrement, mieux organisé, plus pugnace et plus démagogique.

Mais les élections ont aussi donné quelques occasions de se réjouir. Ted Kennedy et la sénatrice Dianne Feinstein l'avaient emporté après une rude campagne. Même satisfaction pour mon ami le sénateur Chuck Robb, de Virginie, qui l'avait emporté sur le très médiatique conservateur Oliver North, révélé dans l'affaire des Contras d'Iran, avec l'appui de son collègue républicain le sénateur John Warner, qui appréciait Rob et qui ne pouvait pas supporter l'idée que North puisse être élu sénateur.

Dans la péninsule supérieure du Michigan, le représentant Bart Stupak, un ancien officier de police, avait survécu à une rude bataille dans sa circonscription conservatrice en montant au créneau pour se défendre contre les accusations selon lesquelles en votant pour le programme économique il avait nui à ses administrés. Stupak avait diffusé des annonces comparant le nombre exact des bénéficiaires de réductions d'impôts avec celui des victimes d'augmentations fiscales. La proportion était d'environ dix pour un.

Le sénateur Kent Conrad et le représentant Earl Pomeroy avaient été réélus dans le Dakota-du-Nord, État républicain conservateur, parce que, comme Stupak, ils avaient défendu leurs voix avec combativité et avaient fait en sorte que les électeurs prennent connaissance de nos résultats positifs. Il était peut-être plus facile de contrer le déchaînement d'annonces télévisuelles négatives dans un petit État ou dans une circonscription rurale. Si nos membres avaient été plus nombreux à agir comme Stupak, Conrad et Pomeroy, nous aurions remporté plus de sièges.

Les deux héros de la bataille pour le budget à la Chambre des représentants avaient connu un sort différent. Marjorie Margolies-Mezvinsky avait perdu sa circonscription dans la banlieue aisée de Pennsylvanie, mais Pat Williams avait survécu dans le Montana rural.

J'étais profondément affligé par les résultats des élections, bien plus que je ne l'ai jamais montré en public. Nous n'aurions sans doute jamais perdu ni la Chambre ni le Sénat si nous n'avions pas inclus la taxe sur l'essence et l'imposition des revenus les plus élevés dans le programme économique, et si j'avais écouté Tom Foley, Jack Brooks et Dick Gephardt à propos de l'interdiction des armes d'assaut. Bien entendu, si j'avais pris ces décisions, j'aurais dû abandonner le crédit d'impôts sur les revenus salariaux pour les familles de salariés à faible revenu, ou accepter une moindre réduction du déficit, courant par là le risque de déclencher une réaction défavorable de la part du marché obligataire ; et j'aurais laissé un plus grand nombre d'officiers de police et d'enfants à la merci des armes d'assaut. Je restais convaincu que ces décisions difficiles étaient une bonne chose pour l'Amérique. Cependant, trop de Démocrates avaient payé le prix fort aux mains d'électeurs qui plus tard allaient néanmoins récolter les bénéfices de leur courage, profitant d'une plus grande prospérité et de rues plus sûres.

Nous n'aurions perdu aucune des chambres si, dès lors qu'il était devenu évident que le sénateur Dole allait faire obstruction à toute réforme significative du système de santé, j'avais annoncé que nous reporterions ce vote jusqu'à ce que nous ayons atteint un consensus bipartite et que nous nous soyons alliés pour faire voter la réforme de la protection sociale à la place. Ce choix aurait remporté l'adhésion des classes moyennes américaines qui s'étaient éloignées de nous et qui avaient voté en masse pour les Républicains et, contrairement aux différentes décisions concernant le programme économique et l'interdiction des armes à feu, cette ligne de conduite aurait servi les Démocrates sans nuire aux Américains.

Gingrich s'était montré meilleur politique que moi. Il avait compris qu'il pouvait faire d'une élection de mi-mandat une élection nationale en proposant son contrat, en lançant des attaques permanentes contre les Démocrates, démontrant que tous les conflits et toutes les rivalités de parti à Washington que les Républicains avaient déclenchés étaient forcément imputables aux Démocrates puisque nous contrôlions à la fois la Chambre des représentants et le Sénat. Parce que j'avais été absorbé par mes tâches de président, je n'avais pas organisé et obtenu des fonds pour les Démocrates, et je ne les avais pas contraints à adopter une ligne nationale de contre-attaque. Cette portée nationale donnée à des élections de mi-mandat constitue la contribution majeure de Newt Gingrich aux campagnes électorales modernes. Après 1994, si l'un des deux partis en lice ne donnait pas à son message cette portée nationale, il était sûr de subir des pertes inutiles. Cela s'est reproduit en 1998 et 2002.

Même si les Américains qui avaient bénéficié d'allégements fiscaux étaient bien plus nombreux que ceux qui avaient subi des augmentations d'impôts et même si nous avions ramené le gouvernement à une taille bien inférieure à celle qui était la sienne sous Reagan et Bush, les Républicains l'ont aussi emporté en renouvelant leurs mêmes vieilles promesses de réduire les impôts et la taille du gouvernement. Ils avaient même été récompensés pour des problèmes qu'ils avaient eux-mêmes créés ; ils avaient enterré la réforme du système de santé, la réforme du financement des campagnes électorales et la réforme du lobbying par leurs obstructions au Sénat. En ce sens, Dole lui aussi mérite d'être largement félicité pour la victoire écrasante des Républicains ; la plupart des gens ne pouvaient pas croire qu'une minorité de quarante et un sénateurs puisse empêcher toute mesure, sauf le budget. Tout ce que les électeurs savaient, c'était qu'ils ne se sentaient pas encore plus riches ou plus en sécurité ; qu'il y avait trop d'affrontements à Washington et que c'est nous qui étions au pouvoir ; et que les Démocrates étaient pour un gouvernement fort

Mes sentiments étaient très proches de ceux que j'avais ressentis lorsque je n'avais pas été réélu gouverneur en 1980 : j'avais fait beaucoup de bonnes choses, mais personne ne le savait. L'électorat est peut-être progressiste dans les faits, mais, philosophiquement, il est modérément conservateur et très sceptique vis-à-vis du gouvernement. Même si j'avais bénéficié d'une couverture médiatique plus équitable, les électeurs auraient sans doute eu du mal à cerner mes réussites dans tout ce débordement d'activité. D'une certaine manière, j'avais oublié la dure leçon de ma défaite de 1980 : on peut mener une bonne politique sans être un bon politicien, mais on ne peut pas bien gouverner sans les deux. Je ne l'oublierais plus désormais, mais je n'ai jamais réussi à me remettre de la défaite de tous ces gens compétents qui avaient perdu leur siège parce qu'ils m'avaient aidé à sortir l'Amérique du trou du déficit dans lequel l'économie reaganienne l'avait fait tomber, à rendre les rues plus sûres et à essayer de doter tous les Américains d'une assurance santé.

Le lendemain des élections, j'ai tenté de tirer le maximum d'avantages de la situation, en promettant de travailler avec les Républicains et en leur demandant de « me rejoindre au cœur du débat public, qui fera émerger les meilleures idées pour faire avancer l'Amérique des générations futures ». Je leur ai proposé de travailler ensemble à la réforme du système de santé et au veto sélectif, que je soutenais. Pour le moment, je ne pouvais rien faire de plus.

Bon nombre d'analystes prévoyaient déjà ma défaite en 1996, mais je conservais plus d'espoir qu'eux. Les Républicains avaient convaincu beaucoup d'Américains que j'étais trop à gauche et trop attaché à un gouvernement fort, mais le temps travaillait pour moi pour trois raisons : grâce à notre programme économique, le déficit continuerait de baisser et l'économie poursuivrait son amélioration ; le nouveau Congrès, en particulier la Chambre des représentants, était bien orienté à droite ; et, en dépit de leurs promesses de campagne, les Républicains allaient rapidement proposer des coupes dans l'éducation, le système de santé et la sauvegarde de l'environnement pour financer leurs réductions fiscales et l'augmentation du budget de la défense. Cela allait arriver parce que telles étaient les intentions des ultraconservateurs et parce que j'étais résolu à les ramener sans cesse aux lois de l'arithmétique.

CHAPITRE QUARANTE-DEUX

Une semaine après les élections, j'étais de nouveau au travail, ainsi que les Républicains, qui savouraient leur écrasante victoire. Le 10 novembre, j'ai nommé Patsy Fleming à la tête de notre action nationale sur le sida, en reconnaissance du travail extraordinaire qu'elle avait effectué dans le développement de notre politique de prévention, de soin et de recherche, notamment une hausse de 30 % du budget général consacré à cette maladie. J'ai également exposé les grandes lignes d'une série de nouvelles mesures destinées à combattre le sida, dédiant l'annonce de ce nouveau plan à Elizabeth Glaser, personnalité phare de cette lutte, qui était elle-même au stade terminal de la maladie et allait mourir trois semaines plus tard.

Le même jour, j'ai annoncé que les États-Unis allaient lever l'embargo sur les ventes d'armes en Bosnie. Cette mesure, fortement appuyée par le Congrès, était nécessaire, car les Serbes avaient repris leurs agressions en prenant d'assaut la ville de Bihac. À la fin du mois de novembre, l'OTAN bombardait les positions de missiles serbes dans cette zone. Le 12, j'étais en route pour l'Indonésie, où se tenait la réunion annuelle des dirigeants de l'Asie-Pacifique, au cours de laquelle les dix-huit nations concernées devaient œuvrer à la mise en place d'une zone de libre-échange en Asie d'ici 2020, 2010 pour les pays les plus riches.

Sur le front de la politique intérieure, Newt Gingrich, encore auréolé de son éclatante victoire, persévérait dans les attaques cinglantes qui avaient fait le succès de sa campagne. Juste avant les élections, il avait choisi une page de son pamphlet sur le vocabulaire insultant, et m'avait traité d'« ennemi des Américains normaux ». Le lendemain des élections, il avait sorti son insulte suprême et nous avait traités, Hillary et moi, de « mcgoverniens de la contre-culture ».

L'épithète qu'il nous avait jetée ainsi au visage était juste par certains côtés. Nous avions soutenu McGovern et nous n'adhérions pas à la culture que Gingrich voulait voir dominer en Amérique : la face sombre de la culture blanche conservatrice du Sud des États-Unis, absolutiste, sans peur et sans reproche, qui montre sans cesse du doigt et exige sans cesse des autres la vérité. J'étais blanc, j'étais du Sud, j'étais baptiste, j'étais fier de mes origines et très attaché à ma foi. Mais je ne connaissais que trop les excès de cette face sombre. Depuis l'enfance, j'avais vu les gens utiliser leur piété et leur supériorité morale pour s'arroger le pouvoir politique et diaboliser ceux qui réclamaient le droit de ne pas être d'accord avec eux, notamment sur la question des droits civiques. Je pensais que l'Amérique impliquait l'idée d'une union sans cesse améliorée, d'un élargissement toujours plus important du cercle des libertés et des chances, d'un renforcement des liens entre les individus par-delà les différences.

Même si Gingrich m'intriguait et que ses talents de politicien m'impressionnaient, je n'étais guère convaincu que sa politique représentait effectivement les meilleures valeurs de l'Amérique. On m'avait appris à ne mépriser personne et à ne jamais faire peser sur d'autres la responsabilité de mes problèmes. C'est pourtant bel et bien ce que préconisait le message de la Nouvelle Droite. Mais il était très attrayant, car il proposait à la fois des certitudes psychologiques et une déresponsabilisation : « ils » avaient toujours raison et « nous » avions toujours tort ; « nous » étions responsables de tous les problèmes, même s'« ils » avaient été à la présidence pendant vingt de ces vingt-six dernières années. Nous sommes tous sensibles aux arguments qui nous permettent de souffler un peu et, au moment de l'élection de 1994, les familles des classes moyennes laborieuses s'inquiétaient de la situation économique et de la passivité générale vis-à-vis de la criminalité, de la drogue ou de la faillite de la famille ; le message de Gingrich trouvait donc une oreille d'autant plus attentive que nous n'avions pas de message alternatif.

Gingrich et la droite républicaine nous replongeaient dans les années 1960. Newt disait que l'Amérique avait été une grande nation jusqu'aux années 1960, lorsque les Démocrates arrivés au pouvoir avaient remplacé les notions absolues et universelles de bien et de mal par un ensemble de valeurs plus relatives. Il entendait revenir à la morale des années 1950, afin d'assurer « le renouveau de la civilisation américaine ».

S'il était évident qu'il y avait eu des excès politiques ou personnels dans les années 1960, cette décennie avait également permis de grandes avancées en matière de droits civiques, de droits des femmes, d'environnement, de sécurité sur les lieux de travail et d'égalité des chances. Les Démocrates croyaient en tout cela et y consacraient leur temps et leur énergie. C'était également le cas d'un grand nombre de Républicains traditionnels, dont beaucoup de gouverneurs avec lesquels j'avais servi à la fin des années 1970 et dans les années 1980. En se concentrant uniquement sur les excès des années 1960, la Nouvelle Droite me rappelait beaucoup les incessantes récriminations des Blancs du Sud contre la reconstruction, un siècle encore après la fin de la guerre de Sécession. J'ai grandi en entendant les gens dire à quel point les forces nordistes étaient hostiles envers nous au moment de la reconstruction et à quel point le

Sud était resté noble jusque dans la défaite. Il y avait sans doute du vrai dans tout cela, mais ce discours plaintif ne tenait aucun compte de ce que Lincoln et les Républicains avaient fait pour mettre un terme à l'esclavage et préserver l'Union. Sur les grands enjeux, l'esclavage et l'Union, c'est le Sud qui avait tort.

Et voilà que tout recommençait : la droite se servait des excès des années 1960 pour occulter tous les progrès réalisés en matière de droits civiques ou autres. Leurs condamnations systématiques me rappelaient une histoire que racontait toujours le sénateur David Pryor. Il avait eu une longue conversation avec un homme de 85 ans qui lui avait raconté comment il avait survécu à deux guerres mondiales, à la Dépression, au Viêt-nam, au mouvement des droits civiques et à toutes les grandes crises du XXe siècle. Pryor lui avait dit d'un air admiratif : « On peut dire que vous avez été le témoin de bien des changements ! » « Ouais, avait répondu le vieil homme, et j'étais opposé à chacun d'entre eux ! »

Je ne voulais cependant pas diaboliser Gingrich et sa bande, comme ils l'avaient fait pour nous. Certaines de ses idées ne manquaient pas d'intérêt, notamment dans le domaine des sciences, de la technologie et des entreprises, et il était très impliqué dans les relations internationales. Il pensait également depuis très longtemps que le Parti démocrate devait moderniser son approche, se préoccuper moins de préserver le souvenir de ce que le Parti avait accompli au cours de l'ère industrielle pour se consacrer davantage aux défis de la nouvelle ère de l'information et clarifier notre engagement en faveur des valeurs et des préoccupations de la classe moyenne. J'y ai vu une bonne occasion de comparer les idées des Nouveaux Démocrates sur les questions économiques et sociales avec celles proposées par le « contrat avec l'Amérique ». Le meilleur de la politique réside précisément dans la confrontation des idées.

Mais Gingrich ne s'arrêtait pas là. Il ne se contentait pas de dire que ses idées étaient meilleures que les nôtres ; il disait aussi que ses *valeurs* étaient meilleures que les nôtres, parce que les Démocrates étaient déficients sur la famille, le travail, l'aide sociale, la criminalité et la défense, et parce que, handicapés par le laisser-aller des années 1960, nous ne savions plus distinguer le bien et le mal.

D'un point de vue politique, la force de sa théorie tenait au fait de confirmer avec conviction les stéréotypes négatifs que les Républicains avaient tenté, depuis 1968, d'attacher aux Démocrates dans l'inconscient collectif. Nixon ne s'en était pas privé, Reagan non plus, ni même George Bush, qui a même transformé l'élection de 1988 en référendum sur Willie Horton et le serment d'allégeance. Mais Newt portait l'art de la « chirurgie esthétique inversée » à un niveau inédit de sophistication et de méchanceté.

Sa théorie butait cependant sur la réalité des faits. La plupart des Démocrates avaient une position très dure sur la criminalité ; ils soutenaient la réforme de l'aide sociale et l'idée d'une armée forte. Ils avaient, en outre, fait preuve d'un plus grand sens des responsabilités en matière de fiscalité que les Républicains de la Nouvelle Droite. Pour la plupart, nous étions travailleurs et respectueux de la loi, amoureux de notre pays, dévoués à notre communauté et très soucieux de l'éducation de nos enfants. Mais les faits importaient peu.

Gingrich avait bien appris sa leçon et récitait sa tirade chaque fois que l'occasion s'en présentait.

Il allait bientôt affirmer, sans l'ombre d'une preuve, que 25 % de mes collaborateurs à la Maison Blanche s'étaient récemment drogués. Il est également allé jusqu'à dire que les valeurs démocrates étaient responsables du nombre important de naissances hors mariage chez les mères adolescentes, auxquelles il fallait retirer au plus vite leur enfant pour le placer à l'orphelinat. Lorsque Hillary lui a demandé s'il pensait vraiment qu'un enfant vivrait mieux séparé de sa mère, il lui a répondu qu'elle devait regarder *Des hommes sont nés*, un film de 1938 portant sur des enfants pauvres élevés dans un orphelinat catholique, bien avant que les années 1960 ne plongent le pays dans la déchéance.

Gingrich a même accusé les Démocrates et leurs valeurs permissives d'avoir créé un climat moral qui avait encouragé Susan Smith, une femme un peu dérangée de Caroline-du-Sud, à noyer ses deux jeunes fils en octobre 1994. Lorsqu'il est apparu qu'elle était déséquilibrée parce qu'elle avait subi, enfant, des violences sexuelles de la part de son beau-père ultraconservateur, par ailleurs très impliqué dans les activités de sa paroisse, Gingrich n'a pas sourcillé. Tous les péchés, même les péchés commis par des conservateurs, étaient le fruit du relativisme moral que les Démocrates imposaient à l'Amérique depuis les années 1960.

J'attendais avec impatience que Gingrich nous explique comment la faillite morale des Démocrates avait corrompu les administrations Nixon et Reagan, et fait le lit du Watergate, de l'Irangate et des Contras. Je suis sûr qu'il aurait trouvé un rapport avec les Démocrates ; quand Newt était lancé, rien ni personne ne pouvaient l'arrêter.

Alors que nous avancions vers le mois de décembre, la vie politique s'est quelque peu assainie lorsque la Chambre et le Sénat ont voté le GATT (Global Agreement on Tariffs and Trade) à une large majorité rassemblant les deux partis. Les accords du GATT abaissaient les barrières douanières dans le monde entier, soit l'équivalent de sept cent quarante milliards de dollars, ouvrant des marchés jusqu'alors fermés aux produits et aux services américains, donnant aux pays pauvres l'occasion de vendre au-delà de leurs frontières, et prenaient en charge la création de l'OMC, destinée à mettre en place des règles uniformes d'échanges commerciaux et à régler les litiges. Ralph Nader et Ross Perot ont fait très activement campagne contre ces accords, en affirmant qu'ils auraient de terribles conséquences, de la perte de souveraineté américaine à une augmentation de l'exploitation de la main-d'œuvre enfantine. Mais leurs hauts cris n'ont guère eu d'effets. Les syndicats ne se sont pas opposés au GATT aussi massivement qu'ils s'étaient opposés à l'ALENA, et Mickey Kantor avait bien préparé le terrain auprès du Congrès.

L'arsenal législatif qui comprenait les accords du GATT contenait également une loi passée presque inaperçue : le *Retirement Protection Act* de 1994 (une loi encadrant les retraites). Le problème des retraites et de l'insuffisance de leur financement a été pour la première fois porté à ma connaissance par un simple citoyen dans un débat qui a eu lieu au cours de la campagne. La loi exigeait des entreprises qu'elles augmentent leurs contributions au financement des plans de retraite et elle stabilisait le système national des pensions. La loi sur les retraites et les accords du GATT étaient les deux dernières d'une longue série d'avancées législatives votées au cours des deux premières années de mon mandat. Au vu des résultats électoraux, ces deux succès avaient un goût doux-amer.

Au début du mois de décembre, Lloyd Bentsen a démissionné de son poste de secrétaire au Trésor, et j'ai demandé à Bob Rubin de lui succéder. Bentsen avait accompli un travail remarquable et je ne voulais pas le voir partir, mais il voulait retrouver un peu de vie privée et passer plus de temps avec sa femme. Bob Rubin avait fait du Conseil économique national l'instance décisionnelle de la Maison Blanche la plus novatrice depuis des dizaines d'années ; il était très respecté à Wall Street et voulait que l'économie profite à tous les Américains. Pour moi, le choix était facile. Peu de temps après, j'ai demandé à Laura Tyson de prendre la succession de Bob au Conseil économique national.

Après un dîner en l'honneur du nouveau président ukrainien Leonid Kuchma, j'ai pris l'avion pour Budapest, en Hongrie. Je ne devais y rester que huit heures à peine, afin d'assister à une réunion de la Conférence sur la sécurité et la coopération en Europe, et signer une série d'accords de désarmement nucléaire avec le président Eltsine, le Premier ministre John Major et les présidents de l'Ukraine, du Kazakhstan et de Biélorussie. La presse aurait dû amplement couvrir cette illustration de notre détermination commune à réduire nos arsenaux de plusieurs milliers de missiles et à empêcher la prolifération des armes nucléaires dans les autres pays. Tout ce que la presse a retenu de cette réunion de Budapest a été le discours d'Eltsine, qui me reprochait d'avoir changé la guerre froide en « paix froide » en poussant l'OTAN à s'élargir au profit des pays de l'Europe centrale. J'avais cependant fait exactement l'inverse, en établissant un partenariat pour la paix, qui se voulait une étape intermédiaire vers l'intégration d'un nombre bien plus important de pays, en établissant un processus délibéré pour l'accueil de nouveaux pays membres au sein de l'OTAN, en cherchant à mettre en place un partenariat entre l'OTAN et la Russie.

Comme je n'avais pas été prévenu de la teneur du discours de Boris Eltsine et comme il a pris la parole après moi, j'ai été très surpris et irrité, car je ne savais pas pourquoi il s'était lancé dans de telles affirmations et je n'avais aucun droit de réponse. Il semble qu'Eltsine ait été convaincu par ses conseillers que l'OTAN allait admettre la Pologne, la Hongrie et la République tchèque en 1996, au moment même où il chercherait à être réélu face aux ultranationalistes – fermement opposés à l'élargissement de l'OTAN – et où je ferais campagne contre les Républicains, lesquels se prononçaient en sa faveur.

Cet épisode était très ennuyeux, mais je savais qu'il s'agissait d'une crise passagère. Quelques jours plus tard, Al Gore est allé voir Boris Eltsine, lors de son séjour à Moscou pour la quatrième réunion de la commission Gore-Chernomyrdine sur la coopération scientifique, technique et économique. Boris lui a confirmé que nous restions partenaires, et Al lui a donné l'assurance que notre politique au sujet de l'OTAN n'avait pas changé. Je n'étais pas en train de lui faire du tort pour de simples raisons de politique intérieure, mais je ne voulais pas qu'il ferme indéfiniment les portes de l'OTAN.

Le 9 décembre, j'étais à Miami pour inaugurer le sommet des Amériques, la première rencontre de tous les dirigeants de l'hémisphère depuis 1967. Les trente-trois dirigeants – élus démocratiquement – du Canada, d'Amérique centrale, d'Amérique du Sud et des Caraïbes étaient là, dont le nouveau président de Haïti, Jean-Bertrand Aristide, âgé de 41 ans, et son voisin, Joaquín Balaguer, président de la République dominicaine, âgé de 48 ans, aveugle, infirme, mais d'une intelligence très vive.

J'avais voulu ce sommet afin d'encourager la création d'une zone de libre-échange entre tous les pays des Amériques, du cercle polaire à la Terre de Feu, afin d'encourager la démocratie dans toute la région, mais aussi pour montrer que les États-Unis étaient décidés à se comporter en bons voisins. Cette réunion a eu un succès retentissant. Nous nous sommes tous engagés à établir cette vaste zone de libre-échange d'ici 2005, et nous nous sommes quittés avec le sentiment que nous marchions ensemble vers l'avenir ; un avenir où, selon les mots du grand poète chilien Pablo Neruda, « on ne puisse parler de combat solitaire, ni parler d'espoir solitaire ».

Le 15 décembre, j'ai prononcé une allocution télévisée dans laquelle j'ai détaillé mes propositions en vue d'une baisse des impôts pour les classes moyennes dans les budgets à venir. Certains membres de mon administration étaient opposés à cette annonce, et certains journalistes y ont vu une tentative pour copier les Républicains ou revenir aux promesses de la campagne de 1993, que je n'avais pas tenues, les électeurs m'ayant sanctionné pour ce manque de parole. Pour des raisons politiques et tactiques, j'essayais de revenir dans la course à la baisse d'impôts avec les Républicains avant que le nouveau Congrès ne se mette au travail. Le contrat du GOPAC contenait des propositions fiscales que je trouvais trop onéreuses et trop favorables aux Américains disposant de revenus importants. Par ailleurs, les États-Unis souffraient encore de vingt ans de stagnation des revenus des classes moyennes ; c'était une des principales raisons pour lesquelles personne n'avait ressenti l'amélioration de l'économie. Nous avions commencé à régler le problème en doublant l'aide sous forme de crédit d'impôts. Des réductions d'impôts bien ciblées pouvaient effectivement augmenter les revenus des classes moyennes sans compromettre la réduction du déficit, ni notre capacité à investir dans l'avenir ; elles me permettaient également de tenir les engagements formulés lors de la campagne de 1992.

Dans mon discours, j'ai proposé une charte des droits des classes moyennes qui comprenait, entre autres, un crédit d'impôts de cinq cents dollars pour chaque famille dont les revenus n'excédaient pas soixante-quinze mille dollars, la possibilité de déduire les frais de scolarité universitaire, une extension des plans d'épargne retraite et la conversion des sommes versées par le gouvernement à des dizaines de programmes de formation professionnelle en bons attribués directement aux travailleurs. J'ai déclaré au peuple américain que nous pouvions financer ces mesures fiscales en réduisant un peu plus nos frais de fonctionnement tout en poursuivant la réduction de notre déficit.

Peu de temps avant Noël, Al Gore et moi-même avons annoncé la désignation des premières villes et communes rurales à devenir des « zones de responsabilisation », ce qui leur permettait, en vertu du plan économique de 1993, de bénéficier d'incitations fiscales et de fonds fédéraux afin de promouvoir la création d'emplois dans des endroits oubliés par les reprises précédentes.

Le 22 décembre était le dernier jour que Dee Dee Myers passait à son poste d'attachée de presse. Elle n'avait pas démérité malgré des circonstances difficiles. Dee Dee était déjà à mes côtés dans les neiges du New Hampshire, et depuis, nous avions traversé bien des tempêtes et joué bien des parties de cartes. Je savais qu'elle réussirait bien après son départ.

Comme tous les ans, au moment du Nouvel An, nous avons participé à un week-end de la Renaissance ; puis, Hillary et moi avons pris quelques jours de repos supplémentaires pour rentrer chez nous afin de rendre visite à sa mère et à Dick Kelley. Comme chaque année, je suis également allé chasser le canard avec des amis dans l'est de l'Arkansas. Chaque année, au moment où les canards quittent le Canada pour aller passer l'hiver dans le Sud, ils suivent deux routes, dont l'une longe le Mississippi. Un grand nombre d'oiseaux font halte dans les rizières et les étangs du delta de l'Arkansas, et au fil des ans, plusieurs fermiers avaient fini par établir des réserves de chasse au canard sur leurs terres, à la fois pour eux-mêmes et pour s'assurer un revenu supplémentaire.

Il n'est guère de plus beau spectacle que celui d'un vol de canards dans la lumière du petit matin. Nous avons même vu des oies sauvages passer très haut dans le ciel, formant un V parfait. Ce matin-là, seuls deux canards sont descendus suffisamment bas pour être à portée de tir, et les gars qui m'accompagnaient m'ont laissé les tirer tous les deux. Ils avaient plus de temps que moi pour chasser. J'ai fait remarquer aux journalistes qui nous avaient accompagnés que tous nos fusils étaient protégés par la loi sur la criminalité et que nous n'avions pas besoin de fusils d'assaut pour abattre ces canards.

Le lendemain, Hillary et moi avons assisté à l'inauguration de l'école élémentaire William Jefferson Clinton à Sherwood, dans la banlieue nord de Little Rock. L'endroit était très beau, avec une salle polyvalente au nom de ma mère et une bibliothèque au nom de Hillary. Je dois avouer que j'étais très fier que cette nouvelle école porte mon nom ; personne n'était plus redevable que moi à ses anciens professeurs.

J'avais bien besoin de ce retour aux sources. J'avais travaillé avec acharnement pendant deux ans, j'avais accompli bien des choses, mais j'avais souvent perdu de vue l'essentiel. L'année à venir allait être riche en défis nouveaux. Pour pouvoir les relever tous, il allait me falloir d'autres occasions de rentrer ainsi chez moi me ressourcer, recharger les batteries.

En route pour Washington, j'étais impatient de voir comment les Républicains allaient tenir leurs promesses électorales. Je savais que j'allais devoir défendre l'application complète de la législation votée au cours des deux années écoulées. Lorsque le Congrès vote une nouvelle loi, le travail de l'exécutif ne fait que commencer. La loi sur la criminalité, par exemple, prévoyait le financement de cent mille nouveaux policiers. Nous devions donc créer un bureau au sein du département de la Justice afin de distribuer les fonds, établir des critères d'attribution, lancer et gérer le processus d'application, vérifier la façon dont l'argent était dépensé, de sorte que nous puissions transmettre des rapports réguliers au Congrès et au peuple américain.

Le 5 janvier, j'ai assisté à ma première réunion avec les nouveaux leaders du Congrès. En dehors de Bob Dole et de Newt Gingrich, l'équipe républicaine comprenait le sénateur du Mississippi Trent Lott, ainsi que deux Texans, le représentant Dick Armey, président du groupe républicain à la Chambre, et le représentant Tom DeLay, chef de la majorité à la Chambre. Les nouveaux leaders démocrates étaient le sénateur Tom Daschle, du Dakota-du-Sud, et le représentant Dick Gephardt ; Wendell Ford, du Kentucky, était chef des Démocrates au Sénat, David Bonior, du Michigan, occupant la même fonction à la Chambre.

Même si cette rencontre s'est déroulée dans une atmosphère très cordiale et même si nous pouvions travailler ensemble sur quelques segments du contrat du GOPAC, je savais qu'il n'y aurait pas moyen d'éviter les combats sanglants sur les points importants pour lesquels nos divergences étaient inévitables. Nous allions clairement devoir être très concentrés et très disciplinés dans nos actes comme dans notre stratégie de communication. Un journaliste m'a demandé un jour si nos relations allaient être marquées par « le compromis ou l'affrontement », et j'ai répliqué : « Je n'ai qu'une réponse : Mr Gingrich murmurera à votre oreille droite et je murmurerai à votre oreille gauche. »

Lorsque les membres du Congrès se sont retirés, je me suis rendu dans la salle des conférences de presse pour annoncer que Mike McCurry serait désormais notre attaché de presse. Jusqu'alors, Mike avait été le porte-parole de Warren Christopher au département d'État. Au cours de la campagne présidentielle, en tant qu'attaché de presse de Bob Kerrey, il m'avait gratifié de quelques piques douloureuses. Cela m'importait peu ; il était censé être contre moi pendant la saison des primaires, et il avait fait un travail impeccable au département d'État, où il avait expliqué et défendu notre politique étrangère.

Il nous fallait davantage de sang neuf. Erskine Bowles avait quitté l'Administration des petites et moyennes entreprises pour venir à la Maison Blanche en tant que secrétaire général adjoint, échangeant sa place avec Phil Lader. Homme d'affaire talentueux, expert en accords et marchés en tous genres, qui savait quand tenir tête et quand lâcher du lest, Erskine était particulièrement bien taillé pour ce mélange de compromis prudent et de guérilla qui allait caractériser nos relations avec le nouveau Congrès. Il allait bien soutenir Panetta et mettre à profit les compétences qui complétaient celles de l'autre adjoint de Leon · le va-t-en-guerre Harold Ickes.

Comme tant d'autres mois, janvier nous a apporté son lot de bonnes et de mauvaises nouvelles. Le chômage était descendu à 5,4 %, avec 5,6 millions d'emplois créés. Kenneth Starr avait montré son « indépendance » en annonçant, contre toute attente, qu'il allait rouvrir une enquête sur la mort de Vince Foster. Le gouvernement d'Yitzhak Rabin s'est trouvé menacé lorsque dix-neuf Israéliens ont été tués par des bombes terroristes, le privant d'une partie du soutien dont bénéficiaient ses efforts de paix. J'ai signé le premier texte de loi voté par le nouveau Congrès. Il s'agissait d'un texte que je soutenais très énergiquement et qui exigeait des parlementaires de la nation qu'ils respectent et appliquent toutes les dispositions imposées aux autres employeurs.

Le 24 janvier, j'ai donné le premier discours sur l'état de l'Union prononcé devant un Congrès républicain en quarante ans. Le moment était délicat : il me fallait être conciliant sans paraître faible, déterminé sans paraître hostile.

J'ai commencé par demander au Congrès de laisser de côté les querelles partisanes, les mesquineries et l'orgueil mal placé, en proposant que nous travaillions ensemble à la réforme de l'aide sociale, non pas dans le but de punir les pauvres mais de les responsabiliser. J'ai ensuite présenté celle qui incarne sans doute le mieux tout le potentiel des bénéficiaires de l'aide sociale dans notre pays, Lynn Woolsey, une femme qui, à force de travail, n'avait plus eu besoin de cette aide et avait fini par devenir membre de la Chambre des représentants de la Californie.

J'ai ensuite attaqué les Républicains sur plusieurs fronts. S'ils allaient voter en faveur d'un amendement sur le budget, ils allaient devoir expliquer *comment* ils se proposaient d'équilibrer le budget et dire s'ils avaient l'intention de réduire la dotation de la Sécurité sociale. Je leur ai demandé de ne pas abolir AmeriCorps, comme ils avaient menacé de le faire. J'ai ajouté que s'ils voulaient renforcer la loi sur la criminalité, j'y travaillerais avec eux, mais que je m'opposerais à la suppression des programmes de prévention qui avaient fait leurs preuves, à l'annulation du financement de cent mille nouveaux policiers et à la levée de l'interdiction des fusils d'assaut. J'ai déclaré que je ne ferais jamais rien qui puisse interférer avec l'usage et la possession légitime d'armes à feu, « mais beaucoup de gens ont mis en jeu leur fauteuil au Congrès pour que les policiers et les enfants n'aient plus à risquer leur vie dans des attaques armées », et je veillerais à ce que cela n'ait pas été fait en vain.

J'ai achevé mon discours sur un ton plus conciliant, mettant en avant mes réductions d'impôts en direction des classes moyennes et confirmant ma volonté de travailler avec les Républicains sur ce sujet. J'ai reconnu que, sur la question du système de santé, nous avions eu les yeux plus gros que le ventre, mais je leur ai demandé de travailler avec moi étape par étape, en commençant par s'assurer que personne ne puisse perdre le bénéfice de sa couverture médicale à l'occasion d'un changement d'emploi ou suite à la maladie de l'un des membres de la famille. Je leur ai également demandé de me soutenir dans l'élaboration d'une politique internationale propre à rassembler les deux partis.

Le discours sur l'état de l'Union est l'occasion pour le Président de s'adresser sans interruption pendant une heure au peuple américain, mais il s'agit également de l'un des rituels les plus importants de la vie politique américaine. Le nombre de fois où le Président a été interrompu par des salves d'applaudissements, les raisons qui poussent Démocrates et Républicains à applaudir, les sujets d'accord ou de désaccord, les réactions des sénateurs et des représentants importants, la signification symbolique de la sélection des personnes appelées à siéger à la tribune de la Première Dame : tout est relevé et commenté par la presse et observé, par écran de télévision interposé, par le peuple américain. Pour ce discours-là, j'avais prévu de parler pendant cinquante minutes et de laisser dix minutes aux applaudissements. Parce que je m'étais montré si conciliant, parce qu'il y avait tout de même eu quelques épisodes de confrontation musclée, les applaudissements – en tout plus de quatre-vingt-dix coupures – ont rallongé mon discours de trente et une minutes.

Au moment où je prononçais mon discours sur l'état de l'Union, nous étions plongés depuis deux semaines dans l'une des plus grosses crises de mon premier mandat. Le soir du 10 janvier, après la prestation de serment de Bob Rubin dans le Bureau ovale, lui et Larry Summers sont restés avec moi et quelques-uns de mes conseillers afin de discuter de la crise financière au Mexique. La valeur du peso avait chuté précipitamment, sapant la capacité du Mexique à emprunter de l'argent ou à rembourser la dette existante. Le problème était d'autant plus préoccupant que, la conjoncture mexicaine s'étant détériorée, le pays avait dû, pour trouver de l'argent, émettre des bons d'emprunt à court terme appelés *tesobonos*, qui devaient être remboursés en dollars. Alors que le peso continuait de chuter, il en fallait de plus en plus pour financer la contre-valeur en dollar de cet emprunt à court terme. Avec seulement six milliards de réserves, le Mexique avait désormais trente milliards de dollars de remboursements à honorer en 1995, dont dix milliards à rembourser au cours des trois premiers mois de l'année.

Si le Mexique ne parvenait pas à rembourser, cette « débâcle » économique, comme essayait d'éviter de l'appeler Bob Rubin, pouvait s'accélérer, s'accompagnant d'un chômage massif, d'une inflation galopante et, très probablement, d'une récession forte et durable, parce que ni les institutions financières internationales, ni les autres gouvernements, ni les investisseurs privés ne seraient prêts à risquer de l'argent dans ce pays.

Comme l'ont expliqué Rubin et Summers, l'effondrement économique du Mexique pouvait avoir de graves conséquences pour les États-Unis. Tout d'abord parce que le Mexique était notre troisième plus gros partenaire commercial. S'il ne pouvait plus acheter nos produits, les entreprises et les employés américains seraient touchés de plein fouet. Ensuite, parce que la dislocation de l'économie mexicaine pouvait entraîner une hausse de 30 % de l'immigration clandestine, soit un demi-million de personnes supplémentaires par an. Troisièmement, un Mexique appauvri deviendrait sans nul doute plus vulnérable à l'activité des cartels de la drogue, qui envoyaient déjà de grandes quantités de narcotiques vers les États-Unis, en passant par la frontière mexicaine. Enfin, un défaut de paiement même de la part du Mexique pouvait avoir des conséquences désastreuses pour d'autres pays en ébranlant la confiance des investisseurs dans les pays émergents de l'Amérique latine, de l'Europe centrale, de la Russie, de l'Afrique du Sud et des autres pays que nous aidions à se moderniser et à prospérer. Puisque environ 40 % des exportations américaines se faisaient en direction des pays en voie de développement, notre économie en pâtirait terriblement.

Rubin et Summers nous recommandaient de demander au Congrès d'approuver un prêt de vingt-cinq milliards de dollars accordé au Mexique afin de lui permettre de rembourser sa dette à temps et de conserver la confiance des investisseurs et des créanciers. En échange, le Mexique devait s'engager dans des réformes financières et nous tenir régulièrement informés de sa situation pour empêcher que cette situation ne se reproduise. Ils ne cachaient pas les risques que représentait cette solution. Le Mexique pouvait malgré tout s'effondrer et nous pouvions perdre toutes les sommes avancées. Si cette mesure portait ses fruits, il restait encore ce que les économistes appellent un « danger moral ». Le Mexique était au bord du gouffre non seulement à cause de l'échec de la politique gouvernementale et de la faiblesse de ses institutions, mais aussi parce que les investisseurs avaient continué à financer ses opérations bien au-delà de ce que la prudence leur recommandait de faire. En donnant de l'argent au Mexique pour rembourser de riches investisseurs qui avaient pris de mauvaises décisions, nous risquions de donner l'impression que de telles décisions n'avaient en fait aucune conséquence négative.

Le risque était d'autant plus grand que la plupart des Américains ne comprenaient pas les conséquences qu'une faillite du Mexique pouvait avoir sur l'économie américaine. La plupart des Démocrates au Congrès allaient y voir la preuve que l'ALENA était une mauvaise idée, et un grand nombre de Républicains fraîchement élus, notamment à la Chambre, ne partageaient pas l'enthousiasme du président de la Chambre pour les affaires internationales. Un nombre étonnant d'entre eux ne possédaient pas même un passeport. Ils entendaient restreindre l'immigration mexicaine et n'avaient aucune intention d'envoyer des milliards de dollars de l'autre côté de la frontière.

À la fin de leur présentation, j'ai posé deux questions, puis j'ai dit que nous devions prêter au Mexique l'argent dont il avait besoin. Je pensais que cette décision était sans appel, mais certains de mes conseillers voyaient les choses d'un autre œil. Ceux qui voulaient me voir reprendre du poil de la bête après ma défaite à mi-mandat ont cru que j'avais perdu la tête. Lorsque George Stephanopoulos a entendu qu'il s'agissait d'un prêt de vingt-cinq milliards de dollars, il a d'abord cru que Rubin et Summers avaient voulu dire vingt-cinq millions de dollars. Puis il s'est dit que j'étais sur le point de me tirer dans le pied. Panetta était pour le prêt, mais pensait que si le Mexique ne nous remboursait pas, je perdrais les élections en 1996.

Les risques étaient considérables, mais j'avais confiance dans le nouveau président du pays, Ernesto Zedillo, un docteur en économie de Yale qui avait saisi sa chance lorsque le candidat officiel de son parti, Luis Colosio, avait été assassiné. Si quelqu'un pouvait sauver le Mexique, c'était bien Zedillo.

Nous ne pouvions nous contenter de rester en retrait et laisser le Mexique s'effondrer sans essayer de l'aider. En plus des problèmes économiques que cet effondrement créerait pour nous comme pour les Mexicains, toute l'Amérique latine prendrait notre attitude pour de l'aveuglement et de l'égoïsme. L'Amérique latine considérait depuis très longtemps les États-Unis comme un pays arrogant et insensible à ses problèmes comme à ses intérêts. Chaque fois que l'Amérique faisait un geste d'authentique amitié – la politique de bon voisinage de Franklin D. Roosevelt, l'alliance pour le progrès de John F. Kennedy, la restitution du canal de Panamá par le président Carter –, elle améliorait son image. Au cours de la guerre froide, lorsque nous avons soutenu le renversement de dirigeants démocratiquement élus, encouragé des dictateurs et toléré leurs exactions, nous avons eu la réaction que nous méritions.

J'ai convoqué les leaders politiques du Congrès à la Maison Blanche afin de leur expliquer la situation et de leur demander de me soutenir. Ils m'ont tous approuvé, y compris Bob Dole et Newt Gingrich, qui a qualifié le problème mexicain comme « la première crise du XXIe siècle ». Rubin et Summers sont allés expliquer la situation au Capitole, et nous avons obtenu le soutien du sénateur Paul Sarbanes, du Maryland, du sénateur Chris Dodd, et du sénateur républicain de l'Utah, Bob Bennett, un conservateur à l'ancienne mode, très intelligent, qui a tout de suite compris les conséquences que pouvait avoir notre inaction et qui allait rester à nos côtés durant toute la crise. Nous avons également reçu le soutien de plusieurs gouverneurs, dont Bill Weld, du Massachusetts, qui s'intéressait de très près au Mexique, et George W. Bush, gouverneur du Texas dont l'État, comme la Californie, aurait pâti le plus de l'effondrement de l'économie mexicaine.

Malgré tout, et en dépit du soutien d'Alan Greenspan, nous nous sommes rendu compte à la fin du mois que les choses étaient mal engagées au Congrès. Les Démocrates opposés à l'ALENA étaient persuadés que cette mesure d'aide allait trop loin, et les nouveaux membres républicains étaient en révolte ouverte.

À la fin du mois, Rubin et Summers en étaient à envisager d'agir unilatéralement, en prenant l'argent sur le Fonds de stabilisation des échanges. Ce fonds avait été créé en 1934, lorsque l'Amérique avait abandonné l'étalon-or ; il servait à minimiser les fluctuations monétaires et représentait environ trente-cinq milliards de dollars pouvant être utilisés par le secrétaire au Trésor avec l'accord du Président. Le 28, il est devenu urgent de prendre les mesures qui s'imposaient car le ministère des Finances mexicain a appelé Rubin pour lui dire que le défaut de remboursement était imminent, puisque un milliard de dollars sous forme de *tesobonos* arrivaient à échéance la semaine suivante.

La crise a éclaté le lundi 30 janvier au soir. Les réserves du Mexique s'élevaient à deux milliards de dollars et le peso avait encore perdu 10 % de sa valeur dans la journée. Ce soir-là, Rubin et Summers sont venus à la Maison Blanche voir Leon Panetta et Sandy Berger, qui était chargé de la question au sein du Conseil national de sécurité. Rubin leur a expliqué très crûment que « le Mexique n'avait plus que quarante-huit heures à vivre ». Gingrich a appelé pour dire qu'il ne pouvait pas faire voter nos mesures d'aide avant deux semaines et qu'il n'était pas même certain de le pouvoir. Dole nous avait déjà dit strictement la même chose. Ils avaient fait leur possible, comme Tom Daschel et Dick Gephardt, mais l'opposition était trop forte.

Je suis rentré à la Maison Blanche vers 23 heures, après un dîner, et je suis allé directement dans le bureau de Leon afin d'entendre la triste nouvelle. Rubin et Summers nous ont brièvement rappelé les conséquences de l'incapacité de remboursement du Mexique, ils ont ajouté ensuite que nous n'avions besoin « que » de vingt milliards de dollars de garantie au lieu de vingt-cinq milliards, parce que le président du Fonds monétaire international, Michel Camdessus, avait rassemblé environ dix-huit milliards de dollars d'aide que le FMI était prêt à avancer si les États-Unis se décidaient à agir. Ajouté aux petites contributions consenties par d'autres pays et par la Banque mondiale, le montant total s'élevait à un petit peu moins de quarante milliards de dollars.

Même s'ils étaient partisans de sauter le pas, Sandy Berger et Bob Rubin ont à nouveau souligné les risques. Un récent sondage publié par le *Los Angeles Times* montrait que 79 % des Américains contre 18 % étaient opposés à une aide au Mexique. J'ai répondu : « Alors d'ici un an, quand nous aurons un million de clandestins en plus, que nous serons inondés de drogue en provenance du Mexique, que beaucoup de gens des deux côtés du Rio Grande auront perdu leur emploi, et quand ils me demanderont pourquoi je n'ai rien fait, qu'est-ce que je vais leur répondre ? Que 80 % des Américains refusaient de les aider ? Nous devons faire quelque chose. » Cette réunion a duré environ dix minutes.

Le lendemain, le 31 janvier, nous avons annoncé une série de mesures d'aide ainsi que le déblocage d'une somme prise sur le Fonds de stabilisation des échanges. L'accord de prêt a été signé deux semaines plus tard dans les bureaux du Trésor, sous les protestations et les huées du Congrès et les récriminations de certains de nos alliés du G7, irrités que le président du FMI se soit engagé à hauteur de dix-huit milliards de dollars en faveur du Mexique sans leur accord préalable. La première partie de cette aide financière a été débloquée en mars, suivie d'ajouts réguliers, même si les choses ont mis plusieurs mois avant de s'arranger pour le Mexique. À la fin de l'année, cependant, les investisseurs sont retournés sur les marchés mexicains, et le dynamisme du commerce extérieur a fini par permettre la constitution de réserves. Ernesto Zedillo a également mis en place les réformes promises.

Même si la situation était très difficile au départ, notre aide a porté ses fruits. En 1982, lorsque l'économie mexicaine s'était effondrée, il avait fallu dix années pour que la croissance revienne. Après 1982, il avait fallu sept ans au Mexique pour avoir à nouveau accès aux principaux marchés. En 1995, il n'a fallu que sept mois. En janvier 1997, le Mexique avait remboursé la totalité de sa dette, intérêts compris, avec trois ans d'avance sur l'échéancier prévu. Le Mexique avait emprunté dix milliards et demi de dollars sur les vingt milliards que nous avions mis à sa disposition, il avait remboursé 1,4 milliard d'intérêts, presque six cents millions de dollars de plus que ce que cette somme aurait rapporté si elle avait été investie en bons du Trésor américains. Pour nous, ce prêt était non seulement une bonne décision politique mais aussi un bon investissement.

De ce prêt accordé au Mexique, l'éditorialiste du *New York Times* Tom Friedman a dit qu'il s'agissait de « la décision de politique étrangère la moins populaire, la plus incomprise, mais la plus importante de la présidence Clinton ». Il n'avait sans doute pas tort. Quant à l'opposition de l'opinion, 75 % des gens étaient également opposés aux mesures d'aide à la Russie ; ma décision de remettre Aristide au pouvoir en Haïti n'a pas été populaire et les actions que j'ai lancées par la suite en Bosnie et au Kosovo ont tout d'abord rencontré la résistance de l'opinion. Les sondages peuvent être utiles dans la mesure où ils renseignent le Président sur ce que pense le peuple américain ou lui indiquent les arguments les plus porteurs à un moment particulier, mais ils ne peuvent dicter des décisions qui impliquent une connaissance parfaite des conséquences et des développements à long terme. Le peuple américain élit le Président afin qu'il agisse pour le bien de la nation sur le long terme. Aider le Mexique était une bonne chose pour l'Amérique. C'était la seule décision sensée du point de vue de l'économie et, en la prenant, nous avons montré, une fois de plus, que nous savions nous comporter en bons voisins.

Le 9 février, Helmut Kohl est venu me rendre visite. Il venait tout juste d'être réélu et m'a assuré d'un air confiant que je le serais également. Il m'a dit que nous vivions une époque trouble, mais que j'allais très bien m'en sortir. Lors de la conférence de presse qui a suivi notre entrevue, Kohl a rendu hommage au sénateur Fulbright, décédé quelques instants avant minuit à l'âge de 89 ans. Kohl a dit qu'il était d'une génération pour laquelle « obtenir une bourse d'études Fulbright était le *nec plus ultra* » et que dans le monde entier, le nom de Fulbright était associé « à l'ouverture, l'amitié, l'effort commun ». À sa mort, plus de quatre-vingt-dix mille Américains et cent vingt mille étudiants d'autres pays avaient pu bénéficier de ces bourses Fulbright.

J'étais allé rendre visite au sénateur Fulbright, chez lui, peu de temps avant sa mort. Il avait eu une attaque et avait des difficultés d'élocution, mais son regard restait vif, son esprit très alerte et cette visite fut très agréable. Fulbright allait tenir une grande place dans l'histoire américaine, comme je l'ai dit au moment du service à sa mémoire, « toujours professeur et toujours étudiant ».

Le 13 février, Laura Tyson et les autres membres du Conseil économique, Joseph Stiglitz et Martin Baily, m'ont remis un exemplaire du dernier *Rapport économique du Président*. Il soulignait les progrès accomplis depuis 1993, de même que les problèmes persistants que représentaient la stagnation et l'inégalité des revenus. J'ai profité de cette occasion pour mettre en avant mon idée de charte des droits des classes moyennes, et ma proposition d'augmenter le salaire minimum de quatre-vingt-dix cents en deux ans pour le faire passer de 4,25 dollars à 5,15 de l'heure. Cette hausse devait profiter à dix millions de travailleurs, en augmentant leurs revenus de mille huit cents dollars par an. La moitié de cette hausse était nécessaire pour ramener le salaire minimum, après l'inflation, à son niveau de 1991, lors de sa dernière augmentation.

Le salaire minimum était la cause préférée de la plupart des Démocrates, mais la majeure partie des Républicains s'opposaient à une augmentation de ce salaire minimum, affirmant qu'en accroissant les coûts pour les entreprises, cette hausse faisait perdre des emplois. Ils avaient peu de données pour étayer leurs affirmations. En effet, certains jeunes économistes venaient de trouver qu'une hausse modérée du salaire minimum pouvait entraîner une modeste baisse du chômage. À la télévision, j'avais vu l'interview d'une ouvrière d'usine du sud-ouest de la Virginie qui recevait ce salaire minimum. Quand le journaliste lui a demandé si elle pensait qu'une hausse de ses revenus pouvait pousser son employeur à la licencier pour la remplacer par une machine, la jeune femme a répondu en souriant : « Je veux bien tenter le coup. »

Au cours de la dernière semaine de février, Hillary et moi nous sommes rendus au Canada pour une visite officielle. Nous sommes descendus à la résidence de l'ambassadeur américain où nous avons été accueillis par l'ambassadeur Jim Blanchard et son épouse, Janet. Jim et moi étions devenus amis dans les années 1980, alors qu'il était gouverneur du Michigan. Le Canada est notre plus gros partenaire commercial et notre plus proche allié. Nous avons en commun la plus longue frontière non surveillée au monde. En 1995, nous travaillions ensemble sur plusieurs dossiers importants : Haïti, l'aide mexicaine, l'OTAN, l'ALENA, le sommet des Amériques et l'APEC. Même s'il nous arrivait d'être en désaccord sur le commerce du blé et du bois ou sur les droits de pêche au saumon, notre amitié était aussi solide que profonde.

Nous avons passé beaucoup de temps avec le Premier ministre Jean Chrétien et son épouse, Aline. Chrétien allait devenir l'un de mes meilleurs amis parmi les dirigeants du monde entier, ainsi qu'un partenaire de golf régulier, un allié solide et un confident.

Je me suis adressé au Parlement canadien, remerciant les représentants pour notre partenariat en matière d'économie et de sécurité, et pour la riche contribution culturelle du Canada à la vie américaine, avec notamment Oscar Peterson – mon pianiste de jazz préféré –, l'auteur-interprète Joni Mitchell – qui a écrit une chanson intitulée *Chelsea Morning* –, ou encore Yousuf Karsh. Ce grand photographe était devenu célèbre avec un portrait de Winston Churchill, les sourcils froncés parce que Karsh venait de lui prendre son éternel cigare ; il nous avait également photographiés, Hillary et moi, dans des poses moins intimidantes.

Le mois de mars a plutôt bien commencé, en tout cas de mon point de vue. Le Sénat n'a en effet pas pu, à une voix près, obtenir la majorité des deux tiers nécessaire à l'adoption de l'amendement sur l'équilibre budgétaire. Même si cet amendement était populaire, tous les économistes s'accordaient à dire qu'il s'agissait d'une mauvaise idée car elle restreignait la capacité du gouvernement à laisser filer le déficit lorsque les circonstances l'exigeaient : en période de récession ou en cas d'état d'urgence. Avant 1981, l'Amérique avait connu très peu de périodes de déficit. Il a fallu douze ans d'une politique économique qui avait quadruplé la dette nationale pour que les hommes politiques commencent à dire qu'ils ne pourraient jamais prendre de décisions économiques responsables s'ils n'y étaient forcés par un amendement à la Constitution. Alors que le débat faisait rage, j'ai demandé à la nouvelle majorité républicaine, qui était en faveur de cet amendement, d'expliquer très précisément comment ils comptaient équilibrer le budget. J'avais réussi à mettre en place un budget après seulement un mois à la présidence ; ils contrôlaient le Congrès depuis près de deux mois et n'avaient présenté aucun projet budgétaire. Ils avaient du mal à transformer leur rhétorique de campagne en recommandations précises.

Très vite, les Républicains ont donné un avant-goût du budget à venir en proposant un ensemble de réductions pour le budget de l'année en cours. Celles qu'ils ont choisies prouvaient que les Démocrates avaient eu raison de critiquer le contrat avec l'Amérique au cours de la campagne. Les restrictions proposées par les Républicains prévoyaient l'élimination de quinze mille postes pour AmeriCorps, de 1,2 million de jobs d'été pour les jeunes et la suppression de 1,7 milliard de dollars sur le budget de l'éducation, notamment près de la moitié des fonds que nous destinions à la prévention de la drogue, au moment même où la consommation de drogue chez les jeunes était en augmentation. Pire encore, ils voulaient supprimer le programme de cantines scolaires et le programme de nutrition en direction des femmes, des bébés et des enfants de moins de 5 ans, qui avait pourtant reçu jusque-là un fort soutien de la part des Démocrates comme des Républicains. Ni la Maison Blanche ni les Démocrates ne se sont privés de dénoncer ces coupes claires.

Une autre proposition républicaine a rencontré une forte résistance : la suppression du département de l'Éducation, dont la création avait pourtant reçu également un fort soutien des deux partis. Lorsque le sénateur Dole a dit que ce département avait fait plus de tort que de bien, j'ai répondu en plaisantant qu'il avait peut-être raison : depuis sa création, il avait été le plus souvent sous le contrôle de secrétaires d'État à l'Éducation républicains. En comparaison, Dick Riley avait fait beaucoup plus de bien que de tort.

Tout en repoussant les propositions républicaines, je faisais avancer mon propre programme de façon à pouvoir me passer de l'approbation du Congrès tout en montrant que j'avais bien reçu le message que m'avaient envoyé les électeurs lors du dernier scrutin. À la mi-mars, j'ai annoncé une mesure de réforme développée par Al Gore dans le cadre de son projet de réforme du gouvernement. Il s'agissait d'améliorer nos efforts de protection de l'environnement en proposant des incitations économiques au secteur privé plutôt qu'en imposant une réglementation trop lourde. La réduction de 25 % du volume de documents à fournir lors des démarches administratives allait leur permettre d'économiser vingt millions d'heures de travail par an.

Les efforts que nous faisions pour réformer le gouvernement commençaient à payer. Nous avions déjà réduit les effectifs fédéraux de plus de cent mille personnes et éliminé dix mille pages des manuels de gestion du personnel fédéral. Bientôt, nous allions gagner près de huit milliards de dollars en mettant pour la première fois aux enchères certaines ondes de télédiffusion ; nous allions également éliminer seize mille pages de réglementation fédérale sans que cela nuise à l'intérêt public. Tous ces changements ont été décidés en fonction d'un seul principe : protéger les citoyens et non la bureaucratie, promouvoir les résultats et non les règles, mettre en avant l'action et non la rhétorique. Le travail très positif d'Al Gore a confondu nos adversaires et ravi nos alliés ; mais n'étant ni controversé ni spectaculaire, il est passé inaperçu aux yeux du grand public.

Au moment de ma troisième Saint-Patrick depuis mon élection à la présidence, cette journée, jusqu'alors simple célébration, était devenue une occasion pour les États-Unis de faire avancer le processus de paix en Irlande du Nord. Cette année-là, j'ai accueilli avec les vœux irlandais traditionnels, *céad míle fáilte* [cent mille fois bienvenu], le nouveau Premier ministre irlandais John Bruton, qui poursuivait la politique de paix de son prédécesseur. En milieu de journée, j'ai rencontré pour la première fois Gerry Adams au Capitole, où Newt Gingrich organisait son premier déjeuner de la Saint-Patrick. J'avais octroyé un second visa à Adams après que le Sinn Fein avait accepté de discuter avec le gouvernement britannique à propos d'un arrêt des violences de la part de l'IRA. Je l'avais invité, ainsi que John Hume et des députés des autres principaux partis d'Irlande du Nord – Unionistes comme Républicains –, à la réception de la Saint-Patrick que je donnais ce soir-là à la Maison Blanche.

Lorsque Adams est arrivé au déjeuner, Hume m'a encouragé à aller à sa rencontre pour lui serrer la main, ce que j'ai fait. Le soir, à la Maison Blanche, les invités ont pu entendre le superbe ténor irlandais Frank Patterson. Adams était si content de cette soirée qu'il a fini par chanter en duo avec Hume.

Tout cela peut paraître ordinaire à présent, mais à l'époque, cela représentait un énorme changement dans la politique américaine, un changement auquel le gouvernement britannique et beaucoup de membres de notre département d'État restaient opposés. Désormais, je m'entretenais non seulement avec John Hume, le chantre du changement pacifique, mais aussi avec Gerry Adams, que les Britanniques considéraient encore comme un terroriste. Physiquement, Adams tranchait singulièrement avec Hume, qui était affable et un peu flétri sous ses airs de professeur. Adams était barbu, plus grand, plus jeune, plus mince, et comme endurci par les années passées au bord de la destruction. Mais ils avaient plusieurs choses en commun. Derrière leurs lunettes, leur regard révélait une même intelligence, une même conviction et ce même mélange si typiquement irlandais de tristesse et d'humour qui naît d'un espoir souvent contrarié mais jamais perdu. Ils essayaient tous deux de libérer leur peuple des chaînes du passé. Peu de temps après, David Trimble, qui dirigeait le plus grand parti unioniste, est venu les rejoindre à la Maison Blanche, pour une autre Saint-Patrick et pour faire avancer la paix.

Le 25 mars, Hillary a entamé son premier grand voyage outre-Atlantique sans moi. Il s'agissait d'une visite de douze jours au Pakistan, en Inde, au Népal, au Bangladesh et au Sri Lanka. Elle a emmené Chelsea, et ce voyage, important pour les États-Unis, allait être une mémorable odyssée pour elles deux. Alors que ma famille était loin, je me suis moi-même déplacé plus près de chez nous puisque je suis allé en Haïti pour rendre visite à nos soldats, rencontrer le président Aristide, exhorter le peuple haïtien à œuvrer pour un avenir pacifique et démocratique, et participer au transfert de l'autorité des mains de notre force multinationale vers celles des Nations unies. En six mois, les forces de trente nations avaient travaillé ensemble sous commandement américain afin de retirer de la circulation plus de trente mille armes et explosifs, et former une force de police permanente. Elles avaient mis fin à la répression violente, à l'émigration massive des Haïtiens, qui commençaient à rentrer chez eux, et protégé la démocratie dans notre hémisphère. Désormais, la mission des Nations unies, forte de six mille hommes, de neuf cents officiers de police et de dizaines de conseillers économiques, politiques et juridiques, allait prendre la relève pour onze mois, jusqu'à l'élection et l'entrée en fonctions d'un nouveau président. Les États-Unis allaient jouer un rôle, mais nous allions réduire les effectifs et les dépenses que nous avions engagés, au moment où trente-deux autres pays venaient nous relayer.

En 2004, après la démission du président Aristide et son départ en exil au milieu du regain de violence et d'affrontements, j'ai repensé à ce que m'avait dit Hugh Shelton, le commandant en chef des forces américaines : « Les Haïtiens sont des gens bien qui méritent qu'on leur donne leur chance. » Aristide a certainement commis des erreurs et il a souvent été son pire ennemi, mais l'opposition n'a jamais vraiment cherché à coopérer avec lui. J'ajouterai que lorsque les Républicains ont regagné le Congrès en 1995, ils ont refusé d'accorder au gouvernement haïtien l'aide financière qui aurait pu faire la différence.

Haïti ne pourra jamais devenir une démocratie stable sans une aide supplémentaire de la part des États-Unis. Notre intervention à l'époque a toutefois permis de sauver des vies et de donner aux Haïtiens une première expérience de la démocratie pour laquelle ils avaient voté. Même avec les problèmes que pose Aristide, les Haïtiens auraient connu bien pire sous Cédras. Je suis heureux que nous ayons donné une chance au peuple haïtien.

Cette intervention en Haïti a également démontré toute la valeur d'une réaction multilatérale dans les zones troublées de la planète. Lorsque des nations travaillent ensemble et par le biais des Nations unies, la responsabilité et le coût de telles opérations s'en trouvent partagés, ce qui réduit l'animosité envers les États-Unis et permet de mettre en place de précieux réflexes de coopération. Dans un monde de plus en plus interdépendant, nous devrions agir de la sorte chaque fois que cela nous est possible.

CHAPITRE QUARANTE-TROIS

Pendant la première moitié du mois d'avril, j'ai rencontré plusieurs dirigeants étrangers : le Premier ministre John Major, le président Hosni Moubarak, et Benazir Bhutto, Premier ministre du Pakistan, et Tansu Ciller, Premier ministre de Turquie, deux femmes intelligentes qui défendaient des conceptions modernes à la tête de pays musulmans, sont venues me voir.

Au cours de cette même période, Newt Gingrich a prononcé un discours à l'occasion de ses cent jours à la présidence à la Chambre. À l'entendre, on aurait pu penser que les Républicains avaient révolutionné l'Amérique du jour au lendemain et imposé un système parlementaire dans lequel, lui-même, agissant en qualité de Premier ministre, définissait la politique intérieure du pays, concédant au Président le seul champ restreint des affaires étrangères.

Les Républicains dominaient l'actualité. Tout d'abord parce que leur contrôle sur le Congrès était encore une nouveauté, ensuite parce qu'ils ne cessaient de répéter qu'ils accomplissaient des bouleversements fondamentaux. À ce stade, ils n'avaient pourtant mis en œuvre que trois points relativement mineurs – et que d'ailleurs, je soutenais – de leur contrat. Les décisions difficiles étaient encore à venir.

Lors d'un discours devant la société américaine des éditeurs de quotidiens, j'ai passé en revue le contrat, soulignant les aspects avec lesquels j'étais d'accord, ceux auxquels je m'opposais et sur lesquels j'étais prêt à rechercher des compromis ou à poser mon veto. Le 14 avril, soit quatre jours après que le sénateur Bob Dole eut annoncé sa candidature à l'élection présidentielle, j'ai rempli avec discrétion tous les documents nécessaires pour me représenter.

Le 18, j'ai tenu une conférence de presse au cours de laquelle j'ai dû répondre à plus de vingt questions, portant sur toutes sortes de sujets, aussi bien intérieurs qu'extérieurs. Le lendemain, tout était oublié. Un seul nom était sur toutes les lèvres : Oklahoma City.

En fin de matinée, j'apprenais que le bâtiment fédéral Alfred P. Murrah venait d'être réduit à l'état de ruine après l'explosion d'un camion chargé d'explosifs. Le nombre de victimes était encore inconnu. J'ai immédiatement déclenché les procédures d'urgence et dépêché une équipe d'enquêteurs sur les lieux. Dès qu'une première estimation de l'aide nécessaire a été disponible, les pompiers et le personnel de secours ont accouru de tout le pays pour prêter main-forte aux équipes locales et rechercher, dans les ruines encore fumantes, d'éventuels survivants.

L'Amérique, sidérée et endeuillée, a découvert l'ampleur de la tragédie : on dénombrait cent soixante-huit victimes, dont dix-neuf jeunes enfants accueillis par la crèche que le bâtiment abritait. Une grande majorité des disparus étaient les employés fédéraux des différentes agences qui avaient leur siège à cette adresse. La thèse d'un attentat commis par des fondamentalistes islamistes était sur toutes les lèvres, mais j'ai mis en garde l'opinion contre toute conclusion hâtive sur l'identité des auteurs.

Peu après l'attentat, les autorités de l'Oklahoma ont arrêté Timothy McVeigh, un ancien militaire qui menait une vie marginale et cultivait une haine obsessionnelle du gouvernement fédéral. Le 21, McVeigh était remis au FBI et mis en examen. Il n'avait pas choisi au hasard le 19 avril pour commettre son forfait : c'était la date anniversaire de l'opération du FBI contre la secte des davidiens à Waco, événement qui illustrait, pour l'extrême droite, les abus de pouvoir et l'arbitraire du gouvernement. Depuis plusieurs années, la paranoïa antifédérale tendait à se diffuser dans le pays, à mesure que la défiance traditionnelle à l'égard du pouvoir central se transmuait en une véritable haine. L'apparition de milices armées qui rejetaient la légitimité des autorités fédérales et revendiquaient le droit de se doter de leurs propres lois reflétait l'évolution de cet état d'esprit.

L'atmosphère d'hostilité était entretenue par plusieurs animateurs de radio, dont les invectives étaient diffusées chaque jour sur les ondes ainsi que par des sites Internet qui encourageaient les Américains à se révolter contre le gouvernement et offraient toutes sortes de renseignements pratiques, y compris des plans détaillés pour fabriquer des bombes.

Après Oklahoma City, j'ai tenté d'apporter réconfort et encouragements à ceux qui avaient perdu des proches, comme à l'ensemble du pays, et de renforcer nos moyens de protection contre le terrorisme. Plus de deux ans après l'attentat contre le World Trade Center, j'avais déjà accru les moyens de lutte du FBI et de la CIA contre le terrorisme et veillé à une meilleure collaboration entre les deux agences. Grâce aux efforts des services de sécurité, plusieurs terroristes avaient eté ramenés aux États-Unis après s'être enfuis vers des pays étrangers, et divers attentats – à New York, contre les Nations unies et dans deux tunnels routiers menant à Manhattan, ou bien à bord d'avions en provenance des Philippines volant vers la côte ouest des États-Unis – avaient pu être empêchés.

Deux mois avant Oklahoma City, j'avais soumis au Congrès un train de mesures antiterroristes. Parmi celles-ci, je proposais l'adjonction de mille nouveaux postes dans les services luttant contre le terrorisme et la création d'un centre de coordination, placé sous la direction du FBI. Je souhaitais aussi que les deux chambres avalisent la participation des militaires, exclus, en temps normal, du maintien de l'ordre sur le territoire national, dans l'éventualité de menaces ou d'incidents mettant en jeu des armes chimiques, bactériologiques ou nucléaires.

Après Oklahoma City, j'ai demandé aux responsables du Congrès d'adopter la procédure d'urgence pour voter ces mesures auxquelles, le 3 mai, j'ai annexé plusieurs amendements destinés à en renforcer l'efficacité : l'accès facilité des forces de l'ordre aux documents financiers dans les affaires de terrorisme ; l'assouplissement des procédures d'autorisation d'écoutes électroniques sur les suspects, afin d'éviter le renouvellement des demandes auprès de la justice lors de leurs éventuels déménagements ; des peines accrues contre quiconque fournirait, en toute connaissance de cause, des armes ou des explosifs destinés à une entreprise criminelle ou à une action terroriste visant des employés fédéraux ou leurs familles ; enfin, une réglementation facilitant la traçabilité de tous les types d'explosifs par l'adjonction de marqueurs, chimiques ou autres. Quelques-unes de ces mesures n'allaient pas manquer de soulever des controverses, mais, comme je l'ai déclaré devant la presse le 4 mai, le terrorisme « est la première menace qui pèse sur la sécurité des Américains ». J'aurais souhaité que mon pronostic ne se vérifie jamais.

Le dimanche, Hillary et moi-même nous sommes rendus à Oklahoma City pour un service religieux à la mémoire des victimes qui s'est tenu sur la pelouse des expositions de la ville. L'initiative venait de Cathy Keating, l'épouse du gouverneur Frank Keating, que j'avais connu plus de trente ans auparavant quand nous étions étudiants à Georgetown. Frank et Cathy étaient encore sous le coup de l'événement, mais, comme le maire d'Oklahoma City, Ron Norick, ils avaient, dès la première heure, contribué à l'organisation des secours et aidaient maintenant la ville à assumer son deuil. Au cours de la cérémonie, le révérend Billy Graham a été longuement applaudi lorsqu'il a prononcé ces mots : « L'esprit de cette ville, l'esprit de cette nation ne seront pas vaincus. » À la tribune, le gouverneur a tenu des propos très émouvants, affirmant que quiconque pensait que les Américains avaient perdu leur faculté d'empathie, de souci des autres ou qu'ils manquaient de courage devait se rendre dans l'Oklahoma.

Au nom du pays, j'ai déclaré : « Ce que vous avez perdu est énorme, mais vous n'avez pas tout perdu. Et vous n'avez pas perdu l'Amérique, car nous sommes à vos côtés, et nous le resterons aussi longtemps qu'il le faudra. » J'ai partagé avec l'assistance le contenu d'une lettre que m'avait envoyée une jeune veuve, mère de trois enfants, dont le mari avait disparu dans l'attentat contre le vol de la Pan Am survenu au-dessus de Lockerbie, en Écosse, en 1988. Elle s'adressait à tous ceux qui avaient perdu des êtres chers, leur demandant de ne pas se laisser dominer par la colère, de ne pas laisser leur douleur se muer en haine, de ne pas être paralysés par le deuil, mais de poursuivre tout ce que leurs proches disparus « avaient laissé inachevé, afin qu'ils ne soient pas morts en vain ». Nous avions, Hillary et moi, rencontré quelques familles de victimes et j'avais besoin de la force de ces paroles. Al Whicher, un des agents des services secrets morts dans l'attentat, avait travaillé dans mon équipe de sécurité avant sa mutation dans l'Oklahoma ; sa femme et ses trois enfants assistaient à la cérémonie.

Trop souvent qualifiés avec mépris de « bureaucrates fédéraux », ces employés de l'État avaient été assassinés parce qu'ils étaient au service de l'Amérique, aidant les personnes âgées et les handicapés, soutenant les agriculteurs et les anciens combattants, faisant respecter la loi. Ils avaient des familles, des amis, des voisins, des responsabilités dans la vie associative, une place dans la collectivité. Par une étrange dérive, ils étaient perçus comme des parasites sans âme, prospérant grâce aux impôts et abusant de leur pouvoir, non seulement par Timothy McVeigh et ses semblables dans leur réflexion pervertie, mais par beaucoup d'autres encore, qui les avaient pris pour cible afin de préserver leur pouvoir et leurs profits. Je me suis promis de ne jamais recourir à l'expression imbécile de « bureaucrates fédéraux » et de tout faire pour changer l'atmosphère de ressentiment et de fanatisme qui avait engendré cette folie.

Le casse-tête de Whitewater n'a pas connu de répit pendant ces événements. La veille de notre déplacement à Oklahoma City, Kenneth Starr, assisté de trois aides, est venu nous questionner à la Maison Blanche. La séance s'est déroulée dans la salle du Traité, où m'accompagnaient Ab Mikva et Jane Sherburne, des services juridiques de la Maison Blanche, ainsi que mes avocats, David Kendall et son associée, Nicole Seligman. L'entretien s'est déroulé sans incident. Quand il a pris fin, j'ai demandé à Jane Sherburne de guider Kenneth Starr et ses adjoints jusqu'à la chambre de Lincoln, qui contenait son mobilier personnel, installé à la Maison Blanche par Mary Todd Lincoln et une copie du discours de Gettysburg, de la main de Lincoln. Il l'avait écrite après l'événement et la destinait à une éventuelle vente aux enchères, dont les gains devaient être redistribués aux anciens combattants. Hillary estimait que je me montrais trop prévenant à leur égard, mais je ne faisais qu'appliquer les préceptes de mon éducation. En outre, je voulais encore croire que l'enquête se poursuivrait selon des procédures légitimes.

Durant la même semaine, mon ami de longue date le sénateur David Pryor a annoncé qu'il ne se représenterait pas en 1996. Nous nous connaissions depuis presque trente ans. David Pryor et Dale Bumpers n'étaient pas seulement les sénateurs de mon État ; nous nous étions succédé au poste de gouverneur et, ensemble, nous avions contribué à maintenir l'Arkansas dans le camp des Démocrates réformateurs, en un temps où le Sud cédait aux sirènes républicaines. Tous deux avaient joué un rôle inestimable, en contribuant aussi bien à la réalisation de mes projets qu'à ma tranquillité d'esprit, non seulement parce qu'ils m'avaient soutenu sur des questions difficiles, mais parce qu'ils étaient mes amis. Nous nous connaissions depuis longtemps, ils savaient m'amener à écouter et me faire rire, et ils savaient aussi rappeler à leurs collègues que je ne ressemblais pas au portrait décrit par les journaux. Une fois David retiré de la vie politique, il me faudrait l'inviter sur les parcours de golf pour connaître son point de vue et bénéficier de ses lumières. Quand il était élu au Sénat, au moins l'avais-je à portée de main.

Lors du dîner organisé pour les correspondants à la Maison Blanche, le 29 avril, je n'ai fait que de brefs commentaires et, hormis à une ou deux reprises, j'ai évité les traits d'humour. J'ai préféré remercier les journalistes présents pour leur couverture poignante de la tragédie et du défi colossal qu'avaient relevé les équipes de secours, avant d'affirmer : « Nous allons surmonter l'épreuve et nous en sortirons encore plus forts. » Et j'ai conclu par ces vers de W. H. Auden :

> « Fais, dans les déserts de son cœur,
> jaillir la source guérisseuse. »

Le 5 mai, intervenant lors de la cérémonie de fin d'études à l'Université d'État du Michigan, je me suis adressé non seulement aux jeunes diplômés, mais aussi aux milices armées, qui prospéraient dans les zones rurales les plus reculées du Michigan. Beaucoup des membres de ces groupes, ai-je dit, même s'ils revêtaient leur treillis tous les week-ends et participaient à des exercices militaires, n'enfreignaient aucune loi. Je reconnaissais même à certains le mérite d'avoir condamné l'attentat. Cependant, j'ai ensuite mis en cause ceux qui étaient allés au-delà des simples vitupérations pour promouvoir la violence contre les représentants de l'ordre et les fonctionnaires de l'État, tout en osant se comparer aux milices de la guerre d'Indépendance américaine « qui luttaient pour la démocratie que vous bafouez aujourd'hui ».

Au cours des semaines suivantes, j'ai réitéré aussi souvent que je l'ai pu mes condamnations contre tous ceux qui encourageaient la violence. J'ai, en outre, enjoint tous les Américains, y compris les animateurs de programmes radio, de bien peser leurs mots, afin de ne pas encourager la violence parmi les esprits moins stables qu'eux-mêmes.

L'attentat d'Oklahoma City a conduit des millions d'Américains à réviser leur attitude et leurs propos à l'égard du gouvernement aussi bien que de tous ceux qui partageaient des vues différentes des leurs. La prise de distance a été lente mais inexorable : après ce tournant, on a beaucoup moins entendu les condamnations sans appel qui, longtemps, avaient prévalu dans la vie politique. Les extrémistes et les semeurs de haine n'avaient pas disparu, mais ils se repliaient vers des positions beaucoup plus timorées. Jusqu'à la fin de mon mandat, ils n'allaient plus retrouver l'audience qu'ils avaient acquise avant que Timothy McVeigh ne pousse la diabolisation du pouvoir fédéral au-delà des limites de l'humanité.

Pendant la deuxième semaine de mai, j'ai embarqué à bord d'*Air Force One* pour me rendre à Moscou. Je devais y célébrer le cinquantième anniversaire de la fin de la Seconde Guerre mondiale en Europe. Malgré la présence de Helmut Kohl, François Mitterrand, John Major, Jiang Zemin et d'autres dirigeants étrangers, ma participation soulevait de vives controverses, parce que la Russie était engagée dans une offensive sanglante contre les séparatistes de la République tchétchène, à majorité musulmane. Les victimes civiles étaient nombreuses et la plupart des observateurs étrangers estimaient que la Russie recourait à une force excessive et n'explorait pas assez les voies diplomatiques.

J'avais néanmoins décidé d'accomplir le voyage en hommage à l'alliance entre nos deux pays pendant la Seconde Guerre mondiale, laquelle avait entraîné la mort d'un citoyen soviétique sur huit : vingt-sept millions d'entre eux étaient morts dans les combats ou bien de maladie, de faim et de froid. En outre, nous étions à nouveau alliés et notre partenariat jouait un rôle crucial dans de nombreux domaines : avancées économiques et politiques en Russie ; coopération pour la sécurisation et la suppression des armements nucléaires ; élargissement sans heurt de l'OTAN et partenariat pour la paix ; lutte contre le terrorisme et le crime organisé. En cette occasion, Boris Eltsine et moi-même devions résoudre deux problèmes épineux : le premier concernait la coopération de la Russie au programme nucléaire iranien, le second, la gestion de l'élargissement de l'OTAN. Sur ce sujet, je voulais que la Russie puisse s'intégrer au Partenariat pour la paix, sans qu'une telle initiative ne coûte à Boris Eltsine sa réélection en 1996.

Le 9 mai, je me tenais aux côtés de Jiang Zemin et d'autres dirigeants, sur la place Rouge. Nous assistions au défilé militaire auquel participaient d'anciens combattants, marchant épaule contre épaule, se tenant parfois la main, ou se supportant mutuellement pour assurer leur équilibre, en cette dernière occasion qui leur était offerte de se présenter devant la mère Russie. Le lendemain, après les cérémonies commémoratives, j'avais rendez-vous avec Boris Eltsine dans la salle Sainte-Catherine du Kremlin. Abordant tout d'abord la question de l'Iran, je lui ai expliqué que nous avions collaboré en vue de supprimer tous les armements nucléaires installés en Ukraine, en Biélorussie et au Kazakhstan, et nous devions maintenant éviter que d'autres États, susceptibles de nous nuire, à l'un comme à l'autre, tel l'Iran, ne deviennent des puissances nucléaires. Boris Eltsine s'attendait à cette argumentation : il a répliqué immédiatement que son pays ne vendrait aucune centrifugeuse et a suggéré que nous transmettions la question des réacteurs dont l'Iran prétendait qu'ils devaient servir à des fins pacifiques seulement à la commission Gore-Chernomyrdine. J'ai approuvé cette proposition, en posant comme préalable que Boris Eltsine engage publiquement son pays à ne pas transférer vers l'Iran de technologies nucléaires susceptibles d'une exploitation militaire. Boris a simplement dit *okay* et nous nous sommes serré la main sur cette parole. Nous nous sommes aussi entendus pour commencer les visites d'inspection des installations d'armements bactériologiques russes, en août, dans le cadre d'un effort plus général portant sur la réduction des menaces liées à la prolifération des armements biologiques et chimiques.

Abordant la question de l'OTAN, j'ai signifié, de manière indirecte, à mon interlocuteur, que nous ne pousserions pas à la roue, d'ici à l'élection présidentielle de 1996. Il a alors accepté de se joindre au Partenariat pour la paix. Bien qu'il ait refusé de s'engager à annoncer sa décision publiquement, de crainte d'apparaître prêt à de trop grandes concessions, il a promis que la Russie signerait les documents dès le 25 mai. Je pouvais me satisfaire de cette démarche. Mon voyage avait été fructueux.

Sur le chemin du retour, j'ai fait étape en Ukraine, pour d'autres cérémonies commémoratives de la Seconde Guerre mondiale. J'ai prononcé un
discours devant des étudiants et je me suis recueilli sur le site de Babi Yar,
splendide vallon boisé d'un calme bouleversant, où les nazis ont abattu plus de
cent mille juifs et des milliers de nationalistes ukrainiens, de prisonniers de guerre
russes et des gitans. La veille, un vote des Nations unies venait de donner un
caractère permanent au traité de non-prolifération nucléaire, sur lequel repo-
saient, depuis plus de vingt-cinq ans, tous nos efforts pour contenir la prolifération des armements nucléaires. Dans la mesure où plusieurs pays s'efforçaient
encore de se doter de telles armes, l'extension du traité constituait l'un de
mes principaux objectifs dans le domaine de la non-prolifération. Babi Yar et
Oklahoma City en disaient assez sur les capacités de nuisance et de destruction
humaines et donnaient toute sa valeur au traité de non-prolifération nucléaire
comme à l'accord auquel je venais de parvenir qui restreignait les transferts de
matériels nucléaires russes vers l'Iran.

Lors de mon retour à Washington, le débat législatif sur les propositions
des Républicains était déjà bien entamé. Jusqu'à la fin du mois, j'ai consacré la
majeure partie de mon temps à les affronter, menaçant de poser mon veto au
train d'abrogations de mesures législatives qu'ils avaient mis en route, aussi bien
qu'aux coupes prévues dans les programmes d'assistance aux pays étrangers
qu'à leur tentative pour réduire l'ampleur de notre programme sur l'eau et
opérer les coupes claires qu'ils avaient proposées dans les budgets de l'éducation
et de la couverture maladie.

La troisième semaine de mai, j'ai annoncé que, pour la première fois depuis
les commencements de la République, les deux pâtés de maisons sur Pennsylvania
Avenue qui faisaient face à la Maison Blanche seraient fermés à la circulation.
Je n'ai accepté cette décision qu'avec répugnance, après qu'un groupe d'experts
des services secrets, du Trésor et d'ex-membres d'administrations républicaines
et démocrates m'ont dit que c'était nécessaire afin de protéger la Maison Blanche
d'une bombe. Au lendemain d'Ocklahoma City et de l'attentat au Japon, il
m'a semblé que je devais suivre cette recommandation, mais je n'ai guère
apprécié.

À la fin du mois, la Bosnie occupait à nouveau la une de l'actualité. Les
Serbes avaient resserré l'étau autour de Sarajevo et leurs *snipers* tiraient à
nouveau sur des enfants innocents. Le 25 mai, l'OTAN a entrepris des frappes
aériennes contre la place forte serbe de Pale. Par mesure de représailles autant
que pour se garantir contre la poursuite des frappes, les Serbes ont alors capturé
des Casques bleus qu'ils ont enfermés dans leurs dépôts de munitions, à Pale ;
ils ont, en outre, tué deux Casques bleus français, lorsqu'ils se sont emparés
d'un poste avancé des Nations unies.

Notre force aérienne avait déjà mené, en Bosnie, la plus longue mission
humanitaire de l'Histoire : elle consistait à faire respecter la zone d'interdiction
aérienne, qui empêchait les Serbes de bombarder les musulmans bosniaques, et
à maintenir une zone de sécurité autour de Sarajevo ou d'autres zones densément
peuplées. L'action de nos pilotes, combinée avec celle des forces de maintien
de la paix des Nations unies et aux mesures d'embargo, avait abouti à des

résultats indiscutables : le nombre de victimes était passé de cent trente mille en 1992, à moins de trois mille en 1994. Néanmoins, la guerre se poursuivait ; des initiatives de plus grande envergure s'imposaient pour y mettre fin.

La politique étrangère a connu d'autres développements, en juin, à l'occasion du sommet du G7, accueilli par Jean Chrétien, à Halifax, en Nouvelle-Écosse. Jacques Chirac, qui venait juste d'être élu président, a fait étape à Washington pour me rencontrer. Il se montrait chaleureux à l'égard de l'Amérique. Dans sa jeunesse, il avait passé du temps dans notre pays et avait même travaillé, pendant une courte période, dans un restaurant de la chaîne *Howard Johnson*, à Boston. Il montrait une curiosité insatiable sur les sujets les plus divers. Je l'ai beaucoup apprécié, tout comme j'ai apprécié le fait que son épouse soit aussi engagée dans la vie politique et suive sa propre carrière.

Malgré notre bonne entente, notre relation avait été quelque peu affectée par sa décision de reprendre les essais nucléaires, au moment même où j'essayais de rassembler un soutien international en faveur d'un traité d'interdiction totale des essais nucléaires, objectif poursuivi par chaque président américain depuis Eisenhower. Après que Chirac m'a assuré que, dès la fin de cette série d'essais, il soutiendrait le projet de traité, nous avons discuté de la Bosnie et il s'est montré plus enclin à la fermeté contre les Serbes que ne l'avait été François Mitterrand. Jacques Chirac et John Major étaient partisans de mettre sur pied une force de réaction rapide, qui devrait intervenir en cas d'attaques serbes contre les forces de maintien de la paix des Nations unies. Je l'ai assuré du soutien militaire des États-Unis dans le cas où ces forces – ou d'autres qui recevraient un mandat des Nations unies – devraient pénétrer en Bosnie ou en sortir dans l'éventualité d'un retrait des divers bataillons réguliers de maintien de la paix. Mais, ai-je ajouté, si cette force de réaction ne voyait pas le jour et si les troupes des Nations unies étaient contraintes de quitter la Bosnie, alors nous lèverions l'embargo sur les armes.

Je me suis rendu au sommet du G7, avec trois objectifs : obtenir une collaboration plus étroite entre les alliés dans la lutte contre le terrorisme, le crime organisé et le trafic de drogue ; identifier rapidement les crises financières majeures et mieux les maîtriser, grâce à une meilleure circulation et une plus grande précision dans l'information et à des investissements dans les pays en voie de développement pour réduire la pauvreté et promouvoir un modèle de croissance respectueux de l'environnement ; enfin, résoudre un sérieux différend avec le Japon sur les échanges commerciaux.

Je n'ai pas rencontré d'obstacles sur les deux premiers points. En abordant le troisième, en revanche, je me suis heurté à une forte résistance. Au cours des trente-six derniers mois, nous avions enregistré des progrès notables avec le Japon. Ils s'étaient traduits par la signature de quinze accords séparés sur le commerce extérieur. Deux ans auparavant, toutefois, notre partenaire s'était engagé à ouvrir son marché aux voitures américaines et aux pièces détachées automobiles, secteur qui, à lui seul, représentait la moitié du déficit de nos échanges bilatéraux, et aucun pas en avant n'avait été accompli. Sur cent concessionnaires automobiles américains, quatre-vingts vendaient des voitures de marques japonaises ; sur cent concessionnaires japonais, seuls sept vendaient des voitures étrangères et, de plus, une réglementation sourcilleuse excluait nos pièces détachées du marché des réparations. Mickey Kantor, à bout de patience, recommandait d'affecter d'une taxe à l'importation de 100 % les voitures de luxe japonaises. Rencontrant le Premier ministre Murayama, je lui ai dit que, en raison de notre relation de sécurité et de la stagnation de l'économie japonaise, les États-Unis étaient prêts à poursuivre les négociations, mais que nous avions besoin d'une marque de bonne volonté. Celle-ci s'est manifestée dès la fin de ce mois. Le Japon a accepté que deux cents concessionnaires dans l'immédiat et un millier d'autres à l'horizon de cinq ans, proposent des voitures américaines. Il s'est aussi engagé à modifier la réglementation sur les pièces détachées et à inciter les constructeurs automobiles japonais à accroître leur production sur le territoire des États-Unis, en recourant à des composants de fabrication américaine en plus grand nombre.

Pendant tout le mois de juin, je me suis aussi jeté dans la bataille contre les Républicains sur le projet de budget. Le premier jour du mois, je me suis rendu dans une ferme du Montana, à Billings, afin de montrer les divergences entre mon approche de l'agriculture et celle de la majorité républicaine au Congrès. Le programme d'aide à l'agriculture allait être renouvelé en 1995. De ce fait, il était inclus dans le débat budgétaire. J'ai expliqué à mes interlocuteurs que, si j'étais partisan d'une légère réduction des dépenses agricoles totales, les Républicains s'apprêtaient à voter des coupes drastiques et refusaient de consentir les efforts suffisants pour les familles d'agriculteurs. Pendant des années, les Républicains avaient bénéficié d'une plus large audience que les Démocrates dans le monde rural, en raison de leurs penchants plus conservateurs, mais, face aux difficultés, ils se souciaient d'abord des intérêts de l'agrobusiness, et très peu de ceux des familles.

Pendant cette visite, j'ai eu l'occasion de monter à cheval. L'équitation m'a toujours plu, comment ne pas l'apprécier plus encore dans le paysage immense du Montana ? Je voulais aussi démontrer que je n'étais pas coupé de l'Amérique rurale par un gouffre culturel et qu'elle pouvait donc me soutenir. Après mon passage, Mort Engleberg, qui s'occupait de l'organisation de mes déplacements, a demandé à l'un de nos hôtes son opinion à mon sujet. L'agriculteur lui a répondu : « Il est bien. Et il ne ressemble en rien au portrait qu'ils nous montrent. » À de nombreuses reprises, en 1995, j'ai entendu des réflexions similaires. Je souhaitais pouvoir éviter de corriger les perceptions erronées d'un électeur après l'autre.

Notre promenade à cheval a pris un caractère assez piquant quand l'un des agents des services secrets qui m'entouraient est tombé de sa monture. Il ne s'est pas blessé, mais le cheval est parti comme une flèche à travers la prairie sans clôture. Au grand étonnement des journalistes, comme des locaux qui observaient la scène, Harold Ickes, secrétaire général adjoint de la Maison Blanche, a lancé sa monture au triple galop, sur la trace du coursier libéré. Il a fini par lui couper la route et l'a ramené par la bride à son propriétaire. Rien ne laissait présager de la part de Harold un tel exploit – avec son allure de militant de gauche, de citadin et d'agitateur d'idées. Dans sa jeunesse, il avait travaillé dans des ranchs de l'Ouest et n'avait rien perdu de son savoir-faire.

Le 5 juin, Henry Cisneros et moi-même avons dévoilé notre « stratégie nationale pour l'accès à la propriété ». Elle consistait en cent mesures que nous nous engagions à prendre afin que deux tiers de la population accèdent à la propriété. La réduction importante des déficits avait permis de maintenir des taux d'intérêt très faibles même dans le contexte de forte reprise économique, si bien que deux années allaient suffire à atteindre l'objectif – sans précédent dans toute l'histoire de l'Amérique – fixé par Henry Cisneros.

À la fin de la première semaine de juin, j'ai posé pour la première fois mon veto à une loi : il s'agissait d'un train d'abrogation de lois, supposé permettre seize milliards d'économies. Il imposait des restrictions drastiques dans différents domaines – éducation, service national, environnement –, mais laissait intacts des projets routiers vitrines, les dépenses de fonctionnement des tribunaux et d'autres bâtiments fédéraux qui avaient les faveurs de Républicains. Ceux-ci professaient le rejet de l'administration d'État en général, mais, comme la plupart des élus, ils étaient prêts à payer le prix nécessaire pour conserver leur siège. J'ai proposé aux Républicains de collaborer à une réduction encore plus marquée des dépenses, mais à la condition qu'elle affecte des lois catégorielles destinées à satisfaire certains secteurs de l'électorat et non les investissements concernant nos enfants et notre avenir. Quelques jours plus tard, un nouvel élément est venu renforcer mon point de vue : Tony, le frère de Hillary, et sa femme Nicole nous ont annoncé la naissance de notre neveu, Zachary Boxer Rodham.

Je m'efforçais encore de trouver le meilleur équilibre possible entre confrontation et conciliation au moment où je me suis rendu à Claremont, dans le New Hampshire, où je devais participer à un débat public avec le président de la Chambre des représentants, Newt Gingrich. J'avais déclaré, plus tôt, qu'il serait bon qu'il dialogue avec les habitants du New Hampshire, comme je l'avais fait moi-même, en 1992, et il m'avait pris au mot. Chacun de nous, dans son introduction, a souligné la nécessité d'un débat honnête et a affirmé préférer les compromis constructifs aux attaques personnelles qui alimentaient les gazettes. Pour illustrer ses bonnes dispositions, Newt Gingrich, en plaisantant, a même raconté qu'il avait suivi l'exemple de ma campagne et s'était arrêté, en chemin, dans un fast-food de la chaîne *Dunkin' Donuts*.

Dans nos réponses aux questions posées par l'assistance, nous avons manifesté notre volonté de travailler de concert à la réforme du financement des campagnes électorales. Nous avons même fini par nous serrer la main pour formaliser notre accord avant d'aborder d'autres questions sur lesquelles nos positions convergeaient encore, puis nous avons circonscrit, de la manière la plus civilisée, nos désaccords sur la couverture maladie et maintenu nos vues opposées quant à l'utilité des Nations unies ou la légitimité, pour le Congrès, de financer l'organisation nationale de volontaires AmeriCorps.

Le débat avec Gingrich a été perçu de manière très positive par l'opinion, lassée des polémiques partisanes. Deux agents des services secrets qui m'accompagnaient et qui, en général, ne me parlaient jamais de politique, m'ont dit combien ils avaient apprécié de nous voir tous deux adopter cette attitude constructive. Le lendemain, lors de la conférence sur la petite entreprise, à la Maison Blanche, plusieurs Républicains ont abondé dans le même sens. Si nous avions pu poursuivre dans cette voie, il me semble que le président de la Chambre et moi-même serions parvenus à résoudre la plupart de nos divergences par des moyens qui auraient été positifs pour l'Amérique. Dans ses meilleurs jours, Newt Gingrich pouvait montrer de remarquables capacités créatrices ; il avait une grande souplesse d'esprit et agitait avec talent des idées nouvelles. Mais ce n'est pas à ces qualités qu'il devait de présider la Chambre : ses attaques impitoyables contre les Démocrates l'avaient propulsé à ce poste. Il est difficile à quiconque de cesser d'exploiter le filon dont il tire son pouvoir, comme Newt en eut la preuve, ce jour-là, quand Rush Limbaugh, sur les ondes, et le journal conservateur *Manchester Union Leader* lui reprochèrent son attitude trop conciliante à mon égard. Il allait retenir la leçon et s'abstenir de réitérer l'erreur, du moins en public.

Après la conférence, je me suis rendu à Boston où se tenait une réunion de soutien à la candidature de John Kerry qui se représentait au Sénat et affrontait un sérieux adversaire en la personne du gouverneur Bill Weld. J'entretenais de bonnes relations avec ce dernier, qui était sans doute le plus réformateur de tous les gouverneurs républicains, mais la présence de John Kerry au Sénat m'était précieuse. C'était l'une des voix les plus autorisées sur l'environnement comme sur les nouvelles technologies. Il s'était aussi énormément investi dans les problèmes de la délinquance juvénile, question qui tenait à cœur à cet ancien procureur. Se préoccuper d'un dossier qui ne rapporte aucune voix, mais peut avoir une influence décisive sur l'avenir du pays est une qualité précieuse chez un élu.

Le 13 juin, lors d'une allocution télévisée depuis le Bureau ovale, j'ai présenté mon plan de retour à l'équilibre budgétaire, établi sur dix ans. Les Républicains se proposaient d'atteindre l'objectif en sept ans, au prix de fortes restrictions qui devaient affecter l'éducation, le système de santé et l'environnement, ainsi qu'au moyen d'une baisse significative des impôts. Par comparaison, mon plan maintenait un même niveau de dépenses pour l'éducation, les services de santé pour les personnes âgées, les aides familiales nécessaires à la réussite de la réforme de l'aide sociale ou les principales mesures de protection de l'environnement ; il limitait les réductions d'impôts aux revenus moyens et les couplait à des mesures d'aide au financement des études universitaires, dont les coûts augmentaient très vite. En outre, en étalant le retour à l'équilibre budgétaire sur dix ans, mon plan exerçait une moindre influence sur l'économie et risquait peu d'affecter la croissance.

Mes propositions, autant que le moment choisi pour les présenter, m'ont valu les critiques de nombreux parlementaires démocrates, comme celles de plusieurs membres de mon cabinet ou de proches collaborateurs. Ils jugeaient que le moment de croiser le fer avec les Républicains sur le budget n'était pas encore venu : leur popularité dans l'opinion s'érodait depuis qu'ils présentaient leurs propositions et ils ne pouvaient plus se contenter de rejeter les miennes. En conséquence, beaucoup de Démocrates préféraient que nous les laissions s'enliser sans mettre en avant nos propres mesures, tant que ce ne serait pas absolument nécessaire. Nous avions enduré tous les coups pendant les deux premières années de mon mandat, qu'ils subissent le même sort, ne serait-ce qu'une année, leur paraissait un juste retour des choses.

L'argument était recevable. D'un autre côté, j'étais le Président. On attendait de moi que je dirige et nous avions déjà réduit le déficit d'un tiers sans le concours des Républicains. Si je devais opposer mon veto aux propositions budgétaires des Républicains, je ne voulais pas en venir à cette extrémité sans avoir, au préalable, démontré ma bonne volonté dans la recherche d'un compromis. Par ailleurs, lors du débat public dans le New Hampshire, je m'étais engagé, comme le président de la Chambre, à tout tenter pour avancer ensemble. En ce qui me concerne, je tenais parole. Il fallait que cela se sache.

Mes décisions concernant le budget ont reçu le soutien de Leon Panetta, d'Erskine Bowles, d'une bonne majorité de mon équipe économique, des « faucons du déficit » démocrates, au Congrès, ainsi que de Dick Morris, qui était mon conseiller depuis l'élection de 1994. La plupart de mes collaborateurs ne s'entendaient pas avec Dick, qui était peu conciliant, ne tenait guère compte des procédures en vigueur à la Maison Blanche et qui, de plus, avait travaillé avec les Républicains. Il s'emballait parfois pour des idées hors normes et voulait à tout prix politiser nos relations internationales, mais nous avions travaillé ensemble depuis longtemps, je savais quand tenir compte ou non de ses avis.

La grande idée stratégique de Dick était alors la triangulation. En d'autres termes, il suggérait que je tente de résoudre les divisions entre Démocrates et Républicains, et que je reprenne les meilleures propositions des deux camps. Aux yeux de la plupart des libéraux et de bon nombre de journalistes, la notion de « triangulation » ne signifiait rien d'autre qu'un compromis dénué de principe, ils y voyaient un calcul cynique mis en œuvre à seule fin d'être réélu. De fait, il s'agissait avant tout d'une nouvelle formulation de l'action que j'avais défendue pendant mes mandats de gouverneur, comme au Democratic Leadership Council et de la logique de ma campagne de 1992. Je m'étais toujours efforcé d'aboutir à une synthèse entre idées novatrices et valeurs traditionnelles, et d'adapter les orientations de ma politique aux évolutions de la réalité. Mon but n'était pas de trouver le juste milieu entre libéraux et conservateurs, mais de définir un nouveau consensus. Et, comme allait bientôt le montrer l'affrontement avec les Républicains à l'occasion du débat budgétaire, ma démarche s'appuyait sur de solides convictions. Rapidement, le rôle de Dick allait être connu de l'opinion et il allait participer à nos séances stratégiques hebdomadaires, qui se déroulaient, en général, tous les mercredis soir. Il devait y introduire Mark Penn et son collaborateur Doug Schoen, qui prendraient en charge nos sondages. Tous deux constituaient une bonne équipe, ils partageaient ma philosophie de Nouveau Démocrate et allaient collaborer avec nous tout le temps de ma présidence. Nous allions aussi intégrer à l'équipe un consultant en communication très expérimenté, Bob Squier, et son associé Bill Knapp, qui se souciaient de politique autant que de promotion.

Le 29 juin, j'ai enfin abouti à un accord avec les Républicains sur le train d'abrogation de lois, après qu'ils eurent accepté de réintroduire sept cents millions de dollars sur différents postes : l'éducation, AmeriCorps et notre programme de contrôle de la qualité de l'eau potable. Mark Hatfield, président de la Commission des finances du Sénat et Républicain réformateur de la vieille école, avait travaillé en étroite collaboration avec la Maison Blanche pour parvenir à ce résultat.

Le lendemain, à Chicago, aux côtés de policiers et d'habitants qui avaient été blessés par des armes de première catégorie, j'ai défendu mon projet d'interdiction de ce type d'armes et j'ai exhorté le Congrès de soutenir la proposition de loi présentée par le sénateur Paul Simon, qui visait à combler une lacune dans les dispositions législatives interdisant les balles « tueuses de flics ». Le policier qui prononçait le discours introductif a expliqué qu'il avait participé à de rudes engagements au Viêt-nam, dont il était revenu sans une égratignure mais qu'il avait bien failli périr quand un criminel avait vidé le chargeur de son arme d'assaut sur lui. Les dispositions en vigueur interdisaient bel et bien tous les types de balles susceptibles de percer les gilets pare-balles utilisés par les forces de l'ordre, mais elles se référaient aux matériaux entrant dans la composition des munitions. Ainsi, des fabricants de munitions ingénieux employaient des matériaux que la loi ne mentionnait pas pour mettre en vente des balles capables de transpercer les gilets de protection et de tuer des policiers.

La National Rifle Association était bien déterminée à faire échouer le projet de loi, mais l'audience dont elle jouissait revenait vers son étiage habituel après le niveau sans précédent qu'elle avait atteint en 1994. Quand son directeur exécutif avait comparé les représentants des forces de l'ordre fédérales à des tueurs bottés, George Bush avait rendu sa carte de membre en signe de protestation. Quelques mois plus tôt, lors d'une réunion en Californie, l'acteur comique Robin Williams avait fait mouche en épinglant les positions de la NRA sur la question des balles « tueuses de flics » : « Nous ne pouvons pas les interdire, c'est évident. Les chasseurs ne peuvent pas s'en passer. Quelque part, au fond des bois, un chevreuil les nargue, revêtu de son gilet pare-balles en Kevlar ! » Comme nous approchions du second semestre de 1995, je voulais voir, dans la plaisanterie de Robin Williams comme dans le geste du président Bush, les signes avant-coureurs d'une nouvelle attitude sur la question des armes, inspirée par le bon sens.

En juillet, les affrontements partisans ont été quelque peu mis en sourdine. Le 12, au lycée James Madison de Vienne, en Virginie, je me suis à nouveau appliqué à rassembler les Américains, cette fois, sur la question des libertés religieuses.

Quel degré d'expression religieuse était acceptable dans les écoles publiques ? Des responsables d'établissement, des enseignants estimaient que la Constitution prohibait toute expression religieuse. Leur opinion était incorrecte. La liberté de prier – seul ou en groupe – est reconnue à tous les élèves et doit être respectée ; les clubs religieux doivent avoir leur place, au même titre que toute autre activité périscolaire ; pendant leur temps libre, rien n'interdit aux élèves de lire des textes religieux ; pas plus que de s'inspirer de leurs convictions dans leurs travaux personnels, pour autant que le sujet s'y prête. Ils sont, de même, autorisés à porter des tee-shirts affichant leurs convictions religieuses comme toute autre opinion.

J'ai demandé au secrétaire à l'Éducation Richard Riley et à la ministre de la Justice Janet Reno d'établir, par écrit, un exposé détaillé des limites de l'expression religieuse autorisée à l'école et de le faire parvenir à toutes les circonscriptions scolaires du pays avant la prochaine rentrée. L'existence de ce fascicule et sa diffusion ont considérablement réduit le nombre de litiges et de procès et, de ce fait, ont été accueillies très favorablement par les milieux religieux comme politiques. Selon le professeur Rodney Smith, expert du Premier Amendement, aucune équipe présidentielle ne pourrait se targuer d'un tel investissement en faveur de la protection et de la promotion des libertés religieuses depuis James Madison. Je ne saurais dire si sa conclusion est exacte, c'est toutefois le résultat que je me suis efforcé d'atteindre.

Une semaine après ma participation à cet événement, je me suis impliqué dans un autre dossier, celui de la discrimination positive, qui constitue le principal défi que doit relever la société américaine, aujourd'hui, pour parfaire son unité. La notion de discrimination positive recouvre l'ensemble des avantages concédés aux minorités raciales ou aux femmes par les diverses administrations publiques, dans le domaine de l'emploi, des contrats de biens et de services, des prêts à la création de petites entreprises ou de l'admission à l'université. L'objectif est de surmonter les conséquences de l'exclusion structurelle qui a longtemps prévalu vis-à-vis de certains secteurs de la population, en fonction de ses origines raciales ou de son identité sexuelle, et qui a limité ses possibilités de bénéficier des chances offertes, en principe, à tous. Les premières mesures dans ce domaine remontent à la présidence de Kennedy, puis à celle de Johnson. Elles ont été étendues par l'administration Nixon, avec un large soutien des deux partis, qui partageaient l'idée que la suppression des discriminations antérieures ne pouvait suffire à surmonter les effets qu'elles avaient engendrés. De la même manière, un consensus existait sur la nécessité d'éviter une politique de quotas trop systématique, susceptible d'avantager des individus sous-qualifiés et de favoriser une discrimination symétrique contre les hommes blancs.

Au début des années 1990, la discrimination positive se heurtait à une opposition croissante : les milieux conservateurs estimaient que toute préférence fondée sur la race équivalait à une discrimination symétrique et n'avait donc aucune légitimité constitutionnelle ; des Blancs se considéraient comme individuellement lésés parce que des contrats commerciaux avec l'État ou des places à l'université leur avaient été refusés au bénéfice de Noirs ou de représentants d'autres minorités ; d'autres encore jugeaient que les programmes de discrimination positive répondaient à de bonnes intentions, mais entraînaient de nombreux abus ou avaient perdu leur raison d'être. En outre, même des courants de gauche n'appréciaient guère l'idée de préférences fondées sur la race et réclamaient une redéfinition des programmes sur des critères économiques ou sociaux.

Le débat s'est intensifié avec la prise de contrôle du Congrès par les Républicains, en 1994 ; beaucoup de ces élus s'étaient engagés à mettre un terme aux programmes de discrimination positive. Après vingt années de stagnation des revenus au sein de la classe moyenne, leur position séduisait les ouvriers blancs et les petits patrons, ou encore les étudiants blancs et leurs parents, déçus par le rejet de leurs dossiers de candidature auprès de l'université ou de la faculté qui avaient leur préférence

Le sujet a occupé le devant de la scène pendant l'été 1995, lorsque la Cour suprême a rendu son arrêt dans l'affaire *Adarand Constructors c. Peña* : un entrepreneur blanc avait porté plainte contre le secrétaire aux Transports en vue de dénoncer un contrat adjugé à un soumissionnaire issu d'une minorité, dans le cadre d'un programme de discrimination positive. La Cour a conclu que l'administration pouvait poursuivre son action destinée à contrer « les effets persistants de la discrimination raciale ». Toutefois, ajoutait-elle, les programmes fondés sur l'identité raciale devraient être désormais soumis à de sévères procédures de contrôle, dénommées « examen strict », par lesquelles l'administration devrait établir qu'elle avait un intérêt contraignant à résoudre un problème spécifique et que celui-ci ne pouvait être réglé de manière efficace par un biais plus simple, excluant le critère racial. La décision de la Cour suprême nous obligeait à réviser les programmes fédéraux de discrimination positive. Les responsables des mouvements pour les droits civiques tenaient à maintenir leur efficacité et leur champ d'application, tandis que de nombreux Républicains jugeaient venu le moment de leur abandon pur et simple.

Le 19 juillet, après avoir mené des consultations fouillées avec les partisans et les adversaires de la discrimination positive, j'ai exprimé, à l'occasion d'un discours prononcé aux Archives nationales, mon point de vue sur la décision de la Cour suprême et fait part de mes réponses aux tenants d'une abolition pure et simple de nos programmes en la matière. Pour préparer mon intervention, j'avais demandé un bilan détaillé des résultats obtenus. Selon les conclusions de ce rapport, les programmes de discrimination positive, destinés aux femmes et aux minorités raciales, avaient contribué à nous doter de la meilleure armée du monde, celle connaissant le plus fort taux de mixité, avec un recrutement de deux cent soixante mille femmes, au cours des seuls trente-six mois écoulés ; l'Office administratif de la petite entreprise avait accru dans des proportions spectaculaires le nombre des prêts contractés par des femmes et des représentants de minorités raciales, sans réduire pour autant le nombre de ceux contractés par des hommes blancs, ni s'engager auprès de candidats non qualifiés ; les grandes entreprises qui appliquaient des programmes de discrimination positive estimaient que la diversification du personnel avait augmenté leur productivité et leur compétitivité sur le marché mondial ; les programmes d'équipement des administrations avaient favorisé la création d'entreprises par des femmes ou des représentants de minorités raciales, au prix, il est vrai, de quelques détournements ou abus ; enfin, la discrimination positive apparaissait toujours comme une nécessité, en raison du maintien des disparités liées à l'identité sexuelle ou raciale dans les domaines de l'emploi, des revenus ou de la création d'entreprise.

En m'appuyant sur ces faits, j'ai proposé, tout d'abord, de sanctionner la fraude et les abus qui avaient été décelés dans les programmes d'équipement et de veiller avec plus de soin à exclure des programmes les entreprises qui avaient atteint un seuil de compétitivité minimal ; ensuite, de nous conformer à la décision de la Cour suprême en privilégiant les domaines où la nécessité de la discrimination positive était patente ; enfin, de consentir plus d'efforts pour promouvoir les collectivités et les individus désavantagés, sans même tenir compte des critères d'identité sexuelle ou raciale. Nous devions maintenir le principe de la discrimination positive, mais en réformer la pratique, afin de dépasser la question des quotas, des avantages éventuels offerts à des personnes ou à des entreprises non compétentes ou encore du maintien d'entreprises dans le cadre des programmes une fois qu'elles pouvaient voler de leurs propres ailes. J'ai résumé mon orientation d'une phrase : « Améliorons, ne supprimons pas. »

Mon discours a été reçu favorablement par les associations des droits civiques, les milieux économiques et militaires ; il n'a pas convaincu tout le monde pour autant. Huit jours plus tard, le sénateur Bob Dole et Charles Canady, représentant de la Floride, soumettaient, à leur assemblée respective, des propositions de loi visant à abroger toutes les lois fédérales encadrant la discrimination positive. Newt Gingrich adoptant une attitude plus constructive a déclaré qu'il ne souhaitait pas en finir avec la discrimination positive, aussi longtemps qu'il n'avait pas une solution de remplacement, susceptible de fournir une « main secourable ».

Alors que je recherchais un terrain d'entente, les Républicains ont poursuivi, pendant tout le mois de juillet, les travaux parlementaires sur leurs propositions budgétaires. Ils envisageaient des coupes significatives dans le domaine de l'éducation et de la formation. Les coupes prévues pour les programmes Medicare et Medicaid étaient si importantes qu'elles aboutissaient à une augmentation des frais directs pour les personnes âgées, lesquelles, du fait de la hausse des prix dans le secteur de la santé, dépensaient déjà une part plus importante de leurs revenus sur ce poste que ce n'était le cas avant l'introduction de ces deux programmes dans les années 1960. Les coupes dans le financement de l'Agence pour la protection de l'environnement étaient telles que leur projet revenait à abandonner la loi sur l'air et la loi sur l'eau. Ils ont aussi voté l'abolition de l'AmeriCorps, la réduction de moitié des aides nationales destinées aux sans domicile fixe et la suppression du programme de planning familial qui, jusqu'alors, avait été soutenu par les deux partis, afin d'éviter les grossesses non désirées et les avortements. Ils s'apprêtaient à opérer des coupes claires dans le budget de l'aide internationale, qui ne constituait pourtant que 1,3 % du total des dépenses fédérales. Cela aurait pour effet de nous affaiblir dans la lutte contre le terrorisme et la prolifération des armes nucléaires, contrarierait les perspectives d'ouverture de nouveaux marchés aux produits américains et amoindrirait notre soutien aux forces de la paix, de la démocratie et des droits de l'homme dans le monde.

Obéissant à une logique invraisemblable, cinq ans seulement après que le président Bush eut promulgué la loi sur les Américains frappés d'invalidité, qui avait été votée par une large majorité des parlementaires, toutes tendances confondues, les Républicains ont même proposé de couper dans les services et les aides qui étaient nécessaires aux personnes souffrant d'une infirmité pour faire valoir leur droit à bénéficier de cette loi. Cette réduction de dépenses venait d'être rendue publique quand, un soir, j'ai reçu un appel téléphonique de Tom Campbell, mon colocataire pendant quatre ans, à Georgetown. Pilote de ligne, il gagnait bien sa vie, sans être riche pour autant. Sur un ton agité, il m'a confié que cette proposition de coupe budgétaire pour les handicapés l'inquiétait. Sa fille, Ciara, souffrait d'une infirmité motrice cérébrale. Tout comme sa meilleure amie, dont la mère, divorcée, occupait un emploi au salaire minimal, à une heure de trajet de son domicile, par le bus. Tom m'a posé quelques questions sur les restrictions budgétaires auxquelles j'ai répondu. Puis il a lancé : « Bon, dis-moi si j'ai bien compris. Ils vont m'accorder une réduction d'impôts et supprimer l'aide que reçoit la copine de Ciara, pour couvrir les frais de son fauteuil roulant, les quatre ou cinq paires de chaussures orthopédiques hors de prix dont elle a besoin chaque année et la prime de transport dont bénéficie sa mère pour se rendre à son boulot mal payé ? » « C'est bien ça », ai-je répondu. Alors il m'a dit : « Bill, c'est complètement immoral. Tu dois empêcher ça. »

Fervent catholique, ancien Marine, Tom Campbell avait été élevé dans un foyer républicain conservateur. Si les Républicains de la Nouvelle Droite allaient trop loin aux yeux d'un Américain tel que lui, je savais que je pouvais les battre. Le dernier jour du mois, Alice Rivlin a annoncé que l'embellie économique s'accompagnait d'un déficit moindre que prévu, si bien que nous pouvions désormais équilibrer le budget dans un délai de neuf ans, sans en passer par les coupes drastiques des Républicains. Je les avais dans ma ligne de mire.

CHAPITRE QUARANTE-QUATRE

En juillet, il s'est produit trois événements positifs au plan international : j'ai normalisé les relations avec le Viêt-nam, avec le soutien de la plupart des vétérans au Congrès, notamment John McCain, Bob Kerrey, John Kerry, Chuck Robb et Pete Peterson ; Saddam Hussein a libéré deux Américains qu'il détenait depuis le mois de mars, grâce à l'intervention du représentant Bill Richardson ; et le président Kim Yong Sam, venu à Washington pour l'inauguration du mémorial de la guerre de Corée, a approuvé chaudement l'accord que nous avions passé avec la Corée-du-Nord pour qu'elle mette fin à son programme nucléaire. Après les critiques formulées contre cet accord par Jesse Helms et d'autres, ce soutien était le bienvenu ; il était d'autant plus important que Kim avait fait de la prison et défendu la démocratie quand la Corée-du-Sud était encore un État autoritaire.

Malheureusement, ces bonnes nouvelles ont été éclipsées par les événements de Bosnie. Après être restées relativement calmes pendant presque toute l'année 1994, les choses avaient commencé à se détériorer à la fin novembre, quand l'aviation serbe avait attaqué les musulmans croates en Bosnie orientale. C'était une violation de la zone d'interdiction de vol. En représailles, l'OTAN bombarda l'aérodrome mais sans le détruire ni détruire tous les appareils qui avaient participé à l'attaque.

En mars, lorsque le cessez-le-feu annoncé par le président Carter cessa d'être respecté, Dick Holbrooke, qui avait quitté son poste d'ambassadeur en Allemagne pour devenir secrétaire d'État adjoint pour l'Europe et le Canada, envoya notre représentant en ex-Yougoslavie, Bob Frasure, voir Milosevic dans l'espoir futile de mettre fin à l'agression des Serbes bosniaques et d'obtenir une reconnaissance même limitée de la Bosnie en contrepartie d'une levée des sanctions des Nations unies contre la Serbie.

En juillet, les combats avaient repris avec violence, les forces gouvernementales de Bosnie gagnant quelques victoires au centre du pays. Au lieu
d'essayer de regagner les territoires perdus, le général Mladic décida d'attaquer
trois villes musulmanes isolées, à l'ouest de la Bosnie, Srebrenica, Zepa et
Gorazde. Ces villes étaient pleines de réfugiés musulmans des régions voisines
et, bien que déclarées zones de sécurité par l'ONU, elles n'étaient protégées
que par un petit nombre de soldats. Mladic voulait s'en emparer pour contrôler toute la Bosnie orientale, et il était convaincu que, tant qu'il détenait en
otage des membres de la force de paix, les Nations unies n'autoriseraient pas
l'OTAN à bombarder. Il avait raison, et les conséquences de ce calcul furent
désastreuses.

Le 10 juillet, les Serbes prenaient Srebrenica. À la fin du mois, ils avaient
également pris Zepa, et les réfugiés fuyant Srebrenica commençaient à témoigner de massacres abominables perpétrés contre les musulmans par les troupes
de Mladic. Des milliers d'hommes et de jeunes garçons avaient été rassemblés
sur un terrain de football et assassinés en masse. Des milliers d'autres tentaient
de s'enfuir à travers les épaisses forêts des collines alentour.

Après la prise de Srebrenica, j'ai pressé les Nations unies d'autoriser
l'envoi de la force de réaction rapide dont nous avions discuté au G7 quelques
semaines plus tôt, au Canada. Dans le même temps, Bob Dole insistait pour
que nous votions la levée de l'embargo sur les armes. Je lui demandai de
reporter le vote et il accepta. Je voulais trouver un moyen de sauver la Bosnie
qui restitue aux Nations unies et à l'OTAN leur efficacité. Mais, la troisième
semaine de juillet, les Serbes bosniaques avaient ridiculisé les Nations unies et,
du même coup, l'engagement de l'OTAN et des États-Unis. Les zones de
sécurité étaient loin d'être sûres et l'action de l'OTAN était entravée par la
vulnérabilité des troupes européennes qui ne pouvaient pas se défendre, sans
parler de protéger les musulmans. La pratique de la prise d'otages par les Serbes
de Bosnie avait révélé une faille fondamentale dans la stratégie de l'ONU. Son
embargo sur les armes avait empêché le gouvernement bosniaque d'opposer
aux Serbes une force militaire suffisante. Les forces de paix ne pouvaient
protéger les musulmans bosniaques et les Croates que si les Serbes s'attendaient
à des représailles de la part de l'OTAN. Mais les prises d'otages les avaient
libérés de cette crainte et ils avaient maintenant les mains libres pour agir en
Bosnie orientale. La situation était un peu meilleure en Bosnie centrale et
occidentale, parce que les Croates et les musulmans avaient pu se procurer des
armes, fournies malgré l'embargo américain.

Dans une tentative presque désespérée pour reprendre l'initiative, les
ministres des Affaires étrangères et de la Défense de l'OTAN se sont réunis à
Londres. Warren Christopher, Bill Perry et le général Shalikashvili se sont
rendus à la conférence, bien décidés à renverser la dynamique croissante en
faveur du retrait de Bosnie des forces de l'ONU et à renforcer l'engagement
et l'autorité de l'OTAN dans la lutte contre les Serbes. La perte de Srebrenica
et de Zepa, d'une part, la démarche du Congrès pour la levée de l'embargo sur
les armes, d'autre part, nous mettaient en position de réclamer une action plus
offensive. À la réunion, les ministres ont fini par accepter une proposition
émanant de Warren Christopher et de son équipe : il s'agissait de « tracer une

ligne dans le sable » autour de Gorazde et d'annuler la procédure qui donnait
aux Nations unies un droit de veto sur les actions de l'OTAN. La conférence
de Londres a marqué un tournant à partir duquel l'OTAN allait s'affirmer
beaucoup plus nettement. Peu après, le commandant de l'OTAN, le général
George Joulwan et notre ambassadeur auprès de l'OTAN, Robert Hunter, ont
réussi à étendre les mesures prises pour Gorazde à la zone de sécurité de
Sarajevo.

En août, la situation a pris une tournure dramatique. Les Croates ont
lancé une offensive pour reprendre la Krajina, région de la Croatie où les
Serbes locaux avaient proclamé leur souveraineté. Des responsables militaires et
des agents de renseignement européens et américains avaient recommandé de
ne pas entreprendre cette offensive parce qu'ils croyaient que Milosevic inter-
viendrait pour sauver les Serbes de la Krajina. Quant à moi j'ai encouragé les
Croates, et Helmut Kohl a fait de même.

Nous savions tous les deux que la diplomatie ne pouvait réussir tant que
les Serbes n'auraient pas subi des pertes importantes sur le terrain. Dans la
mesure où l'enjeu était la survie de la Bosnie, nous n'avions pas été très stricts
sur l'embargo, ce qui a permis aux Croates et aux Bosniaques de se procurer
des armes qui les aidèrent à survivre. Nous avions aussi autorisé une compagnie
privée à engager des militaires américains à la retraite pour organiser et entraîner l'armée croate. Or Milosevic n'a rien fait pour secourir les Serbes, et les
forces croates ont repris la Karjina presque sans résistance. C'était la première
défaite des Serbes en quatre ans, et elle a modifié à la fois l'équilibre des forces
sur le terrain et l'état psychologique de toutes les parties en présence. On a rapporté qu'un diplomate occidental en Croatie aurait dit : « Washington a presque manifesté un signe de soutien. Les Américains ont raté une occasion de
frapper les Serbes et ils se servent de la Croatie pour faire le travail à leur
place. » Le 4 août, au cours d'une visite que je rendais au correspondant de la
chaîne *ABC News*, Sam Donaldson, au National Institutes for Health où il
avait été opéré du cancer, j'ai admis que l'offensive croate pouvait s'avérer
utile à la résolution du conflit. De son lit d'hôpital Donaldson, toujours aussi
consciencieux, fit un rapport sur mes commentaires.

Voulant mettre cette nouvelle dynamique à profit, j'ai envoyé Tony Lake
et le sous-secrétaire d'État Peter Tarnoff en Europe (y compris en Russie) pour
présenter un plan de paix, élaboré par Lake, et de demander à Dick Holbrooke
de diriger une équipe qui entreprendrait une ultime tentative de négociation
avec les Bosniaques et Milosevic. Ce dernier affirmait ne pas contrôler les
Serbes de Bosnie, même si tout le monde savait que sans son aide ils n'auraient
pu prendre l'avantage. Juste avant le début de cette mission diplomatique, le
Sénat a suivi la Chambre sur le vote de la levée de l'embargo, et je mis mon
veto à cette décision pour donner une chance à cette double tentative. Lake et
Tarnoff sont partis immédiatement pour l'Europe, rencontrèrent ensuite
Holbrooke, le 14 août, pour l'informer que les alliés et la Russie soutenaient
notre plan et qu'il pouvait entreprendre immédiatement sa mission.

Le 15 août, après une mise au point sur la Bosnie avec Tony Lake, je suis
parti avec Hillary et Chelsea passer quelques jours de vacances à Jackson Hole,
au Wyoming, où le sénateur Jay Rockefeller et sa femme Sharon nous avaient

invités. Nous avions tous besoin de repos, et je me réjouissais à l'idée de me promener à pied ou à cheval dans les Grand Tetons ; de faire du rafting sur la Snake River, de visiter le parc national de Yellowstone, de voir les buffles, les orignaux, et les loups que nous avions remis en liberté ; et aussi de jouer au golf en altitude, où la balle va beaucoup plus vite. Hillary avait entrepris un livre sur la famille et les enfants et elle avait l'intention de profiter de son séjour dans le spacieux ranch ensoleillé des Rockefeller pour avancer dans son travail. Nous avons fait tout cela et bien plus, mais le souvenir le plus fort de ces vacances concerne la Bosnie et un événement douloureux.

Le jour de notre départ pour le Wyoming, Dick Holbrooke partait pour la Bosnie avec une équipe impressionnante comprenant Bob Frasure, Joe Kruzel, le lieutenant général Wesley Clark, comme moi originaire de l'Arkansas et que j'avais rencontré pour la première fois à Georgetown en 1965...

Le colonel de l'armée de l'Air Nelson Drew, Holbrooke et son équipe ont atterri dans la ville côtière de Split où ils ont informé de nos projets le ministre des Affaires étrangères bosniaque, Muhamed Sacirbey. Sacirbey était le visage officiel de la Bosnie à la télévision américaine, un bel homme qui, pendant ses études aux États-Unis, avait débuté dans l'équipe de football américain de l'Université de Tulane. Il souhaitait depuis longtemps que les États-Unis s'investissent davantage dans sa nation assiégée et il se réjouissait que l'heure soit enfin venue.

Après Split, l'équipe s'est rendue à Zagreb, la capitale croate, où ses membres ont rencontré le président Tudjman, avant de s'envoler vers Belgrade pour une importante réunion avec le président Slobodan Milosevic. À l'issue de cette réunion, peu concluante, le président Milosevic a refusé de garantir la sécurité de l'avion qui devait transporter les négociateurs américains de Belgrade à Sarajevo, leur prochaine destination. Ils devaient donc retourner à Split, prendre un hélicoptère qui les déposerait quelque part et faire le reste du trajet en voiture par la route du mont Igman, piste étroite, non goudronnée, sans rails de sécurité au bord de ravins profonds et très exposée aux soldats serbes, qui faisaient régulièrement feu sur les véhicules de l'ONU. Le négociateur de l'Union européenne Carl Bildt avait été touché quelques semaines auparavant sur cette route et dans les ravins entre Split et Sarajevo gisaient les carcasses de nombreux véhicules, dont certains avaient tout simplement quitté la route.

Le matin du 19 août, jour de mon quarante-neuvième anniversaire, j'ai fait une partie de golf avec Vernon Jordan, Erskine Bowles et Jimmy Wolfensohn, le président de la Banque mondiale. La matinée a été délicieuse, jusqu'au moment où j'ai appris ce qui s'était passé sur la route du mont Igman, d'abord par les informations puis grâce à un coup de téléphone bouleversé de Dick Holbrooke et Wesley Clark. Notre équipe était partie pour Sarajevo, Holbrooke et Clark dans un véhicule de l'armée américaine suivis par Frasure, Kruzel et Drew dans un transport de troupes blindé français peint en blanc. Au bout d'une heure de voyage, en haut d'un dos-d'âne, la route avait cédé sous le véhicule blindé qui avait dégringolé dans le ravin et explosé. En dehors des trois membres de notre équipe, il y avait deux autres Américains et quatre soldats français à l'intérieur. Le véhicule avait pris feu après l'explosion des munitions qu'il transportait. Wes Clarke avait courageusement tenté d'intervenir en descendant en rappel le long d'une corde attachée à un tronc d'arbre pour tenter de secourir les hommes encore prisonniers du véhicule, mais le camion était trop endommagé et l'incendie trop violent.

Il était trop tard. Frasure, Drew et un soldat français avaient été tués pendant la chute. Les autres avaient pu sortir, mais Joe Kruzel mourut rapidement de ses blessures. Frasure avait 53 ans, Kruzel, 50, Drew, 47 ; tous trois étaient des fonctionnaires dévoués, des patriotes et de bons pères de famille. Ils sont morts trop jeunes en essayant de sauver la vie de populations innocentes, très loin de chez eux.

La semaine suivante, après que les Serbes bosniaques eurent lancé une bombe au mortier au cœur de Sarajevo, tuant trente-huit personnes, l'OTAN entama trois jours de bombardements des positions serbes. Le 1er septembre, Holbrooke annonça que toutes les parties se réuniraient à Genève pour discuter. Lorsque les Serbes bosniaques refusèrent de se plier à toutes les conditions de l'OTAN, les frappes aériennes reprirent et continuèrent jusqu'au 14, date à laquelle Holbrooke réussit à convaincre Karadzic et Mladic de signer un accord mettant fin au siège de Sarajevo. Les derniers pourparlers de paix allaient bientôt commencer à Dayton, dans l'Ohio. Ils aboutiraient à la signature des accords de paix, épilogue de cette guerre sanglante. Et ce succès devrait beaucoup à trois héros américains discrets qui n'ont pas vécu assez longtemps pour voir les fruits de leurs efforts.

Alors que la Bosnie occupait la première place dans l'actualité du mois d'août, j'ai repris mes discussions avec les Républicains à propos du budget, découvris que un million d'Américains avaient perdu leur assurance santé au cours de l'année, depuis l'échec de la réforme des services médicaux et pris des mesures exécutives pour limiter la publicité, la promotion et la vente de cigarettes aux adolescents. La Food and Drugs Administration venait de terminer une étude de quatorze mois confirmant que les cigarettes créaient une dépendance, étaient dangereuses et pourtant de plus en plus vendues aux jeunes, dont le taux de consommation augmentait régulièrement.

Le problème était difficile à résoudre. Le tabac est la drogue légale des États-Unis ; il tue, fait beaucoup de victimes et alourdit de plusieurs milliards de dollars les dépenses de santé. Mais les industriels du tabac sont influents politiquement et les fermiers qui en vivent sont un facteur important de la vie économique, politique et culturelle du Kentucky et de Caroline-du-Nord. Les fermiers étaient le visage sympathique masquant la volonté des industriels d'augmenter leurs bénéfices en rendant les adolescents et préadolescents dépendants de la cigarette. Je pensais qu'il fallait faire quelque chose pour les en empêcher. Al Gore était de mon avis, lui dont la sœur bien-aimée, Nancy, était morte d'un cancer au poumon.

Le 8 août, la chance nous a souri dans nos efforts pour éliminer les derniers vestiges des armes de destruction massive en Irak. Deux des filles de Saddam Hussein et leurs époux se sont enfuis en Jordanie où ils ont été accueillis par le roi Hussein. L'un des hommes, Hussein Kamel Hassan Al-Majid, avait dirigé le programme secret de Saddam Hussein concernant le développement des armes de destruction massive et devait fournir des informations précieuses sur les stocks encore existants en Irak. La taille et l'importance de ces dépôts d'armes contredisaient ce qu'avaient dit aux inspecteurs les officiels irakiens. Devant ces révélations, les Irakiens ont simplement confirmé que le gendre de Saddam disait la vérité et emmenèrent les inspecteurs sur les sites qu'il avait identifiés. Après six mois d'exil, ces proches de Saddam ont été convaincus de rentrer en Irak. Quelques jours plus tard, les deux gendres se faisaient tuer. Leur brève évasion vers la liberté avait permis aux inspecteurs de détruire plus d'armes chimiques et biologiques et de matériel de laboratoire que pendant la guerre du Golfe.

Août fut aussi un mois important pour l'affaire Whitewater. Kenneth Starr mit Jim et Susan McDougal et le gouverneur Jim Guy Tucker en accusation pour des faits sans rapport avec Whitewater, et les Républicains tinrent des audiences au Sénat et à la Chambre pendant tout le mois. Au Sénat, Al D'Amato essayait toujours de prouver que la mort de Vince Foster n'était pas un simple suicide dû à la dépression. Il convoqua l'équipe de Hillary et ses amis devant le comité qui les soumit à un interrogatoire brutal et à des attaques personnelles. D'Amato se montra particulièrement désagréable avec Maggie Williams et Susan Thomases. La conduite du sénateur Lauch Faircloth fut pire encore. Il pouffa d'un rire méprisant à l'idée que Williams et Thomases aient pu échanger tant de coups de téléphone pour parler de Vincent Foster et de leur chagrin. Je me dis que si Faircloth ne comprenait effectivement pas ce que ressentaient ces deux femmes, c'est que sa propre vie devait être un vrai désert affectif. Le fait que Maggie ait été deux fois passée au détecteur de mensonge pour répondre de ses actes après la mort de Vince ne tempéra pas l'agressivité de D'Amato et Faircloth. À la Chambre, le député Jim Leach se comportait à peu près comme D'Amato. Dès le début, il reprit à son compte toutes les fausses accusations portées contre Hillary et moi, affirmant que nous avions gagné et non perdu de l'argent dans cette affaire, que nous avions utilisé les fonds de Madison Guaranty pour nos dépenses personnelles et politiques, et que nous avions fabriqué de toutes pièces la fraude de David Hale. Il promit des révélations « fracassantes » qui ne se matérialisèrent jamais.

En août, Leach a convoqué L. Jean Lewis, l'enquêteur de la Resolution Trust Corporation qui nous avait nommés Hillary et moi comme témoins dans une affaire pénale peu avant les élections de 1992. Quand le département de la Justice s'est enquis de la proposition de Lewis, le procureur républicain Charles Banks leur dit qu'il n'y avait rien à retenir contre nous, qu'il s'agissait d'une manœuvre purement électorale et qu'entreprendre une enquête en ce moment précis aurait été un « abus du ministère public ».

Leach a présenté Lewis comme un fonctionnaire « héroïque » dont l'enquête avait été contrecarrée après mon élection. Toutefois, avant le début des audiences, des documents soutenant notre position ont été diffusés, notamment la lettre de Banks où il refusait d'étudier les allégations de Lewis, faute de preuves, et des câbles du FBI et du département de la Justice disant en substance qu'aucun fait ne permettait de nous désigner, Hillary et moi, comme témoins. Ces documents réfutant les accusations de Lewis n'ont eu aucun écho médiatique.

À l'époque des audiences d'août et des dernières mises en accusation de Starr, j'avais pris l'habitude de répondre aux questions de la presse concernant Whitewater avec le moins de commentaires possible. Je savais, pour avoir vu comment les médias avaient présenté l'histoire des homosexuels dans l'armée, que si je m'étendais trop sur des sujets dont ils étaient friands, cela éclipserait, aux informations du soir, ce que j'avais fait le même jour dans l'intérêt général. Le peuple américain penserait que je passais mon temps à me défendre au lieu de travailler pour lui, alors qu'en fait Whitewater me prenait très peu de temps. Sur une échelle de 1 à 10, mieux valait une réponse 7 à propos de l'économie qu'une réponse 10 sur l'affaire Whitewater. La plupart du temps, je m'efforçais donc, et mon entourage me le rappelait à l'occasion, de tenir ma langue. Mais c'était dur. J'avais toujours détesté les abus de pouvoir, et cette mauvaise foi, entre la multiplication des fausses accusations, le refus de prendre en compte les preuves de notre innocence et le harcèlement, me faisait bouillir intérieurement. Personne ne peut contenir une telle colère sans se faire du mal. Je n'allais pas tarder à le découvrir.

Septembre a commencé par un voyage mémorable à Hawaï pour commémorer le cinquantième anniversaire de la fin de la Seconde Guerre mondiale. Ensuite, Hillary s'est envolée pour la Chine où elle devait prendre la parole à la Quatrième Conférence mondiale des Nations unies sur les femmes. Hillary a fait l'un des plus importants discours prononcés par l'un des nôtres au cours des huit ans de notre administration, affirmant que « les droits de l'homme sont les droits de la femme » et condamnant leur violation bien trop fréquente par ceux qui vendaient les femmes pour la prostitution, les brûlaient quand leur dot était considérée comme insuffisante, les violaient en temps de guerre, les frappaient dans l'intimité, les soumettaient à des mutilations génitales, les faisaient avorter ou stériliser de force. Son discours a été longuement applaudi et a profondément touché les femmes du monde entier qui savaient maintenant, sans l'ombre d'un doute, que l'Amérique militait en leur faveur. Une fois encore, malgré les vicissitudes de l'affaire Whitewater, Hillary s'était levée pour défendre une cause qui lui tenait à cœur, et au nom de notre pays. J'étais extrêmement fier d'elle. Les coups qu'elle avait injustement reçus n'avaient pu affaiblir en elle cet idéalisme dont j'étais tombé amoureux bien des années auparavant.

Vers la mi-septembre, Dick Holbrooke avait persuadé les ministres des Affaires étrangères de Bosnie, de Croatie et de Yougoslavie de se mettre d'accord sur une série de principes essentiels devant entrer dans le cadre d'une résolution du conflit bosniaque. Parallèlement, les frappes aériennes de l'OTAN et les missiles de croisière continuaient à pilonner les positions des Serbes de Bosnie, et des victoires militaires bosniaques et croates réduisaient le pourcentage du territoire occupé par les Serbes de 70 à 50 %, c'est-à-dire à peu près ce qu'il faudrait sans doute pour négocier un accord.

Le mois de septembre, un bon mois pour les affaires étrangères, s'est terminé en beauté par la venue, le 28, d'Yitzhak Rabin et de Yasser Arafat à la Maison Blanche pour la signature des accords sur la Cisjordanie qui rendaient une grande portion de territoire aux Palestiniens.

L'événement le plus marquant s'est produit loin des caméras. La cérémonie officielle devait avoir lieu à midi, mais Rabin et Arafat se sont d'abord retrouvés pour parapher les annexes à l'accord, trois exemplaires comprenant vingt-six cartes différentes reflétant chacune des milliers de décisions prises par les deux parties à propos des routes, des carrefours, des installations et des lieux saints. Je devais moi-même parapher ces pages en tant que témoin officiel. Ils étaient en plein travail, et j'avais quitté la pièce pour répondre au téléphone, lorsque Rabin est sorti et m'a appris qu'ils avaient un problème. Sur l'une des cartes, Arafat avait remarqué qu'une portion de route était attribuée aux Israéliens, alors que les deux parties avaient décidé de la placer sous contrôle palestinien, il en était certain. Rabin et Arafat voulaient que je les aide à se mettre d'accord. Je les ai emmenés dans ma salle à manger privée et ils ont commencé à discuter, Rabin disant qu'il voulait être bon voisin, Arafat répondant qu'étant tous deux descendants d'Abraham, ils étaient même pratiquement cousins. Un tel échange entre des adversaires de longue date était fascinant. Sans mot dire, je me suis levé et je suis sorti de la pièce, les laissant seuls tous les deux pour la première fois. Tôt ou tard, il fallait bien qu'ils aient des relations directes, et il me semblait que le moment était bien choisi.

Vingt minutes plus tard, ils étaient d'accord ; la portion de route devait bien revenir aux Palestiniens. Mais le monde entier attendait la cérémonie et nous étions déjà en retard, si bien que la carte ne pouvait pas être modifiée. Alors, Rabin et Arafat ont scellé leur accord par une poignée de main et ont tous deux signé la carte pour s'engager légalement sur la rectification à lui apporter.

C'était un témoignage de confiance qui aurait été impensable peu de temps auparavant. Et pour Rabin, c'était risqué. Quelques jours plus tard, alors que cet accord sur la Cisjordanie divisait les Israéliens en deux, il a obtenu une motion de confiance d'une voix seulement. Nous étions toujours sur la corde raide, mais j'étais optimiste. Je savais que la passation de pouvoir dépendrait avant tout de la sincérité des deux hommes, et j'avais raison. La poignée de main entre Rabin et Arafat, plus encore que la signature officielle, m'avait convaincu de leur volonté de trouver le moyen de faire la paix.

L'année fiscale se terminait le 30 septembre et nous n'avions toujours pas de budget. J'avais passé tout le mois, quand je ne m'occupais pas de la Bosnie et du Moyen-Orient, à parcourir le pays pour combattre les projets des Républicains qui consistaient à réduire les aides médicales, les bons de nourriture pour les pauvres, les prêts aux étudiants, l'AmeriCorps, la défense de l'environnement et à mettre cent mille policiers de plus dans les rues. Ils envisageaient même de modifier le taux de l'impôt sur le revenu, augmentant celui des bas salaires et diminuant celui des plus fortunés. À chacune de mes étapes ou presque, j'avais rappelé que notre combat ne consistait pas à nous demander si nous allions équilibrer le budget et alléger le gouvernement d'un poids inutile, mais comment nous allions procéder. Le principal sujet de discorde concernait la nature des responsabilités que le gouvernement fédéral devrait assumer pour le bien commun.

Pour répondre à mes attaques, Newt Gingrich menaça de ne pas relever le plafond de la dette, ce qui mettrait l'Amérique en défaut si je mettais mon veto à leur proposition de loi budgétaire. Le relèvement du plafond de la dette n'était qu'un ajustement technique tenant compte de l'inévitable : tant que l'Amérique continuerait à accumuler des déficits, la dette annuelle augmenterait et le gouvernement serait obligé de vendre plus de titres pour la financer. Le relèvement du plafond de la dette donnait simplement au département du Trésor le droit de le faire. Dans la mesure où les Démocrates étaient majoritaires, les Républicains ne pouvaient voter que symboliquement contre ce relèvement nécessaire et faire croire qu'ils n'avaient pas contribué à son adoption. À la Chambre, beaucoup de Républicains n'avaient jamais voté en faveur d'un tel relèvement et ne souhaitaient pas le faire. Je fus donc obligé de prendre la menace de Gingrich au sérieux.

Si l'Amérique manquait à ses engagements par rapport à sa dette, cela entraînerait de graves conséquences. Depuis plus de deux cents ans, les États-Unis avaient toujours payé leurs dettes. Manquer à nos engagements ébranlerait la confiance des investisseurs. Au moment de nous engager dans la dernière épreuve de force, je voyais bien que Gingrich avait un atout dans son jeu, mais j'étais décidé à ne pas céder au chantage. S'il persistait dans ses menaces, il en pâtirait, lui aussi. Manquer à nos engagements risquait de faire monter les taux d'intérêt, et même une faible hausse alourdirait de centaines de milliards de dollars le remboursement des hypothèques immobilières. Dix millions d'Américains avaient contracté des crédits immobiliers dont le taux d'intérêt, variable, était lié aux taux d'intérêt fédéraux. Si le Congrès ne relevait pas le plafond de la dette, ils paieraient ce qu'Al Gore appelait une « surtaxe Gingrich » sur leurs remboursements hypothécaires mensuels. Les Républicains devraient donc réfléchir à deux fois avant de laisser l'Amérique manquer à ses engagements.

Pendant la première semaine d'octobre, le pape est revenu en Amérique, et nous sommes allés à Newark, Hillary et moi, pour le rencontrer dans la magnifique cathédrale gothique. Comme à Denver et au Vatican, Sa Sainteté et moi nous sommes retirés pour parler, de la Bosnie essentiellement. Le pape encouragea nos efforts en faveur de la paix par une observation qui me frappa : il dit que le XXᵉ siècle avait commencé par une guerre à Sarajevo et que je ne devais pas permettre qu'il se termine avec une guerre à Sarajevo.

Notre réunion terminée, il me donna une leçon de politique. Tout d'abord, il quitta la cathédrale pour s'en éloigner de quelques kilomètres et revenir en saluant la foule massée dans les rues depuis sa papamobile avec son toit en verre transparent et à l'épreuve des balles. Quand il arriva, toute la congrégation était assise. Hillary et moi étions au premier rang avec les officiels locaux et fédéraux et d'importantes personnalités catholiques du New Jersey. Alors, les lourdes portes en chêne s'ouvrirent, le pontife apparut dans sa soutane et sa cape d'un blanc resplendissant, et la foule se leva, puis se mit à applaudir. Lorsque le pape commença à descendre l'allée centrale en écartant les bras pour que les gens puissent lui toucher les mains, les applaudissements se transformèrent en acclamations de plus en plus bruyantes. Un groupe de nonnes debout sur leur banc criaient de la voix stridente des adolescentes à un concert de rock. Quand je posai la question à l'un de mes voisins, il m'expliqua que c'étaient des carmélites, sœurs qui vivaient complètement recluses et hors de la société. Le pape leur avait accordé une dispense pour venir à la cathédrale. Voilà un homme qui savait rassembler une foule. Je hochai la tête et dis : « Je n'aimerais pas me présenter contre lui à une élection. »

Le lendemain de mon entrevue avec le pape, nous avons fait des progrès en Bosnie et j'ai annoncé que toutes les parties avaient consenti à un cessez-le-feu. Une semaine plus tard, Bill Perry dit que les accords de paix nécessiteraient l'envoi de troupes de l'OTAN en Bosnie pour les faire respecter. En outre, puisque notre participation aux missions de l'OTAN était clairement revendiquée, nous n'aurions sans doute pas à demander l'approbation du Congrès. Je pensais que Dole et Gingrich seraient soulagés de ne pas avoir à se prononcer sur la mission en Bosnie ; en tant qu'internationalistes, ils savaient très bien ce que nous devions faire, mais il y avait dans les deux chambres des Républicains qui n'étaient pas du tout d'accord.

Le 15 octobre, je me suis rendu à l'Université du Connecticut avec mon ami le sénateur Chris Dodd pour inaugurer un centre de recherche portant le nom de son père, Tom. Lorsque j'ai pris la parole, ce fut pour réaffirmer ma détermination de mettre fin à la guerre en Bosnie et de traduire en justice les fauteurs de crimes de guerre. Avant d'entrer au Sénat, Tom Dodd avait fait partie du conseil exécutif auprès du tribunal pour les crimes de guerre de Nuremberg. J'ai réaffirmé avec vigueur mon soutien aux tribunaux déjà existants pour l'ex-Yougoslavie et le Rwanda auxquels nous fournissions des fonds et du personnel, et je me suis prononcé en faveur de la création d'un tribunal permanent qui jugerait les crimes de guerre et autres atrocités commises en violation des droits de l'homme. L'idée allait se concrétiser avec la création de la Cour pénale internationale.

Pendant que je m'occupais de la Bosnie à Washington, Hillary est à nouveau partie, en Amérique latine cette fois. Dans le monde de l'après-guerre froide, l'Amérique étant la seule superpuissance militaire, économique et politique, toutes les nations réclamaient notre attention et c'était généralement notre intérêt de la leur accorder. Mais je ne pouvais pas aller partout, surtout pendant la querelle avec le Congrès à propos du budget. Hillary et Al Gore firent donc un très grand nombre de voyages importants à l'étranger. Partout où ils allaient, les gens savaient qu'ils parlaient au nom des États-Unis, en mon nom. Et à chacun de leur déplacement, sans exception, ils renforçaient la position de l'Amérique dans le monde.

Le 22 octobre, je me suis rendu à New York pour célébrer le cinquantième anniversaire de l'ONU et profitai de l'occasion pour appeler à une plus grande coopération internationale contre le terrorisme, la dissémination des armes de destruction massive, le crime organisé et le trafic de drogue. Un peu plus tôt dans le mois, Cheikh Omar Abdel Rahman et neuf autres avaient été déclarés coupables du premier attentat à la bombe contre le World Trade Center, et peu de temps avant, la Colombie avait arrêté plusieurs dirigeants du cartel de la drogue de Cali. Dans mon allocution, j'ai esquissé un programme destiné à multiplier ce type de victoires, un programme comprenant notamment une adhésion universelle aux pratiques de blanchiment d'argent ; le gel des avoirs des terroristes et des trafiquants de drogue, mesure que je venais d'appliquer aux cartels colombiens ; l'engagement de ne pas donner asile aux membres de groupes terroristes et criminels organisés ; la fermeture des marchés illégaux qui fournissaient armes et faux papiers d'identité aux terroristes et aux trafiquants de drogue ; des efforts redoublés pour détruire les récoltes de plantes illégales et faire décroître la demande des usagers ; un réseau international permettant d'entraîner les officiers de police et de leur fournir les moyens technologiques les plus sophistiqués ; la ratification de la convention sur les armes chimiques et le renforcement de la convention sur les armes biologiques.

Le lendemain, je suis retourné à Hyde Park pour ma neuvième entrevue avec Boris Eltsine. Il avait été malade et subissait en Russie d'incessantes pressions de la part des ultranationalistes à propos de l'expansion de l'OTAN et du rôle offensif que jouaient les États-Unis en Bosnie à l'encontre des Serbes bosniaques. Il avait fait la veille un discours assez dur, principalement destiné à ses compatriotes, et je voyais bien qu'il était tendu.

Pour le mettre dans de meilleures dispositions, je l'ai invité à faire le voyage avec moi dans mon hélicoptère et à contempler les splendides couleurs du feuillage, le long de l'Hudson, par cette belle journée d'automne exceptionnellement chaude. En arrivant dans l'ancienne demeure de Roosevelt, je l'ai entraîné vers le jardin, d'où la vue sur le fleuve était magnifique, et nous avons passé un moment à converser, assis dans les mêmes fauteuils que Roosevelt et Churchill lorsqu'ils s'étaient vus pendant la Seconde Guerre mondiale. Puis, je l'ai emmené dans la maison pour lui montrer un buste de Roosevelt, sculpté par un artiste russe, un portrait de l'indomptable mère du Président réalisé par le frère du sculpteur et la note manuscrite que Roosevelt avait envoyée à Staline pour l'informer que la date du jour J avait été fixée.

Nous avons passé la matinée, Boris et moi, à discuter de la position politique précaire dans laquelle il se trouvait. Je lui ai rappelé que j'avais fait mon possible pour l'aider et que, malgré notre désaccord sur l'expansion de l'OTAN, j'avais l'intention de continuer à l'aider.

Après déjeuner, nous avons évoqué la question de la Bosnie. Les différentes parties devaient venir aux États-Unis pour négocier un pacte qui, nous l'espérions tous, serait définitif. Mais le respect de ce pacte dépendrait à la fois d'une force commandée par l'OTAN et de la participation de troupes russes qui rassureraient les Serbes de Bosnie sur le fait qu'ils seraient, eux aussi, traités avec équité. Boris accepta finalement d'envoyer des troupes mais dit qu'elles ne pourraient pas être placées sous commandement de l'OTAN, même si, personnellement il aurait été content de les savoir commandées par un « général américain ». J'ai donné mon consentement, sous réserve que ses troupes n'interfèrent en aucune façon avec le commandement de l'OTAN.

Je regrettais qu'Eltsine se trouve confronté à de tels problèmes chez lui. Certes, il avait fait des erreurs, mais il avait réussi, alors que tout était contre lui, à maintenir la Russie dans la bonne direction. Je pensais encore qu'il viendrait en tête lors des élections.

À la conférence de presse qui a suivi notre entrevue, j'ai déclaré que nous avions bien avancé sur la Bosnie, que nous étions tous deux en faveur de la ratification de START II et que nous allions travailler à la conclusion d'un traité général sur l'interdiction des essais nucléaires en 1996. C'étaient d'excellentes nouvelles, mais Eltsine m'a volé la vedette. Il a annoncé à la presse qu'il sortait de notre entrevue plus optimiste qu'il n'y était entré, à cause de tous les articles de presse prévoyant que notre rencontre « serait un désastre. Alors je me permets de vous dire pour la première fois que le désastre, c'est vous ». J'ai éclaté de rire, et les représentants de la presse ont fait de même. Je n'ai rien pu lui répondre d'autre que : « Ne vous trompez pas de cible, hein ? » Eltsine avait l'art de dire des vacheries avec humour. Je me demande comment il aurait répondu aux questions sur Whitewater.

Octobre a été relativement calme sur le plan intérieur, même si la question du budget était de plus en plus brûlante. Au début du mois, Newt Gingrich a décidé de mettre au vote la réforme du lobbying et j'ai mis mon veto à la proposition de loi de finance. La loi sur le lobbying obligeait les intéressés à divulguer leurs activités et leur interdisait de faire des cadeaux aux parlementaires, de leur offrir des voyages ou des repas au-delà d'une certaine limite. Les Républicains récoltaient beaucoup d'argent en rédigeant des lois attribuant des exemptions d'impôts, des subsides, des dispenses quant au respect de l'environnement, à un grand nombre de lobbies. Gingrich ne voyait pas pourquoi ils se priveraient d'une telle manne. Je me suis opposé à la proposition de loi de finance parce que, à part les crédits pour la construction militaire, c'était le seul budget qu'ait voté le Congrès au début de la nouvelle année fiscale, et j'estimais que le Congrès n'avait pas à s'occuper de lui-même en premier. Je ne voulais pas utiliser mon droit de veto et j'ai demandé aux leaders républicains de suspendre le projet tant que d'autres budgets n'auraient pas été adoptés, mais ils me l'envoyèrent tout de même.

Pendant que la bataille du budget continuait, le secrétaire à l'Énergie, Hazel O'Leary, et moi-même avons reçu un rapport de mon comité consultatif sur l'expérimentation humaine des radiations signalant des milliers d'expériences menées sur des êtres humains dans des universités, des hôpitaux et des bases militaires pendant la guerre froide. La plupart respectaient l'éthique, mais quelques-unes m'ont choqué ; des scientifiques avaient par exemple injecté du plutonium à dix-huit patients sans les en informer ; des médecins avaient exposé des patients indigents à des doses excessives de radiations, en sachant que cela ne leur ferait aucun bien. J'ai ordonné que soient surveillées toutes les expérimentations en cours et me suis engagé à faire en sorte que les victimes soient dédommagées chaque fois que ce serait nécessaire. La publication de ces informations autrefois gardées secrètes s'inscrivait dans la politique de transparence que j'ai appliquée pendant tout mon mandat. J'avais déjà permis l'accès à des documents concernant la Seconde Guerre mondiale, la guerre froide et l'assassinat du président Kennedy.

À la fin de la première semaine d'octobre, Hillary et moi sommes allés passer deux jours à Martha's Vineyard pour assister au mariage de notre amie Mary Steenburgen et de Ted Danson. Nous connaissions Mary depuis 1980 ; nos enfants avaient joué ensemble depuis leur plus jeune âge et, en 1992, Mary s'était donnée à fond pour moi pendant la campagne. Sa rencontre et son histoire d'amour avec Ted m'avaient fait grand plaisir, et leur mariage était une fort agréable façon d'échapper momentanément aux problèmes de la Bosnie, de Whitewater et du budget.

À la fin du mois, Hillary et moi avons célébré notre vingtième anniversaire de mariage. Je lui ai offert une jolie bague de diamants pour marquer cette date importante dans notre vie et pour compenser le fait que, quand elle avait accepté d'être ma femme, je n'avais pas assez d'argent pour lui acheter une bague de fiançailles. Le mince anneau d'or constellé de diamants a beaucoup plu à Hillary qui l'a porté en témoignage de notre engagement réciproque, toujours vivace malgré les hauts et les bas de notre vie commune.

CHAPITRE QUARANTE-CINQ

Le samedi 4 novembre avait commencé comme une journée pleine d'espoir. Les pourparlers de paix sur la Bosnie avaient débuté trois jours plus tôt sur la base aérienne de Wright-Patterson à Dayton, dans l'Ohio, et nous venions de réussir à faire accepter au Congrès l'annulation de dix-sept clauses antienvironnement dans la proposition de budget de l'EPA [Agence pour la protection de l'environnement]. J'avais préenregistré mon traditionnel discours radiophonique du samedi matin, dans lequel j'attaquais les coupes qui grevaient toujours le budget de l'EPA. Bref, je profitais pleinement d'une journée qui promettait d'être exceptionnellement reposante, lorsqu'à 15 h 25, Tony Lake m'a appelé à la résidence pour m'annoncer qu'Yitzhak Rabin avait été victime d'un attentat. On avait tiré sur lui alors qu'il quittait un grand rassemblement pour la paix à Tel-Aviv. Son agresseur n'était pas un terroriste palestinien, mais un jeune Israélien étudiant en droit, Yigal Amir, farouchement opposé à la restitution de la Cisjordanie et de certaines colonies israéliennes aux Palestiniens.

Yitzhak avait été transporté d'urgence à l'hôpital, et pendant un bon moment, nous n'avons pas su à quel point ses blessures étaient graves. Hillary était à l'étage et travaillait sur son livre. Je l'ai appelée pour lui raconter ce qui s'était passé et elle est venue me rejoindre. Dans les bras l'un de l'autre, nous avons évoqué la dernière visite d'Yitzhak aux États-Unis, à peine dix jours plus tôt. Il était venu me remettre le prix Isaiah du United Jewish Appeal. La soirée avait été très gaie. Yitzhak, qui détestait avoir à se mettre sur son trente et un, s'était présenté à la cérémonie présidentielle vêtu d'un costume noir et d'une cravate ordinaire. Mon assistant, Stephen Goodin, lui avait prêté un nœud papillon que j'avais ajusté pour lui juste avant notre départ. En principe, le protocole exigeait que les dirigeants étrangers se placent à la droite du Président. Mais comme c'était moi que l'on honorait, Yitzhak avait insisté pour que ce soit moi qui me place à sa droite lors de la cérémonie de remise : « Ce soir, nous allons renverser le protocole, pour une fois », avait-il dit. J'ai répliqué qu'il avait sans doute raison d'agir de la sorte, car après tout, les représentants du United Jewish Appeal étaient davantage son public que le mien. J'aurais donné n'importe quoi pour savoir que nous partagerions encore de tels moments de complicité un jour.

Environ vingt-cinq minutes après son premier appel, Tony m'a rappelé. Yitzhak était dans un état grave, mais il n'en savait pas plus. J'ai raccroché, puis j'ai annoncé à Hillary que je me rendais dans le Bureau ovale. Après avoir discuté avec mon équipe et fait les cent pas dans mon Bureau pendant quelques minutes, j'ai éprouvé le besoin d'être seul. Alors j'ai empoigné un club et quelques balles de golf et je suis descendu sur le green de la pelouse sud, où j'ai prié Dieu d'épargner la vie d'Yitzhak tout en frappant des balles sans conviction, rongé par les affres de l'attente.

Dix minutes environ sont passées ainsi. Puis la porte du Bureau ovale s'est ouverte et Tony Lake est apparu. À l'expression de son visage tandis qu'il descendait l'allée pour me rejoindre, j'ai deviné que c'était fini. Quand Tony m'a annoncé qu'Yitzhak était mort, je lui ai demandé de retourner dans les bureaux et de me préparer une déclaration.

Au fil de nos deux années de travail commun, Rabin et moi avions tissé une relation d'une proximité exceptionnelle, marquée par la franchise, la confiance et par une remarquable compréhension de nos positions politiques et de nos modes de pensée respectifs. Notre amitié était née de cette fraternité particulière qui unit ceux qui mènent un combat dont ils sont convaincus qu'il est noble et juste. À chacune de nos rencontres, mon respect et mon attachement pour lui grandissaient. Au moment de sa mort, je l'aimais comme j'avais rarement aimé un autre homme. Au fond de moi, j'avais toujours su qu'il mettait sa vie en danger, mais je ne parvenais pas à accepter qu'il soit parti, et je ne savais pas ce que je ferais ni ce que je pourrais faire sans lui au Moyen-Orient. Submergé par la douleur, je me suis réfugié auprès de Hillary pendant quelques heures.

Le lendemain, Hillary, Chelsea et moi sommes allés assister à la messe à l'église méthodiste Foundry, en compagnie de nos invités venus de Little Rock, Vic et Susan Fleming, ainsi que leur fille Elizabeth, l'une des plus proches amies de Chelsea en Arkansas. C'était le jour de la Toussaint. De nombreux passages du service étaient consacrés à la mémoire de Rabin. Chelsea et une autre jeune fille ont lu le passage de l'Exode qui raconte le face-à-face de Moïse avec Dieu à travers le buisson ardent. Notre pasteur, Phil Wogaman, a dit que l'endroit de Tel-Aviv où Yitzhak Rabin « avait perdu la vie était devenu un lieu saint ».

Après avoir communié, Hillary et moi avons quitté l'église pour nous rendre à l'ambassade d'Israël. Nous y avons salué l'ambassadeur et Mrs Rabinovich, et nous avons signé le registre de condoléances que l'on avait disposé sur une table dans le hall Jérusalem de l'ambassade, à côté d'une grande photo de Rabin. Tony Lake et Dennis Ross, notre émissaire spécial au Moyen-Orient, nous avaient précédés à l'ambassade, où nous les avons trouvés assis dans un silence respectueux à notre arrivée. Après avoir signé le registre,

Hillary et moi sommes rentrés pour nous préparer à partir à Jérusalem afin d'assister aux obsèques.

Nous étions accompagnés des présidents Carter et Bush, des leaders de la majorité au Congrès, d'une dizaine de sénateurs et de représentants, ainsi que du général Shalikashvili, de l'ancien secrétaire d'État George Shultz et de plusieurs personnalités du monde des affaires. Dès l'atterrissage, Hillary et moi sommes allés directement chez les Rabin pour voir Leah. Elle avait le cœur brisé, mais elle faisait tout son possible pour faire front courageusement, pour sa famille et pour son pays.

Le roi Hussein de Jordanie et la reine Noor ainsi que le président Moubarak étaient venus assister aux obsèques. D'autres dirigeants internationaux étaient également présents. Yasser Arafat voulait venir, mais on l'en avait dissuadé en raison du danger auquel l'exposait une telle démarche et des divisions que sa présence en Israël risquait de susciter. Le président Moubarak aussi avait pris un risque en venant, d'autant plus qu'il avait lui-même échappé à un attentat peu de temps auparavant, mais il avait décidé de le courir. Le roi Hussein et la reine Noor étaient accablés par la mort de Rabin. Ils étaient sincèrement attachés à lui et jugeaient qu'il avait joué un rôle déterminant dans le processus de paix. Pour tous les partenaires d'Yitzhak Rabin dans le monde arabe, son assassinat était un rappel cruel des risques qu'ils couraient eux-mêmes en s'engageant pour la paix.

Le roi Hussein a prononcé un magnifique éloge funèbre. La petite-fille d'Yitzhak Rabin, Noa Ben Artzi-Pelossof, qui accomplissait alors son service militaire dans l'armée israélienne, a profondément ému l'assistance en s'adressant directement à son grand-père : « Grand-père, tu étais la colonne de feu qui brillait à l'entrée du camp. Aujourd'hui, nous ne sommes plus qu'un campement abandonné dans l'obscurité, et nous avons froid. » Dans mon discours, j'ai essayé d'encourager le peuple d'Israël à poursuivre la route tracée par leur leader tombé. Durant cette même semaine, des juifs du monde entier étudiaient le passage de la Torah dans lequel Dieu commandait à Abraham de sacrifier son fils chéri, Isaac. Abraham s'étant montré prêt à obéir, Dieu épargna le jeune garçon. « Aujourd'hui, Dieu soumet notre foi à une épreuve bien plus terrible encore, car il a pris notre Yitzhak. Mais l'alliance d'Israël avec Dieu pour la liberté et la tolérance, la sécurité et la paix, cette alliance doit être maintenue. Toute sa vie, le Premier ministre Rabin a travaillé à cette alliance. Il nous appartient aujourd'hui de respecter l'héritage qu'il nous a légué en poursuivant son œuvre. » J'ai conclu mon discours en disant adieu à Rabin par deux mots en hébreu : *shalom, chaver*.

Par une alchimie mystérieuse, ces paroles, *shalom, chaver* – adieu, ami –, avaient touché juste et traduit précisément les sentiments des Israéliens à l'égard de Rabin. Plusieurs membres de mon équipe étaient juifs, parlaient hébreu et connaissaient mon attachement pour Rabin. Je leur suis reconnaissant de m'avoir transmis cette formule. Plus tard, Shimon Peres m'a expliqué que le terme *chaver* évoquait bien plus que l'amitié, qu'il désignait la fraternité d'âme unissant deux camarades dans la défense d'une cause commune. Très vite, les mots *shalom, chaver* ont commencé à apparaître partout en Israël, sur des pancartes, des banderoles ou des autocollants.

Après la cérémonie, j'ai rencontré quelques autres dirigeants à l'hôtel *King David,* qui offre un panorama si magnifique sur la vieille ville, puis j'ai repris le chemin de Washington. Il était presque 4 h 30 du matin lorsque nous avons atterri à la base aérienne d'Andrews. Tous les voyageurs sont descendus de l'avion titubant de fatigue, afin de prendre un peu de repos avant de se jeter dans l'arène pour la dernière phase de la bataille du budget.

Depuis le début de l'année fiscale le 1ᵉʳ octobre, le gouvernement fonctionnait grâce à une loi de finances provisoire qui permettait l'allocation de fonds aux divers départements en attendant le vote définitif de leur budget. Que l'année fiscale commence par le vote de quelques lois de finances par le Congrès en attendant celui du budget n'avait rien d'extraordinaire en soi, mais dans le cas présent, la situation était différente : c'était tout le gouvernement qui fonctionnait sur la base d'une loi de finances provisoire, et rien ne permettait de dire combien de temps cette situation allait durer. Durant les deux premières années de mon mandat, le Congrès avait toujours approuvé le budget dans les temps.

J'avais d'abord proposé un programme de rééquilibrage budgétaire étalé sur dix ans, puis sur neuf, à l'horizon 2004. Mais les Républicains et moi étions encore loin d'être d'accord sur la répartition des crédits aux divers départements. Tous mes experts s'accordaient à dire que les coupes franches que le projet de budget du Grand Old Party prévoyait dans les programmes Medicare et Medicaid, dans l'éducation, dans l'environnement et les réductions fiscales pour les familles défavorisées dépassaient largement ce qui était nécessaire pour financer leurs réductions d'impôts et atteindre l'équilibre budgétaire, même sur sept ans. Nous étions en désaccord sur les estimations chiffrées de la croissance économique, de l'inflation des dépenses médicales et des futurs revenus du gouvernement. À l'époque où ils contrôlaient la Maison Blanche, les Républicains avaient constamment surestimé les revenus et sous-estimé les dépenses. J'étais déterminé à ne pas commettre la même erreur. J'avais toujours eu pour principe de m'appuyer sur des estimations mesurées, ce qui nous avait permis de dépasser nos objectifs initiaux de réduction du déficit.

Maintenant qu'ils contrôlaient le Congrès, les Républicains allaient trop loin dans la direction inverse : ils sous-estimaient la croissance économique et les revenus et surestimaient l'augmentation des dépenses médicales, tout en soutenant un renforcement du recours aux réseaux HMO afin de réduire les dépenses de santé. À l'évidence, leur stratégie semblait se situer dans la continuité logique du mémo que William Kristol avait rédigé pour Bob Dole, dans lequel il appelait en substance à bloquer toute tentative de réforme du système de santé. Si les Républicains réussissaient à réduire les crédits de Medicare et de Medicaid, de l'éducation et de l'environnement, la conséquence sur les Américains des classes moyennes serait une déperdition de la productivité de leurs impôts, ce qui les rendrait plus réticents à les payer et encore plus réceptifs aux campagnes incendiaires que les Républicains avaient la manie de lancer sur des problèmes propres à diviser l'opinion publique, tels que l'avortement, les droits des homosexuels ou le port d'armes.

Le directeur du budget du président Reagan, David Stockman, avait reconnu que son administration avait délibérément creusé le déficit afin d'engendrer une crise qui « affamerait » le budget intérieur. Ils avaient partiellement réussi à mettre leur projet à exécution, sans cesser totalement d'investir dans l'avenir de notre pays mais en y injectant des fonds proprement faméliques. À présent, les Républicains du camp Gingrich essayaient de mettre la dernière main à la besogne en cherchant à produire un équilibrage budgétaire fondé sur des pronostics de revenus et de dépenses déraisonnables. J'étais déterminé à ne pas les laisser faire : l'avenir de notre nation était en jeu.

Le 10 novembre, trois jours avant l'arrivée à échéance de la loi de finances provisoire en cours, le Congrès m'a transmis la proposition de la nouvelle loi de finances. Cette dernière n'était ni plus ni moins qu'une déclaration de guerre : pour que le gouvernement continue de fonctionner, on me demandait d'entériner un projet qui prévoyait une augmentation de 25 % des cotisations Medicare, une réduction des crédits de l'éducation et de l'environnement, et un assouplissement de la législation sur l'environnement.

Le lendemain, exactement une semaine après l'assassinat de Rabin, j'ai placé les manœuvres des Républicains au centre de mon discours radiophonique et dénoncé leur tentative d'imposer leur budget par la voie détournée de la loi de finances provisoire. C'était le 11 novembre, et l'Amérique fêtait Veterans Day. J'ai donc souligné que huit millions des seniors dont les cotisations Medicare seraient augmentées étaient des anciens combattants. Les restrictions draconiennes que proposait le GOP n'étaient pas nécessaires : le taux de chômage et l'inflation n'avaient jamais été aussi bas depuis vingt-cinq ans, le pourcentage des fonctionnaires fédéraux dans l'ensemble de la population active était retombé au niveau de 1993 et le déficit était en régression. Je n'avais pas renoncé à atteindre l'équilibre budgétaire, mais pas au prix d'un renoncement à nos « valeurs fondamentales », ni en cédant aux « menaces et rancœurs partisanes ».

Le lundi soir, le Congrès a fini par m'envoyer un texte qui prévoyait un relèvement du plafond de la dette. Cette deuxième proposition, encore plus extrême que la loi de finances provisoire qu'ils m'avaient proposée auparavant, n'était rien moins qu'une nouvelle manœuvre visant à faire passer en force les coupes budgétaires et à affaiblir la législation sur l'environnement. De plus, le texte privait le secrétaire au Trésor de la facilité de gestion des fonds dont il bénéficiait depuis les années Reagan afin d'éviter les pénuries dans les situations d'urgence. Pire encore, le texte prévoyait un rabaissement du plafond de la dette au terme d'un délai de trente jours, ce qui équivalait quasiment à garantir la création d'une pénurie.

Depuis le mois d'avril, Gingrich menaçait de geler les services du gouvernement et de mettre l'Amérique en cessation de paiement si je n'acceptais pas son budget. Je ne parvenais pas à savoir s'il avait réellement l'intention de le faire ou s'il avait été victime des discours des médias qui, aveugles et sourds aux preuves éclatantes du contraire, avaient persisté pendant les deux premières années de mon mandat à me dépeindre comme trop faible, trop prompt à revenir sur mes engagements et trop ouvert au compromis. Si tel était le cas, Gingrich aurait dû être plus attentif aux faits.

Le 13 novembre, la loi de finances provisoire arrivant à échéance à minuit, les négociateurs se sont réunis encore une fois pour tenter de résoudre nos différends et empêcher une paralysie des services gouvernementaux. Dole, Gingrich, Armey, Daschle et Gephardt étaient présents, ainsi qu'Al Gore, Leon Panetta, Bob Rubin, Laura Tyson et d'autres membres de notre équipe. L'atmosphère était déjà quelque peu tendue, lorsque Gingrich, pour ouvrir la réunion, a jeté de l'huile sur le feu en abordant nos spots télévisés. En juin, nous avions en effet commencé à diffuser de petits films dans des États ciblés afin de mettre en valeur les réalisations du gouvernement, notamment la loi sur la lutte contre la criminalité. Au mois de septembre, après Labor Day, le débat sur le budget avait monté d'un cran et nous avions centré nos spots sur les coupes budgétaires que proposaient les Républicains, tout particulièrement celles qui visaient Medicare et Medicaid. Après avoir laissé Newt s'échauffer un petit moment, Leon Panetta l'a coupé sèchement pour lui rappeler toutes les allégations scandaleuses qu'il avait lancées contre moi avant les élections de 1994 : « Monsieur le président de la Chambre, vous n'avez pas les mains propres. »

Dole a fait une tentative pour calmer les esprits en disant qu'il ne voulait pas que nous en arrivions à un gel des services gouvernementaux. Mais Dick Armey l'a interrompu en lançant que sa position n'engageait que lui, et sûrement pas l'ensemble des Républicains du Congrès. Armey était un homme imposant invariablement chaussé de bottes de cow-boy et qui semblait se trouver dans un état d'agitation permanent. Il est parti dans une tirade véhémente sur la détermination des Républicains de la Chambre à rester fidèles à leurs principes et sur sa colère devant nos spots sur les réductions budgétaires de Medicare, qui avaient terrorisé sa vieille belle-mère. J'ai riposté que j'ignorais les détails de la situation de sa vieille belle-mère, mais qu'il était certain que si leurs coupes budgétaires étaient votées, une multitude de personnes âgées perdraient leur place en maison de retraite ou leur assistance médicale à domicile.

Armey a répondu d'un ton bourru que si je ne leur cédais pas, ils paralyseraient le gouvernement et que c'en serait fini de ma présidence. J'ai rétorqué que je ne permettrais jamais le vote de leur budget, même si je devais tomber à 5 % dans les sondages, et que le seul moyen de l'obtenir serait de placer quelqu'un d'autre que moi dans le fauteuil présidentiel. Il va sans dire que nous ne sommes pas parvenus à un accord ce soir-là.

Après la réunion, Daschle, Gephardt et mon équipe exultaient. Ma prise de bec avec Armey les avait mis dans une humeur jubilatoire. Al Gore disait qu'il aurait voulu que toute l'Amérique m'entende, hormis le passage où j'avais dit que je me moquais de tomber à zéro dans les sondages. Je l'ai regardé avec le plus grand sérieux et je lui ai dit : « Pas du tout, Al. Si nous tombons à 4 %, je céderai. » Nous avons tous ri, mais nous avions quand même encore les nerfs en pelote.

J'ai posé mon veto à la fois au projet de loi de finances provisoire et au texte sur le relèvement du plafond de la dette. Le lendemain à midi, une grande partie des services du gouvernement ont été contraints de cesser leur activité. Près de huit cent mille employés ont été renvoyés chez eux, perturbant la vie de millions d'Américains. Le traitement des dossiers de sécurité sociale, des demandes de crédits et de pensions d'anciens combattants étaient bloqués, la vérification du respect des normes de sécurité sur les lieux de travail ne pouvait être effectuée, les parcs nationaux devaient fermer, et bien d'autres choses encore. Bob Rubin a alors pris une mesure tout à fait exceptionnelle et a prélevé soixante et un milliards de dollars sur des caisses de retraites pour payer nos dettes et éviter la cessation de paiement.

Comme on pouvait s'y attendre, les Républicains ont essayé de m'imputer la responsabilité du gel des services gouvernementaux. Ils étaient déjà parvenus à me faire endosser la responsabilité de la fracture électorale de 1994 et je redoutais qu'ils parviennent une fois encore à s'en tirer sans être inquiétés. Mes inquiétudes se sont partiellement dissipées lors du petit déjeuner avec la presse le 15. Gingrich y a en effet laissé entendre qu'il avait durci la loi de finances provisoire en raison de mon attitude méprisante envers lui pendant le vol du retour des obsèques de Rabin : je n'étais pas venu le trouver pour discuter du budget avec lui et je lui avais demandé de quitter l'avion par l'arrière et non par la porte avant avec moi. « Cela peu paraître mesquin, a-t-il déclaré, mais je pense que c'est une réaction humaine […] lorsque personne ne vous adresse la parole et qu'on vous demande de quitter l'avion par l'arrière […], on se demande où les gens qui se comportent ainsi ont été élevés et ce qu'ils ont fait de leurs bonnes manières. » Peut-être aurais-je dû en effet profiter du trajet de retour pour m'entretenir du budget avec lui, mais je n'arrivais pas à penser à autre chose qu'au triste objet de notre voyage et à l'avenir du processus de paix. Mais il n'est pas vrai que je ne lui ai pas adressé la parole : j'ai parlé avec le président de la Chambre et la délégation du Congrès, comme en attestait une photographie qui me montrait en compagnie de Newt et de Bob Dole dans l'avion. Pour ce qui est de descendre par l'arrière, mon équipe avait pensé faire preuve de courtoisie en permettant aux passagers de quitter l'avion de ce côté, car c'était la sortie la plus proche des voitures qui étaient venues chercher Gingrich et les autres. Par ailleurs, il était 4 h 30 du matin et il n'y avait pas une seule caméra à la ronde. La Maison Blanche a publié la photo de notre conversation et la presse ne s'est pas privée de tourner les plaintes de Gingrich en ridicule.

Au cours d'une conférence de presse qui s'est tenue le 16, bien que les Républicains aient menacé de m'envoyer une proposition de loi de finances provisoire comportant exactement les mêmes problèmes que la précédente, je leur ai adressé un nouvel appel pour qu'ils me transmettent un projet révisé et que nous entamions des négociations franches et ouvertes sur le budget. La veille, j'avais signé la proposition de loi de finances pour le département des Transports, qui n'était qu'une seule des treize dont nous avions besoin, et annulé mon voyage à Osaka, où je devais assister au meeting des dirigeants du Forum de coopération Asie-Pacifique.

Le 19 novembre, j'ai fait un pas vers les Républicains, en leur faisant savoir que j'étais d'accord sur le principe d'un plan de rééquilibrage budgétaire en sept ans et que j'étais prêt à coopérer à sa mise en place, mais que je ne pouvais accepter les coupes budgétaires et les réductions d'impôts qu'ils proposaient. La croissance économique s'était poursuivie et la réduction du déficit avait dépassé les pronostics. Panetta, Alice Rivlin et notre équipe d'économistes estimaient que nous pouvions arriver à un équilibre budgétaire en sept ans sans les coupes draconiennes que les Républicains cherchaient à imposer. J'ai signé deux lois de finances de plus pour assurer le fonctionnement de la branche législative, du département du Trésor, des services postaux et de divers services du gouvernement. Six lois de finances sur treize ayant été signées, environ deux cent mille des huit cent mille employés fédéraux qui avaient dû être renvoyés chez eux ont pu reprendre leur travail.

Le matin du 21 novembre, Warren Christopher m'a appelé de Dayton pour me dire que les présidents bosniaque, croate et serbe étaient parvenus à un accord pour un plan de paix en Bosnie. L'accord prévoyait le maintien d'un État unitaire en Bosnie, laquelle devait être constituée de deux parties : la Fédération croato-bosniaque et la république serbe de Bosnie. L'accord comprenait une résolution des conflits territoriaux qui avaient déclenché la guerre. Sarajevo demeurerait unifiée et restait la capitale du pays. Le gouvernement national serait responsable des affaires étrangères, du commerce, de l'immigration, de la citoyenneté et de la politique monétaire. Chacune des deux parties de l'État aurait sa propre force de police. Les réfugiés pourraient rentrer chez eux et la liberté de circulation à l'intérieur du pays serait garantie. Le respect des droits de l'homme ainsi que l'entraînement des forces de police feraient l'objet d'une surveillance internationale, et ceux qui avaient été accusés de crimes de guerre seraient exclus de la vie politique. Une force internationale puissante, commandée par l'OTAN, superviserait la séparation des forces militaires du pays et maintiendrait la paix pendant la période de mise en œuvre des accords.

Le plan de paix pour la Bosnie avait été obtenu au prix d'efforts herculéens et comportait des clauses difficiles à accepter pour chacune des parties, mais il permettait de mettre un terme à quatre années d'une guerre atroce qui avait fait plus de deux cent cinquante mille victimes et poussé plus de deux millions de personnes à fuir leur foyer. L'Amérique avait joué un rôle déterminant en poussant l'OTAN à se montrer plus agressive et en prenant l'initiative diplomatique ultime. Les avantages militaires sur le terrain pour les Croates et les Bosniaques ont considérablement aidé à faire aboutir les accords, ainsi que le refus courageux et obstiné d'Izetbegovic et de ses camarades de perdre la face devant l'agression serbe en Bosnie.

La version finale des accords rendait hommage à l'habileté de Dick Holbrooke et de son équipe de négociateurs, à Warren Christopher dont l'intervention à des moments particulièrement critiques avait permis de garder les Bosniaques à la table des négociations et d'aboutir à la conclusion des accords, à Tony Lake, concepteur et défenseur de notre initiative de paix auprès de nos alliés qui, avec Holbrooke, avait incité les parties à tenir les pourparlers de paix aux États-Unis, à Sandy Berger, qui a présidé les réunions des représentants des comités de négociation et qui, tout en évitant les interférences, a tenu la population informée pendant toute la durée du maintien du dispositif de sécurité nationale, et enfin à Madeleine Albright, qui a fortement soutenu notre position offensive aux Nations unies. Le choix de Dayton et de la base aérienne de Wright-Patterson comme lieu de négociation était judicieux et avait été mûrement pesé par l'équipe de négociateurs : la base se trouvait aux États-Unis, mais elle était suffisamment éloignée de Washington pour éviter les fuites et la configuration des lieux permettait la tenue des discussions rapprochées qui ont permis à Holbrooke et à son équipe de débroussailler les détails des accords.

Le 22 novembre, au terme de vingt et un jours d'isolement à Dayton, Holbrooke et son équipe sont venus à la Maison Blanche afin d'y recevoir mes félicitations et de débattre des prochaines étapes du processus de paix. Il nous restait un gros travail de sensibilisation à accomplir au Capitole et auprès de la population américaine qui, d'après les sondages les plus récents, était fière des accords de paix mais demeurait opposée à l'envoi de troupes en Bosnie. Al Gore a ouvert le débat en disant que jusqu'alors la présence militaire n'avait été d'aucun secours. J'ai dit au général Shalikashvili que je savais qu'il soutenait notre engagement en Bosnie, mais qu'un grand nombre de ses subordonnés demeuraient mitigés. Al et moi avions conçu notre exposé de manière à faire ressortir avec force le fait qu'il était temps pour l'ensemble du gouvernement, et pas seulement pour l'armée, de passer à l'application du programme. Nos remarques ont produit l'effet recherché.

Nous disposions d'ores et déjà d'appuis importants au sein du Congrès, en particulier en la personne des sénateurs Lugar, Biden et Lieberman. D'autres nous accordaient un soutien plus modéré, soumettant leur accord à l'élaboration d'une « stratégie de retrait » clairement définie. Afin d'étoffer les rangs de nos partisans, j'ai commencé à inviter des membres du Congrès à la Maison Blanche, tandis que Christopher, Perry, Shalikashvili et Holbrooke plaidaient notre cause au Capitole. Le débat qui se poursuivait sur le budget ne facilitait pas notre mission. Le gouvernement fonctionnait, mais les Républicains menaçaient de provoquer une nouvelle paralysie des services le 15 décembre.

Le 27 novembre, j'ai présenté mes arguments pour un engagement américain en Bosnie au peuple américain. Depuis le Bureau ovale, j'ai rappelé que nos efforts diplomatiques avaient permis d'aboutir aux accords de Dayton et précisé que nos troupes avaient reçu l'ordre de ne pas combattre, mais d'assister les parties dans la mise en œuvre du plan de paix, qui servait nos intérêts stratégiques et faisait progresser nos valeurs fondamentales.

Comme vingt-cinq autres pays avaient déjà accepté de contribuer à une force comprenant soixante mille hommes, seul un tiers des troupes serait constitué de soldats américains. J'ai fait le serment qu'ils entreraient dans le pays avec une mission clairement définie, limitée et réalisable et qu'ils seraient parfaitement entraînés et bien armés afin de réduire les risques au minimum. Au terme de mon discours, j'avais le sentiment d'avoir eu recours aux meilleurs arguments pour convaincre le pays que les États-Unis avaient une responsabilité dans la conduite des forces de la paix et de la liberté, et j'espérais avoir suffisamment touché l'opinion publique pour éviter à tout le moins que le Congrès ne s'oppose à l'envoi de troupes en Bosnie. En plus des éléments que j'avais fait valoir dans mon discours, le fait de nous engager pour les Bosniaques présentait un autre avantage d'une importance capitale pour notre pays : notre geste montrerait aux musulmans du monde entier que les États-Unis respectaient l'islam, se souciaient du sort des musulmans et étaient prêts à les soutenir s'ils rejetaient la terreur pour s'engager sur le chemin de la paix et de la réconciliation.

Le 28 novembre, après avoir signé l'allocation d'une enveloppe de cinq milliards de dollars pour financer divers projets dans le domaine des transports, notamment ma mesure de « tolérance zéro » de l'alcoolémie au volant parmi les conducteurs de moins de 21 ans, je suis parti pour une tournée au Royaume-Uni et en Irlande, afin d'y promouvoir une autre initiative de paix de première importance. Parallèlement à nos activités pour le Moyen-Orient et la Bosnie, et à nos discussions sur le budget, nous avions poursuivi sans relâche nos efforts sur le dossier de l'Irlande du Nord. La veille de mon départ, sur nos instances, les Premiers ministres Major et Bruton ont annoncé la signature d'un accord décisif pour la relance du processus de paix. Fondé sur un système de négociations « parallèles », l'accord prévoyait la séparation des pourparlers politiques et de ceux qui concernaient la question de la neutralisation des armes. L'ensemble des parties au conflit, y compris le Sinn Fein, seraient conviées à participer à des négociations communes supervisées par un organisme international que George Mitchell avait accepté de présider. Il était réconfortant que mon arrivée dans le pays coïncide avec d'aussi bonnes nouvelles.

Le 29, j'ai rencontré John Major et je me suis adressé au Parlement. J'ai remercié les Britanniques pour leur soutien au processus de paix en Bosnie et pour leur volonté de jouer un rôle majeur dans la force d'intervention de l'OTAN. J'ai exhorté John Major à poursuivre ses efforts pour arriver à la paix en Irlande du Nord, en évoquant ce vers merveilleux de John Milton : « La paix aussi a ses victoires, non moins glorieuses que celles de la guerre. » Ce fut aussi l'occasion de ma première rencontre avec le jeune et impressionnant dirigeant de l'opposition, Tony Blair. Il était en train d'insuffler un nouvel élan au Parti travailliste anglais et sa démarche ressemblait beaucoup à celle que nous avions tenté de mettre en œuvre dans le cadre du Democratic Leadership Council. Pendant ce temps-là, en Amérique, les Républicains étaient revenus sur leurs positions concernant la réforme du lobbying, et la Chambre l'avait entérinée sans un seul vote négatif, par 421 voix contre zéro.

Le lendemain, j'ai pris l'avion pour Belfast. J'étais le premier président américain à faire une visite officielle en Irlande. Mon arrivée a marqué le début des deux meilleures journées de ma présidence. Le chemin de l'aéroport vers la ville était jalonné de gens qui agitaient des drapeaux américains sur notre passage et me remerciaient de travailler pour la paix. À mon arrivée à Belfast, je me suis arrêté à Shankill Road, cœur de l'unionisme protestant, où dix personnes avaient été tuées par une bombe posée par l'IRA en 1993. La plupart des protestants ne savaient pas grand-chose sur moi hormis que j'avais accordé un visa à Gerry Adams. Je voulais qu'ils sachent que j'essayais de travailler à un projet de paix qui soit équitable pour eux aussi. J'ai acheté des fleurs, des pommes et des oranges dans une boutique, parlé aux gens et donné des poignées de main.

Le matin, je me suis adressé aux employés de Mackie International, une usine de textile qui employait des catholiques et des protestants. Après avoir été présenté par deux enfants qui voulaient la paix, l'un catholique et l'autre protestant, j'ai demandé à l'assistance de suivre l'exemple de ces enfants : « Vous seuls avez le pouvoir de choisir entre la division et l'unité, entre une vie de souffrance et un avenir plein d'espoir. » Le slogan de l'IRA était :

« Notre jour viendra. » J'ai exhorté les Irlandais à dire à ceux qui persistaient à avoir recours à la violence : « Vous appartenez au passé, votre heure est révolue. »

Ensuite, je suis allé visiter Falls Road, au cœur de la communauté catholique de Belfast. Je suis entré dans une boulangerie et j'ai serré de nombreuses mains dans la foule qui ne cessait de gonfler. Gerry Adams était présent. Je lui ai dit que j'étais en train de lire *The Street*, son recueil de nouvelles situées dans le quartier de Falls Road et que son livre m'avait permis de mieux comprendre ce que les catholiques avaient enduré. C'était notre première apparition publique ensemble. Elle marquait la force de son engagement pour le processus de paix. La foule de plus en plus importante était enthousiaste. À l'évidence, les gens étaient satisfaits de la manière dont les choses se passaient.

Dans l'après-midi, Hillary et moi nous sommes rendus à Derry par hélicoptère. Cette agglomération est la plus catholique d'Irlande du Nord et c'était le fief de John Hume. Une foule chaleureuse de vingt-cinq mille personnes emplissait la Guildhall et bordait les rues qui y menaient. Après que Hume m'eut présenté, j'ai posé à la foule une question toute simple : « Voulez-vous être quelqu'un qui se définit par ce à quoi il s'oppose ou par ce qu'il défend ? Par ce qu'il n'est pas ou par ce qu'il est ? Il est temps que les artisans de la paix triomphent en Irlande du Nord, et les États-Unis les soutiendront. »

En fin de journée, Hillary et moi sommes retournés à Belfast assister à l'illumination du sapin de Noël devant la mairie, en présence d'une foule d'environ cinquante mille personnes. Tandis que les lumières du sapin s'allumaient une à une, on entendait la chanson de l'Irlandais du Nord Van Morrison : « Oh, ma mère m'avait bien dit qu'il y aurait des jours comme celui-ci. » Nous avons chacun prononcé un discours. Hillary a parlé des milliers de lettres d'écoliers que nous avions reçues, dans lesquelles ils exprimaient leur espoir en la paix. J'ai moi-même cité des mots écrits par une adolescente de 14 ans, originaire du comté d'Armagh : « Les deux côtés ont souffert. Les deux côtés doivent pardonner. » J'ai conclu mon discours en citant les paroles les plus importantes de Jésus, dont nous célébrions la naissance : « Bienheureux les pacificateurs, car ils posséderont la Terre. »

Après l'illumination du sapin, nous avons assisté à une réception à laquelle les chefs de tous les partis avaient été conviés. Même le révérend Ian Paisley, le fougueux chef de file du DUP, le Parti démocrate unioniste, était venu. Il a refusé de serrer la main des dirigeants catholiques, mais il était plus qu'heureux d'avoir l'occasion de me sermonner longuement sur les erreurs de ma politique. Après quelques minutes d'admonestations, j'ai compris que finalement, les leaders catholiques pouvaient sans doute s'estimer heureux qu'il les ait ignorés.

À l'issue de la réception, Hillary et moi avons rejoint l'*Europa Hotel*, où nous devions passer la nuit. Le choix de cet hôtel pour mon premier séjour en Irlande était hautement symbolique. L'établissement avait été la cible de plusieurs attaques à la bombe durant les troubles. Il était alors assez sûr pour pouvoir accueillir le président des États-Unis.

C'était la fin d'une journée parfaite, durant laquelle nous avions même réalisé quelques progrès chez nous : j'avais signé la loi de finances du département de la Défense, aux termes de laquelle les leaders du Congrès fournissaient les fonds nécessaires au déploiement de nos troupes en Bosnie. Dole et Gingrich étaient arrivés à leurs fins, en échange de quelques milliards de dollars de dépenses de plus que même le Pentagone jugeait inutiles.

Le lendemain, nous sommes arrivés à Dublin. Les rues de la ville étaient remplies d'une foule encore plus dense que celle qui nous avait accueillis dans le Nord. Nous avons rencontré la présidente Mary Robinson et le Premier ministre Bruton, puis nous sommes allés rejoindre Trinity College, en face de la banque d'Irlande. Cent mille personnes nous y attendaient. La foule agitait des drapeaux irlandais et américains, et nous acclamait. Beaucoup de membres du Congrès d'origine irlandaise m'avaient rejoint, mais aussi le secrétaire Dick Riley, Mark Gearan, le directeur du Peace Corps, les maires de Chicago, de Pittsburgh et de Los Angeles, tous trois d'origine irlandaise, le mari irlandais de ma mère, Dick Kelley, et le secrétaire au Commerce Ron Brown, qui avait travaillé sur nos programmes de développement économique pour l'Irlande du Nord et nous a beaucoup amusés en disant qu'il était un « Noir irlandais ». Une fois encore, j'ai exhorté la foule à promouvoir la paix et ce faisant, à montrer un exemple qui inspirerait le reste du monde.

À l'issue de la manifestation, Hillary et moi avons visité le splendide bâtiment qui abrite la Banque d'Irlande, où nous avons salué Bono, sa femme Ali et d'autres membres du groupe de rock irlandais U2. Bono était un fervent partisan du processus de paix et, pour me remercier des efforts que nous faisions pour le promouvoir, il m'a fait un cadeau qu'il savait que j'apprécierais, un recueil des pièces de William Butler Yeats dédicacé par l'auteur et par Bono lui-même, qui, sans s'embarrasser de révérence, avait écrit : « Bill, Hillary, Chelsea, ce type a écrit deux ou trois bons trucs – Bono et Ali. » Les Irlandais ont beau ne pas être des adeptes de l'*understatement*, Bono battait incontestablement tous les records.

Après mon discours à Trinity College, je me suis adressé au Parlement irlandais. J'ai souligné que nous devions tous faire plus pour apporter les avantages tangibles de la paix aux citoyens irlandais. Comme disait Yeats : « Un sacrifice trop long peut transformer un cœur en pierre. »

Ensuite, je suis allé rejoindre le *Cassidy's Pub*, où nous avions invité quelques parents éloignés du côté de mon grand-père maternel, dont la famille était originaire de Fermanagh.

Me sentant plus Irlandais que jamais, je suis allé directement du pub jusqu'à la résidence de l'ambassadeur, où Jean Kennedy Smith avait organisé une rencontre avec le dirigeant de l'opposition Bertie Ahern, qui devait bientôt devenir Premier ministre et mon nouveau partenaire pour la promotion du processus de paix. J'ai également rencontré Seamus Heaney, le prix Nobel que j'avais cité la veille à Derry.

Le lendemain, j'ai pris l'avion pour l'Allemagne afin de rendre visite à nos troupes. J'avais le sentiment que mon voyage avait renversé la balance psychologique en Irlande. Jusqu'alors, les partisans de la paix étaient contraints de justifier leur position auprès des sceptiques, tandis que leurs adversaires pouvaient se contenter de leur opposer un simple refus. Au terme de ces deux jours, c'était désormais aux opposants à la paix qu'il appartenait de s'expliquer.

À Baumholder, le général George Joulwan, commandant des forces de l'OTAN, m'a rapidement mis au courant du plan de déploiement des forces et m'a assuré que le moral des troupes qui se préparaient à partir en Bosnie était bon. J'ai brièvement rencontré Helmut Kohl afin de le remercier de s'être engagé à envoyer quatre mille soldats allemands en Bosnie, puis j'ai pris l'avion pour l'Espagne afin de remercier le Premier ministre Felipe González, président en exercice de l'Union européenne, pour le soutien de l'Europe. J'ai également rendu hommage au nouveau secrétaire général de l'OTAN, l'ancien Premier ministre d'Espagne Javier Solana, un homme délicieux et aux compétences exceptionnelles, qui était parvenu à gagner la confiance de tous les dirigeants de l'OTAN, même ceux qui étaient dotés d'un ego surdimensionné.

Trois jours après mon retour aux États-Unis, j'ai posé mon veto au *Private Securities Litigation Reform Act,* parce que cette loi limitait trop l'accès aux tribunaux pour les investisseurs innocents victimes de fraudes. Le Congrès est passé outre, mais, en 2001, lorsque les problèmes liés à Enron et à Worldcom se sont posés, j'ai compris que j'avais eu raison. J'ai aussi posé un veto à une nouvelle proposition de budget. Les Républicains avaient apporté quelques modifications et avaient tenté de rendre un veto plus difficile en intégrant leur proposition de réforme de la couverture sociale ; néanmoins, elle alourdissait la charge fiscale des pauvres et était truffée de mesures de complaisance à l'égard de certains groupements d'intérêts et comprenait notamment un assouplissement de la réglementation destinée à empêcher une réduction des fonds issue de leur utilisation pour d'autres objectifs, et ce moins de un an après que le Congrès démocrate eut réussi à stabiliser le système de pensions américain.

Le lendemain, j'ai présenté mon propre projet de rééquilibrage budgétaire sur sept ans. Les Républicains l'ont démoli parce que je n'y n'acceptais pas toutes leurs estimations en matière de revenus et de dépenses. Nous avions un écart de trois cents milliards de dollars sur sept ans, ce qui n'était pas une différence insurmontable dans un budget annuel si important. J'avais bon espoir que nous parviendrions à un accord, même si nous devions en passer par une nouvelle paralysie des services gouvernementaux.

Au milieu du mois, Shimon Peres m'a rendu sa première visite en tant que Premier ministre, afin de réaffirmer l'intention d'Israël de restituer Gaza, Jéricho, plusieurs autres villes importantes et quatre cent cinquante villages de Cisjordanie aux Palestiniens jusqu'à Noël et de relâcher au moins mille prisonniers palestiniens avant les prochaines élections israéliennes. Nous nous sommes également entretenus de la Syrie, et les propos de Shimon m'ont suffisamment encouragé pour que j'appelle le président Assad et lui demande de rencontrer Warren Christopher.

Le 14, j'ai pris l'avion pour Paris, où je suis resté un jour pour assister à la signature officielle des accords mettant un terme à la guerre en Bosnie. J'ai rencontré les présidents de Bosnie, de Croatie et de Serbie, et nous avons tous assisté à un déjeuner organisé par le président Jacques Chirac au palais de l'Élysée. Slobodan Milosevic était assis en face de moi et nous avons eu une longue conversation. C'était un homme intelligent, cordial et qui s'exprimait avec une grande clarté, mais il avait le regard le plus glacial que j'aie jamais vu. Il était également paranoïaque : il m'a confié qu'il était persuadé que c'était une trahison parmi les membres du service de sécurité de Rabin qui avait permis son assassinat. Chacun savait qu'il était arrivé la même chose à Kennedy, a-t-il poursuivi, mais que les Américains avaient « réussi à le dissimuler ». Après ce temps passé à son contact, le fait qu'il ait encouragé les atrocités perpétrées en Bosnie ne me surprenait plus, et j'avais le pressentiment que je ne tarderais pas à entrer de nouveau en conflit avec lui.

À mon retour aux États-Unis, les Républicains avaient provoqué un nouveau blocage du gouvernement, et mon état d'esprit n'était guère en accord avec l'atmosphère joyeuse des fêtes de Noël qui approchaient, même si le fait de voir Chelsea danser dans *Casse-Noisette* a considérablement amélioré mon humeur. Cette fois-ci, la paralysie des services gouvernementaux était un peu moins importante, cinq cent mille employés fédéraux jugés « essentiels » au fonctionnement du gouvernement ayant été autorisés à travailler sans rémunération jusqu'à la réouverture complète du gouvernement. Néanmoins, le versement des prestations sociales pour les vétérans et les enfants défavorisés était toujours interrompu. C'était un bien piètre cadeau de Noël à faire au peuple américain.

Le 18, j'ai posé mon veto à deux nouvelles propositions de lois de finances, dont l'une était destinée au département de l'Intérieur et l'autre au département des Vétérans et au département du Logement et du Développement urbain. Le lendemain, j'ai signé le *Lobbying Disclosure Act,* relatif à la réglementation des activités de lobbying, une fois que les Républicains de la Chambre ont cessé de s'y opposer, et posé mon veto à une troisième proposition de loi de finances, destinée cette fois au département du Commerce, au département d'État et au département de la Justice. Ce dernier projet était proprement aberrant : il éliminait le programme COPS alors même qu'il avait été clairement établi que la multiplication des rondes policières réduisait le taux de criminalité, supprimait les tribunaux spécialisés dans les affaires de drogue mis en place par Janet Reno lorsqu'elle était ministre de la Justice, ce qui avait permis de réduire la criminalité liée aux stupéfiants et la consommation de drogue, annulait le programme de développement des technologies de pointe du département du Commerce, que de nombreux hommes d'affaires républicains soutenaient car il contribuait à améliorer leur compétitivité, et réduisait de manière draconienne le budget consacré à nos actions à l'étranger et celui des services d'assistance juridique pour les démunis.

À Noël, j'avais le sentiment depuis quelque temps déjà que si on nous avait laissé le champ libre, le sénateur Dole et moi serions parvenus assez facilement à faire sortir le gouvernement de l'impasse budgétaire. Mais Dole devait rester prudent. Il était candidat à la présidence et son concurrent, Phil Gramm, s'en prenait à lui avec une rhétorique inspirée de Gingrich dans des primaires républicaines dont l'électorat se situait nettement à droite par rapport au reste du pays.

Après les vacances de Noël, j'ai posé mon veto à une nouvelle proposition de loi de finances, qui concernait cette fois le budget de la Défense. Cette décision m'avait coûté, car le texte comportait une augmentation des soldes et des indemnités de logement des militaires, deux mesures que je soutenais fortement. Néanmoins, j'avais le sentiment qu'il était de mon devoir de m'opposer à la proposition, car elle prévoyait également le déploiement d'un bouclier antimissiles complet pour l'année 2003, c'est-à-dire bien avant qu'un système de ce type puisse être opérationnel ou même nécessaire. De plus, une telle mesure aurait constitué une violation des engagements que nous avions pris en signant le traité ABM ; et elle aurait compromis l'application de START I et la ratification de START II par la Russie. Par ailleurs, le texte prévoyait une réduction de la capacité du Président à décider de l'envoi de troupes dans des situations d'urgence et interférait dans certaines prérogatives du département de la Défense, notamment dans ses actions pour limiter la menace des armes de destruction massive conformément au programme Nunn-Lugar. Aucun président responsable, qu'il soit républicain ou démocrate, n'aurait permis que ce projet devienne loi.

Au cours des trois derniers jours de l'année, nos forces se sont déployées en Bosnie, et j'ai travaillé sur le budget avec les leaders du Congrès, notamment au cours d'une séance de travail qui a duré sept heures. Nous avons avancé un peu, mais nous nous sommes séparés pour le Nouvel An sans être parvenus à un accord sur le budget et sans pouvoir rouvrir les services du gouvernement. Durant la première session du 104ᵉ Congrès, la nouvelle majorité républicaine n'avait promulgué que soixante-sept propositions de loi, contre deux cent dix votées au cours de la première année du Congrès précédent. De plus, seules six des treize propositions de lois de finances étaient devenues des lois, et ce trois mois pleins après le début de l'exercice fiscal. Tandis que notre famille se mettait en route pour Hilton Head pour participer à un week-end de la Renaissance, je me demandais si les Américains, en votant comme ils l'avaient fait en 1994, avaient obtenu le résultat qu'ils espéraient.

Tout en réfléchissant aux deux mois exténuants qui venaient de passer, je m'étonnais que les événements décisifs dont ils avaient été le théâtre – la mort d'Yitzhak Rabin, les accords de paix et le déploiement de nos troupes en Bosnie, les progrès réalisés en Irlande du Nord, le combat titanesque autour du budget – n'avaient rien fait pour freiner le zèle de ceux qui continuaient de s'activer dans le monde parallèle de l'affaire Whitewater.

Le 29 novembre, alors que j'étais en route pour l'Irlande, la commission d'enquête du sénateur D'Amato a de nouveau appelé L. Jean Lewis à témoigner. Elle prétendait que son enquête à propos de la Madison Guarantee avait été entravée après que j'étais devenu président. Au mois d'août, lors de son passage devant la commission du Congrès dirigée par M. Leach, elle avait été si gravement discréditée par certains des documents gouvernementaux et ses propres enregistrements de ses conversations avec le procureur de la RTC April Breslaw que j'étais surpris que D'Amato l'ai rappelée. D'un autre côté, quasiment personne n'était au courant des problèmes que présentait son témoignage. D'Amato, tout comme Leach, avait joui d'une forte publicité, simplement pour avoir avancé des accusations qui n'étaient pas fondées et qui ont d'ailleurs été démenties par des témoignages ultérieurs.

Lewis a renouvelé ses allégations, persistant à dire que son enquête avait été entravée après mon élection. Richard Benveniste, l'avocat de la minorité au sein de la commission d'enquête, lui a présenté des éléments qui prouvaient que contrairement à ce qu'elle avait affirmé sous serment dans sa déposition, elle avait tenté plusieurs fois de pousser les autorités fédérales à faire citer Hillary et moi comme témoins clés dans l'affaire Whitewater avant les élections, et non après le début de mon mandat. Un agent du FBI avait déclaré que ses actions revenaient à « altérer les faits ». Le sénateur Paul Sarbanes, lui, a lu un extrait de la lettre du procureur Chuck Banks, qui disait qu'agir conformément à sa demande concernant Hillary et moi aurait constitué un « vice de procédure ». Puis, il a fait référence à un avis émis par le département de la Justice évoquant sa mauvaise connaissance de la législation bancaire fédérale. Alors Lewis s'est effondré dans son siège et a éclaté en sanglots, sur quoi on l'a conduite hors de la salle et on n'a plus jamais entendu parler d'elle.

Moins d'un mois plus tard, à la mi-décembre, la « vérité » qu'exigeaient les journaux a en effet été révélée tout entière, avec la publication du rapport de l'enquête de la RTC sur Pillsbury, Madison & Sutro. L'auteur du rapport était Jay Stephens qui, tout comme Chuck Banks, était républicain et ancien procureur. Confirmant les conclusions préliminaires qui avaient été rendues en juin, le rapport établissait qu'il n'existait aucun motif pour ouvrir une procédure civile, et encore moins pénale, contre nous dans l'affaire Whitewater et il recommandait d'arrêter l'enquête.

C'était ce que le *New York Times* et le *Washington Post* voulaient savoir et ce qui les avait poussés à appeler à la nomination d'un procureur indépendant. J'attendais donc leur réaction avec impatience. Pourtant, le *Post* n'a évoqué le rapport de la RTC qu'en passant dans le onzième paragraphe d'un article de première page qui portait sur un conflit autour d'une citation à comparaître ordonnée par Starr qui n'avait rien à voir avec l'affaire ; le *New York Times* n'en a pas soufflé mot ; quant au *Los Angeles Times*, au *Chicago Tribune* et au *Washington Times,* ils ont reproduit une dépêche de l'*Associated Press* dans les pages intérieures. Le rapport n'a pas non plus été mentionné à la télévision, si l'on excepte une allusion de Ted Koppel sur *ABC* dans son émission *Nightline*, qui ne s'est pas attardé sur la question sous prétexte qu'il y avait bien d'autres sujets « plus brûlants » à traiter. L'enjeu de l'affaire Whitewater n'était d'ailleurs plus Whitewater. C'était tout ce que Kenneth Starr s'acharnait à vouloir déterrer dans l'Arkansas à propos des membres de mon administration. Le fait que les médias dissimulaient les preuves de notre innocence n'arrangeait rien. Pour être juste, il faut reconnaître que quelques rares journalistes les ont évoquées. Howard Kuntz, du *Washington Post*, a écrit un article dans lequel il attirait l'attention sur la manière dont le rapport de la RTC avait été enterré. Lars Crik Nelson, chroniqueur au *New York Daily News* et ancien correspondant en Union soviétique, a écrit : « Le verdict secret est tombé : les Clinton n'avaient rien à cacher [...]. Par un étrange renversement de ces procès de l'ère où ceux qui étaient jugés étaient condamnés secrètement, le Président et la Première Dame ont été mis en accusation publiquement et reconnus innocents en secret. »

La couverture de l'affaire Whitewater par les journaux m'a laissé sincèrement perplexe. Leur discours ne semblait pas cohérent par rapport aux analyses plus nuancées et circonspectes qu'ils publiaient sur d'autres sujets, du moins depuis que les Républicains avaient remporté la majorité au Congrès en 1994. Un jour, à l'issue de l'une de nos réunions de travail sur le budget en octobre, je me suis entretenu en tête à tête avec le sénateur Alan Simpson, du Wyoming. Simpson était un Républicain conservateur, mais nous avions de bonnes relations en raison de notre amitié commune pour son gouverneur, Mike Sullivan. J'ai demandé à Alan s'il pensait que Hillary et moi avions fait quoi que ce soit de répréhensible dans l'affaire Whitewater. « Bien sûr que non, m'a-t-il répondu. L'enjeu de cette affaire est ailleurs. Il s'agit de faire croire à la population que vous avez fait quelque chose de mal. Il suffit de se pencher sur les éléments de preuve pour voir que vous êtes innocents. » Après s'être amusé de la promptitude de la presse « élitiste » à avaler tous les clichés négatifs à propos de campagnes reculées comme le Wyoming ou l'Arkansas, Simpson a formulé une observation extrêmement intéressante : « Vous savez, avant votre élection, nous autres Républicains pensions que la presse était de gauche. Aujourd'hui, nous en avons une vision plus nuancée. La presse n'est de gauche que jusqu'à un certain point, et même si la plupart des journalistes ont voté pour vous, ils ont tendance à partager le mode de pensée de vos adversaires de droite, et c'est cela qui est déterminant. Les Démocrates comme vous ou comme Sullivan entrent au gouvernement pour aider les gens. Pour les extrémistes de droite, le gouvernement ne peut pas faire grand-chose pour améliorer la nature humaine. En revanche, ils aiment le pouvoir. La presse aussi. Et comme le président, c'est vous, le seul moyen pour les extrémistes de droite et la presse d'avoir du pouvoir, c'est de vous nuire. » J'ai beaucoup apprécié la franchise de Simpson et ce qu'il m'a dit m'a occupé l'esprit pendant des mois. J'ai longtemps réutilisé l'analyse de Simpson chaque fois que je voulais exprimer ma colère contre le discours de la presse sur l'affaire Whitewater. J'ai fini par admettre qu'il avait raison, ce qui m'a soulagé et permis d'aborder la lutte avec un esprit plus clair.

En dépit de ma colère à propos de Whitewater et de la perplexité dans laquelle m'avait plongé le discours médiatique, j'abordais l'année 1996 avec un certain optimisme. En 1995, nous avions contribué à sauver le Mexique, surmonté la tragédie d'Oklahoma City et renforcé les mesures de lutte contre le terrorisme, préservé et réformé l'action affirmative, mis un terme à la guerre en Bosnie, poursuivi le processus de paix au Moyen-Orient et contribué à faire progresser la situation en Irlande du Nord. L'économie avait continué de se développer et j'étais en bonne position pour remporter la bataille budgétaire contre les Républicains, une épreuve de force qui, à ses débuts, semblait susceptible de sonner le glas de ma présidence. Même si une telle issue était toujours envisageable, j'étais prêt à lutter jusqu'au bout, comme je l'avais dit à Dick Armey. Je ne voulais pas être président si c'était au prix de rues plus misérables, d'une couverture médicale réduite, d'un choix moins étendu en matière d'éducation, d'une atmosphère plus polluée et d'une augmentation de la pauvreté. Mon pari était que le peuple américain, lui non plus, ne voulait pas en arriver là.

CHAPITRE QUARANTE-SIX

Le 2 janvier, nous reprenions les négociations budgétaires. Bob Dole voulait parvenir à un compromis permettant de rouvrir les services publics, et, au bout de deux jours, Newt Gingrich s'est lui aussi rallié à cette idée. Lors d'une de nos réunions sur le budget, Gingrich a admis qu'au départ il avait pensé qu'en agitant la menace d'une fermeture des services publics, il pourrait m'empêcher d'opposer mon veto au budget présenté par les Républicains. Devant Dole, Armey, Daschle, Gephardt, Panetta et Al Gore, il a reconnu : « Nous avons commis une erreur. Nous pensions que vous flancheriez. » Pour finir, le 6, tandis qu'une grosse tempête de neige s'abattait sur Washington, nous sommes sortis de l'impasse alors que le Congrès m'envoyait deux nouvelles résolutions d'ouverture de crédits provisoires, ce qui a permis à tous les fonctionnaires fédéraux de reprendre le travail, même si les administrations n'ont pas encore pu être toutes rouvertes. J'ai signé les résolutions et transmis au Congrès mon projet de rééquilibrage du budget sur sept ans.

La semaine suivante, j'ai posé mon veto à la proposition de réforme de la protection sociale des Républicains, qui n'aidait pas assez les personnes assistées à se réinsérer sur le marché du travail et était trop préjudiciable aux personnes démunies et à leurs enfants. La première fois que j'avais posé mon veto à une proposition de réforme de la protection sociale des Républicains, ils l'avaient glissée dans leur budget. Cette fois-ci, c'était un certain nombre de leurs restrictions budgétaires qui avaient simplement été introduites dans une proposition étiquetée « réforme de la protection sociale ». Entre-temps, Donna Shalala et moi avions beaucoup fait, de notre côté, pour modifier le système d'aides sociales. Nous avions accordé cinquante dérogations à trente-sept États afin qu'ils mènent des initiatives favorables au retour au travail et à la famille. Or

73 % des bénéficiaires d'aides sociales aux États-Unis étaient concernés par ces mesures.

Alors que nous approchions de la date du discours sur l'état de l'Union, le 23, la négociation budgétaire semblait progresser. J'ai donc profité de ce discours pour m'adresser aux Républicains, rassembler les Démocrates et expliquer aux Américains ma position sur le débat budgétaire et sur la plus vaste question que soulevait le conflit budgétaire : celle du rôle qui incombait à l'État à l'ère de l'information planétaire. Le thème fondamental de cette allocution était « l'époque de l'État omniprésent est révolue. Mais on ne peut pas non plus revenir à celle où les citoyens devaient se débrouiller par eux-mêmes ». Ces paroles reflétaient mes idées sur l'élimination de la bureaucratie antérieure et l'instauration nécessaire d'un mode de gestion de l'État qui soit créatif, tourné vers l'avenir et qui accorde une certaine autonomie aux échelons inférieurs. En outre, elle rendait assez bien compte de nos politiques économique et sociale et de l'initiative « Rego » [REinventing GOvernment] d'Al Gore. Qui plus est, mes arguments étaient alors soutenus par la réussite de notre politique économique, avec près de huit millions de créations d'emplois depuis mon investiture et un nombre record de créations d'entreprises trois années de suite. Et pour la première fois depuis les années 1970, les chiffres de vente des automobiles américaines aux États-Unis dépassaient ceux de nos concurrents japonais.

Après avoir de nouveau proposé de travailler avec le Congrès afin d'équilibrer le budget sur sept ans et de faire passer une réforme de la protection sociale, j'ai présenté un programme législatif concernant les familles et les enfants, l'éducation et le système de santé ainsi que la criminalité et les drogues. Il mettait l'accent sur des initiatives réalisables qui reflétaient les valeurs américaines fondamentales et l'idée de prise de responsabilité par les citoyens : la puce antiviolence, les écoles publiques sous contrat, le choix de son école publique et les uniformes à l'école. Par ailleurs, j'ai nommé le général Barry McCaffrey comme nouveau « Mr Drogue » des États-Unis. À l'époque, il était commandant en chef du commandement Sud, au sein duquel il s'était employé à faire barrage à la cocaïne en provenance de Colombie et d'ailleurs.

Le moment le plus mémorable de cette soirée s'est produit vers la fin du discours quand, comme d'habitude, j'ai présenté les personnes qui étaient assises à la tribune de la Première Dame du pays avec Hillary. Le premier homme que j'ai mentionné était Richard Dean, un ancien combattant du Viêt-nam âgé de 49 ans qui avait travaillé vingt-deux ans pour l'administration de la sécurité sociale. Quand j'ai raconté au Congrès qu'il se trouvait dans le Murrah Building, à Oklahoma City, quand celui-ci a explosé, qu'il avait risqué sa vie pour retourner quatre fois dans les décombres et sauver la vie de trois femmes, tout le Congrès s'est levé pour l'applaudir, les Républicains en tête. C'est là que j'ai placé la remarque qui tue. Alors que les applaudissements diminuaient, j'ai ajouté : « Mais l'histoire de Richard Dean ne s'arrête pas là. En novembre dernier, quand les services publics ont été fermés, il a été contraint de cesser le travail. Et la deuxième fois que cela s'est produit, il a continué d'aider des bénéficiaires de la sécurité sociale, sans être payé. Au nom de Richard Dean

[...], je vous lance à tous un défi, vous qui êtes présents dans cet hémicycle : que les administrations fédérales ne soient plus jamais, jamais fermées. »

Cette fois, ce sont les Démocrates qui ont applaudi le plus fort. Les Républicains, conscients d'avoir été piégés, faisaient triste mine. Je n'aurais sans doute plus à craindre une troisième fermeture des services publics : les conséquences d'un tel événement s'incarnaient désormais dans un visage humain héroïque.

Les temps forts de ce genre ne sont pas le fait du hasard. Chaque année, nous utilisions le discours sur l'état de l'Union comme un outil permettant au cabinet et au secrétariat d'émettre de nouvelles propositions politiques, puis nous nous attelions à la meilleure manière de les présenter. Le jour J, nous répétions plusieurs fois dans le cinéma situé entre la résidence et l'aile est. L'agence de communication de la Maison Blanche, qui enregistrait toutes mes interventions publiques, installait un prompteur et une tribune, et différents membres du secrétariat allaient et venaient toute la journée en un ballet informel géré par mon directeur de la communication, Don Baer. Nous travaillions tous ensemble, écoutant chaque phrase, imaginant comment elle serait reçue au Congrès et dans le pays, et soumettant des suggestions à Mike Waldman, mon rédacteur principal.

Nous avions mis en échec la philosophie qui sous-tendait le contrat avec l'Amérique en ayant le dernier mot dans le débat sur la fermeture des services publics. Le discours sur l'état de l'Union proposait une autre philosophie de la gestion de l'État et, grâce à Richard Dean, nous montrions que les fonctionnaires fédéraux étaient des gens bien qui accomplissaient un travail utile. Ce n'était guère différent de ce que j'avais dit jusqu'alors, mais au lendemain de la fermeture des administrations, des millions d'Américains l'ont entendu et compris pour la première fois.

Sur le plan des affaires étrangères, l'année a commencé par des pourparlers entre les Israéliens et les Syriens à Wye River Plantation, dans le Maryland, sous la houlette de Warren Christopher. Puis, le 12 janvier, je me suis envolé pour la base aérienne militaire d'Aviano, en Italie, qui avait été le centre des opérations aériennes de l'OTAN en Bosnie. Là, je suis monté à bord d'un de nos nouveaux appareils de transport C-17 pour rallier la base aérienne de Taszar, en Hongrie, d'où nos troupes se déployaient. Je m'étais battu, en 1993 pour que les C-17 ne soient pas supprimés dans le cadre de la réduction du budget de la défense. C'était un avion formidable, doté d'une remarquable capacité de transport de matériel et capable d'opérer dans des conditions difficiles. Dans le cadre de la mission en Bosnie, nous en utilisions douze, dont celui que j'ai pris pour aller à Tuzla ; l'*Air Force One* présidentiel habituel, un Boeing, était trop gros.

Après avoir rencontré le président hongrois Arpad Goncz et rendu visite à nos troupes à Taszar, je me suis rendu à Tuzla, dans le nord-est de la Bosnie, la zone dont les États-Unis étaient responsables. En moins d'un mois et en dépit d'un temps exécrable, sept mille hommes et plus de deux mille véhicules blindés avaient traversé la Save en crue pour gagner leurs postes d'affectation. Ces hommes avaient transformé un terrain d'aviation sans éclairage ni équipement de navigation en aérodrome fonctionnel vingt-quatre heures sur vingt-quatre.

Je les ai remerciés et ai personnellement remis un cadeau d'anniversaire à un colonel, de la part de sa femme que j'avais rencontrée à Aviano. J'ai vu le président Izetbegovic, puis ai repris l'avion pour Zagreb, en Croatie, où je me suis entretenu avec le président Tudjman. Tous deux étaient satisfaits, à ce stade, de la mise en œuvre de l'accord de paix et très heureux que des forces américaines y participent.

Cette journée avait été très longue, mais elle était importante. Nos troupes participaient au premier déploiement de l'OTAN au-delà des frontières de ses pays membres. Elles opéraient aux côtés des soldats de leurs anciens adversaires du temps de la guerre froide, la Russie, la Pologne, la République tchèque, la Hongrie et les États baltes. Mais alors que leur mission était essentielle à la création d'une Europe unie, certains la critiquaient au sein du Congrès et dans les cafétérias des États-Unis. Nos hommes avaient au moins le droit de savoir pourquoi ils se trouvaient en Bosnie et à quel point je les soutenais.

Deux semaines plus tard, la guerre froide s'est encore éloignée davantage dans l'histoire avec la ratification par le Sénat du traité START II sur la réduction des armes stratégiques, que le président Bush avait négocié et soumis au Sénat trois ans plus tôt, juste avant de quitter ses fonctions. Combiné au traité START I, entré en vigueur en décembre 1994, START II allait permettre l'élimination de deux tiers des arsenaux nucléaires que les États-Unis et l'Union soviétique avaient mis en place au plus fort de la guerre froide, et notamment des armes nucléaires les plus déstabilisatrices, les missiles balistiques intercontinentaux à têtes multiples.

Outre les traités START I et II, nous avions signé un accord sur le gel du programme nucléaire de la Corée-du-Nord, dirigé les travaux en vue de faire du traité de non-prolifération nucléaire un accord permanent et nous étions attelés à la protection et, à terme, à la destruction des armes et matériels nucléaires dans le cadre du programme Nunn-Lugar. Quand j'ai félicité le Sénat à propos de START II, j'ai demandé à ses membres de continuer à faire des États-Unis un pays plus sûr en votant la Convention sur les armes chimiques et mon projet de loi antiterroriste.

Le 30 janvier, le Premier ministre russe, Viktor Chernomyrdine, est venu à la Maison Blanche, où il a rencontré Al Gore pour la sixième fois. Au terme de leurs travaux, Chernomyrdine est venu me voir pour m'informer des événements en cours en Russie et des perspectives de réélection de Boris Eltsine. Juste avant notre entretien, j'ai parlé au président Süleyman Demirel et au Premier ministre turc Tansu Ciller. Ils m'ont annoncé que la Turquie et la Grèce frôlaient la confrontation militaire et m'ont supplié d'intervenir pour l'empêcher. Ils allaient se faire la guerre pour deux tout petits îlots de la mer Égée appelés Imia par les Grecs et Kardak par les Turcs que les deux pays revendiquaient. La Grèce semblait les avoir achetés dans le cadre d'un traité signé avec l'Italie en 1947, mais la Turquie réfutait le bien-fondé de cette affirmation. Nul n'y vivait, mais les Turcs se rendaient fréquemment sur le plus gros de ces îlots pour pique-niquer. La crise avait éclaté quand des journalistes turcs avaient déchiré un drapeau grec et planté un drapeau turc à la place.

Il était impensable que deux grands pays qui avaient déjà un réel contentieux au sujet de Chypre puissent déclencher une guerre pour cinq hectares de rochers sur lesquels ne vivaient qu'une vingtaine de moutons, mais il était clair que Ciller le redoutait. J'ai interrompu ma rencontre avec Chernomyrdine pour demander des informations puis ai passé une série de coups de téléphone au Premier ministre de Grèce, Konstandinos Simitis, au président de la Turquie, Süleyman Demirel, et de nouveau à Ciller. Au terme de ce va-et-vient téléphonique, les deux parties sont convenues de ne pas passer à l'attaque, et Dick Holbrooke, qui travaillait déjà sur le dossier chypriote, a veillé toute la nuit pour obtenir des deux pays qu'ils acceptent de résoudre leur conflit par la voie diplomatique. Je ne pouvais m'empêcher de rire intérieurement en pensant que quel que soit l'aboutissement de mes efforts pour rétablir la paix au Moyen-Orient, en Bosnie ou en Irlande du Nord, j'aurais au moins sauvé quelques moutons de la mer Égée.

Au moment même où je me disais que les choses ne pouvaient être plus folles qu'elles ne l'étaient à propos de Whitewater, l'affaire s'est encore emballée un peu plus. Le 4 janvier, Carolyn Huber a trouvé des copies de dossiers de Hillary concernant des travaux effectués par le cabinet Rose pour Madison Guaranty en 1985 et 1986. Carolyn avait été notre assistante du temps où j'étais gouverneur et était venue à Washington pour nous aider à gérer nos papiers et correspondances personnels. Elle avait déjà permis à David Kendall de remettre cinquante mille pages de documents au procureur indépendant, mais pour je ne sais quelle raison, ces dossiers de facturation n'en avaient pas fait partie. Carolyn les avaient découverts dans une boîte qu'elle avait trouvée dans la salle d'archives du deuxième étage de la résidence présidentielle et emportée dans son bureau au mois d'août précédent. Ces copies semblaient dater de la campagne de 1992, parce qu'elles comportaient des notes de Vince Foster, qui était alors chargé, au sein du cabinet Rose, de répondre aux questions de la presse.

Au début, cela a dû paraître suspect. Pourquoi ces dossiers ne faisaient-ils surface que si tardivement ? Mais si vous aviez vu la montagne de papiers non classés que nous avions apportée de l'Arkansas, vous n'auriez pas été surpris. Il était même stupéfiant que nous ayons réussi à trouver tant de choses en temps voulu. En tout cas, Hillary était contente que ces dossiers aient été trouvés, puisqu'ils prouvaient que comme elle le soutenait, elle avait très peu travaillé pour Madison Guaranty. Quelques semaines plus tard, la RTC devait émettre un rapport le confirmant.

Mais le procureur indépendant et les journalistes qui suivaient l'affaire ne l'ont pas entendu ainsi. Dans son éditorial du *New York Times*, William Safire a traité Hillary de « menteuse congénitale ». Carolyn Huber a été citée à témoigner le 18 janvier, au Congrès, devant la commission d'Al D'Amato. Et le 26, Kenneth Starr a traîné Hillary devant le Grand Jury qui l'a soumise à quatre heures d'interrogation.

Cette convocation était une manœuvre publicitaire de bas étage. Nous avions remis les dossiers de notre plein gré dès que nous les avions trouvés, et ils prouvaient la véracité des déclarations de Hillary. Si Starr avait d'autres questions à poser, il aurait pu le faire à la Maison Blanche, comme il l'avait déjà fait par trois fois, au lieu de faire pour la première fois comparaître la Première Dame des États-Unis devant un Grand Jury. En 1992, le conseiller du président Bush à la Maison Blanche, Boyden Gray, avait omis de produire le journal de son patron pendant plus de un an, laissant passer les élections, au mépris total d'une assignation signifiée par le procureur chargé de l'affaire Iran-Contra. Or nul n'a traduit Gray ou Bush devant un Grand Jury, et les protestations de la presse n'ont rien eu de comparable.

Les attaques contre Hillary m'ont atteint davantage que celles qui étaient dirigées contre moi. Comme je n'avais aucun moyen de les arrêter, je ne pouvais que la soutenir et déclarer à la presse que les États-Unis se porteraient mieux « si tout le monde, dans ce pays, avait la même moralité que ma femme ». Hillary et moi avons expliqué ce qui se passait à Chelsea, qui n'a pas trop apprécié les événements mais n'a pas pour autant paru particulièrement affolée. C'est qu'elle connaissait sa mère bien mieux que ses agresseurs.

Pour nous, cependant, la situation était épuisante. Je luttais depuis des mois pour empêcher ma colère d'interférer avec mon travail tandis que j'affrontais la bataille budgétaire et que je traitais les dossiers de la Bosnie, de l'Irlande du Nord et du décès de Rabin. Mais ça avait été très dur ; et maintenant, je m'inquiétais pour Hillary et Chelsea. Qui plus est, je me faisais du souci pour tous les autres gens convoqués devant le Sénat et qui, pris dans les filets de Starr, étaient émotionnellement et financièrement affectés par les événements.

Cinq jours après la remise des dossiers de facturation, Hillary devait accorder une interview à Barbara Walters à propos de son nouveau livre, *Il faut tout un village pour élever un enfant*. Mais l'interview a tourné à l'interrogatoire sur ces dossiers. Le livre a quand même été un best-seller, parce que Hillary est courageusement partie en tournée de promotion aux quatre coins du pays et a rencontré des foules d'Américains amicaux et encourageants qui s'intéressaient davantage à ce qu'elle avait à dire sur l'amélioration de la vie des enfants qu'à ce que Ken Starr, Al D'Amato, William Safire et leurs amis avaient à dire sur elle.

Tous ces gars semblaient vraiment prendre leur pied à casser du sucre sur son dos. Ma seule consolation était la certitude, née de vingt-cinq années d'observation de près, qu'elle était bien plus résistante qu'ils ne le seraient jamais. Certains hommes n'aiment pas qu'une femme ait une telle force. Pour ma part, c'était précisément une des raisons pour lesquelles je l'aimais.

Début février, alors que la campagne électorale passait à la vitesse supérieure, je suis retourné dans le New Hampshire pour mettre en avant les répercussions positives qu'y avaient eues mes politiques et tenir mon engagement de ne pas oublier cet État après mon accession à la présidence. Je n'avais pas d'adversaire démocrate, mais je voulais l'emporter dans le New Hampshire lors de l'élection présidentielle proprement dite, et il me fallait aborder la question qui, me semblait-il, pouvait m'en empêcher : les armes.

Un samedi matin, je me suis rendu à Manchester, dans un petit restau plein de chasseurs de cerfs également membres de la NRA. J'ai lâché, en passant, que je savais que s'ils n'avaient pas réélu leur représentant démocrate, Dick Swett, en 1994, c'était parce qu'il avait voté pour la proposition de loi Brady et l'interdiction des « armes d'assaut » [armes semi-automatiques de style militaire]. Plusieurs d'entre eux ont acquiescé de la tête. Ces chasseurs étaient de braves gars que la NRA avait effrayés, et je pensais qu'ils ne pourraient avoir de nouveau de telles réactions de panique, en 1996, que si nul ne leur tenait le discours inverse en des termes qu'ils pouvaient comprendre. J'ai alors fait de mon mieux : « Je sais que la NRA vous a demandé de faire tomber Swett. Mais si vous avez jamais raté une journée en forêt, ou même une heure, à cause de la proposition de loi Brady ou de l'interdiction des armes d'assaut, je veux que vous votiez aussi contre moi, parce que c'est moi qui lui ai demandé de soutenir ces textes. Mais si ça n'a jamais été le cas, alors ils ne vous ont pas dit la vérité, et vous devez leur rendre la monnaie de leur pièce. »

Quelques jours plus tard, à la Bibliothèque du Congrès, j'ai signé la loi sur les télécommunications, qui modifiait radicalement la législation afférente à un secteur qui représentait un sixième de notre économie. Cette loi favorisait la concurrence, l'innovation et l'accès à ce qu'Al Gore avait appelé l'« autoroute de l'information ». Elle avait suscité des mois de bagarre sur des questions économiques complexes, les Républicains penchant pour une plus grande concentration sur les marchés des médias et des télécommunications, alors que la Maison Blanche et les Démocrates soutenaient une plus grande concurrence, notamment concernant les appels locaux et à longue distance. Al Gore était monté au créneau pour la Maison Blanche, et le président de la Chambre, Gingrich, avait fait preuve d'un esprit d'entreprise positif, ce qui nous avait permis de parvenir à ce qui était, selon moi, un juste compromis, et pour finir, le projet avait été voté quasiment à l'unanimité. Il prévoyait aussi l'obligation de poser une puce antiviolence dans les nouveaux postes de télévision, proposition à laquelle j'avais pour la première fois apporté mon soutien lors de la conférence annuelle des Gore sur la famille, afin que les parents puissent limiter l'accès de leurs enfants aux émissions de télévision. À la fin du mois, les responsables de la plupart des chaînes de télévision avaient accepté de mettre en place, pour 1997, un système de classification de leurs émissions. Plus important encore, cette loi obligeait à accorder des tarifs réduits d'accès à Internet aux écoles, aux bibliothèques et aux hôpitaux, ce qui allait permettre à ces établissements publics de réaliser une économie de près de deux milliards de dollars par an.

Le lendemain a été marqué par la fin de l'embellie irlandaise : Gerry Adams m'a appelé pour m'informer que l'IRA avait mis fin au cessez-le-feu à cause, disait-elle, des atermoiements du Premier ministre John Major et des Unionistes et en particulier de leur insistance sur le désarmement de l'IRA en contrepartie de la participation du Sinn Fein à la vie politique de l'Irlande du Nord. Plus tard, le même jour, une bombe a sauté à Canary Wharf, à Londres.

L'IRA allait maintenir sa position pendant plus d'un an, ce qui allait lui coûter cher. Pour deux soldats et deux civils tués, ainsi que de nombreux blessés, elle a subi la perte de deux membres, le démantèlement de son équipe de poseurs de bombes en Grande-Bretagne et l'arrestation d'une multitude de membres en Irlande du Nord. À la fin du mois, des manifestations silencieuses avaient lieu dans toute l'Irlande du Nord afin de montrer que le peuple continuait de soutenir la paix. John Major et John Bruton, le Premier ministre d'Irlande, déclarèrent qu'ils reprendraient les pourparlers avec le Sinn Fein si l'IRA rétablissait le cessez-le-feu. La Maison Blanche, assistée par le futur prix Nobel de la paix John Hume, décida de garder le contact avec Gerry Adams en attendant le moment où la marche vers la paix pourrait reprendre.

Vers la fin du mois de février, le processus de paix au Moyen-Orient s'est lui aussi trouvé menacé avec l'explosion de deux bombes posées par le Hamas qui ont fait vingt-six victimes. Comme les élections approchaient en Israël, j'ai supposé que le Hamas s'efforçait de mettre en échec le Premier ministre Shimon Peres et de pousser les Israéliens à élire un gouvernement radical qui ne ferait pas la paix avec l'OLP. Nous avons incité Arafat à s'opposer plus fermement aux actes terroristes. Comme je le lui avais dit lorsque nous avions signé le premier accord, en 1993, il ne pouvait plus être le plus extrémiste des Palestiniens, et s'il essayait de garder un pied dans le camp de la paix et l'autre dans celui des terroristes, il courrait à sa perte.

Nous avons également eu des problèmes plus près de chez nous, lorsque Cuba a abattu deux avions civils du groupe anticastriste des *Hermanos al rescate* [les « Frères à la rescousse »], tuant quatre hommes. Castro détestait ce groupe et les tracts critiques qu'il avait précédemment lâchés au-dessus de La Havane. Selon Cuba, ces appareils avaient été abattus dans son espace aérien, ce qui était faux, mais même si cela avait été le cas, ces attentats n'en auraient pas moins enfreint le droit international.

J'ai alors suspendu les vols de charters à destination de Cuba, réduit les déplacements de représentants cubains aux États-Unis, accru la portée de *Radio Martí*, qui diffusait des messages prodémocratie vers Cuba, et demandé au Congrès d'autoriser l'indemnisation des familles des quatre victimes par prélèvement dans les avoirs cubains bloqués aux États-Unis. De son côté, Madeleine Albright a demandé aux Nations unies d'imposer des sanctions à Cuba et s'est rendue à Miami pour prononcer un fougueux discours à l'intention de la communauté cubano-américaine, à qui elle a déclaré que ces destructions en vol reflétaient une attitude lâche, et « non *cojones* ». Ses expressions macho en ont fait une héroïne parmi les Cubains du sud de la Floride.

Je me suis également engagé à signer une version révisée de la proposition de loi Helms-Burton, qui renforçait l'embargo contre Cuba et limitait le pouvoir présidentiel de le lever sans l'autorisation du Congrès. S'il était tactiquement bon, en Floride, d'apporter mon soutien à cette proposition en une année d'élections, cela réduisait à néant toute possibilité, si j'accédais à un second mandat, de lever l'embargo en contrepartie de transformations positives à Cuba. En fait, Castro donnait presque l'impression de vouloir nous forcer à maintenir l'embargo pour couvrir la faillite économique de son régime. Si tel n'était pas l'objectif visé, alors Cuba avait commis une énorme erreur. Plus tard, j'ai appris de Castro – indirectement, bien entendu – que ces destructions en vol avaient été une bévue : il avait, semble-t-il, précédemment émis des ordres pour que soit abattu tout appareil qui violerait l'espace aérien cubain, et il avait omis de les annuler lorsque les Cubains avaient appris la venue des avions des *Hermanos al rescate*.

Au cours de la dernière semaine du mois, après m'être rendu dans des zones dévastées par de récentes inondations dans l'État de Washington, dans l'Oregon, dans l'Idaho et en Pennsylvanie, j'ai rencontré le nouveau Premier ministre japonais à Santa Monica, en Californie. Ryutaro Hashimoto avait été l'homologue de Mickey Kantor avant d'être nommé à la tête du gouvernement japonais. Fervent adepte du kendo, c'était un homme intelligent et tenace qui aimait les combats de toutes sortes. Mais c'était aussi un dirigeant avec qui il nous était possible de travailler. Kantor et lui avaient conclu vingt accords commerciaux, nos exportations vers le Japon étaient en hausse de 80 %, et notre déficit commercial bilatéral avait baissé trois années de suite.

Le mois s'est terminé sur une note positive avec le seizième anniversaire de Chelsea, que Hillary et moi avons emmenée voir *Les Misérables* au National Theatre avant de recevoir un car entier d'amis à elle venus passer le week-end à Camp David. Nous aimions bien les amis de Chelsea et prenions plaisir à les voir faire du paintball dans les bois, jouer au bowling ou à d'autres choses et, de façon générale, se comporter comme des gamins alors que leurs années de lycée tiraient à leur fin. Le meilleur moment du week-end a été la leçon de conduite que j'ai donnée à Chelsea dans l'enceinte de Camp David. Je regrettais de ne plus guère avoir l'occasion de conduire et souhaitais que Chelsea y prenne plaisir et s'y initie correctement et en toute sécurité.

Le processus de paix au Moyen-Orient a de nouveau été ébranlé dans les premières semaines du mois de mars quand, plusieurs jours de suite, une nouvelle série de bombes du Hamas ont fait une trentaine de victimes et bien plus de blessés à Jérusalem et à Tel-Aviv. Parmi les victimes se trouvaient des enfants, une infirmière palestinienne qui vivait et travaillait au milieu d'amis juifs, et deux jeunes Américaines. J'ai rencontré leurs familles, dans le New Jersey, et ai été très touché par leur engagement résolu en faveur de la paix comme unique moyen d'éviter que les enfants d'autres personnes se fassent tuer à l'avenir. Dans une allocution télévisée à l'intention du peuple israélien, j'ai déclaré que de toute évidence, ces actes terroristes « visaient non seulement à tuer des innocents, mais aussi à tuer l'espoir grandissant d'établir la paix au Moyen-Orient ».

Le 12 mars, en compagnie du roi Hussein de Jordanie, je me suis rendu au sommet sur le processus de paix et le terrorisme à bord d'*Air Force One*. Cette réunion était organisée par le président Moubarak à Charm-el-Cheikh, une magnifique station, située sur la rive de la mer Rouge, très appréciée des amateurs de plongée européens. Hussein était venu me voir à la Maison Blanche quelques jours plus tôt afin de condamner les attentats du Hamas et était déterminé à rallier le monde arabe à la cause de la paix. J'ai beaucoup apprécié ce long vol avec lui. Nous nous étions toujours bien entendus, mais nous étions devenus des amis et des alliés plus proches encore au lendemain de l'assassinat d'Yitzhak Rabin.

Des dirigeants de vingt-neuf pays du monde arabe, d'Europe, d'Asie et d'Amérique du Nord, dont Boris Eltsine et le secrétaire général des Nations unies, Boutros Boutros-Ghali, ont rejoint Peres et Arafat à Charm-el-Cheikh. Le président Moubarak et moi-même coprésidions ce sommet. Avec nos secrétariats, nous avions travaillé sans répit pour qu'à l'issue du sommet, un engagement clair et précis ait été pris en faveur de la préservation du processus de paix.

Pour la première fois, le monde arabe et Israël condamnaient le terrorisme de concert et les deux parties promettaient de le combattre. Ce front uni était essentiel pour apporter à Peres le soutien nécessaire à la poursuite du processus de paix et pour rouvrir Gaza, de telle sorte que les milliers de Palestiniens qui y habitaient et travaillaient en Israël puissent y reprendre leur activité. Mais il fallait aussi fournir à Arafat l'assistance nécessaire à un effort résolu contre les terroristes, sans lequel le soutien à Israël en faveur de la paix serait sans effet.

Le 13, je me suis rendu à Tel-Aviv afin de débattre de mesures spécifiques que les États-Unis pouvaient prendre afin de soutenir l'armée et la police israéliennes. Lors d'une rencontre avec le Premier ministre Peres et son cabinet, j'ai annoncé une aide de cent millions de dollars et demandé à Warren Christopher et au directeur de la CIA, John Deutch, de rester en Israël pour accélérer la mise en œuvre de nos efforts conjoints. Lors de la conférence de presse avec Peres à l'issue de notre rencontre, j'ai reconnu la difficulté d'assurer une protection totale contre « des jeunes qui ont adhéré à quelque version apocalyptique de l'islam et de la politique qui les incite à s'attacher des bombes au corps », à se suicider et à tuer des enfants innocents. J'ai cependant ajouté que nous pouvions améliorer notre capacité de prévention de tels événements et briser les réseaux d'aide financière et nationale qui les rendaient possibles. J'ai également saisi cette occasion pour exhorter le Congrès à se pencher sur la législation antiterroriste, qui était en suspens depuis plus de un an.

À la suite de cette conférence de presse et d'une séance de questions-réponses avec des élèves israéliens à Tel-Aviv, j'ai rencontré le chef du Likoud, Benyamin Nétanyahou. En effet, les attentats du Hamas renforçaient la probabilité d'une victoire du Likoud aux élections. Et je voulais que Nétanyahou sache que s'il gagnait, je serais son partenaire dans la lutte contre le terrorisme, mais que je tenais à ce qu'il poursuive le processus de paix.

Je ne pouvais pas rentrer sans me rendre au mont Herzl sur la tombe de Rabin. Je m'y suis agenouillé, ai récité une prière et, comme le veut la tradition juive, ai déposé une petite pierre sur la stèle en marbre. J'ai également ramassé une autre petite pierre, près de la tombe, pour la rapporter en souvenir de mon ami et du travail qu'il m'avait laissé à accomplir.

Alors que j'étais déjà préoccupé par les problèmes du Moyen-Orient, la Chine a provoqué des remous dans les eaux du détroit de Taiwan en lançant trois missiles près de Taiwan, dans le cadre de tirs « d'essai » et de ce qui ressemblait fort à une tentative pour dissuader les hommes politiques taiwanais de prôner l'indépendance lors de la campagne électorale en cours. Depuis que le président Carter avait normalisé les relations entre les États-Unis et la Chine continentale, nous avions toujours suivi une politique consistant à reconnaître « une Chine unique » tout en continuant d'entretenir de bonnes relations avec Taiwan et à affirmer que les deux parties devraient résoudre pacifiquement leurs différends. Cependant, nous n'avions jamais indiqué si nous interviendrions ou non pour défendre Taiwan en cas d'attaque de celle-ci.

Il me semblait que les problèmes de politique étrangère que soulevaient le Moyen-Orient et Taiwan étaient diamétralement opposés. D'un côté, si les dirigeants politiques du Moyen-Orient n'agissaient pas, les choses risquaient d'empirer. De l'autre, je pensais que si les hommes politiques de Chine et de Taiwan ne commettaient pas de bévue, la situation s'apaiserait d'elle-même avec le temps. Taiwan était un géant économique passé de la dictature à la démocratie qui ne voulait rien avoir à faire avec le communisme bureaucratique du continent. Mais les hommes d'affaires taiwanais investissaient énormément en Chine et s'y rendaient fréquemment. La Chine, elle, appréciait les investissements taiwanais, mais ne pouvait se résoudre à abandonner ses prétentions à la souveraineté de l'île. La recherche du bon équilibre entre le pragmatisme économique et le nationalisme agressif était un défi permanent pour les dirigeants chinois, surtout en période d'élections à Taiwan. J'ai estimé que la Chine était allée trop loin avec ses essais balistiques et très vite, mais sans tambour ni trompette, j'ai ordonné à deux porte-avions et un groupe aéronaval de la flotte militaire américaine dans le Pacifique de mettre le cap sur le détroit de Taiwan. Et la crise s'est résorbée.

Après un démarrage difficile en février, Bob Dole a remporté toutes les primaires républicaines du mois de mars, remportant l'investiture de son parti avec sa victoire, en fin de mois, en Californie. Même si le sénateur Phil Gramm, qui se présentait sur la droite de Dole, était un rival plus facile à battre, je préférais Dole. Aucune élection n'est jamais jouée d'avance, et je pensais que, si je perdais, le pays serait entre des mains plus fermes et plus modérées avec lui.

Tandis que Dole se rapprochait de son investiture, je faisais campagne dans plusieurs États et me suis notamment rendu dans le Maryland, avec le général McCaffrey et Jesse Jackson, afin de mettre en avant nos efforts pour mettre fin à l'usage de drogue chez les jeunes. J'ai également fait une halte chez Harman International, un fabricant de matériel audio haut de gamme installé à Northridge, en Californie, où j'ai pu annoncer que l'économie du pays avait engendré 8,5 millions d'emplois en un peu plus de trois ans, c'est-à-dire depuis que j'étais à la présidence (j'en avais promis huit millions en quatre ans). Les revenus de la classe moyenne commençaient à augmenter. Au cours des deux années précédentes, les deux tiers des nouveaux emplois créés l'avaient été dans des secteurs qui payaient au-dessus du salaire minimum.

Comme il n'a pas été possible, au cours du mois, de parvenir à un accord sur les projets de loi de finances en suspens, j'ai signé trois nouvelles résolutions ouvrant des crédits provisoires et transmis au Congrès mon budget pour l'exercice fiscal à venir. Pendant ce temps, la Chambre des représentants continuait à suivre les injonctions de la NRA, repoussant l'interdiction des « armes d'assaut » et supprimant de la législation antiterroriste les articles auxquels elle était opposée.

À la fin du mois, j'ai tenté de faire accélérer le processus d'autorisation de mise sur le marché de médicaments contre le cancer par la Food and Drug Administration. Al Gore, Donna Shalala et David Kessler, le responsable de la FDA, avaient déjà réussi à réduire le délai d'autorisation moyen de nouveaux médicaments de trente-trois mois en 1987 à un peu moins de un an en 1994. La toute dernière approbation d'un produit antisida n'avait demandé que quarante-deux jours. Certes, il importait que la FDA détermine quels seraient les effets d'un médicament sur le corps avant de l'autoriser, mais ce processus devait être aussi rapide que la sécurité le permettait. Des vies en dépendaient.

Le 29 mars, enfin, soit huit mois après la première requête que Bob Rubin et moi avions déposée, j'ai signé un projet de loi relevant la limite d'endettement. L'épée de Damoclès de la cessation de paiement n'était plus suspendue au-dessus de nos négociations budgétaires.

Le 3 avril, alors que le printemps resplendissait à Washington, j'étais en train de travailler dans le Bureau ovale quand j'ai appris le jet de l'armée de l'Air transportant Ron Brown et une délégation commerciale et financière qu'il avait composée en vue d'accroître les retombées économiques de la paix dans les Balkans avait perdu sa route et s'était écrasé dans la montagne Saint-Jean, près de Dubrovnik, en Croatie. Il n'y avait aucun survivant. À peine une semaine plus tôt, durant leur voyage en Europe, Hillary et Chelsea s'étaient trouvées à bord du même appareil, avec le même équipage.

J'étais anéanti. Ron était mon ami et mon meilleur conseiller politique au sein du cabinet. En tant que président du DNC, il avait relancé le Parti démocrate après sa chute, en 1988, et joué un rôle essentiel dans le rassemblement des Démocrates pour l'élection de 1992. Au lendemain de notre échec aux législatives de 1994, Ron avait gardé tout son optimisme, remontant le moral de chacun en affirmant avec confiance que nous faisions ce qu'il fallait pour l'économie et gagnerions en 1996. Il avait revitalisé le département du Commerce, modernisant ses services et l'utilisant non seulement pour poursuivre nos objectifs économiques, mais aussi pour promouvoir nos intérêts dans les Balkans comme en Irlande du Nord. Il avait aussi beaucoup œuvré pour augmenter les exportations américaines sur dix « marchés émergents », dont la Pologne, la Turquie, le Brésil, l'Argentine, l'Afrique du Sud et l'Indonésie qui allaient sans nul doute se développer considérablement au XXIe siècle. À la suite de sa disparition, j'ai reçu une lettre d'un entrepreneur qui avait travaillé avec lui et le décrivait comme « le meilleur secrétaire d'État au Commerce que les États-Unis aient jamais eu ».

Hillary et moi sommes allés chez Ron pour voir sa femme, Alma, et ses enfants, Tracey et Michael, ainsi que la femme de Michael, Tammy. Ils faisaient partie de notre famille élargie, et j'ai été soulagé de voir qu'ils étaient déjà entourés d'amis chaleureux et géraient leur deuil en racontant des anecdotes de la vie de Ron. Il y avait tant à raconter sur le long voyage qu'il avait accompli de son enfance dans le vieil hôtel *Teresa* de Harlem jusqu'au sommet de la politique et de la fonction publique américaines.

Après avoir quitté Alma, nous nous sommes rendus au département du Commerce, en ville, afin de parler aux employés, qui avaient perdu en même temps leur chef et leurs amis. L'un de ceux qui avaient péri dans l'accident était Adam Darling, un jeune homme que Hillary et moi connaissions bien. Ce fils courageux et idéaliste d'un pasteur méthodiste était entré dans notre vie en 1992, alors qu'il défrayait la chronique en parcourant les États-Unis à bicyclette pour promouvoir le ticket Clinton-Gore.

Quelques jours plus tard, exactement deux semaines avant le premier anniversaire de l'attentat d'Oklahoma City, Hillary et moi avons planté un cornouiller sur la pelouse à l'arrière de la Maison Blanche en souvenir de Ron et de ses collaborateurs morts en Croatie. Nous avons ensuite pris l'avion pour nous rendre à Oklahoma City afin d'inaugurer la garderie qui remplaçait celle qui avait été détruite dans l'attentat et rendre visite aux familles des victimes qui s'y trouvaient. À la toute proche Université centrale de l'Oklahoma, à Edmond, j'ai déclaré aux étudiants que si nous avions appréhendé plus de terroristes au cours des trois dernières années que jamais dans notre histoire, le terrorisme exigeait cependant que nous fassions davantage encore : c'était là la menace qui pesait sur leur génération, tout comme la guerre nucléaire avait été la menace pesant sur ceux d'entre nous qui avaient grandi à l'époque de la guerre froide.

Le lendemain après-midi, nous avons fait le triste déplacement jusqu'à la base aérienne militaire de Dover, dans le Delaware, où les États-Unis rapatrient les dépouilles de ceux qui sont morts en service. Une fois que les cercueils ont été solennellement débarqués de l'avion, j'ai lu les noms de ceux qui avaient péri dans l'accident et rappelé aux présents que nous étions à la veille de Pâques, qui marque pour les chrétiens le passage de la perte et du désespoir à l'espoir et à la rédemption. La Bible dit : « Le soir arrivent les pleurs, et le matin l'allégresse. » J'ai repris ce verset comme thème de l'éloge funèbre de Ron le 10 avril à la National Cathedral, parce que, pour tous ceux d'entre nous qui le connaissaient, Ron était toujours une joie le matin. J'ai regardé son cercueil et déclaré : « Je veux dire à mon ami une toute dernière fois : "Merci" ; si ce n'était toi, je ne serais pas ici. » Puis nous l'avons accompagné jusqu'au cimetière national d'Arlington. J'étais alors tellement fatigué et brisé de chagrin après cette terrible épreuve que je ne tenais presque plus debout. Chelsea, qui cachait ses larmes derrière des lunettes de soleil, a passé son bras autour de moi et j'ai posé ma tête sur son épaule.

Au cours de l'épouvantable semaine qui a suivi le crash et l'enterrement, j'ai continué d'assumer mes fonctions du mieux que j'ai pu. J'ai tout d'abord signé la nouvelle proposition de loi agricole. Deux semaines plus tôt exactement, j'avais signé un texte améliorant le système de crédit aux agriculteurs, afin que ceux-ci puissent obtenir davantage de prêts à de faibles taux d'intérêt. Je trouvais que cette proposition ne garantissait pas une sécurité suffisante aux exploitations agricoles familiales, mais je l'ai néanmoins signée parce que si la loi en vigueur était arrivée à échéance sans être remplacée, les agriculteurs auraient dû planter la récolte suivante dans le cadre totalement inadéquat du programme d'aide établi en 1948. Par ailleurs, cette proposition contenait de nombreuses dispositions auxquelles je souscrivais pleinement : elle prévoyait une plus grande souplesse, pour les agriculteurs, dans le choix de leurs cultures, sans qu'ils perdent pour autant les aides antérieures ; des fonds en faveur du développement des zones rurales ; des fonds permettant aux agriculteurs de prévenir l'érosion des sols, la pollution de l'air et de l'eau, et la perte de zones humides ; et deux cents millions de dollars pour que l'on s'attelle à l'une de mes priorités en matière d'environnement, la remise en état des Everglades, en Floride, qui avaient été endommagées par de nombreux aménagements et par la culture de la canne à sucre.

Ensuite, le 9, j'ai signé une loi accordant au président un droit de veto sélectif en matière de budget, c'est-à-dire la possibilité de refuser des postes particuliers dans le cadre de propositions de loi de finances sans avoir à opposer son veto à l'ensemble du texte. La plupart des gouverneurs avaient déjà ce pouvoir, et tous les présidents depuis Ulysses Grant en 1869 s'étaient efforcés de l'obtenir. En outre, il était prévu dans le contrat avec l'Amérique des Républicains et j'avais plaidé en sa faveur lors de ma campagne de 1992. J'étais satisfait qu'il ait enfin été voté, et j'avais pensé que sa grande utilité serait de donner aux futurs présidents la possibilité, en amont, d'éliminer du budget des postes constituant des dépenses inutiles. Mais la signature de cette proposition avait un inconvénient majeur : le sénateur Robert Byrd, l'autorité la plus respectée au Congrès en matière de Constitution, considérait qu'il s'agissait là d'une atteinte anticonstitutionnelle aux pouvoirs du législatif par l'exécutif. Byrd détestait le veto sélectif avec une violence que la plupart des gens réservent à des blessures plus personnelles, et je ne crois pas qu'il m'ait jamais pardonné d'avoir approuvé cette proposition de loi.

Le jour du service à la mémoire de Ron Brown, j'ai posé mon veto à une proposition de loi qui interdisait une procédure que ses rédacteurs appelaient « avortement après naissance partielle » (on parle, techniquement, d'opération de dilatation-extraction). Cette législation, telle que la décrivaient ses partisans, opposés à l'interruption de grossesse, bénéficiait d'un large soutien au sein de la population ; elle interdisait un type d'interruption de grossesse tardive qui paraissait tellement cruel que beaucoup de citoyens favorables à l'avortement pensaient eux aussi qu'elle devait être interdite. Mais les choses n'étaient pas si simples. D'après mes renseignements, cet acte était rarement pratiqué et l'on y recourait surtout lorsque les médecins avaient dit qu'il était indispensable à la survie ou à la santé des femmes concernées, bien souvent parce qu'elles portaient des bébés hydrocéphales qui, de toute façon, allaient mourir avant, pendant ou peu après la naissance. La question consistait à savoir à quel point le corps de ces femmes serait abîmé si elles portaient à terme leur bébé condamné et si cela risquait de les rendre incapables de porter d'autres enfants. Dans ces cas-là, il était loin d'être évident qu'interdire cette intervention soit synonyme de « laisser vivre ». Je pensais que la décision devait être prise par la femme intéressée et son médecin. Lorsque j'ai mis mon veto à cette proposition, j'étais entouré de cinq femmes qui avaient subi des dilatations-extractions. Trois d'entre elles, une catholique, une chrétienne évangélique, et une juive orthodoxe, étaient profondément opposées à l'avortement. L'une d'entre elles racontait qu'elle avait prié Dieu de prendre sa vie et d'épargner son enfant, et toutes disaient qu'elles n'avaient accepté de subir cet acte que parce que leurs médecins leur avaient affirmé que leur enfant ne serait pas viable et qu'elles voulaient pouvoir avoir d'autres enfants.

Il suffit de considérer le temps qu'il m'a fallu pour expliquer pourquoi je posais mon veto à cette proposition de loi pour comprendre à quel point c'était une décision terrible. Et si je l'ai fait, c'est parce que nul n'avait pu me prouver que les militants pour les droits des femmes avaient menti en leur disant que cet acte était indispensable et qu'il n'existait aucune autre procédure susceptible de les préserver à la fois elles et leur capacité de reproduction. J'avais proposé de signer un texte interdisant toutes les interruptions de grossesse tardives sauf lorsque la vie ou la santé de la mère étaient en danger. Plusieurs États les acceptaient encore, et une telle mesure aurait pu éviter bien plus d'interruptions de grossesse que la proposition de loi sur l'« avortement après naissance partielle », mais les adversaires de l'avortement au sein du Congrès l'avaient enterrée. Leur véritable objectif était de revenir sur la décision *Roe c. Wade* de la Cour suprême, qui reconnaissait le droit à l'avortement sur demande. En outre, il n'y avait aucun avantage politique à signer une proposition que même la plupart des parlementaires favorables à l'IVG soutiendraient.

Le 12 avril, j'ai nommé Mickey Kantor au poste de secrétaire au Commerce et son adjointe, la compétente Charlene Barshefsky, à celui de représentant américain au Commerce. J'ai également placé Frank Raines, vice-président du conseil d'administration de la Federal National Mortgage Association [société de prêt immobilier] à la tête de l'Office of Management and Budget [Bureau de l'administration et du budget] à la Maison Blanche. Raines présentait la juste combinaison d'intelligence, de connaissance du budget et d'aptitudes politiques pour réussir à l'OMB, et il était le premier Afro-Américain à accéder à cette fonction.

Le 14 avril, Hillary et moi sommes montés à bord d'*Air Force One* pour un voyage d'une semaine bien chargé en Corée, au Japon et en Russie. Sur la belle île de Cheju, en Corée-du-Sud, le président Kim Yong Sam et moi-même avons proposé d'organiser des pourparlers quadrilatéraux avec la Corée-du-Nord et la Chine, les autres signataires de l'armistice qui, quarante-six ans plus tôt, avait mis fin à la guerre de Corée, afin de fournir un cadre au sein duquel les deux Corées pourraient débattre et, nous l'espérions, parvenir à un accord de paix définitif. La Corée-du-Nord avait dit qu'elle désirait la paix, et je pensais qu'il fallait tester le sérieux de cette déclaration.

De Corée-du-Sud, je me suis ensuite rendu à Tokyo, où le Premier ministre Hashimoto et moi avons émis une déclaration visant à réaffirmer et à moderniser nos relations dans ce domaine. Nous l'envisagions en particulier à travers une plus grande coopération en matière de lutte contre le terrorisme, à laquelle les Japonais étaient très enclins à souscrire après l'attaque au gaz sarin dans le métro de Tokyo. Les États-Unis s'engageaient également à maintenir stationnés près de cent mille hommes au Japon, en Corée, et dans les autres pays de l'est de l'Asie tout en réduisant nos effectifs sur l'île japonaise d'Okinawa, où des délits impliquant des militaires américains avaient renforcé l'opposition à notre présence. Les États-Unis avaient vivement intérêt, sur le plan économique, à maintenir la paix et la stabilité en Asie : nous réalisions la moitié de nos exportations en Asie, et ces achats engendraient trois millions d'emplois.

Avant de quitter le Japon, je suis allé voir les forces américaines de la Septième Flotte à bord du porte-avions USS *Independence*, je me suis rendu à un élégant dîner officiel offert par l'empereur et l'impératrice au palais impérial, j'ai prononcé un discours devant la diète japonaise et ai pu apprécier un déjeuner organisé par le Premier ministre au cours duquel nous avons admiré des lutteurs de sumo d'origine américaine et écouté un extraordinaire saxophoniste de jazz japonais.

Pour renforcer l'importance des liens entre les États-Unis et le Japon, j'avais fait de l'ancien vice-président Walter Mondale notre ambassadeur dans ce pays. Son prestige et son habileté à régler des problèmes difficiles montraient sans conteste aux Japonais qu'ils comptaient pour les États-Unis.

Nous nous sommes ensuite rendus à Saint-Pétersbourg, en Russie. Le 19 avril, premier anniversaire de l'attentat d'Oklahoma City, Al Gore est allé en Oklahoma parler au nom du gouvernement tandis que je marquais l'occasion durant une visite du cimetière militaire russe et préparais un sommet sur la sécurité nucléaire avec Boris Eltsine et les chefs d'État et de gouvernement du G8. Eltsine avait proposé que ce sommet mette en évidence notre engagement en faveur du CTBT [traité sur l'interdiction complète des essais], de START I, de START II, et de nos efforts conjoints pour sécuriser et détruire les armes et les matériaux nucléaires. Nous sommes aussi convenus d'améliorer la sécurité des centrales nucléaires, de mettre un terme au rejet des déchets nucléaires dans les océans, et d'aider le président ukrainien, Leonid Koutchma, à fermer la centrale de Tchernobyl avant quatre ans. Car dix années après le tragique accident qui s'y était produit, elle était encore en service.

Le 24, je suis rentré, mais il y avait encore à faire dans le domaine des relations extérieures. En effet, le président du Liban, Elias Hraoui, se trouvait à la Maison Blanche en un moment de tension au Moyen-Orient : en réaction à un barrage de tirs de mortier Katyousha sur Israël par le Hezbollah depuis le sud du Liban, Shimon Peres avait donné l'ordre de répliquer et de nombreux civils avaient été tués. Je me sentais plein de compassion pour le Liban, pris entre les deux feux d'Israël et de la Syrie et infesté d'éléments terroristes. J'ai réaffirmé le soutien sans faille des États-Unis à la résolution 425 du Conseil de sécurité des Nations unies, qui appelle à un Liban véritablement indépendant.

Les nouvelles du Moyen-Orient n'étaient cependant pas toutes mauvaises. Pendant que je rencontrais le président du Liban, Yasser Arafat persuadait le conseil exécutif de l'OLP de modifier sa charte pour reconnaître à Israël le droit d'exister, ce qui constituait un changement de politique très important pour les Israéliens. Et, deux jours plus tard, Warren Christopher et notre envoyé au Moyen-Orient, Dennis Ross, ont obtenu d'Israël, du Liban et de la Syrie la signature d'un accord qui mettait fin à la crise libanaise et nous permettait de revenir au dossier de la paix.

À la fin du mois, Shimon Peres est venu me voir pour signer un accord de coopération contre le terrorisme qui prévoyait un montant de cinquante millions de dollars pour financer nos efforts conjoints en vue de réduire la vulnérabilité d'Israël au genre d'attentats-suicides qui, peu de temps auparavant, avaient causé tant de dégâts et de détresse.

Une semaine plus tôt exactement, j'avais signé la législation antiterroriste que le Congrès avait enfin votée, une année complète après l'attentat d'Oklahoma City. Pour finir, le projet avait rallié les soutiens des deux partis, après la suppression des clauses exigeant la présence de marqueurs traçables en poudre noire et sans fumée et permettant aux autorités fédérales de mettre sur écoute les terroristes présumés tout comme cela pouvait déjà se faire contre des gros bonnets de la criminalité organisée. Ce projet nous fournirait davantage d'outils et de ressources pour éviter de nouveaux attentats terroristes, démanteler les organisations terroristes, et mieux maîtriser les armes chimiques et biologiques. Le Congrès a également accepté l'ajout de marqueurs chimiques dans les explosifs au plastic et a laissé ouverte la possibilité d'en exiger dans d'autres types d'explosifs qui n'étaient pas explicitement interdits par la loi.

Avril a été un nouveau mois fort intéressant dans la nébuleuse Whitewater. Le 2, devant la cour d'appel de la cinquième circonscription judiciaire, à La Nouvelle-Orléans, Kenneth Starr a assuré la défense de quatre gros fabricants de tabac qui, à la même époque, étaient en plein conflit avec mon gouvernement concernant la vente de cigarettes aux jeunes et les pouvoirs qu'avait la FDA de l'empêcher. Pour Starr, il n'y avait aucun conflit d'intérêts à demeurer au sein d'un cabinet juridique lucratif qui lui permettait de toucher des honoraires conséquents de la part de mes adversaires. *USA Today* avait déjà révélé que pour intervenir au tribunal comme défenseur du programme de chèques-études du Wisconsin que je désapprouvais, Starr avait été rémunéré non pas par cet État, mais par la Bradley Foundation, un organisme ultraconservateur. Il enquêtait également sur la Resolution Trust Corporation et les investigations qu'elle menait à propos de notre accusatrice, L. Jean Lewis, au moment même où la RTC et son cabinet juridique négociaient pour faire cesser les poursuites qu'elle avait intentées contre le cabinet en raison de sa représentation pour le moins négligente d'une caisse d'épargne du Colorado en cessation de paiement. Bien entendu, Starr avait proposé de se produire à la télévision afin de soutenir l'action en justice de Paula Jones. Robert Fiske avait été démis de ses fonctions de procureur indépendant dans l'affaire Whitewater au prétexte fort léger que sa nomination par Janet Reno faisait naître un conflit d'intérêts. Maintenant, nous avions un procureur réellement en conflit avec nous.

Comme je l'ai déjà dit, Starr et ses alliés au Congrès et au sein des tribunaux fédéraux avaient créé une nouvelle définition du conflit d'intérêts : toute personne vaguement favorable à Hillary et moi ou, dans le cas de Fiske, simplement juste avec nous, était par définition en conflit ; les conflits d'intérêts économiques et politiques évidents de Ken Starr et l'extrême partialité à mon égard qu'ils reflétaient ne remettaient nullement en cause ses pouvoirs illimités, sans compte à rendre à quiconque, s'agissant d'essayer de nous faire tomber, nous et beaucoup d'autres gens innocents.

La curieuse idée que Starr et ses alliés se faisaient d'un conflit d'intérêts n'a jamais été aussi flagrante que dans leur comportement à l'égard du juge Henry Woods, ce juriste chevronné et ancien agent du FBI extrêmement respecté à qui avait été confiée la présidence du procès du gouverneur Jim Guy Tucker et de diverses autres personnes que Starr avait inculpées pour des charges fédérales sans aucun rapport avec le dossier Whitewater. Elles incluaient notamment l'achat de chaînes de télévision par câble. Au départ, ni Starr ni Tucker n'avaient vu d'objection à ce que Woods entende l'affaire ; certes, il était démocrate, mais il n'avait jamais été proche du gouverneur. Or Woods a émis une ordonnance de non-lieu après avoir établi que Starr avait outrepassé ses droits aux termes de la législation relative au procureur indépendant, attendu que les chefs d'accusation présentés n'avaient rien à voir avec Whitewater.

Starr a fait appel de cette décision devant la cour de la huitième circonscription et a demandé que l'affaire soit retirée au juge Woods pour cause de
partialité. Or les membres du collège d'appel qui a entendu l'affaire étaient
tous des Républicains conservateurs nommés par Reagan et Bush. Le juge
principal, Pasco Bowman, valait bien David Sentelle de par ses idées politiques
de droite. Sans même laisser au juge Woods la possibilité de se défendre, la
cour a non seulement annulé sa décision et rétabli les chefs d'accusation de
Starr, mais l'a dessaisi de l'affaire en s'appuyant non sur la jurisprudence, mais
sur des articles de journaux et de revues qui le critiquaient. L'un de ces articles
pleins de fausses allégations avait été écrit par le juge Jim Johnson dans le
Washington Times, un journal de droite. À la suite de cette décision, Woods a
fait remarquer qu'il était le seul juge de l'histoire des États-Unis à être dessaisi
d'un dossier sur la base d'articles de presse. D'ailleurs, lorsqu'un avocat de la
défense plein d'audace a fait appel devant la cour de la huitième circonscription pour qu'un juge d'instance soit dessaisi et a cité l'affaire Woods comme
précédent, des juges ayant moins de préjugés idéologiques ont rejeté cette
demande et critiqué la décision prise dans l'affaire Woods, disant qu'elle était
sans précédent et injustifiée. Elle l'était, bien sûr, mais les règles appliquées au
dossier Whitewater étaient différentes.

Le 17 avril, le *New York Times* a craqué. Écrivant que Starr faisait preuve
d'une « cécité provocante au sujet de ses problèmes de représentation en justice et d'indifférence à l'obligation spéciale qu'il a contractée envers le peuple
américain » du fait de son refus « de poser ses bagages politiques et financiers »,
le *Times* estimait que Starr devait se désister. J'ai dû reconnaître que ce formidable vieux journal avait encore une conscience ; ses journalistes ne souhaitaient pas que Hillary et moi nous fassions lyncher. En revanche, le reste des
médias qui couvraient le dossier Whitewater est resté silencieux.

Le 28 avril, j'ai produit quatre heures et demie de témoignage enregistré
dans le cadre d'un autre procès lié au dossier Whitewater. Dans celui-là, Starr
avait mis en examen Jim et Susan McDougal ainsi que Jim Guy Tucker pour
détournement de fonds au détriment de Madison Guaranty et de la *Small Business Administration* [SBA, Administration des petites entreprises]. Certes, les
prêts souscrits n'avaient pas été remboursés, mais l'accusation admettait que les
prévenus avaient l'intention de les rembourser ; en revanche, ils étaient accusés
de divers délits du fait que l'argent emprunté avait été utilisé à des fins autres
que celles mentionnées dans les demandes de prêt.

En fait, ce procès n'avait rien à voir avec Whitewater, Hillary, ou moi. Si
je le mentionne, c'est parce que c'est David Hale qui m'a impliqué dans cette
affaire. Il avait escroqué la SBA de plusieurs millions de dollars et coopérait
avec Starr dans l'espoir que sa peine d'emprisonnement soit réduite. Lors de
son témoignage devant la cour, Hale a répété ses allégations selon lesquelles je
l'avais poussé à emprunter trois cent mille dollars pour les McDougal.

J'ai déclaré que tous les comptes rendus par Hale de ses conversations
avec moi étaient faux et que je ne savais rien des tractations entre les parties
qui avaient engendré ces accusations. Les avocats de la défense pensaient
qu'une fois que le jury saurait que Hale avait menti au sujet de mon rôle dans
ses négociations avec les McDougal et Tucker, la totalité de son témoignage

se trouverait compromis, le dossier de l'accusation s'effondrerait, et que les accusés n'avaient donc pas besoin de témoigner en personne. Cette stratégie présentait cependant deux inconvénients. Premièrement, n'en faisant qu'à sa tête, Jim McDougal a tenu à témoigner pour se défendre. Il l'avait fait lors d'un procès antérieur à la suite de la faillite de Madison Guaranty, en 1990, et avait été acquitté. Mais depuis, la maniaco-dépression dont il souffrait s'était aggravée et, d'après de nombreux observateurs, ses déclarations changeantes ont causé du tort non seulement à lui, mais également à Susan et à Jim Guy Tucker, qui s'en sont remis à leurs avocats, même après avoir été involontairement mis en danger par McDougal.

L'autre problème était que le jury ne savait pas tout des liens de David Hale avec mes adversaires politiques ; certains d'entre eux étaient encore inconnus, et d'autres étaient considérés comme irrecevables par le juge. Le jury ne savait pas que Hale avait bénéficié de financements et d'aides dans le cadre d'un projet clandestin dit Projet Arkansas.

Le Projet Arkansas était financé par le milliardaire ultraconservateur Richard Mellon Scaife, de Pittsburgh, qui avait injecté de l'argent dans l'*American Spectator* pour financer ses articles contre Hillary et moi. Ainsi, le projet avait versé dix mille dollars à un ancien policier pour qu'il raconte l'histoire absurde selon laquelle j'avais fait de la contrebande de drogue. Par ailleurs, les hommes de Scaife travaillaient étroitement avec les alliés de Newt Gingrich. Ainsi, lorsque David Brock avait écrit un article du *Spectator* présentant les deux policiers de l'Arkansas qui prétendaient m'avoir procuré des femmes, il avait perçu non seulement son salaire du magazine, mais aussi des paiements sous le manteau de l'homme d'affaires Peter Smith, de Chicago, le trésorier du comité d'action politique de Gingrich.

Mais les efforts du Projet Arkansas avaient surtout été concentrés sur David Hale. Il avait par exemple fourni un repaire à Hale en se servant de la boutique d'appâts d'un certain Parker Dozhier, ancien assistant du juge Jim Johnson, à côté de Hot Springs. Dozhier y remettait à Hale de l'argent liquide et lui prêtait sa voiture ainsi que sa cabane de pêche moyennant sa collaboration avec Starr. À cette époque, Hale avait également bénéficié des conseils juridiques gratuits de Ted Olson, ami de Starr et avocat du Projet Arkansas et de l'*American Spectator*. Plus tard, Olson est devenu l'adjoint du ministre au sein du département de la Justice de George W. Bush après une audition par le Sénat au cours de laquelle il a été tout sauf honnête au sujet de son travail pour le Projet Arkansas.

Pour je ne sais quelles raisons, le jury a déclaré les trois accusés coupables de plusieurs des délits qui leur étaient reprochés. Dans sa conclusion, le procureur principal du bureau du procureur indépendant a estimé nécessaire de déclarer que je n'étais pas « en jugement » et qu'il n'y avait pas eu d'« allégations de malversations » contre moi. Mais Starr avait désormais ce qu'il voulait en réalité : trois personnes sur lesquelles il pouvait faire pression pour qu'elles lui donnent quelque chose contre nous en vue d'éviter la prison. Comme il n'y avait rien à dire, cela ne m'inquiétait pas, mais je déplorais le coût, pour les contribuables, des efforts démesurés de Starr et le nombre croissant des victimes parmi les citoyens de l'Arkansas dont le plus grand péché était de nous avoir connus, Hillary et moi, avant que je devienne président.

J'avais aussi de sérieux doutes au sujet du verdict rendu par le jury. Le trouble mental de Jim McDougal s'était aggravé au point qu'il n'était sans doute plus en mesure de comparaître en justice, et encore moins de témoigner. Et j'avais l'impression que Susan McDougal et Jim Guy Tucker n'avaient peut-être été condamnés que parce qu'ils avaient été entraînés dans la spirale mentale descendante de Jim McDougal et la tentative désespérée de David Hale pour sauver sa peau.

Le mois de mai a été relativement calme sur le front législatif, ce qui m'a permis de faire quelque peu campagne dans plusieurs États et de goûter certains des rituels qui incombent à la présidence, dont la remise d'une médaille d'or du Congrès au révérend Billy Graham, le concert annuel *In Performance* de *WETA-TV* sur la pelouse sud, avec Aaron Neville et Linda Ronstadt, et une visite officielle du président grec, Constantin Stephanopoulos. Lorsque nous étions plongés dans de délicats problèmes extérieurs ou intérieurs, j'avais souvent beaucoup de mal à me relaxer suffisamment pour apprécier pleinement de telles occasions.

Le 15 mai, j'ai annoncé la dernière série de subventions en faveur du maintien de l'ordre dans les quartiers. Le même jour, Bob Dole a annoncé qu'il démissionnait de son mandat de sénateur afin de se consacrer à plein temps à la campagne présidentielle. Il m'a appelé pour me faire part de sa décision, et je lui ai souhaité bonne chance. C'était la seule chose à faire pour lui, car il n'avait pas le temps de faire campagne contre moi tout en étant chef de la majorité au Sénat. En outre, les prises de position des Républicains au Sénat et à la Chambre à propos du budget et d'autres questions le desservaient dans sa campagne.

Le lendemain, j'ai appelé à une interdiction mondiale des mines terrestres antipersonnel. On en dénombrait près de cent millions, pour la plupart des vestiges de guerres passées, juste sous la surface du sol, en Europe, en Asie, en Afrique et en Amérique latine. Beaucoup d'entre elles étaient là depuis des décennies mais restaient mortelles. Vingt-cinq mille personnes étaient tuées ou mutilées par ces engins chaque année. Les dommages qu'ils causaient, notamment à des enfants, dans des pays comme l'Angola ou le Cambodge, étaient absolument terribles. On en trouvait beaucoup aussi en Bosnie : la seule victime que nos troupes aient eu à déplorer sur ce théâtre a été un sergent de l'armée de Terre qui a voulu ramasser une mine terrestre. J'ai engagé les États-Unis à détruire quatre millions de nos propres bombes non autodestructrices avant 1999, et à aider les autres pays dans leurs efforts de déminage. Nous n'allions pas tarder à financer plus de la moitié des programmes de déminage dans le monde.

Malheureusement, ce qui aurait dû être un événement célébrant la vie a été assombri par une autre tragédie, celle de la mort, ce même après-midi, d'une blessure par balle que s'était infligée notre chef des opérations navales, l'amiral Mike Boorda. C'était le premier de nos sous-officiers et hommes de troupe qui ait jamais progressé jusqu'au sommet dans la hiérarchie de la marine. Son suicide faisait suite à des allégations, dans les médias, selon lesquelles il avait abusivement porté, sur son uniforme, deux décorations pour des combats au Viêt-nam. Ces faits étaient contestés et, en tout état de cause, n'auraient pas dû ternir son image après une longue carrière marquée par le dévouement, un service hors pair et un courage indéniable. Comme pour Vince Foster, c'était la première fois que son honneur et son intégrité étaient mis en cause. Il y a une grande différence entre s'entendre dire que l'on ne fait pas bien son travail et que l'on ne vaut rien.

À la mi-mai, j'ai signé la prorogation de la loi Ryan White CARE, qui prévoyait la fourniture de services médicaux et d'assistance aux séropositifs et aux sidéens. En effet, le sida était alors, aux États-Unis, la première cause de mortalité des 25-40 ans. Nous avions doublé le financement du traitement contre le sida depuis 1993, et un tiers des neuf cent mille porteurs du VIH bénéficiaient désormais de services en vertu de cette loi.

La même semaine, j'ai également signé une proposition dite loi de Megan, d'après une petite fille qui avait été tuée par un délinquant sexuel. Cette législation donnait aux États le pouvoir d'informer la population de la présence en son sein de délinquants sexuels violents, plusieurs études ayant montré qu'ils guérissent rarement.

Après la cérémonie, j'ai pris l'avion pour le Missouri afin d'y faire campagne en compagnie de Dick Gephardt. J'admirais réellement Gephardt, un homme gentil, intelligent et travailleur qui faisait vingt ans de moins que son âge. Quoique chef du Parti démocrate au sein de la Chambre, il rentrait régulièrement chez lui le week-end pour se rendre dans les quartiers et frapper à la porte de ses concitoyens afin de discuter avec eux. Bien souvent, Dick me remettait une liste de mesures qu'il souhaitait que je prenne pour sa circonscription. Beaucoup de parlementaires me présentaient de temps à autre des demandes, mais le seul qui m'ait régulièrement apporté une liste de requêtes dactylographiée était le sénateur Ted Kennedy.

À la fin du mois, j'ai annoncé que la Veterans Administration [ministère des Anciens Combattants] indemniserait les anciens combattants du Viêt-nam pour une série de maladies graves, dont certains cancers, des troubles hépatiques et la maladie de Hodgkin, associées à l'exposition à l'agent Orange. Cette cause était défendue depuis longtemps déjà par d'anciens combattants du Viêt-nam, les sénateurs John Kerry et John McCain, et le regretté amiral Bud Zumwalt.

Le 29 mai, je suis resté debout bien au-delà de minuit pour regarder les résultats des élections en Israël. Sur le fil du rasoir, Benyamin Nétanyahou a battu Shimon Peres de moins de 1 % des voix. Peres avait obtenu la grande majorité des voix des Arabes, mais Nétanyahou l'avait battu assez largement, au sein de l'électorat juif, pour l'emporter. Pour cela, il avait promis de renforcer la lutte contre le terrorisme et de ralentir le processus de paix, et il avait recouru à des spots télévisés à l'américaine, dont certains attaquant Peres avaient été réalisés avec l'aide d'un conseiller en communication républicain de New York. Peres avait résisté jusqu'à l'extrême fin de la campagne aux exhortations de ses partisans qui lui demandaient de répondre à ces critiques, et quand il l'avait fait, c'était trop tard. J'estimais que cet homme, qui avait dévoué toute sa vie à l'État d'Israël, avait fait du bon travail en tant que Premier ministre ; mais en 1996, avec une toute petite marge, Nétanyahou est apparu meilleur homme politique. J'avais hâte de savoir si nous pourrions travailler ensemble, et comment, afin de poursuivre le processus de paix.

En juin, dans le contexte de la campagne présidentielle, je me suis concentré sur deux sujets, l'éducation et l'inquiétante vague d'incendies d'églises noires qui se propageait dans le pays. Lors de la remise des diplômes à l'Université de Princeton, j'ai exposé un programme visant à ouvrir les portes des universités à tous les Américains et à rendre les deux premières années d'études supérieures au moins aussi largement accessibles que le lycée. Il prévoyait également un crédit d'impôts de mille cinq cents dollars pour les deux premières années d'études supérieures, sur le modèle des bourses Hope de Géorgie, c'est-à-dire égal au coût moyen des frais d'inscription dans les universités à filière courte ; une déduction fiscale de dix mille dollars par an au-delà des deux premières années d'études supérieures ; une bourse de mille dollars pour les élèves classés dans les meilleurs 5 % des terminales ; des crédits destinés à faire passer de sept cent mille à un million le nombre de jobs pour étudiants dans les universités ; et une hausse des bourses Pell pour les étudiants ayant de faibles revenus.

À la mi-juin, je me suis rendu à l'école élémentaire Grover Cleveland d'Albuquerque, au Nouveau-Mexique, pour y défendre leur programme local de couvre-feu, qui s'inscrivait parmi les initiatives prises aux quatre coins du pays pour exiger que les enfants soient chez eux après une certaine heure les jours de classe. Elles avaient fait réduire la criminalité et amélioré les résultats scolaires. J'étais également favorable au port d'uniformes dans les écoles primaires. Dans presque tous les cas, les districts scolaires qui imposaient un uniforme avaient noté une plus grande assiduité, une baisse de la violence et de meilleurs résultats de leurs élèves. En outre, les distinctions entre enfants pauvres et riches s'estompaient.

Certains de mes adversaires ricanaient de l'importance que j'accordais à ce qu'ils appelaient des questions « de bas étage » comme les couvre-feux, les uniformes, les programmes d'éducation civique et la puce antiviolence, disant que ce n'était que de la tactique politique et le reflet de mon incapacité à faire voter des programmes majeurs par le Congrès républicain. Or c'était faux. À l'époque, nous étions aussi en train de mettre en œuvre les gros programmes sur l'éducation et la criminalité votés au cours de mes deux premières années à la présidence, et une autre initiative significative dans le domaine de l'éducation était en cours d'examen par le Congrès. Mais je savais que l'argent et la législation de l'État pouvaient seulement apporter aux Américains des outils leur permettant de vivre mieux ; les vrais changements restaient à réaliser par les citoyens au niveau local. Ainsi, par suite de notre soutien déclaré aux uniformes à l'école, de plus en plus de secteurs scolaires les ont adoptés et s'en sont déclarés satisfaits.

Le 12 juin, j'étais à Greeleyville, en Caroline-du-Sud, pour l'inauguration de la nouvelle église épiscopale méthodiste africaine du Mont-Sion, après l'incendie volontaire de l'ancienne. Moins d'une semaine plus tôt, une église de Charlotte, en Caroline-du-Nord, avait été le treizième lieu de culte noir incendié en dix-huit mois. Toute la communauté noire des États-Unis était en effervescence et attendait de moi que je fasse quelque chose. J'ai avalisé une législation soutenue par les Démocrates comme les Républicains afin que les procureurs fédéraux puissent plus facilement punir ceux qui mettent le feu à des lieux de culte, et j'ai annoncé des cautionnements fédéraux des emprunts à faible taux d'intérêt destinés à leur reconstruction. Ces incendies d'églises semblaient se déclencher à la chaîne, comme les dégradations de synagogues en 1992. Ils n'étaient pas le résultat d'une conspiration, mais d'une contagion du cœur, d'une haine de ceux qui sont différents.

Entre-temps, j'ai également pris connaissance d'un problème si grave, au sein de la Maison Blanche, que j'ai pensé que c'était la première affaire, sous ma présidence, qui pouvait mériter une enquête par un procureur indépendant.

Début juin, des informations publiées dans la presse avaient révélé que trois ans auparavant, en 1993, l'Office of Personnel Security de la Maison Blanche [le service chargé de l'accréditation du personnel] avait obtenu des centaines de fiches de synthèse du FBI relatives à des gens qui avaient accès à la Maison Blanche du temps de Bush et de Reagan. L'OPS avait reçu ces fiches alors qu'il voulait mettre en place les dossiers sécurité des nouveaux employés de la Maison Blanche, puisque les autres dossiers avaient été emportés par le gouvernement Bush sortant pour être déposés à la Bibliothèque Bush. Mais la Maison Blanche n'avait pas à détenir des fichiers confidentiels du FBI sur des Républicains. Lorsque j'ai été mis au courant, j'ai été outré.

Le 9 juin, le responsable du personnel de la Maison Blanche, Leon Panetta, et moi-même, nous sommes excusés de cet incident. Dans la semaine qui a suivi, Louis Freeh, directeur du FBI, a annoncé que ses services avaient accidentellement remis quatre cent quatre-vingt-dix-huit dossiers à la Maison Blanche. Quelques jours plus tard, Janet Reno a demandé à Starr d'enquêter sur cette affaire. En 2000, le bureau du procureur indépendant a établi qu'il s'était agi d'une simple erreur. La Maison Blanche ne s'était nullement livrée à un quelconque espionnage politique : le service qui assure la sécurité de la présidence avait remis à l'OPS une liste périmée d'employés de la Maison Blanche sur laquelle figuraient des noms de Républicains, et c'était là la liste qui avait été envoyée à la Maison Blanche.

Fin juin, lors de la conférence annuelle sur la famille des Gore à Nashville, j'ai appelé à une extension de la loi sur le congé familial afin de permettre aux gens de prendre jusqu'à vingt-quatre heures de congé par an, soit trois jours supplémentaires, pour aller à des réunions de parents d'élèves à l'école de leurs enfants ou pour emmener leurs enfants, leur conjoint ou leurs parents passer des visites médicales de routine.

Le problème de l'équilibre entre le travail et la famille me touchait tout particulièrement en raison de son coût pour la Maison Blanche. En effet, Bill Galston, brillant membre du secrétariat du Conseil de la politique intérieure, que j'avais rencontré au DLC qui était une source d'idées permanente, avait récemment donné sa démission afin de pouvoir passer davantage de temps avec son fils âgé de 10 ans : « Mon fils n'arrête pas de me demander où je suis. Vous pouvez trouver quelqu'un d'autre pour faire le travail ici, alors que personne d'autre ne peut me remplacer pour l'autre. Ma place est chez moi. »

Et mon secrétaire général adjoint, Erskine Bowles, un formidable gestionnaire qui était aussi notre meilleur agent de liaison avec le monde des affaires, mais également un bon ami et un partenaire de golf, nous quittait lui aussi pour sa famille. Sa femme, Crandall, camarade de Hillary à Wellesley, dirigeait une grosse entreprise textile et devait fréquemment se déplacer. Deux de leurs enfants étaient en fac et le plus jeune allait entrer en terminale. Erskine est venu me voir pour me dire qu'il adorait son travail, « mais mon fils ne devrait pas être seul à la maison durant son année de terminale. Je ne veux pas qu'il se demande jamais s'il est ou non la chose la plus importante au monde pour ses parents. Je rentre chez moi ».

Je respectais et comprenais les décisions de Bill et d'Erskine, et j'étais heureux que Hillary et moi habitions et travaillions à la Maison Blanche, ce qui nous permettait de ne pas avoir à faire de longs trajets pour aller au bureau et en revenir, et au moins un d'entre nous était presque toujours avec Chelsea le soir, au dîner, et quand elle se levait le matin. Mais le cas de mes collaborateurs soulignait que trop d'Américains, exerçant toutes sortes de professions leur rapportant des revenus très variés, allaient chaque jour à leur travail en culpabilisant parce qu'ils avaient le sentiment de négliger leurs enfants au profit de leur vie professionnelle. Les États-Unis étaient, de tous les pays développés, celui qui favorisait le moins l'équilibre entre le travail et la famille, et je souhaitais que cela change.

Malheureusement, la majorité républicaine au Congrès refusait que l'on impose la moindre obligation nouvelle aux employeurs. Peu de temps auparavant, un jeune garçon s'était approché de moi et m'avait proposé de me raconter une blague. Comme il l'avait fait remarquer, « une fois que l'on est président, il est difficile de trouver une blague que l'on puisse raconter en public ». Voici donc la sienne : « Être président avec ce Congrès, c'est comme se trouver au milieu d'un cimetière. Il y a beaucoup de gens en dessous de vous, mais personne n'écoute. » Ce garçon était vraiment futé.

À la fin du mois, alors que je me préparais à partir pour Lyon, où se tenait la conférence annuelle du G7, qui devait être consacrée en grande partie au terrorisme, dix-neuf membres de l'armée de l'Air et près de trois cents civils américains et autres ont été blessés dans un attentat près des Khobar Towers, un ensemble d'immeubles d'habitation réservés aux militaires à Dharan, en Arabie Saoudite : des terroristes ont lancé un camion contenant une bombe d'une grande puissance contre une barrière de sécurité. Lorsqu'une patrouille s'est approchée du camion, deux de ses occupants se sont sauvés et la bombe a explosé. J'ai envoyé une équipe du FBI composée de plus de quarante enquêteurs et experts de la police scientifique travailler avec les autorités saoudiennes. Le roi Fahd m'a appelé pour exprimer ses condoléances et sa solidarité, et pour m'assurer que son gouvernement s'engageait à appréhender et à punir les hommes qui avaient tué nos soldats. À terme, l'Arabie Saoudite exécuterait les gens qu'elle jugerait coupables de l'attentat. Les Saoudiens nous avaient autorisés à établir cette base à la suite de la guerre du Golfe dans l'espoir que la présence de forces américaines « prépositionnées » dans le Golfe préviendrait de nouvelles agressions par Saddam Hussein et nous permettrait de réagir rapidement si la dissuasion échouait. L'objectif avait été atteint, mais cette base rendait aussi nos forces plus vulnérables aux attaques terroristes dans la région. Les dispositifs de sécurité à Khobar étaient clairement insuffisants. Si le camion avait pu s'approcher si près de l'immeuble, c'est parce que nos hommes et les Saoudiens avaient sous-estimé la capacité des terroristes à fabriquer une bombe d'une telle puissance. J'ai nommé le général Wayne Downing, ancien commandant en chef du commandement des opérations spéciales américaines, à la tête d'une commission chargée d'émettre des recommandations quant aux mesures à prendre pour améliorer la sécurité de nos troupes stationnées à l'étranger.

Alors que nous nous préparions pour le sommet du G7, j'ai demandé à mes collaborateurs d'arrêter des mesures recommandées que la communauté internationale pourrait prendre afin d'opposer un front uni plus efficace au terrorisme mondial. À Lyon, les dirigeants ont approuvé plus de quarante d'entre elles, convenant qu'il fallait accélérer l'extradition et le jugement des terroristes, en faire davantage pour saisir les ressources qui leur permettaient de financer leurs actes de violence, améliorer nos défenses intérieures, et limiter au maximum l'accès des terroristes aux moyens de télécommunication de pointe.

En 1996, mon gouvernement avait arrêté une stratégie de lutte contre le terrorisme centrée sur la prévention des événements graves, la capture et le châtiment des terroristes à travers la coopération internationale, l'interruption du flux de fonds et de communications à destination des organisations terroristes, le blocage de l'accès aux armes de destruction massive, l'isolement des pays soutenant le terrorisme, et l'imposition de sanctions à leur encontre. Comme l'avaient démontré le raid aérien du président Reagan contre la Libye en 1986 et l'attaque que j'avais ordonnée contre le centre du renseignement irakien en 1993, la puissance américaine pouvait dissuader des États qui participaient activement à des attentats terroristes contre nous ; aucun de ces deux pays n'avait fait d'autre tentative. En revanche, il était plus difficile d'atteindre des organisations terroristes non liées aux États ; les pressions militaires et économiques que l'on pouvait appliquer à des pays n'étaient pas aussi facilement utilisables contre elles.

Notre stratégie nous avait permis de remporter de nombreux succès – nous avions évité plusieurs attentats terroristes programmés, dont des tentatives pour faire sauter les tunnels Holland et Lincoln, à New York, et pour faire exploser plusieurs avions entre les Philippines et les États-Unis, et des quatre coins du monde, des terroristes avaient été livrés à la justice américaine pour être jugés. Mais le terrorisme n'est pas seulement une forme de criminalité organisée à l'échelle internationale. En effet, par suite de leurs objectifs politiques déclarés, les groupes terroristes bénéficient bien souvent à la fois du soutien de leur État et de celui de la population. En outre, le démantèlement des réseaux en profondeur pouvait soulever des problèmes difficiles et dangereux, comme cela a été le cas dans l'enquête sur les Khobar Towers lorsque l'éventualité d'un soutien iranien aux terroristes a été envisagée. Même si nous avions de bons moyens de défense contre des attaques, la police et la justice pouvaient-elles offrir une stratégie offensive suffisante contre des terroristes ?

Dans la négative, un plus grand appui sur l'armée serait-il une bonne solution ? À la mi-1996, il était évident que nous n'avions pas toutes les réponses quant aux moyens de faire face à des attentats contre les Américains sur notre territoire et en dehors de celui-ci, et que ce problème allait se poser pendant des années encore.

L'été a commencé avec de bonnes nouvelles tant intérieures qu'extérieures. En Russie, Boris Eltsine avait été mis en ballottage, le 3 juillet, par l'ultranationaliste Guennady Zyuganov. Au premier tour, les résultats avaient été serrés, mais Boris avait facilement remporté le second, après avoir mené à travers les onze faisceaux horaires de son pays une campagne vigoureuse marquée par des événements à l'américaine et des annonces télévisées. Cette élection confirmait sa position de leader s'agissant de défendre la démocratie, de moderniser l'économie et de se rapprocher de l'Occident. Certes, il restait des problèmes à résoudre en Russie, mais j'avais confiance en son évolution dans la bonne direction.

Les choses évoluaient dans la bonne direction aux États-Unis aussi, puisque le taux de chômage était descendu à 5,3 %, avec la création de dix millions d'emplois nouveaux, que la croissance économique était de 4,2 % pour le trimestre et que le déficit était inférieur à la moitié de ce qu'il était lorsque j'avais pris mes fonctions. Et les salaires montaient également. Le lendemain, l'indice boursier a chuté à 115 points, ce qui m'a permis de me moquer de Bob Rubin en lui disant que Wall Street avait horreur que les Américains moyens se portent bien. En fait, la situation était plus compliquée que cela. Car la Bourse est tournée vers l'avenir, et quand tout va bien, les investisseurs ont tendance à penser que ça ne va pas durer. Mais ils n'ont pas tardé à changer d'opinion, et les marchés ont rapidement retrouvé leur orientation à la hausse.

Le 17 juillet, le vol 800 de TWA explosait au large de Long Island, tuant quelque deux cent trente personnes. À l'époque, tout le monde a supposé – à tort, comme on l'a su par la suite – qu'il s'agissait d'un acte terroriste ; on a même pu lire que l'avion avait été descendu par un obus lancé d'un navire dans le détroit de Long Island. J'ai indiqué qu'il fallait veiller à ne pas formuler de conclusions hâtives, mais de toute évidence, il nous fallait faire plus pour renforcer la sécurité aérienne.

Hillary et moi nous sommes rendus à Jamaica, dans l'État de New York, pour rencontrer les familles des victimes, et j'ai annoncé de nouvelles mesures en vue d'accroître la sécurité des voyages aériens. Nous travaillions sur cette question depuis 1993 et avions proposé de moderniser le contrôle de la navigation aérienne, de porter à quatre cent cinquante les postes d'inspecteurs chargés de la sécurité, d'émettre des normes de sécurité uniformisées et de tester de nouvelles machines ultraperfectionnées de détection des explosifs. J'ai ajouté que nous procéderions à davantage de fouilles manuelles des bagages, contrôlerions davantage de sacs sur les vols intérieurs et internationaux, et que nous exigerions des inspections préalables de toutes les soutes et de toutes les cabines. J'ai également demandé à Al Gore de présider une commission d'examen de la sécurité aérienne et du système de contrôle de la navigation aérienne, et de rendre un rapport sur ces questions sous quarante-cinq jours.

Dix jours avant ce crash, nous avions été sans nul doute confrontés à un acte terroriste avec l'explosion, aux Jeux olympiques d'Atlanta, d'une bombe qui avait tué deux personnes. Hillary et moi nous étions rendus à la cérémonie d'ouverture, durant laquelle Mohammed Ali avait allumé la flamme olympique. Chelsea et elle adoraient les Jeux olympiques, et ont assisté à davantage d'épreuves que moi, mais j'ai pu rendre visite à l'équipe américaine et à des sportifs de plusieurs autres pays. Des sportifs irlandais, croates et palestiniens m'ont remercié des efforts de notre pays pour rétablir la paix chez eux. Dans la salle à manger, des membres des délégations des deux Corées étaient assis à des tables voisines et parlaient ensemble. Les Jeux olympiques étaient le symbole de ce que le monde a de meilleur et rapprochaient les gens par-delà leurs anciennes divisions. Cette bombe posée par un terroriste américain qui n'avait pas encore été appréhendé nous rappelait à quel point les forces de l'ouverture et de la coopération étaient vulnérables à ceux qui rejetaient les valeurs et les règles qu'impose la construction d'une communauté mondiale.

Le 5 août, à l'Université George Washington, j'ai présenté une longue analyse de l'incidence du terrorisme sur notre avenir, disant qu'il était devenu « un agent de destruction sans discrimination et sans respect des frontières ». J'ai exposé les mesures que nous prenions pour combattre « l'ennemi de notre génération » et ajouté que nous l'emporterions néanmoins si nous gardions confiance et préservions notre statut de « force indispensable à la paix et à la liberté » dans le monde. Le reste du mois d'août a été consacré à la signature de plusieurs propositions de loi et à des conventions du Parti. Il a également été marqué par un dénouement partiel positif dans l'affaire Whitewater. Comme les élections approchaient et que le combat budgétaire avait au moins temporairement pris fin, les parlementaires des deux camps souhaitaient pouvoir présenter aux Américains des avancées bipartites. Ils ont alors produit un flot de lois pour lesquelles la Maison Blanche s'était battue. J'ai signé la loi sur la protection des produits alimentaires, qui visait à protéger les légumes, les fruits et les céréales des pesticides nocifs ; la loi sur la qualité de l'eau potable, qui visait à réduire la pollution des eaux et à fournir dix milliards de dollars de prêts pour améliorer les systèmes municipaux d'alimentation en eau après les décès et les maladies qu'avait causés la contamination de l'eau potable par le parasite appelé cryptosporidium ; et le projet qui prévoyait une augmentation du salaire minimum de quatre-vingt-dix cents par heure, accordait aux petites entreprises un dégrèvement fiscal pour leur permettre d'investir dans de nouveaux équipements et d'embaucher, permettait à ces entreprises de proposer plus facilement à leurs employés des plans de retraite assortis d'un nouveau plan d'épargne-retraite et offrait une nouvelle incitation à laquelle Hillary tenait beaucoup, un crédit d'impôts de cinq mille dollars pour l'adoption d'un enfant, ou de six mille dollars dans le cas d'un enfant présentant des besoins spéciaux.

Au cours de la dernière semaine du mois, j'ai signé la proposition Kennedy-Kassebaum, qui aidait des millions de gens en leur permettant de prendre une assurance santé d'un emploi à un autre et interdisait dans le même temps aux compagnies d'assurance de refuser quiconque pour cause de problème de santé antérieur. J'ai également annoncé le règlement définitif établi par la Food and Drug Administration afin de protéger les jeunes contre les dangers du tabac. Il fallait qu'ils apportent une preuve de leur âge en produisant une pièce d'identité pour pouvoir acheter des cigarettes. Ce règlement réduisait nettement la publicité en faveur des compagnies de tabac et l'installation de distributeurs. Certes, nous nous étions fait des ennemis dans l'industrie du tabac, mais je pensais que nos efforts sauveraient quelques vies.

Le 22 août, j'ai signé le projet de réforme de la protection sociale, qui avait été voté avec des majorités bipartites de plus de 70 % dans les deux chambres. Contrairement aux deux propositions auxquelles j'avais opposé mon veto, cette nouvelle loi préservait la garantie fédérale de soins médicaux et d'aide alimentaire, augmentait de 40 % l'assistance fédérale pour la garde des enfants, la portant à quatorze milliards de dollars, incluait les mesures que je préconisais en faveur d'une application plus stricte du système des pensions alimentaires destinées aux enfants, et donnait aux États la possibilité de convertir des allocations mensuelles en subventions salariales afin d'inciter les employeurs à embaucher des bénéficiaires de l'aide sociale.

La plupart des défenseurs des pauvres et de l'immigration légale, de même que plusieurs membres de mon cabinet, restaient opposés à ce texte et voulaient que j'y pose mon veto parce qu'il mettait fin à la garantie fédérale de versement d'une indemnité mensuelle fixe aux bénéficiaires de l'aide sociale, imposait une durée limite de versement d'allocations de cinq années par personne, réduisait le montant global consacré au programme de tickets d'alimentation, et refusait les tickets d'alimentation et les soins aux immigrants en situation régulière ayant de faibles revenus. J'étais d'accord sur les deux derniers points : les immigrants en situation régulière étaient frappés de façon particulièrement dure et, à mon sens, injustifiable. Peu après la signature de ce projet, deux hauts responsables du département de la Santé et des Services sociaux, Mary Jo Bane et Peter Edelman, ont démissionné en signe de protestation. À leur départ, je les ai félicités pour leur travail et pour le courage dont ils faisaient preuve en restant fidèles à leurs convictions.

Si j'ai décidé de signer cette législation, c'est parce que je pensais qu'elle serait la meilleure occasion offerte aux États-Unis pendant longtemps de changer les incitations prévues par le système de protection sociale de telle sorte que l'on passe de la dépendance à l'émancipation par le travail. Pour que nos chances de réussite soient maximales, j'ai demandé à Eli Segal, qui avait si bien travaillé à la mise en place de l'AmeriCorps, cette structure qui permet d'effectuer un service national civil, d'organiser un partenariat de passage de l'aide sociale au travail en s'assurant la coopération d'employeurs qui s'engageraient à embaucher des bénéficiaires de l'aide sociale. Au final, vingt mille sociétés ayant souscrit à ce partenariat en ont embauché plus d'un million.

Lors de la cérémonie de signature, plusieurs anciens bénéficiaires de l'aide sociale sont venus s'exprimer en faveur de ce projet. Parmi eux se trouvait Lillie Harden, cette femme de l'Arkansas qui avait fait si forte impression sur mes collègues gouverneurs dix ans plus tôt en déclarant que ce qu'il y avait de mieux, lorsque l'on passait de l'assistance au travail, c'était que « quand mon fils va à l'école et que ses copains lui demandent ce que sa maman fait comme travail, il peut répondre ». Tout au long des quatre années suivantes, les résultats de la réforme de la protection sociale allaient prouver que Lillie Harden avait raison. Quand j'ai quitté mes fonctions, les bénéficiaires de l'aide sociale étaient passés de 14,1 à 5,8 millions, ce qui représente une baisse de 60 %, et la pauvreté des enfants avait chuté de 25 %, atteignant son point le plus bas depuis 1979.

La signature du projet de loi portant réforme de la protection sociale a été l'une des décisions les plus importantes que j'aie prises en tant que président. J'avais consacré une grande partie de ma carrière à m'efforcer de faire passer les gens de l'assistance au travail et mettre fin à l'aide sociale « telle que nous la connaissons » avait été une des grandes promesses de ma campagne de 1992. Nous avions pu mener des réformes en accordant à la plupart des États des dérogations au système existant, mais les États-Unis avaient besoin d'une législation mettant l'accent non plus sur la dépendance des prestations sociales, mais sur l'indépendance par le travail.

À l'issue de la convention républicaine qui s'est tenue à San Diego à la mi-août, ont été investis Bob Dole et celui qu'il s'était choisi comme vice-président, l'ex-parlementaire de l'État de New York, secrétaire d'État au Logement et à l'Urbanisme et *quarterback* vedette des Buffalo Bills Jack Kemp. C'était un homme intéressant, un partisan de l'économie de marché réellement désireux d'améliorer le sort économique des pauvres et ouvert aux idées nouvelles de tous horizons, ce qui en faisait, selon moi, un atout dans la campagne de Dole.

Les Républicains ont su ne pas commettre l'erreur d'ouvrir leur convention par de vigoureux propos de droite, comme ils l'avaient fait en 1992. Avec Colin Powell, le sénateur Kay Bailey Hutchison, la représentante Susan Molinari et le sénateur John McCain, ils présentaient aux Américains une image plus modérée, plus positive et plus tournée vers l'avenir. Elizabeth Dole a prononcé pour son mari un remarquable discours d'investiture, d'une grande efficacité, avant de quitter la tribune pour échanger quelques propos en passant avec les délégués qu'elle croisait. Dole a lui aussi fait un bon discours, centré sur la tâche de sa vie, les réductions fiscales et sur la défense des valeurs traditionnelles américaines. Il a aussi émis quelques railleries à mon sujet : je faisais partie d'une « élite [d'enfants du baby-boom] qui n'ont jamais grandi, n'ont jamais rien fait de concret, ne se sont jamais sacrifiés, n'ont jamais souffert et n'ont jamais appris de leçon ». Il a promis de jeter un pont qui nous ramènerait vers un passé « de tranquillité, de foi et de confiance en l'action ». Dole a également lancé une pique à l'encontre de Hillary et du sujet de son livre, selon lequel « il faut tout un village » pour élever un enfant, disant que pour les Républicains, c'était aux parents d'élever leurs enfants, alors que pour les Démocrates, c'était au gouvernement de le faire. Ces attaques n'étaient pas trop vives, et quelques semaines plus tard, Hillary et moi allions avoir l'occasion d'y répondre.

Tandis que les Républicains se trouvaient à San Diego, nous sommes allés pour la deuxième fois en famille à Jackson Hole, dans le Wyoming. Cette fois, je terminais un petit livre, *Between Hope and History*, qui mettait en lumière les politiques menées pendant mon premier mandat à travers des histoires d'Américains qu'elles avaient affectés positivement. J'y exposais également mes objectifs pour notre pays jusqu'à l'an 2000.

Le 12 août, nous sommes allés au parc national de Yellowstone pour la seule tâche publique de ces vacances, la signature d'un accord qui mettait fin à un projet d'exploitation d'une mine d'or sur des terrains adjacents au parc. Cet accord était l'heureux résultat des efforts de coopération de la compagnie minière, de groupes de citoyens, de divers parlementaires et de l'équipe chargée de l'environnement à la Maison Blanche, avec à sa tête Katie McGinty.

Le 18, Hillary, Chelsea et moi sommes allés à New York pour une grande fête au Radio City Music Hall en l'honneur de mon anniversaire. Ensuite, j'ai eu la tristesse d'apprendre que l'avion transportant le matériel s'était écrasé en revenant à Washington depuis le Wyoming et que les neuf personnes qui étaient à bord étaient mortes. Le lendemain, nous avons rejoint Al et Tipper Gore dans le Tennessee, où nous avons fêté notre double anniversaire, à Tipper et moi, en aidant à rebâtir deux églises de campagne, une blanche et une noire, qui avaient brûlé lors de la récente série d'incendies d'églises.

Durant la dernière semaine du mois, l'attention du pays s'est tournée vers la convention nationale démocrate à Chicago. Notre campagne, dirigée par Peter Knight, avait été bien organisée et travaillait la main dans la main avec la Maison Blanche grâce à Doug Sosnik et Harold Ickes, qui avaient supervisé l'organisation de notre convention. J'étais très content d'aller à Chicago parce que c'était la ville natale de Hillary, qu'elle avait joué un rôle essentiel dans ma victoire en 1992, et que nombre de mes initiatives les plus importantes dans les domaines de l'éducation, du développement économique, et de la lutte contre la criminalité y avaient été utilement mises à profit.

Le 25 août, à Huntington, en Virginie, Chelsea et moi sommes montés à bord du train qui devait nous amener à Chicago en quatre jours. Hillary nous avait devancés pour être présente dès l'ouverture de la convention. Pour traverser le Kentucky, l'Ohio, le Michigan et l'Indiana jusqu'à Chicago, nous avions affrété un merveilleux vieux train que nous appelions l'« express du XXIᵉ siècle ». En cours de route, nous avons marqué quinze arrêts et ralentissions en traversant les petites villes afin que je puisse saluer les gens qui s'étaient rassemblés près des voies ferrées. Je sentais, à l'enthousiasme des foules, que ce train créait un lien avec les Américains tout comme nos bus en 1992, et je voyais à l'expression des gens qu'ils se sentaient mieux dans leur pays et dans leur vie. Quand nous nous sommes arrêtés à Wyandotte, dans le Michigan, pour une manifestation scolaire, deux enfants m'ont accueilli en lisant *The Little Engine That Could*. L'histoire de la petite locomotive bleue et la manière enthousiaste dont ils la lisaient traduisaient la renaissance de l'optimisme inné et de la confiance en soi de l'Amérique.

Lors de nombreux arrêts, nous avons été rejoints par des amis, des sympathisants et des élus locaux qui voulaient monter à bord pour le tronçon suivant du parcours. Et j'ai été tout particulièrement heureux de faire ce lent voyage avec Chelsea à mes côtés. Ensemble, dans le wagon de queue, nous avons salué les foules et discuté de milliers de choses. Nos relations étaient toujours aussi étroites, mais Chelsea changeait, se transformant en jeune femme qui a ses idées et ses intérêts propres. J'étais de plus en plus souvent stupéfait par sa vision du monde.

Notre convention s'est ouverte le 26, et on a pu y voir Jim et Sarah Brady, qui appréciaient le soutien que les Démocrates avaient apporté à la proposition de loi Brady, ainsi que Christopher Reeves, l'acteur qui, après être devenu paralysé suite à une chute de cheval, avait inspiré la nation en menant un courageux combat pour guérir et en appelant à des recherches plus poussées sur les atteintes de la colonne vertébrale.

Le jour de mon discours, notre campagne a été perturbée par des articles de presse selon lesquels Dick Morris avait souvent fréquenté une prostituée dans sa chambre d'hôtel lorsqu'il venait à Washington travailler pour moi. Dick a démissionné de ses fonctions au sein de la campagne, et j'ai fait une déclaration disant qu'il était mon ami et un formidable stratège politique, qui avait fait un « travail inestimable » au cours des deux années précédentes. Je regrettais qu'il nous quitte, mais il était manifestement très fatigué et avait besoin de temps pour régler ses problèmes. De toute façon, je savais que Dick avait du ressort et j'étais certain qu'il serait rapidement de retour sur la scène politique.

Mon discours d'acceptation de l'investiture démocrate coulait de source grâce à notre bilan : les plus faibles taux combinés de chômage, d'inflation en vingt-huit ans ; dix millions de créations d'emplois ; dix millions de personnes bénéficiant de l'augmentation du salaire minimum ; vingt-cinq millions d'Américains concernés par la proposition de loi Kennedy-Kassebaum ; quinze millions de travailleurs américains ayant droit à une réduction d'impôts ; douze millions de gens profitant de la loi sur le congé familial ; dix millions d'étudiants économisant de l'argent grâce au programme de financement des études supérieures ; et quarante millions de travailleurs bénéficiant d'une meilleure couverture retraite.

J'ai déclaré que nous avancions dans la bonne direction et, faisant allusion au discours de Bob Dole à San Diego, j'ai ajouté : « Nous n'avons besoin à aucun égard de jeter un pont vers le passé ; nous avons besoin d'un pont vers l'avenir [...] prenons la décision de construire ce pont vers le XXIe siècle. » C'est ainsi que le « pont vers le XXIe siècle » est devenu le slogan de la campagne et des quatre années suivantes.

Même si notre bilan était positif, je savais que toute élection concerne l'avenir. C'est pourquoi j'ai présenté mon programme : des niveaux scolaires plus élevés et l'accès universel à l'université ; un budget équilibré protégeant les soins, l'éducation et l'environnement ; des réductions d'impôts ciblées afin de favoriser l'accès à la propriété, les soins de longue durée, l'éducation supérieure, et l'éducation des enfants ; plus d'emplois pour les personnes assistées et davantage d'investissements dans les zones urbaines et rurales pauvres ; et quelques initiatives nouvelles pour lutter contre la criminalité et la drogue, et pour dépolluer l'environnement.

J'étais certain que si les Américains voyaient ces élections comme un choix entre jeter un pont vers le passé et jeter un pont vers l'avenir, nous gagnerions. Bob Dole m'avait involontairement soufflé le message central de la campagne de 1996. Le lendemain de la clôture de la convention, Al, Tipper,

Hillary et moi avons donné le coup d'envoi de la dernière phase de la campagne avec une tournée en car qui a commencé à Cape Girardeau, dans le Missouri, en compagnie du gouverneur Mel Carnahan, qui me soutenait depuis le début 1992. Ensuite, nous devions traverser le sud de l'Illinois et l'ouest du Kentucky pour finir à Memphis, après plusieurs haltes dans le Tennessee avec l'ancien gouverneur Ned Ray McWherter, un gros ours qui était la seule personne que j'aie jamais entendue appeler le vice-président « Albert ». Mais Ned Ray pouvait rapporter tant de voix que je me moquais bien de savoir comment il appelait Al, ou même moi.

En ce mois d'août 1996, Kenneth Starr a essuyé son premier gros revers dans une affaire qui reflétait bien ses efforts désespérés, avec ses collaborateurs, pour me faire endosser une responsabilité. Starr avait inculpé les deux propriétaires de la Perry County Bank, l'avocat Herby Branscum, Jr., et le comptable Rob Hill, pour des chefs d'accusation liés à ma campagne de 1990 au poste de gouverneur.

L'acte d'accusation indiquait que Branscum et Hill avaient prélevé environ treize mille dollars à leur banque pour des services juridiques et comptables qu'ils n'avaient pas rendus afin de se rembourser des versements à des fins politiques, et qu'ils avaient ordonné au directeur de la banque, au mépris de la législation fédérale, de ne pas déclarer au fisc deux retraits en espèces supérieurs à dix mille dollars chacun de mon compte de campagne.

L'acte d'accusation citait également Bruce Lindsey, qui avait été le trésorier de cette campagne, comme « complice non inculpé », alléguant que lorsque Bruce avait retiré de l'argent pour nos activités de dépouillement, le jour de l'élection, il avait poussé les banquiers à ne pas remplir les bordereaux obligatoires. Les hommes de Starr avaient menacé Bruce de le mettre en examen, mais ils en ont été pour leurs frais : il n'y avait rien de louche dans nos versements ou l'objet de nos dépenses, et Bruce n'avait aucune raison de demander à la banque de ne pas remplir les bordereaux requis, puisque nous devions de toute façon rendre toutes ces informations publiques dans un délai de trois semaines, comme l'exige la législation électorale de l'État de l'Arkansas. Étant donné que nos versements et leur sortie étaient parfaitement légaux et que nous les avions dûment notifiés, les collaborateurs de Starr savaient que Bruce n'avait commis aucun délit ; c'est pourquoi ils avaient résolu de le salir en le citant comme complice non inculpé.

Les chefs d'accusation à l'encontre de Branscum et Hill étaient absurdes Premièrement, ils étaient entièrement propriétaires de la banque. Ils pouvaient donc en sortir de l'argent, à condition de ne pas mettre en péril son niveau de liquidité, s'ils payaient des impôts sur le revenu sur ces sommes ; or rien n'indiquait qu'ils ne l'aient pas fait. Pour ce qui est du deuxième chef d'accusation, la loi qui exige qu'une banque déclare les dépôts ou les retraits d'espèces d'un montant supérieur à dix mille dollars est bonne : elle permet au gouvernement de suivre la trace de gros flux d'« argent sale » provenant d'activités criminelles comme le blanchiment d'argent et le trafic de drogue. Ces déclarations au fisc sont contrôlées tous les trois à six mois, mais elles ne sont pas accessibles au public. En 1996, il y avait eu deux cents actions en justice pour non-déclaration en violation de la loi ; et seules vingt d'entre elles – impliquant toutes des fonds liés à des activités illicites – concernaient des non-déclarations de retraits. Avant Starr, nul n'avait jamais été mis en examen pour avoir omis de déclarer des dépôts ou des retraits de fonds licites.

Nos fonds de campagne étaient sans conteste de l'argent propre qui avait été retiré à la fin de la campagne afin de payer nos efforts pour nous attirer des électeurs et offrir des moyens de transport jusqu'aux bureaux de vote le jour du scrutin. Dans les trois semaines suivant l'élection, nous avions rempli la déclaration publique exigée, en indiquant combien nous avions dépensé et comment. Branscum, Hill et Lindsey n'avaient tout bonnement aucune raison de cacher au fisc un retrait d'espèces tout à fait légal qui devait devenir public moins d'un mois plus tard.

Cela n'a cependant pas arrêté Hickman Ewing, l'adjoint de Starr dans l'Arkansas, qui était tout aussi obsédé que lui par l'idée de nous atteindre, mais pas aussi doué pour le dissimuler. Il a menacé de faire incarcérer Neal Ainley, qui dirigeait la banque pour Branscum et Hill, et était chargé de remplir les déclarations, s'il ne disait pas que Branscum, Hill et Lindsey lui avaient donné l'ordre de ne pas les remplir, alors qu'Ainley avait déjà nié tout agissement illicite de leur part. Mais le pauvre homme était un petit poisson pris dans un puissant filet ; il a alors modifié son récit. Initialement accusé d'avoir commis cinq crimes, il n'a plus eu à se défendre que de deux délits.

Tout comme dans le procès des McDougal et de Tucker, j'ai enregistré un témoignage à la demande des accusés. Bien que je n'aie rien eu à voir avec les deux retraits effectués, j'ai pu dire que je n'avais pas nommé Branscum et Hill aux deux commissions de l'État dont ils étaient membres en contrepartie de leur contribution à ma campagne.

Après s'être vigoureusement défendus, Branscum et Hill ont été acquittés en ce qui concerne la non-déclaration des retraits, et le jury n'a pu trancher sur la question de l'indication de l'objet des retraits effectués sur leur propre banque. J'étais soulagé que Herby, Rob et Bruce Lindsey soient innocentés, mais écœuré par l'abus de pouvoir du procureur, par les énormes frais d'avocats que mes amis avaient dû avancer et par le coût exorbitant pour les contribuables de cette action en justice pour treize mille dollars de remboursements que les accusés avaient touchés de leur propre banque et pour la non-déclaration au niveau fédéral de deux retraits de fonds de campagne légaux et notifiés publiquement.

Sans oublier les coûts non financiers de l'affaire. Ainsi, des agents du FBI travaillant pour Starr se rendirent à l'école du fils de Rob Hill et le firent sortir de classe pour l'interroger. Ils auraient pu lui parler après l'école, le midi, ou le week-end. Mais ils préférèrent l'humilier dans l'espoir de pousser son père à leur dire quelque chose qui pourrait me porter préjudice, que ce soit vrai ou non.

À la suite du procès, plusieurs jurés s'insurgèrent contre le bureau du procureur indépendant, déclarant par exemple : « C'est du gâchis, j'espère vraiment que le gouvernement ne va pas gaspiller davantage d'argent pour le dossier Whitewater » ; « S'ils ont l'intention de dépenser mon argent, alors il faudrait qu'ils aient des preuves plus solides » ; « Si quelqu'un est intouchable, c'est bien le bureau du procureur ». Et un juré qui se présenta comme un « anti-Clinton » déclara : « J'aurais vraiment voulu qu'ils aient un peu plus d'éléments, mais ce n'était pas le cas. » Même les Républicains conservateurs qui vivaient dans le monde réel, par opposition au monde de Whitewater, savaient que le procureur indépendant était allé trop loin.

Et la façon dont Starr avait traité Branscum et Hill n'était rien à côté de ce qu'il allait faire à Susan McDougal. Le 20 août, Susan a été condamnée à deux ans de prison. Les collaborateurs de Starr avaient proposé de ne pas prononcer de peine d'emprisonnement si elle leur donnait des informations impliquant Hillary ou moi dans quelque activité illégale. Le jour où la peine a été prononcée, quand elle a répété ce qu'elle avait dit depuis le début, à savoir qu'elle ne nous savait coupables d'aucune malversation, elle a été assignée à comparaître devant le Grand Jury. Elle a donc comparu, mais a refusé de répondre aux questions du procureur, craignant d'être accusée de parjure parce qu'elle ne voulait pas mentir en leur disant ce qu'ils voulaient entendre. La juge Susan Webber Wright, estimant que cela constituait une entrave à la justice, l'a envoyée en prison pour une durée indéterminée jusqu'à ce qu'elle accepte de coopérer avec le procureur. Elle allait rester derrière les barreaux pendant dix-huit mois, dans des conditions bien souvent pénibles.

Début septembre, tout nous souriait. Notre convention avait été réussie, et l'image de Dole était ternie par son association avec Gingrich et la fermeture des services fédéraux. Mais surtout, le pays allait bien, et les électeurs ne voyaient plus des questions comme la criminalité, la protection sociale, la responsabilité fiscale, la politique étrangère et la défense comme des exclusivités du Parti républicain. D'après les sondages, ma cote de popularité présidentielle et personnelle approchait de 60 %, et le même pourcentage de gens déclaraient qu'ils se sentaient confiants avec moi à la Maison Blanche.

Je m'attendais cependant à être en moins bonne posture dans certaines régions des États-Unis en raison de mon opinion sur les questions culturelles que sont les armes, les homosexuels et l'avortement et, au moins en Caroline-du-Nord et dans le Kentucky, le tabac. Il paraissait également certain que Ross Perot remporterait beaucoup moins de voix qu'en 1992, et qu'il me serait donc plus difficile de gagner dans quelques États où il avait prélevé davantage de voix au président Bush qu'à moi. Pourtant, dans l'ensemble, j'étais bien mieux placé que la première fois. Tout au long du mois de septembre, la campagne a attiré des foules enthousiastes, en commençant par près de treize mille personnes lors d'un pique-nique, le lundi de la fête du Travail, à De Pere, dans le Wisconsin, près de Green Bay.

Sachant qu'une élection présidentielle est déterminée par les voix des grands électeurs, je voulais profiter de notre élan pour faire tomber un ou deux nouveaux États dans notre escarcelle et contraindre le sénateur Dole à consacrer du temps et de l'argent à des États qu'un Républicain pouvait normalement croire acquis d'avance. Dole voulait d'ailleurs en faire autant en me contestant la Californie, où je m'opposais à un référendum sur l'arrêt de la discrimination positive à l'entrée à l'université et où il s'était efforcé de marquer un point en organisant la convention républicaine à San Diego.

Mon objectif numéro un était la Floride. Si je pouvais gagner là-bas et conserver la plupart des États où j'avais gagné en 1992, l'élection était dans la poche. J'avais beaucoup fait en Floride pendant quatre ans : j'avais aidé l'État à se relever après le passage de l'ouragan Andrew ; organisé le sommet des Amériques à Miami ; annoncé le transfert du commandement militaire sud de Pánama à Miami ; œuvré à la remise en état des Everglades ; et j'avais même fait quelques avancées au sein de la communauté cubano-américaine qui, depuis la baie des Cochons, avait toujours apporté plus de 80 % de ses voix aux Républicains lors des présidentielles En outre, je bénéficiais d'une bonne organisation en Floride et du soutien appuyé du gouverneur Lawton Chiles, qui avait d'excellents rapports avec les électeurs des zones plutôt conservatrices du centre et du nord de l'État. Ces gens appréciaient Lawton en partie parce que, quand on l'attaquait, il répondait. Comme il le disait : « Il n'y a pas un péquenaud qui veuille d'un chien qui ne mord pas. » Début septembre, Lawton est venu avec moi dans le nord de la Floride pour y faire campagne et en l'honneur du parlementaire Pete Peterson, qui prenait sa retraite. Il avait été prisonnier de guerre au Viêt-nam pendant six ans et demi, et j'en avais récemment fait le premier ambassadeur de notre pays là-bas depuis la fin de la guerre.

J'ai passé une grande partie du reste du mois dans des États que j'avais remportés en 1992. Lors d'une incursion à l'Ouest, j'ai même fait campagne dans l'Arizona, un État qui n'avait jamais voté pour un Démocrate à la présidence depuis 1948, mais où je pensais pouvoir gagner à cause de sa population hispanique grandissante et du malaise qu'éprouvaient beaucoup des électeurs conservateurs traditionnels et modérés face à la politique extrémiste du Congrès républicain.

Le 16, j'ai reçu le soutien du Fraternal Order of Police. En général, le FOP soutenait les Républicains dans la course à la présidence, mais nous avions travaillé avec eux, pendant quatre ans, pour augmenter le nombre de policiers dans les rues, désarmer les délinquants, et interdire les balles antigilets pare-balles ; et ils avaient envie de connaître quatre nouvelles années de ce genre de coopération.

Deux jours plus tard, j'ai annoncé une des réalisations environnementales majeures de mes deux mandats à la présidence, la création du Grand Staircase-Escalante National Monument, qui couvre près de 7 km^2 dans la magnifique région de roches rouges du sud de l'Utah, où l'on trouve des fossiles de dinosaures et des vestiges de l'ancienne civilisation amérindienne anasazie. J'avais le pouvoir de prendre de telles initiatives en vertu de l'*Antiquities Act* de 1906 [loi relative au patrimoine], qui permet au Président de protéger des territoires fédéraux d'une valeur culturelle, historique et scientifique extraordinaire. J'ai annoncé cette création en compagnie d'Al Gore au bord du Grand Canyon, que Theodore Roosevelt avait protégé aux termes de cette même loi. Cette initiative était nécessaire pour empêcher une grande exploitation minière de charbon qui aurait radicalement changé l'aspect de la région. La plupart des responsables de l'Utah et nombre de ceux qui aspiraient à l'impulsion économique qu'aurait apportée cette mine étaient opposés à ce monument, mais ce territoire avait une valeur inestimable et je pensais que son classement comme monument historique engendrerait des recettes touristiques qui, à terme, compenseraient très largement la perte de la mine

Par-delà l'ampleur et l'exubérance des foules, les événements de septembre nous ont permis de constater, de-ci de-là, que les choses évoluaient en notre faveur. Ainsi, à la fin d'un meeting à Longview, au Texas, alors que je serrais des mains dans la foule, j'ai rencontré une mère célibataire de deux enfants qui était sortie du système des aides sociales pour travailler dans le cadre de l'AmeriCorps et utilisait l'argent qu'elle touchait pour prendre des cours de préparation à l'université ; une autre femme qui avait profité de la loi sur le congé familial quand son mari avait eu un cancer ; et un ancien du Viêt-nam qui était heureux de pouvoir toucher les allocations santé prévues pour les enfants atteints d'un spina bifida par suite de l'exposition de leur père à l'agent Orange pendant la guerre. Sa fille, âgée de 12 ans, était avec lui. Elle avait un spina bifida et avait déjà subi une douzaine d'opérations durant sa courte vie.

Mais le reste du monde ne s'était pas arrêté pour notre campagne. Durant les premières semaines de septembre, Saddam Hussein a de nouveau joué le fauteur de troubles, agressant et occupant la ville d'Irbil, dans la zone kurde du nord de l'Irak, en violation des restrictions qui lui avaient été imposées à la fin de la guerre du Golfe. Deux factions kurdes s'étaient disputé le contrôle de la région ; l'une d'elles ayant décidé de soutenir Saddam, il avait attaqué l'autre. J'ai donné l'ordre de bombarder les forces irakiennes et de lancer des missiles contre elles. Et elles se sont retirées.

Le 24, je me suis rendu à New York pour la séance d'ouverture des Nations unies, où j'étais le premier parmi de nombreux chefs d'État de la planète à signer le traité sur l'interdiction complète des essais (CTBT). Pour ce faire, j'ai utilisé le stylo avec lequel le président Kennedy avait signé le traité sur l'interdiction partielle des essais trente ans plus tôt. Dans mon allocution, j'ai présenté un vaste programme de réduction de la menace que représentent les armes de destruction massive, et invité les membres des Nations unies à faire entrer en vigueur la convention sur les armes chimiques, à renforcer les dispositions relatives au respect de la convention sur les armes biologiques, à geler la production des matériaux fissiles destinés à la fabrication d'armes nucléaires, et à interdire l'utilisation, la production, le stockage et le transfert de mines terrestres antipersonnel.

Pendant que les Nations unies débattaient de la non-prolifération, le Moyen-Orient explosait à nouveau. Les Israéliens avaient ouvert, à Jérusalem, un tunnel passant sous le mont du Temple. Or les ruines des temples de Salomon et d'Hérode se trouvaient sous ce mont, sur lequel s'élèvent le dôme du Rocher et la mosquée al-Aqsa, deux des sites les plus sacrés pour les musulmans. Depuis que les Israéliens avaient pris Jérusalem-Est lors de la guerre de 1967, le mont du Temple, appelé Haram al-Sharif par les Arabes, était sous le contrôle de représentants musulmans. Lorsque le tunnel a été ouvert, les Palestiniens l'ont vu comme une menace contre leurs intérêts religieux et politiques, et il s'est ensuivi des émeutes et des échanges de tirs. Trois jours plus tard, il y avait plus de soixante morts, et bien plus de blessés. J'ai exhorté les deux parties à mettre fin à ces violences et à revenir à la mise en œuvre de l'accord de paix, tandis que Warren Christopher faisait sauter les lignes téléphoniques avec le Premier ministre Nétanyahou et le président Arafat pour faire cesser cette effusion de sang. Sur les conseils de Christopher, j'ai invité Nétanyahou et Arafat à la Maison Blanche pour qu'ils mettent les choses au clair.

J'ai fini le mois en signant le projet de loi de financement des soins qui mettait fin aux « accouchements express » en garantissant un minimum de quarante-huit heures de couverture pour les mères et leurs nouveau-nés ; prévoyait une assistance médicale aux enfants d'anciens combattants du Viêt-nam nés atteints d'un spina bifida, déjà évoquée ; et exigeait que soient établies les mêmes limites de couverture annuelle et viagère, dans les polices d'assurance santé, pour les maladies mentales et physiques. Cette avancée dans le domaine des soins psychiatriques résultait non seulement du travail des groupes de défense de la santé mentale, mais aussi des efforts personnels du sénateur Pete Domenici, du Nouveau-Mexique, du sénateur Paul Wellstone, du Minnesota, et de Tipper Gore, dont j'avais fait ma conseillère officielle en matière de politique de santé mentale.

J'ai passé les deux premiers jours du mois d'octobre avec Nétanyahou, Arafat et le roi Hussein, qui avait accepté de se joindre à nous pour essayer de remettre le processus de paix sur ses rails. Au terme de nos entretiens, Arafat et Nétanyahou m'ont demandé de répondre à la presse. J'ai déclaré que si nous n'avions pas encore résolu la question du tunnel, les deux parties étaient convenues d'engager des pourparlers immédiats dans la région en vue de mettre fin aux violences et de relancer le processus de paix. Lors de cette rencontre, Nétanyahou avait réaffirmé l'engagement de respecter les accords qu'il avait pris avant d'entrer en fonctions, ce qui incluait le retrait des troupes israéliennes d'Hébron. Peu de temps après, le tunnel a été refermé, conformément aux promesses des deux parties de ne rien faire qui change le *statu quo* à Jérusalem hors négociations.

Le 3, j'avais repris ma tournée de campagne, m'arrêtant pour un meeting à Buffalo, dans l'État de New York, ville qui m'avait toujours été favorable, sur le chemin de Chautauqua, afin de préparer mon premier débat présidentiel avec Bob Dole à Hartford, dans le Connecticut, le 6. Toute l'équipe était là, y compris mon conseiller en relations avec les médias, Michael Sheehan. Le sénateur George Mitchell est venu jouer Bob Dole lors de nos simulations de débat. Au début, il m'écrasait, mais au fur et à mesure, avec la pratique, j'ai fait face. Entre deux séances, j'allais faire une partie de golf avec Erskine Bowles. Je faisais des progrès. En juin, j'avais enfin joué pour la première fois en dessous de 80, mais je ne pouvais toujours pas battre Erskine quand il était en forme.

En fait, le débat s'est avéré civilisé et même éducatif pour les gens intéressés par nos conceptions respectives du gouvernement et par nos points de vue sur les questions soulevées. Dole m'a bien lancé quelques piques, prétendant notamment que j'effrayais les personnes âgées avec mes spots critiquant les restrictions au programme Medicare prévues dans le budget républicain auquel j'avais posé mon veto, et il a répété l'affirmation de son discours de convention selon laquelle j'avais placé au gouvernement de nombreux jeunes membres de l'élite « qui n'ont jamais grandi, n'ont jamais rien fait de concret, ne se sont jamais sacrifiés, n'ont jamais souffert ni appris de leçon » et qui voulaient « financer avec votre argent leurs programmes douteux et intéressés ». J'ai répliqué qu'un de ces jeunes membres de l'« élite » qui travaillait pour moi à la Maison Blanche avait grandi dans un mobile home, et pour ce qui était de mon excès de libéralité, j'ai répondu : « C'est ce qu'ils sortent toujours quand la bataille est serrée. C'est un peu leur vieux disque préféré. Mais je ne crois pas qu'il fasse encore recette. »

[...]

Le second débat était prévu dix jours plus tard à San Diego. Entre-temps, Hillary, Al, Tipper et moi sommes allés voir l'immense patchwork qui recouvrait le Mall, à Washington, et dont chaque pièce honorait une personne morte du sida. Deux d'entre elles étaient des amis de Hillary et moi. J'étais heureux que le taux de mortalité par le sida diminue et résolu à continuer d'inciter à davantage de recherches en vue de mettre au point des médicaments salvateurs.

Pour le débat de San Diego, Mickey Kantor avait négocié la formule questions-réponses. Le 16, des citoyens venus à l'Université de San Diego nous ont posé des questions intéressantes, auxquelles Dole et moi avons répondu sans jamais nous attaquer. Dans sa déclaration finale, Dole en a appelé à sa base électorale, rappelant que j'étais opposé à la modification de la durée des mandats ou à des amendements à la Constitution comme moyens d'équilibrer le budget, de protéger le drapeau américain et d'interdire les restrictions à la prière volontaire à l'école. Pour ma part, j'ai terminé par un résumé de mes propositions pour les quatre années à venir. Au moins, les gens savaient quel choix leur était proposé.

À deux semaines des élections, les sondages me donnaient vainqueur avec une avance de 20 points et 55 % des voix. J'aurais préféré qu'ils ne soient pas publiés, parce que, nos partisans pensant que l'élection était gagnée, la campagne a perdu de son animation. J'ai cependant continué à travailler dur, me concentrant sur les États que nous souhaitions conquérir, l'Arizona et la Floride, mais aussi sur certains où nous l'avions déjà emporté, dont trois qui m'inquiétaient tout spécialement, le Nevada, le Colorado et la Géorgie. Le 25 octobre, nous avions un grand rassemblement à Atlanta, où la lutte était serrée pour mon ami de longue date Max Cleland, candidat au Sénat fédéral. Sam Nunn a cependant usé d'arguments particulièrement efficaces en faveur de ma réélection, et j'ai quitté la Géorgie en pensant que nous avions peut-être une chance.

Le 1er novembre, j'ai abordé la dernière ligne droite de la campagne avec un meeting du matin à Santa Barbara City College. En cette journée douce et ensoleillée, une foule nombreuse s'est massée sur la colline du campus, qui domine l'océan Pacifique. Santa Barbara était un bon endroit pour conclure la campagne californienne, car cette région, autrefois solidement républicaine, avait commencé à basculer vers nous.

De là, j'ai pris l'avion pour Las Cruces, au Nouveau-Mexique, puis jusqu'à El Paso, où s'est tenu notre plus gros rassemblement puisque plus de quarante mille personnes sont venues à l'aéroport me témoigner leur soutien, et enfin jusqu'à San Antonio pour le meeting traditionnel à Alamo. Je savais que nous ne pouvions remporter le Texas, mais je voulais rendre hommage à la loyauté des Démocrates de l'État, et notamment des Hispaniques qui m'avaient été fidèles.

Alors que nous arrivions aux trois derniers jours de la campagne, j'ai été confronté à un dilemme. Plusieurs candidats au Sénat d'États relativement petits me demandaient de faire campagne pour eux. Mais Mark Penn disait que si je leur consacrais les derniers jours de la campagne, au lieu d'aller dans de plus grands États, je risquais de ne pas obtenir la majorité des voix, pour diverses raisons. Premièrement, l'élan de notre campagne avait été freiné, au cours des deux dernières semaines, par des allégations selon lesquelles le DNC aurait reçu plusieurs centaines de milliers de dollars de fonds de campagne illégaux versés par des Asiatiques, parmi lesquels se trouvaient des personnes que j'avais connues du temps où j'étais gouverneur. Quand je l'ai appris, j'ai piqué une colère. Mon trésorier, Terry McAuliffe, avait veillé à ce que les contributions à notre campagne soient scrupuleusement contrôlées, et le DNC était également censé avoir un dispositif de vérification permettant de rejeter les versements douteux. De toute évidence, la procédure d'autorisation du DNC posait problème. Tout ce que j'ai pu dire, c'est que toute contribution illégale devait être immédiatement rendue à son émetteur. Cette controverse semblait néanmoins devoir nous causer du tort le jour du scrutin. Deuxièmement, Ralph Nader, qui était candidat sur le ticket des Verts, allait me faire perdre quelques voix à gauche. Troisièmement, Ross Perot, qui était entré dans la campagne en octobre, trop tardivement pour participer aux débats, n'était pas aussi bien placé qu'en 1992, mais il terminait sa campagne comme la précédente, c'est-à-dire en me lançant de violentes attaques. Il déclara que j'allais être « entièrement occupé dans les deux années à venir à ne pas [me] faire mettre en prison » et me traita d'« insoumis » qui avait des « carences éthiques, un financement de campagne corrompu et une attitude laxiste à l'égard de la drogue ». Et pour finir, la participation au vote risquait d'être bien inférieure à celle de 1992 du fait que l'on répétait depuis plusieurs semaines aux électeurs que la campagne était terminée.

Pour Mark Penn, si je voulais gagner la majorité des voix, je devais me rendre sur les grandes places médiatiques des grands États pour demander aux gens de se rendre aux urnes. Sinon, disait-il, s'ils croyaient l'issue déjà connue, les Démocrates à faible revenu risquaient fort d'aller voter en moins grand nombre que des Républicains plus aisés ou plus motivés par leurs convictions. Il était déjà prévu que j'aille en Floride et au New Jersey, et sur les conseils de Mark, nous avons ajouté une étape à Cleveland. Mais j'ai également programmé de rapides apparitions dans les États où se tenaient aussi des sénatoriales : la Louisiane, le Massachusetts, le Maine, le New Hampshire, le Kentucky, l'Iowa, et le Dakota-du-Sud. Dans la course à la présidence, seul le Kentucky était incertain ; j'étais nettement en tête dans tous les autres États, à l'exception du Dakota-du-Sud, où je m'attendais à ce qu'au final les Républicains votent en masse pour Dole. Si j'ai décidé de me rendre dans ces États, c'est parce que j'ai pensé que cela valait la peine de perdre 2 ou 3 points sur le total de mes voix pour élire davantage de Démocrates au Sénat et parce que les candidats, dans six de ces sept États, m'avaient aidé en 1992 ou au Congrès.

Dimanche 3 novembre, après avoir assisté à l'office à l'église épiscopale méthodiste africaine de St. Paul, à Tampa, j'ai pris l'avion pour le New Hampshire afin de soutenir notre candidat au Sénat, Dick Swett, puis pour

Cleveland, où le maire, Mike White, et le sénateur John Glenn m'ont assuré une promotion de dernière minute, ensuite pour Lexington, dans le Kentucky, pour un meeting à l'Université d'État avec le sénateur Wendell Ford, le gouverneur Paul Patton et notre candidat au Sénat, Steve Beshear. Je savais qu'il allait être difficile de résister dans le Kentucky à cause de la question du tabac, mais j'ai été encouragé par la présence à la tribune de l'entraîneur de basket de l'Université du Kentucky, Rick Pitino. Dans un État où tous les gens aimaient leur équipe de basket et où près de la moitié d'entre eux ne m'aimaient pas, la présence de Pitino était bien utile. En outre, c'était un geste courageux de sa part.

Lorsque je suis arrivé à Cedar Rapids, dans l'Iowa, il était 20 heures. Je voulais vraiment être là pour Tom Harkin, qui était à la lutte pour sa réélection. Il m'avait vigoureusement soutenu au Sénat, et à la suite des primaires de 1992, Tom et sa femme, Ruth, une juriste collaborant avec le gouvernement, étaient entrés dans le cercle de mes bons amis.

La dernière halte de la nuit était Sioux Falls, dans le Dakota-du-Sud, où le député démocrate Tim Johnson avait une vraie chance de détrôner le Républicain Larry Pressler. Johnson et son supporter numéro un, le sénateur Tom Daschle, m'avaient tous les deux beaucoup soutenu. En tant que chef de la minorité au Sénat, Daschle avait été d'une aide inestimable pour la Maison Blanche durant la bataille budgétaire et la fermeture des services fédéraux ; c'est pourquoi, quand il m'avait demandé de venir dans le Dakota-du-Sud, je n'avais pas pu le lui refuser.

Il était presque minuit quand je me suis levé dans le Sioux Falls Arena and Convention Center pour prendre la parole « dans le cadre du dernier meeting de la dernière campagne que je mènerai jamais ». Étant donné que c'était mon dernier discours, ils ont eu droit au lot complet : mon bilan, la bagarre au sujet du budget, et ce que j'avais l'intention de faire dans les quatre années suivantes. Et comme je me trouvais dans un État rural, comme l'Arkansas, je leur ai raconté une blague. J'ai dit que le budget des Républicains me rappelait l'histoire d'un homme politique qui voulait demander à un agriculteur de voter pour lui mais n'osait pas entrer dans sa cour à cause d'un chien qui aboyait. L'homme politique a alors demandé à l'agriculteur : « Est-ce que votre chien mord ? » « Non », a répondu l'agriculteur. Mais quand l'homme politique a traversé la cour pour s'approcher de l'agriculteur, le chien l'a mordu. « Vous aviez dit que votre chien ne mordait pas ! » a-t-il crié. Et l'agriculteur a répondu : « Ben p'tit gars, c'est pas mon chien. » Leur chien, c'était le budget.

Les élections se sont passées comme Mark Penn l'avait prédit : la participation a été plus faible que jamais, et j'ai gagné avec 49 % des voix contre 41. J'ai remporté 379 voix de grands électeurs contre 159, perdant trois États que j'avais remportés en 1992, le Montana, le Colorado et la Géorgie, et en gagnant deux nouveaux, l'Arizona et la Floride, ce qui représentait un gain net de neuf grands électeurs.

Derrière les chiffres globaux, de subtiles différences entre les totaux par État entre 1992 et 1996 révélaient à quel point les facteurs culturels influençaient le vote dans certains États, alors que des questions économiques et

sociales plus traditionnelles restaient essentielles dans d'autres. Toutes les élections sont déterminées par ce genre de variations et, en 1996, elles m'ont
beaucoup renseigné sur ce qui importait aux différents groupes d'Américains.
Ainsi, en Pennsylvanie, État dans lequel de nombreux électeurs sont membres
de la NRA et opposés à l'avortement, j'ai gagné avec la même marge à Philadelphie et de bons résultats à Pittsburgh, alors que dans le reste de l'État,
j'avais perdu des voix à cause des armes et de la loi sur l'avortement. Dans le
Missouri, les mêmes éléments ont réduit ma marge de près de 50 %, la faisant
passer de 10 à 6 %. Dans l'Arkansas, je conservais la majorité, mais mon
avance était légèrement plus faible qu'en 1992. Et dans le Tennessee, elle était
passée de 4,5 à 2,5 %.

Dans le Kentucky, ce sont le tabac et les armes qui ont réduit notre
marge de 3 à 1 %. Et pour les mêmes raisons, bien que j'aie été en tête en
Caroline-du-Nord durant toute la campagne, j'ai perdu avec une différence
de 3 %. Dans le Colorado, je suis passé d'une victoire avec 4 % d'avance en
1992 à une défaite avec 1,5 % de retard parce que ceux qui avaient voté pour
Perot dans l'Ouest avaient sans doute plutôt voté Républicain cette fois et
que les Républicains avaient gagné cent mille nouveaux électeurs inscrits par
rapport aux Démocrates depuis 1992, en partie du fait du grand nombre
d'organisations de la droite chrétienne qui avaient établi leur siège dans cet
État. Dans le Montana, j'ai largement perdu parce que, comme dans le Colorado, la baisse du nombre de voix remportées par Perot avait profité davantage au sénateur Dole qu'à moi.

En Géorgie, alors que le dernier sondage m'avait donné en tête avec
4 points d'avance, j'ai perdu de 1 %. La Coalition chrétienne en était en
grande partie responsable : en 1992, elle avait réduit ma marge de 6 à moins
de 1 % en distribuant massivement ses « guides à l'intention des électeurs »
dans les églises conservatrices le dimanche qui avait précédé le scrutin. Les
Démocrates menaient le même type d'action dans les églises noires depuis des
années, mais la Coalition chrétienne, tout au moins en Géorgie, était particulièrement efficace, puisqu'elle a réussi à me faire chuter de 5 % tant en 1992
qu'en 1996. J'étais déçu de perdre la Géorgie, mais heureux que Max Cleland
ait résisté en recueillant un peu plus de votes de Blancs que moi. Le Sud était
une région difficile à cause des problèmes culturels ; le seul État du Sud où
mon avance se soit nettement creusée en 1996 était la Louisiane, où mon
score est passé de 4,5 à 12 %.

En revanche, mon avance a nettement augmenté dans des États moins
conservateurs, du point de vue culturel, ou plus sensibles aux facteurs économiques. Ainsi, ma marge sur les Républicains a monté de 10 % ou plus en
1996, par rapport à 1992, dans le Connecticut, à Hawaï, dans le Maine, le
Massachusetts, le New Jersey, dans l'État de New York et à Rhode Island.
Nous avons conservé nos grosses marges de 1992 dans l'Illinois, le Minnesota,
le Maryland et la Californie, et fortement creusé l'écart dans le Michigan et
l'Ohio. En dépit de la question des armes, j'ai aussi gagné 10 % par rapport à
1992 dans le New Hampshire. Et j'ai résisté avec une marge de 1 % dans le
Nevada, en grande partie grâce à mon opposition au rejet des déchets
nucléaires des États-Unis dans cet État tant qu'il n'avait pas été prouvé

scientifiquement que c'était sans danger, et grâce à la publicité permanente dont m'a fait bénéficier, sur ce point, mon ami et camarade de Georgetown Brian Greenspun, président et rédacteur en chef du *Las Vegas Sun*, que la question des déchets nucléaires passionnait.

Dans l'ensemble, j'étais satisfait de mes résultats. J'avais remporté plus de voix de grands électeurs qu'en 1992 et quatre des sept candidats au Sénat pour lesquels j'avais fait campagne avaient gagné : Tom Harkin, Tim Johnson, John Kerry et, en Louisiane, Mary Landrieu. Mais le fait que mon pourcentage de voix ait été nettement moins élevé que ma cote de popularité présidentielle et personnelle ou que le pourcentage de gens qui se déclaraient confiants s'ils me gardaient comme président rappelait à la réalité de l'importance des problèmes culturels comme les armes, l'homosexualité et l'avortement, notamment parmi les couples blancs mariés du Sud, des États montagneux de l'Ouest et du Middle West rural, mais aussi parmi les hommes blancs de l'ensemble du pays. Je ne pouvais que continuer de rechercher des points de convergence en m'efforçant de tempérer les ardeurs partisanes à Washington et d'agir de mon mieux en tant que président.

Lors du meeting qui a suivi l'annonce des résultats, à l'Old State House de Little Rock, l'atmosphère a été bien différente de ce qu'elle avait été la première fois. Il y avait à nouveau beaucoup de monde, mais cette fête a été marquée moins par une bruyante exubérance que par un profond bonheur de voir que notre pays allait mieux et que les Américains avaient approuvé mon travail.

Comme cette élection avait été sans grand suspense durant les dernières semaines de la campagne, il était facile d'en sous-estimer la portée. Après les législatives de 1994, j'avais été tourné en dérision, certains me considérant comme un personnage insignifiant et voué à la défaite en 1996. Durant les premières phases de la bataille budgétaire, alors que le blocage des services fédéraux se profilait à l'horizon, il n'avait pas paru certain du tout que je l'emporte ou que les Américains me soutiennent face aux Républicains. J'étais maintenant le premier président démocrate à être réélu depuis Franklin D. Roosevelt en 1936.

CHAPITRE QUARANTE-SEPT

Le lendemain des élections, j'étais de retour à la Maison Blanche pour célébrer la victoire sur la pelouse sud avec mes collaborateurs, mon cabinet, d'autres délégués, les membres de notre état-major de campagne et les représentants du Parti démocrate. Dans l'une de mes interventions, j'ai raconté que la veille au soir, alors que j'attendais les résultats des élections, j'avais tenu une réunion avec des gens qui avaient travaillé avec moi en Arkansas quand j'étais ministre de la Justice et gouverneur. « Je leur avais dit quelque chose que je veux vous dire à vous aussi : que j'ai toujours été un bosseur et quelqu'un d'exigent. Je suis toujours concentré sur ce qui est devant moi. Il m'arrive de ne pas dire assez souvent "merci". Et j'ai toujours été dur avec moi-même et parfois je me dis que, tout simplement parce que ça ne me vient pas à l'idée, je suis trop dur avec les gens qui travaillent ici. »

Notre équipe avait abattu beaucoup de travail au cours des quatre dernières années, dans un climat d'extrême tension. C'était le résultat de mes erreurs du début, des deux premières années où la couverture médiatique avait été terriblement négative, de la perte du Congrès en 1994, des retombées financières et émotionnelles du scandale de Whitewater, de trop de drames personnels et des exigences permanentes qui pèsent sur ceux qui essaient de faire tourner le pays. J'avais fait tout mon possible pour garder le moral et préserver celui des troupes, et pour nous empêcher d'être trop distraits par les drames, les viles attaques et les accidents de parcours. À présent que le peuple américain nous avait donné un nouveau mandat, j'espérais qu'au cours des quatre années suivantes nous serions plus libres de nous occuper des affaires publiques sans avoir à subir les perturbations et les luttes qui avaient caractérisé le premier mandat.

J'avais été inspiré par une déclaration qu'avait faite à la fin du mois d'octobre Joseph Cardinal Bernardin, l'archevêque de Chicago, irréductible défenseur de la justice sociale que Hillary et moi connaissions très bien et admirions beaucoup. Bernardin était très gravement malade et n'en avait plus pour longtemps à vivre lorsqu'il a dit : « Un mourant n'a pas de temps à consacrer à ce qui n'est qu'annexe ou contingent, [...] c'est une erreur que de gâcher le précieux don du temps qui nous est fait en acrimonies et en désaccords. »

Au cours de la semaine qui a suivi les élections, plusieurs pivots de l'administration ont annoncé leur intention de quitter leurs fonctions à la fin de l'année, parmi lesquels Leon Panetta et Warren Christopher. Chris avait vécu dans un avion pendant quatre ans et Leon nous avait accompagnés tout au long de la bataille pour le budget, sans parler des soirées d'élections où il était resté à veiller et à jouer aux cartes avec moi. Tous deux voulaient rentrer en Californie et retrouver une vie normale. Ils m'avaient bien servi, ils avaient bien servi le pays et ils allaient me manquer. Le 8 novembre, j'ai annoncé que Erskine Bowles allait devenir le nouveau secrétaire général. Son cadet était maintenant à l'université et Erskine était libre pour servir à nouveau l'État, même si cela allait lui coûter les yeux de la tête, car une fois de plus il allait abandonner son affaire lucrative.

Dieu merci, Nancy Hernreich et Betty Currie restaient. Désormais, Betty connaissait la plupart de mes amis dans tout le pays et pouvait se charger d'une bonne partie des coups de téléphone ; elle m'a extraordinairement aidé. Nancy comprenait le fonctionnement de notre bureau et le besoin que j'avais de voir mes collaborateurs à la fois s'impliquer dans les détails du travail au jour le jour et prendre du recul. Elle faisait tout ce qu'elle pouvait pour me faciliter la tâche et, grâce à elle, le travail au Bureau ovale se passait dans les meilleures conditions. Mon bras droit de l'époque, Stephen Goodin, me quittait, mais nous lui avions trouvé un excellent remplaçant : Kris Engskov, qui avait été à la Maison Blanche depuis le début et que j'avais rencontré pour la première fois en Arkansas en 1974, au cours de ma première campagne. Comme le bureau du bras droit du Président se trouvait juste en face du Bureau ovale, il pouvait m'assister en permanence. J'étais content d'avoir à ce poste quelqu'un que je connaissais depuis longtemps et que j'appréciais. J'étais heureux aussi d'avoir avec moi Janis Kearny, la chroniqueuse de la Maison Blanche. Janis avait été la rédactrice en chef de l'*Arkansas State Press*, le quotidien des Noirs de Little Rock, et elle consignait méticuleusement tous les détails de nos réunions. Je ne sais pas ce que j'aurais fait sans cette équipe.

Une semaine plus tard, après que j'eus annoncé une prolongation de notre mission en Bosnie de dix-huit mois, Hillary et moi sommes partis pour un voyage en Australie, aux Philippines et en Thaïlande, voyage qui mêlerait le travail à des vacances dont nous avions bien besoin. Nous avons commencé par passer trois jours de pure détente à Hawaï, puis nous nous sommes envolés pour Sydney, en Australie. Après une entrevue avec le Premier ministre John Howard, un discours prononcé devant le Parlement australien à Canberra et un jour à Sydney, dont nous avons profité pour faire une partie de golf inoubliable avec l'un des plus grands golfeurs de notre temps, Greg Norman, nous avons pris l'avion vers le nord pour rejoindre Port Douglas, une station balnéaire sur la mer de Corail, près de la Grande Barrière de corail. Sur place, nous avons fait une promenade dans la forêt pluviale de Daintree avec un guide aborigène, fait un tour de la réserve sauvage où j'ai pu cajoler un koala du nom de Chelsea et exploré la magnifique barrière avec un masque et un tuba. Comme toutes les barrières de corail du monde, elle était menacée par la pollution de l'océan, le réchauffement climatique et la déprédation. Juste avant que nous ne partions pour la voir, j'ai annoncé que les États-Unis soutiendraient le projet international de préservation des barrières de corail, dont le but était d'empêcher que se poursuive la destruction des barrières coralliennes partout dans le monde.

D'Australie, nous sommes partis vers les Philippines pour le quatrième sommet des chefs d'État asiatiques, organisé par le président Fidel Ramos. Le principal résultat de ce congrès a été un accord auquel j'avais travaillé qui prévoyait pour l'an 2000 la suppression de tous les tarifs douaniers sur toute une série d'ordinateurs, de semi-conducteurs et d'instruments de télécommunication, décision qui allait avoir pour conséquence en Amérique une augmentation des exportations et du nombre des emplois à forte rémunération.

Nous avons visité la Thaïlande pour honorer la cinquantième année passée par le roi sur le trône de l'un des plus anciens pays alliés de l'Amérique dans l'Asie du Sud-Est : les États-Unis avaient signé un traité d'amitié et de commerce avec le roi de Siam en 1833. Le roi Bhumibol Adulyadej était un pianiste accompli et il adorait le jazz. Je lui ai offert le cadeau de jubilé d'or que tout aficionado de jazz apprécierait : un grand portfolio de photographies de musiciens de jazz, signées de la main du grand photographe de jazz Herman Leonard.

Nous sommes rentrés chez nous à temps pour fêter notre traditionnel Thanksgiving à Camp David. Cette année-là, nous comptions parmi nous nos délicieux petits neveux, le fils de Roger, Tyler, et le fils de Tony, Zach. À les regarder jouer, nous sentions l'esprit de Thanksgiving devenir réalité.

En décembre, j'avais à reconstituer une bonne partie de mon administration. Bill Perry, John Deutch, Mickey Kantor, Bob Reich, Hazel O'Leary, Laura Tyson et Henry Cisneros : tous partaient. Nous perdions des collaborateurs de valeur à la Maison Blanche également. Harold Ickes retournait à son cabinet d'avocat et de consultant, et le secrétaire général adjoint Evelyn Lieberman partait pour le Département d'État pour y prendre la tête de *La Voix de l'Amérique*.

Au tout début du mois, j'ai annoncé la composition de ma nouvelle cellule de sécurité : Madeleine Albright était secrétaire d'État ; Bill Cohen, ancien sénateur républicain du Maine, prenait le poste de secrétaire à la Défense ; Tony Lake était le nouveau directeur de la CIA ; Bill Richardson était nommé ambassadeur aux Nations unies et Sandy Berger conseiller à la Sécurité nationale. Albright avait fait un travail remarquable aux Nations unies et elle comprenait les défis que nous avions à relever, en particulier dans les Balkans et au Moyen-Orient. Je pensais qu'elle méritait de devenir la première femme secrétaire d'État. Bill Richardson avait montré des talents d'habile diplomate en Corée-du-Nord et en Irak, et j'étais content de le voir accepter de devenir le premier ambassadeur hispanique aux Nations unies.

Bill Cohen était un homme politique avisé, d'allure juvénile et qui apportait des idées neuves sur la défense depuis des années. Il avait participé à la rédaction du traité START I et sa participation avait été déterminante dans le vote de la législation qui réorganisait et renforçait les structures de commandement militaire dans les années 1980. Je voulais avoir un Républicain au sein du cabinet, j'appréciais et je respectais Cohen, et je pensais qu'il pouvait se glisser dans les très imposantes chaussures de Bill Perry. Lorsque je lui ai promis que jamais je ne politiserais les décisions touchant à la défense, il a accepté le poste. J'étais très embarrassé par la perte de John Deutch à la CIA. Il avait fait du bon travail en tant que secrétaire adjoint à la Défense, puis avait pris en charge la lourde responsabilité de directeur de la CIA à la suite de Jim Woolsey, qui n'avait fait à ce poste qu'un passage rapide. Le passage de Tony Lake au Conseil national de sécurité lui avait permis d'acquérir une compréhension toute particulière des forces et des faiblesses de nos opérations de renseignement, qui prenaient aujourd'hui une importance capitale avec la montée du terrorisme.

Je ne voyais nul autre que Sandy Berger pour occuper le poste de conseiller à la Sécurité nationale. Nous étions amis depuis plus de vingt ans. Cela ne le gênait pas de m'annoncer de mauvaises nouvelles ou de me montrer son désaccord dans des réunions, et il avait fait un travail formidable en plusieurs occasions très diverses au cours du premier mandat. Les capacités d'analyse de Sandy étaient impressionnantes. Il concevait toute l'étendue d'un problème, repérait les pièges que les autres ne voyaient pas, sans que ces pièges ne le paralysent. Il comprenait mes forces et mes faiblesses et savait comment tirer un maximum d'avantages des premières et comment minimiser les secondes. Il ne laissait jamais non plus son ego interférer dans la prise de bonnes décisions.

George Stephanopoulos partait, lui aussi. Il m'avait avoué peu de temps avant les élections qu'il était au bout du rouleau et qu'il fallait qu'il parte. Jusqu'au moment où j'ai lu ses mémoires, je ne m'étais pas rendu compte à quel point il lui avait été difficile de supporter la pression de cette année, à quel point il avait été dur avec lui-même et avec moi. George se lançait dans l'enseignement et dans une carrière à la télévision, où j'espérais qu'il serait plus heureux.

En deux semaines, j'avais comblé les postes qui restaient à pourvoir au cabinet. J'ai nommé Bill Daley, de Chicago, au poste de secrétaire au Commerce après que Mickey Kantor, à mon grand regret, m'avait annoncé qu'il souhaitait quitter la vie publique. Daley était un homme de talent qui avait pris la tête de notre campagne pour l'ALENA. Charlene Barshefsky avait été représentante du Commerce suppléante pendant les huit mois qui s'étaient écoulés depuis le transfert de Mickey Kantor au Commerce. Elle accomplissait un travail exceptionnel, et il était temps de supprimer le terme de « suppléante » de son titre.

J'ai également demandé à Alexis Herman de succéder à Bob Reich au département du Travail ; au secrétaire adjoint au Logement et à l'Urbanisme Andrew Cuomo de prendre la suite de Henry Cisneros à la tête du département du Logement et de l'Urbanisme ; à Federico Peña de remplacer Hazel O'Leary à l'Énergie ; à Rodney Slater, administrateur des autoroutes fédérales, de succéder à Peña au poste de secrétaire aux Transports ; à Aida Alvarez de prendre la tête de l'Administration pour les petites et moyennes entreprises ; à Gene Sperling de se charger du Conseil économique national suite au départ de Laura Tyson ; au Dr Janet Yellen, qui avait été le professeur de Larry Summers à Harvard, de présider le Conseil des conseillers économiques ; à Bruce Reed d'être mon conseiller pour la politique intérieure, en remplacement de Carol Rasco, qui était transférée au département de l'Éducation pour mener à bien notre programme de soutien scolaire America Reads et à Sylvia Matthews, une brillante jeune femme qui travaillait pour Bob Rubin, de remplacer Harold Ickes au poste de secrétaire général adjoint de la Maison Blanche.

Bob Reich avait fait du bon boulot au département du Travail et en tant que membre de la cellule économique, mais cela devenait dur pour lui ; il n'était pas d'accord avec ma politique économique et budgétaire, pensant que j'avais trop insisté sur la réduction du déficit et trop peu investi dans l'éducation, la formation et les nouvelles technologies. Bob voulait aussi rentrer chez lui, dans le Massachusetts, pour y retrouver sa femme, Clare, et leurs fils.

J'avais beaucoup de peine à l'idée de perdre Henry Cisneros. Nous étions déjà amis avant que je ne me lance dans la course à la présidence et il avait fait un travail formidable au Logement et à l'Urbanisme. Depuis plus d'un an, Henry faisait l'objet d'une enquête commanditée par un procureur indépendant suite à des déclarations erronées qu'il avait faites à propos de ses dépenses personnelles au cours de l'entretien d'enquête avec le FBI pour le poste au Logement et à l'Urbanisme. La loi stipulait que c'était un délit pour une personne désignée pour un poste de ce type de faire une fausse déclaration « matérielle », délit qui devait affecter le processus de confirmation. Le sénateur Al D'Almato, dont la commission avait recommandé la confirmation de Cisneros, avait rédigé une lettre disant que la déclaration de Henry qui ne donnait pas les chiffres exacts de ses dépenses n'affecterait en rien son vote, ou celui de n'importe lequel des sénateurs de la commission. Les procureurs du bureau de l'intégrité publique du département de la Justice se prononçaient contre la désignation d'un procureur spécial.

Malheureusement, Janet Reno avait quand même remis le dossier de Cisneros à la commission judiciaire présidée par le juge Sentelle. Comme il se devait, ils lui avaient mis sur le dos un procureur spécial républicain : David Barrett, un militant actif, qui, bien qu'on n'ait pas pu l'accuser de quoi que ce soit de mal, était connu pour avoir des liens étroits avec des fonctionnaires qui avaient été condamnés sous l'administration Reagan. Personne n'avait accusé Henry d'aucune malversation dans son travail, mais il avait quand même été précipité dans l'affaire de Whitewater. Henry était effroyablement endetté par le coût de cette affaire et il avait deux enfants à l'université. Il devait gagner plus d'argent pour faire vivre sa famille et payer ses avocats. Je ne pouvais que le remercier d'être resté à mes côtés pendant ces quatre années entières.

Même si j'avais effectué beaucoup de changements, je pensais que nous pouvions conserver l'esprit de camaraderie et de travail d'équipe qui avait caractérisé le premier mandat. La plupart des nouveaux venus travaillaient déjà dans l'administration et bon nombre des membres de mon cabinet restaient les mêmes.

Au mois de décembre ont eu lieu plusieurs événements intéressants dans le domaine de la politique étrangère. Le 13, le Conseil de sécurité des Nations unies, fermement soutenu par les États-Unis, s'est donné un nouveau secrétaire général, le Ghanéen Kofi Annan. C'était le premier Africain subsaharien à occuper ce poste. En tant que sous-secrétaire au maintien de la paix durant les quatre années précédentes, il avait soutenu notre action en Bosnie et en Haïti. Madeleine Albright pensait qu'il s'agissait d'un dirigeant exceptionnel et m'avait demandé de le soutenir, tout comme Warren Christopher, Tony Lake et Dick Holbrooke. Kofi était un homme intelligent et impressionnant, d'une présence posée mais pleine d'autorité. Il avait passé la plus grande partie de sa vie au service des Nations unies, mais il ne refusait pas de voir les défauts de cette organisation et il n'en avait pas non plus adopté les mauvaises habitudes. Il s'était plutôt engagé à rendre les opérations des Nations unies plus efficaces et plus transparentes. C'était important par principe et c'était également vital si je voulais pouvoir persuader les Républicains du Congrès de payer ce que nous devions aux Nations unies. Nous avions un milliard et demi de dollars d'arriérés et depuis 1995, lorsque les Républicains l'avaient emporté, le Congrès refusait de payer jusqu'à ce que les Nations unies acceptent de se réformer. Je pensais que ce refus de payer nos arriérés était une attitude irresponsable et dommageable tant aux Nations unies qu'aux États-Unis, mais pour moi aussi la réforme était impérative.

Au Moyen-Orient, le Premier ministre Nétanyahou et le président Arafat tentaient de résoudre leurs différends, ainsi qu'en témoignait le déplacement de Nétanyahou à Gaza le jour du réveillon de Noël pour trois heures de pourparlers. Comme l'année s'achevait, mon émissaire, Dennis Ross, faisait la navette entre eux, tentant de conclure un accord sur la restitution d'Hébron aux Palestiniens. Ce n'était pas encore fait, mais j'entamais 1997 avec un espoir de voir aboutir le processus de paix que je n'avais pas ressenti depuis des mois.

Après avoir passé le Nouvel An à Saint Thomas dans les îles Vierges, parcelle de notre nation que les présidents ne visitent que rarement, ma famille est rentrée pour se préparer à l'intronisation et à ma cinquième année de présidence. De bien des manières, cela allait être l'année la plus normale depuis ma première élection. Pendant la majeure partie de cette année, le scandale de Whitewater n'a été qu'une petite fièvre qui ne se réveillait qu'occasionnellement au moment des enquêtes sur le financement des campagnes électorales, et j'avais tout loisir de faire mon boulot.

Pendant la période précédant l'intronisation, nous avons organisé toute une série d'événements destinés à montrer que les choses allaient dans la bonne direction, mettant en lumière les 11,2 millions d'emplois qui avaient été créés au cours des quatre années précédentes, la chute la plus spectaculaire du taux de criminalité depuis vingt-cinq ans et une baisse de 40 % de l'incapacité à rembourser un prêt étudiant.

J'ai corrigé une ancienne injustice en décernant la médaille d'honneur du Congrès à sept anciens combattants afro-américains de la Seconde Guerre mondiale. Fait étonnant, on n'avait jamais attribué de médaille d'honneur à des Noirs qui avaient servi durant cette guerre. La sélection avait été précédée d'une étude exhaustive des états de service. Six des médailles ont été attribuées à titre posthume, mais l'un des anciens soldats décorés, Vernon Baker, âgé de 77 ans, était venu à la Maison Blanche pour la cérémonie. C'était un homme impressionnant, digne et posé, d'une intelligence lumineuse : lorsqu'il était lieutenant en Italie, il y avait de cela plus de cinquante ans, il avait à lui seul neutralisé trois unités mitrailleuses ennemies, un poste d'observation et une tranchée. Lorsqu'on lui a demandé comment il avait vécu la discrimination et les préjugés après avoir tant fait pour son pays, Baker a répondu qu'il avait vécu sa vie en observant quelques principes simples : « Montre du respect avant d'en attendre, traite les autres comme tu voudrais qu'on te traite, n'oublie pas ta mission, montre l'exemple, poursuis ton chemin. » Ces principes-là m'allaient bien.

Le lendemain de la cérémonie de remise des médailles d'honneur, le Premier ministre Nétanyahou et le président Arafat m'ont appelé pour m'annoncer qu'ils étaient parvenus à un accord sur le déploiement israélien à Hébron, clôturant avec succès les pourparlers qui avaient commencé en septembre. L'accord sur Hébron ne constituait qu'un aspect relativement mineur du processus de paix, mais c'était la première fois que Nétanyahou et Arafat avaient accompli quelque chose ensemble. S'ils n'y étaient pas parvenus, le processus de paix tout entier aurait été grandement menacé. Dennis Ross avait travaillé avec eux quasiment vingt-quatre heures sur vingt-quatre pendant quelques semaines et le roi Hussein et Warren Christopher avaient l'un comme l'autre encouragé les deux parties à s'accorder dans les derniers jours des négociations. Le président Moubarak lui aussi avait joué de son influence, lorsque je l'avais appelé à 1 heure du matin au Caire à la fin du ramadan. Le Moyen-Orient était comme ça ; il fallait souvent faire appel à toutes les bonnes volontés pour faire aboutir les choses.

Trois jours avant l'intronisation, j'ai décerné à Bob Dole la médaille présidentielle de la liberté, en faisant remarquer que depuis son service dans l'armée pendant la Seconde Guerre mondiale, au cours de laquelle il avait été grièvement blessé en portant secours à un camarade tombé au combat, en passant par tous les hauts et les bas de sa carrière politique, Dole avait « fait de l'adversité un avantage et de la douleur un service public, incarnant ainsi la devise de l'État qu'il aimait et qu'il continuait de si bien servir : *Ad astra per aspera*, par les souffrances, vers les étoiles ». Même si nous avions été des adversaires et même si nous étions en désaccord sur bien des points, j'appréciais beaucoup Dole. Dans la lutte, il pouvait se montrer méchant et dur, mais il n'y avait pas chez lui ce fanatisme et cette avidité de destruction personnelle que l'on retrouvait chez tant de ces Républicains de la droite dure qui, à présent, dominaient son parti à Washington.

J'avais eu une entrevue passionnante avec Dole un mois plus tôt. Il était venu me voir avec un petit jouet pour notre chat Socks, cadeau, m'avait-il dit, de son chien. Nous avions parlé des élections, de la politique étrangère et des négociations autour du budget. La presse bruissait encore du financement frauduleux de la campagne électorale. Outre le DNC, le Republican National Committee et l'équipe de campagne de Dole s'étaient rendus responsables de violations de la loi. On m'avait reproché d'avoir invité des sympathisants à passer la nuit à la Maison Blanche et d'avoir organisé des petits déjeuners avec des membres de l'administration, des sympathisants, des donateurs et d'autres personnes qui n'avaient aucun lien politique avec nous.

J'ai demandé à Dole si, avec ses années d'expérience, il pouvait dire si la politique et les hommes et les femmes politiques étaient plus ou moins honnêtes que trente ans plus tôt. « Il n'y a aucun doute, m'a-t-il répondu, bien plus honnêtes aujourd'hui. » Je lui ai alors demandé : « Diriez-vous aussi que les gens pensent que les affaires politiques sont moins honnêtes ? » « Bien sûr, m'a-t-il confirmé, mais ils se trompent. »

Je soutenais fermement la nouvelle proposition de loi sur le financement des campagnes électorales avancée par le sénateur John McCain et le sénateur Russ Feingold, mais je n'étais pas sûr que son vote ferait augmenter la confiance du public dans l'intégrité des politiques. La presse dénonçait systématiquement l'influence de l'argent dans les campagnes électorales, même si la plus grande partie était dépensée en frais de publicité médiatique. À moins que nous ne votions une loi sur la gratuité ou le moindre coût du temps d'antenne, ce à quoi les médias en général s'opposaient, ou une loi permettant d'adopter le financement public des campagnes, solution qui n'avait que peu de défenseurs dans l'opinion et au Congrès, les médias allaient continuer à être les plus gros consommateurs des dollars des campagnes, alors même qu'ils mettaient au pilori les politiques qui levaient des fonds pour les payer.

Dans mon discours d'intronisation, j'ai tâché de peindre un portrait de l'Amérique du XXIe siècle aussi vivant que possible et j'ai déclaré que les Américains n'avaient pas « redonné le pouvoir à un président d'un parti et à un Congrès d'un autre parti [...] pour que continuent les chamailleries mesquines et les luttes de partis qu'ils déploraient ouvertement », mais pour qu'ils travaillent ensemble à mener à bien la « mission de l'Amérique ».

Les cérémonies liées à l'intronisation, comme notre célébration de la victoire de novembre, ont été plus sereines, et même détendues, cette fois-là, même si le culte du matin avait été animé par les sermons enflammés du révérend Jesse Jackson et du révérend Tony Campolo, un évangéliste italien de Philadelphie, probablement le seul prédicateur blanc capable d'égaler Jesse. L'ambiance au déjeuner du Congrès était très amicale : nous nous sommes aperçus, avec le nouveau chef de la majorité au Sénat, Trent Lott, du Mississippi, que nous avions tous deux une dette envers Thomas Jefferson : s'il n'avait pas décidé de racheter les vastes territoires de la Louisiane à la France, ni lui ni moi n'aurions été là. Le sénateur Strom Thurmond, un homme de 90 ans, était assis à côté de Chelsea et il lui a déclaré : « Si j'avais soixante-dix ans de moins, je vous ferais la cour ! » Pas étonnant qu'il ait vécu si longtemps. Hillary et moi avons assisté sans exception aux quatorze bals de l'intronisation ; à l'occasion de l'un d'eux, je me suis retrouvé à danser avec ma très jolie fille, qui à présent était à la fin de ses années de lycée. Elle n'allait plus rester avec nous encore bien longtemps, c'est pourquoi j'ai savouré ce moment autant que possible.

Le lendemain de l'entrée en fonctions, suite à une enquête qui avait commencé plusieurs années plus tôt, la Chambre des représentants a voté un blâme au président de la Chambre Gingrich et l'a condamné à verser une amende de trois cent mille dollars pour avoir plusieurs fois violé les lois éthiques de la Chambre, en utilisant des fonds exonérés d'impôts à des fins politiques, fonds qui avaient été donnés par ses sympathisants prétendument à des organisations caritatives, et en mentant à plusieurs reprises aux enquêteurs du Congrès à propos de la nature de ses activités. L'avocat à la Commission d'éthique de la Chambre a déclaré que Gingrich et ses sympathisants politiques étaient responsables de fraude fiscale et qu'il avait été prouvé que le président de la Chambre avait intentionnellement trompé la commission sur ces questions.

À la fin des années 1980, Gingrich avait été le premier à vouloir destituer Jim Wright de son poste de président de la Chambre, parce que les sympathisants de celui-ci avaient acheté, en gros, des exemplaires d'un recueil de discours de Wright publié à titre privé, tentant prétendument de contourner les lois de la Chambre qui interdisent à ses membres de percevoir des droits sur leurs discours. Même si les accusations portées contre Gingrich étaient beaucoup plus sérieuses, le chef de file républicain, Tom DeLay, s'est plaint en disant que l'amende et le blâme étaient disproportionnés par rapport à la faute et que la Commission d'éthique avait abusé de son pouvoir. Lorsqu'on m'a demandé de me prononcer sur cette affaire, j'aurais pu presser le département de la Justice ou le ministre de la Justice d'enquêter sur les accusations de fraude fiscale et de fausses déclarations au Congrès ; au lieu de cela, j'ai déclaré qu'il appartenait à la Chambre de régler ce litige et qu'« ensuite nous devrions revenir aux affaires du peuple ». Deux ans plus tard, lorsque les rôles allaient être inversés, Gingrich et DeLay n'allaient pas se montrer aussi charitables.

Peu de temps avant l'intronisation, afin de préparer le second mandat et le discours sur l'état de l'Union, j'avais réuni environ quatre-vingts membres de l'administration et des départements pour une journée à Blair House afin que nous définissions ensemble deux choses : la signification de ce que nous avions fait au cours des quatre premières années et ce que nous allions accomplir dans les quatre années à venir.

Selon moi, au cours du premier mandat nous avions réussi sur six points : nous avions rétabli la croissance économique en remplaçant l'économie de l'offre par notre politique « de l'investissement et de la croissance », plus disciplinée ; nous avions résolu le débat portant sur le rôle du gouvernement dans nos vies en démontrant qu'il n'était ni l'ennemi ni l'unique solution, mais qu'il était l'instrument par lequel nous pouvions donner à notre peuple les outils et les conditions pour réussir au mieux sa vie ; nous avions réaffirmé la primauté de la communauté comme modèle politique premier de l'Amérique, au-delà des distinctions de race, de religion, de genre, d'orientation sexuelle ou de philosophie politique ; nous avions remplacé la rhétorique par l'action dans notre politique sociale, en prouvant que le gouvernement pouvait réellement agir et faire la différence dans des domaines comme la criminalité ou la protection sociale lorsqu'il était mû par le bon sens et l'inventivité, et non pas simplement par un discours péremptoire et une rhétorique de l'exagération ; nous avions refait de la famille le pilier de la société, que le gouvernement pouvait consolider par des mesures comme la loi sur les congés parentaux, le crédit d'impôts sur les revenus salariaux, l'augmentation du salaire minimum, le contrôle parental de la télévision, la campagne antitabac chez les jeunes, l'incitation à l'adoption et de nouvelles réformes dans les domaines de la santé et de l'éducation ; et nous avions réaffirmé le rôle moteur de l'Amérique dans le monde d'après la guerre froide en matière de démocratie, de partage des richesses et de pacification, ainsi que son opposition aux nouvelles menaces terroristes, aux armes de destruction massive, au crime organisé, au narcotrafic et aux conflits raciaux et religieux.

Ces aboutissements constituaient pour nous une base à partir de laquelle nous pouvions lancer l'Amérique dans le nouveau siècle. Parce que les Républicains contrôlaient le Congrès et parce qu'il est plus difficile de mettre en œuvre des réformes de grande envergure lorsque tout va bien, je ne savais pas exactement jusqu'où nous pourrions aller au cours de mon second mandat, mais j'étais bien décidé à poursuivre mon entreprise.

Dans mon discours sur l'état de l'Union, prononcé le 4 février, j'ai commencé par demander au Congrès de régler ce qui ne l'était pas encore dans notre pays : équilibrer le budget, faire voter la réforme du financement des campagnes électorales et achever le processus de réforme de la protection sociale, en multipliant les incitations pour les employeurs et les États à embaucher des prestataires des aides de l'État et à développer la formation, les transports et la protection de l'enfance afin d'aider les gens à travailler. J'ai également demandé que les immigrés en situation régulière puissent à nouveau bénéficier des prestations santé et invalidité que les Républicains avaient supprimées en 1996 pour pouvoir inclure dans le budget leurs réductions fiscales.

En pensant à l'avenir, j'ai demandé au Congrès de faire de l'éducation notre toute première priorité, parce que « tout enfant de 8 ans doit savoir lire ; tout enfant de 12 ans doit savoir se servir d'Internet ; tout étudiant de 18 ans doit pouvoir aller à l'université ; et tout adulte américain doit pouvoir continuer à se former tout au long de sa vie ». J'ai proposé un programme en dix points permettant d'atteindre ces objectifs, parmi lesquels la mise en place de tests et la définition d'objectifs nationaux qui nous donneraient les moyens d'évaluer les progrès accomplis dans ce sens ; la qualification de cent mille « maîtres principaux » par le National Board for Professional Teaching Standards, alors que ceux-ci n'étaient que cinq cents en 1995 ; le programme de soutien scolaire America Reads pour les enfants de 8 ans, que soixante présidents d'université avaient déjà accepté de soutenir ; l'augmentation des inscriptions en maternelle ; le choix de l'école publique dans chaque État ; des cours d'éducation civique dans toutes les écoles ; un programme de plusieurs milliards de dollars de construction et de rénovation des établissements scolaires, le premier depuis le lendemain de la Seconde Guerre mondiale, destiné à rénover des établissements dégradés et à aider à la construction de nouveaux bâtiments dans des zones scolaires si surchargées que l'on y faisait parfois la classe dans des caravanes ; le crédit d'impôt de mille cinq cents dollars sur les bourses d'études baptisé HOPE, destiné à financer les deux premières années d'université et une déduction d'impôts sur les droits d'inscription de dix mille dollars pour toute formation universitaire après le lycée ; un « GI Bill », bourse d'études accordée aux soldats américains qui souhaitaient poursuivre une formation universitaire ; et un projet de mise en place d'une connexion Internet dans chaque salle de classe et dans chaque bibliothèque pour l'an 2000.

J'ai rappelé au Congrès et au peuple américain que l'une des plus grandes forces de l'Amérique au cours de la guerre froide résidait dans son adoption d'une politique étrangère qui faisait fi des clivages de partis. Aujourd'hui, alors que l'éducation jouait un rôle crucial pour notre sécurité au XXIe siècle, j'ai proposé que nous la considérions de la même manière : « La politique doit s'arrêter à la porte de l'école. »

J'ai également demandé au Congrès de soutenir les autres engagements que j'avais pris devant les Américains au cours de ma campagne : l'extension de la loi sur les congés parentaux, le développement de la recherche sur le sida dans le but d'élaborer un vaccin ; l'extension de l'assurance santé aux enfants de parents salariés aux revenus modestes et insuffisants ; une lutte globale contre la criminalité des mineurs, la violence, la drogue et les gangs ; le doublement des zones d'autonomie et le nettoyage des sites de stockage des déchets toxiques ; et enfin le développement continu des programmes de services à la communauté.

Dans le domaine de la politique étrangère, j'ai demandé un soutien à l'élargissement de l'OTAN ; l'accord sur les armes nucléaires avec la Corée-du-Nord ; la poursuite de notre mission en Bosnie ; un engagement plus marqué vis-à-vis de la Chine ; une *fast track authority*, autorité de promouvoir le commerce, qui permettrait au Président de demander au Congrès de voter les accords commerciaux sans amendement et avec un minimum de débats ; un programme de modernisation de l'armement au Pentagone qui nous donnerait les moyens de faire face aux nouveaux défis en matière de sécurité ; et la ratification de la Convention sur les armes chimiques, dont je pensais qu'elle contribuerait à la protection de l'Amérique contre les attaques terroristes aux gaz toxiques.

Dans mon discours, j'ai tenté d'en appeler aussi bien aux Républicains qu'aux Démocrates, en leur assurant que je défendrais le vote de n'importe quel membre du Congrès en faveur du bon rééquilibrage du budget et en citant un verset des Écritures : « On t'appellera réparateur des brèches, Celui qui restaure les chemins, qui rend le pays habitable » (Isaïe, 58 : 12). C'est ce que j'avais tenté de faire pendant la plus grande partie de ma vie.

L'intérêt bien plus faible des médias pour l'action gouvernementale que pour le scandale s'est ouvertement révélé de manière assez drôle à la fin de mon discours. J'avais trouvé un mot de conclusion dont je pensais qu'il était bien tourné : j'ai fait remarquer qu'« un enfant né ce soir n'aura presque aucun souvenir du XXe siècle. Tout ce que cet enfant connaîtra de l'Amérique sera ce que nous faisons maintenant pour bâtir un siècle nouveau ». J'ai rappelé à tous ceux qui m'écoutaient qu'il restait à peine un peu plus d'un millier de jours avant que ne commence ce nouveau siècle, « un millier de jours pour lancer un pont vers une terre de nouvelles promesses ». Pendant que je faisais mon petit discours, les programmateurs ont scindé l'écran de télé en deux, si bien que les spectateurs pouvaient voir en même temps le jury rendre son verdict dans le procès civil contre O.J. Simpson pour le meurtre de sa femme, procès qui avait eu lieu après que le tribunal pénal l'avait jugé non coupable. Les téléspectateurs ont entendu en même temps le tribunal civil condamner Simpson et mes exhortations pour l'avenir. Je me disais que j'avais encore eu de la chance de ne pas avoir été totalement coupé et d'avoir quand même suscité une réaction positive du public à mon discours.

Deux jours plus tard, j'ai présenté mon projet budgétaire au Congrès. Ce budget amenait l'Amérique à l'équilibre en cinq ans ; augmentait les investissements dans l'éducation de 20 %, en tenant compte de l'augmentation la plus importante des aides au financement des études universitaires depuis cinquante ans avec le « GI Bill » ; réduisait les dépenses pour des centaines d'autres programmes ; prévoyait un allégement d'impôts ciblé pour les classes moyennes, dont un crédit d'impôts de cinq cents dollars par enfant ; assurait la survie du Medicare Trust Fund, organisme de financement du programme Medicare qui était au bord de la faillite, pour les dix ans à venir ; accordait une assurance santé à cinq millions d'enfants qui n'étaient pas couverts, des congés aux familles qui s'occupaient de l'un des leurs atteint de la maladie d'Alzheimer et, pour la première fois, prévoyait une mammographie pour les femmes âgées bénéficiant du programme Medicare ; et enfin inversait la spirale descendante des dépenses dans les affaires internationales si bien que nous pouvions faire plus pour promouvoir la paix et la liberté et pour combattre le terrorisme, la prolifération des armes nucléaires et le narcotrafic.

Contrairement à ce qui s'était passé deux ans plus tôt, lorsque j'avais obligé les Républicains à rendre publiques leurs sévères propositions budgétaires avant de présenter les miennes, j'ai ouvert le feu. Je pensais qu'il était correct d'agir ainsi et que c'était un geste politique habile. Maintenant que les Républicains allaient présenter leur budget, avec ses réductions d'impôts plus importantes pour les revenus les plus élevés, ils allaient devoir revenir sur mes propositions pour l'éducation et la santé afin de trouver un financement à ces mesures fiscales. Nous n'étions plus en 1994 ; les gens n'étaient pas dupes, et les Républicains voulaient être réélus. J'étais certain que, en quelques mois, le Congrès allait voter un budget équilibré qui ressemblerait beaucoup à mon projet.

Quelques semaines plus tard, une nouvelle tentative pour faire voter l'amendement à la Constitution sur l'équilibre du budget a échoué au Sénat lorsque le sénateur Bob Torricelli, du New Jersey, a décidé de voter contre. C'était un vote courageux. Le New Jersey était un État anti-impôts, et Bob avait voté pour l'amendement lorsqu'il était député au Congrès. J'espérais que son audace allait nous mener au-delà de la simple prise de position et nous permettre de travailler véritablement à l'équilibre du budget.

Au milieu du mois, l'économie a bénéficié d'un nouveau coup de pouce lorsque des négociations menées par les États-Unis à Genève ont abouti à un accord sur la libéralisation du commerce mondial dans les services de télécommunication, ouvrant 90 % des marchés aux entreprises américaines. Les négociations avaient été lancées par Al Gore et conduites par Charlene Barshefsky. Ils pouvaient être certains d'avoir par leur travail créé de nouveaux emplois et des services à moindre coût pour les Américains et étendu les apports des nouvelles technologies au monde entier.

À cette époque, je me trouvais à Boston avec le maire Tom Menino. La criminalité, la violence et l'usage de la drogue étaient en régression aux États-Unis, mais ils continuaient d'augmenter chez les jeunes de moins de 18 ans, même si ce n'était pas le cas à Boston, où aucun enfant n'avait été tué par une arme à feu en dix-huit mois, ce qui constituait une réussite remarquable pour une grande ville. J'ai proposé que l'on équipe les armes d'un verrouillage de sécurité pour les enfants permettant d'éviter les accidents, j'ai demandé que soit lancée une campagne publicitaire à grande échelle contre la drogue, que les jeunes passant leur permis de conduire soient soumis à des tests de dépistage des stupéfiants et une réforme du système judiciaire pour les mineurs, qui prévoirait entre autres l'application des mises en liberté surveillée et du soutien après l'école qui à Boston avaient produit de si bons résultats.

Le mois de février a vu quelques rebondissements intéressants dans l'affaire Whitewater. Le 17, Kenneth Starr a annoncé qu'il allait quitter son poste le 1er août pour prendre les fonctions de doyen de la faculté de droit de l'Université de Pepperdine, dans le sud de la Californie. De toute évidence, son idée était qu'il n'avait plus rien à tirer de l'affaire Whitewater et que c'était une manière élégante de s'en dégager, mais il a été férocement critiqué pour avoir pris cette décision. La presse a décrit sa situation comme délicate, parce que son poste à Pepperdine avait été financé par Richard Mellon Scaife, qui avait financé le « Projet Arkansas » sans que cela n'ait encore été révélé au grand jour, mais dont les idées très à droite et l'animosité qu'il avait contre moi étaient, elles, de notoriété publique. À mon avis, leur objection n'était pas très solide ; Starr gagnait déjà beaucoup d'argent en représentant des adversaires politiques de mon administration tout en agissant au titre de procureur indépendant et son départ pour Pepperdine allait en fait minimiser ses conflits d'intérêts.

Ce qui motivait vraiment Starr, c'était tous les encouragements que lui prodiguaient la droite républicaine et trois ou quatre journalistes qui avaient pour idée fixe de découvrir une erreur que nous aurions commise, ou tout du moins de poursuivre le harcèlement à notre égard. À cette époque, Starr avait déjà beaucoup fait pour eux : il avait fait payer à beaucoup de gens d'énormes factures juridiques, il avait entaché de nombreuses réputations et, à un coût exorbitant pour les contribuables, il s'était arrangé pour faire traîner l'enquête pendant trois ans, y compris après que le rapport de la Resolution Trust Corporation avait fait savoir qu'il n'y avait aucun motif de procès pénal ou civil contre Hillary et moi. Mais la droite et la presse qui vivait de l'affaire Whitewater savaient que si Starr partait, cela revenait à admettre tacitement qu'« il n'y avait rien à voir ». Après qu'ils l'eurent relancé pendant quatre jours, il a annoncé que finalement il resterait. Je ne savais pas s'il me fallait rire ou pleurer.

La presse faisait également ses choux gras du financement de la campagne de 1996. Entre autres, elle s'émouvait de ce que j'avais invité des gens qui avaient participé au financement de ma campagne de 1992 à passer la nuit à la Maison Blanche, même si, comme pour tous les autres invités, j'avais payé le prix des repas et des rafraîchissements. On me soupçonnait d'avoir vendu des nuitées à la Maison Blanche pour lever des fonds pour le DNC. C'était ridicule. J'étais le président sortant et j'avais été en tête des sondages du début à la fin ; lever des fonds n'était pas un problème, et même si cela avait été le cas, je ne me serais jamais servi de la Maison Blanche de cette manière. À la fin du mois, j'ai publié une liste de toutes les personnes qui avaient été invitées au cours du premier mandat. Il y en avait des centaines, dont environ 85 % étaient des membres de la famille, des amis de Chelsea, des visiteurs étrangers et d'autres dignitaires, ou des gens que Hillary et moi connaissions avant que je ne me lance dans la course à la présidence. Et quant à mes sympathisants de 1992, qui étaient également mes amis, je voulais qu'ils soient aussi nombreux que possible à avoir l'honneur de passer la nuit à la Maison Blanche. Bien souvent, étant donné mes longues journées de travail, le seul moment que j'avais pour rencontrer les gens de manière informelle, c'était tard le soir. Jamais je n'ai touché d'argent pour cette raison. Ceux qui me critiquaient semblaient vouloir dire que les seules personnes qui ne devaient pas être invitées à passer la nuit étaient les amis et sympathisants. Lorsque j'ai fait paraître la liste, beaucoup de personnes dont le nom s'y trouvait ont été interrogées par la presse. Un journaliste avait appelé Tony Campolo et lui avait demandé s'il m'avait versé une contribution. Lorsqu'il avait répondu par l'affirmative, on lui avait demandé la somme. « Vingt-cinq dollars, je crois, avait-il répondu, ou cinquante, je ne me rappelle pas exactement. » « Ah bon, avait rétorqué le journaliste, alors ce n'est pas à vous que nous voulons nous adresser », et il avait raccroché.

Le mois s'est achevé sur une note heureuse : Hillary et moi avons emmené Chelsea et onze de ses amies pour dîner au restaurant du *Bombay Café* à Washington pour son dix-septième anniversaire, puis à New York pour assister à des spectacles, et Hillary a remporté un Grammy Award pour la version audio de *Il faut un village*. Elle avait une très belle voix, et le livre était plein d'histoires qu'elle adorait raconter. Cette récompense apportait la preuve que, au-delà du cercle de Washington, il y avait beaucoup d'Américains qui s'intéressaient aux mêmes choses que nous.

Au milieu du mois de février, le Premier ministre Nétanyahou est venu me voir pour discuter de l'évolution du processus de paix et Yasser Arafat en a fait autant au début du mois de mars. Nétanyahou n'avait pas beaucoup de marge politique dans son action au-delà de l'accord sur Hébron. Les Israéliens découvraient à peine le suffrage direct pour l'élection de leur Premier ministre, Nétanyahou s'était donc fait remettre un mandat de quatre ans, mais il devait encore mettre sur pied une coalition majoritaire à la Knesset. S'il perdait sa coalition sur la droite, il pouvait former un gouvernement d'unité nationale avec Peres et le Parti travailliste, mais il ne voulait pas s'y résoudre. Les partisans de la ligne dure de sa coalition le savaient et tentaient d'entraver sa marche vers la paix en ouvrant l'aéroport de Gaza ou même en laissant tous les Palestiniens de Gaza revenir travailler en Israël. Psychologiquement, Nétanyahou était confronté à la même difficulté que Rabin avant lui : Israël devait abandonner quelque chose de concret – des terres, un accès, des emplois, un aéroport – en échange de quelque chose de beaucoup moins tangible : la promesse que l'OLP ferait tout ce qu'elle pourrait pour empêcher les attaques terroristes

J'étais convaincu que Nétanyahou voulait faire plus, et je craignais que s'il en était empêché, il ne soit plus difficile pour Arafat de contenir la violence. Pour compliquer encore les choses, chaque fois que le processus de paix ralentissait ou que les Israéliens répliquaient à une attaque terroriste ou entamaient un nouveau programme de construction dans une colonie de la partie ouest, le Conseil de sécurité des Nations unies était susceptible de voter une résolution condamnant Israël pour violation continue des résolutions des Nations unies et de le faire d'une manière qui laisse bien entendre la forme qu'elles souhaitaient donner à l'accord négocié. Pour pouvoir opposer leur veto à de telles mesures, les Israéliens dépendaient des États-Unis et normalement nous nous rangions à leurs côtés. Ils nous donnaient la possibilité de conserver notre influence sur eux, mais affaiblissaient nos prétentions à l'honnêteté dans nos tractations avec les Palestiniens. Je devais sans cesse rappeler à Arafat que j'étais pour le processus de paix et que seuls les États-Unis pouvaient le faire aboutir, parce que les Israéliens faisaient confiance à l'Amérique, et non à l'Union européenne ou à la Russie, pour garantir sa sécurité.

Lorsque Arafat est venu me voir, j'ai essayé de franchir avec lui les étapes suivantes. Bien évidemment, sa vision des choses était différente de celle de Nétanyahou ; il pensait que l'on espérait de lui qu'il empêche toute violence et qu'il attende que la politique de Nétanyahou permette à Israël d'honorer les engagements qu'il avait pris lors de la signature des accords de paix. À ce moment-là, j'entretenais de bonnes relations de travail avec les deux leaders et je m'étais dit que la seule solution réaliste était d'empêcher l'effondrement du processus en restant en contact permanent, en remettant les choses en place lorsque effectivement elles s'effondraient et en conservant la même dynamique, même si les choses avançaient à tout petits pas.

Le soir du 13 mars, après avoir fait une apparition en Caroline-du-Nord et dans le sud de la Floride, je me suis rendu chez Greg Norman à Hobe Sound pour le voir, lui et sa femme Laura. La soirée a été très agréable, et nous n'avons pas vu le temps passer. Avant que je ne m'en rende compte, il était plus de 1 heure du matin et comme nous devions participer à un tournoi de golf quelques heures plus tard je me suis levé pour partir. Alors que nous descendions l'escalier, j'ai manqué la dernière marche. Mon pied droit a dérapé sur le bord et j'ai perdu l'équilibre. Si j'étais tombé en avant, j'aurais, au pire, eu les paumes écorchées. Au lieu de cela, j'ai basculé vers l'arrière, j'ai entendu un bruit sec et sonore, et je suis tombé. Le son était si distinct que Norman, qui était à un mètre ou deux devant moi, l'a entendu, s'est retourné et m'a rattrapé, sans quoi je me serais fait bien plus mal encore.

C'est en ambulance que j'ai effectué le parcours de quarante minutes jusqu'à l'hôpital St. Mary, une institution catholique que l'équipe médicale de la Maison Blanche avait choisie parce qu'elle était dotée d'un très bon service des urgences. J'y ai passé le reste de la nuit dans d'atroces souffrances. Lorsqu'une IRM a révélé que je m'étais déchiré 90 % du quadriceps droit, j'ai été rapatrié en avion à Washington. Hillary est venue me chercher à la descente de l'avion présidentiel *Air Force One* sur la base aérienne d'Andrews et elle a regardé les médecins me sortir du ventre de l'avion dans une chaise roulante. Il était prévu qu'elle parte pour l'Afrique, mais elle avait retardé son voyage pour m'accompagner dans l'opération que je devais subir à l'hôpital naval de Bethesda.

Environ treize heures après l'accident, une très bonne équipe médicale, dirigée par le Dr David Adkison, m'a fait une péridurale, a mis de la musique, des disques de Jimmy Buffett et de Lyle Lovett, et a bavardé avec moi pendant toute la durée de l'opération. Je pouvais voir ce qu'ils faisaient dans un miroir disposé au-dessus de la table d'opération : les médecins ont pratiqué une ouverture dans mon genou, en ont extrait le muscle déchiré, en ont suturé les extrémités à la partie solide du muscle, et m'ont rafistolé. Une fois l'opération terminée, Hillary et Chelsea m'ont aidé à faire passer une horrible journée de souffrance ; puis les choses ont commencé à aller mieux.

Ce que je craignais le plus, c'étaient les six mois de rééducation, et mon incapacité à faire du jogging ou à jouer au golf. Je devais marcher avec des béquilles pendant quelques mois et ensuite je porterais une attelle. Et pendant un temps, j'étais toujours susceptible de tomber et de me blesser à nouveau. Mes collaborateurs à la Maison Blanche ont équipé ma douche de rampes de sécurité pour que je puisse me maintenir en équilibre. J'ai rapidement appris à m'habiller avec l'aide d'une petite baguette. La seule chose que je ne pouvais pas faire était d'enfiler mes chaussettes. L'équipe médicale de la Maison Blanche, dirigée par le Dr Connie Mariano, était disponible vingt-quatre heures sur vingt-quatre. La marine a mis à ma disposition deux excellents rééducateurs, le Dr Bob Kellogg et le Dr Nannette Paco, qui travaillaient avec moi tous les jours. On m'avait averti que je prendrais du poids au cours de ma période d'immobilisation, mais à la fin du traitement avec les rééducateurs j'avais perdu sept kilos.

Lorsque je suis rentré de l'hôpital, il me restait moins d'une semaine pour me préparer à rencontrer Boris Eltsine à Helsinki, et j'avais un gros problème à régler avant cela. Le 17, Tony Lake est venu me voir et m'a demandé d'annuler sa nomination au poste de directeur de la CIA. Le sénateur Richard Shelby, qui était président de la Commission des services secrets, avait retardé les séances d'audition en vue de la confirmation de Lake, arguant essentiellement du fait que la Maison Blanche n'avait pas informé la commission de notre décision de mettre fin à l'embargo sur les armes contre la Bosnie en 1994. Je n'étais pas tenu par la loi d'informer la commission et j'avais décidé qu'il serait préférable de ne pas le faire afin d'éviter des fuites. Je savais qu'une forte majorité bipartite au Sénat était favorable à la levée de l'embargo ; en fait, ils avaient voté une résolution qui me demandait d'y mettre fin peu de temps après.

Même si je m'entendais plutôt bien avec Shelby, je pensais qu'il avait tort de retenir la confirmation de Lake et de faire inutilement obstacle aux activités de la CIA. Tony bénéficiait du soutien de puissants Républicains, parmi lesquels le sénateur Lugar, et il n'aurait pas été réélu à la commission et aurait été confirmé si Shelby n'avait pas été là, mais il était épuisé après avoir travaillé des semaines de soixante-dix à quatre-vingts heures pendant quatre ans. Et il ne voulait pas risquer de nuire à la CIA par de nouveaux retards. S'il ne s'était agi que de moi, j'aurais lutté pendant un an si cela avait été la durée nécessaire à la victoire. Mais je voyais bien que Tony avait eu son compte. Deux jours plus tard, j'ai nommé George Tenet, qui était le directeur suppléant de la CIA. Il avait été l'adjoint de John Deutch et avait auparavant été mon principal collaborateur pour les services secrets au Conseil national de sécurité et le responsable de la Commission sénatoriale des services secrets. Il a été facilement confirmé, mais je regrette encore le marché sans complaisance qui avait été mis entre les mains de Lake, qui avait consacré trente ans de sa vie à faire progresser les intérêts de l'Amérique en matière de sécurité et dont le rôle avait été si important dans tous les progrès que nous avions accomplis dans le domaine de la politique étrangère au cours de mon premier mandat.

Les médecins qui me suivaient ne voulaient pas que je me rende à Helsinki, mais je ne pouvais pas envisager de rester à la maison. Eltsine avait été réélu et l'OTAN s'apprêtait à voter pour l'admission de la Pologne, de la Hongrie et de la République tchèque ; nous devions trouver un accord sur les modalités de ces admissions.

Le vol était long et inconfortable, mais je n'ai pas trop vu le temps passer à discuter avec Strobe Talbott et avec le reste de l'équipe à propos de ce que nous pourrions faire pour aider Eltsine à accepter l'idée de l'élargissement de l'OTAN, comme par exemple faire entrer la Russie dans le G7 et dans l'Organisation mondiale du commerce. Au dîner qui avait été organisé ce soir-là par le président de Finlande Martti Ahtisaari, je me suis aperçu avec joie qu'Eltsine était de bonne humeur et qu'il semblait bien se remettre d'une opération à cœur ouvert. Il avait beaucoup maigri et il était encore très pâle, mais il était à nouveau lui-même, plein d'allant et offensif.

Le lendemain matin, nous nous sommes mis au travail. Lorsque j'ai dit à Boris que je voulais à la fois que l'OTAN s'élargisse et signe un accord avec la Russie, il m'a demandé de m'engager secrètement – selon ses propres termes, « dans un petit cabinet de travail » – à limiter l'élargissement futur de l'OTAN aux nations signataires du pacte de Varsovie, excluant ainsi les États de l'ex-Union soviétique, comme les pays baltes et l'Ukraine. Je lui ai répondu que cela m'était impossible, tout d'abord parce que cela ne resterait pas secret, et ensuite parce que cela nuirait à la crédibilité du Partenariat pour la Paix. Ce n'était pas non plus dans l'intérêt ni de l'Amérique ni de la Russie. La mission première de l'OTAN ne visait plus la Russie, mais était dirigée contre les menaces nouvelles qui pesaient sur la paix et la stabilité en Europe. Je lui ai fait remarquer que si on déclarait que l'OTAN limiterait son élargissement aux nations du pacte de Varsovie, cela reviendrait à créer en Europe une nouvelle division, avec un empire russe plus petit. La Russie serait perçue comme affaiblie, et non comme plus puissante, alors qu'un accord entre l'OTAN et la Russie redorerait le blason de cette dernière. J'ai également prié Eltsine de ne pas écarter la possibilité d'une future adhésion russe.

Eltsine craignait encore la réaction de son pays à l'élargissement. À un moment donné, alors que nous étions seuls, je lui ai demandé : « Boris, crois-tu vraiment que j'autoriserais l'OTAN à attaquer la Russie à partir des bases de Pologne ? » « Non, m'a-t-il répondu, mais beaucoup de gens de la génération précédente qui vivent dans la partie occidentale de la Russie et qui écoutent ce que dit Zyuganov le croient, eux. » Il m'a rappelé que, contrairement aux États-Unis, la Russie avait été envahie deux fois – par Napoléon et par Hitler –

et que le traumatisme lié à ces événements hantait encore la psychologie collective du pays et façonnait sa politique. J'ai assuré à Eltsine que s'il donnait son accord à un élargissement de l'OTAN et au partenariat OTAN-Russie, je m'engagerais à ne pas stationner prématurément de troupes ou de missiles sur le sol des nouveaux pays membres et à soutenir l'adhésion de la Russie au nouveau G8, à l'Organisation mondiale du commerce et à d'autres organisations internationales. Le marché était conclu.

Eltsine et moi avons également dû affronter à Helsinki deux problèmes liés au contrôle de l'armement : la réticence de la Douma russe à ratifier START II, qui avait pour objectif de réduire les arsenaux nucléaires de nos deux pays des deux tiers par rapport au moment le plus tendu de la guerre froide ; et l'opposition croissante en Russie à l'élaboration par les États-Unis de systèmes de défense nucléaire. Lorsque l'économie de la Russie s'était effondrée et que son budget militaire avait été sérieusement réduit, le traité START II était devenu pour eux une mauvaise affaire. Il stipulait que les deux pays devaient démanteler leurs arsenaux de missiles à têtes nucléaires multiples, appelés ICBM (missiles balistiques intercontinentaux), et prévoyait une parité entre les arsenaux de missiles à tête simple. Comme la Russie comptait beaucoup plus que les États-Unis sur ses ICBM, les Russes auraient eu à fabriquer un nombre considérable de missiles à tête simple pour retrouver la parité, et ils n'en avaient pas les moyens. J'ai dit à Eltsine que je ne voulais pas que START II nous confère une supériorité stratégique et j'ai suggéré que nos équipes trouvent une solution qui laisse ouverte la possibilité de l'élaboration d'un traité START III qui stipulerait que les deux pays ne devraient plus disposer que de deux mille à deux mille cinq cents ogives, ce qui correspondait à une diminution de 80 % par rapport au chiffre le plus élevé de la guerre froide et représentait un objectif suffisamment modeste pour que la Russie n'ait pas à fabriquer de nouvelles ogives pour être à parité avec nous. Le Pentagone a montré quelque réticence vis-à-vis d'un chiffre aussi bas, mais le général Shalikashvili pensait que nous n'avions rien à craindre et Bill Cohen était du même avis. En peu de temps, nous nous sommes mis d'accord pour repousser la date butoir de la signature de START II de 2002 à 2007 et pour faire prendre effet au traité START III la même année, de manière que la Russie ne soit jamais dans une position d'infériorité stratégique.

La seconde difficulté était la suivante : depuis les années 1980, les États-Unis travaillaient à un système de défense suggéré par le président Reagan. Il s'agissait de créer un bouclier spatial contre les armes nucléaires qui aurait libéré le monde du spectre du nucléaire. Cette idée posait deux problèmes : tout d'abord, elle n'était pas encore techniquement réalisable, ensuite la mise en place d'un programme de défense du territoire des États-Unis contre des missiles assaillants (NMD, National Missile Defense) aurait violé le traité sur les missiles destinés à intercepter les missiles offensifs intercontinentaux (Anti-Ballistic Missile Treaty), qui interdisait de tels programmes car si un pays en avait mis un en place et l'autre pas, l'arsenal nucléaire de ce dernier pouvait ne plus jouer son rôle dissuasif face à une attaque lancée par le pays qui l'avait adopté.

Les Aspin, mon premier secrétaire à la Défense, avait détourné nos efforts de l'élaboration de systèmes de défense capables d'abattre des missiles russes à longue portée pour les réorienter vers la création d'une défense antimissiles de théâtre (TMD, Theater Missile Defense) capable de protéger nos soldats et la population contre des missiles à courte portée comme ceux qui étaient fabriqués en Iran, en Irak, en Libye et en Corée-du-Nord. Ceux-ci constituaient un réel danger ; au cours de la guerre du Golfe, vingt-huit de nos soldats avaient été tués par un missile Scud irakien.

Je soutenais fermement la TMD, qui était autorisée par le traité ABM et qui, comme je l'ai dit à Eltsine, pourrait un jour être utilisée pour défendre nos deux nations sur un même champ de bataille, dans les Balkans ou ailleurs. Le problème posé à la Russie par notre position était qu'il était difficile de bien marquer la différence entre défense contre les missiles de théâtre et défense contre des missiles plus importants, qui était interdite par le traité. Les nouvelles technologies élaborées pour la TMD étaient susceptibles d'être adaptées ultérieurement à une utilisation contre les missiles antibalistiques, en violation du traité. En fin de compte, les deux camps se sont mis d'accord sur une définition technique de la différence entre programmes acceptables et programmes interdits, ce qui nous a permis de mettre en place la TMD.

Le sommet d'Helsinki avait été un succès inattendu, grâce pour une large part à la capacité qu'avait Eltsine d'imaginer un avenir différent pour la Russie, dans lequel elle affirmerait sa grandeur autrement qu'en termes de domination territoriale, et à son consentement à affronter l'opinion majoritaire à la Douma et parfois même au sein de son propre gouvernement. Même si notre travail n'a jamais produit tous les résultats qu'on pouvait en espérer, parce que la Douma s'opposait encore à la ratification de START II, nous avions préparé la scène sur laquelle allait se dérouler le sommet de l'OTAN en juillet, à Madrid, et qui nous permettrait d'avancer encore sur la voie qui menait à une Europe unie.

À mon retour, les réactions ont été en général positives, même si Henry Kissinger et d'autres Républicains m'ont reproché d'avoir accepté de ne pas déployer d'armes nucléaires ou de troupes étrangères plus près de la Russie dans les nouveaux États membres. Eltsine a été sévèrement attaqué par les anciens communistes, qui prétendaient qu'il avait cédé devant moi sur les questions importantes. Zyuganov a dit qu'Eltsine avait laissé « son vieux copain Bill lui botter les fesses ». Eltsine venait tout juste de botter les fesses de Zyuganov aux élections en se battant pour la Russie de demain au lieu de défendre celle d'hier. Je pensais qu'il survivrait à cet orage aussi.

Quand Hillary et Chelsea sont rentrées de leur voyage en Afrique, elles m'ont régalé de toutes leurs aventures. L'Afrique était importante pour l'Amérique, et le voyage de Hillary, tout comme celui qu'elle avait précédemment effectué dans le sud de l'Asie, mettait l'accent sur notre engagement à soutenir les chefs d'État et les citoyens ordinaires dans leur lutte pour la paix, la prospérité et la liberté et à mettre un frein à la propagation du sida.

Le dernier jour du mois, j'ai annoncé la nomination de Wesley Clarke pour succéder au général George Joulwan au poste de commandant en chef, commandant des forces américaines en Europe et commandant en chef des forces alliées de l'OTAN en Europe. J'admirais les deux hommes. Joulwan avait résolument soutenu une position offensive de l'OTAN en Bosnie, et Clarke avait fait partie intégrante de la cellule de négociation de Dick Holbrooke. Pour moi, il était l'homme idéal pour maintenir notre ferme engagement en faveur de la paix dans les Balkans.

En avril, j'ai rencontré le roi Hussein et le Premier ministre Nétanyahou alors qu'il était devenu urgent d'empêcher le processus de paix de s'effondrer. La violence avait explosé à nouveau, suite à la décision prise par les Israéliens d'entreprendre la construction de nouveaux logements à Har Homa, une colonie israélienne de la banlieue de Jérusalem-Est. Chaque fois que Nétanyahou faisait un pas en avant, comme cela avait été le cas avec l'accord sur Hébron, son gouvernement de coalition l'obligeait à un acte qui creusait un fossé entre Israël et les Palestiniens. À la même époque, un soldat jordanien était devenu fou furieux et avait tué plusieurs enfants d'une école. Le roi Hussein s'était immédiatement rendu en Israël pour s'excuser. Cela avait un peu apaisé les tensions entre Israël et la Jordanie, mais Arafat devait faire face en permanence aux demandes que lui faisaient les États-Unis et Israël de mettre fin à la terreur et d'accepter l'idée du projet de Har Homa, dont il pensait qu'il allait à l'encontre de l'engagement qu'Israël avait pris de ne pas modifier l'occupation du sol car celle-ci devait être résolue par les négociations.

Lorsque le roi Hussein est venu me rencontrer, il s'inquiétait de voir que les étapes du processus de paix qui avaient été bien suivies sous Rabin n'étaient plus respectées à présent en raison des contraintes politiques qui pesaient sur Nétanyahou. Nétanyahou lui aussi s'en inquiétait ; il avait montré son intention d'accélérer le processus de paix en passant rapidement aux ultimes questions des statuts, qui étaient les plus délicates. Hussein pensait que si cela pouvait se faire, nous devions essayer. Lorsque Nétanyahou est venu à la Maison Blanche quelques jours plus tard, je lui ai dit que je soutiendrai ses vues, mais que s'il voulait obtenir l'accord d'Arafat, il devrait trouver un moyen de respecter les étapes intermédiaires qui avaient déjà été promises aux Palestiniens, y compris l'ouverture de l'aéroport de Gaza, un passage sûr entre Gaza et les quartiers palestiniens de la partie ouest, ainsi qu'une aide économique.

J'ai passé la majeure partie du mois à tenter par tous les moyens de convaincre le Sénat de ratifier la Convention sur les armes chimiques : en appelant et en rencontrant les membres du Congrès ; en acceptant la proposition de Jesse Helms de rattacher l'agence pour le désarmement et l'agence des services secrets américains au Département d'État en échange de son vote sur la Convention sur les armes chimiques, à laquelle il était opposé ; et en organisant une rencontre sur la pelouse sud de la Maison Blanche avec d'illustres Républicains et des défenseurs du traité appartenant à l'armée, parmi lesquels Colin Powell et James Baker, afin de contrer l'opposition républicaine conservatrice d'individus comme Helms, Caspar Weinberger et Donald Rumsfeld.

L'opposition des conservateurs me surprenait, dans la mesure où tous nos chefs militaires soutenaient fermement la Convention, mais elle reflétait le scepticisme profond de la droite à propos de la coopération internationale en général et sa volonté de conserver un maximum de liberté d'action maintenant que les États-Unis étaient la seule superpuissance au monde. Vers la fin du mois, j'ai trouvé un terrain d'entente avec le sénateur Lott en ajoutant au texte quelques mots qui, pensait-il, consolidaient le traité. Finalement, avec le soutien de Lott, la Convention sur les armes chimiques a été ratifiée, par 74 voix pour et 26 contre. Fait intéressant, j'ai regardé le Sénat voter à la télévision en compagnie du Premier ministre japonais Ryutaro Hashimoto, qui se trouvait à Washington pour me rencontrer le lendemain ; j'avais pensé qu'il apprécierait d'assister à la ratification après les souffrances que l'attaque au gaz sarin avait infligées au Japon.

Sur le front de la politique intérieure, j'ai nommé Sandy Thurman, d'Atlanta, l'un des fers de lance du combat contre le sida, responsable du programme national de lutte contre le sida. Depuis 1993, l'ensemble de nos investissements dans la lutte contre le VIH et le sida avait augmenté de 60 %, nous avions approuvé huit nouveaux médicaments contre le sida et dix-neuf autres médicaments contre des pathologies liées au sida, et le taux de mortalité était en diminution aux États-Unis. Cependant nous étions encore loin d'un vaccin ou d'un traitement, et la maladie faisait maintenant des ravages en Afrique, où nous n'agissions pas assez. Thurman était brillante, énergique et volontaire ; je savais qu'elle nous obligerait à rester en alerte.

Le dernier jour du mois d'avril, Hillary et moi avons rendu publique la décision que nous avions prise d'inscrire Chelsea à Stanford cet automne. Toujours aussi méthodique, Chelsea avait aussi visité Harvard, Yale, Princeton, Brown et Wellesley, dans certains cas elle était même retournée sur les lieux pour se faire une idée de la vie universitaire et de l'ambiance dans chaque institution. Étant donné ses très bonnes notes et ses très bons résultats aux examens, elle avait été acceptée partout et Hillary avait espéré qu'elle resterait plus près de nous. J'avais toujours soupçonné Chelsea de vouloir s'éloigner de Washington. Tout ce que je voulais, c'était qu'elle fréquente une école où elle apprendrait beaucoup, se ferait de bons amis et s'amuserait. Mais elle allait beaucoup nous manquer, à sa mère et à moi-même. Avoir Chelsea à la maison pendant nos quatre premières années à la Maison Blanche, l'accompagner aux fêtes de l'école et à ses spectacles de danse, et faire connaissance avec ses amis et leurs parents avaient été un vrai bonheur, qui nous rappelait sans cesse, peu importe ce qui se passait ailleurs, à quel point c'était une joie d'avoir une fille comme la nôtre.

On annonçait pour le premier trimestre de 1997 une croissance économique de 5,6 %, ce qui ramenait le déficit estimé à soixante-quinze milliards de dollars, c'est-à-dire au quart environ du chiffre qu'il avait atteint lorsque j'avais pris le pouvoir. Le 2 mai, j'ai annoncé que nous étions enfin tombés d'accord sur un budget équilibré avec le président de la Chambre Gingrich, le sénateur Lott et les négociateurs du Congrès représentants des deux partis. Le sénateur Tom Daschle a également fait part de son soutien à cet accord ; Dick Gephardt ne partageait pas ce point de vue, mais j'espérais qu'il changerait d'avis une fois qu'on lui aurait donné l'opportunité de le réviser. Il était bien plus facile de trouver un accord cette fois-ci, car la croissance économique avait fait chuter le taux de chômage en dessous des 5 % pour la première fois depuis 1973, relançant les salaires, les profits et les recettes fiscales.

Pour résumer, l'accord assurait la survie de Medicare pour encore une décennie, tout en permettant d'assurer les mammographies et les tests de dépistage du diabète auxquels je tenais ; étendait la couverture maladie à cinq millions d'enfants, ce qui représentait la plus grande extension depuis la promulgation de Medicaid dans les années 1960 ; prévoyait l'augmentation des dépenses pour l'éducation la plus importante depuis trente ans ; multipliait les incitations faites aux entreprises d'embaucher des prestataires de la Sécurité sociale , réinstaurait l'assistance santé pour les immigrés en situation régulière souffrant d'un handicap ; finançait le nettoyage de cinq cents sites de stockage des déchets toxiques supplémentaires ; et assurait une baisse d'impôts quasiment égale à celle que j'avais requise.

Sur le montant des économies à réaliser sur le programme Medicare, nous avons coupé la poire en deux avec les Républicains, car je pensais que nous pouvions faire ces économies en effectuant des modifications salutaires dans notre politique qui ne nuiraient pas aux personnes âgées. Les Républicains quant à eux ont accepté une plus petite réduction d'impôts, le programme d'assurance santé pour les enfants et les importantes augmentations des dépenses pour l'éducation. Nous avons obtenu environ 95 % des nouveaux investissements que j'avais préconisés dans mon discours sur l'état de l'Union, et les Républicains sont repartis avec environ les deux tiers des réductions d'impôts qu'ils avaient proposées au départ. Les réductions d'impôts seraient désormais bien inférieures à celles que Reagan avait effectuées en 1981. J'étais fou de joie de voir que toutes ces réunions interminables, qui avaient commencé en 1995 sous la menace d'une chute du gouvernement, avaient enfin produit le premier budget équilibré depuis 1969 et que, de surcroît, il s'agissait d'un bon budget. Le sénateur Lott et le président Gingrich avaient travaillé avec nous en toute bonne foi, et Erskine Bowles, grâce à ses talents de négociateur et grâce à son bon sens, avait permis de débloquer avec eux et avec les négociateurs du Congrès des situations critiques.

Plus tard dans le mois, lorsqu'il a fallu voter l'accord sur le budget, 64 % des Démocrates de la Chambre se sont joints à 88 % des Républicains de la Chambre pour voter en sa faveur. Au Sénat, où Tom Daschle soutenait l'accord, les Démocrates se sont montrés encore plus favorables à l'accord que les Républicains, en lui donnant 82 % de leurs voix contre 74 % pour les Républicains.

Certains Démocrates m'ont reproché d'avoir accepté les baisses d'impôts ou le fait même d'avoir passé un accord avec nos adversaires. Ils prétendaient que, même si nous ne faisions rien, le budget serait de toute façon équilibré l'année suivante ou celle d'après, conséquence du programme de 1993 pour lequel les Démocrates avaient été les seuls à voter. Désormais, nous allions devoir partager les honneurs avec les Républicains. C'était vrai, mais nous allions également encourager la plus forte augmentation des aides à la poursuite d'études supérieures depuis cinquante ans, accorder une assurance santé à cinq millions d'enfants et aux classes moyennes les réductions d'impôts que j'avais soutenues.

Le 5, jour de la fête de l'indépendance mexicaine, je suis parti pour un voyage au Mexique, en Amérique centrale et dans les Caraïbes. Un peu plus de dix ans auparavant, nos voisins étaient frappés par les guerres civiles et les coups d'État militaires, souffraient d'une économie fermée et d'une effroyable pauvreté. À présent, toutes les nations de cet hémisphère à l'exception d'une seule étaient des démocraties, et l'ensemble du territoire était notre partenaire commercial le plus important ; nous exportions deux fois plus vers les Amériques que vers l'Europe et environ 50 % de plus que vers l'Asie. Mais il y avait encore trop de pauvreté dans ces régions et nous avions de sérieux problèmes avec la drogue et l'immigration clandestine.

J'ai emmené quelques membres de mon cabinet et une délégation bipartite du Congrès avec moi au Mexique car nous avions annoncé de nouveaux accords destinés à réduire l'immigration clandestine et l'arrivage de drogue par le Rio Grande. Le président Zedillo était un homme capable et honnête qui était entouré d'une équipe très dévouée et j'étais sûr qu'il ferait de son mieux pour triompher de ces difficultés. Même si je savais que nous pouvions faire mieux, je n'étais pas certain de l'existence d'une solution entièrement satisfaisante permettant de mettre fin à l'un ou à l'autre de ces problèmes. Il nous fallait prendre en compte un certain nombre de facteurs qui contribuaient à les créer. Le Mexique était plus pauvre que les États-Unis ; la frontière était longue ; des millions de Mexicains avaient de la famille dans notre pays ; et beaucoup de clandestins entraient aux États-Unis pour trouver du travail, souvent dans des emplois peu rémunérés et très ingrats que la plupart des Américains ne voulaient pas exercer. Quant à la drogue, une forte demande aux États-Unis faisait de notre pays un aimant, et les cartels de la drogue étaient assez riches pour pouvoir corrompre les fonctionnaires mexicains et ils avaient à leur solde suffisamment de mercenaires capables d'intimider ou de tuer ceux qui refusaient de coopérer. Certains officiers de police à la frontière mexicaine se voyaient parfois offrir un montant cinq fois supérieur à leur salaire pour fermer les yeux sur une seule livraison de drogue. Un procureur honnête du nord du Mexique avait été victime de plus d'une centaine d'attentats à l'arme à feu devant sa maison. Il s'agissait là de problèmes très difficiles, mais je pensais que la mise en application de nos accords pourrait aider à les résoudre.

Au Costa Rica, un pays magnifique qui ne possédait pas d'armée permanente mais qui avait peut-être la politique environnementale la plus avancée du monde, le président José María Figueres a accueilli les chefs d'État d'Amérique centrale pour une réunion sur le commerce et l'environnement. L'ALENA s'était avérée, sans que l'on puisse le prévoir, nuisible à l'Amérique centrale et aux nations des Caraïbes en les mettant dans une position de concurrence défavorable avec le Mexique dans leurs relations commerciales avec les États-Unis. Je voulais que tout soit fait pour rectifier cette injustice. Le lendemain, j'ai argumenté de la même manière à Bridgetown, à la Barbade, où le Premier ministre Owen Arthur avait organisé la première rencontre entre un président des États-Unis et tous les chefs d'État des nations des Caraïbes sur leur propre territoire

Au cours des deux rencontres, l'immigration a été au cœur du débat. Beaucoup de ressortissants d'Amérique centrale et des nations des Caraïbes travaillaient aux États-Unis et envoyaient de l'argent à leur famille dans leur pays d'origine, ce qui constituait une source de revenus majeure pour les petits pays. Les chefs d'État s'inquiétaient de la position anti-immigration que les Républicains avaient adoptée et voulaient que je leur promette qu'il n'y aurait pas de renvois massifs. Je m'y suis engagé, mais je leur ai également expliqué qu'il nous fallait faire appliquer nos lois sur l'immigration.

À la fin du mois, je me suis envolé pour Paris pour y signer l'acte de fondation de l'alliance entre l'OTAN et la Russie. Eltsine avait tenu l'engagement qu'il avait pris à Helsinki : l'adversaire de l'OTAN au moment de la guerre froide était à présent son partenaire.

Après une halte aux Pays-Bas pour célébrer le cinquantième anniversaire du plan Marshall, je me suis envolé pour Londres pour ma première rencontre officielle avec le nouveau Premier ministre britannique Tony Blair. Le Parti travailliste avait remporté une grande victoire sur les conservateurs aux dernières élections grâce aux qualités de leader de Blair, au message plus moderne et plus modéré du Labour et au recul naturel du soutien aux conservateurs après les si nombreuses années qu'ils avaient passées au pouvoir. Blair était jeune, intelligent et énergique, et nous avions souvent les mêmes vues politiques. Je pensais qu'il avait le potentiel pour être un chef d'État important pour le Royaume-Uni et pour l'ensemble de l'Europe et j'étais impatient de travailler avec lui.

Hillary et moi sommes allés dîner avec Tony et Cherie Blair dans un restaurant installé dans un ancien quartier d'entrepôts au bord de la Tamise. Dès le départ, nous nous sommes sentis comme de vieux amis. La presse britannique était fascinée par la similitude qui existait entre nos philosophies et nos politiques et ses questions semblaient avoir un impact sur les représentants de la presse américaine qui voyageaient avec moi. Pour la première fois, j'avais le sentiment qu'ils commençaient à croire qu'il y avait plus que de la simple rhétorique dans ma position de Nouveau Démocrate.

Le 6 juin, date de l'anniversaire de ma mère, j'ai fait le discours de la cérémonie de remise des diplômes à l'école de Sidwell Friends de Chelsea. Theodore Roosevelt s'était adressé aux étudiants de Sidwell presque un siècle plus tôt, mais j'étais là dans un rôle différent : non pas celui de président mais celui de père. Lorsque j'avais demandé à Chelsea ce qu'elle souhaitait que je dise, elle m'avait répondu : « Papa, en un mot, je voudrais que tu sois philosophe. » Puis elle avait ajouté : « Les filles veulent que tu sois philosophe, les garçons veulent tout simplement que tu sois marrant. » Je voulais que ce discours soit le cadeau que je lui ferais, et je suis resté éveillé jusqu'à 3 heures du matin pour l'écrire et le réécrire encore.

J'ai dit à Chelsea et à ses camarades qu'en un jour comme celui-ci leurs parents ressentaient « une joie et une fierté qui étaient tempérées par le fait que nous allions bientôt être séparés de vous [...] nous nous rappelons votre premier jour d'école et toutes les victoires et toutes les difficultés qui sont survenues entre cette époque et maintenant. Même si nous vous avons élevés pour qu'arrive ce moment du départ et même si nous sommes très fiers de vous, une partie de nous voudrait encore vous prendre dans ses bras comme nous l'avons fait lorsque vous saviez à peine marcher, vous lire encore une toute dernière fois les histoires de *Bonne Nuit, la lune*, ou *George le curieux*, ou *La Petite Locomotive qui pouvait* ». Je leur ai dit qu'un monde plein de promesses s'ouvrait à eux et que leurs choix étaient presque illimités et je leur ai rappelé l'adage d'Eleanor Roosevelt qui disait que personne ne peut vous obliger à vous sentir inférieur sans votre permission : « Ne leur donnez pas la permission. »

Lorsque Chelsea s'est avancée pour venir chercher son diplôme, je l'ai prise dans mes bras et je lui ai dit que je l'aimais. Après la cérémonie plusieurs parents sont venus me remercier pour avoir dit ce qu'ils pensaient et ressentaient, puis nous sommes rentrés à la Maison Blanche, où une fête avait été organisée pour l'occasion. Chelsea était émue de voir tout le personnel de la résidence réuni pour la féliciter. Elle avait parcouru un bon bout de chemin depuis l'époque où elle était la jeune fille avec un appareil dentaire que nous avions amenée à la Maison Blanche quatre ans et demi plus tôt, et elle ne faisait encore que ses débuts dans la vie.

Peu de temps après la remise de diplôme de Chelsea, j'ai donné mon approbation à la position prise par la Commission consultative nationale de bioéthique qui avait qualifié le clonage humain de « moralement inacceptable », et j'ai proposé de le faire interdire par le Congrès. Le débat avait été ouvert par le clonage de la brebis Dolly en Écosse. La technique du clonage était utilisée depuis quelque temps pour augmenter la production agricole et pour permettre aux chercheurs en biomédecine d'élaborer un traitement contre le cancer, le diabète et d'autres maladies. Elle était porteuse de grandes promesses, car il devenait possible de produire de la peau, des cartilages et du tissu osseux de remplacement pour les victimes de brûlures ou d'accidents, et du tissu nerveux pour traiter les affections de la moelle épinière. Je ne voulais pas me mêler de tout cela, mais je pensais que nous devions placer la limite avant le clonage humain. À peine un mois plus tôt, j'avais présenté mes excuses pour les expériences racistes et inadmissibles sur la syphilis qui avaient été réalisées sur des centaines de Noirs il y avait plusieurs dizaines d'années par le gouvernement fédéral à Tuskegee, en Alabama.

Au milieu du mois de juin, je me suis rendu à l'Université de Californie à San Diego pour y parler du combat que menait toujours l'Amérique pour se débarrasser de la discrimination raciale et pour profiter au mieux de notre diversité croissante. Les États-Unis souffraient encore de la discrimination, de l'étroitesse d'esprit, de crimes dictés par la haine et d'importantes disparités dans les revenus, l'éducation et l'accès aux soins médicaux. J'ai créé une commission de sept membres présidée par l'éminent savant John Hope Franklin dont l'objectif était de donner à l'Amérique des informations sur l'état des relations raciales et de faire des propositions permettant de construire l'Amérique une et solidaire du XXIe siècle. Je serais chargé de la coordination des différentes actions par le biais d'un nouveau service à la Maison Blanche dirigé par Ben Johnson.

À la fin du mois de juin, Denver a accueilli le sommet annuel du G7. J'avais promis à Eltsine que la Russie en serait partie intégrante, mais les ministres des Finances s'opposaient à cette décision en raison des faiblesses économiques de la Russie. Dans la mesure où la Russie dépendait du soutien financier de la communauté internationale, ils pensaient qu'elle ne pouvait avoir accès à la prise de décision en matière financière. Je pouvais comprendre pourquoi les ministres des Finances avaient besoin de se rencontrer et de prendre des décisions sans la Russie, mais le G7 était aussi une organisation politique ; y appartenir symboliserait pour la Russie son importance pour l'avenir et renforcerait la position d'Eltsine dans son pays. Nous avions déjà donné à cette rencontre le nom de sommet des Huit. Finalement, nous avons voté en faveur de la totale acceptation de la Russie en tant que membre du nouveau G8, mais en autorisant les ministres des Finances des sept autres nations à continuer à se rencontrer pour débattre des questions les touchant plus particulièrement. Eltsine et moi avions maintenant tous deux tenu les engagements que nous avions pris à Helsinki.

À peu près à la même époque, Mir Amal Kansi, dont on pensait qu'il était responsable de l'assassinat de deux employés de la CIA et qu'il en avait blessé trois autres au siège de la CIA en 1993, a été rapatrié du Pakistan aux États-Unis pour y être jugé après que le FBI, la CIA et les départements d'État de la Justice et de la Défense avaient dû faire des pieds et des mains pour assurer son extradition. C'était la preuve incontestable de notre détermination à poursuivre les terroristes pour les amener devant la justice.

Une semaine plus tard, après un débat houleux, la Chambre des représentants a voté la poursuite de relations commerciales normales avec la Chine. Même si la motion était passée avec 86 voix, elle a suscité une forte opposition des conservateurs et de la gauche qui désapprouvaient l'attitude de la Chine dans les domaines du commerce et des droits de l'homme. Je voulais, moi aussi, qu'il y ait en Chine une plus grande liberté politique et j'avais récemment invité le dalaï-lama et le militant des droits de l'homme de Hong-Kong Martin Lee, à la Maison Blanche afin de rendre évident mon soutien à l'autonomie religieuse et culturelle du Tibet et au maintien de la démocratie à Hong-Kong à présent que le Royaume-Uni l'avait restituée à la Chine. Je pensais que les relations commerciales ne pouvaient être améliorées que par des négociations qui auraient mené à l'intégration de la Chine au sein de l'Organisation mondiale du commerce. En attendant, nous devions conserver des relations avec la Chine et non pas l'isoler. Fait intéressant, Martin Lee pensait la même chose, et soutenait le maintien de nos relations commerciales.

Peu de temps après, j'ai pris l'avion pour rentrer chez moi, à Hope, pour les funérailles d'Oren Grisham, mon oncle Buddy qui avait 92 ans et qui avait joué un si grand rôle dans ma vie. Lorsque je suis arrivé au cimetière, sa famille et moi avons immédiatement commencé à échanger des histoires drôles à son propos. Ainsi que l'a dit un membre de ma famille, il était le sel de la terre et le piquant de la vie. D'après Wordsworth, le meilleur de la vie d'un homme de cœur se retrouve dans les petits gestes de bonté et d'amour qu'il a accomplis et que l'on a oubliés. Buddy m'en avait couvert lorsque j'étais jeune et que je n'avais plus mon père. En décembre, Hillary m'a offert un magnifique labrador chocolat pour me tenir compagnie maintenant que Chelsea était partie. C'était un chien facile à vivre, plein d'entrain et intelligent. Je l'ai appelé Buddy.

Au début du mois de juillet, Hillary, Chelsea et moi, après avoir passé quelques jours de détente avec le roi Juan Carlos et la reine Sofia sur l'île de Majorque, nous sommes rendus à Madrid pour le sommet de l'OTAN. J'ai eu une conversation très fructueuse avec le Premier ministre espagnol José María Aznar, qui venait juste de décider d'intégrer entièrement l'Espagne à la structure de commandement de l'OTAN. Puis, l'OTAN a voté l'admission de la Pologne, de la Hongrie et de la République tchèque et a fait savoir à la vingtaine d'autres nations qui avaient rejoint le Partenariat pour la Paix que les portes de l'OTAN restaient ouvertes à de nouveaux membres. Depuis le début de ma présidence, je faisais pression pour l'élargissement de l'OTAN et j'étais sûr que cette étape historique aiderait aussi bien à unifier l'Europe qu'à maintenir l'alliance transatlantique.

Le lendemain, nous avons signé un accord de partenariat avec l'Ukraine et je suis parti pour la Pologne, la Roumanie et le Danemark afin de renforcer la signification de l'élargissement de l'OTAN. J'ai rencontré des foules nombreuses et enthousiastes à Varsovie, Bucarest et Copenhague. En Pologne, les habitants célébraient leur nouvelle adhésion à l'OTAN. À Bucarest, cent mille personnes environ ont clamé « USA ! USA ! » pour montrer leur soutien à la démocratie et leur volonté d'adhérer à l'OTAN le plus tôt possible. À Copenhague, sous un beau soleil, l'ampleur et l'enthousiasme de la foule réaffirmaient notre alliance et montraient le plaisir qu'avaient les habitants à voir pour la première fois un président des États-Unis en fonction visiter le Danemark.

Au milieu du mois, j'étais à nouveau au travail à la Maison Blanche et j'ai proposé une loi interdisant la discrimination fondée sur les tests génétiques. Les scientifiques faisaient de rapides progrès dans la découverte des mystères du génome humain, ce qui allait probablement sauver des millions de vies et révolutionner les soins médicaux. Mais les tests génétiques pouvaient aussi révéler la propension d'un individu à développer diverses pathologies, comme le cancer du sein ou la maladie de Parkinson. Nous ne pouvions pas tolérer qu'au vu des résultats de tests génétiques on puisse refuser une assurance santé ou l'accès à un emploi et nous ne voulions pas décourager les gens de les subir par crainte de voir ces résultats utilisés contre eux et non pour prolonger leur vie.

Vers la même époque, l'IRA a réinstauré le cessez-le-feu qu'elle avait interrompu en février 1996. J'avais ardemment défendu le cessez-le-feu et cette fois il allait tenir, ce qui allait enfin donner la possibilité aux Irlandais de se frayer un chemin dans cette forêt de haines et de soupçons accumulés pour déboucher sur un avenir commun.

Le mois de juillet tirait sur sa fin et nous n'avions toujours pas réussi à nous entendre sur un budget détaillé qui soit fidèle à l'accord plus général que nous avions trouvé auparavant avec les Républicains. Nous restions divisés sur le montant et la forme des réductions fiscales et sur l'attribution de nouveaux crédits. Tandis que notre équipe continuait de négocier avec le Congrès, je suis revenu aux autres questions qui me préoccupaient, en affirmant que, contrairement à ce que le Congrès pensait majoritairement, le réchauffement de la Terre était une réalité et qu'il nous fallait réduire nos émissions de gaz à effet de serre, et en organisant un forum avec Al Gore et d'autres responsables fédéraux et des États à Incline Village, dans le Nevada, sur l'état du lac Tahoe.

Ce dernier était l'un des lacs les plus profonds, les plus purs et les plus propres du monde, mais son état se dégradait à cause de l'industrialisation, de la pollution de l'air résultant de la circulation automobile et de la pollution directe causée par le déchargement de carburant dans les eaux du lac par des bateaux à moteur mal conçus et par les moteurs des jet-skis. En Californie et dans le Nevada, les deux partis politiques portaient ensemble le projet d'assainissement du lac et Al et moi étions déterminés à faire tout notre possible pour les y aider.

À la fin du mois, après que je me fus adressé à l'Association nationale des gouverneurs à Las Vegas, le gouverneur Bob Miller nous a emmenés, moi et quelques-uns de mes anciens collègues, faire une partie de golf avec Michael Jordan. Je n'avais recommencé à jouer que quelques semaines plus tôt et je portais toujours une attelle de protection. Il ne me semblait pas que j'en avais encore réellement besoin, je l'ai donc enlevée pour la partie de golf.

Jordan était un très bon golfeur, un driver au bon jeu long, bien que parfois un peu irrégulier, mais qui avait aussi un excellent jeu court. J'ai eu l'occasion de comprendre pourquoi il avait gagné tant de tournois de la NBA lorsque notre groupe a joué un court par cinq. Jordan a évalué le putt difficile qu'il lui faudrait accomplir pour être sûr de gagner et il a dit : « Eh bien, je pense qu'il faut que je réussisse celui-là pour remporter le trou. » Il suffisait de voir la détermination qu'il y avait dans son regard quand il avait dit cela pour savoir qu'il était sûr qu'il allait réussir ce coup. Il a réussi le putt et il a remporté le trou.

Jordan m'a dit que je jouerais mieux si je remettais mon attelle : « Votre corps n'en a plus besoin, mais votre cerveau ne le sait pas encore. » Il y avait aussi une autre raison pour laquelle je ne jouais pas mieux que cela : j'étais en contact téléphonique permanent avec la Maison Blanche pour être informé des derniers développements dans les négociations sur le budget, alors que nous faisions des propositions et des compromis de dernière minute pour tenter de les clore.

À un peu plus de la moitié de la partie, Rahm Emanuel m'a appelé pour me dire que nous avions trouvé un accord. Puis, c'est Erskine qui a appelé pour me le confirmer et me dire à quel point cet accord était bon. Nous avions obtenu tous nos crédits pour l'éducation et la santé, les réductions fiscales étaient modestes, inférieures d'environ 10 % aux réductions imposées par Reagan en 1981, il était possible de réaliser les économies envisagées sur le programme Medicare, les allégements d'impôts pour les classes moyennes étaient inclus dans les prévisions, les taux d'imposition sur les revenus du capital allaient être réduits de 18 à 20 % et tout le monde était d'accord pour dire que le budget serait à l'équilibre en 2002 et probablement même avant cette date si la croissance économique se poursuivait. J'étais si content que j'ai gagné les trois trous suivants, avec mon attelle.

Le lendemain, nous avons organisé une grande fête sur la pelouse sud avec tous les membres du Congrès et de l'administration qui avaient travaillé sur le budget. L'ambiance était euphorique et les discours étaient chaleureux, généreux et indifférents aux clivages politiques, même si je suis un peu sorti de ma réserve pour remercier les Démocrates, en particulier Ted Kennedy, Jay Rockefeller et Hillary pour le programme d'assurance maladie pour les enfants. Parce que le déficit budgétaire avait déjà été réduit de plus de 80 % par rapport à son chiffre le plus élevé de 290 milliards de dollars, atteint en 1993, l'accord s'était essentiellement fait autour d'un budget progressiste, avec les réductions d'impôts pour les classes moyennes que j'avais soutenues et la baisse de la taxation du produit du capital voulue par les Républicains. En plus des mesures en faveur de l'éducation, de la santé et des réductions d'impôts, il augmentait les taxes sur le tabac de quinze cents par paquet afin de financer l'assurance santé pour les enfants, réinstaurait l'assistance santé et une pension d'invalidité pour les immigrés en situation régulière à hauteur de douze milliards de dollars, doublait le nombre de zones d'autonomie et nous donnait les moyens financiers de poursuivre l'assainissement de l'environnement.

Dans ce climat si amical qui régnait ce jour-là à la Maison Blanche, il était difficile de s'imaginer que nous avions été à couteaux tirés pendant plus de deux ans. Je ne savais pas combien de temps cela durerait, mais j'avais fait beaucoup d'efforts pour maintenir un certain niveau de courtoisie dans ces négociations tendues. Quelques semaines plus tôt, Trent Lott, qui rageait d'avoir perdu une bataille législative mineure contre la Maison Blanche, m'avait traité de « sale gosse trop gâté » dans un talk-show du dimanche matin. Quelques jours plus tard, je l'avais appelé pour lui dire que je savais ce qui était arrivé et qu'il ne fallait pas qu'il pense que je lui en voudrais. Après une semaine de travail éprouvante, il s'était levé le dimanche matin de mauvaise humeur et en souhaitant n'avoir jamais accepté de donner cette interview télévisée. Il était fatigué et irritable et quand le journaliste l'avait titillé en lui parlant de moi il avait mordu à l'hameçon. Il a éclaté de rire et il m'a dit : « C'est exactement comme ça que cela s'est passé », puis nous avons tiré un trait sur cette affaire.

Beaucoup de gens qui travaillent dur sous une forte pression disent parfois des choses qu'ils regrettent ensuite ; je n'avais pas toujours échappé à la règle. En général je ne lisais même pas ce que les Républicains disaient de moi et si par hasard je tombais sur un commentaire désobligeant j'essayais de l'ignorer. Les gens se donnent des présidents pour qu'ils agissent en leur nom ; se mettre dans tous ses états pour des insultes personnelles nuit à la bonne exécution de cette fonction. Je suis heureux d'avoir appelé Trent Lott et je me dis que j'aurais dû donner plus de coups de fil comme celui-là dans des situations similaires.

Je n'avais pas le même sentiment de détachement vis-à-vis de Kenneth Starr, de ses tentatives répétées d'obliger les gens à lancer de fausses accusations contre Hillary et moi et des poursuites en justice qu'il engageait contre ceux qui refusaient de mentir pour lui. En avril, Jim McDougal, qui était revenu sur ses déclarations pour donner satisfaction à Starr et à son adjoint Hick Ewing, a finalement été incarcéré avec une réduction de peine appuyée par Starr. Starr avait agi de la même manière avec David Hale.

L'attitude cajoleuse de Starr vis-à-vis de McDougal et de Hale contrastait vivement avec le traitement qu'il avait imposé à Susan McDougal, qui était toujours maintenue en détention parce qu'elle avait refusé de répondre aux questions de Starr devant la chambre de mise en accusation. Après un bref séjour dans une prison centrale en Arkansas, où elle avait été conduite menottée, les pieds entravés et ceinturée d'une chaîne, Susan avait été transférée dans une prison fédérale, où elle avait été maintenue à l'écart des autres détenus dans une unité médicale pendant quelques mois. Puis, elle avait été emmenée dans une prison de Los Angeles pour y répondre d'accusations de détournements de fonds auprès de l'un de ses anciens employeurs. Lorsque de nouvelles preuves écrites étaient apparues qui réduisaient en miettes l'accusation, elle avait été acquittée. En attendant, elle avait été forcée à passer vingt-trois heures par jour dans une cellule sans fenêtre, qui d'habitude était réservée aux meurtriers. On l'avait également obligée à porter une tenue rouge qui normalement n'était portée que par les meurtriers et les détenus accusés de maltraitances envers des enfants. Après quelques mois de ce traitement, elle avait été placée dans une cellule en plexiglas au milieu d'une unité de détention ; elle ne pouvait pas parler avec les autres détenus, regarder la télévision ou même entendre les sons extérieurs. Dans le bus qui la menait au tribunal pour ses auditions, elle était placée dans une cellule à part où habituellement n'étaient enfermés que les criminels dangereux. Sa détention, comparable à celle de Hannibal Lecter, s'est achevée le 30 juillet, après que le Syndicat américain pour la défense des libertés civiques eut intenté un procès dénonçant les conditions « inhumaines » dans lesquelles Susan McDougal était détenue à la demande de Starr, qui voulait l'obliger à témoigner.

Des années plus tard, lorsque j'ai lu le livre de Susan McDougal, *Celle qui refusait de parler*, il m'a donné la chair de poule. Elle aurait pu mettre fin à son calvaire à n'importe quel moment mais aussi gagner beaucoup d'argent en acceptant simplement de mentir comme le lui demandaient Starr et Hick Ewing. Comment avait-elle fait pour leur résister, je ne le saurais jamais, mais la vision qu'elle avait offerte, ainsi enchaînée, avait ouvert la première faille dans l'écran protecteur que les journalistes de Whitewater avaient dressé autour de Starr et de son personnel.

Plus tard au cours du printemps, la Cour suprême avait jugé à l'unanimité que le procès Paula Jones pouvait se poursuivre alors que j'étais encore à la Maison Blanche, écartant l'argument avancé par mes avocats selon lequel l'action présidentielle ne pouvait être perturbée par le procès, dans la mesure où celui-ci pouvait se régler à la fin de mon mandat. Les précédentes décisions de la Cour avaient indiqué qu'un président en fonction ne pouvait faire l'objet d'un procès civil intenté suite à un acte officiel commis pendant sa présidence parce que la défense le détournerait trop de ses obligations et exigerait qu'il y consacre trop de temps. La Cour avait expliqué que l'adoption d'un principe de report dans la dénonciation des actes non officiels d'un président pouvait nuire à l'autre partie impliquée dans le procès, c'est pourquoi il ne fallait pas repousser le procès Paula Jones. Par ailleurs, d'après la Cour, ma défense dans ce procès n'allait pas constituer pour moi une trop lourde charge ou me prendre trop de temps. C'était l'une des décisions les plus naïves politiquement que la Cour avait prises depuis très longtemps.

Le 25 juin, le *Washington Post* a révélé que Kenneth Starr enquêtait sur des rumeurs selon lesquelles douze à quinze femmes, parmi lesquelles Paula Jones, avaient eu une aventure avec moi. Il avait déclaré que ce n'était pas ma vie sexuelle qui l'intéressait, mais qu'il voulait simplement interroger toutes les personnes avec lesquelles j'aurais pu avoir une conversation à propos de Whitewater. Starr allait finalement envoyer des dizaines d'agents du FBI ainsi que des détectives privés payés par le contribuable pour enquêter sur ce sujet dont il assurait qu'il ne l'intéressait pas.

À la fin du mois de juillet, le FBI a commencé à me causer du souci, pour des raisons bien plus graves que les enquêtes qu'il menait sur ma vie sexuelle à la demande de Kenneth Starr. On avait constaté toute une série de dérapages dans le service de Louis Freeh : des rapports sabotés remis par le laboratoire de police scientifique du FBI qui menaçaient de faire basculer plusieurs affaires criminelles en attente d'être jugées ; un large dépassement du coût estimé de deux systèmes informatiques utilisés pour mettre à jour le Centre d'information national sur la criminalité et pour permettre une vérification rapide des empreintes digitales par les officiers de police de tout le pays ; la remise de dossiers du FBI portant sur des hauts fonctionnaires républicains à la Maison Blanche ; et enfin la tentative de faire accuser Richard Jewell d'avoir voulu commettre un attentat aux Jeux olympiques d'Atlanta, alors que celui-ci avait été blanchi ultérieurement. Une enquête était également en cours qui tâchait d'éclaircir le rôle de l'adjoint de Freeh, Larry Potts, dans la fusillade meurtrière de Ruby Ridge en 1992, qui avait été violemment reprochée au FBI et pour laquelle Potts avait reçu un blâme avant que Freeh ne le nomme à son poste.

Freeh avait été critiqué par la presse et par les Républicains au Congrès qui avaient invoqué les dérapages du FBI pour expliquer leur refus de voter la clause contenue dans la loi antiterroriste que j'avais proposée qui aurait donné au FBI le droit de pratiquer des écoutes téléphoniques pour traquer les terroristes présumés dans leurs déplacements.

Freeh pouvait envisager une solution sûre lui permettant de donner satisfaction aux Républicains du Congrès et de se faire oublier de la presse : se placer dans le camp adverse de la Maison Blanche. Par conviction ou par nécessité, c'est précisément ce qu'il avait choisi de faire. Lorsque l'affaire des dossiers sur les Républicains avait été rendue publique, sa première réaction avait été d'accuser la Maison Blanche et de nier toute responsabilité du FBI. Lorsque l'histoire du financement de la campagne électorale avait commencé, il avait rédigé une note à l'attention de Janet Reno dont la presse était parvenue à prendre connaissance et qui lui demandait instamment de nommer un procureur indépendant. Lorsque des rapports étaient apparus laissant entendre que le gouvernement chinois avait peut-être tenté de remettre des contributions illégales à des membres du Congrès en 1996, des agents exécutants en avaient averti des gens tout au bout de la chaîne de commandement et leur avaient demandé de ne surtout rien en dire à leurs supérieurs. Au moment où Madeleine Albright se préparait à se rendre en Chine, le conseiller juridique de la Maison Blanche, Chuck Ruff, ancien ministre de la Justice très respecté et ancien haut fonctionnaire du département de la Justice, avait demandé au FBI de lui fournir des informations sur la manière dont Pékin comptait influencer le gouvernement. Évidemment, il fallait que le secrétaire d'État le sache avant de rencontrer les Chinois, mais Freeh avait personnellement ordonné au FBI de ne pas envoyer la réponse qu'il avait préparée, en dépit du fait que celle-ci avait été approuvée par le département de la Justice et par deux des collaborateurs de Freeh les plus haut placés.

Je ne croyais pas Freeh suffisamment idiot pour penser que le Parti démocrate était capable d'accepter sciemment des contributions illégales de la part du gouvernement chinois ; tout ce qu'il essayait de faire était de détourner les critiques de la presse et des Républicains, même aux dépens de nos opérations de politique étrangère. J'ai repensé à ce coup de téléphone que j'avais reçu la veille du jour où j'avais nommé Freeh de la part d'un agent du FBI à la retraite en Arkansas qui m'avait supplié de ne pas le nommer et qui m'avait averti qu'il me ferait couler à la minute même où il y verrait son intérêt.

Quels qu'aient été les motifs de Freeh, le comportement du FBI vis-à-vis de la Maison Blanche n'était qu'une illustration de plus de la folie qui s'était emparée de Washington. Le pays allait mieux, nous faisions avancer la paix et la prospérité à travers le monde, et pourtant cette stupide soif de scandale ne s'apaisait pas. Quelques mois plus tôt, Tom Oliphant, le journaliste réfléchi et indépendant du *Boston Globe*, avait bien résumé la situation :

> Les forces ambitieuses et vaniteuses qui font tourner la grande machine à scandale américaine sont très puissantes, à en juger par la manière dont les choses semblent se passer aujourd'hui. L'énergie vitale de cette machine, ce sont les apparences, qui donnent naissance à des questions, créant ainsi de nouvelles apparences, qui à leur tour génèrent une frénésie bien-pensante qui exige des investigations approfondies par des inquisiteurs plus que scrupuleux qui doivent à tout prix être indépendants. Seuls, bien entendu, peuvent résister à cette frénésie les complices et les coupables.

Le mois d'août a commencé par de bonnes et de mauvaises nouvelles. Le chômage était à 4,8 %, son taux le plus bas depuis 1973, et la confiance dans l'avenir restait élevée, soutenue par l'accord sur le budget équilibré auquel les deux partis étaient parvenus. Mais cette coopération ne s'était pas étendue au processus de nomination : Jesse Helms s'opposait à ma nomination du gouverneur républicain du Massachusetts, Bill Weld, au poste d'ambassadeur au Mexique car il pensait que Weld l'avait insulté, et Janet Reno avait informé l'Association des juristes américains qu'il restait cent un postes de juges fédéraux à pourvoir parce que le Sénat n'avait confirmé que neuf de mes nominations en 1997, et aucune à la cour d'appel.

Après une absence qui avait duré deux ans, notre famille est revenue à Martha's Vineyard pour les vacances du mois d'août. Nous résidions dans la maison de notre ami Dick Friedman près d'Oyster Pond. J'ai fêté mon anniversaire en allant faire un jogging avec Chelsea et j'ai persuadé Hillary de faire sa partie annuelle de golf avec moi sur le parcours de golf public de Mink

Meadows. Elle n'avait jamais aimé le golf, mais une fois par an elle me faisait plaisir en jouant quelques trous. J'ai aussi beaucoup joué au golf avec Vernon Jordan sur le magnifique parcours de Farm Neck. Il aimait ce jeu beaucoup plus que Hillary.

Le mois s'est terminé comme il avait commencé, par de bonnes et de mauvaises nouvelles. Le 29, Tony Blair a invité le Sinn Fein à participer aux pourparlers de paix en Irlande, en accordant pour la première fois à ce parti une reconnaissance officielle. Le 31, la princesse Diana s'est tuée dans un accident de voiture à Paris. Moins d'une semaine plus tard, mère Teresa est décédée. Ces deux morts ont causé beaucoup de peine à Hillary. Elle avait bien connu et beaucoup aimé ces deux femmes et elle a représenté les États-Unis aux deux enterrements, d'abord à Londres, puis à Calcutta quelques jours plus tard.

Au cours du mois d'août, j'ai également dû annoncer une nouvelle extrêmement décevante : les États-Unis n'allaient pas pouvoir signer le traité interdisant les mines terrestres antipersonnel. Les circonstances de notre exclusion étaient pour le moins bizarres. Les États-Unis avaient dépensé 153 millions de dollars pour déminer divers endroits du globe depuis 1993 ; nous avions récemment perdu un avion avec neuf personnes à son bord après avoir déposé une équipe de déminage dans l'Afrique du Sud-Ouest ; nous avions entraîné plus de 25 % des experts en déminage du monde ; et nous avions détruit 1,5 million de nos propres mines et prévoyions d'en détruire encore 1,5 million pour 1999. Aucune autre nation n'avait autant fait que les États-Unis pour débarrasser le monde des dangereuses mines terrestres.

Alors que les négociations autour du traité approchaient de leur fin, j'avais demandé l'ajout de deux amendements : que l'on fasse une exception pour le champ de mines très clairement délimité et sanctionné par les Nations unies le long de la frontière coréenne, qui protégeait les habitants de la Corée-du-Sud et nos troupes stationnées là-bas ; et que l'on reformule la clause approuvant les missiles antichars qui recouvrait ceux qui étaient fabriqués en Europe mais pas les nôtres. Les nôtres étaient tout aussi sûrs et ils étaient plus efficaces dans la protection de nos troupes. Les deux amendements avaient été rejetés, tout d'abord parce que la Conférence sur les mines terrestres était déterminée à faire voter le traité le plus radical possible après la mort de la plus célèbre représentante de sa cause, la princesse Diana, et aussi parce que certaines personnes présentes à la conférence voulaient embarrasser les États-Unis ou nous contraindre à signer le traité en l'état. Ne pas être associé à l'accord international me mettait en colère car cela affaiblissait notre action contre la fabrication et l'utilisation de nouvelles mines terrestres, dont certaines se négociaient autour de trois dollars pièce, mais je ne pouvais pas mettre en danger nos troupes ou les habitants de la Corée-du-Sud.

Le 18 septembre, Hillary et moi avons emmené Chelsea à Stanford. Nous voulions que sa nouvelle vie soit aussi normale que possible et nous nous étions mis d'accord avec les services secrets pour que soient assignés à sa protection de jeunes agents en civil qui seraient aussi discrets que possible. Stanford avait accepté d'interdire l'accès du campus aux médias lorsqu'elle s'y trouverait. Nous avons assisté avec plaisir aux cérémonies de bienvenue et aux rencontres avec les autres parents, après quoi nous avons emmené Chelsea à sa chambre et nous l'avons aidée à s'installer. Chelsea était heureuse et excitée ; Hillary et moi étions un peu tristes et inquiets. Hillary a tenté de dissiper ces sentiments en s'affairant et en aidant Chelsea à organiser son intérieur, allant jusqu'à tapisser ses tiroirs de papier de soie. J'avais monté ses valises dans sa chambre, puis j'avais installé son lit superposé. Ensuite je m'étais contenté de regarder par la fenêtre, constatant que Chelsea commençait à s'agacer de voir sa mère s'occuper de tout. Lorsque l'étudiant chargé de la présentation, Blake Harris, a annoncé au moment de la convocation à tous les parents que nous manquerions à nos enfants « dans environ un mois et pendant environ un quart d'heure », nous avons tous éclaté de rire. J'espérais que c'était vrai, mais elle, sûrement, allait nous manquer. Lorsque cela a été le moment de partir, Hillary s'était ressaisie et elle était prête. Moi pas ; je voulais rester pour le dîner.

Le 30 septembre, j'ai assisté à la cérémonie de départ à la retraite du général John Shalikashvili et je lui ai remis la médaille présidentielle de la liberté. Il avait été un excellent commandant des chefs d'état-major, qui avait soutenu l'élargissement de l'OTAN, la création du Partenariat pour la Paix, et le déploiement de nos troupes dans plus de quarante opérations, parmi lesquelles la Bosnie, Haïti, l'Irak, le Rwanda et le détroit de Taiwan. J'avais vraiment beaucoup aimé travailler avec lui. Il était intelligent, franc et entièrement dévoué à la cause de nos hommes et de nos femmes en uniforme. Pour le remplacer j'ai nommé le général Hugh Shelton, qui m'avait tant impressionné par la manière dont il avait dirigé les opérations en Haïti.

Le début de l'automne a été largement consacré aux affaires étrangères, à commencer par mon premier voyage en Amérique du Sud. Je me suis rendu au Venezuela, au Brésil et en Argentine pour y dire l'importance qu'avait l'Amérique du Sud pour l'avenir des États-Unis et pour continuer à faire avancer l'idée d'une zone de libre-échange qui couvrirait tout le continent américain. Le Venezuela était notre premier fournisseur de pétrole et il nous avait toujours livré du pétrole lorsque nous en avions eu besoin, de la Seconde Guerre mondiale à la guerre du Golfe. Ma visite a été brève et simple ; son instant le plus marquant a été un discours au peuple de Caracas prononcé sur la tombe de Simón Bolívar.

Le voyage au Brésil a été bien différent. Il y avait depuis longtemps des tensions entre nos deux pays ; beaucoup de Brésiliens avaient du ressentiment contre les États-Unis. Le Brésil était le leader du marché commun du cône Sud, le Mercosur, qui comprenait aussi l'Argentine, le Paraguay et l'Uruguay et dont le volume des échanges avec l'Europe était plus important qu'avec les États-Unis. D'un autre côté, Henrique Cardoso, le président brésilien, était un chef d'État moderne et efficace qui souhaitait entretenir de bonnes relations avec les États-Unis et qui avait compris qu'un partenariat renforcé avec nous l'aiderait à moderniser l'économie de son pays, à réduire la pauvreté chronique dont celui-ci souffrait et à élargir son influence dans le monde.

J'étais fasciné par le Brésil depuis que le grand saxophoniste de jazz Stan Getz avait popularisé sa musique aux États-Unis à la fin des années 1960 et depuis j'avais toujours voulu voir ses villes et ses magnifiques paysages. Par ailleurs j'appréciais et je respectais Cardoso. Il était déjà venu en visite officielle à Washington et pour moi il était l'un des chefs d'État les plus impressionnants qu'il m'ait été donné de rencontrer. Je voulais réaffirmer notre engagement mutuel dans un partenariat économique plus étroit et je voulais apporter mon soutien à sa politique, en particulier à ce qu'il faisait pour protéger l'immense forêt pluviale du Brésil, qui avait été sérieusement touchée par une déforestation excessive, ainsi qu'à son action en faveur de l'éducation. Cardoso avait mis en place un programme enthousiasmant appelé *bolsa escola*, qui prévoyait le versement de mensualités aux familles brésiliennes pauvres si leurs enfants fréquentaient l'école au moins 85 % du temps.

Il y a eu un moment intéressant pendant notre conférence de presse au cours de laquelle j'ai bien entendu été interrogé sur les relations américano-brésiliennes et sur le changement climatique, mais où la presse américaine m'a également posé une question sur la controverse toujours ouverte aux États-Unis autour du financement de la campagne électorale de 1996. Un journaliste m'a demandé si cela me gênait ou si cela gênait le pays que l'on me pose de telles questions pendant un voyage à l'étranger. Je lui ai répondu : « C'est à vous d'en décider. C'est à vous de choisir les questions que vous allez poser. Je ne peux pas être gêné par la manière dont vous décidez de faire votre métier. »

Après avoir visité une école dans un quartier défavorisé de Rio de Janeiro en compagnie de la légende du football brésilien Pelé, Hillary et moi nous sommes rendus à Brasília pour un dîner officiel à la résidence présidentielle, où Henrique et Ruth Cardoso nous ont permis de goûter la musique brésilienne que j'aimais depuis plus de trente ans, en nous faisant écouter un ensemble de percussions féminin qui produisait des rythmes vibrants en jouant sur des plateaux métalliques de différentes tailles attachés à leur corps et une chanteuse fabuleuse de Bahia, Virginia Rodrigues.

Le président argentin Carlos Menem était un fervent allié des États-Unis, qui avait soutenu l'Amérique dans la guerre du Golfe et en Haïti et qui avait adopté une énergique économie de marché. Il avait organisé un barbecue au Centre de la vie rurale de Buenos Aires agrémenté par des leçons de tango pour Hillary et moi et par une démonstration d'art équestre argentin : nous avons ainsi pu voir un homme faire à cheval le tour de la piste de rodéo juché sur deux étalons aux larges encolures.

Le président Menem nous a également emmenés à Bariloche, une superbe station de montagne de Patagonie, afin que nous y discutions du réchauffement terrestre et pour, je l'espérais, trouver une solution commune à ce problème. La Conférence internationale sur le changement climatique était prévue pour décembre à Kyoto, au Japon. J'étais totalement favorable à ce que l'on se donne des objectifs radicaux pour réduire les émissions de gaz à effet de serre tant dans les pays industrialisés que dans les pays en voie de développement, mais je ne voulais pas atteindre ces objectifs en imposant des lois et des taxes mais en créant des incitations économiques qui promouvraient les économies d'énergie et l'utilisation d'énergies propres. Bariloche était le lieu idéal pour mettre en lumière l'importance de l'environnement. Partant de l'hôtel *Llao Llao* où nous résidions, de l'autre côté du lac pur et froid, Hillary et moi avons fait une promenade dans la forêt magique des Arrayanes, au milieu de ces arbres de la famille des myrtes qui paraissent dépourvus d'écorce. Le tanin avait donné aux arbres une couleur orangée et ils étaient frais au toucher. Ils avaient survécu en raison de la perfection du sol, de la présence d'eau et d'air purs et d'un climat modéré. En prenant les bonnes décisions pour lutter contre le changement climatique, il serait possible de préserver ces arbres uniques et fragiles et l'équilibre de la quasi-totalité de notre planète.

Le 26 octobre, à notre retour à Washington, Capricia Marshall, Kelly Craighead et les autres membres de l'équipe de Hillary ont organisé pour elle une grande fête de cinquantième anniversaire sous une tente dressée sur la pelouse sud. Chelsea est rentrée pour lui faire une surprise. Un buffet avait été préparé, on entendait des morceaux de musique qui avaient marqué chaque décennie de sa vie et les invités étaient des gens qu'elle avait connus à chaque époque : dans l'Illinois dans les années 1950, à Wellesley dans les années 1960, à Yale dans les années 1970 et en Arkansas dans les années 1980.

Le lendemain, Jiang Zemin est venu à Washington. Ce soir-là, je l'ai invité à la résidence pour une rencontre informelle. Après presque cinq ans de travail en commun, j'étais impressionné par les talents de politique de Jiang, par sa volonté d'intégrer la Chine dans la communauté mondiale et par la croissance économique de son pays qui s'était accélérée pendant son mandat et celui de son Premier ministre, Zhu Rongji, mais je m'inquiétais encore de voir la Chine pratiquer la négation des libertés essentielles et l'emprisonnement des dissidents politiques. J'ai demandé à Jiang de libérer certains dissidents et je lui ai dit que si les États-Unis et la Chine voulaient travailler dans un partenariat à long terme nos relations devaient autoriser l'expression de désaccords francs et légitimes.

Lorsque Jiang m'a répondu qu'il était du même avis, nous avons alors cherché à définir jusqu'à quel point la Chine pouvait changer et quelles libertés elle pouvait accorder sans risquer de sombrer dans le chaos. Nous n'avons pas résolu nos différends, mais nous nous sommes mieux compris, et après que Jiang m'eut quitté pour retourner à Blair House, je suis allé me coucher en pensant que les impératifs de la société moderne allaient forcer la Chine à s'ouvrir, et qu'il était bien plus probable que dans ce nouveau siècle nos pays deviennent des partenaires plutôt que des adversaires.

Le lendemain, au cours de notre conférence de presse, Jiang et moi avons annoncé que nous renforcerions notre coopération afin de mettre un terme à la prolifération des armes de destruction massive ; que nous travaillerions ensemble à l'utilisation pacifique de l'énergie nucléaire et à la lutte contre le crime organisé, le trafic de drogue et le trafic des clandestins ; que nous multiplierions les tentatives américaines visant à promouvoir l'exercice de la loi en Chine par la formation de juges et d'avocats ; et que nous nous associerions pour garantir la protection de l'environnement. J'ai également promis de faire tout mon possible pour faire entrer la Chine au sein de l'Organisation mondiale du commerce. Jiang a fait écho à mes déclarations et a annoncé à la presse que nous nous étions également entendus pour nous rencontrer régulièrement et pour ouvrir une « ligne rouge » téléphonique directe afin d'assurer le maintien d'une communication directe et permanente.

Lorsque nous sommes passés aux questions, la presse a soulevé les inévitables interrogations sur le respect des droits de l'homme, sur la place Tiananmen et sur le Tibet. Jiang a paru un peu déstabilisé, mais il a conservé sa bonne humeur, en répétant essentiellement ce qu'il m'avait dit la veille au soir sur ces sujets et en ajoutant qu'il savait qu'il était en visite dans une démocratie où les gens avaient la possibilité d'exprimer leurs différentes opinions. J'ai répondu que, si la Chine était du bon côté de l'histoire sur bien des points, sur la question des droits de l'homme « nous pensons que la politique du gouvernement est du mauvais côté de l'histoire ». Quelques jours plus tard, dans un discours à Harvard, le président Jiang a admis que des erreurs avaient été commises dans la manière dont avaient été traités les manifestants de la place Tiananmen. La Chine évoluait souvent à un rythme qui pour les Occidentaux semblait être d'une exaspérante lenteur, mais elle n'était pas hermétique au changement.

Le mois d'octobre a vu deux événements importants se produire sur le front juridique. Après que la juge Susan Webber Wright eut déclaré irrecevables deux des quatre chefs d'accusation lancés par Paula Jones (ce qui signifiait qu'ils ne pouvaient être réexaminés), j'ai proposé de trouver un arrangement. Je ne souhaitais pas cet arrangement, car il allait nous coûter à peu près la moitié de tout ce que Hillary et moi avions économisé en vingt ans et parce que je savais, au vu des résultats des investigations effectuées par mon équipe juridique, que si nous allions en justice nous gagnerions le procès. Mais je ne voulais pas gâcher un seul jour des trois années que j'allais encore passer à la présidence avec cette affaire.

Jones a refusé l'arrangement à moins que je ne m'excuse pour l'avoir sexuellement harcelée. Je ne pouvais pas le faire, parce que c'était faux. Peu de temps après, ses avocats ont demandé à la cour d'être dégagés de leurs obligations. Ils ont rapidement été remplacés par un cabinet de Dallas financé par le Rutherford Institute, qui n'était rien d'autre qu'une organisation juridique de droite financée par mes adversaires. À présent, on ne faisait même plus semblant de croire que Paula Jones était la véritable plaignante dans l'affaire qui portait son nom.

Au début du mois, la Maison Blanche a remis au département de la Justice et au Congrès des enregistrements vidéo de quarante-quatre de ces petits déjeuners à la Maison Blanche autour desquels on avait fait tant de battage. Ils ont apporté la preuve de la véracité de mes dires depuis le début, montrant que ces petits déjeuners ne servaient pas à lever des fonds mais à organiser des discussions de large portée et souvent fort intéressantes avec des gens qui étaient des sympathisants et d'autres qui ne l'étaient pas. La seule chose qui demeurait critiquable était que ces enregistrements n'avaient pas été remis plus tôt.

Peu de temps après, Newt Gingrich a fait savoir qu'il ne disposait pas de suffisamment de voix pour faire voter la loi de *fast track* à la Chambre des représentants. J'avais travaillé très dur pendant des mois pour la faire voter. Dans le but d'obtenir plus de voix au sein de mon propre parti, j'avais promis aux Démocrates que je négocierais les accords commerciaux en les assortissant de clauses sur le travail et sur l'environnement, et je leur avais dit que je m'étais assuré du consentement du Chili à inclure de telles exigences dans les accords bilatéraux sur lesquels nous étions en train de travailler. Malheureusement, je n'étais pas parvenu à les convaincre massivement, car l'AFL-CIO, qui était toujours fâché de n'avoir pas été entendu au moment du vote sur l'ALENA, avait fait de la loi de *fast track* un test qui révélerait la position des Démocrates pour ou contre le monde du travail. Même des Démocrates qui sur le principe étaient de mon côté hésitaient à affronter une campagne de réélection sans le soutien financier et organisationnel de l'AFL-CIO. Plusieurs Républicains conservateurs ont fait dépendre leur vote de ma disposition à imposer de plus grandes restrictions à la politique des États-Unis en matière de planning familial international. Si je n'accédais pas à leur demande, je perdais leurs voix. Le président de la Chambre avait aussi agi en faveur du vote du projet de loi, mais au bout du compte il nous manquait quand même encore six voix, au mieux. Maintenant il ne me restait qu'à continuer à conclure des accords commerciaux individuels et à espérer que le Congrès ne les enterrerait pas à force d'amendements.

Au milieu du mois, une nouvelle crise a éclaté en Irak, lorsque Saddam a expulsé six membres américains des équipes d'inspection de l'armement. J'ai envoyé le porte-avions *George Washington* sur place et quelques jours plus tard les inspecteurs étaient de retour.

La Conférence de Kyoto s'est ouverte le 1er décembre. Avant qu'elle ne s'achève, Al Gore est parti au Japon pour y aider notre principal négociateur, le sous-secrétaire d'État Stu Eizenstat, à obtenir un accord que nous pouvions signer, présentant des objectifs fermes mais pas de restrictions excessives sur la manière de les atteindre et un appel à la participation de pays émergents comme la Chine et l'Inde ; en trente ans, ils allaient dépasser les États-Unis dans l'émission de gaz à effet de serre (les États-Unis sont actuellement le pays qui en produit le plus). À moins qu'on n'opère ces modifications, je ne pouvais pas soumettre le traité au Congrès ; dans le meilleur des cas il allait être difficile de le faire voter. Avec le soutien du Premier ministre Hashimoto, qui voulait que Kyoto soit un succès pour le Japon, et d'autres nations qui partageaient nos vues, dont l'Argentine, les négociations ont débouché sur un accord auquel j'ai donné avec joie mon assentiment, présentant des objectifs dont je pensais que nous pouvions les atteindre si le Congrès promulguait les incitations fiscales nécessaires à la production et à l'achat de technologies de protection de l'environnement et de produits dérivés des énergies propres.

Dans les jours précédant Noël, Hillary, Chelsea et moi nous sommes rendus en Bosnie pour encourager les habitants de Sarajevo à rester sur le chemin de la paix et pour rencontrer nos troupes à Tuzla. Bob et Elizabeth Dole ont rejoint notre délégation, avec plusieurs chefs militaires et des membres du Congrès des deux partis. Elizabeth était la présidente de la Croix-Rouge américaine, et Bob venait juste d'accepter de prendre la tête de la Commission internationale des personnes disparues dans l'ex-Yougoslavie.

La veille de Noël, les États-Unis ont accepté de débloquer 1,7 milliard de dollars pour soutenir l'économie chancelante de la Corée-du-Sud. Cette décision a marqué le début de notre engagement à résoudre la crise financière asiatique, qui allait encore largement empirer au cours de l'année suivante. La Corée-du-Sud venait tout juste d'élire un nouveau président, Kim Dae Jung, un militant démocrate de longue date qui avait été condamné à être exécuté dans les années 1970 avant que le président Carter n'intervienne en sa faveur. J'avais rencontré Kim pour la première fois sur les marches de la mairie de Los Angeles en mai 1992, lorsqu'il m'avait avoué avec fierté qu'il représentait la même nouvelle approche de la politique que moi. Il était à la fois courageux et visionnaire, et je voulais lui apporter mon soutien.

Alors que nous nous approchions du week-end de la Renaissance et d'une nouvelle année, je pouvais repenser à l'année 1997 avec satisfaction, en espérant que les plus mauvais souvenirs des luttes partisanes avaient été balayés par tout ce qui avait été accompli : l'équilibre budgétaire ; la plus forte augmentation des aides à la poursuite d'études universitaires depuis cinquante ans ; l'extension la plus importante de la couverture maladie pour les enfants depuis 1965 ; l'élargissement de l'OTAN ; la Convention sur les armes chimiques ; les accords de Kyoto ; de profondes réformes de notre législation sur l'adoption et de notre Food and Drug Administration visant à accélérer l'introduction de médicaments et d'appareils médicaux pouvant sauver des vies ; et le projet d'une Amérique unique, « One America », qui avait déjà fait se lancer des millions de gens dans des discussions sur l'état actuel des relations raciales. C'était une liste impressionnante, mais elle n'allait pas suffire à combler le fossé idéologique.

CHAPITRE QUARANTE-HUIT

Au début de 1998, j'étais loin d'imaginer que cette année serait la plus étonnante de mon mandat. Elle devait être marquée par l'humiliation personnelle, par la honte, par des combats politiques aux États-Unis et des triomphes à l'étranger, mais aussi, en dépit de circonstances défavorables, par une belle démonstration du bon sens et de la profonde honnêteté du peuple américain. Tous ces événements ayant eu lieu en même temps, je me suis trouvé, plus encore que par le passé, contraint de mener de front des vies parallèles ; cette fois, pourtant, la part la plus sombre de ma vie intérieure s'est trouvée exposée au grand jour.

Janvier avait débuté sur une note d'optimisme grâce à trois grandes initiatives : une augmentation de 50 % parmi les volontaires du Peace Corps, dont le but premier était de soutenir les nouvelles démocraties nées de la chute du communisme ; un programme d'aide à l'enfance de vingt-deux milliards de dollars, destiné à doubler le nombre de familles actives bénéficiant d'allocations, à accorder des crédits d'impôts aux employeurs soucieux d'offrir des crèches à leurs salariés et à augmenter à hauteur de cinq cent mille le nombre d'enfants bénéficiant de structures d'accueil avant et après les heures de cours ; et une proposition visant à baisser l'âge minimum de la souscription à Medicare à 62 ans (voire 55 en cas de perte d'emploi) au lieu des 65 requis jusqu'alors. Ce programme devait être autofinancé au moyen de primes modestes et d'autres versements. Le besoin s'en faisait sentir parce que nombre d'Américains quittaient trop tôt le monde du travail, à la suite d'un dégraissage, d'un licenciement ou d'un choix personnel. Perdant de ce fait une couverture sociale en partie financée par leur employeur, ils ne trouvaient pas ailleurs d'assurance abordable.

La deuxième semaine du même mois, je suis allé parler aux lycéens de la Mission High School, dans le sud du Texas – l'une des régions que je préfère en Amérique. À ces lycéens, d'origine hispanique pour la plupart, j'ai demandé de nous aider à augmenter le taux d'étudiants hispaniques au sein de la population estudiantine nationale le Congrès n'avait-il pas, en 1997, favorisé une considérable augmentation des aides aux étudiants ? C'est au cours de ce voyage que l'on m'a annoncé l'effondrement de l'économie indonésienne ; ma propre équipe d'économistes s'est alors mise au travail pour analyser cet ultime avatar de la crise financière en Asie. Larry Summers, secrétaire au Trésor, s'est rendu en Indonésie pour veiller à ce que le gouvernement applique les réformes nécessaires à l'obtention d'une aide du Fonds monétaire international.

Le 13 janvier, l'Irak fut le théâtre de nouveaux incidents, le gouvernement de Saddam Hussein ayant bloqué un comité d'inspection de l'ONU dirigé par des Américains. C'était là, de la part de Saddam Hussein, le premier d'une longue série d'actes visant à contraindre les Nations unies à lever leurs sanctions si elles voulaient poursuivre l'inspection des armements irakiens. Le même jour, le Moyen-Orient entra en crise lorsque le gouvernement Nétanyahou, qui n'avait toujours pas fait ouvrir l'aéroport de Gaza ni mis en place un transit sûr entre Gaza et la Cisjordanie, mit en danger le processus de paix en décidant de maintenir indéfiniment le contrôle de la Cisjordanie. En ce mois de janvier, une seule lueur d'espoir éclairait ce sombre tour d'horizon : la signature, à la Maison Blanche, d'un partenariat entre l'OTAN et les pays baltes destiné à formaliser nos relations militaires et à leur assurer que toutes les nations de l'OTAN, États-Unis compris, espéraient l'intégration totale de l'Estonie, de la Lituanie et de la Lettonie à l'OTAN et à d'autres institutions multilatérales.

Le 14, j'ai retrouvé Al Gore dans le salon est de la Maison Blanche pour annoncer notre campagne en faveur d'une « charte du patient » destinée à fournir, aux Américains jouissant d'une assistance médicale limitée, la garantie d'actes médicaux de base trop souvent refusés. Le même jour, Kenneth Starr soumettait Hillary à un cinquième interrogatoire sur un problème dont elle ne savait rien : comment, lui demanda-t-il, les dossiers du FBI sur les Républicains avaient-ils atterri à la Maison Blanche ?

Trois jours plus tard, j'ai dû faire une déposition concernant l'affaire Jones. Mes avocats m'ayant d'abord soumis à une série de questions potentielles, je me croyais assez bien préparé à l'exercice, qui me mettait toutefois mal à l'aise : cette rencontre avec les avocats du Rutherford Institute ne me disait rien qui vaille. La présidente de la commission, Susan Webber Wright, avait donné aux avocats de Jones toute latitude pour fouiller dans ma vie privée ; à ses yeux, cela devait permettre de déterminer l'existence – ou non – d'une tendance au harcèlement sexuel vis-à-vis de femmes ayant postulé ou travaillé à un poste d'État sous mon mandat de gouverneur ou à un poste fédéral sous ma présidence. La période concernée remontait à cinq ans avant le harcèlement présumé de Jones et englobait l'année en cours. La juge Wright avait également recommandé aux avocats de Jones de ne rien laisser filtrer du contenu des dépositions ni des autres éléments de l'enquête.

L'objectif déclaré aurait pu être atteint avec plus de délicatesse si l'on m'avait simplement demandé de répondre par oui ou par non à des questions du type : « Vous êtes-vous jamais retrouvé seul avec une femme employée par le gouvernement ? » De même, les avocats auraient pu demander aux femmes concernées si je les avais jamais harcelées. Seulement, cette méthode eût rendu vaines les diverses dépositions : à l'époque, toute personne impliquée dans l'affaire savait qu'il n'existait aucune preuve de harcèlement sexuel. À l'évidence, les avocats voulaient que j'admette une relation avec une ou plusieurs de ces femmes, afin de livrer l'information à la presse au mépris de la clause de confidentialité imposée par la juge. Comme l'avenir devait le démontrer, j'étais loin d'avoir toutes les cartes en main.

J'ai donc prêté serment, puis entendu les juges du Rutherford Institute demander à la juge qu'elle accepte une définition des « rapports sexuels » prétendument tirée d'un document juridique. En gros, la définition s'appliquait à tout contact plus intime qu'un baiser, si celui-ci visait à satisfaire ou à éveiller l'excitation sexuelle ; elle supposait donc, de ma part, un acte précis associé à un certain état d'esprit et semblait exclure tout acte de la part de la partenaire supposée. À les en croire, les avocats tentaient ainsi de m'épargner des questions gênantes.

La séance a duré plusieurs heures, sur lesquelles dix ou quinze minutes seulement ont été consacrées à Paula Jones – le reste portant sur divers sujets ne présentant aucun rapport avec elle, notamment d'innombrables questions sur Monica Lewinsky. Celle-ci avait travaillé à la Maison Blanche, d'abord comme stagiaire durant l'été 1995, puis comme employée, de décembre à début avril, date à laquelle on l'avait transférée au Pentagone. Entre autres choses, les avocats m'ont demandé si je la connaissais bien, si nous avions déjà échangé des cadeaux et conversé au téléphone, enfin si j'avais eu avec elle des « relations sexuelles ». J'ai rapporté la teneur de nos conversations, admis que je lui avais fait quelques cadeaux et répondu par la négative à la question des « rapports sexuels ».

Les avocats du Rutherford Institute ont posé cent fois les mêmes questions, avec de légères variations dans les termes. Au cours d'une pause, ma propre équipe juridique s'est déclarée embarrassée : début décembre, le nom de Lewinsky était apparu sur la liste des témoins potentiels invoqués par la plaignante, et voilà que, deux semaines plus tard seulement, elle était assignée à comparaître comme témoin ! Je n'ai pas parlé à mes avocats de ma relation avec elle, mais j'ai signalé ma perplexité devant cette curieuse définition des rapports sexuels. Eux-mêmes n'étaient pas moins perplexes. Au début de ma déposition, mon avocat Bob Bennett a invité les avocats du Rutherford Institute à poser des questions précises et sans équivoque sur mes rapports avec les femmes. À la fin de la discussion sur Lewinsky, j'ai demandé à l'avocat qui m'interrogeait s'il souhaitait me poser une question plus précise. Une fois encore, il a répondu par la négative, ajoutant : « Monsieur, je crois que toute la lumière sera bientôt faite sur ce point ; vous n'allez pas tarder à comprendre. »

J'étais soulagé, mais gêné par l'attitude de cet avocat qui ne voulait pas poser de questions précises et ne semblait pas attendre de réponses de ma part. S'il avait posé ces questions, j'y aurais répondu avec sincérité malgré mon vif embarras. Durant les vacances du gouvernement, vers la fin de 1995, très peu de gens étaient autorisés à venir travailler à la Maison Blanche, et ceux qui venaient restaient jusqu'à une heure tardive ; c'est à l'époque que, pour la première fois, j'avais eu avec Monica Lewinsky des rapports déplacés qui se sont poursuivis entre novembre et avril, date à laquelle elle a quitté la Maison Blanche pour le Pentagone. Je ne l'ai plus revue au cours des dix mois suivants, mais il m'est arrivé de lui parler au téléphone de temps à autre.

En février 1997, Monica faisait partie des invités venus assister à l'enregistrement public de mon allocution hebdomadaire à la radio ; une fois l'émission achevée, j'ai passé quinze minutes avec elle en tête à tête. Mon attitude m'inspirait du dégoût et, quand je l'ai revue au printemps suivant, je lui ai dit que notre relation était nuisible pour moi, pour ma famille et pour elle-même, et que je ne pouvais pas continuer. J'ai ajouté qu'elle était une personne intelligente et intéressante qui méritait une vie satisfaisante, et que, avec son accord, je lui apporterais mon aide amicale.

Monica venait régulièrement à la Maison Blanche, où il m'est arrivé de la rencontrer en tout bien tout honneur. En octobre, elle m'a demandé de l'aider à trouver un emploi à New York, ce que j'ai fait. Ayant reçu deux offres, elle en a choisi une et, vers la fin du mois de décembre, elle est venue à la Maison Blanche me dire au revoir. Elle avait alors reçu son assignation à comparaître dans l'affaire Jones, mais elle ne voulait pas faire de déposition ; je lui ai dit que plusieurs femmes avaient évité l'interrogatoire en déclarant sous serment, et par écrit, n'avoir subi aucun harcèlement sexuel de ma part.

Ce que j'ai fait avec Monica Lewinsky est stupide et immoral. J'en ai éprouvé un profond sentiment de honte, et j'ai toujours voulu le cacher. Dans ma déposition, j'ai tenté de nous préserver, ma famille et moi-même, contre ma propre bêtise et mon égoïsme. J'ai cru que cette définition alambiquée des « rapports sexuels » m'autorisait à agir de la sorte ; en même temps, gêné par cette définition, j'ai invité l'avocat qui m'interrogeait à poser des questions plus précises. Je n'ai pas tardé à comprendre pourquoi il n'en avait rien fait.

Le 21 janvier, le *Washington Post* publia un article annonçant que j'avais eu une liaison avec Monica Lewinsky, et que j'étais accusé d'avoir encouragé celle-ci à mentir sous serment ; Kenneth Starr, ajoutait l'article, était chargé d'établir le bien-fondé de ces accusations. L'affaire avait éclaté deux jours plus tôt, le 18, sur un site Internet. La déposition était donc un coup monté ; quatre ans après avoir proposé son aide à Paula Jones, Starr parvenait à ses fins.

Durant l'été de 1996, Monica Lewinsky avait bavardé avec une collègue, Linda Tripp, et lui avait confié sa relation avec moi. Un an plus tard, Tripp se mit à enregistrer leurs conversations au téléphone. En octobre 1997, Tripp proposa à un journaliste de *Newsweek* de lui faire entendre les cassettes ; peu après, elle les fit écouter à Lucianne Goldberg, attachée de presse conservatrice liée aux Républicains. Plus tard, Tripp devait comparaître dans l'affaire Jones alors que son nom ne figurait dans aucune des listes de témoins soumises à mes avocats.

Le lundi 12 janvier 1998, en fin de journée, Tripp appela le bureau de Starr ; lui ayant signalé qu'elle avait enregistré ses conversations avec Lewinsky, elle prit ses dispositions pour lui faire parvenir les cassettes. Elle s'inquiétait de sa propre responsabilité devant la justice, ses enregistrements téléphoniques constituant un crime au regard de la loi du Maryland, mais le bureau du procureur lui promit qu'elle serait protégée. Le lendemain, Starr pria des agents du FBI de fournir un micro à Tripp afin qu'elle enregistre secrètement sa conversation avec Lewinsky au cours du déjeuner, qui devait avoir lieu au *Ritz-Carlton* de Pentagon City. Quelques jours plus tard, Starr demanda au département de la Justice la permission d'étendre sa juridiction afin de pouvoir enquêter sur Lewinsky, en se gardant de dévoiler le véritable motif de sa requête.

Le 16, veille de ma déposition, Tripp proposa à Lewinsky un nouveau rendez-vous à l'hôtel. Cette fois, Monica fut accueillie par des agents du FBI et par des procureurs qui l'emmenèrent dans une chambre de l'hôtel, où ils lui firent subir un interrogatoire de plusieurs heures en lui déconseillant de faire appel à un avocat. L'un des hommes de loi de Starr lui recommanda de coopérer si elle voulait éviter la prison et lui offrit l'immunité jusqu'à minuit. Lewinsky fut instamment priée de porter un micro pour enregistrer ses conversations avec les gens impliqués dans l'affaire, dont ils lui firent croire qu'elle devait être étouffée. Pour finir, Monica put téléphoner à sa mère, laquelle contacta son ancien mari dont elle était depuis longtemps divorcée. Celui-ci fit appel à un avocat, William Ginsburg, qui conseilla à Monica de ne pas accepter l'immunité proposée avant d'en savoir davantage sur l'affaire, et s'indigna auprès de Starr qui avait retenu sa cliente « huit ou neuf heures sans avocat » avant de faire pression sur elle pour qu'elle accepte de piéger ses interlocuteurs.

Une fois l'affaire rendue publique, j'ai appelé David Kendall pour lui garantir que je n'avais suborné personne ni fait obstruction à la justice. Nous sommes tombés d'accord sur le fond de l'affaire : Starr essayait de créer un scandale pour entraîner ma destitution. Il venait de remporter la première manche, mais il m'a semblé que le temps jouerait en ma faveur : si je parvenais à affronter le scandale pendant une ou deux semaines, la fumée finirait par se dissiper, le public et la presse se mettraient à analyser les motivations et les méthodes de Starr, et chacun aurait enfin de l'affaire une image plus contrastée. Je savais que j'avais commis une erreur de taille, et je ne comptais pas l'aggraver en laissant Starr me montrer la sortie. Partout dans le pays, l'heure était à l'hystérie.

J'ai continué à travailler en adoptant une stratégie défensive qui consistait à nier les faits en bloc ; c'est cette version que j'ai répétée à Hillary, à Chelsea, à mes collaborateurs et à mon cabinet, à mes amis au Congrès, à certains journalistes de presse et au peuple américain. En dehors de mon inconduite, c'est bien là ce que je regrette le plus : à tous ces gens, je n'ai pas dit toute la vérité. Depuis 1991, on m'a traité de menteur en mille occasions, alors que j'ai toujours été honnête dans ma vie publique et dans les affaires financières, comme devaient le démontrer diverses enquêtes. Et voilà que j'induisais tout le monde en erreur au sujet d'un égarement personnel. J'étais dans l'embarras et je souhaitais préserver ma femme et ma fille ; je ne voulais pas laisser Kenneth Starr souiller ma vie personnelle, et je ne voulais pas que le peuple américain apprenne que j'avais trahi sa confiance. C'était un véritable cauchemar. C'était revenir de plus belle au système des vies parallèles.

Le jour où l'affaire a éclaté, j'ai accordé un entretien (prévu de longue date) à Jim Lehrer pour l'émission *NewsHour* sur PBS. J'ai répondu à ses questions en affirmant que je n'avais demandé à personne de mentir, ce qui était la vérité, et que je n'entretenais « aucune relation inconvenante ». Même en considérant que ladite inconvenance avait pris fin bien avant que Lehrer ne pose sa question, ma réponse était fallacieuse ; j'en ai aussitôt éprouvé de la honte. De ce jour, chaque fois que l'on m'a interrogé à ce sujet, j'ai simplement répondu que je n'avais demandé à personne de mentir.

Malgré la tourmente, il me fallait mener à bien mon mandat. Le 20 janvier, j'ai rencontré le Premier ministre Nétanyahou à la Maison Blanche pour discuter de son projet de retrait progressif de Cisjordanie. Nétanyahou avait décidé de faire avancer le processus de paix aussi longtemps qu'il serait « tranquille sur le plan de la sécurité ». Une telle décision témoignait d'un certain courage, sa coalition gouvernementale étant alors assez fragile ; mais il avait compris que, s'il n'agissait pas, la situation ne tarderait pas à devenir incontrôlable.

Le lendemain, Arafat est venu à son tour à la Maison Blanche. Lui ayant rapporté les propos encourageants échangés la veille avec Nétanyahou, je lui ai assuré que je veillais à ce que le Premier ministre israélien honore les obligations de son pays dans le cadre du processus de paix ; enfin, j'ai évoqué les problèmes politiques que devait gérer le dirigeant israélien avant de lui redire, comme toujours, qu'il devait s'opposer au terrorisme s'il voulait qu'Israël fasse un pas en avant. Le lendemain, Mir Aimal Kansi était condamné à mort pour le meurtre de deux agents de la CIA en janvier 1993 ; son crime était le premier acte terroriste commis sous mon mandat.

Le 27 janvier, jour du discours sur l'état de l'Union, le peuple américain était encore hébété par une semaine d'informations consacrées à l'enquête de Starr ; pour ma part, j'avais dû supporter pendant sept jours le déchaînement de la presse. Starr avait déjà adressé des convocations à plusieurs membres du personnel de la Maison Blanche. J'avais prié Harold Ickes et Mickey Kantor de m'aider à gérer la controverse. La veille de l'allocution, à la demande de Harold et de Harry Thomason qui jugeaient trop hésitantes mes interventions publiques, j'avais accepté un peu malgré moi de convoquer la presse pour affirmer que « je n'avais pas eu de rapports sexuels » avec Lewinsky.

Le matin du jour où je devais prononcer mon discours, Hillary a déclaré sur NBC, dans l'émission *Today*, qu'elle n'ajoutait aucune foi aux accusations lancées contre moi et que, depuis la campagne de 1992, nous étions les victimes d'une « vaste conspiration menée par la droite ». Starr, quant à lui, s'est publiquement indigné de ce que Hillary mette en cause ses motivations. Même si elle avait vu juste concernant nos adversaires, entendre Hillary prendre ainsi ma défense ne faisait qu'accroître ma honte.

La délicate interview donnée par Hillary, ainsi que ma propre réaction, montrent bien dans quelle impasse je me trouvais alors : en tant qu'époux, j'avais commis une faute qui exigeait que je m'excuse et que je tente de me racheter ; en tant que président, je me trouvais pris dans un combat juridique et politique avec des adversaires qui avaient violé le code civil, le code pénal, et gravement blessé des innocents à seule fin de briser mon mandat et de m'affaiblir dans mon travail.

Après des années de vains efforts, voilà que je leur donnais du grain à moudre. Mon inconduite avait nui à la présidence et au peuple américain, et de cela j'étais seul responsable. Laisser les réactionnaires l'emporter n'eût fait qu'aggraver mon erreur.

À 21 heures, au moment d'entrer dans une Chambre bondée, j'ai senti une tension presque palpable à la fois autour de moi et dans des millions de foyers américains, car ce discours sur l'état de l'Union devait attirer plus de téléspectateurs que tous les discours qui avaient suivi mon élection. Chacun se demandait si j'allais mentionner la controverse. J'ai commencé par traiter des questions sur lesquelles chacun tombait d'accord. Le pays se portait bien, fort de quatorze millions de nouveaux emplois, de revenus en hausse, d'un taux de propriété foncière inégalé, du plus faible nombre de demandeurs d'emploi depuis vingt-sept ans et du gouvernement fédéral le plus modeste des trente-cinq dernières années. Le plan économique de 1993 avait réduit de 90 % un déficit qui devait s'élever à 357 millions de dollars ; une fois équilibré, enfin, le plan budgétaire de l'année écoulée devait le faire disparaître totalement.

Puis j'ai évoqué mes projets pour l'avenir. Avant de dépenser les bénéfices à venir en nouveaux programmes ou en réductions d'impôts, ne fallait-il pas assurer une Sécurité sociale aux baby-boomers dont la retraite approchait ? En matière d'éducation nationale, j'ai appelé de mes vœux le financement de cent mille créations de postes ; un maximum de dix-huit écoliers par classe pour les trois premières années de maternelle ; un plan d'aide aux communautés visant à créer ou à moderniser cinq mille écoles ; enfin, une aide aux établissements désireux de faire cesser la pratique de la « promotion sociale », sous forme de fonds versés aux programmes d'enseignement en période estivale ou extrascolaire. J'ai de nouveau défendu l'idée d'une « charte du patient », la possibilité pour les Américains entre 55 et 65 ans de cotiser à Medicare, l'extension de la loi sur les congés maladie et les congés pour raisons familiales, et j'ai exprimé le souhait que l'aide fédérale à l'enfance puisse s'appliquer à un million d'enfants supplémentaires.

Sur le plan de la sécurité, j'ai demandé le soutien du Congrès dans notre combat contre « une terrible convergence de menaces d'un nouvel ordre, dues aux terroristes, aux criminels internationaux et aux trafiquants de drogue » ; l'approbation de l'élargissement de l'OTAN par le Sénat ; de nouveaux fonds pour soutenir notre mission en Bosnie et nos efforts contre les armes chimiques et biologiques, contre les États voyous, les terroristes et les organisations criminelles qui tentent de les employer.

La dernière partie de mon allocution appelait à un rassemblement de tous les Américains et à plusieurs projets pour l'avenir : tripler le nombre de zones d'aménagement concerté dans les communautés défavorisées ; lancer une initiative d'assainissement des rivières, des lacs et des eaux côtières ; accorder six milliards de dollars, sous forme de crédits de recherche et de réductions d'impôts, à des projets de voitures économiques, de maisons à énergie propre, ou de renouvellement de l'énergie ; financer l'Internet « nouvelle génération » où l'information sera échangée à des vitesses jusqu'à mille fois supérieures ; enfin, financer la Commission pour l'égalité des chances devant l'emploi, qui, en raison de l'hostilité du Congrès, manquait de ressources pour traiter soixante mille cas accumulés de discrimination sur le lieu de travail. J'ai également proposé une augmentation – la plus forte à ce jour – des fonds alloués aux instituts nationaux pour la santé, à l'Institut national du cancer et à la Fondation nationale pour les sciences, afin que « notre génération soit celle qui remporte enfin la guerre contre le cancer et entame une révolution dans notre lutte contre toutes les maladies mortelles ».

J'ai terminé mon discours en remerciant Hillary de bien vouloir diriger notre campagne du millénaire pour la préservation du patrimoine américain, y compris la vieille bannière étoilée en lambeaux qui, durant la guerre de 1812, inspira à Francis Scott Key notre hymne national.

Je n'ai pas dit un seul mot du scandale, préférant me consacrer à la nouvelle priorité qu'était devenue la sécurité sociale. Je craignais en effet que le Congrès ne se déchire sur l'utilisation des recettes attendues, avant de les gaspiller en réductions d'impôts et en dépenses au lieu de consacrer ces sommes à la retraite des baby-boomers. La plupart des Démocrates partageaient mon point de vue, la plupart des Républicains s'y opposaient ; pourtant, au cours des années à venir, nous avons organisé à travers le pays des débats bipartites au cours desquels, malgré nos désaccords, nous avons cherché à établir un projet commun : non pas se demander s'il convenait de financer les retraites, mais trouver le moyen de le faire.

Deux jours après mon discours, la juge Wright ordonna que tous les éléments liés à Monica Lewinsky soient retirés du dossier Jones, « ces pièces n'étant pas essentielles dans l'affaire qui nous occupe ». Du coup, les arguties de Starr sur ma déposition se trouvaient remises en question, la notion de parjure supposant une affirmation mensongère au sujet de faits entendus par le tribunal. Le dernier jour du mois, soit dix jours après le début de l'affaire, le *Chicago Tribune* publia un sondage indiquant que 72 % de mes concitoyens se déclaraient satisfaits par mon travail. Je comptais bien montrer au peuple américain que je m'appliquais à la tâche et que j'obtenais des résultats.

Les 5 et 6 février, Tony et Cherie Blair sont venus aux États-Unis pour une visite officielle de deux jours. Pour Hillary comme pour moi, leur simple présence a été un plaisir et un soulagement. Ils nous ont fait rire, et Tony m'a soutenu publiquement avec force, en soulignant par exemple que nous avions la même approche des problèmes économiques et sociaux et de la politique étrangère. Nous les avons emmenés à Camp David pour un dîner avec Al et Tipper Gore, puis nous avons organisé à la Maison Blanche un dîner officiel suivi d'un petit spectacle donné par Elton John et Stevie Wonder. Plus tard dans la soirée, Hillary m'a appris que Newt Gingrich, son voisin de table avec Tony Blair, lui avait confié que les chefs d'accusation retenus contre moi étaient « grotesques » et « insignifiants » même s'ils s'avéraient fondés ; pour lui, tout cela « ne menait nulle part ».

Lors de notre conférence de presse, au cours de laquelle Tony déclara que j'étais un ami plus encore qu'un collègue, Mike Frisby, journaliste au *Wall Street Journal*, a fini par poser la question que j'attendais. Étant donné le caractère pénible de l'affaire en cours, il voulait savoir « dans quelle mesure cela valait la peine de rester au pouvoir » et si j'envisageais de « quitter mon poste ». Certainement pas, ai-je répondu ; je me suis toujours efforcé d'éviter les attaques personnelles perfides en politique, ai-je poursuivi, mais plus j'allais dans ce sens, « plus mes adversaires tiraient la corde de l'autre côté ». Mais « jamais je n'abandonnerai le peuple de ce pays, jamais je ne trahirai la confiance qu'ils m'ont accordée », et c'est pourquoi « je poursuivrai mon travail comme auparavant ».

Vers la mi-février, alors que Tony Blair et moi-même ne cessions de convaincre d'autres puissances que l'expulsion par l'Irak des inspecteurs de l'ONU méritait des représailles, notamment sous forme de frappes aériennes, Kofi Annan parvint à un accord de dernière minute avec Saddam Hussein, qui acceptait de nouveau les inspections. Hussein, décidément, ne réagissait que quand on lui forçait la main.

Quand je ne défendais pas mes nouveaux projets dans les médias, je consacrais mon temps au projet de réforme du financement des campagnes électorales proposé par McCain et Feingold, projet qui devait être mis en pièces par les sénateurs républicains dès la fin du mois. J'ai aussi fait prêter serment au nouveau ministre de la Santé, le Dr David Satcher, directeur des Centres de contrôle des maladies ; je suis allé en Floride constater les dégâts causés par la tornade ; j'ai fait débloquer les premières subventions destinées aux communautés soucieuses de prévenir la violence contre les femmes ; enfin, j'ai participé à une collecte de fonds pour les Démocrates en prévision des prochaines élections.

Dans les derniers jours de janvier et au cours du mois de février, plusieurs employés de la Maison Blanche ont été convoqués devant la chambre de mise en accusation. J'étais affreusement gêné que tous ces gens soient impliqués malgré eux, notamment Betty Currie, qui avait voulu devenir l'amie de Monica Lewinsky et en payait désormais le prix. J'étais également embêté de voir Vernon Jordan pris dans la tourmente. Notre amitié était déjà ancienne, et bien souvent je l'avais vu venir en aide aux gens dans le besoin. Et voilà que, par ma faute, la justice s'en prenait à lui... Je savais qu'il n'avait rien à se reprocher, et j'espérais qu'il pourrait me pardonner un jour ce que je lui faisais subir à présent.

Starr a également convoqué Sidney Blumenthal, journaliste et ami de la famille, qui était venu travailler à la Maison Blanche en juillet 1997. Selon le *Washington Post*, Starr en était à se demander si les critiques que lui adressait Sid ne relevaient pas de l'obstruction à la justice. C'est dire combien il était susceptible, et à quel point il était prêt à user de tous les pouvoirs de sa charge pour étouffer les critiques. Starr a ensuite fait comparaître deux enquêteurs privés embauchés par le *National Enquirer*, afin d'étouffer une rumeur selon laquelle il aurait eu une liaison extraconjugale à Little Rock. La rumeur était infondée – il s'agissait d'un quiproquo, semble-t-il –, mais la réaction de Starr montre la partialité de sa démarche : lui-même utilisait des agents du FBI et des enquêteurs privés pour fouiller dans ma vie personnelle, mais, si un journal à scandale faisait mine de s'intéresser à la sienne, il ripostait aussitôt.

Cependant, la tactique de Starr commençait à attirer l'attention de la presse. *Newsweek* a publié sur deux pages un tableau intitulé *Conspiration ou coïncidence*, détaillant les réseaux de plus de vingt organisations et activistes conservateurs qui avaient révélé et financé les « scandales » sur lesquels enquêtait Starr. Selon un article du *Washington Post*, de nombreux anciens procureurs fédéraux se déclaraient gênés, non seulement par l'obsession de Starr pour mon comportement en privé, mais aussi « par l'arsenal juridique déployé pour étayer ses accusations contre le Président ».

On reprochait surtout à Starr d'avoir contraint la mère de Monica Lewinsky à témoigner. La procédure fédérale, que Starr était censé appliquer, stipulait que les membres d'une même famille ne pouvaient pas être appelés à témoigner, sauf s'ils avaient pris part à l'activité criminelle faisant l'objet de l'enquête ou si l'on pouvait invoquer « l'intérêt manifeste de la justice ». Début février, selon un sondage de *NBC News*, 26 % seulement des Américains estimaient que Starr menait une enquête impartiale.

En mars, la saga n'était pas encore terminée. Le contenu de ma déposition dans l'affaire Jones a fini par filtrer, avec l'aide probable d'un partisan de Jones. La juge avait dit et redit aux avocats du Rutherford Institute qu'elle interdisait toute fuite, mais personne n'a jamais été sanctionné. Le 8 mars, Jim McDougal est mort dans une prison fédérale au Texas – triste résultat d'un lent et pénible écroulement. Selon Susan McDougal, Jim avait modifié sa version des faits pour complaire à Starr et à Hick Ewing, car il voulait à tout prix éviter de mourir en prison.

Vers la mi-mars, l'émission *60 Minutes* a diffusé une interview d'une certaine Kathleen Willey ; celle-ci prétendait que je lui avais fait des avances déplacées alors qu'elle travaillait à la Maison Blanche. Pur mensonge ! Nous avions assez de preuves pour discréditer son histoire, notamment la déposition de son amie Julie Hiatt Steele affirmant que Willey lui avait demandé de mentir : peu après les prétendus « faits », Willey aurait tout raconté à Steele... Or elle n'en avait rien fait.

Le mari de Willey s'était suicidé, laissant sa veuve avec deux cent mille dollars de dettes. La presse a bientôt rapporté que la jeune femme, que j'avais appelée au téléphone pour lui présenter mes condoléances, avait annoncé à ses amis que je viendrais à l'enterrement ; tout cela, précisons-le, se passait après l'épisode des « avances ». Nous avons fini par présenter au public une dizaine de lettres que m'avait adressées Willey – toujours après les prétendus faits – pour m'assurer qu'elle était une « fan » et qu'elle était disposée à m'aider « de n'importe quelle manière ». On n'a pas tardé à apprendre qu'elle cherchait à vendre son histoire aux journaux ou à un éditeur, pour un montant de trois cent mille dollars, et l'affaire est morte dans l'œuf.

Si je mentionne ici la triste affaire Willey, c'est parce que Starr n'a pas hésité à l'exploiter. Tout d'abord, de façon parfaitement irrégulière, il a accordé à la jeune femme une « immunité de transaction » – c'est-à-dire une protection complète contre toute forme de poursuites judiciaires –, à condition qu'elle lui dise toute la « vérité ». Quand il est apparu qu'elle mentait à propos de détails gênants impliquant un autre homme, Starr s'est contenté de faire jouer son immunité. En revanche, quand Julie Hiatt Steele, Républicaine convaincue, a refusé de modifier sa version des faits et de mentir pour Starr, celui-ci l'a tout simplement inculpée. Si elle n'a jamais été reconnue coupable, elle a tout perdu dans le procès et le bureau de Starr a même tenté de remettre en cause la validité de son adoption d'un bébé roumain.

Le jour de la Saint-Patrick, j'ai rencontré les dirigeants de tous les partis d'Irlande du Nord prenant part au processus d'entente politique, et j'ai longuement conversé avec Gerry Adams et David Trimble. Tony Blair et Bertie Ahern voulaient parvenir à un accord. Mon rôle consistait à rassurer et à convaincre les parties en présence d'opter pour la structure mise en place par George Mitchell. Il y avait encore bien des compromis à faire, mais il me semblait que nous approchions du but.

Quelques jours plus tard, Hillary et moi avons pris l'avion pour l'Afrique, loin de la tourmente. L'Amérique n'a que trop longtemps ignoré le continent africain, qui est appelé à jouer un rôle essentiel au XXIe siècle, pour le meilleur ou pour le pire. J'étais vraiment heureux d'être accompagné par Hillary ; elle avait beaucoup apprécié son voyage en Afrique avec Chelsea l'année précédente, et notre couple avait bien besoin de cette escapade.

Nous avons commencé par le Ghana, où le président Jerry Rawlings et son épouse Nana Konadu Agyemang nous ont reçus fastueusement avec une cérémonie donnée sur Independence Square, où s'étaient rassemblés plus d'un demi-million de Ghanéens. Sur l'estrade, nous étions flanqués par des chefs de tribu drapés de *kente* aux couleurs éclatantes, tandis que plusieurs musiciens frappaient en rythme sur le plus grand tambour que j'aie jamais vu.

J'ai beaucoup apprécié Rawlings, qui, après s'être emparé du pouvoir par un coup d'État avec l'aide de l'armée, avait été élu puis réélu à la présidence, et annonçait qu'il comptait se retirer en 2000. Nous avions par ailleurs une sorte de lien familial indirect : à la naissance de Chelsea, le médecin avait pour assistante une merveilleuse sage-femme ghanéenne qui était venue poursuivre ses études en Arkansas. Hillary et moi-même avons toujours beaucoup aimé Hagar Sam, et nous avons été ravis d'apprendre qu'elle avait également aidé à mettre au monde les quatre enfants des Rawlings.

Le 24, nous sommes partis pour l'Ouganda rencontrer le président Yoweri Museveni et sa femme Janet. L'Ouganda avait fait du chemin depuis la pesante dictature d'Idi Amin Dada. Quelques années plus tôt, le pays déplorait encore le plus fort taux d'infection par le VIH en Afrique. Grâce à une campagne baptisée « À grand bruit », fondée sur l'abstinence, l'éducation, le mariage et le préservatif, la mortalité s'est trouvée réduite de moitié.

Nous sommes partis tous les quatre dans deux petits villages, Mukono et Wanyange, pour y rappeler l'importance de l'éducation et évoquer des prêts à taux minimal financés par les États-Unis. Au cours des cinq dernières années, l'Ouganda a triplé les fonds consacrés à l'éducation, qui concerne aussi bien les filles que les garçons. Les écoliers que nous avons rencontrés à Mukono portaient de jolis uniformes roses. Intelligents et curieux, ils ne disposaient cependant pas du matériel éducatif nécessaire ; par exemple, le mur de la classe était orné d'une carte si peu récente que l'Union soviétique y figurait encore. À Wanyange, les prêts avantageux financés par l'aide américaine avaient permis à une cuisinière d'élargir son affaire et à une autre femme de diversifier son élevage de poulets en achetant des lapins. Plus tard, le photographe de la Maison Blanche m'a demandé de poser avec un homme répondant au nom de... Bill Clinton, et une femme m'a laissé porter son enfant de 2 ans pour la photo.

Pour des raisons de sécurité, les services secrets préféraient me voir éviter le Rwanda. Pour ma part, ce voyage semblait s'imposer. En signe de bonne volonté, c'est à l'aéroport de Kigali que j'ai rencontré les dirigeants du pays et les survivants du génocide. Le président Pasteur Bizimungu, un Hutu, et le vice-président Paul Kagame, un Tutsi, s'efforçaient de remettre le pays sur pied. Kagame était le plus puissant leader politique du pays, mais il avait compris qu'il servirait la cause de la réconciliation en cédant d'abord la place à un président issu de l'ethnie hutu, majoritaire dans le pays. J'ai admis officiellement que les États-Unis et la communauté internationale n'avaient pas réagi assez tôt pour arrêter le génocide, ni pour empêcher que les camps de réfugiés ne deviennent pour les tueurs de véritables réservoirs de victimes. Puis j'ai proposé d'aider la nation rwandaise à se reconstruire, et apporté mon soutien au tribunal chargé de punir les crimes de guerre et de désigner les responsables du génocide.

Certains survivants m'ont raconté leur histoire. Une femme pleine de dignité a pris la parole, expliquant que sa famille avait été désignée aux tueurs sanguinaires par des voisins dont les enfants avaient partagé les jeux des siens pendant des années. Affreusement blessée à coups de machette, elle s'était écroulée et on l'avait laissée pour morte. Se réveillant plus tard dans son propre sang, elle avait découvert les cadavres de son mari et de ses six enfants. Hillary et moi l'avons entendue dire qu'elle avait reproché au ciel de lui laisser la vie sauve, avant de comprendre « que Dieu m'a épargnée pour une bonne raison, et non quelque chose de mesquin comme la vengeance ; c'est pourquoi je fais ce que je peux pour aider à la réconciliation ». J'étais bouleversé. Le témoignage de cette femme exceptionnelle rendait mes propres problèmes bien futiles et mesquins. Elle venait de renforcer ma résolution d'aider le Rwanda de mon mieux.

Mon arrivée à Cape Town marquait la première visite d'un président américain en Afrique du Sud ; j'ai prononcé un discours devant le Parlement, affirmant que j'étais venu « notamment pour aider le peuple américain à considérer la nouvelle Afrique avec un nouveau regard ». Voir les tenants et les victimes de l'apartheid travailler ensemble avait quelque chose de fascinant. Il ne s'agissait pas pour eux de nier le passé ni de masquer leurs désaccords actuels, mais tous avaient foi en un avenir commun. C'était là un bel hommage à l'esprit de réconciliation prôné par Mandela.

Le lendemain, Mandela nous a emmenés à la découverte de Robben Island, où il avait passé les dix-huit premières années de sa captivité. J'ai pu voir la carrière où il avait travaillé et la cellule exiguë où on l'enfermait quand il n'était pas en train de casser des cailloux. À Johannesburg, j'ai rendu visite au vice-président Thabo Mbeki qui avait déjà rencontré Al Gore à plusieurs reprises et que l'on donnait comme le successeur officiel de Mandela ; j'ai inauguré un centre commercial baptisé après Ron Brown, qui avait tant aimé l'Afrique du Sud ; enfin, j'ai visité une école primaire. Plus tard, en compagnie de Jesse Jackson, Hillary et moi avons assisté à une messe à Soweto, cette township surpeuplée où tant d'activistes antiapartheid avaient vu le jour.

J'avais alors établi de solides liens d'amitié avec Mandela. D'abord parce que cet homme exceptionnel, au cours de vingt-sept ans d'incarcération, a accompli un parcours qui l'a fait passer de la haine au désir de réconciliation ; ensuite parce que ce politicien acharné était également curieux d'autrui et de la vie sous toutes ses formes, et qu'il savait manifester son amour, son amitié et sa bonté.

L'une de nos conversations m'est restée en mémoire. « Madiba, ai-je demandé (car il m'avait prié d'utiliser ce nom, qui est l'appellation familière de sa tribu), je sais qu'il est admirable d'avoir invité vos propres geôliers à votre inauguration, mais n'avez-vous jamais haï ceux qui vous avaient jeté en prison ? » Il m'a répondu : « Bien sûr, je les ai haïs pendant des années. Ils m'ont volé les meilleures années de ma vie. Ils ont abîmé mon corps et mon esprit. Je n'ai pas vu grandir mes enfants. Oui, je les ai haïs. Mais un jour, alors que je cassais des pierres dans la carrière, j'ai compris que ces gens m'avaient déjà tout pris – hormis mon cœur et mon esprit. Ces deux choses-là, ils ne pouvaient pas les prendre sans mon accord. Et j'ai décidé de ne pas y renoncer. » Puis il m'a regardé en souriant, avant d'ajouter : « Et je vous conseille d'en faire autant. »

Ayant repris mon souffle, je lui ai posé une autre question : « Lorsque vous avez quitté votre prison pour toujours, la haine n'a-t-elle pas refait surface ? » « Si, pendant quelques instants, a-t-il répondu ; puis je me suis dit : ces gens-là m'ont enfermé pendant vingt-sept ans ; si je continue à les haïr, je serai encore leur prisonnier. Or je voulais être libre. C'est pourquoi j'ai renoncé à ma haine. » Il a souri une fois encore. Et, cette fois, il n'a pas eu à ajouter : « Et je vous conseille d'en faire autant. »

C'est au Botswana que nous avons passé la seule journée de vacances de ce séjour. Ce pays bénéficiait alors du plus fort revenu par habitant en Afrique subsaharienne, et déplorait le plus fort taux de sida au monde. Un safari dans le parc national de Chobe nous a permis de voir des lions, des éléphants, des impalas, des hippopotames, des crocodiles et plus de vingt espèces d'oiseaux. Nous avons approché de très près une éléphante et son petit – de trop près, semble-t-il : levant brusquement sa trompe, elle nous a aspergés d'eau. J'ai réprimé un fou rire à l'idée de la joie qu'auraient éprouvée les Républicains en me voyant arrosé par la mascotte de leur parti. Tard dans l'après-midi, nous avons paisiblement descendu la Chobe et admiré le coucher de soleil en nous tenant par la main.

Notre dernière halte fut pour le Sénégal. Nous y avons vu la « Porte du voyage sans retour » sur l'île de Gorée, d'où partirent jadis tant d'Africains envoyés comme esclaves en Amérique. Comme je venais de le faire en Ouganda, j'ai dit combien je regrettais le passé esclavagiste de l'Amérique et admirais le douloureux combat qu'avaient si longtemps mené les Afro-Américains pour se libérer. J'ai présenté l'importante délégation qui m'accompagnait et « représentait plus de trente millions de mes concitoyens, magnifique cadeau de l'Afrique à l'Amérique » ; puis je me suis engagé à préparer un avenir meilleur avec les Sénégalais et tous les Africains. Plus tard, le président Abdou Diouf m'a fait visiter une mosquée, par respect pour une population largement musulmane ; un village qui, grâce à une aide américaine, avait réinvesti un territoire envahi par le sable du désert ; et un camp où des soldats sénégalais étaient formés par des militaires américains dans le cadre du Projet contre la crise en Afrique, lancé par mon gouvernement pour aider les Africains à prévenir les guerres et empêcher un nouveau Rwanda.

Ce voyage était le plus long et le plus complet qu'ait jamais fait un président américain en Afrique. La délégation bipartite du Congrès et les citoyens éminents qui m'accompagnaient, ainsi que les projets particuliers que j'étais venu soutenir – comme la Mission pour le développement en Afrique – montraient bien aux Africains qu'une page venait d'être tournée dans notre histoire commune. En dépit de ses nombreux problèmes, l'Afrique m'apparaissait comme un lieu plein d'espoir ; car c'est de l'espoir que j'avais lu sur le visage des vastes foules urbaines, des écoliers, des paysans du bush ou des villageois vivant aux confins du désert. Et l'Afrique m'avait fait un merveilleux cadeau : dans la sagesse d'une veuve rwandaise et dans celle de Nelson Mandela, je pouvais puiser assez de force et de calme pour affronter ce qui m'attendait.

Le 1er avril, alors que nous étions encore au Sénégal, la juge Wright a accordé le jugement sommaire que réclamaient mes avocats dans l'affaire Jones ; elle a donc rejeté les charges sans jugement, Jones n'ayant pas présenté de preuves crédibles à l'appui de ses accusations. Ainsi se trouvait dévoilée au grand jour la nature strictement politique de l'enquête de Starr : il me poursuivait maintenant pour avoir tenu des propos mensongers lors d'une déposition que la juge elle-même estimait sans pertinence, et pour avoir fait obstruction à la justice dans une affaire qui n'avait simplement pas lieu d'être. Plus personne ne parlait de Whitewater. Dès le 2 avril, comme on pouvait s'y attendre, Starr annonça qu'il poursuivait son enquête.

Quelques jours plus tard, Bob Rubin et moi-même avons annoncé que les États-Unis comptaient bloquer l'importation de 1,6 million d'armes d'assaut. Depuis 1994, une loi sur les armes interdisait la fabrication de dix-neuf armes d'assaut, mais des fabricants étrangers s'évertuaient à contourner cette loi en apportant des modifications minimes à des armes ayant pour unique fonction de tuer.

Le 10 avril, Vendredi saint, fut l'un des jours les plus heureux de mon mandat. Dix-sept heures après la date limite qu'ils s'étaient fixée pour prendre une décision, tous les partis d'Irlande du Nord se mirent d'accord sur un plan qui mettait fin à trente ans de violences partisanes. Je n'avais presque pas dormi la nuit précédente, afin d'aider George Mitchell à mener à bien cet accord historique. En plus de George, je m'étais entretenu avec Tony Blair, avec David Trimble et à deux reprises avec Gerry Adams avant d'aller me coucher à 2 h 30 du matin. À 5 heures, George me réveilla pour me demander de rappeler Adams afin de conclure l'accord.

Celui-ci était admirablement conçu. Il donnait le pouvoir à la majorité sans omettre les droits de la minorité ; établissait le partage des décisions politiques et des bénéfices économiques ; maintenait les liens avec le Royaume-Uni et en créait de nouveaux avec l'Irlande. Ce pacte était l'aboutissement d'un long processus, fruit de la détermination de John Major et d'Albert Reynolds à instaurer la paix, puis de la force de John Bruton qui succéda à Reynolds, et enfin de la bonne volonté de Bertie Ahern, de Tony Blair, de David Trimble, de John Hume et de Gerry Adams. Mon premier contact avec Adams et l'engagement de la Maison Blanche qui en résulta eurent aussi un certain poids, et George Mitchell mena les négociations avec brio.

Le mérite en revient surtout, naturellement, aux hommes chargés de prendre les décisions difficiles – les leaders d'Irlande du Nord, Blair et Ahern –, et au peuple d'Irlande du Nord qui a préféré les promesses de la paix à l'amertume d'un passé conflictuel. L'accord devait encore être ratifié par référendum, les électeurs d'Irlande du Nord et ceux de la république d'Irlande étant appelés à voter le 22 mai ; mais, l'éloquence irlandaise étant ce qu'elle est, il restera dans l'histoire sous le nom d'« Accord du Vendredi saint ».

C'est à cette époque que je me suis rendu au Centre spatial Johnson, à Houston, pour faire le point sur notre dernière mission à bord d'une navette : une étude en vingt-six points des effets de l'espace sur le corps humain, notamment le cerveau, l'oreille interne et le sens de l'équilibre. Il y avait là le sénateur John Glenn, 77 ans, futur membre de l'équipage. Après cent quarante-neuf missions commandées pendant la Seconde Guerre mondiale et la guerre de Corée, John était devenu, trente-cinq ans plus tôt, l'un des premiers astronautes américains. Au moment de prendre sa retraite de sénateur, il brûlait de reprendre du service à bord d'une navette spatiale. Dan Goldin, le directeur de la NASA, était comme moi très favorable à la participation de Glenn, notre agence spatiale souhaitant étudier l'impact de l'espace sur le vieillissement. J'avais toujours défendu avec ardeur le programme spatial, la station spatiale internationale et la future mission sur Mars ; la dernière mission de John Glenn permettrait de mettre en valeur les bénéfices pratiques de l'exploration spatiale.

J'ai alors pris l'avion pour le Chili, où m'attendaient une visite d'État et le deuxième sommet des Amériques. Après la longue et sanglante dictature du général Augusto Pinochet, le Chili semblait revenu pour de bon dans le giron de la démocratie sous la présidence d'Eduardo Frei, dont le père avait également dirigé le Chili dans les années 1960. Peu après le sommet, Mack McLarty a démissionné de ses fonctions d'envoyé spécial en Amérique latine. En quatre ans de mission, ce vieil ami avait alors fait plus de quarante fois le voyage dans la région ; chaque fois, sa présence constituait un message clair pour les pays hôtes : les États-Unis étaient bien résolus à se montrer bons voisins.

Le mois s'est achevé sur deux notes positives. J'ai donné une réception pour les membres du Congrès qui venaient de voter en faveur du budget 1993, y compris ceux qui avaient perdu leur siège dans l'opération ; j'en ai profité pour annoncer que, pour la première fois depuis 1969, le déficit budgétaire était entièrement résorbé. La chose était inimaginable lorsque j'étais entré en fonctions, et elle n'eût pas été possible sans le vote difficile qui avait permis d'imposer le plan économique de 1993. Le dernier jour du mois, par 80 voix contre 19, le Sénat vota en faveur de l'une de mes priorités : ouvrir l'OTAN à la Pologne, à la Hongrie et à la République tchèque.

Vers la mi-mai, notre lutte contre la multiplication des essais nucléaires fut ébranlée par l'annonce de cinq essais souterrains réalisés en Inde. Deux semaines plus tard, le Pakistan répliqua en pratiquant six essais sur son territoire. L'Inde prétendait que, étant donné ses relations avec la Chine, ses armes nucléaires avaient une fonction dissuasive ; de son côté, le Pakistan ne faisait que réagir aux essais indiens. Dans chaque pays, l'opinion publique était très favorable à la possession de l'arme nucléaire, mais le danger était réel. Les représentants de la Sûreté de l'État étaient du reste convaincus que (contrairement aux États-Unis et à l'Union soviétique durant la guerre froide) l'Inde et le Pakistan ignoraient tout de leurs arsenaux nucléaires respectifs et de leurs politiques en la matière. Dès que j'ai eu vent des essais indiens, j'ai vivement recommandé au Premier ministre pakistanais de ne pas réagir ; hélas, la pression politique dans son pays était trop forte.

La décision de l'Inde ne laissait pas de m'inquiéter, non seulement parce qu'elle m'apparaissait dangereuse, mais aussi parce qu'elle faisait vaciller la normalisation des relations indo-américaines. Par ailleurs, il devenait difficile de faire ratifier par le Sénat le traité d'interdiction complète des essais nucléaires. La France et le Royaume-Uni venaient de le ratifier, mais le Congrès souffrait d'un isolationnisme et d'un unilatéralisme croissants, comme l'avaient montré l'échec du projet de procédure accélérée et le refus de payer notre dette aux Nations unies ou notre contribution au Fonds monétaire international. Le financement du FMI était particulièrement important. Avec la crise financière asiatique qui menaçait de contaminer des économies fragiles dans diverses régions du globe, le FMI devait envisager une solution solide et disposer de ressources importantes. Le Congrès compromettait donc la stabilité de l'économie mondiale.

Alors que la controverse sur les essais nucléaires battait son plein, j'ai dû quitter le pays pour me rendre au sommet annuel du G8 organisé à Birmingham. J'en ai profité pour faire escale en Allemagne, où j'ai rencontré Helmut Kohl au *Sans-Souci*, le palais d'été de Frédéric II ; puis j'ai assisté aux festivités données à l'occasion du cinquantième anniversaire du pont aérien de Berlin, et je me suis rendu avec Kohl dans une usine General Motors/Opel à Eisenach, en ex-Allemagne de l'Est.

Kohl était alors en pleine campagne pour une réélection qui s'annonçait difficile et mes apparitions publiques à ses côtés (en dehors de la commémoration du pont aérien) ont suscité quelques interrogations, d'autant que son adversaire du Parti social-démocrate, Gerhard Schroeder, proposait un programme très proche de celui que Tony Blair et moi-même ne cessions de défendre. Helmut avait occupé ses fonctions plus longtemps que tous ses prédécesseurs depuis Bismarck et les sondages le donnaient perdant. Mais il a toujours été l'ami de l'Amérique et mon ami personnel ; quel que dût être le choix des électeurs, son héritage était solide : une Allemagne réunifiée, une Union européenne forte, un partenariat avec une Russie démocratique et le rôle de l'Allemagne dans la fin de la guerre en Bosnie. Avant de quitter l'Allemagne, j'ai longuement conversé avec Schroeder, cet homme d'extraction modeste qui s'est élevé aux sommets de la politique nationale. Il m'a semblé fort, intelligent et lucide sur ses projets. Je lui ai souhaité bonne chance, lui assurant qu'en cas de victoire il pouvait compter sur mon soutien.

À Birmingham, j'ai constaté que la ville avait connu une admirable rénovation : elle était bien plus belle encore que lors de mon premier séjour, près de trente ans plus tôt. Le programme du sommet était d'une grande utilité, invitant à des réformes économiques internationales ; à une coopération accrue en matière de lutte contre les narcotrafiquants, le blanchiment d'argent et le trafic de femmes et d'enfants ; enfin, à une alliance spécifique entre les États-Unis et l'Union européenne dans leur lutte contre le terrorisme. Mais l'importance de ce sommet ne parvenait pas à faire oublier certains événements récents : essais nucléaires en Inde, effondrement politique et économique de l'Indonésie, blocage du processus de paix au Moyen-Orient, menace de guerre au Kosovo, référendum à venir sur l'Accord du Vendredi saint. Nous avons condamné les essais nucléaires indiens, réaffirmé notre soutien des traités de non-prolifération et d'interdiction complète des essais nucléaires, et appelé de nos vœux un traité mondial visant à stopper la pro duction de matériaux fissiles pour les armes nucléaires. Nous avons invité l'Indonésie à mener des réformes économiques et politiques, mais l'économie du pays s'était à ce point effondrée que, sur le court terme, toute réforme menaçait de rendre la vie de ses habitants plus précaire encore. Le président Suharto a démissionné quelques jours plus tard, mais les problèmes de l'Indonésie n'étaient résolus pour autant − comme je n'allais pas tarder à m'en apercevoir. Pour l'heure, rien ne pouvait être fait au Moyen-Orient avant l'apaisement de la situation politique en Israël.

Au Kosovo, province située à l'extrême sud de la Serbie, la plus grande partie de la population était composée de musulmans albanais qui se rebellaient contre le règne de Milosevic. Après les attaques serbes contre les Kosovars, au début de l'année, les Nations unies ont annoncé un embargo sur la vente d'armes à l'ex-Yougoslavie (la Serbie-Monténégro) et plusieurs nations ont imposé à la Serbie des sanctions économiques. Un groupe de contact composé des États-Unis, de la Russie et de quelques nations européennes travaillait à apaiser la crise. Le G8 a soutenu les efforts du groupe de contact, mais il faudrait bientôt prendre des mesures plus lourdes.

Une fois encore, c'est d'Irlande du Nord que sont parvenues les bonnes nouvelles. Plus de 90 % des membres de Sinn Fein ont validé l'Accord du Vendredi saint. Grâce aux efforts de John Hume et de Gerry Adams, le résultat du vote des catholiques ne faisait guère de doute. L'opinion protestante était plus divisée. Après avoir pris l'avis des deux parties, j'ai décidé de ne pas me rendre à Belfast pour défendre l'accord en personne : Ian Paisley aurait sans doute saisi l'occasion pour s'indigner de ce qu'un étranger donne des conseils aux électeurs d'Irlande du Nord. J'ai préféré discuter avec Tony Blair et quelques journalistes au cours de deux longues interviews sur la *BBC* et sur *CNN*, qui couvraient le référendum.

Le 20 mai, deux jours avant le vote, j'ai adressé un message radiophonique au peuple d'Irlande du Nord ; je tenais en effet à lui promettre le soutien des États-Unis s'il se prononçait en faveur d'une « paix durable pour lui-même et pour ses enfants ». Ce qu'il n'a pas manqué de faire. L'Accord du Vendredi saint a été approuvé par 71 % de la population, dont une solide majorité de protestants. En république d'Irlande, 90 % des électeurs se sont prononcés en faveur de l'Accord. Jamais je n'ai été plus fier de mon ascendance irlandaise.

Lors d'une brève halte à Genève, j'ai invité l'Organisation mondiale du commerce à se montrer plus transparente dans ses résolutions, à tenir compte des conditions de travail et de l'environnement dans ses négociations commerciales, et à écouter les représentants des simples citoyens qui se sentaient tenus à l'écart de l'économie mondiale.

De retour aux États-Unis, j'ai assisté à la cérémonie de remise des diplômes à la US Naval Academy. J'ai présenté une approche dynamique de notre lutte contre des réseaux terroristes internationaux de plus en plus sophistiqués, et notamment le plan « détection, dissuasion, défense » qui devait nous prémunir contre l'agression de cibles vitales : énergie, réserves d'eau, police, services médicaux, lutte anti-incendie, contrôle du trafic aérien, services financiers, réseaux téléphoniques et informatiques ; puis j'ai appelé à un effort concerté contre la multiplication et l'usage d'armes biologiques. J'ai offert de renforcer le système d'inspection de la Convention sur les armes biologiques ; de vacciner nos troupes en vue de la menace biologique, celle de l'anthrax notamment ; d'entraîner davantage de fonctionnaires et d'employés de la garde nationale à réagir en cas d'attaque biologique ; de moderniser notre système de détection et d'alerte ; de stocker les vaccins et les médicaments utiles en cas d'attaque biologique connue ; et d'accroître la recherche et la mise au point d'une nouvelle génération de vaccins, de médicaments et d'outils de diagnostic.

Au cours des mois écoulés, j'avais éprouvé une inquiétude grandissante vis-à-vis d'une attaque biologique, dont je redoutais qu'elle utilise des bactéries conçues pour résister aux vaccins et médicaments existants. En décembre, au week-end de la Renaissance, Hillary et moi nous étions arrangés pour dîner en compagnie de Craig Venter, biologiste moléculaire dont la société s'efforçait d'achever le séquençage du génome humain. J'avais demandé à Craig si la carte du génome permettrait à des terroristes de mettre au point des gènes de synthèse, de remodeler les virus existants ou d'associer la variole à un autre virus mortel pour obtenir un virus encore plus dangereux.

Selon Craig, la chose était envisageable ; il m'a alors vivement conseillé de lire L'Affaire Cobra de Richard Preston, un thriller dans lequel un savant fou tente de réduire la population du globe en lâchant sur New York le brainpox, hybride de la variole et d'un phytovirus s'attaquant aux cellules nerveuses. En ouvrant ce livre, j'ai constaté avec surprise que les remerciements de Preston allaient à une bonne centaine de scientifiques, experts de l'armée ou du renseignement et autres officiels de mon propre gouvernement. J'en ai recommandé la lecture à Newt Gingrich et à plusieurs membres de mon cabinet.

C'est en 1993 que nous avons commencé à travailler sur les modalités de la guerre biologique. Après l'attentat du World Trade Center, il était clair que le terrorisme pouvait frapper notre territoire ; un transfuge russe nous avait affirmé qu'il existait dans son pays d'énormes stocks d'anthrax, de variole, d'Ebola et d'autres agents pathogènes, et que la production en avait été maintenue après l'effondrement de l'Union soviétique. C'est pourquoi nous avons étendu le programme Nunn-Lugar et travaillé avec la Russie à la surveillance des armes biologiques aussi bien que nucléaires.

Après l'affaire du gaz sarin lâché dans le métro de Tokyo, en 1995, le groupe de sécurité antiterroriste, dirigé par un fonctionnaire de la Sûreté de l'État, Richard Clarke, a commencé à imaginer des systèmes de défense contre les attaques chimiques et biologiques. En juin 1995, j'ai signé le décret présidentiel n° 39 qui répartit les responsabilités entre plusieurs agences gouvernementales chargées de prévenir et de traiter ce type d'agression, de réduire le champ d'action du terrorisme au moyen d'actions clandestines et d'arrestations de terroristes à l'étranger. Au Pentagone, seuls quelques responsables civils et militaires s'intéressaient au sujet ; Charles Krulak, commandant du corps des Marines, et Richard Danzig, sous-secrétaire à la Marine, étaient du nombre. À la fin de 1996, sur la recommandation de Richard Danzig, les chefs d'état-major interarmées avaient fait vacciner toutes nos troupes contre l'anthrax ; peu après, le Congrès avait fait resserrer le contrôle des agents biologiques dans les laboratoires américains, un fanatique ayant été surpris en train d'acheter sous un faux nom, pour environ trois cents dollars, trois ampoules du virus de la peste.

Vers la fin de 1997, quand il est apparu que la Russie disposait de réserves d'agents pathogènes plus vastes encore qu'on ne le craignait, j'ai autorisé la coopération avec des scientifiques ayant travaillé, durant l'ère soviétique dans les laboratoires fabriquant des armes biologiques ; il s'agissait à la fois de découvrir ce qui s'était tramé dans ces laboratoires et d'éviter que ces scientifiques n'aillent vendre leur savoir-faire ou leurs agents pathogènes à des pays comme l'Iran.

En mars 1998, Dick Clarke rassembla une quarantaine de membres du gouvernement à Blair House pour un exercice théorique consistant à déjouer trois types d'attaques terroristes : variole, agents chimiques, arme nucléaire. Les résultats furent assez troublants. Leur réaction dans le cas de la variole s'avéra trop lente : l'épidémie virtuelle, non jugulée à temps, coûta de nombreuses vies. Les réserves de vaccins et d'antibiotiques étaient inadéquates ; les lois de mise en quarantaine, dépassées ; les systèmes de santé publique, obsolètes ; les plans d'urgence nationale, insuffisants.

Quelques semaines plus tard, à ma demande, Clarke convoqua sept scientifiques et des experts des situations d'urgence. Il y avait là notamment Craig Venter ; Joshua Lederberg, biologiste nobélisé qui menait depuis très longtemps une croisade contre les armes chimiques ; Jerry Hauer, directeur du Centre de gestion des situations d'urgence à New York. Avec Bill Cohen, Janet Reno, Donna Shalala, George Tenet et Sandy Berger, j'ai dialogué pendant plusieurs heures avec ce groupe d'experts pour concevoir une défense contre ce type de menace. Le règlement de l'accord de paix en Irlande avait occupé la plus grande partie de ma nuit, mais j'ai écouté l'avis de chacun avec attention et j'ai posé de nombreuses questions. Ma crainte s'en est trouvée confirmée : nous n'étions nullement préparés à subir une attaque biologique, et le futur séquençage du génome humain aurait un jour un impact réel sur la sécurité nationale. À la fin de la réunion, le Dr Lederberg me confia un exemplaire d'un numéro récent du *Journal of the American Medical Association* consacré à la menace bioterroriste. La lecture de cette revue ne fit que renforcer mes craintes.

Moins d'un mois plus tard, le groupe m'adressa un rapport appelant à consacrer près de deux milliards de dollars, sur quatre ans, à l'amélioration des structures de santé publique, à la construction d'une réserve nationale d'antibiotiques et de vaccins (variole en tête) et à l'accroissement de la recherche génétique en matière de vaccins et de médicaments.

Le jour du discours d'Annapolis, j'ai signé deux nouveaux décrets présidentiels sur le terrorisme. Le décret n° 62 établissait un programme antiterroriste en dix points, répartissant les responsabilités entre divers organismes fédéraux : arrestation, renvoi et jugement des terroristes ; démantèlement de leurs réseaux ; gestion des mesures visant à empêcher l'acquisition d'armes de destruction massive ; gestion des suites d'une attaque ; protection des infrastructures et systèmes informatiques sensibles ; protection des Américains sur notre territoire et à l'étranger.

Le décret n° 62 créait également le poste de coordinateur national de l'antiterrorisme et de la protection des infrastructures, que j'ai aussitôt confié à Dick Clarke, spécialiste en la matière depuis des années. Ce haut fonctionnaire avait servi sous l'administration Reagan, puis sous l'administration Bush ; sa détermination sans faille faisait de lui l'homme idéal pour organiser la lutte antiterroriste. Quant au décret n° 63, il fondait un Centre national de protection des infrastructures chargé de mettre au point, pour la première fois, un programme complet de défense des transports, des télécommunications et des systèmes d'alimentation en eau.

À la fin du mois, Starr tenta de nouveau de contraindre Susan McDougal à témoigner devant la chambre de mise en accusation ; il fit subir à Hillary, pour la sixième fois, un interrogatoire de près de cinq heures ; il inculpa de nouveau Webb Hubbell pour raisons fiscales. Plusieurs anciens procureurs s'interrogeaient sur la pertinence des pratiques pour le moins insolites de Starr : Hubbell, par exemple, était accusé de réclamer trop d'argent à ses clients sous prétexte qu'il ne déclarait pas ces sommes. Pour aggraver les choses, Starr inculpa également la femme de Hubbell, Suzy, qui avait signé leur déclaration fiscale commune, et deux amis du couple – Mike Schaufele, comptable, et Charles Owen, avocat – coupables d'avoir conseillé gratuitement Hubbell dans une période difficile. Hubbell se montra catégorique : « En inculpant ma femme et mes amis, ils croient que je vais mentir au sujet du Président et de son épouse. Ils se trompent... Je ne mentirai pas. »

Début mai, Starr continua de suivre sa stratégie d'intimidation en faisant accuser Susan McDougal pour refus de coopération et obstruction à la justice, parce qu'elle refusait de s'exprimer devant la chambre de mise en accusation ; rappelons qu'elle avait déjà, pour ces mêmes raisons, passé dix-huit mois en prison. Malgré toutes leurs tentatives d'intimidation, Starr et Hick Ewing ne parvenaient pas à faire mentir Susan McDougal, et cet échec les rendait fous. Il fallut à Susan une année de plus pour prouver son innocence, mais elle était plus solide qu'eux et elle finit par l'emporter.

En juin, Starr dut affronter quelques ennuis. Dans *Brill's Content*, Steven Brill avait consacré à l'opération Starr un article révélant que le bureau du procureur organisait des fuites illicites d'informations, et que, au cours d'un entretien d'une heure et demie, Starr avait admis qu'il pratiquait cette méthode. La juge Norma Holloway Johnson estima qu'il y avait « tout lieu de croire » que le bureau du procureur avait organisé des fuites « graves et répétées » en

direction des médias, et pria David Kendall de convoquer Starr et ses collaborateurs afin de déterminer la source de ces fuites. Mais, comme la décision
de la juge impliquait le recours à une chambre de mise en accusation, l'information resta secrète. Curieusement, celle-là ne filtra jamais dans la presse.

Le 29 mai, Barry Goldwater est mort à l'âge de 89 ans. Sa disparition m'a
beaucoup attristé. Nous ne partagions ni le même parti ni la même vision du
monde, mais Goldwater nous avait toujours manifesté une gentillesse exceptionnelle. Et puis, je respectais en lui l'authentique patriote, le libéral à l'ancienne
mode pour qui l'État n'avait pas à intervenir dans la vie des citoyens, l'homme
de principes qui voyait dans la politique l'occasion d'un débat d'idées et non un
déchaînement d'attaques personnelles.

J'ai passé le reste du printemps à défendre mon programme législatif et à
régler les affaires en cours : rédaction d'une directive interdisant la discrimination des homosexuels dans la fonction publique ; soutien du nouveau
programme de réformes de Boris Eltsine ; réception de l'émir de Bahreïn à la
Maison Blanche ; allocution devant l'assemblée générale des Nations unies sur
le trafic mondial de drogue ; visite d'État du président sud-coréen Kim Dae
Jung ; participation à la Conférence nationale sur les océans à Monterey, en
Californie, où j'ai annoncé l'interdiction de toute extraction de pétrole au
large des côtes californiennes pendant quatorze ans ; signature d'un décret
autorisant l'achat de gilets pare-balles pour les agents de la force publique qui
en étaient encore dépourvus, soit un quart d'entre eux ; discours prononcés à
l'occasion de la remise des diplômes dans trois universités ; enfin, campagne
électorale pour les Démocrates dans six États.

Ce fut un mois bien rempli, assez routinier si l'on excepte un pénible
voyage à Springfield, dans l'Oregon, où un adolescent déséquilibré armé d'un
fusil semi-automatique venait de tuer et de blesser plusieurs de ses camarades
de classe. Ce sinistre incident s'inscrivait dans une série de fusillades en milieu
scolaire, comme à Jonesboro en Arkansas, à Pearl dans le Mississippi, à
Paducah dans le Kentucky et à Edinboro en Pennsylvanie.

Ces tueries étaient à la fois désolantes et incompréhensibles, le taux
national de criminalité infantile accusant enfin une forte baisse. De tels accès
de sauvagerie me semblaient imputables, au moins en partie, à la glorification
excessive de la violence dans notre culture et à la facilité avec laquelle les
enfants pouvaient se procurer des armes mortelles. Dans tous les cas de fusillade
en milieu scolaire – y compris les cas, nombreux, où l'on ne déplorait aucun
mort –, les jeunes coupables semblaient enragés, aliénés, ou portés par une
sombre vision du monde. J'ai demandé à Janet Reno et à Dick Riley de concevoir un manuel à l'usage des enseignants, des parents et des lycéens, où devaient
figurer la liste des signes de mal-être perceptibles chez les jeunes en difficulté
et diverses suggestions sur la conduite à adopter en pareil cas.

Je suis allé au lycée de Springfield rencontrer les familles des victimes,
écouter le récit des événements, parler avec les lycéens, les enseignants et les
habitants de la ville. Tous étaient traumatisés, incapables de comprendre
comment une chose pareille avait pu arriver dans leur communauté. Dans des
circonstances dramatiques comme celle-là, j'avais souvent l'impression que la

seule chose à faire était de partager la douleur des gens, les rassurer, leur faire comprendre qu'ils étaient des hommes et des femmes de bonne volonté, et les inciter à recoller les morceaux d'une vie momentanément brisée.

Aux premiers jours de l'été, j'ai commencé à préparer un voyage en Chine prévu de longue date. Les États-Unis et la Chine n'avaient certes pas la même conception des droits de l'homme, ni de la liberté politique et religieuse, mais il me tardait de faire ce voyage. J'avais beaucoup apprécié la visite de Jiang Zemin en 1997, et je savais qu'il souhaitait que je lui rende la politesse.

La controverse alla bon train dans nos deux pays. J'étais le premier président à me rendre en Chine depuis l'écrasement de l'opposition démocratique sur la place Tiananmen, en 1989. Quant aux soupçons d'irrégularité entachant les élections de 1996, ils n'étaient toujours pas levés. De plus, certains Républicains me reprochaient de laisser des entreprises américaines lancer leurs satellites commerciaux à l'aide de missiles chinois ; or la technologie liée à nos satellites n'était jamais accessible aux Chinois, et du reste cette alliance avait commencé sous l'administration Reagan et s'était poursuivie avec Bush pour des raisons de réduction des coûts. À cela venaient s'ajouter la politique commerciale de la Chine et sa tolérance vis-à-vis de la reproduction et de la vente illégale de livres, de films et de supports musicaux américains ; de nombreux Américains craignaient que ce piratage ne cause des pertes d'emplois aux États-Unis.

Côté chinois, de nombreux officiels nous reprochaient de critiquer leur politique en matière de droits de l'homme, voyant là un signe de notre ingérence dans leurs affaires intérieures ; pour d'autres, en dépit de tous mes beaux discours, notre but était de ralentir la croissance chinoise au XXIe siècle et non de la favoriser.

Forte d'un quart de la population mondiale et d'une économie en pleine expansion, la Chine ne manquerait pas d'avoir un profond impact économique et politique sur l'Amérique et sur le reste du monde. Dans la mesure du possible, il nous fallait donc construire une relation positive. Il eût été absurde de renoncer à ce voyage.

La semaine précédant mon départ, j'ai procédé à deux nominations importantes : Bill Richardson, notre ambassadeur auprès des Nations unies, succédait à Federico Peña au secrétariat à l'Énergie, lui-même étant remplacé aux Nations unies par Dick Holbrooke. Ancien député du Nouveau-Mexique, où étaient implantés deux grands laboratoires de recherche du département de l'Énergie, Richardson était tout désigné pour ce poste. Quant à Holbrooke, il saurait résoudre le problème de notre dette aux Nations unies ; sa finesse et son expérience en faisaient une excellente recrue pour l'équipe chargée de la politique extérieure. À l'heure où les Balkans donnaient des signes de confusion, sa présence serait d'une grande utilité.

Hillary, Chelsea et moi sommes arrivés en Chine dans la nuit du 25 juin ; nous étions accompagnés par Dorothy, la mère de Hillary, et par une délégation dont faisaient partie trois secrétaires d'État, Albright, Rubin et Daley, ainsi que six membres du Congrès – dont John Dingell, député du Michigan et vétéran de la Chambre. La présence de John était essentielle car le Michigan, fer de lance de l'industrie automobile, risquait de céder à des sentiments protection-nistes. J'étais ravi qu'il découvre le pays en personne avant de se prononcer sur l'entrée de la Chine dans l'OMC.

Nous avons commencé par visiter Xian, l'ancienne capitale, où nous attendait une cérémonie d'accueil superbe et raffinée ; le lendemain, nous avons parcouru les rangs des fameux guerriers de terre cuite avant de bavarder avec des villageois de Xiahe.

Nous nous sommes mis au travail le surlendemain. J'ai donné, aux côtés du président Jiang Zemin, une conférence de presse diffusée en direct dans tout le pays. Nous avons évoqué nos différences avec franchise, ainsi que notre souci de mettre en place un partenariat stratégique. C'est la première fois que le peuple chinois voyait son dirigeant débattre des droits de l'homme et de la liberté de culte avec un chef d'État étranger. Jiang se sentait plus à l'aise pour traiter ces sujets en public, et il savait que mes critiques seraient toujours respectueuses. Il savait aussi que je ne manquerais pas de souligner nos intérêts communs : règlement de la crise financière asiatique, mise en place de la non-prolifération nucléaire, réconciliation avec la péninsule coréenne.

Quand j'ai appelé de mes vœux une plus grande liberté et un plus grand respect des droits de l'homme, Jiang a répondu que l'Amérique était un pays très développé alors que le revenu annuel par habitant plafonnait en Chine à sept cents dollars. Il rappela que nous avions une histoire, une culture, une idéologie et un système social très différents. Quand j'ai invité Jiang à ren-contrer le dalaï-lama, il m'a répondu que sa porte lui était ouverte à une condition : qu'il reconnaisse que le Tibet et Taiwan faisaient partie de la Chine. Il ajouta qu'il existait déjà « plusieurs canaux de communication » avec le chef spirituel du bouddhisme tibétain. J'ai fait rire l'assemblée en déclarant que Jiang et le dalaï-lama, s'ils se rencontraient un jour, ne manqueraient pas de s'apprécier. Puis j'ai avancé quelques suggestions d'ordre pratique concer-nant le respect des droits de l'homme. Certains prisonniers, par exemple, purgeaient encore une peine pour des crimes qui n'étaient plus punis depuis peu : ne pouvait-on envisager de les libérer ?

Ce débat était le principal enjeu de la conférence de presse. Je voulais montrer aux citoyens chinois une Amérique soucieuse des droits de l'homme et de leur portée universelle, et je voulais montrer aux dirigeants chinois qu'une plus grande ouverture ne causerait pas le délitement social que leur histoire leur avait appris à redouter.

Après le dîner officiel donné par Jiang Zemin et son épouse, Wang Yeping, nous avons tous deux dirigé l'orchestre de l'Armée de libération du peuple. Le lendemain, ma famille s'est rendue à l'office religieux de l'église Chongwenmen, la plus ancienne église protestante de Pékin et l'un des rares lieux de culte autorisés par les autorités. De nombreux chrétiens se réunissaient en secret dans la maison de l'un ou de l'autre. La liberté de culte étant très importante à mes yeux, j'ai apprécié que Jiang accepte de recevoir une déléga-tion de chefs religieux américains, dont un rabbin, un évêque catholique et un prêtre évangéliste.

Après une visite de la Cité interdite et de la Grande Muraille, je me suis prêté à une séance de questions avec des étudiants de l'Université de Pékin.

Nous avons débattu du problème des droits de l'homme en Chine, mais aussi aux États-Unis ; ils m'ont ensuite demandé ce que je pouvais faire pour que mes compatriotes apprennent à mieux connaître la Chine. Ces questions justes émanaient de jeunes gens qui, s'ils désiraient voir leur pays évoluer, en étaient cependant très fiers.

Le Premier ministre Zhu Rongji a reçu la délégation à déjeuner ; ce fut l'occasion d'évoquer les défis économiques et sociaux qui attendaient la Chine, ainsi que les points à régler avant de faire entrer la Chine dans l'OMC. J'y étais personnellement très favorable, car cela permettrait de conforter l'intégration de la Chine dans l'économie mondiale, de renforcer son respect des règles du droit international et son désir de coopérer dans divers domaines avec les États-Unis et avec d'autres pays. Ce soir-là, le Président et son épouse nous ont invités pour un dîner privé dans leur résidence officielle, au bord d'un paisible lac dans le quartier réservé aux dirigeants du pays. Plus je passais de temps avec Jiang, plus l'homme me plaisait. Intrigant, drôle, d'une fierté farouche, il était toujours disposé à écouter son interlocuteur. Je n'étais certes pas toujours d'accord avec lui, mais je pense qu'il s'efforçait de changer la Chine avec diligence et discernement.

Nous avons ensuite quitté Pékin pour Shanghai. Je n'ai jamais vu tant de grues s'élever dans le ciel d'une ville. Hillary et moi avons eu une conversation passionnante sur les problèmes de la Chine, et son potentiel étonnant, avec un groupe de jeunes gens parmi lesquels se trouvaient plusieurs enseignants, des hommes d'affaires, un romancier et un spécialiste de la défense des consommateurs. L'une des expériences les plus éclairantes de mon séjour fut une émission de radio enregistrée avec le maire de Shanghai. On m'a d'abord posé quelques questions pertinentes, mais prévisibles, sur divers sujets d'économie et de sécurité ; mais le maire eut à répondre à plus de questions que moi, les auditeurs s'intéressant surtout à l'éducation, à l'acquisition d'ordinateurs et aux problèmes de circulation causés par les travaux d'une ville en plein essor. Si les citoyens se plaignent des embouteillages à leur maire, me suis-je dit, c'est que la politique chinoise est sur la bonne voie.

Avant de rentrer aux États-Unis, nous avons pris l'avion pour Guilin afin de rencontrer des spécialistes de l'environnement qu'inquiétaient la destruction des forêts et la perte d'une vie sauvage unique ; puis nous avons remonté la Li, une rivière qui traverse un paysage stupéfiant orné de collines karstiques, résultat d'une lente érosion du calcaire. Après Guilin, une escale à Hong-Kong nous a permis de rencontrer Tung Cheehwa, le responsable de l'exécutif choisi par les Chinois après le départ des Britanniques. Cet homme intelligent et sophistiqué, qui a vécu plusieurs années en Amérique, avait pour tâche de trouver un équilibre entre la turbulente culture politique de Hong-Kong et le gouvernement central chinois, bien plus conformiste. J'ai également revu Martin Lee, grand défenseur de la démocratie dans le pays. Les Chinois avaient promis de laisser à Hong-Kong son système politique plus démocratique, mais j'ai eu la nette impression que les modalités de la réunion étaient encore en discussion et que les deux parties s'estimaient encore insatisfaites.

À la mi-juillet, Al Gore et moi avons organisé une soirée à l'Académie nationale des sciences afin de présenter les efforts réalisés par mon gouvernement pour éviter le bug informatique annoncé pour le passage à l'an 2000. Une rumeur grandissante voulait en effet que certains systèmes informatiques soient incapables de franchir le cap du nouveau millénaire, ce qui chamboulerait l'économie tout entière et entraînerait la faillite de millions d'Américains. Sous la direction de John Koskinen, nous avons veillé à préparer tous les systèmes du gouvernement et à aider le secteur privé dans ses propres efforts. Restait à attendre l'heure fatidique pour être pleinement rassurés.

Le 16 juillet, j'ai conclu l'un de mes projets prioritaires en faisant voter une loi sur la surveillance et l'optimisation de l'aide à l'enfance. Depuis 1992, nous avions déjà augmenté de 68 % les fonds d'aide à l'enfance, dont bénéficiaient désormais 1,4 million de familles supplémentaires. Cette loi pénalisait les États qui n'avaient pas automatisé leurs dossiers et récompensait financièrement ceux qui atteignaient leurs objectifs dans ce domaine.

À la même époque, j'ai annoncé l'achat de quatre-vingts milliards de boisseaux de blé destinés aux nations pauvres victimes de pénurie alimentaire. Le prix du blé ayant baissé, cet achat avait une portée à la fois humanitaire et économique : pour les fermiers en difficulté, le prix du boisseau augmentait ainsi de treize cents le boisseau. Comme une vague de chaleur était en train de détruire les cultures dans certaines régions, j'ai également demandé au Congrès de voter un ensemble de mesures d'aide d'urgence aux agriculteurs.

Vers la fin du mois, Mike McCurry annonça qu'il entendait quitter à l'automne ses fonctions d'attaché de presse de la Maison Blanche. J'ai donc choisi son successeur en la personne de Joe Lockhart, qui avait été l'attaché de presse de ma campagne de réélection. McCurry avait occupé avec talent ce poste exigeant, toujours prêt à répondre aux questions les plus difficiles, à expliciter les positions du gouvernement avec finesse et esprit, à travailler sans relâche avec une disponibilité de tous les instants. Il voulait à présent voir grandir ses enfants. J'aimais beaucoup Joe Lockhart et les journalistes sem-blaient l'apprécier aussi. Et puis, il ne détestait pas jouer aux cartes avec moi : la transition promettait de se faire en douceur.

Au mois de juillet, alors que je continuais à régler des affaires de politique intérieure, Dick Holbrooke est parti rencontrer Milosevic à Belgrade pour tenter de régler la crise au Kosovo ; Hashimoto, le Premier ministre japonais, a démissionné après une défaite électorale ; Nelson Mandela a épousé Graça Machel, la délicieuse veuve d'un ancien président du Mozambique, grande figure de la lutte contre l'utilisation des enfants dans les guerres en Afrique ; et Kenneth Starr a continué à travailler sur le dossier qu'il montait contre moi.

Starr a tenu à interroger plusieurs agents du service de protection, y compris Larry Cockell, chef de mon détachement. Le service de protection a refusé de se prêter à de tels interrogatoires, et l'ancien président Bush a écrit plusieurs lettres pour s'y opposer fermement. Quand le Président ne se trouve pas à l'étage résidentiel de la Maison Blanche, le service de protection l'accompagne en permanence, à ses côtés ou devant la porte de la pièce où il se trouve. La sécurité du Président repose sur les hommes de ce service, qui protègent aussi bien ses confidences que sa personne. Ces agents sont amenés à entendre des conversations de toutes sortes portant sur la sécurité nationale, la politique intérieure, les conflits politiques et les rivalités personnelles. Leur dévouement, leur discrétion, leur professionnalisme sont au service du Président et de la nation. Et voilà que Starr entendait mettre tout cela en péril ! Son enquête ne portait nullement sur un cas d'espionnage, ni sur les abus du FBI comme dans l'affaire du Watergate, ni sur une enfreinte délibérée à la loi comme dans l'opération Iran-Contra, mais sur un point bien ténu : il s'agissait de déterminer si j'avais ou non fourni des réponses inexactes – et incité Monica Lewinsky à faire de même – à des questions posées en toute mauvaise foi, dans une affaire que la justice avait classée sans suite.

À la fin du mois, Starr accorda à Monica Lewinsky l'immunité contre toute poursuite judiciaire en échange de son témoignage devant la chambre de mise en accusation. Il m'adressa également une citation à comparaître ; le 29, j'acceptai de témoigner spontanément et la citation fut annulée. La situation se faisait de plus en plus délicate.

Au début du mois d'août, j'ai rencontré à Washington dix chefs de tribu indiens pour leur annoncer des mesures d'aide aux Amérindiens en matière d'éducation, d'économie et de santé. Mickey Ibarra, mon collaborateur chargé des affaires intergouvernementales, et Lynn Cutler, chargée de la communication avec les tribus indiennes, avaient travaillé d'arrache-pied sur ce projet indispensable. Alors que les États-Unis affichaient le taux de chômage le plus bas depuis vingt-huit ans et le taux de criminalité le plus faible depuis vingt-cinq ans, les Amérindiens étaient bien souvent très démunis – sauf les communautés qui avaient fait fortune en ouvrant des casinos. Moins de 10 % d'Amérindiens suivaient des études supérieures, le taux de diabétiques était chez eux trois fois supérieur à celui des Américains blancs, et ils accusaient le plus faible revenu par habitant de tous les groupes ethniques du pays. Chez certaines communautés tribales, le taux de chômage était de 50 % supérieur à la moyenne. Les chefs de tribu ont accueilli favorablement les mesures annoncées ; quant à moi, je suis sorti de cette rencontre avec l'espoir qu'il était possible de les aider.

Le lendemain, à cinq minutes d'intervalle, des bombes ont explosé dans nos ambassades en Tanzanie et au Kenya, faisant deux cent cinquante-sept morts (dont douze Américains) et cinq mille blessés. Selon les premiers résultats de l'enquête, l'attaque était due au réseau d'Oussama Ben Laden, réseau que chacun ne tarderait pas à connaître sous le nom d'Al-Qaida. Fin février, Ben Laden avait lancé une fatwa appelant à attaquer des cibles américaines civiles et militaires à travers le monde. En mai, il avait annoncé que ses partisans frapperaient des cibles américaines dans le Golfe et que la guerre serait « transférée en Amérique ». En juin, dans un entretien avec un journaliste américain, il avait menacé d'abattre vingt-cinq avions militaires américains au moyen de missiles antiaériens.

Ben Laden était alors surveillé depuis des années. Au début de mon premier mandat, Tony Lake et Dick Clarke avaient demandé à la CIA des informations supplémentaires au sujet de ce richissime Saoudien expulsé de son propre pays, déchu de sa citoyenneté en 1994 et réfugié au Soudan.

Nous avions d'abord pensé que Ben Laden se contentait de financer des opérations de terrorisme, avant d'apprendre qu'il était à la tête d'une organisation terroriste très complexe ayant accès, en plus de sa fortune personnelle, à des fonds considérables, et comptant des agents dans plusieurs pays – dont la Tchétchénie, la Bosnie et les Philippines. En 1995, après la guerre de Bosnie, nous avions déjoué une tentative des moudjahidin pour s'emparer du pouvoir dans ce pays et, en coopérant avec les autorités locales, nous avions empêché les terroristes de faire sauter une douzaine d'avions se dirigeant sur notre côte ouest depuis les Philippines. Pourtant, le réseau international de Ben Laden n'avait cessé de croître.

Depuis janvier 1996, le Centre antiterrorisme de la CIA consacrait une station entière aux enquêtes sur Ben Laden et son réseau ; peu après, nous avons demandé au Soudan d'extrader Ben Laden. Le Soudan était alors un véritable refuge pour les terroristes, ceux par exemple qui avaient tenté d'assassiner le président Moubarak en juin, ou encore ceux qui avaient assassiné son prédécesseur Anouar al-Sadate. Le leader national, Hassan al-Turabi, partageait les positions radicales de Ben Laden, et il prenait part avec lui à diverses affaires commerciales, parcourant toute la gamme allant de l'opération légale à la fabrication d'armes et au financement du terrorisme.

Tout en faisant pression sur Turabi pour qu'il expulse Ben Laden, nous avons demandé à l'Arabie Saoudite de l'accueillir sur son sol. Les Saoudiens ne voulaient pas le voir revenir, mais Ben Laden finit par quitter le Soudan au milieu de 1996, tout en restant proche de Turabi. Il partit s'installer en Afghanistan où l'accueillit le mollah Omar ; celui-ci était le chef des talibans, une secte sunnite militante qui projetait d'instaurer en Afghanistan une théocratie musulmane radicale.

En septembre 1996, les talibans s'emparèrent de Kaboul avant de s'emparer d'autres régions du pays. À la fin de l'année, l'unité Ben Laden de la CIA avait compilé sur l'homme et son réseau une masse d'informations. Près d'un an plus tard, les autorités kenyanes arrêtèrent un homme qui, semble-t-il, était impliqué dans un complot terroriste contre l'ambassade américaine au Kenya.

La semaine suivant les attentats, j'ai maintenu mon programme de visites au Kentucky, en Illinois et en Californie pour y promouvoir la charte du patient et notre programme de purification des eaux, et pour soutenir les candidats démocrates de ces États. Entre deux apparitions publiques, je passais le plus clair de mon temps avec l'équipe chargée de la sécurité nationale, afin d'établir notre réaction aux attentats en Afrique.

Le 13 août, à la base aérienne d'Andrews, j'ai assisté au service funèbre de dix des douze victimes américaines. Parmi les personnes dont Ben Laden avait décidé qu'elles méritaient de mourir en raison de leur nationalité américaine, il y avait un diplomate de carrière que j'avais rencontré en deux occasions ; le fils de ce dernier ; une femme qui venait de passer ses vacances à s'occuper de ses parents vieillissants ; une fonctionnaire des Affaires étrangères d'origine indienne, qui avait parcouru le monde pour servir son pays d'adoption ; un épidémiologiste qui avait consacré sa vie à préserver des enfants africains de la maladie et de la mort ; la mère de trois enfants en bas âge ; une femme qui venait d'être grand-mère ; un musicien de jazz accompli, employé des Affaires étrangères ; un administrateur de l'ambassade qui avait épousé une Kenyane ; et trois sergents servant respectivement dans l'armée de Terre, dans l'aviation et dans la marine.

Selon nos renseignements, Ben Laden était persuadé qu'il détenait la vérité absolue, et qu'il pouvait par conséquent user d'un droit divin sur des victimes innocentes. Comme nous combattions son organisation depuis des années, je savais qu'il faisait un adversaire redoutable. Après les massacres perpétrés en Afrique, la capture de Ben Laden et le démantèlement d'Al-Qaida sont devenus ma priorité.

Une semaine après le double attentat, après avoir enregistré un discours à l'intention des habitants du Kenya et de la Tanzanie, pays dont les pertes étaient bien plus lourdes encore que les nôtres, j'ai discuté avec les chefs de la Sûreté de l'État. La CIA et le FBI m'ont confirmé qu'Al-Qaida était responsable des attentats, et m'ont appris que certains coupables étaient déjà arrêtés.

J'avais également reçu de nos services du renseignement un rapport annonçant qu'Al-Qaida prévoyait d'attaquer une autre de nos ambassades, celle de Tirana en Albanie ; nos ennemis estimaient que les États-Unis étaient vulnérables parce que la controverse sur ma conduite personnelle affaiblissait nos esprits. Nous avons fait fermer notre ambassade en Albanie, envoyé des Marines en armes pour la protéger, puis commencé à travailler avec les autorités locales pour démanteler la cellule d'Al-Qaida dans ce pays. Mais nous avions d'autres ambassades dans des pays où était implanté Al-Qaida.

La CIA avait également appris que Ben Laden et son état-major devaient se réunir le 20 août dans l'un de leurs camps en Afghanistan, afin d'évaluer l'impact de leur attaque et préparer leurs prochaines opérations. C'était peut-être là l'occasion de riposter et de supprimer une bonne partie des dirigeants d'Al-Qaida. J'ai demandé à Sandy Berger de s'occuper de notre riposte militaire. Il nous fallait choisir des cibles, mettre en place le matériel nécessaire et définir notre position vis-à-vis du Pakistan – car une frappe aérienne impliquait le survol du territoire pakistanais.

D'un côté, nous tentions de coopérer avec le Pakistan pour apaiser les tensions du sous-continent indien, et ce pays avait été notre allié durant la guerre froide ; d'un autre côté, le Pakistan soutenait les talibans et, par extension, Al-Qaida. Les services secrets pakistanais utilisaient certains camps où Al-Qaida entraînait les talibans et les insurgés qui luttaient au Cachemire. Si le Pakistan découvrait notre projet de frappes aériennes, ses services secrets avertiraient sans doute les talibans, voire Al-Qaida. Pour le sous-secrétaire d'État Strobe Talbott, qui s'efforçait de réduire les risques de conflit militaire sur le sous-continent indien, il valait mieux prévenir les Pakistanais de notre projet : en découvrant les missiles traversant leur espace aérien, ils risquaient en effet de croire à une attaque de l'Inde et riposter en conséquence, peut-être avec l'arme nucléaire.

Nous avons décidé que le vice-président de l'état-major interarmées, le général Ralston, s'arrangerait pour dîner avec le chef de l'état-major pakistanais le soir où l'attaque était prévue. Ralston mettrait son homologue au courant de l'opération quelques minutes avant le lancement de nos missiles dans l'espace aérien pakistanais ; il serait trop tard pour prévenir les talibans ou Al-Qaida, et l'on évitait ainsi le risque d'une riposte contre l'Inde.

Un détail continuait de préoccuper mon équipe d'experts : trois jours plus tard, le 17 août, je devais témoigner devant la chambre de mise en accusation. Ils craignaient que je n'hésite à ordonner l'attaque, ou que l'on m'accuse d'agir à seule fin de détourner l'attention de l'opinion publique – surtout si Ben Laden survivait à l'opération. Je leur ai répondu avec fermeté que leur travail consistait à me conseiller en matière de sûreté de l'État. S'ils préconisaient une frappe aérienne le 20 du mois, j'entendais suivre leur avis. Mes problèmes personnels, en revanche, ne concernaient que moi. Et, de ce côté-là aussi, le temps était compté.

CHAPITRE QUARANTE-NEUF

Le matin du samedi 15 août, après avoir passé une fort mauvaise nuit, préoccupé que j'étais par l'imminence de ma déposition au Grand Jury, j'ai réveillé Hillary pour lui dire toute la vérité sur ce qui s'était passé entre moi et Monica Lewinsky. Elle m'a regardé comme si je venais de lui asséner un coup au ventre, presque aussi furieuse que je lui aie menti en janvier qu'à cause des faits eux-mêmes. Je lui ai dit que j'étais désolé, que je n'avais osé en parler à personne, pas même à elle. Je lui ai dit que je l'aimais, que je ne voulais faire de mal ni à elle ni à Chelsea, que j'avais honte de ma conduite et que j'avais gardé le secret pour éviter de blesser mes proches et d'affaiblir ma position. Après tous les mensonges, toutes les offenses que nous avions subis depuis le début de mon mandat, je voulais éviter d'être emporté par la vague qui avait suivi ma déposition en janvier. Je ne comprenais toujours pas très bien pourquoi j'avais commis une telle erreur, une telle bêtise ; je ne le comprendrai que plus tard et progressivement, au cours des mois où nous allions travailler sur notre relation.

Il fallait aussi que je parle à Chelsea, et ce fut d'une certaine façon plus difficile. Tôt ou tard, tout enfant découvre que ses parents ne sont pas parfaits, mais ce que j'avais à lui apprendre était vraiment grave. Je m'étais toujours considéré comme un bon père. Or, pendant ses dernières années de lycée et sa première année à l'université, Chelsea avait eu à souffrir des nombreuses attaques portées contre ses parents. Il fallait maintenant qu'elle découvre que son père s'était mal conduit et n'en avait rien dit ni à elle ni à sa mère. J'avais peur de perdre non seulement ma femme, mais aussi l'amour et le respect de ma fille.

Le reste de cette terrible journée fut assombri par un autre acte de terrorisme. À Omagh, en Irlande du Nord, une fraction dissidente de l'IRA qui ne reconnaissait pas les accords du Vendredi saint fit exploser une voiture piégée en pleine foule, dans un quartier commerçant de la ville, tuant vingt-huit personnes. Toutes les parties engagées dans le processus de paix, y compris le Sinn Fein, dénoncèrent l'attentat. Je fis une déclaration condamnant cette boucherie, présentant mes condoléances aux familles des victimes et engageant les partisans de la paix à redoubler d'efforts. Le groupe dissident, qui se faisait appeler l'IRA véritable, comptait environ deux cents membres et partisans, nombre suffisant pour créer de réels problèmes mais pas pour entraver le processus de paix : l'attentat d'Omagh démontrait l'insanité d'un retour aux anciennes façons de faire.

Le lundi, après avoir consacré le temps que je pouvais à me préparer, je descendis dans la salle des cartes pour un interrogatoire de quatre heures. Starr avait accepté de ne pas me faire venir au tribunal, sans doute à cause de la réaction contraire qu'il avait obtenue quand il y avait convoqué Hillary. Il insista toutefois pour filmer mon témoignage en vidéo, sous prétexte que l'un des vingt-quatre membres du Grand Jury ne pouvait assister à la session. David Kendall dit que le Grand Jury pouvait venir à la Maison Blanche si Starr ne filmait pas ma déposition « secrète ». Starr refusa ; je le soupçonnai de vouloir envoyer la cassette au Congrès où elle pourrait être montrée sans le mettre en difficulté.

Le Grand Jury suivait l'interrogatoire sur un circuit fermé de télévision, au palais de justice. Starr et ses interrogateurs faisaient tout leur possible pour transformer l'enregistrement vidéo en film pornographique. Ils me posaient des questions destinées à m'humilier et à dégoûter le Congrès et le peuple améri cain au point qu'ils demandent ma démission, ce qui lui permettrait ensuite de me mettre en accusation. Samuel Johnson a dit un jour que rien ne provoquait une plus grande concentration de l'esprit que la perspective de sa propre destruction. J'estimais par ailleurs que l'enjeu de cette opération dépassait largement ma propre personne.

Après les préliminaires, j'ai demandé à faire une brève déclaration. J'ai reconnu qu'en « certaines occasions en 1996 et une fois en 1997 », je m'étais mal comporté en ayant des contacts intimes que je n'aurais pas dû avoir avec Monica Lewinsky ; que ma conduite, tout en étant moralement répréhensible, n'avait pas impliqué de « relations sexuelles » au sens où j'avais compris que la juge Wright définissait le terme, à la demande des avocats de Paula Jones ; que j'acceptais pleinement la responsabilité de mes actes ; et que je répondrais de mon mieux à toutes les questions de l'OIC concernant la légalité de ces actes, mais que je n'entrerais pas dans le détail de ce qui s'était passé.

Le principal interrogateur de l'OIC m'a ensuite soumis à une longue liste de questions se rapportant à la définition du terme « relations sexuelles » imposée par la juge Wright. Je reconnus que je n'avais pas fait beaucoup d'efforts pour faciliter la tâche aux avocats de Paula Jones parce qu'ils s'étaient plusieurs fois rendus coupables d'indiscrétions illégales, et comme ils avaient déjà compris qu'ils n'auraient pas gain de cause, je pensais que leur objectif était de me faire dire des choses qu'ils pourraient divulguer à la presse. Je dis que je ne savais pas, bien sûr, qu'au moment où je témoignais, les services de Starr étaient déjà fortement impliqués.

Maintenant, les avocats de Starr auraient bien voulu profiter de la situation pour me filmer en train d'exposer cette affaire à grand renfort de détails, des détails que personne ne devrait avoir à rendre publics.

Lorsque l'avocat de l'OIC se plaignit de ma façon de répondre à ses questions concernant les rapports sexuels, je lui rappelai que mon avocat et moi-même avions invité les défenseurs de Paula Jones à poser des questions précises et qu'ils avaient refusé de le faire. Je comprenais maintenant, dis-je, que s'ils avaient refusé c'était parce qu'ils n'essayaient plus d'obtenir des révélations qu'ils pourraient divulguer à la presse. Ils travaillaient en fait pour Starr. Ils voulaient que ma déposition m'oblige à démissionner, justifie une mise en accusation ou même une condamnation. Ils n'avaient donc pas posé de questions « parce qu'ils avaient peur que je leur réponde avec franchise [...]. Ils voulaient me provoquer et me piéger. Et maintenant vous avez l'air de regretter qu'ils ne soient pas allés assez loin ». J'ai avoué que je « déplorais » ce qu'avaient fait les avocats du Rutherford Institute au nom de Paula Jones – tourmenter des innocents, faire des révélations à la presse, poursuivre un procès bidon motivé par des raisons politiques – « mais que j'étais décidé à traverser le champ de mines de cette déposition sans violer la loi, et je pense l'avoir fait ».

J'ai reconnu avoir trompé toutes les personnes qui me posaient des questions sur l'affaire quand elle avait pris fin. Et j'ai dit et répété, inlassablement, que je n'avais jamais demandé à quiconque de mentir. Lorsque les quatre heures sur lesquelles nous nous étions mis d'accord furent écoulées, certaines questions m'avaient été posées six ou sept fois car les avocats avaient fait tout leur possible pour obtenir de moi des aveux humiliants et compromettants. Voilà à quoi se résumait cette enquête qui avait coûté à ce jour quarante millions de dollars : une analyse grammaticale du terme « relations sexuelles ».

Ma déposition s'est terminée vers 18 h 30, trois heures et demie avant l'heure prévue pour le discours que je devais adresser à la nation. J'étais visiblement énervé quand je montai au solarium rejoindre des amis et mon équipe qui s'étaient réunis pour discuter de ce qui venait de se passer. Il y avait Chuck Ruff, David Kendall, Mickey Kantor, Rahm Emanuel, James Carville, Paul Begala et Harry et Linda Thomason. Chelsea était là aussi et, à mon grand soulagement, Hillary arriva vers 20 heures.

Nous avons discuté de ce que je devais dire. La première chose était, bien sûr, de reconnaître que j'avais commis une terrible erreur et essayé de la dissimuler. Mais est-ce que je devais aussi évoquer l'enquête de Starr et dire qu'il était temps d'y mettre fin ? L'opinion pratiquement unanime était que je ne le fasse pas. La plupart des Américains savaient que Starr dépassait les bornes ; ils avaient simplement besoin de m'entendre reconnaître mes torts, de me voir exprimer des remords. Certains de mes amis se contentaient de me donner ce qu'ils considéraient comme des conseils stratégiques, tandis que d'autres étaient réellement consternés par ce que j'avais fait. Seule Hillary refusa d'exprimer une opinion. Elle enjoignit mes amis de me laisser seul, pour que je puisse rédiger ma déclaration.

À 22 heures, j'ai parlé au peuple américain de mon audition, disant que j'étais seul responsable de mes erreurs, que je les assumais complètement et que j'avais trompé tout le monde, « même ma femme ». J'ai admis que je voulais me protéger moi et ma famille de questions indiscrètes qui n'auraient pas manqué de m'être posées lors d'un procès à visées politiques qui aurait abouti à un non-lieu. Je dis aussi que l'enquête de Starr avait duré trop longtemps, coûté trop d'argent et blessé trop de gens ; que deux ans plus tôt, une autre enquête, réellement indépendante celle-là, avait conclu que Hillary et moi n'avions rien à nous reprocher dans l'affaire Whitewater. Enfin, je me suis engagé à faire tout mon possible pour réparer les dégâts provoqués par cette affaire dans ma vie familiale et j'ai formé des vœux pour que nous rétablissions le cours normal de la vie de la nation en mettant un terme aux manœuvres de destruction individuelle et aux atteintes à la vie privée pour continuer à avancer. J'ai parlé avec franchise et du fond de mon cœur, mais j'étais encore trop en colère pour que mon visage exprime toute la contrition nécessaire.

Le lendemain nous partions à Martha's Vineyard pour nos vacances annuelles. D'habitude, j'étais si impatient de me retrouver en famille que je comptais les jours ; mais cette année-là, tout en sachant que nous avions besoin d'être ensemble, j'aurais préféré travailler vingt-quatre heures sur vingt-quatre. Pendant que nous traversions la pelouse sud pour monter dans l'hélicoptère, Chelsea marchant entre Hillary et moi, et Buddy trottinant derrière, des photographies ont été prises, et elles témoignent de la douleur que j'avais provoquée. Lorsqu'il n'y avait pas de caméras en vue, ma fille et ma femme ne m'adressaient pratiquement plus la parole.

Les premiers jours, j'ai passé mon temps à leur demander pardon et à préparer l'attaque contre Al-Qaida. Le soir, Hillary montait se coucher et je dormais sur le canapé.

Le jour de mon anniversaire, le général Don Kerrick, de l'état-major de Sandy Berger, est venu me voir à Martha's Vineyard pour discuter des cibles recommandées par la CIA et les chefs d'état-major – les bases d'Al-Qaida en Afghanistan et deux sites au Soudan, une tannerie dans laquelle Ben Laden avait des intérêts financiers et une usine chimique qui, d'après la CIA, servait à produire ou à stocker un produit chimique entrant dans la composition du gaz VX. J'ai rayé la tannerie de la liste parce qu'elle n'avait aucune valeur militaire pour Al-Qaida et que je voulais limiter le nombre de victimes civiles. Sur les bases d'entraînement, les frappes seraient déclenchées au moment où, d'après nos renseignements, Ben Laden et ses principaux lieutenants devaient s'y retrouver.

À 15 heures, j'ai donné à Sandy Berger l'ordre d'agir, et les destroyers de la marine américaine ont lancé, depuis la mer d'Arabie, des missiles sur les cibles situées en Afghanistan, tandis que d'autres étaient lancés vers le Soudan par des navires croisant en mer Rouge. La plupart ont atteint leur cible, mais Ben Laden ne se trouvait pas là où la CIA croyait qu'il serait au moment de l'impact. D'après certains rapports, il avait quitté la base quelques heures plus tôt, mais nous n'avons jamais pu en être sûrs. Plusieurs personnes liées à Al-Qaida ont été tuées ainsi que des officiers pakistanais qui se trouvaient là pour entraîner des terroristes kashmiri. L'usine chimique du Soudan a été détruite.

Après avoir annoncé les frappes depuis Martha's Vineyard, je suis rentré à Washington et je me suis adressé au peuple américain pour la deuxième fois en quatre jours, disant que j'avais pris cette décision parce qu Al-Qaida était responsable des attentats contre nos ambassades et que Ben Laden était « sans doute, aujourd'hui, le principal organisateur et pourvoyeur de fonds du terrorisme international », qu'il avait juré de lancer une guerre terroriste contre l'Amérique, sans établir de distinction entre civils et militaires. J'ai précisé que nos attaques n'étaient pas dirigées contre l'islam « mais contre des fanatiques et des assassins », que nous nous battions contre eux sur plusieurs fronts depuis des années et que nous allions continuer, parce que la bataille serait « longue et acharnée ».

Peu après avoir évoqué cette longue bataille, j'ai signé le premier d'une série d'ordres qui allaient nous permettre de la mener, en mettant à profit tous les moyens possibles. Le décret 13099 imposait des sanctions économiques à Ben Laden et Al-Qaida. Plus tard, ces sanctions ont été étendues aux talibans. Jusqu'alors, nous n'avions pas réussi à démanteler les réseaux financiers du terrorisme. Le décret 13099 se fondait sur une loi internationale que nous avions utilisée avec succès contre le cartel de Cali en Colombie.

J'avais aussi demandé au général Shelton et à Dick Clarke d'étudier différents scénarios pour l'envoi de commandos en Afghanistan. Je pensais qu'en intervenant dans certaines opérations d'entraînement d'Al-Qaida, nous leur ferions comprendre à quel point nous étions sérieux, même si nous ne capturions pas Ben Laden ni ses principaux lieutenants. Je me doutais bien que les chefs d'armée ne seraient pas d'accord, peut-être à cause de la Somalie, peut-être parce qu'ils devraient envoyer les Forces spéciales sans savoir exactement où trouver Ben Laden ni s'ils pourraient rapatrier nos hommes sans dommage. J'ai néanmoins gardé ce projet en réserve.

J'ai également autorisé la CIA à employer la force létale pour appréhender Ben Laden. La CIA avait eu l'autorisation de mener ses propres « opérations éclairs » contre Ben Laden au printemps précédent, plusieurs mois avant les attentats contre nos ambassades, mais elle ne possédait pas les moyens paramilitaires lui permettant d'accomplir sa mission. Elle avait donc fait appel à des membres de tribus afghanes pour trouver Ben Laden. Alors que nos agents sur le terrain ou leurs alliés afghans se demandaient s'ils devaient d'abord tenter de capturer Ben Laden avant de recourir aux armes, je leur ai dit clairement que non. Quelques mois plus tard, j'ai étendu l'autorisation d'utiliser la force létale en allongeant la liste des partisans de Ben Laden à éliminer et en élargissant les circonstances dans lesquelles ils pouvaient être attaqués.

Dans l'ensemble, les chefs des deux partis au Congrès ont réagi positivement à l'envoi des missiles, en grande partie parce que le secrétaire Cohen avait su convaincre ses collègues républicains que l'attaque et son moment étaient justifiés. Le porte-parole Gingrich a déclaré : « Les États-Unis ont fait exactement ce qu'il fallait faire. » Le sénateur Lott a qualifié les attaques de « pertinentes et justes ». Tom Daschle, Dick Gephardt et tous les Démocrates m'ont approuvé. Peu après, l'arrestation de Mohamed Rashed, membre actif d'Al-Qaida, soupçonné d'avoir participé à l'attentat contre notre ambassade au Kenya, a conforté mes décisions.

Certaines personnes m'ont reproché d'avoir détruit l'usine chimique qui, d'après le gouvernement soudanais, n'avait rien à voir avec la production ou le stockage de produits dangereux. Mais je suis persuadé d'avoir eu raison. La CIA avait recueilli autour de l'usine des échantillons de terre qui contenaient des produits entrant dans la composition du gaz VX. Au cours d'un procès terroriste qui a eu lieu plus tard, un témoin a confirmé que Ben Laden disposait d'armes chimiques à Khartoum. Contre toute évidence, certains journalistes ont tenté de faire croire que cette attaque était une sorte de « remake » d'un film où un président déclenche une guerre médiatisée dans le seul but de distraire l'attention du public de ses problèmes personnels.

Le peuple américain avait reçu deux séries d'informations très différentes au même moment : le lancement des missiles et ma déposition devant le Grand Jury. *Newsweek* a publié un article qualifiant la réaction du public à mon témoignage et à ma prestation à la télévision de « calme et mesurée ». Le taux de satisfaction pour mon travail était de 62 %, et 73 % de la population approuvaient le lancement des missiles. Pour la plupart des gens, si j'avais été malhonnête dans ma vie personnelle je restais tout de même crédible en tant que président. *Newsweek* a pourtant écrit : « La première réaction des experts fut proche de l'hystérie. » Le coup était sévère. Je méritais d'être critiqué, mais dans l'intimité, où il était juste que je le sois.

Dans l'immédiat, j'espérais que les Démocrates ne se laisseraient pas influencer par les médias au point de vouloir me mettre en accusation, et que je réussirais à reconstruire ce qui avait été détruit dans ma vie familiale, mes relations avec mon équipe, mon cabinet et tous ces gens qui avaient cru en moi pendant toutes ces années où j'avais été soumis à d'incessantes attaques.

Après mon allocution, je suis reparti pour Martha's Vineyard où j'ai passé encore dix jours. L'atmosphère familiale était toujours aussi tendue. J'ai fait ma première apparition en public depuis ma comparution devant le Grand Jury en me rendant à Worcester, dans le Massachusetts, à l'invitation du député Jim McGovern pour présenter le Police Corps. Il s'agissait d'une innovation consistant à accorder un diplôme de second degré aux personnes qui s'engageaient à devenir officiers de police. Worcester est une ville de cols bleus très traditionalistes et j'appréhendais un peu la réception qu'elle me réserverait. Mais j'ai été soulagé de constater avec quel enthousiasme la foule se pressait à cette manifestation où je me trouvais en compagnie du maire, des deux sénateurs et de quatre députés du Massachusetts. Beaucoup de gens, dans la foule, m'ont encouragé à continuer mon travail ; plusieurs personnes m'ont dit qu'elles aussi avaient fait des erreurs dans leur vie et qu'elles regrettaient que les miennes aient été révélées publiquement.

Le 28 août, anniversaire du jour où Martin Luther King Jr. avait prononcé son fameux discours intitulé *J'ai fait un rêve*, j'ai assisté à un service commémoratif dans la chapelle d'Oak Bluffs, lieu de villégiature préféré des Afro-Américains depuis plus de un siècle. J'y ai retrouvé le député John Lewis, ancien collaborateur du Dr King, un homme qui représentait une force morale considérable dans la politique américaine. Nous étions, lui et moi, amis depuis longtemps. Dès avant 1992, il avait été l'un des premiers à me soutenir, et il aurait très bien pu me condamner. Pourtant, quand il s'est levé pour parler, il a dit que j'étais son ami et son frère, qu'il avait été à mes côtés dans les bons jours et qu'il ne me laisserait pas tomber dans les mauvais, que j'étais un bon président et que s'il ne tenait qu'à lui, j'allais continuer à diriger le pays. John Lewis ne saura jamais quel bien il m'a fait ce jour-là.

Nous sommes rentrés à Washington à la fin du mois pour affronter un nouveau problème, très grave. La crise financière asiatique s'était étendue et menaçait maintenant de déstabiliser l'économie mondiale tout entière. La crise, qui avait commencé en Thaïlande en 1997, touché ensuite l'Indonésie et la Corée-du-Sud, affectait maintenant la Russie. À la mi-août, la Russie n'avait pu couvrir sa dette extérieure, et à la fin du mois son effondrement avait provoqué d'importantes baisses sur les marchés mondiaux. Le 31 août, le Dow Jones avait chuté de 512 points, après avoir chuté de 357 points quatre jours plus tôt ; tous les gains de l'année 1998 étaient anéantis.

Bob Rubin et son équipe de spécialistes de l'économie internationale étudiaient cette crise financière depuis qu'elle avait éclaté en Thaïlande. Bien que, dans le détail, chaque nation ait eu des problèmes différents, on retrouvait dans toutes un certain nombre de points communs : des systèmes bancaires imparfaits, des emprunts malheureux, un capitalisme népotiste et une perte de confiance généralisée. La situation était encore aggravée par l'absence de croissance économique au Japon depuis cinq ans. Avec une inflation zéro et un taux d'épargne de 20 %, les Japonais arrivaient à s'en sortir, mais cette absence de croissance dans l'économie la plus importante de l'Asie aggravait les conséquences négatives des erreurs politiques commises ailleurs. Les Japonais eux-mêmes commençaient à s'agiter ; la stagnation économique avait provoqué une perte de confiance et obligé mon ami Ryutaro Hashimoto à démissionner de son poste de Premier ministre. La Chine, avec la croissance économique la plus rapide de la région, avait empêché la crise de s'amplifier en refusant de dévaluer sa monnaie.

Dans les années 1990, il n'y avait pas d'autre solution pour une nation qui voulait sortir d'une crise financière que d'obtenir un prêt du Fonds monétaire international et des pays riches en contrepartie de réformes jugées nécessaires. Sur le plan politique, ces réformes étaient toujours difficiles à mettre en œuvre. Elles impliquaient des changements d'habitudes et nécessitaient souvent des mesures d'austérité fiscale qui rendaient la vie des citoyens ordinaires plus difficile à court terme, tout en permettant un redressement plus rapide et une plus grande stabilité à long terme.

Les États-Unis avaient soutenu les efforts du FMI en Thaïlande, en Indonésie et en Corée-du-Sud, ajoutant au prêt collectif une contribution personnelle à ces deux derniers pays. Le département du Trésor avait décidé de ne pas donner plus à la Thaïlande parce que les dix-sept milliards de dollars déjà fournis étaient suffisants et parce que le Fonds de stabilisation des changes, qui nous avait servi à aider le Mexique, s'était vu imposer des restrictions nouvelles, bien que temporaires, par le Congrès. Ces restrictions avaient été levées au moment où les autres nations avaient eu besoin d'aide, mais je regrettais de ne pas avoir fait au moins un geste en faveur de la Thaïlande. L'État, la Défense et le NSC étaient d'accord avec moi parce que la Thaïlande était notre plus vieil allié en Asie du Sud-Est. J'ai donc accordé cette contribution, mais c'est le Trésor qui s'est chargé de la transaction. Sur le plan économique et en termes de politique intérieure, nous avions pris la bonne décision, mais le message fut mal interprété par les Thaïlandais et dans toute l'Asie. Bob Rubin et moi n'avons pas fait beaucoup d'erreurs politiques, mais je crois que cette décision en était une.

Avec la Russie, nous n'avions évidemment pas le même problème qu'avec la Thaïlande. Les États-Unis soutenaient l'économie russe depuis ma première année à la présidence, et nous avions contribué pour presque un tiers au prêt de vingt-trois milliards de dollars accordé par le FMI en juillet. Malheureusement, le premier versement de cinq milliards de dollars avait pratiquement disparu du jour au lendemain avec la dévaluation du rouble et les transferts de fonds que les Russes commençaient à opérer. Les problèmes de la Russie étaient encore aggravés par la politique inflationniste irresponsable de sa banque centrale et par le refus de la Douma de mettre en place un système efficace de prélèvement des impôts. Les taux d'imposition étaient assez élevés, peut-être même trop élevés, mais la plupart des contribuables ne les payaient pas.

Tout de suite après notre retour de vacances, Hillary et moi avons fait un rapide voyage en Russie et en Irlande du Nord avec Madeleine Albright, Bill Daley, Bill Richardson et une délégation bipartite du Congrès. L'ambassadeur Jim Collins a invité un groupe de leaders de la Douma dans sa résidence, Spaso House. Je me suis efforcé de les convaincre qu'aucune nation ne pouvait se soustraire à la discipline de l'économie mondiale et que, s'ils voulaient bénéficier de prêts et d'investissements étrangers, il fallait que la Russie prélève l'impôt, cesse de fabriquer du papier-monnaie pour payer ses dettes et de soutenir les banques en difficulté, évite le capitalisme népotiste et paye ses dettes. Je ne pense pas avoir réussi à les persuader.

Ma quinzième rencontre avec Boris Eltsine se passa aussi bien que possible étant donné les problèmes qui l'assaillaient. Les communistes et les ultra-nationalistes s'opposaient aux projets de réforme qu'il proposait à la Douma. Il avait tenté d'améliorer le système de recouvrement des impôts par un décret-loi, mais il ne pouvait toujours pas empêcher la banque centrale de faire marcher la planche à billets, favorisant les fuites de capitaux vers des pays à monnaie plus stable et décourageant les investissements et prêts étrangers. Tout ce que j'ai pu faire, c'était l'encourager et lui dire que le reste du prêt du FMI arriverait dès que la situation le permettrait. Si nous transférions les fonds maintenant, ils disparaîtraient aussi vite que le premier versement.

Nous avons tout de même fait une déclaration positive en disant que chacun de nos programmes nucléaires serait allégé d'environ cinquante tonnes de plutonium – quantité suffisante pour fabriquer des milliers de bombes – et que notre matériel serait traité de façon à ne pas pouvoir être utilisé pour produire des armes. Étant donné que des groupes terroristes et des nations hostiles essayaient de s'emparer de matériel fissile, c'était une mesure importante susceptible de sauver d'innombrables vies humaines.

Après un discours à la nouvelle assemblée de l'Irlande du Nord à Belfast où j'ai exhorté les députés à poursuivre leurs efforts pour faire respecter les accords du Vendredi saint, je suis allé à Omagh avec Hillary, Tony et Cherie Blair, George Mitchell et Mo Mowlan, secrétaire d'État britannique en Irlande du Nord, et nous avons rencontré les victimes de l'attentat. Tony et moi avons parlé du mieux que nous pouvions, et toute notre délégation a rendu visite aux familles pour écouter leur témoignage et voir les enfants qui avaient été blessés. Au cours de cette visite, nous avons été frappés par la détermination des victimes de rester sur la voie de la paix. Pendant la guerre, quelqu'un avait inscrit sur un mur de Belfast cette question provocatrice : « Y a-t-il une vie avant la mort ? » Le cruel attentat d'Omagh n'empêchait pas les Irlandais de continuer à répondre oui.

Avant de nous envoler pour Dublin, Hillary et moi avons assisté, avec les Blair, à un rassemblement pour la paix à Armagh, base à partir de laquelle saint Patrick avait évangélisé l'Irlande et centre spirituel des catholiques et des protestants de l'Irlande du Nord. J'ai été présenté par une ravissante jeune fille de 17 ans, Sharon Haughey, qui m'avait écrit quand elle n'avait que 14 ans en me demandant d'intervenir pour mettre fin au conflit et en proposant une solution toute simple : « Des deux côtés les gens ont souffert, des deux côtés ils devront pardonner. »

À Dublin, Bertie Ahern et moi avons parlé à la presse après notre entrevue. Un reporter irlandais a dit : « Il semble que chacune de vos visites ait pour résultat de dynamiser le processus de paix. Faudra-t-il que vous reveniez ? » J'ai répondu que, pour leur bien, j'espérais que non, mais que pour mon propre plaisir j'espérais que oui. Bertie a dit ensuite que ma réaction rapide à la tragédie d'Omagh avait poussé les responsables à prendre des décisions qui « sans cela auraient sans doute traîné plusieurs semaines, voire plusieurs mois ». Deux jours auparavant, Martin McGuinness, chef des négociateurs pour le Sinn Fein, avait annoncé qu'il surveillerait le processus de désarmement au nom du Sinn Fein. Cette déclaration avait fait comprendre à David Trimble et à l'Alliance que, pour le Sinn Fein et pour l'IRA, la violence « appartenait au passé, était finie, terminée, éliminée », selon les termes d'Adams. Pendant notre entrevue privée, Bertie Ahern m'avait dit qu'après Omagh, l'IRA avait prévenu les chefs de l'IRA véritable que s'ils recommençaient, ils n'auraient pas seulement à craindre les représailles de la police britannique.

Un journaliste américain m'a alors posé une question concernant la rebuffade cinglante qui m'avait été faite la veille, au Sénat, par mon vieil ami Joe Lieberman. J'ai répondu que j'étais d'accord avec lui. « J'ai commis une terrible erreur, j'étais indéfendable, et j'en suis désolé. » Certains membres de mon équipe étaient furieux que Joe m'attaque pendant que j'étais en déplacement à l'étranger, mais moi, je ne l'étais pas. Je savais que Joe, profondément croyant, avait été choqué par ma conduite mais qu'il avait soigneusement évité de dire que je devrais être destitué.

Avant de quitter l'Irlande nous avons fait une dernière étape à Limerick, où des milliers de partisans de la paix se pressaient dans les rues. L'un des membres de notre délégation, Peter King, représentant de l'État de New York, y avait des parents et avait même emmené sa mère pour l'occasion. J'ai dit à la foule que Frank McCourt avait immortalisé le vieux Limerick dans *Les Cendres d'Angela*, mais que je préférais le nouveau visage de la ville.

Le 9 septembre, le juge Starr envoyait au Congrès son rapport, 445 pages alléguant onze délits justifiant une mise en accusation. Même en additionnant tous les délits du Watergate, le juge Jarowski n'en avait pas fait autant. Un avocat indépendant était censé ne présenter son dossier au Congrès que s'il avait découvert des preuves « substantielles et crédibles » justifiant une mise en accusation ; le Congrès était censé décider si la mise en accusation était ou non fondée. Le rapport de Starr fut rendu public le 11 ; celui de Jaworski ne l'avait jamais été. Dans le rapport de Starr, le mot « sexe » apparaissait plus de cinq cents fois ; Whitewater était mentionné deux fois. Starr et ses alliés espéraient pouvoir se laver de tous leurs péchés des quatre dernières années en déballant mon linge sale.

Le 10 septembre, j'ai appelé à la Maison Blanche pour m'excuser auprès des membres de mon cabinet. Beaucoup n'ont pas su quoi dire. Ils croyaient en ce que nous faisions, ils appréciaient l'occasion que je leur avais donnée de servir l'État, mais la plupart d'entre eux me trouvaient égoïste et stupide, et me reprochaient de leur avoir menti pendant huit mois. Madeleine Albright a commencé par me dire que j'avais eu tort et qu'elle était déçue, mais que nous n'avions pas le choix, il fallait nous remettre au travail. Donna Shalala m'a parlé plus durement, disant qu'il était important que les dirigeants soient honnêtes en plus d'être de bons politiciens. Mes vieux amis James Lee Witt et Rodney Slater m'ont parlé du pouvoir de la rédemption et ont cité les Écritures. Bruce Babbitt, un catholique, a évoqué le pouvoir de la confession. Carol Browner a dit qu'elle avait été obligée de parler avec son fils de sujets qu'elle ne pensait pas devoir aborder avec lui.

En les écoutant, j'ai mesuré pour la première fois les émotions que la révélation de mon inconduite et de ma malhonnêteté avait provoquées au sein du peuple américain. Il aurait été facile de rappeler que j'avais traversé de nombreuses épreuves au cours de ces six ans, que l'enquête de Starr avait été pénible, que le procès intenté par Paula Jones était sans fondement et qu'il n'était qu'une manœuvre politique ; il aurait été facile de dire que la vie privée d'un président devait rester privée. Mais une fois mes agissements exposés publiquement et dans toute leur laideur, les gens ne pouvaient réagir qu'en fonction de leur expérience personnelle, de leurs convictions, mais aussi de leurs peurs, de leurs désillusions et de leurs souffrances.

Les réactions à la fois franches et très diverses des membres de mon cabinet m'avaient donné à entendre ce qui pouvait se dire dans les conversations de mes concitoyens. La date des audiences pour la mise en accusation approchant, j'ai reçu beaucoup de lettres d'amis et d'inconnus. Certaines contenaient des mots touchants de soutien et d'encouragement ; certaines racontaient des histoires personnelles de faillite et de rétablissement ; certaines exprimaient de la révolte contre les agissements de Starr ; d'autres me condamnaient pour ce que j'avais fait ; et d'autres encore contenaient un mélange de tous ces points de vue. La lecture de ces lettres m'a aidé à clarifier mes propres émotions et à me souvenir que si je voulais être pardonné je devais commencer par pardonner.

Dans le Bureau ovale, l'atmosphère est restée lourde et tendue jusqu'à ce que Bob Rubin parle. Rubin était, de toutes les personnes présentes, celle qui comprenait le mieux ce que j'endurais depuis quatre ans. Il avait lui-même été impliqué dans une enquête au cours de laquelle l'un de ses associés avait été emmené menottes aux poignets avant d'être disculpé. Après que d'autres se furent exprimés, Rubin a dit, avec sa brusquerie habituelle : « On ne peut pas nier que tu aies déconné. Mais tout le monde commet des erreurs, et même de grosses. À mon avis, ce qui fait problème, c'est le battage médiatique disproportionné et l'hypocrisie de certains de ceux qui t'ont critiqué. » Après cela, l'atmosphère s'est détendue. Personne n'a donné sa démission et j'en suis reconnaissant à toute mon équipe. Nous nous sommes remis au travail.

Le 15 septembre, j'ai engagé Greg Craig, un bon avocat que nous avions connu à la faculté de droit, Hillary et moi, pour travailler avec Chuck Ruff, David Kendall, Bruce Lindsay, Cheryl Mills, Larry Brener et Nicole Seligman à ma défense. Le 18, comme je m'y attendais, la commission a voté, fidèle à la ligne du Parti républicain, la divulgation au public de la cassette vidéo de ma déposition devant le Grand Jury.

Quelques jours plus tard, Hillary et moi avons, comme chaque année, invité les responsables religieux à un déjeuner à la Maison Blanche. D'habitude, nous discutions de sujets d'ordre général, mais cette fois-ci, je leur ai demandé de prier pour moi :

J'ai accompli un difficile parcours ces quatre dernières semaines, pour arriver au bout de cette histoire, pour toucher la vérité profonde de ce que je suis et comprendre où nous en sommes. Les gens qui ont dit que je n'ai pas manifesté assez de contrition en rendant compte de ma déposition avaient raison, je le reconnais. Je ne crois pas qu'il y ait une manière élégante de dire que j'ai péché.

J'ai dit que je regrettais d'avoir fait souffrir tant de gens – ma famille, mes amis, mon équipe, mon cabinet, Monica Lewinski et sa famille ; que je leur avais demandé de me pardonner ; et que je continuerais à me faire aider par des prêtres jusqu'à ce que j'aie trouvé, avec l'aide de Dieu, « assez d'humilité pour accorder ce pardon que je demande, renoncé à l'orgueil et à la colère qui entachent le jugement et poussent à excuser, comparer, blâmer et se plaindre ». J'ai dit aussi que je me défendrais vigoureusement contre les charges qui m'accablaient et que je redoublerais d'efforts dans l'accomplissement de mes tâches « en espérant qu'avec mon esprit abattu et mon cœur invaincu je serais encore utile à la cause de mon pays ».

J'avais demandé à trois prêtres de m'aider de leurs conseils au moins une fois par mois et pour une durée indéterminée : Phil Wogaman, notre pasteur à l'église méthodiste de Foundry ; mon ami Tony Campolo ; et Gordon MacDonald, pasteur et auteur de plusieurs livres que j'avais lus sur la façon de vivre sa foi. Ils allaient remplir leur mission en venant régulièrement à la Maison Blanche ensemble, ou bien séparément. Nous disions des prières, nous lisions les Évangiles et nous discutions de sujets que je n'avais encore jamais abordés. Le révérend Bill Hybels de Chicago a continué, lui aussi, à venir me voir et à me poser des questions pénétrantes dans le but de tester ma « santé spirituelle ». Tout en se montrant parfois durs avec moi, ces prêtres m'ont fait voyager au-delà de la politique, en m'incitant à scruter mon âme pour retrouver le chemin menant à l'amour divin.

Avec Hillary, nous sommes allés consulter un conseiller conjugal, une fois par semaine pendant presque un an. Pour la première fois de ma vie, j'ai pu parler ouvertement de mes sentiments, de mes expériences et de mes idées sur la vie, l'amour et la nature des relations. Je n'ai pas toujours apprécié ce que j'apprenais sur moi-même ou sur mon passé, et j'ai été peiné de découvrir qu'à cause de mon enfance et de la vie que j'avais menée par la suite, j'avais de grandes difficultés à faire certaines choses qui paraissent bien plus naturelles à d'autres.

J'ai aussi compris que quand j'étais épuisé ou en colère, quand je me sentais seul ou isolé, j'avais souvent des comportements égoïstes et autodestructeurs que j'étais amené à regretter plus tard. La situation conflictuelle dans laquelle je me trouvais était la dernière conséquence de ma tendance permanente à mener, en secret, des vies parallèles qui me permettaient d'endiguer ma colère et mon chagrin et de poursuivre ma vie visible que j'aimais et que je vivais bien. À l'époque où le gouvernement était au chômage technique, j'avais mené deux combats titanesques, l'un, public, avec le Congrès sur l'avenir de notre pays et l'autre, privé, pour tenir mes vieux démons en respect. J'avais gagné le premier et perdu le second.

Et, par ma conduite, je n'avais pas seulement blessé ma famille et mon administration, je portais aussi préjudice à l'image du Président et au peuple américain. Malgré les pressions qui m'accablaient, j'aurais dû être plus fort et me comporter avec plus de dignité.

Ce que j'avais fait était inexcusable, mais en essayant de comprendre pourquoi je l'avais fait, j'ai eu l'occasion de mettre fin à mes vies parallèles.

Au cours des longues séances avec le conseiller conjugal et des conversations que nous avions après, Hillary et moi avons refait connaissance sur un autre niveau que le travail, les idées que nous partagions et l'enfant que nous adorions. J'avais toujours beaucoup aimé ma femme, mais pas toujours très bien. Je lui étais reconnaissant d'avoir le courage de faire ce travail avec moi. Nous étions toujours les meilleurs amis du monde et j'espérais que nous allions sauver notre couple.

En attendant, je dormais toujours sur le canapé, dans la petite pièce adjacente à notre chambre. J'ai dormi sur ce vieux canapé assez confortable pendant deux mois ou plus. Cela m'a permis de lire beaucoup, de réfléchir et de travailler, tout en espérant que cela ne durerait pas toujours.

Comme les Républicains intensifiaient leur offensive contre moi, mes partisans ont commencé à riposter. Le 11 septembre, huit cents Américains d'origine irlandaise se réunissaient sur la pelouse sud pour assister à une cérémonie où Brian O'Dwyer me remit une récompense du nom de son père Paul, pour mon rôle dans le processus de paix irlandais. Les remarques de Brian et les réactions de la foule ne laissaient aucun doute sur la véritable raison de leur présence à mes côtés.

Quelques jours plus tard, Václav Havel qui venait à Washington en visite officielle a dit à la presse que j'étais son « grand ami ». Comme les journalistes multipliaient les questions concernant ma mise en accusation, ma démission, la perte de mon autorité morale, Havel a dit que l'Amérique avait de nombreux visages : « J'aime la plupart de ces visages. Il y en a que je ne comprends pas. Et je n'aime pas parler des choses que je ne comprends pas. »

Cinq jours plus tard, je suis allé à New York pour assister à la séance d'ouverture de l'Assemblée générale des Nations unies et prononcer un discours sur la nécessité mondiale de combattre les terroristes : ne leur fournir ni soutien, ni abri, ni assistance financière ; faire pression sur les États qui les aident ; multiplier les extraditions et les poursuites judiciaires ; signer des conventions mondiales contre le terrorisme, durcir et faire appliquer les conventions destinées à nous protéger contre les armes chimiques et biologiques ; contrôler la fabrication et l'exportation d'explosifs ; renforcer les mesures internationales de sécurité dans les aéroports ; et combattre les conditions qui engendrent les actes de terreur. C'était un discours important, surtout à ce moment-là, mais je savais que les délégués à l'Assemblée générale pensaient aussi à ce qui se passait à Washington. Au moment où je m'apprêtais à prendre la parole, ils se sont tous levés pour m'applaudir longuement et chaleureusement. C'était une réaction exceptionnelle de la part de cette assemblée habituellement très réservée, et elle m'a profondément ému. Je ne savais pas si cet acte sans précédent était un geste de soutien à ma personne ou un désaveu de ce qui se passait au Congrès. Pendant que je parlais du terrorisme aux Nations unies, toutes les chaînes de télévision diffusaient le film de ma déposition devant le Grand Jury.

Le lendemain, à la Maison Blanche, je recevais Nelson Mandela avec un groupe de chefs religieux afro-américains. L'idée venait de lui. Le Congrès avait décidé de lui remettre la médaille d'or du Congrès, et il devait la recevoir le lendemain. Mandela me téléphona pour me dire qu'à son avis, le choix du moment n'était pas dû au hasard : « En tant que président de l'Afrique du Sud, je ne peux pas refuser cet honneur. Mais j'aimerais venir un jour plus tôt pour dire au peuple américain ce que je pense de la façon dont le Congrès vous traite. » Et c'est exactement ce qu'il a fait. Il a dit que jamais il n'avait vu les représentants aux Nations unies accueillir quelqu'un comme ils m'avaient accueilli, que le monde avait besoin de moi et que mes adversaires feraient bien de me laisser tranquille. Les prêtres ont applaudi pour manifester leur approbation.

Mais le succès de Mandela fut éclipsé par la réponse du révérend Bernice King, fille de Martin Luther King Jr. Elle dit que même les plus grands commettent parfois de graves péchés ; le roi David avait fait pire que moi en organisant l'assassinat du mari de Bethsabée, l'un de ses loyaux soldats, pour pouvoir épouser celle qu'il aimait ; David avait dû expier son crime et il avait été puni. Personne ne voyait où Bernice voulait en venir, jusqu'au moment où elle conclut : « Oui, David a commis un péché mortel, et Dieu l'a puni. Mais David est resté roi. »

Et le travail a continué. J'ai présenté mon projet de financement pour la modernisation et la construction d'écoles dans le Maryland, en Floride et dans l'Illinois ; parlé de l'agriculture au syndicat national des agriculteurs ; fait une allocution importante sur la modernisation du système financier mondial devant le Conseil aux affaires étrangères ; rencontré les chefs d'état-major à propos de la mise à disposition de nos forces armées ; réclamé du soutien pour

une nouvelle hausse minima des salaires à la fraternité internationale du syndi-
cat des électriciens ; reçu de John Hope Franklin le rapport final de la
Commission consultative sur la question raciale ; poursuivi le dialogue avec
Tony Blair, le Premier ministre italien Romano Prodi et le président de
Bulgarie Peter Stoyanov sur la possibilité d'appliquer à d'autres nations la théo-
rie de la « troisième voie » que nous avions adoptée, Tony Blair et moi ;
rencontré pour la première fois le nouveau Premier ministre japonais Keizo
Obuchi ; réuni Nétanyahou et Arafat à la Maison Blanche pour essayer de faire
avancer le processus de paix ; fait des déplacements dans six États et à
Washington pour soutenir la campagne des Démocrates.

Le 30 septembre, dernier jour de l'année fiscale, j'ai annoncé que nous
avions dégagé un excédent d'environ soixante-dix milliards de dollars, pour la
première fois en vingt-neuf ans. Même si les médias s'intéressaient fort peu à
tout ce qui n'était pas le rapport de Starr, il se passait, comme toujours, beaucoup d'autres choses et il fallait s'en occuper. J'étais déterminé à ne pas laisser
les affaires publiques s'enliser, et à ma grande satisfaction l'équipe de la Maison
Blanche et mon cabinet partageaient ma façon de voir. Sans se préoccuper de
ce que racontaient les médias, ils continuaient à faire leur travail.

En octobre, les Républicains de la Chambre, avec à leur tête Henry
Hyde et ses collègues du comité pour les affaires judiciaires, ont tout fait pour
que je sois mis en accusation. Les Démocrates du comité, conduits par John
Conyers du Michigan, les ont combattus bec et ongles, disant que même si les
pires charges dont on m'accusait étaient vraies, elles ne constituaient en aucun
cas les « crimes ou délits graves » qu'exige la Constitution pour justifier une
mise en accusation. Les Démocrates avaient la loi pour eux, mais les Républicains avaient la majorité ; le 8 octobre, la Chambre votait l'ouverture d'une
enquête sur la question de ma mise en accusation. Cela ne m'a pas surpris ;
nous n'étions plus qu'à un mois des élections et les Républicains n'avaient
qu'un seul but : dégommer Clinton. J'étais sûr qu'après les élections, les Républicains modérés y regarderaient de plus près et se prononceraient contre une
mise en accusation en faveur d'une motion de censure ou d'une simple réprimande – ce qu'avait eu Newt Gingrich pour faux témoignages et violation
apparente des lois fiscales.

Parmi les experts, beaucoup prédisaient un désastre aux Démocrates. De
l'avis général, nous allions perdre entre vingt-cinq et trente-cinq sièges à la
Chambre des représentants et de quatre à six sièges au Sénat, à cause de la
controverse. À Washington, la plupart des gens auraient parié sur cette hypothèse. Les Républicains avaient cent millions de dollars de plus que les
Démocrates à investir dans la campagne, et il y avait plus de Démocrates que
de Républicains à réélire au Sénat. Parmi les sièges contestés au Sénat, les
Démocrates paraissaient sûrs de gagner celui de l'Indiana dont le candidat était
le gouverneur Evan Bayh, tandis que le gouverneur de l'Ohio George
Voinovich paraissait certain de gagner le siège laissé vacant par John Glenn
pour les Républicains. Cela laissait sept sièges à pourvoir, cinq habituellement
occupés par des Démocrates et deux seulement par des Républicains.

Je ne partageais pas l'avis général, pour plusieurs raisons. Premièrement, les Américains, dans leur majorité, désapprouvaient la conduite de Starr et n'appréciaient pas que le Congrès s'acharne contre moi au lieu de s'occuper des affaires du pays. Ils étaient presque 80 % à désapprouver la diffusion publique de ma déposition devant le Grand Jury, et la cote du Congrès était tombée à 43 %. Deuxièmement, comme l'avait démontré le contrat avec l'Amérique de Gingrich en 1994, lorsque le public avait à choisir entre un parti qui semblait avoir un programme positif et un parti qui n'avait pas de programme, il choisissait le premier. Or les Démocrates étaient unis et, pour la première fois, autour d'un programme à moyen terme : sauver la Sécurité sociale avant d'investir nos excédents ailleurs ou de réduire les impôts ; mettre cent mille enseignants dans nos écoles ; moderniser les anciens bâtiments scolaires et en construire de nouveaux ; relever le salaire minimum ; faire adopter la charte des droits des patients. Enfin, une assez forte majorité d'Américains rejetait la mise en accusation. Il me semblait donc que si les Démocrates défendaient leur programme et se prononçaient contre la mise en accusation, ils pourraient gagner la majorité à la Chambre.

Au début et à la fin du mois de novembre, j'ai participé à divers événements politiques, aux environs de Washington surtout, où j'ai développé les sujets abordés par nos candidats. En dehors de cela, je n'ai fait que travailler. Il y avait beaucoup à faire, notamment en ce qui concernait le Moyen-Orient. Madeleine Albright et Dennis Ross avaient œuvré depuis des mois pour remettre le processus de paix sur ses rails, et Madeleine avait finalement réussi à faire se rencontrer Arafat et Nétanyahou qui assistaient à la session de l'Assemblée générale de l'ONU. Aucun des deux n'était prêt à faire un pas en avant ou à avoir l'air de se compromettre aux yeux de ses électeurs, mais tous les deux étaient inquiets car, à force de se détériorer la situation finirait sans doute par leur échapper complètement, surtout si le Hamas lançait une nouvelle offensive.

Le lendemain, les deux hommes m'ont rendu visite à Washington, et j'ai annoncé mon projet de les faire revenir un mois plus tard pour les pousser à conclure un accord. Dans l'intervalle, Madeleine Albright est allée les voir sur place. Ils se sont retrouvés à la frontière entre Israël et Gaza ; Arafat les a ensuite invités à déjeuner dans une maison d'hôte qui lui appartenait, faisant ainsi de Nétanyahou, partisan de la ligne dure, le premier chef de gouvernement à pénétrer dans la bande de Gaza.

La préparation de cette nouvelle rencontre au sommet avait demandé des mois de travail. Les deux adversaires voulaient que l'Amérique les aide à prendre les décisions difficiles et pensaient que l'aspect spectaculaire de l'événement les aiderait à faire accepter ces décisions par leurs concitoyens. Dans tout sommet, il y a bien sûr un risque que les deux parties n'arrivent pas à s'entendre et que l'ampleur de la tentative s'avère préjudiciable pour tout le monde. Mes responsables de la sécurité intérieure redoutaient l'échec de ce sommet et les conséquences qu'il pourrait avoir. En public, Arafat et Nétanyahou avaient pris des positions très fermes, et Bibi avait choisi Ariel Sharon, représentant de la ligne dure du Likoud, comme ministre des Affaires étrangères. Sharon avait qualifié de « suicide national » pour Israël l'accord de paix signé en 1993. Il était impossible de savoir si Nétanyahou avait donné ce portefeuille à Sharon pour avoir quelqu'un à blâmer en cas d'échec du sommet ou pour s'assurer une couverture à droite en cas de réussite du même sommet.

Je pensais que cette rencontre était une bonne idée et je me réjouissais d'y participer. Il me semblait que nous n'avions pas grand-chose à perdre, et j'ai toujours préféré risquer l'échec en faisant quelque chose de valable plutôt que ne rien tenter par peur de l'échec.

Le 15, nous avons entamé les discussions à la Maison Blanche avant de nous rendre en délégation au centre de conférence de Wye River dans le Maryland. C'était un lieu idéal pour ce que nous avions à faire : les salles de réunion et les salles à manger étaient confortables, les logements étaient conçus de façon que tous les membres de chaque délégation puissent être installés ensemble et à bonne distance des autres délégations.

Le sommet devait durer quatre jours et se terminer deux jours avant le retour de Nétanyahou en Israël pour l'ouverture de la nouvelle session de la Knesset. Nous avons commencé par nous mettre d'accord sur les règles habituelles : les deux parties ne seraient tenues à aucun accord préalable tant qu'un accord définitif ne serait pas atteint, et les États-Unis rédigeraient le document final. J'ai dit que je serais là autant qu'il me serait possible, mais que je rentrerai tous les soirs en hélicoptère à la Maison Blanche, quelle que soit l'heure, pour pouvoir travailler au bureau le matin suivant, signer la promulgation des lois et poursuivre la négociation avec le Congrès sur le budget. La nouvelle année fiscale avait commencé, mais moins de un tiers des treize propositions de lois avait été adopté et signé. Les Marines qui pilotaient l'hélicoptère présidentiel, le HMX1, m'ont rendu d'inestimables services pendant huit ans, mais c'est à l'époque de ces négociations qu'ils se sont particulièrement distingués en m'attendant jusqu'à 2 ou 3 heures du matin pour me ramener à la Maison Blanche lorsque les sessions se prolongeaient.

Le premier jour, pendant le déjeuner, j'ai suggéré à Arafat et Nétanyahou de réfléchir à ce qu'ils pourraient faire pour se faciliter mutuellement la tâche avec leur opposition. Ils y ont pensé, ils en ont parlé pendant quatre jours mais sans réussir à trouver le début d'une solution. Nétanyahou a dit que nous ne pouvions espérer nous entendre sur tous les points et proposé de retenir les suivants : Israël évacuerait 13 % de la Cisjordanie et les Palestiniens s'engageraient à coopérer davantage sur les questions de sécurité, suivant un programme mis au point avec l'aide du directeur de la CIA, George Tenet, qui jouissait de la confiance des deux parties.

En fin de soirée, je me retrouvai seul avec Ariel Sharon pour la première fois. Cet ancien général de 73 ans avait participé à la création d'Israël et à toutes les guerres qui avaient suivi. Il était impopulaire dans le monde arabe non seulement à cause de son hostilité à la politique de l'échange de territoire contre la paix, mais aussi pour son rôle dans l'invasion du Liban, en 1982, au cours de laquelle un grand nombre de Palestiniens réfugiés et sans armes avaient été tués par les milices libanaises, alliées avec Israël. Au cours de notre entrevue, qui a duré plus de deux heures, j'ai surtout posé des questions et écouté. Sharon n'était pas indifférent à la situation critique dans laquelle se trouvaient les Palestiniens. Il voulait leur apporter une aide économique, mais il ne croyait pas que l'évacuation de la Cisjordanie soit dans l'intérêt sécuritaire de son pays et il n'avait pas confiance en Arafat pour combattre le terrorisme. C'était le seul membre de la délégation israélienne qui avait refusé de lui serrer la main. J'ai pris beaucoup de plaisir à entendre Sharon me parler de sa vie et de ses idées, et quand nous nous sommes séparés, à presque 3 heures du matin, je comprenais mieux sa façon de penser.

Il a beaucoup insisté, et c'est l'une des choses qui m'a le plus surpris, pour que je pardonne à Jonathan Pollard, un ancien agent de renseignement de la Navy condamné en 1986 pour espionnage au profit d'Israël. Avant lui, Rabin et Nétanyahou avaient déjà réclamé sa libération. De toute évidence, c'était important pour eux en termes de politique intérieure ; le public israélien estimait sans doute que nous n'aurions pas dû punir Pollard aussi sévèrement puisque c'était à un pays allié qu'il avait transmis des informations sensibles. La question allait être à nouveau soulevée avant la fin du sommet. J'ai donc continué à travailler avec Arafat et Nétanyahou et à m'entretenir avec les membres de leur équipe, notamment le ministre de la Défense israélien, Yitzhak Mordechai ; les principaux conseillers d'Arafat, Abu Ala et Abu Mazen, qui deviendraient tous deux Premiers ministres ; Saeb Erekat, le chef négociateur d'Arafat et Mohammed Dahlan, chef de la sécurité de la bande de Gaza. Les Palestiniens et les Israéliens étaient très intéressants dans leur diversité. J'ai essayé de passer du temps avec tous, parce qu'on ne pouvait pas savoir lequel d'entre eux ferait le geste décisif en faveur de la paix quand ils se retrouveraient entre eux, dans leur délégation.

Le dimanche soir, comme nous n'avions pas dégagé de consensus, les deux parties acceptèrent de prolonger nos entretiens, et Al Gore me rejoignit, faisant bénéficier de ses talents de persuasion notre équipe qui comprenait Sandy Berger, Rob Malley, Bruce Reidel de la Maison Blanche, la secrétaire d'État Albright, Dennis Ross, Martin Indyk, Aaron Miller, Wendy Sherman et Toni Verstandig du Département d'État. Tous les jours ils se relayaient pour discuter avec leurs homologues palestiniens et israéliens, guettant sans relâche ce rayon de lumière qui pouvait surgir d'entre les nuages.

L'interprète du Département d'État, Gemal Helal, joua aussi un rôle essentiel pendant ces négociations, et bien d'autres. Les membres des deux délégations parlaient anglais, mais Arafat ne parlait affaires qu'en arabe. Gemal était généralement la seule personne présente lors de mes entretiens avec Arafat. Il comprenait le Moyen-Orient et le rôle joué par chaque membre de la délégation palestinienne dans les délibérations, mais surtout, Arafat l'aimait bien. Par la suite, il est devenu l'un des conseillers de mon équipe. En différentes occasions, sa perspicacité et ses relations personnelles avec Arafat se sont révélées extrêmement précieuses.

Le lundi, j'ai senti que nous étions sur la bonne voie. J'ai incité Nétanyahou à se montrer généreux avec Arafat, en lui donnant des terres, l'aéroport, un passage sécurisé entre Gaza et la Cisjordanie, un port à Gaza, afin qu'il ait assez de force pour s'opposer au terrorisme. À Arafat, j'ai demandé non seulement d'intensifier ses efforts en faveur de la sécurité mais aussi de convoquer le Conseil national palestinien pour réviser la charte palestinienne et y supprimer tout appel à la destruction d'Israël. Le conseil exécutif de l'OLP l'avait déjà fait, mais Nétanyahou estimait que jamais les Israéliens ne croiraient pas à la volonté de paix des Palestiniens tant que l'Assemblée palestinienne n'aurait pas voté l'élimination de tout vocabulaire agressif dans la charte. Arafat ne voulait pas convoquer le Conseil parce qu'il n'était pas sûr de pouvoir en maîtriser les décisions. Les Palestiniens de la diaspora avaient le droit de participer à l'élection des membres du Conseil, et tous les expatriés ne comprenaient pas aussi bien que les Palestiniens de l'intérieur la nécessité de faire des compromis, ni la politique menée par leur chef.

Le 20, le roi Hussein et la reine Noor de Jordanie se joignirent à nous. Hussein était aux États-Unis pour suivre un traitement anticancéreux à la clinique Mavo. Je l'avais tenu informé de nos progrès comme de nos difficultés. Malgré son état de faiblesse, dû à la maladie et à la chimiothérapie, il m'a proposé de venir à Wye si j'estimais qu'il pourrait nous être utile. Après avoir discuté avec Noor, qui m'a assuré qu'il avait envie de venir et qu'ils se contenteraient du logement que nous pourrions leur fournir, j'ai dit à Hussein que son aide serait la bienvenue. Je ne sais comment décrire l'impact qu'a eu la présence de Hussein sur nos discussions. Il avait beaucoup maigri, la chimiothérapie l'avait privé de tous ses cheveux et de ses sourcils, mais il avait gardé sa force d'esprit et son courage. Il nous a beaucoup aidés en tenant aux deux parties le langage du bon sens, et par sa simple présence qui suffisait à atténuer l'affectation et les mesquineries habituelles dans ce genre de négociations.

Le 21, nous n'étions d'accord que sur les questions de sécurité, et nous avons bien cru que Nétanyahou fêterait son quarante-neuvième anniversaire en se retirant des négociations. Je suis revenu le lendemain, bien décidé à rester jusqu'au bout. Après s'être réunies seules pendant deux heures, les deux délégations nous ont exposé le plan ingénieux qu'elles avaient trouvé pour faire ratifier les modifications de la charte par le Conseil palestinien. Je devais aller à Gaza pour présenter la proposition avec Arafat qui demanderait ensuite à l'assemblée de l'approuver en levant la main, en applaudissant ou en tapant du pied. Sandy Berger, qui approuvait ce projet, a fait remarquer qu'il comportait des risques pour moi. C'était vrai, mais j'avais demandé aux Palestiniens et aux Israéliens de prendre des risques plus grands encore ; j'ai donc accepté de faire ce qu'ils me demandaient.

Ce soir-là, la situation était toujours bloquée. Arafat demandait que mille prisonniers soient libérés des prisons israéliennes. Nétanyahou disait qu'il ne pouvait pas relâcher les membres du Hamas ou toute autre personne « ayant du sang sur les mains », et qu'à son avis il ne trouverait que cinq cents prisonniers à libérer. Je savais que nous avions atteint un point de rupture, et j'avais demandé à Hussein de venir parler aux deux délégations dans le vaste bungalow où nous prenions nos repas. Quand il entra dans la pièce, son aura majestueuse, son regard lumineux et son éloquence sans recherche semblaient magnifiés par sa dégradation physique. De sa voix profonde et sonore, il dit que l'histoire nous jugerait tous, et que les différends qui subsistaient entre les deux parties étaient dérisoires comparés aux bénéfices qu'apporterait la paix, une paix qui devait être conclue au nom de leurs enfants. Le non-dit de son message était également clair : je n'ai peut-être plus beaucoup de temps à vivre ; c'est à vous qu'il appartient de ne pas laisser mourir la paix.

Après le départ de Hussein, nous nous sommes remis au travail, sans quitter la salle à manger, chacun passant de table en table pour faire avancer les négociations. J'ai dit à mon équipe que nous n'avions plus beaucoup de temps et que je n'irais pas me coucher. L'endurance était maintenant ma seule stratégie possible ; j'étais décidé à ne pas lâcher prise. Nétanyahou et Arafat savaient aussi que c'était maintenant ou jamais. Ils sont restés, avec leur équipe, jusqu'au bout de cette longue nuit.

Finalement, vers 3 heures du matin, j'ai trouvé une idée pour régler le problème des prisonniers et, avec Nétanyahou et Arafat, nous avons creusé la question jusqu'à nous mettre d'accord. Il était presque 7 heures du matin. Mais il restait un obstacle : Nétanyahou menaçait de tout remettre en cause si je ne libérais pas Pollard. Il disait que je le lui avais promis la veille au soir et que c'était cela qui l'avait incité à approuver d'autres décisions. En fait, je lui avais dit que si la paix était à ce prix, j'étais tenté de le faire, mais qu'il fallait que j'en réfère à notre peuple.

Malgré toute la sympathie dont Pollard jouissait en Israël, les Américains ne seraient pas prêts à lui pardonner ; il avait vendu nos secrets pour de l'argent, pas par conviction, et il n'avait jamais manifesté aucun remords. Quand j'en parlai à Sandy Berger et à George Tenet, ils s'opposèrent vigoureusement à la libération de Pollard. Madeleine Albright fit de même. George dit qu'après le grave préjudice causé à la CIA par Aldrich Ames, il serait contraint de démissionner si je commuais la peine de Pollard. Je n'avais pas envie de le faire, et cette déclaration de Tenet renforça ma décision. Les questions de sécurité et l'engagement des Israéliens et des Palestiniens à lutter ensemble contre le terrorisme étaient au cœur de l'accord auquel nous étions parvenus. Tenet avait aidé les deux parties à régler les détails et engagé la responsabilité de la CIA dans l'application des mesures retenues. S'il démissionnait, il y avait de fortes chances pour qu'Arafat se retire des négociations. Et puis, j'avais besoin de George pour lutter contre Al-Qaida et le terrorisme. J'ai donc dit à Nétanyahou que j'étudierais sérieusement le cas de Pollard et que j'essaierais de le régler avec Tenet et mon équipe chargée de la sécurité intérieure, mais qu'un accord sur la sécurité lui rendrait plus de services que la libération de Pollard.

Finalement, après avoir discuté un long moment avec moi, Bibi a accepté de s'en tenir à nos accords, mais à la condition qu'il modifie la liste des prisonniers qu'il allait libérer, pour y mettre plus de droit-commun et moins de politiques. Cela posait un problème à Arafat qui souhaitait voir libérer des gens qu'il considérait comme des combattants pour la paix. Dennis Ross et Madeleine Albright allèrent le voir dans son bungalow et finirent par le convaincre que je ne pouvais pas mieux faire. Puis je lui rendis visite à mon tour pour le remercier ; cette concession de dernière minute avait sauvé la journée.

L'accord garantissait aux Palestiniens plus de terres en Cisjordanie, l'aéroport, un port maritime, la relaxe de prisonniers, un passage sécurisé entre Gaza et la Cisjordanie et une aide économique. En contrepartie, Israël obtenait une coopération sans précédent dans la lutte contre la violence et la terreur, l'arrestation de certains Palestiniens identifiés comme responsables de violences et de tueries continuelles, la modification de la charte palestinienne et un retour rapide aux discussions concernant le statut. Les États-Unis aideraient Israël à financer le redéploiement des mesures de sécurité ainsi que l'aide au développement économique palestinien, et joueraient un rôle central dans la consolidation de la coopération sécuritaire sans précédent dans laquelle les deux parties allaient s'engager.

Après les traditionnelles poignées de main scellant notre accord, il fallait que nous partions immédiatement pour la Maison Blanche. Nous avions tous passé presque quarante heures sans dormir et une petite sieste et une bonne douche nous auraient fait du bien, mais nous étions vendredi après-midi et il fallait annoncer la nouvelle avant le coucher du soleil, début du shabbat. La cérémonie a commencé à 16 heures dans le salon est. Madeleine Albright et Al Gore ont parlé les premiers ; j'ai ensuite exposé les grandes lignes de l'accord et remercié les deux parties. Puis Nétanyahou et Arafat ont fait des commentaires courtois et optimistes. Bibi a parlé en véritable homme d'État, et Arafat a annoncé qu'il renonçait à la violence dans des termes étonnamment forts. Hussein a prévenu que des ennemis de la paix essaieraient de casser cet accord par la violence et exhorté les deux peuples à se tenir derrière leur chef et à remplacer la destruction et la mort par un avenir commun qui soit « digne des enfants d'Abraham sous le soleil ».

Pour me manifester son amitié et sa désapprobation de ce que les Républicains mijotaient au Congrès, Hussein dit aussi qu'il avait été l'ami de neuf présidents, « mais en ce qui concerne la paix [...] jamais — malgré toute l'affection que je portais à vos prédécesseurs — je n'ai connu quelqu'un qui ait votre dévouement, votre clarté de vue, votre détermination [...] et nous espérons que vous serez avec nous au moment de nos plus belles réussites, lorsque nous aiderons nos frères à s'avancer vers un avenir meilleur ».

Ensuite, Arafat et Nétanyahou ont signé l'accord, juste avant le coucher du soleil et le début du shabbat. La paix au Moyen-Orient était sauvée.

Pendant que les discussions se poursuivaient à Wye River, Erskine Bowles menait avec le Congrès d'intenses négociations sur le budget. Il m'avait prévenu qu'il se retirerait après les élections, et il voulait obtenir les meilleurs arrangements possibles. Nous disposions d'une forte marge de manœuvre parce que les Républicains n'oseraient pas mettre à nouveau le gouvernement au chômage technique et parce qu'ils avaient perdu beaucoup de temps, les mois précédents, à se chamailler entre eux et à m'attaquer au lieu de s'occuper de leurs affaires.

Erskine et son équipe avaient adroitement manœuvré, accordant des concessions par-ci par-là, pour être sûrs d'obtenir gain de cause en ce qui concernait nos priorités. Nous avons annoncé l'adoption du budget le 14 dans l'après-midi et nous avons fêté l'événement le lendemain matin au Rose Garden, avec Tom Daschle, Dick Gephardt et toute notre équipe d'économistes. Nous disposions finalement des fonds nécessaires pour la réforme de la Sécurité sociale et le recrutement de cent mille nouveaux enseignants, le développement de programmes d'activités pour les enfants après la classe et pendant les vacances d'été, et d'autres priorités concernant l'éducation. Nous avions aussi obtenu de quoi indemniser les fermiers et les éleveurs et de quoi prendre des mesures de protection pour l'environnement : nettoyer l'eau de 40 % de nos lacs et de nos rivières qui était trop polluée, combattre le réchauffement planétaire et poursuivre nos efforts de protection de certaines régions contre le développement et la pollution. Et après huit mois d'impasse, nous avions aussi obtenu que soit approuvée notre contribution au Fonds monétaire international, contribution qui permettrait aux États-Unis de poursuivre les efforts entrepris pour mettre fin à la crise financière et stabiliser l'économie mondiale.

Tout notre programme n'était pas passé, si bien que nous avions des munitions en réserve pour les deux dernières semaines et demie de la campagne. Les Républicains avaient bloqué la charte des droits des patients ; enterré la législation antitabac avec l'augmentation des taxes sur les cigarettes et les mesures contre le tabagisme des jeunes ; piraté le projet de réforme économique du Sénat, malgré le soutien unanime des sénateurs démocrates et après qu'il eut été adopté à la Chambre ; repoussé le relèvement du salaire minimum et, à ma grande surprise, refusé ma proposition de bâtir ou de réparer cinq mille écoles. Ils s'étaient aussi opposés aux mesures fiscales favorisant la production et l'achat d'énergie propre et de systèmes de conservation de l'énergie. Je me suis moqué de Gingrich en disant que j'avais enfin trouvé une réduction d'impôt qu'il pouvait refuser.

C'était tout de même un magnifique budget, étant donné la composition du Congrès, et une victoire pour Erskine Bowles. Ses talents de négociateur lui avaient déjà permis d'obtenir un budget équilibré en 1997, et juste avant son départ, il avait à nouveau gagné. Comme je le lui ai dit, il avait « joué son dernier acte avec brio ».

Quatre jours plus tard, avant de repartir pour Wye River, j'ai nommé John Podesta pour succéder à Erskine, qui me l'avait fortement recommandé. Je connaissais John depuis la campagne de Joe Duffey pour le Sénat en 1970. Il avait déjà travaillé à la Maison Blanche ; il comprenait le Congrès et avait contribué à l'orientation de nos choix politiques, économiques et militaires ; c'était un ardent défenseur de l'environnement ; et il connaissait mieux la technologie informatique que n'importe qui à la Maison Blanche, excepté Al Gore. Il avait aussi les qualités personnelles requises : une intelligence précise, le cuir dur, de l'esprit, et il jouait aux cartes mieux qu'Erskine Bowles. John dota la Maison Blanche d'une équipe dirigeante exceptionnelle comprenant Steve Ricchetti, Maria Echaveste et son assistante Karen Tramontano.

Les hauts et les bas de la vie politique, nos matchs de golf et nos parties de cartes nous avaient beaucoup rapprochés Erskine et moi. J'allais regretter ce vieil ami, notamment sur les terrains de golf. Bien des fois, quand la journée était spécialement dure, nous étions allés, Erskine et moi, faire une petite partie sur le terrain appartenant à la Navy. Mon ami Kevin O'Keefe nous y rejoignait souvent, jusqu'à ce qu'il quitte le bureau du Conseil. Nous étions toujours accompagnés, pendant tout le parcours, par Mel Cook, un militaire à la retraite qui travaillait là et connaissait le terrain comme sa poche. Il m'arrivait parfois de jouer cinq ou six trous avant de réussir un coup correct, mais la beauté du lieu et ma passion pour ce jeu suffisaient à me faire oublier les difficultés de la journée. J'ai repris mes escapades vers le terrain de golf, et je me suis rendu compte qu'Erskine me manquait beaucoup. Mais il me laissait entre de bonnes mains, celles de Podesta.

Rahm Emanuel était parti aussi. Depuis qu'il avait débuté avec moi comme directeur financier de ma campagne en 1991, il s'était marié, avait eu des enfants et voulait subvenir à leurs besoins. Le principal talent de Rahm était la capacité de mettre en œuvre des idées. Il voyait dans certaines affaires un potentiel que personne d'autre n'avait remarqué et il suivait tous les détails qui déterminent souvent le succès ou l'échec d'une entreprise. Après notre défaite en 1994, il avait joué un rôle essentiel dans la réhabilitation de mon image. Quelques années plus tard, Rahm reviendrait à Washington en tant que représentant de Chicago, ville qu'il considérait comme le centre du monde. Je l'ai remplacé par Doug Sosnik, directeur politique de la Maison Blanche, qui était presque aussi combatif que Rahm, qui comprenait la politique et le Congrès, qui me présentait toujours les inconvénients de chaque situation en m'empêchant de me laisser influencer par eux et qui, aux cartes, était un adversaire habile. Craig Smith le remplaça au poste de directeur politique, qu'il avait déjà occupé pendant ma campagne, en 1992.

Le matin du 22, peu de temps avant que je m'envole pour cette dernière et interminable journée de négociations à Wye River, le Congrès leva la séance après m'avoir envoyé une proposition de loi de l'administration pour l'établissement de trois mille écoles primaires avant l'an 2000. À la fin du mois, le Premier ministre Nétahnyahou échappa de peu à un vote de défiance de la Knesset sur les accords de Wye River, et les présidents de l'Équateur et du Pérou réglèrent, avec l'aide des États-Unis, un différend concernant leurs frontières qui menaçait de se transformer en conflit armé. J'ai accueilli à la Maison Blanche le nouveau président de la Colombie, Andrés Pastrana, et je l'ai encouragé à poursuivre ses efforts courageux pour mettre fin au conflit, vieux de plusieurs décennies, avec les groupes de guérilla. J'ai aussi signé l'Acte international pour la liberté religieuse de 1998 et engagé Robert Seiple, ancien directeur d'une organisation caritative chrétienne, World Vision US, comme représentant du secrétaire d'État pour la liberté religieuse dans le monde entier.

Pendant la fin de la campagne électorale, j'ai fait plusieurs déplacements en Californie, à New York, en Floride et dans le Maryland ; je suis aussi allé à Cap Canaveral avec Hillary pour voir John Glenn s'envoler vers l'espace ; le comité national républicain s'est mis à diffuser des spots télévisés contre moi ; le juge Norma Holloway Johnson a déclaré qu'il y avait sans doute des raisons de croire que le bureau de Starr avait violé à vingt-quatre reprises la loi de réserve du Grand Jury ; et des bulletins d'information ont indiqué que, d'après des analyses d'ADN, Thomas Jefferson avait fait plusieurs enfants à son esclave Sally Hemings.

Le 3 novembre, malgré les moyens financiers considérables des Républicains, leurs attaques contre moi et les prédictions des experts, les élections nous ont donné l'avantage. Les quatre à six sièges au Sénat que nous devions perdre, nous les avons gardés. Mon ami John Breaux, qui m'avait aidé à restaurer l'image de notre administration après les élections de 1994 et qui s'opposait vigoureusement à la mise en accusation, fut réélu en Louisiane à une forte majorité. À la Chambre des représentants, les Démocrates ont regagné cinq sièges. C'était la première fois depuis 1822 que le parti du Président avait la majorité au bout de six ans.

Les électeurs s'étaient trouvés devant un choix assez simple : les Démocrates voulaient avant tout sauver la Sécurité sociale, engager cent mille enseignants, moderniser les écoles, augmenter le salaire minimum et faire passer la charte des droits des patients. Les Républicains étaient contre tout ça. Dans l'ensemble, ils n'avaient pas grand-chose d'autre à proposer que la mise en accusation, même si dans certains États ils faisaient campagne contre les homosexuels, disant que si les Démocrates avaient la majorité au Congrès, ils obligeraient tous les États à reconnaître les mariages entre homosexuels. Dans des États comme Washington et l'Arkansas, le message était accompagné de photos d'un couple gay en train de s'embrasser ou devant un prêtre. Peu avant les élections, un jeune homme nommé Matthew Shepard avait été frappé à mort dans le Wyoming à cause de son orientation sexuelle. Le pays tout entier avait été bouleversé, surtout quand ses parents avaient eu le courage d'en parler publiquement. Je n'arrivais pas à croire que les extrémistes de droite aient osé diffuser des spots antigays juste après le meurtre de Shepard, mais comme toujours, il leur fallait un ennemi. La position des Républicains était aussi affaiblie par leurs divisions à propos des dernières décisions budgétaires ; les plus conservateurs estimaient avoir fait beaucoup de concessions sans rien obtenir en retour.

Au cours des mois précédant les élections, j'avais décidé que la « malédiction des six ans » n'était qu'une légende. Si, historiquement, les électeurs votaient contre le parti du Président au bout de six ans, c'est parce que celui-ci donnait l'impression de s'essouffler, de ne plus avoir ni énergie ni idées, incitant le pays à donner une chance à l'autre parti. Mais en 1998, ils m'avaient vu travailler sur la question du Moyen-Orient et sur les affaires courantes jusqu'au jour des élections, et ils savaient que j'avais un programme pour les deux années à venir. La campagne en faveur de la mise en accusation avait poussé les Démocrates à voter en plus grand nombre qu'en 1994 et éclipsé tous les autres messages qu'auraient pu capter les indécis de la part des Républicains. À l'inverse, les gouverneurs républicains en exercice qui avaient repris l'essentiel de mon programme de responsabilité fiscale, de réforme des services sociaux, de mesures contre la criminalité et en faveur de l'éducation avaient fort bien réussi. Au Texas, le gouverneur George W. Bush, après avoir facilement battu mon ami Garry Mauro, a prononcé son discours devant un drapeau portant les mots « chances et responsabilité », soit les deux tiers du slogan de ma campagne de 1992.

Le fort taux de participation des électeurs afro-américains a permis qu'un jeune avocat nommé John Edwards batte le sénateur de Caroline-du-Nord Lauch Faircloth, ami du juge Sentelle et ardent partisan de la mise en accusation, tandis qu'en Caroline-du-Sud, les électeurs noirs ont assuré la victoire du sénateur Fritz Hollings. À New York, le député Chuck Schumer, opposant déclaré à la mise en accusation, qui avait un casier judiciaire chargé, a facilement battu le sénateur Al D'Amato qui avait passé beaucoup de temps, ces dernières années à attaquer Hillary et son équipe. En Californie, Barbara Boxer a été réélue au poste de sénateur et Gray Davis élu gouverneur avec des marges beaucoup plus importantes que ne le prévoyaient les sondages, et les

Démocrates ont remporté deux sièges grâce à la dynamique antimise en accusation et à un fort taux de participation des électeurs hispaniques et noirs.

Les élections à la Chambre des représentants nous ont permis de regagner le siège que Marjorie Margolies-Mezvinsky avait perdu en 1994 parce que notre candidat Joe Hoeffel, qui avait perdu en 1996, s'était représenté et prononcé contre la mise en accusation. Dans l'État de Washington, Jay Inslee, qui avait été battu en 1994, a regagné son siège. Au New Jersey, un professeur de physique nommé Rush Holt, donné perdant par les sondages avant les élections, a diffusé un spot télévisé où il s'opposait à la mise en accusation et gagné un siège qu'aucun Démocrate n'avait occupé depuis un siècle.

Nous avons tous fait de notre mieux pour combler le déficit de notre campagne, et j'ai enregistré des messages téléphoniques de remerciements destinés aux électeurs hispaniques, noirs et autres démocrates. Al Gore avait fait campagne dans tout le pays, et Hillary avait sans doute fait plus d'apparitions en public que nous tous. Pendant une étape à New York, elle avait un pied très enflé et on a découvert un caillot de sang derrière son genou qui l'a obligée à prendre des anticoagulants. Le docteur Mariano lui a conseillé de garder la chambre pendant au moins une semaine, mais elle a refusé et continué à soutenir nos candidats. Je lui ai fait part de mes inquiétudes à son sujet, mais il n'y a rien eu à faire. Aussi fâchée qu'elle fût contre moi, elle était encore plus révoltée par ce que Starr et les Républicains étaient en train de manigancer.

D'après des enquêtes réalisées par James Carville, Stan Greenberg et par le Démocrate Mark Mellman il était probable que, dans toute la nation, les électeurs seraient 20 % plus nombreux à voter pour un candidat démocrate qui affirmerait que je devais recevoir un blâme du Congrès et continuer à gérer les affaires publiques que pour un Républicain favorable à la mise en accusation. Après les premiers résultats, Carville et d'autres ont supplié tous les candidats bien placés d'adopter cette stratégie qui s'est avérée payante, même pour les candidats démocrates qui ont perdu de justesse là où les Républicains auraient dû gagner avec une avance confortable. Au Nouveau-Mexique par exemple, Phil Maloof qui venait de perdre de 6 points une élection partielle et qui était donné perdant une semaine avant les élections de novembre, a insisté sur l'antimise en accusation deux jours avant le scrutin. Il a gagné ce jour-là, mais fini par perdre parce que un tiers des électeurs avaient voté par avance, sans entendre sa prise de position de dernière minute. Je pense que les Démocrates auraient gagné la majorité à la Chambre si un plus grand nombre de nos candidats avait défendu notre programme et une attitude antimise en accusation. Mais beaucoup ne l'ont pas fait parce qu'ils avaient peur ; la campagne de presse orchestrée dans les médias contre moi et le point de vue généralisé des experts affirmant que les agissements de Starr et de Henry Hyde causeraient plus de tort aux Démocrates qu'aux Républicains les empêchaient de voir clairement les choses.

Le lendemain des élections, j'ai téléphoné à Newt Gingrich à propos d'une affaire en cours, et nous avons fini par évoquer le scrutin. Il s'est montré très généreux, disant qu'en tant qu'historien et « stratège de l'autre équipe », il tenait à me féliciter. Il ne croyait pas que nous puissions gagner et il voyait dans ce résultat une victoire historique. Un peu plus tard, Erskine Bowles m'a appelé pour me rendre compte de différentes conversations qu'il avait eues avec Gingrich. Newt lui avait dit qu'il ne renonçait pas à la mise en accusation malgré les résultats des élections et même si beaucoup de Républicains modérés affirmaient qu'ils ne le voteraient pas. Quand Erskine lui avait demandé pourquoi il voulait absolument obtenir la mise en accusation plutôt qu'une autre mesure comme la censure ou un blâme, il avait répondu : « Parce que nous pouvons y arriver. »

Les Républicains de l'aile droite, majoritaires à la Chambre, se disaient qu'après avoir payé le prix électoral de la mise en accusation, la seule chose à faire était de l'obtenir, avant que le nouveau Congrès n'entre en fonctions. Ils pensaient que lors du prochain scrutin, ils ne perdraient plus de vote à cause de la mise en accusation parce que les électeurs auraient d'autres choses en tête. Gingrich et Tom DeLay croyaient pouvoir mettre la plupart des modérés de leur côté en exerçant sur eux des pressions – grâce aux prises de parole de l'aile droite et des activistes dans chaque circonscription ; en les menaçant de les priver de fonds pour leur campagne ou de présenter contre eux d'autres candidats lors des primaires du Parti républicain ; ou en leur promettant de leur donner plus de pouvoir ou d'autres avantages.

À la commission électorale de la Chambre, l'aile droite ne décolérait pas d'avoir été battue. Beaucoup de ses membres expliquaient leur défaite par les concessions qu'ils avaient faites à la Maison Blanche lors des deux dernières négociations sur le budget. Or, s'ils avaient fait leur campagne sur les budgets équilibrés de 1997 et 1998, le programme d'assurance santé pour les enfants et les cent mille enseignants, ils auraient gagné, comme les gouverneurs républicains. Mais ils étaient trop hargneux et trop attachés à leur idéologie pour faire ça. Ils préféraient reprendre le contrôle du programme républicain grâce à l'*impeachment*.

Il y avait déjà eu quatre épreuves de force entre moi et la droite radicale : les élections de 1994, qu'elle avait gagnées, et le blocage du budget, les élections de 1996 et celles de 1998 qui nous avaient été favorables. Entre-temps, je m'étais efforcé de travailler en bonne intelligence avec le Congrès pour permettre au pays d'aller de l'avant. Et désormais face à une opinion publique majoritairement défavorable à la mise en accusation, devant les preuves évidentes que rien de ce que j'avais fait ne constituait un crime qui le justifierait, mes adversaires revenaient à l'attaque pour un nouvel affrontement idéologique. Je ne pouvais rien faire d'autre que m'adapter et occuper le terrain.

CHAPITRE CINQUANTE

Une semaine ne s'était pas écoulée depuis l'élection que deux des personnalités les plus en vue de Washington annonçaient leur prochain retrait de la vie politique. Au même moment, nous entrions dans une nouvelle phase de crise avec Saddam Hussein. Newt Gingrich a surpris tout le monde en annonçant qu'il ne se représentait pas à la présidence de la Chambre et, en outre, qu'il quitterait le Congrès à l'issue de son mandat. Selon toute apparence, son groupe parlementaire était profondément divisé après la défaite électorale et remettait en cause les orientations qu'il avait définies. Dans ces conditions, il n'avait plus la volonté de se battre. Après que plusieurs Républicains modérés eurent laissé entendre que, en raison des résultats électoraux, la question de la mise en accusation ne se posait plus, j'ai éprouvé des sentiments ambivalents à l'égard de la décision du président de la Chambre. Il avait soutenu la plupart de mes décisions de politique étrangère, m'avait exposé franchement les objectifs que poursuivait son groupe parlementaire lorsque nous avions parlé en tête en tête et, après la bataille sur la fermeture des services fédéraux, avait fait preuve de flexibilité dans la recherche de compromis honorables avec la Maison Blanche. À ce point, il perdait sur les deux tableaux : des modérés aux conservateurs, les Républicains enrageaient parce que leur parti n'avait pas avancé un programme de mesures positives lors des élections de 1998. Pendant une bonne année, le seul objectif avait été de m'attaquer. À la droite extrême du Parti, les idéologues lui reprochaient avec autant de véhémence de s'être montré trop conciliant avec moi et de ne pas m'avoir assez diabolisé. L'ingratitude de la clique de droite qui contrôlait désormais le groupe parlementaire devait miner le moral de Newt Gingrich : tous devaient leurs positions à la brillante stratégie qu'il avait mise en œuvre lors de l'élection de 1994 et aux années qu'il avait consacrées, antérieurement, à l'organisation et à la propagande.

Si le retrait de Newt Gingrich a été largement couvert par la presse, celui de Pat Moynihan, le sénateur de New York, allait avoir des conséquences plus directes sur ma famille. Le soir où Pat Moynihan a annoncé qu'il ne se représenterait pas à l'issue de son mandat, Hillary a reçu un appel de notre ami Charlie Rangel, représentant de Harlem et membre éminent de la Commission du budget à la Chambre, qui lui suggérait avec insistance de se présenter à sa succession. Hillary s'est dite très honorée, mais elle a aussitôt décliné la proposition parce que, a-t-elle ajouté, elle n'avait jamais imaginé se lancer dans une telle course.

Elle n'a pas totalement exclu l'hypothèse, toutefois, et j'en ai été satisfait. L'idée me paraissait excellente. Nous avions l'intention de nous installer à New York, à l'issue de mon mandat, même si je comptais passer une bonne partie de mon temps en Arkansas, où ma bibliothèque serait installée. Les New-Yorkais montraient une prédilection pour les figures connues : n'avaient-ils pas, au cours des années, envoyé au Sénat Pat Moynihan, Robert Kennedy, Jacob Javits, Robert Wagner ou d'autres encore, dans lesquels ils voyaient à la fois leurs représentants et ceux de la nation tout entière ? Je ne doutais pas que Hillary remplirait son mandat avec talent et qu'elle y trouverait de nombreuses satisfactions. L'échéance était encore lointaine, elle avait plusieurs mois devant elle pour y réfléchir.

Le 8 novembre, j'ai invité mon équipe nationale de sécurité à Camp David afin de discuter de l'Irak. Une semaine auparavant, Saddam Hussein avait, une nouvelle fois, renvoyé les inspecteurs des Nations unies. Une initiative militaire paraissait, de ce fait, inévitable. Le Conseil de sécurité des Nations unies venait de condamner à l'unanimité les « violations flagrantes » des résolutions qu'avait adoptées son Assemblée générale. Bill Cohen, en tournée au Moyen-Orient, cherchait à rassembler des soutiens aux frappes aériennes et Tony Blair s'était déclaré prêt à y participer.

Quelques jours plus tard, la communauté internationale a franchi un nouveau pas dans le soutien à notre projet de stabilisation de la situation financière internationale et a consenti une aide globale de quarante-deux milliards de dollars au Brésil. Sur cette somme, cinq milliards étaient apportés par les contribuables américains. À la différence des précédents trains d'aide, fournis à la Thaïlande, à la Corée-du-Sud, à l'Indonésie et à la Russie, celui-ci précédait la faillite du destinataire, conformément à notre nouvelle politique préventive, conçue pour éviter la contagion régionale des crises financières. Nous avons déployé tous les efforts pour convaincre les investisseurs internationaux que le Brésil était engagé dans un programme de réforme et disposait des réserves suffisantes pour affronter la spéculation. En outre, le FMI posait, cette fois, des conditions moins draconiennes : elles préservaient les programmes d'aide aux plus pauvres et encourageaient les banques brésiliennes à poursuivre leur politique de prêts. Je ne savais pas quels résultats nous pouvions escompter, mais j'avais toute confiance dans le président Henrique Cardoso. De plus, les États-Unis, premier partenaire commercial du Brésil, avaient des intérêts considérables dans la réussite de l'opération. Une fois encore, le risque valait la peine d'être couru.

Le 14, j'ai demandé à Al Gore de représenter les États-Unis au sommet annuel de la Coopération économique Asie-Pacifique, en Malaisie, qui devait constituer la première étape d'une longue tournée en Asie. Les circonstances ne me permettaient pas de me déplacer : Saddam essayait, une nouvelle fois, d'imposer des conditions inacceptables au retour des inspecteurs des Nations unies ; par mesure de rétorsion, nous nous apprêtions à lancer des frappes aériennes contre les sites impliqués, d'après nos services de renseignement, dans ses programmes d'armement et contre diverses cibles militaires. Alors que nos avions avaient déjà décollé et volaient vers leurs objectifs, nous avons reçu la première de trois lettres adressées par l'Irak en réponse à nos observations. En l'espace de quelques heures, Saddam avait opéré un revirement complet et s'engageait à satisfaire toutes les demandes formulées par les inspecteurs et restées jusque-là sans réponse : il acceptait de leur garantir le libre accès à tous les sites, sans la moindre interférence ; de leur fournir tous les documents qu'ils demandaient et il entérinait l'ensemble des résolutions de l'ONU relatives aux armes de destruction massive. Malgré mon scepticisme, je décidai de lui accorder une nouvelle chance.

Le 18, je me suis envolé à destination de Tokyo et de Séoul. Je tenais à m'arrêter au Japon, afin d'établir une relation de travail avec Keizo Obuchi. Je voulais aussi inciter l'opinion publique japonaise à accepter les difficiles réformes qui s'imposaient pour surmonter la stagnation économique installée depuis cinq ans. J'appréciais Keizo Obuchi ; il disposait, selon moi, des bonnes cartes pour apaiser les turbulences qui secouaient la scène politique japonaise et pour remplir sa fonction pendant plusieurs années. Lui-même prisait le style direct de la politique américaine. Jeune homme, dans les années 1960, il avait passé quelque temps aux États-Unis et était parvenu, en multipliant les contacts, à rencontrer Robert Kennedy, qui était alors ministre de la Justice et allait devenir pour lui un héros et un modèle. Après la réunion, Keizo Obuchi m'a emmené dans les rues de Tokyo où nous avons serré les mains de nombreux enfants, encadrés par leurs instituteurs et qui agitaient des drapeaux américains et japonais. J'ai aussi participé à un débat public, retransmis par la télévision. Les Japonais m'ont surpris : loin de la réserve qu'on leur prête, ils m'ont adressé des questions très directes sur les problèmes que rencontrait le Japon et m'ont aussi demandé si j'avais déjà rencontré des victimes de Hiroshima ou de Nagasaki, quels moyens je pouvais suggérer pour que les pères japonais passent plus de temps avec leurs enfants, comme je le faisais moi-même avec Chelsea, combien de fois par mois je dînais avec ma famille, comment je m'accommodais de la forte pression que m'imposait la fonction présidentielle et comment j'avais présenté mes excuses à Hillary et à Chelsea.

À Séoul, j'ai exprimé mon soutien à Kim Dae Jung, aussi bien pour les efforts qu'il poursuivait en vue de surmonter la crise économique traversée par son pays que pour ses tentatives de nouer un dialogue avec la Corée-du-Nord. Dans cette perspective, il était clair que ni lui ni nous n'accepterions la prolifération des missiles, des armes nucléaires ou d'autres armes de destruction massive. Nous partagions les mêmes inquiétudes, suite aux récents essais d'un nouveau missile à longue portée par la Corée-du-Nord. J'avais demandé à Bill Perry d'examiner, avec un petit groupe de travail, nos orientations pour la Corée et d'établir une feuille de route pour l'avenir. L'enjeu était de créer les conditions les plus favorables à l'abandon, par la Corée-du-Nord de ses programmes d'armements et de missiles et de faciliter la réconciliation avec la Corée-du-Sud, tout en réduisant, autant que possible, les risques d'échec de l'entreprise.

À la fin du mois, j'ai accueilli, avec Madeleine Albright, dans l'enceinte du Département d'État, une conférence dont l'objet était l'aide au développement économique de la Palestine, en présence de Yasser Arafat, de Jim Wolfensohn, de la Banque mondiale, ainsi que de représentants de l'Union européenne, du Moyen-Orient et d'Asie. Le cabinet israélien et la Knesset avaient signifié leur soutien à l'accord de Wye River, le moment était donc venu de favoriser les investissements à destination de la bande de Gaza et de la Cisjordanie, afin de donner aux Palestiniens un avant-goût des bienfaits de la paix.

Pendant ce temps, Henry Hyde et ses collègues poursuivaient leurs objectifs. Ils m'ont adressé une liste de quatre-vingt-onze points auxquels je devais répondre par les seules formules « je suis d'accord » ou « je ne suis pas d'accord », et ils ont rendu publiques vingt-deux heures d'enregistrement des conversations entre Monica Lewinsky et Linda Tripp. L'enregistrement par Linda Tripp de ces conversations, sans le consentement de Monica Lewinsky et alors que son avocat l'avait informée explicitement du caractère illégal de cette initiative et lui avait demandé, en conséquence d'y mettre fin, constituait un délit selon la loi pénale du Maryland. Elle avait été mise en examen pour cela. Toutefois, le président du tribunal avait refusé que l'avocat général fasse comparaître Monica Lewinsky qui aurait confirmé l'existence des conversations. Pour cela, le juge a prétendu que l'immunité accordée par Kenneth Starr à Linda Tripp pour témoigner sur les circonstances dans lesquelles elle avait violé la vie privée de Monica Lewinsky, empêchait la seconde de témoigner contre la première. Une fois de plus, Kenneth Starr était parvenu à protéger des auteurs de délits qui entraient dans son jeu, tout en mettant en accusation des innocents qui refusaient de prêter la main à ses manigances.

Pendant cette même période, Kenneth Starr a mis en examen Webb Hubbell pour la troisième fois, prétextant qu'il aurait trompé les agences fédérales de réglementation à propos de ses activités, en association avec le cabinet juridique Rose, concernant une autre institution financière en faillite. Starr tentait une dernière fois, sans trop y croire, de briser Hubbell et de l'amener à rédiger une déclaration susceptible de nuire à Hillary ou à moi-même.

Le 19 novembre, Kenneth Starr a été entendu par la Commission judiciaire de la Chambre des représentants. Ses commentaires, à l'instar de son rapport, outrepassaient de beaucoup la mission qui lui avait été attribuée et qui consistait à rendre compte devant le Congrès des faits qu'il avait pu rassembler. Le rapport Starr avait déjà été critiqué pour avoir omis un élément à décharge tout à fait essentiel : l'affirmation catégorique de Monica Lewinsky selon laquelle je ne lui avais jamais demandé de mentir.

Trois éléments surprenants ressortaient du témoignage de Kenneth Starr. En premier lieu, il annonçait n'avoir découvert aucune action fautive de ma part ou de celle de Hillary au cours de son enquête concernant les archives du service des déplacements ou celles du FBI. Barney Frank, élu du Massachusetts, lui a demandé quand il avait abouti à cette conclusion. « Depuis quelques mois », a répondu Starr. Le parlementaire lui a alors demandé pourquoi il avait attendu que l'élection ait eu lieu pour me laver de cette accusation, alors qu'il avait présenté son rapport « contenant de nombreux éléments négatifs à l'endroit du Président » avant qu'elle ne se déroule. La réponse sommaire qu'il a obtenue était confuse et évasive.

En second lieu, Starr a admis avoir parlé à la presse, sans y faire référence dans son enquête, violant ainsi les règles de confidentialité du Grand Jury. Enfin, il a nié sous serment que son cabinet avait tenté de convaincre Monica Lewinsky de porter un appareil enregistreur afin de garder la trace des conversations qu'elle pouvait avoir avec Vernon Jordan, ou encore avec moi et d'autres interlocuteurs. Lors de sa confrontation avec le document du FBI prouvant sa tentative, il allait rester évasif à ce sujet. Selon le *Washington Post* : « Les dénégations de Starr […] ont été ébranlées par les rapports du FBI sur ce sujet. »

Starr admettait avoir violé la règle de confidentialité du Grand Jury, il avait aussi porté un faux témoignage sous serment. Rien de cela ne refrénait ses ardeurs, ni celles des Républicains de la commission. À leurs yeux, semble-t-il, les règles du jeu valaient pour tout le monde, sauf pour eux-mêmes.

Le lendemain, Sam Dash, conseiller de Starr sur les questions d'éthique, a démissionné, parce que Starr, a-t-il expliqué, avait « enfreint la loi » avec ses commentaires devant le Congrès, qui s'assimilaient à une prise de position dans la procédure de destitution. Comme aurait dit ma mère, Dash « avait un train de retard » : depuis longtemps déjà, Starr ne se préoccupait guère de la légalité de sa conduite.

Peu de temps avant Thanksgiving, le groupe républicain de la Chambre des représentants est revenu à Washington afin de procéder à l'élection du nouveau président de la Chambre. Leur choix s'est porté sur Bob Livingston, de Louisiane, ancien président de la Commission des finances. Il devait prendre ses fonctions en janvier, à l'ouverture de la session parlementaire. Pendant cette période, beaucoup de gens estimaient que la destitution n'était plus à l'ordre du jour. Plusieurs Républicains modérés s'étaient prononcés contre la mise en route de la procédure, déclarant que le résultat de l'élection traduisait la volonté de l'opinion américaine qui souhaitait que le Congrès me sanctionne par un vote et reprenne ensuite son ordre du jour.

Au milieu du mois, j'ai abouti à un règlement négocié dans l'affaire Paula Jones au prix d'un important compromis financier mais sans avoir à prononcer d'excuses. Cette conclusion était loin de me satisfaire dans la mesure où j'avais obtenu gain de cause, sans la moindre ambiguïté, sur les aspects légaux et sur les faits dans une affaire motivée, de toute évidence, par des arrière-pensées politiques. Les avocats de Paula Jones avaient saisi la cour d'appel de la huitième circonscription, mais la jurisprudence laissait peu de place au doute : en toute logique, si la cour se conformait à ses décisions antérieures, je devais gagner en appel. Il s'est hélas trouvé que la commission d'appel de trois juges a été placée sous la responsabilité de Pasco Bowman, le juge ultraconservateur qui avait obtenu la révocation du juge Henry Woods dans l'un des volets de l'affaire Whitewater, en s'appuyant sur une série d'articles de presse dont les informations étaient manifestement erronées, et tout cela parce que Woods avait rendu des conclusions qui ne convenaient pas à Starr. Pasco Bowman, comme le juge David Sentelle, à Washington, avait montré qu'il était partisan d'exceptions aux règles de procédure en vigueur dans tous les dossiers en relation avec Whitewater.

Jusqu'à un certain point, j'aurais souhaité perdre l'appel : l'affaire aurait alors été réglée devant un tribunal, les documents et les dépositions rendus publics et les méthodes de mes adversaires enfin dévoilées au public. Mais je m'étais engagé devant les Américains à consacrer les deux prochaines années à leur service et je n'avais pas cinq minutes de plus à perdre sur l'affaire Paula Jones. Le compromis financier a absorbé environ la moitié de l'épargne que nous nous étions constituée au cours de notre vie, alors que nous étions déjà gravement endettés du fait des différentes procédures judiciaires en cours. Toutefois, j'en étais convaincu, sauf un incident de santé, je serais toujours capable de subvenir aux besoins de ma famille et de payer mes avocats après mon départ de la Maison Blanche. Je décidai donc de conclure par une négociation cette affaire que j'avais pourtant gagnée et je me remis au travail.

Ma promesse de ne plus revenir sur l'affaire Jones allait être mise à l'épreuve une nouvelle fois, et dans de rudes circonstances. En avril 1999, la juge Wright m'a sanctionné pour avoir enfreint les injonctions contenues dans sa communication préalable et a exigé que je paye ses frais de déplacement et les dépenses de déposition des avocats de Paula Jones. J'étais en désaccord total avec ses conclusions, mais je ne pouvais pas les remettre en cause sans aborder les faits eux-mêmes et y consacrer une partie de mon temps, ce que j'étais bien déterminé à éviter. Payer les dépenses des avocats de Paula Jones me contrariait à l'extrême · ils avaient adopté une conduite discutable pendant la phase de déposition, avec leurs questions biaisées qui révélaient leur collusion avec Kenneth Starr et, à de nombreuses reprises, ils avaient violé les consignes de confidentialité ordonnées par la juge. Celui-ci n'a jamais rien fait contre eux.

Le 2 décembre, Mike Espy était acquitté de toutes les accusations portées contre lui par le procureur indépendant Donald Smaltz. Celui-ci avait suivi fidèlement les méthodes de Kenneth Starr au cours de son enquête sur Mike Espy : il avait dépensé plus de dix-sept millions de dollars et mis en accusation autant de gens qu'il le pouvait, dans l'espoir d'obtenir des dépositions à charge contre Mike. Le verdict de rejet, formulé avec beaucoup de sécheresse par le jury, créait un précédent fâcheux pour Smaltz et Starr : jamais auparavant un procureur indépendant n'avait été débouté devant un tribunal.

Quelques jours plus tard, accompagné de Hillary, je me suis envolé pour Nashville où je devais assister à un service religieux à la mémoire du père d'Al Gore. Le sénateur Albert Gore Sr. venait de décéder, à l'âge de 90 ans, chez lui, à Carthage, dans le Tennessee. L'auditorium du Mémorial de la guerre était comble, des gens de tous les milieux voulaient rendre un dernier hommage au sénateur qui avait joué un rôle décisif dans la mise en place du réseau routier inter-États, avait refusé de signer le Manifeste du Sud ségrégationniste, en 1956, et s'était opposé avec courage à la guerre du Viêt-nam. Je l'admirais déjà pendant mon adolescence et, grâce à mon association avec Al Gore, j'avais eu le plaisir de partager souvent sa compagnie. Il s'était fortement impliqué, aux côtés de son épouse, dans notre campagne de 1992. Chaque fois que j'avais eu l'occasion de les entendre, ses discours à l'ancienne, brillants et enflammés, m'avaient ravi.

Un accompagnement musical émouvant ponctuait la cérémonie. En particulier, nous avons entendu un enregistrement datant de 1938, dans lequel le jeune sénateur jouait du violon à Constitution Hall, la salle de concerts de Washington. Dans le discours qu'il a ensuite prononcé, Al a rendu un vibrant hommage à l'homme, au père et à l'élu qui s'était consacré aux affaires publiques. À l'issue de la cérémonie, j'ai dit à Hillary combien j'aurais voulu que l'Amérique tout entière puisse l'entendre.

Au milieu du mois, alors que je m'apprêtais à me rendre en Israël et à Gaza, comme je m'y étais engagé au moment de l'accord de Wye River, la Commission judiciaire de la Chambre a décidé, par un vote qui recoupait strictement les affiliations partisanes, de procéder à ma mise en accusation. Elle invoquait deux motifs : le faux témoignage, lors de ma déposition, puis, à nouveau, lors de ma comparution devant le Grand Jury, et l'entrave au cours de la justice. Enfin, accusation supplémentaire, j'aurais donné des réponses mensongères à ses questions. La démarche était des plus étranges. Henry Hyde, le président de la commission, a refusé de définir les critères qui caractérisaient une faute susceptible de mise en accusation ou d'appeler à comparaître des témoins ayant connaissance de l'affaire. Dans sa logique, un vote en faveur de la destitution n'était rien de plus qu'un moyen de soumettre le rapport Starr au Sénat, qui pourrait alors déterminer si les éléments factuels qu'il contenait étaient fondés et si ma mise en accusation était assurée.

Un groupe de procureurs, dans lequel les deux parties étaient représentées, a statué devant la commission qu'aucun procureur ne parviendrait à obtenir une condamnation pour faux témoignage en s'appuyant sur les seuls éléments contenus dans le dossier. Par ailleurs, un conseil d'historiens, parmi lesquels figuraient Arthur Schlesinger, de la City University de New York, C. Vann Woodward, de Yale, et Sean Wilentz, de Princeton, a conclu que les présomptions qui pesaient contre moi ne cadraient pas avec les normes établies par les rédacteurs de la Constitution, puisqu'ils avaient à l'esprit un crime manifeste ou un délit commis dans l'exercice du pouvoir exécutif. Cette interprétation, qui avait longtemps prévalu, était étayée par une lettre ouverte au Congrès, signée de quatre cents historiens. Dans l'affaire du Watergate, par exemple, la Commission judiciaire de la Chambre avait refusé de mettre en route la procédure de mise en accusation contre le président Nixon à propos d'une présomption d'évasion fiscale, dans la mesure où un tel délit n'avait aucune relation avec l'exercice de sa fonction. Mais cette argumentation était tout bonnement hors sujet pour Hyde, comme pour son conseiller juridique, David Schippers, animé d'une semblable hostilité, et comme, encore, pour la droite extrême qui contrôlait la Chambre.

Depuis l'élection, Tom DeLay et ses collaborateurs avaient mis en action les réseaux de la droite dure pour exiger ma destitution. Les programmes de radio poussaient à la roue et les élus modérés, dans leurs circonscriptions, subissaient la pression des militants anti-Clinton. Ceux-ci étaient convaincus qu'ils pouvaient contraindre un nombre suffisant d'élus d'ignorer les réticences de l'opinion à la destitution, en les menaçant d'éventuelles représailles.

Dans ce contexte, le vote de la commission, présidée par Hyde, pour rejeter la censure à mon égard était aussi décisif que son vote en faveur d'une motion de mise en accusation. L'opinion, à 75 %, s'était déclarée favorable à une motion de censure. Si cette option avait été présentée à la Chambre, les Républicains modérés se seraient empressés de voter pour cette forme de sanction et l'hypothèse d'une procédure de destitution aurait alors été exclue. Hyde a expliqué que la Chambre n'avait pas le pouvoir de censurer le Président et que le seul choix qui s'offrait à elle était la mise en accusation. Cependant, les présidents Andrew Jackson et James Polk avaient tous deux été censurés par le Congrès. L'option de la censure avait été mise de côté par un vote de la commission qui, cette fois encore, recoupait strictement les affiliations partisanes. La Chambre, en assemblée plénière, ne pourrait donc pas envisager de recourir à la procédure que favorisait la majorité du pays. Une seule question restait posée : combien de Républicains modérés pourraient-ils être « persuadés » ?

Après le vote de la commission, Hillary et moi-même nous sommes envolés à destination du Moyen-Orient. Nous avons rencontré Nétanyahou avec qui nous avons dîné et allumé les chandelles d'une menorah pour Hanoukka. Nous nous sommes recueillis sur la tombe d'Yitzhak Rabin avec sa famille. Le lendemain, Madeleine Albright, Sandy Berger, Dennis Ross, Hillary et moi avons gagné la zone densément peuplée de Gaza par hélicoptère où nous avons coupé le ruban inaugural du nouvel aéroport, avant de déjeuner avec Yasser Arafat dans un hôtel qui offrait une vue panoramique sur la plage méditerranéenne, longue et superbe. Comme je m'y étais engagé à Wye River, j'ai prononcé un discours devant le Conseil national palestinien. Juste avant mon intervention, les délégués, à une écrasante majorité, ont levé la main pour soutenir la suppression, dans leur charte, de la disposition appelant à la destruction d'Israël. Ce moment, à lui seul, donnait tout son sens à mon voyage. Les soupirs de soulagement, en Israël, étaient, pour ainsi dire, audibles ; peut-être, après tout, pouvait-on enfin envisager qu'Israéliens et Palestiniens partagent la même terre et le même avenir. J'ai remercié les délégués ; je voulais, ai-je dit, que le peuple palestinien qu'ils représentaient profite des retombées concrètes de la paix et à cette fin, je les ai exhortés de s'accrocher au processus de paix.

Ce n'était pas une prière formelle. Moins de deux mois après la victoire de Wye River, les négociations étaient en suspens. Bien que le cabinet de Nétanyahou eût approuvé l'accord de justesse, la coalition qui le soutenait se montrait réticente, au point qu'il lui était pratiquement impossible de procéder au redéploiement des troupes et aux libérations de prisonniers ou d'avancer sur le dossier plus complexe encore du statut final, y compris sur les questions essentielles, telles que la création de l'État palestinien ou l'hypothèse du choix de Jérusalem-Est comme capitale de la Palestine. La modification apportée, la veille, à la charte palestinienne aidait Nétanyahou vis-à-vis de son opinion publique, mais sa propre coalition lui donnait du fil à retordre. Il paraissait en être réduit à l'alternative suivante : constituer un gouvernement d'union nationale, en s'appuyant sur une base plus large, ou retourner devant les électeurs.

Le lendemain de mon discours devant le Conseil national palestinien, Nétanyahou, Arafat et moi-même nous sommes retrouvés au passage d'Eretz : nous voulions ainsi donner un nouvel élan à la mise en œuvre de l'accord de Wye River et décider de la voie à suivre pour progresser vers le statut final. Après cette rencontre, Arafat nous a emmenés, Hillary et moi, à Bethléem. Il était fier qu'un lieu saint de la chrétienté se trouve sous sa protection et il savait combien la visite que nous accomplissions à quelques jours de Noël était chargée de sens pour nous.

Après avoir quitté Arafat, nous avons rejoint Nétanyahou qui nous a emmenés sur le site de Massada. J'ai été impressionné par l'importance des fouilles archéologiques entreprises depuis notre précédente visite, qui remontait à 1981. Elles visaient à mettre au jour les ruines de la forteresse où les martyrs juifs avaient combattu jusqu'à la mort au nom de leurs convictions. Bibi, peu communicatif, paraissait perplexe. Il s'était aventuré dans une zone politiquement dangereuse avec l'accord de Wye River et son avenir en devenait incertain. Personne n'était en mesure de dire si les risques qu'il avait pris apporteraient une paix durable à son pays ou s'ils allaient précipiter la fin de son gouvernement.

Nous avons fait nos adieux au Premier ministre pour regagner notre pays où un autre conflit allait exiger notre intervention. Six jours plus tôt, soit le lendemain du retour des équipes d'inspection envoyées par les Nations unies, plusieurs d'entre elles s'étaient vu refuser l'accès au quartier général du parti Baas de Saddam. Le jour de notre retour à Washington, le chef des inspecteurs en désarmement, Richard Butler, notait dans un rapport à Kofi Annan que l'Irak n'avait pas tenu ses engagements, refusait de coopérer avec lui et avait même imposé de nouvelles restrictions au travail des inspecteurs.

Le lendemain, les États-Unis et le Royaume-Uni lançaient une série d'attaques au moyen d'avions et de missiles de croisière contre les sites de recherche suspectés d'abriter des capacités chimiques, biologiques et nucléaires et contre les installations militaires susceptibles de menacer les voisins de l'Irak. Dans mon discours au peuple américain, ce soir-là, j'ai souligné que Saddam Hussein avait déjà recouru à des armes chimiques contre les Iraniens et contre les Kurdes du nord de l'Irak et qu'il avait lancé des missiles Scud contre d'autres pays. J'ai dit que j'avais interrompu, *in extremis*, une attaque quatre semaines plus tôt parce que Saddam Hussein s'était engagé à se plier aux demandes des Nations unies. Depuis, cependant, les inspecteurs avaient été menacés à plusieurs reprises ; « de ce fait, l'Irak a laissé passer sa dernière chance ».

Au moment où ces frappes avaient lieu, nos services de renseignement nous informaient que des quantités significatives de matériels chimiques et biologiques, recensés dans le pays à la fin de la guerre du Golfe, ainsi que des ogives de missiles étaient introuvables. D'autre part, des travaux élémentaires de laboratoire visant à acquérir une arme nucléaire étaient en cours. Nos experts militaires estimaient que les armements non conventionnels pourraient bien avoir pris une nouvelle importance dans les projets de Saddam, en relation avec l'affaiblissement de ses forces conventionnelles depuis la guerre du Golfe.

Au sein de mon équipe nationale de sécurité, l'opinion était unanime : nous devions frapper dès la publication du rapport de Richard Butler, tout délai laissé à Saddam lui offrant la possibilité de disperser ses forces et de mettre à l'abri ses stocks de matériels chimiques et biologiques. Tony Blair et ses conseillers partageaient cet avis. L'assaut des forces anglo-américaines allait se poursuivre quatre jours durant et totaliser six cent cinquante sorties aériennes et quatre cents frappes par missiles de croisière, toutes ciblées précisément pour atteindre des objectifs militaires ou liés à la sécurité nationale et minimiser le nombre des victimes civiles. À l'issue de ces attaques, nous n'avions aucun moyen de chiffrer les destructions de matériels interdits, mais les capacités dont disposait l'Irak pour produire et déployer des armements dangereux avaient incontestablement été affectées.

Les Républicains parlaient de Saddam comme s'il était le mal incarné. Pourtant, la décision de lancer ces attaques en a enragé quelques-uns. Parmi ceux-ci, le sénateur Trent Lott et le représentant Dick Armey n'ont pas manqué de critiquer le choix du moment, laissant entendre que l'ordre que j'avais donné visait à repousser le vote de la Chambre sur la destitution. Le lendemain, quand plusieurs sénateurs républicains eurent manifesté leur soutien à l'opération militaire, Trent Lott a battu en retraite. Dick Armey, lui, s'est entêté : avec Tom DeLay et ses affidés, ils n'avaient rien négligé pour gagner leurs collègues plus modérés à leurs vues. Ils attendaient le vote avec impatience, redoutant que, entre-temps, quelques-uns des nouveaux convaincus n'y réfléchissent à deux fois.

Le 19 décembre, peu de temps avant le vote sur la procédure de mise en accusation, Bob Livingston, candidat désigné à la présidence, a annoncé sa prochaine démission de la Chambre, motivée par des révélations concernant des problèmes personnels. J'ai appris plus tard que dix-sept représentants républicains conservateurs l'avaient approché et l'avaient contraint de démissionner, non en raison de ce qu'il aurait fait, mais parce qu'il constituait un obstacle à ma destitution.

Six semaines, à peine, s'étaient écoulées depuis que le peuple américain avait adressé un message clair contre la destitution, quand la Chambre a adopté deux des quatre articles relatifs à cette procédure, présentés par la commission Hyde. Le premier, qui m'accusait d'avoir menti devant le Grand Jury, a été adopté par 228 voix contre 206, cinq représentants républicains ayant voté contre. Le second me reprochait des faits d'entrave à la justice et de subornation de témoins, il a été adopté par 221 voix contre 212, douze Républicains ayant voté non. Les deux accusations étaient contradictoires. La première s'appuyait sur les différences apparentes entre la relation par Monica Lewinsky de nos entrevues, telle qu'elle figurait dans le rapport Starr et mon propre témoignage devant le Grand Jury ; la seconde ne tenait pas compte de son témoignage rapportant que je ne lui avais jamais demandé de mentir, fait confirmé par tous les autres témoins. Les

Républicains acceptaient de la croire, mais seulement quand elle était en désaccord avec moi.

Peu de temps après l'élection, Tom DeLay et ses lieutenants avaient commencé à aiguillonner les Républicains modérés pour les guider dans la bonne voie. Ils ont gagné quelques voix en privant les modérés de la possibilité de voter en faveur de la censure, puis en leur expliquant que, dans la mesure où ils tenaient à me sanctionner d'une manière ou d'une autre, ils devraient se sentir libres de voter pour la destitution, sachant que la procédure n'aboutirait jamais à ma condamnation ni à mon éviction, puisque les Républicains ne parviendraient pas à rassembler une majorité des deux tiers au Sénat. Quelques jours après le vote de la Chambre, quatre représentants républicains modérés – Mike Castle, du Delaware, James Greenwood, de Pennsylvanie, Ben Gilman et Sherwood Boehlert, de l'État de New York – écrivaient, dans une contribution au *New York Times*, que leur vote en faveur de la destitution ne signifiait en rien qu'ils estimaient que je devais être démis de mes fonctions.

Je n'ai pas établi la liste exhaustive des arguments – qu'il s'agisse de carottes ou de bâtons – qui ont été utilisés pour influencer le vote des modérés ; j'en ai toutefois identifié quelques-uns. Le président républicain d'une commission a confié son cas de conscience à un collaborateur de la Maison Blanche : il ne souhaitait pas voter pour la destitution mais il risquait de perdre sa présidence dans le cas contraire. Jay Dickey, Républicain de l'Arkansas, a dit à Mack McLarty qu'il pensait perdre son siège à la Commission des finances s'il ne votait pas pour la destitution. J'ai été très déçu quand Jack Quinn, un Républicain de Buffalo, dans l'État de New York, qui avait souvent été invité à la Maison Blanche et qui avait expliqué à de nombreux interlocuteurs, moi compris, qu'il était opposé à la destitution a fait volte-face et annoncé qu'il voterait en faveur de trois articles. Je l'avais emporté dans sa circonscription avec une large avance, en 1996, mais une minorité très active avait, semble-t-il, exercé de fortes pressions pour qu'il change d'avis. Mike Forbes, un Républicain de Long Island, qui m'avait soutenu tout au long du combat contre la destitution a, lui aussi, modifié sa position, après s'être vu offrir une place de choix dans l'équipe de Livingston. Avec la démission de celui-ci, la proposition qu'on avait fait miroiter devant lui allait d'ailleurs rester lettre morte.

Cinq Démocrates ont voté pour la mise en accusation. Quatre d'entre eux étaient élus par des circonscriptions conservatrices. Le cinquième a déclaré qu'il aurait souhaité voter la censure et s'était laissé convaincre que son vote était conforme à cette inclination. Plusieurs Républicains ont voté contre la destitution : Amo Houghton, de New York et Chris Shays, du Connecticut, deux des élus les plus réformateurs et indépendants au sein du groupe républicain à la Chambre ; Connie Morella, du Maryland, une réformatrice elle aussi, dont la circonscription avait voté pour moi à une très forte majorité en 1996 et deux conservateurs, Mark Souder, de l'Indiana et Peter King, de New York, qui avaient refusé, à l'inverse de leurs chefs, de transformer une question constitutionnelle en test de loyauté partisane.

Peter King, avec qui j'avais collaboré sur l'Irlande du Nord, a subi une pression considérable, plusieurs semaines durant. Il a même été menacé de voir sa carrière politique détruite, s'il ne respectait pas la consigne de vote. Interviewé par les télévisions, il a développé une argumentation très simple à l'intention de ses collègues républicains : je suis opposé à la destitution parce que, si le président Clinton était républicain, vous y seriez opposé aussi. Ses contradicteurs républicains, qui lui faisaient face sur les plateaux, n'ont jamais fourni une réponse satisfaisante à cette objection. Aux yeux des représentants de la droite extrême, chaque personne a son prix ou son point faible. Les faits leur ont souvent donné raison, mais Peter King avait une âme d'Irlandais : il aimait la poésie de Yeats, les causes désespérées ne l'effrayaient pas et il n'était pas à vendre.

On a souvent évoqué les réunions de prières organisées par les partisans de la mise en accusation dans le bureau de Tom DeLay, afin d'obtenir le soutien de Dieu dans l'accomplissement de cette mission divine. Les motivations des élus avaient toutefois bien peu à voir avec la moralité ou l'État de droit et beaucoup avec le pouvoir. Newt Gingrich a résumé l'enjeu d'une seule phrase : la procédure devait être mise en route « parce que nous le pouvons ». La destitution ne concernait en rien ma conduite personnelle indéfendable ; les histoires de cette nature ne manquaient pas dans leurs rangs et certaines commençaient même à transpirer, sans le secours de poursuites pénales infondées ni l'acharnement d'un procureur spécial pour fouiller dans les vies privées. Il ne s'agissait pas plus de savoir si j'avais menti à l'occasion d'une procédure judiciaire ; quand il avait été établi que Newt Gingrich avait, à plusieurs reprises, produit de faux témoignages au cours de l'enquête diligentée par la commission d'éthique de la Chambre sur les pratiques apparemment illégales de son comité d'action politique, il avait essuyé une réprimande et dû payer une amende, imposées par le groupe qui venait de voter la procédure de destitution contre moi. Quand Kathleen Willey, dont Starr garantissait l'immunité aussi longtemps que ses déclarations lui agréaient, avait menti, il avait néanmoins prolongé son immunité. Quand Susan McDougal avait refusé de produire un faux témoignage pour lui complaire, Starr l'avait mise en examen. Quand Herby Branscum et Rob Hill avaient, eux aussi, refusé de mentir, il les avait mis en examen. Quand Webb Hubbell avait refusé de mentir, il avait été mis en examen, deux, puis trois fois, avant que sa femme, son avocat et son comptable ne subissent le même sort. Peu de temps après, Starr abandonnait ses accusations à leur égard. Après que la première version du témoignage de David Hale eut été réfutée, Starr le laissa modifier son histoire, jusqu'à ce qu'il mette au point une version que personne ne pouvait vérifier. Steve Smith, mon ami de longue date et l'ancien associé de Jim McDougal, a proposé d'être soumis au détecteur de mensonges, afin de confirmer sa déclaration : il affirmait que les collaborateurs de Starr avaient préparé un témoignage dactylographié qu'il devait se contenter de lire et ils insistaient pour qu'il accepte le procédé, bien qu'il leur ait répété que la déposition ne correspondait pas aux faits. Starr, lui-même, déposant sous serment, n'a pas dit la vérité à propos de ses tentatives d'équiper Monica Lewinsky d'un appareil enregistreur.

Enfin, de toute évidence, le vote de la Chambre n'était pas destiné à confirmer que les accusations de la commission correspondaient à la définition historiquement acceptée des infractions passibles de destitution La norme de

Watergate aurait-elle été appliquée, que l'affaire me concernant n'en serait jamais arrivée là.

Toute l'affaire concernait le pouvoir. Il s'agissait d'une initiative que prenaient les chefs républicains de la Chambre parce qu'ils en avaient la latitude et parce qu'ils poursuivaient des objectifs auxquels je m'opposais et que je les empêchais d'atteindre. Je ne doute pas une seconde que beaucoup de leurs sympathisants dans le pays étaient convaincus que l'opération avait un solide fondement moral et légal. Aux yeux de ceux-là, j'étais un odieux personnage et, de ce fait, que mes écarts de conduite relèvent ou non de la définition constitutionnelle de la destitution ne comptait pas tellement. Mais une telle position ne répondait pas à l'exigence minimale de la moralité et de la justice : les mêmes règles s'appliquent à tous. Comme l'a dit Teddy Roosevelt, personne n'est au-dessus des lois, mais « personne n'est en dessous des lois non plus ».

Dans l'affrontement partisan qui faisait rage depuis le milieu des années 1960, aucun des deux camps ne pouvait se targuer d'une conduite sans tache. Les Démocrates avaient eu tort, selon moi, de se préoccuper des goûts cinématographiques du juge Bork ou du penchant pour la boisson du sénateur John Tower. Mais, en matière d'attaques personnelles et d'acharnement dans la destruction, nul ne pouvait rivaliser avec les Républicains de la Nouvelle Droite. Si, par moments, les enjeux de pouvoir paraissaient échapper à mon Parti, au moins étais-je fier que les Démocrates se fixent quelques interdits et ne cherchent pas à atteindre tel ou tel objectif, au seul motif qu'ils le pouvaient.

Peu de temps avant le vote de la Chambre, Robert Healy a publié un article dans le *Boston Globe*, rendant compte d'une rencontre entre Tip O'Neill, alors président de la Chambre, et le président Reagan, à la Maison Blanche, fin 1986. L'Irangate était le sujet de l'heure ; travaillant au service de la Maison Blanche, John Poindexter et Oliver North avaient enfreint la loi et trompé le Congrès lors de leurs dépositions. Tip O'Neill n'a pas demandé au Président ce qu'il savait de l'opération, ni s'il avait autorisé des procédures illégales (la commission bipartite du sénateur John Towers allait plus tard établir que Reagan était informé en détail). Selon Robert Healy, O'Neill s'est contenté de dire au Président qu'il ne laisserait personne mettre en route une procédure de mise en accusation, parce qu'il avait vécu le Watergate et qu'il ne voulait pas imposer, à nouveau, une épreuve de cette ampleur au pays.

Tip O'Neill était peut-être un meilleur patriote que Newt Gingrich et Tom DeLay ; mais ces derniers – et leurs alliés – maîtrisaient autrement mieux leur pouvoir et savaient comment s'en servir pour nuire à leurs adversaires. Ils étaient convaincus que le pouvoir confère, à court terme, tous les droits, et peu leur importaient les épreuves imposées au pays. Le Sénat n'allait pas me mettre en accusation ? C'était là le cadet de leur souci. À force de me traîner dans la boue, ils finiraient bien par convaincre l'opinion et les médias que j'étais le seul à blâmer pour leur conduite déplorable, autant que pour la mienne. Ils étaient déterminés à me marquer au fer rouge infamant de la mise en accusation. Quand ils auraient atteint leur objectif, on se souviendrait longtemps de ma vilenie, et l'on oublierait vite les circonstances : plus personne ne parlerait de la farce hypocrite mise en scène pour en arriver là, ni de la conduite sans principes et de l'acharnement de Kenneth Starr et de sa clique au cours des années.

Après le vote à la Chambre, Dick Gephardt m'a rendu visite à la Maison Blanche, accompagné de tout un groupe de représentants démocrates qui m'avaient soutenu. Je les ai remerciés et, tous ensemble, nous avons pu montrer que nous étions unis pour la bataille qui se préparait. Al Gore a défendu mon bilan présidentiel avec passion, Dick a appelé les Républicains à rompre avec la politique des attaques personnelles destructrices et à se pencher sur les affaires du pays. À l'issue de cette rencontre, Hillary m'a dit qu'elle y avait perçu une énergie digne de la célébration d'une victoire. D'une certaine manière, c'était bien le cas. Les Démocrates faisaient front pour me défendre, mais surtout pour défendre l'essentiel : la Constitution.

Je n'avais sûrement pas désiré en arriver à cette extrémité. Toutefois, je me consolais en pensant que la seule précédente tentative de mise en accusation – elle avait visé Andrew Jackson, à la fin des années 1860 – avait été mise en route sans « crime patent ou délit ». Déjà, il s'était agi d'une action motivée par de basses arrière-pensées politiques, impulsée par un parti majoritaire au Congrès qui n'avait pas pu résister à la tentation.

Hillary était beaucoup plus troublée que moi-même par la nature partisane de l'initiative. Jeune avocate, elle avait collaboré avec l'équipe de John Doar au service de la Commission judiciaire de la Chambre, pendant le Watergate Elle gardait de cette expérience le souvenir d'efforts sérieux, non partisans, répondant aux exigences constitutionnelles pour identifier et définir des crimes patents et des délits dans les actions officielles du Président.

D'emblée, j'avais estimé que, si je voulais sortir victorieux de la confrontation avec la droite extrême, je devais poursuivre mes activités présidentielles et déléguer à d'autres ma défense. Je m'efforçais de me tenir à cette ligne de conduite pendant que les débats se poursuivaient à la Chambre et au Sénat. Beaucoup de gens m'ont signifié qu'ils appréciaient mon attitude.

Cette stratégie a mieux fonctionné que prévu. La publication du rapport Starr et la détermination des Républicains à me mettre en accusation ont produit un changement marqué dans les médias. Comme je l'ai dit, ceux-ci n'ont jamais été monolithiques. Désormais, même ceux qui appuyaient Starr ont commencé à souligner l'implication de groupes d'extrême droite dans la cabale menée contre moi, la tactique abusive de l'OIC et le caractère sans précédent de ce que les Républicains étaient en train de faire. Les émissions de télévision ont commencé à être plus équilibrées, des commentateurs comme Greta Van Sustren et Susan Estrich, et des invités comme les avocats Lanny Davis, Alan Dershowitz, Julian Epstein et Vincent Bugliosi assurant que les deux parties en présence pouvaient se faire entendre. Des membres du Congrès ont aussi avancé des arguments, notamment le sénateur Tom Harkin, les membres de la Commission judiciaire de la Chambre Sheila Jackson Lee et Bill Delhunt, lui-même ex-procureur. Les professeurs Cass Sunsten, de l'Université de Chicago, et Susan Bloch, de Georgetown, ont rendu publique une lettre expliquant que le processus de mise en accusation n'était pas constitutionnel, et elle a été signée par quatre cents professeurs de droit.

Nous approchions de 1999. Le taux de chômage avait baissé à 4,3 % et la Bourse connaissait une hausse sans précédent. Hillary a souffert du dos après avoir rendu visite, pour Noël, aux employés de l'ancien bâtiment administratif de l'exécutif. Son médecin lui a conseillé de ne plus porter de talons hauts quand elle arpentait les sols de marbre des bâtiments de Washington et, très vite, son état s'est amélioré. J'ai décoré l'arbre avec Chelsea et comme tous les ans, nous avons sacrifié au rite des achats de Noël.

Plus encore que mes autres cadeaux, j'ai apprécié, cette année-là, les nombreuses manifestations de soutien de citoyens ordinaires. Une jeune habitante du Kentucky, âgée de 13 ans, m'a écrit pour me dire que j'avais commis une erreur, mais que je ne devais pas démissionner, parce que mes opposants étaient « méchants ». Un homme blanc de 86 ans, habitant New Brunswick, dans le New Jersey, après avoir informé sa famille qu'il allait passer la journée à Atlantic City, a pris le train pour Washington. Arrivé à destination, il a donné l'adresse du révérend Jesse Jackson à un chauffeur de taxi. Accueilli par la belle-mère de celui-ci, il lui a dit que le révérend était la seule personne de sa connaissance qui était en relation avec le Président, auquel il souhaitait faire parvenir un message : « Il faut lui dire de ne pas démissionner. Je me souviens bien de l'époque où les Républicains ont essayé de détruire Al Smith (notre candidat à la présidentielle en 1928), parce qu'il était catholique. Il ne doit pas céder ! » Le vieil homme est alors remonté dans son taxi, est retourné à Union Station et a pris le premier train pour rentrer chez lui. Je l'ai appelé pour le remercier. Après cela, nous avons participé, en famille, au week-end de la Renaissance et une nouvelle année a commencé

CHAPITRE CINQUANTE ET UN

C'est le 7 janvier que William Rehnquist, président de la Cour suprême, a décrété officiellement devant le Sénat l'ouverture de mon procès en mise en accusation, et que Kenneth Starr a inculpé Julie Hiatt Steele, cette Républicaine qui refusait de mentir en confirmant la version des faits donnée par Kathleen Willey.

Une semaine plus tard, les membres de la Chambre chargés de la procédure ont présenté leur dossier pendant trois jours. Ils souhaitaient maintenant citer des témoins à comparaître alors que, Starr excepté, ils n'en avaient entendu aucun durant les audiences préparatoires. Asa Hutchinson, le représentant de l'Arkansas qui avait poursuivi mon frère pour une affaire de drogue dans les années 1980, a tenté d'expliquer que le Sénat devait autoriser ces auditions : si lui-même était procureur dans cette affaire, a-t-il précisé, il ne pourrait pas m'inculper pour obstruction à la justice – soit le principal chef d'accusation – au vu du maigre rapport adressé au Sénat par la Chambre ! Un autre rapporteur, en revanche, a déclaré que le Sénat n'avait pas à déterminer si mes supposés délits entraient dans le cadre constitutionnel d'un procès en mise en accusation ; la Chambre avait déjà tranché et le Sénat devait se ranger à cet avis. Rappelons tout de même que la commission judiciaire Hyde a toujours refusé d'énoncer les critères d'une conduite méritant une mise en accusation.

Dans son discours de clôture devant le Sénat, Henry Hyde a fini par donner son interprétation du sens constitutionnel de la mise en accusation : un président qui tentait de s'épargner l'embarras dans une affaire d'inconduite, a-t-il dit en substance, méritait plus encore la mise en accusation que s'il avait trompé la nation sur une grave affaire d'État. Ma mère m'a toujours appris à chercher ce qu'il y a de meilleur en l'autre. En observant ce vindicatif

Mr Hyde, je ne doutais pas qu'il y eût en lui un bon Dr Jekyll, mais j'avais bien du mal à le trouver.

Le 19, ce fut au tour de mon équipe de présenter ses arguments ; elle disposait pour ce faire de trois journées d'audience devant le Sénat. Chuck Ruff, avocat de la Maison Blanche et ex-procureur, commença par affirmer pendant deux heures et demie que les chefs d'accusation retenus étaient infondés ; même si les sénateurs les jugeaient fondés, du reste, ils ne répondaient en rien aux critères constitutionnels de la mise en accusation. Ruff était un homme très modéré qui avait passé la plus grande partie de sa vie dans un fauteuil roulant. C'était aussi un avocat hors pair que scandalisaient les conclusions des rapporteurs de la Chambre. Ayant mis leurs arguments en pièces, il a rappelé au Sénat qu'une commission bipartite avait déjà conclu qu'aucun procureur responsable ne pouvait soutenir une accusation de parjure au vu des faits présentés.

Un peu plus tard, Ruff a surpris Asa Hutchinson en flagrant délit de mensonge dans sa description des faits. Hutchinson venait de raconter au Sénat que Vernon Jordan n'avait décidé d'aider Monica Lewinsky que lorsqu'il avait appris qu'elle témoignerait dans l'affaire Jones. Or Vernon avait aidé Lewinsky plusieurs semaines avant de connaître ce détail d'importance et, au moment où la juge Wright avait accordé au procureur l'autorisation de convoquer Lewinsky, décision qu'elle a ensuite inversée, Vernon se trouvait dans un avion en partance pour l'Europe... J'ignore si Asa tentait d'abuser l'auditoire en espérant que les sénateurs ne s'en rendraient pas compte, ou s'il estimait que ceux-ci – à l'instar des rapporteurs de la Chambre – ne se souciaient nullement de l'exactitude des faits rapportés.

Le lendemain, Greg Craig et Cheryl Mills ont abordé chaque chef d'accusation en particulier. Greg a fait remarquer que l'accusation de parjure ne reposait sur aucun exemple précis et qu'elle se référait à ma déposition dans l'affaire Jones – alors que la Chambre avait déjà, sur ce point particulier, voté contre la procédure de mise en accusation. Il a ensuite souligné que certaines allégations de parjure présentées aujourd'hui au Sénat n'avaient jamais été évoquées, ni par Starr ni par aucun membre de la Chambre, au cours des débats préparatoires du comité judiciaire ou durant les séances de la Chambre. Le dossier, non préparé, se constituait donc à mesure que les audiences se succédaient.

Cheryl Mills, jeune Afro-Américaine diplômée de Stanford, a pris la parole le jour du sixième anniversaire de son entrée en fonctions à la Maison Blanche. Elle a balayé avec brio les accusations d'obstruction à la justice, présentant des faits que les rapporteurs de la Chambre ne pouvaient contester mais dont ils s'étaient gardés d'informer le Sénat, ces faits prouvant clairement que la charge d'obstruction ne reposait sur rien. Son discours de clôture était parfait. Lindsey Graham, sénateur de Caroline-du-Sud, craignait (avec quelques autres) que mon acquittement ne soit perçu comme la preuve que nos droits civiques et nos lois contre le harcèlement étaient, au fond, sans importance ; c'est alors que Cheryl s'est écriée : « On ne peut pas laisser passer de tels propos ! » Partout en Amérique, les Noirs savaient fort bien que ce complot visant ma mise en accusation était mené par des Sudistes blancs d'extrême droite qui n'avaient jamais levé un doigt pour les droits civiques.

Puis Cheryl a rappelé que Paula Jones avait pu s'exprimer devant les tribunaux, et qu'une juge avait estimé le litige infondé. Nous admirons Jefferson, Kennedy et King, hommes imparfaits mais portés par « le désir de faire le bien de l'humanité », a-t-elle ajouté ; mon propre bilan en matière de droits civiques et de droits des femmes lui semblait « irrécusable » ; enfin, elle a conclu en regardant les sénateurs dans les yeux : « Si je m'adresse à vous aujourd'hui, c'est que le président Clinton a jugé que je pouvais le faire à sa place. [...] Condamner cet homme sous ce chef d'accusation serait une grave erreur. »

Le troisième et dernier jour, David Kendall a ouvert le feu en démolissant de manière froide et systématique les accusations d'obstruction à la justice ; à plusieurs reprises, a-t-il rappelé, Monica Lewinsky avait déclaré que je ne lui avais jamais demandé de mentir. Pour finir, il a fait la liste des omissions et déclarations inexactes dont s'étaient rendus coupables les rapporteurs de la Chambre.

Dale Bumpers a pris la parole le dernier. Je le lui avais moi-même demandé, parce que Dale est un excellent avocat de plaidoirie, un fin connaisseur de la Constitution et l'un des meilleurs orateurs d'Amérique. Il venait de quitter le Sénat après vingt-quatre ans de mandats successifs. Après avoir fait quelques plaisanteries pour détendre l'atmosphère, il a d'abord avoué qu'il avait hésité à venir plaider mon cas : en vingt-cinq ans d'amitié, nous avions souvent travaillé ensemble à la défense des mêmes causes. Le Sénat risquait donc de croire que ses propos étaient dictés par l'amitié et non par un souci de justice ; or, a-t-il ajouté, ce n'est pas son client qu'il entendait défendre aujourd'hui, mais la Constitution elle-même, « ce document qui est pour moi le plus sacré après la Bible ».

Bumpers a commencé par une attaque en règle des enquêtes conduites par Starr : « En comparaison, l'acharnement de Javert contre Jean Valjean, dans *Les Misérables*, semble presque dérisoire. » Puis il a repris : « Après tant d'années au pouvoir [...], le Président ne s'est rendu coupable d'aucune faute, ni officielle ni personnelle. [...] Si nous sommes ici aujourd'hui, c'est parce que le Président a fait l'expérience d'une grave crise morale. »

Il a vivement reproché aux rapporteurs de la Chambre leur manque de compassion, puis il est arrivé au point saillant de sa plaidoirie : « Mettez-vous un instant à sa place [...]. Aucun d'entre nous n'est parfait [...], et il est vrai que cet homme aurait dû mesurer les conséquences de son acte. Aussi vrai qu'Adam et Ève auraient dû, eux aussi, réfléchir à deux fois avant d'agir ; aussi vrai que vous (il regardait alors les sénateurs dans les yeux), vous, et vous, tout comme les millions de gens qui ont été surpris dans des circonstances similaires, auriez dû réfléchir avant d'agir. Car, je le répète, aucun d'entre nous n'est parfait. »

Puis Dale a déclaré que j'étais déjà suffisamment puni pour mon erreur, que le peuple américain ne souhaitait pas me voir partir et que le Sénat serait bien avisé d'écouter les dirigeants politiques de la planète qui avaient pris ma défense, tels Havel, Mandela ou le roi Hussein de Jordanie.

Il a terminé en évoquant, avec une grande richesse de détails et une grande érudition, les délibérations du Conseil constitutionnel sur les clauses de la mise en accusation — celles-là mêmes que nos adversaires tentaient d'utiliser contre nous en se référant au droit anglais, qui traitait les délits « de nature *politique* commis contre l'État ». Il a enfin demandé au Sénat de ne pas salir la Constitution et d'entendre le peuple américain « qui vous conjure de vous élever au-dessus de la politique [...] et de faire votre devoir solennel ».

Le discours de Bumpers était magnifique, tour à tour émouvant et savant, profond et réaliste. Si le Sénat avait dû se prononcer aussitôt après, les voix en faveur de ma destitution auraient été rares. Mais l'attente devait s'étirer sur trois semaines encore, assez pour permettre aux rapporteurs de la Chambre et à leurs amis de gagner des voix dans le camp des Républicains. Chacune des deux parties ayant présenté sa version des faits, il apparaissait que tous les séna-teurs démocrates et quelques Républicains s'apprêtaient à voter en ma faveur.

Tandis que le Sénat siégeait à ce procès, j'ai préparé, comme chaque année à pareille époque, mon discours sur l'état de l'Union ; j'ai également parcouru le pays pour défendre les projets que j'allais annoncer dans mon allocution. Le discours était prévu le 19, soit le jour même où débutait ma défense au Sénat. Certains sénateurs républicains m'ont demandé avec insis-tance de reporter mon discours, mais il n'en était pas question. La procédure de mise en accusation avait déjà coûté fort cher aux Américains, ralenti le Congrès dans ses travaux les plus urgents et affaibli la Constitution elle-même. Repousser la date de mon allocution, c'était signifier aux Américains que les affaires de la nation pouvaient attendre.

L'atmosphère était encore plus surréaliste que l'année précédente. Comme toujours, j'ai franchi la porte du Congrès avant d'être conduit dans les quartiers du président de la Chambre, qui était alors Dennis Hastert, représen-tant de l'Illinois. Cet ancien entraîneur de catch, s'il était résolument conser-vateur, était bien moins agressif que Gingrich, Armey ou DeLay. Quelques minutes plus tard, une délégation bipartite de sénateurs et de représentants s'est présentée pour me conduire à la Chambre. Nous avons échangé poignées de main et amabilités comme si de rien n'était. Quand j'ai été annoncé et que j'ai remonté l'allée centrale, les Démocrates m'ont fait un accueil triomphal tandis que les Républicains applaudissaient poliment. Démocrates et Républicains étant répartis de part et d'autre de l'allée, je m'attendais à parcourir le chemin jusqu'à l'estrade en serrant des mains du seul côté démocrate ; c'est donc avec surprise que j'ai vu se tendre des mains du côté républicain.

J'ai commencé par saluer le nouveau président de la Chambre, qui avait affirmé son désir de travailler avec les Démocrates dans un esprit de civisme et de bipartisme. Ces propos réconfortants étaient peut-être sincères, puisque le vote en faveur de ma destitution datait d'avant sa prise de fonctions. J'ai donc accepté bien volontiers son offre de coopération.

En 1999, l'expansion économique de notre pays fut la plus longue de son histoire, avec dix-huit millions de nouveaux emplois depuis mon investiture, un accroissement des salaires réels, une légère baisse des inégalités de revenus et le taux de chômage en tant de paix le plus bas depuis 1957. Les États-Unis étaient plus forts que jamais, et j'ai annoncé plusieurs projets visant à exploiter au mieux cette puissance, à commencer par une série de mesures chargées d'assurer une retraite sûre à la génération du baby-boom. J'ai proposé de consacrer 60 % des excédents, sur quinze ans, à l'extension de la solvabilité du fonds en fidéicommis de la Sécurité sociale ; celle-ci serait ainsi solvable jusqu'en 2055 – soit vingt ans de plus qu'en l'état —, une part des excédents serait investie dans des fonds communs de placement, et les assurés pourraient bénéficier de meilleurs remboursements ; j'ai également proposé d'augmenter l'allocation aux femmes âgées, celles-ci étant en moyenne deux fois plus pauvres que les hommes du même âge. Autres suggestions : utiliser 16 % de l'excédent pour allonger de dix ans l'existence du fonds commun de placement Medicare ; accorder aux personnes âgées handicapées une allocation de mille dollars couvrant les soins de longue durée ; permettre aux assurés ayant entre 55 et 65 ans de souscrire à Medicare ; créer un nouveau fonds de pension, USA Accounts, qui récolterait 11 % de l'excédent et permettrait d'accorder un crédit d'impôts aux citoyens ayant ouvert leur propre fonds de retraite, mais aussi de rééquilibrer l'épargne des assurés aux revenus plus modestes. On n'avait jamais jusqu'alors, je crois, si clairement offert aux familles modestes d'épargner et de créer des richesses.

J'ai proposé ensuite divers projets de réforme de l'éducation, car il me semblait nécessaire de dépenser autrement les quinze milliards annuels d'aide à l'éducation et de « financer ce qui marche et cesser de financer ce qui ne marche pas », en priant les États de mettre un terme aux inégalités sociales dans ce domaine, de repenser ou de fermer les écoles en situation d'échec, d'accroître la qualité du corps enseignant, d'établir un rapport sur chaque école et d'adopter une politique disciplinaire raisonnable. J'ai à nouveau demandé au Congrès d'attribuer des fonds à la construction ou à la modernisation de cinq mille écoles, et de multiplier par six le nombre de bourses attribuées aux étudiants qui s'engageaient à enseigner dans les zones sous-encadrées.

Concernant l'aide aux familles, j'ai suggéré une augmentation du salaire minimum, un allongement du congé parental, un crédit d'impôts pour les jeunes parents, et l'ajout d'un système de sûreté sur les armes pour éviter qu'un enfant se blesse par accident en les manipulant. J'ai demandé au Congrès de voter des lois sur l'égalité des salaires et la non-discrimination à l'embauche ; de fonder une nouvelle société américaine d'investissements privés, destinée à collecter quinze milliards de dollars pour la création d'emplois et de sociétés dans les communautés défavorisées ; de voter une loi sur le commerce et le développement en Afrique, qui permettrait d'ouvrir nos marchés aux produits africains ; de financer à hauteur de un milliard une Société du patrimoine naturel chargée de préserver les trésors de la nature ; et d'accorder des fonds pour la recherche et des réductions d'impôts aux associations de lutte contre le réchauffement de la planète.

Sur le plan de la sécurité nationale, j'ai réclamé des fonds pour prémunir nos systèmes informatiques contre les attaques terroristes ; protéger les communautés contre les attaques chimiques et biologiques ; faciliter la recherche de vaccins et de traitements ; augmenter de deux tiers les fonds alloués au programme de sécurité nucléaire Nunn-Lugar ; soutenir l'accord Wye River, enfin, arrêter le déclin des dépenses militaires entamé à la fin de la guerre froide.

Avant de conclure, j'ai salué le travail de Hillary à la tête de la campagne du Millénaire, et je l'ai félicitée de représenter l'Amérique avec tant de force à travers le monde. Elle était alors assise à côté de Sammy Sosa, la star du football de Chicago qui l'avait récemment accompagnée lors d'un voyage en République dominicaine, où il était né. À cause de ce qu'elle venait de vivre, Hillary a été saluée avec encore plus de chaleur que Sammy. J'ai terminé le « dernier message sur l'état de l'Union du XXᵉ siècle » en rappelant au Congrès que « peut-être, dans l'urgence du quotidien, dans le feu de la controverse, nous sommes incapables de voir notre époque telle qu'elle est : une aube nouvelle pour l'Amérique ».

Le lendemain de mon discours, fort du taux de popularité le plus élevé de mon mandat, je suis parti pour Buffalo avec Hillary, Al et Tipper Gore ; une foule de vingt mille personnes m'attendait dans un stade, le Marine Midland Arena : une fois de plus, malgré les événements, le discours sur l'état de l'Union et les projets pour l'année à venir avaient su trouver un écho auprès du peuple américain.

Le mois s'est achevé sur un grand discours prononcé devant l'Académie nationale des sciences ; j'y ai présenté les mesures destinées à protéger le pays contre les attaques terroristes à l'arme chimique ou biologique et contre le cyberterrorisme. Sur le chemin du retour, je me suis arrêté à Little Rock pour constater les dégâts causés par la tornade dans mon ancien quartier ; dans les jardins de la résidence du gouverneur, plusieurs arbres centenaires avaient été arrachés. Puis, je suis allé accueillir le pape Jean-Paul II à Saint Louis avant de rentrer à Washington où j'ai reçu, dans la salle est, une importante délégation bipartite de députés venus débattre de l'avenir de Medicare et de la Sécurité sociale. J'ai assisté à un service funèbre à la mémoire de mon ami Lawton Chiles, ancien gouverneur de Floride mort brusquement peu auparavant. Lawton m'avait souvent redonné courage en répétant : « Si tu ne peux courir avec les grands chiens, mieux vaut rester sous la véranda. »

Le 7 février, le roi Hussein a perdu la bataille contre le cancer. Hillary et moi sommes aussitôt partis pour la Jordanie avec une délégation dont faisaient partie les présidents Ford, Carter et Bush. Je leur savais gré de vouloir honorer, non sans bousculer leur emploi du temps, la mémoire d'un homme que nous avions tous admiré. Le lendemain, nous avons suivi le cortège funèbre sur près de deux kilomètres, assisté à la cérémonie, puis présenté nos hommages et nos condoléances à la reine Noor éperdue de douleur. Hillary et moi-même étions bouleversés. Nous avions passé des moments merveilleux avec Hussein et Noor, en Jordanie comme en Amérique. Je me rappelle avec un plaisir particulier un repas partagé sur le balcon Truman, à la Maison Blanche, peu avant la mort du roi. Le monde venait assurément de perdre un grand homme.

Après une rencontre avec Abdullah, qui succédait à son père sur le trône, j'ai pu m'entretenir avec le Premier ministre Nétanyahou, le président al-Assad, le président Moubarak, Tony Blair, Jacques Chirac, Boris Eltsine et le président turc Süleyman Demirel. De retour aux États-Unis, j'ai attendu que se déroule le vote du Sénat concernant mon avenir. L'issue ne faisait guère de doute, mais les manœuvres secrètes de mes adversaires étaient du plus grand intérêt. Plusieurs sénateurs républicains reprochaient aux députés du même bord de les avoir entraînés dans cette affaire, mais, quand l'extrême droite montrait les dents, la plupart baissaient la tête et acceptaient de faire traîner le procès en longueur. Quand le sénateur Robert Byrd a proposé d'écarter les chefs d'accusation pour manque de preuves, la compagne de David Kendall, Nicole Seligman, a avancé des arguments juridiques que la plupart des sénateurs savaient irréfutables. Pourtant, la motion de Byrd n'a pas été votée. Quand le sénateur Strom Thurmond a demandé à ses collègues de ne pas voter ma destitution et de mettre un terme à cette affaire, sa proposition a été rejetée par le groupe parlementaire républicain.

Grâce à un sénateur républicain défavorable à la destitution, nous étions informés de la teneur des débats dans les rangs de nos adversaires. Plusieurs jours avant le vote, notre informateur nous a révélé que l'accusation de parjure récoltait 30 voix seulement, et que celle d'obstruction à la justice en rassemblait entre 40 et 45. On était loin de la majorité des deux tiers que requiert la Constitution en pareil cas. Quelques jours avant le scrutin, le sénateur nous a appris que les députés républicains s'estimeraient humiliés si aucun des deux chefs d'accusation n'obtenait au moins la majorité absolue ; les sénateurs, ajoutaient-ils, feraient bien de leur éviter pareille humiliation s'ils voulaient que la Chambre reste entre leurs mains aux prochaines élections.

Le 12 février, la motion de destitution fut rejetée. À 45 voix contre 55, il manquait 22 voix pour le parjure ; à 50 voix contre 50, il en manquait 17 pour l'obstruction à la justice. Outre la totalité des sénateurs démocrates, cinq sénateurs républicains avaient voté « non » aux deux scrutins : Olympia Snowe et Susan Collins (Maine), Jim Jeffords (Vermont), Arlen Specter (Pennsylvanie) et John Chafee (Rhode Island) ; les sénateurs Richard Shelby (Alabama), Slade Gorton (Washington), Ted Stevens (Alaska), Fred Thompson (Tennessee) et John Warner (Virginie) avaient voté « non » lors du scrutin concernant le parjure.

Le vote s'est déroulé dans une atmosphère paisible, trois semaines après la fin du procès. Le résultat étant connu d'avance, seule la répartition exacte des votes demeurant incertaine. Pour moi-même, pour ma famille, pour mon pays, j'étais heureux que tout cela soit terminé. Après le vote, j'ai déclaré que j'étais profondément désolé d'avoir déclenché ces événements, cause d'un lourd fardeau pour le peuple américain, et que je me consacrais désormais à cette « période de réconciliation et de renouveau pour l'Amérique ». Un journaliste m'a posé la question : « Pouvez-vous encore, du fond du cœur, pardonner et oublier ? » À quoi j'ai répondu : « Toute personne qui demande le pardon doit être prête à l'accorder aussi. »

On m'a souvent demandé comment j'avais pu surmonter cette épreuve sans perdre la raison, ou du moins la faculté de travailler. Il est certain que je n'y serais pas parvenu sans la présence à mes côtés, à la Maison Blanche, de mes collaborateurs et de mon cabinet − y compris ceux que mon comportement avait déçus ou irrités. Il est certain également que le soutien du peuple américain, manifesté de très bonne heure, m'a été d'un grand secours. Si davantage de représentants démocrates m'avaient refusé leur soutien en janvier, quand cela semblait encore le choix le plus sûr, ou en août, après ma comparution devant la chambre de mise en accusation, alors les choses auraient pu mal tourner ; mais leur aide m'a été acquise dès le début. Mon propre courage s'est nourri du soutien d'hommes que j'admire, tels Mandela, Blair, le roi Hussein, Havel, le prince héritier Abdullah, Kim Dae Jung, Chirac, Cardoso,

Zedillo et bien d'autres encore. Quand je les comparais à mes adversaires, aussi dégoûté de moi-même que je fusse encore, il me semblait qu'il n'y avait pas que du mauvais en moi.

L'amour et le soutien d'amis ou d'inconnus ont compté pour beaucoup ; une lettre, un mot d'encouragement dans la rue, un sourire amical ont fait pour moi bien plus que ces gens ne peuvent s'en douter. Les chefs spirituels qui m'ont conseillé, qui m'ont rendu visite à la Maison Blanche ou m'ont appelé pour prier avec moi m'ont tous rappelé que, en dépit des jugements dont je pouvais faire l'objet, Dieu est amour.

Mais ma capacité à survivre et à travailler a reposé avant tout sur ma famille. Les frères de Hillary et mon propre frère m'ont apporté un soutien extraordinaire. Roger m'a dit en plaisantant qu'il ne lui était pas désagréable de voir que, dans la famille, il n'était pas le seul à avoir des ennuis. Hugh venait chaque semaine de Miami jouer à *UpWords*, parler de sport et me faire rire de son mieux. Tony nous rejoignait parfois pour jouer aux cartes. Ma belle-mère et Dick Kelley ont été magnifiques.

Contre vents et marées, ma fille a continué de m'aimer et de me défendre. Surtout, Hillary ne m'a jamais refusé son amour ni son soutien. Depuis notre première rencontre j'aimais son rire. Au beau milieu de ces événements absurdes, nous avons recommencé à rire ensemble, unis par nos séances hebdomadaires de thérapie et par notre volonté d'anéantir cette tentative de coup d'État d'extrême droite. J'ai presque fini par éprouver de la reconnaissance envers mes détracteurs : qui d'autre aurait pu me faire regagner l'admiration de Hillary ? J'ai même été autorisé à quitter le divan.

Entre ma déposition dans l'affaire Jones et mon acquittement par le Sénat, il s'était écoulé une longue année. Chaque soir ou presque, chez moi ou à la Maison Blanche, je lisais la Bible ou des livres traitant du pardon ou de la foi ; j'ai relu *L'Imitation de Jésus-Christ* de Thomas à Kempis, les *Méditations* de Marc Aurèle et certaines lettres particulièrement profondes que j'avais reçues au fil des ans, notamment un cycle de brefs sermons de Menachem Genack, rabbin à Englewood dans le New Jersey. J'ai été touché par *Seventy Times Seven*, un ouvrage sur le pardon dû à Johann Christoph Arnold, doyen du Bruderhof, communauté chrétienne dont les membres se sont installés en Angleterre et dans le nord-est des États-Unis.

Je conserve les poèmes, prières et citations que l'on m'a envoyés – ou que l'on a glissé dans ma main à l'occasion d'une apparition publique. Et je possède deux pierres sur lesquelles figure un verset du Nouveau Testament (Jean, VIII : 7) ; alors que Jésus rencontre pour la dernière fois les pharisiens, ceux-ci lui amènent une femme adultère que la loi de Moïse leur ordonne de lapider. Et de provoquer Jésus : « Quel est donc sur cela ton sentiment ? » Au lieu de leur répondre, Jésus se penche et se met à écrire du bout du doigt sur le sol, comme s'il ne les avait pas entendus. Mais les pharisiens continuent de l'interroger, et Jésus se redresse pour répondre : « Que celui d'entre vous qui est sans péché lui jette la première pierre. » L'ayant entendu parler ainsi, « ils se retirèrent l'un après l'autre, les vieillards sortant les premiers ». Resté seul avec la femme, Jésus lui demande : « Femme, où sont tes accusateurs ? Personne ne t'a-t-il condamnée ? » Et elle répond : « Non, Seigneur. » Et Jésus lui dit : « Je ne te condamne pas non plus. »

J'ai reçu beaucoup de pierres, et ces blessures à moi-même infligées m'ont exposé aux regards du monde. Cela, d'une certaine manière, a été pour moi extrêmement libérateur : je n'avais plus rien à cacher. En essayant de comprendre le pourquoi de mes erreurs, j'ai également voulu comprendre pourquoi mes adversaires éprouvaient une telle haine à mon endroit, pourquoi ils agissaient et parlaient en si flagrante contradiction avec les principes moraux qu'ils professaient. Je n'ai jamais apprécié que l'on me soumette à des analyses psychanalytiques, mais il me semble que, parmi mes plus féroces ennemis dans les groupes religieux et politiques d'extrême droite, parmi les journalistes les plus acharnés, la plupart avaient trouvé une forme de sécurité dans un métier qui leur permettait de juger sans être jugés, de blesser sans être blessés.

La conscience que j'ai de ma propre mortalité et de la fragilité de l'homme, l'amour inconditionnel que j'ai reçu dans mon enfance m'ont épargné le désir de juger et de condamner autrui. J'ai toujours pensé que mes défauts personnels, quels qu'ils soient, menaçaient bien moins notre gouvernement démocratique que la soif de pouvoir de mes accusateurs. Vers la fin du mois de janvier, j'avais reçu une lettre émouvante de Bill Ziff, un homme d'affaires new-yorkais que je ne connaissais pas mais dont le fils était un ami personnel. Il se disait désolé de la souffrance que Hillary et moi avions dû endurer, mais ajoutait que cette souffrance n'avait pas été vaine puisque le peuple américain faisait preuve de maturité et d'intelligence en rejetant ces « mollahs qui vivent parmi nous et veulent tout diaboliser ; sans le vouloir, certes, vous les avez amenés à abattre leur jeu, vous les avez démasqués plus sûrement qu'aucun autre Président avant vous, Roosevelt compris ».

Quelles que fussent les motivations de mes adversaires, il m'est apparu clairement, lors de mes soirées solitaires au bureau, que si je voulais obtenir des autres un peu de compassion, il fallait le montrer, même à ceux qui risquaient de se détourner. De quoi pouvais-je me plaindre ? Jamais je ne serais un homme parfait, mais du moins Hillary avait retrouvé le goût de rire, Chelsea excellait à Stanford, j'aimais passionnément mon métier, et le printemps était tout proche.

CHAPITRE CINQUANTE-DEUX

Le 19 février, une semaine après le vote du Sénat, j'ai adressé les premières excuses posthumes jamais offertes par un président à Henry Flipper, le premier diplômé noir de West Point, qui, pour des raisons raciales, avait été condamné à tort pour conduite indigne d'un officier, cent dix-sept ans auparavant. Un tel acte peut paraître sans importance, comparé aux autres devoirs d'un président, mais j'estime que les erreurs historiques doivent être réparées, non seulement pour les descendants de ceux qui ont été injustement traités, mais pour tous.

La dernière semaine du mois, Paul Begala a annoncé qu'il quittait la Maison Blanche. J'appréciais énormément sa présence parce qu'il était intelligent, drôle, combatif, efficace et qu'il me suivait depuis le New Hampshire. Mais il avait aussi de jeunes enfants qui méritaient de voir leur père plus souvent. Paul s'était tenu à mes côtés pendant toute la bataille de la mise en accusation ; maintenant, il devait partir.

En dehors de l'affaire Whitewater, les seules nouvelles ont été le vote par l'association du barreau américain d'une résolution demandant l'abrogation de la loi sur les procureurs indépendants, et un bulletin d'information disant que le département de la Justice enquêtait pour savoir si Kenneth Starr avait menti à Janet Reno sur l'implication de son cabinet dans l'affaire Jones et sur les raisons pour lesquelles il avait ajouté l'affaire Lewinsky à sa juridiction.

Mars a commencé avec une bonne nouvelle : après des mois de négociations complexes, l'administration avait réussi à préserver le plus grand groupe de vieux séquoias du monde, la Headwaters Forest, au nord de la Californie. La semaine suivante, j'ai fait un voyage de quatre jours au Nicaragua, au Salvador, au Honduras et au Guatemala pour inaugurer une nouvelle ère de coopération démocratique dans une région où, peu de temps auparavant, l'Amérique avait soutenu des régimes répressifs violant systématiquement les droits de l'homme pour autant qu'ils étaient anticommunistes. Constater les dégâts causés par une catastrophe naturelle, que des troupes américaines aidaient à réparer, m'adresser au Parlement du Salvador où les anciens adversaires d'une guerre civile meurtrière siégeaient tranquillement côte à côte, présenter des excuses pour le comportement passé des États-Unis au Guatemala – voilà comment j'ai manifesté qu'une nouvelle ère de progrès démocratique était en marche et que je tenais à la soutenir.

Au moment où je suis rentré, une nouvelle guerre s'annonçait dans les Balkans, au Kosovo cette fois. Un an plus tôt, les Serbes avaient lancé une offensive contre les Albanais rebelles du Kosovo, tuant un grand nombre d'innocents ; des femmes et des enfants étaient morts brûlés dans leur propre maison. Les dernières attaques serbes avaient déclenché un autre exode de réfugiés et accru le désir d'indépendance des Kosovars albanais. Ces tueries rappelaient les premiers jours de la guerre en Bosnie, pays qui, comme le Kosovo, se trouve à cheval sur la ligne de partage entre musulmans européens et orthodoxes serbes, frontière invisible le long de laquelle des conflits éclatent périodiquement depuis six cents ans.

En 1974, Tito avait accordé son autonomie au Kosovo, avec un gouvernement régional et le contrôle sur ses écoles. En 1989, Milosevic avait repris cette autonomie. Depuis, les tensions n'avaient cessé de croître, pour exploser après l'indépendance de la Bosnie, en 1995. J'étais bien décidé à ne pas laisser le Kosovo se transformer en une nouvelle Bosnie. Madeleine Albright l'était également.

En avril 1998, les Nations unies avaient imposé un embargo sur les armes, les États-Unis et leurs alliés avaient imposé des sanctions économiques à la Serbie pour n'avoir pas mis fin aux hostilités et entrepris un dialogue avec les Kosovars albanais. Vers la mi-juin, l'OTAN avait commencé à élaborer des projets d'intervention militaire pour mettre fin à la violence. Au début de l'été, Dick Holbrooke s'était à nouveau rendu dans la région pour tenter de trouver une solution diplomatique à l'impasse.

À la mi-juillet, les forces serbes avaient attaqué des Kosovars armés ou non, agression qui, en se prolongeant, allait obliger trois cent mille Kosovars de plus à quitter leur maison. Fin septembre, le Conseil de sécurité de l'ONU avait adopté une nouvelle résolution réclamant la fin des hostilités, et nous avons une fois de plus envoyé Holbrooke à Belgrade pour qu'il tente de raisonner Milosevic.

Le 13 octobre, l'OTAN avait menacé d'attaquer la Serbie quatre jours plus tard si les résolutions de l'ONU n'étaient pas observées. Quatre mille hommes des forces spéciales yougoslaves ayant quitté le Kosovo, les frappes aériennes ont été reportées. Ensuite, la situation s'est un peu améliorée, mais en janvier 1999, les Serbes ont recommencé à massacrer des innocents au Kosovo, et la réaction de l'OTAN paraissait inévitable. Nous avons une fois de plus décidé de recourir à la diplomatie, mais je n'étais pas optimiste. Les objectifs des parties étaient pratiquement inconciliables. Les États-Unis et l'OTAN voulaient que le Kosovo retrouve l'autonomie politique que lui garantissait la Constitution yougoslave de 1974 à 1989 et que Milosevic lui avait retirée, et nous voulions qu'une force de maintien de la paix, commandée par l'OTAN, garantisse la sécurité des civils kosovars, y compris la minorité serbe. Milosevic voulait garder le contrôle du Kosovo et s'opposait à tout déploiement de militaires étrangers dans la région. Les Albanais du Kosovo voulaient l'indépendance. Mais ils étaient divisés entre eux. Ibrahim Rugova, chef du gouvernement fantôme, était un homme à la voix douce qui aimait porter une écharpe autour du cou. J'étais convaincu qu'avec lui, nous pourrions nous entendre, mais avec l'autre faction kosovare, l'Armée de libération du Kosovo (UCK), commandée par le jeune Hacim Thaci, j'en étais moins sûr.

Les différentes parties se sont réunies en France, à Rambouillet, le 6 février, pour mettre au point les détails d'un accord qui rendrait l'autonomie au Kosovo, protégerait ses habitants de l'oppression grâce à des forces sous responsabilité de l'OTAN, désarmerait l'UCK et permettrait à l'armée serbe de continuer à patrouiller le long des frontières. Madeleine Albright et son homologue britannique, Robin Cook, défendaient ardemment ce projet. Après une semaine de négociations coordonnées par l'ambassadeur américain Chris Hill et ses homologues de l'Union européenne et de la Russie, Madeleine a compris que notre position était dénoncée par les deux parties : les Serbes ne voulaient pas d'une force de paix commandée par l'OTAN et les Kosovars ne voulaient pas de l'autonomie sans la garantie qu'un référendum sur l'indépendance serait organisé. L'UCK, pour sa part, n'était pas prête à se laisser désarmer, parce que ses chefs n'étaient pas sûrs de pouvoir faire confiance aux forces de l'OTAN pour les protéger. Notre équipe décida de rédiger l'accord sans éliminer complètement l'éventualité d'un référendum mais en la repoussant à plus tard.

Le 23 février, les Albanais kosovars, y compris Thaci, ont accepté le principe de l'accord, sont rentrés chez eux pour le faire accepter à leur peuple et sont revenus à Paris en mars pour signer le document final. Les Serbes ont boycotté la cérémonie, et quatre mille soldats serbes se sont massés autour et à l'intérieur du Kosovo tandis que Milosevic affirmait qu'il n'autoriserait jamais la présence de troupes étrangères sur le sol yougoslave. J'ai encore une fois envoyé Dick Holbrooke pour essayer de le convaincre, mais Milosevic n'a pas cédé.

Le 23 mars, avec mon accord, Javier Solana, le secrétaire général de l'OTAN, a demandé au général Wesley Clark de déclencher les frappes aériennes. Le même jour, à la majorité de 58 voix contre 41, le Sénat a accepté de soutenir cette action. Un peu plus tôt, la Chambre avait voté, par 219 voix contre 191, pour l'envoi de troupes américaines au Kosovo si un accord de paix était trouvé. Parmi les Républicains éminents qui s'étaient prononcés pour cette décision, il y avait Dennis Hastert, le nouveau porte-parole, et Henry Hyde. Lorsque Hyde avait dit que l'Amérique devait s'opposer à Milosevic et à son nettoyage ethnique, j'avais souri en me disant qu'après tout le Dr Jeckyll n'était peut-être pas loin.

Si la majorité du Congrès et tous nos alliés de l'OTAN étaient favorables aux frappes aériennes, la Russie ne l'était pas. Le Premier ministre Yevgeny Primakov était en route vers les États-Unis pour rencontrer Al Gore, mais quand celui-ci l'a informé que l'attaque de la Yougoslavie par l'OTAN était imminente, Primakov a fait faire demi-tour a son avion pour rentrer à Moscou.

Le 24, j'ai informé le peuple américain de mes décisions et des raisons qui m'avaient poussé à les prendre. J'ai expliqué que Milosevic avait privé les Kosovars de leur autonomie et du droit, garanti par la Constitution, de parler leur propre langue, de gérer leurs écoles et de se gouverner eux-mêmes. J'ai décrit les atrocités commises par les Serbes : massacres de civils et destruction de villages par le feu obligeant les gens à quitter leurs maisons, soixante mille personnes au cours des cinq semaines précédentes, un quart de million en tout. Enfin, j'ai replacé les événements dans leur contexte des guerres que Milosevic avait menées contre la Bosnie et la Croatie et j'ai évoqué l'impact négatif qu'avaient ces nouveaux massacres pour l'avenir de l'Europe.

Les bombardements avaient trois objectifs : montrer à Milosevic que nous étions bien décidés à empêcher une nouvelle phase de nettoyage ethnique, prévenir une offensive encore plus sanglante contre des civils innocents au Kosovo et, si Milosevic persistait, détruire une bonne partie de la force militaire des Serbes.

Ce soir-là, les frappes aériennes de l'OTAN commencèrent. Elles allaient durer onze semaines, puisque Milosevic continuait à tuer des Albanais kosovars et jetait presque un million de personnes sur les routes de l'exil. Les bombardements allaient infliger de graves dommages à l'infrastructure militaire et économique de la Serbie. Malheureusement, il y eut quelques erreurs de tir qui firent des victimes parmi ces gens que nous voulions protéger.

Certains ont prétendu que notre position aurait été plus défendable si nous avions envoyé des troupes sur le terrain. À cet argument, je répondrai deux choses. Tout d'abord, avant que les soldats aient pris position en nombre suffisant et avec le soutien logistique nécessaire, les Serbes auraient eu le temps de faire beaucoup de dégâts. Ensuite, les victimes civiles d'une offensive au sol auraient sans doute été plus nombreuses que celles des bombes mal dirigées. Je ne voyais pas pourquoi j'aurais dû adopter une stratégie plus coûteuse en vies américaines et qui n'aurait pas augmenté nos chances de réussite. Notre stratégie allait souvent être remise en question mais jamais abandonnée.

À la fin du mois, l'indice de clôture de la Bourse dépassait 10 000 pour la première fois, alors qu'il était à 3200 quand j'étais entré en fonctions. Au même moment, j'ai donné une interview à Dan Rather de la chaîne de télévision CBS. Après une longue discussion à propos du Kosovo, Dan m'a demandé si j'allais bientôt être le mari d'un sénateur des États-Unis. Il faut dire que beaucoup d'officiels s'étaient joints à Charlie Rangel pour inciter Hillary à s'engager dans la course. J'ai dit à Rather que j'ignorais quelle décision elle allait prendre, mais que, si elle se présentait et si elle gagnait, « elle serait [un sénateur] formidable ».

En avril, le conflit au Kosovo s'est intensifié et nous avons resserré les bombardements jusqu'à la périphérie de Belgrade, frappant le ministère de l'Intérieur, les bâtiments de la télévision nationale serbe, le quartier général du parti de Milosevic et son domicile. Nous avons aussi considérablement augmenté notre soutien financier à l'Albanie et à la Macédoine ainsi que le nombre de nos hommes sur leur territoire pour les aider à accueillir la masse des réfugiés qui affluait quotidiennement chez eux. À la fin du mois, comme Milosevic n'avait toujours pas cédé, l'opposition à notre politique s'exprima sur deux fronts. Tony Blair et certains des membres du Congrès pensaient qu'il était temps d'envoyer des soldats de l'armée de Terre, tandis que la Chambre des représentants votait pour nous interdire l'envoi de ces troupes sans l'accord préalable du Congrès.

Je croyais toujours à la réussite de notre campagne aérienne, et j'espérais que nous pourrions éviter d'envoyer des troupes tant que ce ne serait pas pour préserver la paix. Le 14 avril, j'ai téléphoné à Boris Eltsine pour lui demander la participation de troupes russes à une force de maintien de la paix qui entrerait en fonction dès la fin du conflit. Je pensais que, comme en Bosnie, la présence de soldats russes contribuerait à assurer la protection de la minorité serbe et permettrait à Milosevic d'abandonner son opposition à la présence de troupes étrangères sans perdre la face.

Il s'est encore passé bien des choses au mois d'avril. Le 5, la Libye a finalement extradé deux suspects dans l'attentat de 1988 contre l'avion de la Pan Am au-dessus de Lockerbie, en Écosse. Ils seraient jugés devant la Cour internationale de La Haye par des juges écossais. La Maison Blanche était fortement impliquée dans cette affaire depuis plusieurs années. J'étais intervenu auprès des Libyens pour qu'ils livrent les suspects, et la Maison Blanche s'était occupée des familles des victimes en les tenant informées et en approuvant la construction d'un mémorial au cimetière national d'Arlington. Ce fut le commencement de la détente dans les relations américano-libyennes.

Pendant la deuxième semaine du mois, le Premier ministre chinois Zhu Rongji est venu pour la première fois à la Maison Blanche, dans l'espoir d'aplanir les derniers obstacles s'opposant à l'entrée de son pays dans l'Organisation mondiale du commerce. Nous avions déjà bien travaillé au rapprochement de nos positions, mais tous les problèmes n'étaient pas réglés, notamment notre désir d'accéder plus largement au marché de l'automobile chinois et l'insistance de la Chine pour limiter à cinq ans l'accord selon lequel les États-Unis pourraient freiner un accroissement brutal des importations chinoises qui serait dû à des raisons autres que purement économiques. C'était une question importante pour l'Amérique parce que nous avions déjà connu un afflux considérable d'acier importé de Russie, du Japon et d'ailleurs.

Charlene Barshefsky m'a dit que les Chinois avaient fait beaucoup d'efforts et qu'il serait bon de conclure notre accord pendant que Zhu était aux États-Unis, pour éviter de l'affaiblir dans son pays. Madeleine Albright et Sandy Berger étaient du même avis. Le reste du conseil économique – Rubin, Summers, Sperling et Daley – de même que John Podesta et mon conseiller législatif Larry Stein n'étaient pas d'accord. Ils estimaient que si nous n'allions pas plus loin dans les discussions, le Congrès rejetterait l'accord, et la Chine n'aurait plus aucune chance d'entrer dans l'OMC.

J'ai eu un entretien avec Zhu le soir précédant le début de sa visite officielle. Je lui ai dit franchement que mes conseillers étaient divisés mais que nous allions travailler toute la nuit s'il était important que l'affaire soit conclue pendant qu'il était aux États-Unis. Zhu a répondu que si le moment n'était pas bien choisi, mieux valait attendre.

Malheureusement, le bruit a couru que l'accord était conclu et, quand il est apparu que ce n'était pas vrai, Zhu s'est vu reprocher les concessions qu'il avait faites et j'ai moi-même été critiqué pour avoir refusé un accord intéressant sous la pression des opposants à l'entrée de la Chine dans l'OMC. L'affaire s'est encore compliquée à cause des histoires antichinoises que la presse a fait circuler. Les allégations selon lesquelles le gouvernement chinois aurait mis des fonds dans la campagne de 1996 n'avaient toujours pas été démenties, et Wen Ho Lee, un Américain d'origine chinoise employé au Laboratoire national de l'énergie à Los Alamos, au Nouveau-Mexique, avait été accusé de vol d'informations technologiques sensibles au profit de la Chine. Toute mon équipe voulait que la Chine soit intégrée à l'OMC cette année-là, mais ça n'allait pas être facile.

Le 12 avril, un jury a rendu son verdict dans l'affaire Kenneth Starr contre Susan McDougal qui était accusée d'obstruction à la justice et d'outrage criminel pour son refus obstiné de témoigner devant le Grand Jury. Pour le délit d'obstruction à la justice elle a été acquittée et, d'après ce qu'ont dit les médias, le Jury a eu du mal à se départager (7 voix contre 5) sur la question de l'outrage à la cour. C'était un verdict surprenant. McDougal a reconnu ne pas s'être rendue à une convocation au tribunal parce qu'elle n'avait pas confiance en Starr ni en son assistant, Hick Ewing. Elle a affirmé que, devant cette cour ouverte, elle serait heureuse de répondre à toute question que l'OIC voulait lui poser dans le secret des procédures du Grand Jury. Elle a dit que, malgré l'immunité qu'on lui avait promise, elle avait refusé de coopérer avec l'OIC parce que Starr et son équipe l'avaient plusieurs fois incitée à mentir pour incriminer Hillary ou moi, et que si elle avait dit la vérité, elle était certaine que Starr l'aurait mise en accusation pour avoir refusé de mentir. Pour conclure, elle a appelé Julie Hiatt Steele qui a témoigné que Starr l'avait effectivement mise en accusation après qu'elle eut par deux fois refusé de mentir pour lui pendant une procédure du Grand Jury.

Cette victoire ne pouvait pas rendre à Susan McDougal ses années perdues, mais le procès avait été un sérieux revers pour Starr et un véritable triomphe pour tous les gens dont la vie et les économies avaient été détruites.

Le 20, l'Amérique a connu une nouvelle tuerie épouvantable. Au lycée de Columbine, à Littleton, dans le Colorado, deux élèves armés jusqu'aux dents ont ouvert le feu sur leurs camarades, en tuant douze et en blessant plus de vingt autres avant de retourner leurs armes contre eux-mêmes. Mais les victimes auraient pu être plus nombreuses encore. Un professeur, qui mourut plus tard de ses blessures, avait mis beaucoup d'élèves à l'abri. Des sauveteurs et des policiers avaient aussi sauvé des vies. Une semaine plus tard, avec un groupe de parlementaires et de maires des deux partis, j'ai annoncé des mesures pour que les armes à feu tombent moins facilement entre de mauvaises mains : appliquer la loi Brady sur la prohibition de la détention d'armes par des jeunes réputés violents ; limiter la vente d'armes à l'occasion des foires-expositions ;

mettre un frein au trafic illégal d'armes à feu ; et interdire aux jeunes la possession de fusils d'assaut. J'ai également proposé des fonds pour aider les écoles à mettre en place des programmes de prévention de la violence et de résolution des conflits comme celui que je venais de découvrir à la T.C. Williams High School à Alexandria, en Virginie.

Le sénateur Trent Lott, leader de la majorité, a qualifié mon initiative de « réaction instinctive typique », et Tom DeLay m'a accusé d'exploiter la fusillade de Columbine à des fins politiques. Mais le principal sponsor ayant participé à ce projet, la représentante de New York Carolyn McCarthy, ne s'intéressait pas à la politique ; son mari avait été tué et son fils gravement blessé dans un train de banlieue par un désaxé qui n'aurait jamais dû avoir d'arme en sa possession. La NRA et ses partisans ont mis en cause la violence de notre culture. J'ai reconnu que les enfants étaient effectivement exposés à trop de violence ; c'est pourquoi je soutenais le projet d'Al et Tipper Gore qui consistait à équiper les téléviseurs de puces-V permettant aux parents de limiter l'accès des enfants aux spectacles violents. Mais la violence de notre culture ne faisait que renforcer notre décision de faire en sorte que les armes ne puissent pas tomber entre les mains des enfants, des criminels et des personnes mentalement instables.

À la fin du mois, Hillary et moi avons accueilli le plus grand rassemblement de chefs d'État jamais réunis à Washington, lorsque les chefs de l'OTAN et ceux des États appartenant au Partenariat pour la Paix se sont retrouvés pour célébrer le cinquantième anniversaire de l'OTAN et pour réaffirmer notre détermination à l'emporter au Kosovo. Ensuite, Al From du *DLC* et Sidney Blumenthal ont organisé une nouvelle conférence sur la « troisième voie » afin d'exposer les valeurs, les idées et les stratégies que Tony Blair et moi partagions avec Gerhardt Schroeder d'Allemagne, Wim Kok des Pays-Bas et Massimo D'Alema, le nouveau Premier ministre italien. Cette fois, je m'étais fixé pour objectif la constitution d'un consensus mondial sur les politiques économique, sociale et sécuritaire qui, en resserrant les liens d'interdépendance positive et en minimisant les forces de désintégration et de destruction, serait encore utile à l'Amérique et au monde bien après la fin de mon mandat. Le mouvement de la troisième voie ainsi que l'élargissement de l'OTAN et de sa mission nous avaient fait avancer dans la bonne direction mais, comme cela arrive souvent avec les projets les plus soigneusement élaborés, ils allaient être dépassés et réorientés par les événements, l'opposition croissante à la mondialisation et la vague de terrorisme, en particulier.

Début mai, peu après que Jesse Jackson eut persuadé Milosevic de relâcher deux soldats américains capturés par les Serbes le long de leur frontière avec la Macédoine, deux de nos hommes sont morts dans l'accident de leur hélicoptère pendant un exercice d'entraînement ; ce seraient les seules victimes américaines du conflit. Boris Eltsine a envoyé Victor Chernomyrdine à Washington pour discuter avec moi de l'intérêt des Russes dans la fin de la guerre et de sa volonté apparente de participer à la force de maintien de la paix qui serait mise en place. En attendant, nous maintenions la pression et j'ai accordé à Wes Clark cent soixante-seize avions supplémentaires.

Le 7 mai, nous avons subi le revers politique le plus grave de ce conflit avec le bombardement de l'ambassade chinoise à Belgrade et la mort de trois citoyens chinois. J'ai très vite appris que la cible visée était la bonne, mais qu'elle avait été identifiée sur de vieilles cartes de la CIA comme un bâtiment officiel serbe utilisé à des fins militaires. C'était le genre d'erreurs que nous nous étions toujours efforcés d'éviter. Les militaires se servaient surtout de photographies aériennes pour repérer leurs cibles. J'avais pris l'habitude de retrouver Bill Cohen, Hugh Shelton et Sandy Berger plusieurs fois par semaine pour déterminer les cibles dont le bombardement limiterait la capacité offensive de Milosevic tout en faisant le moins de victimes civiles possible. Consterné et profondément bouleversé par cette erreur, j'ai immédiatement téléphoné à Jiang Zemin pour lui présenter mes excuses. Il n'a pas voulu me parler, si bien que j'ai fait des excuses publiques et répétées.

Au cours des trois jours suivants, les manifestations se sont multipliées dans toute la Chine. Elles ont été particulièrement importantes autour de l'ambassade américaine à Pékin, et l'ambassadeur Sasser s'est trouvé assiégé. Les Chinois pensaient que l'attaque avait été délibérée et refusaient d'accepter mes excuses. Lorsque j'ai enfin pu parler au président Jiang, le 14, j'ai commencé par m'excuser à nouveau avant de lui dire que je ne pensais pas qu'il avait pu croire que j'avais sciemment attaqué son ambassade. Jiang a répondu qu'effectivement, il ne me croyait pas responsable, mais qu'il y avait sans doute à la CIA et au Pentagone des gens qui n'appréciaient pas ma politique envers la Chine et qui pouvaient avoir truqué les cartes pour provoquer un désaccord entre nous. Jiang avait du mal à croire qu'une nation aussi technologiquement en pointe que la nôtre puisse commettre de telles erreurs.

Moi aussi j'avais du mal à le croire, mais c'était ainsi. Nous avons fini par dépasser ce problème, mais non sans mal. Je venais de nommer l'amiral Joe Prueher, qui prenait sa retraite de commandant en chef de nos forces dans le Pacifique, au poste de nouvel ambassadeur américain en Chine. Il était très respecté par les militaires chinois, et je le croyais capable de contribuer à la normalisation de nos relations.

Fin mai, l'OTAN a approuvé l'envoi au Kosovo d'une force de maintien de la paix de quarante-huit mille hommes une fois le conflit terminé, et nous avons commencé à discuter calmement la possibilité d'envoyer des troupes plus tôt si la campagne aérienne s'avérait insuffisante au moment où les gens risqueraient d'être bloqués dans les montagnes par l'hiver. Sandy Berger préparait un mémorandum sur les différentes options possibles, et j'étais prêt à envoyer des soldats si nécessaire, mais j'avais toujours confiance dans le succès des bombardements aériens. Le 27, Milosevic était mis en accusation par le tribunal de La Haye.

Sur le plan international, le mois de mai fut riche en événements. Le 15, Boris Eltsine faillit être destitué par la Douma. Le 17, Nétanyahou fut battu aux élections par le leader du parti travailliste, le général retraité Ehoud Barak, le soldat le plus décoré de l'histoire d'Israël. Barak ressemblait à un homme de la Renaissance : il avait fait des études de troisième cycle et de la recherche en économie à Stanford, il jouait du piano avec l'aisance d'un concertiste, et pour se détendre, il réparait des horloges. Il n'était entré en politique que depuis quelques années, et ses cheveux ras, son regard intense et sa façon de parler, brutale et saccadée, reflétaient plus son passé militaire que les eaux politiques troubles dans lesquelles il devait maintenant naviguer. Sa victoire montrait clairement que les Israéliens voyaient en lui ce qu'ils avaient vu dans l'homme qui lui servait de modèle, Yitzhak Rabin : la possibilité d'une paix dans la sécurité. Élu avec une confortable majorité, Barak pouvait s'appuyer, à la Knesset, sur une coalition qui le soutiendrait dans son difficile trajet vers la paix, chance que Nétanyahou n'avait jamais eue.

Le lendemain, le roi Abdullah de Jordanie est venu me voir, plein d'espoir pour la paix et déterminé à être le digne successeur de son père. De toute évidence, il comprenait les défis que son pays aurait à relever et le processus de paix. J'ai été frappé par sa connaissance des questions économiques et de l'importance de la croissance comme facteur de paix et de réconciliation. Cette rencontre m'a convaincu que le roi et son épouse, la reine Rania, exerceraient une influence positive dans la région pendant de longues années.

Le 26 mai, Bill Perry remettait à Kim Jong Il, le dirigeant nord-coréen, une lettre de moi proposant une feuille de route pour l'avenir où l'Amérique lui fournirait une aide importante et diversifiée si, et seulement si, il renonçait à se doter d'armes nucléaires et de missiles de longue portée. En 1998, la Corée-du-Nord avait pris la décision constructive de mettre fin à ses essais de missiles, et je pensais que la mission de Perry avait de bonnes chances de réussir.

Deux jours plus tard, Hillary et moi sommes allés à White Oak, en Floride, où se trouve la plus grande réserve de faune sauvage des États-Unis. Je me suis levé à 4 heures du matin pour suivre, à la télévision, la cérémonie d'investiture du nouveau président du Nigeria, l'ex-général Olusegun Obasanjo. Depuis qu'il avait conquis son indépendance, le Nigeria était déstabilisé par la corruption, des conflits régionaux et religieux et des conditions sociales de plus en plus dégradées. Bien que producteur de pétrole, le pays souffrait régulièrement de pannes d'énergie et de manque de carburant. Obasanjo avait brièvement pris le pouvoir à la suite d'un coup d'État militaire, dans les années 1970, et avait tenu sa promesse de se retirer dès que de nouvelles élections seraient organisées. Plus tard, il avait été emprisonné pour ses idées politiques, il était devenu profondément catholique et avait écrit des livres sur sa foi. Il était difficile d'imaginer un avenir lumineux pour l'Afrique subsaharienne si le Nigeria, le pays le plus peuplé de la région, ne sortait pas de ses difficultés. Après avoir écouté le discours inaugural d'Obasanjo, j'ai espéré qu'il réussirait là où les autres avaient échoué.

Sur le plan intérieur, j'ai commencé le mois de mai en annonçant d'importantes mesures concernant la qualité de l'air. Nous avions déjà réduit de 90 % la pollution de l'air par les usines chimiques, et imposé des mesures sévères pour réduire les émissions de fumée et de suie qui provoquaient de l'asthme chez des millions d'enfants. Le 1er mai, j'ai dit qu'après avoir longuement consulté des industriels, des groupes de consommateurs et d'écologistes, l'administrateur de l'EPA Carol Browner allait promulguer un règlement obligeant tous les véhicules de tourisme à respecter les mêmes critères de non-pollution et que nous allions réduire de 90 % en cinq ans la teneur de l'essence en soufre.

J'ai annoncé de nouvelles mesures destinées à combattre la criminalité , dégagement des fonds nécessaires à l'augmentation des effectifs de police patrouillant dans les rues (plus de cinq mille policiers supplémentaires étant déjà en poste) ; extension du programme consistant à engager cinq mille officiers de police de plus pour s'occuper des affaires de grande criminalité ; pénalisation de la possession d'agents biologiques susceptibles d'entrer dans la fabrication d'armes terroristes pour tous ceux qui n'auraient pas une raison légitime d'en posséder.

Le 12 mai, il s'est produit une chose que je n'aurais jamais voulu voir se produire. Bob Rubin a quitté le gouvernement. Il avait été, selon moi, le meilleur et le plus important secrétaire au Trésor depuis Alexander Hamilton, au tout début de notre république. Bob avait aussi été le premier directeur du Conseil économique national. À ces deux postes, il avait joué un rôle décisif dans nos efforts pour restaurer la croissance économique et étendre ses bénéfices à un plus grand nombre d'Américains, pour prévenir et limiter les crises financières à l'étranger, et pour moderniser le système financier international afin de l'adapter à une économie mondiale dans laquelle nous investissions quotidiennement plus de un milliard de dollars. Pendant l'épreuve de mise en accusation, il m'avait apporté une aide précieuse en prenant la parole lors de la réunion où j'avais présenté mes excuses au gouvernement et en rappelant régulièrement aux membres du cabinet qu'ils devraient être fiers de ce qu'ils faisaient et ne pas porter de jugements trop durs. À l'un des plus jeunes d'entre nous, il avait dit que s'il vivait assez longtemps il commettrait, lui aussi, des erreurs dont il aurait à rougir.

Lorsque Bob était entré dans l'administration, il était probablement l'un des plus riches d'entre nous. Quand il avait soutenu le plan économique de 1993, avec ses augmentations d'impôts pour les plus hauts revenus, j'avais blagué en disant : « Bob Rubin est venu à Washington pour m'aider à sauver la classe moyenne et, le jour où il partira, il en fera partie. » Maintenant qu'il quittait la vie publique, je ne m'inquiétais plus pour lui.

Pour le remplacer, j'ai désigné son adjoint Larry Summers. Très capable, Larry s'était trouvé pendant six ans au cœur de tous les problèmes économiques majeurs, et il était prêt. J'ai aussi nommé Stu Eizenstat, sous-secrétaire d'État pour les affaires économiques, au poste de secrétaire adjoint au Trésor. Stu s'était fort bien occupé d'une foule de missions importantes, la moindre n'étant pas la question de l'or des nazis. C'est Edgar Bronfman Sr. qui avait attiré notre attention sur cette question en contactant Hillary qui avait amorcé le mouvement par une première réunion. Eizenstat avait ensuite joué un rôle de premier plan pour obtenir justice et réparation pour les survivants de l'Holocauste et leurs familles dont les biens avaient été confisqués au moment où on les embarquait vers les camps de concentration.

Un peu plus tard, Hillary et moi sommes allés au Colorado pour rencontrer les élèves du lycée Columbine et leurs parents. Quelques jours avant, le Sénat avait adopté ma proposition de rendre illégale l'importation de gros chargeurs destinés à contourner l'interdiction des armes d'assaut et d'interdire la détention de fusils d'assaut par les jeunes. Et, pour contrecarrer la campagne déclenchée par la NRA, Al Gore avait fait passer, de force, la proposition interdisant de vendre des armes, pendant les foires-expositions, à des personnes dont le passé n'aurait pas été vérifié.

Si la communauté de Littleton était toujours en deuil, les élèves avaient repris les cours à Columbine et, comme leurs parents, ils paraissaient déterminés à faire quelque chose pour éviter que se produisent d'autres drames du même genre. Ils savaient que, s'il y avait eu d'autres fusillades en milieu scolaire, c'était celle de Columbine qui avait touché l'âme des Américains. Je leur ai dit qu'ils pouvaient aider l'Amérique à se construire un avenir plus sûr à cause de ce qu'ils avaient enduré. Si le Congrès ne vota pas la proposition sur les foires-expositions aux élections de 2000, les conservateurs du Colorado adoptèrent cette mesure pour leur État à une large majorité, à cause de Columbine.

L'affaire Whitewater n'était toujours pas terminée, en mai, puisque Kenneth Starr continuait à poursuivre Julie Hiatt Steele, malgré sa défaite dans le procès contre Susan McDougal. Mais l'affaire tourna court, le jury n'arrivant pas à se mettre d'accord ; c'était un nouveau revers pour ce procureur indépendant et ses tactiques. Après les tentatives de Starr pour s'immiscer dans l'affaire Paula Jones, la seule personne qu'il avait réussi à mettre en accusation, c'était Steele, autre témoin innocent qui refusa de mentir. Le cabinet de Starr avait maintenant perdu trois des quatre procès qu'il avait intentés.

En juin, les raids aériens contre les Serbes ont fini par briser la résistance de Milosevic. Le 2, Viktor Chernomyrdine et le président finnois Martti Ahtisaari ont remis personnellement à Milosevic les recommandations de l'OTAN. Le lendemain, Milosevic et le parlement serbe les ont acceptées. Les jours suivants, comme c'était prévisible, il y a eu beaucoup de tension et de discussions autour de points de détail, mais le 9, l'OTAN et les officiels militaires serbes se sont entendus sur le retrait rapide des forces serbes du Kosovo et le déploiement de forces internationales de sécurité sous responsabilité de l'OTAN. Le lendemain, Javier Solana a demandé à Wesley Clark de suspendre les bombardements de l'OTAN, le Conseil de sécurité de l'ONU a adopté une résolution se félicitant de la fin de la guerre, et j'ai annoncé au peuple américain que les bombardements, qui avaient duré soixante-dix-neuf jours, étaient terminés, que les forces serbes se retiraient et que le million d'hommes, de femmes et d'enfants qui avaient dû fuir leurs villages pourraient rentrer chez eux. M'adressant à la nation depuis le Bureau ovale, j'ai remercié nos forces armées pour leur magnifique prestation et le peuple américain pour son opposition au nettoyage ethnique et son soutien généreux aux réfugiés dont un grand nombre étaient sur notre sol.

Le commandant des forces alliées Wesley Clark avait mené cette campagne avec autant de talent que de détermination et, avec Javier Solana ils avaient fait un travail remarquable en maintenant l'unité de l'alliance et en ne cessant jamais de croire à la victoire, dans les mauvais jours comme dans les bons. C'est aussi ce qu'avait fait mon équipe chargée de la sécurité intérieure. Même lorsque, les bombardements n'ayant pas cessé au bout d'une semaine, nous avions été constamment remis en question, Bill Cohen et Hugh Shelton avaient continué à croire que les frappes aériennes seraient efficaces pour peu que nous réussissions à maintenir la coalition pendant deux mois. Al Gore, Madeleine Albright et Sandy Berger n'avaient jamais perdu leur sang-froid malgré les pressions, les angoisses et l'atmosphère chaotique des semaines que nous venions de passer. Al avait joué un rôle essentiel dans notre relation avec la Russie en gardant le contact avec Viktor Chernomyrdine et en s'assurant que nous étions sur les mêmes positions lorsque Chernomyrdine et Ahtisaari étaient allés en Serbie pour persuader Milosevic de renoncer à une vaine résistance.

Le 11, j'ai emmené une délégation de parlementaires à la base aérienne de Whiteman, dans le Missouri, pour remercier personnellement les équipages des bombardiers B-2 furtifs qui avaient fait des allers et retours incessants entre le Missouri et la Serbie pour effectuer les bombardements nocturnes, tâche pour laquelle les B-2 étaient spécialement conçus. En tout, ils avaient fait trente mille sorties au cours de la campagne. Nous n'avions perdu que deux appareils, et leurs équipages avaient été sauvés.

Après le succès de ces raids, John Keegan, sans doute le meilleur historien vivant de la guerre, publia dans la presse britannique un article fascinant sur la campagne du Kosovo. Il admettait qu'au début il ne croyait pas à l'efficacité des bombardements, mais qu'il avait eu tort. Si les opérations du même genre avaient échoué, dans le passé, c'était, disait-il, parce que la plupart des bombes avaient raté leur cible Mais le matériel utilisé au Kosovo était beaucoup plus précis que celui qui avait servi pendant la guerre du Golfe et, si quelques bombes s'étaient égarées au Kosovo et en Serbie, elles avaient tué moins de civils qu'en Irak. Je reste moi-même persuadé que les victimes civiles ont été moins nombreuses que si nous avions envoyé des troupes sur le terrain, chose que je me serais néanmoins résolu à faire plutôt que de laisser Milosevic l'emporter. Le succès de cette campagne du Kosovo ouvrait un nouveau chapitre dans l'hisoire militaire.

Il y eut encore un moment difficile avant que les choses ne s'arrangent. Deux jours après la fin officielle des hostilités, cinquante véhicules venus de Bosnie et transportant environ deux cents soldats russes entraient au Kosovo et occupaient l'aéroport de Pristina sans autorisation préalable de l'OTAN, quatre heures avant l'arrivée des forces de l'OTAN autorisées par l'ONU. Les Russes affirmaient leur intention de prendre le contrôle de l'aéroport.

Wesley Clark était blême. Je ne pouvais pas lui en vouloir, mais je savais que nous n'étions pas au seuil d'une Troisième Guerre mondiale. Eltsine était vivement critiqué, pour sa collaboration avec nous, par les ultranationalistes russes dont les sympaties allaient aux Serbes. J'ai pensé qu'il avait simplement voulu leur jeter un os pour les calmer momentanément. Très vite, le général Michael Jackson, commandant britannique, a résolu le problème sans incident et le 18 juin, le secrétaire à la Défense Cohen et son homologue russe ont conclu un accord selon lequel les troupes russes se joindraient aux forces de l'OTAN agréées par l'ONU au Kosovo. Le 20 juin, l'armée yougoslave finit de se retirer, et deux semaines plus tard à peine, le haut commissaire de l'ONU pour les réfugiés estimait que 765 000 personnes étaient déjà rentrées au Kosovo.

Comme précédemment en Bosnie, il y aurait encore beaucoup à faire au Kosovo : assurer la sécurité des réfugiés qui rentraient chez eux ; nettoyer les champs de mines ; reconstruire villes et villages, fournir de la nourriture, des médicaments et des abris aux sans-logis ; démilitariser l'armée de libération du Kosovo ; créer un environnement sûr pour les Albanais du Kosovo et pour la minorité serbe ; organiser une administration civile ; et restaurer l'économie. C'était un travail énorme, qui serait essentiellement assuré par nos alliés européens, bien que les États-Unis aient pris une très grande part de responsabilité dans la conduite de la guerre.

Malgré les défis qui restaient à relever je me sentais soulagé et satisfait. Après dix ans de guerre sanglante, la campagne de Milosevic pour exploiter des différences ethniques et religieuses afin d'imposer sa volonté à l'ex-Yougoslavie était enfin terminée. Les villages incendiés et les innocents massacrés appartenaient maintenant à l'Histoire, et je savais qu'il ne faudrait que quelques années pour que Milosevic entre, lui aussi, dans l'histoire.

Le jour de l'accord avec la Russie, nous étions en Allemagne, Hillary et moi, pour le sommet annuel du G8 à Cologne, sommet qui fut sans doute l'un des plus importants auxquels j'aie assisté pendant mes huit années à la présidence. Non seulement nous avons célébré notre victoire au Kosovo, mais nous avons aussi approuvé les recommandations de nos ministres des Finances concernant la modernisation des institutions financières internationales et de nos politiques nationales pour les adapter aux nécessités de la mondialisation. Nous avons aussi annoncé une proposition, que j'ai vivement soutenue, selon laquelle les dettes des pays pauvres seraient réduites s'ils acceptaient d'investir l'argent ainsi économisé dans l'éducation, la santé ou le développement économique. Cette initiative allait dans le sens des nombreuses demandes émanant du monde entier, du pape Jean-Paul II, notamment, et de mon ami Bono.

Après le sommet, nous sommes allés en Slovénie pour remercier les Slovènes d'avoir soutenu l'OTAN au Kosovo et aidé les réfugiés, puis en Macédoine où le président Kiro Gligorov avait, malgré des difficultés économiques certaines, accueilli trois cent mille réfugiés. Dans le camp de Skopje, Hillary, Chelsea et moi sommes allés voir des réfugiés qui nous ont fait l'horrible récit de ce qu'ils avaient enduré. Nous avons aussi rencontré des membres de la force internationale de sécurité stationnés là. C'est à cette occasion que j'ai pu remercier Wesley Clark personnellement.

En juin, l'atmosphère politique a commencé à s'échauffer. Le 16, Al Gore a annoncé qu'il serait candidat à l'élection présidentielle. Il aurait probablement comme adversaire George W. Bush, candidat préféré de la droite républicaine et de l'establishment. Bush avait déjà recueilli plus d'argent qu'Al et son adversaire aux primaires, l'ancien sénateur du New Jersey Bill Bradley, à eux deux. Hillary envisageait de plus en plus sérieusement d'entrer dans la course au Sénat. Au moment où je quitterais la Maison Blanche, elle aurait soutenu ma carrière politique pendant plus de vingt-six ans. Je serais extrêmement heureux de la soutenir à mon tour pendant les vingt-six années à venir.

Au début de cette campagne, je m'intéressais beaucoup plus à ce qui se passait avec le Congrès et dans mon propre gouvernement. Traditionnellement, lorsque la tension politique commence à monter et que le Président ne s'y investit pas activement, l'apathie s'installe. Certains Démocrates pensaient qu'il vaudrait mieux pour eux que très peu de lois soient adoptées ; ils pourraient ainsi faire leur campagne sur l'« immobilisme » d'un Congrès dominé par les Républicains. Beaucoup de Républicains ne voulaient tout simplement pas me donner de nouvelles victoires. Certains restaient même très amers, quatre mois après la bataille de la mise en accusation, et cela m'étonnait d'autant plus que je ne les avais pas éreintés, ni en public ni en privé.

Je m'efforçais de chasser de mon esprit toute rancune et de travailler dans un esprit de réconciliation. Les Républicains semblaient avoir repris l'attitude qui était la leur en 1992 : j'étais un être dénué de caractère auquel on ne pouvait pas faire confiance. Pendant le conflit au Kosovo, certains avaient presque l'air de souhaiter notre défaite. Un sénateur républicain avait justifié la tiédeur avec laquelle ses collègues soutenaient notre action en disant que j'avais perdu leur confiance ; c'est ainsi qu'ils justifiaient leur manque d'engagement dans la lutte contre le nettoyage ethnique.

J'avais l'impression que les Républicains me reprochaient systématiquement d'avoir tort, quoi que je fasse. Si j'adoptais une attitude contrite, ils disaient que j'étais trop déprimé pour pouvoir continuer à diriger le pays. Si j'avais l'air content, ils disaient que je jubilais, que je me comportais comme si je m'étais tiré d'un mauvais pas. Six jours après avoir été acquitté par le Sénat, j'étais allé au New Hampshire pour célébrer le septième anniversaire des primaires dans cet État. Certains de mes adversaires au Congrès prétendaient que je n'aurais pas dû être heureux, mais je l'étais, et non sans raison : tous mes vieux amis étaient venus pour me voir ; un jeune homme m'a dit qu'il avait voté pour moi et que j'avais fait exactement ce que je m'étais engagé à faire ; une femme m'a raconté que grâce à moi elle avait décidé de renoncer à ses indemnités de chômage et qu'elle avait pris des cours pour devenir infirmière En 1999, elle était effectivement infirmière. C'est pour ces gens-là que j'étais entré en politique.

Au début, je ne comprenais vraiment pas comment les Républicains et certains commentateurs pouvaient prétendre que je m'étais tiré de quoi que ce soit à bon compte. L'humiliation publique, la douleur de ma famille, les dettes énormes contractées pour payer les avocats et arranger les choses après avoir gagné le procès contre Paula Jones, les années de persécution qu'avait dû endurer Hillary de la part des médias et de la justice, et le sentiment d'impuissance que j'avais ressenti lorsque des milliers de personnes à Washington et en Arkansas avaient été ruinées, tout cela m'avait énormément affecté. J'avais présenté des excuses, je m'étais efforcé de démontrer que je traitais les Républicains avec sincérité. Mais cela ne suffisait pas. Rien ne pouvait suffire, et pour une raison bien simple : j'avais survécu contre vents et marées et continué à servir mon pays et à me battre pour ce en quoi je croyais. Du début à la fin, mon conflit avec la Nouvelle Droite républicaine n'avait eu qu'un seul enjeu, le pouvoir. Pour moi, le pouvoir venait du peuple, seul le peuple pouvait le donner et le reprendre. Mais ils estimaient, eux, que le peuple avait fait une erreur en m'élisant deux fois, et ils étaient déterminés à utiliser mes moindres faux pas pour justifier leurs perpétuelles attaques.

J'étais sûr que ma stratégie, plus positive, était mon meilleur atout, pour moi en tant qu'individu comme pour le travail que j'avais à faire. Mais je n'étais pas aussi sûr que ce soit une bonne politique. Plus les Républicains s'acharnaient sur moi, plus le souvenir de ce qu'avait fait Starr et de leur comportement pendant la mise en accusation s'effaçait. Les médias s'intéressent évidemment aux nouvelles du jour, pas à celles de la veille, et ce sont les conflits qui font l'information. Cela favorise les agresseurs, que leurs attaques soient ou non justifiées. Très vite, au lieu de me demander si j'allais pouvoir pardonner et oublier, les journalistes se sont reposé la grave question de savoir si j'avais encore l'autorité morale d'un chef d'État. Les Républicains s'en prenaient aussi à Hillary, maintenant qu'elle n'était plus une silhouette sympathique aux côtés de son mari bafoué mais une femme énergique décidée à faire son chemin en politique. Pourtant, tout bien considéré, j'étais assez content de la situation. Le pays avançait dans la bonne direction, ma cote de popularité était bonne, et nous avions encore beaucoup de choses à faire.

Toute ma vie je regretterai les erreurs que j'ai commises, mais je mourrai fier des valeurs que j'ai défendues pendant la bataille de la mise en accusation, ma dernière épreuve de force contre les représentants de ce que j'ai détesté toute ma vie – ces gens qui ont défendu la discrimination raciale et la ségrégation dans le vieux Sud en jouant sur les peurs et l'insécurité de la classe moyenne blanche dans laquelle j'ai grandi ; ceux qui, au nom d'un prétendu ordre naturel, se sont opposés aux mouvements de femmes, aux mouvements de défense de l'environnement, aux mouvements pour les droits des homosexuels, à tout ce qui tentait d'élargir notre communauté ; ceux qui estimaient que le gouvernement était là pour favoriser des intérêts occultes puissants et qui dispensaient d'impôts les plus fortunés au détriment de la santé publique et de l'éducation des enfants.

Dès l'enfance, j'avais choisi l'autre bord. Au début, les forces de la réaction, de la division, et du *statu quo* étaient représentées par les Démocrates opposés aux droits civiques. Quand leur position a changé, sous Truman, Kennedy et Johnson, et qu'ils se sont mis à défendre les droits civiques, les conservateurs du Sud se sont repliés vers le Parti républicain qui, à partir des années 1970, s'est allié au mouvement émergent de la droite religieuse.

Lorsque la Nouvelle Droite républicaine avait pris le pouvoir au Congrès en 1995, je m'étais opposé à leurs projets les plus extrémistes et j'avais mis le progrès dans la justice économique, sociale et environnementale comme prix de notre coopération. J'ai compris pourquoi les gens qui prenaient le conservatisme politique, économique et social pour la volonté de Dieu me détestaient. Je voulais une Amérique où les bénéfices soient partagés, où les responsabilités soient partagées et où la participation soit égalitaire au sein d'une communauté démocratique. La Nouvelle Droite républicaine voulait une Amérique où la richesse et le pouvoir soient concentrés aux mains des « bonnes » personnes, qui s'assuraient une majorité en satanisant un nombre toujours plus grand de minorités dont le désir d'insertion menaçait leur maintien au pouvoir. Ils me détestaient aussi parce que j'étais un apostat, un Sudiste protestant blanc qui pouvait compter sur des gens qu'ils avaient toujours considérés comme de leur bord.

Maintenant que mes péchés avaient été étalés au grand jour, ils pourraient me lapider jusqu'à mon dernier souffle. La colère que j'avais éprouvée se calmait peu à peu, mais j'étais content que le hasard de l'histoire m'ait donné la chance de m'élever contre cette nouvelle incarnation des forces de la réaction et de la division et l'occasion de travailler à resserrer les liens de l'Union.

CHAPITRE CINQUANTE-TROIS

Au début du mois de juin, je me suis exprimé à la radio avec Tipper Gore afin de sensibiliser les auditeurs à la question des soins psychiatriques. J'avais nommé Tipper conseillère officielle en matière de santé mentale et elle avait eu le courage de révéler qu'elle suivait un traitement pour dépression. Deux jours plus tard, Hillary et moi nous sommes joints à Al et Tipper Gore pour une conférence sur la santé mentale à la Maison Blanche. Nous y avons parlé des coûts énormes – sociaux, personnels et économiques – induits par une maladie mentale non traitée.

Pendant tout le mois, j'ai présenté nos projets concernant les armes à feu, nos efforts pour développer un vaccin contre le sida, tout ce que j'ai fait pour inclure les questions d'environnement et de droit du travail dans les discussions avec les entreprises, le rapport du comité consultatif du Président sur la politique étrangère à propos de la sécurité dans les laboratoires de recherche sur l'armement du département de l'Énergie, les mesures destinées à permettre aux immigrés en situation régulière de bénéficier à nouveau d'une couverture santé et d'une aide aux personnes handicapées, une proposition pour étendre Medicaid aux Américains handicapés qui ne pouvaient plus faire face financièrement aux traitements lorsque, ayant trouvé un emploi, ils perdaient leur couverture médicale, une loi permettant d'aider les adolescents quittant leur famille d'accueil de s'adapter à leur nouvelle indépendance et un plan de modernisation de Medicare destiné notamment à prolonger la durée de son fonds de réserve.

J'avais hâte de voir arriver juillet. Je pensais que ce mois serait positif et sans surprise. Je devais annoncer que le pyargue à tête blanche allait être retiré de la liste des espèces menacées et Al Gore allait exposer les grandes lignes de notre plan de sauvetage des Everglades, en Floride. En juillet, Hillary devait également entreprendre son *Listening Tour* sur l'environnement par l'exploitation agricole du sénateur Moynihan à Pindars Corners, au nord de l'État de New York, tandis que je me rendrais dans des communes pauvres à travers le pays afin de promouvoir mon idée de « nouveaux marchés » destinée à attirer davantage d'investissements dans des zones qui étaient encore exclues de la reprise économique. Tout cela a effectivement eu lieu, mais d'autres événements se sont également produits, des événements imprévus, préoccupants ou tragiques.

Nawaz Sharif, le Premier ministre du Pakistan, m'a appelé pour me demander s'il pouvait venir à Washington le 4 juillet afin de discuter de la confrontation avec l'Inde qui avait débuté plusieurs semaines auparavant, lorsque les forces pakistanaises, sous le commandement du général Pervez Moucharraf, avaient franchi la ligne de contrôle du Cachemire, reconnue et généralement respectée par l'Inde et le Pakistan depuis 1972. Sharif craignait de voir la situation engendrée par le Pakistan échapper peu à peu à tout contrôle et il pensait faire appel à mes bons offices pour résoudre la crise, mais également pour négocier avec l'Inde sur la question du Cachemire lui-même. Déjà avant la crise, Sharif m'avait demandé de l'aider sur la question du Cachemire, en faisant valoir que cette région était aussi digne de mon attention que le Moyen-Orient ou l'Irlande du Nord. Je lui avais expliqué que les États-Unis avaient pris part à ces deux processus de paix parce que les deux parties concernées l'avaient souhaité. Dans le cas du Cachemire, l'Inde avait énergiquement refusé la participation d'un pays tiers.

Le comportement de Sharif me laissait perplexe, car, au mois de février, le Premier ministre indien Atal Behari Vajpayee s'était rendu à Lahore, au Pakistan, pour promouvoir les négociations bilatérales sur le Cachemire et d'autres questions. En franchissant la ligne de contrôle, le Pakistan avait anéanti ces pourparlers. J'ignorais si Sharif avait autorisé cette invasion afin de créer une crise destinée à forcer les États-Unis à intervenir, ou s'il l'avait tout simplement autorisée afin d'éviter une confrontation avec l'armée, si puissante au Pakistan. Quoi qu'il en soit, il s'était mis dans une situation dont il lui serait très difficile de sortir.

J'ai répondu à Sharif qu'il était toujours le bienvenu à Washington, même le 4 juillet, mais que s'il voulait que je passe avec lui les célébrations de l'Independence Day, il devait savoir deux choses : premièrement, il devait accepter de retirer ses troupes qui devaient retourner de l'autre côté de la ligne de contrôle ; deuxièmement, je refuserais d'intervenir dans le conflit du Cachemire, surtout dans un contexte qui pourrait laisser croire que je cautionnais l'incursion illégale du Pakistan.

Sharif m'a répondu qu'il voulait venir malgré tout. Le 4 juillet, nous nous sommes rencontrés à Blair House. Il faisait chaud ce jour-là, mais les membres de la délégation pakistanaise étaient habitués à la chaleur et, avec leurs longues tuniques et leurs pantalons blancs, ils semblaient plus à l'aise que les gens de mon équipe. Une fois de plus, Sharif m'a pressé d'intervenir au Cachemire, et je lui ai de nouveau expliqué que, sans le consentement de l'Inde, toute intervention de ma part serait contre-productive ; j'ai cependant ajouté que je demanderais à Vajpayee de reprendre les pourparlers, à la condition que les troupes pakistanaises se retirent de la zone. Il a accepté mon offre, et nous avons fait une déclaration commune dans laquelle nous avons précisé que des mesures allaient être prises afin de restaurer la ligne de contrôle et que je soutiendrais et encouragerais la reprise et l'intensification des discussions bilatérales après l'arrêt des violences.

Après notre entrevue, je me suis dit que Sharif était peut-être venu pour mettre à profit la pression exercée par les États-Unis afin de se couvrir face à l'armée dans l'éventualité d'un retrait militaire. Je savais que sa position au Pakistan n'était pas de tout repos, et j'espérais qu'il résisterait, car j'avais besoin de sa coopération dans la lutte contre le terrorisme.

Le Pakistan faisait partie des rares pays qui entretenaient des liens étroits avec les talibans d'Afghanistan. Avant notre rencontre du 4 juillet, j'avais demandé à trois reprises à Sharif de nous aider à arrêter Oussama Ben Laden : lors de notre rencontre au mois de décembre, lors des funérailles du roi Hussein de Jordanie et au mois de juin, au cours d'une conversation téléphonique qui avait été suivie d'une lettre. D'après les rapports de nos services d'espionnage, Al-Qaida préparait des attaques contre des bâtiments et des représentants des États-Unis en divers endroits du globe, voire sur le sol américain. Nous avions réussi à démanteler des cellules et à arrêter un certain nombre d'agents d'Al-Qaida, mais tant que nous ne parviendrions pas à arrêter ou à éliminer Ben Laden et ses principaux lieutenants, la menace demeurerait. Le 4 juillet, j'ai dit à Sharif qu'à moins qu'il ne se décide à nous apporter une aide plus substantielle, je serais contraint d'annoncer que le Pakistan soutenait le terrorisme en Afghanistan.

Le jour où j'ai rencontré Sharif, j'ai également signé une ordonnance de sanctions économiques contre les talibans, gelant leurs avoirs et leur interdisant tout échange commercial. Au même moment, avec le soutien de Sharif, des représentants américains ont commencé à entraîner soixante soldats pakistanais afin de former des commandos chargés de pénétrer en Afghanistan et d'y capturer Ben Laden. Ce projet me laissait sceptique ; même si Sharif voulait vraiment nous aider, l'armée pakistanaise comptait des talibans dans ses rangs, ainsi que des sympathisants d'Al-Qaida. Mais je n'avais rien à perdre.

Le lendemain de mon entrevue avec Sharif, j'ai entamé une tournée destinée à promouvoir l'idée des nouveaux marchés. Ma première étape a été Hazard, dans le Kentucky, où j'étais accompagné par une importante délégation d'hommes d'affaires, de membres du Congrès, de membres du gouvernement, ainsi que du révérend Jesse Jackson et d'Al From.

J'étais content que Jackson soit venu et très satisfait de commencer par la région des Appalaches, la zone majoritairement blanche la plus pauvre du pays. Jesse s'employait depuis longtemps à faire venir les investisseurs privés dans les zones défavorisées, et nous nous étions rapprochés au moment où je m'étais trouvé menacé d'être mis en accusation. Il avait alors soutenu toute ma famille, et tout particulièrement Chelsea. Du Kentucky, nous nous sommes rendus à Clarksdale, dans le Mississippi, à East Saint Louis, dans l'Illinois, à la réserve indienne de Pine Ridge près de Phoenix, dans l'Arizona, et dans le quartier de Watts, à Los Angeles.

Même si, depuis deux ans, le taux de chômage en Amérique se situait juste au-dessus de 4 %, tous les endroits que j'ai visités et bien d'autres encore souffraient d'un chômage bien plus élevé et d'un revenu par habitant bien inférieur à la moyenne nationale. À Pine Ridge, le taux de chômage dépassait les 70 %. Cependant, partout où nous nous sommes rendus, j'ai rencontré des gens intelligents et travailleurs, qui étaient parfaitement à même de contribuer à la vie économique de la nation.

Je pensais qu'attirer les investisseurs dans ces zones déshéritées était la meilleure chose à faire, d'un point de vue moral comme au plan économique. Nous connaissions alors la plus forte expansion économique de notre histoire, avec un taux de productivité en hausse rapide. Il me semblait qu'il y avait trois façons de continuer à augmenter la croissance sans accroître l'inflation : vendre davantage de biens de consommation et de services à l'étranger, inclure davantage certains segments de la population dans le monde du travail (comme les personnes bénéficiant d'une aide sociale), amener la croissance au sein de nouveaux marchés en Amérique, où les investissements étaient pour le moment trop faibles et le chômage trop élevé.

En ce qui concerne les deux premières mesures, nous nous en tirions plutôt bien, avec plus de deux cent cinquante accords commerciaux et avec la réforme de l'aide sociale. Quant à la troisième, les débuts étaient prometteurs, avec cent trente zones de responsabilisation locale, la création d'entreprises communautaires, de banques de développement solidaire, et avec l'application sévère de la loi sur le réinvestissement local. Mais trop de communes et de quartiers avaient été laissés à l'abandon. J'ai donc décidé de mettre en place un projet de loi destiné à accroître de quinze milliards de dollars le capital disponible dans les quartiers sensibles, dans les villes rurales et dans les réserves indiennes. Comme ce projet encourageait la libre entreprise, j'espérais un fort soutien de la part des deux partis, encouragés dans ce sens par le fait que le président Hastert semblait tout particulièrement intéressé par cette mesure.

Le 15 juillet, Ehoud et Nava Barak ont accepté de venir passer une nuit à Camp David en compagnie de Hillary et moi. Le dîner s'est déroulé très agréablement, puis, Ehoud et moi avons discuté jusqu'à 3 heures du matin. Il entendait très clairement faire aboutir le processus de paix et il pensait que son éclatante victoire aux élections lui en donnait le pouvoir. Il voulait qu'un événement important ait pour cadre Camp David, surtout quand je lui ai montré le bâtiment où avaient eu lieu, en 1978, la plupart des négociations entre Anouar al-Sadate et Menahem Begin, sous l'égide du président Carter.

J'essayais simultanément de remettre le processus de paix en Irlande du Nord sur les rails. Le processus était en effet dans une impasse à cause d'un désaccord entre le Sinn Fein et les Unionistes sur le fait de savoir si la cessation d'activité de l'IRA pouvait avoir lieu après la formation du nouveau gouvernement ou s'il fallait qu'elle intervienne avant. J'ai expliqué la situation à Barak, qui s'est montré très intrigué par les différences et les ressemblances entre le problème irlandais et le problème israélo-palestinien.

Le lendemain, John Kennedy Jr., sa femme Carolyn et la sœur de celle-ci, Lauren, ont été tués dans l'accident du petit avion de tourisme piloté par John, au large des côtes du Massachusetts. J'avais tout de suite apprécié John, depuis le jour où j'avais fait sa connaissance, dans les années 1980. Il était alors étudiant en droit et faisait un stage dans le cabinet de Mickey Kantor à Los Angeles. Il avait assisté à un de mes premiers meetings de campagne à New York, en 1991, et, peu de temps avant ce tragique accident, je lui avais fait visiter les étages résidentiels de la Maison Blanche. Ted Kennedy a, une fois de plus, prononcé un émouvant éloge au disparu : « Comme son père, il avait tous les dons. »

Le 23 juillet, le roi Hassan II du Maroc s'est éteint à l'âge de 70 ans. Il avait été l'allié des États-Unis et avait soutenu le processus de paix au Moyen-Orient. C'était un homme avec lequel j'avais toujours eu de bonnes relations personnelles. Une fois de plus, le président Bush a accepté d'emblée d'assister aux funérailles en compagnie de Hillary, Chelsea et moi. J'ai marché derrière le cercueil du roi en compagnie du président Moubarak, de Yasser Arafat, de Jacques Chirac et d'autres chefs d'État, le long d'un parcours de six kilomètres à travers Rabat. Plus de un million de personnes se pressaient sur les trottoirs pour lui rendre un dernier hommage, poussant des youyous, pleurant de désespoir devant le cercueil de leur défunt monarque. Le vacarme assourdissant et l'immense foule émue ont fait de ce cortège l'un des événements les plus incroyables auxquels il m'ait été donné de participer. Je pense que Hassan II ne l'aurait pas désapprouvé.

Après une brève entrevue avec le fils de Hassan II, le roi Mohammed VI, je suis rentré à Washington pour deux jours de travail avant de repartir pour Sarajevo, où j'ai rejoint plusieurs dirigeants européens afin d'élaborer un pacte de stabilité pour les Balkans, accord destiné à subvenir aux besoins de la région à court terme et à soutenir la croissance à long terme en ouvrant nos marchés aux produits des Balkans. Nous devions également discuter de l'ouverture de l'OMC aux pays de l'Europe du Sud et prévoir des fonds d'investissement et des garanties de crédit afin d'encourager les investisseurs privés.

Le reste de l'été est passé très rapidement. Je persistais dans mon désaccord avec les Républicains sur le budget, la taille et la ventilation des réductions d'impôts qu'ils proposaient. Dick Holbrooke a finalement été confirmé à son poste d'ambassadeur aux Nations unies, après une attente inqualifiable de quatorze mois, et Hillary s'est presque faite à l'idée de déclarer sa candidature au Sénat.

En août, nous avons effectué deux voyages à New York pour y chercher une maison. Le 28, nous avons visité une ferme de la fin du XIXᵉ siècle, agrandie en 1989, à Chappaqua, à environ soixante kilomètres de Manhattan. La partie ancienne de la maison était pleine de charme, et les parties récentes étaient spacieuses et lumineuses. Dès que nous sommes entrés dans la plus grande chambre, à l'étage, j'ai dit à Hillary que nous devions acheter cette maison. Cette chambre se trouvait dans la nouvelle aile. Elle était très haute de plafond et disposait d'un côté d'une rangée de baies vitrées donnant sur le jardin, et de l'autre, de deux immenses fenêtres. Lorsque Hillary m'a demandé pourquoi j'étais si sûr de ce choix, je lui ai répondu : « Parce que tu t'apprêtes à débuter une campagne difficile. Il y aura des bons et des mauvais jours. Cette magnifique chambre est baignée de lumière, et chaque matin tu te lèveras de bonne humeur. »

À la fin du mois d'août, je suis allé à Atlanta remettre la médaille de la Liberté au président Carter et à son épouse pour l'extraordinaire travail qu'ils avaient accompli à titre privé depuis qu'ils avaient quitté la présidence. Deux jours plus tard, lors d'une cérémonie à la Maison Blanche, j'ai remis une distinction à plusieurs autres Américains d'exception, dont le président Ford et Lloyd Bentsen. Les autres avaient œuvré pour les droits civiques, la démocratie, le droit du travail ou l'environnement. Ils étaient tous bien moins connus que Ford et Bentsen, mais ils avaient contribué de manière unique et décisive au progrès de la nation.

J'ai fait un peu campagne en me rendant dans l'Arkansas avec Al Gore afin de rencontrer des agriculteurs et des dirigeants noirs du Sud. J'ai également participé à un gala destiné à lever des fonds ; j'y ai retrouvé beaucoup de gens de mes précédentes campagnes. Je suis également allé prononcer un discours et jouer du saxophone à un événement organisé pour Hillary à Martha's Vineyard, et j'ai assisté à ses côtés à une série d'événements dans l'État de New York, notamment à la grande foire de Syracuse, où je me suis senti chez moi au milieu des fermiers. J'ai bien aimé ainsi faire campagne pour Al et Hillary, et je commençais à avoir hâte de voir arriver le moment où, après une vie passée à être aidé par les autres, j'allais pouvoir terminer ma vie politique comme je l'avais commencée, en faisant campagne pour ceux auxquels je croyais.

Au début du mois de septembre, Henry Cisneros a finalement trouvé une solution à ses problèmes judiciaires avec le procureur indépendant David Barrett, qui l'avait inculpé avec le chiffre incroyable de dix-huit chefs d'inculpation, pour avoir sous-évalué ses dépenses personnelles auprès du FBI lorsqu'il avait été interrogé en 1993. La veille du début du procès, Barrett, qui savait qu'il n'avait aucune chance de gagner, a proposé à Cisneros de transiger : il devait plaider coupable pour une des charges retenues contre lui, accepter de payer une amende de dix mille dollars, en échange de quoi il échapperait à la prison. Henry a accepté pour éviter d'avoir à payer les frais d'avocat très lourds qu'aurait entraînés un procès de longue haleine. Barrett avait dépensé neuf millions de dollars sur l'argent des contribuables pour tourmenter un honnête homme pendant quatre ans. Quelques semaines plus tôt, la loi sur le procureur indépendant avait été abolie.

L'essentiel du mois de septembre a été consacré à la politique étrangère. Au début du mois, Madeleine Albright et Dennis Ross sont allés à Gaza pour soutenir Ehoud Barak et Yasser Arafat qui venaient de s'entendre sur les prochaines étapes de l'application des accords de Wye River, approuvant l'idée d'un port palestinien, d'une route reliant Gaza à la rive occidentale du Jourdain, le transfert de 11 % des territoires de la rive occidentale et la libération de trois cent cinquante prisonniers. Albright et Ross se sont ensuite rendus à Damas afin de convaincre le président al-Assad de répondre favorablement au désir de Barak de voir organiser rapidement des pourparlers de paix.

Le 9, je suis allé pour la première fois en Nouvelle-Zélande pour le sommet de l'APEC. Chelsea m'a accompagné, mais Hillary était retenue par sa campagne. La grande question de ce sommet concernait l'Indonésie et le soutien que son armée avait apporté à la répression sanglante du mouvement indépendantiste du Timor-Oriental, une enclave catholique secouée depuis longtemps par des troubles et entourée par la plus forte population musulmane du monde. La plupart des dirigeants des pays de l'APEC étaient favorables à une mission internationale de maintien de la paix au Timor-Oriental, et le Premier ministre australien John Howard acceptait d'en prendre la tête. Au début, les Indonésiens y étaient opposés, mais ils allaient bientôt devoir céder. Une coalition internationale a été formée afin d'envoyer des troupes dans la région sous commandement australien, et j'ai promis au Premier ministre Howard d'envoyer deux cents hommes pour le soutien logistique dont auraient besoin nos alliés.

J'ai également rencontré le président Jiang afin de discuter de l'OMC. J'ai aussi participé à des discussions conjointes avec Kim Dae Jung et Keizo Obuchi afin de réaffirmer notre position commune sur la question de la Corée-du-Nord. J'y ai aussi rencontré pour la première fois le nouveau Premier ministre de Boris Eltsine — et son successeur désigné —, Vladimir Poutine. Il était très différent d'Eltsine. Ce dernier était massif et imposant ; Poutine était râblé et très mince, grâce à des années de pratique des arts martiaux. Eltsine était volubile ; l'ancien agent du KGB était mesuré et précis. Je suis sorti de cette entrevue avec la certitude qu'Eltsine s'était choisi un successeur qui avait les capacités et la puissance de travail indispensables pour gérer, mieux qu'il ne le pouvait lui-même à présent, la vie économique et politique agitée de la Russie. Poutine avait aussi l'autorité nécessaire pour défendre les intérêts de la Russie et protéger l'héritage d'Eltsine.

Avant que nous ne quittions la Nouvelle-Zélande, Chelsea et moi, ainsi que notre équipe, avons pris le temps de visiter ce magnifique pays. Le Premier ministre Jenny Shipley et son époux Burton nous ont reçus à Queenstown, où j'ai joué au golf avec Burton, tandis que Chelsea explorait des grottes avec les enfants Shipley, et que plusieurs membres de mon équipe étaient partis faire du saut à l'élastique du haut d'un immense pont. Gene Sperling a bien tenté de me faire essayer ce sport, mais je lui ai répondu que j'avais déjà connu suffisamment de chutes pour ne pas en redemander.

Nous devions faire une dernière étape au Centre international de l'Antarctique, à Christchurch, la base de lancement de toutes les opérations américaines en Antarctique. Ce centre comprenait un vaste module d'entraînement à l'intérieur duquel les conditions climatiques de l'Antarctique se trouvaient reconstituées. J'allais là-bas pour parler des problèmes liés au réchauffement de la planète. L'Antarctique est la grande tour de refroidissement de notre planète, avec une calotte glacière de plus de quatre kilomètres d'épaisseur. Une large portion de cette calotte glacière, presque aussi grande que Rhode Island, s'était soudain rompue à cause de la fonte accélérée. J'ai rendu publics des clichés satellites de ce continent jusque-là tenus secrets, afin de faciliter l'étude des changements qui étaient en train de s'opérer. Le grand événement de notre visite a été, pour Chelsea comme pour moi, la présence de Sir Edmund Hillary, explorateur du pôle Sud dans les années 1950 et premier homme à atteindre le sommet de l'Everest. C'était surtout l'homme auquel la mère de Chelsea devait son prénom.

Peu de temps après mon retour en Amérique, je me suis rendu à New York pour ouvrir la dernière assemblée générale des Nations unies pour le

XXe siècle. J'ai demandé aux délégués d'adopter trois résolutions : mettre davantage de moyens dans la lutte contre la pauvreté et donner un visage humain à l'économie mondialisée ; augmenter nos efforts pour interdire ou mettre un terme rapide au massacre d'innocents dans les conflits ethniques, religieux, raciaux ou tribaux ; enfin, intensifier nos efforts dans l'interdiction de l'utilisation des armes nucléaires, chimiques ou biologiques par des nations irresponsables ou des groupes terroristes.

À la fin du mois, je suis revenu aux affaires intérieures. J'ai posé mon veto à la dernière réduction d'impôts voulue par les Républicains, parce qu'elle était « trop importante, trop boursouflée » et qu'elle pesait trop lourdement sur l'économie américaine. En vertu des règles budgétaires, cette loi aurait entraîné par force de grandes coupes dans le budget de l'éducation, de la santé et de la protection de l'environnement. Elle nous aurait empêchés d'étendre la durée de vie des fonds de la Sécurité sociale et de Medicare, et d'ajouter à Medicare une allocation très utile pour les médicaments sur ordonnance

Cette année-là, nous allions dégager un excédent d'environ cent milliards de dollars, mais la réduction d'impôts proposée par les Républicains allait coûter un million de milliards de dollars sur dix ans. Les Républicains justifiaient cette baisse d'impôts en faisant valoir qu'elle était calculée en fonction des excédents prévisionnels. Sur ce point, j'étais bien plus conservateur qu'ils ne l'étaient. Si les projections étaient fausses, nous retrouverions nos déficits et, avec eux, des taux d'intérêt plus élevés et une croissance ralentie. Au cours des cinq années précédentes, la commission budgétaire du Congrès s'était en moyenne trompée de 13 % par an, alors que notre administration avait chaque fois été plus proche de la réalité. Prendre un tel risque aurait été irresponsable. J'ai demandé aux Républicains de travailler avec la Maison Blanche et les Démocrates dans le même esprit que celui qui avait permis le consensus sur la réforme de l'aide sociale de 1996 et la loi de 1997 sur l'équilibre budgétaire.

Le 24 septembre, Hillary et moi avons donné une réception dans l'Old Executive Office Building pour célébrer le succès des efforts consentis par les deux partis afin d'encourager l'adoption d'enfants pris en charge par les services sociaux. Ces adoptions avaient augmenté d'environ 30 % au cours des deux années qui avaient suivi le vote de cette loi. J'ai rendu hommage à Hillary, qui avait travaillé sur ce sujet pendant plus de vingt ans, ainsi qu'au plus ardent défenseur des réformes à la Chambre, Tom DeLay, qui avait lui-même adopté un enfant.

J'aurais aimé vivre d'autres moments comme ceux-là, à un détail près : DeLay ne pensait pas qu'il fallait être vu en compagnie de l'ennemi.

Les luttes partisanes ont repris au début du mois d'octobre lorsque le Sénat a rejeté, par pur esprit de clan, ma proposition de nommer le juge Ronnie White juge fédéral. White était le premier Afro-Américain à servir à la Cour suprême du Missouri et il était unanimement respecté. Il avait été battu lorsque le sénateur conservateur du Missouri, John Ashcroft, qui se battait pour être réélu contre le gouverneur Mel Carnahan, avait grossièrement déformé la position de White au sujet de la peine de mort. White avait décidé de confirmer 70 % des affaires passibles de la peine de mort qu'il avait eu à juger. Dans plus de la moitié des cas pour lesquels il avait voté contre la peine capitale, il l'avait fait dans le cadre d'une décision unanime de la Cour suprême de l'État. Ashcroft avait demandé à ses collègues républicains de déformer la vérité parce qu'il pensait que cela l'aiderait tout en faisant du tort au gouverneur Carnahan auprès des électeurs du Missouri partisans de la peine capitale.

Ashcroft n'a pas été le seul à politiser le processus de confirmation. Le sénateur Jesse Helms avait refusé pendant des années de permettre au Sénat de confirmer un juge noir à la cour d'appel de la quatrième circonscription, alors même qu'il n'y avait jamais eu d'Afro-Américain à la cour d'appel. Et les Républicains se demandaient pourquoi les Noirs ne votaient pas pour eux.

Ces querelles partisanes se sont même reportées sur le traité d'interdiction des essais nucléaires, qui avait pourtant été soutenu par tous les présidents républicains et démocrates depuis Eisenhower. Les ministres concernés étaient pour et nos experts sur le nucléaire considéraient que l'on pouvait se passer de ces essais pour vérifier l'efficacité de notre armement. Mais pour ratifier ce traité nous avions besoin de deux tiers des voix au Sénat, et nous ne les avions pas. Trent Lott a essayé de me soutirer la promesse que je n'en parlerais plus jusqu'à la fin de mon mandat. Je ne parvenais pas à savoir si les sénateurs républicains étaient désormais à ce point à droite des positions traditionnelles de leur propre parti, ou s'ils ne voulaient tout simplement pas m'accorder une victoire supplémentaire. Quoi qu'il en soit, parce qu'ils refusaient de ratifier ce traité, il devenait de plus en plus difficile à l'Amérique de dire aux autres nations d'arrêter leurs essais ou de ne plus développer d'armes atomiques.

J'ai assisté à d'autres meetings politiques afin de soutenir Al Gore et les Démocrates, dont deux réunions avec des activistes gays ; ceux-ci étaient heureux de voir que bien des hommes et des femmes de mon gouvernement affichaient leur homosexualité et appréciaient de nous voir défendre les lois sur la non-discrimination à l'embauche ou sur les « actes de haine ». Cette dernière loi réprimait au niveau fédéral tous les actes commis contre des personnes au motif de leur race, de leur handicap ou de leur orientation sexuelle. Chaque fois que je le pouvais, je partais pour New York afin d'aider Hillary. Son adversaire le plus probable était Rudy Giuliani, personnage haut en couleur, pugnace et controversé, mais nettement moins conservateur que les Républicains nationaux. J'entretenais avec lui des relations cordiales, d'autant que nous avions soutenu ensemble le programme COPS – qui prévoyait le recrutement de milliers de policiers –, et diverses mesures de sécurité concernant les armes à feu.

George W. Bush semblait bien parti pour obtenir l'investiture des Républicains ; plusieurs concurrents s'étant retirés de la course, son seul adversaire sérieux était le sénateur McCain. La campagne de Bush m'avait impressionné depuis que je l'avais entendu évoquer son thème du « conservatisme compatissant » dans une ferme de l'Iowa. La formulation me semblait excellente, et elle risquait fort de lui donner le vote d'électeurs pourtant satisfaits à 65 % par mon gouvernement. Il pouvait difficilement contester la création de dix-neuf millions de nouveaux emplois, la bonne santé d'une économie en pleine expansion, la criminalité en chute libre depuis sept ans. Aux indécis, Bush disait en substance ceci : « Je vous promets de conserver tous vos avantages, mais avec un gouvernement encore plus réduit et des réductions d'impôts plus sensibles. Ça vous dit ? » Sur la plupart des sujets, Bush était en phase avec les Républicains conservateurs du Congrès ; il s'en était pourtant pris à leur budget, dont il craignait qu'il fasse payer plus d'impôts aux familles pauvres – en réduisant le crédit d'impôts sur le revenu – et favorise fiscalement les plus riches.

Bush était un politicien de grande envergure, mais je pensais encore que la victoire irait à Al Gore. Certes, l'histoire ne présentait que deux cas de vice-présidents directement élus à la Maison Blanche (Martin Van Buren et George H. W. Bush), mais le pays se portait à merveille et les Américains appréciaient notre gouvernement. Dans la course à la présidence, un vice-président doit surmonter deux obstacles : la plupart des gens ignorent ce qu'il a fait au juste ou ne lui attribuent jamais le mérite des succès du gouvernement ; sa fonction semble le cantonner au rôle de « second couteau ». J'avais fait tout mon possible pour aider Al à résoudre ce double problème, d'abord en lui confiant des dossiers essentiels, ensuite en le remerciant publiquement pour son travail. Al fut sans aucun doute le plus actif et le plus influent des vice-présidents de notre histoire, mais un fossé séparait encore la perception et la réalité des choses.

Un autre problème se posait à lui : il devait à la fois afficher son indépendance vis-à-vis de moi et profiter de notre bilan. Il avait déjà déclaré qu'il regrettait mon inconduite mais se sentait fier de ce que nous avions tous deux accompli pour le peuple américain. Il aurait peut-être dû ajouter que le changement de politique, quel que fût le nouveau président, serait inévitable ; mais le changement pouvait prendre deux formes : la poursuite de notre politique novatrice, ou le retour brutal aux échecs du passé. À l'évidence, le gouverneur Bush plaidait pour le retour à une économie débridée. Cette méthode avait prévalu pendant douze ans, puis nous avions appliqué la nôtre pendant sept ans ; elle fonctionnait bien mieux, et nous avions de quoi le prouver.

Al a rappelé aux électeurs que je partais, mais que les Républicains qui avaient réclamé ma mise en accusation et défendu Starr, eux, restaient. L'Amérique avait besoin d'un président qui sache leur tenir tête, pour les empêcher d'abuser ainsi de leur pouvoir et d'imposer les mesures injustes que j'avais combattues devant le Congrès. Si les électeurs envisageaient honnêtement l'avenir, si on leur rappelait le bilan et les agissements des Républicains, alors l'avantage devait aller aux Démocrates.

Quand certains journalistes ont lancé la théorie selon laquelle je risquais de nuire à Al, j'ai eu avec lui une conversation plaisante à ce sujet. Je lui ai affirmé que seule sa victoire m'intéressait, quels qu'en fussent les moyens ; si cela pouvait y contribuer, ai-je ajouté, j'irais dès le lendemain dans les bureaux du *Washington Post* avec lui, et Al pourrait me fouetter en public – son indépendance éclaterait alors au grand jour. Il m'a rétorqué sur un ton pince-sans-rire : « Je crois que ça mérite un sondage. » À quoi j'ai répondu : « On en profitera pour demander aux sondés s'ils préfèrent la scène avec ou sans chemise ! »

Le 12 octobre, le Premier ministre pakistanais Nawaz Sharif était renversé par un coup d'État militaire. La révolte était menée par le général Moucharraf, qui, à la tête des forces armées du Pakistan, avait violé la ligne de contrôle séparant le pays du Cachemire. Craignant pour la survie de la démocratie au Pakistan, j'ai réclamé la restauration du droit civil dans les meilleurs délais.

Moucharraf a aussitôt annulé une mission capitale ordonnée par son prédécesseur : envoyer des commandos pakistanais en Afghanistan pour qu'ils débusquent ou éliminent Oussama Ben Laden.

Vers le milieu du mois, Kenneth Starr a annoncé son départ. Il a été remplacé par Robert Ray, qui avait été son assistant et qui faisait partie de l'équipe de Donald Smaltz quand celui-ci avait tenté de faire inculper Mike Espy. Vers la fin de mon mandat, Ray a lui aussi réclamé sa livre de chair : en échange du classement définitif de l'enquête, il voulait obtenir une déclaration écrite où je reconnaissais avoir donné un faux témoignage lors de ma déposition, ainsi qu'un renoncement temporaire à mon diplôme de droit. Il paraissait peu probable qu'il continue ses poursuites : durant le procès en destitution, une commission bipartite de procureurs avait tout de même signalé qu'aucun procureur responsable ne relancerait l'enquête. Mais j'étais prêt pour ma nouvelle vie, et je ne voulais pas compliquer la carrière politique de Hillary. En revanche, je pouvais difficilement avouer un faux témoignage alors que je m'estimais innocent. J'ai donc soigneusement relu ma déposition à la recherche de deux ou trois exemples de réponses inexactes, puis j'ai donné à Ray un document dans lequel je déclarais que, malgré ma volonté de transparence, j'avais donné quelques réponses inexactes. Il a accepté cette déclaration. Après six années d'enquête, après soixante-dix millions de dollars prélevés dans les caisses de l'État, Whitewater était enfin derrière moi.

À la même époque, j'ai invité mes camarades de lycée à la Maison Blanche, où nous avons fêté notre trente-cinquième réunion d'anciens – cinq ans plus tôt, une petite fête nous avait déjà rassemblés. Je garde un excellent souvenir de mes années de lycée, et c'est toujours avec plaisir que je revois mes anciens camarades. En cette occasion, plusieurs d'entre eux m'ont assuré que leur vie s'était améliorée au cours des sept années passées. Le fils de l'un d'eux a déclaré que j'avais fait un admirable président, avant d'ajouter : « Là où j'ai été le plus fier de vous, c'est quand vous leur avez tenu tête au procès en destitution. » On me l'a dit souvent, car bien des gens se sentent impuissants face aux conséquences de leurs erreurs ou de leur infortune ; de me voir tenir bon, lutter et continuer à travailler, leur rappelait ce qu'eux-mêmes avaient dû accomplir dans des moments difficiles.

À la fin du mois, une obstruction parlementaire a fait de nouveau capoter la réforme du financement des campagnes électorales ; nous avons célébré le cinquième anniversaire de l'AmeriCorps, qui avait accueilli près de cent cinquante mille volontaires ; Hillary et moi avons organisé à la Maison Blanche une conférence sur la philanthropie, dans l'espoir de voir se multiplier les dons caritatifs ; enfin, nous avons fêté son anniversaire avec un spectacle intitulé *Broadway for Hillary*, clin d'œil au spectacle que m'avaient offert les vedettes de Broadway en 1992.

J'ai pris l'avion pour Oslo au début de novembre. C'est dans cette ville qu'avaient débuté les négociations entre Israéliens et Palestiniens ; je voulais y marquer le quatrième anniversaire de l'assassinat de Yitzhak Rabin, honorer sa mémoire et me consacrer au processus de paix avec les délégations présentes. Kjell Bondevik, le Premier ministre norvégien, avait estimé qu'une réception à Oslo pourrait relancer le processus de paix. Notre ambassadeur, David

Hermelin, était un diplomate infatigable d'origine judéo-norvégienne ; pour détendre l'atmosphère, il a fait servir des hot-dogs casher à Barak et à Arafat. Shimon Peres et Leah Rabin étaient également présents. La réception a eu l'effet désiré, mais je crois que Barak et Arafat étaient déjà décidés à négocier, et je pensais alors que la paix serait signée en 2000.

À la même époque, plusieurs journalistes ont commencé à m'interroger sur mon bilan. Allait-on garder de moi le souvenir d'un président qui avait apporté la prospérité ? La paix ? Dans ma réponse, j'ai tenté de rendre compte à la fois des réussites concrètes et d'un projet plus impalpable : faire de l'Amérique le symbole de la confiance en soi et en l'autre. La vérité, c'est que je n'avais pas vraiment le temps de revenir sur mon bilan. Je voulais travailler jusqu'au dernier jour. Mon bilan se dégagerait de lui-même, probablement bien après ma mort.

Le 4 novembre, j'ai commencé une nouvelle tournée des Nouveaux Marchés, qui m'a fait passer cette fois par Newark, Hartford et Hermitage. C'est dans cette dernière ville, située dans l'Arkansas, que j'avais contribué à obtenir un logement pour les travailleurs saisonniers. J'ai terminé ma tournée à Chicago avec Jesse Jackson et Dennis Hastert, qui s'étaient déclarés favorables à ce projet. Jesse était resplendissant dans son costume rayé, et je l'ai taquiné en remarquant qu'il s'habillait « comme un Républicain » pour complaire à Hastert, qui était alors le président de la Chambre. Le soutien de Hastert était très encourageant, et je me suis dit que la loi serait sans doute votée dans l'année.

Dans la deuxième semaine du mois, j'ai retrouvé Al From pour la première assemblée municipale et présidentielle en ligne. Depuis mon élection, le nombre de sites était passé d'une cinquantaine à neuf millions, et chaque heure voyait naître cent mille nouvelles pages. Un logiciel de reconnaissance vocale transformait mes réponses en texte – rien d'étonnant aujourd'hui, mais la technique en était alors à ses débuts. Deux internautes m'ont demandé ce que je comptais faire après mon départ de la Maison Blanche. Je n'y avais pas encore vraiment songé, mais j'ai répondu que je m'occuperais de ma bibliothèque présidentielle.

J'avais souvent songé à cette bibliothèque et aux objets qui y seraient exposés pour évoquer ma présidence. Chaque président doit lui-même lever les fonds nécessaires à la construction de sa bibliothèque, puis il doit pourvoir celle-ci d'une dotation qui couvrira les frais de fonctionnement et d'entretien. Les Archives nationales détachent alors quelques bibliothécaires qui organisent son contenu et reçoivent le public. J'avais étudié l'œuvre de plusieurs architectes et visité de nombreuses bibliothèques présidentielles. La plupart des visiteurs viennent observer les objets présentés, mais il faut que le bâtiment préserve aussi les archives. Je voulais un espace d'exposition très ouvert, beau et lumineux, et je voulais que l'exposition donne à voir l'élan de l'Amérique lors de son passage au XXIe siècle.

J'ai choisi l'agence de Jim Polshek, car j'appréciais beaucoup l'une de ses réalisations à New York, le Rose Center for Earth and Space, dont l'imposante structure de verre et d'acier renferme un immense globe. J'ai demandé à Ralph Applebaum d'agencer l'exposition, parce que son travail au musée de l'Holocauste à New York est tout simplement admirable. Je m'étais déjà mis à l'œuvre avec eux deux. Avant la fin des travaux, Polshek m'a déclaré que j'étais le pire client de sa carrière : quand il venait me présenter ses plans, même après six mois d'absence, je remarquais le moindre changement et je lui en demandais la raison.

Je souhaitais construire la bibliothèque à Little Rock, parce que je me sentais une dette envers mon État d'origine De plus, les Américains qui ne sont guère tentés par New York ou Washington pourraient s'y rendre plus aisément. À l'initiative de son maire Jim Dailey et d'un conseiller municipal, le Dr Dean Kumpuris, la ville de Little Rock m'avait offert dix hectares de terrain sur les rives de l'Arkansas ; le lot était situé dans la vieille ville, alors en pleine rénovation, non loin de l'Old State Capitol où avaient eu lieu tant d'événements essentiels de ma vie.

Après l'ouverture de la bibliothèque, je voulais écrire un livre sur ma vie et sur ma présidence. Je savais qu'il me faudrait travailler dur pendant trois ou quatre ans pour régler mes frais d'avocat, acheter une maison – deux maisons, même, si Hillary était élue au Sénat – et mettre de l'argent de côté pour elle et pour Chelsea. Ensuite, je voulais me consacrer au service public. Jimmy Carter avait su se rendre utile après sa présidence, et j'espérais pouvoir en faire autant.

Vers le milieu du mois, alors que je m'apprêtais à partir pour un voyage de dix jours – en Turquie, en Grèce, en Italie, en Bulgarie et au Kosovo –, Kofi Annan a annoncé que des « pourparlers de proximité » devaient réunir à New York, début décembre, le président chypriote Glafcos Cleridès et le dirigeant des Chypriotes turcs, Rauf Denktash. Le Royaume-Uni avait accordé son indépendance à Chypre en 1960. En 1974, le président Makarios était déposé par un coup d'État orchestré depuis la Grèce par le régime des colonels ; depuis, Chypre était déchirée entre la zone grecque et la zone turque, au Nord. De nombreux Grecs du nord de Chypre avaient abandonné leur maison pour quitter l'enclave turque et, depuis cette partition de l'île, les tensions avaient prévalu entre les deux communautés. La Grèce voulait mettre un terme à la présence militaire turque sur l'île, puis trouver un accord qui permette aux Chypriotes grecs de retourner dans le Nord qu'ils avaient quitté. J'essayais de résoudre ce conflit depuis des années, et j'espérais de tout cœur que le secrétaire général des Nations unies y parviendrait enfin. L'histoire en a décidé autrement et, quand j'ai quitté mes fonctions, Chypre faisait toujours obstacle à la réconciliation des deux pays et à l'entrée de la Turquie dans l'Union européenne.

Nous sommes parvenus à un accord avec les Républicains sur trois de mes grandes priorités budgétaires : financer cent mille créations de postes d'enseignants, doubler le nombre des enfants admis dans les programmes parascolaires, et rembourser, enfin ! notre vieille dette aux Nations unies. Madeleine Albright et Dick Holbrooke avaient su convaincre avec Jesse Helms et les autres anti-ONU. Il a fallu bien plus de temps à Dick pour établir la paix en Bosnie, mais je crois que personne d'autre n'y serait parvenu.

En compagnie de Hillary et de Chelsea, je suis arrivé en Turquie pour une visite de cinq jours. Le séjour était d'une longueur inhabituelle parce que je voulais apporter mon soutien au peuple turc, qui se remettait de deux tremblements de terre dévastateurs, et le convaincre de continuer à travailler avec l'Europe et les États-Unis. La Turquie, alliée de l'OTAN, espérait être admise dans l'Union européenne ; pour ma part, j'encourageais cette ouverture depuis des années. C'était l'un des rares pays dont l'avenir aurait une influence considérable sur le monde du XXIᵉ siècle. Si la Turquie parvenait à régler la question chypriote avec la Grèce, à pacifier ses minorités kurdes parfois opprimées et à maintenir son identité de démocratie musulmane séculière, l'Occident pouvait sereinement envisager ses rapports avec un nouveau Moyen-Orient : si la paix au Moyen-Orient était menacée par une vague d'extrémisme islamique, une Turquie stable et démocratique ferait office de rempart pour protéger l'Europe.

J'étais heureux de revoir le président Demirel. Cet homme à l'esprit ouvert espérait faire de la Turquie un pont entre l'Orient et l'Occident. J'ai soutenu cette idée devant le Premier ministre Bülent Ecevit et l'Assemblée nationale, dont j'ai prié les députés de renoncer à l'isolationnisme et au nationalisme, de résoudre leurs problèmes avec les Kurdes et avec la Grèce, et de préparer le pays à entrer dans l'Europe.

Le lendemain, j'ai présenté les mêmes arguments devant des hommes d'affaires turcs et américains à Istanbul, après une halte près d'Izmit où j'ai pu rencontrer des victimes du tremblement de terre. J'ai consolé des familles qui avaient tout perdu, puis remercié les nations – dont la Grèce – qui étaient venues en aide à ces malheureux. Peu après cette catastrophe, la Grèce a également subi un tremblement de terre ; à leur tour, les Turcs lui sont venus en aide. Si des catastrophes naturelles pouvaient rapprocher ces deux pays, pourquoi ne pas imaginer de signer la paix sur la terre ferme ?

Aux yeux des Turcs, mon soutien aux victimes du tremblement de terre est devenu le symbole même de ce voyage. Quand j'ai pris un petit garçon dans mes bras pour le consoler, il s'est soulevé de lui-même pour m'agripper le nez, comme le faisait Chelsea au même âge. Un photographe a immortalisé cette scène, et dès le lendemain la photo s'étalait dans la presse turque sous la légende : « Un Turc d'honneur ! »

Après avoir visité en famille les ruines d'Éphèse, qui comportent notamment l'une des plus grandes bibliothèques de l'Antiquité romaine et un amphithéâtre à ciel ouvert où prêcha jadis saint Paul, j'ai pris part à la réunion de l'Organisation pour la sécurité et la coopération en Europe, mise en place en 1973 pour faire avancer la démocratie, les droits de l'homme et la justice. Nous étions venus soutenir le pacte de stabilité dans les Balkans et la résolution de la crise en Tchétchénie, deux mesures destinées à mettre un terme aux actes de terrorisme perpétrés contre la Russie, mais aussi à l'usage abusif de la force contre les civils tchétchènes. J'ai signé un accord avec les dirigeants du Kazakhstan, du Turkménistan, de l'Azerbaïdjan et de la Géorgie, par lequel j'engageais les États-Unis à soutenir la construction de deux pipe-lines ; grâce à ceux-ci, on pourrait bientôt exporter en Occident le pétrole de la mer Caspienne sans passer par l'Iran. Selon l'avenir que se choisirait l'Iran, cet accord sur les pipe-lines pouvait s'avérer capital pour la stabilité future des pays producteurs ou consommateurs.

Istanbul est une ville à l'histoire fascinante, qui fut la capitale de l'Empire ottoman et celle de l'Empire romain d'Orient. Au nom de la réconciliation, j'ai été reçu par le patriarche œcuménique des Églises orthodoxes, Bartholomée de

Constantinople, et j'ai demandé aux Turcs de rouvrir le monastère orthodoxe d'Istanbul. Bien informé, le patriarche m'a remis un superbe rouleau manuscrit sur lequel figurait l'un de mes passages préférés de la Bible – un extrait du chapitre XI de l'Épître aux Hébreux : « La foi est le fondement des choses que l'on doit espérer et une pleine conviction de celles qu'on ne voit point... »

Pendant mon séjour en Turquie, la Maison Blanche et le Congrès se sont enfin entendus sur le budget : en plus de financer mes projets en matière d'éducation, le Congrès acceptait de débloquer des fonds pour des recrutements de policiers, des mesures de préservation du patrimoine naturel, les engagements liés à l'accord de Wye River et l'allégement de la dette des pays pauvres. Les Républicains ont également accepté de renoncer à certaines annexes antiécologiques qu'ils voulaient ajouter aux lois d'affectation budgétaire.

La situation en Ulster était encourageante aussi ; George Mitchell s'était accordé avec les deux parties en présence pour mettre en place un nouveau gouvernement et, dans le même temps, entamer le désarmement avec l'appui de Tony Blair et de Bertie Ahern – lequel se trouvait en Turquie avec moi quand nous avons appris la nouvelle.

À Athènes, après une merveilleuse visite de l'Acropole à l'aube avec Chelsea, j'ai déclaré publiquement que l'Amérique regrettait d'avoir soutenu le régime répressif et antidémocratique qui avait pris le pouvoir en 1967. Puis j'ai redit mon désir de trouver une solution équitable à la question chypriote, puisque c'était là une condition à l'entrée de la Turquie dans l'Europe, et j'ai remercié le Premier ministre Costas Simitis qui avait choisi le camp des alliés dans la guerre au Kosovo. Comme les Grecs et les Serbes avaient en commun leur foi orthodoxe, le choix s'était avéré difficile. Je suis reparti avec la conviction que Simitis était ouvert à la réconciliation avec la Turquie, mais aussi à l'entrée de la Turquie dans l'Europe une fois réglé le problème de Chypre. Les ministres des Affaires étrangères de ces deux pays, Georgios Papandréou et Ismaël Cem, étaient des hommes jeunes, tournés vers l'avenir et bien décidés à travailler ensemble.

Je suis alors parti pour Florence où le Premier ministre italien, Massimo D'Alema, accueillait un nouveau sommet de la Troisième Voie. L'atmosphère en était résolument italienne : Andrea Bocelli est venu chanter après le dîner, et Roberto Benigni nous a donné quelques crises de fou rire. L'acteur s'accordait à merveille avec D'Alema : minces, intenses et passionnés tous les deux, ils avaient le chic pour trouver à rire de tout. Quand on m'a présenté à Benigni, il s'est exclamé : « I love you ! » avant de me sauter dans les bras. Il faudra peut-être que j'envisage de briguer un mandat en Italie...

Cette assemblée de la Troisième Voie fut la plus fructueuse de toutes. Tony Blair, Romano Prodi, Gerhard Schroeder, Henrique Cardoso et Lionel Jospin étaient venus travailler à un accord de politique commune pour le XXIe siècle, ainsi qu'à diverses réformes du système financier international visant à réduire l'impact des crises financières, à généraliser le partage des bénéfices et à réduire les effets pervers de la mondialisation.

Le 22, je suis allé en Bulgarie avec Chelsea. J'étais le premier président américain à faire le voyage. Dans un discours prononcé devant plus de trente mille personnes, à l'ombre de la cathédrale Alexandre Nevsky illuminée, j'ai évoqué le soutien que l'Amérique comptait apporter au peuple bulgare, à sa lutte pour la liberté, à ses aspirations économiques et à son partenariat avec l'OTAN.

Ma dernière étape fut pour le Kosovo, où je devais fêter le jour de Thanksgiving avec Madeleine Albright et Wesley Clark. On nous avait réservé un accueil très chaleureux. J'ai tenté d'exprimer ma joie en public, mais des jeunes gens ne cessaient de m'interrompre pour crier mon nom. J'ai dû me faire violence pour réclamer le silence, car je tenais à leur demander de ne pas se laisser aveugler par le ressentiment et de ne pas chercher à se venger sur la minorité serbe. En privé, j'ai réitéré ma demande aux dirigeants de diverses factions de la politique locale. Plus tard, je me suis rendu au camp de Bondsteel pour remercier les soldats et partager avec eux un dîner de Thanksgiving. Ils étaient manifestement fiers de leur action, mais ils s'intéressaient bien plus à Chelsea qu'à son père.

Pendant mon séjour, j'ai envoyé Charlene Barshefsky et Gene Sperling à Pékin, où ils devaient essayer de régler enfin l'entrée de la Chine dans l'OMC. L'accord devait nous permettre de faire voter des lois établissant des relations commerciales normales avec ce pays. Grâce à la présence de Gene, les Chinois sauraient que je soutenais les négociations. Celles-ci ont été difficiles jusqu'au bout, mais nous sommes parvenus à nous protéger contre le dumping, la hausse des importations et l'accès au marché automobile ; nous avons ainsi obtenu le soutien du député démocrate du Michigan, Sandy Levin, qui est arrivé à convaincre le Congrès d'établir des relations commerciales permanentes avec la Chine, et par là le rattachement du pays à l'OMC. Gene et Charlene avaient décidément bien travaillé.

Peu après Thanksgiving, le Parti unioniste d'Ulster dirigé par David Trimble a approuvé le nouvel accord de paix. Le nouveau gouvernement d'Irlande du Nord a donc été formé ; David Trimble en était le Premier ministre et Seamus Mallon, membre du SDLP de John Hume, le vice-Premier ministre. Martin McGuinness, issu du Sinn Fein, devenait ministre de l'Éducation – ce qui, naguère encore, eût été impensable.

En décembre, les pays membres de l'Organisation mondiale du commerce se sont retrouvés à Seattle malgré de violentes manifestations antimondialistes. J'ai rappelé aux délégués de la convention que la plupart des manifestants étaient pacifiques et qu'ils étaient porteurs de justes revendications. Il paraissait impossible de renverser le processus d'interdépendance économique, mais l'OMC pouvait du moins se montrer plus ouverte et plus sensible aux problèmes commerciaux et écologiques. Il fallait que les pays riches, premiers ou seuls bénéficiaires de la mondialisation, veillent à redistribuer leurs richesses à la moitié du monde qui vivait avec moins de deux dollars par jour. Après Seattle, il fallait s'attendre à de nouvelles manifestations lors de chaque congrès financier international. J'étais convaincu qu'elles se poursuivraient longtemps, jusqu'à ce que nous finissions par écouter les laissés-pour-compte de la mondialisation.

Au début de décembre, j'ai annoncé qu'en moins de sept années notre économie avait créé plus de vingt millions de nouveaux emplois, dont 80 % dans des secteurs à fort salaire moyen ; l'Amérique pouvait aussi se flatter d'avoir les plus faibles taux de chômage jamais enregistrés chez les Afro-

Américains et les Hispaniques, et le plus faible taux de chômage chez les femmes depuis 1953 – date à laquelle les femmes actives étaient bien moins nombreuses.

Le 6 décembre, j'ai reçu un garçon de 11 ans venu de Saint Louis. Fred Sanger et ses parents étaient accompagnés par les représentants d'une association caritative, Make-a-Wish [Fais un vœu], qui aide les enfants gravement malades à réaliser leur plus cher désir. Fred souffrait de problèmes cardiaques qui l'obligeaient à rester chez lui la plus grande partie du temps. Inconditionnel des informations télévisées, il en savait étonnamment long sur mon travail. Nous avons longuement bavardé, et nous avons gardé le contact par la suite. Au cours de mes huit années d'exercice, les responsables de Make-a-Wish m'ont amené quarante-sept enfants. Chaque fois, ces enfants ont illuminé ma journée.

Plus tard, après une conversation téléphonique avec le président al-Assad, j'ai annoncé que la Syrie et Israël allaient reprendre leurs négociations dans la semaine, afin de parvenir à un accord dans les meilleurs délais. Les pourparlers auraient lieu à Washington, dans un lieu encore non déterminé.

Le 9, je suis retourné à Worcester, dans le Massachusetts. C'est cette ville qui m'avait accueilli en août 1998, à l'occasion de l'enterrement des six pompiers morts au feu. Cette terrible tragédie avait galvanisé la communauté et tous les pompiers d'Amérique ; le palais des congrès de Worcester était rempli de centaines d'entre eux, venus de tout le pays et même de l'étranger. C'était l'occasion de rappeler, avec tristesse et reconnaissance, que la mortalité dans cette profession est encore plus élevée que chez les policiers.

Une semaine plus tard, au Roosevelt Memorial, j'ai ratifié la loi attribuant aux handicapés actifs une couverture Medicare et Medicaid. C'était là, pour les handicapés, la législation la plus importante depuis le vote de la loi sur les handicapés d'Amérique ; elle ouvrait l'accès à Medicare à certaines personnes jusqu'alors incapables de trouver une assurance en raison de leur handicap ou de leur maladie – sida, myopathie, maladie de Parkinson ou diabète. Cette loi allait simplifier la vie à des milliers de gens, qui seraient enfin à même d'avoir un revenu et d'améliorer leur quotidien. Elle récompensait le travail des activistes handicapés, notamment celui de mon ami Justin Dart, ce Républicain du Wyoming qui, sur son fauteuil roulant, ne quittait jamais ses bottes et son chapeau de cow-boy.

La période de Noël s'est passée à attendre la Saint-Sylvestre et le nouveau millénaire. Pour la première fois depuis des années, nous avions renoncé au week-end de la Renaissance afin de fêter l'événement à Washington. La fête était entièrement financée par des fonds privés ; mon ami Terry McAuliffe avait collecté plusieurs millions de dollars pour que nous puissions offrir à nos concitoyens de merveilleuses fêtes du millénaire – avec, par exemple, deux jours de loisirs à la Smithsonian Institution, une grande fête pour les enfants et un concert sur le Mall avec Quincy Jones et George Stevens en maîtres de cérémonie. Les invités provenaient de milieux variés, littéraire, artistique, musical, universitaire ou militaire ; aux feux d'artifice tirés sur le Mall a succédé une longue nuit de danse et de fête.

La soirée était réussie, mais j'éprouvais malgré tout une certaine nervosité. Depuis plusieurs semaines, nos équipes de sécurité se tenaient en alerte car la

CIA annonçait des tentatives d'attaques terroristes sur notre territoire. Depuis l'attaque de nos ambassades, en 1998, j'observais de près les agissements de Ben Laden et des membres d'Al-Qaida. Nous avions désactivé de nombreuses cellules de ce réseau, capturé des terroristes, déjoué des complots et continué à faire pression sur le Pakistan et sur l'Arabie Saoudite pour qu'ils poussent l'Afghanistan à nous remettre Ben Laden. Inquiet de cette nouvelle menace, Sandy Berger avait fait venir à la Maison Blanche les meilleurs officiers attachés à la Sûreté de l'État, tous les jours ou presque depuis un mois.

La police avait arrêté un homme transportant du matériel suspect – de quoi fabriquer une bombe – qui s'apprêtait à franchir la frontière canadienne ; il comptait faire exploser l'aéroport de Los Angeles. Deux cellules terroristes avaient été démantelées dans le Nord-Est et au Canada. En Jordanie, enfin, on avait éventé plusieurs attaques terroristes. Le nouveau millénaire a fini par atteindre l'Amérique dans une atmosphère de fête, sans le moindre accident. Il faut ici rendre hommage au travail de milliers de fonctionnaires – et peut-être à la chance. En accueillant la nouvelle année, le nouveau siècle, le nouveau millénaire, j'ai éprouvé de la joie et de la gratitude : notre pays se portait bien, et nous abordions une nouvelle ère sous les meilleurs auspices.

CHAPITRE CINQUANTE-QUATRE

Pour fêter le premier jour du nouveau millénaire et de la dernière année de mon mandat, Hillary et moi avons adressé une allocution radiophonique et télévisée au peuple américain. Un peu fatigués par le réveillon et par la réception qui avait suivi à la Maison Blanche, nous étions toutefois impatients d'affronter ce jour particulier. La veille, les festivités avaient rassemblé les pays du monde entier ; des milliards de téléspectateurs avaient regardé le soleil se lever en Asie, puis en Europe, en Afrique, en Amérique du Sud et, pour finir, en Amérique du Nord. Les États-Unis abordaient ce siècle d'interdépendance planétaire avec une belle assurance reposant sur la réussite économique, la solidarité sociale, la fierté nationale et le bonheur de voir célébrés partout notre dynamisme, notre ouverture au monde et nos valeurs démocratiques. Hillary et moi avons invité nos concitoyens à tirer le meilleur parti de cette chance pour améliorer encore notre pays et partager les difficultés et les joies du XXIe siècle naissant. C'est à cela, ai-je conclu, que j'entendais consacrer ma dernière année de président.

La septième année de mon mandat – année traditionnellement peu active dans la carrière d'un président – avait été bien remplie et fructueuse : l'épisode du procès en destitution ne nous avait pas empêchés de travailler, et nous avons pu mener à bien les projets annoncés dans mon discours sur l'état de l'Union. Je n'avais pas fait l'expérience de ce ralentissement qui marque d'ordinaire la seconde moitié d'un second mandat présidentiel. Et je n'avais nullement l'intention, au cours des mois à venir, de me soumettre à cette tradition.

L'année nouvelle a vu s'effacer l'un de mes vieux partenaires en politique, Boris Eltsine, qui a démissionné pour laisser la place à Vladimir Poutine. Eltsine n'avait jamais récupéré son énergie après une opération du cœur, mais il jugeait Poutine capable de lui succéder et de se consacrer à ce métier exigeant. Il savait aussi que le peuple russe, s'il voyait Poutine au travail, avait toutes les chances de voter pour lui aux prochaines élections. La manœuvre était à la fois habile et sage, mais Boris allait me manquer. Physiquement affaibli, parfois imprévisible, il avait toujours été un dirigeant d'envergure, courageux et visionnaire. Nous avions confiance l'un en l'autre, ce qui nous avait permis d'accomplir bien des choses en commun. Le soir de sa démission, nous avons conversé au téléphone une vingtaine de minutes, et il m'a semblé heureux de sa décision. Il a quitté son poste comme il a vécu et comme il a gouverné : à sa manière.

Le 3 janvier, je me suis rendu à Shepherdstown, en Virginie-Occidentale, afin d'ouvrir les négociations de paix entre Israël et la Syrie. L'année précédente, Ehoud Barak avait beaucoup insisté pour que j'organise cette rencontre. Il était impatient de faire avancer le processus de paix avec Arafat, mais ne savait pas si l'on parviendrait à régler leurs différends concernant Jérusalem. Quelques mois plus tôt, il s'était déclaré disposé à rendre le plateau du Golan à la Syrie à deux conditions : la construction d'un poste d'alerte avancé sur le Golan et le maintien sur son territoire du lac de Tibériade, qui représente un tiers des ressources en eau de l'État hébreu.

Le lac de Tibériade, parfois appelé mer de Galilée, est un point d'eau assez particulier qui s'alimente à des sources souterraines salées mais est constitué d'eau douce dans sa partie supérieure. Or, l'eau douce étant plus légère, il convient de ne pas en puiser de trop grandes quantités dans la même année : trop mince, la couche supérieure ne pourrait plus maintenir l'eau salée en bas. À partir d'un certain niveau, en effet, l'eau douce et l'eau salée finiraient par se mélanger, privant Israël d'une réserve hydrique vitale.

Peu avant d'être assassiné, Yitzhak Rabin s'était engagé à se retirer du Golan pour retrouver les frontières du 4 juin 1967, à condition que soient satisfaites les exigences d'Israël. Cet engagement, j'étais censé le garder « dans ma poche » jusqu'à ce qu'il puisse le présenter officiellement à la Syrie dans le cadre d'une solution globale. Après la mort de Yitzhak, Shimon Peres a repris cet engagement à son compte, et c'est sur cette base que nous avons parrainé les négociations israélo-syriennes à Wye River, en 1996. En cas de rétrocession du Golan, Peres souhaitait que je signe un traité de sécurité avec Israël ; la même idée me fut suggérée plus tard par Benyamin Nétanyahou, puis par Barak. Je leurs avais dit que j'étais disposé à le faire.

Dennis Ross et notre équipe avaient bien avancé les négociations lorsque Nétanyahou l'emporta sur Peres au terme d'un scrutin marqué par une résurgence d'actes terroristes. Le dialogue entre les deux pays fut aussitôt interrompu. Barak voulait désormais le reprendre, mais pas selon les termes exacts de l'engagement de Rabin – qui ne quitta donc jamais ma « poche ».

Il est vrai que Barak devait composer avec un électorat israélien très différent. Les immigrés étaient bien plus nombreux et les Russes en particulier s'opposaient à la rétrocession du Golan. Natan Sharansky, devenu un héros depuis sa longue incarcération en Union soviétique, avait accompagné Nétanyahou à Wye River en 1998 ; il m'avait alors expliqué la position des juifs venus de Russie. Ces immigrants issus de l'un des plus vastes pays du monde se retrouvaient dans l'un des plus petits : céder le Golan ou la

Cisjordanie, c'était réduire encore la taille d'un territoire trop précieux. De plus, la Syrie ne leur semblait pas constituer une menace pour Israël ; les relations entre les deux pays n'étaient pas vraiment pacifiques, mais enfin la guerre n'était pas déclarée. En cas d'attaque, du reste, Israël l'emporterait aisément. Dans ces conditions, pourquoi renoncer au Golan ?

Barak ne partageait pas cette vision des choses, mais il devait en tenir compte. Il entendait faire la paix avec la Syrie ; certain que l'on pouvait parvenir à un accord, il souhaitait que j'organise des négociations dès que possible. J'avais préparé la rencontre pendant plus de trois mois, avec le ministre syrien des Affaires étrangères, Farouk al-Chareh, et au téléphone avec le président al-Assad. Voyant sa santé décliner, celui-ci souhaitait récupérer le Golan avant de mourir. La plus grande prudence s'imposait : il souhaitait que son fils Bashar lui succède, afin de récupérer un jour tous les territoires occupés par la Syrie avant 1967, et les termes de l'accord avec Israël ne devaient pas lui aliéner dans son propre pays les forces dont son fils aurait alors besoin.

La fragilité croissante de Hafez al-Assad, ainsi que la congestion cérébrale qui avait frappé al-Chareh à l'automne, incitaient Barak à agir sans attendre. À sa demande, j'ai adressé à Hafez al-Assad une lettre où je lui apprenais que Barak me semblait disposé à négocier ; il fallait pour cela régler le tracé des frontières, le problème du contrôle de l'eau et celui du poste d'alerte. En cas d'accord, les États-Unis étaient disposés à établir des relations bilatérales avec la Syrie, ce à quoi Barak semblait tenir. C'était là une décision difficile, car la Syrie avait naguère soutenu des terroristes. Bien entendu, al-Assad devait s'engager à combattre le terrorisme s'il voulait entretenir avec nous des relations normales ; la chose était envisageable puisque, s'il récupérait le Golan, il n'aurait plus à aider les terroristes du Hezbollah pour attaquer Israël.

Barak souhaitait conclure la paix avec le Liban également, parce qu'il s'était engagé à retirer ses troupes du pays avant la fin de l'année et qu'un accord de paix préserverait Israël des attaques du Hezbollah le long de la frontière, sans que le retrait des troupes israéliennes apparaisse comme la conséquence de ces attaques. Il n'ignorait pas qu'aucun accord avec le Liban ne pourrait se faire sans l'accord et la participation de la Syrie.

Al-Assad a répondu un mois plus tard par une lettre où il semblait s'écarter de ses déclarations passées. Il est vrai que les problèmes de santé d'al-Chareh et les siens avaient suscité en Syrie certaines incertitudes. Quelques semaines plus tard, cependant, quand Madeleine Albright et Dennis Ross sont allés rencontrer al-Assad et al-Chareh (qui semblait parfaitement remis), al-Assad leur a dit qu'il comptait reprendre les négociations et conclure un accord de paix, car il croyait à la parole de Barak. Il a même, pour la première fois, accepté de laisser al-Chareh négocier – à condition que Barak en personne reste leur interlocuteur.

Barak s'est empressé d'accepter ces conditions, car il voulait commencer dès que possible. Je lui ai expliqué qu'il faudrait attendre la fin des vacances de Noël, et nous nous sommes mis d'accord sur l'emploi du temps : débats préliminaires à Washington à la mi-décembre, repris au début de la nouvelle année avec ma participation, et conduits jusqu'à obtention d'un accord. Les discussions ont plutôt mal commencé, al-Chareh ayant fait une déclaration publique quelque peu agressive. En privé, cependant, il nous a suggéré de reprendre les négociations au point où elles avaient été interrompues en 1996, lorsque Rabin s'était engagé à revenir aux lignes du 4 juin sous deux conditions ; à quoi Barak a répondu que lui-même ne s'était engagé à rien de tel, mais qu'il n'entendait pas « effacer l'histoire ». Tous deux se sont mis d'accord pour me laisser choisir dans quel ordre seraient abordés les problèmes – redéfinition des frontières, questions de sécurité, partage de l'eau et relations de paix. Barak souhaitait négocier sans interruption, ce qui supposait que les Syriens travaillent jusqu'à la fin du ramadan, le 7 janvier, et qu'ils ne rentrent pas chez eux fêter l'Aïd-al-Fitr qui marque la fin du jeûne. Al-Chareh ayant donné son accord, les deux parties sont rentrées dans leur pays pour se préparer.

Barak avait insisté pour négocier le plus tôt possible, mais il a vite compris qu'il ne pourrait pas céder le Golan sans y avoir d'abord préparé les Israéliens. Il lui fallait obtenir des compensations : reprise, avec la collaboration de Damas, du volet libanais du processus de paix ; annonce publique, par un État arabe au moins, d'une amélioration des relations avec Israël ; garanties militaires des États-Unis ; et mise en place d'une zone de libre-échange sur le plateau du Golan. J'ai accepté de soutenir l'ensemble de ces requêtes, en allant même un peu plus loin : le 19 décembre, j'ai appelé al-Assad au téléphone pour lui demander de reprendre le volet libanais du processus de paix en même temps que les négociations avec les Syriens ; je l'ai également invité à faire chercher la dépouille des trois soldats israéliens disparus au combat pendant la guerre du Liban, près de vingt ans plus tôt. Al-Assad m'a aussitôt accordé la seconde requête, et nous avons envoyé en Syrie une équipe de médecins légistes ; les corps, hélas, ne se trouvaient pas à l'endroit où les Israéliens pensaient les trouver. Quant à la première requête, al-Assad l'a éludée en disant que les pourparlers libanais seraient repris après une nette avancée sur le volet syrien.

Shepherdstown est une communauté rurale située à une heure de route de Washington ; Barak avait réclamé un lieu isolé pour réduire le risque de fuites, et les Syriens ne voulaient pas de Camp David ou de Wye River, dont le nom évoquait déjà des négociations sur le Proche-Orient. Je n'y voyais pas d'inconvénient ; les salles de conférences de Shepherdstown étaient confortables et je pouvais m'y rendre en moins de vingt minutes d'hélicoptère.

Il apparut bientôt que les deux parties pouvaient s'entendre. La Syrie exigeait la souveraineté sur le Golan, mais elle acceptait de laisser aux Israéliens une marge de dix mètres autour du lac de Tibériade ; Israël demandait une marge plus étendue. La Syrie réclamait le retrait des troupes israéliennes dans les dix-huit mois ; Barak demandait trois ans. Israël voulait occuper sa station d'alerte avancée ; la Syrie souhaitait qu'elle soit gérée par les Nations unies, éventuellement par les États-Unis. Israël voulait obtenir des garanties concernant la qualité et la quantité d'eau s'écoulant du Golan dans le lac ; la Syrie était d'accord, à condition d'obtenir les mêmes garanties sur les eaux arrivant de Turquie. Israël entendait établir des relations diplomatiques complètes dès les premiers retraits de troupes ; la Syrie souhaitait établir des relations partielles avant le retrait complet.

Les Syriens sont arrivés à Shepherdstown dans un état d'esprit positif, désireux de parvenir à un accord. Barak, en revanche, s'est montré plus réticent ; alors qu'il avait lui-même ouvert les négociations, il a décidé de ralentir le processus pendant quelques jours afin de convaincre le peuple israélien qu'il ne négociait pas à la légère. Il comptait sur mes bons rapports avec al-Chareh et al-Assad pour faire patienter les Syriens aussi longtemps que nécessaire.

J'étais déçu, c'est le moins que je puisse dire. Si Barak avait traité avec les Syriens par le passé, ou s'il nous avait prévenus un peu à l'avance, la situation eût été tenable. En tant que dirigeant démocratiquement élu, il lui fallait certes tenir compte de l'opinion publique et de sondages défavorables ; mais al-Assad avait ses propres problèmes de politique intérieure, et c'est sa confiance en moi et en la parole de Barak qui lui avait permis de surmonter son aversion pour toute tractation avec Israël.

Barak n'était entré en politique que récemment, et je crois qu'il était assez mal conseillé. Les sondages ne doivent pas influer sur la politique extérieure ; les électeurs demandent à leur candidat de remporter des victoires, et seuls comptent les résultats. En matière de politique étrangère, la plupart de mes propres décisions ont commencé par être impopulaires. Un accord de paix avec la Syrie donnerait à Barak une stature politique de premier plan en Israël et dans le monde, et faciliterait d'éventuelles négociations avec les Palestiniens. En cas d'échec, les sondages seraient vite oubliés. En dépit de tous mes efforts, je ne suis pas arrivé à le faire changer d'avis. Il m'a demandé de faire patienter al-Chareh de mon mieux, si possible à Shepherdstown où les distractions étaient rares.

Madeleine Albright et Dennis Ross ont tenté d'imaginer une manière subtile de clarifier la position de Barak vis-à-vis des engagements de Rabin ; c'est ainsi que Madeleine s'est entretenue en particulier avec Butheina Shaban, la seule femme de la délégation syrienne. Cette femme impressionnante, qui s'exprimait avec la plus grande clarté, avait toujours servi d'interprète à Hafez al-Assad lors de nos rencontres. Elle travaillait pour lui depuis des années, et je pense qu'elle se trouvait à Shepherdstown pour offrir au président une version non édulcorée des débats.

Le vendredi, cinquième jour des négociations, nous avons présenté l'esquisse d'un accord de paix qui mettait entre parenthèses les différends non encore résolus. Les Syriens y ont réagi favorablement dès le samedi soir, et nous avons entamé les pourparlers sur les problèmes de frontière et de sécurité. Là encore, les Syriens ont fait preuve de souplesse sur les deux sujets, acceptant par exemple d'élargir à cinquante mètres la bande de terre entourant le lac, à la condition qu'Israël accepte les lignes du 4 juin comme base de discussion. Cette requête était justifiée, l'étendue du lac ayant nettement diminué au cours des trente dernières années. J'étais plutôt satisfait de cette avancée, mais il est vite apparu que Barak n'avait autorisé personne à accepter les frontières du 4 juin, quelles que fussent les propositions des Syriens.

Le dimanche, au cours d'un déjeuner en l'honneur d'Ehoud et de Nava Barak à la ferme de Madeleine Albright, cette dernière et Dennis ont résumé la situation pour notre hôte. La Syrie s'était montrée conciliante, avait accepté des requêtes et fait des propositions ; les Israéliens, eux, n'avaient fait aucun pas en avant. Que leur fallait-il de plus ? Barak a répondu qu'il voulait reprendre les négociations avec le Liban, faute de quoi il repartirait pendant sept jours en Israël avant de revenir.

Al-Chareh ne l'entendait pas de cette oreille. Shepherdstown était un échec, Barak n'était pas sincère, et il lui faudrait rapporter tout cela au président al-Assad ! Durant le dernier dîner, j'ai tenté d'amener Barak à faire une déclaration positive qu'al-Chareh pourrait rapporter à Damas. En vain : Barak m'a demandé en privé d'appeler al-Assad à la fin des pourparlers, afin de lui dire qu'il n'accepterait les lignes du 4 juin qu'après la reprise des négociations avec le Liban. Al-Chareh rentrerait donc à Damas les mains vides, alors qu'on lui avait promis des négociations décisives – à telle enseigne que les Syriens avaient accepté de travailler jusqu'à la fin du ramadan et de manquer l'Aïd-al-Fitr.

Comme pour aggraver la situation, la dernière version provisoire de notre traité a filtré dans la presse israélienne ; elle donnait à voir les concessions accordées par la Syrie sans aucune compensation. Dans son pays, al-Chareh a fait l'objet de critiques virulentes ; en l'état, le texte était effectivement embarrassant pour lui-même et pour al-Assad. Même les gouvernements autoritaires doivent ménager l'opinion publique et certains groupes d'intérêts.

Quand j'ai appelé le président syrien pour lui soumettre l'offre de Barak, qui s'engageait sur les frontières à condition que reprennent les négociations avec le Liban, il m'a écouté sans rien dire. Quelques jours plus tard, al-Chareh a contacté Madeleine Albright pour rejeter l'offre de Barak ; les Syriens ne reprendraient pas les pourparlers sur le Liban avant d'avoir obtenu une redéfinition de la frontière. La politique de la main tendue ne leur avait pas réussi à Shepherdstown, et ils ne comptaient pas commettre deux fois la même erreur.

La situation semblait provisoirement bloquée, mais j'ai tenté de recoller les morceaux. Barak semblait réellement vouloir faire la paix avec la Syrie, et il est vrai que les Israéliens ne s'étaient pas préparés aux compromis qu'exige tout accord de paix. La Syrie aussi avait tout intérêt à y parvenir, et le plus vite possible. La santé d'al-Assad se dégradait et il devait préparer sa succession. En attendant, le volet palestinien du processus suffirait à nous occuper. J'ai demandé à Sandy, à Madeleine et à Dennis de songer à l'étape suivante, et je me suis consacré à d'autres problèmes.

Le 10 janvier, après une réception donnée à la Maison Blanche pour fêter avec des musulmans la fin du ramadan, Hillary et moi nous sommes rendus à la chapelle de l'Académie de la marine d'Annapolis, dans le Maryland, pour les funérailles de Bud Zumwalt, ancien responsable des opérations maritimes qui était devenu notre ami à l'occasion de séjours en week-end de la Renaissance. Après mon élection à la présidence, Bud avait aidé les familles de soldats tombés malades après une exposition à l'agent Orange pendant la guerre du Viêtnam. Son propre fils était mort des suites de la maladie. Bush s'était aussi livré à un travail de propagande auprès du Sénat pour que soit ratifiée la Convention sur les armes chimiques. Jamais je n'oublierai son dévouement, ni le soutien personnel qu'il a apporté à ma famille durant la période pénible de mon procès en destitution. Tandis que je m'habillais pour la cérémonie, Lito Bautista, un aide de camp américano-philippin qui avait servi trente ans dans la marine, me confia qu'il était heureux que j'assiste à la cérémonie parce que Zumwalt « était le meilleur de tous ; il se battait pour nous ».

Ce soir-là, j'ai pris l'avion pour me rendre au Grand Canyon. Je suis descendu à l'hôtel *El Tovar*, dans une chambre dont le balcon donnait sur la faille du canyon. Une trentaine d'années plus tôt, j'avais vu le soleil se coucher ici même ; je souhaitais à présent le voir se lever, éclairant l'une après l'autre chaque couche de roche du sommet jusqu'en bas, révélant peu à peu toute la gamme des couleurs du canyon. Le lendemain, après un lever de soleil aussi merveilleux que je l'espérais, j'ai retrouvé le secrétaire à l'Intérieur Bruce Babbitt afin de désigner trois nouveaux « monuments nationaux » ; j'en ai ajouté deux, en Arizona et en Californie, soit quatre cent mille hectares autour du Grand Canyon et un archipel de plusieurs milliers d'îles et de récifs affleurant le long de la côte californienne.

Quatre-vingt-douze ans plus tôt, le président Roosevelt avait décrété le Grand Canyon monument national. Bruce Babbitt, Al Gore et moi avions fait de notre mieux pour rester fidèles à l'éthique patrimoniale de Roosevelt et à son grand précepte en la matière : toujours « regarder loin devant soi ».

Le 15, j'ai salué l'anniversaire de la naissance de Martin Luther King Jr. dans mon allocution radio du samedi matin ; j'ai souligné les avancées sociales accomplies par les Afro-Américains et les Hispaniques au cours des sept années passées, sans omettre de fixer de nouveaux objectifs dans ce domaine. Le taux de chômage et de pauvreté des minorités était descendu à un niveau record, mais restait nettement supérieur au taux national moyen. Le pays avait récemment connu une vague de crimes racistes : James Byrd avait ainsi péri sous les coups de Texans blancs, qui l'avaient tiré de force hors de sa camionnette pour le battre ; une école juive de Los Angeles avait essuyé une fusillade ; le racisme avait également tué un étudiant américano-coréen, un entraîneur de basket afro-américain et un postier philippin.

Quelques mois plus tôt, à l'une des réceptions données par Hillary à la Maison Blanche pour le programme du millénaire, j'avais rencontré le Dr Eric Lander, directeur du Centre de recherches sur le génome humain de l'Institut Whitehead, au Massachusetts Institute of Technology, et Vinton Cerf, génie des nouvelles technologies et « père de l'Internet ». Alors que tous deux évoquaient le rôle prépondérant des puces électroniques dans la mise au jour du génome humain, Lander m'avait appris que, d'un point de vue génétique, les êtres humains sont identiques à 99,9 %. Que de sang versé, que d'énergie perdue pour ce 0,1 % de différence !

Dans mon allocution radio, j'ai à nouveau demandé au Congrès de ratifier les lois antiracistes ; puis j'ai prié le Sénat de confirmer Bill Lann Lee, brillant avocat sino-américain, dans ses fonctions de vice-ministre de la Justice chargé des droits civiques. La majorité républicaine s'y opposait, mais il est vrai qu'elle semblait éprouver une certaine aversion pour les candidats qui n'étaient pas blancs. Ce matin-là, mon invitée d'honneur était Charlotte Fillmore, centenaire et ancienne employée de la Maison Blanche qui, en raison de sa race, devait emprunter à l'époque une porte spéciale pour se rendre sur son lieu de travail ; cette fois, je l'ai reçue dans le Bureau ovale en la faisant passer par la grande porte.

La semaine précédant mon discours sur l'état de l'Union, comme à mon habitude, j'ai défendu ici et là les grands projets que je devais annoncer au peuple américain. J'y ai inclus deux propositions phares de la campagne sénatoriale de Hillary et de celle d'Al Gore pour les primaires : autoriser les parents d'enfants éligibles sur le programme CHIP d'assurance maladie à souscrire eux-mêmes une assurance – ce projet était défendu par Al Gore – ; et rendre déductibles de l'impôt, à hauteur de dix mille dollars, les frais d'inscription universitaire – ce projet, présenté devant le Congrès par le sénateur Chuck Schumer, était l'un des points forts de la campagne de Hillary.

Si tous les parents et enfants que leurs revenus rendaient éligibles – soit quatorze millions d'individus environ – souscrivaient au programme CHIP, c'est un tiers de la population non assurée qui pourrait enfin obtenir une couverture maladie. Si les Américains âgés de 55 à 65 ans étaient autorisés à souscrire à Medicare, comme je l'avais suggéré, les deux programmes conjugués diviseraient par deux le nombre de citoyens sans assurance. Si le Congrès acceptait d'accorder une remise d'impôts sur les frais universitaires, nous pourrions enfin ouvrir les portes de l'enseignement supérieur à tous les Américains. Le taux d'inscription à l'université s'élevait déjà à 67 % d'une classe d'âge, soit près de 10 % de plus qu'avant mon investiture.

Dans un discours devant des scientifiques de l'Institut technologique de Californie, j'ai annoncé mon intention de débloquer près de trois milliards pour la recherche, dont un milliard pour les travaux sur le VIH et autres domaines biomédicaux et cinq cents millions pour la nanotechnologie, le reste allant aux sciences fondamentales, à la recherche spatiale et à l'énergie propre. Le 24, Alexis Herman, Donna Shalala et moi avons demandé au Congrès de nous aider à réduire l'écart de 25 % séparant le salaire des femmes de celui des hommes, en ratifiant la loi sur l'égalité salariale et en votant des fonds qui permettraient de rattraper le retard dans le traitement des dossiers de discrimination à l'embauche adressés à la Commission pour l'égalité des chances devant l'emploi ; j'ai également demandé au Congrès de soutenir le département du Travail dans ses efforts pour accroître le nombre de femmes ayant des emplois à salaire élevé. Dans la plupart des métiers liés aux technologies de pointe, par exemple, il y avait presque deux fois plus d'hommes que de femmes.

La veille du jour de mon allocution, j'ai revu Jim Lehrer pour la première fois depuis mon interview dans l'émission *NewsHour*, sur *PBS*, juste après l'éclatement de la controverse sur ma déposition. Nous avons passé en revue le bilan des sept années écoulées, puis Lehrer m'a demandé si je m'inquiétais de ce que l'histoire retiendrait de ma présidence. Selon un éditorial récent du *New York Times*, en effet, certains historiens voyaient en moi un homme politique de grand talent qui avait quelques belles réussites à son actif mais « était passé à côté de la grandeur qui semblait un jour à sa portée ».

Il m'a demandé ce que je pensais de ces déclarations sur « ce qui aurait pu se passer ». La période la plus comparable à la nôtre, ai-je répondu, fut sans doute le passage du XIXᵉ au XXᵉ siècle, car l'Amérique entrait alors dans une ère de changements économiques et sociaux et s'apprêtait à ouvrir les yeux sur le reste du monde. Au regard de ce passé national, mon bilan devait donner lieu à des questions du type : avons-nous fait en sorte que l'Amérique, dans les meilleures conditions possibles, aborde une ère d'économie nouvelle et de mondialisation ? Avons-nous accompli des progrès sociaux, avons-nous modernisé notre manière de traiter les problèmes de la nation ? Avons-nous su préserver l'environnement ? Quels ont été nos adversaires ? Les réponses à ces questions, ai-je ajouté, ne me semblaient pas déshonorantes.

De plus, j'ai lu assez de livres d'histoire pour savoir que cette discipline est une constante réécriture du passé. Sous mon mandat, j'avais vu paraître deux grandes biographies de Grant démontrant que le bilan de ce président avait été largement sous-estimé. C'était là un phénomène courant. Par ailleurs, ai-je confié à Lehrer, je m'intéressais bien plus à mes projets pour l'année à venir qu'au souvenir que je laisserais aux historiens.

Après avoir présenté mon programme de politique intérieure, j'ai dit à Lehrer que j'entendais préparer la nation aux grands défis sécuritaires du XXIe siècle. Pour les députés républicains, la priorité dans ce domaine consistait à mettre au point un système national de défense antimissiles ; personnellement, je pensais que le danger était ailleurs : « Terroristes, narcotrafiquants et crime organisé vont coopérer, avec des armes de destruction massive de plus en plus petites et difficiles à détecter, et des armes traditionnelles de plus en plus puissantes. C'est pourquoi nous nous sommes préparés à lutter contre le cyberterrorisme, le bioterrorisme et le terrorisme chimique. [...] On ne lit pas cela dans les journaux, mais [...] je crois que la plus grande menace sécuritaire provient des ennemis de l'État-nation. »

Si le terrorisme m'occupait alors l'esprit, c'est que les préparatifs pour les fêtes du millénaire nous avaient plongés dans l'angoisse pendant deux mois. La CIA, la NSA, le FBI et toute l'équipe de lutte antiterrorisme avaient travaillé d'arrache-pied à contrer divers projets d'attaque aux États-Unis et au Moyen-Orient. Deux sous-marins se trouvaient alors au nord de la mer d'Arabie, prêts à tirer des missiles sur la cible que la CIA leur désignerait comme la cachette de Ben Laden. Le groupe antiterrorisme de Dick Clarke et de George Tenet s'était mis en chasse. Il me semblait que nous parvenions à maîtriser la situation, mais que nous ne possédions pas encore les moyens – offensifs ou défensifs – de combattre un ennemi prêt à abattre des innocents dans un monde de plus en plus riche d'occasions.

Avant la fin de l'interview, Lehrer m'a posé la question que j'attendais : si, deux ans auparavant, j'avais répondu différemment à sa question et à celles qui devaient suivre, aurais-je eu à subir le procès en destitution ? Je n'en savais rien, ai-je répondu, mais je regrettais sincèrement de l'avoir trompé et d'avoir trompé le peuple américain. Je ne possède toujours pas la réponse à sa question, étant donné l'atmosphère d'hystérie qui s'est abattue à l'époque sur Washington. Comme je l'ai dit à Lehrer, j'avais présenté mes excuses et j'avais tenté de racheter ma conduite. Je ne pouvais rien faire de plus.

Puis il m'a demandé si j'étais satisfait de constater que, à supposer qu'il y ait bien eu un complot visant à me mettre en accusation, la conspiration avait échoué. Jamais auparavant, je crois, un journaliste n'avait été si près d'admettre la thèse du complot en ma présence ; chacun en connaissait l'existence, voire la véracité, mais personne ne s'autorisait à l'admettre en public. J'avais appris que la vie sanctionne tout homme qui cède à la colère, tire satisfaction d'avoir vaincu ses ennemis, ou se persuade que ses défauts sont moindres que ceux des autres. Il me restait une année d'exercice : le temps n'était ni à la colère ni à l'autosatisfaction.

Mon dernier discours sur l'état de l'Union fut une véritable partie de plaisir. L'Amérique avait de quoi se réjouir de sa réussite : vingt millions d'emplois supplémentaires, le taux de chômage le plus faible en trente ans, le taux de criminalité le plus réduit depuis vingt-cinq ans, le plus petit nombre d'employés fédéraux depuis quarante ans, deux budgets excédentaires successifs pour la première fois en quarante-deux ans, les grossesses adolescentes en baisse depuis sept ans, un tiers d'adoptions supplémentaires et cent cinquante mille jeunes gens ayant servi dans l'AmeriCorps. D'ici un mois, nous allions connaître la plus longue période d'expansion économique dans l'histoire du pays ; d'ici la fin de l'année, nous allions présenter trois budgets excédentaires consécutifs pour la première fois en cinquante ans.

Je craignais que cette prospérité ne suscite une certaine complaisance chez nos concitoyens. Je leur ai donc rappelé que la prospérité se mérite, et qu'il convenait de « regarder loin devant soi » pour imaginer la nation idéale du XXIe siècle. J'ai ensuite soumis à mes auditeurs plus de soixante projets dans divers domaines : chaque enfant entrant à l'école serait prêt à apprendre, chaque étudiant entrant à l'université serait prêt à réussir ; chaque famille devait pouvoir connaître la réussite, à la maison comme au travail, et aucun enfant ne serait élevé dans la pauvreté ; la retraite des baby-boomers serait assurée ; tous les Américains devaient avoir accès à une couverture sociale abordable et de qualité ; l'Amérique serait le grand pays le plus sûr au monde ; il n'y aurait pas de dette publique pour la première fois depuis 1835 ; la prospérité devait profiter à toutes les communautés ; les bouleversements climatiques devaient être maîtrisés ; l'Amérique guiderait le monde vers la prospérité et la sécurité pour tous, et ferait reculer les frontières de la science et de la technologie ; enfin, nous devions tous ensemble former une nation unie et riche de ses diversités.

Je me suis efforcé de tendre la main aux Républicains comme aux Démocrates, en suggérant d'atteindre ces objectifs par des réductions d'impôts et par des programmes de dépenses, avant de dévoiler mes autres projets : aide accrue aux associations religieuses qui combattent la pauvreté et la drogue et aide aux mineures avec enfant ; remise d'impôts sur les dons caritatifs des contribuables à revenu faible ou modéré, qui jusqu'alors ne pouvaient pas faire le détail de leurs déductions ; dégrèvement de la « pénalité au mariage », cette anomalie qui faisait payer plus d'impôts aux couples mariés qu'aux célibataires, et nouvelle extension du crédit d'impôts sur le revenu ; aide accrue à l'enseignement de l'anglais et du civisme aux nouveaux immigrants ; vote des lois contre le racisme et la discrimination au travail. Enfin, j'ai remercié le président de la Chambre pour le soutien apporté au projet sur les nouveaux marchés.

Pour la dernière fois, j'ai présenté les invités assis à côté de Hillary. Chacun représentait un projet qui nous tenait à cœur : il y avait là le père d'un lycéen tué à Columbine qui demandait au Sénat de régler le problème de l'achat d'armes à feu dans les foires de campagne ; un père hispanique bénéficiant de l'aide à l'enfance et des mesures d'allégement fiscal que j'avais fait accorder aux familles actives ; un capitaine de l'armée de l'Air qui avait porté secours à un pilote en difficulté au Kosovo ; et mon ami Hank Aaron qui, après une carrière de joueur de base-ball, avait consacré sa vie à aider les enfants démunis et à combattre les préjugés racistes.

J'ai terminé par un appel à l'unité nationale, et j'ai fait rire l'assistance en rappelant que nous étions tous semblables à 99,9 % – y compris les Démocrates et les Républicains. « La science moderne, ai-je ajouté, vient de confirmer ce que les hommes de bonne volonté savent depuis toujours : la chose la plus importante, c'est l'humanité que nous partageons tous. »

Un représentant s'est empressé de critiquer ce discours, me comparant à Calvin Coolidge lorsqu'il rêvait d'une Amérique sans dette publique, et certains conservateurs m'ont reproché de dépenser trop d'argent pour l'éducation, la santé et l'environnement. Mais la plupart de mes concitoyens étaient rassurés de constater ma pugnacité et mon désir de travailler, intéressés par les idées nouvelles que j'avançais, et comme moi soucieux de construire l'avenir.

L'Amérique n'avait pas connu de période plus paisible depuis les années 1960, époque où l'économie était en plein boom, où les lois sur les droits civiques promettaient un avenir plus juste et où le Viêt-nam n'était encore qu'un pays exotique. Et voilà qu'en moins de six ans l'économie s'était affaissée, que les émeutes raciales envahissaient les rues, que l'on déplorait l'assassinat de John F. Kennedy, de son frère Robert, de Martin Luther King Jr. ; et le Viêt-nam finit par déchirer l'Amérique, obligeant le président Johnson à démissionner et inaugurant une nouvelle ère de divisions politiques. Il ne suffit pas de jouir des périodes heureuses, il faut aussi les mettre à profit pour construire l'avenir.

Après une halte à Quincy, dans l'Illinois, où j'ai présenté les points forts de mon programme, j'ai pris l'avion pour Davos ; cette ville suisse abrite le Forum économique mondial, événement dont l'importance ne cesse de s'accroître et qui rassemble chaque année dirigeants politiques et hommes d'affaires du monde entier. J'avais emmené avec moi cinq membres de mon cabinet pour débattre de l'opposition antimondialiste, dont nous avions observé la popularité dans les rues de Seattle au cours du dernier congrès de l'OMC. Les sociétés multinationales et leurs amis politiques s'étaient contentés, le plus souvent, d'édifier une économie au service de leurs seuls intérêts, en pensant que la croissance résultant du commerce suffirait à créer partout des richesses et des emplois.

Dans les pays bien gouvernés, le commerce avait en effet permis de faire reculer la misère ; mais, dans les pays pauvres, d'innombrables familles étaient laissées pour compte. Plus de la moitié des habitants de la planète vivaient avec moins de deux dollars par jour, un milliard de personnes vivaient avec un seul dollar par jour, et plus de un milliard de personnes se couchaient chaque soir en ayant faim. Une personne sur quatre était privée d'accès à l'eau potable. Près de cent trente millions d'enfants n'étaient pas scolarisés, et dix millions mouraient chaque année de maladies curables.

Même dans les pays riches, l'agitation constante de l'économie entraînait des faillites et ruinait des familles entières ; aux États-Unis, retrouver un travail à salaire égal ou supérieur n'était pas chose facile pour un demandeur d'emploi. Les institutions financières internationales n'avaient pas su régler la crise financière de certains pays en voie de développement, ni éviter que les actifs y perdent leur travail en masse ; enfin, l'OMC apparaissait inféodée aux pays riches et aux multinationales.

Au cours de mes deux premières années à la Maison Blanche, alors que les Démocrates étaient encore majoritaires à la Chambre, j'avais obtenu des fonds supplémentaires pour former les réfugiés demandeurs d'emploi et, dans le cadre de l'ALENA, j'avais signé des accords parallèles portant sur les conditions de travail et sur l'environnement. Devenu républicain, le Congrès s'est montré moins favorable à cette politique, écartant notamment les projets visant à réduire la misère et à créer des emplois dans les pays pauvres. Je voyais à présent l'occasion de bâtir un consensus bipartite sur trois projets au moins : programme des « nouveaux marchés », accords commerciaux avec l'Afrique et les Caraïbes, annulation de la dette des pays pauvres.

Il s'agissait de savoir si nous pouvions mettre en place une économie mondiale sans établir, en même temps, une politique sociale et environnementale, et sans faire un effort de transparence dans la prise de décisions, notamment dans le cadre de l'OMC. Je crois que les forces antimondialistes avaient tort de penser que le commerce ne faisait qu'accroître la pauvreté ; en réalité, le commerce avait fait reculer la pauvreté dans bien des cas et sorti de nombreux pays de leur isolement. Mais je crois aussi que les adeptes de la mondialisation avaient tort de penser qu'il suffisait, pour que la Terre tourne, d'un commerce toujours plus étendu et d'un flux de capitaux non régulés dépassant les trois billions de dollars par jour.

J'ai rappelé que la mondialisation supposait un partage des bénéfices et de la charge de travail, et qu'elle devait permettre au plus grand nombre de prendre part au commerce international. J'ai esquissé une approche de la mondialisation que j'ai baptisée la « Troisième Voie » : le commerce proprement dit devait s'assortir de mesures visant à donner aux peuples et aux nations les outils et les conditions nécessaires pour y participer. Donner de l'espoir aux gens par le biais de la croissance économique et de la justice sociale, ai-je alors ajouté, me semblait essentiel si nous voulions convaincre le monde du XXIe siècle de repousser les horreurs de la modernité – terrorisme, armes de destruction massive, vieux conflits enracinés dans la haine raciale, tribale ou religieuse.

À la fin de mon discours, je ne savais pas si j'avais convaincu le millier de grands patrons qui constituaient le public, mais du moins ils m'avaient écouté et ne pouvaient plus ignorer notre devoir moral d'entraide et de répartition plus équitable des richesses. Les dirigeants économiques avaient besoin de partager une vision du monde. Quand des hommes de bonne volonté ont une vision commune et le goût de l'effort, la plupart des problèmes trouvent une solution.

De retour aux États-Unis, j'ai préparé mon dernier petit déjeuner de « prières pour la nation ». Joe Lieberman, premier intervenant juif, a prononcé un beau discours sur les valeurs communes à toutes les confessions. J'ai discuté des implications pratiques de ses remarques : si l'on nous demandait de ne pas écarter les étrangers, de traiter autrui comme nous voudrions qu'il nous traite, d'aimer notre prochain comme nous-mêmes, alors « qui est notre prochain, et qu'est-ce qu'aimer son prochain ? ». Si nous étions tous semblables au regard de la génétique, et si le monde était devenu si facile à parcourir que mon cousin de l'Arkansas pouvait jouer aux échecs sur Internet avec un ami en Australie, alors, à l'évidence, il nous fallait élargir notre horizon dans les années à venir.

La direction à suivre dépendrait beaucoup du résultat des élections. Comme prévu, Al Gore et George W. Bush l'avaient tous deux emporté en Iowa. Puis la campagne des primaires s'était déplacée dans le New Hampshire, où les électeurs des deux bords se font un plaisir de déjouer les pronostics. Al a lancé sa campagne avec quelques difficultés, mais une fois qu'il a installé son quartier général à Nashville et entamé la tournée des réunions informelles dans le New Hampshire, il sut nouer un lien avec les électeurs et il a bénéficié d'une meilleure couverture médiatique, si bien qu'il a fini par battre le sénateur Bradley. Après mon message sur l'état de l'Union, où j'évoquais certaines de ses grandes réussites, Al a gagné quelques points grâce aux « retombées » qui suivent toujours ce discours. Puis Bradley s'est livré à de violentes attaques contre lui. Al ne répondant pas à ces attaques, Bradley a regagné quelques points, mais c'est Al qui a fini par l'emporter avec 52 % contre 47 % des voix. J'ai compris que l'investiture n'était pas loin. Al saurait s'y prendre dans le Sud et en Californie, et je pensais qu'il l'emporterait aussi dans les grands États industriels, surtout après avoir été adoubé par les syndicats AFL et CIO.

Dans le New Hampshire, John McCain l'a emporté sur George W. Bush avec 49 % contre 31 % des voix. Ce n'était pas vraiment une surprise : les habitants du New Hampshire appréciaient son indépendance et sa défense de la réforme du financement des campagnes électorales. C'est en Caroline-du-Sud que devait se tenir le scrutin suivant ; McCain pouvait compter sur son passé de militaire et sur l'appui de deux députés, mais Bush avait le soutien de l'establishment républicain et de la droite religieuse.

Le dimanche 6 février dans l'après-midi, Hillary, Chelsea, Dorothy et moi avons quitté Chappaqua pour Purchase. Hillary avait choisi le campus de l'Université de l'État de New York pour annoncer officiellement sa candidature dans la campagne sénatoriale. Le sénateur Moynihan a commencé par la présenter en disant qu'Eleanor Roosevelt, qu'il avait connue, « aurait beaucoup aimé Hillary ». Le compliment était sincère, mais il était aussi amusant : on avait souvent taquiné Hillary sur ses conversations imaginaires avec Mrs Roosevelt.

Elle a prononcé un discours admirable, qu'elle avait écrit et répété avec soin ; elle y disait connaître les besoins des diverses régions de l'État, ajoutant qu'elle n'ignorait pas que les électeurs auraient à faire un choix difficile. Elle a expliqué pourquoi elle se présentait, avant de confier qu'elle savait combien il serait délicat pour les New-Yorkais d'élire une femme qui, même si elle leur était sympathique, habitait leur État depuis quelques mois seulement. Enfin, elle a expliqué ce qu'elle comptait faire si elle devenait sénatrice. Nous nous étions demandé s'il fallait que je prenne ou non la parole. New York était l'un des États qui me soutenaient le mieux ; mon indice de popularité y atteignait 60 %, le taux de satisfaction 70 %. Mais nous avons décidé que j'observerais le silence. La journée devait être consacrée à Hillary, et c'est elle que les électeurs étaient venus entendre.

La politique a occupé la presse pendant le reste du mois. Pour ma part, je me suis consacré à divers dossiers de politique intérieure ou extérieure. J'ai notamment ratifié un projet de loi bipartite visant à accorder une couverture Medicare aux femmes défavorisées souffrant d'un cancer du sein ou du col de l'utérus ; j'ai passé un accord avec le sénateur Lott : s'il accueillait au Sénat cinq candidats juristes que je lui désignais, j'acceptais de nommer à la Commission fédérale des élections la personne de son choix, qui se trouvait être un ennemi acharné de la réforme du financement des campagnes ; j'ai vivement débattu de la charte du patient avec les Républicains, qui acceptaient de la voter à condition que son non-respect n'entraîne aucune poursuite judiciaire – il faudrait décidément leur apprendre la différence entre une loi et une simple suggestion – ; j'ai baptisé la salle de presse de la Maison Blanche du nom de James Brady, le courageux attaché de presse du président Reagan ; annoncé une augmentation record des fonds alloués à l'éducation et à la santé des Amérindiens ; appuyé une modification dans la réglementation des coupons d'alimentation – on pouvait désormais avoir droit aux coupons même si l'on possédait une voiture d'occasion pour se rendre au travail – ; reçu une récompense de la Ligue des citoyens latino-américains pour ma politique économique et sociale, qui avait beaucoup profité aux Hispaniques ; et, pour la dernière fois, j'ai présidé une réunion de l'Association nationale des gouverneurs.

La politique extérieure nous a donné du fil à retordre. Le 7 février, Yasser Arafat a décidé d'interrompre les pourparlers de paix avec Israël. Il était persuadé qu'Israël mettait entre parenthèses ses différends avec la Palestine à seule fin de favoriser les négociations avec la Syrie. Le raisonnement n'était pas absurde et, à l'époque, les citoyens israéliens préféraient obtenir une paix difficile avec la Palestine que céder le plateau du Golan et fragiliser les négociations avec Arafat. Nous avons passé le reste du mois à chercher une solution.

Le 11, le Royaume-Uni a suspendu le gouvernement semi-autonome en Ulster alors que l'IRA, à la dernière minute, s'était engagée à restituer son arsenal au général canadien John de Chastelain, chargé de surveiller le désarmement. J'avais demandé à George Mitchell de servir à nouveau de médiateur, et nous avions fait tout notre possible pour que Bertie Ahern et Tony Blair n'aient pas à prendre cette décision. Selon Gerry Adams, le cœur du problème était le suivant : si l'IRA acceptait de rendre les armes, c'est que le peuple d'Irlande en avait décidé ainsi, et non parce que David Trimble et les unionistes en avaient fait la condition de leur participation au gouvernement. Sans cette restitution, bien sûr, les protestants perdraient toute confiance dans le processus, et Trimble finirait par être remplacé – ce que ne voulaient ni Adams ni le Sinn Fein. Trimble pouvait se montrer maussade et pessimiste, mais sous sa mine sévère d'Irlando-Écossais se cachait un idéaliste courageux, prêt à tout risquer pour la paix. Cette suspension du gouvernement d'Ulster était certes frustrante, mais il me semblait que personne ne voulait revenir à la situation d'hier, et que l'on finirait dès lors par trouver une solution.

Le 5 mars, en Alabama, j'ai commémoré le trente-cinquième anniversaire de la marche de Selma pour le droit de vote ; j'ai choisi pour ce faire de franchir le pont Edmund-Pettus, comme les manifestants l'avaient fait au péril de leur vie en ce sanglant dimanche de 1965, soucieux seulement d'obtenir le droit de vote pour tous les Américains. Il y avait là, marchant main dans la main, les vétérans du combat pour les droits civiques, celles et ceux qui avaient jadis défilé avec

Martin Luther King – tels Coretta Scott King, Jesse Jackson, John Lewis, Andrew Young, Joe Lowery, Julian Bond, Ethel Kennedy et Harris Wofford.

En 1965, la marche de Selma avait galvanisé les consciences. Cinq mois plus tard, le président Johnson ratifiait la loi sur le droit de vote. Avant cette loi, le nombre d'élus noirs plafonnait à trois cents pour la totalité du pays et trois Afro-Américains seulement siégeaient au Congrès. En 2000, on dénombrait près de neuf mille élus noirs sur le territoire et trente-neuf membres du groupe parlementaire noir.

Dans mon allocution, j'ai souligné que Martin Luther King Jr. avait eu raison de dire que « quand les Noirs d'Amérique auront remporté leur combat pour la liberté, ceux qui les maintenaient sous leur joug seront, eux aussi, libres pour la première fois ». Après Selma, Sudistes blancs et noirs ont pu franchir le pont qui les séparait du « Nouveau Sud », laissant derrière eux la haine et l'isolement pour aller au-devant de la liberté, de la prospérité et de l'influence politique. Sans Selma, Jimmy Carter et Bill Clinton ne seraient jamais devenus présidents des États-Unis.

Et maintenant, au moment de traverser ce pont vers le XXIe siècle, nous pouvions nous enorgueillir d'acquis historiques : le plus faible taux de chômage et de pauvreté jamais atteint chez les Afro-Américains, mais aussi le plus fort taux de Noirs propriétaires de leur logement ou de leur commerce. J'ai demandé aux manifestants de ne pas oublier ce qui restait à accomplir : tant qu'il y aura des inégalités de race en matière d'éducation, de revenus, de santé, de violence ou de justice, tant que persisteront les crimes racistes et la discrimination, alors « nous aurons d'autres ponts à franchir ».

J'ai beaucoup aimé cette journée à Selma. Une fois encore je me suis replongé dans le souvenir de mes années de jeunesse, à l'âge où je rêvais d'une Amérique libre de toute discrimination. Une fois encore j'ai retrouvé le sens profond de ma carrière politique, avant de saluer les gens qui avaient tant fait pour la nourrir et la favoriser : « Tant que les Américains seront prêts à se donner la main, nous pourrons marcher contre le vent et franchir tous les ponts. Du fond du cœur, j'ai foi en notre réussite. »

La première moitié du mois fut largement consacrée à ma campagne sur les armes à feu, qui me semblaient appeler diverses mesures : surveiller les ventes d'armes dans les foires de campagne, ajouter un système de sûreté sur les armes pour éviter les accidents, imposer aux propriétaires d'armes à feu une licence avec photographie d'identité, prouvant la régularité de la vente (loi Brady) et la participation au stage obligatoire sur le danger des armes à feu. L'Amérique était alors bouleversée par une série d'accidents tragiques – tout récemment, un très jeune enfant avait utilisé un pistolet qui traînait dans une pièce de l'appartement. Chez les moins de 15 ans, la mortalité liée aux accidents par arme à feu était neuf fois supérieure à la moyenne des vingt-cinq autres grandes puissances mondiales.

La nécessité d'un contrôle de l'armement privé se faisait clairement sentir, et un nombre croissant d'Américains réclamaient des mesures de surveillance et de sécurité. Mais la National Rifle Association faisait en sorte que le législateur ne s'en mêle pas, alors que les fabricants eux-mêmes commençaient à fournir des systèmes de sûreté pour prévenir l'usage d'une arme par des enfants. Concernant la vente d'armes dans des foires – où les vendeurs n'étaient pas toujours en mesure de vérifier l'identité du client, ni de vérifier sur un fichier national qu'ils n'avaient pas affaire à un criminel connu –, la NRA a opposé le même argument que lors du vote de la loi Brady : l'association acceptait la vérification d'identité à condition que celle-ci soit immédiate ; on n'allait tout de même pas, au nom de la sécurité publique, obliger un client à patienter trois jours ! À l'époque, la vérification prenait une heure dans 70 % des cas, moins de une journée dans 90 % des cas. Si l'on n'imposait pas cette mesure, un client répertorié sur les fichiers de la police pourrait fort bien se fournir chez un armurier le vendredi soir, avant la fermeture de la boutique. La NRA s'opposait aussi au permis de possession d'armes à feu, qu'elle considérait comme un premier pas vers l'interdiction pure et simple. L'argument était fallacieux : que je sache, le système du permis de conduire n'a jamais empêché personne de posséder une voiture.

Mais je savais que la NRA faisait peur à beaucoup de gens. J'ai grandi dans un milieu de chasseurs, où cette association exerce une influence considérable, et je n'ai pas oublié son impact dévastateur sur les élections législatives de 1994. Mais il m'a toujours semblé que la plupart des chasseurs étaient de bons citoyens, capables d'entendre un discours simple et raisonnable. Je devais essayer de les convaincre, d'abord parce que je croyais à mon action dans ce domaine, ensuite parce qu'Al Gore s'était placé dans la ligne de mire de la NRA en annonçant avant moi le projet d'une licence obligatoire.

Wayne LaPierre, vice-président de la NRA, a déclaré le 12 mars que mes objectifs politiques « appelaient un certain degré de violence » et que mes positions risquaient d'entraîner « un certain nombre de meurtres ». Pour LaPierre, il suffisait de punir plus sévèrement les crimes par arme à feu, ainsi que les parents qui laissent traîner une arme chez eux. Je lui ai répondu dès le lendemain, à Cleveland, que j'étais d'accord sur les sanctions mais qu'il était absurde de ne pas agir en amont. La NRA s'opposait même à l'interdiction des munitions capables de traverser un gilet pare-balles. C'est bien elle qui appelait « un certain degré de violence » pour maintenir le nombre de ses adhérents et préserver la pureté de son idéologie. J'ai invité LaPierre à répéter ses propos en regardant, droit dans les yeux, les parents des enfants morts à Columbine, à Springfield ou à Jonesboro.

Je n'ai jamais pensé que je pourrais battre la NRA au Congrès, mais cela ne me déplaisait pas d'essayer. J'ai demandé aux électeurs d'imaginer un monde où la stratégie de la NRA – punition sans prévention – s'appliquerait à tous les domaines de la vie : plus de ceintures de sécurité, plus d'airbags, plus de limitations de vitesse, et en revanche cinq années de prison supplémentaires pour les chauffards ; plus de détecteurs de métaux dans les aéroports, mais dix ans de prison supplémentaires pour toute personne qui fait exploser un avion.

Lors de mon précédent voyage à Cleveland, j'avais visité une école élémentaire où des volontaires de l'AmeriCorps apprenaient à lire à de jeunes enfants. Un petit garçon de 6 ans a levé les yeux vers moi : « Tu es vraiment le Président ? » Quand je lui ai répondu que oui, c'était bien moi, il a rétorqué : « Mais tu n'es pas mort ! » Il ne connaissait encore que George Washington et Abraham Lincoln. Il restait peu de temps avant la fin de mon mandat, mais avec un combat comme celui-là, je savais que ce petit garçon avait raison : je n'étais pas encore mort.

Le 17 mars, j'ai annoncé un accord historique entre le fabricant Smith & Wesson et les instances fédérales, étatiques et locales. La société acceptait d'ajouter un système de sûreté à ses armes, de mettre au point un « fusil intelligent » dont ne pourrait se servir que l'adulte qui en avait fait l'acquisition, de ne plus fournir les armuriers qui auraient vendu un nombre trop élevé d'armes impliquées dans des crimes et délits, d'interdire à ses commerciaux les foires où n'était pas pratiquée la vérification systématique de l'identité des clients, et de fabriquer des armes incompatibles avec de trop gros chargeurs. C'était là un geste courageux de la part de cette société, car je savais que Smith & Wesson ferait l'objet d'attaques cinglantes de la part de la NRA et de la concurrence

L'investiture des candidats a eu lieu durant la deuxième semaine de mars. John McCain et Bill Bradley se sont retirés de la course après la victoire remportée par George W. Bush et Al Gore dans les seize élections primaires de ce « Super Mardi ». Bill Bradley avait fait une campagne sérieuse ; en s'en prenant très tôt à son rival démocrate, il avait fait de lui un meilleur candidat : ayant renoncé à la caution présidentielle, Al avait su s'adresser à la base et se tailler une image de candidat à la fois pugnace et calme. Après sa défaite dans le New Hampshire, Bush avait repris la main en emportant la Caroline-du-Sud grâce à une campagne téléphonique : les militants avaient contacté tous les foyers conservateurs blancs de cet État pour leur rappeler que le sénateur McCain avait « un enfant noir ». McCain avait en effet adopté une petite fille du Bangladesh, et c'était là pour moi l'une des nombreuses raisons d'admirer cet homme.

Avant la fin des primaires, un groupe de vétérans pro-Bush - groupe constitué pour l'occasion – a accusé McCain d'avoir trahi son pays durant les cinq ans et demi passés au Nord-Viêt-nam – en tant que prisonnier de guerre. À New York, les troupes de Bush ont accusé McCain d'avoir voté en faveur de la réduction du financement de la recherche sur le cancer du sein ; en réalité, si McCain avait voté contre cette loi – qui attribuait du reste très peu de crédits à la recherche en question –, c'est qu'elle avalisait surtout un certain nombre de magouilles financières. L'une de ses sœurs était justement atteinte d'un cancer du sein, et McCain avait toujours voté en faveur de véritables affectations budgétaires à la recherche médicale. Quand McCain s'est décidé à contrer cette campagne de dénigrement, les troupes de Bush et leurs amis d'extrême droite avaient déjà gagné la partie.

Sur le front extérieur, le mois de mars fut globalement positif. Barak et Arafat ont accepté de reprendre les négociations. Pour la dernière Saint-Patrick de ma présidence, Seamus Heaney est venu lire des poèmes, nous avons chanté Danny Boy tous en chœur, et nous avons compris que personne n'entendait interrompre le processus de paix, même si le gouvernement d'Ulster était encore suspendu. Avec le roi Fahd d'Arabie Saoudite, j'ai évoqué une éventuelle augmentation de la production de l'OPEP. Un an plus tôt, le prix du baril de pétrole était descendu à douze dollars, trop bas pour satisfaire les besoins fondamentaux des pays producteurs. Il oscillait maintenant entre trente et un et trente-quatre dollars, prix trop élevé pour éviter de graves répercussions sur les pays consommateurs. Je souhaitais voir les prix se stabiliser entre vingt et vingt-deux dollars le baril, et j'espérais que l'OPEP pourrait accroître sa production en conséquence – sans quoi les États-Unis allaient au-devant de problèmes économiques préoccupants.

Le 18, j'ai entamé un séjour d'une semaine en Inde, au Pakistan et au Bangladesh. Je voulais établir les fondations d'une relation indo-américaine que j'espérais longue et fructueuse. Nous avions perdu un temps précieux depuis la fin de la guerre froide – qui avait vu l'Inde se ranger aux côtés de l'Union soviétique, dans le but d'avoir un allié éventuel contre la Chine. Le Bangladesh était le pays le plus pauvre de l'Asie du Sud, mais son territoire était très étendu et il ne manquait pas de dynamisme en matière d'économie ; de plus, il affichait envers les États-Unis une attitude très amicale. Contrairement à l'Inde et au Pakistan, le Bangladesh était une nation non nucléaire qui avait ratifié le traité d'interdiction complète des essais nucléaires – les États-Unis ne pouvaient pas en dire autant. Mon séjour au Pakistan a suscité bien des controverses en raison du coup d'État militaire qui venait d'y avoir lieu ; j'avais décidé de maintenir mon engagement pour plusieurs raisons : encourager un prompt retour à un gouvernement civil ; apaiser les tensions avec le Cachemire indien ; faire pression sur le général Moucharraf pour qu'il renonce à l'exécution de l'ex-Premier ministre Nawaz Sharif ; enfin, demander instamment à Moucharraf de coopérer avec nous pour démanteler Al-Qaida et arrêter Ben Laden.

Mon service de protection s'opposait fermement à ce voyage au Pakistan et au Bangladesh, la CIA ayant appris qu'Al-Qaida comptait en profiter pour me faire assassiner, soit au sol, soit pendant le décollage ou l'atterrissage de mon avion. Je me suis senti obligé de partir malgré tout : aller en Inde sans aller au Pakistan, c'était risquer de mettre en péril les intérêts américains dans ce pays. Et puis, je ne voulais pas céder à la menace terroriste. Nous avons donc pris toutes les précautions nécessaires avant mon départ. C'est la première et la dernière fois que j'ignorais ainsi une requête du Service de protection.

La mère de Hillary, Dorothy, et Chelsea étaient venues avec moi. En Inde, je les ai confiées aux bons soins de notre ambassadeur, Dick Celeste, vieil ami et ancien gouverneur de l'Ohio, qui nous a reçus avec son épouse Jacqueline Puis je suis reparti avec un groupe de collaborateurs à bord de deux petits avions. Au Bangladesh, j'ai rencontré le Premier ministre Cheikh Hasina. Plus tard, j'ai dû faire une autre concession sur le plan de la sécurité. Je devais visiter Joypura avec mon ami Muhammad Yunus pour observer les effets des microcrédits accordés par la banque Grameen – la « banque des pauvres ». Le service de protection a vite compris que notre petit groupe serait très vulnérable, soit sur les routes étroites, soit dans l'hélicoptère qui devait nous déposer au village. Nous avons donc fait venir les villageois, écoliers compris, jusqu'à l'ambassade américaine à Dacca, où l'on avait construit une école de fortune dans la cour intérieure.

Pendant mon séjour au Bangladesh, trente-cinq sikhs ont été tués au Cachemire par des tireurs inconnus qui voulaient faire parler d'eux en profitant de ma visite. De retour à Delhi, j'ai rencontré le Premier ministre Vajpayee et je lui ai dit ma fureur et mes regrets : utiliser la présence d'un chef d'État étranger à des fins meurtrières était proprement scandaleux. Je me suis bien entendu avec Vajpayee, et j'ai exprimé le souhait qu'il redresse le Pakistan avant de quitter ses fonctions. Nous n'avons pas pu nous entendre sur le traité d'interdiction complète des essais nucléaires, mais je ne m'y attendais guère : Strobe Talbott avait déjà travaillé sur la non-prolifération pendant des mois avec le ministre des Affaires étrangères, Jaswant Singh. Vajpayee s'est toutefois engagé à réduire les essais nucléaires à l'avenir, et nous nous sommes mis d'accord sur les grands principes qui guideraient notre nouvelle entente.

Je conserve aussi un excellent souvenir de ma rencontre avec Sonia Gandhi, chef de file de l'opposition et du Parti du Congrès. Son mari et sa belle-mère, respectivement le petit-fils et la fille de Nehru, avaient tous deux été assassinés pour raisons politiques. Sonia, Italienne de naissance, s'était courageusement consacrée à la vie publique.

Le quatrième jour de mon voyage, j'ai eu l'occasion de m'adresser au Parlement indien. C'est un immense bâtiment circulaire où les députés, par centaines, sont assis au coude à coude sur d'interminables rangées de bancs étroits. J'ai évoqué mon respect pour la démocratie indienne, la diversité culturelle du pays, les pas de géant accomplis dans l'établissement d'une économie moderne ; j'ai discuté avec franchise de nos divergences en matière d'armement nucléaire, et je leur ai demandé de trouver une solution au problème du Cachemire. À ma grande surprise, les parlementaires m'ont fait un triomphe. À l'évidence, les Indiens souhaitaient autant que moi voir évoluer nos relations.

En compagnie de Chelsea et de Dorothy, j'ai visité le mémorial Gandhi où nous avons reçu un exemplaire des écrits et de l'autobiographie du grand homme. Puis nous sommes partis pour Agra où se trouve l'un des plus beaux bâtiments du monde, le Taj Mahal, aujourd'hui gravement menacé par la pollution de l'air. L'Inde s'efforçait alors d'établir autour du mausolée une zone non polluée ; Singh, le ministre des Affaires étrangères, avait signé avec Madeleine Albright un accord de coopération indo-américaine portant sur l'énergie et l'environnement. En vue de développer l'énergie propre en Inde, les États-Unis devaient fournir quarante-cinq millions de dollars pris sur les fonds USAID et deux cents millions de dollars donnés par l'Export-Import Bank. Le Taj Mahal était d'une beauté stupéfiante, et j'ai eu bien du mal à m'arracher à sa contemplation.

Le 23, j'ai visité Naila, un petit village non loin de Jaipur. Des villageoises en sari éclatant m'ont accueilli en m'aspergeant de milliers de pétales de fleurs, puis j'ai rencontré les élus locaux ; ils travaillaient ensemble sans distinction de caste ni de sexe, en dépit d'une longue tradition de divisions dans ce pays, débattant de l'importance des microcrédits avec les ouvrières d'une coopérative laitière.

Le lendemain, je me suis rendu à Hyderabad à l'invitation de Chandrababu Naidu, minsitre en chef de l'État indien et dirigeant d'une grande modernité. Nous avons visité le centre HITECH, où j'ai constaté avec surprise que des sociétés très diverses prospéraient à vive allure dans la région ; puis un hôpital où j'ai pu annoncer en compagnie de Brady Anderson, administrateur d'USAID, un don de cinq millions de dollars destinés à la lutte contre le sida et la tuberculose. L'Inde n'avait reconnu l'existence du sida sur son territoire que depuis peu, et le déni subsistait encore. J'espérais que notre modeste contribution aiderait à sensibiliser le public indien et à empêcher que l'épidémie n'atteigne un jour les proportions qu'elle avait atteintes en Afrique. Au cours de ma dernière étape, à Bombay, j'ai rencontré des hommes d'affaires avant de discuter au restaurant avec de jeunes Indiens. Au moment de partir, il m'a semblé que nos deux nations venaient d'entamer des relations solides. Mais une semaine supplémentaire n'eût pas été de trop pour m'imprégner de la beauté et du mystère de ce pays.

Je suis parti pour Islamabad le 25 mars. C'est la partie de mon voyage que le Service de protection redoutait le plus. C'est pourquoi j'ai emmené aussi peu de gens que possible, laissant la plus grande partie de la délégation derrière moi ; j'ai pris le plus grand des deux avions jusqu'à Oman, où nous devions reconstituer nos réserves de gazole. Sandy Berger m'a rappelé en plaisantant qu'il était un peu plus âgé que moi, et que nous avions partagé assez de dangers en trente ans d'amitié pour que je le laisse m'accompagner au Pakistan. Puis nous avons choisi deux petits avions pour le voyage, l'un aux couleurs du drapeau américain, l'autre − celui que j'occupais − peint en blanc et dépourvu de décorations. Les Pakistanais avaient dégagé le pourtour de la piste d'atterrissage sur un rayon de un kilomètre pour écarter tout risque de missiles tirés à l'épaule. L'atterrissage fut néanmoins une expérience plutôt tonique.

Notre cortège a remonté une autoroute entièrement vide jusqu'au palais présidentiel, où j'ai rencontré le général Moucharraf entouré de son cabinet ; puis j'ai prononcé une allocution télévisée à l'intention du peuple pakistanais. J'ai rappelé la vieille amitié de nos deux nations, poursuivie durant la guerre froide, et j'ai demandé aux Pakistanais de se détourner du terrorisme et de l'arme nucléaire en faveur d'un dialogue avec l'Inde sur le problème du Cachemire ; de signer le traité d'interdiction complète des essais nucléaires ; d'investir dans l'éducation, la santé et le développement plutôt que dans l'armement. J'ai déclaré que je venais en ami du Pakistan et du monde musulman, un ami qui s'était opposé au massacre des musulmans en Bosnie et au Kosovo, un ami qui avait parlé devant le Conseil national palestinien à Gaza, suivi le cortège funèbre aux funérailles du roi Hussein et du roi Hassan, fêté la fin du ramadan à la Maison Blanche avec des musulmans américains. Notre monde, ai-je poursuivi, n'est pas divisé par les différences de religion · il se divise entre ceux qui choisissent de vivre avec les souffrances du passé et ceux qui préfèrent les promesses de l'avenir.

Mes discussions avec Moucharraf m'ont permis de comprendre pourquoi il s'était distingué dans l'univers parfois violent de la politique pakistanaise. Il était manifestement intelligent, fort, sophistiqué. S'il faisait le choix de la paix et du progrès, il avait toutes les chances pour réussir ; mais, comme je le lui ai rappelé, le terrorisme finirait par détruire le Pakistan de l'intérieur s'il ne faisait rien pour le réprimer.

Moucharraf m'a dit qu'il ne pensait pas que Charif serait exécuté ; sur les autres points abordés, il s'est montré plus évasif. Je savais qu'il s'efforçait encore d'assurer sa position, qui ne devait pas être confortable. Par la suite, en effet, Charif fut libéré et contraint de s'exiler en Arabie Saoudite. Quand, après les attentats du 11 septembre, Moucharraf décida de coopérer sérieusement avec les États-Unis dans leur lutte contre le terrorisme, il savait qu'il se mettait en danger de mort. En 2003, à quelques jours d'intervalle, il a survécu à deux tentatives d'assassinat.

Sur le chemin du retour, après un détour par Oman qui m'a permis d'avoir un entretien avec le sultan Qaboos et de reprendre le reste de notre délégation à bord d'*Air Force One,* j'ai fait halte à Genève où je devais rencontrer le président al-Assad. Notre équipe s'était efforcée de convaincre Barak de préparer une déclaration au sujet de la Syrie, afin que je puisse la relayer publiquement. Je savais qu'une telle offre ne pouvait pas être définitive, et les Syriens le savaient aussi ; mais si Israël faisait preuve de la même souplesse que les Syriens à Shepherdstown, tous les espoirs étaient permis. Hélas, les choses ne se sont pas passées aussi simplement.

J'ai rencontré al-Assad, qui s'est montré chaleureux quand je lui ai offert une cravate bleue ornée d'un lion rouge de profil – puisque tel est le sens de son nom en arabe. Nous n'étions pas nombreux : al-Assad était accompagné par son ministre des Affaires étrangères, al-Chareh, et par Butheina Shaban ; j'étais venu avec Madeleine Albright et Dennis Ross ; Rob Malley, du Conseil national de la sécurité, faisait office de dactylo. Après quelques politesses, j'ai demandé à Dennis de déplier les cartes que j'avais soigneusement étudiées en vue de la réunion. Par rapport aux positions avancées à Shepherdstown, Barak se contentait maintenant d'une zone de quatre cents mètres autour du lac, il réclamait un personnel moins nombreux dans le poste d'alerte, et il acceptait un retrait plus rapide de ses troupes. Al-Assad n'a même pas voulu que je termine mon exposé ; il s'est mis à s'agiter et, revenant sur les offres faites à Shepherdstown, il a déclaré qu'il ne céderait pas un pouce de terrain : il voulait pouvoir s'asseoir sur la rive du lac et tremper ses pieds dans l'eau. Nous avons tenté de raisonner les Syriens pendant deux bonnes heures – en vain. L'attitude des Israéliens à Shepherdstown et la publication, par la presse israélienne, d'un document de travail défavorable à la Syrie avaient suffi pour détruire la fragile confiance d'al-Assad. De plus, sa santé s'était nettement détériorée. L'offre de Barak me semblait très honorable, et un accord se serait sans doute dessiné s'il l'avait faite à Shepherdstown. Mais al-Assad donnait maintenant la priorité à sa succession, et celle-ci lui paraissait menacée par la perspective de nouveaux pourparlers. En moins de quatre ans, j'ai vu voler en éclats à trois reprises les négociations de paix entre Israël et la Syrie : il y eut d'abord le terrorisme en Israël et la défaite de Peres en 1996, puis le rejet des offres de Damas à Shepherdstown, et enfin l'obsession d'al-Assad pour sa propre mort. Cette rencontre à Genève devait être la dernière.

Le même jour, en Russie, Vladimir Poutine était élu président dès le premier tour avec 52,5 % des voix. J'ai aussitôt appelé Moscou pour le féliciter ; en raccrochant, je me suis dit que cet homme était assez fort pour diriger son pays, et peut-être assez sage pour trouver une issue au problème tchétchène et préserver la démocratie. Ses débuts ont semblé me donner raison : très vite, la Douma a ratifié à la fois START II et le traité d'interdiction complète des essais nucléaires. Sur le plan du contrôle des armements, donc, la Douma se montrait moins conservatrice que le Sénat américain...

En avril, j'ai parcouru divers États pour défendre les grands projets – éducation, sécurité des armes à feu, accès à la technologie – annoncés dans mon message sur l'état de l'Union ; j'ai élevé la forêt de Grand Sequoia, en Californie, au rang de monument national ; opposé mon veto à un projet de loi visant à enfouir nos déchets nucléaires au Nevada, car bien des questions légitimes du dossier étaient restées sans réponse ; ratifié une loi qui déplafonnait les revenus des retraités bénéficiant de la Sécurité sociale ; rendu visite à la population navajo de Shiprock, au Nouveau-Mexique, pour illustrer l'intérêt d'Internet pour les communautés isolées en matière d'éducation, de santé et d'emploi ; et inauguré le mémorial, simple et poignant, dédié aux victimes de l'attentat d'Oklahoma City : sur une petite butte couverte de gazon, devant un long bassin, sont alignées cent soixante-huit chaises vides.

C'est en ce même mois d'avril que prit fin la longue saga du petit Elián González. Quelques mois plus tôt, sa mère avait fui Cuba – avec lui et quelques autres – à bord d'une embarcation de fortune ; le bateau ayant chaviré, la mère avait installé Elián sur une chambre à air avant de se noyer. Arrivé à Miami, le garçon avait trouvé refuge chez un grand-oncle, lequel se déclarait prêt à le garder. Mais le père exigeait le retour de l'enfant à Cuba. Aux États-Unis, la communauté cubaine s'était emparée de l'histoire pour rappeler qu'une femme était morte pour permettre à son fils d'être libre : allait-on maintenant le renvoyer dans la dictature castriste ?

La loi semblait claire. Le Service de l'immigration et des naturalisations devait d'abord déterminer si le père était à même d'élever son enfant, auquel cas il pouvait naturellement le récupérer. Une équipe de l'immigration s'est donc rendue à Cuba pour enquêter ; les parents d'Elián, malgré leur divorce, avaient conservé de bonnes relations et partagé les tâches éducatives. Le petit garçon passait alors la moitié de son temps chez son père, qui habitait du reste plus près de son école. Selon l'Immigration, Juan Miguel González pouvait donc remplir son rôle de parent.

Les avocats de la famille d'Elián en Amérique ont néanmoins porté l'affaire devant les tribunaux, car ils contestaient la validité de l'enquête menée à Cuba – probablement compromise, selon eux, par la présence de représentants du régime lors des auditions. Certains ont voulu appliquer la procédure habituelle dans ce type de litige, qui consiste à se demander quel est l'intérêt manifeste de l'enfant. Le Congrès est alors intervenu en proposant des mesures légales qui permettraient de garder Elián aux États-Unis. Cependant, la communauté cubaine était mise en émoi par des manifestations incessantes devant la maison de la famille d'Elián, et par les interviews répétées données à la télévision par une de ses cousines de Floride, une jeune femme très émotive.

Janet Reno, ancienne avocate de Miami où elle était très appréciée par la communauté cubaine, a mis celle-ci en fureur lorsqu'elle a déclaré que la loi fédérale devait l'emporter sur toute autre considération, et qu'il fallait donc rendre Elián à son père. Cette affaire a beaucoup affecté Janet, qui m'a confié que l'une de ses anciennes assistantes ne lui adressait même plus la parole ; le mari de cette femme avait passé quinze ans dans les geôles de Castro, et elle attendait toujours sa libération pour le revoir. De nombreux immigrés, d'origine cubaine notamment, estimaient que l'enfant serait plus heureux aux États-Unis.

J'ai soutenu Reno, car le père d'Elián l'aimait et avait su l'élever : cela n'avait-il pas plus d'importance que la pauvreté ou la répression ? De plus, les États-Unis avaient souvent réclamé l'extradition d'enfants américains enlevés, le plus souvent par des parents auxquels la justice avait retiré le droit de garde. On pouvait difficilement garder Elián sur notre sol et exiger le retour d'enfants kidnappés à l'étranger.

L'affaire a fini par acquérir une dimension électorale. Al Gore a publiquement pris ses distances avec nous ; il n'était pas convaincu par l'enquête de l'Immigration et jugeait que l'enfant, même si son père avait prouvé qu'il était un bon parent, serait plus heureux aux États-Unis. Sa position était défendable, et elle avait le mérite de favoriser ses chances de succès en Floride, État essentiel dans la course à la présidence. J'avais travaillé pendant huit ans à renforcer la position des Démocrates en Floride et dans la communauté cubaine ; mes efforts venaient d'être balayés par ce tragique fait divers. Hillary, elle, considérait l'affaire avec l'œil d'une mère et d'une avocate de la cause des enfants ; elle a donc soutenu notre décision de rendre l'enfant à son père.

Au début du mois, Juan Miguel González est venu en Amérique pour obtenir la garde de son fils, comme l'y autorisait un commandement de la cour fédérale. Deux semaines plus tard, alors que Janet Reno avait tenté de le faire renoncer de lui-même à son projet, un petit groupe d'éminents citoyens – le président de l'Université de Miami, un avocat respecté et deux Américains d'origine cubaine – a suggéré que la famille remette l'enfant à son père dans un lieu isolé où, tous ensemble, ils s'efforceraient de faciliter la transition. Le soir du Vendredi saint, à minuit, Reno m'a appris que les négociations se poursuivaient et qu'elle commençait à perdre patience. À 2 heures du matin, John Podesta m'a appelé pour m'informer que la discussion courait toujours ; il m'a rappelé à 4 h 45 car la famille de Miami refusait maintenant de concéder au père son droit de garde. Une demi-heure plus tard, l'affaire était conclue. Reno avait autorisé la police fédérale à forcer la porte de la maison du grand-oncle d'Elián ; l'assaut avait duré trois minutes, personne n'était blessé, Elián se trouvait avec son père. Voilà comment un petit garçon avait servi de pion dans la lutte incessante qui oppose les États-Unis à Castro.

La presse a publié des photographies d'un Elián manifestement heureux à côté de son père, et l'opinion publique a fini par admettre le bien-fondé de cette réunification. Nous avions opté pour la seule voie honorable, mais je craignais que l'affaire ne coûte à Al Gore la victoire en Floride, au mois de novembre. Juan Miguel et Elián González ont passé quelques semaines de plus aux États-Unis, le temps que la Cour suprême rejette le pourvoi en cassation soumis par la famille. Mr González aurait pu rester aux États-Unis, mais il a préféré emmener son fils à Cuba avec lui.

En mai, j'ai fait la tournée des écoles dans le Kentucky, l'Iowa, le Minnesota et l'Ohio, afin de présenter les mesures projetées en matière d'édu-

cation ; j'ai reçu Thabo Mbeki en visite d'État après sa victoire aux présidentielles en Afrique du Sud ; et j'ai soutenu un projet de loi sur le commerce avec
la Chine, indispensable pour que ce pays soit admis dans l'OMC. Les présidents
Ford et Carter, ainsi que James Baker et Henry Kissinger, sont venus défendre
le projet à la Maison Blanche. Ce combat législatif s'est avéré très difficile, en
particulier car le vote était délicat pour les Démocrates, qui risquaient de
mécontenter leur électorat ouvrier. Pendant plusieurs semaines, j'ai fait venir les
députés par groupes de dix pour les convaincre de l'importance de ce vote et
leur faire comprendre que l'entrée de la Chine à l'OMC était essentielle.

Le 17 mai, j'ai prononcé un discours pour les élèves officiers de l'Académie des gardes-côtes de New London, dans le Connecticut ; en huit ans, je me
suis donc rendu deux fois dans chaque école militaire. Chaque promotion me
remplissait de fierté pour ces jeunes gens et ces jeunes filles qui avaient choisi
de servir leur pays sous l'uniforme. Je n'étais pas moins fier de voir que nos
écoles attiraient des jeunes du monde entier. À New London, la promotion
comportait ainsi des élèves venus de Russie et de Bulgarie, puissances que nous
avions naguère combattues durant la guerre froide.

J'ai parlé aux nouveaux officiers du combat qui les attendait, opposant
l'intégration à la désintégration et le chaos à l'harmonie ; je leur ai dit que la
mondialisation et les technologies de l'information, si elles avaient accru la créativité de l'homme, avaient aussi démultiplié ses instincts de destruction. J'ai
ensuite évoqué les attaques qu'Oussama Ben Laden et Al-Qaida avaient prévues
pour le passage au nouveau millénaire, attaques que seuls un long travail de nos
services et une coopération internationale avaient permis de déjouer. Pour
continuer dans ce sens, j'ai annoncé le déblocage de trois cents millions de dollars supplémentaires pour le budget antiterrorisme ; avec les neuf milliards
demandés au Congrès, on parvenait à une augmentation de 40 % en trois ans.

Après une discussion sur d'autres problèmes de sécurité, j'ai plaidé en
faveur d'une politique étrangère active, qui nous fasse coopérer avec les autres
dans un monde où aucune nation ne pouvait s'estimer protégée par sa situation
géographique ou par ses armes conventionnelles.

Vers la fin du mois de mai, juste avant de partir pour le Portugal, l'Allemagne, la Russie et l'Ukraine, je suis allé dans le Maryland, à Assateague
Island, annoncer un nouveau projet visant à protéger nos récifs coralliens et
notre patrimoine marin — sachant que nous avions déjà quadruplé les fonds
destinés aux sanctuaires marins naturels. J'ai signé un décret instituant un
réseau national de protection des côtes, des récifs, des forêts sous-marines et
autres zones fragiles, et je me suis engagé à assurer une protection permanente
des récifs coralliens de l'archipel nord-ouest des îles de Hawaï, qui, sur une
surface de près de deux kilomètres de long, représentent plus de 60 % des
récifs coralliens d'Amérique. C'était là ma plus importante mesure de protection de l'environnement depuis que j'avais instauré, dans les forêts nationales,
une zone de dix-sept millions d'hectares sans aucune route ; cette mesure était
également urgente, car la pollution océanique menaçait les récifs coralliens partout dans le monde, y compris dans la Grande Barrière australienne.

Le Portugal accueillait la réunion annuelle entre les États-Unis et l'Union
européenne — Antonio Guterres, le Premier ministre portugais, étant alors pré-

sident du Conseil de l'Europe. Ce jeune progressiste brillant était un partisan de la « troisième voie », tout comme le président de la Commission euro-péenne, Romano Prodi. Nous sommes tombés d'accord sur la plupart des sujets abordés, et j'ai beaucoup apprécié le sommet dans son ensemble. C'était là ma première visite au Portugal, pays magnifique et chaleureux, riche d'une histoire fascinante.

Le 2 juin, j'ai rejoint Gerhard Schroeder à Aix-la-Chapelle, où l'on m'a solennellement remis le prix Charlemagne. La cérémonie s'est déroulée en plein air, entre l'hôtel de ville médiéval et la cathédrale gothique abritant la dépouille de Charlemagne ; j'ai remercié le chancelier Schroeder et le peuple allemand qui me faisaient un grand honneur, partagé notamment avec Václav Havel et le roi Juan Carlos et rarement accordé à un Américain. Je m'étais toujours efforcé de favoriser une Europe unie, démocratique et sûre, d'élargir et de renforcer l'alliance transatlantique, de tendre la main à la Russie et de mettre un terme à l'épuration ethnique dans les Balkans. Il était très gratifiant de voir ces efforts reconnus.

Le lendemain, Gerhard Schroeder accueillait à Berlin une nouvelle confé-rence de la « Troisième Voie ». Gerhard, Jean Chrétien et moi-même y avons été rejoints par trois collègues d'Amérique du Sud : le président brésilien Henrique Cardoso, le président chilien Ricardo Lagos et le président argentin Fernando de la Rúa. Nous avons évoqué le type de partenariat que devraient embrasser les dirigeants des pays développés avec ceux des pays émergents. Tony Blair était absent parce que Cherie venait de mettre au monde un qua-trième enfant, un petit garçon baptisé Leo.

J'ai pris l'avion pour Moscou afin de rencontrer Vladimir Poutine, pour la première fois depuis son élection. Nous nous sommes mis d'accord sur la destruction de trente-trois tonnes de plutonium militaire, et nous avons réaf-firmé l'attachement de nos deux pays au traité antimissile ABM de 1972 ; en revanche, je n'ai pu obtenir un amendement autorisant la mise en place d'un système de défense antimissile. Ce refus n'avait rien de préoccupant, Poutine attendant sans doute le résultat des élections américaines pour se prononcer. Les Républicains étaient de grands amateurs de missiles depuis l'ère Reagan, et nombre d'entre eux n'hésiteraient pas à abroger le traité ABM. Al Gore, quant à lui, partageait globalement ma position. Et Poutine ne voulait pas avoir à traiter deux fois la même affaire.

À l'époque, notre système de défense antimissile n'était pas assez fiable pour être déployé. Pour reprendre les termes de Hugh Shelton, tirer sur un missile revenait à « tirer au pistolet sur une balle qui vous fonce dessus ». Si nous arrivions un jour à mettre au point un tel système, nous pourrions faire don de cette technologie aux autres nations, et par là persuader les Russes d'accepter l'amendement au traité ABM. Mais je n'étais pas certain que la mise en place d'un système de défense antimissile, à supposer qu'il fonctionne, soit le meilleur moyen de dépenser l'argent du contribuable. Il me semblait plus urgent de parer aux attaques de terroristes qui possédaient des armes nucléaires, chimiques ou biologiques.

Par ailleurs, la mise en place d'une défense antimissile ne ferait peut-être qu'exposer le monde à de plus graves dangers. Dans un premier temps, le système ne pourrait stopper que certains missiles – à supposer qu'il fonctionne. Si les États-Unis et la Russie déployaient ce système, la Chine ne manquerait pas de construire davantage de missiles, pour contrer nos défenses et maintenir sa puissance de dissuasion. L'Inde lui emboîterait le pas, suivie du Pakistan. Aux yeux des Européens, l'idée était très mauvaise. Mais il était trop tôt pour traiter ces problèmes, puisque nous n'avions pas encore un tel système en notre possession.

Avant mon départ de Moscou, Poutine a organisé au Kremlin un petit dîner suivi d'un concert de jazz donné par des musiciens de tous âges, de l'adolescent à l'octogénaire. Pour le final est apparu Igor Butman, le saxophoniste ténor que j'admire le plus au monde ; sur une scène plongée dans l'obscurité, il s'est mis à jouer une suite d'airs éblouissants. John Podesta, grand amateur de jazz lui aussi, m'a confié qu'il venait d'assister au meilleur concert de sa vie.

Je me suis rendu en Ukraine pour apporter notre aide financière au président Leonid Kouchma, qui entendait fermer le dernier réacteur de la centrale nucléaire de Tchernobyl avant le 15 décembre. La décision avait pris du temps, mais j'étais heureux de savoir que le problème serait résolu avant la fin de mon mandat. Plus tard, j'ai prononcé un discours en plein air devant une immense foule d'Ukrainiens, que j'ai invités à rester sur la voie de la liberté et des réformes économiques. Kiev était merveilleuse en cette fin de printemps, et j'espérais que le peuple ukrainien tout entier partageait l'enthousiasme que je percevais alors dans la foule, car il avait encore bien des problèmes à résoudre.

Le 8 juin, je suis allé à Tokyo rendre hommage à la mémoire de mon ami le Premier ministre Keizo Obuchi, mort d'une commotion cérébrale quelques jours plus tôt. La cérémonie avait lieu dans la salle couverte d'un stade de football ; plusieurs milliers de chaises étaient disposées sur le sol, séparées en deux par une allée centrale, et les balcons supérieurs accueillaient encore des centaines de gens. On accédait à l'estrade par une large rampe d'accès frontale et deux petites rampes latérales ; l'un des murs était recouvert de fleurs sur une hauteur de dix mètres, et ces fleurs dessinaient un immense soleil se levant sur fond de ciel bleu pâle. Tout en haut, sur un créneau taillé dans le mur, un officier est venu déposer d'un geste solennel l'urne contenant les cendres d'Obuchi. Après un hommage rendu par ses collègues et amis, de jeunes Japonaises sont venues présenter des plateaux recouverts de fleurs blanches. Alors chacun de nous, prenant une fleur, est remonté le long de la rampe centrale pour aller se courber devant l'urne funéraire, d'abord l'épouse et les enfants du disparu, puis les membres de la famille impériale, les chefs du gouvernement et les chefs d'État étrangers, et chacun a déposé sa fleur blanche sur un muret courant tout le long du mur de fleurs.

Après avoir rendu hommage à mon ami et déposé ma fleur, je suis retourné à l'ambassade américaine pour voir notre ambassadeur et ancien président de la Chambre, Tom Foley. J'ai allumé la télévision afin de suivre la fin de la cérémonie. Des milliers de Japonais créaient avec leurs fleurs un nuage blanc contre le soleil levant. Je n'ai jamais vu spectacle plus émouvant. J'ai fait un saut à la réception pour présenter mes condoléances à Mme Obuchi et aux enfants de Keizo, dont l'une était également entrée en politique. Mme Obuchi

m'a remercié d'être venu et m'a offert une boîte en émail qui avait appartenu
à son mari. Obuchi avait été un ami personnel, et un ami de l'Amérique.
Notre alliance était très importante, et il l'avait chérie dès sa jeunesse. J'aurais
aimé qu'il continue de le faire plus longtemps.

Quelques jours plus tard, alors que je prenais part à la remise des diplômes
à Carleton College, dans le Minnesota, un assistant m'a fait passer une note
m'informant que le président Hafez al-Assad venait de mourir à Damas, dix
jours à peine après notre entrevue de Genève. Nous avions eu bien des différends, certes, mais il avait toujours fait preuve de franchise et ses déclarations
en faveur de la paix me semblaient sincères. Les circonstances, les quiproquos
et diverses barrières psychologiques avaient empêché cette paix entre Israël et
la Syrie, mais nous savions désormais qu'elle était envisageable.

À l'arrivée de l'été, j'ai donné le plus grand dîner présidentiel de mon
mandat ; plus de quatre cents invités étaient installés sous une immense tente
dressée sur la pelouse sud en l'honneur du roi Mohammed VI du Maroc, dont
l'ancêtre avait été l'un des premiers souverains à reconnaître les États-Unis,
peu après l'unification de nos treize premiers États.

Le lendemain, j'ai réparé une vieille injustice en remettant la médaille
d'honneur du Congrès à vingt-deux Américains d'origine japonaise qui,
durant la Seconde Guerre mondiale, s'étaient portés volontaires pour combattre en Europe après l'internement de leurs familles dans des camps. Mon ami
et allié Daniel Inouye était du nombre ; aujourd'hui sénateur de Hawaï, il
avait perdu un bras – et presque la vie – pendant la guerre. Une semaine plus
tard, j'ai nommé le premier Américain d'origine asiatique de mon cabinet ;
ancien député de Californie, Norm Mineta est devenu ministre du Commerce
jusqu'à la fin de mon mandat, en remplacement de Bill Daley qui partait pour
prendre la direction de la campagne d'Al Gore.

Dans la dernière semaine du mois, j'ai donné une petite réception dans le
salon est de la Maison Blanche. C'est dans cette salle que, près de deux cents
ans plus tôt, Thomas Jefferson avait lancé l'expédition de Lewis et Clark, chargés de dessiner la carte des États-Unis entre l'ouest du Mississippi et le Pacifique. Mais c'est une carte plus contemporaine qu'était venue honorer une foule
de scientifiques et de diplomates – plus de mille chercheurs représentant les
États-Unis, le Royaume-Uni, l'Allemagne, la France, le Japon et la Chine
venaient en effet de décoder le génome humain ; la plupart des trois milliards
de séquences de notre code génétique étaient désormais identifiées. Francis
Collins, chef du projet international sur le génome humain, et Craig Venter,
président de Celera, avaient décidé d'oublier des années de rivalité et de
publier leurs données en commun dans le courant de l'année. Craig était un
vieil ami, et je m'étais efforcé de réconcilier ces deux grands scientifiques.
Tony Blair nous a rejoints par liaison satellite, et je lui ai annoncé en souriant
que son petit dernier venait de gagner vingt-cinq années d'espérance de vie.

Vers la fin du mois j'ai déclaré que notre excédent budgétaire dépasserait
les deux cents milliards de dollars, et que l'on pouvait attendre un excédent
de quatre billions sur les dix prochaines années. Une fois encore, j'ai proposé de
bloquer l'excédent de la Sécurité sociale, qui s'élevait à 2,3 billions, et de

reverser environ 550 milliards à Medicare. La retraite des baby-boomers semblait finalement assurée.

J'ai également assisté à divers rassemblements politiques pour soutenir les Démocrates en Arizona et en Californie, mais aussi pour aider Terry McAuliffe à collecter des fonds supplémentaires pour notre convention du mois d'août, à Los Angeles. Mon directeur politique, Minyon Moore, travaillait en étroite collaboration avec Terry tout en supervisant la campagne d'Al Gore.

La plupart des sondages indiquaient que Bush était talonné par Gore. Lors de ma conférence de presse du 28 juin, un journaliste de *NBC News* m'a demandé si Al était jugé responsable des « scandales » de mon gouvernement. Rien ne semblait prouver, ai-je répondu, qu'il était puni pour mes propres erreurs ; les rares accusations lancées contre Gore concernaient le financement de sa campagne, et il avait été innocenté ; quant aux autres prétendus scandales, ils étaient fabriqués de toutes pièces : « Le mot *scandale* est agité ici comme une vieille casserole depuis sept ans. » J'ai ajouté que je savais trois choses importantes au sujet d'Al Gore : en tant que vice-président, il avait eu plus d'impact sur le pays qu'aucun de ses prédécesseurs ; il savait choisir la position juste à chaque fois, et il saurait maintenir la prospérité ; enfin, il savait envisager l'avenir sous ses deux aspects, les potentialités et les dangers. Si chaque électeur admettait ces trois points, Al avait toutes les chances de l'emporter.

Dans la première semaine de juillet, j'ai annoncé que notre économie avait produit vingt-deux millions d'emplois depuis ma prise de fonctions ; j'ai visité la Maison des vétérans, à quelques kilomètres au nord de la Maison Blanche, pour faire protéger la vieille chaumière où se retiraient Abraham Lincoln et sa famille quand de fortes chaleurs faisaient surgir du Potomac des nuées de moustiques. Plusieurs autres présidents y avaient séjourné par la suite. La maison était inscrite sur la liste des trésors du patrimoine dont s'occupait Hillary, et nous voulions nous assurer qu'on en prendrait soin après notre départ de la Maison Blanche.

Le 11 juillet, j'ai ouvert un sommet à Camp David en compagnie de Ehoud Barak et de Yasser Arafat. Il s'agissait d'éliminer les derniers obstacles sur le chemin de la paix, ou du moins de réduire les divergences pour parvenir à un accord avant mon départ – ce que nous désirions tous les trois.

Chacun d'eux est arrivé au sommet dans un état d'esprit différent. Barak avait beaucoup insisté, car il n'était pas satisfait par l'approche fragmentaire des négociations de 1993 et par l'accord de Wye River. Les cent quatre-vingt mille colons israéliens de Cisjordanie et de Gaza constituaient une force considérable. Barak venait de subir un revers à la Knesset, qui lui avait voté sa confiance avec une majorité de deux voix seulement. Lui aussi voulait parvenir à un accord avant septembre, date à laquelle Arafat avait menacé de décréter unilatéralement un État palestinien. S'il était en mesure de présenter un plan de paix complet, Barak pensait que les Israéliens l'accepteraient – à la seule condition que soient respectés les intérêts fondamentaux du pays : sécurité, protection des sites religieux et culturels sur le mont du Temple, annulation du droit permanent au retour dont se prévalaient les Palestiniens, déclaration officielle de la fin des hostilités.

Arafat, lui, ne voulait pas venir à Camp David – du moins pas dans l'immédiat. Il s'était senti tenu à l'écart quand les Israéliens avaient traité le volet syrien, et il était irrité de constater que Barak n'avait pas tenu ses engagements en cédant davantage de territoires sur la Cisjordanie et plusieurs villages proches de Jérusalem. À ses yeux, Barak l'avait mis en position de faiblesse en ordonnant unilatéralement le retrait de ses troupes au Liban et en proposant de quitter le Golan. Tandis qu'Arafat suivait patiemment le processus de paix, le Liban et la Syrie avaient tiré leur épingle du jeu en se montrant moins ouverts. De plus, Arafat réclamait deux semaines supplémentaires pour peaufiner ses propositions. Il voulait obtenir la quasi-totalité de la Cisjordanie et de Gaza ; la souveraineté sur le mont du Temple et Jérusalem-Est, quartiers juifs exceptés ; et une solution aux problèmes des réfugiés qui ne le fasse pas renoncer au principe du droit au retour.

Comme toujours, chacun des deux dirigeants estimait sa position plus claire que celle du camp adverse. Les chances de succès étaient faibles, mais j'avais organisé ce sommet malgré tout pour éviter l'effondrement total du processus de paix.

Le premier jour, j'ai essayé de convaincre Arafat d'oublier ses griefs et de se concentrer sur l'avenir, et j'ai mis au point avec Barak le déroulement des négociations portant sur les points les plus délicats : les territoires, la colonisation, les réfugiés, la sécurité des personnes, Jérusalem. Comme naguère à Shepherdstown, Barak a tenté de faire traîner le sommet pendant quelques jours. Ce n'était pas bien grave, car Arafat n'était pas venu avec une liste de points urgents à traiter – en réalité, il se prêtait à ce type de négociations pour la première fois. Par le passé, il attendait simplement la meilleure offre israélienne sur certains sujets – terre, aéroport, routes, libération de prisonniers – et concentrait tous ses efforts sur la sécurité. Cette fois, si nous voulions aboutir à un résultat, Arafat devait faire des concessions à son tour : non, il n'obtiendrait pas la totalité des territoires occupés, ni un droit permanent au retour dans un pays sérieusement rétréci. Il lui faudrait également admettre qu'Israël craignait de se découvrir des ennemis à l'est du Jourdain.

J'ai passé les deux premiers jours à faire en sorte que Barak et Arafat partagent le même état d'esprit. Madeleine, Sandy, Dennis, Gemal Helal, John Podesta et le reste de l'équipe se sont mis au travail avec leurs homologues israéliens et palestiniens. La qualité des délégations avait quelque chose d'impressionnant ; tous étaient patriotes, intelligents et travailleurs, et tous semblaient sincèrement désirer la paix. La plupart se connaissaient depuis des années, ce qui facilitait l'entente et le travail.

Nous avons tenté de créer une atmosphère informelle et détendue. En plus de l'équipe chargée du Moyen-Orient, j'ai fait appel à une assistante de Hillary, Huma Abedin. Cette Américaine, musulmane et arabophone, avait été élevée en Arabie Saoudite et connaissait bien le Moyen-Orient ; elle a su, mieux que personne, mettre à l'aise les délégués israéliens et palestiniens tout au long du sommet. Capricia Marshall, secrétaire aux Affaires sociales à la Maison Blanche, s'est arrangée pour que les domestiques et chefs cuisiniers de la Maison Blanche viennent aider le personnel de Camp David à préparer des repas irréprochables. Chelsea est restée avec moi jusqu'au bout, pour bavarder avec nos invités et m'aider à supporter d'interminables heures de tension.

Les dîners se déroulaient au pavillon Laurel, grand chalet abritant une salle à manger, un grand salon, une salle de conférences et mon bureau privé. Petit déjeuner et déjeuner étaient plus informels, et l'on voyait souvent Israéliens et Palestiniens profiter de l'occasion pour parler par petits groupes, échanger des idées de travail et parfois des histoires personnelles ou des plaisanteries. Abu Ala et Abu Mazen étaient les deux plus anciens conseillers d'Arafat. Abu Ala faisait l'objet de nombreuses plaisanteries de la part des Israéliens : fils d'un père décidément insatiable, le Palestinien avait, à 63 ans, un petit frère de 8 ans – plus jeune, donc, que ses propres petits-enfants. Quant à Eli Rubinstein, conseiller juridique du gouvernement Barak, il connaissait encore plus de blagues que moi – et il les racontait bien mieux.

Si le courant passait entre les deux délégations, ce n'était pas le cas entre Barak et Arafat. Je les avais logés dans des bungalows proches du mien et je m'entretenais longuement avec chacun d'eux, mais eux ne se parlaient pas. Arafat ruminait son humiliation. Barak ne voulait pas d'un tête-à-tête avec Arafat, craignant de retomber dans le schéma habituel : Barak faisait des concessions, Arafat ne répondait rien. Ehoud passait la majeure partie du temps dans son bungalow, le plus souvent au téléphone avec Israël pour tenter de préserver sa coalition.

J'en étais venu à mieux comprendre Barak. Esprit brillant et courageux, il était prêt à faire plus de concessions que Rabin sur Jérusalem et les territoires occupés. Mais il avait du mal à écouter les gens qui ne partageaient pas son avis, et sa façon d'agir se distinguait nettement de celle qui prévalait dans le monde arabe tel que je le connaissais. Barak n'hésitait pas à faire attendre tout le monde, puis, quand il était prêt, il avançait une offre qui devait être aussitôt acceptée. Ses collaborateurs, eux, suivaient une méthode plus classique : politesses destinées à instaurer la confiance de part et d'autre, longues conversations, marchandages.

Cette confrontation de deux cultures ne facilitait pas la tâche de mon équipe. Après avoir présenté plusieurs stratégies pour sortir de l'impasse, nous avons obtenu un petit succès : les délégations se sont divisées en petits groupes de travail, chargés chacun d'un point particulier des négociations. Chaque groupe, hélas, s'était vu fixer par son camp une limite à ne pas franchir.

Le sixième jour, avec l'accord de Barak, Schlomo Ben-Ami et Gilead Sher sont allés bien au-delà des positions précédentes d'Israël, dans l'espoir de voir réagir Saeb Erekat et Mohammed Dahlan, jeunes membres de l'équipe d'Arafat dont nous pensions tous qu'ils tenaient à un accord. Mais les Palestiniens n'ont rien proposé en échange de ces concessions territoriales. Je suis donc allé voir Arafat, accompagné par Helal qui devait servir d'interprète et par Malley pour la prise de notes. L'entrevue s'est déroulée dans une atmosphère tendue, et j'ai dit à Arafat que je m'apprêtais à clore les pourparlers en spécifiant qu'il avait refusé de négocier, à moins qu'il me donne de quoi satisfaire Barak – lequel était dans tous ses états, parce que Ben-Ami et Sher étaient allés aussi loin que possible dans les concessions sans rien obtenir en échange. Après un moment, Arafat m'a remis une lettre où il semblait dire que s'il obtenait satisfaction sur la question de Jérusalem, il me laisserait déterminer quelle étendue de territoire serait réservée aux colons israéliens. J'ai transmis la lettre à Barak et longuement conversé avec lui, seul ou en compagnie de Bruce Reidel, vice-président du Conseil de la sécurité nationale chargé de prendre les débats en note pour Israël. Barak a fini par admettre que ce document était un point de départ.

Le 17 juillet, septième jour des négociations, nous avons failli perdre Barak. Alors qu'il mangeait tout en travaillant, il s'est étouffé en avalant une cacahuète et n'a plus respiré pendant quarante secondes. Il a fallu que Gid Gernstein, le cadet de sa délégation, pratique sur lui la manœuvre de Heimlich. Barak, de constitution solide, s'est aussitôt remis au travail comme si rien ne s'était passé. Pour tout dire, rien ne s'était effectivement passé pour nous depuis une semaine, alors que Barak faisait travailler sa délégation jour et nuit à ses côtés.

Dans tout processus comme celui-ci, il existe des périodes de latence où certains travaillent pendant que d'autres attendent. Il faut alors s'occuper pour faire baisser la tension. C'est ainsi que j'ai passé des heures à jouer aux cartes avec Joe Lockhart, John Podesta et Doug Band. Doug avait travaillé à la Maison Blanche pendant cinq ans ; tout en préparant son diplôme de droit, depuis le printemps, il était devenu mon dernier collaborateur en date. Chelsea jouait parfois avec nous. Il s'intéressait beaucoup au Moyen-Orient et me fut très utile. C'est elle qui a établi le plus haut score au « Oh Hell ! » de tout le séjour à Camp David.

C'est après minuit que Barak est enfin venu me voir avec des propositions. Elles étaient moins intéressantes que celles déjà présentées aux Palestiniens par Sher et Ben-Ami. Ehoud voulait que je les présente à Arafat en les faisant passer pour des offres américaines. Je comprenais qu'il en veuille à Arafat, mais je ne pouvais pas accéder à sa demande ; le résultat eût été désastreux, et je le lui ai dit franchement. Nous avons parlé jusqu'à 2 h 30. Il est revenu à 3 h 15 et nous avons passé une heure à débattre de la situation à l'arrière de mon bungalow. Il me donnait carte blanche pour esquisser un accord sur Jérusalem, mais celui-ci devait à la fois lui convenir et entériner les accords préliminaires auxquels Ben-Ami et Sher étaient parvenus avec leurs homologues palestiniens. Cette nuit blanche n'avait donc pas été perdue.

Au matin du huitième jour, je me suis réveillé avec un sentiment d'inquiétude mêlée d'espoir. Inquiétude, parce que je devais partir pour Okinawa assister au sommet du G8 ; espoir, parce que j'étais transporté par le courage de Barak et par sa faculté à choisir le meilleur moment. Ayant reporté d'un jour mon départ pour le Japon, je suis allé voir Arafat. Il pouvait compter sur plusieurs acquis : 91 % de la rive ouest et une bande de terre symbolique proche de Gaza et de la Cisjordanie ; une capitale à Jérusalem-Est ; la souveraineté sur les quartiers musulmans et chrétiens de la Vieille Ville et sur les faubourgs de Jérusalem-Est ; aménagement, gestion et maintien de l'ordre dans le reste de la partie orientale de la ville ; détention – sans souveraineté – du mont du Temple, que les Arabes nomment Haram al-Sharif ou « Noble Sanctuaire ». Mais Arafat ne voulait pas d'une offre qui ne lui accorde pas la souveraineté sur la totalité de Jérusalem-Est, mont du Temple compris. Je lui ai demandé de réfléchir. Arafat se plaignait de l'offre, Barak était hors de lui. J'ai appelé plusieurs dirigeants arabes pour demander leur soutien, mais presque tous ont préféré se taire par crainte de contrarier Arafat.

Le neuvième jour, j'ai de nouveau tenté de convaincre Arafat. En vain. Les Israéliens étaient allés bien plus loin que lui, et il ne voulait même pas considérer leurs offres comme une éventuelle base de discussion pour l'avenir. J'ai de nouveau appelé au téléphone plusieurs dirigeants arabes. Le roi Abdullah et le président Ben Ali ont tenté de le raisonner depuis la Tunisie. Arafat craignait de faire des compromis, m'ont-ils dit. Les pourparlers étaient en train de sombrer et le désastre semblait imminent. Mais les deux parties voulaient réellement parvenir à un accord, si bien que je leur ai demandé de poursuivre le travail en attendant mon retour d'Okinawa. Ils ont accepté, mais après mon départ les Palestiniens ont refusé de travailler à partir de mes offres, qu'ils disaient avoir déjà écartées. C'est alors que les Israéliens ont commencé à rechigner. En partie par ma faute : il semble que je n'aie pas été assez explicite avec Arafat sur la manière dont les pourparlers devaient se dérouler en mon absence.

Je laissais Madeleine et le reste de l'équipe dans une drôle de situation. Elle a invité Arafat dans sa ferme, puis elle a emmené Barak visiter à Gettysburg le célèbre champ de bataille de la Guerre civile. Ces distractions ont beaucoup plu à ses hôtes, mais il n'en est rien ressorti de concret. Schlomo Ben-Ami et Amnon Shahak, ancien général de Tsahal, avaient de longues discussions avec Mohammed Dahlan et Mohamed Rashid, mais ces quatre-là étaient les plus enthousiastes de leurs délégations ; même s'ils tombaient d'accord sur tout, ils ne pourraient jamais convaincre leurs dirigeants respectifs.

Je suis rentré au cours du treizième jour des négociations, et nous avons passé la nuit à débattre de problèmes de sécurité. Nous avons recommencé le lendemain, avant de renoncer pour de bon quand Arafat a déclaré que, sans « souveraineté », le contrôle du mont du Temple et de la totalité de Jérusalem-Est ne l'intéressait pas. Dans un ultime effort, je lui ai proposé de demander à Barak une souveraineté totale sur les faubourgs extérieurs de Jérusalem-Est, une souveraineté limitée sur les quartiers intérieurs et une « tutelle » sur le mont du Temple. Arafat m'ayant opposé un nouveau refus, j'ai déclaré la clôture des négociations. Tristesse et frustration dominaient parmi nous, d'autant que les deux camps avaient pour la gestion de Jérusalem des projets similaires – mais chacun en exigeait la souveraineté.

Dans une allocution officielle, j'ai déclaré que les deux parties ne pouvaient parvenir à un accord pour l'instant, étant donné les dimensions historiques, religieuses et politiques du conflit. Afin de faciliter le retour de Barak en Israël et donner un aperçu des pourparlers, j'ai ajouté qu'Arafat avait affirmé son désir de paix mais que Barak avait fait preuve « d'un grand courage, d'une belle hauteur de vue et d'une parfaite intelligence de l'importance historique de ce moment ».

Les deux délégations avaient fait preuve de respect mutuel et manifesté une compréhension de l'autre que je n'avais jamais observée en huit ans d'exercice ; pour la première fois, elles avaient débattu des sujets les plus sensibles. Nous avions maintenant une idée plus précise des exigences de chaque camp, ai-je ajouté, et il n'était pas impensable de parvenir à un accord avant la fin de l'année.

Arafat voulait poursuivre les négociations, et il a admis a plusieurs reprises qu'il n'aurait sans doute plus l'occasion de négocier avec un dirigeant israélien et un médiateur américain si désireux d'obtenir la paix. Il m'était difficile de comprendre son immobilisme. Peut-être son équipe n'avait-elle pas digéré les principaux compromis ; peut-être voulaient-ils voir jusqu'où iraient les Israéliens avant d'abattre leur propre jeu. En tout état de cause, ils venaient de fragiliser considérablement la position de Barak dans son pays. Le soldat le plus décoré de l'histoire d'Israël, qui pouvait à l'occasion se montrer brutal et entêté, avait pris de gros risques pour l'avenir de son pays. Dans ma conférence de presse, j'ai assuré le peuple d'Israël que Barak n'avait rien fait pour compromettre leur sécurité et qu'il méritait toute leur admiration.

Arafat était connu pour sa façon de prendre ses décisions au tout dernier moment, « à minuit moins cinq » comme nous aimions à le dire. Il me restait seulement six mois à la Maison Blanche. Six mois moins cinq minutes.

CHAPITRE CINQUANTE-CINQ

Pendant que les discussions se poursuivaient à Camp David, il se passait des choses positives ailleurs. Charlene Barshefsky concluait un important accord commercial avec le Viêt-nam et la Chambre adoptait un amendement présenté par Maxine Waters qui a permis de financer le premier versement de notre contribution à l'effort d'allégement de la dette des pays pauvres. À l'époque, ce projet était soutenu par un nombre incroyable de personnes, entraînées par Bono.

Ce dernier était devenu un personnage incontournable de la vie politique de Washington. Il se révélait être un politicien de premier ordre, sachant notamment jouer de la surprise. Larry Summers, qui connaissait tout de l'économie mais pas grand-chose à la culture populaire, est venu me voir un jour en disant qu'il sortait d'une réunion sur l'allégement de la dette avec « un type nommé Bono – rien qu'un surnom – qui portait un jean, un tee-shirt et des lunettes de soleil. Il est venu discuter de l'allégement de la dette, et il sait de quoi il parle ».

Le voyage à Okinawa a été un vrai succès, en ce sens que le G8 s'est impliqué à fond dans notre projet d'envoyer tous les enfants du monde à l'école primaire avant 2015. J'ai proposé un programme de trois cents millions de dollars consistant à fournir un bon repas par jour à neuf millions d'enfants à condition qu'ils viennent le prendre à l'école. L'initiative m'avait été suggérée par notre ambassadeur aux programmes d'aide alimentaire de l'ONU à Rome George McGovern, un de ses collaborateurs, Bob Dole et le député du Massachusetts Jim McGovern. J'ai aussi rendu visite à nos soldats cantonnés à Okinawa, j'ai remercié le Premier ministre Yoshiro Mori de leur permettre d'y demeurer et je me suis engagé à réduire les tensions que notre présence avait causées. C'était mon dernier sommet du G8, et j'ai regretté de devoir le quitter très vite pour retourner à Camp David. Les autres chefs d'État avaient soutenu toutes mes initiatives, et pendant ces huit ans nous avions accompli énormément de choses ensemble.

Chelsea était venue à Okinawa avec moi. L'une des bonnes nouvelles de l'année, pour Hillary et pour moi, c'est qu'elle a pu en passer la moitié avec nous. Pendant ses trois années à Stanford, elle avait accumulé plus d'unités de valeur qu'il ne lui en fallait pour sa licence, si bien qu'elle est revenue vivre à la Maison Blanche. Quand elle ne faisait pas campagne avec sa mère, elle m'aidait à résoudre certains problèmes internes à la Maison Blanche ou elle m'accompagnait dans mes déplacements. Quoi qu'elle fasse, elle était très efficace, et sa présence nous rendait la vie plus belle à sa mère et à moi.

Fin juillet, je suis reparti en guerre contre les Républicains à propos des réductions d'impôts. Ils voulaient engloutir dans ce projet dix ans d'excédents à venir, affirmant que cet argent appartenait aux contribuables et que nous devions le leur restituer. C'était un argument convaincant, à ceci près que les excédents étaient seulement probables et que les réductions d'impôts allaient prendre effet même s'ils ne se matérialisaient pas. Pour illustrer mon point de vue, j'ai demandé aux gens d'imaginer qu'ils recevaient une lettre envoyée par une personnalité de la télévision nommée Ed McMahon commençant par ces mots : « Vous avez peut-être déjà gagné dix millions de dollars. » J'ai expliqué que les gens qui se mettraient à dépenser ces dix millions tout de suite étaient mûrs pour soutenir le projet des Républicains ; quant aux autres, il fallait qu'ils « se rangent de notre côté pour contribuer à la poursuite de la prospérité ».

Le mois d'août a été très chargé. Il a commencé avec la nomination de George W. Bush et de Dick Cheney à Philadelphie. Hillary et moi sommes allés à Martha's Vineyard afin de collecter des fonds pour sa campagne, et j'ai ensuite pris l'avion pour l'Idaho où j'allai encourager des pompiers qui combattaient un énorme et dangereux incendie de forêt. Le 9, j'ai remis la médaille de la Liberté à quinze Américains parmi lesquels feu le sénateur John Chafee, le sénateur Pat Moynihan, la fondatrice du Fonds de défense pour l'enfance, Marian Edelman, une femme médecin très impliquée dans la lutte contre le sida, Mathilde Krim, Jesse Jackson, le juge Cruz Reynoso et le général Wesley Clark qui avait terminé sa brillante carrière militaire en menant notre difficile campagne contre Milosevic et son nettoyage ethnique au Kosovo.

Au milieu de ce tourbillon d'activités politiques, j'ai fait quelque chose qui n'avait rien à voir : je suis allé m'entretenir avec mon ami Bill Hybels et quelques centaines de personnes dans l'église de South Barrington, près de Chicago, à l'occasion de la conférence des chefs religieux organisée par Bill. Nous avons parlé de ce qui m'avait décidé à entreprendre une carrière politique, de l'église que fréquentaient mes parents et de ce que signifiait pour moi la pratique religieuse, du fait que tant de gens continuaient à croire que je n'avais pas demandé pardon pour ma mauvaise conduite, de la façon dont je me servais des sondages, de ce qui constituait pour moi les éléments principaux du leadership et du souvenir que j'aimerais laisser. Hybels avait une façon troublante de ramener les choses à l'essentiel et de m'inciter à parler de sujets que je n'abordais pas d'habitude. J'étais ravi d'échapper à la politique pendant quelques heures et de réfléchir à ma vie intérieure, si souvent éclipsée par ma charge de travail.

Le 14 août, lors de la soirée inaugurale de la convention démocrate, Hillary a exprimé des remerciements émus aux Démocrates pour leur soutien avant d'exposer avec brio les enjeux des élections de cette année-là. Puis, après la projection de mon troisième film pour cette campagne, produit par Harry et Linda Thomason, qui présentait ce que nous avons fait pendant nos huit ans au pouvoir, je suis monté sur scène au son d'une musique grandiose. Quand les applaudissements se sont calmés, j'ai dit que l'élection devait être une réponse à cette simple question : « Allons-nous permettre à ces progrès et à cette prospérité de se poursuivre ? »

J'ai demandé aux Démocrates de se souvenir du critère fixé par le président Reagan en 1980 pour savoir si un parti devait continuer à diriger le pays : « La situation est-elle meilleure aujourd'hui qu'il y a huit ans ? » J'ai dit que la réponse prouvait la justesse de l'observation de Harry Truman : « Si vous voulez vivre en Républicain, votez pour un Démocrate. » La foule a éclaté de rire. Oui, la situation était meilleure, et pas uniquement sur le plan économique. Il y avait plus d'emplois mais aussi plus d'adoptions. La dette avait diminué, mais aussi le nombre de grossesses chez les adolescentes. Nous étions en passe de devenir à la fois plus divers et plus unis. Nous avions construit et passé le pont conduisant au XXIe siècle, et nous ne reviendrions pas en arrière.

J'ai exposé les avantages que nous donnerait une majorité au Congrès, j'ai déclaré qu'en apportant la prospérité au peuple, nous avions testé le caractère, les valeurs et le jugement de l'Amérique aussi sûrement que nous l'avions fait autrefois en période d'adversité. Avec un Congrès démocrate, l'Amérique aurait déjà la charte des droits des patients, un salaire minimum décent, plus d'égalité entre les salaires des hommes et des femmes et des réductions d'impôts pour frais de scolarité ou de longue maladie pour la classe moyenne.

J'ai rendu hommage à Hillary qui servait son pays depuis trente ans et s'était si bien occupée de la famille et des enfants pendant son séjour à la Maison Blanche ; j'ai dit qu'elle avait toujours été présente pour sa propre famille et qu'elle le serait tout autant pour les familles de l'État de New York et de la nation tout entière.

J'ai ensuite présenté mes arguments en faveur d'Al Gore, en insistant sur sa force de conviction, sa vision de l'avenir et sa profonde honnêteté. J'ai remercié son épouse Tipper pour ses travaux en faveur des malades mentaux et félicité Al d'avoir choisi Joe Lieberman, rappelant nos trente-cinq ans d'amitié et le rôle joué par Joe dans les années 1960 en faveur des droits civiques dans le Sud. Premier juif américain à faire partie des candidats d'un grand parti national, Joe était la preuve vivante de l'attachement d'Al Gore à la construction de l'Amérique unie.

J'ai terminé mon discours par des remerciements et un vœu personnel :

Mes amis, il y a cinquante-cinq ans cette semaine, pendant un orage d'été, je venais au monde, fils d'une jeune veuve dans une petite ville du Sud. L'Amérique m'a donné la chance de vivre mes rêves. Et j'ai fait de mon mieux pour améliorer vos chances de vivre les vôtres. Désormais, mes cheveux grisonnent, mes rides se creusent, mais je veux vous dire, avec autant d'optimisme et d'espoir que j'en avais en entrant en fonctions, il y a huit ans, que mon cœur déborde de gratitude.

Mes chers concitoyens, l'avenir de notre pays est maintenant entre vos mains. Alors réfléchissez, sondez votre cœur et choisissez avec sagesse. Et n'oubliez pas […] de donner toujours la première place au peuple. Tendez-lui la main et ne perdez jamais de vue notre avenir.

Le lendemain, nous nous envolions, Hillary, Chelsea et moi avec Al et Tipper Gore pour Monroe, dans le Michigan, où devait avoir lieu le « passage du flambeau ». Une foule importante envoya Al Gore à Los Angeles pour qu'il demande sa nomination et devienne le chef de notre Parti, tandis que j'allais me restaurer dans un *McDonald's,* chose que je n'avais pas faite depuis bien longtemps.

Le ticket Bush-Cheney avait opté pour un programme électoral en deux points. Leur premier message de « conservatisme compatissant » promettait à l'Amérique les mêmes conditions favorables que nous lui avions données, mais avec un gouvernement moins nombreux et de plus fortes réductions d'impôts. Leur deuxième message consistait à dire qu'ils relèveraient le niveau moral de l'administration et qu'ils mettraient fin aux querelles partisanes qui divisaient le Congrès. C'était pour le moins déloyal. J'avais fait tout ce que je pouvais pour tendre la main aux Républicains du Congrès, eux qui m'avaient diabolisé depuis le premier jour. Et maintenant, ils osaient dire : « Nous allons réformer notre conduite si vous nous rendez la Maison Blanche ! »

Cet argument moralisateur ne pouvait avoir aucune résonnance, à moins que les gens ne trouvent quelque chose à reprocher à Al Gore, surtout avec l'impeccable Joe Lieberman comme éventuel vice-président. Je n'étais plus dans la course ; il était donc déloyal, et trompeur pour les électeurs, de reprocher mes erreurs personnelles au ticket Gore-Lieberman. Je savais que cette stratégie serait inefficace, à moins que les Démocrates n'admettent la légitimité du raisonnement des Républicains et n'omettent de rappeler aux électeurs le fiasco de la mise en accusation et les dégâts que pourrait faire la droite si elle contrôlait à la fois la Maison Blanche et le Congrès. Un vice-président de la NRA avait déjà annoncé que si Bush était élu la NRA aurait un bureau à la Maison Blanche.

Après notre convention, les sondages ont montré que Al Gore était favori, d'une courte tête, et j'ai accompagné Hillary dans la région des Finger Lakes, au nord de l'État de New York, pour quelques jours de vacances et de campagne. La compétition n'était plus la même que quand elle avait commencé, car son adversaire avait changé. Giuliani s'était retiré, et c'était maintenant le député Rick Lazio qu'elle devait battre. Or celui-ci était à la fois bel homme, intelligent et moins rassembleur, tout en étant plus conservateur que Giuliani.

En fin de mois, j'ai encore accompli deux courts voyages. Après avoir rencontré à Washington le président élu du Mexique Vicente Fox, je me suis rendu au Nigeria pour voir le président Olusegun Obasanjo. Je voulais le soutenir dans son combat contre l'épidémie de sida avant que le taux de contamination dans son pays n'atteigne celui des pays du sud de l'Afrique, et je voulais attirer l'attention sur l'adoption récente de la charte du commerce africain qui, je l'espérais, allait être favorable à l'économie chancelante du Nigeria. Obasanjo et moi avons assisté à un meeting sur le sida au cours duquel une fillette a évoqué ses efforts pour informer ses camarades de classe sur la maladie, tandis qu'un homme nommé John Ibekwe a raconté l'histoire poignante de son mariage avec une femme porteuse du virus, de sa propre contamination et de sa quête désespérée pour fournir à sa femme les médicaments qui empêcheraient leur enfant de naître séropositif. Il avait fini par réussir, et la petite Maria était parfaitement saine. Le président Obasanjo a fait monter Mrs Ibekwe sur l'estrade et il lui a donné l'accolade. C'était un geste touchant et le signe manifeste que le Nigeria ne tomberait pas dans le piège du déni qui avait tant contribué à la propagation du sida dans d'autres pays.

Après le Nigeria, je suis allé à Arusha, en Tanzanie, où avaient lieu les pourparlers de paix au Burundi, présidés par Nelson Mandela. Mandela m'avait demandé d'assister à la dernière session avec lui et quelques autres chefs d'États africains, pour exhorter les dirigeants des nombreuses factions rivales à signer l'accord et à éviter un autre Rwanda. Mandela m'avait donné des instructions très claires : je devais prononcer un discours positif, les incitant à prendre la bonne décision, et Mandela demanderait ensuite à toutes les parties de signer sa proposition. La tactique a fort bien marché. Le président Pierre Buyoya et treize des dix-neuf factions rebelles ont signé l'accord. Bientôt, elles auraient toutes signé, sauf deux. Ce voyage fut fatigant, mais ma présence à la conférence de paix au Burundi eut le mérite de prouver à l'Afrique et au monde que les États-Unis étaient une nation pacificatrice. Comme je me l'étais dit avant le début des négociations à Camp David, « nous y arriverons ou, en tout cas, nous aurons essayé ».

Le 30 août, je me suis envolé pour Cartagène, en Colombie, avec le président de la Chambre Dennis Hastert et six autres représentants, quatre sénateurs, dont Joe Biden, et plusieurs membres de mon gouvernement. Nous voulions tous réaffirmer notre soutien au plan Colombie du président Andrés Pastrana dont l'objectif était de débarrasser son pays des trafiquants de drogue et des terroristes qui contrôlaient près de un tiers du territoire. Pastrana avait risqué sa vie en voulant faire la paix avec les groupes de guérilla. Cet échec l'avait incité à demander l'aide des États-Unis pour les vaincre. Avec le soutien de Hastert, j'avais obtenu du Congrès plus de un milliard de dollars, notre contribution au plan Colombie.

Cartagène est une ancienne ville fortifiée magnifique. Pastrana nous a promenés dans les rues pour nous faire rencontrer des fonctionnaires engagés dans la lutte contre le trafic de drogue et quelques personnes qui avaient souffert de la violence, notamment la veuve d'un policier abattu pendant son service, victime, comme des centaines d'autres, de son intégrité et de son courage. Andrés nous présenta aussi, à Chelsea et à moi, un charmant groupe de jeunes musiciens qui se faisaient appeler les Enfants de Vallenato, leur village natal situé dans une région dominée par la violence. Ils ont chanté et dansé pour la paix, en costumes traditionnels, et ce soir-là, dans les rues de Cartagène, Pastrana, Chelsea et moi avons dansé avec eux.

À la fin de la première semaine de septembre, après avoir posé mon veto à une loi abrogeant la taxe d'État, annoncé que je laissais à mon successeur le soin de prendre la décision de déployer ou non un système de défense anti-missile et participé à la campagne de Hillary pendant la Foire nationale de New York, je me suis rendu aux Nations unies pour le sommet du millénaire. J'y ai trouvé la plus vaste assemblée de chefs d'État jamais réunie. Pour mon dernier discours à l'ONU, j'ai lancé un appel bref mais passionné à la coopé-ration internationale dans le domaine de la sécurité, de la paix et du partage de la prospérité, pour que le monde puisse fonctionner selon cette règle simple : « Chaque individu compte ; chacun a un rôle à jouer ; et l'entraide nous permet à tous de mieux réussir. »

Après avoir parlé, je suis allé m'asseoir à côté de Madeleine Albright et de Dick Holbrooke pour écouter le prochain orateur, le président iranien Mohammed Khatami. En Iran, plusieurs élections s'étaient tenues au cours des années précédentes, élections présidentielles, législatives et municipales. Chaque fois, les réformateurs l'avaient emporté, avec entre 30 et 70 % des voix. Le problème était que, selon la Constitution iranienne, un conseil de fondamentalistes islamiques dirigé par l'ayatollah Sayyed Ali Khamenei détenait un pouvoir considérable ; il pouvait annuler certaines lois et interdire à certains candidats de se présenter aux élections. Il contrôlait les opérations d'espionnage à l'étranger et finançait l'aide de l'Iran au terrorisme. Nous avions déjà essayé de tendre la main à Khatami et d'instaurer avec lui des contacts plus person-nels. J'avais aussi déclaré que les États-Unis avaient eu tort de soutenir le renversement d'un gouvernement élu en Iran dans les années 1950. J'espérais que ce geste de respect permettrait à mon successeur d'aller plus loin.

Kofi Annan et moi avons présidé le traditionnel déjeuner et, quand il a été terminé, comme d'habitude, je suis resté debout près de ma table pour ser-rer la main aux dirigeants qui s'arrêteraient devant moi. Lorsque j'ai serré la main à un officiel namibien, un vrai géant, je croyais en avoir terminé, mais quand il s'est éloigné, j'ai découvert que sa haute stature m'avait caché quelqu'un : Fidel Castro. Ce dernier m'a tendu la main et je l'ai serrée. J'étais le premier président américain à le faire depuis plus de quarante ans. Il m'a dit qu'il ne voulait pas me causer d'ennuis, mais qu'il tenait à me présenter ses respects avant que je quitte la Maison Blanche. J'ai répondu que j'espérais voir un jour nos deux pays réconciliés.

Peu de temps après, l'OPEP a annoncé une augmentation de la pro-duction de pétrole de huit cent mille barils par jour ; Vajpayee, le Premier ministre indien, est venu à Washington en visite officielle et, le 19 septembre, le Sénat a approuvé, après la Chambre, le projet de loi normalisant nos rela-tions commerciales avec la Chine, étape préliminaire à son entrée dans l'OMC. J'étais certain qu'un jour ou l'autre ce pacte serait reconnu comme l'une des décisions de politique étrangère les plus importantes de mes huit ans d'exercice.

Le mois de septembre s'est bien passé pour Hillary. Elle a gagné les pri-maires le 12 et facilement battu Lazio pendant leur débat, dont le modérateur était Tim Russert, à Buffalo. Lazio a commis trois erreurs : il a affirmé que l'économie toujours en difficulté du nord de l'État de New York avait passé le seuil critique ; il a donné une information mensongère (pour laquelle il a dû rendre des comptes) en prétendant que le sénateur Moynihan le soutenait lui et non Hillary ; et il a agressé Hillary, essayant de la forcer à signer un pacte de financement de la campagne qui n'était pas crédible. La seule façon de réagir, pour Hillary, c'était de ne pas se laisser décontenancer et de répondre aux questions, ce qu'elle a fait. Une semaine plus tard, un nouveau sondage a confirmé son avance sur Lazio, 48 % contre 39, les femmes de la banlieue s'impliquant de plus en plus.

Le 16 septembre, j'ai fait des adieux émus à la foule, essentiellement afro-américaine, rassemblée pour le dîner du Congressional Black Caucus. Je suis revenu sur ce que j'avais fait, j'ai dit tout le bien que je pensais de Gore et de Lieberman et j'ai demandé à l'auditoire de soutenir des juges noirs parfaitement qualifiés mais non confirmés. Et puis, sans plus tenir compte du texte écrit que j'avais sous les yeux, j'ai conclu par ces mots :

> Je vous remercie du fond de mon cœur. Toni Morrison a dit un jour que j'étais le premier président noir qu'ait jamais eu ce pays. Et c'est un honneur plus grand pour moi qu'un prix Nobel, savez-vous pourquoi ? Parce que quelque part, dans les structures profondes de ma mémoire, se trouve enracinée la compréhension de ce que vous avez vécu. Quelque part, j'ai toujours eu le désir profond de partager le sort des gens qui ont été tenus à l'écart, laissés en arrière, brutalisés parfois et trop souvent négligés ou oubliés. Je ne sais pas exactement qui je dois remercier pour ça. Mais je suis certain de n'avoir aucun mérite parce que, chaque fois que j'ai fait quelque chose j'avais le sentiment de ne pas avoir le choix.

Le 20 septembre, j'ai répété les mêmes mots au dîner du caucus hispanique et à la conférence des évêques de l'Église de Dieu en le Christ, où j'ai ajouté qu'il me restait cent vingt jours à passer à la présidence et que j'allais les employer à travailler dur avec le Congrès et à essayer de faire la paix au Moyen-Orient. Je savais que j'aurais encore l'occasion de remporter des victoires au Congrès, mais en ce qui concernait le Moyen-Orient, rien n'était moins sûr.

Quelques jours plus tard, entouré de mon équipe de conseillers économiques, j'ai annoncé que le revenu annuel moyen avait augmenté de plus de mille dollars au cours de l'année précédente, qu'il dépassait maintenant quatre cent mille dollars pour la première fois dans notre histoire, et que le nombre d'Américains privés d'assurance santé avait diminué de 1,7 million au cours de l'année, baisse la plus importante depuis douze ans.

Le 25 septembre, après des semaines d'efforts de la part de notre équipe pour remettre les discussions sur les rails, Barak a invité Arafat chez lui pour déjeuner. Vers la fin du repas, j'ai téléphoné et discuté avec les deux hommes. Le lendemain, ils envoyaient des négociateurs à Washington pour reprendre les pourparlers là où ils les avaient laissés en quittant Camp David. Le 28, coup de théâtre, Ariel Sharon venait de fouler le sol de l'esplanade des mosquées. C'était la première fois qu'un homme politique important s'y risquait depuis qu'Israël l'avait conquise en 1967. À l'époque, Moshe Dayan avait promis que les sites religieux musulmans seraient respectés, c'est pourquoi l'esplanade n'était pas surveillée par les musulmans.

Arafat a dit qu'il avait demandé à Barak d'intervenir pour empêcher Sharon de faire ce geste qui était une manière délibérée d'affirmer la souveraineté d'Israël sur le site et de renforcer la position de Sharon dans la bataille qui l'opposait à Nétanyahou pour le pouvoir au sein du Likoud. L'ancien Premier ministre semblait maintenant se cantonner dans des positions plus dures que celles de Sharon. Moi aussi, j'avais espéré que Barak saurait dissuader Sharon de faire ce geste incendiaire, mais Barak me dit qu'il n'avait pas pu. Sharon s'étant vu refuser l'entrée du dôme du Rocher et de la mosquée al-Aqsa, il avait pénétré sur l'esplanade entouré d'un grand nombre de soldats lourdement armés.

Certains membres de notre équipe et moi-même avons demandé à Arafat d'empêcher toute violence, disant que c'était pour les Palestiniens une bonne occasion de ne pas céder à la provocation. Quant à moi, je pensais que Sharon aurait dû être accueilli avec des fleurs par des enfants palestiniens et invité à revenir chaque fois qu'il en aurait envie quand l'esplanade des mosquées serait sous contrôle palestinien. Mais, comme l'avait dit jadis Abba Eban, les Palestiniens ne laissent jamais passer une occasion de laisser passer une occasion. Le lendemain, un grand nombre d'entre eux manifestaient près du mur Ouest et la police ouvrait le feu avec des balles en caoutchouc sur les manifestants qui jetaient des pierres et autres projectiles. Il y eut au moins cinq morts et des centaines de blessés. Les affrontements se prolongeant, la télévision diffusa deux images frappantes qui symbolisaient l'horreur et la vanité de toute violence : un Palestinien de 11 ans touché par une balle mourant dans les bras de son père et deux soldats israéliens tirés hors d'un bâtiment, battus à mort et traînés dans les rues pendant qu'un de leurs assaillants montrait fièrement au monde ses mains tachées de sang.

Pendant que le Moyen-Orient s'embrasait, la situation s'améliorait dans les Balkans. La dernière semaine de septembre, Milosevic était battu aux élections pour la présidence de la Serbie par Vojislav Kostunica, après une campagne où nous avions contribué à faire en sorte que tout se passe bien et que Kostunica puisse faire entendre son message. Milosevic n'en avait pas moins essayé de truquer les élections, mais d'importantes manifestations lui avaient fait comprendre qu'il ne s'en tirerait pas comme ça et, le 6 octobre, le principal responsable des massacres perpétrés dans les Balkans reconnaissait sa défaite.

Début octobre, j'ai invité à la Maison Blanche les gens qui soutenaient activement le projet d'allégement de la dette. Le révérend Pat Robertson était là, et sa participation ainsi que celle de l'Église évangélique prouvait quel succès énorme remportait ce projet. À la Chambre, il était défendu par Maxine Waters, un libéral, et par le député conservateur John Kasich. Même Jesse Helms le soutenait, grâce à l'influence personnelle de Bono. Les premiers résultats de cette initiative étaient encourageants. La Bolivie avait investi soixante-dix-sept millions de dollars dans la santé et l'éducation ; l'Ouganda avait doublé le nombre des enfants scolarisés, et le Honduras allait rendre l'école obligatoire pendant neuf ans au lieu de six. J'avais l'intention de faire passer le reste de notre contribution dans le prochain budget.

Pendant la deuxième semaine du mois, Hillary s'est fort bien tirée d'un second débat, plus civilisé, avec Rick Lazio. J'ai signé le pacte commercial avec la Chine et remercié Charlene Barshefsky et Gene Sperling d'avoir fait un pénible périple en Chine afin d'aplanir les difficultés de dernière heure. J'ai signé mes projets de loi sur l'héritage foncier et le déblocage de nouveaux fonds en faveur des communautés indo-américaines. Le 11 octobre, je suis allé rejoindre Hillary à Chappaqua où nous avons fêté notre vingt-cinquième anniversaire de mariage. Notre jeunesse et nos débuts ensemble paraissaient encore si proches. Or notre fille avait presque achevé ses études secondaires et nos années à la Maison Blanche allaient se terminer. J'avais confiance dans l'élection de Hillary et je voyais notre avenir avec beaucoup d'optimisme.

Ma brève rêverie fut interrompue le lendemain lorsque j'appris qu'un petit bateau bourré d'explosifs avait sauté, juste à côté du *Cole*, dans le port d'Aden, au Yémen. Dix-sept soldats américains avaient été tués par l'explosion. C'était de toute évidence un attentat terroriste, et si nous pensions tous qu'il pouvait être attribué à Ben Laden et Al-Qaida, nous ne pouvions pas en être certains. La CIA s'est chargée de l'enquête et j'ai envoyé des fonctionnaires du Département d'État, de la Défense et du FBI au Yémen où le président Ali Saleh avait promis de coopérer pleinement à l'enquête et de traduire les meurtriers en justice.

En attendant, j'ai demandé au Pentagone et à notre équipe chargée de la sécurité de trouver d'autres solutions pour capturer Ben Laden. Nous avons failli lancer contre lui de nouveaux missiles, mais la CIA nous en a dissuadés au dernier moment, les preuves de sa présence étant insuffisantes. Le Pentagone s'est prononcé contre l'envoi de nouvelles forces spéciales en Afghanistan, étant donné les difficultés logistiques, tant que nous n'aurions pas des renseignements plus précis sur les allées et venues de Ben Laden. Il ne nous restait donc comme solution que des opérations militaires de plus grande envergure : bombarder toutes les bases suspectes de pouvoir l'accueillir, ou envahir le pays. Je pensais qu'aucune des deux n'était envisageable tant que nous n'aurions pas établi la responsabilité d'Al-Qaida dans l'attentat contre le *Cole*. Cela me contrariait beaucoup, et j'espérais que nous aurions réussi à localiser Ben Laden avant mon départ de la Maison Blanche.

Après avoir participé à la campagne électorale dans le Colorado et l'État de Washington, j'ai pris l'avion pour Charm el-Cheikh, en Égypte, où se tenait un sommet sur la violence au Moyen-Orient réunissant le président Hosni Moubarak, le roi Abdullah, Kofi Annan et Javier Solana, devenu secrétaire général de l'Union européenne. Ils voulaient tous mettre fin à la violence, de même que le prince héritier Abdullah d'Arabie Saoudite qui n'était pas là mais avait déjà pris position sur cette question. Barak et Arafat étaient présents, mais leurs positions étaient diamétralement opposées. Le premier voulait que la violence cesse ; le second voulait qu'une enquête soit menée sur l'emploi abusif de la force par les soldats et les policiers israéliens. George Tenet a travaillé à l'élaboration d'un plan sécuritaire avec les deux parties, et c'est moi qui ai dû faire accepter ce plan par Barak et Arafat, ainsi qu'une déclaration qui devait être lue à la fin du sommet.

J'ai dit à Arafat que j'avais l'intention de présenter une proposition de résolution des principales difficultés bloquant les pourparlers de paix, mais que je ne pouvais pas le faire avant qu'il accepte le plan sécuritaire. Tant que durerait la violence, il ne pourrait pas y avoir de paix. Arafat a signé. Nous avons ensuite travaillé jusqu'au petit matin pour rédiger une déclaration que je devais lire au nom des deux parties. Elle contenait trois volets : l'engagement de mettre fin à la violence ; la création d'une commission d'enquête sur les causes du soulèvement et la conduite des deux parties, commission nommée par les États-Unis, les Israéliens et les Palestiniens après consultation de Kofi Annan ; et l'engagement de poursuivre les pourparlers de paix. Cela paraissait simple, mais ça ne l'a pas été. Arafat voulait une commission de l'ONU et la reprise immédiate des pourparlers. Barak voulait une commission américaine et un délai suffisant pour voir si les violences cessaient effectivement. Pour finir, Moubarak et moi nous sommes entretenus seuls avec Arafat, et nous l'avons persuadé d'accepter la déclaration. Sans Hosni, je n'y serais pas arrivé. Je l'avais souvent trouvé assez tiède dans son engagement en faveur de la paix, mais ce soir-là il s'est montré décidé, clair et efficace.

Dès mon retour aux États-Unis, je suis allé avec Hillary et Chelsea à Norfolk, en Virginie, assister à un service funéraire pour les victimes de l'attentat du *Cole* et rencontrer individuellement leurs familles. Comme les aviateurs à Khobar Towers, nos marins avaient été tués dans un conflit très différent de tous ceux pour lesquels ils avaient été formés. L'ennemi était invisible, tout le monde constituait une cible potentielle, notre gigantesque arsenal n'était même pas dissuasif, et la technologie informatique du monde moderne était utilisée contre nous. Je savais que nous finirions par triompher dans la lutte contre Ben Laden, mais j'ignorais combien d'innocents perdraient encore la vie avant que nous ayons trouvé comment faire.

Deux jours plus tard, Hillary, Al et Tipper Gore et moi sommes allés à Jefferson, dans le Missouri, pour assister à un service religieux en mémoire du gouverneur Mel Carnahan, de son fils et d'un jeune assistant, qui s'étaient tués dans l'accident de leur petit avion. Carnahan et moi étions très amis depuis qu'il m'avait soutenu pendant ma campagne, en 1992. C'était un bon gouverneur, qui avait beaucoup contribué aux réformes des services sociaux et, au moment de sa mort, il était en compétition serrée avec le sénateur sortant, John Ashcroft, pour l'élection au Sénat fédéral. Comme il était trop tard pour le remplacer, sa femme, Jean Carnahan avait dit que si les électeurs du Missouri votaient pour lui, elle le remplacerait. Il fut élu, et Jean occupa sa charge, avec beaucoup de dignité.

Pendant les derniers jours d'octobre, alors que l'élection présidentielle entrait dans sa phase finale, j'ai signé un accord commercial avec le roi Abdullah de Jordanie. continué à signer et à refuser des propositions de loi, et fait campagne pour Hillary dans l'Indiana, le Kentucky, le Massachusetts et à New York où j'ai plusieurs fois pris la parole. Il y a eu un moment très drôle, pendant une fête d'anniversaire, quand Robert De Niro m'a donné des conseils sur la façon de m'exprimer comme un vrai New-Yorkais.

Depuis la convention, Al Gore décrivait l'élection comme l'affrontement « du peuple contre les puissants ». Et c'était exactement ça ; tous les groupes d'intérêts conservateurs imaginables – compagnies d'assurance, industrie du tabac, industries fortement polluantes, NRA et bien d'autres – étaient pour Bush. Le slogan d'Al avait le désavantage de ne pas mettre l'accent sur les progrès économiques et sociaux que nous avions réalisés ou sur l'intention déclarée de Bush de remettre ces progrès en question. Son aspect populiste pouvait, par ailleurs, inciter les hésitants à penser qu'Al aussi allait modifier la direction économique du pays. Vers la fin du mois, Al se mit à dire : « Ne mettez pas la prospérité en danger. » Le 1er novembre, il remontait dans les sondages, tout en ayant encore 4 points de retard.

La dernière semaine de la campagne, je me suis rendu en Californie à la demande du gouverneur Gray Davis pour soutenir nos candidats à l'élection présidentielle et à l'élection au Congrès, j'ai tenu un important meeting pour Hillary à Harlem, et le dimanche je suis allé dans l'Arkansas soutenir Mike Ross qui avait été mon chauffeur lors de la campagne de 1982 et se présentait contre le Républicain Jay Dickey.

La veille et le jour des élections, j'ai donné plus de soixante interviews à la radio, recommandant de voter pour Al, Joe et nos autres candidats démocrates. J'avais déjà enregistré plus de cent soixante-dix annonces radio et messages téléphoniques à transmettre au noyau dur des Démocrates et aux minorités pour leur demander de voter pour nos candidats.

Hillary, Chelsea et moi avons voté à l'école primaire Douglas Grafflin, notre bureau de vote local à Chappaqua. Ce fut un moment à la fois étrange et merveilleux : étrange parce que cette école était le seul endroit où j'aie jamais voté en dehors de l'Arkansas et que mon nom ne figurait pas sur la liste des candidats ; merveilleux parce que j'ai pu voter pour Hillary. Chelsea et moi avons voté les premiers, et c'est enlacés que nous avons regardé Hillary s'isoler avant de mettre son propre bulletin dans l'urne.

La soirée fut pleine de rebondissements. Hillary avait gagné à 55 % contre 43, marge beaucoup plus importante que ne le laissaient supposer les sondages, sauf un. J'étais tellement fier d'elle ! New York lui avait mené la vie dure. Elle avait monté, baissé et remonté dans les sondages, mais elle avait persévéré sans jamais se décourager.

Pendant que nous fêtions sa victoire au grand hôtel *Hyatt* de New York, Bush et Gore étaient à égalité. Tout le monde savait depuis des semaines qu'ils seraient durs à départager, plusieurs commentateurs disant que Gore pouvait être battu au suffrage populaire et néanmoins élu par le collège électoral. Deux jours avant l'élection, en regardant la carte et les derniers sondages, j'avais confié à Steve Ricchetti ma crainte que ce soit le contraire. Nos électeurs de base avaient été sollicités et participeraient au scrutin aussi activement que les Républicains bien décidés à reprendre la Maison Blanche. Al allait l'emporter haut la main dans de grands États, mais Bush gagnerait dans des États plus petits, plus ruraux, et les Républicains avaient l'avantage au collège électoral parce que chaque État disposait d'une voix pour chaque membre de la Chambre, plus deux voix supplémentaires pour ses sénateurs. Mais le jour des élections je pensais toujours que le dynamisme d'Al et la justesse de ses positions allaient lui donner l'avantage.

Et il a gagné, avec une majorité supérieure à cinq cent mille voix, mais le collège électoral conservait un doute. La course se déplaça en Floride, après que Gore l'eut emporté de justesse au Nouveau-Mexique, l'un des États où la candidature de Ralph Nader nous fut préjudiciable. J'avais demandé à Bill Richardson de passer la dernière semaine dans son État, et c'est probablement cela qui a permis la victoire de Gore.

Parmi les États où j'avais gagné en 1996, Bush reprit le Nevada, l'Arizona, le Missouri, l'Arkansas, le Tennessee, le Kentucky, l'Ohio, la Virginie-Occidentale et le New Hampshire. Le Tennessee était devenu de plus en plus républicain. En 1992, 1996 et 2000, les suffrages démocrates s'y étaient maintenus à 47 ou 48 %. La NRA avait aussi porté préjudice à Gore, au Tennessee et dans plusieurs autres États, notamment l'Arkansas. Le comté de Yell, par exemple, où les Clinton s'étaient installés un siècle auparavant, est une région populiste, conservatrice, qu'un Démocrate doit gagner s'il veut emporter l'État. Gore l'avait perdu avec 47 % des suffrages contre 50 % pour Bush. Grâce à la NRA. J'aurais pu renverser la tendance si j'étais allé sur place pendant deux ou trois jours, mais je n'avais pas perçu la gravité du problème avant de rentrer chez moi, juste avant les élections.

Le lobby des armes à feu avait essayé de battre Gore au Michigan et en Pennsylvanie, et il y serait parvenu sans les efforts héroïques accomplis par les syndicats locaux, qui comptaient aussi parmi leurs membres des partisans de la NRA. Ils avaient lancé comme slogan : « Gore ne vous prendra pas vos armes, mais Bush vous prendra vos syndicats ! » Malheureusement, dans les États plus ruraux de l'Arkansas, du Tennessee, du Kentucky, de la Virginie-Occidentale, du Missouri et de l'Ohio, les syndicalistes n'étaient pas assez nombreux pour l'emporter sur le terrain.

Au Kentucky, notre prise de position contre les grandes compagnies qui vendaient des cigarettes aux enfants avait desservi Al dans les régions productrices de tabac. En Virginie-Occidentale, c'était la ruine de Weirton Steel qui lui avait été fatale. Les employés étaient persuadés que si leur entreprise avait coulé c'était parce que je n'avais pas su limiter l'importation d'acier bon marché en provenance de Russie et d'Asie pendant la crise financière asiatique. La preuve avait été faite que leur faillite était due à d'autres causes, mais les ouvriers de Weirton n'y croyaient pas et Al en a fait les frais.

Le New Hampshire donna à Bush une avance de plus de 7 000 voix parce que Ralph Nader en avait recueilli 22 198. Pire encore, Nader eut plus de 90 000 voix en Floride où Bush devait rester en ballottage pendant plus d'un mois.

Au début de la bataille électorale en Floride, il était évident que nous avions gagné quatre sièges au Sénat et un à la Chambre. Trois Républicians sortant à la Chambre. Lorsque Al Gore demanda le décompte des suffrages en Floride, il partait avec un handicap puisque d'une part le responsable électoral, la secrétaire d'État Katherine Harris était républicaine, conservatrice et très proche du gouverneur Jeb Bush et d'autre part le corps législatif qui devait confirmer les grands électeurs était dominé par les Républicains conservateurs. À l'inverse, la cour suprême de Floride, qui aurait probablement un rôle déterminant dans le décompte des voix, comprenait plus de juges nommés par des gouverneurs démocrates et passait pour être moins partisane.

Deux jours plus tard, ne sachant toujours pas qui serait mon successeur, j'ai reçu Arafat dans le Bureau ovale. La violence diminuait, et je pensais qu'il serait peut-être plus déterminé à faire la paix. Je lui ai dit qu'il me restait dix jours pour conclure un accord. En privé, je lui ai pris le bras, je l'ai regardé droit dans les yeux, et je lui ai dit que j'avais aussi une chance de convaincre la Corée-du-Nord d'interrompre sa production de missiles à longue portée, mais qu'il faudrait que je fasse le voyage pour conclure l'accord. Comme je devrais m'arrêter en Corée-du-Sud, au Japon et en Chine, ce voyage prendrait au moins une semaine.

Pour que le Moyen-Orient retrouve la paix, je savais qu'il fallait qu'un accord soit signé avant que je quitte la présidence. J'ai dit à Arafat que j'avais fait tout ce qui était en mon pouvoir pour que les Palestiniens aient un État en Cisjordanie et à Gaza sans mettre en danger la sécurité d'Israël. Donc, si Arafat ne voulait pas faire la paix, il devait me le dire, pour que je puisse partir en Corée-du-Nord mettre fin à une autre menace. Il m'a imploré de rester, disant que nous devions conclure cet accord et que, si ce n'était pas fait quand je quitterais mon poste, il se passerait au moins cinq ans avant que nous soyons aussi proches de la réussite.

Le soir, il y a eu un dîner pour célébrer le deux centième anniversaire de la Maison Blanche. Lady Bird Johnson, le Président et Mrs Ford, le Président et Mrs Carter, le Président et Mrs Bush étaient là, réunis dans la maison que tous les présidents avaient occupée depuis John Adams. Ce fut un grand moment de l'histoire américaine, mais une soirée tendue pour le Président et Mrs Bush, toujours incertains quant à l'élection de leur fils. J'étais content qu'ils soient venus.

Quelques jours plus tard, Chelsea et moi sommes allés à Brunei pour le sommet annuel de l'APEC. Le sultan Hassanal Bolkiah nous a accueillis dans un magnifique hôtel et centre de réunions. Nous avons avancé sur les réformes nécessaires pour éviter une nouvelle crise financière asiatique, et le Premier ministre de Singapour, Goh Chok Tong et moi avons décidé d'entreprendre des négociations sur un accord de libre-échange bilatéral. J'ai fait aussi avec Goh une partie de golf nocturne très agréable sur le terrain conçu pour éviter aux golfeurs de souffrir de la chaleur intense de la journée. J'avais institué la réunion des dirigeants de l'APEC en 1993, et j'étais très satisfait de l'extension du groupe et du travail réalisé depuis cette date. Pendant cette dernière réunion, j'ai pensé que nos efforts avaient porté leurs fruits, pas uniquement sous forme d'accords spécifiques, mais aussi par la création d'une institution qui lierait les États-Unis et l'Asie pendant le XXIe siècle.

Après Brunei, nous nous sommes rendus, Chelsea et moi, au Viêt-nam pour une visite historique à Hanoi, Ho Chi Minh-Ville (l'ancienne Saigon) et un site où des Vietnamiens travaillaient avec des Américains à exhumer les restes de nos hommes toujours portés disparus. Hillary nous rejoignit, venant d'Israël où elle avait assisté aux funérailles de Leah Rabin.

J'ai rencontré le chef du Parti communiste, le Président, le Premier ministre et le maire de Ho Chi Minh-Ville. Plus leur position était élevée, plus ces hommes parlaient comme des communistes vieux style. Le chef du Parti, Le Kha Phieu, a tenté de profiter de mon opposition à la guerre du Viêt-nam pour me faire dire que les États-Unis avaient commis un acte impérialiste. J'étais furieux, surtout parce qu'il a dit ça en présence de notre ambassadeur, Pete Peterson, qui avait été prisonnier de guerre. J'ai dit à Le Kha Phieu, en termes non équivoques, que si je désapprouvais notre politique vietnamienne, ceux qui l'avaient faite n'étaient ni des impérialistes ni des colonisateurs mais des hommes de bien qui croyaient combattre le communisme. En désignant Pete, j'ai dit que s'il avait passé six ans et demi dans la prison connue sous le nom de Hilton de Hanoi, c'était sans doute parce qu'il voulait coloniser le Viêt-nam. Nous avions tourné la page en normalisant nos relations, en concluant un accord commercial et une coopération bilatérale sur les questions de MIA, ce n'était pas le moment de rouvrir de vieilles blessures. Le Président, Tran Duc Luong s'est montré à peine moins dogmatique.

Le Premier ministre Phan Van Khai et moi avions établi une bonne relation lors des réunions de l'APEC. L'année précédente il m'avait dit qu'il appréciait mon opposition à la guerre. Quand je lui avais dit que les Américains qui n'étaient pas de mon avis et qui soutenaient la guerre étaient de braves gens qui voulaient libérer les Vietnamiens, il m'avait répondu : « Je sais. » Khai pensait à l'avenir et espérait que les États-Unis aideraient son pays à s'occuper des victimes de l'agent Orange et à développer son économie. Quant au maire de Ho Chi Minh-Ville, il s'est comporté comme tout bon maire américain content de lui. Il s'est vanté d'avoir équilibré son budget, réduit le salaire de son personnel, et de tout faire pour attirer les investissements étrangers. Dans un cadre moins officiel, j'ai pu serrer les mains de quelques personnes dans une foule amicale qui s'était spontanément formée devant un restaurant où nous avions dîné. Les Vietnamiens voulaient que nous bâtissions un avenir commun.

Le voyage sur le site de MIA fut une expérience qu'aucun d'entre nous ne pourrait oublier. J'ai repensé à mes camarades d'école qui étaient morts au Viêt-nam et à l'homme que j'avais aidé, quand j'étais à Moscou dans les années 1970, à chercher des informations sur son fils porté disparu. Les Américains qui travaillaient là pensaient, d'après les informations fournies par des gens de la région, que l'avion d'un pilote disparu, le lieutenant colonel Lawrence Evert, s'était écrasé là trente ans auparavant. Ses enfants, maintenant adultes, nous accompagnaient. Enfoncés dans la boue jusqu'aux genoux, les Vietnamiens et nos soldats découpaient de grosses mottes de terre, les transportaient dans un abri voisin où ils les passaient au crible. Ils avaient déjà retrouvé des morceaux de l'avion et un uniforme, et ils auraient bientôt de quoi procéder à une identification. Le travail était supervisé par un archéologue américain qui avait combattu au Viêt-nam. Il nous a dit que ces fouilles avaient plus de valeur que toutes celles qui avaient été entreprises dans le monde. Américains e'

Vietnamiens apportaient à leur travail un soin extrême, admirable. Bientôt les Evert ont retrouvé leur père.

En rentrant aux États-Unis j'ai appris que Chuck Ruff, mon conseiller à la Maison Blanche pendant la procédure de la mise en accusation était mort subitement. Dès mon atterrissage, je suis allé voir sa femme, Sue. Chuck était un homme extraordinaire qui avait dirigé notre équipe de défense au Sénat avec talent et courage.

Le reste du mois de novembre fut occupé par le Moyen-Orient et le décompte des voix en Floride. Des milliers de votes non encore comptabilisés dans trois grands comtés avaient été retranchés, résultat injuste pour Al Gore puisqu'il était évident, d'après les votes qui avaient été éliminés à la suite d'erreurs résultant de bulletins de vote incertains et d'appareils mal réglés, que des milliers d'électeurs avaient préféré voter pour Gore que pour Bush. Gore déposa un recours devant le tribunal de Floride. Au même moment, Barak et Arafat se rencontraient à nouveau au Moyen-Orient. Je ne savais pas si nous allions gagner ou perdre la bataille pour la Floride et le combat pour la paix.

Le 5 décembre, Hillary s'est rendue à Capitol Hill pour y être initiée à son nouveau rôle de sénateur. La veille, j'avais plaisanté en parlant de sa rentrée à « l'école des sénateurs » et en disant qu'elle devait se coucher tôt pour être en forme et mettre ses plus beaux habits. Elle était très émue, très excitée aussi, et moi j'étais vraiment heureux pour elle.

Trois jours plus tard, je suis parti au Nebraska, le seul État où je n'étais jamais allé en tant que président, pour prendre la parole à l'Université du Nebraska à Kearney. Et j'ai fait une sorte de discours d'adieu où j'exhortais le pays à continuer à jouer son rôle de leader du monde par-delà nos frontières. Entre-temps, la cour suprême de Floride avait ordonné que soient acceptés de nouveaux votes des comtés de Palm Beach et de Dade, et que quarante-cinq mille bulletins supplémentaires soient décomptés selon la loi en vigueur en Floride : un bulletin de vote n'était valable que si l'intention de l'électeur était claire. La marge de Bush n'était plus que de 154 voix.

Le gouverneur Bush a immédiatement fait appel à la Cour suprême fédérale pour que l'on arrête le décompte. Plusieurs juristes m'ont dit que la Cour suprême n'accepterait pas d'intervenir. La mécanique électorale dépendait entièrement de la juridiction de chaque État, sauf si elle était utilisée à des fins de discrimination entre citoyens, envers une minorité raciale, par exemple. En outre, il est difficile d'obtenir d'une cour une injonction contre une action par ailleurs légale, comme le décompte des bulletins de vote ou la destruction d'un bâtiment quand le propriétaire y consent. Il aurait fallu que le demandeur prouve que si l'action contestée n'était pas stoppée, elle causerait des dommages irréparables. Le juge Scalia accorda l'injonction dans des termes d'une franchise incroyable. Quels seraient les dommages irréparables ? demanda-t-il. Compter les bulletins de vote risquait de « jeter une ombre sur ce que [Bush] considère comme la légitimité de son élection ». Et il ne se trompait pas. Si Gore avait plus de voix que Bush en Floride, la Cour suprême aurait de toute façon du mal à confier la présidence à Bush

Il y avait ce soir-là une réception de Noël à la Maison Blanche et chaque fois qu'un juriste passait la porte je lui demandais si il ou elle avait jamais entendu parler d'une telle décision. Aucun ne répondit par l'affirmative. La Cour devait rendre rapidement sa décision sur la question de savoir si le décompte lui-même était constitutionnel. Nous savions que la réponse serait non. J'ai dit à Hillary que Scalia ne serait jamais autorisé à rédiger ce nouveau communiqué ; il s'était montré trop franc la première fois.

Le 11 décembre, nous sommes partis en Irlande, Hillary, Chelsea et moi pour ma dernière visite de président à ce pays, berceau de mes ancêtres, où j'avais tant œuvré pour la paix. Nous nous sommes arrêtés à Dublin pour voir Bertie Ahern avant d'aller à Dundalk, près de la frontière, pour un rassemblement dans une ville qui après avoir été l'un des centres d'activité de l'IRA était maintenant un garant de la paix. Des guirlandes de lumières illuminaient les rues. La foule, énorme, me fit fête et entonna *Danny Boy* sur mon passage. Seamus Heaney avait dit un jour à propos de Yeats : « Ce qu'il veut c'est ménager un espace, dans les esprits et dans le monde, pour le miraculeux. » J'ai remercié les Irlandais d'avoir rempli cet espace d'un miracle, celui de la paix.

Nous sommes allés à Belfast où j'ai rencontré les leaders de l'Irlande du Nord, notamment David Trimble, Seamus Mallon, John Hume et Gerry Adams. Puis nous avons assisté, avec Tony et Cherie Blair, Bertie Ahern et George Mitchell à un vaste rassemblement de catholiques et de protestants dans l'Odyssey Arena. Ils n'avaient pas encore l'habitude de se retrouver ensemble à Belfast. Il restait entre catholiques et protestants de graves dissensions concernant la nouvelle police, l'agenda et la méthode de la mise hors service des armes. Je leur ai demandé de continuer à étudier ces questions et de ne pas oublier que les ennemis de la paix n'avaient pas besoin de leur approbation : « C'est de votre apathie dont ils ont besoin. » J'ai rappelé à l'assistance que les accords de paix du Vendredi saint avaient encouragé les pacifistes du monde entier, et j'ai cité l'accord tout récent signé entre l'Érythrée et l'Éthiopie, avec l'aide des États-Unis, pour mettre fin à un conflit sanglant. J'ai conclu en disant combien j'avais adoré travailler avec eux en faveur de la paix, « mais ce qui compte, ce n'est pas mon émotion, c'est la façon dont vont vivre vos enfants ».

Juste après nous sommes partis en famille pour l'Angleterre, avec les Blair, et c'est chez eux, à Chequers, que j'ai entendu Al Gore faire son discours de concession. La veille au soir, à 22 heures, la Cour suprême avait déclaré par 7 voix contre 2, que le décompte était inconstitutionnel parce qu'il n'y avait pas de critères uniformes définissant l'intention manifeste de l'électeur et qu'en conséquence les bulletins de vote pouvaient être comptés ou interprétés de façon différente selon les personnes chargées du décompte Donc, poursuivait la Cour, permettre le décompte des bulletins contestés, même si l'intention des électeurs est parfaitement claire, serait porter préjudice aux électeurs dont les voix ne seraient pas comptées. J'étais en profond désaccord avec cette décision, mais rassuré par le fait que les juges Souter et Breyer voulaient renvoyer l'affaire devant la cour suprême de Floride pour qu'elle fixe des critère· e· reprenne rapidement le décompte. Le collège élec-

toral allait bientôt se réunir. Les cinq autres juges de la majorité n'ont pas
voulu. Par 5 voix contre 4, les mêmes juges de la Cour suprême qui avaient
interrompu le décompte trois jours plus tôt ont dit qu'ils devaient prononcer
l'élection de Bush parce que, selon la loi en vigueur en Floride, le décompte
aurait dû être terminé avant minuit.

C'était une décision consternante. Une toute petite majorité conservatrice qui fétichisait pratiquement les droits des États avait dénié à la Floride
l'une de ses fonctions évidentes, le décompte des voix de la manière dont elle
l'avait toujours pratiqué. Les cinq juges qui ne voulaient pas que les bulletins
soient décomptés, quels que soient les critères, prétendaient offrir la même
protection en privant des milliers de gens de leur droit constitutionnel. Ils ont
dit que Bush remportait l'élection parce qu'il était impossible de terminer le
décompte avant minuit, alors qu'après avoir déjà empêché pendant trois jours
qu'il se poursuive, ils annonçaient leur décision à 22 heures, pour être bien
sûrs que le décompte ne puisse pas être terminé à temps. Et cette majorité de
5 voix a fait mieux encore en affirmant clairement que cette décision ne pouvait faire jurisprudence pour une autre élection ; sa logique était « limitée aux
circonstances présentes, car le problème de l'égale protection dans une élection
présente généralement beaucoup de complexité ». Si Gore avait été en tête
dans le décompte des votes et Bush en deuxième position, je suis absolument
persuadé que la même Cour suprême aurait voté par 9 voix à 0 en faveur du
décompte. Et j'aurais appuyé cette décision.

L'affaire *Bush c. Gore* restera dans l'histoire au nombre des pires décisions
qu'ait jamais prises la Cour suprême, avec l'affaire *Dred Scott* où elle avait
affirmé qu'un esclave en fuite restait la propriété de son maître et devait lui
être rendu ; l'affaire *Plessy c. Ferguson* qui confirmait la légalité de la ségrégation
raciale ; les procès des années 1920 et 1930 où la protection législative, fixant
un salaire minimum et une semaine de travail maximum, avait été refusée aux
ouvriers au nom des droits des employeurs ; et l'affaire *Korematsu*, quand la
Cour suprême avait approuvé l'internement de tous les Américains d'origine
japonaise dans des camps après Pearl Harbor. Nous avions subi et rejeté les
prémisses de ces décisions réactionnaires, et je savais que l'Amérique se remettrait de cette triste journée où cinq juges républicains avaient spolié des milliers
de leurs concitoyens simplement parce qu'ils en avaient le pouvoir.

Al Gore a prononcé un discours de concession extraordinaire, à la fois
sincère, courtois et patriotique. Quand je l'ai appelé pour le féliciter, il m'a
raconté qu'un de ses amis, comédien, lui avait dit en manière de plaisanterie
qu'il devrait s'estimer heureux : il avait remporté le scrutin populaire, et il
n'aurait pas à faire le boulot.

Le lendemain, après avoir discuté avec Tony Blair, je suis sorti, j'ai
complimenté Al Gore et je me suis engagé à travailler avec le nouveau président élu. Ensuite, les Blair nous ont accompagnés, Hillary, Chelsea et moi, à
l'Université de Warwick où j'ai fait un nouveau discours d'adieu, évoquant
l'approche de la mondialisation adoptée par notre groupe de la Troisième
Voie : le commerce, assorti d'un contrat mondial pour le développement économique, l'éducation, la santé et la démocratie. Ce discours m'a aussi fourni

l'occasion de remercier Tony Blair pour son amitié et notre partenariat. J'avais énormément apprécié notre relation et je la regretterais.

Avant de quitter l'Angleterre, nous sommes allés à Buckingham Palace où la reine nous avait invités à prendre le thé. Nous avons passé un bon moment à discuter des élections et des affaires du monde. Puis, Sa Majesté a rompu avec ses habitudes en nous accompagnant au rez-de-chaussée du palais et jusqu'à nos voitures pour nous dire au revoir. Elle aussi s'était montrée courtoise et gentille avec moi pendant ces huit ans.

Le 15 décembre, nous sommes arrivés à un accord sur le budget avec le Congrès. C'était la dernière victoire législative importante de mes deux mandats. J'étais particulièrement content du budget de l'éducation. J'avais finalement réussi à obtenir un milliard de dollars pour réparer les écoles ; une forte augmentation de l'enveloppe allouée aux programmes de rattrapage scolaire ; assez d'argent pour permettre à un million trois cent mille enfants d'avoir des activités extrascolaires ; une augmentation de 25 % des fonds nécessaires pour engager cent mille enseignants. Le projet de loi comprenait aussi l'initiative New Markets, une forte augmentation de la recherche biomédicale, la couverture sanitaire pour les chômeurs et les handicapés qui entraient dans le monde du travail et l'initiative d'allégement de la dette des pays pauvres.

John Podesta, Steve Ricchetti, mon conseiller législatif Larry Stein et toute notre équipe avaient fait du bon travail. Pendant ma dernière année, alors que tout le monde savait que je ne serais pas réélu, j'avais réussi à faire passer un nombre étonnant de lois que j'avais promises dans mon discours sur l'état de l'Union. En dehors de celles que je viens de mentionner, le Congrès avait adopté l'accord commercial Afrique-Caraïbe, l'accord commercial avec la Chine, l'initiative concernant l'héritage foncier, et une forte augmentation de l'assistance aux familles de travailleurs pour la garde des enfants.

J'étais toujours aussi déçu par le résultat de l'élection et inquiet à propos du Moyen-Orient, mais après mon séjour en Irlande et en Angleterre, après l'adoption de ces mesures budgétaires, j'ai enfin commencé à me mettre dans l'esprit de Noël.

Le 18, Jacques Chirac et Romano Prodi sont venus à la Maison Blanche pour ma dernière rencontre avec des dirigeants européens. Nous étions bons amis et j'ai eu plaisir à les recevoir. Jacques m'a remercié d'avoir soutenu l'expansion de l'Union européenne et des relations transatlantiques. J'ai répondu que nous avions fort bien géré quatre grandes affaires : la croissance et l'expansion de l'Union européenne, l'expansion de l'OTAN, l'établissement d'une nouvelle relation avec la Russie et les problèmes des Balkans.

Pendant que je discutais avec Chirac et Prodi, les pourparlers ont repris entre Israéliens et Palestiniens à la base aérienne de Bolling, à Washington, Hillary a reçu Laura Bush à la Maison Blanche, et nous avons commencé à chercher une maison puisque New York avait décidé que Hillary pouvait rester dans la capitale. Nous avons finalement trouvé une demeure splendide en bordure d'un parc, dans le quartier des ambassades.

Le lendemain, le futur président Bush est venu me voir à la Maison Blanche comme j'étais venu voir son père, huit ans auparavant. Nous avons discuté de la campagne, du fonctionnement de la Maison Blanche et de la

Sécurité nationale. D'après l'équipe d'anciens administrateurs républicains qu'il était en train de réunir, les principaux problèmes de sécurité étaient le bouclier antimissiles et l'Irak. Je lui ai dit, en me fondant sur mes huit années d'expérience, que ses principaux problèmes de sécurité seraient, dans l'ordre, Oussama Ben Laden et Al-Qaida ; l'absence de paix au Moyen-Orient, l'impasse entre les puissances nucléaires de l'Inde et du Pakistan, les liens unissant les Pakistanais aux talibans et à Al-Qaida, la Corée-du-Nord et enfin, l'Irak. J'ai dit que ma plus grande déception était de n'avoir pas capturé Ben Laden, que tout espoir de parvenir à la paix au Moyen-Orient n'était pas perdu et que nous avions presque conclu un accord avec la Corée-du-Nord pour qu'elle mette fin à son programme de missiles, mais qu'il faudrait sans doute qu'il se rende sur place pour le signer.

Il m'a écouté sans faire de commentaires, et puis il a changé de sujet, me demandant comment j'avais travaillé. Je lui ai seulement conseillé de réunir une bonne équipe et d'essayer de faire ce qu'il croyait bon pour le pays. Ensuite, nous avons à nouveau parlé politique.

Pendant sa campagne, Bush avait fait preuve d'un talent politique certain, en créant une coalition fondée sur un discours modéré et des propositions parfaitement conservatrices. La première fois que je l'avais vu prononcer son discours « conservateur compatissant » dans l'Iowa, je m'étais dit qu'il avait une chance de gagner. Après les primaires, il était en mauvaise posture, tant à l'extrême droite de son parti que dans les sondages, mais il s'était rapproché du centre en modérant sa rhétorique, en exhortant les Républicains à ne pas équilibrer le budget sur le dos des pauvres et même en soutenant mes positions sur une ou deux questions de politique étrangère. Quand il était gouverneur, son conservatisme avait été modéré par la nécessité de travailler avec une législature d'État démocrate et par le soutien que lui avait apporté le lieutenant gouverneur démocrate Bob Bullock à qui le système texan conférait beaucoup de pouvoir au quotidien. Il allait maintenant gouverner avec un Congrès républicain conservateur. Il faudrait qu'il se fasse sa place. Après notre discussion, j'ai su qu'il saurait choisir sa route, mais j'ignorais si ce serait celle qu'il avait suivie en tant que gouverneur ou celle qu'il avait choisie pour vaincre John McCain pendant les primaires en Caroline-du-Sud.

Le 23 décembre fut un jour décisif pour le processus de paix au Moyen-Orient. Après plusieurs jours de vaines discussions entre les deux parties à la base de Bolling, nous nous sommes rendu compte, mon équipe et moi, qu'à moins de restreindre le champ des débats, c'est-à-dire de mettre en avant les compromis les plus importants, jamais un accord ne serait trouvé. Arafat avait peur d'être critiqué par les autres dirigeants arabes ; Barak perdait du terrain par rapport à Sharon dans son pays. J'ai donc fait venir Palestiniens et Israéliens à la Maison Blanche et je leur ai lu mes « paramètres » pour la procédure. Ils avaient été mis au point à la suite de conversations privées avec les deux parties depuis Camp David. S'ils acceptaient ces paramètres en quatre jours, nous pourrions aller plus loin. S'ils ne les acceptaient pas, c'était fini.

J'ai lu très lentement pour leur permettre de prendre des notes. À propos des territoires occupés, je recommandais que 94 à 96 % de la Cisjordanie soient rendus aux Palestiniens, avec une rétrocession de 1 à 3 % de territoire par les Israéliens, étant entendu que 80 % des colons resteraient sur les terres conservées par Israël. À propos de la sécurité, j'ai dit que les forces israéliennes devraient se retirer dans un délai de trois ans et qu'une force internationale les remplacerait progressivement, étant entendu qu'une faible présence israélienne pourrait se maintenir dans la vallée du Jourdain pendant trois ans de plus sous le contrôle des forces internationales. Les Israéliens pourraient aussi conserver leur système de première alerte en Cisjordanie, en relation avec les Palestiniens. Dans l'éventualité d'une « menace imminente et incontestable à la sécurité d'Israël », un déploiement de forces pourrait être effectué en Cisjordanie.

Le nouvel État palestinien serait « non militarisé » mais disposerait d'importantes forces de sécurité ; de la souveraineté sur son espace aérien, avec des aménagements permettant les mouvements et les opérations de l'armée de l'air israélienne ; et d'une force internationale pour la surveillance de ses frontières.

À propos de Jérusalem, j'ai recommandé que les quartiers arabes soient en Palestine et les quartiers juifs en Israël, et que les Palestiniens aient la souveraineté sur l'esplanade des mosquées, tandis qu'Israël aurait la souveraineté sur le mur Ouest et sur la zone « sainte » dont il faisait partie. Aucune excavation ne pourrait être faite sous le mur ou sous l'esplanade, à moins que les deux parties n'y consentent.

À propos des réfugiés, j'ai déclaré que le nouvel État palestinien devrait être la patrie des réfugiés déplacés lors de la guerre de 1948 et après, sans éliminer la possibilité qu'Israël accepte certains d'entre eux dans le cadre de ses propres lois et décisions souveraines, et en donnant la priorité aux réfugiés du Liban. J'ai recommandé qu'un effort international soit consenti pour dédommager les réfugiés et les aider à se loger dans le nouvel État palestinien, les territoires devant être rendus aux Palestiniens, leur pays actuel ou en Israël. Les deux parties devraient reconnaître que cette solution satisfaisait à la résolution 194 du Conseil de sécurité de l'ONU.

Enfin, l'accord devait clairement marquer la fin du conflit et mettre un terme à toute violence. J'ai suggéré que le Conseil de sécurité de l'ONU pourrait adopter une nouvelle résolution disant que cet accord, avec la libération des prisonniers palestiniens, satisfaisait aux exigences des résolutions 242 et 338.

J'ai précisé que ces paramètres n'étaient pas négociables, que je ne pouvais pas faire mieux et que je voulais que les deux parties négocient entre elles l'accord final. Après mon départ, Dennis Ross et d'autres membres de notre équipe sont restés pour clarifier certains points mais en refusant toute remise en question. Je savais que le projet était dur à accepter pour les deux parties, mais il était temps – et même plus que temps – d'en finir, d'une manière ou d'une autre. Les Palestiniens renonceraient au droit au retour absolu ; ils avaient toujours su qu'ils devraient le faire, mais sans vouloir l'admettre. Les Israéliens renonceraient à Jérusalem-Est et à une partie de la Vieille Ville, mais leurs sites religieux et culturels seraient respectés ; il était évident, depuis un certain temps, que pour arriver à la paix ils devraient en passer par là. Les Israéliens renonceraient aussi à un peu plus de la Cisjordanie, c'est-à-dire plus que la dernière proposition de Barak, mais ils conserveraient assez de terres pour satisfaire au moins 80 % des colons. Et le conflit serait officiellement terminé. C'était un arrangement difficile à admettre, mais que j'estimais juste pour les deux parties, si elles voulaient réellement la paix.

Arafat s'est tout de suite mis à tergiverser, à demander des « clarifications ». Mais les paramètres étaient suffisamment clairs ; ou il était d'accord pour négocier dans ce cadre, ou il ne l'était pas. Comme toujours, il voulait gagner du temps. J'ai appelé Moubarak et je lui ai lu le projet. Il a dit que c'était un compromis historique et qu'il allait encourager Arafat à l'accepter.

Le 27, le cabinet de Barak a approuvé les paramètres avec des réserves, mais toutes les réserves étant contenues dans les paramètres elles étaient de toute façon destinées à être négociées. Décision historique que celle d'un gouvernement israélien qui acceptait, pour avoir la paix, la création d'un État palestinien dans 97 % de la Cisjordanie, en comptant les restitutions, et toute la bande de Gaza où des colons israéliens étaient déjà installés. La balle était dans le camp d'Arafat.

J'appelais tous les jours des dirigeants arabes pour leur demander de peser sur la décision d'Arafat. Très impressionnés par la position d'Israël, ils estimaient que le chef palestinien devait accepter. Je ne saurai jamais ce qu'ils lui ont dit, même si l'ambassadeur saoudien, le prince Bandar, m'a confié plus tard que lui-même et le prince héritier Abdullah avaient eu l'impression très nette qu'il allait accepter les paramètres.

Le 29, Dennis Ross rencontrait Abu Ala que nous respections tous pour s'assurer qu'Arafat comprenait bien les conséquences d'un rejet éventuel. Je ne serais plus là. Ross ne serait plus là. Barak allait perdre les prochaines élections au profit de Sharon. Bush n'allait pas se précipiter pour reprendre les négociations après que je m'y étais tellement investi, sans résultat.

Je ne croyais toujours pas Arafat capable de faire une erreur aussi colossale. La veille, j'avais annoncé que je n'irais pas en Corée-du-Nord conclure l'accord sur l'interruption de la production de missiles, disant que j'avais confiance dans la prochaine administration pour mettre un point final à des négociations que j'avais si bien menées. J'étais furieux de devoir renoncer à conclure cet accord avec les Nord-Coréens. Nous avions déjà mis fin à leurs programmes de recherche sur le plutonium et les missiles et refusé d'avancer plus loin dans les discussions sans y faire participer la Corée-du-Sud, ouvrant ainsi la voie à la nouvelle politique de Kim Dae Jung. L'attitude courageuse de Kim permettait d'envisager des perspectives de négociations, les meilleures depuis la partition de la Corée, et lui avait valu le prix Nobel de la paix. Madeleine Albright était allée en Corée-du-Nord et elle était convaincue que si j'y allais moi-même nous pourrions signer l'accord sur les missiles. Malgré l'envie que j'en avais, je ne pouvais pas prendre le risque de me trouver à l'autre bout du monde au moment où nous étions si près d'un accord de paix au Moyen-Orient, surtout qu'Arafat m'avait assuré qu'il tenait à cet accord et supplié de rester.

En dehors de la question du Moyen-Orient et de celle du budget, il s'est passé un nombre incroyable de choses pendant mes trente derniers jours. J'ai célébré le septième anniversaire de la loi Brady en annonçant qu'elle avait jusqu'ici empêché six cent onze mille criminels, fugitifs et gangsters d'acheter des armes à feu ; lors de la journée internationale contre le sida, j'ai pris la parole à l'Université Howard devant les représentants de vingt-quatre pays africains, disant que nous avions diminué le taux de mortalité de 70 % aux États-Unis et qu'il fallait maintenant porter tous nos efforts sur les pays africains où l'épidémie faisait rage ; j'ai dévoilé le projet de ma bibliothèque présidentielle, un long et étroit « pont vers le XXIe siècle » tout en verre et en acier qui surplomberait l'Arkansas River ; j'ai annoncé un projet de vaccination des enfants des villes dont le taux d'immunisation restait bien inférieur à la moyenne nationale ; j'ai signé mon dernier veto, un projet de réforme des faillites beaucoup plus défavorable aux débiteurs économiquement faibles qu'aux plus fortunés ; j'ai promulgué des lois pour protéger le secret des dossiers médicaux ; salué la décision de l'Inde de maintenir son cessez-le-feu au Cachemire et le retrait imminent de troupes cantonnées au Pakistan, le long de la ligne de contrôle ; et annoncé une nouvelle réglementation limitant les émissions toxiques des moteurs diesels des camions et des bus. Avec les critères d'émission de gaz par les voitures de tourisme et les véhicules utilitaires adoptés un an plus tôt, cette nouvelle réglementation permettrait que les émissions toxiques soient réduites de 95 % en dix ans, minimisant les risques de maladies respiratoires et de mort prématurée.

Trois jours avant Noël, j'ai accordé la grâce ou une réduction de peine à soixante-deux personnes. Je n'avais pas été très généreux dans ce domaine pendant mon premier mandat, et j'ai eu à cœur de me rattraper. Le président Carter avait gracié cinq cent soixante-six personnes en quatre ans ; le président Ford, quatre cent neuf en deux ans et demi, et le président Reagan, quatre cent six en huit ans. Le président Bush n'avait gracié que soixante-dix-sept personnes, y compris des personnalités de l'opposition iranienne et Orlando Bosch, un Cubain anticastriste que le FBI croyait coupable de plusieurs meurtres.

Ma conception de la grâce et des commutations de peine, élaborée au temps où j'étais ministre de la Justice et gouverneur de l'Arkansas, était conservatrice en ce qui concernait les réductions de peine et libérale en ce qui concernait la grâce pour les délits sans violence, une fois que les condamnés avaient purgé leur peine et mené une vie sans histoire pendant un temps raisonnable, ne serait-ce que pour leur restituer le droit de vote. Il y avait au département de la Justice un bureau des grâces qui étudiait les demandes et donnait des recommandations. Ils me communiquaient leurs dossiers et, en huit ans, j'avais appris deux choses : les responsables, à la Justice, mettaient beaucoup trop de temps à étudier les demandes, et dans presque tous les cas ils se prononçaient contre la grâce.

J'ai fini par comprendre pourquoi. À Washington, tout était politique, et chaque grâce, ou presque, pouvait susciter des controverses. En tant que fonctionnaire, si on voulait s'épargner des ennuis, le seul moyen était de dire non. Le bureau des grâces savait que personne ne lui reprocherait de prendre du retard sur les dossiers et de recommander que la grâce soit refusée ; une fonction accordée au président par la Constitution était progressivement récupérée par un bureau obscur du département de la Justice.

Nous avions, depuis quelques mois, insisté auprès de la justice pour qu'elle nous envoie plus de dossiers, et elle faisait des efforts. Sur les cinquante-neuf personnes auxquelles j'ai accordé la grâce et les trois dont j'ai commué la peine, la plupart étaient des gens qui, après avoir fait une bêtise et purgé leur peine, étaient redevenus de bons citoyens. J'ai aussi accordé des grâces dans ce qu'on appelait les procès des « copines », ces femmes qui étaient arrêtées parce que leur mari ou leur amant avait commis un délit, généralement lié à la drogue. On les menaçait de longues peines, même si elles n'étaient pas directement impliquées dans le délit, à moins qu'elles ne témoignent contre leur compagnon. Celles qui refusaient ou n'en savaient pas assez pour aider la justice faisaient de longues peines de prison. Il n'était pas rare qu'ensuite les hommes se mettent à coopérer avec les juges d'instruction et qu'ils aient des peines plus courtes que celles de leurs compagnes. Nous avions travaillé sur ces affaires pendant des mois, et j'avais déjà gracié quatre femmes pendant l'été.

J'ai aussi gracié l'ancien président du Ways and Means Committee, Dan Rostenkowski. Il avait rendu beaucoup de services à son pays et largement payé pour ses fautes. Et j'ai gracié Archie Schaffer, un cadre de Tyson Foods qui avait été arrêté lors de l'enquête sur Espy et condamné à une peine de prison ferme pour avoir violé une vieille loi qu'il ignorait, en organisant un voyage, comme on le lui demandait, pour qu'Espy puisse aller se réfugier chez Tyson.

Après les grâces accordées à Noël, nous avons été inondés de requêtes, dont certaines émanaient de personnes furieuses du retard des procédures. Pendant les cinq semaines suivantes, nous avons étudié des centaines de requêtes, nous en avons rejeté autant pour en retenir cent quarante sur sept mille, ce qui portait mon total à quatre cent cinquante-six en huit ans. Ma conseillère à la Maison Blanche, Beth Nolan, Bruce Lindsey et ma chargée des grâces Meredith Cabe en ont traité autant qu'ils ont pu, demandant des informations et des autorisations au département de la Justice. Certaines décisions étaient faciles à prendre, comme dans le cas de Susan McDougal et de Henry Cisneros qui avaient été horriblement maltraités par des avocats indépendants, d'autres affaires de « copines » et un grand nombre de requêtes de routine qui auraient sans doute dû être traités plusieurs années auparavant. L'une d'elles était une erreur due à la Justice qui n'avait pas été informée que l'homme en question était déjà impliqué dans une enquête, dans un autre État. La plupart des personnes que j'ai graciées avaient peu de ressources et aucun moyen d'échapper au système.

Parmi les grâces que j'ai accordées, la plus controversée a été celle de Marc Rich et de son partenaire Pincus Green. Rich, un homme d'affaires prospère, avait quitté les États-Unis pour la Suisse peu avant d'être mis en accusation pour avoir fait une fausse déclaration d'impôts en trichant sur le montant de certaines transactions pétrolières. Il y avait eu plusieurs cas du même genre dans les années 1980, quand les prix de certains pétroles étaient contrôlés et d'autres pas, ce qui incitait les gens peu scrupuleux à sous-estimer leurs revenus ou à surtaxer leurs clients. À l'époque, plusieurs entreprises et personnes privées avaient été accusées de violer la loi, mais les personnes étaient généralement accusées de délit civil. Il était extrêmement rare que des affaires d'impôts soient soumises à la législation sur le racket, comme l'avait été celle de Rich et Green. Après leur condamnation, le département de la Justice avait demandé aux avoués de ne plus le faire. Rich était resté à l'étranger, essentiellement en Israël et en Suisse.

Le gouvernement avait autorisé les affaires de Rich à se poursuivre quand celui-ci avait accepté de payer une amende de deux cents millions de dollars, plus de quatre fois la somme que le gouvernement lui reprochait d'avoir omis de déclarer. Le professeur Marty Ginsburg, expert fiscal et époux de la juge Ruth Bader Ginsburg, et le professeur de droit à Harvard Bernard Wolfman avaient réétudié les transactions en question et conclu que la comptabilité des entreprises de Rich était en règle, ce qui voulait dire que Rich lui-même ne devait pas d'impôts sur ces transactions. Rich avait accepté de renoncer à la prescription de façon à pouvoir être poursuivi par le gouvernement au tribunal civil comme l'avaient été d'autres accusés. Ehoud Barak m'avait par trois fois demandé de gracier Rich à cause des services qu'il avait rendus à Israël, notamment dans les rapports avec les Palestiniens, et plusieurs autres personnalités israéliennes des deux parties avaient insisté pour qu'il soit relaxé. Finalement le département de la Justice avait dit qu'il n'y voyait pas d'objection et qu'il était même favorable à la grâce si c'était dans l'intérêt de notre politique étrangère.

Pratiquement tout le monde a estimé que j'avais tort de pardonner à un homme riche dont l'ex-femme soutenait la mienne et qui avait engagé l'un de mes conseillers juridiques à la Maison Blanche pour le défendre, avec deux éminents juristes républicains. J'ai peut-être fait une erreur, mais j'ai tenu compte de ses mérites dans ma décision. En mai 2004, Rich n'a toujours pas été poursuivi par le département de la Justice, et c'est étonnant puisque le dossier d'accusation est beaucoup plus facile à constituer dans une affaire civile que dans une affaire criminelle.

Même si j'ai été critiqué pour certaines des mesures de grâce que j'ai accordées, ce qui m'a le plus préoccupé ce sont celles que je n'ai pas accordées. Je pensais par exemple gracier Michael Milken, à cause de l'excellent travail qu'il avait fait sur le cancer de la prostate après sa sortie de prison, mais le Trésor et la Securities and Exchange Commission s'y sont violemment opposés, disant que ce serait maladroit au moment où ils essayaient de moraliser l'industrie financière. Les deux cas que j'ai le plus regretté de rejeter ont été ceux de Webb Hubbell et de Jim Guy Tucker. L'affaire de Tucker était en appel et Hubbell avait effectivement violé la loi mais n'était pas sorti de prison depuis assez longtemps pour pouvoir bénéficier de la grâce. Mais ils avaient tous deux été malmenés par le cabinet de Starr pour avoir refusé de faire de faux témoignages. Aucun des deux n'aurait enduré le quart de ce qu'ils avaient subi si je n'avais pas été président et si je n'étais pas tombé entre les griffes de Starr. David Kendall et Hillary m'ont supplié de les gracier, alors que tous les autres s'y opposaient. Finalement, j'ai cédé à l'intransigeance de mon équipe. Et je n'ai pas cessé de le regretter Plus tard, j'ai pu m'excuser auprès de Jim Guy Tucker et je le ferai un jour auprès de Webb.

Noël s'est déroulé comme les autres années, mais nous l'avons savouré autrement car c'était le dernier que nous passions à la Maison Blanche. J'ai pris plus de plaisir à ces dernières réceptions qui nous donnaient l'occasion de voir tous les gens que nous avions côtoyés à Washington. J'ai contemplé avec plus d'attention les décorations que nous avions mises, Chelsea, Hillary et moi, sur notre sapin – les clochettes, les étoiles, les chaussettes, les images et des Pères Noël. Je me suis surpris à entrer dans toutes les pièces du deuxième et du troisième étage pour regarder de plus près les tableaux et les meubles anciens. Et j'ai fini par me faire raconter par les portiers de la Maison Blanche l'histoire de toutes les vieilles horloges et pendules qu'elle contenait. Les portraits de mes prédécesseurs et de leurs épouses prenaient un autre sens maintenant que Hillary et moi allions bientôt les rejoindre. Nous avions tous deux choisi Simmie Knox pour faire notre portrait. Nous aimions la vivacité de son style, et elle serait la première portraitiste afro-américaine à avoir une œuvre sur les murs de la Maison Blanche.

Pendant la semaine suivant Noël, j'ai signé d'autres propositions de lois et nommé Roger Gregory à la cour d'appel de la quatrième circonscription où il était le premier juge afro-américain à entrer en fonctions. Gregory avait la qualification requise et cela faisait trop longtemps que Jesse Helms barrait la route à un juge noir. Cette nomination intervenant pendant les vacances parlementaires, elle ne serait valable que pendant un an. J'étais certain que le nouveau Président ne voudrait pas d'une cour d'appel cent pour cent blanche dans le Sud-Est.

J'ai aussi annoncé qu'avec le budget qui venait d'être adopté, il y aurait assez d'argent pour payer la dette de six cents milliards de dollars en quatre ans ; si nous conservions ce rythme-là, nous n'aurions plus de dettes en 2010 et nous pourrions alléger les impôts ou faire de nouveaux investissements. À cause de notre responsabilité fiscale et de cette croissance, les taux d'intérêt à long terme étaient maintenant 2 % moins élevés que quand j'étais arrivé à la présidence, ce qui réduisait le coût des remboursements d'emprunts pour l'achat d'une maison, d'une voiture, pour une bourse d'étudiant ou un nouvel investissement. La baisse du taux d'intérêt avait fait gagner plus d'argent aux Américains que ne l'aurait fait une baisse des impôts.

Enfin, le dernier jour de l'année j'ai signé le traité aux termes duquel les États-Unis participaient à la Cour pénale internationale. La plupart des sénateurs républicains, Lott notamment, y étaient fortement opposés. Ils craignaient que des soldats américains envoyés à l'étranger soient traduits devant cette Cour pour des motifs politiques. Je m'en étais inquiété moi-même, mais le traité était maintenant rédigé de façon que cela ne se produise pas. J'avais été parmi les premiers chefs d'État à réclamer la création d'un Tribunal international pour les crimes de guerre, et il me semblait juste que les États-Unis s'y investissent.

Nous sommes allés passer la nouvelle année en famille à Camp David. Je n'avais toujours pas de nouvelles d'Arafat. Le jour du Nouvel An, je l'ai invité à la Maison Blanche pour le lendemain. Avant de venir, il s'est entretenu avec le prince Bandar et l'ambassadeur d'Égypte, à son hôtel. L'un des jeunes assistants d'Arafat nous a dit qu'ils l'avaient poussé à dire oui. Quand Arafat est venu me voir, il m'a posé toutes sortes de questions sur ma proposition d'accord. Il voulait qu'Israël ait le mur des Lamentation puisqu'il avait une signification religieuse, mais il affirmait que les vingt mètres restants du mur Ouest devaient revenir aux Palestiniens. Je lui ai répondu qu'il avait tort ; il fallait qu'Israël ait le mur tout entier pour empêcher que quiconque puisse emprunter les tunnels passant sous le mur pour venir saccager les ruines des temples. La vieille ville de Jérusalem avait quatre secteurs, les quartiers juif, musulman, chrétien et arménien. Il était entendu que les Palestiniens auraient les quartiers musulman et chrétien, Israël gardant les deux autres. Arafat a prétendu qu'il fallait lui donner quelques pâtés de maison du quartier arménien où se trouvaient des églises chrétiennes. Je n'en revenais pas de le voir ergoter comme ça.

Il faisait aussi tout son possible pour ne pas devoir renoncer au droit au retour. Il savait que c'était impossible mais il avait peur qu'on le lui reproche. Je lui ai rappelé qu'Israël avait promis d'accueillir une partie des réfugiés du Liban dont les familles avaient habité ce qui était devenu la partie nord d'Israël pendant des centaines d'années, mais qu'aucun dirigeant israélien n'accepterait la présence d'un nombre de Palestiniens suffisant pour menacer le caractère juif de l'État, le taux de natalité des Palestiniens étant supérieur à celui des juifs. Il ne pouvait y avoir deux États à majorité arabe en Terre sainte ; Arafat le savait puisqu'il avait signé en 1993 un accord de paix qui reconnaissait implicitement les deux États. En outre, le projet devrait être approuvé en Israël par référendum. Le droit au retour était la pierre d'achoppement de l'accord. Je ne pouvais pas demander aux Israéliens de voter pour. Je pensais en revanche qu'ils voteraient pour ce qui était stipulé dans mes paramètres. Si l'accord était conclu, je pensais même que Barak pourrait gagner les élections, même s'il était moins bien placé que Sharon dans les sondages, l'électorat étant terrifié par l'Intifada et furieux du refus d'Arafat de faire la paix.

À certains moments, Arafat paraissait troublé, dépassé par les événements. Je pensais depuis quelque temps qu'il n'était peut-être plus au meilleur de sa forme, après toutes ces années où il changeait chaque soir de lieu de résidence pour déjouer les projets d'assassins éventuels, où il prenait sans cesse des avions, où il participait régulièrement à de longues et pénibles discussions. Peut-être était-il psychologiquement incapable de passer du statut de révolutionnaire à celui d'homme d'État. Il avait pris l'habitude de voyager de pays en pays, d'offrir de somptueux cadeaux, des objets réalisés par les meilleurs artisans palestiniens, à des chefs d'État et d'apparaître à la télévision en leur compagnie. Ce serait bien différent si la fin de la violence faisait disparaître la Palestine de la une des journaux, si Arafat devait s'occuper de procurer à son peuple du travail, des écoles, des services sociaux. Dans son équipe, la plupart des jeunes voulaient qu'il signe l'accord. Je pense qu'Abu Ala et Abu Mazen le souhaitaient également mais qu'ils ne voulaient pas s'opposer à Arafat.

Quand il est parti, je ne savais toujours pas quelle décision il allait prendre. Son attitude physique me disait qu'il ne signerait pas, mais je n'imaginais pas qu'on puisse être assez fou pour laisser passer une affaire pareille. Barak voulait que j'aille dans la région, mais je ne voulais pas partir avant qu'Arafat ait dit oui à Israël sur les grandes questions contenues dans mes paramètres. En décembre, les deux parties étaient venues à Washington pour discuter mais sans arriver à rien puisque Arafat trouvait les paramètres inacceptables.

Finalement, Arafat a accepté de rencontrer Shimon Peres le 13, après que Peres se fut entretenu avec Saeb Erekat. Nouvelle impasse. Pour éviter tout retour en arrière, les Israéliens avaient proposé la rédaction d'une lettre acceptant le plus grand nombre possible des paramètres pour que, si Barak n'était pas élu, les deux parties aient au moins engagé le processus menant à un accord. Arafat refusa, parce qu'il ne voulait pas qu'on le voie concéder quoi que ce soit. Les pourparlers se sont poursuivis à Taba, en Égypte. Une fois de plus, ils n'ont débouché sur rien de concret. Arafat ne disait jamais non, il n'arrivait tout simplement pas à dire oui. « Péché d'orgueil ne va pas sans danger. »

Juste avant que je quitte la présidence, au cours de nos dernières conversations, Arafat m'a remercié des efforts que j'avais déployés et m'a dit que j'étais un grand homme. « Monsieur le Président, lui ai-je répondu, je ne suis pas un grand homme, j'ai échoué, et c'est à vous que je le dois. » Je l'ai prévenu que son attitude était la meilleure façon de faire élire Sharon et qu'il s'en mordrait les doigts.

En février 2001, c'est avec une majorité écrasante que Sharon est devenu Premier ministre. Les Israéliens avaient décidé que si Arafat n'acceptait pas mon offre, il n'en accepterait aucune autre, et que, privés d'interlocuteur pour parler de la paix, ils préféraient être gouvernés par le leader le plus offensif et le plus intransigeant possible. Sharon allait adopter une position dure envers Arafat, position qui serait soutenue par Ehoud Barak et les États-Unis. Presque un an après mon départ, Arafat s'est dit prêt à négocier sur la base des paramètres que j'avais proposés. Il considérait apparemment que l'heure de la décision était enfin arrivée. Mais sa montre était cassée depuis très longtemps.

Le rejet de ma proposition, qu'avait acceptée Barak, fut, de la part d'Arafat, une erreur de dimension historique. Beaucoup d'Israéliens et de Palestiniens continuent néanmoins à vouloir la paix. Elle viendra un jour, et quand elle sera signée, l'accord final ressemblera fort aux propositions formulées à Camp David et réitérées au cours des six longs mois suivants.

Le 3 janvier, je suis allé au Sénat avec Chelsea et toute la famille de Hillary pour assister à la prestation de serment des nouveaux sénateurs de New York. J'étais tellement excité que j'ai failli passer par-dessus la balustrade. Et, pendant dix-sept jours, nous allions être, Hillary et moi, le premier couple de l'histoire américaine à servir à la Maison Blanche et au Sénat. Mais Hillary suivait maintenant sa route toute seule. Tout ce que je pouvais faire c'était demander à Trent Lott de ne pas être trop dur avec elle et lui proposer de la remplacer dans le comté de Westchester où elle faisait un travail social.

Le lendemain, nous avons célébré à la Maison Blanche quelque chose qui m'a rappelé ma mère, la loi sur la prévention des cancers du sein et du col de l'utérus. Cette loi permettait aux femmes atteintes d'une de ces maladies et privées d'assurances de bénéficier d'une aide médicale pleine et entière.

Le 5 janvier, j'ai annoncé que nous allions protéger trois millions d'hectares de forêt primaire répartis dans trente-neuf États, en interdisant la construction de routes et la déforestation, notamment dans la forêt nationale de Tongass, en Alaska, la dernière grande forêt pluviale tempérée des États-Unis. Cette décision allant à l'encontre des intérêts des négociants en bois, je me suis dit que l'administration Bush voudrait peut-être la récuser pour des raisons économiques, mais 5 % seulement du bois provenaient de forêts nationales et 5 % seulement de cette quantité provenaient de zones dénuées de routes. Nous pouvions nous passer de cette petite quantité de bois pour préserver un trésor national inestimable.

Je suis ensuite allé à Fort Myer pour la traditionnelle cérémonie d'adieu des forces armées, qui comprend la présentation du drapeau, un drapeau frappé du sceau de la présidence, et la remise de médailles offertes par chacune des branches de l'armée. Hillary aussi a reçu une médaille. Bill Cohen a dit qu'en le choisissant, j'avais été le premier Président à nommer un représentant du parti adverse au poste de secrétaire à la Défense.

Il n'y a pas de plus grand honneur, pour un président, que d'être commandant en chef d'hommes et de femmes de toutes races et de toutes religions dont les ancêtres sont nés dans toutes les régions de la terre. Ces hommes et ces femmes sont l'incarnation vivante de notre credo : *E pluribus unum*. Je les ai vus acclamés dans des camps de réfugiés des Balkans, aider les victimes de catastrophes en Amérique centrale, combattre les trafiquants de drogue en Colombie et aux Caraïbes, accueillis à bras ouverts dans les ex-nations communistes d'Europe centrale, occuper des avant-postes lointains en Alaska, monter la garde dans les déserts du Moyen-Orient, et patrouiller dans le Pacifique.

Les Américains entendent parler de notre armée seulement lorsqu'elle se met en campagne. Jamais on ne saura vraiment combien de guerres ont été évitées, combien de morts et combien de larmes ont été épargnées parce que des hommes et des femmes de notre pays ont protégé la paix. Mes relations ont peut-être été difficiles avec l'armée au début, mais j'ai fait beaucoup d'efforts pour être un bon commandant en chef, et je crois avoir laissé notre armée en meilleur état que je ne l'avais trouvée.

Le samedi 6 janvier, après une visite au zoo national pour voir les pandas, Hillary et moi avions organisé une fête d'adieu sur la pelouse sud avec Al et Tipper Gore pour tous les gens qui avaient travaillé, comme salariés ou bénévolement, à la Maison Blanche pendant les huit années de ma présidence. Ils étaient venus par centaines, de très loin parfois. Nous avons passé plusieurs heures à discuter et à évoquer des souvenirs. Al a été acclamé avec enthousiasme lorsque je l'ai présenté comme le candidat choisi par le peuple aux dernières élections. Quand il a demandé que les gens qui s'étaient mariés et qui avaient eu des enfants pendant notre séjour à la Maison Blanche lèvent la main, j'ai été stupéfait par le nombre de mains levées. Quoi qu'en disent les Républicains, nous étions un parti favorable à la famille.

La secrétaire de la Maison Blanche pour les affaires sociales, Capricia Marshall, qui me soutenait depuis 1991 et accompagnait Hillary depuis notre première campagne, m'avait réservé une surprise. Derrière nous, un rideau s'est levé, révélant le groupe Fleetwood Mac qui chantait une fois de plus *Dont' Stop Thinkin' About Tomorrow* [N'arrête pas de penser à l'avenir].

Le dimanche, Hillary, Chelsea et moi sommes allés à l'église méthodiste unifiée de Foundry, et le révérend Phil Wogaman nous a invités à prendre une dernière fois la parole devant cette congrégation qui nous avait adoptés pendant huit ans. Chelsea s'y était fait de bons amis et avait beaucoup appris en travaillant dans l'Appalachian Service de cette église, dans une région retirée du Kentucky. Les fidèles appartenaient à diverses races et nations, étaient riches et pauvres, hétéro- et homosexuels, vieux et jeunes. Foundry avait aidé les sans-abri de Washington, ainsi que les populations et les réfugiés des parties du monde où j'essayais de faire la paix.

Je ne savais pas ce que j'allais dire, mais Wogaman venait d'annoncer que j'allais parler de ma future existence. J'ai déclaré que ma foi allait être mise à l'épreuve par l'obligation de payer mes billets d'avion, et que je serais désorienté en entrant dans une pièce où il n'y aurait pas un orchestre pour jouer *Hail to the Chief* [Salut au chef]. J'ai dit aussi que j'allais faire de mon mieux pour être un bon citoyen, pour aider moralement et financièrement ceux qui auraient mérité un sort meilleur et pour continuer à travailler à la paix et à la réconciliation. En dépit de mes efforts au cours des huit années précédentes, ce type de travail était encore terriblement nécessaire.

En fin de soirée, à New York, j'ai pris la parole devant le forum politique israélien, favorable à la paix, disant que nous espérions encore faire la paix puisque Arafat s'était prononcé en faveur des paramètres, malgré ses réticences. Malheureusement, la plupart de ces réticences dépassaient le cadre des paramètres, à propos des réfugiés et du mur Ouest en tout cas. Mais il avait promis de faire la paix avant mon départ. La communauté juive américaine avait été bonne pour moi. Certains, comme mon ami Haim Saban et comme Danny Abraham, étaient très engagés pour Israël et m'avaient prodigué d'utiles conseils au fil des ans. Beaucoup soutenaient mon travail pour la paix. Quoi qu'il arrive, je devais lui expliquer ma proposition.

Le lendemain, après avoir remis la Citizens Medal à vingt-huit citoyens méritants, dont Mohammed Ali, je suis allé au siège du Parti démocrate pour remercier ses chefs, Ed Rendell, le maire de Philadelphie, et Joe Andrew Je voulais aussi donner un coup de pouce à Terry McAuliffe, qui s'était tellement dévoué pour Al Gore et pour moi, et qui faisait maintenant campagne pour devenir le nouveau chef du Parti. J'étais étonné qu'après avoir déjà abattu tant de travail, Terry veuille en faire encore plus, mais puisque c'était son désir, je l'approuvais. J'ai aussi dit à tous les gens qui avaient rendu énormément de services sans gloire ni reconnaissance à quel point j'appréciais leur dévouement.

Le 9, j'ai entrepris une tournée d'adieux dans les États qui m'avaient été les plus favorables, le Michigan et l'Illinois où la victoire aux primaires le jour de la Saint-Patrick 1992 avait pratiquement assuré ma nomination. Deux jours plus tard, je suis allé dans le Massachusetts qui m'avait donné une majorité plus forte que les autres États en 1996, et dans le New Hampshire où j'avais remporté les primaires début 1992. J'ai aussi inauguré une statue du président Roosevelt dans son fauteuil roulant au FDR Memorial. La communauté des handicapés avait fait une propagande active en faveur de ce projet que la famille Roosevelt avait soutenu. Sur plus de dix mille photos conservées dans les archives, quatre seulement représentaient Franklin D. Roosevelt dans son fauteuil roulant. Les handicapés américains avaient fait beaucoup de chemin depuis.

J'ai fait mes adieux aux habitants du New Hampshire à Dover où, presque neuf ans plus tôt, j'avais promis de leur rester fidèle « jusqu'à la mort du dernier chien ». Beaucoup de mes anciens partisans étaient dans l'assistance. J'en ai appelé plusieurs par leurs noms et je les ai remerciés tous avant de faire un bilan complet de ce que leur travail, pendant cet hiver lointain de 1992, avait rendu possible. Et je leur ai demandé de ne jamais oublier que « même si je n'étais plus président, je serai toujours avec vous, jusqu'à la mort du dernier chien ».

Du 11 au 14, j'ai donné des fêtes pour les membres de mon cabinet, le personnel de la Maison Blanche, et pour des amis à Camp David. Le soir du 14, Don Henley nous a offert un merveilleux concert dans la chapelle de Camp David. Le lendemain était le dernier dimanche que nous passions dans cette ravissante chapelle où nous avions assisté à maints services en compagnie de jeunes marins et des Marines attachés au camp et aux familles des soldats. Ils m'avaient même permis de chanter avec le chœur, n'oubliant jamais de déposer la partition à Aspen, notre bungalow, le vendredi ou le samedi pour que j'aie le temps de répéter.

Le lundi, j'ai pris la parole à l'Université du District de Columbia pour la journée anniversaire de Martin Luther King Jr. Ce jour-là, je fais généralement un travail communautaire quelconque, mais cette fois j'ai voulu profiter de l'occasion pour remercier le District de Columbia de m'avoir accueilli pendant huit ans. Sa représentante au Congrès, Eleanor Holmes Norton, et le maire, Tony Williams, étaient de bons amis à moi, de même que plusieurs membres du conseil municipal. Je les avais aidés, par l'entremise du Congrès, à se doter de la législation dont ils avaient besoin et j'étais intervenu pour éviter que des lois extrêmement indiscrètes soient appliquées. Le District avait toujours beaucoup de problèmes, mais il se portait mieux que huit ans plus tôt, lorsque j'avais fait une promenade préinaugurale sur Georgia Avenue.

J'ai aussi envoyé mon dernier message au Congrès, intitulé La « construction inachevée de l'Amérique unie ». Il était essentiellement fondé sur le rapport final de la Commission raciale et contenait toutes sortes de recommandations : prendre de nouvelles mesures pour mettre fin à l'inégalité raciale dans les systèmes d'éducation, de santé, d'emploi et de justice pénale ; aider les pères absents aux ressources modestes pour qu'ils reprennent leur place au foyer ; donner plus de moyens financiers aux communautés amérindiennes ; améliorer la politique de l'immigration ; voter des lois réprimant la haine raciale ; réformer les lois électorales ; conserver l'AmeriCorps et le bureau pour l'Amérique unie de la Maison Blanche. Nous avions bien avancé depuis huit ans, mais l'Amérique devenait de plus en plus diverse, et il restait beaucoup à faire.

Le 17, lors d'une dernière cérémonie dans le salon est, j'ai annoncé, avec Bruce Babbitt, la protection de huit sites naturels, dont deux le long de la piste tracée par Lewis et Clark en 1803 avec leur guide indien Sacagawea et un esclave nommé York. Nous avions protégé plus de terres dans quarante-huit États qu'aucune administration depuis celle de Theodore Roosevelt.

J'ai ensuite quitté la Maison Blanche pour un dernier voyage présidentiel chez moi, à Little Rock, où j'allais m'adresser aux parlementaires de l'Arkansas. Certains de mes vieux copains étaient toujours au Sénat ou à la Chambre, ainsi que des gens qui avaient commencé leur carrière politique en travaillant avec moi, ou même contre moi. Une vingtaine de personnes originaires de l'Arkansas se sont jointes à moi, avec trois de mes anciens camarades de lycée qui vivaient dans la région de Washington et d'autres, qui avaient fait la liaison entre moi et les parlementaires quand j'étais gouverneur. Chelsea m'accompagnait aussi. Nous sommes passés devant deux écoles qu'elle avait fréquentées, petite, et je me suis dit qu'elle avait bien grandi depuis que Hillary et moi nous penchions sur ses programmes scolaires.

J'ai remercié tous les citoyens de l'Arkansas qui m'avaient aidé à arriver là où j'étais maintenant, à commencer par deux hommes qui n'étaient plus, le juge Frank Holt et le sénateur Fulbright. J'ai exhorté les parlementaires à faire pression sur le gouvernement fédéral pour qu'il soutienne les États dans les domaines de l'éducation, du développement économique, de la santé et de la réforme des services sociaux. Et pour terminer, j'ai dit à mes vieux amis que j'allais quitter la présidence, plein de gratitude pour « le mystère de cette grande démocratie qui a donné au petit garçon de South Hervey Street à Hope, Arkansas, la chance de s'élever jusqu'à la Maison Blanche [...]. Je suis peut-être le président qui ne doit son élection qu'à ses amis personnels sans lesquels jamais je n'aurais gagné ». J'ai quitté mes amis pour rentrer à Washington terminer mon travail.

Le soir suivant, après avoir passé la journée à régler des problèmes de dernière minute, j'ai adressé un bref discours d'adieu à la nation depuis le Bureau ovale. Après avoir remercié le peuple américain de m'avoir donné l'occasion de servir mon pays et brièvement résumé ma philosophie et mon bilan, j'ai fait trois observations à propos de l'avenir, disant que nous devions maintenir le cap de la responsabilité fiscale ; que pour notre sécurité et notre prospérité nous devions mener la lutte en faveur de la prospérité et de la liberté et contre le terrorisme, le crime organisé, le trafic de drogue, la dissémination des armes létales, la dégradation de l'environnement, la maladie et la pauvreté dans le monde ; et enfin qu'il fallait continuer à « intégrer des fils de toutes les couleurs dans le tissu de l'Amérique unie ».

J'ai souhaité bonne chance au président Bush et à sa famille, et j'ai dit que je lui laissais une présidence « plus idéaliste et confiante que je ne l'avais trouvée le jour de mon arrivée, et plus optimiste que jamais dans l'avenir de l'Amérique ».

Le 19, ma dernière journée entière en tant que président, j'ai fait une déclaration sur les mines terrestres, disant que depuis 1993 les États-Unis avaient détruit plus de 3,3 millions des leurs et dépensé cinq cents millions de dollars pour le déminage dans trente-cinq pays, et que nous faisions d'énormes efforts pour trouver une solution de remplacement qui protégerait aussi nos troupes. J'ai demandé à la nouvelle administration de poursuivre le travail de déminage pendant encore dix ans.

Lorsque je suis rentré à la résidence, il était tard et nous n'avions pas encore fini d'emballer toutes nos affaires. Il y avait des cartons partout et je devais encore décider quels vêtements il fallait envoyer où – à New York, à Washington, dans l'Arkansas. Ni Hillary ni moi n'avions envie de dormir ; nous voulions simplement nous balader de pièce en pièce. Nous nous sentions tout aussi honorés d'être logés dans cette demeure que le premier soir, quand nous étions rentrés du bal. Je n'avais jamais cessé d'en apprécier chaque recoin. Il me paraissait presque incroyable que nous y ayons passé huit ans et qu'il faille maintenant la quitter.

Je suis allé dans la chambre de Lincoln pour relire une dernière fois le manuscrit de la Gettysburg Address et contempler la lithographie où il signait la proclamation de l'émancipation des Noirs, à l'endroit exact où je me tenais. Je suis allé dans la chambre de la Reine et j'ai pensé à Winston Churchill et aux trois semaines difficiles qu'il avait passées là pendant la Seconde Guerre mondiale. Dans mon bureau, je me suis assis à la table des Traités et j'ai regardé les rayonnages vides et les murs nus, en pensant à toutes les réunions qui s'étaient tenues là, à tous les coups de fil que j'avais passés à propos de l'Irlande du Nord, du Moyen-Orient, de la Russie, de la Corée et de problèmes intérieurs. C'est aussi dans cette pièce que j'avais lu la Bible, des livres, des lettres, et que j'avais prié Dieu de me guider pendant toute l'année 1998.

Plus tôt dans la journée, j'avais préenregistré ma dernière allocution qui devait être radiodiffusée juste avant que je quitte la Maison Blanche. Je remerciais le personnel de la Maison Blanche, mon équipe de conseillers, les services secrets, le cabinet et Al Gore de tout ce qu'ils avaient fait pour me permettre de servir mon pays. Et j'ai tenu ma promesse de travailler jusqu'au dernier moment en dégageant cent millions de dollars supplémentaires pour les services de police ; les nouveaux policiers ayant contribué à ce que notre taux de criminalité soit le plus bas jamais enregistré depuis un quart de siècle.

Bien après minuit, je suis retourné au Bureau ovale pour ranger, emballer et répondre à quelques lettres. Assis à mon bureau, seul, j'ai pensé à tout ce qui s'était passé depuis huit ans et au peu de temps qui me restait. J'allais bientôt effectuer le transfert de pouvoir et me retirer. Hillary, Chelsea et moi prendrions l'avion présidentiel pour un dernier voyage avec l'excellent équipage qui nous avait transportés d'un bout à l'autre du monde ; mes conseillers les plus proches ; mon nouveau détaché des services secrets ; certains militaires comme Glen Maes, intendant de la Marine qui confectionnait à chacun de mes anniversaires des gâteaux spécialement décorés et Glenn Powell, sergent de l'armée de l'Air, qui faisait en sorte que nos bagages ne soient jamais égarés ; et quelques-unes des personnes qui m'avaient « fait entrer dans la danse », comme les Jordan, les McAuliffe, les McLarty et Harry Thomason.

Il y aurait aussi, pour ce dernier voyage, des journalistes. L'un d'eux, Mark Knoller, de *CBS Radio*, avait couvert tous mes faits et gestes pendant huit ans et mené l'une des nombreuses interviews que j'avais données au cours des semaines passées. Mark m'avait demandé si je n'avais pas peur que « s'achève la meilleure partie de ma vie ». J'ai répondu que j'avais vécu toutes les parties de ma vie avec plaisir, que j'avais toujours « trouvé quelque chose d'utile à faire, des activités qui m'intéressaient et dans lesquelles je pouvais m'investir ».

J'avais hâte de commencer ma nouvelle vie, de construire ma bibliothèque, de me dévouer au bien public en travaillant dans ma fondation, de soutenir Hillary, et d'avoir plus de temps pour lire, jouer au golf, écouter de la musique et voyager sans me presser. Je savais que je ne m'ennuierais pas et que, si je restais en bonne santé, je pourrais faire encore beaucoup de bien. Mais la question de Mark Knoller avait touché un point sensible. Je regretterais mon travail à la Maison Blanche. J'avais adoré être président, même dans les mauvais jours.

J'ai réfléchi à la note que j'allais écrire au président Bush et laisser sur le bureau, comme son père l'avait fait pour moi huit ans auparavant. Je voulais être courtois et encourageant, comme George Bush l'avait été à mon égard. George W. Bush serait bientôt le Président de notre peuple, et je lui souhaitais bonne chance. J'avais écouté avec attention ce que Bush et Cheney disaient pendant la campagne. Je savais que leur vision du monde était très différente de la mienne, et qu'ils voudraient défaire beaucoup de ce que j'avais fait, notamment dans les domaines de l'économie et de l'environnement. Je pensais qu'ils feraient passer leurs réductions d'impôts et que nous reviendrions rapidement aux déficits considérables des années 1980. Je savais qu'en dépit de ses commentaires encourageants sur l'éducation et l'AmeriCorps Bush subirait des pressions l'incitant à réduire les dépenses intérieures, en particulier pour l'éducation, les gardes d'enfants, les programmes parascolaires, la police des rues, la recherche innovante et l'environnement. Mais je ne pouvais rien y faire.

Je pensais que les partenariats internationaux que nous avions mis en place après la fin de la guerre froide seraient compromis par la position beaucoup plus unilatérale des Républicains – qui étaient contre le traité d'interdiction des essais [nucléaires], le traité sur le changement climatique, le traité ABM et la Cour pénale internationale.

J'avais observé les Républicains de Washington pendant huit ans, et j'imaginais que le président Bush serait, dès le début, contraint par la droite et les groupes d'intérêts qui contrôlaient son Parti, d'abandonner le conservatisme compatissant. Les Républicains croyaient à leur politique comme je croyais à la mienne, mais je pensais que les faits et le poids de l'histoire donneraient raison à notre Parti.

Je n'avais aucun moyen de contrôle sur ce qu'allaient devenir mes décisions, les programmes que j'avais lancés ; peu de choses perdurent, en politique. Je ne pouvais pas non plus modifier les jugements qui seraient portés sur mon soi-disant héritage. L'histoire des États-Unis entre la fin de la guerre froide et l'entrée dans le troisième millénaire serait écrite et plusieurs fois réécrite. La seule question importante pour moi, c'était de savoir si j'avais fait ce qu'il fallait pour le peuple américain, dans une ère nouvelle, différente, celle de l'interdépendance mondiale.

Avais-je contribué à resserrer les liens de l'Union en élargissant le champ des possibles, en approfondissant le sens de la liberté et en renforçant les liens de notre communauté ? J'avais en tout cas tenté de faire des États-Unis la force qui conduirait le XXIe siècle vers la paix, la prospérité, la liberté et la sécurité. Je m'étais efforcé de donner à la mondialisation un visage plus humain en exhortant les autres nations à se joindre à nous pour bâtir un monde de responsabilités partagées, de profits partagés et de valeurs communes ; et j'avais essayé de faire en sorte que les États-Unis traversent cette phase de transition vers une ère nouvelle avec espoir et optimisme quant à ce que nous pouvions faire, mais sans perdre de vue ce que les nouvelles forces de destruction pourraient nous faire. Enfin, j'avais tenté de construire une nouvelle politique progressiste ancrée dans les idées nouvelles et les valeurs anciennes, et de soutenir des initiatives semblables à travers le monde. La nouvelle administration et sa majorité au Congrès auraient beau annuler un grand nombre des décisions que j'avais prises, si nous étions du bon côté de l'histoire, la direction que j'avais prise au seuil du millénaire finirait par prévaloir.

Pendant cette dernière nuit dans mon bureau désormais vide, j'ai pensé à la boîte en verre que j'avais posée sur la table basse entre les deux canapés. Elle contenait une pierre que Neil Armstrong avait rapportée de la Lune en 1969. Chaque fois que le ton d'une discussion montait plus que de raison, j'intervenais en disant : « Vous voyez cette pierre ? Elle a 3,6 milliards d'années. Nous, nous ne faisons que passer. Calmons-nous et remettons-nous au travail. »

Cette pierre lunaire avait transformé ma vision de l'histoire et de ce qu'on appelle le « long terme ». Nous sommes sur Terre pour vivre aussi bien et aussi longtemps que possible et pour aider les autres à faire de même. Ce qui arrive ensuite et la façon dont les autres nous considèrent échappe à notre contrôle. Le fleuve du temps nous emporte tous dans son mouvement. Nous n'avons que l'instant. Avais-je profité au mieux du temps qui m'était imparti pour aider les autres ? Ce n'était pas à moi d'en juger. Le jour était presque levé quand je suis revenu à la résidence pour continuer à faire nos bagages et passer quelques moments seul avec Hillary et Chelsea.

Au matin, je suis retourné au Bureau ovale pour rédiger ma note au président Bush. Hillary est descendue aussi. Debout devant la fenêtre nous avons longuement admiré le paysage magnifique où nous avions passé tant de moments mémorables et où j'avais lancé d'innombrables balles de tennis à Buddy. Ensuite, elle est partie, et j'ai écrit ma lettre, seul. Je l'ai posée sur le bureau et j'ai appelé mon équipe pour lui dire au revoir. Accolades, sourires, quelques larmes, et nous avons pris des photos. Ensuite, je suis sorti du Bureau ovale pour la dernière fois.

En passant le seuil les bras grands ouverts, j'ai été acclamé par la presse qui était là pour immortaliser l'instant. John Podesta m'a accompagné pour rejoindre Hillary, Chelsea et les Gore à l'étage où nous devions accueillir nos successeurs. Tout le personnel de la résidence s'était réuni pour nous dire au revoir – l'équipe du ménage, celle des cuisines, le fleuriste, les jardiniers, les portiers, les maîtres d'hôtel et mes ordonnances. Beaucoup d'entre eux nous étaient devenus aussi chers que notre famille. J'ai regardé leurs visages pour en garder le souvenir, ne sachant pas quand je les reverrais, et sachant bien que si je les revoyais ce ne serait plus la même chose. Bientôt une autre famille aurait besoin d'eux.

Un petit groupe de musiciens de la Marine nationale s'est mis à jouer, dans le grand foyer. Je me suis assis au piano avec l'adjudant Charlie Corrado qui jouait pour les présidents depuis quarante ans. Charlie était toujours là quand nous avions besoin de lui, et sa musique avait égayé bien des journées un peu mornes. Hillary et moi avons dansé une dernière fois et, vers 10 h 30, les Bush et les Cheney sont arrivés. Nous avons bu le café et bavardé pendant quelques minutes, avant d'aller tous les huit vers les limousines. Je suis monté avec George W. Bush pour la traditionnelle descente de Pennsylvania Avenue jusqu'au Capitole.

Une heure plus tard, le transfert de pouvoir pacifique qui a contribué à maintenir la liberté dans notre pays pendant plus de deux cents ans était effectué, une fois de plus. Ma famille a dit au revoir à la nouvelle Première Famille et s'est rendue à la base aérienne d'Andrews pour son dernier voyage dans l'avion présidentiel. Après huit ans à la présidence des États-Unis et vingt ans de carrière politique, j'étais redevenu un citoyen anonyme, mais mon cœur était plein de reconnaissance et j'allais continuer à servir mon pays sans cesser de penser à l'avenir.

ÉPILOGUE

Si j'ai écrit ce livre, c'est pour raconter mon histoire, et aussi pour raconter l'histoire de l'Amérique durant la dernière moitié du XXᵉ siècle, pour décrire aussi équitablement que possible les forces qui luttent pour gagner le cœur et l'esprit de ce pays, pour expliquer les défis auxquels est confronté notre monde et comment je crois que notre gouvernement et nos citoyens doivent y répondre ; c'est enfin pour donner aux lecteurs qui n'ont jamais été impliqués dans la vie publique l'idée de ce que c'est que d'être aux affaires, et en particulier d'être président.

Tout en l'écrivant, je me suis pris à revenir en arrière et à revivre les événements tels que je les raconte ici, à éprouver les sentiments d'alors et à raconter les choses telles que je les ai vécues. En retraçant mon second mandat, alors que les querelles partisanes que j'essayais d'apaiser continuaient inlassablement, j'ai aussi essayé de comprendre comment mon passage aux affaires s'insérait dans le flux de l'histoire américaine.

Cette histoire est en grande partie celle de nos efforts pour nous montrer dignes de la mission qui nous a été impartie par nos Pères fondateurs : former « une union plus parfaite ». Aux époques plus calmes, notre pays a été bien servi par notre système bipartite, les progressistes et les conservateurs débattant de ce qu'il fallait changer et de ce qu'il fallait préserver. Mais quand les événements contraignent à changer, nous nous retrouvons mis à l'épreuve, et nous sommes renvoyés à notre mission fondamentale : élargir le cercle des possibles, développer la liberté et renforcer les liens qui unissent notre communauté. Voilà ce que veut dire pour moi rendre notre union plus parfaite.

À chaque tournant, nous avons choisi l'union au détriment de la division : dans les premiers temps de la République, lorsque nous avons créé un système économique et juridique national · pendant la guerre de Sécession.

lorsque nous avons su préserver l'Union et aboli l'esclavage , au tout début du
XXᵉ siècle, lorsque nous sommes passés d'une société agricole à une société
industrielle, en rendant notre gouvernement plus fort pour préserver la
concurrence, en développant des protections pour la classe ouvrière, en aidant
les pauvres, les personnes âgées et les infirmes, et en protégeant nos ressources
naturelles du pillage ; dans les années 1960 et 1970, lorsque nous avons fait
avancer les droits civiques et les droits des femmes. Chaque fois, dans la lutte
pour définir, défendre et étendre notre union, de puissantes forces conservatrices
ont résisté et les conflits politiques et personnels ont été intenses.

En 1993, lorsque je suis arrivé aux affaires, nous étions confrontés à un
autre défi historique affectant l'Union : il s'agissait de passer de l'ère industrielle
à l'âge de l'information globale. Le peuple américain était confronté à de
grands bouleversements dans sa manière de vivre et de travailler, et de grandes
questions se trouvaient posées : fallait-il choisir l'économie globale ou le nationalisme économique ? Fallait-il nous servir de notre puissance militaire, économique et politique pour en répandre les bienfaits et lutter contre les périls
montants d'un monde de plus en plus interdépendant ou se replier sur la forteresse Amérique ? Fallait-il abandonner notre type de gouvernement hérité de
l'ère industrielle, soucieux d'égalité des chances et de justice sociale, ou bien le
réformer pour en conserver les avantages tout en apportant aux gens les outils
pour réussir dans une époque nouvelle ? Notre diversité raciale et religieuse de
plus en plus grande briserait-elle ou bien renforcerait-elle notre communauté
nationale ?

Comme Président, je me suis efforcé de répondre à ces questions d'une
façon qui nous fasse avancer vers une union plus parfaite, en élevant le débat
et en amenant les Américains à créer ensemble un nouveau foyer de vie pour
la politique au XXIᵉ siècle. Les deux tiers des citoyens ont soutenu ma démarche,
mais sur les questions culturelles controversées et sur celle de la baisse des
impôts, l'électorat s'est montré plus divisé. D'âpres attaques personnelles et partisanes ont fait rage, assez semblables à celles que nous avons connues au début
de la République.

Que mon analyse historique soit juste ou non, je juge ma présidence
surtout d'après l'impact qu'elle a exercé sur la vie des gens. Voilà comment je
compte les points : des millions de gens ont eu un nouvel emploi, un nouveau
logement, des bourses d'études ; des enfants ont bénéficié d'une couverture
médicale et de programmes d'aide périscolaire ; des personnes sont passées de
l'assistance sociale au travail ; des familles sont mieux aidées grâce aux congés
parentaux ; davantage de personnes vivent dans des quartiers plus sûrs – tous
ces gens ont une histoire, et elle est meilleure aujourd'hui. La vie s'est améliorée pour tous les Américains parce que l'air et l'eau sont plus propres, et notre
patrimoine naturel est mieux préservé. Nous avons renforcé l'espoir de paix,
de liberté, de sécurité et de prospérité pour les gens du monde entier. Eux
aussi ont une histoire.

Lorsque je suis devenu président, l'Amérique naviguait à vue dans des
eaux inconnues, dans un monde plein de forces positives et négatives sans lien
apparent entre elles. J'avais passé toute mon existence à essayer de faire la
synthèse de mes vies parallèles et j'avais été élevé dans le respect de tout le

monde ; comme gouverneur, j'avais vu les deux versants de la globalisation, positif et négatif. C'est pourquoi j'ai senti que je comprenais où en était mon pays et comment aller vers le siècle nouveau. Je savais comment tenir ensemble tous les fils et combien ce serait difficile.

Le 11 septembre, tout a semblé s'effondrer de nouveau lorsque Al-Qaida s'est servi des outils du monde interdépendant – à savoir des frontières ouvertes, l'immigration et les déplacements facilités, l'accès facile à l'information et à la technologie – pour assassiner près de trois mille personnes appartenant à plus de soixante-dix nations, à New York, à Washington et en Pennsylvanie. Le monde a fait cercle autour de nos morts et du peuple américain, déterminé à lutter contre le terrorisme. Depuis lors, le combat s'est intensifié, avec des différences compréhensibles et sincères chez nous et ailleurs sur la meilleure façon de mener la guerre contre le terrorisme.

Le monde interdépendant dans lequel nous vivons est intrinsèquement instable ; il est riche de possibilités d'avenir et de forces de destruction. Il le restera jusqu'à ce que nous passions de l'interdépendance à une communauté globale plus intégrée, reposant sur un partage des responsabilités, un partage des bénéfices et des valeurs. Édifier ce monde, et vaincre le terrorisme, prendra du temps ; ce sera le grand défi de la première moitié du XXIe siècle. Il me semble qu'il y a cinq choses que les États-Unis devraient accomplir pour aller dans ce sens : se battre contre la terreur et la diffusion des armes de destruction massive, et améliorer nos défenses contre elles ; faire en sorte que nous ayons plus d'amis et qu'il y ait moins de terroristes en aidant la moitié du monde qui ne récolte pas les fruits de la globalisation à surmonter la pauvreté, l'ignorance, la maladie et l'incurie politique ; rendre plus fortes les institutions de coopération globale et travailler par leur entremise à promouvoir la sécurité et la prospérité, et à combattre nos problèmes communs, de la terreur au sida en passant par le réchauffement global ; continuer à faire de l'Amérique un meilleur modèle de la façon dont nous voulons que marche le monde ; et œuvrer pour en finir avec notre tentation ancestrale de croire que nos différences sont plus importantes que notre commune humanité.

Je crois que le monde continuera à progresser de l'isolement à l'interdépendance puis à la coopération parce que nous n'avons pas le choix. Nous avons fait beaucoup de chemin depuis que nos ancêtres se sont pour la première fois mis debout dans la savane africaine, il y a plus de cent mille ans. En quinze ans seulement depuis la fin de la guerre froide, l'Ouest s'est en grande partie réconcilié avec ses vieux adversaires, la Russie et la Chine ; pour la première fois dans l'histoire, plus de la moitié de la population mondiale vit sous des régimes qu'elle a choisis ; la coopération contre la terreur atteint un niveau sans précédent ; nous reconnaissons que nous devons faire plus pour lutter contre la pauvreté, la maladie et le réchauffement global, et pour envoyer davantage d'enfants à l'école ; l'Amérique et beaucoup d'autres sociétés libres ont montré que des gens de toutes races et de toutes religions peuvent vivre ensemble dans le respect mutuel et l'harmonie.

Notre nation ne s'effondrera pas sous les coups de la terreur. Nous la vaincrons. Mais nous devons prendre garde, ce faisant, à ne pas compromettre ce qui fait le caractère de notre pays ou l'avenir de nos enfants. Former une union plus parfaite : cette mission, qui est la nôtre, est désormais globale.

Quant à moi, je travaille toujours à la liste d'objectifs de vie que j'ai dressée lorsque j'étais jeune. Devenir quelqu'un de bien est un effort de toute l'existence ; cela implique de me débarrasser de ma colère à l'égard des autres et d'assumer la responsabilité des erreurs que j'ai commises. Et cela implique du pardon. Avec le pardon que m'ont donné Hillary, Chelsea, mes amis et des millions de gens en Amérique et de par le monde, c'est le moins que je puisse faire. Lorsque, tout jeune en politique, j'ai commencé d'aller dans des églises noires, j'ai entendu pour la première fois dire que ceux qu'on enterrait « rentraient à la maison ». Nous rentrons tous à la maison, et je veux être prêt.

En attendant, je trouve mon bonheur dans la vie que Chelsea se forge, dans le magnifique travail que Hillary abat au Sénat et dans les efforts que mène ma fondation pour améliorer le sort des pauvres en Amérique et de par le monde, pour lutter contre le sida et fournir des médicaments moins chers à ceux qui en ont besoin, et afin de poursuivre mon combat de toujours pour la réconciliation raciale et religieuse.

Ai-je des regrets ? Assurément. Tant privés que publics, comme je l'explique dans ce livre. Je laisse aux autres le soin de juger.

J'ai simplement tenté de raconter l'histoire de mes joies et de mes peines, de mes rêves et de mes craintes, de mes triomphes et de mes échecs. Et je me suis efforcé d'expliquer la différence qu'il y a entre ma vision du monde et celle des gens d'extrême droite contre lesquels je me suis battu. Fondamentalement, ils croient avec sincérité qu'ils détiennent toute la vérité. Ce n'est pas ainsi que je vois les choses. Je crois au contraire que saint Paul avait raison quand il disait que « nous voyons tout pour l'instant à travers un miroir, de façon énigmatique » et que « notre connaissance est relative ». C'est pourquoi il prônait les vertus de la foi, de l'espérance et de l'amour.

J'ai mené une vie inattendue, une vie merveilleuse, pleine de foi, d'espérance et d'amour, et j'ai eu bien plus que mon lot de grâce et de bonne fortune. Quoique imprévue, ma vie aurait été impossible ailleurs qu'en Amérique. À la différence de beaucoup de gens, j'ai eu le privilège de passer mes journées à œuvrer pour ce en quoi j'ai cru depuis que j'étais un petit garçon qui traînait dans la boutique de son grand-père. J'ai grandi aux côtés d'une mère fascinante qui m'adorait, j'ai beaucoup appris de grands enseignants, je me suis fait quantité d'amis loyaux, j'ai bâti une vie d'amour avec la femme la plus accomplie que j'aie jamais connue et j'ai eu un enfant qui continue d'être la lumière de ma vie.

Comme je le disais, je crois que c'est une bonne histoire. En tout cas, j'ai pris du bon temps à la raconter.

REMERCIEMENTS

Je suis redevable aux nombreuses personnes sans qui ce livre n'aurait pu être écrit. Justin Cooper m'a donné deux ans de sa jeunesse pour travailler avec moi chaque jour et, en de nombreuses occasions ces six derniers mois, toute la nuit. Il a organisé et récupéré des montagnes de documents, il a fait des recherches, il a corrigé beaucoup d'erreurs, et il a tapé le manuscrit encore et encore, à partir de plus de vingt gros cahiers de mes gribouillages illisibles. Beaucoup de passages ont été réécrits plus d'une demi-douzaine de fois. Jamais il n'a perdu patience, son énergie n'a jamais fléchi et, dans les dernières longueurs, il semblait parfois me connaître moi et ce que je voulais dire mieux que moi-même. Il n'est pas responsable des erreurs. Et ce livre témoigne de son talent et de ses efforts.

Avant que nous ne commencions à travailler ensemble, on m'avait dit que Robert Gottlieb, mon éditeur, était le meilleur dans le métier. Il s'est avéré l'être et bien plus. J'aurais tellement aimé le rencontrer trente ans plus tôt. Il m'a montré les bons passages et les coupes à faire. Sans son jugement et ses intuitions, ce livre aurait été deux fois plus long et moitié moins bon. Il a lu mon histoire comme quelqu'un qui s'intéresse à la politique mais n'en est pas obsédé. Il m'a ramené au côté humain de ma vie. Et il m'a convaincu de retirer d'innombrables noms de gens qui m'ont aidé tout le long de mon parcours, parce que le grand public ne pourrait suivre. Si vous en faites partie, vous lui pardonnerez, et à moi aussi.

Un livre aussi gros et aussi complet exige de vérifier une pléthore de faits. Dans ce travail, la part du lion est revenue à Meg Thomson, jeune femme brillante qui s'est plongée avec rigueur pendant un an ou presque dans mes archives ; dans les derniers mois, elle a été assistée de Caitlin Klevorick et d'autres volontaires. Ils ont désormais de nombreux exemples attestant que ma mémoire est loin d'être parfaite. S'il subsiste des erreurs factuelles, ce n'est pas par manque d'effort de leur part pour les corriger.

Je ne remercierai jamais assez le personnel de Knopf, à commencer par Sonny Mehta, le président et directeur éditorial. Il a cru dès le début en ce projet et il a fait ce qu'il fallait pour qu'il avance, en particulier me jeter des regards perplexes partout et chaque fois que je le croisais ces deux dernières années, des regards qui disaient à peu près : « Est-ce que vous allez vraiment finir à temps ? » Ou encore : « Pourquoi n'êtes-vous pas chez vous en train d'écrire au lieu d'être là ? » Le regard de Sonny a toujours eu l'effet désiré.

Je dois aussi remercier les nombreuses personnes de chez Knopf qui m'ont aidé. Je suis reconnaissant à l'équipe d'édition et de fabrication de Knopf, aussi obsédée que moi par la précision des détails (même pour un livre aussi pressé que le mien). Merci à Katherine Hourigan, la responsable éditoriale, Andy Hughes, le directeur de la fabrication, Maria Massey, l'infatigable responsable de fabrication, Lydia Buechler, la responsable du service de corrections, Charlotte Gross, la correctrice, Steve Messina, Jenna Dolan, Ellen Feldman, Rita Madrigal et Liz Polizzi, qui ont relu les épreuves, Peter Andersen, le maquettiste, Carol Carson, le directeur artistique de la couverture, les toujours serviables Dian Tejerina et Eric Bliss, ainsi que Lee Pentea.

Je veux également remercier tous les autres gens qui, chez Knopf, m'ont aidé : Tony Chirico, pour ses conseils avisés, Jim Johnston, Justine LeCates et Anne Diaz, Carol Janeway et Suzanne Smith, Jon Fine, Pat Johnson, pour ses compétences en matière de promotion et de marketing, Paul Bogaards, Nina Bourne, Nicholas Latimer, Joy Dallanegra-Sanger, Amanda Kauff, Sarah Robinson et Anne-Lise Spitzer. Merci à l'équipe de North Market Street Graphics, Coral Graphics et R. R. Donnelley & Sons.

Robert Barnett, bon juriste et ami de longue date, a négocié le contrat avec Knopf ; lui et son associé ont travaillé tout au long du projet lorsque les éditeurs étrangers sont entrés en jeu. Merci à eux.

Lorsque j'étais à la Maison Blanche, depuis la fin de 1993, je me réunissais avec mon vieil ami Taylor Branch une fois par mois pour un peu d'historiographie orale. Ces conversations de l'époque m'ont aidé à me rappeler certains moments à la présidence. Lorsque j'ai quitté la Maison Blanche, Ted Widmer, un bon historien qui avait travaillé à la Maison Blanche pour écrire des discours, a réalisé une histoire orale de ma vie avant la présidence qui m'a aidé à revenir en arrière et à organiser mes vieux souvenirs. Janis Kearney, la mémorialiste de la Maison Blanche, m'a laissé de volumineuses notes qui m'ont permis de reconstruire les événements au jour le jour.

J'ai pu apprécier la relecture technique et juridique rigoureuse du manuscrit par David Kendall et Beth Nolan.

Les photographies ont été sélectionnées avec l'aide de Vincent Virga qui en a trouvé beaucoup saisissant les instants particuliers racontés dans ce livre, et de Carolyn Huber, qui est restée avec notre famille pendant les années passées à la résidence du gouverneur de l'Arkansas et à la Maison Blanche. Quand j'étais président, Carolyn a aussi organisé tous les papiers privés et les lettres datant de l'époque où j'étais petit garçon à 1974, tâche ardue sans laquelle une large part de la première partie de ce livre n'aurait pu être écrite. Les archivistes et les historiens de Georgetown et d'Oxford nous ont aussi aidés.

J'ai une dette à l'égard de ceux qui ont lu tout ou partie de ce livre et m'ont adressé d'utiles suggestions d'ajouts, de soustractions, de réorganisations, de mises en perspective et d'interprétation, notamment Hillary, Chelsea, Dorothy Rodham, Doug Band, Sandy Berger, Tommy Caplan, Mary DeRosa, Nancy Hernreich, Dick Holbrooke, David Kendall, Jim Kennedy, Ian Klauss, Bruce Lindsey, Ira Magaziner, Cheryl Mills, Beth Nolan, John Podesta, Bruce Reed, Steve Ricchetti, Bob Rubin, Ruby Shamir, Brooke Shearer, Gene Sperling, Strobe Talbott, Mark Weiner, Maggie Williams et mes amis Brian et Myra Greenspun, qui étaient avec moi lorsque la première page a été écrite.

Beaucoup de mes amis et collaborateurs ont pris du temps pour refaire oralement l'histoire avec moi, notamment Huma Abedin, Madeleine Albright, Dave Barram, Woody Bassett, Paul Begala, Paul Berry, Jim Blair, Sidney Blumenthal, Erskine Bowles, Ron Burkle, Tom Campbell, James Carville, Roger Clinton, Patty Criner, Denise Dangremond, Lynda Dixon, Rahm Emanuel, Al From, Mark Gearen, Ann Henry, Denise Hyland, Harold Ickes, Roger Johnson, Vernon Jordan, Mickey Kantor, Dick Kelley, Tony Lake, David Leopoulos, Capricia Marshall, Mack McLarty, Rudy Moore, Bob Nash, Kevin O'Keefe, Leon Panetta, Betsey Reader, Dick Riley, Bobby Roberts, Hugh Rodham, Tony Rodham, Dennis Ross, Martha Saxton, Eli Segal, Terry Schumaker, Marsha Scott, Michael Sheehan, Nancy Soderberg, Doug Sosnik, Rodney Slater, Craig Smith, Gayle Smith, Steve Smith, Carolyn Staley, Stephanie Street, Larry Summers, Martha Whetstone, Delta Willis, Carol Willis, et plusieurs de mes lecteurs. Je suis sûr que j'en ai oublié. Si c'est le cas, je suis désolé et j'apprécie leur aide aussi.

Mes recherches ont aussi été beaucoup aidées par les nombreux livres écrits par des membres de mon administration ainsi que par d'autres personnes, et bien sûr par les mémoires de Hillary et de ma mère.

David Alsobrook et l'équipe du Clinton Presidential Materials Project ont fait preuve de patience et de ténacité pour retrouver certains documents. Je veux les remercier tous : Deborah Bush, Susan Collins, Gay Foulk, John Keller, Jimmie Purvis, Emily Robison, Rob Seibert, Dana Simmons, Richard Stalcup, Rhonda Wilson. Et l'historien de l'Arkansas David Ware.

Tandis que j'étais absorbé dans l'écriture de ce livre ces derniers deux ans et demi, surtout les six derniers mois, le travail de ma fondation s'est poursuivi par la construction de la bibliothèque et la continuation de nos missions : lutter contre le sida en Afrique et dans les Caraïbes, et fournir des médicaments et des tests moins chers dans le monde entier ; améliorer le sort économique des pauvres en Amérique, en Inde et en Afrique ; développer l'éducation et les services publics auprès des jeunes aux États-Unis et à l'étranger ; plaider pour la réconciliation religieuse, raciale et ethnique de par le monde. Je veux remercier ceux dont les dons ont permis à ma fondation de travailler, ainsi que pour la construction de la bibliothèque présidentielle et de la faculté Clinton de service public à l'Université de l'Arkansas. Je suis reconnaissant à Maggie Williams, ma secrétaire générale, pour tout ce qu'elle a fait pour faire bouger les choses et aider à ce livre. Je veux remercier les membres de ma fondation et le personnel administratif pour tout ce qu'ils ont accompli afin de continuer le travail de la fondation et de ses programmes tandis que j'écrivais ce livre. Mention spéciale à Doug Band, mon conseiller, qui m'a aidé depuis le jour où j'ai quitté la Maison Blanche à me faire une nouvelle vie et a lutté pour protéger mon temps d'écriture de ce livre lors de nos voyages en Amérique et dans le monde.

J'ai aussi une dette à l'égard d'Oscar Flores, qui s'occupe de ma maison de Chappaqua. Durant les nombreuses nuits où Justin Cooper et moi travaillions, Oscar s'est assuré que nous n'oublîions pas de dîner et nous approvisionnait en café.

Enfin, je ne peux dresser la liste de tous les gens qui ont rendu possible cette chronique de ma vie – tous les professeurs et modèles de ma jeunesse, les personnes qui ont travaillé et contribué à toutes mes campagnes électorales, celles qui ont travaillé avec moi au Democratic Leadership Council, à l'Association nationale des gouverneurs, et à toutes les autres organisations qui ont contribué à ma formation à la politique, celles qui ont œuvré avec moi pour la paix, la sécurité et la réconciliation dans le monde, les milliers de gens talentueux qui ont travaillé dans mon administration, lorsque j'étais ministre de la Justice, gouverneur et président, et sans qui j'aurais eu bien peu à dire sur mes années au service du bien public, celles qui ont assuré ma sécurité et celle de ma famille, et mes amis de toujours. Aucun d'eux n'est responsable des échecs de ma vie, mais je dois les créditer d'une bonne partie de ce qui en est sorti de bon.

INDEX

CRÉDITS PHOTOGRAPHIQUES

Cahiers photos choisis, édités et conçus par Vincent Virga,
avec l'assistance de Carolyn Huber.
Nous avons fait nos meilleurs efforts pour rechercher les ayants droit ;
en cas d'omission et sur notification de l'éditeur,
des corrections seront faites sur les éditions ultérieures.

CAHIER PHOTO 1

Sauf autres mentions, toutes les photos sont tirées de la collection de l'auteur.
AP/Wide World Photo : p. 15, en bas à droite.
Arkansas Democrat-Gazette : p. 5, en haut à droite ; p. 6, en haut à gauche ;
    p. 10, en haut à droite ; p. 15, en haut.
Arsenio Hall Show, Paramount Pictures : p. 15, en bas à gauche.
PF Bentley Archive, Center for American History, UT-Austin : p. 13,
    au centre à droite et à gauche ; p. 14, au centre à droite et en bas.
PF Bentley/pfpix.com : p. 13, en bas.
Donald R. Broyles/Office of Governor Clinton : p. 9, au centre à gauche.
Clinton Presidential Materials Project : p. 14, en haut à gauche, en haut
    à droite et à gauche.
Tipper Gore : p. 13, en haut.
Harry Hamburg/*Daily News* de New York : p. 16, en bas
Morning News of Northwest Arkansas : p. 7, en bas.
Jim Perry, *The Hope Star* : p. 3, en bas à droite.
Brooke Shearer : p. 6, en bas à gauche.
Joseph Sohm/visionofamerica.com : p. 15, en haut à droite

CAHIER PHOTO 2

Sauf autres mentions, toutes les photos sont du Clinton Presidential Materials
    Project, Little Rock, Arkansas.
AP/Wide World Photos : p. 10, en bas à droite ; p. 15, en haut à gauche.
The Architect of Capitol : p. 1, en haut à gauche.
Collection de l'auteur : p. 5, en haut à droite ; p. 15, au milieu à droite.
Diana Walker/*Time* : p. 2, en haut à gauche ; p. 13, en bas ; p. 16, en haut
    à gauche.

Cet ouvrage a été imprimé par

FIRMIN DIDOT

GROUPE CPI

Mesnil-sur-l'Estrée

pour le compte des Éditions Odile Jacob
en juin 2004

Cet ouvrage a été transcodé et mis en pages
chez Nord Compo (Villeneuve-d'Ascq)

N° d'impression : 69018
N° d'édition : 7381-1553-1
Dépôt légal : juin 2004

Imprimé en France